Italie

Damien Simonis

Abigail Hole, Alex Leviton, Alison Bing, Brendan Sainsbury

Cristian Bonetto, Duncan Garwood, Gregor Clark,

Josephine Quintero, Virginia Maxwell

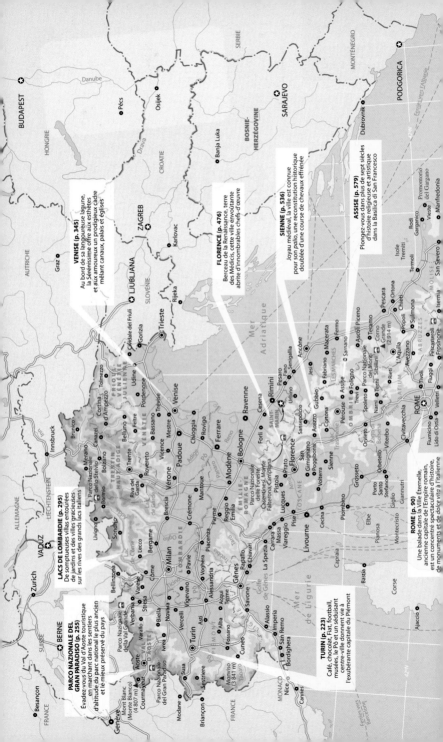

BERNE ✪

PARCO NAZIONALE DEL GRAN PARADISO (p. 255)
Évadez-vous du Val d'Aoste touristique en marchant dans les sentiers d'altitude du parc national le plus ancien et le mieux préservé du pays

LACS DE LOMBARDIE (p. 295)
De somptueuses villas entourées de jardins et des villes gracieuses sur les rives des grands lacs italiens

VENISE (p. 345)
Au bord de sa langoureuse lagune, la Sérénissime offre aux esthètes et aux amoureux un prodigieux cadre mêlant canaux, palais et églises

FLORENCE (p. 476)
Berceau de la Renaissance, terre des Medicis, cette ville envoûtante abrite d'innombrables chefs-d'œuvre

SIENNE (p. 536)
Joyau médiéval, la ville est connue pour son palio, une reconstitution historique doublée d'une course de chevaux effrénée

ASSISE (p. 579)
Plongez-vous dans plus de sept siècles d'histoire religieuse et artistique dans la Basilica di San Francesco

ROME (p. 90)
Une balade dans la ville éternelle, ancienne capitale de l'Empire romain, est un concentré spectaculaire d'histoire, de monuments et de dolce vita à l'italienne

TURIN (p. 223)
Cafés, chocolat, Fiat, football, musées, le Pô et un séduisant centre-ville donnent vie à l'exubérante capitale du Piémont

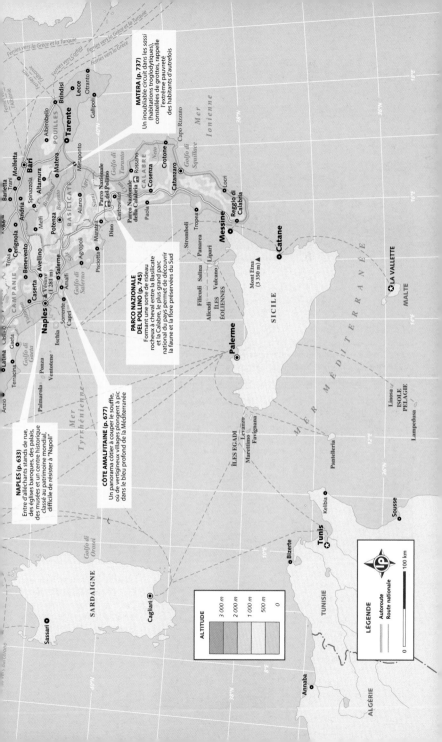

MATERA (p. 737)
Un inoubliable circuit dans les *sassi* (habitations troglodytiques), constellées de grottes, rappelle l'extrême pauvreté des habitants d'autrefois

PARCO NAZIONALE DEL POLLINO (p. 745)
Formant une sorte de rideau rocheux à cheval entre la Basilicate et la Calabre, le plus grand parc national du pays permet de découvrir la faune et la flore préservées du Sud

CÔTE AMALFITAINE (p. 677)
Un panorama côtier à couper le souffle, où de vertigineux villages plongent à pic dans le bleu profond de la Méditerranée

NAPLES (p. 633)
Entre d'alléchants stands de rue, des églises baroques, des palais, des musées et un centre historique classé au patrimoine mondial, difficile de résister à "Napoli"

Ferries vers la Grèce et la Turquie
Ferries vers la Grèce et la Turquie
Ferries vers la Grèce

Lecce
Otranto
Brindisi
Gallipoli
Tarente
POUILLES
Alberobello
Bari
Molfetta
Trani
Barletta
Spinazzola
Matera
Andria
Metaponto
Cerignola
Altamura
Melfi
Potenza
BASILICATE
Golfo di Taranto
Troia
Benevento
CAMPANIE
Avellino
Agropoli
Aliano
Maratea
Castrovillari
Rossano
Neto
Crotone
Caserta
Salerne
Sorrente
Amalfi
Pisciotta
Dino
Parco Nazionale del Pollino
CALABRE
Cosenza
Catanzaro
Golfo di Squillace
Capo Rizzuto
Mer Ionienne
Naples
Vésuve (1281 m)
Capri
Ischia
Golfo di Salerno
Parco Nazionale della Calabria
Paola
Locri
Reggio di Calabria
Tropea
Stromboli
Panarea
Messine
Catane
Cassino
Latina
Gaeta
Terracina
Anzio
Ponza
Ventotene
Palmarola
Golfo di Gaeta
Mer Tyrrhénienne
Filicudi
Salina
Panarea
Alicudi
Vulcano Lipari
ÎLES ÉOLIENNES
Mont Etna (3 350 m) ▲
SICILE
Palerme
ÎLES EGADI
Levanzo
Marettimo
Favignana
Pantelleria
MER MÉDITERRANÉE
MALTE
LA VALLETTE ✪
Linosa
ISOLE PELAGIE
Lampedusa
SARDAIGNE
Golfo di Orosei
Sassari
Cagliari
Kelibia
Tunis ✪
Bizerte
TUNISIE
Sousse
ALGÉRIE
Annaba

LÉGENDE
Autoroute
Route nationale
0 — 100 km

ALTITUDE
3 000 m
2 000 m
1 000 m
500 m
0

Sur la route

DAMIEN SIMONIS

Quand on se promène autour du lac de Côme (p. 300), difficile de ne pas s'imaginer milliardaire ! Même le Gotha doit parfois emprunter les ferries (celui-ci allait de Bellagio à Cadenabbia) : une occasion unique pour un pauvre mortel d'admirer une Ferrari rouge vif, summum du luxe à l'italienne.

CRISTIAN BONETTO Naples (p. 633) possède quantité de lieux plus insolites les uns que les autres : il suffit d'explorer les aqueducs, réservoirs et grottes qui truffent le sol de la ville pour s'en convaincre. Le temps y est comme suspendu, et chaque détour recèle une nouvelle surprise à caractère historique, des graffitis antifascistes aux amphores helléniques antiques.

ALISON BING Malgré les apparences, je prends mon travail de recherche très au sérieux. Sur cette photo, je goûte le Valpolicella pour le chapitre *La cuisine italienne*, au cours d'un *giro d'ombra* (tournée des bars), sur le Campo San Giacomo dell'Orio (p. 361), à Venise. Une pareille abnégation, cela force le respect, vous ne trouvez pas ?

GREGOR CLARK Mon voyage en Émilie-Romagne (p. 425) restera une expérience inoubliable : des villes d'art, une campagne émaillée de châteaux et de citadelles, une gastronomie hors pair et la possibilité de faire de merveilleuses excursions et promenades à pied et à vélo.

VIRGINIA MAXWELL Mon fils et moi traversions l'Arno, après avoir passé une heure ou deux dans la Via de' Tornabuoni (p. 483). Pendant qu'il prenait la photo, je convertissais mentalement en dollars australiens le prix du sac Gucci que je venais d'acheter. Mon visage dépité vous donne une idée du calcul !

BRENDAN SAINSBURY Au menu : chocolat, football, musée du cinéma, savoureux café, Slow Food et Fiat roulant à toute allure. Un jour à Turin (p. 223)…

DUNCAN GARWOOD Explorer l'arrière-pays des Abruzzes, avec ses trois parcs nationaux, et la Molise (p. 617), au littoral sablonneux, est tout sauf un calvaire. Si vous aimez la nature sauvage et la solitude, ces deux petites régions italiennes sont entièrement à vous !

JOSEPHINE QUINTERO Les *trulli* d'Alberobello (p. 717) sont si féeriques et l'architecture si extraordinaire que l'on se croirait presque dans un parc d'attractions… J'y suis restée tout l'après-midi, jusqu'à ce que les touristes remontent dans leurs bus et que les habitants retrouvent leurs étranges logements. La vie quotidienne a repris son cours, apparemment inchangée depuis plus d'un siècle.

ALEX LEVITON Un de mes amis exploite depuis 2004 un petit domaine viticole dans un coin tranquille du centre de Pérouse (p. 565). Un petit édifice se dresse sur la propriété, au sommet d'une forteresse papale du XIVe siècle. Invitée à une fête, je suis arrivée munie de mon fidèle carnet de notes. Si vous voulez voir le vignoble, arrêtez-vous au point panoramique près de la Piazza Rossi Scotti, et jetez un coup d'œil derrière la porte verte.

ABIGAIL HOLE À Rome (p. 90), je fais comme les Romains… Pour moi, il n'y a qu'un seul moyen de découvrir la ville : en scooter. Lire la carte en conduisant cet engin n'est pourtant pas une mince affaire, sans parler des routes de la sublime campagne du Latium, où je risque de me casser le cou à chaque virage… Il ne me reste qu'à demander de l'aide à quelqu'un de plus expérimenté, un habitant du cru, né sur un scooter, pour dénicher les trésors cachés de Rome et du Latium.

La biographie complète des auteurs figure en p. 804

À ne pas manquer

L'Italie est une terre de fabuleuses découvertes. Rome et ses vestiges impériaux ; Florence et Venise, véritables musées à ciel ouvert ; Naples et ses extravagances baroques… Mille autres tentations attendent les visiteurs : skier dans une petite station du Val d'Aoste, à deux pas de la frontière française, ou randonner dans les Dolomites ? Explorer les collines de Toscane ou les côtes de la Calabre ? Ou bien passer une nuit dans une ferme reconvertie et déguster de succulentes recettes du terroir ? Le seul problème, c'est de savoir par où commencer…

JON DAV

① COUP DE FOUDRE AU DUOMO

Je l'ai prise par la main et je lui ai dit : *"Suis-moi ! Pas de discussion !"*. Après avoir déambulé quelques centaines de mètres dans les rues étroites, je lui ai dit de fermer les yeux et je l'ai amenée sur la place. *"Regarde !"* Elle s'est retrouvée avec le Duomo de Florence (p. 481) juste devant elle. Ça a été le coup de foudre. Je n'oublierai jamais son regard.

Mckellan (pseudonyme forum Thorn Tree), voyageur, Australie

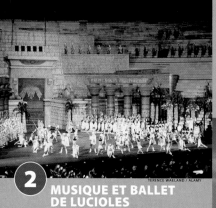

TERENCE WAELAND / ALAMY

WALTER BIBIKOW / PHOTOLIBRARY

LE SABLE, LE SOLEIL ET LA MER

Des plages inoubliables se trouvent près du talon de la botte, dans la péninsule Salentine, près de la ville historique de Gallipoli (p. 732).

Josephine Quintero, auteur Lonely Planet, Espagne

3

2

MUSIQUE ET BALLET DE LUCIOLES

La magie de Vérone. Nous étions en juillet, il avait fait une chaleur écrasante, mais le soir, je suis allée assister à un opéra donné dans les arènes (p. 393). Le cadre était idyllique, la musique enchanteresse et les lucioles virevoltaient dans la lumière des projecteurs. Féerique, tout simplement.

MsMrd (pseudonyme forum Thorn Tree), voyageuse, Finlande

JOHN ELK III

4

LES DOLOMITES

Les Dolomites (p. 315). Il existe sans doute, quelque part sur la Terre, des montagnes plus hautes et présentant une plus grande variété géologique. Mais pour moi, ces monolithes nimbés de rose ont quelque chose de magique. Est-ce leur profil effilé, le riche héritage des légendes ladines, ou encore le fait que cette région du nord de l'Italie a vu naître plus d'alpinistes que n'importe où sur la planète ?

Brendan Sainsbury, auteur Lonely Planet, Canada

À PÉROUSE

La première fois que je suis allé en Italie, c'était à Pérouse (p. 565), en 1998. Par une chaude soirée de juin, sur le Corso Vannucci, des centaines de Pérousiens, étudiants, adolescents, jeunes parents, grand-mères et grands-pères, faisaient la *passeggiata,* main dans la main ou bras dessus, bras dessous. Attablés aux terrasses des cafés du Corso, des groupes dînaient, discutaient et riaient. La *dolce vita* prenait tout son sens : prendre la vie du bon côté, entouré de ses proches. Pérouse, décidément, incarne tout ce que j'aime dans le mode de vie à l'italienne.

Alex Leviton, auteur Lonely Planet, États-Unis

EDDY BUTTARELLI / PHOTOLIBRARY

LES CAFÉS DE TRIESTE

Un incontournable serveur, impeccablement vêtu, une tasse d'expresso en équilibre sur un plateau d'argent. Derrière le bar en acajou, assis dans un coin sous la lumière tamisée des lampes Art nouveau, entre les vestiges nostalgiques d'une *Mitteleuropa* depuis longtemps révolue, un vieil homme au regard mélancolique a tout de James Joyce songeant à *Ulysse.*

**Brendan Sainsbury, auteur
Lonely Planet, Canada**

SIME/MEZZANOTTE SUSY

SIME/KA

VENISE, COMME EN RÊVE

Venise, c'est exactement ce que vous avez toujours imaginé : la place Saint-Marc (p. 355), un verre et un en-cas au Caffè Florian en regardant les promeneurs et les pigeons, la musique, et tout ça pour un prix exorbitant, avec pour privilège le fait d'être là, tout simplement. C'est, ma foi, un grand plaisir.

Pete Coach, voyageur, Canada

RACHEL LEWIS

UN PAYSAN DANS LA BASILIQUE SAINT-MARC

En franchissant le portail de la basilique (p. 355, j'essaye de me figurer ce que pouvait ressentir, au Moyen Âge, un paysan vêtu de toile de jute, en voyant pour la première fois les cinq dômes ornés de chatoyantes mosaïques couleur or. Un mélange de stupéfaction et d'humilité ? Les tenues modernes sont moins rêches, mais les millions de minuscules carreaux dorés sont d'une telle somptuosité que l'on se sent aussi humble que le paysan du XIIᵉ siècle…

Alison Bing, auteur Lonely Planet, États-Unis et Italie

8

À VÉLO SUR LES REMPARTS DE LUCQUES

Je commençais à payer le prix de trois semaines de musées, d'églises et de repas gourmands : assez d'Annonciations, de Crucifixions et d'*antipasti* toscans, il me fallait de l'air frais et un peu d'activité physique. Une solution : faire le tour des imposants remparts Renaissance de Lucques (Lucca ; p. 514) à vélo…

Virginia Maxwell, auteur Lonely Planet, Australie

9

KRZYSZTOF DYDYNSKI

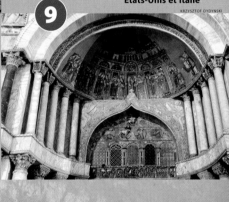

ROBERTO GEROMETTA

10

BEL PAESE

Le lac de Côme (p. 300) est d'une ensorcelante beauté à tous les moments de la journée. Le matin cependant, lorsque le soleil vient ricocher à la surface de l'eau, il étincelle comme un diamant.

Catherine Le Nevez, voyageuse, France

BOLOGNE LA MAGNIFIQUE

Bologne (p. 426) n'a rien d'un musée.
Ici, le passé n'est qu'une toile de fond,
devant laquelle se joue la vie quotidienne.
Avec sa merveilleuse cuisine, ses boutiques
huppées, ses manifestations culturelles
et son architecture, Bologne témoigne
d'un grand raffinement. Il semble bien
que tout, à Bologne, est *a misura di uomo*
(à la mesure de l'homme).

Sandra Haywood, voyageuse,
Royaume-Uni

LH IMAGES / ALAMY

ANTONELLO LANZELLOTTO / PHOTOLIB

11

12

LA PRIMAVERA
DE SANDRO BOTTICELLI

L'allégorie du printemps vue par Botticelli
a quelque chose de rafraîchissant.
Exposés aux Offices (Uffizi ; p. 489),
ses personnages ondoyants pourraient
figurer dans les pages de *Vogue*.
Et n'oublions pas le côté séduction, avec
les poses provocatrices. Florence possède
d'innombrables œuvres d'art, mais ce
tableau enflamme mon imagination.

Cristian Bonetto, auteur Lonely Planet,
Australie

MARTIN

13

LA FONTAINE DE TREVI À L'AUBE

Un grand calme régnait sur Rome dans ces premières heures de la journée. En arrivant à la fontaine de
Trevi (p. 124), nous avons trouvé ce qui nous avait fait défaut les cinq jours précédents : la tranquillité.
Nous nous sommes assis sur les marches, il y avait là un petit groupe de personnes, dont un homme
qui ramassait les pièces jetées la veille. Nous l'avons regardé faire son travail, puis s'éloigner avec son
seau rempli de monnaie. Nous n'étions alors plus que six, dans ce lieu où passent chaque jour des
milliers de personnes. Nous avons jeté les premières pièces de la journée dans la fontaine.

Bob et Alicia Smith, voyageurs, Canada

PROMENADE EN ALTITUDE

Je me suis levé tôt. Mon objectif : rejoindre Scanno en voiture et poursuivre jusqu'à Pescasseroli, dans le Parco Nazionale d'Abruzzo, Lazio e Molise (p. 624). J'avais déjà emprunté cette route, mais en cette belle journée de printemps, la campagne était particulièrement somptueuse. La vue des collines verdoyantes, le bleu d'un ciel sans nuage et l'air pur de la montagne étaient grisants. Des chevaux trottaient sur le bas-côté, et j'ai même croisé une vache qui somnolait au milieu de la route. Le bonheur…

Duncan Garwood, auteur Lonely Planet, Italie

14

GUYLAIN DOYLE

15

DIDI / ALAMY

INDIANA JONES EN ITALIE

Ce que j'aime, en voyage, c'est visiter des endroits méconnus qui m'ont été suggérés par quelqu'un ou que mon guide Lonely Planet recommande. C'est comme ça que je suis arrivé à Paestum (p. 687), dans le sud de l'Italie. J'ai vu là des temples absolument fabuleux et il n'y avait pratiquement pas de touristes. J'avais l'impression d'être un Indiana Jones dans ces lieux, que je vous invite tous à découvrir !

Gareth Davey, voyageur, Royaume-Uni

SHANIA SHEGEDYN

16

AU MARCHÉ

En Italie, rien de tel que d'être réveillé le matin par les bruits joyeux d'un marché, que ce soient ceux de Rome, de Toscane ou des Pouilles (p. 175, p. 543, p. 734). Tous les sens sont sollicités ! On déambule entre des vendeurs de fruits et légumes, des têtes d'espadons perchées sur des montagnes de sardines argentées et les effluves irrésistibles des citrons et des oranges. C'est aussi l'occasion de goûter à de savoureuses spécialités et d'acheter des produits d'artisanat de fabrication locale.

Gregor Clark, auteur Lonely Planet, États-Unis

LE GÉNIE DE VINCI : LA CÈNE, À MILAN

Entre la réservation par téléphone, la queue à l'entrée et les 15 minutes chronométrées pour admirer l'œuvre, on peut se demander si le jeu en vaut la chandelle. Mais lorsqu'on arrive enfin devant *La Cène* de Léonard de Vinci (p. 270), à Milan, on oublie toutes ces tracasseries ! La fresque est aussi remarquable pour la vision du Christ dînant avec les Apôtres, que pour les 22 ans qu'a duré sa restauration, indispensable après des siècles de décoloration et de détérioration. Deux œuvres en une, en somme…

Damien Simonis, auteur Lonely Planet, Espagne

©PHOTO SCALA, FLORENCE, CHURCH OF SANTA MARIA DELLE GRAZIE, MILAN, 20

17

EN ROULANT LE LONG DE LA CÔTE AMALFITAINE

Ce n'est pas souvent que l'on a la côte amalfitaine (p. 677) pour soi. J'étais l'unique passager du bus reliant Positano à Sorrente. Ce tronçon est le moins construit et le plus joli de tout le littoral méditerranéen et j'étais de toute évidence le seul étranger dans le coin. Un voyage magnifique et inoubliable.

Duncan Garwood, auteur Lonely Planet, Italie

GREG ELMS

18

JTB PHOTO / PHOTOLIB

19

MATINÉE À MATERA

Je suis partie à la découverte de Matera (p. 737) avant qu'elle ne soit vraiment réveillée, dans l'engourdissement du petit matin et l'odeur du premier café. C'est une ville extraordinaire, faite d'élégants édifices construits sur des grottes creusant un vertigineux ravin. Dans les reflets dorés du soleil, la ville déserte et calme offrait un visage délicieusement flou.

Abigail Hole, auteur Lonely Planet, Royaume-Uni

Sommaire

COUPS DE CŒUR ❤

Afin de faciliter le repérage de nos adresses et sites préférés, nous les signalons par un picto.

Destination Italie

"Je suis jeune et j'envoie des SMS", a déclaré fièrement et en souriant de toutes ses dents Silvio Berlusconi, Premier ministre italien et baron des médias, dans un entretien télévisé en 2009. Né en 1936 et s'évertuant à préserver une image éternellement juvénile, l'ancien chanteur de croisière ayant fait fortune dans la construction puis, après 1980, dans les médias, est l'incarnation italienne du self-made man.

Élu trois fois Premier ministre depuis 1994 (notamment à l'issue d'une victoire écrasante en 2008), Berlusconi a vu sa cote de confiance dégringoler dans les sondages à la suite d'une série de scandales au milieu de l'année 2009. Après que son épouse, l'ancienne actrice Veronica Lario, eut annoncé qu'elle demandait le divorce et affirmé que son mari fréquentait des mineures, une enquête a été ouverte sur la présence d'escort-girls lors de fêtes organisées par le Premier ministre. Début 2010, un repenti mafieux de Palerme a affirmé devant la justice que l'ancien parti de Silvio Berlusconi, Forza Italia (1994-2008), serait né d'une tractation entre l'État et la Mafia.

Autant d'accusations réfutées par Berlusconi (poursuivi dans une vingtaine d'affaires judiciaires), qui crie au complot de la gauche et de journaux tels que *La Repubblica* et l'*Espresso* (détenus par un magnat rival). Depuis le début des années 1990, le Premier ministre a été impliqué dans divers procès portant sur des malversations commises dans le cours de ses activités professionnelles. Bien qu'aucun dossier n'ait jamais abouti, le chef du gouvernement a fait adopter une loi d'immunité en juillet 2008 le protégeant de toute poursuite pendant la durée de son mandat. Sept mois plus tard, en février 2009, son avocat britannique, David Mills, fut condamné pour les pots-de-vin versés par une entreprise de Berlusconi afin d'enterrer des preuves dans d'autres procès visant l'homme d'affaires. Revirement de situation, le 7 octobre 2009, la Cour constitutionnelle italienne juge anticonstitutionnelle la loi accordant l'immunité à Silvio Berlusconi.

Rien de nouveau sous le soleil d'Italie, en somme. Le pays qui a donné à l'humanité l'efficacité romaine et l'esthétique de la Renaissance a toujours connu une histoire mouvementée. Après la chute de Rome, incapable de concilier les cités-États et les petits royaumes belliqueux qui la composaient, la péninsule finit par tomber sous la coupe de puissances étrangères. Ce n'est qu'à la fin du XIXe siècle que l'Italie regagna son unité et son indépendance. Depuis lors, la quatrième économie européenne est un pays pétri de contradictions.

Avec tant de trésors, le *bel paese* (beau pays) mérite bien son nom. Omniprésence de l'art, cuisine succulente, paysages éblouissants, mode flamboyante… L'Italie ne manque pas d'atouts. Né dans la péninsule pour protester contre la malbouffe, le mouvement Slow Food, voué à la promotion des produits frais et d'une cuisine traditionnelle, a gagné le monde entier.

L'Italie possède pas moins de 44 sites classés au patrimoine mondial par l'Unesco, soit plus que tout autre pays au monde, et les visiteurs affluent depuis des siècles dans ses fabuleuses *città d'arte* (villes d'art), comme Rome, Venise ou Florence. On pourrait penser que le pays se repose sur ses lauriers – mais ce serait injuste. Milan, la capitale financière, a créé l'un des pôles commerciaux les plus importants et les plus modernes d'Europe, et lancé un gigantesque chantier résidentiel, CityLife (voir l'encadré p. 273), en plein cœur de la ville. Si Venise est, en apparence, demeurée identique depuis des décennies, il faut admirer le profil élancé du nouveau pont enjambant le Grand Canal et le spectaculaire espace dédié à l'art contemporain qui s'est ouvert dans la Punta della Dogana.

Cependant, les forces naturelles n'épargnent pas le patrimoine artistique italien. Si les inondations de 1966 ont causé des dommages irréversibles à Venise et Florence, on a toutefois assisté à l'émergence d'une nouvelle génération d'experts en restauration d'œuvres d'art. Leur habileté sera sans doute mise à contribution dans les Abruzzes, région frappée le 6 avril 2009 par un séisme (6,3 sur l'échelle de Richter) qui fit 295 victimes et 55 000 sans-abris. La ville médiévale de L'Aquila, située à l'épicentre du séisme, a été durement touchée. La stupeur suscitée par l'effondrement de l'hôpital municipal a laissé place à l'indignation lorsqu'il est apparu que l'établissement fonctionnait sans permis et qu'il avait été construit au mépris des normes antisismiques en vigueur.

Berlusconi a promis une enveloppe de 8 milliards d'euros pour la reconstruction de la zone détruite par le tremblement de terre et la création d'une autorité spéciale chargée d'éviter que la Mafia n'empoche l'argent. En juillet, il a également organisé le sommet économique mondial du G8, initialement prévu en Sardaigne, à L'Aquila, dans un contexte de grande précarité économique pour l'Italie : le Fonds monétaire international (FMI) prédisait un glissement du PNB italien de 2,1% en 2009 et plus encore pour 2010.

La Mafia demeure une plaie ouverte. Publié en 2006, le livre *Gomorra, dans l'empire de la Camorra,* description terrifiante de la Camorra napolitaine par le journaliste Roberto Saviano, révélait la gravité de la situation.

Si la Cosa Nostra sicilienne continue de faire les gros titres, la Camorra demeure le premier groupe de criminalité organisée du pays (si l'on peut considérer cette mosaïque de clans rivaux comme une seule et même entité). Surnommée "Système" par ses membres, la Camorra est impliquée dans tous les trafics en Italie, de la drogue aux armes et au ramassage illégal des déchets industriels. Une bonne nouvelle jette parfois une lueur d'espoir : début 2009, Salvatore Zazo, chef d'un gang de la Camorra mouillé dans le commerce de stupéfiants entre la Colombie et Naples, a été arrêté à Barcelone, en Espagne.

L'immigration demeure un sujet brûlant. Synonyme de métissage culturel et de tensions sociales, elle a bouleversé le paysage urbain de la péninsule. Sous la houlette de Berlusconi, le gouvernement de centre droit a fait de l'immigration clandestine son cheval de bataille et conclu, en 2009, un accord avec la Libye autorisant les vaisseaux de la marine italienne à renvoyer les boat people. En mai, trois embarcations furent ainsi ramenées en Libye, suscitant de vives objections internationales, de l'Onu à la Commission européenne de Bruxelles, et la consternation des Italiens. Une nouvelle réglementation sécuritaire, adoptée en juillet, a provoqué un tollé en Italie : instaurant un délit d'immigration clandestine, elle contraignait les médecins, entre autres, à dénoncer à la police les patients sans papiers.

En février 2009, Berlusconi a lâché une nouvelle bombe en proclamant que l'Italie, qui avait renoncé à l'énergie nucléaire dans les années 1980, bâtirait quatre réacteurs en collaboration avec EDF, géant français de l'énergie.

Pendant ce temps, le pape Benoît XVI s'attirait les foudres de l'opinion en levant l'excommunication frappant depuis 1988 quatre évêques ultraconservateurs. L'un d'entre eux, le Britannique Richard Williamson avait, quelques jours à peine avant l'annonce du Vatican, tenu des propos négationnistes. Williamson ainsi que le pape s'excusèrent publiquement. En décembre 2009, sur la Piazza del Duomo de Milan, Silvio Berlusconi recevait un violent coup de statuette (réplique miniature du Duomo) à la sortie d'un meeting.

Malgré la crise de confiance que traverse leur société, les Italiens possèdent un sens de l'humour à toute épreuve qui transcende leur vie quotidienne et dont les dirigeants font souvent les frais. Sorti en 2008, le film *Il Divo* (p. 68), de Paolo Sorrentino, dépeint ainsi au vitriol la figure de Giulio Andreotti, éminence incontournable de l'échiquier politique italien.

Mise en route

Vous pourriez visiter l'Italie toute une vie durant sans parvenir à épuiser ses richesses. C'est une galerie d'art, un musée vivant de l'histoire humaine, une source de délices pour les papilles et un écrin regorgeant de merveilles naturelles, des montagnes aux pics acérés aux mers couleur turquoise.

QUAND PARTIR

Voir la rubrique Climat (p. 764) pour plus d'information.

Une seule réponse à cette question : à tout moment ! De fait, la meilleure période pour visiter l'Italie s'étend d'avril à juin, car le soleil brille sans que la chaleur soit étouffante ; la campagne est couverte de fleurs et les touristes, souvent tenus par les dates des vacances scolaires, n'ont pas encore afflué vers la péninsule. La plupart des Italiens prennent eux aussi leurs vacances d'été en juillet et août, deux mois pendant lesquels il vaut mieux éviter de visiter le pays : les prix connaissent une forte inflation, les esprits s'échauffent et le pays, à l'exception des régions de montagne, est écrasé par un soleil brûlant.

Le cliché qui consiste à faire de l'Italie le pays méditerranéen du soleil éternel n'est qu'une vision parcellaire. Dans la région alpine, les hivers sont longs et rigoureux. Les premières chutes de neige font leur apparition dès le mois de novembre et, en juin, quelques flocons peuvent encore voleter dans les airs. Malgré la protection des Alpes qui fait office de barrière et épargnent à la Lombardie les rigueurs hivernales du nord de l'Europe, nuages et pluie sont monnaie courante dans cette région la plus septentrionale de l'Italie. Milan affiche un bilan météo qui pourrait se rapprocher de celui de Paris !

Les vols low cost sont nombreux entre la France et l'Italie. Reportez-vous à l'encadré p. 779.

Venise bénéficie d'un climat doux et pluvieux en hiver, chaud et humide en été. Florence, nichée dans une vallée entourée de collines, se transforme en une véritable fournaise l'été, tandis que Rome connaît des étés chauds et des hivers doux. Cette tendance se prolonge jusque dans le sud du pays.

Des fêtes religieuses, locales et nationales, de pair avec de nombreuses manifestations culturelles, se déroulent tout au long de l'année, surtout entre Pâques et septembre ; voir p. 25 pour des détails.

COÛT DE LA VIE

L'Italie n'est pas un pays bon marché. Votre budget hébergement (le poste de dépenses le plus élevé) dépend de nombreux facteurs, notamment du lieu de votre séjour (Turin est plus cher que Tarante), de la saison (les stations balnéaires sont bondées en août), du niveau de confort recherché et d'une certaine part de chance. Au plus bas de l'échelle, vous paierez entre 16 et 20 € la nuit en auberge de jeunesse, où le repas vous coûtera 10 €.

C'EST COMBIEN ?

Un café au bar 0,80-1 €

Une assiette de pâtes *al pesto* 6-10 €

Un *gelato* 2-3 €

Un quotidien local 1 €

Un quotidien étranger 2-3 €

Un ticket de bus/tram 1 €

Une course de 10 minutes en taxi 8-10 €

Dans tout le pays, même dans la *pensione* (petit hôtel) la plus modeste, vous vous en tirerez difficilement à moins de 25/40 € pour une simple/double rudimentaire à peu près partout, de Pise à Pescara. Pour une chambre plus confortable avec sdb, vous devrez débourser environ 50/80 €. Les établissements de catégorie moyenne dans les villes les plus chères, comme Rome, Florence et Venise, facturent aisément entre 80 et 150 € les simples et entre 120 et 200 € les doubles. Nous indiquons parfois dans ce guide la fourchette des prix pratiqués pour les chambres les plus chères en basse et haute saison.

La situation est plus variable en ce qui concerne la restauration. À Venise et à Milan, les restaurants sont coûteux (et souvent d'un piètre rapport qualité/prix) ; à Florence et à Rome, en revanche, de belles surprises vous attendent à un prix abordable. Prévoyez au moins entre 20 et 50 € le repas complet (deux plats, un dessert et un pichet de vin maison), même s'il est encore possible de dénicher un menu à 10 ou à 15 € au déjeuner.

N'OUBLIEZ PAS

■ une carte d'identité ou un passeport (p. 766)

■ un permis de conduire et les papiers du véhicule, avec l'assurance automobile appropriée (p. 788)

■ une assurance de voyage en cours de validité (p. 762, p. 775)

■ une tenue vestimentaire un peu habillée pour sortir le soir : l'Italie est aussi le pays de la mode

---

Le voyageur à petit budget, fréquentant les auberges de jeunesse, se contentant d'un en-cas le midi et utilisant les moyens de transport les moins onéreux, peut s'en sortir avec 50 € par jour. Les visiteurs optant pour des établissements modestes tableront sur un budget moyen de 100 à 150 € par jour, ce qui comprend un sandwich à midi et un repas simple au dîner, ainsi que quelques frais liés aux transports et à l'entrée des sites touristiques.

Les transports en commun ne sont guère onéreux, mais la location de voiture (p. 782, p. 789) revient assez cher, et il vaut mieux s'en occuper avant de partir. Si vous circulez en train (p. 783, p. 786), il est plus économique d'emprunter le *regionale* (desserte locale), plus lent. Nous conseillons aux seniors, aux moins de 26 ans et aux familles parcourant de grandes distances en train de se procurer une carte de réduction (voir p. 782, p. 786).

Certains musées prévoient des tarifs réduits et des journées gratuites pour les ressortissants de l'UE.

VOYAGE RESPONSABLE

Depuis ses débuts, Lonely Planet encourage ses lecteurs à se montrer respectueux, à voyager de façon responsable et à profiter de la magie des voyages indépendants. Même si le nombre de voyages internationaux continue d'augmenter, notre foi en leurs bénéfices est intacte. Nous vous encourageons à prendre en compte votre impact sur l'environnement mondial ainsi que sur les économies, les cultures et les écosystèmes que vous rencontrez.

La plupart des pays du bassin méditerranéen souffrent du surdéveloppement du tourisme, surtout dans les régions littorales, et l'Italie n'y fait pas exception.

Comment limiter votre impact ? Pour commencer, en envisageant un moyen de transport peu polluant. En Italie, en particulier d'une ville à l'autre, les voyages en train sont aisés et abordables. De nombreux forfaits ferroviaires existent, et InterRail a lancé un billet limité à un seul pays (pass InterRail Italie), qui s'avère intéressant si vous vous déplacez beaucoup. Un réseau de bus très complet sillonne également l'Italie. Pour vous renseigner davantage sur les voyages en train et en bus, voyez le chapitre *Transports* (p. 780).

Sur place, cherchez des hébergements "verts". L'Italie dispose d'un bon réseau d'*agriturismi* (hébergements à la ferme). Les circuits proposés dans les localités, les marchés et les cours, tous recommandés dans ce guide, constituent une autre bonne manière de faire connaissance avec le pays.

Programmes de compensation du CO_2

La part de la responsabilité du trafic aérien dans le réchauffement climatique connaît une augmentation constante. Mais les torts sont à partager : pour chaque kilomètre parcouru, le volume de dioxyde de carbone émis par une personne conduisant une voiture est à peu près équivalent à celui imputable à chaque passager à bord d'un avion. Mais le problème ne se limite pas au volume de CO_2 (mais aussi d'autres gaz et vapeurs d'eau) émis par les avions : la haute altitude est un facteur multiplicateur de l'impact de ces rejets sur l'effet de serre.

Pour un aperçu de la vie italienne à Paris, lire l'encadré p. 773. Le guide *L'Italie à Paris : histoire, culture, arts, gastronomie, sorties* (Parigramme, 2003), de Stefano Palombari et préfacé par Cavanna, vous fait visiter la capitale dans les pas d'exilés célèbres (Modigliani, Calvino…), voir une pièce de théâtre, acheter ou manger italien.

La plupart des moyens de transport émettent du dioxyde de carbone. Divers programmes de compensation vous permettent de calculer vos émissions, afin d'investir dans des actions d'énergie renouvelable et de reboisement qui réduiront l'émission d'une dose équivalente de dioxyde de carbone (lire l'encadré p. 781). Certains programmes n'abordent que les émissions provoquées par les avions, d'autres vous aident à calculer vos émissions en train, en voiture et en ferry, afin de vous permettre de les compenser quel que soit votre mode de transport.

Comment circuler

Circuler en Italie peut réserver quelques surprises. Dans des villes comme Milan, Turin et, dans une moindre mesure, Rome, les transports publics sont efficaces et bon marché, mais parfois terriblement bondés aux heures de pointe. Un certain nombre de centres-villes sont fermés toute l'année à la circulation. Dans le Sud, des restrictions sont en vigueur pendant les mois d'été. Les centres-villes sont alors bien plus agréables et la pollution diminue.

Les scooters fous restent des incontournables des villes italiennes, et si leurs émissions en carbone sont relativement faibles (environ la moitié de ceux d'une Smart), leur nombre et leur bruit contribuent à la pollution urbaine. L'usage du vélo est infiniment plus bénéfique à l'environnement.

De plus en plus de villes moyennes, comme Bergame, Brescia, Bologne, Florence, Lecce et Ravenne, adoptent le vélo et disposent de kyrielles de points de location. Un nombre croissant d'hôtels n'hésitent pas à mettre gracieusement des vélos à la disposition de leurs clients. D'autres renseignements sont mentionnés dans les paragraphes *Comment circuler* des chapitres régionaux.

Hébergement

Alors que le nombre d'entreprises touristiques essayant de tirer parti du mouvement écologique va en augmentant, trouver celles qui sont vraiment sincères n'est pas toujours simple. Pourtant, certains signes ne trompent pas. Le programme Legambiente Turismo (www.legambienteturismo.it) a décerné un label écologique à plus de 300 établissements, terrains de camping, hôtels ou complexes hôteliers, en évaluant leur utilisation de l'eau et de l'énergie et leur production de déchets, ainsi que la qualité de leur cuisine locale et des petits-déjeuners bio. En outre, un nombre croissant de B&B familiaux et d'établissement sous label *agriturismo* (p. 768) vous ouvrent leurs portes.

Slow Food

L'une des meilleures manières de soutenir l'économie locale consiste à faire ses emplettes au plus près des lieux de production. En Italie, où est né le mouvement Slow Food (www.slowfood.com), on trouve partout d'excellents marchés, des fermes-auberges et de la nourriture bio de saison. En outre, le guide *Osterie d'Italia* est une excellente source d'information et, en 2007, Slow Food a ouvert son premier supermarché, Eataly (p. 229 ; www.eatalytorino.it), à Turin, où pour la première fois les producteurs s'adressent directement aux consommateurs.

Informations pour un voyage responsable

Agriturismi (www.agriturismi.it). Guide en ligne des hébergements à la ferme.
Fondo per l'Ambiente Italiano (www.fondoambiente.it). Organisme de protection du patrimoine italien, qui restaure demeures historiques et jardins et les ouvre au public.
Legambiente Turismo (www.legambienteturismo.it). Cherchez l'éco-label du "cygne vert" qu'arborent les établissements hôteliers authentiquement écologiques.
World-Wide Opportunities on Organic Farms (www.wwoof.it). Pour en apprendre davantage sur la biodynamique en échange de quelques heures de travail.

Indispensable pour mieux communiquer sur place : le *Guide de conversation français/italien* publié par Lonely Planet. Pour réserver une chambre, lire un menu ou simplement faire connaissance, ce manuel vous permet d'acquérir rapidement quelques rudiments d'italien. Il comprend également un minidictionnaire bilingue (voir aussi p. 796).

LIVRES À EMPORTER

De nombreux écrivains-voyageurs de toute l'Europe (et d'ailleurs) ont sillonné l'Italie au cours des siècles passés, que ce soit pour découvrir les villes d'art et d'histoire ou la campagne bucolique. Pour des œuvres d'auteurs italiens, reportez-vous à la p. 24 et à la rubrique *Littérature* p. 65.

Italies. Anthologie des voyageurs français aux XVIIIe et XIXe siècles (Robert Laffont, 2007, coll. "Bouquins"). Yves Hersant nous fait découvrir des carnets de route, de correspondances, des journaux intimes et des recueils de souvenirs qui font surgir une Italie multiforme et un voyage dans l'art de voyager.

Lettres d'Italie (Mercure de France, 2005), de Charles de Brosses, permet une incursion dans l'Italie de 1739. Dominique Vivant Denon séjourne dans la péninsule entre 1777 et 1793, un voyage que retracent ses *Pages d'un journal de voyage en Italie* (Gallimard, 1998). Stendhal, connaisseur et amoureux s'il en est de l'Italie, a écrit *Rome, Naples et Florence* (Gallimard, 1987), en marge de ses romans *Le Rouge et le Noir* ou *La Chartreuse de Parme*, qui témoignent de l'Italie de 1830 ou de la Restauration. Alexandre Dumas, dans *Voyage en Calabre* (Éditions Complexe, 1999), évoque la dernière étape d'un périple commencé en 1834. Charles Dickens fait un truculent récit de son séjour en Italie en 1844-1845 dans *Images d'Italie* (A. Barthélemy, 1990).

De Jean Giono, l'apôtre de la vie naturelle et rustique, vous pouvez lire *Voyage en Italie* (Gallimard, 1979). Dans ses *Heures italiennes* (La Différence, 2006), Henry James fait, quant à lui, un portrait très personnel des villes qu'il a arpentées des années durant. Dans *Les Petits Chevaux de Tarquinia*, de Marguerite Duras (Gallimard, 1973), une visite aux vestiges étrusques de Tarquinia marque la fin de vacances passées dans la torpeur d'un été italien. Avec *Le Promeneur amoureux* (Plon, 1991), Dominique Fernandez invite à un voyage sensible et érudit dans les cités italiennes, de Venise à Syracuse.

Dans *Sous le soleil de Toscane* (Gallimard, 1999), l'écrivaine américaine Frances Mayes évoque avec talent son pays d'adoption. Jean-Noël Schifano a beaucoup écrit sur l'Italie en général, et sur Naples en particulier : *Désir d'Italie* (Gallimard, 2001) est un voyage très personnel dans l'Italie d'aujourd'hui, alors que *Sous le soleil de Naples* (Gallimard, Découvertes, 2004) décrit les transformations de sa ville de cœur.

SITES INTERNET

Outre les sites proposés ci-dessous, les blogs locaux au hasard de la toile vous livreront toutes sortes d'informations utiles, parfois décalées.

Italie 1 (www.italie1.com). Un site associatif, bien construit et rassemblant d'innombrables renseignements, des plus pratiques aux plus ludiques.

Institut culturel italien de Paris (www.iicparigi.esteri.it). Institution officielle italienne. Manifestations culturelles variées, cours de langue, etc.

Italian Movie Trips (www.italian-movie-trips.com). Les aficionados y relèveront les lieux de tournage italiens d'une foule de films.

L'Italie à Paris (www.italieaparis.net). Sur le site de l'association : adresses, actualité, culture, petites annonces et une foule d'informations et de liens.

Lonely Planet (www.lonelyplanet.fr). Notre site peut constituer un bon début avec ses synthèses sur l'Italie, ainsi que des liens vers d'autres sites sur le pays et son forum de voyageurs.

Office national italien du tourisme (www.enit.it). Le site en français de l'ENIT (Ente Nazionale Italiano per il Turismo) contient une foule de renseignements utiles (adresse des offices du tourisme locaux, précisions sur les musées et les galeries, calendrier des manifestations culturelles), ainsi que des présentations générales sur la cuisine, l'art et l'histoire du pays.

Touristie (www.touristie.com). Un site spécifiquement dédié au voyage en Italie, avec des informations pratiques et culturelles, régulièrement actualisées.

Trenitalia (www.trenitalia.it). Le site des chemins de fer italiens vous permet d'organiser vos déplacements en train, de vérifier horaires et tarifs, ainsi que de réserver vos billets.

NOTRE SÉLECTION

LES FILMS COUP DE CŒUR

Avant de partir pour de bon, visitez l'Italie à différentes époques par la magie du 7e art. Voyez aussi l'encadré *Le cinéma italien* p. 68.

- *Le Caïman* (2006) de Nanni Moretti
- *La vie est belle* (1997) de Roberto Benigni
- *Le Facteur* (1994) de Michael Radford
- *Cinema Paradiso* (1988) de Giuseppe Tornatore
- *Nous nous sommes tant aimés* (1977) d'Ettore Scola
- *Mort à Venise* (1971) de Luchino Visconti
- *Le Guépard* (1963) de Luchino Visconti
- *Mamma Roma* (1962) de Pier Paolo Pasolini
- *La Dolce Vita* (1960) de Federico Fellini
- *Riz amer* (1949) de Giuseppe de Santis
- *Le Voleur de bicyclette* (1948) de Vittorio de Sica
- *Rome ville ouverte* (1945) de Roberto Rossellini
- *Caro Diario* (1994) de Nanni Moretti
- *Il Divo* (2008) de Paolo Sorrentino

LES LIVRES À LIRE

Avant le cinéma, les auteurs italiens faisaient découvrir la sensibilité et les couleurs de leur pays par les livres. Voici un échantillon microscopique de cette magie littéraire. Pour en savoir plus sur la littérature, lire p. 65.

- *Le Christ s'est arrêté à Eboli* (1947) de Carlo Levi
- *Le Guépard* (1958) de Giuseppe Tomasi di Lampedusa
- *Les Fiancés* (1827) d'Alessandro Manzoni
- *Le Baron perché* (1957) d'Italo Calvino
- *Le Nom de la rose* (1980) d'Umberto Eco
- *Le Jour de la chouette* (1961) de Leonardo Sciascia
- *La Storia* (1974) d'Elsa Morante
- *Si c'est un homme* (1947) de Primo Levi
- *La Belle Romaine* (1947) d'Alberto Moravia
- *Le Voleur de goûter* (2000) d'Andrea Camilleri
- *Gomorra : dans l'empire de la Camorra* (2006) de Roberto Saviano

LES VEDETTES DE LA MUSIQUE ITALIENNE

Les chanteurs pop et rock italiens sont adulés du public et diffusés jour et nuit sur les chaînes de radio. Leur succès est parfois porté par plusieurs générations de fans.

- Franco Battiato – Originaire de Sicile, Battiato compose des airs languissants
- Pino Daniele – Napolitain adepte du blues, rappelant Bob Dylan
- Ivano Fossati – Chanteur-compositeur, également apprécié pour ses morceaux instrumentaux
- Irene Grandi – Chanteuse florentine découverte, comme souvent, au Festival de San Remo
- Litfiba – Groupe de rock florentin, populaire depuis les années 1980
- Jovanotti (Lorenzo Cherubini) – Rappeur toscan aux paroles pleines de justesse. En 2009, son single "Punto" a fait un tube
- Laura Pausini – Chanteuse pop de réputation internationale
- Eros Ramazzotti – "Parla con me", tube de 2009, est caractéristique de cette figure de proue de la pop latino
- Vasco Rossi – Incarnation du rock italien
- Zucchero (Adelmo Fornaciari) – Une autre grande figure du rock

Fêtes et festivals

FÉVRIER-AVRIL

CARNEVALE
Avant le mercredi des Cendres, chaque ville ou presque organise un carnaval, moment d'exubérance avant le carême. Le carnaval de Venise (p. 369) est le plus célèbre.

SETTIMANA SANTA
D'immenses processions sont organisées à Tarente (Pouilles ; p. 734), à Chieti (Abruzzes ; p. 627) et à Sorrente (p. 675) pendant la Semaine sainte. Le Vendredi saint, le pape prend la tête d'une procession jusqu'au Colisée et donne sa bénédiction le dimanche de Pâques.

SCOPPIO DEL CARRO   dim de Pâques
Des feux d'artifice sont tirés sur la Piazza del Duomo de Florence (p. 498), une tradition remontant aux croisades.

MAI

FESTA DI SAN NICOLA   vers le 7-9 mai
Une procession à Bari (p. 714) suit la statue du saint pour une cérémonie en mer.

PROCESSIONE DEI SERPARI   1er jeu de mai
À Cocullo (p. 622), une statue de saint Dominique est recouverte de serpents vivants et transportée lors de la procession des charmeurs de serpents.

FESTA DI SAN GENNARO   1er dim de mai, 19 sept et 16 déc
Les fidèles se rassemblent dans la cathédrale de Naples pour attendre la liquéfaction du sang de San Gennaro (p. 646).

CORSA DEI CERI   15 mai
Trois équipes, chacune pourvue d'un *cero* (énorme pilier de bois portant la statue d'un saint rival), font la course dans les rues de Gubbio pour célébrer Sant'Ubaldo, patron de la ville (p. 588).

PALIO DELLA BALESTRA   dernier dim de mai
Gubbio est aussi le théâtre d'une compétition de tir à l'arbalète (p. 588). Les hommes de Gubbio et de Sansepolcro (localité voisine) portent des costumes médiévaux et utilisent des armes anciennes.

JUIN

INFIORATA   21 juin
Pour célébrer le Corpus Domini (la Fête-Dieu), certaines villes comme Bolsena et Genzano près de Rome, et Spello en Ombrie (p. 585) décorent une rue avec des motifs colorés faits de pétales de fleurs.

FESTA DI SAN GIOVANNI   24 juin
Pour la fête de la saint Jean, prestations de *calcio storico* (p. 498), match médiéval ressemblant au football, disputées sur la Piazza di Santa Croce de Florence.

GIOCO DEL PONTE   dernier dim de juin
Deux groupes en costumes médiévaux s'affrontent sur le Ponte di Mezzo à Pise (p. 526) dans le cadre du fameux "jeu du pont".

FESTIVAL DEI DUE MONDI   fin juin à mi-juil
Le Festival des Deux Mondes (p. 591) est un événement artistique international de Spolète, présentant de la musique, du théâtre, de la danse et de l'art.

PALIO DELLE QUATTRO ANTICHE REPUBBLICHE MARINARE
La régate des quatre anciennes républiques maritimes met en scène une procession et une régate entre quatre villes rivales : Pise, Venise, Amalfi et Gênes. Chacune l'accueille à son tour : Pise en 2010, Venise en 2011, Gênes en 2012 et Amalfi en 2013. Cette manifestation se déroule habituellement en juin, mais il arrive qu'elle soit repoussée en septembre.

JUILLET

IL PALIO   2 juil
Cette spectaculaire course à cheval (p. 538), pour laquelle les cavaliers montent à cru, transforme la place de Sienne en un tumultueux champ hippique, après une joyeuse parade en costumes traditionnels.

QUINTANA   2e sam de juil et 1er dim d'août
À Ascoli Piceno, des centaines de personnes défilent (p. 613) en costumes du XVe siècle avant d'assister à un tournoi.

FESTA DEL REDENTORE 3ᵉ week-end de juil
L'une des plus populaires festivités de Venise
(p. 370), marquée par un feu d'artifice au-dessus du
Bacino di San Marco. Un pont flottant est construit
pour relier la Chiesa del Redentore, sur l'île de la
Giudecca, aux autres quartiers de Venise.

AOÛT

IL PALIO 16 août
Répétition de la célèbre course de chevaux (p. 538)
à Sienne.

**FESTIVAL INTERNATIONAL DU FILM
DE VENISE** fin août ou début sept
La Mostra del Cinema di Venezia (p. 370), organisée
au Lido, attire des stars internationales et offre aux
Vénitiens l'occasion d'assister aux projections des
derniers films réalisés.

SEPTEMBRE

PALIO DELLA BALESTRA 1ᵉʳ dim de sept
Sansepolcro (p. 558), en Toscane, accueille une
deuxième compétition avec des tireurs d'élite à
l'arbalète de Gubbio.

REGATA STORICA 1ᵉʳ dim de sept
Régate historique (p. 370) en costumes d'époque,
suivie par des courses de gondoles et d'autres
embarcations sur le Grand Canal de Venise.

OCTOBRE

**SALONE INTERNAZIONALE
DEL GUSTO** biennale, oct
À Turin, les années paires, le mouvement national
Slow Food organise un rassemblement festif
(p. 230) pour les papilles exigeantes.

NOVEMBRE

**FESTA DELLA MADONNA
DELLA SALUTE** 21 nov
Une procession (p. 370) à la Chiesa di Santa Maria
della Salute de Venise rend grâce à la Vierge pour
avoir délivré la ville de la peste en 1630.

FESTA DI SANTA CECILIA
Une série de concerts et d'expositions (p. 541) à
Sienne honore la sainte patronne des musiciens.

DÉCEMBRE

NATALE
De nombreuses célébrations religieuses
accompagnent la semaine de Noël. Les églises
mettent en scène la nativité, grâce aux *presepi*
(crèches) – celles de Naples (p. 637) sont
particulièrement réputées.

Itinéraires
LES GRANDS CLASSIQUES

UN CIRCUIT ÉTERNEL
2 semaines / de Rome à Milan

Deux semaines en Italie, c'est peu, mais suffisant pour faire le tour des villes les plus prestigieuses. Consacrez trois jours à **Rome** (p. 90) et visitez la basilique Saint-Pierre, la chapelle Sixtine, le Colisée et quelques autres splendeurs incontournables. Partez ensuite en direction du nord et de **Florence** (p. 476), et consacrez un peu de temps à cette somptueuse ville après vous être rassasié d'œuvres d'art au musée des Offices. Profitez de cette étape pour faire une excursion d'une journée à **Sienne** (p. 536) ou à **Pise** (p. 521).

Après quatre jours en Toscane, il est temps de visiter **Bologne** (p. 426) pour apprécier ses jolis monuments, ses boulevards animés et sa cuisine renommée avant de rejoindre **Venise** (p. 345). Trois jours sont vraiment nécessaires pour sillonner les canaux de la ville en gondole ou en *vaporetto*, et absorber des siècles de grandeur architecturale et artistique.

Mettez ensuite le cap sur **Vérone** (p. 392). La cité de Roméo et de Juliette est également réputée pour ses rues et ses arènes romaines. Plus à l'ouest encore, **Milan** (p. 261), la métropole financière du pays, permet d'admirer *La Cène* de Léonard de Vinci, de parcourir les boutiques de luxe de la Via Monte Napoleone et de profiter de la vie nocturne le long des Navigli.

De Rome à Milan, en passant par Florence et Venise, 935 km d'un itinéraire que vous pouvez parcourir en deux semaines, mais qui mérite amplement plus.

LE GRAND TOUR D'ITALIE

3 semaines / de Milan à Lecce

Le "grand tour" n'est plus, comme autrefois, l'apanage des jeunes aristocrates. Il suffit de disposer d'un peu de temps. Commencez au nord et descendez lentement (ou vice-versa), en vous arrêtant sur les sites, petits et grands, qui vous interpellent en chemin.

Milan (p. 261), place financière et capitale de la mode, constitue un bon point de départ, avant d'explorer la **région des lacs de Lombardie** (p. 260), l'élégante ville de **Vérone** (p. 392) et l'inoubliable **Venise** (p. 345). Prenez ensuite le temps de découvrir l'architecture et les délices culinaires de **Bologne** (p. 426) avant de rallier **Florence** (p. 476) pour une immersion dans l'univers des arts. Gagnez ensuite **Lucques** (p. 514), ville romane entourée de remparts, et **Pise** (p. 521), dont on ne présente plus la célèbre Tour penchée. Au sud-est, ne manquez pas les splendeurs médiévales de **Sienne** (p. 536), puis poursuivez vers le sud jusqu'à **Pérouse** (p. 565), capitale enchanteresse de l'Ombrie.

De Pérouse, tous les chemins vous mèneront à **Rome** (p. 90). Visitez la Ville Éternelle avant de vous échapper vers **Naples** (p. 633), cité reine de l'Italie du Sud et ancienne capitale du royaume des Deux-Siciles. Ne manquez surtout pas le site antique de **Pompéi** (p. 670) et prenez le temps d'explorer la saisissante **côte amalfitaine** (p. 677).

Cap ensuite à l'est, vers les Pouilles, où **Lecce** (p. 725) vous séduira par ses extravagants palais baroques, ou vers le littoral encore sauvage de la **péninsule Salentine** (p. 730). Si d'aventure, l'envie vous prenait de partir plein sud, suivez la côte jusqu'au port de **Reggio di Calabria** (p. 754), principal point de départ des ferries vers la Sicile.

Comptez bien trois semaines pour ce grand tour de la péninsule italienne. Ouvrez vos manuels d'art et d'histoire et partez pour 1 450 km de fabuleuses découvertes du nord de l'Italie jusqu'à la Calabre, à l'extrémité sud.

HORS DES SENTIERS BATTUS

PAYSAGES ALPINS
2 semaines / des lacs aux Dolomites

En voiture, prenez la direction du nord-ouest depuis l'aéroport Malpensa de Milan et vous ne tarderez pas à vous trouver devant le **lac Majeur** (p. 296). C'est le début d'un périple qui privilégie les beautés naturelles italiennes. Les cyclistes prévoiront plus de temps. En passant par la rive ouest du lac, cette expédition vous emmènera en Suisse (pensez à prendre une pièce d'identité ou un passeport) via **Stresa** (p. 297), où vous pouvez passer la nuit. Prenez ensuite la direction du sud jusqu'à **Côme** et le **lac de Côme** (p. 300; dormez à **Bellagio**, p. 303). De la pointe nord du lac de Côme, poussez à l'est jusqu'au **Parco dell'Adamello** (p. 308) et au **Parco Nazionale dello Stelvio** (p. 336), sillonnés de nombreux sentiers de randonnée. De bonnes pistes de ski vous attendent à **Bormio** (p. 336). Vous pouvez aussi suivre le Val Venosta en sortant du parc et vous arrêter dans la petite ville de **Merano** (p. 334). Au sud-est, **Bolzano** (p. 330), imprégnée d'une touche autrichienne, mérite une escale.

D'ici, les routes de montagne s'enfoncent au nord et à l'est dans les Dolomites, splendides été comme hiver. Découvrez les jolis villages de **Castelrotto** ou de **Siusi** dans la région des **Alpe di Siusi** (p. 338), ils serviront de camp de base à vos excursions alpines. Plus au nord-est s'étendent les populaires **Val Badia** et le **Parco Naturale di Fanes-Sennes-Braies** (p. 339). C'est dans la même région qu'est située la **Sella Ronda** (p. 330), domaine skiable sur quatre vallées. Les occasions de randonner sont multiples, parmi les pics du **Parco Naturale delle Dolomiti di Sesto** (p. 341) et, à **Cortina d'Ampezzo** (p. 400), les sports d'hiver ne sont pas un privilège réservé aux célébrités.

Au nord de Milan s'étend le lac Majeur. De là, vous pouvez entamer un périple de 565 km vers l'est autour des lacs et des montagnes, à la découverte des parcs nationaux, des sentiers et des villages alpins et de leur gastronomie.

LE SUD SOUS UN AUTRE ANGLE

2 à 3 semaines / itinéraire circulaire à partir de Naples

Après la frénésie de Naples, suivez cette boucle de 1 180 km à travers une région fascinante et méconnue, des Apennins aux Pouilles et de la Basilicate à la côte Tyrrhénienne, avant de regagner Naples via Maratea, les temples de Paestum et la côte amalfitaine.

Pour la majorité des visiteurs, un circuit dans le sud de l'Italie consiste à contourner Naples pour voir le Vésuve et la côte amalfitaine avant de reprendre la route de Rome, au nord. Le circuit suivant, qui explore l'est de Naples et épouse le talon de la botte, est autrement plus fascinant ! Commencez par quelques jours à **Naples** (p. 633). Au nord-est vous attend la ville de **Benevento** (p. 657), dans les Apennins. Franchissez les montagnes jusqu'à la jolie bourgade de **Trani** (p. 710), sur la côte Adriatique, d'où vous rejoindrez la région des *trulli* (habitations circulaires en pierre), autour d'**Alberobello** (p. 717). Non loin de là, **Ostuni** (p. 720), populaire destination estivale, possède d'excellents restaurants. Au sud-est, aux environs de la ville baroque de **Lecce** (p. 725), des plages désertes ponctuent la péninsule Salentine. Profitez du cadre agréable de **Gallipoli** (p. 732) et longez la côte jusqu'à **Tarente** (p. 733), ancienne puissance navale, avant de vous enfoncer dans les terres jusqu'à **Matera** (p. 743), renommée pour ses *sassi* (habitations rupestres). Explorez les vestiges grecs de **Metaponto** (p. 736) et découvrez la Calabre par la côte – ici, vous pouvez prolonger votre circuit en continuant vers le sud, ou bien traverser le **Parco Nazionale del Pollino** (p. 745), qui relie la Calabre et la Basilicate. Après avoir arpenté le parc, rejoignez **Maratea** (p. 743) : en plus de receler des paysages somptueux, sa côte accidentée se prête à la baignade. Reprenez ensuite la route de la Campanie, où vous marquerez un arrêt pour admirer les extraordinaires temples grecs de **Paestum** (p. 687). Cet itinéraire vous mènera à **Salerne** (p. 685) et à la **côte amalfitaine** (p. 677). Cette route côtière, très fréquentée, vous ramène à Naples, votre point de départ.

VOYAGES THÉMATIQUES

UN CIRCUIT GASTRONOMIQUE

Quand les chaînes de fast-food sont apparues en Italie dans les années 1980, des gourmets locaux indignés ont créé le mouvement Slow Food (www. slowfood.com). Depuis, ce mouvement d'envergure internationale, défend la cuisine saine et goûteuse, qui a recours aux traditions et aux produits locaux. Slow Food publie chaque année un guide des restaurants italiens.

Les régions d'Émilie-Romagne, de Toscane et d'Ombrie retiendront toute l'attention des gastronomes. À **Bologne** (p. 435), une visite s'impose au Mercato delle Erbe, tout comme l'achat d'une bouteille de vinaigre balsamique à **Modène** (p. 449). À l'heure de passer à table, commencez par une entrée (*antipasto*) à **Parme** (p. 452), où sont fabriqués les incomparables *prosciutto* (jambon cru) et parmesan. Envie d'un *primo piatto* (premier plat) ? Direction l'**Ombrie** (p. 561) pour une assiette d'*umbricelli*, des pâtes servies avec des copeaux de truffe, ou si vous êtes chanceux, agrémentées de *tartufo nero* (truffe noire) des environs de **Nursie** (p. 593). En *secondo piatto* (deuxième plat), que diriez-vous d'*una bistecca alla fiorentina* (steak), préparée à la mode de **Florence** (p. 476) ou d'une assiette de *porchetta* (spécialité d'Ombrie à base de cochon de lait farci avec son propre foie, du fenouil sauvage et du romarin) à déguster à **Pérouse** (p. 565) ?

Rincez vos agapes d'un verre de **Chianti** (p. 533) et finissez par un *panforte* de **Sienne** (p. 536), sorte de gâteau sec, fourré de fruits confits et de noix, ou encore par des *cantucci e vin santo* (croquants aux amandes trempés dans un vin doux local), un autre dessert toscan.

LES SITES DU PATRIMOINE MONDIAL

Avec son superbe héritage historique, il n'est pas surprenant d'apprendre que l'Italie compte 44 sites classés au patrimoine mondial de l'Unesco (c'est le pays qui en possède le plus au monde), dont des espaces naturels. Vous aurez peut-être le temps de découvrir tous ces sites (pour plus de détails, voir p. 86-87 ou sur http://whc.unesco.org) ; le circuit suivant vous aidera à arrêter vos choix.

Commencez par **Tivoli** (p. 183), station balnéaire de l'époque romaine, avant de poursuivre jusqu'à **Florence** (p. 476), **Sienne** (p. 536), **San Gimignano** (p. 544), **Pise** (p. 521) et **Pienza** (p. 551), qui possèdent toutes un centre-ville classé. De la Toscane, vous n'êtes qu'à quelques encablures de l'élégante cathédrale romane de **Modène** (p. 446), des splendides mosaïques chrétiennes et byzantines de **Ravenne** (p. 464), ainsi que de la cité Renaissance de **Ferrare** (p. 459).

Intéressez-vous ensuite à **Urbino** (p. 605), l'une des villes perchées les mieux conservées et les plus belles d'Italie, avant de terminer par **Assise** (p. 579), ville natale de saint François, qui attire tous les ans des millions de touristes et de pèlerins.

ACTIVITÉS DE PLEIN AIR

Si l'on associe spontanément l'Italie aux beaux-arts et aux plaisirs du palais, le pays offre aussi un choix de cadres naturels idéaux à la pratique d'activités sportives.

En hiver, les chaînes montagneuses de tout le pays se couvrent d'un manteau de neige immaculée. Dans les Alpes, cette manne naturelle fait le bonheur des amateurs de sports d'hiver. Parmi les nombreuses destinations prisées des skieurs, **Courmayeur** (p. 253) et l'élégante station de **Cortina d'Ampezzo** (p. 400) se distinguent, tandis que **Madonna di Campiglio** (p. 325) est surtout réputée des snowboarders. En été, les paysages montagneux font un excellent cadre de randonnée. Le **Parco Nazionale del Gran Paradiso** (p. 255), situé entre le

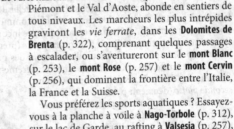

Piémont et le Val d'Aoste, abonde en sentiers de tous niveaux. Les marcheurs les plus intrépides graviront les *vie ferrate*, dans les **Dolomites de Brenta** (p. 322), comprenant quelques passages à escalader, ou s'aventureront sur le **mont Blanc** (p. 253), le **mont Rose** (p. 257) et le **mont Cervin** (p. 256), qui dominent la frontière entre l'Italie, la France et la Suisse.

Vous préférez les sports aquatiques ? Essayez-vous à la planche à voile à **Nago-Torbole** (p. 312), sur le lac de Garde, au rafting à **Valsesia** (p. 257), dans le Piémont, ou à la plongée au large des **Isole Tremiti** (p. 700). Ceux qui préfèrent prendre de la hauteur survoleront l'Ombrie en deltaplane depuis **Castelluccio** (p. 593).

AVANT LE RÈGNE DES ROMAINS

Précédés par des tribus de l'âge de bronze en Sardaigne, des Étrusques dans le centre du pays et les Grecs au Sud, les Romains de l'Antiquité n'étaient pas les premiers à conquérir l'Italie, loin s'en faut.

Au centre du pays, les Étrusques avaient aménagé des cités-États comme **Cerveteri** (p. 184) et **Tarquinia** (p. 185), où ce peuple mystérieux a laissé de fascinants ensembles funéraires. Les Grecs anciens ont également marqué l'Italie de leur empreinte : plus au sud, vous admirerez les majestueux temples doriques de **Paestum** (p. 687).

Les vestiges grecs de **Metaponto** (p. 736), où vécut Pythagore, valent aussi le détour si vous voyagez dans la région.

Dans de nombreux musées d'Italie, vous pourrez également admirer de belles collections d'art étrusque, grec ou de l'Antiquité égyptienne, notamment à **Ferrare** (p. 462), **Bologne** (p. 430), **Volterra** (p. 547) et **Pérouse** (p. 569).

Enfin, pour voir parmi les plus beaux exemples au monde de sculpture grecque ancienne, les Bronzi di Riace, trouvées dans la mer au large de Riace, poursuivez votre périple jusqu'à **Reggio di Calabria** (p. 755).

Histoire

La péninsule italienne, considérée sous son angle géographique, religieux, ou artistique, s'est maintes fois illustrée au cours de l'histoire. L'Empire romain et la Renaissance, auxquels nos cultures latines sont intimement liées, ont donné à l'Italie un prestige que le temps ne parvient pas à ternir. Toutefois, si le "miracle économique" des années 1960 lui a permis de figurer un temps parmi les pays d'Europe occidentale les plus prospères, la péninsule s'est enlisée dans le marasme depuis le milieu des années 1990. Une économie stagnante – durement frappée par la crise économique de 2008 –, un gouvernement apparemment inefficace et incohérent, une corruption répandue et la plaie ouverte de la Mafia continuent de faire de l'ombre à l'humeur ensoleillée du pays.

Le site www.memo.fr, consacré à l'histoire, comporte plusieurs chapitres sur l'Italie.

ÉTRUSQUES, GRECS ET MYTHES FONDATEURS

Le rayonnement de la civilisation étrusque, qui atteint son apogée au VIe siècle av. J.-C., ainsi que la colonisation par les Grecs constituent les deux faits fondamentaux de l'histoire de la péninsule. L'Étrurie était composée de villes, principalement concentrées entre l'Arno et le Tibre, telles Caere (Cerveteri), Tarquinii (Tarquinia), Veii (Véies), Perusia (Pérouse), Volaterrae (Volterra) et Arretium (Arezzo). Ce territoire a, par la suite, constitué la Toscane.

Les connaissances que les historiens ont acquises sur cette civilisation proviennent principalement des objets et des peintures retrouvés dans les sites funéraires souterrains étrusques, en particulier à Tarquinia, près de Rome. Les Étrusques seraient venus d'Asie Mineure, même si cette hypothèse demeure contestée. Leur langue n'a toujours pas été véritablement déchiffrée. Ce peuple de guerriers redoutables et d'excellents marins a toutefois pâti de son manque de cohésion et de discipline.

Sur leurs terres, les Étrusques maîtrisent déjà l'agriculture et l'extraction des métaux. Vénérant de nombreux dieux, ils recourent à la divination en étudiant notamment les entrailles d'animaux sacrifiés. Une grande partie des vestiges (fresques tombales, statuaire et poterie) révèle l'influence des Grecs.

Histoire de l'Italie. Des origines à nos jours de Pierre Milza (Fayard, 2005). Un récit documenté et vivant qui accompagne le lecteur de l'âge du bronze à l'ère Berlusconi.

Les marchands grecs, eux, étaient implantés dans le Sud et avaient établi une série de cités indépendantes le long du littoral ainsi qu'en Sicile. L'ensemble formait la Grande Grèce (Magna Graecia), qui connut une expansion florissante jusqu'au IIIe siècle av. J.-C. Les vestiges de magnifiques temples doriques en Italie du Sud (Paestum) et en Sicile témoignent aujourd'hui encore de la splendeur de la civilisation grecque en Italie.

En tentant de conquérir les colonies grecques, les Étrusques essuient des défaites qui signent le déclin de leur civilisation. Le coup de grâce est porté par une cité en plein essor, Rome.

CHRONOLOGIE

Il y a 700 000 ans	2000 av. J.-C.	474 av. J.-C.
Des éléments retrouvés dans différents sites à travers le pays attestent une présence humaine dès le début de l'âge de la pierre. Quelque 700 000 ans avant notre ère, des tribus primitives vivent dans des grottes et chassent éléphants, rhinocéros, hippopotames et autres gros gibiers.	L'âge du bronze commence en Italie. Les chasseurs-cueilleurs se sont sédentarisés et vivent de la culture. Les techniques du cuivre et du bronze permettent de fabriquer des outils et des armes ; l'organisation sociale se complexifie.	La défaite navale de Cumes signe le déclin de la civilisation étrusque en Italie : les flottes grecques de Syracuse et de Cumes se sont unies pour contrer l'avancée d'une flotte étrusque dans la baie de Naples.

Selon la légende, Rome aurait été fondée le 21 avril 753 av. J.-C. par Romulus (descendant d'Énée, fils de Vénus, qui avait fui Troie) sur les lieux où son jumeau Remus et lui avaient été recueillis et nourris par une louve. Romulus a ensuite tué Remus. Le mythe qui nous a été transmis par Tite-Live (*Histoire de Rome*) et Virgile (*Énéide*) s'appuie sur un fond de réalité : sur les sept rois censés avoir succédé à Romulus, l'existence de trois d'entre eux est attestée. En 509 av. J.-C., mécontente des réformes sur la citoyenneté de Servius Tullius (578-534) qui réduisent ses pouvoirs, l'aristocratie romaine chasse du pouvoir son successeur, Tarquin le Superbe (534-509), dernier roi étrusque, et instaure une république. Dès cette époque, Rome est la plus puissante ville du Latium. La civilisation étrusque ne cesse ensuite de décliner, jusqu'à la disparition de sa langue et de sa culture au IIe siècle.

L'association franco-italienne Rome et son histoire propose diverses visites guidées de la capitale italienne, accompagnées par des guides professionnels. Informations sur www.romehistoire.com

LA RÉPUBLIQUE ROMAINE

Au début de la République, les patriciens dominent la vie romaine. Peu à peu, ils concèdent néanmoins une place mesurée à la plèbe dans la vie politique de la cité. Certains plébéiens sont même nommés consuls et, dès 280 av. J.-C., on ne fait presque plus aucune distinction entre patriciens et plébéiens. Les comices, assemblées du peuple, élisent les magistrats, votent lois et plébiscites. Les magistrats disposent du pouvoir exécutif. Afin d'éviter le retour de la monarchie, leurs fonctions sont collégiales, annuelles et non renouvelables. Qui veut faire carrière doit être successivement questeur (gestion des finances), édile (administrateur municipal), préteur (justice), consul (politique générale et commandement des armées). Parallèlement, les tribuns de la plèbe, créés en 494 av. J.-C., ont un droit de veto sur les décisions des magistrats. Le Sénat est composé d'anciens magistrats et conserve un caractère aristocratique. Ce régime qui ambitionne un fonctionnement démocratique s'apparente de fait à une oligarchie, dans laquelle une classe politique restreinte (où se côtoient praticiens et plébéiens) rivalise pour l'obtention du pouvoir au sein du gouvernement ou du Sénat.

L'époque républicaine est marquée par des luttes entre patriciens et plébéiens et par la conquête de la péninsule italienne et du bassin méditerranéen.

La famille (*familia*) est une composante essentielle dans cette société patriarcale. Le *pater familias* dispose de toute autorité sur son épouse, ses enfants et la famille au sens large. Il est responsable de l'éducation des enfants. Le culte des dieux pénates, protecteurs du foyer, se pratique autant que celui des dieux du panthéon romain d'influence grecque, notamment de la triade composée dans un premier temps de Jupiter (dieu du ciel et grand protecteur du pouvoir), de Junon (déesse des femmes qui épousera Jupiter) et de Minerve (déesse des arts et des métiers). Mars, dieu de la guerre chez les Grecs, a été remplacé par Junon dans la triade.

D'abord assez lente, la conquête de la péninsule par les armées romaines prend vite de l'ampleur. Les cités vaincues ne sont pas directement soumises mais sont contraintes de devenir des alliées. Elles conservent leur propre

396 av. J.-C.	**264-241 av. J.-C.**	**218-202 av. J.-C.**
Au terme de 11 années de siège, les Romains s'emparent de Véies, grande cité étrusque au nord de Rome. Les réjouissances sont de courte durée, car les Celtes envahissent l'Italie et pillent Rome en 390 av. J.-C.	Première guerre punique entre Rome et l'empire carthaginois, qui s'étend de l'actuelle Tunis jusqu'en Espagne, en Sicile et en Sardaigne. Rome s'assure l'hégémonie en Méditerranée occidentale.	Deuxième guerre punique. Hannibal, chef de l'armée de Carthage, décide d'envahir l'Italie par voie de terre mais est contraint de reculer face aux Romains en pleine conquête espagnole. Carthage est entièrement rasée en 149-146 av. J.-C. au terme d'une troisième guerre.

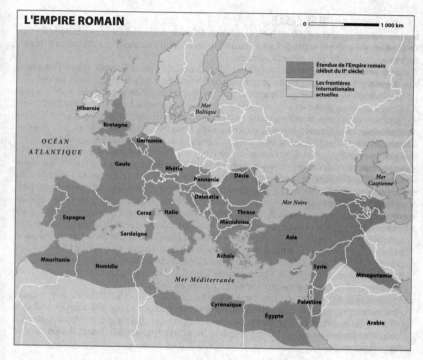

L'EMPIRE ROMAIN

0 ———— 1 000 km

Étendue de l'Empire romain
(début du II⁰ siècle)

Les frontières
internationales
actuelles

Hibernie
Bretagne
Mer Baltique
OCÉAN ATLANTIQUE
Germanie
Gaule
Rhétie
Pannonie
Dacie
Mer Caspienne
Dalmatie
Espagne
Corse
Italie
Thrace
Macédoine
Mer Noire
Sardaigne
Asie
Achaïe
Mauritanie
Numidie
Mer Méditerranée
Syrie
Mésopotamie
Cyrénaïque
Palestine
Égypte
Arabie

gouvernement et leurs terres, mais fournissent des soldats à l'armée romaine. Ainsi la République romaine accroît-elle sa puissance militaire. La protection qu'assure son hégémonie incite en outre de nombreuses cités à s'allier volontairement à elle. Dès 133 av. J.-C., à l'issue des guerres puniques qui opposent Rome à Carthage, et de sa progression vers l'est, Rome a étendu sa sphère d'influence jusqu'en Sardaigne, en Sicile, en Corse, en Grèce continentale, en Espagne, ainsi que dans une grande partie de l'Afrique du Nord et une partie de l'Asie Mineure.

Avec 300 000 habitants, Rome constitue alors la ville la plus puissante de toute la Méditerranée. La plupart des habitants sont des affranchis ou des esclaves qui vivent dans des conditions souvent précaires. Des bâtiments à étages, en brique et en bois, se dressent à côté de monuments imposants, notamment le cirque Flaminius, où se déroulent chaque année des jeux spectaculaires. Ces événements deviennent des rendez-vous très prisés du peuple de la cité, qui afflue pour assister aux combats entre fauves et gladiateurs.

79	476	568

Le Vésuve entre en éruption et ensevelit Pompéi et Herculanum sous une épaisse couche de lave et de cendres. Pline le Jeune a laissé des lettres relatant l'éruption ; les cités ensevelies ne seront découvertes qu'au XVIII⁰ siècle.

Le Germain Odoacre se proclame roi de Rome, signant ainsi la fin de la moitié occidentale de l'Empire romain. La péninsule sombre dans le chaos et seule la partie orientale est préservée.

Les Lombards envahissent le nord de l'Italie et ne laissent à l'Empire que Ravenne, Rome et le sud du pays. D'autres tribus s'emparent des Balkans et séparent la partie orientale de l'Empire du reste de l'Italie.

JULES CÉSAR

Le site www.empereurs-romains.net est une bonne source d'information sur César et ses successeurs.

Né en 100 av. J.-C., Gaius Julius Caesar deviendra l'un des généraux les plus puissants de Rome, mais aussi un fin administrateur et un grand conquérant réputé pour sa clémence.

César est tout d'abord le partisan du consul Pompée (futur Pompée le Grand), figure importante de Rome depuis qu'il a étouffé, en 78 av. J.-C., des révoltes en Espagne et mis un terme à la piraterie en Méditerranée. Après plusieurs années également passées en Espagne à endiguer des soulèvements aux frontières romaines, César forme le triumvirat avec Pompée et Crassus (grand général et ancien consul), à son retour à Rome en 60 av. J.-C. Pompée et Crassus défendent la nomination de César au poste de consul.

Vies des douze Césars, de Suétone (vers 120), est un grand classique, avec des biographies anecdotiques des empereurs romains, de Jules César à Domitien, racontées par un historien du IIe siècle.

Afin de renforcer ses pouvoirs sur l'échiquier politique romain, César se devait de disposer d'un important commandement militaire. C'est chose faite lorsqu'il est mandaté dès 59 av. J.-C. pour diriger la Gaule (Gallia Narbonensis), une province qui s'étend d'Italie aux Pyrénées. César lève des légions et, l'année suivante, entame ses campagnes en Gaule afin de repousser les invasions helvètes, puis de soumettre d'autres peuples. Ce qui n'était à l'origine qu'une manœuvre de défense se transforme rapidement en une véritable conquête de la Gaule. Cinq années plus tard, César domine la Gaule et lance des incursions jusqu'en Bretagne et de l'autre côté du Rhin. Vers 52-51 av. J.-C., il parvient à contenir la dernière grande rébellion gauloise, conduite par Vercingétorix. Toute la Gaule est dorénavant soumise à César qui s'est montré indulgent envers les vaincus.

César est désormais encadré de fidèles légions. Jaloux de la puissance grandissante de son ancien protégé, Pompée rompt son alliance politique et rejoint, en 49 av. J.-C., les sénateurs qui cherchent à renverser César. Le 7 janvier, celui-ci franchit le Rubicon et marche sur Rome, déclenchant le

LE DESTIN TRAGIQUE DE MARC ANTOINE

Maître de Rome après l'assassinat de César en 44 av. J.-C., Marc Antoine doit faire face à Octave, désigné comme successeur. Vaincu à Modène, il se rapproche d'Octave et forme avec Lépide le deuxième triumvirat. Les triumvirs éliminent le parti républicain, assassinent Cicéron, puis écrasent les conjurés Brutus et Cassius. Enfin, ils se partagent le monde romain. Antoine obtient l'Orient et épouse la sœur d'Octave. Alors qu'il part vers l'Orient avec la ferme intention d'aller combattre les Parthes, il croise la reine d'Égypte, Cléopâtre VII. Au lieu de se lancer dans des exploits guerriers, il demeure à Alexandrie… tout à sa passion pour la reine. Il se décide enfin à aller combattre les Parthes. Sa campagne est un désastre. Il se précipite à Alexandrie pour livrer à Cléopâtre les conquêtes romaines d'Asie et faire de son fils illégitime l'héritier de César. C'en est trop pour Octave et le Sénat qui déclarent la guerre à Cléopâtre et bannissent Antoine. En 31 av. J.-C., ce dernier conduit sa flotte à Actium, au large de la Grèce, mais il est vaincu à plates coutures. À peine la bataille entamée, les soixante vaisseaux de Cléopâtre battent en retraite. L'année suivante, Antoine se suicide. Quelques semaines plus tard, Cléopâtre met, à son tour, fin à ses jours.

754-756	902	962
À l'appel du pape Étienne, Pépin le Bref chasse les Lombards d'Italie et reconnaît la création des États pontificaux en échange de sa mainmise sur le reste du pays.	Les Sarrasins achèvent leur invasion de la Sicile et mettent en place un régime éclairé, qui favorise la connaissance des œuvres antiques grecques, des mathématiques et des sciences. L'agriculture est en plein essor et la Sicile jouit d'une paix relative deux siècles durant.	À Rome, le roi de Germanie Otton Ier est sacré saint empereur romain et devient le premier d'une longue lignée de souverains germains. Son ingérence dans les affaires italiennes entraîne les premiers grands conflits entre la papauté et l'Empire.

début de la guerre civile. Les trois années de campagne en Italie, en Espagne et en Méditerranée orientale voient se succéder les victoires. À son retour à Rome en 46 av. J.-C., il se fait proclamer dictateur à vie.

César entreprend une série de réformes, notamment la refonte du Sénat, et lance un gigantesque programme de construction dont témoignent encore la Curie, p. 115, et la Basilica Giulia, p. 115.

En 44 av. J.-C., il semble incontestable que César n'a pas l'intention de restaurer la république. Une conspiration s'organise entre sénateurs, et même parmi d'anciens partisans comme Marcus Junius Brutus. Ignorant les rumeurs faisant état d'un risque d'assassinat, César se déplace sans véritable protection. Le 15 mars 44 (ides de mars), il est tué à coup de poignard par un petit groupe de conjurés emmenés par Brutus, en pleine réunion du Sénat.

Le lieutenant de César, Marc Antoine, et son héritier désigné, son neveu Octave, se lancent dans une guerre civile contre ses assassins. La situation ne s'apaise que lorsque Octave impose son pouvoir sur la partie occidentale du monde romain, laissant la moitié orientale à Antoine. Cependant, par amour pour Cléopâtre, Antoine livre toutes ses possessions à l'Égypte (voir l'encadré p. 36). En 31 av. J.-C., Octave part en guerre et remporte la victoire sur Antoine et Cléopâtre à Actium, au large de la Grèce. L'année suivante, Octave envahit l'Égypte, Antoine se suicide, bientôt imité par Cléopâtre, et l'Égypte devient une province romaine.

Le Romain Marcus Tullio Tiro inventa la sténographie en 63 av. J.-C.

AUGUSTE ET L'EMPIRE

Octave demeure alors le maître incontesté du monde romain. En 27 av. J.-C., le Sénat lui accorde le titre honorifique d'*Augustus* (vénérable) et l'investit de pouvoirs considérables. Il devient, de fait, empereur.

Le règne d'Auguste est marqué par l'épanouissement des arts. Parmi ses contemporains, Auguste compte les poètes Virgile, Horace et Ovide ainsi que l'historien Tite-Live. La création artistique est encouragée. Des édifices sont restaurés, d'autres voient le jour, comme le Panthéon à Rome (p. 119). Auguste se vantait d'avoir "trouvé une Rome de brique et laissé une Rome de marbre".

La période de règne éclairé qu'il inaugure apporte une sécurité et une prospérité sans précédent dans le bassin méditerranéen. L'Empire est ensuite administré avec habileté, à quelques exceptions près, notamment pendant le règne despotique de Caligula.

En 100, la ville de Rome compte plus de 1,5 million d'habitants et possède tous les attraits d'une capitale impériale, vers laquelle on accourt des quatre coins de l'Empire. Temples de marbre, bains publics, théâtres, cirques, bibliothèques, somptueuses mosaïques, tout reflète la richesse et la prospérité. Englué dans la misère, le peuple proteste. Auguste crée la première police de Rome, qu'il place sous l'autorité d'un préfet (*praefectus urbi*), afin de lutter contre les révoltes populaires. Il met en place des cohortes de pompiers et de vigiles de nuit.

Auguste entreprend d'autres réformes ambitieuses, notamment celle de l'armée avec des troupes désormais limitées à 300 000 hommes. Le service

---

1130   **1202-1203**   **1282**

Un siècle après l'arrivée des Normands en Italie du Sud, le Normand Roger II est couronné roi de Sicile, fondant un royaume unifié du Sud. Culture et architecture normande se mêlent aux influences arabes et byzantines.

Venise lance la quatrième croisade en Terre sainte, détournée à Constantinople, pour se venger de l'attaque des intérêts vénitiens. Les croisés pillent Constantinople, renversent l'empereur byzantin et installent un dirigeant fantoche.

En imposant de lourds tributs aux propriétaires terriens de Sicile, Charles d'Anjou entraîne la révolte des Vêpres siciliennes. Une fois Charles renversé, les Siciliens confient l'île aux soins de Pierre III, roi d'Aragon.

LES HOMMES QUI ONT FAIT L'EMPIRE

31 av. J.-C.-14 Auguste (Octave) – Sans doute le plus grand souverain de Rome, Auguste introduisit, quelques années après la mort de César, une période sans précédent, marquée par une bonne administration et la Pax Romana, ou Pax Augusta, enterrant définitivement la république.

14-37 Tibère – Main de fer souvent en proie à la dépression, Tibère eut des relations difficiles avec le Sénat et se retira à Capri (p. 658) durant ses dernières années, où, dit-on, il se consacra à la boisson (il était surnommé "Biberius") et aux orgies.

37-41 Gaius (Caligula) – Tibère paraît sobre comparé à son petit-neveu Caligula. L'activité sexuelle, notamment avec ses sœurs, et la violence gratuite et cruelle comptaient parmi ses passe-temps favoris. Il vida les coffres et suggéra de nommer un cheval consul avant d'être assassiné.

41-54 Claude – Apparemment enfant timide, il se montra sans pitié envers ses ennemis (dont 35 sénateurs), dont il savourait les exécutions. Dirigeant prudent, il lança l'occupation de la Grande-Bretagne en 43.

54-68 Néron – Néron adorait le violon et les courses de char. Il lança la mode des courses publiques. Le peuple l'accusa d'avoir joué du violon alors que Rome était ravagée par le feu en 64. Il en accusa les chrétiens, exécuta les évangélistes Pierre et Paul et en envoya d'autres se faire dévorer publiquement par les lions. Il fit raser de belles propriétés pour faire bâtir son ensemble architectural, la Domus Aurea (p. 114).

69-79 Vespasien – Militaire solide qui occupa le nord de l'Angleterre et le pays de Galles, Vespasien fit ériger le Colisée (p. 112) et entreprit nombre de travaux publics. Il aurait plaisanté sur son lit de mort en disant : "Je dois être en train de me transformer en dieu."

81-96 Domitien – Administrateur solide, Domitien supervisa à Rome un grand programme de reconstruction (y compris son immense palais sur le Palatin, voir p. 113), que peu d'empereurs égalèrent.

militaire dure de 16 à 25 années, mais Auguste restreint le recours à la conscription et privilégie le volontariat. Il renforce l'organisation de la société romaine en ordres distincts. Le plus influent et le plus riche demeure celui des sénateurs. Vient ensuite l'ordre équestre qui fournit le personnel administratif et les officiers de l'armée (sur lesquels la mainmise est indispensable pour préserver la position d'Auguste). Cette structure hiérarchique n'est pas immuable et l'ascension sociale reste possible.

Un siècle après le décès d'Auguste, l'Empire atteint l'apogée de son expansion. L'empereur Trajan (53-117) est le dernier souverain romain à mener une politique expansionniste : il conquiert la Dacie et annexe l'Arménie. Son successeur, Hadrien (76-138), s'attache à préserver l'Empire, qui comprend la péninsule Ibérique, la Gaule et la Bretagne et rejoint une ligne qui suit peu ou prou le Rhin et le Danube. Les territoires aujourd'hui constitués par les Balkans et la Grèce, tout comme la Dacie, la Mésie et la Thrace (de grandes régions qui s'étendent jusqu'à la mer Noire), se trouvent sous domination romaine. Une grande partie de la Turquie, de la Syrie, du Liban, de la Palestine et de l'Israël actuels est occupée par les légions romaines, formant un empire qui s'étend jusqu'en Égypte. De là, l'Empire romain forme une large bande le long de l'Afrique du Nord jusqu'à la côte atlantique au nord de l'actuel Maroc. La mer Méditerranée appartient entièrement aux Romains.

1309

Le pape Clément V transfère la papauté à Avignon, où elle demeurera pendant près de 70 ans. Élu pape quatre ans plus tôt, Clément refusait de siéger à Rome, cité hostile divisée par ses querelles internes.

1348

La Peste noire décime l'Italie et une grande partie de l'Europe occidentale. La ville de Florence y aurait laissé les trois quarts de sa population.

1506

Début de la construction de la basilique Saint-Pierre de Rome sur un projet de Donato Bramante, à l'emplacement d'un édifice plus ancien. Les travaux de cet immense symbole de la chrétienté ne s'achèveront qu'en 1626.

98-117 Trajan – Appelé "l'empereur civil" (comme le commémore son arc, à Bénévent – p. 657), Trajan était un général qui excellait sur les champs de bataille. Il s'empara du territoire au nord du Danube lors des guerres daciques, absorba l'Arménie et vainquit l'Empire parthe à l'est.

117-138 Hadrien – Voyageur et commandant infatigable, Hadrien consolida l'empire, bâtit un mur défensif dans le nord de l'Angleterre, réforma la loi et se révéla un architecte de talent. Parmi ces créations, notons le Panthéon de Rome (p. 119), érigé sur le temple original, et la Villa d'Hadrien (p. 183) à Tivoli.

161-180 Marc Aurèle – L'empereur philosophe, fumeur d'opium. Administrateur prudent, il se retrouva en guerre contre le Nord pendant la plus grande partie de son règne après l'invasion de l'Italie par des tribus barbares.

193-211 Septime Sévère – Après l'étourdi Commode (fils et successeur de Marc Aurèle), Sévère, à l'âme militaire, se lança dans une longue campagne en Mésopotamie contre les Parthes (un arc de triomphe – l'Arco di Settimio Severo – le commémore à Rome, lire p. 115) et stabilisa l'Empire.

284-305 Dioclétien – Dioclétien introduisit la *tétrarchie* (gouvernement des quatre) avec deux grands empereurs (*Augusti* ; les Augustes) à l'est et à l'ouest, secondés par des lieutenants (*Caesares* ; les Césars). En 303, il lança une persécution des chrétiens à l'échelle de l'Empire.

306-337 Constantin Ier – Non seulement il fit du christianisme la première religion officielle de Rome, mais il établit la "nouvelle Rome", Constantinople, qui allait devenir la capitale de l'Empire d'Orient, future Byzance.

364-375 Valentinien Ier – Dernier des grands empereurs guerriers, Valentinien passa la plus grande partie de son règne en campagne en Gaule et sur le Danube pour garder son empire intact.

378-395 Théodose le Grand – Bien que basé à Constantinople et principalement occupé à mater des rébellions et des invasions dans les Balkans, Théodose peut être considéré comme le dernier empereur d'un empire uni.

Cette situation se maintient jusqu'au IIIe siècle. Lorsque Dioclétien (245-305) est proclamé empereur, l'Empire doit affronter l'assaut des Barbares mais aussi des troubles sociaux et des difficultés d'ordre économique. Les chrétiens, qui constituent une nouvelle force religieuse en plein essor et que l'on rend responsables de tous les maux de l'Empire, sont victimes de persécution. En 313, Constantin Ier leur accorde la liberté de culte.

En 330, il fonde une nouvelle capitale, Constantinople, sur le Bosphore, à l'emplacement de l'ancienne Byzance. L'Empire romain d'Orient survit tandis que l'Italie et Rome sont envahies par les Barbares. Les vestiges de l'Empire vont d'une partie des actuels Serbie et Monténégro jusqu'en Asie Mineure, le long des côtes appartenant aujourd'hui à la Syrie, au Liban, à la Jordanie et à Israël, rejoignent l'Égypte et une petite partie de l'Afrique du Nord jusqu'à la Libye. Rêvant de rétablir l'Empire romain et de reconquérir Rome, Justinien Ier (482-565) se lance dans une série de reconquêtes qui se soldent par des échecs, et il ne reste presque plus rien de la moitié occidentale de l'Empire.

PAPES ET EMPEREURS
Par un étrange revers, la religion minoritaire que Dioclétien avait cherché à éradiquer est celle qui rend à Rome sa gloire passée. Entre les invasions successives qui font tomber l'Italie aux mains des tribus germaniques, la

1508-1512	1534	1582
Le pape Jules II demande à Michel-Ange de décorer la voûte de la chapelle Sixtine. L'artiste travaille dans le plus grand secret ; les neuf fresques centrales illustrent des passages de la Genèse.	L'avènement du pape Paul III marque le début de la Contre-Réforme. Paul III fonde l'ordre des jésuites en 1540 et autorise en 1542 la création du Saint Office de l'Inquisition, chargé de poursuivre les hérétiques.	Le pape Grégoire XIII remplace le calendrier julien (introduit par Jules César) par le calendrier grégorien, qui comporte une année bissextile afin de respecter les saisons.

reconquête byzantine et l'implantation des Lombards dans le Nord, la seule puissance qui s'affirme dans la péninsule est celle de la papauté.

Pour étendre son pouvoir, la papauté invoque la donation de Constantin, un texte par lequel l'empereur Constantin Ier aurait octroyé à l'Église le contrôle de Rome et des territoires environnants, qui deviendront par la suite les États pontificaux. En quête d'appui militaire, les papes se tournent vers les Francs.

Leur alliance est cimentée en 800 lorsque Léon III sacre Charlemagne empereur d'Occident. Ce sacre marque la rupture définitive entre la papauté et l'Empire byzantin et le déplacement du pouvoir de l'ancien Empire romain d'Occident au nord des Alpes, où il demeure durant plus d'un millénaire.

L'Italie attise les convoitises et devient un terrain de luttes entre puissances rivales. La papauté passe sous la coupe de la noblesse romaine tandis que la couronne d'Italie attire des souverains éphémères. Les empereurs du Saint Empire romain germanique cherchent en vain à imposer leur hégémonie sur des cités italiennes en quête d'indépendance, ainsi que sur Rome elle-même. De leur côté, les papes tentent d'user de leur influence spirituelle pour rallier les empereurs et parvenir à leurs propres objectifs séculiers.

À la fin du XIe siècle, la querelle entre le pape Grégoire VII qui interdit toute investiture par un laïc et l'empereur Henri IV aboutit à une crise aiguë. La guerre entre papes et empereurs colore toute la politique italienne de la fin du Moyen Âge et, dans chaque cité de la péninsule, deux camps s'opposent : les partisans de la papauté (guelfes) et les partisans de l'empereur (gibelins).

L'ÉMERVEILLEMENT DU MONDE

Quand Henri VI, fils du saint empereur romain Frédéric Ier Barberousse, épouse Constance de Hauteville, héritière du trône normand de Sicile en 1186, les empereurs germaniques prennent pied pour la première fois en Italie du Sud. De cette union naît Frédéric II (1194-1250), grande figure de l'histoire médiévale européenne.

Couronné à la tête du Saint Empire romain germanique en 1220, Frédéric, qui a grandi en Italie du Sud, considère la Sicile comme sa terre d'adoption et octroie une certaine indépendance aux États germaniques. Chevalier valeureux et homme érudit, Frédéric est un souverain éclairé qui recherche le pouvoir absolu. En reconnaissant la liberté de culte aux musulmans et aux juifs, il ne fait pas l'unanimité. Son ambition est avant tout de placer l'Italie sous le joug impérial.

Poète, linguiste, mathématicien et philosophe d'une grande ouverture d'esprit, Frédéric II fonde l'université de Naples et favorise la diffusion des connaissances et la traduction de traités en arabe. De ses débuts à la cour impériale, il conserve le surnom de "*Stupor Mundi*" (l'Émerveillement du monde), tant il surprend par ses dons, sa vigueur et ses prouesses militaires.

Frappé d'excommunication, Frédéric II part en croisade (il s'agit davantage de négociations que d'affrontements armés) en Terre sainte en 1228-1229. À son retour, il chasse les troupes papales qui ont envahi le territoire

1600	**1714**	**1805**
Le moine dominicain Giordano Bruno, intellectuel impertinent et philosophe orgueilleux, qui rejetait une grande partie des enseignements religieux de son temps, est brûlé vif à Rome, accusé d'hérésie par l'Inquisition, à l'issue de huit ans de procès et de tortures.	La fin de la guerre de la Succession d'Espagne contraint les armées espagnoles à se retirer de la Lombardie, qui passe sous domination autrichienne. Les Bourbons d'Espagne fondent le royaume indépendant des Deux-Siciles.	Napoléon Ier est sacré roi du jeune royaume d'Italie, qui s'étend sur une grande partie de la moitié nord du pays. Un an plus tard, il s'empare du royaume de Naples.

napolitain. Il tente de prendre le contrôle des nombreuses cités-États du centre et du nord de l'Italie, ce qui lui vaut des ralliements mais aussi de nombreux ennemis, parmi lesquels figure la ligue des Lombards. S'ensuivent des années de luttes incessantes, auxquelles sa mort en 1250 ne parvient pas à mettre un terme. À plusieurs reprises, *Stupor Mundi* avait manqué de peu de reconquérir Rome. Les campagnes se sont poursuivies jusqu'en 1268 avec ses successeurs, Manfred (qui périt dans la sanglante bataille de Bénévent en 1266) et Conradin (capturé et exécuté deux ans plus tard par Charles d'Anjou, qui s'est emparé de la Sicile et du sud de l'Italie).

DES CITÉS-ÉTATS PROSPÈRES

Alors que le Sud s'oriente vers un pouvoir centralisé, les riches cités du Nord fondent de véritables États. Les plus puissantes sont les républiques maritimes de Gênes, de Pise et, en particulier, de Venise. Les villes de l'intérieur, Florence, Milan, Parme, Bologne, Padoue, Vérone et Modène opposent un refus croissant à l'ingérence des empereurs romains dans leurs affaires.

Leur prospérité florissante, accompagnée d'un essor de leur indépendance, conduit les cités-États à entrer en conflit avec Rome. Tiraillées entre la papauté et les empereurs, elles ne cessent de nouer et de dénouer des alliances au gré de leurs intérêts.

Entre le XIIᵉ et le XIVᵉ siècle, elles développent de nouvelles formes de gouvernement. Venise adopte un système "parlementaire" oligarchique. Pour d'autres, la participation active des citoyens au gouvernement de leur cité caractérise le mouvement communal et les *comuni* (conseils municipaux mis en place par les cités-États). Des conflits d'origine sociale rythment l'histoire des *comuni*, auxquels s'ajoutent les luttes incessantes entre guelfes et gibelins. Au cours du XIVᵉ siècle, ces luttes continuelles provoquent, dans la plupart des villes, des changements de régime politique. Les vieilles familles se désintéressent de la vie publique pour se consacrer exclusivement à l'activité commerciale. Dans ce contexte se développent des seigneuries puissantes qui cherchent à s'étendre grâce à l'action de bandes mercenaires, menées par des condottieri.

C'est ainsi que Milan, par exemple, passe aux Visconti puis, en 1450, aux Sforza. À Florence, les Médicis, une puissante famille de marchands, concentrent en leurs mains tout le pouvoir communal.

Si les affrontements entre les cités se multiplient, quelques-unes seulement, dont Florence, Milan et Venise, parviennent à absorber leurs voisines pour s'imposer sur une région. Ces cités tirent leur puissance aussi bien de leurs activités commerciales et de leurs industries que des cités conquises. En fonction de l'alliance du moment, le pouvoir passe d'un camp à l'autre et les cités-États connaissent moult revers de fortune. Jouissant d'une plus grande stabilité, Venise s'affirme avec le temps comme la cité la plus florissante.

Ces cités prospères, mues par leur volonté d'indépendance, constituent un terreau fertile pour l'épanouissement intellectuel et l'explosion artistique qui caractérisent le nord de l'Italie aux XIVᵉ et XVᵉ siècles.

L'Italie au Moyen Âge Vᵉ-XVᵉ siècle (Hachette, 2000), écrit par les universitaires Isabelle Heullant-Donat et Jean-Pierre Delumeau, tente de mettre en lumière les particularités de l'Italie dans l'histoire de l'Europe médiévale.

Dans *Les Médicis* (PUF, coll. Que sais-je ?, 1997), Pierre Antonetti présente une très bonne synthèse universitaire sur cette famille illustre.

Dante Alighieri (1265-1321) dut fuir Florence, sa ville natale, en tant que guelfe "blanc", c'est-à-dire modéré, et il écrivit *La Divine Comédie* en exil, imposant ainsi le toscan comme langue nationale.

1814-1815	**1848**	**1860**
Après l'abdication de Napoléon, le congrès de Vienne doit rétablir l'équilibre des pouvoirs en Europe. L'Italie voit revenir les puissances qui occupaient autrefois le pays.	La révolte qui gronde un peu partout en Europe gagne l'Italie, en particulier Milan et Venise, occupées par les Autrichiens. Le roi Charles-Albert de Piémont-Sardaigne se joint aux combats contre l'Autriche, qui reprend la Lombardie et la Vénétie un an plus tard.	Au nom de l'unité italienne et de Victor-Emmanuel II, roi de Savoie, Giuseppe Garibaldi débarque en Sicile. Accompagné d'un millier de "Chemises rouges", il annexe l'île et les terres du Sud.

LES FLAMMES DE L'ENFER

Dans les cités-États, la politique prend parfois des orientations radicales. Lorsque le clan des Médicis est chassé de Florence en 1494 (ce ne sera pas la dernière fois), les pères de la cité décident de revenir à un modèle de gouvernement républicain.

Le moine dominicain Girolamo Savonarola (Jérôme Savonarole) prêche le repentir à Florence, depuis 1481. Ses sermons, qui laissent craindre aux Florentins les pires maux s'ils ne renoncent pas à leurs mœurs dépravées, rencontrent un vif succès et la cité se transforme en une sévère théocratie. La consommation d'alcool, la prostitution, les fêtes, les jeux d'argent, le port de toilettes voyantes et les autres manifestations du vice ne sont alors possibles que dans la clandestinité. Livres, vêtements, bijoux, mobilier élégant et œuvres d'art sont jetés dans les "bûchers des vanités". Des groupes d'enfants arpentent la cité en quête d'habitants qui ne se seraient pas encore dépouillés de leurs biens ou de leurs anciens atours.

Les Florentins ne tardent pas à se lasser de ces pratiques fondamentalistes, tout comme le pape Alexandre VI (peut-être le moins pieux des papes) et l'ordre rival des dominicains, les franciscains. L'économie locale stagne et Savonarole perd de son influence. Le gouvernement de la cité, la *signoria*, le fait arrêter. Après avoir été torturé durant plusieurs semaines par le bourreau de Florence, Savonarole est pendu puis brûlé le 22 mai 1498 en tant qu'hérétique, avec deux de ses disciples.

L'Amérique doit son nom à Amerigo Vespucci, navigateur florentin qui, de 1497 à 1504, effectua plusieurs expéditions vers ce qui sera un jour connu sous le nom d'Amérique du Sud.

Après des siècles d'obscurantisme religieux, l'arrivée de savants grecs, chassés de Byzance lors de la prise de Constantinople par les Turcs en 1453 (sonnant définitivement le glas de l'Empire romain), ravive l'intérêt pour les œuvres antiques (dont celles de Platon et d'Aristote), qui mettent l'accent sur la raison humaine et non plus uniquement sur l'ordre divin. Parallèlement, les arts connaissent une période féconde dite de la Renaissance (voir p. 52). De toutes ces cités, Florence devient le centre névralgique du renouvellement des arts en Italie, notamment grâce au mécénat généreux de la grande lignée des Médicis.

CAVOUR ET LA NAISSANCE DE L'ITALIE

Lorsque les armées de la Révolution française font irruption en Italie en 1796, le général Bonaparte ne se doute pas qu'il va susciter la naissance d'un puissant sentiment nationaliste. Les victoires remportées lors de ses fulgurantes campagnes permettent à Bonaparte et aux libéraux italiens, après le traité de Campoformio, d'abolir l'Ancien Régime dans l'ensemble de la péninsule. Les républiques cisalpines (Lombardie, duchés de Modène et de Reggio, Romagne et Ferrare) et ligurienne (Gênes) adoptent les institutions politiques nées de la Révolution française. Les biens de l'Église sont mis en vente. La République romaine est proclamée en 1798.

Alessandro Volta inventa la pile électrique en 1800 et donna son nom à l'unité de mesure.

En 1799, l'armée austro-russe chasse provisoirement les Français d'Italie jusqu'à ce que la campagne d'Italie de 1800 rétablisse la domination française par le traité de Lunéville (9 février 1801). Après la proclamation de l'Empire français, la République cisalpine – devenue République italienne en

1861	**1870**	**1915**
Au terme de la guerre franco-autrichienne (1859-1861), Victor-Emmanuel II est proclamé roi de l'Italie unifiée, qui regroupe la Lombardie, la Sardaigne, la Sicile, le sud et une partie du centre de l'Italie.	L'invasion prussienne contraint la France à retirer ses armées de Rome. Le pape ne peut plus résister à l'avancée de l'armée italienne et, l'année suivante, le Parlement national s'installe à Rome.	L'Italie entre en guerre aux côtés des Alliés, en partie dans le but de récupérer des territoires sous domination autrichienne. La péninsule a jugé insuffisante l'offre de l'Autriche qui proposait de lui céder quelques-uns de ces territoires.

janvier 1802 avec Bonaparte pour président – est érigée en royaume d'Italie. Napoléon Ier est sacré roi d'Italie en 1805. Il nomme son fils adoptif Eugène de Beauharnais vice-roi. La domination napoléonienne, malgré ses exactions, a des effets positifs. La centralisation administrative, l'unification des lois et de la langue apprennent aux Italiens à vivre ensemble et préparent le réveil national. L'occupation française dure jusqu'en 1814. Après l'abdication de Napoléon Ier, les aspirations nationalistes italiennes sont déçues : le congrès de Vienne impose à nouveau des souverains étrangers. Ce retour en arrière encourage l'essor de sociétés secrètes qui recrutent surtout des intellectuels. Dans le Sud, la société républicaine des Carbonari revendique avec force, et souvent avec violence, une Constitution. Un soulèvement révolutionnaire embrase Naples en 1820. Il est suivi par plusieurs insurrections qui seront sévèrement réprimées au cours des années 1830 et 1840.

En 1848, la révolte gronde dans presque toutes les grandes villes d'Europe. Dans leur journal, *Il Risorgimento*, l'écrivain nationaliste Cesare Balbo (1789-1853) et le comte Camillo Benso di Cavour (1810-1861), originaires de Turin, réclament une Constitution et publient leurs *statuti* (statuts) pour le Parlement. Cavour intrigue auprès des Français et obtient le soutien des Britanniques pour la création d'une Italie indépendante.

La sanglante guerre franco-autrichienne (ou guerre d'indépendance italienne, 1859-1861) chasse les Autrichiens de Lombardie et les oblige à se replier en Vénétie. Entre-temps, le héros révolutionnaire Giuseppe Garibaldi est revenu d'Amérique du Sud. Par un coup d'audace, il réussit, avec ses "Chemises rouges", en 1860, à annexer la Sicile et le sud de l'Italie pour les remettre au roi de Savoie Victor-Emmanuel II. La Lombardie et le Sud étant aux mains des Italiens, le nouveau royaume d'Italie est proclamé en 1861. La Toscane le rejoint la même année et la Vénétie en 1866. Mais il faut attendre la guerre franco-prussienne de 1870 pour arracher Rome aux Français. L'unité italienne est faite, le Parlement peut s'installer à Rome.

Le nouvel État traverse de violentes phases de turbulences, tiraillé qu'il est entre la droite et les socialistes. Giovanni Giolitti, l'un des présidents du Conseil qui connut l'une des plus importantes longévités politiques (à la tête de cinq gouvernements entre 1892 et 1921), réussit à établir des ponts entre les extrêmes et à instituer le suffrage universel.

Les années précédant la Première Guerre mondiale sont marquées par la coupure qui demeure entre un Nord riche et un Sud (le Mezzogiorno) d'une grande pauvreté. Cette misère du Sud entraîne un mouvement d'émigration croissant. À la fin du XIXe siècle, près d'un demi-million d'Italiens s'embarquent chaque année pour l'Amérique.

DES TRANCHÉES AU FASCISME

Quand la guerre éclate en juillet 1914, l'Italie opte pour la neutralité, bien qu'elle soit membre de la Triple Alliance (ou Triplice), pacte de défense mutuelle conclu avec l'Autriche et l'Allemagne en cas de guerre.

Histoire du ghetto de Venise de Riccardo Calimani (Tallandier, 2008). En 1516, dans le quartier des fonderies – ghetto en dialecte vénitien –, des juifs reçoivent pour la première fois l'ordre de vivre en un lieu séparé. Des origines médiévales aux déportations de la Seconde Guerre mondiale, l'auteur évoque avec force l'histoire d'une communauté marquée par le destin. Préface d'Elie Wiesel.

Le Suisse Henri Dunant fonde la Croix-Rouge après avoir été témoin des atrocités de la bataille de Solferino durant la guerre franco-autrichienne (ou guerre d'indépendance italienne ; 1859-1861).

1919	**1922**	**1929**
Deux ans après son retour de la Première Guerre mondiale, l'ancien journaliste socialiste Benito Mussolini fonde un mouvement militant d'extrême droite, les Fasci Italiani di Combattimento (Faisceaux italiens de combat), précurseur du Parti fasciste.	Mussolini et ses miliciens marchent sur Rome en octobre. Inquiet de la puissance croissante du mouvement et incertain de la loyauté de son armée, le roi Victor-Emmanuel III confie à Mussolini le soin de former un gouvernement.	Mussolini et le pape Pie XI signent les accords du Latran, qui érigent le catholicisme en religion officielle et reconnaissent l'indépendance de l'État du Vatican. La papauté reconnaît le royaume d'Italie.

L'Italie revendique la possession du Trentin, du sud du Tyrol, de Trieste et même de la Dalmatie, des territoires sous domination autrichienne. Aux termes de la Triple Alliance, l'Autriche devait renoncer à une grande partie de ses territoires si elle occupait d'autres terres des Balkans, mais elle refuse de respecter cet engagement.

Le gouvernement italien est déchiré entre un parti non interventionniste et un autre favorable à la guerre qui, devant l'intransigeance de l'Autriche, décide de rejoindre les Alliés. Le pacte de Londres, signé en avril 1915, promet à l'Italie, en cas de victoire, les territoires qu'elle revendique. En mai, Rome déclare la guerre à l'Autriche.

L'épuisante guerre d'usure qui s'ensuit durera trois ans et demi. Lorsque les forces austro-hongroises s'effondrent en novembre 1918, les Italiens marchent sur Trieste et le Trentin. Au terme de la Grande Guerre, le traité de Saint-Germain-en-Laye (septembre 1919) ne satisfait pas toutes les revendications de Rome qui se voit refuser la Dalmatie et Fiume.

À ces déceptions s'ajoutent de lourdes retombées sociales et économiques de cette guerre. Non seulement l'Italie déplore la perte de 600 000 hommes, mais l'économie de guerre a entraîné la concentration de l'industrie aux mains de quelques puissants barons, laissant le reste de la population dans une profonde misère. La situation est d'autant plus explosive que des centaines de milliers de soldats démobilisés ont regagné le pays et se trouvent sans emploi. Ce contexte politique et social est favorable à la montée du fascisme.

Partisan de l'intervention militaire, Benito Mussolini (1883-1945), fondateur d'un journal socialiste et qui, dans sa jeunesse, a tenté d'échapper à la conscription, est cette fois volontaire pour se rendre au front dont il ne revient, blessé, qu'en 1917.

L'expérience de la guerre et la frustration partagée par une grande partie de la population à l'issue du traité de Saint-Germain-en-Laye le poussent à former un parti militant d'extrême droite qui deviendra le Parti fasciste en 1921. Les Chemises noires deviennent le symbole d'oppression violente et de nationalisme agressif pour les 23 années à venir. Après sa marche sur Rome en 1922 et sa victoire aux élections de 1924, le *Duce* (le guide) prend la tête du pays en 1926. Il interdit les autres partis politiques et les syndicats non affiliés au Parti et bannit la liberté de la presse.

Dès les années 1930, le Parti régit tous les aspects de la société italienne. Le grand plan de Mussolini concerne aussi bien l'économie et le secteur bancaire que l'armée, qu'il compte moderniser en profondeur. Il prévoit aussi de vastes programmes de travaux publics ou encore la transformation de marais côtiers impaludés en terres arables.

Sur le plan international, Mussolini se montre d'abord prudent en signant des pactes de coopération internationale (dont celui nommé Briand-Kellogg, en 1928, par lequel il renonce à la guerre), puis en faisant front commun avec la France et le Royaume-Uni en 1935 pour dénoncer le réarmement de l'Allemagne par Hitler. Le *Duce* se lance alors dans la conquête de l'Abyssinie

1935	1940	1943
Se lançant dans une politique coloniale, l'Italie envahit l'Abyssinie (Éthiopie) depuis l'Érythrée et met sept mois à s'emparer d'Addis-Abeba. La Société des Nations condamne l'invasion et impose des sanctions limitées à la péninsule.	L'Italie entre dans la Seconde Guerre mondiale aux côtés d'Hitler et envahit la Grèce, dont l'armée riposte et gagne le sud de l'Albanie. En 1941, l'Allemagne assure une issue favorable à l'Italie en envahissant la Yougoslavie et la Grèce.	Les Alliés débarquent en Sicile. Le roi Victor-Emmanuel III fait destituer Mussolini. Il est remplacé par le maréchal Badoglio, qui démissionne après le débarquement allié dans le Sud. Un commando SS délivre le *Duce* tandis que les troupes nazies s'emparent d'une grande partie du pays.

(Éthiopie) afin de créer un "nouvel Empire romain". Sa politique coloniale agressive donne lieu à des escarmouches avec la Grèce au sujet de Corfou et l'entraîne dans des expéditions militaires contre les forces nationalistes en Libye, colonie italienne.

La Société des Nations condamne l'expédition en Abyssinie, dont le roi Victor-Emmanuel III est désigné empereur en 1936. Mussolini se rapproche dès lors du régime nazi ; l'Allemagne et l'Italie soutiennent les troupes franquistes pendant les trois années de guerre civile en Espagne. En 1939, l'alliance entre Berlin et Rome est renforcée par un traité militaire : le pacte d'Acier.

La Seconde Guerre mondiale éclate en septembre 1939 à la suite de l'invasion de la Pologne par Hitler. L'Italie entre en guerre aux côtés du Führer le 10 juin 1940 ; l'Allemagne occupe alors la Norvège, le Danemark, les Pays-Bas et une grande partie de la France. La dictature se durcit avec la multiplication des défaites militaires dans les Balkans, en Grèce et en Afrique du Nord. En juillet 1943, les troupes alliées débarquent en Sicile sans rencontrer de résistance sérieuse.

Les critiques des Italiens à l'encontre de Mussolini et de sa guerre atteignent alors un tel point que, le 25 juillet 1943, le Grand Conseil fasciste vote sa destitution. Le lendemain, le roi Vittorio Emanuele III le fait arrêter. En septembre, l'Italie capitule tandis que les Allemands, qui avaient délivré Mussolini, placent le dictateur à la tête de l'éphémère république de Salo, au nord de l'Italie.

La lente et pénible progression des Alliés vers le nord de la péninsule et la violence de la répression allemande favorisent l'essor de la résistance. Le nord de l'Italie est finalement libéré en avril 1945. Alors qu'il tente de rejoindre la Suisse, Mussolini est intercepté par des partisans avec sa maîtresse, Clara Petacci. Ils sont exécutés et leurs cadavres, avec d'autres, sont exhibés sur le Piazzale Lotto de Milan.

LA GUERRE FROIDE EN ITALIE

Devenue république en 1946, l'Italie voit ses premières élections remportées par le démocrate chrétien Alcide De Gasperi en 1948, en vertu d'une nouvelle Constitution.

Jusque dans les années 1980, le Partito Comunista Italiano (PCI), d'abord dirigé par Palmiro Togliatti puis par le charismatique Enrico Berlinguer, joue un rôle essentiel dans le développement politique et social de l'Italie, bien qu'il soit systématiquement écarté du gouvernement.

La fin des années 1960 et les années 1970 sont marquées par des troubles sociaux : mouvements de contestation étudiante, grèves, actes de terrorisme, de type néofasciste et d'extrême gauche, ponctuent ces *anni di piombo* (années de plomb). Alors que l'économie connaît un plein essor, la crainte toujours vive du communisme en Europe donne naissance à une structure clandestine, Gladio, qui demeure mystérieuse encore aujourd'hui. Cette organisation paramilitaire secrète aurait été orchestrée par la CIA et l'OTAN et se trouverait à l'origine de plusieurs attentats terroristes inexpliqués qui

Il Cavallo Rosso (*Le Cheval rouge*, Éd. L'Âge d'homme, 1997), d'Eugenio Corti, est un récit extraordinaire de son expérience en Russie pendant la Seconde Guerre mondiale et de son retour en Italie. Ouvertement du côté de la droite catholique, ce livre propose une vision pénétrante et parfois politiquement incorrecte de l'Italie moderne en temps de guerre et de paix.

Rome 1920-1945 : le modèle fasciste, son duce, sa mythologie (Autrement, 1991), dirigé par François Lifran, présente la Ville Éternelle à l'époque mussolinienne.

Mussolini (Fayard, 1999), de Pierre Milza, est une biographie vivante et critique du dictateur italien.

1946   **1957**   **1970**

Par un référendum national, les Italiens abolissent la monarchie et optent pour la république. Le roi Humbert II, intronisé en mai, quitte la péninsule et refuse de reconnaître le résultat.

L'Italie, la France, la RFA et le Benelux signent le traité de Rome, qui entre en vigueur le 1er janvier 1958 et fonde la Communauté économique européenne (CEE).

Le Parlement approuve la première loi sur le divorce, à laquelle l'Église s'oppose avec vigueur. Refusant cette "défaite", les démocrates chrétiens demandent en 1974 la tenue d'un référendum sur l'abrogation du texte. Les Italiens rejettent le référendum.

MASSACRE EN MÉDITERRANÉE

Quand le maréchal italien Badoglio annonça la fin des combats entre l'Italie et les Alliés le 8 septembre 1943, la fête commença sur la jolie île grecque de Céphalonie. Elle était occupée par la division italienne Acqui et une foule d'autres unités (quelque 12 000 soldats en tout), dont les hommes furent trop heureux d'échanger leurs fusils contre des bouteilles de vin.

Un bien plus petit contingent de soldats allemands exigea, le 10 septembre, que les Italiens capitulent. Le commandant italien, le général Gandin, essaya de gagner du temps mais le 14 septembre, ses hommes votèrent pour la résistance. Les Allemands firent venir des renforts sur l'île. La bataille dura une semaine. Bombardés sans relâche par des bombardiers Ju87 Stukas, les Italiens n'avaient aucune chance.

Après la capitulation, le 22 septembre, des exécutions eurent lieu des jours durant et des milliers de prisonniers se noyèrent lors du naufrage de leurs embarcations qui les emmenaient en Allemagne. On estime le nombre de morts à 9 500, dont seulement 1 500 moururent au combat. Hitler lui-même avait ordonné l'exécution de tous les prisonniers italiens sur l'île, considérés comme des traîtres.

ont frappé le pays à cette période. L'objectif était, semble-t-il, d'entretenir un climat de terreur qui, en cas de victoire des communistes, aurait permis de lancer sans délai un coup d'État des partis de droite.

En 1978, les *Brigate Rosse* (Brigades rouges), groupuscule d'extrême gauche responsable de plusieurs assassinats et attentats à la bombe, revendiquent leur plus célèbre victime : l'ancien président du Conseil, Aldo Moro. Son enlèvement puis son assassinat 54 jours plus tard (voir à ce sujet le film *Buongiorno Notte, 2004*) bouleversent la péninsule.

Dans ce contexte inquiétant, quelques changements positifs interviennent pourtant, parmi lesquels la décentralisation régionale. Au cours de la même décennie, la légalisation du divorce et le droit à l'avortement annonce d'autres changements protégeant le droit des femmes.

Claudia Cardinale fut la vedette du film italien *Claretta* (1984) qui relate, jusqu'à sa fin tragique, la vie tourmentée de Clara Petacci, maîtresse de Mussolini. Alors qu'elle aurait pu s'enfuir au moment de leur arrestation, Clara tenta en vain de protéger le *Duce* des balles du peloton des partisans.

L'ÈRE BERLUSCONI

L'Italie voit son économie s'envoler dans les années 1980, mais une nouvelle période de crise prolongée débute au milieu des années 1990. Des taux de chômage et d'inflation élevés conjugués à une énorme dette publique et à une très grande instabilité de la lire obligent le gouvernement à prendre des mesures draconiennes pour résorber le déficit public. Comme pour d'autres pays européens, le passage à l'euro s'accomplira en 2001.

L'ordre ancien semble s'écrouler dès les années 1990. Le PCI se divise en deux. La minorité de la vieille garde, le Partito della Rifondazione Comunista (PRC), est dirigée par Fausto Bertinotti jusqu'à l'écrasante défaite des élections de 2008 (où il n'obtient pas les 5% nécessaires pour entrer au Parlement). L'aile séparatiste plus grande et modérée se transforme en Democratici di Sinistra (DS, démocrates de gauche) et, en 2007, fusionne avec un groupe de centre gauche pour créer le Partito Democratico (PD).

1980	2001	2006
Une bombe explose à Bologne, tuant 85 personnes et faisant des centaines de blessés. Les Brigades rouges et un groupe fasciste revendiquent tous deux l'attentat. Des analyses ultérieures évoquent la piste du terrorisme para-étatique (l'opération Gladio), mais aucune preuve n'a été apportée.	La Casa delle Libertà (Maison des libertés), coalition de droite conduite par Silvio Berlusconi, remporte les élections législatives haut la main. Il Cavaliere promet de diriger l'Italie comme une entreprise, mais les cinq années suivantes se caractérisent par la stagnation économique.	En avril 2006, Berlusconi perd les élections législatives au profit d'une coalition de centre gauche menée par Romano Prodi.

Les autres partis de la scène politique italienne sont bouleversés par le scandale Tangentopoli, qui éclate à Milan en 1992. L'enquête, baptisée *mani pulite* (mains propres) et menée par le juge milanais Antonio Di Pietro, implique des milliers d'hommes, de fonctionnaires et d'hommes d'affaires, les accusations allant de la simple corruption au vol qualifié.

Les partis de centre droit traditionnels sont dissous au lendemain de ces procès et émerge alors ce que les Italiens espèrent être une bouffée d'air frais dans la vie politique. Le parti Forza Italia du magnat des médias Silvio Berlusconi accède au pouvoir en 2001 et, après un interlude de deux ans peu probant sous le gouvernement de centre gauche de l'ancien chef de la Commission européenne Romano Prodi à partir de 2006, de nouveau en avril 2008.

Avec l'Alleanza Nazionale de droite (autrefois fasciste) sous Gianfranco Fini et la polémique et séparatiste Lega Nord (ligue du Nord), Berlusconi siège à la tête d'une coalition, Popolo della Libertà, avec une majorité inattaquable.

Mené par l'ancien maire de Rome, Walter Veltroni, le PD fut incapable de se remettre des 38% obtenus aux élections de 2008. Le PD connaît des défaites successives lors d'élections municipales nationales et d'élections régionales dans le Frioul, la Vénétie Julienne, les Abruzzes et en Sardaigne. Cette dernière défaite, en février 2009, pousse Veltroni à démissionner, laissant la gauche divisée dans le chaos.

De 2001 à 2006, le gouvernement de Berlusconi vote une série de lois qui protègent ses vastes intérêts commerciaux (il contrôle 90% des chaînes gratuites du pays). Il consacre un temps considérable à lutter contre ce qu'il appelle des juges "politisés" du pays. Ces derniers ont commencé à mettre le nez dans les nombreuses affaires dès les années 1990, mais Berlusconi réussit à obtenir l'impunité dans son action.

L'un des premiers gestes de Berlusconi en 2008 est de résoudre la longue crise des poubelles à Naples. Problème complexe rémanent depuis le début des années 1990, les grèves relatives au traitement des déchets ont maintes fois imposé à Naples des épisodes… nauséabonds. La corruption, une mauvaise gestion, un réseau de décharges publiques saturé et la controverse sur le lieu d'implantation des incinérateurs aggravent le problème. À peine son mandat commencé, Berlusconi part pour Naples et envoie l'armée pour calmer les protestations et relancer le processus. En juillet 2008, le Premier ministre décrète la fin de la crise. La gestion des poubelles n'est pas le seul problème de Naples. Ces dernières années, la Mafia a fait couler le sang dans les rues de la ville plus que nulle part ailleurs en Italie. Depuis 2004, de 60 à 100 personnes meurent chaque année dans le cadre de la violence entre bandes lorsque les clans rivaux de la Camorra s'affrontent.

Enfin, suite aux élections régionales de mars 2010, la coalition de centre-droit de Berlusconi a ravi quatre régions à l'opposition de gauche, dont celle de Rome. En réalité, le véritable vainqueur de ces élections est la Ligue du Nord, le parti populiste d'Umberto Bossi (allié de Berlusconi), qui a poursuivi son expansion dans le Centre-Nord, en faisant un score de 13% au niveau national.

Roma, Città Aperta (Rome, ville ouverte), réalisé en 1945 par Roberto Rossellini avec Anna Magnani, est un grand classique du cinéma néoréaliste italien, et une vision superbe de Rome en temps de guerre. Ce film – le premier de la trilogie de la guerre du réalisateur– a été suivi de Paisà et Germania Anno Zero (Allemagne année zéro).

Gomorra : dans l'empire de la Camorra (Gallimard, Folio, 2009), de Roberto Saviano, retrace la manière violente dont les gangs criminels organisés de Naples, la Camorra, dominent la ville. Lecture fascinante, son adaptation à l'écran par Matteo Garone a remporté le Grand Prix du Jury au Festival de Cannes en 2008.

2006	2007	2009
Juventus, l'AC Milan et les trois autres équipes de football de série A perdent des points et reçoivent de lourdes amendes lors d'un scandale de tricherie qui voit aussi la Juventus dépouillée de ses titres de championnat 2005 et 2006.	Ancien héritier du trône italien, Vittorio Emanuele di Savoia est blanchi des charges de corruption et de fraude liées à des affaires illégales, impliquant notamment le casino de Campione d'Italia, enclave italienne en territoire suisse.	La Cour constitutionnelle italienne annule une loi accordant à Berlusconi l'immunité pendant son mandat, ouvrant la possibilité de le voir apparaître devant un tribunal pour plusieurs affaires. Le Premier ministre refuse de démissionner.

L'art italien

L'histoire de l'art italien se confond à bien des égards avec celle de l'art occidental. L'art classique, la Renaissance, le maniérisme, le baroque, le futurisme ou la peinture métaphysique sont autant de mouvements qui ont vu le jour en Italie, façonnés par un panthéon d'artistes parmi lesquels Giotto, Botticelli, Léonard de Vinci, Michel-Ange, Raphaël, le Caravage et Bernin. Riche d'une multitude de musées et d'églises renfermant des œuvres incomparables, l'Italie est une sorte d'immense galerie d'art dont aucun visiteur ne peut prétendre épuiser les merveilles.

L'Art italien (Flammarion, 2008), d'André Chastel, est un ouvrage de référence, où l'auteur, historien de l'art, offre un panorama brillant et complet de l'art italien, du Vᵉ siècle av. J.-C., aux films de Federico Fellini, avec, en annexe, des biographies d'artistes et des notices topographiques facilement utilisables par les voyageurs et les amateurs d'art.

L'ANTIQUITÉ ET LA PÉRIODE CLASSIQUE

Dans l'art comme dans bien d'autres domaines, les Romains se sont tournés vers le modèle grec. Ils ne manquaient pas d'exemples en la matière car, dès le VIIIᵉ siècle av. J.-C., les Grecs avaient colonisé une partie de la Sicile et le sud de l'Italie, qu'ils baptisèrent *Magna Graecia*. Les grandes cités fondées sur ce territoire – comme Syracuse et Tarente – étaient célèbres pour leurs temples magnifiques, décorés bien souvent de sculptures réalisées sur le modèle de chefs-d'œuvre de Praxitèle, de Lysippe et de Phidias. Le Musée archéologique de Naples (p. 643) conserve un grand nombre de ces pièces.

Continuant à se développer dans le sud du pays durant la période hellénistique, la sculpture s'est imposée également dans le centre de l'Italie, où l'art originel des Étrusques, qui peuplaient la région à l'époque, s'est grandement affiné sous l'influence des artisans grecs venus ici exercer leur métier. L'*Apollon de Véies*, œuvre en terre cuite du VIᵉ siècle av. J.-C. miraculeusement préservée et exposée au Museo Nazionale Etrusco di Villa Giulia (p. 127), à Rome, en est un témoignage splendide.

À Rome même, la sculpture, l'architecture et la peinture se sont épanouies sous la République, puis sous l'Empire. Les œuvres réalisées durant cette période – notamment les portraits sculptés – s'écartent cependant à bien des égards de l'art grec dont elles s'inspirent. Essentiellement profanes, elles s'attachent moins à l'harmonie ou à la forme et davantage à une représentation fidèle de la réalité. En parcourant les collections du Museo Palatino (p. 113) et du Museo Nazionale Romano – Palazzo Massimo alle Terme (p. 129), à Rome, on est frappé par le réalisme saisissant – et parfois peu flatteur ! – des bustes en marbre des empereurs et des membres de leur famille. Pompée, Titus ou Auguste, dans leurs innombrables représentations, affichent toujours le même visage, ce qui prouve que les artistes ne recherchaient pas uniquement la gloire, mais aussi la vraisemblance.

L'art n'avait pas non plus la même fonction dans la Rome antique qu'en Grèce. Là où il n'était question pour les Grecs que de beauté, d'harmonie et d'expressivité, Auguste (63 av. J.-C.-14 apr. J.-C.) et les empereurs qui lui ont succédé ont trouvé un moyen de propagande chargé de véhiculer un message que l'association avec la Grèce classique et l'apogée d'Athènes venaient appuyer. Cet art narratif s'est en particulier exprimé sous la forme de reliefs retraçant les grandes victoires militaires. Œuvres monumentales somptueuses exaltant l'empereur et Rome d'une manière qui ne peut laisser indifférent, la colonne Trajane (Colonna di Traiano, p. 117) et l'Ara Pacis Augustae (autel de la Paix d'Auguste, p. 125) sont deux exemples marquants de cette tradition.

La classe aisée de la société romaine s'intéressait elle aussi à l'art, décorant ses palais de statues copiées sur des modèles grecs, ou parfois des originaux mêmes. Les musées de Rome fourmillent aujourd'hui de ces pièces, qu'il s'agisse de copies, comme le *Galata Morente* (Gaulois mourant, vers 240-200 av. J.-C.) des musées du Capitole (p. 117), ou d'originaux, comme l'extraordinaire *Laocoon et ses fils* (vers 160-140 av. J.-C.) de la collection des musées du Vatican (p. 134).

Les Romains ornaient également leurs villas de fresques, un art déjà présent chez les Étrusques – en particulier dans les tombeaux, comme on peut le voir dans les nécropoles de Tarquinia (p. 185) et de Cerveteri (p. 184) –, mais dont ils firent un genre raffiné, axé essentiellement sur des paysages peints avec un naturel surprenant. On peut admirer quelques magnifiques exemples de ces peintures riches en couleur au Museo Nazionale Romano – Palazzo Massimo alle Terme (p. 129), à Rome.

L'ART BYZANTIN

En 330, l'empereur Constantin, converti au christianisme, rebaptisa du nom de Constantinople l'ancienne Byzance, dont il fit sa capitale. La ville restera le centre culturel et artistique du monde chrétien jusqu'à la Renaissance – mais son influence sur l'art de cette période n'égalera pas celle de la Rome antique.

On retient de la période byzantine des églises et des palais exceptionnels sur le plan architectural, un art de la mosaïque extraordinaire et, dans une moindre mesure, sa peinture. Les décorations des catacombes romaines et des premières églises chrétiennes, ainsi que le style gréco-oriental, caractérisé par de riches ornements et des couleurs lumineuses, ont laissé leur marque dans l'art byzantin. Ces œuvres gomment les aspects naturalistes de la tradition classique et exaltent l'âme plutôt que le corps, Dieu plutôt que l'homme ou l'État.

En Italie, c'est à Ravenne, capitale au VIᵉ siècle des provinces occidentales de l'Empire byzantin, que s'illustre de la manière la plus frappante la maîtrise de l'art de la mosaïque. L'empereur Justinien et sa femme, l'impératrice Théodora, firent édifier et décorer trois églises, qui, avec Saint-Sauveur-in-Chora (Kariye Müzesi), à Istanbul, abritent les plus beaux joyaux de la mosaïque byzantine. Les carreaux vernissés et découpés à la main (*tesserae*) de la Basilica di Sant'Apollinare in Classe (p. 466), de la Basilica di San Vitale (p. 465) et de la Basilica di Sant'Apollinare Nuovo (p. 465) accrochent la lumière et lancent des reflets miroitants dans l'intérieur sombre de ces églises. Bien qu'une remarquable impression de naturel se dégage des scènes bibliques et des autres motifs représentés, ces ensembles restent empreints de grandeur et de mystère.

Avec 44 sites inscrits au patrimoine mondial (voir p. 86-87), l'Italie est le pays le mieux loti. Parmi ces sites, beaucoup le sont en tant qu'écrins d'œuvres d'art majeures.

L'ART AU MOYEN ÂGE

Souvent considéré comme une parenthèse "sombre" entre les empires romain et byzantin d'une part, et la Renaissance d'autre part, le Moyen Âge italien ne saurait toutefois être négligé si l'on veut comprendre l'histoire du pays. L'Italie a en effet vu le jour à cette période. Les invasions barbares des Vᵉ et VIᵉ siècles ont déclenché un processus par lequel un empire unifié s'est morcelé en un territoire formé de petites cités-États indépendantes. Et ce sont les négociants, les princes, les dignitaires religieux et les corporations qui les habitaient qui ont lancé le mécénat, rendant possibles les grandes innovations artistiques et architecturales de la Renaissance.

Dans la continuité de la tendance initiée à l'époque byzantine, l'objectif de la clarté et de la simplicité du message religieux commença à prendre le pas sur l'idéal de la représentation fidèle. De nombreux tableaux de cette époque ont ainsi l'air un peu figé, du moins au premier regard. On ne retrouve rien de la maîtrise du mouvement et de l'expressivité qui faisait la fierté des Grecs et que les Romains avaient adoptée.

La peinture et la sculpture de cette époque jouent les seconds rôles, s'effaçant derrière l'architecture romane. On relève aussi le travail des Cosmati, une corporation romaine de mosaïstes et de marbriers qui assemblaient des fragments de verre et de pierres de couleur en les combinant avec de grands disques de pierre et des bandes de marbre blanc pour créer d'éblouissantes œuvres au motif complexe : pavements, colonnes, baldaquins et autres ornements d'église. On peut admirer de beaux exemples du travail "cosmatesque" dans plusieurs églises de Rome, notamment la Chiesa di Santa Maria in Cosmedin (p. 123), la Basilica di Santa Maria Maggiore (p. 128) et la Chiesa di Santa Maria Sopra Minerva (p. 120).

LE STYLE GOTHIQUE

Le style gothique ne s'est pas développé aussi rapidement en Italie que dans le reste de l'Europe. Charnière entre l'art du Moyen Âge et la Renaissance, il voit les artistes puiser de nouveau joyeusement leur inspiration dans la vie elle-même et non plus seulement dans la religion. À l'époque où l'aristocratie est en plein essor et où la citoyenneté progresse dans les cités-États, l'art gothique se caractérise par son raffinement et son élégance, son souci du détail, sa palette lumineuse et sa technique toujours plus sophistiquée. Précurseur du style, le sculpteur pisan Nicola Pisano (v. 1220-1284) s'inspira des maîtres français et étudia la sculpture classique afin de représenter la nature de manière plus convaincante, mais c'est à Florence et à Sienne que le mouvement devait prendre son essor.

Giotto et la "renaissance" de l'art italien

Les peintres byzantins savaient jouer de l'ombre et de la lumière et maîtrisaient les rudiments de la perspective. Il ne manquait qu'un génie pour briser le carcan de leur conservatisme et se lancer dans l'univers nouveau d'une peinture "naturaliste". Héritier des grands sculpteurs des cathédrales du Nord, le peintre florentin Giotto di Bondone (v. 1266-1337), tout en empruntant aux maîtres byzantins, fit naître une peinture radicalement différente, qui s'attachait à la création d'un récit et à la représentation exacte, ou "naturelle", de personnages et de paysages. Le poète Boccace écrit dans *Le Décaméron* (1348-1353) que Giotto "possédait un génie si puissant que la Nature, mère et créatrice de toutes choses ne produit rien [...] qu'il ne fût capable de reproduire avec le stylet, la plume ou le pinceau : reproduction si parfaite que, pour les yeux, ce n'était une copie mais le modèle lui-même".

Boccace n'était pas le seul critique de renom de l'époque à considérer l'œuvre de Giotto comme révolutionnaire. Giorgio Vasari (voir l'encadré p. 57), premier historien de l'art italien, écrit dans ses *Vies d'artistes* (1550) que Giotto lança la "renaissance" (*rinascità*) de l'art. L'artiste est particulièrement célèbre pour ses fresques (qu'il réalisait en appliquant les pigments sur un enduit encore frais), dont l'aboutissement s'exprime dans le cycle ornant les murs de la Cappella degli Scrovegni (p. 383), à Padoue. Dans cet incomparable récit des vies de la Vierge et du Christ, l'artiste abandonne les conventions traditionnelles comme la représentation de trois quarts de la tête et du corps, pour peindre ses personnages vus de derrière ou de côté, selon les exigences du récit. Nul besoin selon Giotto de forcer sur la dorure et les ornementations compliquées pour que le spectateur prenne conscience de l'importance du sujet. Le réalisme des personnages et la perfection de la composition, qui crée l'illusion de la profondeur, transmettent au mieux la tension dramatique de la scène. Œuvres d'une grande force émotionnelle, ces fresques témoignent de l'exceptionnelle maîtrise de l'artiste.

Nombreux sont les peintres de la Renaissance à s'être représentés dans l'une de leurs œuvres principales. Si Giotto s'en est dispensé, c'est peut-être parce que certains de ses amis, comme Boccace, le décrivaient comme l'homme le plus laid de Florence.

FRA' FILIPPO LIPPI, MOINE RENÉGAT

Filippo Lippi (1406-1469), un des plus grands peintres toscans de son époque, entra au carmel à l'âge de 14 ans. Vasari écrit dans *Vies d'artistes* que "au lieu d'étudier, il passait tout son temps à griffonner des dessins dans ses livres et ceux des autres". Aussi n'est-il peut-être pas surprenant que Lippi ait fini par quitter le carmel. il enleva une novice qui posait pour le personnage de la Madone d'une fresque qu'il peignait pour le Duomo de Prato, renonça à ses vœux et l'épousa. Filippino (1457-1504), leur fils, suivit les traces artistiques de son père. L'histoire ne dit pas s'il commit les mêmes frasques que lui.

Tout aussi extraordinaire – ou presque –, le cycle de la vie de saint François peint dans l'église supérieure de la Basilica di San Francesco (p. 580), à Assise, devait influencer profondément les contemporains de Giotto, dont beaucoup travaillaient à Assise au moment de la décoration de l'église. L'un des plus célèbres est le dominicain Fra' Angelico (v. 1395-1455), peintre florentin qui s'illustra par sa maîtrise de la couleur et de la lumière. L'*Annonciation* (v. 1450), que l'on peut admirer dans le couvent du Museo di San Marco (p. 492), à Florence, est peut-être son œuvre la plus magistrale.

L'école de Sienne

Giotto ne fut pas le seul artiste de son temps à expérimenter de nouvelles formes et couleurs et à travailler une autre manière de composer pour créer un style radicalement nouveau. Le maître siennois Duccio di Buoninsegna (v. 1255-1319), qui se distingua notamment dans la peinture sur panneau, renouvela lui aussi les formes byzantines grâce à l'utilisation du clair-obscur. Tout son talent s'exprime dans la *Maestà* (Vierge en majesté), conservée au Museo dell'Opera Metropolitana (p. 539) à Sienne.

Sienne fut également le cadre de deux phénomènes majeurs : l'apparition des peintres de cour et l'avènement de l'art profane.

Premier peintre à travailler spécifiquement pour une cour ou un riche particulier, Simone Martini (v. 1284-1344) pouvait pratiquement rivaliser en renommée avec Giotto à son époque. Dans son œuvre la plus connue, la *Maestà* (1315-1316), conservée au Museo Civico (p. 538) de Sienne, on remarque déjà l'utilisation d'une palette irisée que l'on retrouvera dans d'autres réalisations.

Travaillant eux aussi à Sienne à cette époque, les frères Lorenzetti, Pietro (v. 1280-1348) et Ambrogio (v. 1290-1348), sont les plus grands représentants de ce que l'on peut appeler, faute de mieux, la "peinture profane". Chef-d'œuvre d'Ambrogio, les *Allégories du bon et du mauvais gouvernement* (1337-1340), au Museo Civico, exaltent les bienfaits d'une bonne gouvernance (l'exemple de Sienne est bien entendu utilisé) et mettent en garde contre les conséquences sinistres d'une mauvaise administration. La perspective de ces fresques est reproduite avec une maîtrise inégalée jusqu'alors, créant une profondeur inédite dans un espace pictural empreint de réalisme. Ces œuvres constituent aussi une étape importante dans l'histoire de la représentation picturale de la nature en Italie : la *Vie à la campagne*, l'une des allégories, offre une image de la nature d'un réalisme entièrement nouveau à l'époque, où ne manquent ni l'évocation du moment de la journée, ni la marque de la saison, ni les reflets des couleurs et les jeux d'ombre et de lumière.

Comme la folie et la prodigalité, le génie artistique est souvent héréditaire. En Italie, les Bellini (Jacopo, Gentile et Giovanni), les Lorenzetti (Ambrogio et Pietro), les Pisano (Nicola et Giovanni), tout comme les Della Robbia, prouvent que l'art est aussi une affaire de famille.

LE QUATTROCENTO

Prenant le pas sur la sculpture et l'architecture, la peinture devint au XVe siècle (le Quattrocento), pour la première fois dans l'histoire de l'art occidental, la première forme d'expression artistique. Ses plus belles conquêtes sont le résultat en grande partie des innovations introduites par Giotto et les peintres de l'école de Sienne : exploration de la perspective et de la proportion, intérêt renouvelé pour le portrait réaliste et début d'une nouvelle tradition de peinture paysagère. Ces voies furent explorées au début du Quattrocento, à Florence pour l'essentiel.

Deux ouvrages passionnants pour aborder l'Italie de la Renaissance : *Comment l'art devient l'Art* (Gallimard, 2007), d'Édouard Pommier et, plus ancien, *L'Œil du Quattrocento* (Gallimard, 1985), de Michael Baxandall.

C'est dans les domaines de la sculpture et de l'architecture que l'on relève les premières audaces de cette période. Aux statues pudiquement drapées du Moyen Âge, les sculpteurs Lorenzo Ghiberti (1378-1455) et Donatello (v. 1382-1466) substituent des personnages en mouvement et dont l'anatomie épouse la réalité, qui rappellent les grandes œuvres de l'Antiquité grecque et romaine.

Profondément marqué lui aussi par les maîtres classiques, l'architecte Filippo Brunelleschi (1377-1446), qui dessina la coupole du Duomo de Florence, dépassa ses maîtres et découvrit les règles mathématiques par lesquelles les objets semblent diminuer en taille au fur et à mesure qu'ils s'éloignent de nous, dotant ainsi les artistes d'une perspective visuelle totalement nouvelle et d'un outil au service de grandes réalisations.

La Trinité, dans la Basilica di Santa Maria Novella (p. 491), à Florence, est l'une des premières créations issues de l'application de ces règles. Réalisée par Masaccio (1401-1428) peu avant sa mort, cette fresque est généralement considérée comme l'une des œuvres fondatrices de la Renaissance en peinture. Les contemporains de Masaccio ont reconnu l'importance de son travail et Léonard de Vinci lui-même, qui admirait sa représentation fidèle de la réalité, a composé de la même manière la célèbre *Cène* qui orne l'un des murs du réfectoire de la Chiesa di Santa Maria delle Grazie (p. 271), à Milan.

Après la révolution esquissée par Giotto et accomplie par Masaccio, les artistes de l'époque ne se contentèrent plus d'appliquer les vieilles règles transmises par les maîtres du Moyen Âge. Comme les Grecs et les Romains, ils commencèrent à étudier l'anatomie humaine dans leurs ateliers et firent poser des modèles ou des amis, afin de donner aux personnages de leurs œuvres le plus grand réalisme possible, puis de leur insuffler un mouvement grâce aux nouvelles règles de la perspective. Andrea Mantegna (1431-1506), qui travaillait à Padoue et à Mantoue, explora la perspective avec un talent inégalé à l'époque : son *Christ mort* (v. 1480), représenté dans un raccourci stupéfiant, est d'une expressivité et d'un réalisme inouïs. On imagine sans peine, en contemplant ce tableau, qui figure dans la collection de la Pinacoteca di Brera (p. 272) à Milan, le choc qu'il a dû susciter lorsqu'il fut montré pour la première fois.

L'innovation fait parfois surgir de nouveaux problèmes, comme le découvrirent bientôt les artistes florentins. Ignorant les règles de la perspective, les peintres du Moyen Âge pouvaient distribuer leurs personnages dans leurs tableaux comme ils le souhaitaient, de manière à composer un ensemble harmonieux. Les peintres du Quattrocento se rendirent compte que l'application stricte des nouvelles formules rendait difficile une composition équilibrée, les personnages formant souvent des groupes d'aspect peu naturel. Cette difficulté se faisait particulièrement sentir dans les grands ouvrages, notamment les retables, qui doivent à la fois pouvoir être vus de loin et s'inscrire dans la structure architecturale d'ensemble de l'église. Le premier à tenter de trouver une solution à ce problème, Sandro Botticelli (v. 1444-1510) s'est efforcé de peindre des tableaux à la fois respectueux des règles de la perspective et harmonieux dans leur composition. Quoique imparfaite – le long cou de Vénus n'a rien de naturel –, sa *Naissance de Vénus* (1485), aujourd'hui conservée aux Offices (p. 489), reste l'une des réussites les plus convaincantes à cet égard, et en tout cas une œuvre d'une incomparable beauté.

LE CINQUECENTO

Point d'orgue de l'histoire de l'art italien – qui ne manque pas de temps forts –, le début du XVIᵉ siècle (le Cinquecento) voit le centre de l'excellence et de l'innovation artistique se déplacer de Florence à Rome et à Venise. Ce mouvement reflète la réalité sociale et politique de l'époque, à savoir à Florence, le transfert du pouvoir des Médicis à Savonarole, ainsi que la volonté des papes de contrer l'influence de Martin Luther et de la Réforme en faisant du siège de l'Église un lieu d'une magnificence propre à humilier les dissidents et à les ramener dans le rang.

Tous trois peintres et architectes de génie, Léonard de Vinci (1452-1519), Michel-Ange (1475-1564) et Raphaël (1483-1520) incarnent à eux seuls l'esprit de la Renaissance et ont changé à jamais la face de l'art occidental. Scientifique autodidacte, Léonard de Vinci s'illustra également comme un mathématicien visionnaire ; quant à Michel-Ange, il reste sans doute le plus grand sculpteur de l'histoire de l'art.

Difficile de faire un choix parmi tous les talents que possédait le Florentin Léonard de Vinci. Dans sa peinture, il a franchi ce que certains spécialistes qualifient de pas décisif dans l'histoire de l'art en abandonnant l'équilibre conservé jusqu'alors entre la couleur et le trait et en choisissant d'utiliser la couleur pour modeler ses contours. Cette technique, le sfumato, est portée à sa perfection dans *La Joconde*.

Lui aussi originaire de Florence, Michel-Ange (Michelangelo Buonarotti) se considérait avant tout comme un sculpteur et son œuvre sculpturale dénote une maîtrise du dessin du corps humain qui reste sans égale, comme en témoigne le *David* de la Galleria dell'Accademia (p. 493) de Florence. Mais les fresques du plafond de la chapelle Sixtine (p. 136), à Rome, où le corps humain est représenté de manière extraordinaire, lui valent une renommée plus grande encore. Michel-Ange s'est ici démarqué de ses contemporains en peignant des personnages qui ne sont pas uniquement réalistes, mais qui incarnent l'expérience humaine dans sa dimension émotionnelle. La maîtrise de la perspective et une figuration fidèle de l'anatomie ne suffisent pas à expliquer la force vitale qui les animent.

Raffaello Sanzio, plus connu sous le nom de Raphaël, né à Urbino, a résolu avec brio la difficulté à laquelle se heurtaient les peintres du Quattrocento en parvenant à allier à la perspective une disposition harmonieuse des personnages, comme en témoignent notamment *La Nymphe Galatée* (v. 1514), à la villa Farnésine (Rome), et *L'École d'Athènes*, dans la Stanza della Segnatura (p. 135) des musées du Vatican. Ses multiples scènes de la Vierge et l'Enfant – dans lesquelles il utilise la technique du sfumato inventée par Léonard de Vinci – incarnent le modèle occidental de la beauté idéale, qui a traversé les siècles jusqu'à notre époque.

Tandis que Léonard de Vinci, Michel-Ange et Raphaël poursuivaient leur quête de l'unité visuelle et s'attachaient au perfectionnement de leur technique de composition et de traitement des personnages, les artistes vénitiens Giorgione (v. 1477-1510) et Titien (v. 1490-1576) empruntaient une autre voie, cherchant à réaliser l'unité de leurs compositions à l'aide de la lumière et de la couleur. Une grande impression de luminosité et d'espace se dégage ainsi de l'énigmatique *Tempête* de Giorgione, conservée aux Gallerie dell'Accademia (p. 358), à Venise, œuvre emblématique de cette quête.

Le maniérisme

En 1520, des artistes comme Michel-Ange et Raphaël avaient atteint à peu près tous les sommets vers lesquels tendaient les générations précédentes. Aucun problème ne semblait devoir résister à leur talent de dessinateurs, aucun sujet ne paraissait un défi impossible à relever pour eux. C'est

Artemisia Gentileschi (1593-1652) est l'une des rares femmes artistes de la Renaissance italienne à jouir d'une certaine notoriété. Son style rappelle celui du Caravage. On peut admirer ses œuvres à Florence, aux Offices (p. 487) et au Palazzo Pitti (p. 495).

On trouve dans les passionnants dessins de Léonard de Vinci les croquis d'un parachute, d'un hélicoptère, d'un avion et d'une automobile.

alors qu'ils eurent recours, avec d'autres artistes, à une technique de distorsion de la représentation, au profit d'une plus grande expressivité. Les critiques qui le raillaient baptisèrent "maniérisme" ce mouvement dont l'*Assomption* (1516-1518), de Titien, dans la Chiesa di Santa Maria Gloriosa dei Frari (p. 360), à Venise, et la *Transfiguration* (1517-1520), de Raphaël, conservée à la Pinacoteca (p. 135) des musées du Vatican, sont de beaux exemples.

Au fil des siècles, le David (p. 483) de Michel-Ange a été frappé par la foudre, a subi les assauts d'émeutiers et a vu ses orteils attaqués à coups de marteau. Malgré tous ces outrages, il est toujours d'une beauté stupéfiante !

L'ART BAROQUE

À la fin du Cinquecento, deux artistes qui voulaient rompre avec le maniérisme s'orientèrent dans des voies très différentes pour sortir de l'impasse créée par les prouesses de leurs prédécesseurs.

Enfant terrible du monde de l'art de l'époque, Michelangelo Merisi da Caravaggio (1573-1610), dit Il Caravaggio (le Caravage), n'aimait pas les modèles classiques et ne montrait aucune déférence envers la "beauté idéale". Né à Milan, celui que Stendhal considérait à la fois comme un grand peintre et comme un mauvais garçon défraya la chronique aussi bien par ses œuvres que par sa vie. Cherchant dans sa peinture à restituer la vérité plutôt que les canons de la beauté, il subit la critique de certains de ses contemporains, choqués que l'on puisse reproduire fidèlement la réalité, y compris lorsqu'elle est laide. Mais tous ne pouvaient qu'admirer sa technique du clair-obscur et son style "ténébriste", dans lequel les contrastes d'ombre et de lumière, portés à leur plus haut point, produisent un effet saisissant.

En 1799, Napoléon s'empare d'une des œuvres les plus précieuses du Vatican, le marbre grec du groupe Laocoon et ses fils (p. 135), pour l'installer au Louvre. L'œuvre fut restituée à Rome en 1816, après la chute de l'empereur.

Annibal Carrache (1560-1609) est la figure dominante de l'école baroque de Bologne. Il travailla en compagnie de son frère Augustin à Bologne, à Parme et à Venise, avant de se rendre à Rome à l'invitation du cardinal Édouard Farnèse. Dans les magnifiques fresques évoquant des sujets mythologiques qu'il peignit pour le palais Farnèse (p. 122), comme dans d'autres œuvres, il utilisa des procédés illusionnistes inédits, qui devaient inspirer Pierre de Cortone, Pozzo, Gaulli et d'autres peintres baroques. À l'inverse de ces artistes, toutefois, Carrache ne laissera jamais ces artifices, ni l'énergie de la toile, prendre le pas sur le sujet. Fortement imprégné de l'œuvre de Michel-Ange

---

LA VIE D'ARTISTE, PAR GIORGIO VASARI

Peintre, architecte et écrivain, Giorgio Vasari (1511-1574) fut l'archétype de l'homme de la Renaissance. Né à Arezzo, il étudia la peinture à Florence et travailla avec des artistes comme Andrea del Sarto et Michel-Ange (qu'il admirait). En tant que peintre, il est surtout connu pour ses fresques ornant du sol au plafond le Salone dei Cinquecento (p. 486) du Palazzo Vecchio, à Florence. En tant qu'architecte, son œuvre la plus accomplie est l'élégante loggia des Offices (il conçut aussi le corridor fermé reliant le Palazzo Vecchio aux Offices et au Palazzo Pitti, surnommé "Corridoio Vasariano"). Mais c'est surtout pour son œuvre d'historien de l'art qu'il est passé à la postérité. En 1550, il publia les *Vies des plus excellents peintres, sculpteurs et architectes, de Cimabue à nos jours*, série de biographies d'artistes dédicacée à Cosme Ier de Médicis, encore éditée aujourd'hui (sous le titre *Vie des plus illustres architectes, peintres et sculpteurs italiens* ou *Vies d'artistes*). C'est une mine d'anecdotes étonnantes et – disons-le – de ragots sur ses collègues artistes dans la Florence du XVIe siècle. Parmi les passages mémorables de l'ouvrage, citons ce récit d'une visite dans l'atelier de Donatello, où Vasari trouve le grand sculpteur l'œil fixé sur sa statue du *prophète Habacuc*, d'un réalisme saisissant, l'implorant de parler (sans doute le maître était-il légèrement surmené). Vasari décrit aussi le jeune Giotto (l'artiste auquel il attribue l'avènement de la Renaissance) peignant une mouche sur une œuvre de Cimabue que le vieux maître tente ensuite de chasser. Ce livre est une excellente lecture pour qui projette de visiter Florence et ses musées.

et de Raphaël, il s'inscrit dans la lignée des peintres de la Renaissance et de leur tendance à idéaliser et à embellir la nature.

L'art baroque plonge ses racines dans la spiritualité religieuse et dans un esthétisme rigoureux. Les peintres et les commanditaires voulaient, avec le baroque, combattre l'avancée de la Réforme protestante et affirmer l'importance du catholicisme. Au regard de cet objectif, il apparaît quelque peu étrange que ce style fasse la part belle aux plaisirs terrestres, aux ornements raffinés et à une sensualité débordante. Décors de théâtre, lumière intense, mouvements d'étoffes et couleurs vives se retrouvent dans les toiles de cette époque, laissant l'impression que les artistes baroques ont voulu mettre en pratique le credo des publicitaires d'aujourd'hui : pour bien vendre un produit ou un message, il faut le rendre sexy.

Le plus connu des artistes baroques est sans doute le sculpteur Gianlorenzo Bernini, dit Bernin (1598-1680), qui cherche à travers des œuvres religieuses, comme l'*Extase de Sainte Thérèse* (Rome, Chiesa della Santa Maria della Vittoria), à provoquer chez le spectateur exaltation et fièvre mystique. L'extraordinaire intensité dans l'expression du visage et le stupéfiant rendu des drapés qui, plutôt que de retomber à la manière classique, s'enroulent et se tordent en un mouvement sensuel, sont caractéristiques de ce tableau et de plusieurs autres. La technique sera immédiatement reprise dans toute l'Europe.

Histoire de la peinture en Italie (Gallimard, 1996). Publié anonymement en 1817, cette première grande réflexion de Stendhal sur le "beau moderne" conclue qu'il y a autant de "beaux" que de peuples, climats et tempéraments.

LA NOUVELLE ITALIE

Le XVIIIe siècle vit naître les premières tentatives de secouer le joug de l'occupation étrangère, qui se poursuivront à l'époque napoléonienne, puis sous les Autrichiens. Tandis que l'idée d'unité nationale progressait, un genre nouveau apparut dans l'art : les *vedute*, "vues" ou panoramas, en particulier de Venise. Ces peintures et gravures étaient des souvenirs destinés aux Européens qui effectuaient le voyage en Italie. Giovanni Antonio Canaletto (1697-1768) et Francesco Guardi (1712-1793) figurent parmi les grands noms de cette école.

Bien que le pays ait entamé sa longue marche vers l'unité, les villes italiennes du XIXe siècle présentaient le même visage que durant les siècles précédents, celui de pôles culturels bien distincts, aux modes de vie très différents les uns des autres. Pudeur et élégance caractérisent les arts plastiques, à une époque où l'expression artistique s'incarne pour l'essentiel dans la musique. Figure locale du néoclassicisme, qui connaît en Italie le même engouement que dans le reste de Europe, le sculpteur Antonio Canova (1757-1822) élabore une œuvre dans laquelle le mouvement, l'émotion et l'illusion ont laissé la place à l'immobilité, à la sobriété et à la simplicité. Sa sculpture la plus connue est une Vénus couchée sculptée sur le modèle de Pauline Borghèse, la *Venere Vincitrice* (Vénus victorieuse), conservée à Rome au Museo e Galleria Borghese (p. 126).

Aucun artiste italien après Canova n'obtiendra une telle reconnaissance internationale. La suprématie de l'architecture, de la peinture et de la sculpture italiennes, qui s'exerça dans la vie culturelle européenne pendant quelque 400 ans, prend fin avec la mort de l'artiste, en 1822.

L'équivalent italien de l'impressionnisme est le mouvement des Macchiaioli ("tachistes"), né à Florence. Ses principaux représentants furent Telemaco Signorini (1835-1901) et Giovanni Fattori (1825-1908). On peut admirer leurs œuvres à la galerie d'art moderne du Palazzo Pitti (p. 495).

L'ART MODERNE

Deux mouvements on ne peut plus distincts s'épanouissent en Italie à l'aube de la Première Guerre mondiale. Emmenés par le poète Filippo Tommaso Marinetti (1876-1944) et le peintre Umberto Boccioni (1882-1916), les futuristes cherchent de nouvelles manières d'exprimer le dynamisme de la civilisation industrielle. Tournés au contraire vers les profondeurs de l'être humain, les peintres métaphysiques posent sur leurs toiles de mystérieuses images puisées dans leur subconscient.

Filippo Tommaso Marinetti publia le *Manifeste du futurisme* à la "une" du Figaro (20 février 1909) pour donner à son texte un retentissement international.

Exigeant un art nouveau pour un monde nouveau, les futuristes veulent briser tous les liens avec l'art du passé. Le *Manifeste du futurisme* publié en 1909 par Marinetti est suivi en 1910 du manifeste de la peinture futuriste, dans lequel Boccioni, Giacomo Balla (1871-1958), Luigi Russolo (1885-1947) et Gino Severini (1883-1966) proclament : "Tout bouge, tout court, tout se transforme rapidement." Réalisé par Boccioni peu après la publication du manifeste, *Rissa in Galleria* (Rixe dans la galerie, 1910), conservé à la Pinacoteca di Brera (p. 272), à Milan, illustre parfaitement ce credo et témoigne de la fascination des futuristes pour le mouvement effréné, la technologie et la vie moderne. Tournant le dos à l'héritage de l'art italien, ces artistes voient dans la guerre un moyen d'anéantir le passé pour tout reconstruire à partir de zéro. Le déclenchement des hostilités de la Première Guerre mondiale marquera le déclin du futurisme.

PRINCIPAUX ARTISTES DE LA RENAISSANCE ET DE L'ART BAROQUE

Nicola Pisano (v. 1220-1284). Principal précurseur de la sculpture renaissance, auteur de la chaire du baptistère de Pise (1259-1260).

Cimabue (Cenni di Pepo, dit Cimabue ; v. 1240-1302). Maître de Giotto, il fut le dernier grand peintre à travailler dans la tradition byzantine. Il est connu pour sa *Maestà* (*La Vierge en majesté,* 1280-1285), aux Offices, à Florence.

Giovanni Pisano (v. 1250-1315). Fils du précédent, il exécuta la chaire du Duomo (1302-1310) de Pise.

Pietro Cavallini (v. 1250-1330). Mosaïste, surtout connu pour son *Jugement dernier* (1293) dans la Basilica di Santa Cecilia in Trastevere, à Rome.

Duccio di Buoninsegna (v. 1255-1319). Grande figure de l'école siennoise, son œuvre maîtresse est la *Maestà* (1308-1311), exposée au Museo dell'Opera Metropolitana à Sienne.

Giotto di Bondone (v. 1266-1337). Vasari lui attribue l'entrée dans la Renaissance. Ses chefs-d'œuvre sont les ensembles de fresques de la Cappella degli Scrovegni (1304-1306) à Padoue et la basilique supérieure (1306-1311) à Assise.

Pietro Lorenzetti (v. 1280-1348). Les plus grandes œuvres de ce peintre mort de la peste sont les fresques de la basilique inférieure de Saint-François à Assise.

Simone Martini (v. 1284-1344). Élève de Duccio, il fut l'un des plus grands peintres siennois. Sa plus belle oeuvre est la *Maestà* (1315-1316) du Museo Civico de Sienne.

Ambrogio Lorenzetti (v. 1290-1348). Frère cadet de Pietro Lorenzetti, il mourut lui aussi de la peste. Il est connu pour ses *Allégories du bon et du mauvais gouvernement* (1337-1340), au Museo Civico de Sienne.

Lorenzo Ghiberti (1378-1455). Orfèvre comme son père, il créa les *Portes du Paradis* (1425-1452) pour le baptistère de Florence.

Donatello (v. 1382-1466). Ce Florentin sculpta le *David* (v. 1430) de la collection du Museo del Bargello à Florence, qui fut le premier nu grandeur nature de l'époque classique.

Fra' Angelico (1395-1455). Sa conduite fut si exemplaire et son talent si grand qu'il accéda à la sainteté en 1982. Son œuvre la plus appréciée est l'*Annonciation* (v. 1450), au couvent du Museo di San Marco à Florence.

Paolo Uccello (1397-1475). Peintre et mathématicien, il aimait jouer avec la perspective. Son œuvre la plus connue est *La Bataille de San Romano* (1450-1456), dont l'un des trois panneaux se trouve aux Offices, à Florence.

Masaccio (1401-1428). Il mourut dans la fleur de l'âge après avoir peint l'*Expulsion d'Adam et Ève du Jardin d'Éden* (1426-1427) de la chapelle Brancacci, à Florence.

Filippo Lippi (1406-1469). Le mauvais garçon de la Renaissance florentine (voir l'encadré p. 51). Tout le monde connaît sa *Vierge à l'Enfant* (v. 1452) du Palazzo Pitti à Florence.

Piero della Francesca (1412-1492). Son double portrait de Federico Sforza et de son épouse Battista (v. 1472), exposé aux Offices, est l'une des œuvres les plus célèbres de la Renaissance.

Giovanni Bellini (1430-1516). D'une famille de grands peintres vénitiens. Il fut aussi le beau-frère d'Andrea Mantegna. Il est connu pour son *retable de San Zaccaria* (1505), exposé à la Galleria dell'Accademia de Venise.

Andrea Mantegna (1431-1506). Ce Vénitien commença son apprentissage de peintre à 11 ans. Son chef-d'œuvre est *Le Christ mort* (v. 1480), exposé à la Pinacoteca di Brera, à Milan.

Andrea Della Robbia (1435-1525). Céramiste et sculpteur, fils de Marco et frère de Luca Della Robbia. Connu pour ses médaillons ornant l'extérieur du Spedale degli Innocenti à Florence.

Sandro Botticelli (v. 1444-1510). Son *Printemps* (v. 1482) et sa *Naissance de Vénus* (v. 1485), tous deux exposés à la Galerie des Offices, sont parmi les tableaux les plus appréciés de toute la peinture italienne.

Mouvement éphémère, lui aussi, la peinture métaphysique s'est en particulier exprimée à travers Giorgio De Chirico (1888-1978). L'artiste se détourna de ce style après la guerre, mais son œuvre laissera une forte empreinte sur le mouvement surréaliste qui s'épanouit en France dans les années 1920 – De Chirico participa d'ailleurs à la toute première exposition surréaliste organisée à la galerie Pierre à Paris en 1925. Une atmosphère figée et inquiétante se dégage de ses toiles de l'époque, représentant des images oniriques isolées dans des décors rappelant généralement l'architecture italienne classique. Représentative de cette période du peintre, *La Tour rouge* (1913) est conservée à la collection Peggy Guggenheim (p. 359), à Venise.

Convaincus que le nouveau régime allait favoriser le mécénat et les commandes publiques, et que l'Italie allait de nouveau se trouver à l'avant-

---

Le Pérugin (Pietro di Cristoforo Vannucci, dit Il Perugino ; 1446-1524). Originaire d'Ombrie (il vécut à Pérouse, d'où son surnom). On peut admirer son *Saint Sébastien* (après 1490) au Museo e Galleria Borghese, à Rome.

Domenico Ghirlandaio (1449-1494). Un des plus grands maîtres toscans. Il peignit plusieurs fresques magnifiques, dont celles de la chapelle Tornabuoni dans la Basilica di Santa Maria Novella, à Florence.

Léonard de Vinci (1452-1519). Son génie était si grand qu'il fallut inventer pour lui l'expression "esprit universel". Mise à part *La Joconde*, son œuvre la plus connue est *La Cène*, visible à l'église Sainte-Marie des Grâces, à Milan.

Luca Signorelli (1455-1523). Le plus célèbre artiste ombrien. Son chef-d'œuvre est le *Jugement dernier* de la cathédrale d'Orvieto.

Filippino Lippi (1457-1504). Fils de Filippo Lippi. Sa plus grande œuvre est probablement la décoration de la Chiesa di Santa Maria Sopra Minerva (v. 1489-1492) à Rome.

Michel-Ange (Michelangelo Buonarotti ; 1475-1564). Tout le monde connaît son *David* (1504), exposé à la Galleria dell'Accademia à Florence, et les splendeurs du plafond de la chapelle Sixtine (1508-1512), aux musées du Vatican à Rome. Lire aussi l'encadré p. 137.

Giorgione (v. 1477-1510). Peintre vénitien des débuts de la Renaissance. Sa *Tempête*, exposée à la Galleria dell'Accademia de Venise, est l'œuvre la plus énigmatique de cette période.

Raphaël (Raffaello Sanzio ; 1483-1520). Originaire d'Urbino, il peignit des Madones lumineuses. Amoureux de la fille d'un boulanger, il l'immortalisa sous le titre de *La Fornarina*, exposée à la Galleria Nazionale d'Arte Antica à Rome.

Andrea del Sarto (1486-1531). Peintre florentin, admiré de Michel-Ange et maître de Vasari. Son œuvre maîtresse est la *Madone des Harpies* (1517), aujourd'hui à la Galerie des Offices.

Titien (v. 1490-1576). De son vrai nom Tiziano Vecelli. Ne manquez pas son *Assomption* (1516-1518) dans la Chiesa di Santa Maria Gloriosa dei Frari (I Frari), à Venise.

Bronzino (1503-1572). Agnolo di Cosimo dut son surnom à son teint mat. Il fut le portraitiste préféré de Cosme Ier de Médicis. Admirez ses portraits de famille aux Offices, à Florence.

Giorgio Vasari (1511-1574). Artiste, architecte et historien de l'art (voir l'encadré p. 54).

Le Tintoret (Il Tintoretto ; 1518-1594). Dernier des grands peintres de la Renaissance italienne. Surnommé "Il Furioso" à cause de l'énergie qu'il déployait en travaillant. Admirez sa *Cène* dans la Chiesa di Santo Stefano, à Venise.

Véronèse (Paolo Veronese ; 1528-1588). Né à Vérone (d'où son surnom), il travailla à Venise. Il est connu pour son *Repas chez Levi* (1573), œuvre controversée exposée à la Galleria dell'Accademia, à Venise.

Annibale Caracci (1560-1609). Natif de Bologne, ce maître de l'époque baroque est surtout connu pour ses fresques ornant le Palazzo Farnese à Rome.

Le Caravage (Michelangelo Merisi da Caravaggio ; 1573-1610). Le mauvais garçon de l'art baroque. Son œuvre la plus puissante est le cycle de saint Mathieu de la Chiesa di San Luigi dei Francesi à Rome.

Giuseppe Ribera (1591-1652). Il est espagnol de naissance, mais la plus grande partie de son œuvre de maturité fut réalisée dans le sud de l'Italie, notamment la décoration de la Capella di San Gennaro dans la cathédrale de Naples.

Artemisia Gentileschi (1593-1653). Unique artiste féminine de la Renaissance à avoir accédé à une certaine notoriété, elle est surtout connue pour son terrible *Judith décapitant Holopherne* (v. 1610), exposé aux Offices.

Bernin (Gianlorenzo Bernini ; 1598-1680). Sculpteur et protégé du cardinal Scipion Borghèse, il a laissé *Le Rapt de Proserpine* (1621-1622) et *Apollon et Daphné* (1622-1625) exposés au Museo e Galleria Borghese de Rome.

L'arrière-pays italien renferme plusieurs musées de sculpture contemporaine en plein air, notamment la Fattoria di Celle (www.goricoll.it), Il Giardino dei Tarocchi (www.nikidesaintphalle. com), le Castello di Rivoli (p. 228) et la Villa Manin (p. 421).

garde des courants artistiques, un certain nombre de peintres futuristes flirtèrent avec le fascisme après la Première Guerre mondiale. Le "second futurisme" a été notamment incarné par Mario Sironi (1885-1961) et Carlo Carrà (1881-1966).

L'art italien se renouvelle dans les années 1950 avec les innovations d'Alberto Burri (1915-1995) et de Lucio Fontana (1899-1968), entre autres artistes qui ont exploré l'abstraction. Fontana, d'origine argentine, qui fonde le *spazialismo*, entaille et troue ses toiles qu'il intitule *"concepts spatiaux"*.

Burri se place vraiment à l'avant-garde avec des compositions résolument novatrices réalisées à partir de toile de jute, de bois, de fer et de plastique, entre autres matériaux. Le *Grande Sacco* (Grand Sac, 1952), que l'on peut voir à la Galleria Nazionale d'Arte Moderna e Contemporanea (p. 127) de Rome, a défrayé la chronique lors de sa première exposition.

Les années 1960 ont été marquées par l'éclosion de l'*Arte Povera* ("art pauvre"), mouvement radical dont les adeptes s'expriment par le biais de matériaux simples et cherchent à déclencher des réminiscences et des associations. Parmi les principaux plasticiens se revendiquant de ce courant, citons Mario Merz (1925-2003), Giovanni Anselmo (né en 1934), Luciano Fabro (1936-2007), Giulio Paolini (né en 1940) et l'artiste d'origine grecque Jannis Kounellis (né en 1936).

Le plus grand rendez-vous d'art contemporain italien est la fameuse Biennale de Venise (www.labiennale.org ; p. 370), qui a lieu les années impaires. C'est la plus grande exposition internationale d'art.

Dans les années 1980, on a assisté à un retour à la peinture et à la sculpture "traditionnelles", essentiellement figuratives. Rompant avec la tendance prédominante sur la scène internationale de l'art conceptuel, la "Transavanguardia" devait marquer, pour certains critiques, la mort de l'avant-garde. Sandro Chia (né en 1946), Mimmo Paladino (né en 1948), Enzo Cucchi (né en 1949) et Francesco Clemente (né en 1952) figurent parmi les représentants de ce mouvement.

Aujourd'hui, les artistes contemporains de renom travaillant en Italie sont notamment Paolo Canevari, Angelo Filomeno, Rä di Martino, Adrian Paci, Paola Pivi, Pietro Roccasalva et Francesco Vezzoli.

La Galleria Nazionale d'Arte Moderna e Contemporanea (p. 127), à Rome, la collection Peggy Guggenheim (p. 359), à Venise, ainsi que le Padiglione d'Arte Contemporanea (voir l'encadré p. 273) et la Pinacoteca di Brera (p. 272), à Milan, présentent des collections d'art italien du XXe siècle.

Culture et société

Imaginons-nous un instant vivre le quotidien d'un Italien ou d'une Italienne…

VIE QUOTIDIENNE EN ITALIE

Sveglia ! Un nouveau jour commence et l'on se réveille au son de la *caffetiera*, l'omniprésente cafetière. Il est déjà tard, on avale donc son expresso brûlant (comme seuls les Italiens peuvent le faire) et l'on s'arrête juste le temps de vérifier que l'on porte des chaussettes assorties avant de sortir. On fait tout de même un détour pour acheter son journal chez Eduardo, son vendeur de journaux favori, et l'on prend brièvement des nouvelles de son dernier-né. Tant pis pour le retard, c'est une question de politesse.

Sur le chemin du bureau, on parcourt les gros titres : contestation des dernières déclarations du pape, résultats des matchs de football de la veille, affaire des matchs truqués et nouvelles réglementations européennes sur le fromage. Rien de neuf, excepté ces nouvelles réglementations : un vrai scandale ! Au bureau, on croule sous une montagne de paperasse, dont on est soulagé de s'extraire à midi pour partager un repas et un verre de vin avec quelques amis. Après quoi, on s'offre un nouvel expresso brûlant dans son bar préféré où on écoute le barman ou la barmaid raconter sa dernière audition : il s'avère qu'on a été à l'école avec la sœur du metteur en scène et on promet de lui en toucher un mot.

De retour au bureau à 14h, on fait mille choses à la fois – bavarder avec les collègues, traiter ses e-mails professionnels, contacter la sœur du metteur en scène par SMS envoyés de son *telefonino* (téléphone portable), et vérifier discrètement sur Internet les offres d'emploi, car notre contrat de travail expire sous peu. Après une journée aussi occupée, l'*aperitivo* s'impose et donc, à 18h30, on se rend dans le bar branché le plus proche pour profiter de l'*happy hour*. Les amis arrivent bientôt, la déco du bar est *molto design*, l'ambiance *molto cool*, le DJ *abbastanza* en forme, et… il est déjà l'heure de se rendre à son cours d'anglais (très tendance de nos jours, ne serait-ce que pour les mots d'argot).

Quand on rentre enfin chez soi, il est 21h30. Il va falloir réchauffer le dîner. *Peccato !* (Quelle honte !) On mange devant une émission de téléréalité tout en passant la journée en revue et en pestant contre les nouvelles réglementations sur le fromage auprès de quiconque se trouve à la maison. Dans la salle de bains, en se brossant les dents, on parle de l'avenir du théâtre italien et des prochaines vacances, à Anguilla si l'on pouvait obtenir une augmentation, mais ce sera sans doute dans les Abruzzes cette année encore. Et puis, une fois au lit, on choisit un peu de lecture au hasard sur la pile de sa table de chevet : livres d'art, *gialli* (romans policiers), articles sans complaisance sur la Mafia, quelques classiques et peut-être un ou deux *fumetti* (bandes dessinées). Enfin, on glisse lentement dans le sommeil… *Buona notte.*

Mode de vie

Une chose est sûre : l'Italie n'est pas le pays des introvertis. Il ne s'agit pas seulement de se montrer courtois : le moindre échange est porteur de sens et illumine d'un authentique plaisir la banalité du quotidien. La conversation est chose bien trop importante pour que l'on y coupe court, pour quelque motif que ce soit. Et ces incessants bavardages, sous leurs dehors parfois futiles, ont une réelle utilité : dans l'administration la plus ancienne et la plus rigide d'Europe, disposer d'un réseau de relations est impératif pour

Les Italiens ont en moyenne 6 semaines de congés payés par an, mais passent l'équivalent de 2 semaines à remplir les formalités bureaucratiques exigées des citoyens occupant un emploi.

Près de 30% des Italiens ont trouvé un travail grâce à leurs relations familiales. Dans les professions les mieux payées, ce chiffre atteint 40 à 50%.

L'ouvrage du satiriste Beppe Severgnini, *Comment peut-on être Italien ?* (Flammarion, 2007), porte un regard évidemment décalé sur le pays et propose des conseils pratiques aux étrangers, par exemple, concernant le cappuccino : "Après 10h du matin, il est immoral, voire illégal, d'en commander un".

faire avancer les choses. Glisser un mot au sujet de son barman n'est pas simplement faire preuve de gentillesse, c'est un moyen essentiel pour faire démarrer une carrière. Ainsi que le révélait récemment une étude du ministère du Travail, la plupart des Italiens trouvent aujourd'hui encore un emploi par relations personnelles.

Soixante pour cent des 18-34 ans vivent encore chez leurs parents. Et ce n'est pas parce que l'Italie est une nation de *mammoni* (garçons à leur maman) trop dorlotés et de *figlie di papà* (filles à papa) ultragâtées. En vertu d'une sorte de contrat social tacite, on vit chez ses parents jusqu'à ce que l'on commence à travailler et fonde sa propre famille. Puis, après quelques années, les parents s'installent chez leurs enfants pour s'occuper des petits-enfants, en attendant que leur progéniture les prenne en charge pendant leurs vieux jours.

Ces derniers temps ont toutefois vu un effritement de ce contrat. D'après les statistiques officielles, la plupart des Italiennes de 29-34 ans privilégient aujourd'hui leur carrière à la vie de femme au foyer. Selon le dernier recensement italien, les femmes représentent 65% des diplômés universitaires, sont plus susceptibles que les hommes de suivre des études de haut niveau (53% contre 45%) et ont deux fois plus de chance d'obtenir un poste à responsabilité dans le service public. Pourtant, le parlement italien est celui d'Europe qui compte le moins de femmes et les hommes italiens bénéficient de 80 minutes par jour de temps libre de plus que les Italiennes.

Cependant, si une femme sur dix vit encore chez ses parents à l'âge de 35 ans, on compte deux fois plus d'hommes dans ce cas. De quoi "pimenter" les relations amoureuses, comme en témoigne le reality-show *La sposa perfetta* (l'épouse parfaite). Des jeunes femmes tentent de conquérir le cœur d'un célibataire en accomplissant des corvées domestiques, et c'est la mère du célibataire qui choisit la gagnante. Après la diffusion de l'émission sur la RAI, la chaîne télévisée publique, des Italiennes scandalisées ont menacé de ne pas payer les 200 € de redevance audiovisuelle, et l'émission a été supprimée (voir l'encadré p. 61).

Héritière d'une riche famille d'Assise, introduite à l'exultation de la pauvreté par saint François et cofondatrice de la première abbaye franciscaine, sainte Claire accéda à une nouvelle notoriété en 1958, en devenant la sainte patronne de la télévision.

Pour alléchante que soit la perspective d'être autonome à l'égard des parents, ce n'est pas toujours possible dans le contexte actuel de récession. L'économie en panne empêche les Italiens d'aller de l'avant, bien que nombre d'entre eux fassent des heures supplémentaires pour augmenter leurs revenus. Au vu, notamment, des prix exorbitants des loyers, il ne faut pas s'étonner que le nombre d'adultes vivant chez leurs parents ait augmenté ces dernières années. Voilà pourquoi, aux heures d'affluence, les bus et les trams de tout le pays résonnent du même refrain entonné via les téléphones portables : "*Mamma, butta la pasta !*" (Maman, fais cuire les pâtes !).

LE RAFFINEMENT : UN ART DE VIVRE

Pour un Italien, arriver en retard au bureau parce qu'on a pris le temps de parfaire sa mise revient à faire une faveur à ses collègues. Le tram peut bien attendre pendant que l'on s'occupe de *fare bella figura*, ou se donner belle allure.

Les Italiens ont des goûts bien tranchés, qu'ils n'hésitent pas à partager. On entend ainsi couramment l'expression *Che brutta !* (Comme c'est laid !), que le visiteur étranger pourrait interpréter comme un manque de tact. Mais, du point de vue d'un Italien, rien de plus normal : tout et tout le monde doit avoir belle allure. Le vendeur qui vous annonce sans ambages que le jaune ne vous va pas du tout œuvre pour le bien public et considérera comme un triomphe personnel le fait de vous avoir vêtu d'orange à la place.

Si vous achetez un vêtement à offrir, il faudra bien laisser au même vendeur 10 minutes pour *fare un bel pacchetto,* car le paquet-cadeau est aussi un art. C'est même l'exemple type de l'attitude de *la bella figura* : le vendeur veut

LA TÉLÉVISION ITALIENNE

En moyenne, les Italiens regardent la télévision 4 heures par jour et le défilé incessant de stars recyclées de la télé-réalité, de *valette* ("égéries" de marques) au regard vide et de célébrités interviewées entraîne ce que les sociologues italiens présentent comme un état de somnolence.

D'après un sondage paru en 2008, 24% seulement des Italiens considèrent la télévision comme une source d'information fiable. Ils ont tendance à faire plutôt confiance à des sites d'informations en ligne comme ceux du *Corriere della Sera* (www.corriere.it), de *La Repubblica* (www.repubblica.it), du *Manifesto* (www.ilmanifesto.it) ou de *L'Unità* (www.unita.it). Ils n'ont peut-être pas tort : en 2008, Reporters sans frontières a placé l'Italie derrière Taiwan, le Mali et la Bosnie en termes de liberté de la presse, soulignant que l'empire télévisuel du Premier ministre Silvio Berlusconi consistait en un "conflit d'intérêts" menaçant la démocratie. Pourtant, pour 80% de la population italienne, la télévision demeure toujours la principale source d'information, avec notamment les trois chaînes principales, gérées par Mediaset, la société de Berlusconi.

Afin de recouvrer la confiance des téléspectateurs et d'améliorer la programmation, Romano Prodi a supprimé les *reality shows* des chaînes publiques de la RAI en 2008. Mais en 2009, Berlusconi, de retour au pouvoir, choisit un concurrent de *Grande Fratello* (le *Loft Story* italien), une starlette de soap-opéra, une actrice de téléfilm en costume et une prétendante au titre de Miss Italie pour représenter l'Italie au Parlement européen. Ce geste ne fut toutefois pas le plus habile d'un point de vue médiatique, d'autant qu'un scandale commençait à poindre, impliquant "Papi" Berlusconi et une starlette mineure : la constitution des listes pour les élections européennes fut largement dénoncée dans la presse italienne et le parti de Berlusconi fut désavoué par les urnes.

que vous soyez à votre avantage en offrant un cadeau joliment empaqueté. L'effet est d'ailleurs garanti : tout le monde appréciera, et ces trésors de raffinement mettront aussi bien en valeur la personne qui offre le cadeau que le vendeur et celle qui le reçoit.

Cette obsession nationale de *la bella figura* se décline aussi dans le design, la cuisine, l'art et l'architecture, et place l'Italie à la pointe de l'avant-garde. Quand le pays pourrait se reposer sur ses lauriers, il reste au contraire soucieux d'un raffinement qui s'exprime par un sens poussé du détail, évident ou moins visible. C'est la flèche délicatement sculptée d'une cathédrale, qui s'offre au seul regard du carillonneur, le petit canard caché dans l'*uovo di Pasqua* (œuf de Pâques) en chocolat, la soie vert absinthe qui double l'intérieur des manches d'un costume d'un gris sobre… Bref, l'attention portée aux détails est ici le maître mot. Face à des étrangers élégants, les Italiens pourront même admettre que, parfois, ils ne sont pas les seuls à avoir du style.

LES ITALIENS

Les femmes représentent à peu près la moitié de la population active – une révolution, si l'on considère qu'il y a 10 ans, elles n'en représentaient qu'un quart. La proportion des retraités est également en augmentation : un Italien sur cinq a plus de 65 ans. On voit ainsi de nombreux septuagénaires promenant leurs chiens ou accompagnant leurs petits-enfants dans les parcs, discutant politique dans les cafés, ou encore disputant des tournois de pétanque.

Par contraste, l'absence d'enfants est saisissante. Le taux de fécondité italien est de 1,31 enfant par femme. Il n'assure pas le renouvellement des générations. Préoccupé par cette preuve irréfutable de l'utilisation de la contraception dans un pays aussi ouvertement catholique, le pape a récemment exhorté les Italiennes à reprendre leur rôle traditionnel d'épouse et de mère. L'État, inquiet de la diminution de la population active qui menace d'entraîner une baisse des revenus générés par les impôts et censés financer les retraites, a mis en place une prime de 1 000 € attribuée à toutes les futures mamans. Toutefois, ni l'Église ni l'État n'ont réussi à convaincre les Italiennes.

Multiculturalisme et identité nationale

À l'instar d'un pourcentage croissant de la population, Eduardo, le vendeur de journaux mentionné plus haut, est un immigré (son prénom espagnol s'écrirait *Edoardo* en italien). Eduardo vit probablement dans une ville du nord de l'Italie, comme trois immigrés sur cinq. Mais Eduardo, d'origine péruvienne, n'est pas représentatif des immigrés d'Italie, qui sont pour la plupart européens, principalement d'origine albanaise, ukrainienne et surtout roumaine (voir l'encadré p. 63).

DIFFÉRENCES NORD-SUD

L'immigration est le dernier sujet en date dans le débat sur l'identité nationale, vieux de plus d'un siècle. De la révolution industrielle aux années 1960, les tensions se sont polarisées sur les migrants internes quittant les régions principalement rurales du Mezzogiorno, dans le sud de l'Italie (de la Calabre aux Abruzzes, ainsi que la Sicile) pour s'installer dans les villes industrialisées du Nord et trouver un travail en usine. Alors même que l'Italie du Nord s'adaptait à cet afflux, les troubles politiques et économiques des années 1980 ont entraîné de nouvelles immigrations en provenance d'Europe centrale, d'Amérique latine et d'Afrique du Nord, notamment des anciennes colonies italiennes que sont la Tunisie, la Somalie et l'Éthiopie.

DES ÉMIGRANTS AUX IMMIGRANTS

De 1876 à 1976, l'Italie connut une forte émigration. L'argent qu'envoyaient au pays les quelque 30 millions d'émigrés italiens installés dans toute l'Europe, en Amérique du Nord et du Sud et en Australie, permit de maintenir l'Italie à flot durant les crises économiques qui secouèrent le pays après leur unité et la Seconde Guerre mondiale. Actuellement, les habitants d'origine italienne représentent 40% de la population de l'Argentine et de l'Uruguay, plus de 10% de la population brésilienne, plus de 5% de la population suisse et des États-Unis, et plus de 4% des populations australienne, vénézuélienne et canadienne.

En revanche, aujourd'hui, les immigrés ne représentent que 6,3% de la population italienne. Cependant, selon l'association Caritas, ce taux augmente plus vite en Italie que dans les autres pays européens. De nos jours, la plupart des Italiens choisissent de vivre et de travailler dans leur pays, mais ils sont de moins en moins nombreux à occuper des emplois d'ouvriers dans l'agriculture et l'industrie, de sorte que, sans la main-d'œuvre immigrée, certains secteurs – cueillette et conditionnement des tomates, fabrication des chaussures – pâtiraient cruellement. Les voyageurs pourront voir des immigrés occuper des emplois peu rémunérateurs dans les cuisines des restaurants et dans les hôtels, assurant la bonne santé de l'économie touristique italienne.

LA CRISE IDENTITAIRE DE L'ITALIE

Membre fondateur de l'Union européenne en 1993, l'Italie doit se soumettre à toutes les réglementations européennes, y compris celles sur l'immigration ou la fabrication du fromage, ce qui ne manque pas d'inquiéter ceux qui redoutent la dissolution de l'identité nationale italienne. Les Italiens sont nombreux à craindre que l'immigration ne ternisse la culture italienne, si bien que, en promettant d'adopter des mesures pour contrôler l'immigration, Silvio Berlusconi a pu gagner les élections de 1994 et de 2008. Parti politique de droite, la Ligue du Nord (Lega Nord) a introduit les "lois sécuritaires" de 2002 qui prévoient l'emprisonnement et l'expulsion des immigrés soupçonnés de crimes ou sans papiers, accentuant les inquiétudes d'Amnesty International pour les demandeurs d'asile et les immigrés respectueux des lois.

En 2000, l'Italie est le pays qui a adopté le plus rapidement le *telefonino* (téléphone portable) et, à en croire des estimations, trois ans ont suffi pour que tous les adultes ou presque aient le leur (sans parler des ados, accros du SMS).

UN RACISME DE PLUS EN PLUS ORDINAIRE

La rhétorique anti-immigrants a pris un tournant inquiétant en Italie en 2008. Mis "dans le même sac", Roumains et Roms ont été qualifiés de "gitans" et considérés comme indésirables, alors que, comme le rappelle les médias de l'étranger, tous les Roumains d'Italie et les trois quarts des Roms sont désormais ressortissants italiens ou européens. En 2008, un jeune immigré juif roumain a été battu à mort par un groupe néo-nazi à Vérone et deux camps de Roms de Naples ont été incendiés par des bandes néo-nazies apparemment liées à la Camorra, l'organisation criminelle napolitaine. La même année en Italie, plusieurs viols on été attribués à la hâte (et le plus souvent à tort) à des immigrés africains, suscitant des appels à créer des "patrouilles" de surveillance dans les quartiers où résident des immigrés africains. De même, à Rome, une vingtaine d'hommes masqués ont battu des commerçants indiens, bengalis et chinois avec des battes de base-ball et des tuyaux de plomb. Des témoins affirment avoir entendu les attaquants crier : "Dehors, sales étrangers !"

Heureusement, tous les Italiens ne laissent pas les extrémistes avoir le dernier mot. En mai 2009, une loi destinée à expulser sans délai les sans-papiers – y compris ceux qui pouvaient prétendre au statut de réfugiés – a été violemment critiquée par les associations italiennes de défense des droits de l'homme, le Vatican et les Nations unies. Le bureau italien d'Amnesty International a fait appel à l'UE pour mettre un frein à la rhétorique anti-immigration des politiciens italiens et interdire les patrouilles anti-immigrés. Beaucoup ont vu là des réminiscences de l'Italie des années 1930, mais l'histoire italienne invite également à la tolérance. En effet, l'Italie n'était-elle pas il y a encore peu une nation d'"immigrants" ?

Toutefois, la politique concernant l'immigration a également favorisé la formation d'une coalition improbable entre catholiques, capitalistes et partisans de gauche. Les associations caritatives catholiques et des mouvements issus de la gauche ont créé des centres dans toute l'Italie afin de soutenir les immigrés désireux de s'intégrer et de demander la nationalité. Les partisans de l'intégration des immigrés font remarquer que ces derniers ne sont pas responsables de la criminalité et du terrorisme, mais que ce sont la Camorra, les Brigades rouges (Brigate Rosse) et d'autres organisations italiennes illégales qui ont terrorisé le pays durant des dizaines d'années. Par ailleurs, les partisans du libre-échange arguent que plus les contribuables sont nombreux, plus les fonds des services sociaux sont importants, et que, statistiquement, les immigrés sont plus que les Italiens à l'origine de la création des petites entreprises indispensables au rétablissement de la croissance économique.

Religion

Si les Italiens s'intéressent aux articles de presse portant sur l'Église, ils ne sont pas des pratiquants assidus. L'Église demeure cependant très influente en Italie et *La Famiglia Cristiana* (La Famille chrétienne) est l'hebdomadaire le plus populaire du pays. Pourtant, les églises italiennes sont souvent vides, exception faite des touristes : selon une étude de l'Église datant de 2007, seulement 15% de la population italienne assiste régulièrement à la messe dominicale.

Comme vous pourrez le remarquer dans les journaux, la doctrine catholique nourrit les conversations. En 2009, la suspension d'un professeur de l'enseignement public d'Ombrie qui avait enlevé le crucifix de sa salle de classe a ouvert un débat sur la place des symboles religieux dans les édifices publics et a alimenté la discussion sur la séparation de l'Église et de l'État en Italie. Le dernier livre du pape est aussitôt devenu un best-seller, tout comme *Perché non possiamo essere cristiani (e meno che mai cattolici)* – Pourquoi nous ne pouvons pas être chrétiens (et encore moins catholiques) –, l'essai anticlérical du mathématicien Piergiorgio Odifreddi, paru en 2007, qui étudie les contradictions de la doctrine de l'Église et postule une relation inverse au développement de la société civile.

Censé se dérouler au Vatican, le film à succès *Anges et démons* (2009, de Ron Howard, d'après le roman policier de Dan Brown, écrit en 2000) n'a pu être tourné sur place, les autorités ecclésiastiques ayant peu apprécié la représentation des pratiques de l'Opus Dei dans le précédent film *Da Vinci Code*, du même réalisateur.

Toutefois, si l'Église ne s'est pas toujours montrée parfaitement cohérente, ce ne fut pas non plus le cas de ses détracteurs. Nombre de ceux qui contestent au Vatican le droit de se positionner ouvertement sur des sujets tels que le divorce, l'avortement, les unions civiles et l'utilisation du préservatif pour prévenir le sida ont bien accueilli les interventions du pape en matière de politique étrangère et ses appels personnels aux élus pour mettre un terme à la guerre au Moyen-Orient. Une grande majorité d'Italiens estiment que cet appel au dialogue avec les leaders musulmans a apaisé les tensions au sein de la société italienne, qui compte 1,2 million de musulmans. De même, l'action des nombreuses organisations caritatives de l'Église, qui fournissent un soutien essentiel aux laissés-pour-compte, est particulièrement appréciée. Si ses habitants demeurent attachés à l'Église catholique, l'Italie est bel et bien un pays laïque, peuplé de catholiques, de musulmans, de juifs et d'athées.

ÉCONOMIE ET POLITIQUE

Sans relever de la célèbre *dolce vita*, notre journée à l'italienne se rapproche plus d'un idéal que de la réalité dans l'Italie actuelle. Dans les villes industrielles comme Milan, *la pausa* (pause de la mi-journée) ne dure plus aussi longtemps qu'avant, et les heures supplémentaires qui s'allongent expliquent en partie la consommation annuelle, auparavant impensable, de 15 kg de *surgelati* (surgelés) par habitant (encore loin, cela dit, des 45 kg du Royaume-Uni). Avec un taux de chômage à deux chiffres et des offres d'emploi limitées à des CDD ou à des contrats à temps partiel, les temps sont durs.

La crise financière internationale constitue une autre mauvaise nouvelle, la dernière en date, pour l'économie de l'Italie. Lors du passage à l'euro le 1er janvier 2002, les prix ont été revus à la hausse, les salaires à la baisse, et les exportations italiennes sont devenues moins compétitives sur le marché mondial. Ces trois dernières années, le pays a connu plusieurs crises gouvernementales : à la faveur de scandales de corruption impliquant l'entourage de Silvio Berlusconi, Romano Prodi a remporté les élections législatives d'avril 2006 et formé un gouvernement de coalition, mais le "Cavaliere" est revenu au pouvoir à la suite des élections législatives anticipées d'avril 2008, avec la promesse de renouer avec la croissance économique. Maintenant que la crise mondiale a balayé les espoirs de sursaut économique, certains se demandent si Berlusconi va parvenir à conserver longtemps son siège.

L'instabilité semble caractériser la politique italienne. Les économistes s'étonnent qu'un pays ayant connu l'avènement et la chute de plus de 50 gouvernements depuis la Seconde Guerre mondiale réussisse à se réinventer sans cesse et à demeurer un acteur important sur la scène mondiale. Les experts sont déconcertés : comment se fait-il que Berlusconi réussisse à se maintenir au pouvoir, malgré ses départs à répétition et les scandales (l'un des derniers en date : des photos compromettantes prises lors d'une grande fête dans sa villa privée et une liaison supposée avec une mineure) ? Pourtant, le scrutin proportionnel donne à la population la possibilité d'exprimer son mécontentement lors des élections et le gouvernement est régulièrement renouvelé, au rythme des procès pour corruption.

Heureusement, les Italiens font preuve d'une attitude salutaire en matière de chose publique : ils n'attendent pas toujours que les changements viennent d'en haut. Les grèves parfaitement organisées, les grandes manifestations, les journaux d'opposition et la critique sans concession de la politique menée sont autant de contrepouvoirs efficaces. Si les Italiens ne manquent pas de lever les bras au ciel lorsqu'ils parlent politique, ne vous y trompez pas : il s'agit d'un signe de combativité plutôt que de résignation.

ARTS

Dans ce domaine, les tentations sont nombreuses : salles de concert accueillant toutes sortes de musiques, de l'opéra au punk rock, cinémas, théâtres, librairies débordant des innombrables œuvres créées dans ce petit pays, musées, églises et palais aux murs couverts d'œuvres d'art inestimables. Sans oublier les vestiges romains que jouxtent des immeubles de bureaux futuristes, à la pointe de l'avant-garde – pour plus de précisions, reportez-vous à la section *Architecture* (p. 157). Le chapitre *L'art italien* (p. 48) vous donnera une vue d'ensemble sur l'histoire de l'art en Italie.

Littérature

Entre les *gialli* (romans policiers), les classiques, les fables magico-réalistes, les épopées et la poésie, il y en a pour tous les goûts.

POLARS ET ROMANS À SUSPENSE

De nos jours populaire entre tous, ce genre littéraire compte de nombreux best-sellers, avec des auteurs comme Andrea Camilleri qui met en scène un inspecteur sicilien excentrique mais plein de bon sens dans plusieurs ouvrages comme *Il Ladro di merendine* (Le Voleur de goûter). La Sicile est également la scène de crime du roman de Leonardo Sciascia, *Il Giorno della civetta* (Le Jour de la chouette) : un inspecteur de police venu de Parme assiste à un assassinat ; puis tout est mis en œuvre pour le convaincre que le meurtre n'a pas eu lieu, que la Mafia sicilienne n'existe pas et qu'il ferait mieux de retourner à Parme. Mais c'est Umberto Eco qui a donné ses lettres de noblesse à ce genre littéraire, avec *Il Nome della rosa* (Le Nom de la rose) et *Il Pendolo di Foucault* (Le Pendule de Foucault), romans de plus de 600 pages reposant sur des intrigues palpitantes.

LES ANCIENS

Virgile, le poète épique romain, consacra 11 années et 12 livres à la rédaction d'un texte censé rivaliser avec *L'Iliade* et *L'Odyssée* d'Homère. *L'Énéide* relate les aventures et les tourments intérieurs d'Énée, de la chute de Troie à la fondation de Rome. Virgile est mort en 19 av. J.-C. alors qu'il ne lui restait plus que 60 vers à écrire pour achever son œuvre. Selon ses propres mots, "le temps fuit".

La légende présente Ovide comme un avocat raté qui épousa sa propre fille. Cela ne l'empêcha pas d'être un remarquable conteur. Dans *Les Métamorphoses*, il fait le récit des transformations d'hommes en bêtes ou objets inanimés, du chaos des origines à Jules César. Son *Ars amatoria* (Art d'aimer), s'il a inspiré depuis d'innombrables dons juans, lui a attiré en son temps de sérieux ennuis puisqu'il aurait été exilé, dit-on, pour avoir séduit la fille de l'empereur Auguste.

Au Moyen Âge, des malédictions inscrites dans les marges des livres des bibliothèques rappelaient aux lecteurs que voler un livre était un crime grave les exposant à des attaques fatales et à la damnation éternelle.

Le Pain et le Vin (1937), de l'écrivain Ignazio Silone, conte l'histoire d'un leader communiste des années 1930 qui, fuyant les fascistes, se cache en prenant l'identité d'un prêtre de village. Mais la soutane est-elle un costume ou reflète-t-elle sa personnalité réelle ?

LES BANDES DESSINÉES NE S'ADRESSENT PAS QU'AUX BAMBINI

On peut s'étonner de voir dans les trains des hommes d'affaires élégamment vêtus feuilleter des *fumetti* (bandes dessinées). En 1931, les auteurs et artistes comiques se sont mis à "italianiser" les mascottes de Walt Disney, les dotant d'un humour grinçant et narrant des histoires d'une joyeuse bouffonnerie dans *Topolino* (Mickey), la suite des aventures de Donald, Mickey et consort en Europe. Mais les BD italiennes ont trouvé leur identité propre et une vraie maturité avec de véritables romans dessinés comme *Solo andata* (Aller simple) de Piero Macola, l'histoire poignante du voyage d'un jeune soldat de la Seconde Guerre mondiale s'inscrivant dans la lignée de *Maus, un survivant raconte*, d'Art Spiegelman, ouvrage qui a remporté le prix Pulitzer. Pour vous faire une idée de l'audace et de l'ironie mordante des *fumetti* satiriques indépendants, reportez-vous au site Internet www.sciacalloelettronico.it/webcomix/webcom.htm (en italien).

Toute bibliothèque italienne qui se respecte contient aussi les œuvres d'un ou deux rhéteurs. Pour *fare bella figura* parmi les universitaires, osez une citation de Cicéron ou d'Horace, par exemple "Tant qu'il y a de la vie, il y a de l'espoir".

ÉPOPÉES

Les auteurs italiens ont trouvé l'inspiration jusque dans les heures les moins glorieuses de l'histoire du pays. Avec pour cadre l'âge sombre de la peste noire à Florence, la verve et le caractère osé du *Décaméron* de Boccace préfigurent Chaucer, Shakespeare et William S. Burroughs. La lutte pour l'unité de l'Italie au XIXᵉ siècle fait écho à l'histoire des amants maudits dans *I Promessi Sposi* (Les Fiancés) d'Alessandro Manzoni et entraîne une crise identitaire chez la noblesse sicilienne dans *Il Gattopardo* (Le Guépard) de Giuseppe Tomasi di Lampedusa.

Les stratégies de survie déployées par ceux qui ont réchappé de la guerre sont magistralement retracées dans le livre d'Elsa Morante *La Storia*, et dans le poignant récit autobiographique de Primo Levi, *Se questo è un uomo* (Si c'est un homme), relatant son internement à Auschwitz. La Seconde Guerre mondiale s'invite bien mal à propos dans *Le Jardin des Finzi-Contini*, émouvant roman de Giorgio Bassani qui raconte son amour pour une jeune fille dont la famille juive aristocratique tente d'ignorer la montée de l'antisémitisme.

RÉALISME SOCIAL

L'Italie a toujours été sa première critique, et la plus acerbe. Plusieurs auteurs du XXᵉ siècle ont d'ailleurs exploré sans concessions leur propre histoire. Dans *Cosima*, roman autobiographique, Grazia Deledda, l'une des premières femmes Prix Nobel de littérature, narre comment elle a accédé à la maturité et s'est révélée à elle-même en tant qu'écrivain dans la Sardaigne rurale en dépit d'une histoire familiale marquée par la mort, l'alcoolisme et la duplicité. L'on retrouve ce regard doux-amer porté sur la vie rurale dans l'ouvrage de Carlo Levi *Cristo si è fermato a Eboli* (Le Christ s'est arrêté à Eboli). Son œuvre autobiographique raconte comment, médecin dissident, il est exilé par les autorités fascistes dans une ville du sud de l'Italie (voir p. 737) où la malaria fait des ravages, sans que les médecins, les missionnaires et les politiciens ne puissent intervenir ; malgré tout, l'espoir subsiste.

Certains sujets délicats, comme la jalousie, le divorce ou les échecs parentaux, sont abordés sans détour par l'auteur dont on ne connaît que le pseudonyme – Elena Ferrante – dans son best-seller à la sincérité brutale *Les Jours de mon abandon*. Mais le sujet le plus tabou est l'organisation criminelle napolitaine, la Camorra. Dans son ouvrage décapant, *Gomorra* (voir p. 68), Roberto Saviano présente les machinations de la Mafia sans l'apprêt romantique qu'on leur applique habituellement. Si ce livre est considéré comme de la fiction en Italie, Saviano a reçu des menaces de mort qui l'ont obligé à quitter le pays et ont incité, en 2008, six lauréats du Prix Nobel à dénoncer publiquement la Camorra.

FABLES

Les fables italiennes n'ont guère de ressemblances avec celles d'Ésope : au lieu de s'achever sur une morale limpide, elles montrent à quel point sagesse et folie sont sœurs. Le plus universellement apprécié des fabulistes italiens est Italo Calvino, dont le héros du roman *Il Barone Rampante* (Le Baron perché) choisit de vivre dans les arbres. Cet apparent caprice, en réalité un acte de rébellion, oblige malgré eux les autres à repenser leur vision du monde. Dans *Il Deserto dei Tartari* (Le Désert des Tartares) de Dino Buzzati, un officier ambitieux, posté à une frontière italienne mythique dans l'attente d'une attaque ennemie, devient la victime de l'ennui, des espoirs contrariés et de la vieillesse – parabole inspirée à Buzzati par son propre emploi sans avenir dans un journal.

Désolé, Woody Allen : le névrosé le plus sympathique du monde est l'antihéros du livre d'Italo Svevo, *La Conscience de Zeno* (LGF Poche, 1999), dont la vie amoureuse laisse son analyste perplexe, et qui fume pour avoir la satisfaction d'arrêter. On ne s'étonne pas que ce roman ait été l'un des préférés de James Joyce.

Cette histoire-là (Gallimard/Du monde entier, 2007), d'Alessandro Baricco, est un roman brillant qui accompagne la destinée d'un Piémontais, de la naissance à la mort. Mû par son désir de changer le monde, celui-ci traverse le XXᵉ siècle dans une course effrénée.

D'un siècle à l'autre, le célèbre traité de Machiavel (Niccolo Machiavelli) *Il Principe* (Le Prince) sur l'art et la manière de gouverner au moyen d'une politique dénuée de scrupules a pu servir de manuel à l'usage des dictateurs en devenir mais aussi d'arme pour déjouer les manœuvres de gouvernements autoritaires. Luigi Pirandello, Prix Nobel de littérature 1934, qui avait gagné le soutien de Mussolini pour la fondation d'un théâtre national, s'est ensuite vu ostracisé à cause d'une fable ambiguë critiquant un imbécile, et pour avoir qualifié le Duce de "chapeau haut-de-forme ne tenant pas debout tout seul."

POÉSIE

D'après certains érudits, Shakespeare aurait volé ses meilleurs vers et intrigues à des poètes et dramaturges italiens antérieurs. Pour discutable que soit cette assertion, le Barde a un rival très sérieux en la personne de Dante (XIIIe siècle). Dans *La Divina Commedia* (La Divine Comédie), Dante rompt avec la tradition en employant l'italien vulgaire au lieu du latin pour raconter son voyage dans les cercles de l'enfer à la recherche de sa bien-aimée, Béatrice. Pétrarque (Francesco Petrarca) a donné ses lettres de noblesse à la langue italienne dans ses sonnets où la structure stricte du rythme et des rimes magnifie son amour idéalisé pour la belle Laure.

Si vous ne goûtez guère la poésie traditionnelle, lisez Eugenio Montale, Prix Nobel 1975, qui célèbre la poésie de la vie quotidienne, ou Ungaretti, dont les poèmes sur la Première Guerre mondiale font mouche en quelques syllabes saisissantes. Son poème de deux mots ferait une parfaite épitaphe : *M'illumino d'immenso* ("Je m'illumine de l'immensité"). Les poèmes du réalisateur néoréaliste Pier Paolo Pasolini mettent en scène les mêmes antihéros que ceux qui apparaissent dans ses films (voir p. 68) – maquereaux et prostituées de l'Italie d'après-guerre, icônes d'une nation qui compte sur son allure et son esprit pour vivoter. Pour la poésie paillarde, il suffit de se rendre dans une *osteria*. À la fin de la soirée, le vin aidant, vous entendrez peut-être des rimes croustillantes chantées dans un des dialectes italiens.

Musique

Si l'opéra et la musique classique font sa réputation, l'Italie a su mettre la pop, le punk et le hip-hop au goût local. Également importé, le jazz, très apprécié, résonne dans les lieux historiques durant les festivals Umbria Jazz (p. 570) à Pérouse, Umbria Jazz Winter (p. 596) à Orvieto, Siena Jazz (www. siena jazz.it) et Vicenza Jazz (www.comune.vicenza.it).

OPÉRA

Cet art est né ici et les *fischi* (sifflets) ont encore le mystérieux pouvoir de faire fuir les chanteurs en coulisses. À la Scala de Milan en décembre 2006, une doublure en tenue de ville a dû monter sur scène pour remplacer au pied-levé le ténor franco-sicilien Roberto Alagna dont l'air avait suscité des huées. Un conseil : ne parlez ici ni de comédie musicale ni d'opéra-rock…

Le terme "diva" a été inventé pour des sopranos de légende telles Renata Tebaldi, originaire de Parme, et Maria Callas, icône grecque adoptée par le pays. La rivalité entre les deux femmes atteignit son apogée lorsque le magazine *Time* rapporta les propos de la Callas pour qui comparer sa voix à celle de la Tebaldi revenait à comparer du "champagne et du Coca-Cola". Toutes deux furent des piliers de la Scala, ainsi que le ténor italien très populaire Enrico Caruso. Le ténor Luciano Pavarotti (1935-2007) reste très apprécié pour avoir intéressé à l'opéra un public plus large. De son côté, le ténor aveugle Andrea Bocelli, gros vendeur de disques, suscite la controverse parce qu'il mélange les genres. Les critiques lui reprochent aussi de chanter des airs mille fois entendus dans un registre trop haut, et donc d'une voix forcée.

À l'origine, le *Pinocchio* de Carlo Collodi fut publié en feuilleton dans un journal pour enfants et s'achevait sur la mort terrible de la marionnette par pendaison. Dans le roman, en revanche, Pinocchio devient un vrai petit garçon.

Si, en Toscane, les fans de l'écrivain E. M. Forster n'oublient pas de demander une "chambre avec vue", d'après le titre du célèbre roman, les lecteurs de Frances Mayes (auteur du best-seller *Sous le soleil de Toscane*) qui y louent une villa, s'attendent à trouver fresques cachées et intrigues amoureuses. Si la Toscane affiche complet, vous pouvez toujours vous tourner vers l'Ombrie…

LE CINÉMA ITALIEN

Néoréalisme

Le terme de néoréalisme s'est d'abord appliqué au cinéma. Ci-dessous, des récits des souffrances de l'après-guerre filmés dans un superbe noir et blanc.

■ *Roma, città aperta* (Rome, ville ouverte), Roberto Rossellini, 1945. Une histoire d'amour, de trahison, de survie et de résistance dans Rome occupée par les nazis, tournée et sortie à une époque où le souvenir de l'Occupation était encore vif.

■ *Ladri di biciclette* (Le Voleur de bicyclette), Vittorio de Sica, 1948. Ce film racontant les tentatives désespérées d'un père pour nourrir sa famille en restant honnête dans une Rome dévastée par la guerre a reçu l'Oscar du meilleur film étranger.

■ *Mamma Roma*, Pier Paolo Pasolini, 1962. Anna Magnani, dans le rôle d'une prostituée vieillissante qui tente de subvenir honnêtement à ses besoins et à ceux de son fils, délinquant, devient une allégorie de l'Italie d'après-guerre.

Crime et châtiment

Les nouveaux drames du cinéma italien combinent avec brio le côté cru du néoréalisme classique, le suspense des thrillers italiens et les révélations psychologiques à la Fellini.

■ *La bestia nel cuore* (La Bête dans le cœur), Cristina Comencini, 2005. Une femme dévoile le souvenir refoulé d'un abus sexuel et cherche des réponses, laissant derrière elle d'autres secrets.

■ *Gomorra*, Matteo Garrone, 2008. Adaptation du livre éponyme de Roberto Saviano consacré à la Camorra, le film de Matteo Garrone expose les machinations de la Mafia sans le romantisme hollywoodien, dénonçant ses méthodes brutales jusque dans le traitement des déchets ou dans la haute couture.

■ *Il Divo*, Paolo Sorrentino, 2008. Le lauréat du Prix du jury à Cannes explore la vie et la carrière de l'ancien Premier ministre Giulio Andreotti, de ses migraines à ses liens présumés avec la Mafia.

Romantisme à l'italienne

Attention aux films romantiques italiens : demandes en mariage délirantes et sévères accès nostalgiques en perspective.

■ *Nuovo cinema Paradiso* (Cinema Paradiso), Giuseppe Tornatore, 1988. Un film franco-italien doux-amer avec Philippe Noiret, lauréat d'un Oscar et de nombreuses récompenses internationales. De retour en Sicile, un cinéaste redécouvre ses premières amours : sa voisine et le cinéma.

■ *Il Postino* (Le Facteur), Michael Radford, 1994. Le poète chilien Pablo Neruda apporte poésie et passion sur la petite île italienne où il est exilé, ainsi qu'à son facteur marginal, interprété avec une subtilité touchante par le grand Massimo Troisi.

■ *Pane e tulipani* (Pain, tulipes et comédie), Silvio Sordini, 2000. Une femme au foyer se rend à Venise, où elle devient amie avec un fleuriste anarchiste, une masseuse excentrique et un serveur islandais suicidaire, avant d'être poursuivie par un détective amateur.

Fellini : un genre à lui tout seul

Le génial réalisateur italien crée des visions surréalistes d'hommes à la dérive dans les eaux troubles de leurs vies et de leurs relations, avec des intrigues propices aux retournements de situation – mais attention, si c'est facile, ce n'est pas du Fellini.

■ *La Strada*, 1954. Une jeune fille naïve (interprétée par l'émouvante Giulietta Masina) est vendue à un artiste de cirque rustre, joué par Anthony Quinn. Un classique et un *road movie* déchirant.

Salvatore Licitra, qui a remplacé Pavarotti lors de sa dernière représentation au Metropolitan Opera de New York en 2002, pourrait devenir le prochain grand ténor italien. La soprano Fiorenze Cedolins, originaire du Frioul, rencontre un succès croissant : elle a chanté un requiem en hommage au pape Jean Paul II, enregistré des airs de *Tosca* avec Andrea Bocelli et recueilli des vivats dans *La Bohème* de Puccini au festival lyrique des Arènes de Vérone.

- *La Dolce Vita*, 1960. Conte sur l'hédonisme, la célébrité et le suicide, avec Anita Ekberg se baignant dans la fontaine de Trevi, Marcello Mastroianni en paparazzi pris au dépourvu devant le spectacle de la misère humaine et Jésus transporté en hélicoptère.
- *8½* (*Huit et demi*), 1963. Un metteur en scène contraint de tourner un film à succès se replie en lui-même. Il redécouvre alors ses démons et ses échecs relationnels.

Westerns spaghetti

L'Italie du Sud dans le rôle du Far West, des cow-boys sans pitié et les fameuses mélodies entêtantes d'Ennio Morricone en prime.

- *Per un pugno di dollari* (Pour une poignée de dollars), Sergio Leone, 1964. Un cow-boy à la gâchette facile interprété par Clint Eastwood monte deux camps l'un contre l'autre pour de l'argent.
- *Il Buono, il Brutto, il Cattivo* (Le Bon, la Brute et le Truand), Sergio Leone, 1966. Sergio Leone et Clint Eastwood font équipe une nouvelle fois avec toujours les mêmes ingrédients : combats au pistolet, alcool et trahisons. Nouveau succès au box-office.
- *C'era una volta il West* (Il était une fois dans l'Ouest), Sergio Leone, 1968. Une veuve cherche à venger le meurtre de son mari. On se souviendra du regard de Henry Fonda et de la narration tendue concoctée par les deux coscénaristes : Bernardo Bertolucci et Dario Argento (voir ci-dessous).

Tragicomédies

Les meilleurs comédiens du pays savent trouver le point exact où le pathos rencontre le comique – mais sans un certain goût pour la farce à l'italienne et une connaissance de la langue, une partie de la drôlerie se perd à la traduction.

- *Amici miei* (Mes chers amis), Mario Monicelli, 1975. Un groupe d'amis vieillissants jouent les potaches dans cette satire qui reflète la "crise de la cinquantaine" de l'Italie de l'après-guerre.
- *Caro diario* (Journal intime), Nanni Moretti, 1994. Le metteur en scène circule à travers les rues désertes de Rome sur sa Vespa tout en s'interrogeant sur le sens de la vie. Prix de la mise en scène au Festival de Cannes en 1994.
- *La vita è bella* (La vie est belle), Roberto Benigni, 1997. Un père tente de protéger son fils des réalités atroces d'un camp de concentration nazi en lui faisant croire qu'il s'agit d'un jeu. Acteur et réalisateur, Roberto Begnigni a reçu une pluie de récompenses internationales pour ce film.

Choc et horreur

Les drames les plus noirs de ce pays ensoleillé prouvent que l'on peut réunir cadavres, suspense et style.

- *Blow-Up*, Michelangelo Antonioni, 1966. Un photographe de mode dans le Swinging London épie la noirceur humaine à travers le développement de la photo d'une Vanessa Redgrave jeune et insaisissable.
- *Suspiria*, Dario Argento, 1977. Épouvante dans une école de danse classique. Ou comment rendre les tutus terrifiants.
- *Un borghese piccolo piccolo* (Un bourgeois tout petit, petit), Mario Monicelli, 1977. Un homme ordinaire cherche à se venger par n'importe quel moyen ; Alberto Sordi dans un contre-emploi magistral.

MUSIQUE CLASSIQUE

Les œuvres des grands compositeurs classiques italiens – notamment les incontournables *Quatre saisons* de Vivaldi, joués sur les célèbres Stradivarius de Crémone – sont à l'honneur dans le monde entier. En Italie, on assiste à un renouveau de la musique ancienne, composée au Moyen Âge, à la Renaissance et durant la période baroque. À Venise, Naples, Milan et Rome, des ensembles

LES MEILLEURS THÉÂTRES D'ART LYRIQUE

■ **Teatro alla Scala de Milan** (p. 265). C'est ici qu'ont été forgés les critères de l'opéra moderne par Arturo Toscanini, chef d'orchestre à la volonté de fer. Ils sont aujourd'hui défendus par les redoutables occupants du *loggione* (poulailler), qui n'hésitent pas à exprimer bruyamment leur mécontentement.

■ **La Fenice de Venise** (p. 357). Reconstruit à deux reprises après des incendies, le "phénix" accueille les plus grands talents sur sa petite scène.

■ **Arena di Verona** (p. 397). L'amphithéâtre romain des arènes de Vérone à l'extraordinaire acoustique voit éclore de nouveaux talents, grâce à des organisateurs qui voient loin.

■ **Thermes romains de Caracalla** (p. 131). Ces ruines superbes, résidence estivale du Teatro dell'Opera di Roma, accueillirent le premier concert des "trois ténors" (Luciano Pavarotti, Placido Domingo et Jose Carreras), dont l'enregistrement se vendit à 15 millions d'exemplaires.

■ **Teatro San Carlo de Naples** (p. 651). Le plus vieil opéra d'Europe, classé au patrimoine mondial de l'Unesco, et ancienne résidence des plus célèbres castrats italiens.

Les billets des premières à la Scala partent généralement plus vite que ceux des concerts de rock, à tel point que lorsqu'un opéra de Verdi est programmé, on assiste à un vrai délire. Réservez vos billets en ligne sur www.teatroallascala.org.

jouent les œuvres selon les arrangements d'origine et avec des instruments d'époque, notamment la flûte à bec et le clavecin, créant une musique Renaissance ou des polyphonies de la fin du Moyen Âge étonnamment rythmées.

Il est possible d'assister aujourd'hui à des concerts de musique ancienne dans les lieux mêmes où elle était jouée il y a plusieurs siècles : chants grégoriens chantés par des moines dans la basilique Saint-François d'Assise (p. 580), chorales dans la cathédrale Renaissance de Pise (p. 523) durant le festival annuel Anima Mundi, et musique vénitienne du Carnaval (p. 369). Les amateurs de musique classique peuvent aussi organiser une visite au Maggio Musicale Fiorentino (p. 498) et profiter toute l'année d'orchestres étrangers à Ravello (www.ravelloarts.org).

LEGGERA (POP)

Le plus souvent, dans les taxis et les cafés, vous entendrez de la *musica leggera*. Ce terme comprend le rock, le jazz, le folk, le hip-hop, les musiques dansantes et les ballades pop jouées par les talents locaux. Le Festival de musique de San Remo (retransmis sur la RAI 1) rend hommage chaque année aux meilleures chansons d'Italie et, par bonheur, écarte les plus mauvaises dès le début, contrairement à la version italienne très populaire de *X Factor*.

Si Rome est un triangle des Bermudes pour les rockeurs toxicomanes – Sid Vicious, Kurt Cobain et les Smashing Pumpkins y ont fait une overdose – Milan est en train de prouver que le punk n'est pas mort grâce à son festival annuel de rock indépendant, Rock In Idro, et les chansons mêlant rap et punk du groupe milanais Articolo 31. Au sud, les groupes de hip-hop napolitain tels 99 Posse, La Famiglia et Bisca mixent les sons italiens sur des rythmes sourds et le dialecte napolitain, tandis que les artistes des Pouilles, comme Sud Sound System, mélangent rythmes jamaïquains et tarentelle italienne pour créer un nouveau genre, le *"tarantamuffin"*. Dans la catégorie des auteurs-compositeurs, le troubadour à la voix éraillée Vinicio Capossela fait figure de cousin de Tom Waits. Quant à feu Fabrizio de André, qui chantait des textes pleins de profondeur d'une voix rêveuse et monocorde, c'était le Bob Dylan italien.

Théâtre et danse

Le spectacle est non pas un privilège mais un droit en Italie, depuis les temps lointains de la Rome antique, qui promettait "du pain et des jeux". Les troupes itinérantes de la *commedia dell'arte* ont popularisé le Pulcinella, un type de théâtre bien précis, en Italie depuis la Renaissance. Mais la Seconde Guerre mondiale ayant ravagé les plus belles salles et épuisé les fonds, au sortir de la guerre, l'avenir des arts du spectacle italiens était plus qu'incertain.

Au lieu d'organiser un come-back grandiose, Milan a préféré débuter modestement en 1947 avec le Piccolo Teatro ("petit théâtre"), en proposant des places bon marché et des productions audacieuses. En 1971, la pièce de Dario Fo, *Morte accidentale di un anarchico* (Mort accidentelle d'un anarchiste), représentée au Piccolo Teatro, a connu un triomphe. En 2006, malgré une intense controverse, l'œuvre la plus récente de Fo, *L'Anomalia bicefala* (L'Anomalie bicéphale), une satire au sujet de Berlusconi et de son épouse, a tout de même été montée. Le succès grandissant du Piccolo Teatro a conduit à la création d'autres théâtres du même genre, moins *piccoli*. Parmi les nombreuses salles indépendantes apparues dans les années 1970, citons le remarqué Teatro della Maddalena à Rome, théâtre entièrement dirigé par des femmes, qui a programmé des œuvres audacieuses comme le *Dialogo di una prostituta con un suo cliente* (Dialogue d'une prostituée avec son client), de Dacia Maraini.

Aujourd'hui, le théâtre et la danse s'épanouissent surtout à Bologne, à Naples, à Milan et à Rome. Cela dit, le Festival des Deux Mondes (Festival dei Due Mundi, connu aussi sous le nom de Festival de Spolète) et d'autres festivals d'été permettent aux arts du spectacle de voyager dans les petites salles à travers tout le pays. Des représentations de ballet, qui date en Italie de la Renaissance, sont données dans tout le pays. Par ailleurs, plusieurs opéras italiens introduisent des corps de ballet dans leurs représentations. Il est également possible de voir des danses folkloriques, comme la *tarantella* (tarentelle) ou la plus sportive *B-boying* (break-dance).

SPORTS

En Italie comme partout ailleurs, des scandales secouent régulièrement le monde du football, du cyclisme et des sports nautiques. Mais, il faut bien l'avouer, une fois le coup de sifflet donné, les amateurs du monde entier tournent leur regard du côté de l'Italie.

Les bars et pizzerias dotés d'un téléviseur sont des lieux parfaits pour regarder du sport entre fans, et même le plus petit village italien possède un terrain de foot (la plupart possèdent aussi des arènes).

Calcio (football)

Même les plus grands fans de *calcio* admettent que le football italien présente quelques faiblesses. C'est vrai, les Italiens jouent un football offensif et les meilleurs joueurs se font souvent débaucher, à bon prix, par les équipes d'autres pays.

La vita è bella (La vie est belle, 1997), de Roberto Benigni, a reçu en 1998 le César du meilleur film étranger et le Grand prix de Jury au Festival de Cannes, trois Oscars aux États-Unis, ainsi que trois prix du public au Canada. L'Académie du cinéma italien a également honoré ce film bouleversant de neuf Donatello… Une consécration unanime qui a engendré 280 millions de dollars de bénéfices.

GINO BARTALI, MAILLOT JAUNE DE LA RÉSISTANCE

En 1943-1944, les monastères et couvents ombriens d'Assise cachaient dans leurs souterrains des centaines de Juifs italiens, pour lesquels la résistance toscane fabriquait des faux papiers (qu'il fallait leur livrer très vite, pour qu'ils ne soient pas déportés vers les camps de concentration par les autorités fascistes). C'est là qu'entre en scène l'homme le plus rapide d'Italie, Gino Bartali, champion de cyclisme toscan mondialement connu, vainqueur du Tour de France et trois fois champion du Giro d'Italia. Après sa mort en 2003, des documents ont montré qu'au cours de ses "entraînements" durant les années de guerre, Bartali avait de fait apporté des documents et papiers falsifiés aux réfugiés juifs pour leur permettre de rejoindre des lieux sûrs. Bartali fut soumis à un interrogatoire à la redoutable Villa Triste de Florence, où étaient torturés les militants antifascistes, mais il ne révéla jamais rien. Jusqu'à sa mort, ce véritable héros a toujours minimisé le rôle qu'il joua dans la protection des réfugiés juifs en disant : "On le fait… et puis c'est tout."

C'est vrai également, suite au scandale des *calciopoli* (matchs truqués), les équipes ont été déchues des titres décrochés lors des championnats et les équipes de Série A (première division italienne), y compris la Juventus, ont été temporairement rétrogradées. Et le défenseur italien Marco Materazzi aurait bien murmuré à Zinedine Zidane quelques impolitesses à propos des femmes de sa famille, faisant perdre au milieu de terrain français son calme légendaire et la finale de la Coupe du monde de 2006.

Pourtant, quand les footballeurs italiens sont au meilleur de leur forme, aucun fan ne se préoccupe du salaire, de l'ego de leurs idoles ou des insultes qu'ils profèrent. Quand le ballon parvient à se glisser dans l'un des buts, à peu près la moitié du stade jure dans sa barbe, tandis que l'autre moitié exprime sa joie en hurlant à tout rompre. Et le hooliganisme est plus rare que les célébrations plus intimes : les hôpitaux de l'Italie du Nord ont même révélé qu'un baby-boom avait eu lieu neuf mois après que l'Italie eut remporté la Coupe du monde 2006.

Cyclisme

Les sportifs des autres disciplines se plaignent souvent que les champions cyclistes italiens ont tous les avantages… et ils n'ont pas tort. Nombre de cyclistes rêvent d'un vélo Bianchi *celeste* (bleu) comme les fans de voiture rêvent d'une Ferrari rouge et leurs vélos de course en édition limitée *Reparto Corse* sont toujours fabriqués dans les ateliers sophistiqués de la marque à Bergame. N'oublions pas de parler du terrain d'entraînement : les montagnes italiennes et les routes côtières comptent parmi les circuits les plus difficiles et les plus spectaculaires qui soient pour faire du vélo, stimulant la motivation des débutants et l'endurance des champions olympiques comme Paolo Bettini.

On ne s'étonnera donc pas que les coureurs italiens portent régulièrement, lors du Giro d'Italia, la très convoitée *maglia rosa,* maillot rose du coureur occupant la première place du classement, ou la *maglia verde,* maillot vert du meilleur grimpeur. En 2008, pour la première fois depuis plus de dix ans, c'est un étranger qui a remporté le Giro d'Italia à Milan. Mais Alberto Contador et les autres membres de l'équipe espagnole n'ont pu faire oublier le scandale du dopage de l'affaire Puerto, même si la plupart furent blanchis par l'Union Cycliste Internationale. De leur côté, le vainqueur italien du Giro de 2006 Ivan Basso et le vainqueur d'étape de 2009 Michele Scarpo ont admis leur implication dans le scandale du dopage et ont été suspendus pour deux saisons.

Sports aquatiques

Une péninsule parsemée de lacs a certes de quoi former quelques bons nageurs… mais l'Italie a plus que sa part en la matière. Les équipes masculines et féminines de water-polo sont constamment classées parmi les cinq meilleures du monde, les plongeurs italiens concourent au niveau olympique depuis les trois médailles d'or de Klaus Dibiasi en 1968, et les nageuses italiennes ne cessent de battre des records, notamment Federica Pellegrini en nage libre. Des plongeurs en apnée atteignent des profondeurs de 250 m à Lignano et Gianluca Genoni a battu un nouveau record mondial en 2008 à Mantoue en restant sous l'eau sans oxygène durant 18 minutes et trois secondes.

La cuisine italienne

La gastronomie arrive en bonne place parmi les plaisirs essentiels d'un séjour en Italie. La cause est entendue, mais le voyageur mesure-t-il réellement les surprises qui l'attendent ? Les innombrables spécialités, propres à chaque région, n'ont en fait qu'un lointain rapport avec la "cuisine italienne" telle qu'elle se pratique à l'étranger. Au contraire, il suffit d'une roborative soupe au *farro* (épeautre) dégustée au fond d'une petite *osteria* (restaurant rustique) toscane, ou d'un *panino* au salami avalé sur le pouce devant le Duomo de Milan pour tomber sous le charme instantanément !

Le don de la cuisine semble inné chez les Italiens… À les voir, on croirait que c'est facile, or il n'en est rien. Chaque ingrédient est choisi en fonction de sa saveur, de sa texture, de sa maturité et de sa capacité à se marier au mieux avec les autres. Il faut donc se rendre sur le meilleur marché tôt et souvent, et laisser faire l'inspiration du moment. Enfin, pour mélanger les ingrédients dans les proportions idéales, les cuisiniers italiens opèrent un mariage aussi subtil qu'intuitif dont la recette ne figure parfois nulle part. Peu importe si l'alchimie en question reste obscure, car les papilles ne trompent jamais.

TUTTI A TAVOLA

"Tout le monde à table !" S'il existe un commandement auquel chaque Italien obéit sans sourciller, c'est bien celui-ci. Le contraire serait impensable. Manger des pâtes froides ? Et faire insulte au cuisinier ? Personne ne s'y risquerait.

La culture gastronomique italienne dément dans l'instant tout ce qu'on croit savoir de l'Italie. La nation du mouvement perpétuel – que l'on songe donc aux Vespa, Ferrari et autres Bianchi – fait une pause à l'heure du déjeuner. La *pausa* : c'est l'heure où les jeunes cadres dynamiques dénouent leur cravate et remontent leurs lunettes de soleil sur le front pour mieux apprécier le contenu de leur assiette, l'heure où les jeunes femmes aux airs de mannequin prennent le risque de tacher leur robe de créateur en savourant la *pasta puttanesca* (c'est-à-dire avec tomates, piment rouge, anchois et olives noires). Grands gestes et conversations bruyantes cèdent la place à un silence solennel lorsqu'un plat arrive sur la table. Le suffixe superlatif -*issimo*, si souvent employé (*bellissimo, bravissimo*), brille curieusement par son absence à l'heure des repas. Pour encenser un plat, un modeste *buono* ou *giusto* (comme nous dirions bon, bien, parfait…) ou encore un silence appréciateur suffisent. La télé peut bien être allumée (voir l'encadré p. 61), si la pizza est bonne, on l'ignorera royalement. *Après* le repas, on a toute liberté de faire ses *complimenti* au chef – et même, si les circonstances s'y prêtent, une chaleureuse poignée de mains ou une bise sur chaque joue peuvent parfaitement être de mise.

On ne connaît jamais vraiment les Italiens tant que l'on n'a pas partagé avec eux une *pagnotta* (miche de pain) croustillante. Pas d'inquiétude, les occasions se présenteront, n'en doutez pas ! Voici un petit aperçu des délices qui vous surprendront à chaque repas, avec leurs variantes régionales (p. 437). Parions que vous aurez souvent à embrasser la cuisinière…

Colazione (petit-déjeuner)

En Italie, le petit-déjeuner constitue une excellente excuse pour sortir du lit, bien qu'il ne soit guère copieux. Renseignez-vous sur ce qu'il inclut, car la législation oblige certains B&B à ne servir que de la nourriture conditionnée. Il s'agit en général d'un petit-déjeuner de type "continental", avec café et viennoiseries. Les œufs, pancakes, jambon, saucisses, toasts et jus

Natures mortes au Vatican. Roman noir et gastronomique en Italie à la Renaissance de Michèle Barriere (Agnès Viénot Éditions, 2007). Un suspense à dévorer, pour vous régaler de cuisine et d'histoire. L'auteur est membre du conseil scientifique de Slow Food France.

Le fondateur du mouvement Slow Food, Carlo Petrini, et la chef Alice Waters, bien connue, développent une éthique de la gastronomie dans *Bon, propre et juste* (Éditions Yves Michel, 2006).

L'Italie est la nation de l'efficacité. En moyenne, la ménagère italienne passait 7 heures par jour dans la cuisine en 1950, contre 40 minutes aujourd'hui.

d'orange – qui fleurissent dans les restaurants branchés – sont le plus souvent seulement proposés au menu des brunchs du week-end. Comptez au moins 20 € pour un buffet avec plats chauds, fromages, charcuterie, viennoiseries, fruits frais, café, jus ou cocktails de fruits.

L'expresso (*espresso*) brûlant, le cappuccino (expresso auquel on rajoute du lait mousseux) ou encore le café au lait (*caffè latte*) sont incontournables en début de matinée. On peut aussi boire un *orzo*, breuvage chaud à base d'orge torréfiée, sans caféine, dont le goût évoque un peu la noix.

Les pâtisseries accompagnent idéalement un bon café et sont souvent servies sans beurre ni confiture. En voici quelques-unes :

- *cornetto* – version italienne du croissant, généralement plus petit, plus léger, moins gras, légèrement sucré, et nappé d'un glaçage orange.
- *crostata* – tarte que l'on consomme au petit-déjeuner, à pâte beurrée épaisse, garnie de confiture d'*amarena* (griotte), d'*albicocca* (abricot) ou de *frutti di bosco* (fruits des bois). Il arrive qu'il faille acheter la tarte entière pour s'en offrir une part, mais personne ne s'est jamais plaint.
- beignets – les *ciambelle* (connus aussi sous le nom allemand de *krapfen*), sont des beignets en forme de couronne, frits et recouverts de sucre semoule, parfois fourrés de confiture ou de crème. Les marchands ambulants proposent des *fritole*, beignets frits, fourrés de raisins secs et saupoudrés de sucre glace, ou des *zeppole* (également appelés *bignè di San Giuseppe*), des beignets moelleux à la ricotta ou à la *zucca* (citrouille), roulés dans le sucre glace, à manger brûlants dans un cornet en papier.
- viennoiseries – la colonisation de l'Italie par l'empire austro-hongrois au XIXᵉ siècle a laissé en héritage un grand choix de viennoiseries, parmi lesquelles se distinguent les brioches à la crème et le *strudel di mele*, adaptation italienne de l'*apfelstrudel* viennois.

Pranzo (déjeuner)

De nombreux magasins et bureaux ferment pendant la *pausa*, pause de 2 ou 3 heures permettant de rentrer chez soi, de déjeuner, de se reposer et de revenir travailler après s'être dopé à l'expresso. Dans les grandes villes toutefois, les banlieusards n'ont pas le temps de faire le trajet. Ils en profitent donc pour déjeuner sur le pouce, voir des amis ou faire des courses.

Sur certains lieux de travail, *la pausa* a été réduite à 1 heure 30 – à peine le temps de faire la queue à la caisse pour payer ses achats et d'avaler une *pizza al taglio* (portion de pizza). Des établissements tels qu'une *rosticceria* (rôtisserie) ou une *tavola calda* (littéralement "table chaude") servent aussi des plats à emporter, poulet rôti et *supplì* (boulettes de risotto frites avec de la mozzarella fondante au milieu) par exemple. On s'approvisionne en en-cas dans les boulangeries et les bars, en achetant notamment des *panini* et *tramezzini* (club-sandwichs triangulaires au pain de mie).

Néanmoins, dans certaines administrations, le *pranzo* reste sacré, aussi les employés prennent-ils le temps d'un vrai repas avec vin et café. Voici un aperçu de leur menu :

ANTIPASTI (HORS-D'ŒUVRE)

Il faut compter de 1 à 3 € pour le *pane e coperto* (le pain et le couvert), qui sont apportés à table avec de l'huile et du vinaigre. On sert parfois des olives ou des *sott'aceti* (légumes tels que poivrons rouges et artichauts marinés dans de l'huile et du vinaigre), des *grissini* (gressins à la turinoise), ou un petit assortiment de salami et de charcuterie. Au menu des hors-d'œuvre, vous verrez souvent de la *bruschetta* maison (pain grillé frotté d'ail et garni d'ingrédients variés, tomates émondées et ail, petits morceaux de truffe râpée, etc.) et des gourmandises de saison comme l'*insalata caprese*

Il y a 50 ans, le magazine italien *Domus* a envoyé des journalistes collecter les meilleures recettes régionales aux quatre coins du pays. Ces recettes sont réunies dans un ouvrage devenu une véritable bible de la cuisine italienne : *La Cuillère d'argent* (Phaidon, 2006).

Avec 10 kg par an et par personne, les Français sont les premiers consommateurs de pizzas en Europe. Ils devancent largement les Italiens, mais restent derrière les champions du monde : les Américains.

Bruschetta et crostinis (Solar, 2010), de Lucia Pantaleoni. Trente recettes de bruschetta, mais aussi de crostini, des bouchées croustillantes.

(mozzarella fraîche, tomates et feuilles de basilic) et le *prosciutto e melone* (melon et jambon cru).

PRIMO PIATTO (PREMIER PLAT)

Les pâtes, le risotto, les gnocchis et la polenta font partie des incontournables. Les portions sont souvent si généreuses qu'un *mezzo piatto* (demi-portion) suffit généralement aux enfants.

La carte des *primi* comprend des plats ostensiblement végétariens ou végétaliens comme les pâtes *con pesto* (préparation ligure à base de basilic, *parmigiano reggiano* et pignons), *alla norma* (à la sicilienne, avec des aubergines et des tomates), le *risotto ai porcini* (risotto aux cèpes) ou encore le coûteux *risotto al Barolo* (risotto au Barolo, un vin haut de gamme – mais tout autre vin rouge sec fait aussi l'affaire). À noter cependant, pour les végétariens : le bouillon utilisé pour préparer le risotto ou la polenta sont parfois à base de viande, et les sauces à la tomate contiennent parfois du bœuf, du jambon ou des anchois.

La viande est aussi à l'honneur dans la célèbre *pasta all'amatriciana* (pâtes romaines en sauce tomate épicée, avec du *pecorino* – fromage de brebis – et du *guanciale*, soit de la joue de porc semblable à du lard), l'*ossobuco con risotto alla milanese* (jarret de veau et os à moelle accompagnés de risotto au safran), les *pappardelle al cinghiale* (larges fettucinis au ragoût de sanglier) et la *polenta col ragú* (polenta au jus de viande, très prisée dans le Nord). Au bord de la mer, goûtez à des spécialités comme le *risotto al nero* (risotto à l'encre de seiche), les *spaghetti con le vongole* (spaghettis aux palourdes) ou la *pasta ai frutti di mare* (pâtes aux fruits de mer).

SECONDO PIATTO (PLAT DE RÉSISTANCE)

Les petits appétits se contentent généralement du *primo piatto*, mais les vrais gourmands réservent une petite place pour la viande, le poisson ou les *contorni* (plats d'accompagnement, souvent des légumes). Le choix est vaste : une énorme *bistecca alla fiorentina*, généralement un épais morceau d'aloyau servi dans son jus ; plus modestes mais tout aussi délicieux, les *carciofi alla romana* (artichauts farcis d'ail de persil et de menthe) ; ou encore une *insalata mista*, c'est-à-dire une salade composée avec verdure, légumes verts, croûtons, fromage, noix ou fruits secs, le tout servi avec de l'huile et du vinaigre à part.

FRUTTA E DOLCI (FRUITS ET DESSERTS)

"*Siamo arrivati alla frutta*" : cette expression idiomatique signifie en gros qu'on a touché le fond, dans ce contexte, qu'on est amplement rassasié. Pourtant, les amateurs ne feront pas l'impasse sur les *formaggi* (fromages), avant de s'intéresser aux fruits de saison et aux *dolci* (desserts). Là encore, il n'y a que l'embarras du choix : *biscotti* (biscuits), *zabaglione* (sabayon), profiteroles garnies de crème, ou *cannoli* siciliens, ces pâtisseries à base de pâte feuilletée garnie de crème, immortalisées dans une célèbre réplique du *Parrain* : "Laisse le flingue. Prends les *cannoli*."

CAFFÈ

Le café conclut parfaitement le repas. Le barman vous servira parfois votre cappuccino accompagné d'un *cioccolatino* (carré de chocolat) ou ajoutera un nuage de lait à votre *caffè macchiato*. Par les chaudes journées d'été, vous choisirez peut-être une *granita di caffè* (café frappé servi avec de la crème fouettée). Mais, généralement, vous devrez prendre un simple *espresso*, à peine sucré et sans cérémonie. Si vous survivez à l'épreuve de ce breuvage brûlant à avaler d'un seul trait, vous êtes prêt à affronter le reste de la journée.

Dans son ouvrage, *Trattoria : La cuisine simple et savoureuse des petits restaurants italiens* (Jean-Claude Lattès, 2006), Patricia Wells dévoile 150 recettes simples et savoureuses, empruntées aux meilleurs souvenirs de ses voyages en Italie.

La Cuisine italienne, de Caterina Rizzo (Solar, 2007). Découvrez les plats préférés d'une authentique famille italienne, toutes générations confondues. Un jeu gourmand, sur le thème des "7 familles".

Ne croyez pas la rumeur : un *espresso* contient moins de caféine qu'une tasse de café français.

APERITIVI : BOIRE ET MANGER SANS SE RUINER

Très tendance et motivé par la crise économique, l'*aperitivo* est souvent décrit comme un verre accompagné de petites choses à grignoter avant le repas. N'en croyez rien. L'apéritif italien est un dîner déguisé : autour d'un verre, vous pouvez déguster *antipasti*, salades de pâtes, viandes froides ou plats chauds (tout en liant connaissance avec vos voisins, les *aperitivi* étant très appréciés des célibataires affamés). À Rome ou à Milan, ces buffets sont ouverts de 17h à 20h environ pour le prix d'un verre – que les plus habiles font durer jusqu'à la fin de l'apéritif. Les Vénitiens, quant à eux, pratiquent l'*ombra* (vin au verre) et les *cicheti* (tapas vénitiennes), bon marché, à base de produits de la mer. L'*aperitivo* est très apprécié des jeunes Italiens qui ne peuvent s'offrir le restaurant mais veulent toutefois partager un repas en ville avec des amis. Dans ce pays, même la crise a de la classe.

MERENDA (GOÛTER)

Venir à bout d'un repas classique nécessite un solide appétit, aussi les Italiens ne consomment-ils guère d'en-cas, à l'exception des enfants. La *merenda*, goûter du milieu de la matinée ou le "quatre-heures", comme en France, fait la part belle au sucré : glace, pâtisseries, *caffè latte* ou thé. Les légumes ne sont évidemment pas de mise. D'ailleurs, ne dit-on pas en parlant d'un couple mal assorti qu'ils se conviennent *come cavoli a merenda* ("comme manger du chou au goûter").

Les Italiens dépenseraient chaque année 50 milliards d'euros en sorties au restaurant. Faut-il s'étonner que se plaindre de l'addition soit devenu un passe-temps national ?

Les oiseaux de nuit en quête de *spuntini di mezzanotte* (en-cas de minuit) trouveront autour des salles de spectacle et dans les quartiers universitaires des marchands de *pizza al taglio* et des *gelaterie* ouverts tard. Nombreux sont les bars où l'on trouve des *panini* et la plupart des clubs de jazz proposent un vrai menu (plutôt cher).

Cena (dîner)

Même après un pantagruélique déjeuner dominical, les Italiens sont capables de se remettre à table le soir pour avaler une assiette de pâtes, une salade, un peu de fromage et un fruit. Bref, sachez à quoi vous attendre si vous êtes invité chez un particulier pour prendre un "dîner léger". Prévoyez une bouteille de vin et des vêtements à taille élastique. Au restaurant, les convives soucieux de leur budget et de leur ligne apprendront avec soulagement qu'ils ne sont pas obligés de commander deux plats et que les *antipasti* et le dessert sont facultatifs.

Cela dit, rien ne vous empêche de vous offrir un dîner de gala dans un restaurant de prestige comme le Cracco-Peck, le restaurant de l'épicerie fine Peck (voir encadré p. 275), à Milan, ou l'Open Colonna (p. 155), à Rome. De nombreux grands restaurants n'ouvrent que le soir et proposent un menu à prix fixe, ce qui laisse au chef le soin de décider pour vous et vous permet de vous concentrer sur vôtre tâche, qui consiste à avaler entre quatre et six plats. *Forza e coraggio !* (Force et courage !)

Le magazine *Gambero Rosso* (*La Crevette rouge*) comporte mille astuces et infos sur la cuisine italienne authentique, une liste de bonnes adresses, et indique où dénicher, dans chaque région, les restaurants affichant le meilleur rapport qualité/prix. Consultez le site Internet www.gamberorosso.it.

VINS

En Italie, un repas sans vin est long et triste comme un jour sans pain. Ne pas commander de vin au restaurant peut déclencher une certaine consternation – seriez-vous enceinte, alcoolique repenti, le serveur aurait-il dit quelque chose de vexant ? Les vins italiens, très polyvalents, se marient particulièrement bien avec les mets et sont spécialement cultivés depuis des siècles pour relever la cuisine nationale (voir p. 437).

En Italie, le vin n'est pas accessoire : il se choisit avec autant de soin que vos compagnons de table. Certains vins sont de vieilles connaissances, comme le Chianti ou le Pinot Grigio (pinot gris). Mais vous découvrirez aussi des vins fascinants dont les noms ne se traduisent pas (le Brunello, le Vermentino, le Sciacchetrá), ou d'autres qui n'ont de commun que le nom avec leurs cousins européens ou américains (Merlot, Pinot Nero ou Noir, Chardonnay).

Nombreux sont les voyageurs qui se rabattent sur les pichets de rouge ou de blanc, c'est-à-dire sur des vins jeunes, des rouges qui sentent encore le jus de raisin pour accompagner la sauce tomate, ou des blancs âpres pour se rincer le gosier après les fruits de mer. Mais avec un peu d'audace et l'aide de la liste ci-dessous, il est possible de découvrir d'autres vins, servis au verre ou à la demi-bouteille.

Vins pétillants : Franciacorta (Lombardie), Prosecco (Vénétie), Asti (Asti Spumante, Piémont), Lambrusco (Émilie-Romagne).

Vins blancs légers, aux notes d'agrumes avec des notes d'herbes ou de fleurs : Vermentino (Sardaigne), Orvieto (Ombrie), Soave (Vénétie), Tocai (Frioul).

Blancs secs, arômes d'herbes ou minéraux : Cinque Terre (Ligurie), Gavi (Piémont), Falanghina (Campanie), Est! Est!! Est!!! (Lazio).

Rouges légèrement acides se mariant bien avec la plupart des plats : Barbera d'Alba (Piémont), Montepulciano d'Abruzzo (Abruzzes), Valpolicella (Vénétie), Chianti Classico (Toscane).

Rouges bien ronds, notes de fruits et de terre bien équilibrées : Brunello di Montalcino (Toscane), Refosco dal Pedulunco Rosso (Frioul), Dolcetto (Piémont), Morellino di Scansano (Toscane).

Rouges charpentés, structurés, tannins veloutés : Amarone (Vénétie), Barolo (Piémont), Sagrantino di Montefalco secco (Ombrie), Sassicaia et autres assemblages "super-toscans" (Toscane).

Vins doux ou liquoreux : Sciacchetrá (Ligurie), Colli Orientali del Friuli Picolit (Frioul), Vin Santo (Toscane), Moscato d'Asti (Piémont).

AUTRES BOISSONS

La bière italienne de type Pilsner – on trouve aussi parfois de la bière brune – se marie parfaitement avec les viandes rôties, pizzas et autres repas sur le pouce. Mais un vrai repas italien se déguste avec du vin, et la plupart des vins italiens sont meilleur marché que la bière en Italie. Demander de l'eau du robinet

Le plus ancien vin d'Italie est le Chianti Classico, déjà célébré au XIVᵉ siècle et dont le terroir était déjà délimité en 1716.

Côté santé, de récentes recherches ont montré que les vins sardes contenaient deux à quatre fois plus de procyanidines que les autres. L'action bénéfique sur le cœur de ces molécules contenues dans les pépins de raisin a été prouvée sur des souris de laboratoire.

LE VIN, UNE PASSION ITALIENNE

Vous ne savez quel vin choisir pour accompagner vos pâtes au sanglier et il n'y a pas de sommelier en vue ? Interrogez vos voisins de table : tout Italien qui se respecte a forcément une opinion sur le vin. Bien que très à cheval sur les mariages réussis, l'amateur de vin italien n'est pas snob. les critiques ne font pas la loi au pays où les coteaux ont été plantés de vignes par les moines et les marins.

Au temps de l'Empire romain, le *garum*, sorte de saumure faite de sucs de poissons divers, était mélangé à du vin pour constituer une boisson fort prisée et Rome apprêtait des campagnes navales pour rapporter le *garum* d'Espagne et d'Afrique du Nord. Vers l'an 77, dans son *Histoire naturelle*, Pline l'Ancien chante la louange du *garum*, additionné de poivre et de cannelle et – selon l'habitude italienne –, se plaint déjà du prix élevé de cette denrée. À cause de son coût, les légionnaires romains étaient souvent réduits à le fabriquer à l'aide de jus de raisin fermenté, envoyé jusqu'aux postes avancés dans des barriques. Pline consacre un volume entier de l'*Histoire Naturelle* à la viticulture et au classement des vins par région, concédant que ceux de Campanie ne sont pas mauvais.

Au Moyen Âge, Venise bâtit son empire maritime sur l'importation des épices. Les Italiens, goûtant aux parfums réservés jusqu'alors aux tables des nobles demeures, ne se contentent plus de viandes douteuses et de pain sans sel, comme certains habitants d'Europe du Nord. Or le vin de messe cultivé par les moines, déjà présent à l'époque dans tout le pays, est beaucoup plus abordable que les épices pour parfumer la cuisine.

Entre les XIᵉ et XIIIᵉ siècle, commerce maritime et récoltes exceptionnelles permettent de répondre aux besoins élémentaires des Italiens en matière de nourriture. Ils donnent alors libre cours à leur créativité, font sécher des viandes, vieillir des fromages et inventent des vins spéciaux pour accompagner des mets de plus en plus raffinés. Au XIVᵉ siècle, ils louent déjà les vertus du Chianti – qui, d'ailleurs, n'est pas une mauvaise idée pour accompagner vos pâtes au sanglier.

LE GRAND RETOUR DE L'EAU DU ROBINET

En Italie, on n'a pas seulement le choix entre l'eau plate et l'eau gazeuse. Pas moins de 270 marques d'eau en bouteille font tourner une industrie qui pèse 5 milliards d'euros. Selon le comique italien Beppe Grillo, "ça revient à mettre de l'eau de pluie en bouteille et à la faire payer ensuite". Cela n'empêche pas certaines marques de vendre leurs bouteilles 5 € l'unité. Du côté des clients des restaurants italiens, toutefois, la révolte gronde et l'eau du robinet redevient à la mode. Quel que soit votre camp, rebelle ou consommateur de San Pellegrino, chacun doit se rappeler qu'une fois l'eau bue, il reste encore à recycler la bouteille…

L'eau du robinet est parfaitement potable, mais, en 2006, un Italien consommait 178 litres d'eau en bouteille par an.

(*acqua dal rubinetto*) à la place d'eau en bouteille est de mieux en mieux perçu en raison des préoccupations écologiques actuelles (voir l'encadré ci-dessus), mais ne pas commander d'*espresso* pour terminer le repas risque de choquer votre serveur. On peut pourtant sauver la face en se rabattant sur un digestif, par exemple de la *grappa* (eau-de-vie de marc de raisin), de l'*amaro* (liqueur douce-amère) ou du *limoncello* (liqueur de citron).

PLATS DE FÊTE

Pour savoir où ont lieu les foires gastronomiques locales, allez sur le site www.sagrepaesane.it.

Sans doute avez-vous déjà entendu parler des orgies romaines durant lesquelles les convives s'obligeaient à vomir entre deux plats pour "faire de la place", ou des festins des Médicis et des fameuses sculptures en sucre valant leur poids en or. Rien de tel aujourd'hui ; néanmoins, les grandes périodes de fêtes sont toujours l'occasion de savourer toutes sortes de spécialités. À Noël, pâtes garnies, plats de poissons ou fruits de mer et *panettone* (brioche aux raisins secs et aux écorces de fruits confits) sont à l'honneur. Après le carême vient la période de Pâques. On prépare alors un menu traditionnel, avec agneau, *colomba* (gâteau en forme de colombe) et *uova di Pasqua* (œufs de Pâques).

Hormis les fêtes religieuses, il existe bien d'autres occasions de faire ripaille, notamment en été et au début de l'automne, quand les villes célèbrent les *sagre*, les foires de produits régionaux, telles la *sagra del tartufo* (foire aux truffes) en Ombrie et la *sagra delle cipolle* (foire aux oignons) dans les Pouilles.

DÉGUSTATIONS DE VIN ET COURS DE CUISINE

Bien que certains producteurs trouvent ces appellations officielles inutilement contraignantes, la DOCG (Denominazione di origine controllata e garantita) et la DOC (Denominazione di origine controllata) sont attribuées à des vins répondant à des critères de qualité et d'origine géographique.

Les cours de cuisine sont légion, voici donc une petite sélection d'écoles de cuisine, pour mieux s'y retrouver :

Città del Gusto (☎ 06 551 12 21 ; www.gamberorosso.it ; Via Fermi 161, Rome). Six étages consacrés à la gastronomie dans cette cité du goût où se déroulent simultanément des cours de cuisine, des enregistrements d'émissions télévisées, des dégustations de vin, etc. Tous les ateliers et démonstrations sont organisés par *Gambero Rosso,* magazine gastronomique italien renommé.

Institut Galilei (☎ 055 29 46 80 ; www.galilei.it ; Via degli Alfani 68, 50121 Florence). Cette prestigieuse école de langue propose des stages de cuisine dans les meilleurs restaurants de Florence.

Eataly (www.eatalytorino.it). Ce temple turinois des produits artisanaux propose des dégustations de mets et de vins et des ateliers pour apprendre à cuisiner comme un chef et découvrir les secrets des sommeliers. Certains de ces ateliers, qui coûtent 60 € minimum, se font uniquement en italien.

Académie internationale du vin (☎ 06 699 08 78 ; www.wineacademyroma.com ; Vicolo del Bottino 8). À Rome, comptez environ 30 € pour une dégustation de vin, 180 € (2 pers minimum) pour une dégustation de 5 vins suivie d'un repas de 4 plats avec vins choisis, et de 300 à 360 € pour la visite guidée des caves du Latium en compagnie d'un œnologue. Voir aussi p. 143.

Consultez la rubrique Cours sous les différentes villes pour connaître d'autres organismes dispensant des cours de cuisine et aussi p. 765.

Italian Food Artisans (www.foodartisans.com/workshops). Découvrez les coulisses des cuisines de restaurants et les secrets de la cuisine italienne dans les Cinque Terre et en Toscane, au cours d'ateliers de 1 journée, ou pendant 5 jours avec Pamela Sheldon Johns, auteur d'ouvrages culinaires.

Tasting places (www.tastingplaces.com). Au programme de Tasting Places : excursions dans des festivals régionaux de Slow Food, un week-end "Truffe blanche et vin" dans le Piémont et escapades gastronomiques en Vénétie et en Toscane.

LES MOTS À LA BOUCHE

Ou comment garnir son assiette avec quelques mots d'italien. Pour plus d'expressions utiles et de détails sur la prononciation, voir p. 791.

Glossaire

CONDIMENTS ET ASSAISONNEMENTS

aceto	a·*tché*·to	vinaigre
aglio	*a*·lio	ail
miele	*mié*·lé	miel
olio	*o*·lio	huile
oliva	o·*li*·va	olive
pepe	*pé*·pé	poivre
peperoncino	pé·pé·ron·*tchi*·no	piment
sale	*sa*·lé	sel
tartufo	tar·*tou*·fo	truffe
zucchero	*tsou*·qué·ro	sucre

ŒUFS ET PRODUITS LAITIERS

burro	*bou*·ro	beurre
latte	*la*·te	lait
formaggio	for·*ma*·djo	fromage
panna	*pa*·nna	crème
uovo/uova	*ouo*·vo/*ouo*·va	œuf/œufs

BOISSONS

acqua	*a*·koua	eau
bibite gassate	bi·*bi*·té ga·*ssa*·té	boissons gazeuses
birra	*bi*·rra	bière
caffè	ka·*fé*	café
tè	*té*	thé
vino (rosso/bianco)	*vi*·no (*ro*·sso/*bian*·co)	vin (rouge/blanc)

FRUITS

arancia	a·*ran*·tcha	orange
ciliegie	tchi·*lié*·dja	cerise
fragole	*fra*·go·lé	fraises
limone	li·*mo*·né	citron
mela	*mé*·la	pomme
melone	mé·*lo*·né	melon
pesca	*pès* ca	pêche
pera	*pé*·ra	poire
pompelmo	pom·*pel*·mo	pamplemousse
pomodori	po·mo·*do*·ri	tomates
uva	*ou*·va	raisin

VIANDES

agnello	a·*nie*·lo	agneau
bistecca	bis·*té*·ka	steak
capretto	ka·*pré*·to	chevreau
coniglio	ko·*ni*·lio	lapin
fegato	*fé*·ga·to	foie
manzo	*man*·dzo	bœuf
pollo	*po*·lo	poulet
prosciutto cotto	pro·*chou*·to *ko*·to	jambon cuit
prosciutto crudo	pro·*chou*·to *krou*·do	jambon cru

salsiccia	sal·*ssi*·tcha	saucisse
trippa	*tri*·pa	tripe
vitello	vi·*té*·lo	veau

MODES DE CUISSON

alla griglia	a·la *gri*·lia	grillé
arrosto/a (m/f)	a·*ro*·sto/a	rôti/rôtie
bollito/a (m/f)	bo·*li*·to/a	bouilli/bouillie
cotto/a (m/f)	*ko*·to/a	cuit/cuite
crudo/a (m/f)	*krou*·do/a	cru/crue
fritto/a (m/f)	*fri*·to/a	frit/frite

PRODUITS DE LA MER

acciughe	a·*tchou*·gué	anchois
aragosta	a·ra·*go*·sta	homard
calamari	ka·la·*ma*·ri	calamars
cozze	*ko*·tsé	moules
frutti di mare	*frou*·ti di *ma*·ré	fruits de mer
gamberoni	gam·bé·*ro*·ni	crevettes
granchio	*gran*·kio	crabe
merluzzo	mer·*lou*·tso	cabillaud
ostriche	*os*·tri·ke	huîtres
pesce spada	*pé*·ché *spa*·da	espadon
polpi	*pol*·pi	poulpes
sarde	*sar*·dé	sardines
seppia	*sé*·pia	seiche
sgombro	*sgom*·bro	maquereau
tonno	*to*·no	thon
vongole	*von*·go·lé	coques

FÉCULENTS

pane	*pa*·né	pain
patate	pa·*ta*·té	pommes de terre
riso	*ri*·zo	riz

LÉGUMES

asparagi	as·*pa*·ra·dji	asperges
carciofi	kar·*tcho*·fi	artichauts
carota	ka·*ro*·ta	carotte
cavolo	*ka*·vo·lo	chou
cipolle	tchi·*po*·le	oignons
fagiolini	fa·djo·*li*·ni	haricots verts
finocchio	fi·*no*·kio	fenouil
funghi	*foun*·gui	champignons
insalata	in·sa·*la*·ta	salade
melanzane	mé·lan·*dza*·né	aubergines
peperoni	pé·pé·*ro*·ni	piments, poivrons
piselli	pi·*zé*·li	petits pois
rucola	*rou*·ko·la	roquette
spinaci	spi·*na*·tchi	épinards

Environnement

GÉOLOGIE

L'Italie se compose d'une longue péninsule qui plonge dans le cœur de la Méditerranée, flanquée de deux îles principales – la Sicile au sud et la Sardaigne à l'ouest (ces deux îles ne sont pas traitées dans ce guide) – ainsi que d'une multitude d'îlots.

Bordé sur trois côtés par quatre mers différentes (mers Adriatique, Ionienne, Ligurienne et Tyrrhénienne), le pays compte plus de 8 000 km de côtes. Les paysages très contrastés du littoral incluent des sites remarquables comme les villages côtiers des Cinque Terre en Ligurie ou les à-pics de la côte d'Amalfi.

La montagne occupe plus de 75% du pays, avec deux chaînes principales. Les Alpes s'étendent sur 966 km d'est en ouest à la frontière nord du pays. Cette chaîne présente, dans sa partie occidentale, quelques sommets culminant à plus de 4 500 m. C'est dans le Val d'Aoste que se situent le mont Blanc (Monte Bianco ; 4 807 m), le mont Rose (Monte Rosa ; 4 633 m), le mont Cervin (Monte Cervino ou Matterhorn ; 4 478 m) et le Gran Paradiso (4 061 m). La partie orientale des Alpes, moins élevée, recèle les très spectaculaires Dolomites, reconnaissables à leur profil denté. Les contreforts des Alpes abritent plusieurs grands lacs, dont le lac de Garde (lago di Garda), le lac Majeur (lago Maggiore) et le lac de Côme (lago di Como).

Les glaciers (plus d'un millier) qui ponctuent la région alpine ne cessent de reculer. Le plus célèbre, le glacier de Marmolada, se situe à la frontière entre le Trentin et la Vénétie. Il est prisé des amateurs de ski et de snowboard.

Le massif de l'Apennin (appelé également les Apennins – Appennini) s'étend sur 1 350 km, de Gênes (Genoa) jusqu'à la Calabre. Son point culminant, le Corno Grande, s'élève à 2 912 m au-dessus du massif du Gran Sasso d'Italia, dans les Abruzzes (Abruzzo).

Les plaines ne représentent qu'un tiers du territoire italien. L'une des plus vastes est la vallée du Pô, densément peuplée et industrialisée. Située au pied des Alpes, elle est scindée en deux par le plus long fleuve du pays, le Pô (628 km).

L'histoire géologique italienne est complexe et se caractérise par une succession de changements climatiques et écologiques. L'épisode majeur de la formation du relief italien s'est joué il y a 40 millions d'années, lorsque les plaques africaine et européenne sont entrées en collision, entraînant la plaque européenne sous la plaque africaine. Au fil des siècles, celle-ci a poussé des couches de la plaque d'Europe méridionale jusqu'à 1 000 km vers le nord, créant ainsi les Alpes et les Apennins. Voilà pourquoi certaines des strates les plus élevées des Alpes sont plus anciennes que les niveaux inférieurs.

Il y a environ deux millions d'années, à la suite de l'effet combiné de la tectonique des plaques et de l'érosion qui a modelé et remodelé le paysage, la péninsule acquit plus ou moins sa forme actuelle. Le niveau des mers a continué à monter ou à descendre suivant l'alternance des périodes de glaciation et de réchauffement climatique, jusqu'à la fin de la dernière époque glaciaire il y a près de 12 000 ans.

FAUNE ET FLORE

Certes, on ne se rend pas en Italie spécialement pour observer les animaux. Toutefois, vous serez étonné par le nombre d'espèces qui y vivent, notamment dans les parcs nationaux et les réserves naturelles. On aperçoit de nombreux mammifères comme le cerf, le chamois, le bouquetin, le sanglier, le chat sauvage, le hérisson, le lièvre et le lapin.

On pense que la mer Méditerranée s'est formée il y a 5,5 millions d'années. Les eaux de l'océan Atlantique aurait mis un siècle à la remplir.

Organisme public, le Fondo per l'Ambiente Italiano (FAI) est voué à la protection du patrimoine artistique et naturel de l'Italie. Son site (en italien), très bien conçu, vous en apprendra plus : www.fondoambiente.it.

Animaux

Des ours vivent dans le centre et le nord de l'Italie. Outre les 50 ours bruns marsicans du Parco Nazionale d'Abruzzo, Lazio e Molise, une vingtaine d'ours bruns vivent en liberté dans le Parco Naturale Adamello-Brenta ; une partie provenant de Slovénie. Toutefois, ce programme de réintroduction ne fait pas que des heureux : des animaux d'élevage ont en effet été tués et certains pâturages sont désormais interdits d'accès.

Toute la nature méditerranéenne : toute la faune et la flore en 1 500 photographies (Delachaux et Niestlé, 2001), de Paul Sterry, est un bon guide pour se familiariser avec la flore et la faune du pays.

Le Parco Nazionale dei Monti Sibillini, à cheval sur l'Ombrie et les Marches, héberge plus de 50 espèces de mammifères (loups, porcs-épics, chats sauvages, campagnols des neiges et chevreuils). Levez les yeux : l'aigle royal, le faucon pèlerin et la perdrix bartavelle figurent parmi les 150 espèces qui ont élu domicile dans le parc. On a répertorié plus d'une vingtaine de reptiles et d'invertébrés, notamment la vipère d'Orsini et le *Chirocephalus marchesoni*, petit crustacé extrêmement rare qui vit exclusivement dans le lac de Pilate (lago di Pilato).

Le Parco Nazionale Arcipelago Toscano occupe l'un des plus importants couloirs migratoires de la Méditerranée. Sur les îles d'Elbe, de Giglio, Capraia, Gorgona, Pianosa, Giannutri et Montecristo nichent quantité d'oiseaux

TREMBLEMENTS DE TERRE ET VOLCANS

L'Italie est l'un des pays à la plus forte activité sismique au monde. Une faille géologique traverse toute la péninsule italienne : partant à l'est de la Sicile, elle longe la chaîne de l'Apennin et se prolonge jusqu'au nord-est des Alpes. Cette ligne correspond au point de collision entre les plaques continentales européenne et africaine et détermine une partie des tremblements de terre du pays, généralement plusieurs secousses mineures par an. Les séismes de grande amplitude ne sont pas rares dans le centre et le sud de la Botte. Le plus récent, celui de L'Aquila, estimé à 6,3 sur l'échelle de Richter, a frappé la région centrale des Abruzzes le 6 avril 2009, faisant 308 victimes et 65 000 sans-abri.

Ces dernières décennies, des catastrophes comparables ont eu lieu dans la Molise (2002), en Ombrie et dans les Marches (1997), en Campanie (1980) et au Frioul (1976). Le plus violent séisme du XXᵉ siècle a frappé le sud de l'Italie en 1908 : Messine et Reggio di Calabria furent détruites par un séisme sous-marin de 7 sur l'échelle de Richter. La secousse et les vagues qui en résultèrent firent 86 000 morts.

Six volcans sont encore en activité en Italie : le Stromboli et le Vulcano sur les îles Éoliennes ; le Vésuve, les Campi Flegrei et l'îlot volcanique d'Ischia près de Naples, et enfin l'Etna en Sicile. Le Stromboli et l'Etna font partie des volcans les plus actifs au monde, alors que le Vésuve n'est pas entré en éruption depuis 1944. Il est toutefois devenu une préoccupation majeure des scientifiques qui estiment qu'une éruption est prévisible tous les 30 ans. Plus le temps s'écoule jusqu'à la prochaine éruption, plus cette dernière risque d'être destructrice. Environ 3 millions de personnes vivent aux abords du Vésuve, et il y a tout lieu de craindre un désastre à venir.

En Sicile, les éruptions de l'Etna sont relativement fréquentes mais rarement dangereuses. En septembre 2007, une explosion a projeté de la lave à 400 m d'altitude, dégageant un nuage de fumée et de cendres qui provoqua la fermeture de l'aéroport de Catane. En mai 2008, la lave a même atteint la Valle del Bove, à 5 km du volcan.

Le dernier réveil du Stromboli remonte au printemps 2003, avec une éruption qui a envoyé quelque 10 millions de mètres cubes de roches volcaniques dans la mer, déclenchant un raz-de-marée de 8 m de hauteur, ressenti à plus de 160 km. En février 2007, deux nouveaux cratères sont apparus au sommet du volcan.

L'activité volcanique donne également lieu à d'autres manifestations telles que boues et sources thermales, notamment à Viterbe dans le Latium et sur les îles Éoliennes. Les Campi Flegrei près de Naples sont également une zone d'intense activité volcanique, ce qui se traduit par la présence de sources chaudes, d'émissions gazeuses et de jets de vapeur.

UN SANCTUAIRE MARIN EN MÉDITERRANÉE

Situé entre le sud-est de la France, le nord-ouest de l'Italie et le nord de la Sardaigne (et incluant la Corse et les îles autour d'Elbe), le sanctuaire Pelagos a été créé en 2002 afin de protéger les cétacés de Méditerranée. Les rorquals communs et les dauphins bleu et blanc représentent 80% des mammifères marins qui fréquentent cette réserve de 87 500 km². De nombreuses autres espèces y ont également trouvé refuge.

comme le faucon, le tichodrome échelette, diverses espèces d'hirondelles et de perdrix rouges. D'autres espèces plus rares peuplent le parc, dont la tarente, une sorte de gecko, et la vipère endémique de Montecristo.

Le Parco Nazionale del Circeo, dans le Latium (Lazio), croise également les grandes routes migratoires. Le parc est un excellent poste pour l'observation d'espèces aquatiques tels la spatule blanche et le flamant rose, ainsi que de certains oiseaux de proie devenus rares, à l'instar du faucon pèlerin.

Espadons, thons et dauphins s'ébattent communément le long des côtes. On sait que des requins blancs sillonnent les eaux de la Méditerranée (notamment dans le sud), mais les attaques restent exceptionnelles.

En Italie, le WWF tente de protéger les loups, les ours marsicans, les vautours percnoptères, les pélobates à couteaux (sorte de crapaud), les chamois, les loutres et les cerfs élaphes.

ESPÈCES MENACÉES

Les modifications apportées à l'environnement, associées à la passion des Italiens pour la chasse (*caccia*), mettent en danger de nombreuses espèces animales, y compris les oiseaux, qui sont parfois en voie d'extinction. Les chasseurs, qui forment un groupe de pression puissant en Italie, continuent de jouer un rôle important dans la politique environnementale du pays.

Au XXe siècle, 14 espèces ont ainsi disparu d'Italie, notamment le lynx des Alpes, le pygargue à queue blanche, le vautour moine et le balbuzard (une espèce néanmoins réintroduite dans le Parco Regionale della Maremma, en Toscane). Au fil des ans, de nombreux animaux et oiseaux sont progressivement protégés par la loi. Néanmoins, selon l'organisation écologique Legambiente, 127 espèces animales et 11 végétaux risquent encore la disparition.

Certaines espèces font leur retour après avoir été réintroduites dans leur milieu naturel ; c'est le cas de l'ours brun qui survit dans le Parco Naturale Adamello-Brenta, dans le Trentin, et le lynx, toujours extrêmement rare, que l'on ne trouve plus que dans les régions montagneuses de Tarvisio en Frioul-Vénétie Julienne.

Les loups sont plus nombreux : en 20 ans, leur population évaluée à une centaine dans les années 1970 s'est multipliée par 5 ou 6, notamment dans le nord des Apennins et dans les Alpes occidentales. La réintroduction de l'ours marsican des Abruzzes, endémique à l'Italie, n'a pas connu la même réussite. Avec seulement une cinquantaine d'individus, cette espèce est toujours menacée.

Where to Watch Birds in Italy (en anglais), publié par la Ligue italienne de protection des oiseaux (Lipu), contient plus d'une centaine de conseils pour observer les différentes espèces. Pour en savoir plus sur la Lipu, consultez son site à l'adresse www.lipu.it.

Les loutres, nombreuses dans le Parco Nazionale del Cilento e Vallo di Diano, en Campanie, sont plus rares dans le Parco Nazionale del Pollino. Une autre espèce en voie de disparition est le phoque à ventre blanc. On pense que quelques spécimens vivent toujours dans les grottes sous-marines de la côte est de la Sardaigne. Quant au magnifique aigle royal, il a été presque totalement exterminé par les chasseurs, même si environ 500 couples ont survécu dans toute l'Italie. Une petite colonie de vautours fauves vit sur la côte ouest de la Sardaigne, près de Bosa. Des programmes de réintroduction de cette espèce dans le Massiccio del Velino (centre des Apennins) ont permis de donner naissance à environ 70 couples. Le gypaète barbu (*gipeto*, en italien) a été réintroduit dans les Alpes en 1978. On dénombre aujourd'hui de 60 à 70 individus.

Plantes

La présence humaine dans la péninsule italienne remonte aux temps les plus reculés, aussi exerça-t-elle une influence sur l'environnement, provoquant la destruction à grande échelle des forêts et de la végétation, remplacées par des cultures. D'un point de vue esthétique, le résultat n'est pas forcément déplaisant ; c'est notamment le cas en Toscane, dont la beauté du paysage résulte de cette association entre plantations d'oliviers, vignobles, haies de cyprès ou de pins et parcelles laissées en jachère.

En Italie, la végétation est principalement de type méditerranéen. Trois grandes variétés d'arbres à feuilles persistantes dominent le paysage : le chêne vert, le chêne-liège et le pin. Une poignée de forêts de chênes vierges subsistent encore dans certains coins isolés de Toscane, d'Ombrie, de la Calabre, ainsi que dans les Pouilles et la Sardaigne, où les arbres atteignent parfois 15 m de hauteur. Leur feuillage est si dense qu'il empêche la lumière du jour de passer, ce qui interdit le développement de toute végétation au sol. On trouve plus couramment des bosquets de chênes, la plupart du temps créés par l'homme. On les reconnaît aux arbres qui sont moins denses et moins hauts que ceux des forêts originelles. La végétation des sous-bois y est donc plus fournie.

Après le chêne vert, le chêne-liège est l'essence la plus commune. Il est le plus souvent mêlé à d'autres variétés de chênes. Hormis en Sardaigne et en Sicile, il ne reste plus un seul arbre appartenant à la forêt native.

Le pin se décline en trois variétés : le pin d'Alep, le pin domestique, particulièrement courant en Toscane, que l'on appelle également pin parasol en raison de ses longues branches plates, et enfin le pin maritime qui, nonobstant son nom, pousse plutôt à l'intérieur des terres !

L'olivier et le cyprès furent importés il y a des siècles et sont désormais inévitablement associés au paysage de la campagne italienne, notamment du sud de la Toscane. Il existe différentes espèces d'olivier, de tailles variables, les spécimens les plus surprenants étant ceux, très robustes, de la région des Pouilles.

Le pays est en grande partie recouvert de maquis (*macchia*), un terme très général qui englobe toutes sortes de végétaux entre 2 et 6 m de hauteur. Le maquis traditionnel se compose de plantes aromatiques, tels la lavande, le romarin et le thym, ainsi que des buissons (ajonc, genévrier et bruyère) et, en fonction du taux d'acidité du sol, de genêts. Orchidées, glaïeuls et iris apportent une note colorée à ces massifs, surtout au printemps.

PARCS NATIONAUX

L'Italie compte 24 parcs nationaux ainsi que plus de 400 réserves naturelles, parcs naturels ou zones marécageuses. Les parcs nationaux occupent une superficie d'environ 1,3 million d'hectares (5% du territoire) et jouent un rôle essentiel dans la protection de la flore et de la faune.

ÉCOLOGIE

La conscience environnementale s'est beaucoup développée depuis quelques années, en réponse aux effets du changement climatique ainsi qu'à l'augmentation du smog en ville et du problème lancinant du ramassage des ordures.

Le *Guide des fleurs sauvages* (Delachaux et Niestlé, 2002), de Richard et Alastair Fitter, est un guide d'identification de toutes les fleurs sauvages des zones tempérées européennes.

Le site officiel des parcs nationaux (www. parks.it) est une mine d'informations sur les parcs nationaux et régionaux, les réserves marines et les zones humides classées d'Italie, et vous renseigne aussi sur la faune et la flore locales et les initiatives pédagogiques.

L'UNION FAIT LA FORCE

Legambiente (www.legambiente.com) est une association italienne à but non lucratif créée en 1980 pour protéger l'environnement. Elle travaille en relation avec diverses organisations régionales et a pour devise : "Penser globalement, agir localement."

PARCS NATIONAUX

Parc national	Caractéristiques	Activités	Meilleure saison pour s'y rendre	Page
Abruzzes, Lazio e Molise	pics de granit, bois de hêtres, ours, loups	randonnée, équitation	mai-oct	p. 624
Alta Murgia	plateaux rocheux, canyons, forêts	randonnée, cyclisme, équitation	avr-oct	p. 717
Appennin Tosco-Emiliano	montagnes, forêts, lacs	ski, cyclisme, randonnée, équitation	fév-oct	p. 452
Appennin Lucano-Val d'Agri	collines, lacs, bois de hêtres, marais	randonnée, cyclisme	avr-oct	p. 743
Arcipelago Toscano	Elba, îles rocheuses, plages, oiseaux de mer	randonnée, plongée, planche à voile	avr-sept	p. 531
Aspromonte	forêts de conifères, hautes plaines, villages vertigineux	randonnée	mai-oct	p. 753
Cilento e Vallo di Diano	collines silencieuses, temples grecs, côte superbe, grottes	randonnée, baignade, ornithologie	mai-oct	p. 689
Cinque Terre	villages pittoresques, collines à terrasses, oliveraies	randonnée	avr-oct	p. 210
Circeo	forêts, dunes de sable, marais	randonnée, ornithologie	mai-oct	p. 191
Dolomiti Bellunesi	flèches rocheuses, prairies d'altitude, chamois, cerfs	ski, randonnée, VTT	déc-oct	p. 399
Foreste Casentinesi, Monte Falterona e Campigna	collines boisées, monastères, loups, aigles	randonnée	mai-oct	encadré p. 557
Gargano	forêts anciennes, falaises de calcaire, grottes	baignade, randonnée, cyclisme	juin-sept	p. 692
Gran Paradiso	montagnes, prairies luxuriantes, villages alpins, bouquetins	ski, snowboard, randonnée, escalade, VTT	déc-oct	p. 255
Gran Sasso e Monti della Laga	sommets escarpés, loups, oiseaux de proie	ski, randonnée, escalade	déc-mars, mai-sept	p. 618
Majella	montagnes, vallées profondes, loups, ours	randonnée, cyclisme	juin-sept	p. 622
Monti Sibillini	montagnes mystérieuses, anciens hameaux, loups, aigles	randonnée, VTT	mai-oct	p. 614
Pollino	montagnes, canyons, forêts épaisses, orchidées	rafting, canyoning, randonnée	juin-sept	p. 745
Sila	collines boisées, lacs, villages reculés, champignons	ski, randonnée, canyoning, équitation	déc-mars, mai-oct	p. 751
Stelvio	sommets alpins, chalets de montagne, glaciers, forêts	ski toute l'année, randonnée, cyclisme	déc-sept	p. 336
Val Grande	montagnes, bois, étendues désertiques en altitude, refuges de montagne	ski, randonnée, équitation	avr-nov	p. 223
Vésuve	volcan actif, lave noire, bois	randonnée	avr-oct	p. 669

Une partie du nord de l'Italie, lourdement industrialisée, et la plupart des grandes villes souffrent aujourd'hui d'une forte pollution de l'air. Alors que les émissions de dioxyde de soufre ont été réduites, notamment grâce au gaz naturel qui a remplacé le charbon, le smog et la mauvaise qualité de l'air peuvent être mis sur le compte des voitures ; et l'Italie possède l'un des ratios de véhicules par habitant les plus élevés au monde. Afin de combattre cette asphyxie, les autorités municipales ont lancé une série d'initiatives. En janvier 2008, Milan a introduit le premier système de péage urbain du pays, tandis que plusieurs villes, dont Milan et Rome, ont adopté un système de vélos collectifs. À l'échelle nationale, le gouvernement italien s'est engagé en 2009 à bâtir quatre réacteurs nucléaires afin de réduire la dépendance du pays au pétrole et au gaz et de diminuer les émissions de gaz à effet de serre.

L'enlèvement et le traitement des déchets industriels et des ordures ménagères contribuent aussi à la pollution, notamment en Campanie : à Naples, plus personne ne s'étonne des poubelles qui s'amoncellent dans la rue. Le problème est lié à une grave pénurie d'infrastructures : faute d'incinérateurs en nombre suffisant, les décharges sont généralement saturées, souvent par les déchets déposés illégalement par la Camorra, la mafia locale.

> Selon l'organisation écologiste Legambiente, la collecte illégale de déchets représentait un chiffre d'affaires de 18,4 milliards d'euro en 2007, soit l'une des sources de revenu complémentaire les plus lucratives de la Mafia.

SITES DU PATRIMOINE MONDIAL

L'Italie possède 44 sites inscrits au patrimoine mondial de l'Unesco, davantage que tout autre pays. La Cité du Vatican, qui constitue administrativement une nation indépendante, est également classée. Reportez-vous également à l'index p. 827. Voici la liste complète de ces sites :

- Dessins rupestres à Valcamonica
- Chiesa di Santa Maria delle Grazie et *La Cène* de Léonard de Vinci à Milan
- Centre historique de Rome, les biens du Saint-Siège dans la ville bénéficiant des droits d'extraterritorialité, et la basilique Saint-Paul-hors-les-Murs
- Centre historique de Florence
- Piazza dei Miracoli, Pise
- Venise et sa lagune
- Centre historique de San Gimignano
- *Sassi* et *chiese rupestri* (églises rupestres) de Matera
- Vicence et les villas de Palladio en Vénétie
- Crespi d'Adda
- Ferrare et le delta du Pô
- Centre historique de Naples
- Centre historique de Sienne
- Castel del Monte
- Monuments paléochrétiens de Ravenne
- Centre historique de Pienza
- *Trulli* d'Alberobello
- Palais royal et parc de Caserta, aqueduc de Vanvitelli et Complesso Monumentale Belvedere de San Leucio
- Zone archéologique d'Agrigente
- Zones archéologiques de Pompéi, Herculanum et Torre Annunziata

Le littoral est également confronté à des dangers écologiques. Dans un rapport de 2008, Legambiente dénonçait trois problèmes majeurs : la construction, la pollution et la pêche illégale – le premier demeurant la principale menace pour l'environnement.

Depuis l'essor du tourisme balnéaire dans les années 1960, le littoral italien a connu une explosion de l'immobilier. En dépit des bénéfices indéniables à court terme, les ressources naturelles ont été mises à rude épreuve. Les arguments écologistes ont été balayés par le puissant groupe de pression des constructeurs, malgré quelques victoires. Ainsi, en juillet 2004, Renato Soru, alors président de région en Sardaigne, avait interdit toute construction à moins de 2 km du littoral, une initiative saluée par le World Wildlife Fund for Nature (WWF) : "sans doute la première preuve de sagesse politique à long terme de l'Italie en matière d'environnement". Les critiques ne mirent pas longtemps à se mobiliser contre cette mesure jugée néfaste pour le tourisme, pilier de l'économie de l'île. La pression fut trop grande et Soru perdit les élections régionales face à Ugo Cappellacci, qui promit d'abroger le décret controversé.

Il est néanmoins encore possible de trouver des plages propres en Italie, notamment dans le Sud, dans les Pouilles, en Calabre, en Sardaigne et en Sicile.

En 2009, le drapeau bleu, label écologique très convoité, flottait sur 226 plages et 60 marinas italiennes. Plus de renseignements sur www.blueflag.org.

- Jardin botanique de Padoue
- Cathédrale, Torre Ghirlandina et Piazza Grande, Modène
- Côte amalfitaine
- Porto Venere, Cinque Terre et les îles (Palmaria, Tino et Tinetto)
- Résidences de la maison royale de Savoie
- Su Nuraxi di Barumini, Sardaigne
- Villa Romana del Casale
- Zone archéologique et basilique d'Aquileia
- Parc national du Cilento et du Vallo di Diano, avec les sites archéologiques de Paestum, Velia et la chartreuse de Padula
- Centre historique d'Urbino
- Villa Adriana à Tivoli
- La Basilica di San Francesco et autres sites franciscains à Assise
- Vérone
- Îles Éoliennes
- Villa d'Este à Tivoli
- Villes baroques de la vallée de Noto, Sicile
- Sacri Monti (montagnes sacrées) du Piémont et de Lombardie
- Nécropoles étrusques de Cerveteri et de Tarquinia
- Val d'Orcia, Toscane
- Syracuse et la nécropole de Pantalica, Sicile
- Strade Nuove à Gênes et Palazzo dei Rolli
- Mantoue et Sabbioneta
- Chemin de fer rhétique dans les paysages de l'Albula et de la Bernina, centre des Alpes italiennes et suisses
- Dolomites

La question de l'urbanisme et sa réglementation alimentent depuis longtemps le débat, ranimé en avril 2009 par deux événements distincts. Le premier fut l'annonce par le Premier ministre Berlusconi de l'assouplissement des conditions d'attribution de permis de construire, afin de relancer l'économie. Les écologistes et les députés de l'opposition réagirent en mettant l'accent sur les conséquences d'une construction anarchique. Le deuxième événement fut le séisme qui frappa les Abruzzes, tuant 308 personnes et laissant la majeure partie du centre de la ville de L'Aquila inhabitable. Au lendemain du drame, les Italiens s'interrogèrent sur les conditions de construction des édifices modernes, incapables de résister à une magnitude de 6,3 en dépit des normes antisismiques.

Cette appréhension alimente en partie la polémique qui entoure la construction du pont de Messine. Ce projet de pont suspendu de 4 km, entre Reggio di Calabria et Messine, en Sicile, attise la controverse depuis qu'il été dévoilé en 2005. Le WWF et l'organisation écologiste Legambiente y voient un désastre pour la mer et la faune avicole et redoutent que le budget (6 milliards d'euros) ne profite à la Mafia d'Italie du Sud. Ils proposent que cet argent serve à améliorer l'infrastructure routière existante. Avec le soutien du gouvernement de Berlusconi, convaincu de son effet bénéfique pour l'économie régionale, le projet a cependant reçu le feu vert en 2009.

De l'autre côté du pays, le changement climatique se fait sentir dans les Alpes, qui connaissent des températures élevées – une mauvaise nouvelle pour l'environnement, mais aussi pour le secteur des sports d'hiver. Les stations au-dessous de 1 400 m sont particulièrement menacées ; heureusement, les domaines skiables italiens se trouvent généralement à plus haute altitude.

Sur le plan mondial, l'Italie a ratifié différents accords internationaux. Elle est notamment signataire du protocole de Kyoto qui, à l'horizon 2012, exige la réduction des gaz à effet de serre de 6,5% par rapport aux émissions de 1990. L'Italie participe également, avec la France, l'Allemagne et le Royaume-Uni, au projet européen de "Système d'échange de droits d'émission de gaz à effet de serre".

En juillet 2009, l'Italie a accueilli le sommet du G8 sur l'environnement, non pas dans la ville sicilienne de Syracuse, comme prévu à l'origine, mais dans la région de L'Aquila, détruite par un séisme. Les principaux pays pollueurs de la planète, G8 et grands pays émergents, dont la Chine et l'Inde, ont reconnu lors de ce sommet que la Terre ne devait pas se réchauffer au-delà de 2 degrés, rejoignant ainsi, et pour la première fois, la communauté scientifique. Les pays du G8 ont ainsi décidé de diviser par deux les émissions mondiales de gaz à effet de serre d'ici à 2050. Faute d'engagement à l'horizon 2020, les pays émergents, Chine en tête, ont toutefois refusé de s'associer à cet accord. Ce sommet a été fortement remis en cause dans son format actuel de huit pays, y compris par les États-Unis et la France, qui entendent l'élargir et le réformer.

Comment limiter votre empreinte durant votre passage dans les Alpes ? Le site www. respectthemountains.com (en français) propose une kyrielle d'astuces, de la pratique du hors-piste à la réduction des déchets dans les stations.

Si vous lisez l'italien et que vous voulez vous renseigner sur la protection de la nature, la biodiversité du pays, les zones protégées, etc., consultez les sites Internet du World Wide Fund for Nature (WWF ; www.wwf.it) et du ministère de l'Environnement italien (www.minambiente.it).

Rome et Latium

Dans un pays où les villes rivalisent de splendeur, Rome saura vous convaincre qu'elle est la plus belle et conquérir votre cœur. Tout en mettant parfois votre patience à rude épreuve.

La Ville Éternelle abrite un nombre infini de chefs-d'œuvre – chapelle Sixtine, Panthéon, Colisée, toiles du Caravage… – et de majestueuses places dignes de décors d'opéra. Il règne dans la ville une atmosphère décontractée et une harmonie de couleurs tout à fait unique, alliant le bleu du ciel à l'ocre des *palazzi* et au vert sombre des pins. On lui pardonne aisément ses quelques désagréments : embouteillages, difficultés de stationnement et pickpockets.

Jadis *caput mundi* (capitale du monde), Rome fut le théâtre de la trahison de César par Brutus, et de la fin tragique de bon nombre de saints. C'est ici que Michel-Ange peignit son œuvre maîtresse. Bernin et Borromini y rivalisèrent de créativité pour marquer de leur empreinte le mouvement baroque. Wagner, Goethe et Byron y séjournèrent ; Keats y mourut. Les années 1950 et 1960 évoquent également des souvenirs ; on se rappellera la célèbre scène de cinéma où l'on voit Audrey Hepburn et Gregory Peck se chamailler devant la Bocca della Verità ; ou encore celle où Anita Ekberg se baigne dans la fontaine de Trevi.

Capitale du monde catholique, Rome attire d'innombrables pèlerins. La ville accueille en outre quantité de manifestations culturelles. Imitez les Romains, faites de petites escapades autour de la ville, dans les collines du Latium. Vous partirez ainsi à la découverte de l'ancien port romain d'Ostie (Ostia Antica) aux lacs bleu azur occupant les cratères d'anciens volcans. La sérénité de ces paysages verdoyants vous fera l'effet d'une grande bouffée d'air frais.

À NE PAS MANQUER

- La splendide **basilique Saint-Pierre** (p. 133) et les extraordinaires **musées du Vatican** (p. 134)

- Le **Colisée** (p. 112), où vous pourrez vous représenter une foule de Romains en liesse

- Le **Panthéon** (p. 119), où vous aurez peut-être la chance d'apercevoir le paradis à travers l'oculus de la coupole

- Les trésors des villas de la Rome antique présentés au **Palazzo Massimo alle Terme** (p. 129)

- Les chefs-d'œuvre de la Renaissance exposés au **Museo e Galleria Borghese** (p. 126)

★ Rome

POPULATION : LATIUM 5,3 MILLIONS ; ROME 3,8 MILLIONS

SUPERFICIE : LATIUM 17 202 KM²

ROME

HISTOIRE

D'après la mythologie, Romulus et Remus seraient nés de l'union impossible d'une vestale (une prêtresse vouée à la chasteté), Rhéa Silvia, et de Mars, le dieu de la guerre. Abandonnés sur les rives du Tibre pour leur épargner les foudres du roi Amulius, les jumeaux furent recueillis et allaités par une louve. Lorsque Remus fut capturé par Amulius, Romulus assassina le roi pour sauver son frère. Ils entreprirent ensuite de fonder une nouvelle ville, mais une querelle amena Romulus à tuer son frère. C'est donc au seul Romulus que revint la paternité de la ville. La version des historiens, plus prosaïque, retient simplement l'accession de Romulus, le 21 avril 753 av. J.-C., au titre de premier roi de Rome, ville formée par le regroupement des colonies étrusque, latine et sabine installées sur les collines du Palatin, de l'Esquilin et du Quirinal.

Après l'éviction du dernier roi étrusque, Tarquin le Superbe, la République romaine fut proclamée en 509 av. J.-C. Elle domina la Méditerranée, jusqu'à ce que des rivalités internes déclenchent une guerre civile. Jules César s'empara du pouvoir en 49 av. J.-C., et entreprit de réformer radicalement la République. Il fut assassiné 5 ans plus tard, à la suite de quoi Marc Antoine et Octave se disputèrent sa succession. Victorieux, Octave devint avec l'appui du Sénat le premier empereur romain, connu sous le nom d'Auguste.

Sous son règne, l'Empire fut bien administré, et une période de stabilité politique sans précédent et d'épanouissement des arts s'ensuivit. Ses successeurs, Tibère, Caligula et Néron laissèrent en revanche le souvenir de dirigeants corrompus dont les excès, combinés à des événements malheureux comme l'incendie qui ravagea Rome en 64, menèrent la ville à la ruine. Toutefois, la cité n'allait pas tarder à renaître de ses cendres. Dès l'an 100, Rome comptait à nouveau plus de 1,5 million d'habitants. Les échanges commerciaux et les impôts prélevés dans les domaines de l'Empire lui apportèrent richesse et prospérité. Le Forum romain était le centre de la vie de la cité tandis que le Colisée accueillait des combats de gladiateurs. Rome conserva son titre de *caput mundi* jusqu'en 330, lorsque Constantin, premier empereur chrétien, transféra le siège de sa puissance à Byzance.

La chrétienté s'était peu à peu répandue dans tout l'Empire depuis que les apôtres Pierre et Paul s'étaient joints à un petit groupe de chrétiens à Rome ; ils furent persécutés, mais leur religion continua de prospérer. Sur le site de nombreuses églises de Rome, les archéologues retrouvèrent l'emplacement des premières congrégations clandestines de chrétiens. Mais au Ve siècle, la ville fut envahie par les Goths et les Vandales et, au VIe siècle, la population de Rome avait chuté pour s'établir à 80 000 habitants. Toutefois, les choses n'allaient pas en rester là. Grâce au pape Grégoire Ier (590-604), la prééminence de Rome fut préservée. Sous son règne furent édifiées quatre des grandes basiliques que compte la ville et on encouragea les pèlerinages à Rome. En 774, la position de Rome comme épicentre du monde chrétien fut consolidée avec le couronnement, par le pape Léon III, de Charlemagne, sacré empereur d'Occident.

La destinée de Rome fluctua ensuite au gré des conflits opposant les États pontificaux aux cités-États de la péninsule. Clément V déplaça le siège de la papauté en Avignon en 1309. La ville devint alors un enjeu pour les puissantes familles Colonna et Orsini. Lorsque le pape Grégoire XI rétablit la papauté à Rome en 1377, il résida dans le périmètre fortifié du Vatican.

Les papes des XVe et XVIe siècles reconstruisirent la ville pour mieux asseoir leur autorité, ce qui contribua aussi à la fortune de leurs familles (Barberini, Farnèse, Aldobrandini et Boncompagni). Les grands artistes et architectes de la Renaissance florentine furent invités à Rome pour travailler à la chapelle Sixtine et à la basilique Saint-Pierre. Mais en 1527, la ville fut mise à sac par Charles Quint et le pape Clément VII dut trouver refuge au château Saint-Ange du Vatican.

La ville, devant être de nouveau reconstruite, les mécènes romains se tournèrent vers les maîtres du baroque du XVIIe siècle, Bernin et Borromini. Églises, fontaines et *palazzi* luxuriants s'élevèrent dans la ville, les deux architectes se livrant une compétition féroce.

L'unité italienne et le choix de Rome comme capitale modifièrent une nouvelle fois la physionomie de la ville. Mussolini, qui se prenait pour un nouvel empereur Auguste, laissa sur la ville une marque indélébile, perçant de nouvelles avenues impériales et réalisant d'ambitieux projets architecturaux, tel le monumental quartier de l'EUR (*Esposizione universale di Roma*), en périphérie.

ITINÉRAIRE RÉGIONAL
VACANCES ROMAINES
Une semaine / Rome / Villa d'Este

Pour commencer votre séjour, visitez quelques-uns des plus grands chefs-d'œuvre artistiques du monde : le **Capitole** (p. 117), d'où vous pourrez rejoindre à pied le **Forum romain** (p. 114), puis le **Colisée** (p. 112). Passez ensuite l'après-midi dans le *centro storico*, aux alentours du **Panthéon** (p. 119) et de la **Piazza Navona** (p. 121).

Le lendemain, vous pourrez flâner dans le **Tridente** (p. 124), réputé pour ses boutiques de luxe. Poursuivez la promenade vers l'**escalier de la Trinité-des-Monts** (p. 124) et la **Piazza del Popolo** (p. 125). Dans la **Chiesa di Santa Maria del Popolo** (p. 125), vous pourrez ensuite admirer des œuvres du Caravage, avant d'aller passer l'après-midi à la **villa Borghèse** (p. 126), où vous visiterez le magnifique **Museo e Galleria Borghese** (p. 126).

Le troisième jour sera l'occasion de faire une coupure, en quittant Rome pour **Ostia Antica** (p. 181). Vous pourrez ensuite aller visiter la nécropole étrusque de **Cerveteri** (p. 184) et passer la nuit dans les environs de **Viterbe** (p. 186). Le lendemain, après avoir exploré le centre-ville, visitez la campagne environnante, riche en sources thermales. Continuez ensuite vers le nord jusqu'au joli village de **Bagnoregio** (p. 189).

De retour à Rome, revigoré par votre escapade, vous pouvez passer le cinquième jour aux **Musées du Vatican** (p. 134) et visiter la **basilique Saint-Pierre** (p. 133), puis quitter de nouveau la ville pour aller dîner à **Frascati** (p. 190).

Le sixième jour, visitez la **Galleria Doria Pamphilj** (p. 118) ou le **Palazzo Massimo alle Terme** (p. 129) avant d'aller vous promener dans le **Trastevere** (p. 131).

Le septième jour, pour bien terminer la semaine, rendez-vous à **Tivoli** (p. 183) pour voir comment les riches Romains d'autrefois se divertissaient, en visitant la **villa d'Hadrien** (p. 183) et la **villa d'Este** (p. 183).

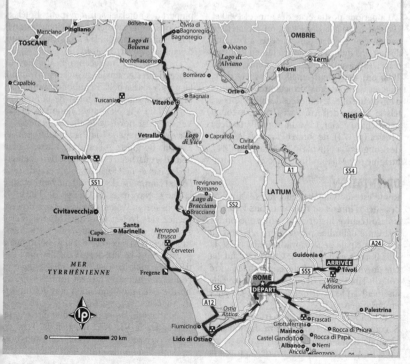

ROME EN...

Deux jours

Visitez la **basilique Saint-Pierre** (p. 133), les **musées du Vatican** (p. 134) et la **chapelle Sixtine** (p. 136). Déjeunez autour de la **Piazza Navona** (p. 121), rejoignez le **Panthéon** (p. 119), le **Colisée** (p. 112) et le **Forum romain** (p. 114), avant d'entrer dans les rues animées du **Trastevere** (p. 131).

Après un petit-déjeuner tranquille, promenez-vous jusqu'à la **fontaine de Trevi** (p. 124) et la **Piazza di Spagna** (p. 124), où vous pouvez vous asseoir sur le monumental **escalier de la Trinité-des-Monts** (p. 124) pour observer la foule. Non loin, la **villa Borghèse** (p. 126) et les **Museo e Galleria Borghese** (p. 126) constituent les temps forts de la journée.

En soirée, pourquoi ne pas vous désaltérer au **Campo de' Fiori** (p. 122), grignoter dans le centre et terminer en prenant un verre dans l'agréable quartier de **Monti** (p. 128).

Quatre jours

Visitez la **Galleria Doria Pamphilj** (p. 118), un mini-Versailles, ou bien l'étonnant **Palazzo Massimo alle Terme** (p. 129). Appréciez la tranquillité du **Ghetto juif** (p. 123) et faites les boutiques de la **Via del Governo Vecchio** ou de la **Via dei Coronari** (p. 174).

Reprenez vos visites culturelles aux **musées du Capitole** (p. 117). À la nuit tombée, rejoignez les étudiants et la jeunesse branchée dans les bars et les restaurants de **San Lorenzo** (p. 169).

Une semaine

Arpentez la **Via Appia Antica** (p. 138) et les **catacombes de San Callisto** (p. 138), ou optez pour une excursion d'une journée. Vous pourrez ainsi découvrir **Ostia Antica** (p. 181), **Tivoli** (p. 183) ou les merveilles étrusques de **Cerveteri** (p. 184) et de **Tarquinia** (p. 185).

La période postfasciste des années 1950 et 1960, associée à la *dolce vita*, fut caractérisée par un étalement urbain effréné, à l'origine de certains quartiers aujourd'hui en mauvais état. Des travaux de rénovation entrepris en 2000 ont nettement amélioré l'aspect de la ville, et de nouveaux projets architecturaux d'envergure ont été initiés ces dernières années, tels le Museo dell'Ara Pacis (p. 125), conçu par Richard Meier, L'Auditorium Parco della Musica (p. 173), de Renzo Piano, et le palais des congrès "la Nuvola" ("le Nuage", p. 141), imaginé par Massimiliano Fuksas.

ORIENTATION

Rome est une ville étendue, mais la plupart des sites d'intérêt se trouvent dans le *centro storico* (centre historique), une zone plutôt restreinte délimitée par le Tibre à l'ouest, la gare principale de Stazione Termini à l'est, la villa Borghèse au nord et le Colisée au sud. La cité du Vatican et le Trastevere sont de l'autre côté du Tibre, sur la rive ouest. La ville se visite aisément à pied – et quelques sauts de puce en bus ou en métro.

Principal carrefour des transports, la Stazione Termini (contraction de Stazione Centrale-Roma Termini) est un point de repère utile. Le quartier, un peu sordide, regroupe la plupart des hôtels et *pensioni* (petits hôtels et pensions) bon marché. La principale gare des bus urbains se situe sur la Piazza Cinquecento, devant la gare ferroviaire.

De la Piazza Cinquecento, la Via Cavour descend directement jusqu'au Forum romain. Depuis la Piazza della Repubblica, à quelques minutes de marche à l'ouest de la Stazione Termini, la Via Nazionale rejoint la Piazza Venezia. Au nord de la Piazza Venezia, la Via del Corso mène à la Piazza del Popolo et à la villa Borghèse. À l'est de la Via del Corso s'étend le quartier très touristique de la fontaine de Trevi et de la Piazza di Spagna ; tandis qu'à l'ouest commence le quartier du Panthéon, de la Piazza Navona et du Campo de' Fiori.

Pour aller au Vatican depuis la Piazza Venezia, prenez vers l'ouest jusqu'au Largo di Torre Argentina et continuez sur le Corso Vittorio Emanuele II. Traversez le Tibre, bifurquez à gauche dans la Via della Conciliazione qui débouche sur la basilique Saint-Pierre. Quartier résidentiel huppé, Prati est tout proche, au nord-est de la basilique, non loin des musées du Vatican.

Pour rejoindre le pittoresque Trastevere, descendez la Via Arenula (sur la ligne du tramway) jusqu'au Tibre et empruntez au choix le Ponte Sisto ou le Ponte Garibaldi.

L'enclave estudiantine de San Lorenzo est située au sud-est de la Stazione Termini. Testaccio, le quartier des boîtes de nuit, s'étend au sud de l'Aventin, sur la berge opposée du Tibre en direction du Trastevere.

Les trains nationaux et internationaux s'arrêtent à la Stazione Termini. Les bus interurbains démarrent de la Stazione Tiburtina, à l'est – depuis Termini, prenez la ligne B du métro en direction de Rebibbia. Les bus régionaux desservent la région du Latium (Lazio) partent de divers points, souvent en correspondance avec les stations de métro.

Pour des informations sur le trajet entre l'aéroport Leonardo da Vinci (Fiumicino) et le centre-ville, voir p. 177.

Cartes

Le Bureau du tourisme à Rome (p. 94) commercialise une carte des transports en commun (2,50 €) fort utile, que vous pourrez vous procurer à l'office du tourisme de la gare Termini. De nombreux kiosques d'information distribuent la *Charta Roma*, une carte stylisée format A3, indiquant les sites et leurs horaires d'ouverture. Les librairies et stands de journaux possèdent également un grand choix de cartes.

La *Rome City Map* éditée par Lonely Planet indique les monuments, les musées, les boutiques et les points d'information, et comporte un index des rues.

Editrice Lozzi (www.editricelozzi.it) publie une carte simplifiée, *Roma* (2,50 €), avec les rues principales et les lignes de bus/tram ; *Rome Today* (5,50 €) inclut un plan de l'agglomération, une carte de la province de Rome et un agrandissement du centre-ville ; la carte *Roma Metro-Bus* (6 €) détaille les principales lignes de transport.

Pour la Rome antique, essayez l'*Archaeo Map* (4 €) publiée par Lozzi, avec un plan du Forum romain, du Palatin et du Colisée.

Les meilleures cartes routières sont la *Roma* et le *Lazio* (7 €) du **Touring Club Italiano** (www.touringclub.com), à l'échelle 1/12 500.

RENSEIGNEMENTS
Accès Internet

Le prix de la connexion varie généralement entre 3 et 6 € l'heure. Plusieurs laveries (voir ci-contre) proposent aussi un accès Internet.
Internet Café (carte p. 100 ; ☎ 06 445 49 53 ; Via dei Marrucini 12 ; 3 €/heure ; 🕐 9h-24h lun-ven, 10h-24h sam, 14h-24h dim). À l'est de Termini.

Pantheon Internet (carte p. 102 ; ☎ 06 692 00 501 ; Via Caterina da Siena 48 ; 4 €/heure ; 🕐 10h-20h lun-sam). Cher mais bien situé.

Yex Internet Point (carte p. 102 ; Piazza di Sant'Andrea della Valle 1 ; 4,50 €/heure ; 🕐 10h-22h). Proche de la Piazza Navona. Ordinateurs équipés de webcams.

Agences de voyages

CTS (www.cts.it en italien) Corso Vittorio Emanuele II 297 Corso Vittorio Emanuele II (carte p. 102 ; ☎ 06 687 26 72) ; Via degli Ausoni 5 Via degli Ausoni (carte p. 100 ; ☎ 06 445 01 41 ; proche de l'université La Sapienza) ; Termini (carte p. 100 ; ☎ 06 462 0431 ; Via Solferino 6A). L'agence propose des billets d'avion, de train et de bus à prix réduit aux étudiants et aux moins de 30 ans détenteurs de la carte ISIC (carte Identité internationale des étudiants, voir p. 763), que CTS délivre aussi. Sinon, pour profiter des tarifs, vous pouvez vous procurer la carte CTS, valable 14 mois, pour 30 € (3 € pour les moins de 14 ans).

Enjoy Rome (carte p. 100 ; ☎ 06 445 18 43 ; www.enjoyrome.com ; Via Marghera 8a ; 🕐 8h30-19h lun-ven, 8h30-14h sam avr-sept, 9h-17h30 lun-ven, 8h30-14h sam oct-mars). Outre la réservation d'hébergement, la vente de billets de bus et de train, et l'organisation de balades à pied en ville, Enjoy Rome propose une excursion d'une journée à Pompéi (adulte/moins de 26 ans 60/40 €) 2 fois/sem en été. Départ du bureau à 7h30 et retour à 19h. Le trajet (2 fois 3 heures) laisse 4 heures 30 pour visiter le site, ce qui est suffisant. Réservation impérative.

Argent

Vous pourrez effectuer vos transactions à la banque et aux DAB et guichets de change de la **Stazione Termini** (carte p. 100), et des aéroports de Fiumicino et de Ciampino. Parmi les nombreux DAB et bureaux de change de la ville, citons :
American Express (carte p. 102 ; ☎ 06 6 76 41 ; 38 Piazza di Spagna ; 🕐 9h-17h30 lun-ven, 9h-12h30 sam)

Consignes à bagages

Plusieurs laveries disposent de consignes, près de la gare Termini, Bolle Blu et Bolle Blu 2 notamment (voir ci-dessous).
Aéroport de Fiumicino (24 heures/6 € ; 🕐 6h30-23h30). Rez-de-chaussée, dans le hall des arrivées internationales.
Stazione Termini (carte p. 100 ; ☎ 06 474 4777 ; 5 heures 4 €, de 6 à 12 heures 0,60 €/heure ; à partir de 13h 0,20 €/heure ; 🕐 6h-24h). Au rez-de-chaussée inférieur, sous le quai 24.

Laveries

Les rues au nord-est de la gare Termini (carte p. 100) comptent plusieurs laveries en libre service ; compter 7 € pour une petite lessive. Accès Internet. **Bolle Blu** (carte p. 100 ; ☎ 06 645 03 472 ;

Via Milazzo 20b ; (○) 8h-22h) et **Bolle Blu 2** (carte p. 100 ; ☎ 06 446 58 04 ; Via Palestro 59-61 ; (○) 8h-22h) possèdent des consignes à bagages. Il y a aussi une laverie Splashnet au Funny Palace Hostel (voir *Où se loger* p. 146). Pour un nettoyage à sec (*lavasecco*), compter 3 € la chemise et 6 € la veste.

Librairies

Feltrinelli International (carte p. 102 ; ☎ 06 482 78 78 ; 84-86 Via Orlando ; (○) 9h-20h lun-sam, 10h-13h30 et 16h-20h dim, fermé les dim en août). Le fonds est essentiellement en anglais. Quelques ouvrages en français et en espagnol, notamment.

La Procure "La Librairie française de Rome" (☎ 06 683 07 598 ; 23 Piazza di S. Luigi dei Francesi ; (○) 9h30-19h30 lun-sam). À côté de la Piaza Navona. Quelque 25 000 ouvrages et un accueil attentionné.

Médias

Les publications suivantes sont en anglais, sauf *Romac'è*, qui ne l'est que partiellement.

Il Messaggero (www.ilmessaggero.it). Le quotidien romain propose un supplément hebdomadaire sur les manifestations locales, *Metro*.

La Repubblica (www.repubblica.it). Quotidien national, qui publie un supplément culturel, *Trovaroma*, le jeudi.

L'Osservatore Romano (www.vatican.va). L'édition hebdomadaire du quotidien officiel du Vatican est publiée en ligne.

Romac'è (www.romace.it). Un guide complet des loisirs à Rome, avec une section en anglais (1 €). Sort chaque mercredi en kiosque.

Offices du tourisme

Enjoy Rome (carte p. 100 ; ☎ 06 445 18 43 ; www. enjoyrome.com ; 8a Via Marghera ; (○) 8h30-19h lun-ven, 8h30-14h sam avr-sept, 9h-17h30 lun-ven, 8h30-14h sam oct-mars). Un excellent office du tourisme privé, qui publie un guide de la ville fort utile et gratuit, *Enjoy Rome*.

Bureau du tourisme de Rome (APT ; ☎ 06 06 08 ; www.romaturismo.it ; (○) 9h-18h). L'un des bureaux se trouve à l'aéroport de Fiumicino (Terminal B, arrivées internationales).

La municipalité de Rome propose une **ligne téléphonique de renseignements** (☎ 06 06 08 ; www.060608.it ; (○) 9h-21h), multilingue et gratuite, vous permettant d'obtenir des informations relatives aux activités culturelles, spectacles, hôtels, transports, etc., et de réserver des places de théâtre et de concert, ainsi que des entrées pour des expositions et des musées. Pour des informations pratiques, composez le ☎ 06 06 06, numéro gratuit. Vous joindrez ainsi le centre d'appels ouvert tous les jours,

24h/24. Entre 16h et 19h, on répond en français à toutes vos questions (où se trouve l'hôpital le plus proche ? Où peut-on se garer ? etc.). La municipalité publie également des brochures qui répertorient les sorties et spectacles, *L'Evento* et *Un Ospite a Roma* (un hôte à Rome ; www. unospitearoma.it, www.aguestinrome.com). Pour vous les procurer, rendez-vous aux points d'informations touristiques suivants :

Château Saint-Ange (carte p. 98 ; Piazza Pia ; (○) 9h30-19h)

Aéroport de Ciampino (arrivées internationales, zone de réception des bagages ; (○) 9h-18h30)

Aéroport de Fiumicino (Terminal C, arrivées internationales ; (○) 9h-18h30)

Piazza Navona (carte p. 102 ; (○) 9h30-19h). Près de la Piazza delle Cinque Lune.

Piazza Santa Maria Maggiore (carte p. 100 ; Via dell'Olmata ; (○) 9h30-19h)

Piazza Sonnino (carte p. 106 ; (○) 9h30-19h)

Stazione Termini (carte p. 100 ; (○) 8h-20h30). À côté du quai 24.

Fontaine de Trevi (carte p. 102 ; Via Marco Minghetti ; (○) 9h30-19h). Ce bureau est plus proche de la Via del Corso que de ladite fontaine.

Via dei Fori Imperiali (carte p. 108 ; Piazza del Tempio della Pace ; (○) 9h30-19h)

Via Nazionale (carte p. 102 ; (○) 9h30-19h)

Postes

Des bureaux de poste sont installés Piazza dei Capretti 69, Via Terme di Diocleziano 30 (carte p. 100), Via della Scrofa 61/63 (carte p. 102), Stazione Termini (à côté du quai 24) et Via Arenula (carte p. 102).

Poste principale (carte p. 102 ; ☎ 06 679 50 44 ; Piazza di San Silvestro 20 ; (○) 8h30-18h30 lun-ven, 8h30-13h sam). Service de poste restante.

Poste du Vatican (carte p. 98 ; ☎ 06 698 83 406 ; Piazza San Pietro ; (○) 8h30-18h lun-sam). Seules les lettres portant des timbres du Vatican peuvent être postées dans les boîtes bleues de la cité vaticane.

Services médicaux

La liste des pharmacies ouvertes de nuit figure dans les quotidiens et en devanture des officines.

Pharmacie 51 Piazza Cinquecento (carte p. 100 ; ☎ 06 679 37 213 ; (○) 24h/24) ; Stazione Termini (carte p. 100 ; (○) 7h30-22h). Une pharmacie ouverte 24h/24 occupe le côté ouest de la Piazza Cinquecento. L'officine de la Stazione Termini se trouve au rez-de-chaussée inférieur.

(Suite du texte en page 111)

ROME ET LATIUM

AGGLOMÉRATION DE ROME

0 — 2 km

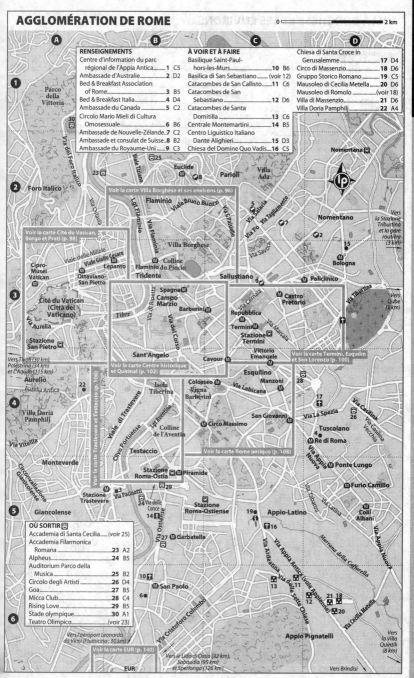

RENSEIGNEMENTS
Centre d'information du parc
  régional de l'Appia Antica..........**1** C5
Ambassade d'Australie.................**2** D2
Bed & Breakfast Association
  of Rome..................................**3** B5
Bed & Breakfast Italia................**4** D4
Ambassade du Canada...............**5** C2
Circolo Mario Mieli di Cultura
  Omosessuale..........................**6** B6
Ambassade de Nouvelle-Zélande..**7** C2
Ambassade et consulat de Suisse..**8** B2
Ambassade du Royaume-Uni.......**9** C3

À VOIR ET À FAIRE
Basilique Saint-Paul-
  hors-les-Murs..........................**10** B6
Basilica di San Sebastiano........(voir 12)
Catacombes de San Callisto........**11** C6
Catacombes de San
  Sebastiano.............................**12** D6
Catacombes de Santa
  Domitilla................................**13** C6
Centrale Montemartini................**14** B5
Centro Liguistico Italiano
  Dante Alighieri........................**15** D3
Chiesa del Domine Quo Vadis.....**16** C5

Chiesa di Santa Croce in
  Gerusalemme..........................**17** D4
Circo di Massenzio.....................**18** D6
Gruppo Storico Romano..............**19** C5
Mausoleo di Cecilia Metella........**20** D6
Mausoleo di Romolo................(voir 18)
Villa di Massenzio......................**21** D6
Villa Doria Pamphilj...................**22** A4

OÙ SORTIR
Accademia di Santa Cecilia......(voir 25)
Accademia Filarmonica
  Romana..................................**23** A2
Alpheus....................................**24** B5
Auditorium Parco della
  Musica....................................**25** B2
Circolo degli Artisti....................**26** D4
Goa..**27** B5
Micca Club................................**28** C4
Rising Love................................**29** B5
Stade olympique........................**30** A1
Teatro Olimpico......................(voir 23)

Parco della Vittoria

Via del Foro Italico

Foro Italico

Voir la carte Villa Borghèse et ses environs (p. 96)

Euclide

Parioli

Villa Ada

Flaminio

Viale Bruno Buozzi

Villa Borghese

Voir la carte Cité du Vatican, Borgo et Prati (p. 96)

Cipro-Musei Vaticani

Ottaviano-San Pietro

Lepanto

Viale delle Milizie

Viale Giulio Cesare

Colline Flaminio du Pincio

Tridente

Spagna

Campo Marzio

Barberini

Tibre

Via del Corso

Sallustiano

Castro Pretorio

Repubblica

Termini

Stazione Termini

Vittorio Emanuele

Cavour

Nomentana

Nomentano

Vers la Stazione Tiburtina et la gare routière (3 km)

Bologna

Policlinico

Vers Qube (1 km)

Voir la carte Termini, Esquilin et San Lorenzo (p. 100)

Cité du Vatican (Città del Vaticano)

Aurelia

Stazione San Pietro

Vers Tivoli (30 km), Palestrina (34 km) et L'Aquila (115 km)

Aurelio

Aurelia Antica

Villa Doria Pamphilj

Via Vitellia

Monteverde

Giancolense

Circonvallazione Gianicolense

Sant'Angelo

Isola Tiberina

Voir la carte Centre historique et Quirinal (p. 102)

Esquilino

San Giovanni

Manzoni

Via Labicana

Colosseo

Vigna Barberini

Circo Massimo

Colline de l'Aventin

Testaccio

Stazione Roma-Ostia

Piramide

Stazione Trastevere

Voir la carte Trastevere et Testaccio (p. 100)

Voir la carte Rome antique (p. 108)

Via La Spezia

Tuscolano

Re di Roma

Via Appia Nuova

Ponte Lungo

Furio Camillo

Colli Albani

Stazione Roma-Ostiense

Garbatella

Appio-Latino

San Paolo

Basilique

Appio Pignatelli

Vers la Villa Quintili (8 km)

Via Cecilia Metella

Vers l'aéroport Leonardo da Vinci (Fiumicino; 30 km)

Voir la carte EUR (p. 140)

EUR

Vers le Lido di Ostia (32 km), Sabaudia (95 km) et Sperlonga (126 km)

Vers Brindisi

ROME ET LATIUM

VILLA BORGHÈSE ET SES ENVIRONS

RENSEIGNEMENTS
Ambassade de Belgique...................................1 D2
Ambassade et consulat
des Pays-Bas..2 F2
Ospedale San Giacomo..................................3 D6

À VOIR ET À FAIRE
Bioparco..4 G3
Casa di Goethe...5 D6
Chiesa di Santa Maria dei
Miracoli..6 D5
Chiesa di Santa Maria del Popolo......7 C5
Chiesa di Santa Maria in
Montesanto..8 D5
Explora...9 C4

Galleria Nazionale d'Arte
Moderna e Contemporanea......10 E3
Museo e Galleria Borghese...............11 H4
Museo Nazionale Etrusco di Villa
Giulia...12 D3
Porta del Popolo..................................13 C5
Villa Borghèse..14 D3

OÙ SE LOGER
Casa Montani..15 C5

OÙ SE RESTAURER
Cacio e Pepe...16 A3
Il Margutta..17 D5
La Buca di Ripetta..................................18 C6

OÙ PRENDRE UN VERRE
Castroni...19 C4
Stravinkskij Bar – Hotel de Russie.....20 D5

OÙ SORTIR
Metropolitan..21 D5

ACHATS
Borsalino...(voir 20)
Bottega di Marmoraro..........................22 D6
Discount dell'Alta Moda......................23 D6
TAD..24 D6

TRANSPORTS
Parking...25 G5

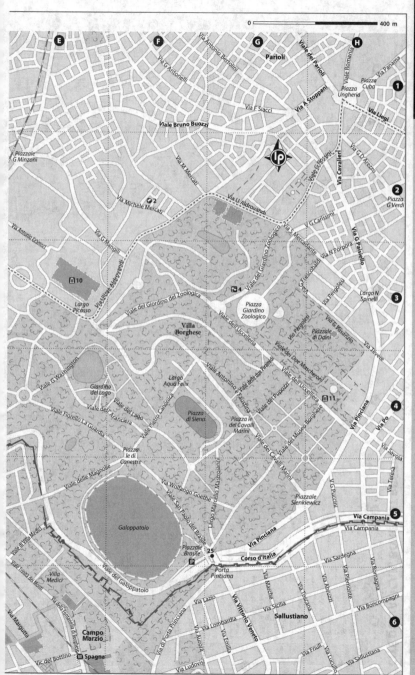

ROME ET LATIUM

CITÉ DU VATICAN, BORGO ET PRATI

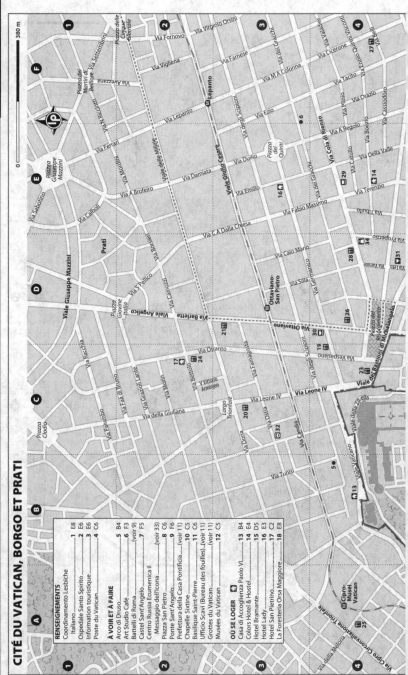

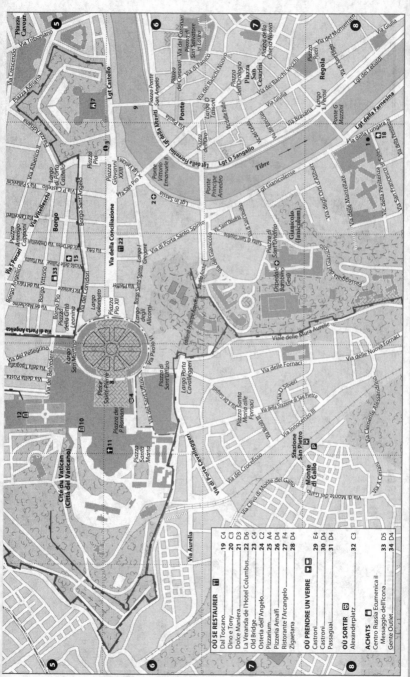

OÙ SE RESTAURER 🍴	
Dal Toscano	19 C4
Dino e Tony	20 C3
Dolce Maniera	21 D3
La Veranda de l'Hotel Columbus	22 D6
Osteria dell'Angelo	23 C4
Pizzarium	24 C2
Pizzeria Amalfi	25 A4
Ristorante l'Arcangelo	26 D4
Zigetana	27 F4
	28 D4

OÙ PRENDRE UN VERRE 🍷 ▷	
Castroni	29 E4
Castroni	30 D4
Passaguai	31 D4

OÙ SORTIR 🎭	
Alexanderplatz	32 C3

ACHATS 🛍	
Centro Russia Ecumenica Il	
Messaggio dell'Icona	33 D5
Gente Outlet	34 D4

TERMINI, ESQUILIN ET SAN LORENZO

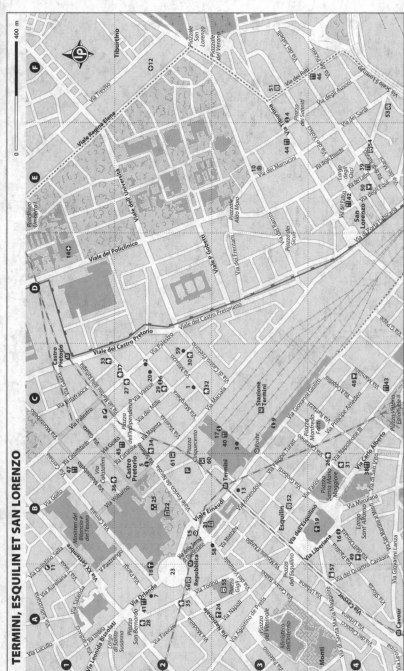

TERMINI, ESQUILIN ET SAN LORENZO

RENSEIGNEMENTS

Bolle Blu...**1** C2
Bolle Blu 2..**2** C2
Borri Books..**3** C3
CTS..**4** F3
CTS..**5** B2
Enjoy Rome...**6** C2
Feltrinelli International..........................**7** A2
Ambassade d'Allemagne...................... **8** C1
Service de réservation
   hôtelière.. **9** C3
Internet Café... **10** E3
Ambassade du Japon.............................**11** A1
Ospedale di Odontoiatria G
   Eastman..**12** F2
Pharmacie..**13** B3
Policlinico Umberto I.............................**14** D1
Poste..**15** B2
Splashnet...(voir 30)
Informations touristiques................**16** B4
Informations touristiques................**17** C3
Trambus Open................................(voir 60)

À VOIR ET À FAIRE

Basilica di Santa Maria degli
   Angeli..**18** A2
Basilica di Santa Maria
   Maggiore...**19** B4
Divulgazione Lingua Italiana
   Soc..**20** C2
Museo Nazionale Romano:
   Palazzo Massimo alle Terme.....**21** B2

Museo Nazionale Romano:
   Terme di Diocleziano..................**22** B2
Piazza della Repubblica....................**23** A2
San Paolo Entro le Mura...................**24** A3
Terme di Diocleziano..........................**25** B2

OÙ SE LOGER

Alessandro Downtown
   Hostel..**26** B4
Alessandro Palace Hostel..................**27** C2
Associazione Italiana
   Alberghi per la Gioventù............**28** A2
Beehive..**29** C2
Funny Palace...**30** C2
Hostel Beautiful....................................**31** B4
Hotel Beautiful.......................................**32** C2
Hotel des Artistes..................................**33** C1
M&J Hostel..**34** C2
Residenza Cellini....................................**35** A2
Suite Dreams....................................(voir 35)
Welrome Hotel...**36** B1
Yellow...**37** C2

OÙ SE RESTAURER

Agata e Romeo.......................................**38** B4
Arancia Blu...**39** E4
Supérette Conad....................................**40** C3
Dagnino...**41** A2
Formula 1..**42** E4
Indian Fast Food....................................**43** C4
Said...**44** E3
Supérette Sir...**45** C2

Tram Tram...**46** F4
Bar à vin Trimani...................................**47** B1

OÙ PRENDRE UN VERRE

Bar Zest au Radisson
   SAS...**48** C4
Fiddler's Elbow.......................................**49** B4
Solea Club...**50** E4

OÙ SORTIR

Dimmidisí...**51** F3
Lazio Point..**52** B3
Lian Club...**53** F4
Locanda Atlantide.................................**54** E4
Teatro dell'Opera di Roma.................**55** A3
Warner Village Moderno.....................**56** A2

ACHATS

Giacomo Santini.....................................**57** A4

TRANSPORTS

Guichet d'information ATAC.....(voir 60)
Avis...(voir 17)
Bici e Baci..**58** B3
Eco Move Rent.......................................**59** C2
Europcar...(voir 17)
Hertz...(voir 17)
Maggiore National............................(voir 17)
Gare routière principale.....................**60** B2
Navette Terravision et bus SIT
   pour l'aéroport................................**61** B2
Informations ferroviaires...........(voir 17)

ROME ET LATIUM

CENTRE HISTORIQUE ET QUIRINAL

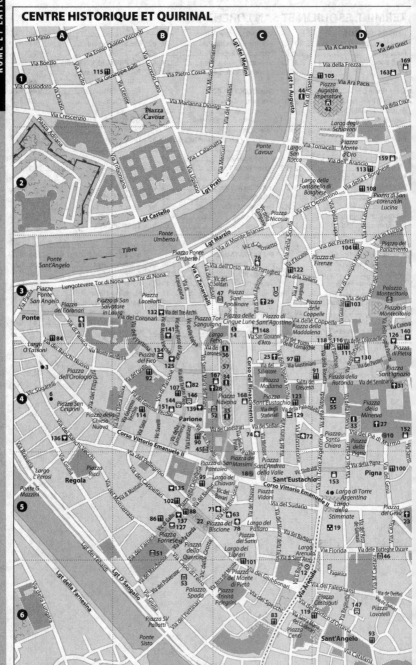

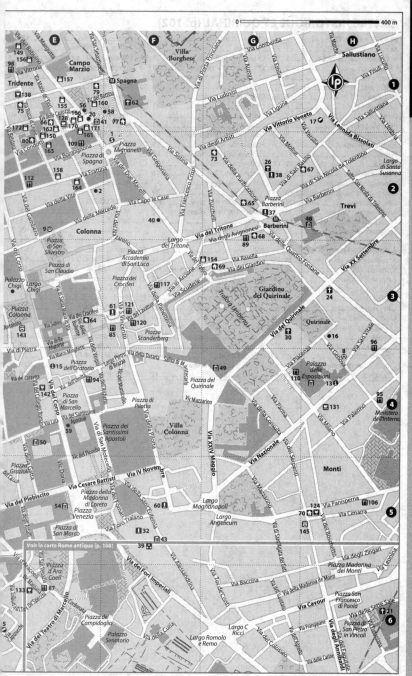

ROME ET LATIUM

CENTRE HISTORIQUE ET QUIRINAL (p. 102)

CENTRE HISTORIQUE ET QUIRINAL (p. 102)

Relais Palazzo
  Taverna **81** A3
Teatropace 33 .... **82** B4

OÙ SE RESTAURER

Alberto Pico **83** C6
Alfredo e Ada **84** A3
Antico Forno **85** F3
Ar Galletto **86** B5
Ara Coeli **87** E6
Marché du Campo
  de' Fiori **88** B5
Colline Emiliane **89** G2
Cul de Sac **90** B4
Da Armando al
  Pantheon **91** D4
Da Francesco **92** B4
Da Giggetto **93** D6
Da Michele **94** E4
Da Ricci **95** H4
Supérette DeSpar **96** H3
Supérette DeSpar **97** C4
Di per Di **98** E1
Ditirambo **99** B5
Enoteca Corsi **100** D5
Filetti di Baccalà **101** C6
Forno di Campo de'
  Fiori **102** B5
Gelataria Giolitti **103** D3
Gino **104** D3
'Gusto **105** D1
La Carbonara **106** H5
Lo Zozzone **107** B4
Matricianella **108** D2
Nino **109** E2
Open Colonna **110** G4

Osteria Sostegno **111** D4
Palatium **112** E2
Pizzeria al Leoncino **113** D2
Pizzeria da Baffetto **114** B4
Ristorante l'Arcangelo **115** A1
Ristorante Settimio **116** D4
San Crispino **117** F3
San Crispino **118** D4
Sora Margherita **119** D6
Marché du Via del Lavatore **120** F3
Vineria Chianti **121** F3
Volpetti alla Scrofa **122** C3
Zazà **123** C4

OÙ PRENDRE UN VERRE

Ai Tre Scalini **124** H5
Bar at Il Palazzetto .... (voir 79)
Bar della Pace **125** B4
Caffè Fandango **126** D3
Caffè Farnese **127** B5
Caffè Greco **128** E1
Caffè Sant'Eustachio **129** C4
Caffé Tazza d'Oro **130** D4
Castroni **131** H4
Circus **132** B3
Edoardo II **133** E6
Etablì **134** B4
Femme **135** B5
Il Goccetto **136** A4
Il Nolano **137** B5
L'Antica Enoteca **138** E1
Les Affiches **139** B4
Salotto 42 .... **140** D3
Société Lutèce **141** B3
Trinity College **142** E4
Vineria Reggio .... (voir 137)

OÙ SORTIR

AS Roma Store **143** E3
Bloom **144** B4
Galleria dei Serpenti **145** H5
La Maison **146** B4
Rialtosantambrogio **147** D6

ACHATS

Ai Monasteri **148** C3
Angelo di Nepi **149** E1
Armani **150** E2
Arsenale **151** B4
Confetteria Moriondo &
  Gariglio **152** D4
Crepida **153** D5
Discount dell'Alta Moda **154** G3
Dolce & Gabbana **155** E1
Emporio Armani **156** E1
Etro **157** E1
Fausto Santini **158** E2
Fendi **159** D2
Furla **160** E1
Gucci **161** E2
La Perla **162** E1
Mario Pelle **163** D1
Max Mara **164** E2
Max Mara **165** E2
Missoni **166** E1
Nardecchia **167** C4
Officina Profumo
  Farmaceutica di Santa
  Maria Novella **168** C4
Outlet Point **169** D1
Prada **170** E1
Sermoneta **171** E1
Versace **172** E1

TRASTEVERE ET TESTACCIO

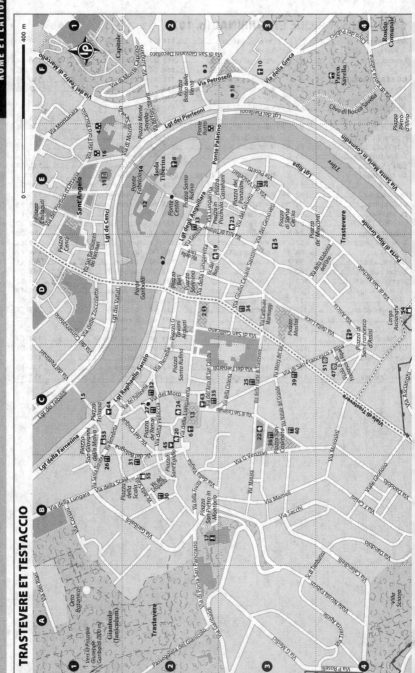

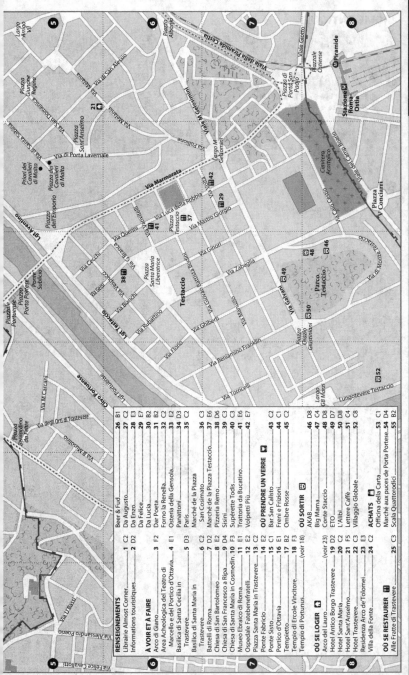

ROME ET LATIUM

ROME ANTIQUE

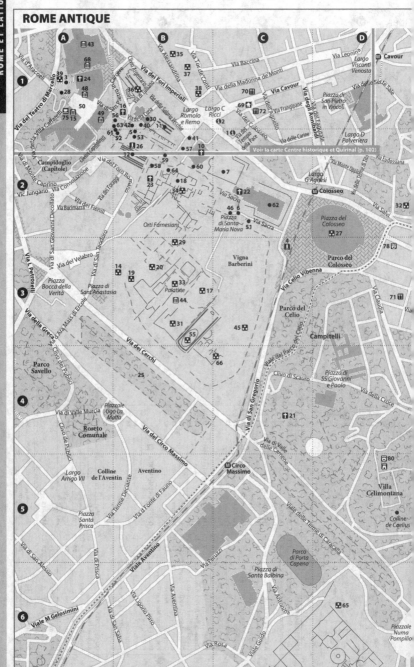

Voir la carte Centre historique et Quirinal (p. 102)

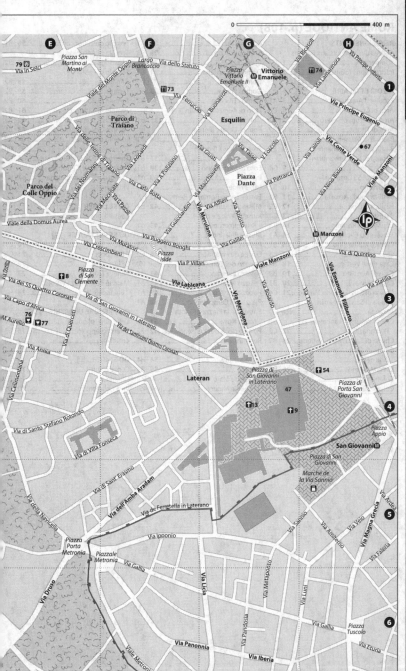

0   400 m

E

79 Via in Selci

Piazza San
Martino ai
Monti

Largo
Brancaccio

Via dello Statuto

F

G

Piazza
Vittorio
Emanuele II

Vittorio
Emanuele

H

74

Via Lamarmora

Via Principe Umberto

1

73

Via Ferruccio

Via Buonarroti

Via Principe Eugenio

Esquilin

Via Conte Verde

67

Viale del Monte Oppio

Viale delle Terme di Traiano

Parco di
Traiano

Via Giusti

Via Tasso

Via Foscolo

Via Cairoli

Viale Manzoni

2

Via Leopardi

Via A.Poliziano

Via Tasso

Piazza
Dante

Via Petrarca

Via Nino Bixio

Parco del
Colle Oppio

Via dei Normanni

Via Carlo Botta

Via Alfieri

Via Ariosto

Manzoni

Via Macenate

Via Merulana

Viale della Domus Aurea

Via dei Gracchi

Via Guicciardini

Via Galilei

Via di Quintino

Via Muratori

Via Crescimbeni

Via Ruggero Bonghi

Piazza
Iside

Via P Villari

Viale Manzoni

Via Emanuele Filiberto

Via Ottilia

8

Piazza
di San
Clemente

Via Labicana

Via Boiardo

Via Tasso

Via Statilia

Via dei SS Quattro Coronati

Via di San Giovanni in Laterano

Via Merulana

3

Via Capo d'Africa

76

M.Aurelio

77

Via di San Giovanni in Laterano

Via del Querceti

Via dei Santissimi Quattro Coronati

Via Annia

Via Celimontana

Via di Santo Stefano Rotondo

54

Piazza di
San Giovanni
in Laterano

47

Piazza di
Porta San
Giovanni

Lateran

13

9

4

Via di Villa Fonseca

Piazza
Appio

San Giovanni

Piazza di San
Giovanni

Via di Sant'Erasmo

Via dell'Amba Aradam

Marché de
la Via Sannio

Via della Navicella

Via de Ferretella in Laterano

Via Sannio

Via Ardea

5

Piazza
Porta
Metronia

Piazzale
Metronia

Via Ipponio

Via Veio

Via Magna Grecia

Via Gallia

Via Licia

Via Metaponto

Via Amiterno

Via Faleria

Via Druso

Via Panonnia

Via Pandosia

Via Cuni

Via Gallia

Piazza
Tuscolo

Via Eturia

6

Viale Metronia

Via Iberia

ROME ANTIQUE (p. 108)

(Suite de la page 94)

Ospedale di Odontoiatria G Eastman (carte p. 96 ;
☎ 06 84 48 31, 287b Viale Regina Elena). Urgences
dentaires.
Ospedale San Giacomo (carte p. 96 ; ☎ 06 3 62 61 ;
Via A Canova 29). Proche de la Piazza del Popolo.
Ospedale Santo Spirito (carte p. 98 ; ☎ 06 6 83 51 ;
Lungotevere in Sassia 1). Proche du Vatican. Personnel
polyglotte.
Policlinico Umberto I (carte p. 100 ; ☎ 06 4 99 71,
urgences ☎ 06 499 79 501 ; Viale del Policlinico 155).
Proche de la Stazione Termini.

Plutôt que de se rendre aux urgences (*pronto
soccorso*), mieux vaut appeler la **Guardia Medica**
(☎ 06 570600). Vous pouvez aussi faire venir un
médecin privé sur votre lieu d'hébergement. La
consultation avoisinera sans doute les 130 €,
une dépense que vous pouvez envisager si vous
avez une bonne mutuelle. Vous pouvez aussi
appeler **Roma Medica** (24h/24 ; ☎ 338 622 4832).

Sites Internet
Académie de France-Villa Médicis (www.villamedici.
it/home.cfm). Agenda culturel (expositions, concert,
cinéma expérimental, colloques, etc.) de la célèbre villa
Médicis (voir aussi l'encadré p. 119).
ATAC (www.atac.roma.it). Services en ligne des transports
publics dans Rome.
Balade à Rome (www.francebalade.com). Ce site
francophone dédié au tourisme culturel convie à une
balade dans la Ville Éternelle et dans d'autres lieux d'Italie.

Enjoy Rome (www.enjoyrome.com en anglais).
Conseils utiles, par une agence indépendante.
In Rome Now (www.inromenow.com). Bon magazine
Internet, rédigé par deux Américains vivant à Rome.
Trenitalia (www.fs-on-line.com, en anglais ; www.
trenitalia.com). Horaires des trains et réservations.
Comune di Roma (www.comune.roma.it).
Site officiel des services municipaux de Rome.
Musei Online (www.museionline.it). Dernières
informations sur les expositions, manifestations et autres
nouveautés des musées italiens. Site gouvernemental.
Roma Turismo (www.romaturismo.it). Panorama
intéressant des grandes manifestations en cours et à
venir, ainsi que liste et tarifs de tous les hébergements
répertoriés dans Rome.
Rome virtuelle (www.unicaen.fr/rome/index.php).
Pour se repérer dans la ville d'aujourd'hui et se faire une
idée de la ville ancienne. Reconstitution effectuée par des
chercheurs de l'université de Caen.
Vatican (www.vatican.va). Site officiel du Vatican.

Téléphone et fax
Des cabines publiques jalonnent la ville. Les
principaux bureaux de poste proposent un
service de fax, de même que de nombreux
commerces privés, notamment dans les
tabacchi (tabacs) et les papeteries.

Urgences
Ambulance (☎ 118)
Police (☎ 113/112)
Poste de police central (Questura ; carte p. 102 ;
☎ 06 46 86 ; 11 Via San Vitale)

FAITES DES ÉCONOMIES
Si vous comptez visiter de nombreux musées, sachez qu'il existe plusieurs cartes de réduction :
Carte Appia Antica (7,5 €, valable 3 jours). Pour entrer aux Terme di Caracalla, au Mausoleo di Cecilia Metella et
à la Villa Quintili.
Carte Archaeologica (23,50 €, valable 7 jours). Pour entrer au Colisée, au Palatin, aux Terme di Caracalla, au
Palazzo Altemps, au Palazzo Massimo alle Terme, aux Terme di Diocleziano, à la Crypta Balbi, au Mausoleo di Cecilia
Metella et à la Villa Quintili.
Roma Pass (www.romapass.it, 23 €, valable 3 jours). Comprend l'entrée gratuite dans deux musées ou sites (à
choisir sur une liste de 38). Offre aussi des réductions sur d'autres sites, le transport en commun illimité dans Rome,
l'accès au système de location de vélos en accès libre et des réductions sur le tarif d'entrée de certaines expositions et
autres manifestations. En utilisant cette carte à l'entrée de sites onéreux comme les musées du Capitole ou le Colisée,
vous réaliserez des économies importantes.

Ces cartes sont en vente sur tous les sites touristiques et dans les musées répertoriés ici (ainsi qu'à
l'adresse www.pierreci.it). On peut aussi acheter le Roma Pass dans les offices du tourisme gérés
par la municipalité (Comune di Roma).
    Les ressortissants de l'Union européenne âgés de 18 à 24 ans et de plus de 65 ans ont droit à des
réductions significatives dans la plupart des musées et des galeries d'art romains. Généralement,
les étudiants des autres pays n'ont pas droit aux réductions.

Ufficio Stranieri (Bureau des étrangers ; carte p. 102 ; ☎ 06 468 63 216 ; 2 Via Genova ; 🕐 24h/24).
Ce bureau enregistre les déclarations de vol et peut délivrer un *permesso di soggiorno* (permis de séjour pour les ressortissants non Européens ; voir p. 767).

DÉSAGRÉMENTS ET DANGERS

Rome est une ville sûre où vous ne courez guère le risque de vous faire agresser. Les pickpockets sont néanmoins très actifs dans tous les lieux fréquentés par les touristes, notamment autour de la Stazione Termini, sur des sites tels que le Colisée et les environs de la Piazza di Spagna. Soyez vigilants dans les transports publics bondés (notamment le bus 64, de la Stazione Termini à Saint-Pierre). Des groupes d'enfants peuvent détourner votre attention pour faciliter la tâche des pickpockets. Portez toujours votre sac en bandoulière du côté du trottoir pour prévenir les vols à l'arraché. Ne laissez jamais un appareil photo ou un objet de valeur sans surveillance.

Les femmes sont parfois importunées, voire victimes d'attouchements dans les bus bondés. Ignorez les sifflements, mais n'hésitez pas à vous manifester bruyamment (*"Che schifo !"*) en cas de mains baladeuses.

Attention, les voitures et les scooters ne s'arrêtent pas forcément aux feux rouges. Gardez votre sang-froid et soyez prudent lorsque vous traversez. Lire aussi p. 765.

À VOIR

Roma, non basta una vita ! "Une vie entière ne suffit pas à Rome", disent les Italiens. La ville abrite en effet tant de monuments qu'il est impossible de les voir tous. Vous devrez donc faire des choix, et garder ce que vous n'aurez pas vu pour un prochain voyage.

Rome antique
COLISÉE

De tous les monuments romains, le **Colisée** (Colosseo ; carte p. 108 ; ☎ 06 399 67 700 ; www.pierreci.it ; Piazza del Colosseo ; entrée avec le Palatin adulte/18-24 ans ressortissants de l'UE/moins de 18 ans et plus de 65 ans (UE) 9 €/4,50 €/gratuit, supplément exposition 3 €, billet valable 2 jours ; 🕐 8h30-18h15 avr-août, 8h30-18h sept, 8h30-17h30 oct, 8h30-16h30 mi-mars à fin-mars, 8h30-16h mi-fév à mi-mars, 8h30-15h30 nov à mi-fév) est le plus extraordinaire. Outre son étonnant état de conservation et ses proportions gigantesques, c'est surtout l'histoire du lieu qui fait frissonner le visiteur : c'est ici que les gladiateurs combattaient jusqu'à la mort et que les condamnés affrontaient les lions.

Deux mille ans plus tard, il continue d'attirer les foules. Pour éviter les files interminables, achetez un billet combiné au guichet du Palatin et présentez-vous directement à l'entrée.

Vespasien (69-79) ordonna la construction du Colisée sur le domaine de la Domus aurea (Maison dorée) de Néron. Il fut inauguré par son fils Titus en 80. À cette occasion, des jeux grandioses furent organisés pendant 100 jours et 100 nuits, au cours desquels la vie de neuf mille fauves et de plusieurs milliers de gladiateurs fut sacrifiée.

Appelé amphithéâtre des Flaviens, l'édifice, d'une capacité de 50 000 spectateurs, était l'arène la plus terrifiante de Rome, mais pas la plus grande, puisque le Circo Massimo (Grand Cirque ; voir p. 114) pouvait accueillir 200 000 personnes. Au Moyen Âge, l'amphithéâtre prit le nom de Colisée en référence au Colosso di Nerone, une gigantesque statue de Néron dressée à proximité.

Les murs extérieurs du Colisée comportent trois niveaux d'arches superposés, scandés par des colonnes surmontées de chapiteaux ioniques au niveau inférieur, doriques et corinthiens aux niveaux supérieurs. Ces murs étaient couverts de travertin. Des statues en marbre ornaient les niches des deuxième et troisième niveaux. Le dernier niveau, ponctué de fenêtres et de minces pilastres corinthiens, était doté de corbeaux de pierre supportant les 240 mâts destinés à soutenir le vélum, une toile que l'on tendait au-dessus de l'arène afin d'abriter le public du soleil et de la pluie. Les 80 arches d'entrées, dénommées les *vomitoria*, permettaient aux spectateurs de s'installer en quelques minutes.

L'intérieur du Colisée était divisé en trois parties : l'arena, la cavea et le podium. L'**arena** était à l'origine revêtue d'un parquet en bois couvert de sable, ce qui évitait aux combattants de glisser. Par ailleurs, le sable absorbait le sang répandu. La mise en eau de l'arena rendait possibles les simulations de combats navals. Des trappes donnaient accès à des salles et à des galeries souterraines. Les bêtes en cage et les décors des divers affrontements étaient hissés dans l'arène grâce à un système complexe de poulies. Les spectateurs prenaient place dans la **cavea**, installés sur l'un des trois niveaux surplombant l'arène, en fonction de leur statut. Les cavaliers occupaient les premiers gradins, les riches citoyens prenaient place dans les travées intermédiaires, tandis que le peuple occupait les gradins les plus hauts. Le **podium**, vaste estrade faisant face aux gradins, était réservé aux empereurs, aux sénateurs et aux plus hautes personnalités.

Après la chute de l'Empire, le Colisée fut laissé à l'abandon. Le sol se couvrit de plantes exotiques, dont les graines avaient été apportées d'Afrique et d'Asie par les animaux conduits dans l'arène. Au Moyen Âge, deux familles de guerriers, les Frangipani et les Annibaldi, le transformèrent en forteresse.

Mis à mal par plusieurs tremblements de terre, le Colisée fut en outre utilisé comme carrière de marbre et de travertin lors de la construction du Palazzo Venezia, du Palazzo Barberini et du Palazzo Cancelleria, parmi d'autres. La pollution, les vibrations dues à la circulation et au métro ont aussi provoqué de sérieux dégâts.

ARC DE CONSTANTIN

L'**Arc de Constantin** (Arco di Costantino ; carte p. 108), juste à l'ouest du Colisée, fut construit pour célébrer la victoire de Constantin sur Maxence lors de la bataille du pont Milvius (Ponte Milvio ; au nord-ouest de la villa Borghèse), en 312.

PALATIN

Juste au bas de la rue qui surplombe le Forum romain, le **Palatin** (carte p. 108 ; ☎ 06 399 67 700 ; www.pierreci.it ; Via di San Gregorio 30 ; billet combiné Musée Palatin, Colisée et Forum adulte/18-24 ans (UE)/moins de 18 ans et plus de 65 ans (UE) 9 €/4,50 €/gratuit, supplément exposition 3 €, billet valable 2 jours, audioguide incl le Forum 4-6 € ; 🕐 8h30-18h15 avr-août, 8h30-18h sept, 8h30-17h30 oct, 8h30-15h30 nov à mi-fév, 8h30-16h mi-fév à mi-mars, 8h30-16h30 mi-mars à fin mars) marque l'endroit où Romulus tua son frère Remus et fonda Rome en 753 av. J.-C. Dès 500 av. J.-C., la colline devint le lieu de résidence des citoyens les plus fortunés de la ville et elle fut par la suite très prisée par les empereurs et les aristocrates, qui y bâtirent de somptueux palais. Après la chute de Rome, le site fut abandonné jusqu'à ce que, au Moyen Âge, des églises et des châteaux fussent construits sur les ruines des anciens palais. À la Renaissance, des membres de familles aisées, notamment de celle du cardinal Alexandre Farnèse, créèrent des jardins sur la colline.

Aujourd'hui, l'endroit séduit particulièrement les visiteurs désireux d'échapper à la foule, le temps d'un pique-nique au sommet de la colline parsemée de ruines impériales, à l'ombre des pins parasol.

Ces ruines sont celles d'un vaste ensemble de bâtiments édifiés pour l'empereur Domitien, qui servirent de palais impérial pendant trois siècles.

NOS CINQ MERVEILLES PRÉFÉRÉES DE LA ROME ANTIQUE

■ **Le Colisée** (p. 112) Le symbole par excellence de la Rome antique, merveilleusement préservé.

■ **Le Palatin** (ci-dessous) Pour échapper à la foule et imaginer comment vivaient les empereurs de l'Antiquité.

■ **Les fresques du Palazzo Massimo alle Terme** (p. 129) Ces fresques, peu connues, offrent un rare exemple de la richesse de la décoration des intérieurs romains antiques.

■ **Le Panthéon** (p. 119) Difficile de deviner son âge : le Panthéon est aussi impressionnant qu'immuable.

■ **Le mithraeum, sous l'église San Clemente** (p. 130, 131) Mystique et mystérieux. Sa visite permet de plonger dans les profondeurs de l'histoire.

L'architecte Rabirius (Iᵉʳ siècle), qui présida aux travaux, nivela les pentes du Palatium, ensevelissant du même coup plusieurs maisons.

En arrivant de la Via di San Gregorio, montez jusqu'au premier édifice identifiable, le **stadio** (carte p. 108), qui était sans doute utilisé par les empereurs pour organiser des jeux et des cérémonies privés. Juste à côté, au sud-est, on aperçoit quelques vestiges du complexe bâti par Septime Sévère, qui comprend des bains (Terme di Settimio Severo) et un palais (la Domus Severiana).

De l'autre côté du stade se trouvent les ruines de l'immense **Domus Augustana** (carte p. 108), la résidence privée de l'empereur. Réparties sur deux niveaux, toutes ses pièces donnaient sur des péristyles. Le niveau inférieur n'est pas accessible mais, d'en haut, on peut voir une fontaine et son bassin ainsi que les appartements qui l'entouraient, autrefois pavés de marbre polychrome.

En 2007, une grotte couverte de mosaïques fut découverte sous les ruines, à 15 m de profondeur. Certains affirment qu'il s'agirait de la grotte des **Lupercales**, celle-là même où Romulus et Remus auraient été allaités par la louve. Les fouilles n'ont toutefois pas encore été effectuées.

L'édifice gris situé à proximité de la Domus Augustana abrite le **Museo Palatino** (🕐 8h-16h) et sa collection de pièces archéologiques.

Au rez-de-chaussée sont exposés des ustensiles de cuisine datant d'une période comprise entre le Paléolithique et l'âge du bronze, ainsi que des maquettes de huttes et de tombes de l'âge du fer. À l'étage, on peut admirer notamment un magnifique bronze du Ier siècle, l'*Erma di Canefora*, et le splendide buste de la *Giovane Principessa* (jeune princesse), fille de Marc Aurèle, considéré comme l'un des chefs-d'œuvre de la période antonine.

Au nord du musée se trouve la **Domus Flavia** (carte p. 108), partie publique de l'immense palais de Domitien. Elle comportait trois grandes salles : l'une au nord ; la deuxième au centre, qui était la salle du trône ; et la dernière au sud, faisant office de grande salle des banquets ou *triclinium*, décorée de marbre coloré. Celle-ci donnait sur une fontaine ovale, dont les restes sont toujours visibles.

Parmi les édifices les mieux préservés du Palatin, citons la **Casa di Livia**, au nord-ouest de la Domus Flavia. Résidence de Livia, l'épouse d'Auguste, elle fut construite autour d'un atrium donnant sur des salles de réception décorées de fresques représentant des scènes de la mythologie, des paysages, des fruits et des fleurs. Elle fait face à la **Casa di Augusto** (visites par groupes de 5 ; ☾ 11h-15h30 lun, mer, sam et dim), la demeure d'Auguste. Ouverte au public en 2008 après des années de travaux de restauration, elle renferme de superbes fresques aux vives teintes rouges, jaunes et bleues.

La maison voisine, la **Casa di Romolo** (maison de Romulus ; carte p. 108), aurait abrité Romulus et Remus alors qu'ils étaient recueillis par le berger Faustulus. Les fouilles, réalisées dans les années 1940, ont exhumé des fragments de huttes en torchis datant du IXe siècle av. J.-C.

Au nord-est de la Casa di Livia se trouve le **Cryptoportique** (Criptoportico ; carte p. 108), un passage souterrain long de 128 m où Caligula aurait été assassiné et que Néron aurait par la suite utilisé pour relier sa Domus Aurea au Palatin. Éclairé par une série de fenêtres, il était autrefois orné de stucs raffinés. Il accueille désormais des expositions temporaires.

À l'ouest s'étend le site sur lequel fut autrefois érigé le palais de Tibère, la Domus Tiberiana, et qui abrite désormais les **jardins Farnèse** (Orti Farnesiani). Créés au XVIe siècle, ils figurent parmi les premiers jardins botaniques d'Europe. Depuis les pavillons jumeaux situés à l'extrémité nord du jardin, la vue sur le Forum en contrebas est saisissante.

Surplombant la route menant au Colisée, la **Domus Aurea** (maison dorée ; carte p. 108) est le vaste palais que Néron se fit construire sur les collines du Palatin, de l'Oppius et du Celio. Elle a souffert d'inondations et des travaux sont en cours. Édifiée après l'incendie de l'an 64, la demeure tire son nom de l'or qui recouvrait sa façade. Ses salles de banquet, ses nymphées, ses bains et ses terrasses étaient décorés de fresques. Ses jardins agrémentés d'un lac occupaient un tiers de la ville. On estime qu'il n'en reste aujourd'hui que 20 % du complexe d'origine, les successeurs de Néron ayant tenté de faire disparaître toute trace de l'œuvre de l'empereur mégalomane. Les bains et les vestiges voisins furent abandonnés au VIe siècle. À la Renaissance, divers artistes (dont Ghirlandaio, le Pérugin et Raphaël) explorèrent ces ruines afin d'étudier les fresques ornant les grottes, et de s'en inspirer. Tous trois réutilisèrent les motifs de la Domus Aurea dans leurs travaux ultérieurs.

CIRCO MASSIMO

Du Palatin, les empereurs dominaient le **Circo Massimo** (Grand Cirque ; carte p. 108), le plus grand stade de Rome. Celui-ci fait aujourd'hui office d'espace vert et l'on y organise parfois des concerts. À ses heures de gloire, ce cirque grandiose pouvait accueillir jusqu'à 250 000 spectateurs, soit un quart de la population de la ville. La piste de 600 mètres entourait un monticule orné de repères décoratifs et d'obélisques égyptiens.

Des courses de chars y furent organisées dès le IVe siècle av. J.-C., mais ce n'est que lorsque Trajan le reconstruisit après l'incendie de 64 qu'il acquit toute sa majesté.

Deux obélisques originaires d'Héliopolis en Égypte y furent installés. Ceux-ci ornent désormais la Piazza del Popolo et la place Saint-Jean-de-Latran.

FORUM ROMAIN

Dans la Rome antique, le forum, richement aménagé et de dimensions grandioses, constituait le centre commercial, politique et religieux d'une cité. Réduit aujourd'hui à un vaste ensemble de ruines, le **Forum romain** (Foro romano ; carte p. 108 ; ☎ 06 399 67 700 ; www.pierreci.it ; entrées Largo Romolo e Remo 5-6 et Via di San Gregorio 30 ; billet combiné Musée Palatin, Colisée et Forum adulte/18-24 ans (UE)/moins de 18 ans et plus de 65 ans (UE) 9 €/4,50 €/gratuit, supplément exposition 3 €, billet valable 2 jours, audioguide incl le Palatin 4-6 € ; ☾ 8h30-18h15 avr-août, 8h30-18h sept,

8h30-17h30 oct, 8h30-16h30 mi-mars à fin mars, 8h30-16h mi-fév à mi-mars, 8h30-15h30 nov à mi-fév) est toujours impressionnant : contemplez-le par exemple depuis le Palazzo Senatorio, situé derrière la Piazza del Campidoglio, et laissez libre cours à votre imagination. Ce forum, qui est le plus ancien et le plus célèbre de Rome, fut bâti sur un cimetière étrusque à partir du VIIe siècle av. J.-C. Son expansion s'est ensuite poursuivie durant plus de 900 ans, jusqu'à ce qu'il devienne le centre prestigieux de la République romaine.

Il perdit ensuite de son importance après le IVe siècle. Le site fut même utilisé comme pâturage au Moyen Âge, comme en atteste son appellation de l'époque (*campo vaccino*). Il fut dépouillé de ses pierres et de son marbre par les Romains eux-mêmes, qui bâtirent ainsi de nouveaux palais, des églises et des monuments.

À la Renaissance, les artistes et les architectes s'intéressèrent de nouveau au Forum ; il fallut toutefois attendre les XVIIIe et XIXe siècles pour que soient entreprises des fouilles systématiques, qui se poursuivent aujourd'hui.

En entrant sur le site depuis la Via dei Fori Imperiali (entrée Largo Romolo e Remo), vous voyez, devant vous sur la gauche, le **Tempio di Antonino e Faustina** (carte p. 108), érigé en 141 par le Sénat et consacré à l'impératrice Faustine, puis à l'empereur Antonin le Pieux. On le transforma au VIIIe siècle pour l'intégrer à la **Chiesa di San Lorenzo in Miranda** (carte p. 108), ce qui explique les colonnes élancées qui l'entourent. À droite, les vestiges de la **Basilica Aemilia** (carte p. 108) datent de 179 av. J.-C. La façade de cet édifice ouvert long de 100 m, ornée d'un impressionnant portique haut de deux étages, était bordée de boutiques.

Cette promenade aboutit à la **Via Sacra** (voie Sacrée) qui traverse le Forum romain du nord-ouest au sud-est. En face de la basilique, le **Tempio di Giulio Cesare** (temple de Jules César ; carte p. 108) fut construit par Auguste en 29 av. J.-C., à l'emplacement où l'on avait brûlé la dépouille de César.

Suivez la Via Sacra pour parvenir à la **Curia** (Curie ; carte p. 108), à droite de la Basilica Aemilia. Siège du Sénat, elle fut successivement reconstruite par Jules César, Auguste, Domitien et Dioclétien, puis transformée en église chrétienne au Moyen Âge. Celle-ci fut démolie dans les années 1930 et on redonna à la Curie l'aspect qu'elle avait sous Dioclétien. Les portes en bronze sont des copies, les portes d'origine ayant été installées par Borromini dans la basilique Saint-Jean-de-Latran (voir p. 130).

Devant la Curie, masquée par des échafaudages au moment de notre visite, se trouve la **Lapis Niger** (carte p. 108), un dallage de marbre noir qui recouvrait un emplacement sacré, peut-être la tombe de Romulus.

À l'extrémité de la Via Sacra se dresse l'**Arco di Settimio Severo** (arc de Septime Sévère ; carte p. 108). Dédié à l'empereur éponyme et à ses deux fils, Caracalla et Geta, il fut érigé en 203 pour célébrer la victoire des Romains sur les Parthes. Le panneau central représente les prisonniers parthes enchaînés. Non loin, au pied du Tempio di Saturno, la borne du **Millarium Aureum** (carte p. 108) marquait le centre de la Rome antique, à partir duquel on calculait les distances entre la capitale et les grandes cités de l'Empire. Construite par Auguste en l'an 20 av. J.-C., elle était initialement recouverte d'or.

Sur votre gauche s'étendent les vestiges du **Rostrum** (carte p. 108), une estrade ouvragée qui servait d'oratoire public. C'est ici que Shakespeare dans *Jules César* situe le célèbre discours de Marc Antoine commençant par "Amis, Romains, compatriotes…".

Les huit colonnes de granite que vous découvrez devant vous sont les seuls vestiges du **Tempio di Saturno** (temple de Saturne ; carte p. 108). Inauguré en 497 av. J.-C. pour abriter le trésor de l'État, il contenait, sous le règne de César, 13 tonnes d'or, 114 tonnes d'argent et 30 millions de pièces d'argent.

Adossés au Capitole s'élèvent (du nord au sud) les ruines du **Tempio della Concordia** (temple de la Concorde ; carte p. 108), les trois dernières colonnes du **Tempio di Vespasiano** (temple de Vespasien ; carte p. 108) et le **Portico degli Dei Consenti** (portique des Dieux suprêmes ; carte p. 108).

En se retournant, on aperçoit la **Colonna di Foca** (colonne de Phocas ; carte p. 108), au centre de la Piazza del Foro. Il s'agit de la place principale du Forum, où se tenaient marchés et rassemblements. Dernier monument érigé sur le Forum, elle fut construite en 608 pour l'empereur byzantin Phocas, qui céda le Panthéon à l'Église. Au sud se dressent les vestiges de la **Basilica Giulia** (carte p. 108), commencée par Jules César et achevée par Auguste.

Après la basilique, le **Tempio di Castore e Polluce** (temple de Castor et Pollux ; carte p. 108) fut édifié vers 489 av. J.-C. Il marque la défaite des Tarquins, lignée étrusque, et l'apparition miraculeuse des Dioscures (les jumeaux divins, fils de Jupiter) annonçant la victoire

ROME ET LATIUM

aux Romains au cours de la bataille. Subsistent 3 élégantes colonnes corinthiennes. Au sud s'élève la plus ancienne église chrétienne du Forum, la **Chiesa di Santa Maria Antiqua** (carte p. 108), fermée au public.

Revenez sur la Via Sacra pour découvrir la **Casa delle Vestali** (maison des Vestales ; carte p. 108), où habitaient les vierges chargées d'entretenir le feu sacré du **Tempio di Vesta** voisin. Le culte de Vesta, déesse du feu et de la pureté, remonte au moins jusqu'au VIIIᵉ siècle av. J.-C. Les 6 prêtresses étaient choisies parmi les fillettes âgées de 6 à 10 ans, nées dans des familles patriciennes. Elles restaient au service du temple pendant 30 ans. Si la flamme du temple s'éteignait, la prêtresse responsable était flagellée. Si l'une d'entre elles perdait sa virginité, elle était enterrée vivante et le coupable, fouetté à mort.

Suivez la Via Sacra, passez devant le **Tempio di Romolo** (temple de Romulus ; carte p. 108) et vous verrez la **Basilica di Massenzio** (carte p. 108), commencée par Maxence et terminée par Constantin en 315 (elle est d'ailleurs aussi appelée basilique de Constantin). C'est l'édifice le plus imposant du Forum : il s'étendait à l'origine sur 100 m de long et sur 65 m de large et servait de centre des affaires et de palais de justice. En 1487 furent mis au jour les fragments d'une immense statue de Constantin, exposés dans la cour du Palazzo dei Conservatori aux musées du Capitole (voir p. 117).

Poursuivez votre chemin pour rejoindre l'**Arco di Tito** (arc de Titus ; carte p. 108), érigé en 81 pour célébrer les victoires de Titus et de Vespasien sur Jérusalem. Autrefois, les juifs de Rome évitaient de passer sous cet arc, associé au début de la Diaspora.

Accessible à l'extérieur du Forum, la **Basilica di Santi Cosma e Damiano** (carte p. 108 ; ☎ 06 699 15 40 ; Via dei Fori Imperiali ; ☾ 8h-13h et 15h-19h), du VIᵉ siècle, occupe une partie du **Foro di Vespasiano** (p. 108) et du **Tempio di Romolo** (p. 108), visibles à travers une vitre au bout de la nef. Mais la basilique est surtout réputée pour sa somptueuse mosaïque d'abside, représentant le retour du Christ sur Terre. Une salle donnant sur le cloître du XVIIᵉ siècle abrite un grand **presepio** (Nativité ; 1 € ; ☾ 10h-13h et 15h-18h ven-dim) napolitain du XVIIIᵉ siècle.

LES FORUMS IMPÉRIAUX

Vers 46 av. J.-C., le Forum romain étant devenu trop petit au regard de sa fréquentation et du désir de grandeur de l'empereur, celui-ci entreprit

d'en ériger un nouveau, et ses successeurs firent de même. C'est ainsi que s'aligne, de l'autre côté de la Via dei Fori Imperiali, une succession de places constituant les **Forums impériaux**. Construits sous César, Auguste, Vespasien, Nerva et Trajan entre 42 av. J.-C. et 112 apr. J.-C., ils étaient en grande partie enfouis sous un quartier en 1933 lorsque Mussolini fit percer la Via dei Fori Imperiali reliant le Colisée à la Piazza Venezia. Depuis lors, la plupart furent mis au jour, mais les fouilles continuent et seul le **Foro di Traiano** (forum de Trajan) est accessible aux visiteurs, depuis le Museo dei Fori Imperiali (voir ci-dessous).

Au sud-est du forum de Trajan, trois colonnes émergent des ruines du **Foro di Augusto** (forum d'Auguste), désormais en grande partie recouvert par la Via dei Fori Imperiali. Le mur de 30 m érigé derrière le forum fut construit pour protéger celui-ci des incendies, récurrents dans cette partie de la ville.

Le **Foro di Nerva** (forum de Nerva) fut aussi enfoui sous la route, mais un temple consacré à Minerve a été préservé. Il aurait été construit pour raccorder le forum d'Auguste au **Foro di Vespasiano** (forum de Vespasien) au Iᵉʳ siècle, aussi appelé Forum de la Paix.

De l'autre côté de la Via dei Fori Imperiali, on aperçoit trois colonnes émergeant d'une plate-forme surélevée : ce sont les derniers vestiges du **Foro di Cesare** (forum de César), bâti sous Jules César au pied du Campidoglio (Capitole).

Les **Mercati di Traiano e Museo dei Fori Imperiali** (carte p. 102 ; ☎ 06 820 59 127 ; www.mercatiditraiano.it ; Via IV Novembre 94 ; adulte/tarif réduit 6,50 €/4,50 €, audioguide 3,50 € ; ☾ 9h-19h mar-dim, dernière entrée 18h) sont un nouveau musée qui redonne vie aux immenses marchés de Trajan, du IIᵉ siècle. Ils constituent en outre une formidable introduction à la visite des Forums impériaux grâce à ses panneaux détaillés et aux quelques pièces archéologiques qui y sont exposées. Toutefois, le principal intérêt du musée réside dans son accès au forum de Trajan. Depuis le hall principal, un ascenseur vous permet de rejoindre la **Torre delle Milizie** (tour des Milices ; carte p. 102), une tour en brique du XIIIᵉ siècle, et les niveaux supérieurs des marchés de Trajan. Ces derniers occupaient autrefois cette construction semi-circulaire de trois étages, qui constituait alors un centre commercial à l'atmosphère très animée, rassemblant des centaines de commerçants qui y vendaient toutes sortes de produits, de l'huile et des légumes aux fleurs, soieries et épices.

Les seuls vestiges visibles du forum sont quelques piliers de la **Basilica Ulpia** et la **colonne Trajane** (Colonna di Traiano), dont le bas-relief minutieusement détaillé fut réalisé pour célébrer la victoire de Trajan sur les Daces (sur le territoire de l'actuelle Roumanie).

LE CAPITOLE

Dominant le Forum romain, le Capitole (Campidoglio) est l'une des sept collines sur lesquelles Rome fut fondée. Son importance sur les plans politique et religieux en a fait le cœur de la République romaine. Au sommet de la colline se dressent les deux temples les plus importants de Rome : l'un consacré à Jupiter Capitolin (l'équivalent romain de Zeus) et l'autre (qui abritait les bureaux de la "monnaie") à Junon Moneta. Plus de 2 000 ans après, cette colline est toujours l'un des sièges du pouvoir : c'est ici que se trouve la mairie de Rome.

L'accès le plus impressionnant se fait par la **Cordonata** (carte p. 108), un élégant escalier dessiné par Michel-Ange au départ de la Piazza d'Aracoeli. Deux lions en granit de l'Égypte ancienne montent la garde au pied des marches, relayés au sommet par les statues de Castor et Pollux, découvertes au XVIe siècle dans le quartier voisin du Ghetto juif.

Dessinée en 1538 par Michel-Ange, la belle **Piazza del Campidoglio** est encadrée par trois palais : le Palazzo Nuovo sur la gauche, le Palazzo Senatorio, en face, et le Palazzo dei Conservatori sur la droite. Le Palazzo Nuovo et le Palazzo dei Conservatori abritent les musées du Capitole (à droite), tandis que le Palazzo Senatorio est le siège du conseil municipal romain.

Au centre de la place trône une copie en bronze de la **statue équestre de Marc Aurèle** (carte p. 108). L'original (IIe siècle) est conservé au Palazzo Nuovo depuis 1981. La fontaine au pied de l'escalier double du Palazzo Senatorio abrite une statue de **Minerve** du Ier siècle. De chaque côté de la déesse, les sculptures masculines représentent le Tibre (à droite) et le Nil (à gauche).

Au sommet du Capitole se dresse la **Chiesa di Santa Maria in Aracoeli** (carte p. 108 ; ☎ 06 679 81 55 ; Piazza Santa Maria in Aracoeli ; ⏰ 9h-12h30 et 15h-18h), érigée au VIe siècle à l'endroit où, selon la légende, la sibylle de Tibur aurait annoncé la naissance du Christ à Auguste. Aujourd'hui encore associée à la Nativité, l'église renferme la copie d'une statue de l'enfant Jésus (*santo bambino*) réputée pour ses supposés pouvoirs de guérison. L'original, qui aurait été sculpté

dans le bois d'un arbre de Gethsémani (au pied du mont des Oliviers), fut dérobé en 1994.

L'église est richement décorée, avec un sol en marqueterie cosmatesque, et sa première chapelle de l'aile sud est ornée d'une fresque du XVe siècle réalisée par il Pinturicchio.

Les ruines que vous apercevrez sur la gauche de l'escalier d'Aracoeli sont les vestiges d'une **insula** (carte p. 108), habitation de plusieurs étages conçue pour loger les Romains de condition modeste. Les boutiques du rez-de-chaussée, qui n'ont pas fait l'objet de fouilles, se situent aujourd'hui 9 m au-dessous du niveau de la route.

À gauche du Palazzo Senatorio part la Via di San Pietro in Carcere. Descendez les escaliers et vous arriverez au **Carcere Mamertino** (Tullianum ou prison Mamertine ; carte p. 108 ; ☎ 06 679 29 02 ; don à l'entrée ; ⏰ 9h-19h avr-oct, 9h-17h nov-mar), où les prisonniers, enfermés dans un cachot souterrain, étaient condamnés à mourir de faim. On raconte que saint Pierre y fut incarcéré et qu'il fit jaillir une source pour baptiser ses geôliers. Une église a été bâtie sur les lieux.

Les **musées du Capitole** (Musei Capitolini ; carte p. 108 ; ☎ 06 820 59 127 ; www.museicapitolini.org ; Piazza del Campidoglio 1 ; adulte/18-25 ans (UE)/moins de 18 ans et plus de 65 ans (UE) 6,50 €/4,50 €/gratuit, avec l'exposition 9 €/7 €/gratuit, avec la Centrale Montemartini et l'exposition 11 €/9 €/gratuit, audioguide 5 € ; ⏰ 9h-20h mar-dim, dernière entrée 19h) furent fondés en 1471, date à laquelle le pape Sixte IV fit don de quelques bronzes à la cité. Ce sont les plus anciens musées nationaux au monde, et ils possèdent l'une des plus belles collections d'art antique d'Italie.

L'entrée principale se trouve au **Palazzo dei Conservatori** (carte p. 108). Vous y trouverez les toutes premières sculptures de la collection. Le 2e étage renferme un grand nombre de chefs-d'œuvre.

Avant de gagner l'étage, prenez le temps d'admirer les fragments exposés dans la cour. Vous y remarquerez notamment une tête, une main et un pied gigantesques : ce sont les vestiges d'une statue de 12 m de haut représentant Constantin, autrefois érigée dans la Basilica di Massenzio, sur le Forum romain.

Dans la Sala della Lupe, le célèbre bronze de la *Lupa Capitolina* (louve du Capitole) fut réalisé par les Étrusques vers 500 av. J.-C. Antonio Pollaiolo compléta l'œuvre en 1509, en ajoutant les statues de Romulus et Remus enfants. Autres chefs-d'œuvre : le *Spinario* de la salle III, bronze raffiné du Ier siècle av J.-C. représentant un enfant retirant une épine de

ROME ET LATIUM

son pied, et, dans un salon proche de la salle V, la tête de la Méduse sculptée par Bernin.

Au 2e étage du palais, la pinacothèque expose une remarquable collection de maîtres, tels que Titien, le Tintoret, Reni, Van Dyck et Rubens. Remarquez notamment le *Portrait de jeune homme* (1500) de Giovanni Bellini, l'*Annonciation* (1528) de Garofalo et le *Baptême du Christ* (1512) de Titien. La salle Sainte-Pétronille conserve de grandes toiles, notamment *La Buona ventura* (La Diseuse de bonne aventure ; 1595) et *San Giovanni Battista* (Saint Jean-Baptiste ; 1602), du Caravage. La scène du premier tableau représente une gitane faisant mine de lire les lignes de la main d'un jeune homme tout en lui volant une bague. Dans le deuxième tableau, l'artiste a représenté le saint avec une sensualité étonnante.

La galerie souterraine qui relie le Palazzo dei Conservatori au Palazzo Nuovo, de l'autre côté de la place, traverse le **Tabularium**, siège des archives centrales de la Rome antique, sous le Palazzo Senatorio.

Le **Palazzo Nuovo** (carte p. 108) accueille, sous ses plafonds élégants, de nombreuses sculptures classiques. Ne manquez pas la Sala dei Filosofi avec ses nombreux bustes de philosophes, de poètes et d'hommes politiques célèbres. Dans la Sala del Gladiatore, vous pourrez admirer notamment le *Galata Morente* (Gaulois mourant), copie romaine d'une émouvante statue grecque du IIIe siècle av. J.-C. ; l'*Amazone blessée* (Ve siècle av. J.-C.) créée à l'occasion d'un concours entre sculpteurs pour orner le temple d'Éphèse ; et le *Satiro in riposo* (Satyre se reposant) en marbre rouge, originaire de la villa d'Hadrien à Tivoli et rendu célèbre par le roman de Nathaniel Hawthorne intitulé *Le Faune de marbre*. La superbe *Mosaïque aux colombes* faite de minuscules tesselles polychromes, provient également de la villa d'Hadrien.

Centre historique (Centro Storico)
PIAZZA VENEZIA

Cette place animée est dominée par le **Vittoriano** (carte p. 108 ; ☎ 06 699 17 18 ; www.ambienterm.arti. beniculturali.it/vittoriano/index.htm ; Piazza Venezia ; gratuit ; 🕐 10h-16h mar-dim), un gigantesque édifice de marbre blanc dont le style est décrié par certains (qui le surnomment "la machine à écrire"). La construction de ce monument, officiellement baptisé Autel de la Patrie (*Altare della Patria*), fut entreprise en 1885, pour célébrer l'unité italienne et rendre hommage à Victor Emmanuel II, le premier roi d'Italie.

Il abrite d'ailleurs une statue équestre non moins gigantesque de ce dernier, ainsi que la tombe du Soldat inconnu. Voilà pourquoi les gardiens veillent à ce que personne ne s'asseoie.

Du sommet du monument, la vue panoramique sur Rome est splendide, surtout de nuit : vous verrez la ville entière illuminée à vos pieds. Pour atteindre le belvédère, prenez l'ascenseur de verre, **Roma del Cielo** (adulte/tarif réduit 7 €/3,50 € ; 🕐 9h30-18h30 lun-jeu, 9h30-19h30 ven-dim), derrière l'édifice.

Le Vittoriano abrite en outre le **Museo Centrale del Risorgimento** (aussi appelé Complesso del Vittoriano ; carte p. 108 ; ☎ 06 679 35 98 ; Via di San Pietro in Carcere ; gratuit ; 🕐 9h30-18h), qui accueille des expositions temporaires, ainsi qu'une petite collection permanente ayant trait à l'histoire de l'unité italienne.

À l'ouest de la place, le **Palazzo Venezia** (carte p. 102) est un bâtiment de la Renaissance, où Mussolini établit sa résidence officielle – il avait d'ailleurs coutume de prononcer des discours depuis son balcon. Il est possible d'en voir l'intérieur en visitant le **Museo Nazionale del Palazzo Venezia** (carte p. 102 ; ☎ 06 699 94 318 ; entrée Via del Plebiscito 118 ; adulte/tarif réduit 4 €/2 € ; 🕐 8h30-19h30 mar-dim). Ce musée malheureusement méconnu renferme une splendide collection de peintures byzantines et du début de la Renaissance, ainsi qu'un ensemble éclectique de bijoux, tapisseries, céramiques, figurines en bronze, armes et armures. On remarquera notamment la *Madonna con Bambino angeli e santi* (Vierge à l'enfant entourée d'anges et de saints) de Mariotto di Cristofano, du début du XVe siècle, et le *Ritratto dei figli di Virginio Orsini*, œuvre du XVIe siècle (auteur inconnu) présentant les cinq fils de la famille Orsini.

Donnant sur la Piazza di San Marco, la **Basilica di San Marco** (carte p. 102 ; Piazza di San Marco ; 🕐 8h30-12h et 16h-18h30 lun-sam, 9h-13h et 16h-20h dim) fut construite au IVe siècle sur le site de la maison où saint Marc l'Évangéliste aurait résidé. Maintes fois rénovée, elle arbore désormais une façade Renaissance et un clocher roman, tandis que l'intérieur affiche un style baroque. Vous remarquerez surtout la mosaïque de l'abside, datant du IXe siècle et représentant le Christ entouré de saints et du pape Grégoire IV.

Au nord de la Piazza Venezia, à l'angle de la Via del Corso et de la Via del Plebiscito, se dresse le **Palazzo Doria Pamphilj** (carte p. 102), qui abrite la **Galleria Doria Pamphilj** (☎ 06 679 73 23 ; www.doriapamphilj.it ; Via del Corso 305 ; adulte/tarif réduit 9 €/6 € ; 🕐 10h-17h tlj, billetterie ouverte jusqu'à 18h15).

Derrière cette façade peu engageante, vous découvrirez l'une des plus belles collections privées de Rome, rassemblant des œuvres de Raphaël, du Tintoret, de Bruegel, de Titien, du Caravage, de Bernin et de Velázquez.

Si le palais date de la seconde moitié du XVe siècle, son intérieur évoque un mini-Versailles, suite aux aménagements réalisés par la famille Doria Pamphilj, qui l'a acquis au XVIIIe siècle. Ce fut sous le pontificat d'un de ses membres, Innocent X (1644-1655), que la famille débuta la collection.

Parmi les nombreux chefs-d'œuvre, ne manquez pas la *Salomé* de Titien, ni deux des premières œuvres du Caravage, le *Repos pendant la fuite en Égypte* et *Marie Madeleine pénitente* (1598-1599). La pièce maîtresse de la collection est le portrait que Velázquez fit du pape Innocent X, lequel jugea le tableau "trop réaliste". Dans la même pièce, vous verrez l'interprétation que fit Bernin du même sujet dans le *Gabinetto di Velázquez*.

L'excellent commentaire de l'audioguide (inclus dans le prix), enregistré par Jonathan Pamphilj, est riche en informations sur la collection et en anecdotes familiales.

Le **Time Elevator** (carte p. 102 ; ☎ 06 977 46 243 ; www.time-elevator.it ; Via dei Santissimi Apostoli 20 ; adulte/enfant de moins de 12 ans 12 €/9 € ; ☽ 10h30-19h30) est une attraction fort divertissante, qui permet de remonter le temps et de visiter Rome sans trop se fatiguer. Parmi les trois programmes proposés, *Time Elevator Rome*, voyage virtuel de 45 minutes à travers 3 000 ans d'histoire romaine, est particulièrement réussi. Les projections ont lieu toutes les heures. Écrans panoramiques, simulation de vol et bande-son reproduisant un environnement sonore plus vrai que nature ravissent petits et grands. Les enfants de moins de 5 ans ne sont pas admis et si vous êtes sujet au mal de mer, mieux vaut sans doute vous abstenir…

PANTHÉON ET ENVIRONS

De tous les monuments antiques que compte la ville, le **Panthéon** (carte p. 102 ; ☎ 06 683 00 230 ; Piazza della Rotonda ; gratuit, audioguide 4 € ; ☽ 8h30-19h30 lun-sam, 9h-18h dim) est sans conteste le plus étonnant. Pénétrer dans ce temple romain vieux de près de 2 000 ans est une expérience unique, et l'on imagine aisément ce que durent ressentir les Romains de l'Antiquité lorsqu'ils se retrouvèrent pour la première fois sous cette immense voûte. Si l'édifice que l'on visite aujourd'hui fut construit par Hadrien

LA VILLA MÉDICIS

Cette belle demeure du XVIe siècle fut construite pour le cardinal Ricci da Montepulciano en 1540. Vendue en 1576, la propriété fut profondément remaniée par un autre prélat, qui lui donna son nom et l'allure fabuleuse qu'on lui connaît : le cardinal Ferdinando dei Medici (ou Médicis), grand collectionneur et mécène, passionné par l'Antiquité. Acquise par la France, en la personne de Napoléon Ier, en 1801, la villa abrita le siège de l'Académie de France en 1803. Elle a longtemps accueilli les lauréats du prix de Rome et héberge aujourd'hui, après une sévère sélection, de jeunes artistes, qu'ils soient écrivains, scénographes, cinéastes, musiciens ou cuisiniers ! Parmi ses pensionnaires les plus illustres figurent Baltard, Berlioz, Bizet, Carpeaux, David d'Angers, Debussy, Gounod ou Lili Boulanger ; la villa Médicis fut aussi dirigée par des artistes, en particulier les peintres Ingres, de 1835 à 1841, et Balthus, de 1960 à 1977.

La **villa Médicis** (☎ 06 676 11 ; www. villamedici.it ; Viale Trinità dei Monti 1) programme des expositions, des projections de films ou des concerts – une belle occasion pour la visiter. Le calendrier des manifestations est disponible sur le site Internet.

vers 120, le temple d'origine fut élevé en 27 av. J.-C. par Marcus Agrippa. Le nom d'Agrippa demeura inscrit sur le fronton, ce qui induisit les archéologues en erreur jusqu'à ce que des fouilles menées au XIXe siècle révèlent les traces d'un temple plus ancien.

Bien que l'édifice ait été transformé en église chrétienne en 608, Hadrien avait initialement consacré son temple aux dieux classiques, d'où son nom de Panthéon (du grec *pan* "tous" et *theos* "dieux"). À l'intérieur, les tombeaux des rois Victor-Emmanuel II et Humbert Ier côtoient celui du peintre Raphaël.

Ce sont surtout les dimensions impressionnantes de l'édifice et son dôme extraordinaire qui fascinent le visiteur. Considéré comme la réalisation architecturale la plus remarquable de la Rome antique, ce dôme resta le plus imposant au monde jusqu'au XVe siècle, et il est toujours le plus grand dôme jamais réalisé en béton non armé. Le sentiment d'harmonie qui en émane est le fruit de sa symétrie savamment étudiée : son diamètre de 43,30 m est égal à la hauteur de l'édifice. Un oculus de 8,7 m de diamètre dans la coupole laisse pénétrer la lumière ; cette ouverture établit un lien symbolique entre le temple et les dieux. Lorsqu'il pleut, l'eau s'évacue par les 22 trous percés dans le sol en marbre incliné.

Bien qu'abîmé, l'extérieur demeure imposant, avec ses 16 colonnes corinthiennes monolithes supportant un fronton triangulaire. Des rivets et des trous dans l'appareillage de brique indiquent l'emplacement des plaques de marbre qui recouvraient la surface d'origine.

Du fait de sa consécration au VIIᵉ siècle, l'édifice fut relativement épargné, à la différence d'autres monuments antiques laissés à l'abandon. Ses tuiles de bronze dorées furent néanmoins remplacées et, au XVIIᵉ siècle, Urbain VIII autorisa Bernin à faire fondre les plaques de bronze de la toiture du porche pour façonner le baldaquin de la basilique Saint-Pierre et les 80 canons du château Saint-Ange. Heureusement, personne ne toucha aux portes d'origine, également en bronze.

Au sud du Panthéon, vous irez admirer, sur la Piazza della Minerva, l'admirable statue d'un **éléphant (Elefantino)** portant un obélisque égyptien (carte p. 102), réalisée par Bernin. Sur le côté est de la place se trouve une église dominicaine du XIIIᵉ siècle, la **Chiesa di Santa Maria Sopra Minerva** (carte p. 102 ; ☎ 06 679 39 26 ; Piazza della Minerva ; ☺ 8h-19h). Bâtie sur le site d'un ancien temple de Minerve, c'est la seule église gothique de Rome. Initialement construite d'après les plans de la Basilica di Santa Maria de Florence, elle fut plusieurs fois remaniée et il ne reste que peu de traces de son architecture d'origine. Elle abrite dans sa chapelle de l'Annonciation (Capella Carafa) deux superbes fresques de Filipino Lippi (XVᵉ siècle) ainsi que le majestueux tombeau du cardinal Olivieri Carafa, qui fut aussi le pape Paul IV.

À gauche du maître-autel se dresse la statue du *Cristo Risorto* (Christ portant la croix ; 1520), une des sculptures les moins connues de Michel-Ange, recouverte par la suite de draperies de pudeur, en bronze. Le retable représentant la Vierge et l'Enfant, dans la seconde chapelle du transept nord, est attribué au peintre dominicain Fra Angelico, également inhumé dans l'église.

Le corps de sainte Catherine de Sienne, sans tête (conservée à Sienne), repose sous le maître-autel, et deux papes de la famille Médicis, Léon X et Clément VII, ont leurs tombeaux dans l'abside.

L'**église du Gesù** (carte p. 102 ; ☎ 06 69 70 01 ; www.chiesadelgesu.org ; Piazza del Gesù ; ☺ 7h-12h30 et 16h-19h45), la plus importante des églises jésuites de Rome, est un imposant exemple de l'architecture de la Contre-Réforme. Elle servit d'ailleurs de modèle à quantité d'autres églises. Sa construction, réalisée entre 1551 et 1584, fut financée par le cardinal Alexandre Farnèse qui possédait, disait-on, les trois grandes beautés de Rome : sa fille, son palais et cette église.

Si la façade de Giacomo Della Porta est impressionnante, l'intérieur de l'église l'est encore davantage. Conçu par Giacomo Barozzi da Vignola, qui fut élève de Michel-Ange, il est revêtu d'un chatoyant ensemble de marbres et de dorures. L'œuvre la plus extraordinaire que l'on peut y admirer est le *Trionfo del Nome di Gesù*, une fascinante fresque de voûte réalisée par Giovanni Battista Gaulli (dit Il Baciccia), qui a aussi peint les fresques de la coupole et réalisé les stucs de l'édifice.

La Capella di San Francesco Saverio, à droite du maître-autel, a été conçue par le maître toscan Pierre de Cortone. Le reliquaire plaqué argent au-dessus de l'autel en or renferme l'avant-bras droit du saint qui aurait béni, baptisé et guéri en maintes occasions.

La Cappella di Sant'Ignazio (chapelle Saint-Ignace), dans le transept nord, a été conçue par Andrea Pozzo, l'un des grands maîtres du baroque. C'est ici que repose saint Ignace de Loyola, le militaire espagnol qui fonda l'ordre des jésuites en 1540. Son tombeau, qui fait aussi office d'autel, est richement décoré (marbre, bronze et lapis-lazuli). Le globe terrestre représentant la Trinité qui le surmonte est la plus grosse pierre de lapis-lazuli au monde. Les sculptures encadrant le tombeau résument on ne peut mieux la philosophie jésuite : à gauche, *La Victoire de la foi sur l'idolâtrie* ; à droite, *La Religion flagellant l'hérésie*.

Le saint espagnol vécut dans l'église de 1544 à sa mort, en 1556. À l'est de l'église, vous pouvez visiter Les **appartements de saint Ignace** (☺ 16h-18h lun-sam, 10h-12h dim), ornés d'une magistrale perspective en trompe-l'œil de Pozzo.

Toute proche, la **Crypta Balbi** (carte p. 102 ; ☎ 06 399 67 700 ; www.pierreci.it ; Via delle Botteghe Oscure 31 ; adulte/18-24 ans (UE)/moins de 18 ans et plus de 65 ans (UE) 7 €/3,50 €/gratuit, supplément exposition 3 € ; ☺ 9h-19h45 mar-dim) dépend du Museo Nazionale Romano. Édifié autour de ruines datant du Moyen Âge et de la Renaissance (elles-mêmes situées au-dessus d'un grand portique et théâtre romain, le théâtre de Balbus ; an 13 av. J.-C.), le musée permet au visiteur de mieux se représenter la construction de Rome, par strates successives. Vous pourrez descendre dans les sous-sols pour voir le résultat des fouilles, puis observer les objets exhumés, ainsi que quelques pièces provenant des forums et des collines de l'Oppius et du Celio.

PIAZZA NAVONA ET SES ALENTOURS

Ses palais baroques, ses riches fontaines, ses terrasses de cafés et son animation incessante font de l'immense Piazza Navona (carte p. 102) l'un des symboles de Rome. Édifiée sur les ruines d'une arène construite par Domitien en 86, la place fut pavée au XVe siècle et accueillit pendant près de trois siècles le principal marché de la ville.

De ses trois fontaines, c'est la **Fontana dei Quattro Fiumi** (fontaine des Quatre Fleuves ; carte p. 102) qui domine. Symbole de la puissance catholique, elle représente le Nil, le Gange, le Danube et le Rio de la Plata. Elle est aussi ornée d'un palmier, d'un lion et d'un cheval et surmontée d'un obélisque. Selon la légende, le personnage du Nil se couvrirait les yeux pour ne pas voir la **Chiesa di Sant'Agnese in Agone** (carte p. 102 ; ☎ 06 681 92 134 ; www.santagneseinagone.com ; ◷ 9h30-12h30 et 16h-19h lun-sam, 10h-13h et 16h-20h dim), conçue par l'éternel rival de Bernin, Borromini. En réalité, Bernin acheva la fontaine deux ans avant que ne commencent les travaux de la façade et le geste signale plutôt le fait que la source du Nil était encore inconnue à l'époque.

À l'extrémité nord de la place, la **Fontana del Nettuno** (fontaine de Neptune ; carte p. 102) date du XIXe siècle, tandis que la **Fontana del Moro** (fontaine du Maure ; carte p. 102), à l'extrémité sud, fut conçue en 1576. La figure du Maure empoignant un dauphin est un ajout de Bernin daté du XVIIe siècle tandis que les tritons qui l'entourent sont des copies du XIXe siècle. L'édifice le plus important de la place est le **Palazzo Pamphilj** (carte p. 102), bâti au XVIIe siècle pour le pape Innocent X ; il accueille aujourd'hui l'ambassade du Brésil.

Au nord de la place, le **Palazzo Altemps** (carte p. 102 ; ☎ 06 683 35 66 ; www.pierreci.it ; Piazza Sant'Apollinare 44 ; adulte/18-24 ans (UE)/moins de 18 ans et plus de 65 ans (UE) 7 €/3,50 €/gratuit, supplément exposition 3 €, audioguide 4 € ; ◷ 9h-19h45 mar-dim), autre annexe du Museo Nazionale Romano, possède les plus belles pièces de la collection de sculptures antiques du musée. Elles y sont magnifiquement éclairées.

La plupart d'entre elles proviennent de la fameuse collection Ludovisi, constituée par le Cardinal Ludovico Ludovisi au XVIIe siècle. Sacrifiant à la mode de l'époque, Ludovisi fit appel à des sculpteurs renommés, Bernin et Alessandro Algardi notamment, pour "améliorer" ses sculptures antiques en recréant des membres et des têtes pour les bustes qui en étaient dépourvus.

Parmi les plus belles pièces de la collection, on remarquera notamment le splendide *Trono Ludovisi* (non retouché), un trône en marbre sculpté du Ve siècle représentant Aphrodite émergeant nue de la mer. Dans la même salle, vous pourrez admirer deux têtes gigantesques, dont une de Junon (600 av. J.-C.). La frise ornant le mur (dont il ne reste qu'environ la moitié) illustre les dix plaies d'Égypte et l'Exode.

Des fresques baroques décorent à merveille l'endroit. Les murs de la Sala delle Prospettive Dipinte sont ornés de paysages et de scènes de chasse vus à travers des fenêtres en trompe-l'œil. Ces fresques furent réalisées pour le cardinal Altemps, le riche neveu du pape Pie IV (1560-1565), qui acquit le palais à la fin du XVIe siècle.

C'est aussi dans ce palais que vous pourrez admirer la collection égyptienne du Museo Nazionale Romano, ainsi que la collection Mattei, précédemment accueillie par la Villa Celimontana (propriété de la puissante famille Mattei au XVIe siècle).

À quelques minutes de marche on rencontre deux églises intéressantes. La **Chiesa di Sant'Agostino** (carte p. 102 ; ☎ 06 688 01 962 ; Piazza di Sant'Agostino ; ◷ 7h45-12h et 16h-19h30) contient deux œuvres d'exception : la fresque d'Isaïe réalisée par Raphaël et *La Madone des pèlerins* du Caravage. Non loin de là, se trouve l'église baroque **Saint-Louis-des-Français** (Chiesa di San Luigi dei Francesi ; carte p. 102 ; ☎ 06 68 82 71 ; Piazza di San Luigi dei Francesi ; ◷ 10h-12h30 et 16h-19h, fermée jeu après-midi), l'église des Français de Rome consacrée en 1589. Elle est surtout connue pour ses trois toiles du Caravage : *La Vocation de saint Matthieu*, *Le Martyre de saint Matthieu* et *Saint Matthieu et l'ange*. Bien qu'elles comptent parmi les premières œuvres du peintre, réalisées entre 1600 et 1602, son style y est déjà bien affirmé, alliant un réalisme poussé à l'extrême à une parfaite maîtrise du clair-obscur. À tel point que Jésus semble véritablement sortir des ténèbres.

Au sud de la Piazza Navona, l'impressionnant Palazzo Braschi, de style baroque, accueille le **Museo di Roma** (carte p. 102 ; ☎ 06 820 59 127 ;

www.museodiroma.it ; Piazza di San Pantaleo 10 ; adulte/18-25 ans (UE)/moins de 18 ans et plus de 65 ans (UE) 6,50 €/4,50 €/gratuit, audioguide 3,50 € ; ☉ 9h-19h mar-dim), où vous pourrez admirer une collection éclectique (peintures, photographies, eaux-fortes, vêtements et mobilier) illustrant l'histoire de Rome, du Moyen Âge au début du XXe siècle. Le palais en lui-même est intéressant, avec ses magnifiques fresques ornant les murs, notamment dans l'extravagante *Sala Cinese* et dans la *Sala Egiziana*. Parmi les tableaux, ne manquez pas le portrait du cardinal Alexandre Farnèse, futur pape Paul III, réalisé par Raphaël en 1511.

CAMPO DE' FIORI ET SES ALENTOURS

Bruyant et coloré, le **Campo de' Fiori** (carte p. 102) est l'une des places les plus animées de Rome : dans la journée, il accueille un marché très populaire, et la nuit, il est le théâtre d'une intense vie nocturne. La statue du moine Giordano Bruno rappelle qu'il fut condamné au bûcher en 1600, pour hérésie.

Surplombant cette dernière, sur la tranquille place Farnèse, le **palais Farnèse** (Palazzo Farnese, carte p. 102) date de la Renaissance. À la demande du cardinal Alexandre Farnèse, sa construction commença en 1514, dirigée par Antonio da Sangallo le Jeune, bientôt relayé par Michel-Ange puis par Giacomo Della Porta. Cette demeure superbe abrite aujourd'hui l'ambassade de France, ainsi que l'École française de Rome (voir l'encadré p. 123). Les imposantes vasques de granit des fontaines jumelles de la place proviennent des thermes de Caracalla.

Au sud du Campo de' Fiori et de la Piazza Farnese, vous pourrez admirer au **Palazzo Spada** (carte p. 102 ; ☎ 06 683 24 09 ; Piazza Capo di Ferro 13 ; adulte/18-25 ans (UE)/moins de 18 ans ou plus de 65 ans (UE) 5 €/2,50 €/gratuit ; ☉ 8h30-19h30 mar-dim), datant du XVIe siècle, la fameuse illusion d'optique créée par Borromini (voir l'encadré ci-dessous). À l'étage, la petite galerie d'art accueille la collection personnelle de la famille Spada (acquise par l'État en 1926), comprenant des œuvres d'Andrea del Sarto, Guido Reni, Le Guerchin et Titien.

L'**Area Sacra di Largo Argentina** (carte p. 102) s'étend entre le Campo de' Fiori et le ghetto juif. Les ruines, en plein milieu du trafic automobile de ce carrefour important, ont été mises au jour en 1926. On peut voir quatre temples, donnant tous sur une place pavée, et datés du IVe et au IIe siècles av. J.-C. C'est sur ce site (du côté du tram) que Jules César fut assassiné le 15 mars (pendant les Ides de mars) de l'an 44 av. J.-C.

LES ILLUSIONS D'OPTIQUE DE ROME

Pour percevoir la théâtralité magique de Rome, repérez ses illusions d'optique :

Au **Palazzo Spada** (ci-dessus), la galerie créée par Borromini, bordée de colonnes et s'achevant sur une statue grandeur nature, semble être longue de 25 m. En réalité, elle ne fait que 10 m, et la sculpture, un ajout tardif, est deux fois moins grande qu'il n'y paraît. C'est la taille décroissante des colonnes qui crée l'illusion. Regardez de plus près cette haie à l'allure parfaite : n'étant pas sûr que les jardiniers tailleraient la haie aux dimensions voulues, Borromini préféra en créer une en pierre.

Si Borromini vous donne envie de discerner d'autres illusions, allez voir la splendide église **Saint-Ignace-de-Loyola** (carte p. 102 ; Piazza di Sant'Ignazio ; ☉ 7h30-12h30 et 15h-19h15). Entrez et levez les yeux vers la coupole. Ne remarquez-vous rien d'étrange ? Il n'y en a pas. Le plafond, entièrement plat, est orné d'un trompe-l'œil d'Andrea Pozzo. À première vue, le plafond semble s'élever vers un magnifique dôme, mais à mesure que vous avancez et que vous vous éloignez du point d'effet maximal, la perspective se déforme et la supercherie saute aux yeux. Le dôme initialement prévu ne fut jamais réalisé pour des raisons techniques.

Les deux effets d'optique qui suivent sont liés à la spécificité de leurs points de vue. Sur l'Aventin, rejoignez la **Piazza dei Cavalieri di Malta** (carte p. 106), conçue par Piranèse, un artiste vénitien du XVIIIe siècle surtout connu pour ses étonnantes gravures. Regardez par le trou de la serrure du grand portail qui donne sur la place : c'est celui du **prieuré des Chevaliers de Malte**. Vous y verrez le dôme de la basilique Saint-Pierre au bout d'une allée rectiligne, parfaitement encadré par deux haies.

Enfin, non loin du magnifique parc de la villa Pamphilj (carte p. 95), au sud-est de Rome, arrêtez-vous sur la **Via Piccolomini**. Vous y aurez une superbe vue du dôme de Saint-Pierre, bien meilleure d'ailleurs que depuis la place Saint-Pierre, où il est masqué par la façade. Ici, vous ne verrez que lui, si imposant qu'il emplit l'espace entre les arbres, au bout de la rue. Le plus curieux est que, plus l'on s'approche, plus la coupole semble rapetisser à mesure que la vue s'élargit.

GHETTO JUIF ET ISOLA TIBERINA

Une communauté juive est présente à Rome depuis le IIe siècle av. J.-C. En 1555, un décret du pape Paul IV ordonna le confinement des juifs dans un ghetto, une politique qui fut maintenue jusqu'à la fin du XIXe siècle, avant d'être reprise par les nazis durant la Seconde Guerre mondiale. La Via del Portico d'Ottavia constitue le centre du ghetto, un paisible labyrinthe de ruelles.

Installé dans la deuxième plus grande synagogue d'Europe (1904), le **Museo Ebraico di Roma** (musée d'Art hébraïque ; carte p. 106 ; ☎ 06 684 00 661 ; www.museoebraico.roma.it ; Via Catalana ; adulte/étudiant/moins de 10 ans 7,50 €/4 €/gratuit ; ⏱ 10h-18h15 dim-jeu, 10h-15h15 ven mi-juin à mi-sept, 10h-16h15 dim-jeu, 9h-13h15 ven mi-sept à mi-juin) présente l'intéressant héritage historique, culturel et artistique de la communauté juive de Rome. Les visites guidées de l'ancien ghetto (1 heure ; adulte/étudiant 8/5 €) partent du musée.

À l'est du ghetto s'étend la zone archéologique du **Portico d'Ottavia** (carte p. 106 ; Via del Teatro di Marcello ; ⏱ 9h-19h été, 9h-18h hiver), le plus ancien *quadriporto* (porche à 4 côtés) de Rome. Les colonnes et les frontons subsistants faisaient autrefois partie d'un vaste portique rectangulaire (132 m sur 119 m), soutenu par 300 colonnes. Érigé initialement par un certain Octave en 146 av. J.-C., il fut reconstruit en 23 par Auguste, qui en conserva le nom en l'honneur de sa sœur Octavia. Du Moyen Âge à la fin du XIXe siècle, le portique accueillit le marché au poisson de la ville.

L'imposant **théâtre de Marcellus**, surmonté de constructions postérieures, rappelle le Colisée, en plus petit. Ce théâtre de 20 000 places, conçu sous César et construit sous Auguste vers 13 av. J.-C., fut recouvert d'un palais au XVIe siècle. Aujourd'hui il abrite de splendides appartements.

Suivez la Via del Teatro di Marcello, puis la Via Petroselli, et vous arriverez sur la Piazza Bocca della Verità : vous verrez les touristes y faire la queue pour glisser leur main dans la fameuse **Bocca della Verità** (bouche de la vérité ; carte p. 106 ; ☎ 06 678 14 19 ; Piazza Bocca della Verità 18 ; ⏱ 9h30-17h). On dit que si vous aventurez votre main droite dans la bouche de ce masque circulaire en disant un mensonge, elle vous l'arrachera.

Celle-ci se trouve sous le portique de la splendide église médiévale **Santa Maria in Cosmedin**, initialement bâtie au VIIIe siècle, puis remaniée au XIIe siècle. C'est à cette époque que furent ajoutés le clocher à sept étages et

le portique, et que furent réalisés le pavement, le maître-autel et le chœur (*schola cantorum*) en marbre cosmatesque. Il reste peu de chose de l'architecture d'origine, mais vous pouvez toujours admirer une partie d'une mosaïque du VIIIe siècle dans la boutique de souvenirs.

Deux minuscules temples romains font face à cette église rénovée : le **Tempio di Ercole Vincitore** (temple d'Hercule vainqueur ; carte p. 106), circulaire, et le **Tempio di Portunus** (carte p. 106). En retrait de la place, l'**Arco di Giano** (arc de Janus ; carte p. 106) est une porte romaine à quatre faces.

Pour accéder à la petite île habitée d'**Isola Tiberina** (carte p. 106), revenez sur vos pas en remontant le fleuve jusqu'au **Ponte Fabricio** (carte p. 106). Construit en 62 av. J.-C., ce pont est le plus ancien de la ville. L'Isola Tiberina est liée depuis le IIIe siècle av. J.-C. à la médecine, lorsque les Romains adoptèrent Esculape, dieu grec de la médecine, et lui dédièrent un temple sur l'île. Elle accueille aujourd'hui l'**Ospedale Fatebenefratelli** (carte p. 106), un hôpital public réputé pour sa maternité. La **Chiesa di San Bartolomeo** (carte p. 106 ; ⏱ 10h30-13h et 15h-17h30 lun-sam, 9h-13h et 18h30-20h dim) fut édifiée sur l'île au Xe siècle, au-dessus des ruines d'un temple romain. Elle associe une façade baroque à un campanile roman. Le **Ponte Cestio** ou **Ponte di San Bartolomeo** (carte p. 106) bâti en 46 av. J.-C., relie l'île au Trastevere plus au sud. Il fut reconstruit à la fin du XIXe siècle. Au sud de l'île, on distingue les vestiges du **Ponte Rotto** (pont brisé ; carte p. 106), premier pont en pierre de Rome.

DE LA FONTAINE DE TREVI AU QUIRINAL

L'immense **fontaine de Trevi** (Fontana di Trevi ; carte p. 106), la plus célèbre de Rome, fut immortalisée par le film *La Dolce Vita*, de Fellini, dans lequel on voit Anita Ekberg s'y baigner. Conçue en 1732 par Nicola Salvi, elle est alimentée par l'un des tout premiers aqueducs de Rome. De style baroque, la fontaine, qui domine complètement la place, représente le char de Neptune conduit par des tritons et des chevaux marins – l'un sauvage, l'autre docile – symbolisant les humeurs de la mer. Son nom, Trevi, fait référence aux trois rues (*tre vie*) qui convergent jusqu'à elle. Pour s'assurer de revenir un jour à Rome, les voyageurs ont coutume de lancer une pièce dans la fontaine : environ 300 € y sont ainsi jetés chaque jour, puis reversés à des associations caritatives.

Au sommet de la colline du Quirinal, l'immense **palais du Quirinal** (carte p. 102 ; ☎ 06 4 69 91 ; www.quirinale.it ; Piazza del Quirinale ; adulte/plus de 65 ans 5 €/gratuit ; ☼ 8h30-12h dim mi-sept à mi-juin) fit office de résidence d'été du pape pendant près de trois siècles, avant d'être confisqué au profit du nouveau roi d'Italie en 1870. Il est devenu la résidence officielle du président de la République en 1948.

Deux splendides églises baroques, conçues par les deux grands rivaux de l'époque, bordent la Via del Quirinale : les églises **Sant'Andrea al Quirinal** (Saint-André-du-Quirinal ; carte p. 102 ; ☎ 06 474 08 07 ; Via del Quirinale 29 ; ☼ 8h30-12h et 15h30-19h lun-sam, 9h-12h et 16h-19h dim), de Bernin, et **San Carlo alle Quattro Fontane** (Saint-Charles-aux-Quatre-Fontaines ; carte p. 102 ; ☎ 06 488 31 09 ; Via del Quirinale 23 ; ☼ 10h-13h et 15h-18h lun-ven, 10h-13h sam, 12h-13h dim), de Borromini.

PIAZZA BARBERINI ET SES ALENTOURS

La **Chiesa di Santa Maria della Concezione** (carte p.102 ; ☎ 06 487 11 85 ; Via Vittorio Veneto 27 ; don à l'entrée ; ☼ 9h-12h et 15h-18h ven-mer), église du XVIIᵉ siècle, n'a rien d'exceptionnel, hormis son étonnante crypte. De 1528 à 1870, les moines capucins en tapissèrent les murs avec les ossements de 4 000 de leurs prédécesseurs, réalisant ainsi une arche de crânes, des fleurs de lys en vertèbres et des lampes en fémurs. Dans la dernière salle, vous pourrez lire l'inscription suivante : "Vous êtes aujourd'hui ce que nous avons été ; vous serez un jour ce que nous sommes." À méditer !

Au centre de la bruyante Piazza Barberini, où la circulation est souvent dense, se dresse l'impressionnante **Fontana del Tritone** (fontaine du Triton ; carte p. 102), de Bernin. Elle fut réalisée en 1643 pour le pape Urbain VIII, patriarche des Barberini. La **Fontana delle Api** (fontaine des Abeilles ; carte p. 102), à l'angle nord-est de la place, est aussi l'œuvre de Bernin, qui la créa en l'honneur de la puissante famille Barberini, dont les armoiries représentent trois abeilles.

Le spectaculaire **Palazzo Barberini** (carte p. 102), du XVIIᵉ siècle, fut commandé par le pape Urbain VIII pour célébrer l'accession de la famille Barberini à la papauté. De grands architectes baroques œuvrèrent à sa réalisation, parmi lesquels Bernin et Borromini Vous pourrez d'ailleurs comparer les escaliers des deux rivaux à l'intérieur du palais. Celui-ci abrite aujourd'hui une partie de la **Galleria Nazionale d'Arte Antica** (carte p. 102 ; ☎ 06 225 82 493 ; www.galleriaborghese.it ; Via delle Quattro Fontane 13 ; adulte/18-25 ans (UE)/moins de 18 ans et plus de 65 ans (UE) 5 €/2,50 €/gratuit, plus réservation 1 € ; ☼ 9h-19h30 mar-dim, fermeture du guichet à 19h), riche en œuvres de la Renaissance et de l'époque baroque. Outre les peintures signées par Raphaël, le Caravage, Guido Reni, Le Guerchin, Bronzino, Bernin, Filippo Lippi et Holbein, ne manquez pas le *Triomphe de la Divine Providence*, décorant le plafond de la salle principale. Cette œuvre fut peinte entre 1633 et 1639 par Pierre de Cortone. Il faut aussi admirer le célèbre portrait de Henry VIII exécuté par Hans Holbein (1540) et l'*Annunciazione e due devoti* de Filipo Lippi. Les passionnés du Caravage apprécieront *Saint François, Judith décapitant Holopherne* (1597-1600) et *Narcisse* (1571-1610). La superbe toile de Raphaël *La Fornarina* (la Boulangère) est le portrait de Margherita Luti, la maîtresse du peintre, qui travaillait dans une boulangerie de la Via di Santa Dorotea au Trastevere.

Tridente

C'est dans ce quartier chic, réputé pour ses boutiques de créateurs, que l'on trouve l'escalier de la Trinité-des-Monts, la Piazza di Spagna et la Piazza del Popolo. Cette dernière est située à l'intersection de trois grands axes (Via di Ripetta, Via del Corso et Via del Babuino) formant un trident, d'où le nom du quartier.

PIAZZA DI SPAGNA ET ESCALIER DE LA TRINITÉ-DES-MONTS

Très fréquenté, l'**escalier de la Trinité-des-Monts** (Scalinata della Trinità dei Monti ou Scalinata di Spagna ; carte p. 102) attire un flux continu de visiteurs depuis le XVIIIᵉ siècle. La **Piazza**

di Spagna (carte p. 102) fut ainsi nommée en l'honneur de l'ambassade d'Espagne auprès du Saint-Siège, bien que l'escalier, financé par la France en 1725, mène à l'église française de la Trinité-des-Monts (carte p. 102). Au pied de l'escalier, la fontaine la **Barcaccia** (carte p. 102), qui représente un bateau échoué, est attribuée à Pietro Bernini, le père de Bernin.

C'est dans la **maison Keats-Shelley** (carte p. 102 ; ☎ 06 678 42 35 ; www.keats-shelley-house.org ; Piazza di Spagna 26 ; adulte/moins de 18 ans et plus de 65 ans/moins de 6 ans 4 €/3 €/gratuit ; ◷ 10h-13h et 14h-18h lun-ven, 11h-14h et 15h-18h sam) que s'éteignit John Keats en 1821, lors d'un séjour pourtant destiné à lui permettre de recouvrer la santé. Le minuscule appartement abrite désormais un musée fort intéressant, rassemblant divers souvenirs, lettres et poèmes du poète anglais. Vous y verrez notamment son masque mortuaire.

ARA PACIS AUGUSTAE

Depuis la Piazza di Spagna, prenez la Via Condotti, puis traversez la Via del Corso et poursuivez dans la Via della F Borghese. Tournez enfin à droite dans la Via di Ripetta. Vous apercevrez alors le pavillon de marbre et de verre conçu par Richard Meier pour accueillir le **Museo dell'Ara Pacis** (musée de l'autel de la Paix d'Auguste ; carte p. 102 ; ☎ 06 820 59 127 ; www.arapacis.it ; Lungotevere in Augusta ; adulte/18-25 ans (UE)/moins de 18 ans et plus de 65 ans (UE) 6,50 €/4,50 €/ gratuit ; ◷ 9h-19h mar-dim). Sujet à controverse (le maire de Rome, Gianni Alemanno, avait même promis lors de sa campagne électorale qu'il le ferait démolir), ce pavillon constitue le premier édifice moderne réalisé dans le centre historique de Rome depuis la Seconde Guerre mondiale. Parmi les succès du musée, citons une splendide rétrospective du couturier Valentino, en 2008, et au nombre de ses échecs, le sobriquet de "climatiseur" que lui a attribué l'artiste Julian Schnabel et une attaque au paint-ball subie en 2009.

L'Ara Pacis Augustae en lui-même est moins sujet à polémique. Ce grand monument, construit par Auguste pour célébrer la paix, constitue l'un des chefs-d'œuvre de la sculpture de la Rome antique. L'immense autel de marbre (11,6 x 10,6 x 3,6 m) fut achevé en 13 apr. J.-C. et installé à proximité de la Piazza San Lorenzo in Lucina, non loin de son site actuel. L'emplacement fut choisi de façon à ce que le monument soit touché par l'ombre d'un gigantesque cadran solaire, dressé sur le Champ de Mars, le jour de l'anniversaire d'Auguste.

À plusieurs reprises au fil des siècles, l'autel fut victime de la cupidité des amateurs d'art, plusieurs de ses panneaux allant enrichir les collections des Médicis, du Vatican et du Louvre. En 1936 toutefois, Mussolini fit fouiller le site et réassembler les vestiges de l'édifice à son emplacement actuel.

Le panneau principal représente une procession menée par Auguste, suivi par des prêtres, le général Marcus Agrippa et la famille impériale au complet.

Non loin du musée de l'Ara Pacis, le **Mausoleo di Augusto** (mausolée d'Auguste ; carte p. 102) semble à l'abandon. Il fut pourtant l'un des monuments les plus grandioses de la Rome antique. Une restauration devrait être menée sous la direction de l'architecte Francesco Cellini d'ici 2011 mais, pour l'heure, les travaux n'ont pas commencé.

Le mausolée, bâti en 28 av. J.-C., mesurait initialement 87 m de diamètre. C'est ici que reposent Auguste, inhumé en 14 apr. J.-C., et son neveu préféré et héritier désigné, Marcellus.

Au Moyen Âge, le mausolée servit de forteresse puis accueillit un vignoble, un jardin privé et devint une carrière de travertin. Mussolini le fit restaurer en 1936, avec l'intention de s'y faire enterrer.

PIAZZA DEL POPOLO

Cette élégante place (carte p. 96) en forme d'ellipse, qui accueillit des siècles durant les exécutions publiques, fut conçue en 1538 en vue de constituer un seuil grandiose pour la principale entrée du nord de la ville.

Au sud de la place se dressent deux églises baroques conçues par Carlo Rainaldi au XVIIᵉ siècle, **Santa Maria dei Miracoli** (carte p. 96) et **Santa Maria in Montesanto** (carte p. 96). Au nord, la **Porta del Popolo** fut créée par Bernin en 1655 pour célébrer la conversion de la reine Christine de Suède au catholicisme. L'**obélisque** de 36 m qui trône au centre de la place fut rapporté d'Héliopolis, en Égypte, par Auguste. Initialement installé dans le Circo Massimo, il fut déplacé vers son emplacement actuel au cours du XVIᵉ siècle. C'est à l'est de la place que se trouvent les **jardins de la colline du Pincio**.

La **Chiesa di Santa Maria del Popolo** (carte p. 96 ; ☎ 06 361 08 36 ; Piazza del Popolo ; ◷ 7h-12h et 16h-19h lun-sam, 8h-13h30 et 16h30-19h30 dim), non loin de la Porta del Popolo, est l'une des plus riches et des plus anciennes églises Renaissance de Rome. La première chapelle fut érigée en 1099 afin d'éloigner le fantôme de Néron, réputé hanter les lieux où il avait été enterré. C'est après le remaniement de 1462 que Pinturicchio y réalisa ses magnifiques fresques. Raphaël dessina la chapelle Chigi, qui abrite une mosaïque représentant un squelette agenouillé. Il mourut avant de l'avoir achevée, et Bernin la termina un siècle plus tard. Dans la chapelle Cerasi, à gauche de l'autel, sont exposés deux chefs-d'œuvre incontournables du Caravage, *La Conversion de saint Paul* (1601) et *La Crucifixion de saint Pierre* (1600).

Tout près de la Piazza del Popolo, vous pourrez visiter la **Casa di Goethe** (carte p. 96 ; ☎ 06 326 50 412 ; www.casadigoethe.it ; Via del Corso 18 ; adulte/étudiant et plus de 65 ans 4/3 € ; ☼ 10h-18h mar-dim), une modeste demeure soigneusement entretenue où l'écrivain allemand séjourna de 1786 à 1788. Parmi les œuvres et souvenirs présentés, vous verrez notamment des dessins et des gravures réalisés par Goethe à cette période.

Villa Borghèse et ses alentours

Ce ravissant **parc** (carte p. 96) baroque, situé juste au nord du centre historique de Rome, fut créé au XVIIᵉ siècle à l'initiative du cardinal Scipion Borghèse, dont la famille comptait parmi les plus puissantes de Rome. Ce lieu, où il fait bon pique-niquer et où les enfants peuvent se dégourdir les jambes, attire toutes sortes de promeneurs : Romains, touristes, joggeurs, amoureux…

On y accède par le Piazzale Flaminio, par le sommet de la colline du Pincio qui domine l'escalier de la Trinité-des-Monts ou en remontant la Via Vittorio Veneto. Il existe cinq sites de location de vélos (5 €/heure ou 10 €/jour) dans le parc, notamment sur le Viale Goethe et sur la colline du Pincio. Un petit train permet de faire le tour du parc.

Le cardinal Scipion Borghèse (1579-1633) était l'un des collectionneurs les plus avisés et les plus impitoyables de son temps. Sa collection, présentée dans le **Museo e Galleria Borghese** (carte p. 96 ; ☎ 06 3 28 10 ; www.galleriaborghese.it ; Piazzale Scipione Borghese 5 ; adulte/18-25 ans (UE)/moins de 18 ans ou plus de 65 ans (UE) 8,50/5,25/2 €, audioguide 5 € ; ☼ 8h30-19h30 mar-dim, réservation indispensable) est d'ailleurs aussi impressionnante que le parc. Si vous n'avez que le temps (ou l'envie) de visiter une seule galerie d'art à Rome, choisissez celle-ci. Outre la qualité de ses pièces, elle constitue une parfaite introduction à l'art de la Renaissance et au style baroque, sans être ennuyeuse. Elle se trouve dans le Casino Borghese, dont le style néoclassique est le

résultat d'un remaniement du XVIIᵉ siècle. Pour en limiter la fréquentation, les visiteurs y sont admis toutes les deux heures. Vous serez donc contraint de réserver et d'arriver à une heure précise, mais cela en vaut la peine.

La collection comporte deux sections. Celle du rez-de-chaussée rassemble de splendides sculptures, de délicates mosaïques romaines et des fresques exceptionnelles. Les peintures se trouvent à l'étage.

Dès le hall d'entrée, le ton est donné : en guise de décoration, un magnifique pavage de mosaïque du IVᵉ siècle représentant un combat de gladiateurs et un splendide *Satiro Combattente* du IIᵉ siècle.

L'œuvre majeure de la Salle I est l'audacieux portrait que fit le sculpteur Antonio Canova de la sœur de Napoléon, Paolina Bonaparte Borghèse, en *Venere Vincitrice* (Vénus victorieuse ; 1805-1808), à demi-nue. Mais les œuvres spectaculaires de Bernin – de splendides représentations de mythes païens – lui volent allégrement la vedette. Il suffit d'observer les mains de Daphné se couvrir de feuilles dans la surprenante *Apollon et Daphné* (*Apollo e Dafne* ; 1622-1625) de la Salle III, ou la main de Pluton presser la cuisse de Proserpine dans *Il Ratto di Proserpina* (L'Enlèvement de Proserpine ; 1621-1622 ; Salle IV) pour vous convaincre du génie du sculpteur.

Vous pourrez admirer plusieurs œuvres du Caravage, l'un des artistes préférés du cardinal, dans la Salle VIII, notamment : *Le jeune Bacchus malade* (1592-1595), *La Madone des palefreniers* (1605-1606) à l'étrange beauté ; et *Saint Jean-Baptiste* (1609-1610), sans doute la dernière œuvre du peintre. S'y trouvent aussi le célèbre *Jeune garçon portant un panier de fruits* (1593-1595) et l'impressionnant *David et la tête de Goliath* (1609-1610) – la tête de Goliath ne serait autre que l'autoportrait du peintre.

À l'étage, la pinacothèque rassemble quelques-unes des plus belles œuvres de la Renaissance, issues notamment des écoles toscane, vénitienne, ombrienne et nord-européenne.

Dans la salle IX, ne manquez pas l'extraordinaire *Déposition du Christ* (1507) et *La Dame à la licorne* (1506), de Raphaël. Vous pourrez également y admirer l'*Adoration de l'enfant Jésus* (1495) de Fra Bartolomeo et *La Madone et l'enfant* (début du XVIᵉ siècle) du Pérugin.

La salle suivante abrite la sensuelle *Danaé* (1530-1531) du Corrège et une mince Vénus dans *Vénus et l'Amour voleur de miel* (1531) de Cranach.

ROME, À LA LUMIÈRE DES SALLES OBSCURES

Les cinéphiles en conviendront, aller au cinéma est une excellente façon de préparer son voyage.

Au nombre des chefs-d'œuvre du néoréalisme tournés dans la Ville Éternelle, citons *Roma, città aperta* (Rome, ville ouverte ; 1945) de Roberto Rossellini, *Ladri di biciclette* (Le Voleur de bicyclette ; 1948) et *Umberto D* (1952) de Vittorio de Sica. Dans ses films d'un réalisme parfois violent, Pier Paolo Pasolini a dévoilé les aspects les plus sombres de Rome, s'intéressant en particulier à la vie des populations pauvres du quartier de Pigneto, comme dans *Accattone!* (1961), un film qui a fait école. Il a tourné ensuite *Mamma Roma* en 1962, magnifiquement interprété par Anna Magnani ; certaines scènes ont pour cadre le Trastevere.

Pour vous changer les idées, regardez la comédie *Un americano a Roma* (réalisée par Steno en 1947), conçue dans un état d'esprit radicalement différent. Alberto Sordi y interprète le personnage de Nando Mericoni, un jeune homme un peu simplet du Trastevere qui rêve de vivre en Amérique. Son ambition lui causera de nombreux déboires.

Dans les années 1960, le cinéma italien évolua, délaissant la noirceur pour une image plus stylisée, avec des films tournés pour l'essentiel dans les studios de Cinecittà, au top de la production cinématographique de l'époque. Federico Fellini devint le chef de file de ce mouvement. Son film *La Dolce Vita* (1960) est une allégorie de Rome. Quant aux *Notti di Cabiria* (Les Nuits de Cabiria ; 1957), il comporte des scènes tournées dans la Via Veneto, sur l'Aventin et aux thermes de Caracalla. Fellini a même réalisé un film en l'honneur de Rome, qu'il adorait (*Roma ;* 1972). Michelangelo Antonioni, qui travaillait à Rome à la même époque, a donné pour cadre à son film *L'Eclisse* (L'Éclipse ; 1962) le *centro storico* et l'EUR notamment. *Il Conformista* (Le Conformiste ; 1970) de Bernardo Bertolucci s'achevait au Colisée. Le cinéaste a également tourné les scènes finales de son film *La Luna* (1979) aux thermes de Caracalla.

Parmi les films réalisés plus récemment, citons l'étonnant *Caro diario* (Journal intime ; 1993) de Nanni Moretti, où l'on voit le réalisateur circuler en Vespa dans les rues désertes de Rome. L'excellent *Il Divo* (2008), de Paolo Sorrentino, raconte l'histoire de Giulio Andreotti, ancien Premier ministre italien ayant réalisé sept mandats consécutifs, jugé pour ses liens supposés avec la Mafia puis acquitté. Ce film vous donnera un bon aperçu de la ville en tant que siège du pouvoir et de la corruption.

Les rues de Rome remportent aussi un franc succès auprès des réalisateurs venus d'ailleurs. Les films étrangers les plus célèbres sont *Vacances romaines* (1953 ; voir aussi p. 141), de William Wyler, et *Ben Hur* (1959), mais la liste est longue : *La Fontaine aux amours* (1954) de Jean Negulesco, *Quinze jours ailleurs* (1962) de Vincente Minelli, *Le Ventre de l'architecte* (1987) de Peter Greenaway, *Portrait de femme* (1996) de Jane Campion, *Le Talentueux Mr. Ripley* (1999) d'Anthony Minghella et *Anges et Démons* (2009) de Ron Howard. Pour ce dernier film, le réalisateur fut obligé d'utiliser des reconstitutions, le Vatican lui ayant interdit de filmer sur place cette histoire imaginée par Dan Brown dans une église (*Da Vinci Code*, tourné en 2006, avait été peu apprécié des autorités vaticanes).

La salle XIV rassemble deux autoportraits de Bernin – l'un réalisé dans sa jeunesse, en 1623, et l'autre en 1635. Deux œuvres majeures de Rubens sont exposées dans la salle XVIII : *Lamentation sur le Christ mort* (1602) et *Suzanne et les vieillards* (1605-1607). Vous découvrirez enfin l'un des premiers chefs-d'œuvre du Titien, *L'Amour sacré et l'Amour profane* (1514) dans la salle XX.

Non loin de là, la **Galleria Nazionale d'Arte Moderna e Contemporanea** (carte p. 96 ; ☎ 06 322 98 221 ; www.gnam.arti.beniculturali.it ; Viale delle Belle Arti 131, entrée handicapés Via Antonio Gramsci 73 ; adulte/18-25 ans (UE)/moins de 18 ans et plus de 65 ans (UE) 10 €/8 €/gratuit ; ☼ 8h30-19h30 mar-dim), souvent ignorée, mérite une visite. Dans ce vaste palais Belle Époque

sont exposées les œuvres d'artistes comptant parmi les plus grands représentants de l'art moderne italien. On peut ainsi y admirer des toiles des Macchiaioli (les impressionnistes italiens) et des futuristes Boccioni et Balla, de même que plusieurs sculptures impressionnantes de Canova et des œuvres majeures de Modigliani et de Chirico. Des œuvres de Degas, Cézanne, Kandinsky, Klimt, Mondrian, Pollock et Henry Moore y sont aussi exposées.

Enfin, pour terminer la visite, rien de tel qu'une petite pause sur l'agréable terrasse de la cafétéria.

Le Viale delle Belle Arti mène un peu plus bas au **Museo Nazionale Etrusco di Villa Giulia** (carte p. 96 ; ☎ réservations 06 322 65 71 ; www.ticketeria.it ; Piazzale di

Villa Giulia 9 ; adulte/18-25 ans (UE)/moins de 18 ans et plus de 65 ans (UE) 4 €/27 €/gratuit ; 🕑 8h30-19h30 mar-dim). La plus belle collection d'art étrusque d'Italie est joliment mise en valeur dans cette demeure du XVIe siècle ayant appartenu au pape Jules III. Vasari, Vignola et Michel-Ange ont tous trois participé à la conception de la villa, construite entre 1551 et 1555. Celle-ci était initialement reliée au Tibre par un sentier traversant les jardins et les vignes alentour.

Si vous avez l'intention vous rendre sur les sites étrusques du Latium (voir p. 184), ce musée est l'endroit idéal pour préparer votre visite. Nombre des pièces qui y sont présentées proviennent de tombes étrusques du Latium : figurines en bronze, vaisselle noire en bucchero (terre cuite), décorations de temples, vases en terre cuite, ainsi qu'une impressionnante collection de bijoux.

Parmi les pièces à ne pas manquer figure une statue de terre cuite polychrome d'Apollon, un *Sarcophage des époux (Sarcofago degli Sposi)* datant du VIe siècle av. J.-C., ainsi que le "cratère d'Euphronios", un célèbre vase grec restitué à l'Italie en 2008 après 30 ans de féroces négociations entre l'État italien et le Metropolitan Museum of Art de New York.

Termini et Esquilin

L'**Esquilin** (Esquilino ; carte p. 100), la plus imposante des sept collines de Rome, s'étend du Colisée à la Stazione Termini et englobe la Via Cavour (artère très fréquentée reliant la Stazione Termini à la Via dei Fori Imperiali), la basilique Sainte-Marie-Majeure et ses célèbres mosaïques, et le ravissant quartier de **Monti**. Des vignes et des jardins recouvraient la colline et ne disparurent, pour la plupart, qu'à la fin du XIXe siècle au profit d'immeubles résidentiels. Flâner à Monti vous permettra de découvrir quantité de petites boutiques, de restaurants et de bars à l'atmosphère sympathique. Il s'agit de l'un des quartiers les plus anciens de Rome, connu pour avoir été le quartier des prostituées sous la République.

Pèlerins et amateurs d'art convergent vers la **Basilica di San Pietro in Vincoli** (carte p. 102 ; ☎ 06 488 28 65 ; Piazza di San Pietro in Vincoli 4a ; 🕑 8h-12h30 et 15h30-19h avr-sep, 8h-12h30 et 15h-18h oct-mars) pour voir les chaînes de saint Pierre et pour admirer le tombeau du pape Jules II, conçu par Michel-Ange. L'église fut construite au Ve siècle pour abriter les chaînes portées par saint Pierre dans la prison Mamertine (Carcere Mamertino, voir p. 117). Selon la légende, lorsque les maillons

conservés un temps à Constantinople furent rapportés à Rome comme reliques, les deux parties de la chaîne se soudèrent miraculeusement.

À droite de l'autel, le tombeau commandé par le pape Jules II est moins imposant que son projet initial : accaparé par la chapelle Sixtine (p. 136), Michel-Ange ne termina jamais les 40 statues qui devaient y figurer. On ne voit que Moïse, avec deux cornes pointant sur sa tête et une immense barbe. Ces cornes, qui suscitent une grande curiosité, seraient le fruit d'une erreur de traduction d'un passage de la Bible : alors que le texte original mentionnait des rayons de lumière jaillissant du visage de Moïse, le traducteur évoqua des "cornes". Michel-Ange, pourtant au fait de la chose, décida néanmoins de doter Moïse de cornes. Les statues de Léa et de Rachel, à ses côtés, furent sans doute achevées par des élèves de Michel-Ange. Et le pape fut finalement enseveli dans la basilique Saint-Pierre.

On accède à l'église par quelques marches, sous une petite arche, depuis la Via Cavour.

La **Chiesa Santa Maria Maggiore** (église Sainte-Marie-Majeure ; carte p. 100 ; ☎ 06 698 86 800 ; Piazza Santa Maria Maggiore ; 🕑 7h-19h), l'une des quatre églises patriarcales de Rome, fut édifiée au Ve siècle, au point le plus élevé de l'Esquilin.

Bien que l'architecture d'origine de son splendide intérieur ait été conservée, la basilique a subi d'importants remaniements au fil des siècles : son campanile roman, haut de 75 m (le plus haut de Rome) date du XIVe siècle ; sa façade baroque, œuvre de Ferdinand Fuga, de 1741, tout comme la majeure partie de son somptueux intérieur ; et le sol de la nef est un splendide exemple de pavement cosmatesque du XIIe siècle. Toutefois, la basilique est surtout connue pour ses mosaïques du Ve siècle, ornant la nef centrale et l'arc de triomphe, qui représentent des scènes de l'Ancien Testament. Des jumelles peuvent avoir leur utilité. Au centre de l'abside, on peut voir le couronnement de la Vierge, réalisé par Jacopo Torriti au XIIIe siècle.

Le baldaquin dominant le maître-autel fut soigneusement orné d'angelots dorés ; l'autel lui-même est un sarcophage de porphyre, réputé contenir les reliques de saint Matthieu et d'autres martyrs. Vous remarquerez une plaque, à droite de l'autel : c'est ici que furent inhumés Gian Lorenzo Bernini (Bernin) et son père Pietro. Un escalier mène à la *confessio* (crypte renfermant des reliques), où une statue représente le pape Pie IX agenouillé devant un reliquaire contenant un fragment de la mangeoire qui aurait accueilli l'Enfant Jésus.

La somptueuse Cappella Sistina, la dernière à droite, est l'œuvre de Domenico Fontana. Elle fut réalisée au XVIe siècle et abrite les tombeaux des papes Sixte V et Pie V.

En traversant la boutique de souvenirs, dans l'aile droite de l'église, on accède à un **musée** (adulte/enfant 4/2 € ; ☉ 9h-18h) rassemblant une collection hétéroclite d'objets religieux. La visite de la **loggia** (☎ 06 698 86 802 ; 5 € ; ☉ visites guidées sur réservation) est nettement plus intéressante : elle vous permettra d'admirer de splendides mosaïques du XIIIe siècle.

PIAZZA DELLA REPUBBLICA ET SES ALENTOURS

Flanquée de grandioses colonnades néoclassiques, l'imposante **Piazza della Repubblica** (carte p. 100) fut conçue dans le cadre des importants travaux de rénovation entrepris à Rome à la suite de l'unité italienne. C'est à proximité de cet immense rond-point que vous trouverez l'essentiel de la fameuse collection archéologique du Museo Nazionale Romano.

Les thermes, bibliothèques, salles de concert et jardins qui formaient les **thermes de Dioclétien** (Terme di Diocleziano ; carte p. 100) ont été achevés au début du IVe siècle av. J.-C. Ces thermes, les plus vastes de la Rome antique, pouvaient accueillir 3 000 personnes sur 13 ha. Les lieux tombèrent à l'abandon après la destruction de l'aqueduc qui les alimentait, pendant les invasions des années 530.

À l'extérieur, l'élégant cloître conçu par Michel-Ange est bordé de sarcophages classiques, de statues sans tête et de gigantesques têtes d'animaux sculptées provenant sans doute du forum de Trajan (p. 116).

Au nord, l'**Aula Ottagona** (Piazza della Repubblica ; entrée libre ; ☉ 9h-14h lun-sam, 9h-13h dim), souvent fermée pour manque de personnel, abrite encore d'autres sculptures antiques.

Aujourd'hui, le site où s'élevaient jadis les **thermes de Dioclétien** (aujourd'hui en ruine) accueille le **Museo Nazionale Romano** (Musée national romain ; carte p. 100 ; ☎ 06 399 67 700 ; www.pierreci.it ; Viale Enrico de Nicola 78 ; adulte/18-24 ans (UE)/moins de 18 ans et plus de 65 ans (UE) 7 €/3,50 €/gratuit, supplément exposition temporaire 3 €, audioguide 4 € ; ☉ 9h-19h45 mar-dim). Le rez-de-chaussée et les jardins accueillent une vaste collection de vases, d'amphores et d'ustensiles en terre cuite ou en bronze. Parmi les pièces les plus intéressantes figurent trois splendides statues de terre cuite représentant des femmes assises, provenant d'Ariccia, au sud-est de Rome. La grande galerie de l'étage

rassemble essentiellement des objets de la vie courante et des bijoux trouvés dans des tombes. Ils datent d'une période qui s'étend du XIe au VIe siècles av. J.-C.

L'imposante **Basilica di Santa Maria degli Angeli** (carte p. 100 ; ☎ 06 488 08 12 ; www.santamariadegliangeli roma.it ; Piazza della Repubblica ; ☉ 7h-18h30 lun-sam, 7h-19h30 dim) occupe l'espace qui fut autrefois le hall central des thermes de Dioclétien. Elle fut initialement conçue par Michel-Ange, mais seul son immense plafond voûté fut réalisé d'après les plans de l'artiste.

Chef-d'œuvre de l'architecture classique, le lumineux **Palazzo Massimo alle Terme** (carte p. 100 ; ☎ 06 399 67 700 ; www.pierreci.it ; Largo di Villa Peretti 1 ; adulte/18-24 ans (UE)/moins de 18 ans et plus de 65 ans (UE) 7 €/3,50 €/gratuit, supplément exposition 3 €, audioguide 4 € ; ☉ 9h-19h45 mar-dim) est une annexe du Musée national romain. Bien qu'il s'agisse de l'un des plus beaux musées de Rome, il est peu visité.

Les salles du rez-de-chaussée et du premier étage sont consacrées à la sculpture du IIe siècle av. J.-C. au Ve siècle. Cet art avait pour principal objet la glorification des empereurs, comme en témoigne la représentation d'Auguste en *pontifex maximus* dans la salle V au rez-de-chaussée. Dans la même salle, vous remarquerez les frises en marbre provenant du Forum romain. Elles ont été récupérées sur l'entablement du premier intérieur de la Basilica Fulvia Aemilia et sont décorées de scènes évoquant les origines de Rome. Dans la salle VI voisine, on peut admirer la *Niobide degli Horti Salustiani*, sculpture datant du Ve siècle av. J.-C. Elle figure l'un des 14 enfants de Niobé. Niobé s'était moquée de Léto, mère d'Apollon et d'Artémis. En représailles, ceux-ci tuèrent ses enfants avec des flèches.

D'autres trésors – notamment une voluptueuse Aphrodite, malheureusement abîmée, provenant de la villa d'Hadrien (p. 183) à Tivoli – sont exposés au premier étage. Néanmoins, les pièces maîtresses du musée sont les superbes mosaïques et fresques exposées au 2e étage : parmi elles figurent des fresques provenant d'une villa de la période augustinienne. Richement colorées, celles des *cubicula* (chambres) donnent à voir des scènes religieuses, érotiques ou de théâtre, tandis que celles du *triclinium* (salle à manger) représentent des paysages.

Les peintures (20 à 10 av. J.-C.) de la villa Livia – l'une des résidences de la femme d'Auguste, Livia Drusilla – sont encore plus belles. Découvertes au XIXe siècle, ces magnifiques fresques représentent un jardin imaginaire, somptueusement fleuri, sont exposées ici depuis 1951. Elles ornaient les murs d'un grand salon (sans doute un *triclinium* d'été) partiellement enfoui dans le sol pour protéger ses hôtes de la chaleur.

San Giovanni et colline du Celio

Mille ans durant, la **basilique Saint-Jean-de-Latran** (Basilica di San Giovanni in Laterano ; carte p. 108 ; ☎ 06 698 73 112 ; Piazza di San Giovanni in Laterano 4 ; ☽ 7h-18h30) fut l'église la plus importante de toute la chrétienté. Édifiée par Constantin en 324, elle fut la première basilique chrétienne de la cité. Elle est aujourd'hui la cathédrale de Rome, et son évêque n'est autre que le pape.

Dominée par quinze statues monumentales – dont le Christ, saint Jean-Baptiste et saint Jean l'Évangéliste – l'immense façade blanche d'Alessandro Galilei illustre parfaitement le style baroque de la seconde moitié du XVIIe siècle, conçu pour affirmer l'immense autorité de l'Église. Ses **portes de bronze** proviennent de la Curie du Forum romain. À droite, la Porte sainte est ouverte uniquement les années jubilaires.

L'intérieur fut restauré à maintes reprises. Sa forme actuelle est essentiellement l'œuvre de Francesco Borromini, auquel le pape Innocent X fit appel à l'occasion du jubilée de 1650. L'artiste réalisa notamment l'encadrement des monuments funéraires des collatéraux et les fenêtres ovales – caractéristiques de son style – qui les surmontent.

Certains éléments plus anciens furent conservés, comme le ravissant sol de mosaïque du XVe siècle et le baldaquin gothique qui surmonte l'autel papal. Au sommet se trouve le reliquaire réputé renfermer les têtes de saint Pierre et de saint Paul. Au-dessous, un double escalier mène à la *confessio*, qui contient des fragments de l'autel de bois sur lequel aurait officié saint Pierre, et qui fut utilisé par les papes du Ier au IVe siècle.

La fresque – incomplète – qui se trouve derrière le premier pilier du collatéral droit est de Giotto. Tout en la contemplant, tendez l'oreille : la légende veut que lorsqu'un pape est sur le point de mourir, le monument dédié au pape Sylvestre II (999-1003), près du pilier suivant, se mette à transpirer et à craquer.

À gauche de l'autel, un magnifique **cloître** (2 € ; ☽ 9h-18h) fut construit à l'initiative de la famille Vassalletto au XIIIe siècle. Les colonnes torsadées conservent quelques restes des mosaïques de marbre qui les couvraient autrefois.

Bordant la Piazza San Giovanni in Laterano, elle-même dominée par l'obélisque le plus haut et le plus ancien de Rome, se dresse le **Palazzo Laterano** (XVIe siècle), œuvre de Domenico Fontana. Initialement rattaché à la basilique du IVe siècle, il fut la résidence officielle du pape jusqu'en 1377 et abrite aujourd'hui le siège du diocèse de Rome.

À l'angle de la place se dresse le fascinant **baptistère** octogonal édifié par Constantin au IVe siècle. Surmonté d'une coupole, il servit de modèle pour les églises et les clochers plus tardifs. On peut notamment y admirer des mosaïques du Ve siècle.

C'est à l'autre extrémité de la place que se trouvent la **Scala Santa** (Saint-Escalier ; carte p. 108 ; ☎ 06 772 66 41 ; Piazza di San Giovanni in Laterano 14 ; Scala/Sancta 3,50 €/gratuit, Sancta et Cappella San Silvestro 5 € ; ☽ Scala 6h15-12h et 15h30-18h45 avr-sept, 6h15-12h et 15h-18h15 oct-mars, Sancta Sanctorum 10h30-11h30 et 15h-16h30 avr-sept, 10h30-11h30 et 15h-16h oct-mars, fermé mer matin et dim) et le **Sancta Sanctorum** (Saint des Saints). La Scala Santa serait l'escalier que Jésus aurait gravi dans le palais de Ponce Pilate à Jérusalem. Elle se monte uniquement à genoux, et il règne ici une grande ferveur. Au sommet des marches, le Sancta Sanctorum, ancienne chapelle privée des papes, renferme de belles fresques du XIIIe siècle.

L'architecture de la **Basilica di San Clemente** (carte p. 108 ; ☎ 06 774 00 21 ; www.basilicasanclemente. com ; Via di San Giovanni in Laterano ; entrée église/fouilles gratuit/5 € ; ☽ 9h-12h30 et 15h-18h lun-sam, 12h-18h dim), située entre Saint-Jean-de-Latran et le Colisée, offre l'occasion d'une plongée dans les profondeurs de l'histoire romaine. La magnifique mosaïque de l'abside, du XIIe siècle, représente *Le Triomphe de la Croix*, avec douze colombes symbolisant les apôtres. Autour de la Croix, vous reconnaîtrez notamment la Vierge, saint Jean l'Évangéliste et saint Jean-Baptiste. La beauté de cette mosaïque est néanmoins éclipsée par les fresques Renaissance de la chapelle Sainte-Catherine, à gauche de l'entrée.

Descendez ensuite les marches qui mènent à l'église du IVe siècle, presque intégralement détruite lors de l'invasion normande de 1084. On peut encore y voir des fresques du XIe siècle illustrant la vie de saint Clément. Un niveau plus bas, vous emprunterez un chemin antique menant à une demeure romaine et au temple de Mithra (voir l'encadré page suivante). On y voit un autel représentant le dieu immolant un taureau. En contrebas, on entend couler une rivière souterraine, canalisée par un drain de l'époque de la République romaine.

LE CULTE DE MITHRA

Le mithraïsme était un culte d'origine perse extrêmement populaire au sein de l'armée de la Rome antique. Selon la mythologie, Mithra, un jeune dieu, reçut l'ordre du Soleil de tuer un taureau. Lorsque le taureau mourut, l'animal donna la vie, car du blé sortit de sa colonne vertébrale, et du vin de son sang. Sa semence, recueillie par la Lune, produisit des animaux utiles aux hommes. L'iconographie représente souvent un serpent et un chien attaquant le taureau pour l'empêcher de donner la vie, et un scorpion serrant ses testicules. Les temples dédiés à Mithra, toujours souterrains et obscurs, ne sont toutefois pas le signe d'une tendance sinistre. Ils représentent au contraire le cosmos, créé à partir de la Terre. Les fidèles devaient suivre une initiation complexe, au cours de laquelle ils devaient passer par différents grades, tels que "soldat" ou "corbeau". Ils consommaient également du pain et de l'eau représentant le corps et le sang du taureau. Cela ne vous rappelle rien ? Précisément, les premiers chrétiens étaient fermement opposés à la pratique de ce culte, jugé trop proche du leur. Ironie du sort, le mithraeum le mieux préservé de Rome se trouve juste au-dessous de la splendide basilique chrétienne de Saint-Clément (p. 130).

Au sud-ouest, les ruines monumentales des **thermes de Caracalla** (carte p. 108 ; ☎ 06 399 67 700 ; Viale delle Terme di Caracalla 52 ; entrée couplée avec le Mausoleo di Cecilia Metella et la Villa dei Quintili adulte/18-24 ans (UE)/moins de 18 ans ou plus de 65 ans (UE) 6 €/3 €/gratuit, audioguide 4 € ; ☸ 9h-19h15 mar-dim avr-août, 9h-19h sept, 9h-18h30 oct, 9h-17h30 mi-mars à fin mars, 9h-17h mi-fév à mi-mars, 9h-16h30 nov à mi-fév, 9h-14h lun) comptent parmi les plus impressionnantes de Rome et donnent une idée assez précise de l'ambition des empereurs romains en matière de construction. Couvrant une surface de 10 ha, ce complexe de loisirs pouvait accueillir 1 600 personnes et comprenaient des *caldaria* (salles chaudes) richement décorées, un *tepidarium* (salle tiède), une piscine, des gymnases, des bibliothèques, des boutiques et des jardins. On estime qu'entre 6 000 et 8 000 personnes s'y rendaient chaque jour. Dans les sous-sols, les esclaves entretenaient un système complexe de canalisations occupant 9,5 km de tunnels. Commencés par Antonius Caracalla et inaugurés en 217, les thermes furent utilisés jusqu'en 537, année de l'invasion de Rome par les Wisigoths. Lors de fouilles réalisées aux XVIe et XVIIe siècles, on découvrit d'importantes sculptures, dont beaucoup vinrent enrichir la collection des Farnèse.

Trastevere

Un dédale de ruelles pavées, des cordes à linge tendues entre des façades du XVIIe siècle couvertes de lierre et de vieux édifices couleur ocre : le Trastevere est indéniablement un merveilleux lieu de promenade. Outre sa fascinante beauté, on dit de ce quartier populaire qu'il a su conserver son âme, bien qu'il soit en passe de devenir le fief des étrangers fortunés. Il se trouve sur la rive opposée au *centro storico*, d'où son nom de *tras tevere*, "au-delà du Tibre". Ses innombrables bars et restaurants en font le lieu idéal pour passer les soirées estivales.

La ravissante **Piazza Santa Maria in Trastevere** (carte p. 106), toujours très animée, est le cœur du quartier. Restaurée au XVIIe siècle, la fontaine qui trône au centre date de l'époque romaine.

La jolie **Basilica di Santa Maria in Trastevere** (carte p. 106 ; ☎ 06 581 48 02 ; www.santamariaintrastevere.org ; Piazza Santa Maria in Trastevere ; ☸ 7h30-20h) serait la plus ancienne des églises de Rome dédiées à la Vierge. Construite en 337, elle connut en 1138 un important remaniement avec l'ajout d'un campanile roman et d'une façade ornée de mosaïques. Le portique, de Carlo Fontana, date de 1702.

À l'intérieur, les superbes mosaïques du XIIe siècle ornant l'abside représentent le Christ et Marie entourés de saints ; à l'extrême gauche, le pape Innocent II tient dans ses mains une maquette de l'église. Au-dessous, une série de six mosaïques de Pietro Cavallini illustrent la vie de la Vierge (vers 1291).

L'église compte également 21 colonnes antiques, dont certaines proviennent des thermes de Caracalla. Son plafond en bois date du XVIIe siècle.

Une courte promenade vous conduira de la Piazza Santa Maria in Trastevere à la Piazza Trilussa et au pittoresque **Ponte Sisto** (carte p. 106), pont piétonnier qui franchit le Tibre vers la Via Giulia et le Campo de' Fiori.

De l'autre côté du Trastevere, à l'est du Viale di Trastevere (la grande artère où se trouve l'arrêt du tram n°8 provenant du Largo di Torre Argentina), deux églises méritent

ROME ET LATIUM

votre attention. La **Basilica di Santa Cecilia in Trastevere** (carte p. 106 ; ☎ 06 589 92 89 ; Piazza di Santa Cecilia 22 ; basilique/fresque de Cavallini/crypte gratuit/2,50 €/2,50 € ; ☯ basilique et crypte 9h30-12h30 et 16h-18h30, fresque de Cavallini 10h15-12h lun-sam, 11h15-12h15 dim), où repose sainte Cécile (patronne des musiciens), abrite dans le chœur des religieuses une magnifique fresque du XIIIe siècle, réalisée par Pietro Cavallini. Sous l'autel, une délicate sculpture de Stefano Moderno représente la dépouille miraculeusement préservée de sainte Cécile, telle qu'elle fut découverte dans la catacombe de San Callisto en 1599. Sous l'église, on peut voir les **vestiges** de plusieurs maisons romaines, dont l'une aurait appartenu à sainte Cécile.

Non loin, la Via della Luce mène à la **Chiesa di San Francesco a Ripa** (carte p. 106 ; ☎ 06 581 90 20 ; Piazza San Francesco d'Assisi 88 ; ☯ 7h-12h et 16h-19h lun-sam, 7h-13h et 16h-19h30 dim), où vous pourrez admirer la *Bienheureuse Ludovica Albertoni*, une œuvre sublime et très sensuelle de Bernin.

Saint François d'Assise aurait séjourné dans l'église au XIIIe siècle ; vous y verrez la pierre qui lui aurait servi d'oreiller.

Janicule

Du sommet du mont **Janicule** (Gianicolo ; carte p. 106), surplombant le Trastevere, la vue sur Rome est imprenable. L'endroit accueille régulièrement des spectacles de marionnettes, et l'on y trouve aussi un petit café.

À mi-hauteur, le sublime **Tempietto** (carte p. 106 ; ☎ 06 581 39 40 ; www.sanpietro inmontorio.it ; Piazza San Pietro in Montorio 2 ; ☯ église 8h-12h et 15h-16h lun-ven, tempietto 9h30-12h30 et 16h-18h mar-dim avr-sept, 9h30-12h30 et 14h-16h mar-dim oct-mars), de Bramante, est considéré comme le premier grand chef-d'œuvre architectural de la haute Renaissance. Il fut construit dans la cour de la Chiesa di San Pietro in Montorio, à l'endroit où saint Pierre aurait été crucifié. En 1628, soit plus d'un siècle plus tard, Bernin l'enrichit d'un escalier et ajouta une chapelle à l'église adjacente.

L'ascension est certes éprouvante, mais vos efforts seront récompensés par la beauté de la vue. Vous pouvez aussi emprunter le bus 870 dans la Via Paola, à l'angle du Corso Vittorio Emanuele II, près du Tibre.

Le bus vous rapprochera également de la **villa Doria Pamphilj** (carte p. 95 ; Via Aurelia Antica ; ☯ aube-crépuscule), située à proximité. Ce parc immense, le plus grand de Rome, fut créé au XVIIe siècle pour le prince Camillo Pamphilj, cousin du pape Innocent X.

Cité du Vatican, Borgo et Prati

Le plus petit État indépendant du monde – moins de 1 km[2] –, la **cité du Vatican** (Città del Vaticano ; carte p. 98) continue d'exercer une influence pour un milliard de catholiques. Sa richesse, de l'opulence de la basilique Saint-Pierre aux somptueuses collections de ses musées, est son autre particularité.

Après la réalisation de l'unité italienne en 1861, les États pontificaux intégrèrent le nouveau royaume. L'Église perdit une bonne part de sa puissance séculière, donnant naissance à un profond clivage entre l'Église et l'État. En signant les accords du Latran (ou Concordat) avec Pie XI en 1929, Mussolini conféra au pape une entière souveraineté sur le Vatican. Ce traité lui accordait également une extraterritorialité sur les cathédrales Saint-Jean-de-Latran (avec le Palazzo del Laterano), Sainte-Marie-Majeure et Saint-Paul-hors-les-Murs.

État souverain, le Vatican possède son propre service postal, sa monnaie, un journal, une radio et une gare. Il compte également une armée de gardes suisses assurant la sécurité du pape. Jules II fut le premier pape, en 1506, à faire appel aux services de ces militaires catholiques, au bel uniforme rayé, pour défendre les États pontificaux alors menacés.

Symmachus (498-514) fut le premier pape à s'installer dans la cité, mais il fallut attendre 1377 pour que le palais du Vatican devienne la résidence officielle des papes. Les pontifes avaient jusqu'alors vécu au Palazzo del Laterano, à côté de la Basilica di San Giovanni, et momentanément en Avignon, au XIVe siècle.

L'architecture actuelle du Vatican résulte de plus d'un millénaire de constructions et de restructurations. En 846, le pape Léon IV fit ériger les enceintes (remparts léonins) afin de se protéger contre les invasions des Sarrasins. Au XIIe siècle, Eugène III fit bâtir le palais du Vatican, qui accueille aujourd'hui les musées. Ses successeurs firent agrandir et fortifier l'édifice et le décorèrent selon leurs orientations politiques et artistiques personnelles.

Entre le Vatican et la rivière s'étend le quartier médiéval aux rues pavées du Borgo (avant que Mussolini ne fasse percer la Via della Conciliazione, toutes les rues qui entouraient Saint-Pierre ressemblaient à celles du Borgo). Au nord du Vatican, le joli quartier résidentiel de Prati est le siège de nombre de médias (dont la RAI). On y trouve en outre des hôtels et des restaurants réputés.

PLACE SAINT-PIERRE

Œuvre de Bernin, l'immense **place Saint-Pierre** (carte p. 98) est un chef-d'œuvre d'urbanisme baroque et l'une des plus grandes places au monde : ses dimensions atteignent 340 m sur 240 m et elle compte 284 colonnes surmontées de 140 statues de saints.

Vue d'en haut, elle ressemble à un gigantesque trou de serrure : deux colonnades en demi-cercle, composées chacune d'une quadruple rangée de colonnes doriques, délimitent un vaste espace ovale qui se resserre en direction de la basilique, comme pour canaliser le flux des croyants. Un effet recherché par l'architecte : Bernin voulut représenter par ces colonnades "l'étreinte maternelle de l'Église". La place fut conçue de manière à surprendre le visiteur débouchant du dédale de ruelles étroites qui formaient autrefois le quartier. Un effet gâché par Mussolini, qui fit construire une longue voie d'accès rectiligne, la Via della Conciliazione. L'obélisque central, d'une hauteur de 25 m, fut rapporté d'Héliopolis (Égypte) par Caligula ; Néron l'installa plus tard dans son cirque réservé aux courses de chars.

C'est du balcon de la basilique donnant sur cette place que le pape prononce son homélie hebdomadaire, le dimanche à midi.

BASILIQUE SAINT-PIERRE

De toutes les splendides églises que compte la ville, la **basilique Saint-Pierre** (Basilica di San Pietro ; carte p. 98 ; ☎ 06 698 83 731 ; www.vatican.va ; Piazza San Pietro ; entrée libre, audioguides 5 € ; ⏱ 7h-19h avr-sept, 7h-18h oct-mars), est la plus impressionnante, tant pour ses dimensions que pour ses richesses, fruits de l'immense talent des artistes qui y ont œuvré à travers les siècles. Elle accueille parfois jusqu'à 20 000 visiteurs par jour, qui doivent observer des règles vestimentaires strictes : shorts, mini-jupes et épaules nues y sont proscrits. Vous trouverez des audioguides (5 €) près du vestiaire, à droite de l'entrée. L'office du tourisme du Vatican (*Centro Servizi Pellegrini e Turisti*) organise des visites guidées gratuites en anglais (9h45 les mardis et les jeudis et 14h15 du lundi au vendredi).

La première basilique fut érigée au IVe siècle par Constantin, premier empereur chrétien de Rome, sur le site du stade de Néron, l'Ager Vaticanus, où fut enterré saint Pierre, entre l'an 64 et 67. Elle fut consacrée en 326.

Comme bon nombre d'églises de la même époque, elle se trouva réduite à l'état de ruines avant d'être restaurée à partir du XVe siècle,

AUDIENCES PAPALES

Tous les mercredis à 11h, le pape rencontre les fidèles au Vatican (en juillet et en août, les audiences ont lieu à Castel Gandolfo, voir p. 190). Pour obtenir des entrées gratuites, il suffit de se rendre à la billetterie de la Prefettura della Casa Pontificia, qui se trouve après le seuil de la "porte de bronze", sous la colonnade de droite de la place Saint-Pierre. Déposez votre demande le mardi qui précède l'audience ou, en insistant un peu, le matin même. Sinon, téléchargez le formulaire de demande (valable aussi pour les cérémonies liturgiques) sur le site du Vatican à www.vatican.va/various/prefettura/fr/biglietti_fr.html, puis envoyez-le par fax ou par courrier à la **Prefettura della Casa Pontificia** (fax 06 698 85 863 ; Préfecture de la Maison pontificale, 00120 Città del Vaticano). N'oubliez pas de laisser vos coordonnées (nom de l'hôtel par exemple).

à l'initiative des papes Nicolas V et Jules II. En 1506, Bramante conçut un plan en croix grecque, avec une coupole centrale et quatre coupoles plus petites. La destruction de l'ancienne basilique, ornée de précieuses fresques et mosaïques byzantines, lui valut de nombreuses critiques.

La construction de la nouvelle basilique, qui demeure la plus imposante au monde, nécessita plus de 150 ans et attira, outre Bramante, Raphaël, Antonio da Sangallo, Michel-Ange, Giacomo Della Porta et Carlo Maderna. Il semble que Michel-Ange, qui prit la direction du projet en 1547, à l'âge de 72 ans, fut chargé de concevoir la coupole.

Carlo Maderna, qui reprit le flambeau à la mort du peintre, dessina la façade et le porche. Il fut contraint d'agrandir la nef en direction de la place, transformant ainsi la croix grecque de Bramante en croix latine.

L'intérieur (187 m de long, plus de 15 000 m² de superficie), décoré par Bernin et Giacomo Della Porta, peut accueillir jusqu'à 60 000 personnes. Il recèle de fabuleuses œuvres d'art, dont la troublante **Pietà** de Michel-Ange, dans l'aile droite, sculptée par l'artiste alors qu'il n'avait que 25 ans ; c'est la seule de ses œuvres à porter sa signature (sur l'écharpe qui ceint la poitrine de la Vierge). Le **disque de porphyre rouge**, juste derrière la porte principale, marque l'endroit où Charlemagne et, plus tard, d'autres empereurs romains, furent couronnés par le pape.

Le *baldacchino* (baldaquin) baroque de Bernin domine le centre de l'église du haut de ses 29 m. Réalisé avec le bronze du toit du Panthéon, il est supporté par quatre colonnes torsadées. Le maître-autel, derrière lequel seul le pape peut officier, se dresse à l'endroit où saint Pierre fut enterré.

À droite du maître-autel, la célèbre **statue de saint Pierre** daterait du XIIIe siècle. Elle est attribuée à Arnolfo di Cambio. Son pied droit, très usé, témoigne de la ferveur des pèlerins qui viennent en nombre le toucher ou l'embrasser.

Le **dôme** (avec/sans ascenseur 7/5 € ; 🕐 8h-18h avr-sept, 8h-17h oct-mars), de Michel-Ange, s'élève à 119 m au-dessus du maître-autel. S'inspirant du Duomo de Florence imaginé par Brunelleschi, la coupole repose sur quatre solides piliers de pierre, nommés d'après les statues des saints installées dans les niches de Bernin (Longin, Hélène, Véronique et André) et ornés de bas-reliefs représentant les *Reliquie Maggiori* (reliques majeures) : la lance de saint Longin, qui transperça le Christ ; le suaire de sainte Véronique, sur lequel est apparu le visage du Christ, et un fragment de la Croix, rapporté par sainte Hélène, mère de Constantin.

L'accès à la coupole se situe à droite de la basilique. Pour monter tout en haut de l'église, vous avez le choix entre l'ascenseur ou l'escalier ; vous grimpez ensuite les 320 marches jusqu'à la base de la coupole d'où la vue plonge sur la basilique. Un escalier étroit permet d'accéder au sommet de la coupole et à la lanterne de saint Pierre. La vue sur Rome est incomparable. Sachez que l'ascension est assez longue et éprouvante. À éviter si vous êtes sujet au vertige, ou claustrophobe.

Accessible depuis la nef gauche de la basilique, le **Museo Storico Artistico** (musée d'Art et d'Histoire ; adulte/enfant et étudiant 6/4 € ; 🕐 9h-18h15 avr-sept, 9h-17h15 oct-mars) brille de mille reliques sacrées et objets inestimables, notamment un tabernacle de Donatello et la Crux Vaticana (VIe siècle), une croix incrustée de pierres précieuses, cadeau de l'empereur Justinien II.

Les **grottes du Vatican** (Sacre Grotte Vaticane ; entrée libre ; 🕐 9h-18h avr-sept, 9h-17h oct-mars) renferment les sépultures de nombreux papes, notamment celle de Jean Paul II, dont la simplicité offre un saisissant contraste avec le caractère spectaculaire de l'édifice. Vous remarquerez aussi les vestiges des gigantesques colonnes de la première basilique (IVe siècle). L'entrée se trouve à droite du portique.

Les fouilles réalisées sous la basilique dès 1940 ont permis de mettre au jour une partie de l'ancienne église, ainsi que le (présumé) **tombeau de saint Pierre** (entrée 10 €, réservation obligatoire, plus de 15 ans). En 1942, les ossements d'un homme âgé et corpulent furent exhumés d'un coffre caché derrière un mur couvert de graffitis de pèlerins. Au terme d'une expertise qui dura plus de trente ans, le pape Paul VI déclara en 1976 que ces reliques étaient bien celles de saint Pierre.

Le site des fouilles n'est accessible qu'en participant à une visite guidée de 90 minutes. La réservation se fait auprès de l'**Ufficio Scavi** (bureau des fouilles ; ☎ 06 698 85 318 ; scavi@fsp.va). Il est recommandé de s'y prendre longtemps à l'avance.

MUSÉES DU VATICAN

La visite des **musées du Vatican** (Musei Vaticani ; carte p. 98 ☎ 06 698 84 947 ; www.vatican.va ; Viale Vaticano ; adulte/6-18 ans ou étudiant/moins de 6 ans 14 €/8 €/gratuit, entrée libre le dernier dim du mois ; 🕐 9h-18h lun-sam, dernière entrée 16h, 9h-14h, dernière entrée 12h30 dernier dim du mois) est une expérience inoubliable, mais éprouvante : les files d'attente sont inévitables. Vous pouvez réserver en ligne (http://biglietteriamusei vatican.va/musei/tickets/do?weblang=enetdo) pour éviter de faire la queue à certains endroits, mais n'échapperez pas aux contrôles de sécurité. Une pièce d'identité en cours de validité, ainsi qu'une version imprimée de l'e-mail de confirmation vous seront demandées.

Fondés par le pape Jules II au XVIe siècle puis agrandis par ses successeurs, les musées occupent le Palazzo Apostolico Vaticano, un immense complexe de 5,5 ha constitué de deux palais (le palais du Vatican, le plus proche de la place, et le palais du Belvédère) reliés par deux longues galeries. Ces palais sont agrémentés de trois cours : la cour dite de la Pigna, la cour de la Bibliothèque et, au sud, la cour du Belvédère.

N'imaginez pas faire le tour de ces immenses musées en une seule visite. Tout au plus pourrez-vous parcourir les salles principales en quelques heures. Plusieurs itinéraires vous sont proposés au départ de l'espace Quattro Cancelli, près de l'entrée, mais vous pouvez aussi élaborer votre propre itinéraire. Chaque galerie renferme des trésors d'une valeur inestimable, mais si vous êtes pressé il est conseillé de visiter en priorité la pinacothèque, le musée Pio Clementino, la galerie des cartes géographiques, les chambres de Raphaël et la chapelle Sixtine.

La location d'un audioguide (7 €) ou l'achat du *Guide de la Cité et des Musées du Vatican*

(10 €) peut se révéler utile, de même que l'inscription (sur la billetterie en ligne du Vatican) à une visite guidée (adulte/tarif réduit 30/25 €).

Les musées disposent d'un équipement adapté aux handicapés et leur proposent quatre itinéraires spéciaux, plusieurs ascenseurs et des toilettes aménagées. Il est possible de réserver des fauteuils roulants par fax (06 698 85 433). Les poussettes sont admises.

Vous trouverez ci-dessous une brève description des principaux musées et de leurs œuvres majeures.

Dans les salles de la **Pinacoteca,** vous pourrez admirer la dernière œuvre de Raphaël, *La Transfiguration* (1517-1520), ainsi que des toiles de Giotto, Bellini, le Caravage, Fra Angelico, Filippo Lippi, Guido Reni, Van Dyck, Pierre de Cortone et Léonard de Vinci, dont le *Saint Jérôme* (v. 1480) est inachevé.

Fondé par Grégoire XVI en 1839, le **Museo Gregoriano Egizio** (Musée grégorien égyptien) possède des pièces rapportées d'Égypte à l'époque romaine. Le fonds est assez réduit mais comporte des œuvres splendides, tel le *Trône de Ramsès II*, fragment d'une statue représentant le souverain assis, des sarcophages aux couleurs vives datant des environs de 1000 av. J.-C. et plusieurs momies.

Le **Museo Chiaramonti**, qui occupe la longue galerie est du niveau inférieur du palais du Belvédère, rassemble des statues de dieux gréco-romains, de joyeux chérubins et d'austères patriciens romains. Au bout à droite, dans le Braccio Nuovo (nouvelle aile), vous verrez une célèbre statue d'Auguste et une statue du Nil sous la forme d'un homme accompagné de 16 nouveau-nés (qui représenteraient le nombre de coudées dont le Nil s'élevait lors de ses crues).

Le **Museo Pio Clementino**, situé dans le pavillon du Belvédère (XVe siècle), renferme de somptueuses statues classiques, notamment les célèbres *Apollon du Belvédère* et *Laocoon* (Ier siècle av. J.-C.), toutes deux exposées dans la Cour octogonale.

La première est une copie romaine du IIe siècle d'un bronze grec du IVe siècle av. J.-C. Cette représentation d'Apollon, le dieu du soleil, est considérée comme l'un des plus grands chefs-d'œuvre de la sculpture classique. La seconde, *Laocoon,* représente un prêtre troyen et ses deux fils livrant un combat mortel contre deux serpents de mer. Selon la légende, les serpents auraient été envoyés pour punir le prêtre d'avoir averti les Troyens que le cheval de Troie constituait un danger. Lors de la découverte de la statue sur l'Esquilin en 1506, Michel-Ange et Giuliano da Sangallo confirmèrent qu'il s'agissait bien de la sculpture mentionnée par Pline l'Ancien quelque 1 500 ans plus tôt.

Exposé dans la **Sala delle Muse** (salle des Muses), le *Torse du Belvédère*, sculpture grecque du Ier siècle av. J.-C., fut découvert sur le Campo de' Fiori peu après l'époque à laquelle fut mise au jour celle de *Laocoon.* La **Sala Rotonda** (salle ronde) du pavillon du Belvédère abrite quantité de statues colossales, notamment un bronze doré d'*Hercule* et une splendide mosaïque représentant des monstres marins et des batailles opposant des Grecs à des centaures. L'immense bassin qui occupe le centre de la pièce fut découvert sur le site de la Domus Aurea de Néron (p. 114). Il fut sculpté dans un unique bloc de porphyre rouge.

Au niveau supérieur (en haut de l'escalier réalisé au XVIIIe siècle par Simonetti), le Museo Gregoriano Etrusco rassemble des objets funéraires étrusques provenant de l'Étrurie du Sud (nord du Latium), ainsi qu'une collection de vases grecs et d'antiquités romaines. Dans la salle des bronzes, le *Marte di Todi* (Mars de Todi) est une statue en pied d'un guerrier datant du IVe siècle av. J.-C.

La dernière salle située à l'extrémité de cette aile (après la Sala delle Terracotte) offre une vue magnifique sur Rome et permet de voir en entier l'escalier hélicoïdal de Bramante, du XVIe siècle, conçu pour être gravi à cheval.

Au bout de la **Galleria delle carte Geografiche**, longue de 175 m et dans laquelle sont exposées des cartes du XVIe siècle, et de l'**Appartamento di San Pio V**, orné de tapisseries, les magnifiques **Stanze di Raffaello** (chambres de Raphaël) constituaient les appartements privés de Jules II. Raphaël peignit la *Stanza della Segnatura* (chambre de la Signature ; 1508-1511) et la *Stanza d'Eliodoro* (chambre d'Héliodore ; 1512-1514), ses élèves décorèrent la *Stanza dell'Incendio* (chambre de l'Incendie du Borgo ; 1514-1517) d'après ses dessins, et le Pérugin réalisa la fresque du plafond.

Dans la **Stanza della Segnatura**, vous pourrez admirer les premières fresques de Raphaël ainsi que sa célèbre *La Scuola d'Atene* (École d'Athènes), mettant en scène des philosophes et des savants regroupés autour de Platon et d'Aristote. On pense que le personnage solitaire devant l'escalier n'est autre que Michel-Ange, tandis que Platon aurait les traits de Léonard de Vinci, et Euclide (en bas à droite) ceux de Bramante. Enfin, Raphaël figure lui-même

CHIC CLÉRICAL

La ville du Saint-Siège est, comme on le sait, assidûment fréquentée par des gens d'église venus du monde entier. Mais ce que l'on sait moins, c'est qu'entre deux séances d'études, de prière ou de colloque, les membres de l'église peuvent céder à la tentation de renouveler leur garde-robe pendant leur séjour. Quiconque a aimé le célèbre défilé de mode ecclésiastique dans *Roma* de Fellini devrait apprécier deux boutiques proches du Panthéon : **Barbiconi** (carte p. 102 ; ☎ 06 679 49 85 ; www.barbiconi.it ; via Santa Caterina da Siena) et **De Ritis** (carte p. 102 ; ☎ 06 326 50 838 ; via dei Cestari 48). Ici, prêtres et religieuses peuvent entièrement s'équiper, des sous-vêtements aux parapluies, et essayer les dernières tendances en matière d'aubes, de soutanes, etc. Les chasubles ne sont peut-être pas aussi tendance que les vestes en satin blanc endossées par certains jeunes prêtres en ville, mais elles n'en sont pas moins fabuleuses. Cerise sur le gâteau : les civils sont également autorisés à faire leurs achats dans ces boutiques aux prix très corrects et aux vêtements de qualité, d'un classicisme élégant. Les pull-overs en laine et les manteaux d'hiver méritent toute votre attention.

dans l'angle droit en bas de la fresque (le deuxième personnage à partir de la droite). Sur le mur d'en face, *La Dispute du Saint-Sacrement* est aussi signée de Raphaël.

Dans la **Stanza d'Eliodoro**, utilisée pour des audiences privées, se trouve un autre chef-d'œuvre du maître, *Héliodore chassé du temple*, sur le mur principal (à droite en venant de la Sala dei Chiaroscuri), qui dépeint la victoire militaire de Jules sur les puissances étrangères. À gauche, la *Messe de Bolsène* représente Jules II commémorant un miracle survenu au XIIIᵉ siècle à Bolsène, ville proche de Viterbe. Admirez à côté une œuvre de Raphaël et de ses élèves, *Attila arrêté par Léon X* et, sur le quatrième mur, la *Délivrance de saint Pierre*, allusion à l'emprisonnement du pape Léon X après la bataille de Ravenne (c'est également le thème de la fresque d'Attila).

Chapelle Sixtine

Les quelque 4,5 millions de visiteurs accueillis chaque année par les musées du Vatican viennent surtout y admirer la **chapelle Sixtine** (Capella Sistina ; carte p. 98). Vous pourrez y contempler deux des œuvres les plus connues au monde : *La Genèse*, ornant le plafond voûté et *Le Jugement dernier*, sur le mur du fond tous deux de Michel-Ange. C'est aussi dans cette chapelle du XVᵉ siècle que se tient le conclave chargé d'élire le pape.

La chapelle fut érigée en 1484 sous le pape Sixte IV (dont elle tient son nom) mais c'est Jules II qui demanda à Michel-Ange de la décorer. L'artiste, qui se considérait davantage comme un sculpteur, accepta la commande à contrecœur et consacra quatre années (1508-1512) de sa vie à la décoration de l'intégralité du plafond de 800 m². Il conçut à cet effet un échafaudage courbé, lui permettant de travailler debout (quoique dans une position inconfortable, le dos reposant sur la structure) et employa un nombre important d'assistants chargés de réaliser les enduits (la peinture devait être appliquée sur les plâtres encore humides).

La fresque du milieu représente neuf scènes illustrant des passages de la Genèse *La Séparation de la lumière et des ténèbres, La Création des astres et des plantes, La Séparation de la terre et des eaux, La Création d'Adam, la Création d'Ève, Le Péché originel et l'expulsion du Paradis terrestre, Le Sacrifice de Noé, Le Déluge universel* et *L'Ivresse de Noé*.

Michel-Ange les exécuta en commençant par la fin, fournissant ainsi aux critiques une remarquable illustration de son l'évolution de son art : la première scène réalisée, *L'Ivresse de Noé* (la plus proche du *Jugement dernier* présente un caractère plus sec que les scènes réalisées à l'autre extrémité de la voûte.

Les scènes centrales sont encadrées par d'athlétiques hommes nus, les *Ignudi*.

Les murs de la chapelle furent décorés par de talentueux artistes de la Renaissance tels que Botticelli, Domenico Ghirlandaio, il Pinturicchio et Luca Signorelli. Bien qu'éclipsées par la magnificence du travail de Michel-Ange, ces splendides fresques de la fin du XVᵉ siècle illustrant la vie de Moïse et du Christ sont de véritables chefs-d'œuvre. En particulier, *La Tentation du Christ* et *La Purification des lépreux* (deuxième à droite) de Botticelli, sont admirables. Les premières scènes de chacune des séries, *La Découverte de Moïse* et *La Naissance du Christ*, correspondent aux peintures du Pérugin détruites pour laisser place au *Jugement dernier*.

Le *Jugement dernier* représente les âmes des défunts arrachés à leur tombe pour affronter la colère de Dieu. Le sujet fut choisi par Paul III comme un avertissement adressé aux catholiques pour les inciter à conserver leur foi face aux tumultes de la Réforme qui balayait l'Europe. Cette composition tourmentée reflète, dit-on, l'attitude de Michel-Ange à l'égard de sa propre foi. Lorsqu'elle fut dévoilée, en 1541, cette œuvre dramatique composée d'un enchevêtrement de corps dénudés suscita l'indignation. Le pape Pie IV demanda par la suite à Daniele da Volterra, élève de Michel-Ange, de couvrir les sexes des personnages de feuilles de figuier et de draperies de pudeur.

BORGO

Entre le Vatican et le Tibre s'étend le quartier du Borgo. Son monument principal est le **château Saint-Ange** (Castel Sant'Angelo ; carte p. 98 ; ☎ 06 681 91 11 ; Lungotevere Castello 50 ; adulte/18-25 ans (UE) 5/3 € ; 🕙 9h-19h mar-dim). Ce mausolée, construit pour l'empereur Hadrien, fut transformé en forteresse à l'intention des papes au VIᵉ siècle ; c'est le pape Grégoire le Grand qui lui donna ce nom en 590, suite à un songe. La construction au XIIIᵉ siècle d'un passage secret le reliant aux palais du Vatican (Passetta di Borgo) permit à nombre de papes de venir s'y réfugier en cas de danger. Au XVIᵉ siècle, lors du sac de Rome par l'empereur Charles Quint, des centaines de personnes vécurent à l'abri de ses murs pendant plusieurs mois.

Ses étages, richement décorés, sont de style Renaissance ; vous remarquerez, au quatrième étage, la beauté des fresques de la Sala Paolina. Deux étages plus haut, la terrasse, immortalisée par Puccini dans *Tosca*, offre un splendide panorama sur Rome.

En face de la forteresse, Hadrien fit construire le **Ponte Sant'Angelo** (pont Saint-Ange ; carte p. 98) en 136, afin de créer un accès à son mausolée depuis le Tibre. Après son effondrement en 1450, on le reconstruisit en reprenant certaines parties anciennes. Au XVIIᵉ siècle, Bernin et ses élèves sculptèrent les

MICHEL-ANGE ET LES PAPES

En 1505, Michelangelo Buonarotti (1475-1564), sculpteur, peintre, architecte et poète, vint travailler à Rome à la demande de Jules II, qui souhaitait qu'on lui édifie un tombeau de marbre surpassant tous les monuments funéraires existants. Bien qu'il ait travaillé toute sa vie à ce fameux tombeau (à voir dans la Basilica di San Pietro in Vicoli ; p. 128), Michel-Ange ne parvint pas à l'achever.

La véritable passion de Michel-Ange était la sculpture. C'est pourquoi il fut réticent à accepter la commande que lui fit le pape Jules II en 1508 –, à savoir les fresques du plafond de l'actuelle chapelle Sixtine. L'artiste florentin se mit toutefois à l'ouvrage qu'il exécuta avec passion et qui fit sa renommée. Il congédia tous ses assistants et peignit allongé sur un échafaudage haut perché. Épuisé moralement et physiquement, il ne trouvait guère de soutien auprès du pape et de sa cour, qui le pressaient de terminer le travail au plus tôt. En 1512, le travail terminé, il retourna en Toscane.

Michel-Ange revint ensuite à Rome près de vingt ans plus tard, à l'âge de 59 ans, à la demande de Clément VII, pour peindre *Le Jugement dernier* sur le mur de l'autel de la chapelle Sixtine, contraint une nouvelle fois d'exécuter une commande.

Le successeur de Clément VII, Paul III, souhaitant ardemment voir terminer la chapelle Sixtine, nomma Michel-Ange architecte, sculpteur et peintre attitré du Vatican en 1535.

Dévoilé en 1541, *Le Jugement dernier*, avec ses corps nus, fit scandale, au point que le pape Pie IV demanda à Daniele da Volterra, l'un des élèves de Michel-Ange, d'ajouter des feuilles de vigne et d'allonger les drapés. Néanmoins, l'œuvre suscita l'admiration de tous, car elle surpassait toutes les autres peintures de la chapelle, y compris les autres fresques de Michel-Ange.

L'artiste passa les dernières années de sa vie à travailler, à contrecœur, dans la basilique Saint-Pierre, pensant que Dieu lui infligeait là une pénitence. À la fin de sa vie, il désapprouvait les plans dessinés par Antonio da Sangallo le Jeune, estimant qu'ils privaient la basilique de lumière, et se fâcha avec les assistants de Sangallo qui souhaitaient respecter la volonté de leur maître. S'inspirant du dôme de Florence dessiné par Brunelleschi, il créa une magnifique coupole baignée de lumière et une façade majestueuse.

Michel-Ange continua de diriger les travaux de la basilique Saint-Pierre jusqu'à sa mort, le 18 février 1564. Vignola, Giacomo Della Porta et Carlo Fontana terminèrent la coupole et la façade de la basilique en suivant ses plans.

anges qui, de part et d'autre du pont, veillent théâtralement sur les piétons, seuls à pouvoir emprunter cette voie. Les trois arches centrales du pont ont été créées à l'origine ; celles des extrémités ont été restaurées et agrandies entre 1892 et 1894 pendant la construction du Lungotevere (quai du Tibre).

Via Appia Antica et catacombes

Appelée *Regina viarum* ("reine des voies") par les Romains, la **Via Appia Antica** (voie Appienne ; carte p. 95) est l'une des plus anciennes routes au monde. Partant de la Via di Porta San Sebastiano en direction du sud-est, elle doit son nom à Appius Claudius Caecus, qui réalisa le premier tronçon de 90 km en 312 av. J.-C. Elle fut ensuite prolongée jusqu'à Brindisi (à 540 km de Rome, sur la côte Adriatique) vers 190 av. J.-C.

Flanquée de luxueuses villas et de sépultures romaines, cette longue route pavée, quasi rectiligne, est l'endroit idéal où se promener à pied ou à vélo à travers une campagne verdoyante, riche en ruines et en histoire – c'est ici que Spartacus et 6 000 de ses hommes furent crucifiés en 71 av. J.-C. Mais c'est surtout les catacombes qui ont fait la renommée de cette voie : ce réseau de souterrains long de 300 km fut utilisé comme lieu de sépulture par les premiers chrétiens. S'il n'est pas possible de visiter les 300 km de galeries, vous pourrez néanmoins découvrir, avec un guide, les catacombes de San Callisto, San Sebastiano et San Domitilla.

Pour rejoindre la Via Appia Antica et les catacombes, vous avez le choix entre plusieurs bus : le n°218 depuis la Piazza San Giovanni in Laterano ; le n°660 de la station Colli Albani sur la ligne A du métro ; et le n°118 de la station Piramide sur la ligne B. Vous pouvez aussi emprunter l'Archeobus (15 €), qui part de Termini toutes les heures, s'arrête sur la Piazza Venezia et au Colisée, avant de rejoindre les thermes de Caracalla (voir p. 131). L'idéal est de découvrir la Via Appia le dimanche, lorsqu'un long tronçon de la route est fermé à la circulation.

Pour ceux qui souhaiteraient visiter l'ensemble de ses sites, il peut être intéressant de se procurer la carte *Appia Antica* (voir l'encadré p. 111). Plusieurs centres d'information existent dans le secteur, notamment le **centre d'information du parc régional de l'Appia Antica** (carte p. 95 ; ☎ 06 513 53 16 ; www.parcoappiaantica. org ; Via Appia Antica 58-60 ; ☽ 9h30-13h30 et 14h-17h30 ou 16h30 hiver lun-sam, 9h30-17h30 ou 16h30 dim hiver). Vous pourrez également y acheter une carte du

parc et louer des vélos (3 €/heure, 10 €/jour). Les autorités du parc organisent des visites guidées, à pied ou à vélo, les dimanches matins (voir le site Internet). De plus, un certain nombre d'associations locales à vocation naturaliste ou archéologique organisent des visites, notamment la **Coopérative Darwin** (www. cooperativedarwin.it) qui propose des visites guidées pour les groupes (circuit à pied/en vélo 8/12 €) en anglais, français, espagnol et allemand.

Proche du centre d'information, la **Chiesa del Domine Quo Vadis** (carte p. 95 ; Via Appia Antica 51 ; ☽ 8h-18h) se dresse à l'endroit où saint Pierre, lors de sa fuite, aurait eu la vision de Jésus. À la question *"Domine, quo vadis ?"* ("Seigneur, où vas-tu ?"), Jésus répondit *"Venio Roman iterum crucifigi"* ("Je viens à Rome pour être à nouveau crucifié"). Saint Pierre se résolut à le suivre et, à son retour dans la ville, il fut immédiatement arrêté et exécuté. Au centre du collatéral de l'église, vous remarquerez deux empreintes de pas censées être celles du Christ. Les originaux se trouvent un peu plus loin sur la voie, dans la Basilica di San Sebastiano (voir ci-contre).

Plusieurs catacombes longent la Via Appia Antica. Ces kilomètres de galeries inextricables furent creusés dans le tuf (une roche tendre ; voir l'encadré ci-dessous). Les morts, enveloppés dans un linceul blanc, étaient placés dans des niches rectangulaires aménagées dans les murs et fermées par une dalle en marbre. Sans doute les plus vastes et les plus célèbres, les **catacombes de San Callisto** (carte p. 95 ; ☎ 06 513 01 580 ; Via Appia Antica 110 et 126 ; www.catacombe.roma.it ; adulte/6-15 ans/moins de 6 ans 6 €/3 €/gratuit ; ☽ 9h-12h et 14h-17h jeu-mar, fermé fév) datent de la fin du IIe siècle et doivent leur nom au pape Calixte Ier. Elles constituèrent le premier cimetière officiel de la nouvelle Église romaine. Dans les 20 km de tunnels explorés à ce jour, les archéologues ont découvert les sépultures de quelque 500 000 personnes et de sept papes martyrisés au IIIe siècle. C'est ici que fut inhumée sainte Cécile, patronne des musiciens (sa dépouille repose désormais dans la Basilica di Santa Cecilia in Trastevere ; voir p. 132). Lorsqu'il fut exhumé en 1599, plus de 1 000 ans après sa mort, son corps était, semble-t-il, intact : Stefano Moderno l'a représenté dans une délicate sculpture, dont l'église possède une réplique.

Les **catacombes de San Sebastiano** (carte p. 95 ; ☎ 06 785 03 50 ; www.catacombe.org ; Via Appia Antica 136 ; adulte/7-15 ans/moins de 7 ans 6 €/3 €/gratuit ; ☽ 9h-12h et 14h-17h lun-sam, fermé de mi-nov à mi-déc) permirent de protéger les reliques de saint Pierre et de saint Paul sous le règne de Vespasien. Si le premier niveau a été presque entièrement détruit, le deuxième niveau, en revanche, comporte des fresques, des stucs, des épigraphes et trois mausolées magnifiquement conservés.

La **Basilica di San Sebastiano** (carte p. 95 ; ☎ 06 780 00 47 ; Via Appia Antica 136 ; 🕐 8h-13h et 14h-17h30 tlj), édifiée au-dessus des catacombes au IVe siècle, conserve l'une des flèches qui servit à tuer saint Sébastien, ainsi que la colonne à laquelle il fut attaché. Dans la partie opposée, vous verrez, sur une dalle de marbre, les empreintes de pas de Jésus (voir *Chiesa del Domine Quo Vadis*, p. 138)

Parmi les plus vastes et les plus anciennes de Rome, les **catacombes de San Domitilla** (carte p. 95 ; ☎ 06 511 03 42 ; Via delle Sette Chiese 283 ; adulte/6-15 ans/moins de 6 ans 6 €/3 €/gratuit ; 🕐 9h-12h et 14h-17h tlj sf mar, fermé jan) s'étendent sur près de 17 km. Elles furent creusées sur le lieu de sépulture de Flavia Domitilla, nièce de Domitien, membre de la riche famille des Flaviens. On y trouve aussi des peintures murales chrétiennes et la Chiesa di SS Nereus e Achilleus, une église souterraine du IVe siècle dédiée à deux soldats romains martyrisés par Dioclétien.

À environ 1 km au sud-est, la **Villa di Massenzio** (carte p. 95 ; ☎ 06 780 13 24 ; www.villadimassenzio.it ; Via Appia Antica 153 ; adulte/18-25 ans (UE)/moins de 18 ans et plus de 65 ans (UE) 3 €/1,50 €/gratuit ; 🕐 9h-13h mar-sam), du IVe siècle, abrite le fameux cirque de Maxence (Circo di Massenzio), le mieux conservé des cirques antiques de Rome. On y distingue encore les stalles utilisées pour le départ des courses de chars. La construction de l'arène de 10 000 places fut entreprise à l'initiative de Maxence, vers 309, mais l'empereur mourut avant qu'aucune course n'y soit organisée.

Le cirque se trouve au pied de la résidence impériale de Maxence, aujourd'hui en ruine. À proximité, le **mausolée de Romulus** (carte p. 95) fut construit par le même empereur pour son fils Romulus. L'immense mausolée était initialement surmonté d'une grande coupole et entouré d'une imposante colonnade, encore partiellement visible.

Un peu plus au sud, se dresse le **tombeau de Cecilia Metella** (carte p. 95 ; ☎ 06 399 67 700 ; Via Appia Antica 161 ; visite de la villa Quintili et thermes de Caracalla inclus adulte/18-24 ans (UE)/moins de 18 ans et plus de 65 ans (UE) 6 €/3 €/gratuit ; 🕐 9h-19h15 avr-août, 9h-19h sept, 9h-18h30 oct, 9h-17h30 mi-mars à fin-mars, 9h-17h mi-fév à mi-mars, 9h-16h30 nov à mi-fév, fermé lun), un imposant mausolée cylindrique édifié pour la fille du consul Quintus Metellus Creticus. À l'intérieur, la chambre funéraire n'a plus de toit. Les murs sont en travertin et l'intérieur, passablement abîmé, est orné d'une frise sculptée figurant des boucliers gaéliques, des crânes de bœufs et divers motifs décoratifs.

TOMBES ET CATACOMBES

Les chrétiens de Rome, persécutés, construisirent un vaste réseau de cimetières souterrains en dehors des murs de la ville, car une loi interdisait les enterrements dans son enceinte.

Durant les périodes de persécution, quantité de martyrs furent enterrés aux côtés des pères de l'Église et des premiers papes. De nombreux chrétiens souhaitèrent ensuite être enterrés au même endroit, donnant ainsi naissance à un véritable commerce sur les tombes jusqu'au décret de Grégoire Ier qui en abolit la vente en 597. Les chrétiens avaient déjà commencé à abandonner les catacombes dès 313, date à laquelle Constantin signa l'édit de Milan garantissant la tolérance religieuse.

Après la signature de l'édit, peu à peu, les chrétiens choisirent d'enterrer leurs morts près des églises et des basiliques nouvellement construites, souvent sur le site de temples païens. Cette pratique se répandit sous Théodose, qui déclara le christianisme religion d'État en 394.

Vers 800, devant les incursions toujours plus fréquentes des envahisseurs, les corps des martyrs et des premiers papes furent transférés vers les basiliques protégées à l'intérieur des remparts de la ville. Les catacombes furent ainsi abandonnées, et oubliées. Au Moyen Âge, seules trois d'entre elles étaient connues. Celles de San Sebastiano accueillaient encore de nombreux pèlerins venus rendre hommage aux anciennes sépultures de saint Pierre et de saint Paul.

Depuis le milieu du XIXe siècle, le programme de recherches scientifiques entrepris par des passionnés d'archéologie chrétienne a permis de découvrir à ce jour plus de 30 catacombes à proximité de Rome. Beaucoup comportent de touchantes inscriptions. Ainsi, dans la catacombe de Domitilla, érigée par Aurelius Ampliatus et son fils Gordianus en hommage à leur épouse et mère, Aurelia, on peut décrypter : "Épouse incomparable et femme vertueuse qui vécut vingt-cinq ans, deux mois, trois jours et six heures."

ROME AVEC DES ENFANTS

Si les superbes églises anciennes et les musées d'art et d'histoire, innombrables à Rome, font souvent soupirer les enfants, certains sites et attractions sauront à coup sûr les captiver ! Mentionnons en premier lieu le **Colisée** (p. 112), un site réellement spectaculaire qui enflamme l'imagination, et les mystérieuses **catacombes** (p. 138), avec leur vaste réseau de tunnels et de galeries. Les enfants pourront faire de la barque, du vélo et monter dans un petit train dans le délicieux **parc de la villa Borghese** (p. 126). Le **Bioparco** (carte p. 96 ; ☎ 06 360 82 11 ; www.bioparco.it en italien ; Viale del Giardino Zoologico 1 ; adulte/enfant de moins de 12 ans/enfant de moins de 1 m 10 €/8 €/gratuit, avec terrarium 12,50 €/10,50 €/gratuit ; ☺ 9h30-18h avr-oct, 9h30-17h nov-mar) est un "jardin zoologique" qui abrite un millier d'animaux. Le **Time Elevator** (p. 119), très prisé des enfants, fait découvrir Rome et ses 3 000 ans d'histoire à travers un épatant voyage virtuel. La visite d'**Explora** (carte p. 96 ; ☎ 06 361 37 76 ; www.mdbr.it ; Via Flaminia 82 ; adulte/enfant 6/7 € ; ☺ départs à 10h, 12h, 15h et 17h mar-dim, 12h, 15h et 17h août, réservations conseillées, indispensables le week-end), musée interactif, réjouira en particulier les petits qui pourront se familiariser avec le monde qui les entoure. Enfin, les films, les livres illustrés ayant pour thèmes la Rome antique ou les gladiateurs, passionnent depuis toujours petits et grands, sans oublier la cuisine italienne qui plaira même aux plus difficiles – des savoureuses pizzas (les plus simples sont souvent les meilleures) aux exquis *gelati*… Un dernier conseil : un lecteur de musique, style MP3, sauront distraire et faire patienter les enfants durant les longues heures de queue, qui les attendent parfois à l'entrée d'un musée ou d'un site touristique.

Au XIVe siècle, le tombeau fut transformé en forteresse par la famille Caetani, qui s'en servit pour contraindre les usagers de la voie à s'acquitter d'un péage.

Plus loin, entre la Via Appia Antica et la Via Appia Nuova, les ruines de la **Villa Quintili** (☎ 06 399 67 700 ; www.pierreci.it ; Via Appia Nuova 1092, également accessible depuis la Via Appia Antica 292 sam et dim avr-oct ; thermes de Caracalla inclus adulte/18-24 ans (UE)/moins de 18 ans et plus de 65 ans (UE) 6 €/3 €/gratuit ; ☺ 9h-19h15 avr-août, 9h-19h sept, 9h-18h30 oct, 9h-17h30 mi-mars à fin-mars, 9h-17h mi-fév à mi-mars, 9h-16h30 nov à mi-fév, fermé lun) se dressent au milieu d'une campagne verdoyante. Cette luxueuse demeure du IIe siècle appartenait à deux frères, tous deux consuls sous Marc Aurèle. Hélas, la splendeur de la villa scella leur tragique destin : l'empereur Commode, dans un accès de jalousie, les fit assassiner et s'accapara les lieux. Les bains, très bien conservés, comprenaient une piscine, un *caldarium* et un *frigidarium*.

EUR

Ce quartier orwellien, que l'on doit à Mussolini, se compose de larges boulevards et de bâtiments rectilignes (désormais occupés pour l'essentiel par des banques et des ministères). Sa spectaculaire architecture rationaliste mérite d'être vue. Appelé à se développer, l'EUR accueillera bientôt un centre des congrès ultramoderne, la Nuvola (le "nuage"), et le maire Gianni Alemanno envisage, malgré les critiques, d'y accueillir un grand prix de Formule 1 en 2012.

L'EUR, qui constitue l'une des rares extensions planifiées de Rome, fut construite à l'occasion de l'exposition internationale programmée pour 1942. La guerre ayant éclaté,

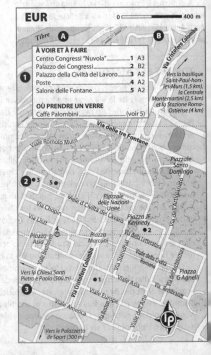

l'exposition n'eut jamais lieu, mais le sigle EUR (pour *Esposizione Universale di Roma*) est resté. Pour plus d'informations, consulter le site officiel (www.romaeur.it).

Pour rejoindre l'EUR, prenez la ligne B du métro jusqu'à EUR Palasport. Le **Palazzo della Civiltà del Lavoro** (palais des Travailleurs ; carte p. 140) est particulièrement impressionnant. Chef-d'œuvre de l'architecture rationaliste, il est l'édifice-phare du quartier. Plus connu sous le nom de "Colisée carré", ce bâtiment de travertin à la blancheur immaculée fut conçu par Guerrini, La Padula et Romano, et construit entre 1938 et 1943. Il se compose de six rangées de neuf arches et atteint une hauteur de 50 m. Ces chiffres n'auraient d'ailleurs pas été choisis au hasard : 6 pour Benito (six lettres) et 9 pour Mussolini (neuf lettres). Actuellement en cours de restauration, le palais accueillera à terme le nouveau musée du multimédia, le Museo Nazionale dell'Audiovisivo.

Le Palazzo degli Uffici, dessiné par Gaetano Minnucci, se trouve tout près. Le **Salone delle Fontane** (salon des Fontaines), conçu entre 1937 et 1939 comme billetterie de l'exposition, est son bâtiment le plus célèbre. Il abrite le **Caffè Palombini** (carte p. 140 ; ☎ 06 591 17 00 ; Piazza Adenauer Konrad 12), dont les installations originales datent de la période 1939-1942 et le mobilier, des années 1960. Apprécié par la classe aisée de l'EUR, c'est l'endroit parfait pour un expresso ou un *aperitivo*.

Parmi les autres édifices notables, citons la **poste** (voir carte ci-dessus) à l'architecture brutaliste, datant de 1940 et créée par le Studio BBPR ; la monumentale **Chiesa Santi Pietro e Paolo** d'Arnaldo Foschini, construite entre 1938 et 1955, et, enfin, le futuriste **Palazzetto de Sport** dû à Nervi et Vitellozzi, bâti en 1958, et devenu aujourd'hui le PalaLottomatica, une salle qui accueille des concerts et des manifestations sportives. L'imposant **Palazzo dei Congressi**, sorti de terre entre 1938 et 1954 suivant les plans d'Adalberto Libera, est également incontournable. L'été, il accueille parfois les soirées sur sa terrasse.

Bientôt, l'étrange paysage de l'EUR s'enrichira d'un nouveau palais des congrès, le **Centro Congressi "Nuvola"** (le Centre des congrès du "Nuage" ; carte p. 140), dont les travaux devraient s'achever en 2011. Ce nuage d'acier et de Téflon suspendu dans un coffre de verre a été conçu par le célèbre architecte romain Massimiliano Fuksas.

PROMENADE À PIED

Parlant du film de William Wyler, *Vacances romaines* (1953), une critique déclara qu'il comptait trois personnages principaux : Joe Bradley (Gregory Peck), la princesse Ann (Audrey Hepburn) et Rome. Voici une suggestion de promenade dans la Ville Éternelle qui vous replongera dans la magie du film.

Commencez par la **place Saint-Pierre** (1 ; p. 133), qui figure dans la séquence d'ouverture. Après une rapide visite de la **basilique Saint-Pierre** (2 ; p. 133), descendez la Via della Conciliazione jusqu'au **château Saint-Ange** (3 ; p. 137). La péniche, sur laquelle Ann et Joe vont danser et sont pris dans une bagarre, était amarrée en contrebas dans le film. Engagez-vous sur le **Ponte Sant'Angelo** (4 ; p. 137), pont réservé aux piétons, tournez à gauche et suivez le fleuve jusqu'au Ponte Cavour. Traversez la rue et descendez la Via Tomacelli. Au-delà du carrefour de la Via del Corso, vous apercevrez la rue commerçante la plus célèbre de Rome, la Via Condotti, au bout de laquelle vous atteindrez l'**escalier de la Trinité-des-Monts** (5 ; p. 124). C'est là que Joe fait semblant de croiser Ann par hasard, alors qu'elle savoure un *gelato*. Dos aux marches, tournez à droite et longez la Via del Babuino jusqu'à croiser la Via Margutta sur la droite. Joe habitait au n°51 (6). Vous pouvez pénétrer dans la cour, même si l'entrée ne ressemble en rien à celle du film. Grignotez un morceau dans l'un des restaurants chics du quartier puis revenez sur vos pas pour retrouver l'escalier de la Trinité-des-Monts. Grimpez-le pour accéder à la Piazza Trinità dei Monti, puis tournez à droite dans la Via Sistina. Longez cette rue jusqu'à la **Piazza Barberini** (7 ; p. 124). Au-delà de la place, parcourez la Via delle Quattro Fontane jusqu'au **Palazzo Barberini** (8 ; p. 124). C'était, dans le film, l'ambassade d'où Ann sortait en cachette le soir. Aujourd'hui, c'est la Galleria Nazionale d'Arte Antica. Traversez la Via delle Quattro Fontane et descendez la Via Rasella (en face de l'entrée de la Galleria Nazionale d'Arte Antica). Traversez la Via del Traforo, très fréquentée, près de l'entrée du tunnel puis engagez-vous dans la Via Scuderi débouchant sur la merveilleuse **fontaine de Trevi** (9 ; p. 124). Vous ne pourrez pas, contrairement à Ann, vous faire faire une jolie coupe bon marché car il n'y a plus de coiffeurs dans le coin. Ensuite, empruntez la Via dei Crociferi et la Via Sabini jusqu'à la Via del Corso. Contournez la Piazza Colonna. Vous voilà au cœur de la

PROMENADE À PIED DANS ROME

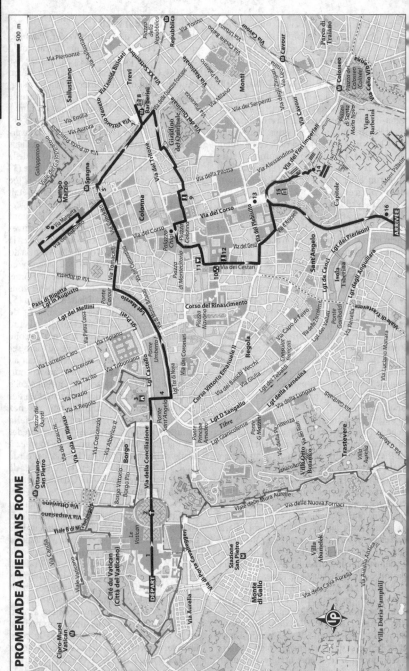

Rome politicienne. Dépassez le Palazzo Chigi, résidence officielle du Premier ministre qui se dresse sur la droite quand on se dirige vers la Piazza Montecitorio, ainsi que l'imposant Palazzo Montecitorio, la Chambre des députés. Au départ du *palazzo*, engagez-vous dans la Via della Guglia et tournez à droite dans la Via dei Pastini jusqu'à ce que vous débouchiez sur la Piazza della Rotonda, où s'élève le **Panthéon** (**10** ; p. 119). Dans le film, le café où Joe et Ann retrouvent Irving, s'appelait le Roca – mais ce n'était qu'un décor. Vous pourrez tout de même vous délecter d'un verre de *granita di caffè* (café, glace pilée et crème fouettée) à **La Tazza d'Oro** (**11** ; p. 167), l'un des cafés les plus célèbres de la ville. Ensuite, retour au Panthéon. Descendez la Via dei Cestari. Une fois dépassé le ravissant **Elefantino** (**12** ; p. 120) de Bernin, continuez jusqu'au corso Vittorio Emanuele II. Engagez-vous dans cette grande artère en tournant à gauche. Vous apercevrez bientôt la **Piazza Venezia** (**13** ; p. 118), où Ann peaufine sa dangereuse pratique de la Vespa. Au bout de la Via dei Fori Imperiali se dresse le Colisée – en chemin, vous verrez l'endroit où Joe rencontre Ann pour la première fois, alors qu'elle est endormie sur un banc devant l'**Arc de Septime Sévère** (**14** ; p. 115). Pour finir, rebroussez chemin et dirigez-vous vers le sud en empruntant la Via del Teatro di Marcello, à droite de l'imposant **Vittoriano** (**15** ; p. 118). Parcourez 700 m environ (la route prend alors le nom de Viale Petroselli) jusqu'à la Chiesa di Santa Maria in Cosmedin, où se trouve la **Bocca della Verità** (**16** ; p. 123). C'est là qu'a été tournée la scène la plus célèbre du film. Quel meilleur endroit que celui-ci pour terminer la balade ?

COURS
Cuisine

Auteur d'un livre de recettes et gastronome, Diane Seed organise plusieurs fois par an des cours de **cuisine romaine** (Roman Kitchen ; carte p. 102 ; ☎ 06 678 5759 ; www.italiangourmet.com en anglais) devant ses fourneaux, au Palazzo Doria Pamphilj. Il est possible de s'inscrire à des sessions de 1, 2, 3 jours ou une semaine (200 €/

jour et 1 000 €/sem) ou encore à une session associant une visite du marché et un cours, le mardi matin, pour 180 €.

École de gladiateurs

Si Russel Crowe est votre idole et que vous rêvez vous aussi de jouer les gladiateurs, le **Gruppo Storico Romano** (carte p. 95 ; ☎ 06 516 07 951 ; www.gsr-roma.com ; Via Appia Antica 18) est ce qu'il vous faut. Cette association de passionnés d'histoire a créé une école de gladiateurs à Rome. Les ateliers/sessions, mixtes, sont en anglais et durent 2 heures. Comptez entre 25 et 75 € par personne, selon la taille du groupe (un cours particulier coûte 100 €).

Peinture d'icônes religieuses

L'art religieux, très présent à Rome, peut vous inciter à laisser parler votre créativité. Si c'est le cas, pourquoi ne pas participer à un atelier de peinture d'icônes au **Centro Russia Ecumenica il Messaggio dell'Icona** (carte p. 98 ; ☎ 06 68 96 637 ; www.russiaecumenica.it ; Borgo Pio 141). Ces cours en petits groupes (15 participants au maximum) sont dispensés par des maîtres-artisans. Au bout de six jours (550 €), vous aurez créé votre propre icône que vous aurez même dorée à la feuille d'or.

Langue

Plusieurs centaines d'écoles dispensent des cours d'italien, pour un coût compris entre 390 € la session de 2 semaines (40 heures) et environ 9 950 € l'année. Cette dernière formule inclut les cours de culture générale (20 heures par semaine) et l'hébergement. Certaines écoles proposent aussi des forfaits incluant l'hébergement pour des périodes plus courtes. Voici quelques adresses réputées :
Arco di Druso (carte p. 98 ; ☎ 06 397 50 984 ; www.arcodidruso.com ; Via Tunisi 4)
Centro Linguistico Italiano Dante Alighieri (carte p. 95 ; ☎ 06 442 31 400 ; www.clidante.it ; Piazza Bologna 1)
Divulgazione Lingua Italiana Soc (DILIT ; carte p. 95 ; ☎ 06 446 25 93 ; www.dilit.it ; Via Marghera 22)
Italiaidea (carte p. 102 ; ☎ 06 699 41 314 ; www.italiaidea.com ; 1er étage, Via dei Due Macelli 47)
Torre di Babele Centro di Lingua e Cultura Italiana (carte p. 108 ; ☎ 06 44 252 578 ; www.torredibabele.com ; Via Cosenza 7)

Fabrication de mosaïques

Les Romains pratiquent l'art de la mosaïque depuis plus de 2 000 ans, on peut donc leur faire confiance… L'**Art Studio Café** (carte p. 98 ; ☎ 06 326 09104 ; www.artstudiocafe.it ; Via dei Gracchi 187a), à la fois café, salle d'exposition et école de mosaïque, dispense plusieurs cours permettant d'apprendre à créer des mosaïques, que l'on peut ensuite emporter chez soi. Comptez 50 € pour 1 journée, 80 € pour 2 jours et 200 € pour un cours intensif de 6 jours.

Dégustation de vins

Pour pratiquer l'œnologie, rendez-vous à l'**International Wine Academy of Roma** (carte p. 102 ; ☎ 06 699 08 78 ; www.wineacademyroma.com, version française en construction ; Vicolo del Bottino 8). En une demi-journée (155 € ; 2 heures, déjeuner ou dîner compris), vous découvrirez les régions viticoles de l'Italie et vous vous essaierez à la dégustation. Pour une approche moins succincte, optez pour la session d'une journée (à partir de 300 €) qui inclut la visite d'un domaine viticole. Dégustations (25 €) le jeudi et le samedi. Réservation indispensable.

CIRCUITS ORGANISÉS
Bateau

Battelli di Roma (carte p. 106 ; ☎ 06 678 93 61 ; www. battellidiroma.it) propose des croisières d'une heure sur le Tibre (12 €) au départ de l'Isola Tiberina, de 10h à 19h. Départ toutes les demi-heures.

Bus

Trambus Open (☎ 800 281 281 ; www.trambusopen.com ; Piazza Cinquecento devant l'entrée principale de la Stazione Termini) gère deux bus touristiques :

Le **110open** (billets 20 € ; ☺ départ ttes les 20 min 8h30-20h30) est un bus à impériale à ciel ouvert équipé d'audioguides en huit langues. Il part de la gare routière située devant Termini (quai C) et marque plusieurs arrêts : Quirinal, Colisée, Bocca della Verità, Piazza Venezia, Piazza Navona, Saint-Pierre, Piazza Cavour, Ara Pacis, fontaine de Trevi et Via Veneto, notamment. Le circuit dure deux heures, et les billets, vendus à bord et dans plusieurs billetteries (Piazza Cinquecento, Colisée et dans plusieurs billetteries officielles de Trambus Open), sont valables 24 heures, ce qui vous permet d'emprunter ces bus à votre guise.

L'**Archeobus** (billets 15 € ; ☺ départ ttes les 30 min 8h30-16h30) fonctionne sur le même principe. Il parcourt la Via Appia Antica et marque 16 arrêts sur divers sites archéologiques : thermes de Caracalla, Porta di San Sebastiano, catacombes de San Callisto et de San Sebastiano, tombeau de Cecilia Metella, villa Quintili,

Bocca della Verità et Circo Massimo. Ces bus à un seul niveau et à ciel ouvert sont équipés d'audioguides en huit langues. Ils partent de la gare routière de Termini, de la Piazza Venezia et du Colisée. Les billets sont vendus en ligne à bord ou aux guichets d'information de la Piazza Cinquecento et du Colisée, ainsi que chez les revendeurs Trambus Open.

Le billet combinant le 110open et l'Archeobus coûte 30 € (valable 48 heures). Si vous possédez un Roma Pass (voir l'encadré p. 111) vous bénéficierez d'une réduction de 5 € sur chacun des bus touristiques.

Les bus du circuit **Roma Cristiana** (☎ 06 698 961 www.romacristiana.orpnet.it ; adulte/enfant 7-12 ans 12/7,50 € ; billet 1 journée pour les 2 circuits 15/7,50 € ; ☺ départ ttes les 15 min 8h-19h), gérés par l'Opera Romana Pellegrinaggi, permettent de monter et de descendre à son gré tout le long des parcours "San Paolo" (2 heures 15, 22 arrêts) et "San Pietro" (1 heure 45, 19 arrêts). Tous deux partent de la Piazza San Pietro et achèvent leurs parcours à Termini, en s'arrêtant 30 à 40 minutes à chaque étape. Reportez-vous au site Internet pour connaître le détail du parcours. Le commentaire est diffusé en plusieurs langues et les billets sont vendus en ligne et à bord.

L'itinéraire des bus **Rome Open Tour** (☎ 06 977 45 499 ; www.romeopentour.com ; billet 24 heures adulte/ enfant 18/8 €, billet 48h 23/10 € ; ☺ départ ttes les 15 min 9h-19h) comprend 9 arrêts : Stazione Termini, Piazza Venezia, Colisée, Circo Massimo, Isola Tiberina, Saint-Pierre, château Saint-Ange, Via Veneto et Piazza Barberini. Le bus s'arrête 25 minutes à chaque étape (commentaire en plusieurs langues par audioguide). On peut prendre ces bus à n'importe quel arrêt et acheter son billet à bord.

ArCult (☎ 339 650 3172 ; www.arcult.it) propose d'excellents circuits s'attachant surtout à l'architecture contemporaine et à l'urbanisme. Organisés selon votre demande par des architectes, les visites (8 € au minimum, entrée sur les sites comprise) incluent des sites tels que l'EUR, l'Auditorium Parco della Musica, la Chiesa Dives in Misericordia et l'Ara Pacis. Un circuit d'une demi-journée pour un groupe de 2 à 10 personnes revient à 200 €, aussi avez-vous intérêt à former un groupe. Pour en savoir plus sur l'architecture italienne, voir p. 157.

Scooter

HR Incentives (www.happyrent.com) propose de visiter Rome en pilotant une Vespa ou une Lambretta de collection – la façon la plus agréable et la plus authentique de circuler dans la ville. Le circuit Rome by Night, de 21h à minuit, rencontre le plus de succès. Vous serez accompagné de pilotes expérimentés, qui vous initieront à l'art de conduire dans les rues de Rome.

Visites guidées à pied

Au Vatican et dans le centre historique, il sera plus agréable (et moins cher) de se débrouiller seul en se référant aux cartes de cet ouvrage et en louant des audioguides sur les sites. Toutefois, participer à une visite guidée à pied est souvent plus intéressant, bien qu'il ne soit pas toujours facile de bien entendre les commentaires du guide dans le centre-ville, en raison du bruit.

Enjoy Rome (carte p. 100 ; ☎ 06 445 68 90 ; www.enjoy-rome.com ; Via Marghera 8a) a mis au point diverses formules. Son parcours de 3 heures à pied (moins/plus de 26 ans 22/27 €, tarifs réduits pour les moins de 12 ans) englobe la Rome antique (en journée ou de nuit – d'avril à octobre), le Vatican, le Trastevere et le Ghetto. Une visite des catacombes et de la Via Appia Antica coûte 40 €. Attention : le circuit du Vatican n'inclut pas l'entrée des sites et des musées, et celui de la Rome antique ne pénètre pas dans le Colisée. Tous les guides sont titulaires de diplômes d'archéologie ou de disciplines connexes.

FÊTES ET FESTIVALS

Le calendrier romain compte de multiples manifestations, des fêtes traditionnelles d'inspiration religieuse ou historique aux festivals artistiques mettant l'opéra, la musique et le théâtre à l'honneur. Ces événements sont particulièrement nombreux entre juin et septembre. Ils incluent alors des projections de films en plein air et des concerts organisés sur les rives du fleuve. Pour plus de détails, rendez-vous aux offices du tourisme (voir p. 94).

Janvier
Nouvel An. Procession aux bougies dans les catacombes.

Mars/avril
Festa di San Giuseppe (fête de la Saint-Joseph ; 19 mars). Célébrée dans le voisinage du Trionfale, entre le Vatican et le Monte Mario. De petites échoppes servent des *fritelle* (pâtisseries frites) et un marché spécial s'installe non loin de l'église de San Giuseppe.

Settimana dei Beni Culturali (mars-avril). Semaine culturelle, avec accès libre aux aux musées publics.

Procession de la Croix (Pâques). Procession aux bougies, conduite par le pape, jusqu'au Colisée le Vendredi saint.

Le dimanche de Pâques, le souverain pontife donne sa traditionnelle bénédiction *Urbi et orbi* depuis le balcon de la place Saint-Pierre, devant des milliers de pèlerins.

Mostra delle Azalee (exposition des azalées ; fin mars). L'escalier de la Piazza di Spagna est couvert d'azalées roses.

Anniversaire de la fondation de Rome (21 avril). Processions, feux d'artifice et accès libre à de nombreux musées.

Mai
Primo Maggio (1er mai). Pour la fête du Travail, un concert de rock de classe internationale se déroule en plein air, sur la place de Saint-Jean-de-Latran.

Festa di Primavera (fin mai-juin). La fête du printemps est aussi celle de l'art, du sport, de la musique et du théâtre. (voir www.provincia.roma.it).

Juin
Fête de San Pietro e Paolo
(Saint-Pierre-et-Saint-Paul ; 29 juin). Hommage aux saints patrons de la ville, avec d'importantes célébrations à la basilique Saint-Pierre.

Naissance de saint Jean-Baptiste (23-24 juin). Rassemblement populaire, en l'honneur de saint Jean-Baptiste, notamment autour de la basilique Saint-Jean-de-Latran. L'occasion de goûter la délicieuse *porchetta* (cochon de lait farci et rôti aux aromates) proposée sur le marché.

Estate Romana (juin-sept). La grande manifestation de l'été se compose d'une série d'événements culturels de plein air pour les rares Romains qui n'ont pas déserté la ville (voir www.romeguide.it/estate_romana).

Juillet
Festa de'Noantri (3e sem de juil). Le festival de "Nous autres", dans le quartier de Trastevere, est une tradition populaire célébrant la mixité du quartier. On y vient boire, manger et danser.

Août
Festa della Madonna della Neve (5 août). En mémoire des neiges légendaires du 5 août 352, une pluie de pétales de rose s'abat sur les officiants de la basilique Sainte-Marie-Majeure.

Septembre
RomaEuropa (sept-nov). Des artistes reconnus se rassemblent à Rome pour ce festival d'automne consacré au théâtre, à l'opéra et à la danse.

Octobre
Via dei Coronari Mostra-Mercato (www.romaeuropa. net en italien ; sept-nov). Les antiquaires de la Via dei Coronari, près de la Piazza Navona, ouvrent les portes de leur boutique et s'installent sur les trottoirs.

Décembre
Marché de Noël (1er déc-6 janv). À l'approche de Noël, la Piazza Navona se transforme en foire aux jouets, avec santons de *presepi* (crèches), musiciens, illuminations et diverses animations.

Saint-Sylvestre (31 déc). Le pape se rend à la Chiesa del Gesù pour chanter le *Te Deum*, tandis que le maire offre un calice au prêtre qui dirige la cérémonie.

Capodanno (31 déc). Concerts en plein air et feux d'artifice célèbrent le Nouvel An. Une tradition presque oubliée consiste à jeter du balcon les appareils électroménagers usagés !

OÙ SE LOGER
À Rome, loger à l'hôtel coûte relativement cher. S'il existe un grand choix d'adresses de catégorie moyenne dans le *centro storico* et ses alentours, les établissements à prix modiques y sont très rares. Si vous en avez les moyens, mieux vaut loger dans le centre, riche en sites touristiques, en restaurants et en bars. Le paisible quartier de Prati, près du Vatican et sur la ligne de métro A, est également très agréable et l'on y trouve d'excellents restaurants. Le splendide quartier du Trastevere est l'endroit idéal où passer ses soirées estivales, mais il a l'inconvénient d'être parfois bruyant, surtout l'été.

Pour les voyageurs à petit budget, les adresses les moins chères se situent aux alentours de la Stazione Termini. Bien que la situation se soit améliorée ces dernières années, le quartier n'est pas des plus agréables. Certaines rues à l'ouest de la gare, notamment la Via Giovanni Giolitti, ne sont pas très sûres le soir, en particulier pour les femmes seules. Toutefois, on peut parfaitement se rendre à pied de Termini au *centro storico*, et la plupart des autres sites d'intérêt sont aisément accessibles en métro.

Bien qu'il n'existe pas vraiment de basse saison, de nombreux hôtels accordent des réductions de novembre à mars (excepté pendant les fêtes de fin d'année). Les tarifs culminent au printemps et en automne, et pendant les vacances scolaires (Noël, Nouvel An et Pâques). Dans la mesure du possible, il faut toujours réserver.

Si vous arrivez sans avoir effectué de réservation, vous pourrez toujours vous adresser au **Service de réservation hôtelière** (carte p. 100 ; ☎ 06 699 10 00 ; Stazione Termini ; 🕒 7h-22h30) de la gare ferroviaire principale (face au quai 21) ou réserver une chambre auprès de l'agence d'Enjoy Rome (p. 94). Ne suivez pas les rabatteurs qui attendent autour de la gare et proposent une chambre en prétendant faire partie de l'office du tourisme ou des agences. En général, ils facturent plus cher que le prix officiel des chambres médiocres.

Sauf mention contraire, les tarifs comprennent petit-déjeuner et taxes.

Types d'hébergement
CHAMBRES D'HÔTES
Les chambres d'hôte (ou *Bed & Breakfast*) connaissent un succès croissant à Rome. Parmi les nouvelles adresses, beaucoup sont des *pensioni*, dans lesquelles le visiteur dispose de ses propres clés et peut aller et venir à sa guise. Le Bureau du tourisme de Rome (p. 94) publie une liste complète des adresses.

Les agences ci-dessous sont spécialisées dans les chambres d'hôte et disposent d'un service de réservation en ligne :

Bed & Breakfast Association of Rome (carte p. 95 ; ☎ 06 553 02 248 ; www.b-b.rm.it ; Via Pacinotti 73 ; 🕒 10h-14h et 15h-19h lun-ven). Chambres d'hôte et appartements meublés à louer pour de courts séjours.

Bed & Breakfast Italia (☎ 08 171 41 533 ; www.bbitalia.com ; Via Casoria 47). Le plus ancien réseau de B&B à Rome.

Cross Pollinate (www.cross-pollinate.com). Agence en ligne.

Sleeping Rome (www.sleepingrome.com). Chambres d'hôte et appartements meublés.

AUBERGES DE JEUNESSE
Associazione Italiana Alberghi per la Gioventù (AIG ; carte p. 100 ; ☎ 06 487 11 52 ; www.ostellionline.org ; Piazza San Bernardo 107 ; 🕒 8h-18h lun-ven). Cette association italienne d'auberges de jeunesse vous renseignera sur toutes les auberges de jeunesse d'Italie et vous aidera à réserver une chambre universitaire l'été. Vous pouvez adhérer à Hostelling International (HI) sur place.

INSTITUTIONS RELIGIEUSES
Les institutions religieuses ne manquent pas à Rome, et la plupart d'entre elles offrent un hébergement bon marché. Souvenez-vous toutefois que certaines imposent un couvre-feu très strict et que les chambres sont plutôt spartiates (mais propres). Il est conseillé de réserver longtemps à l'avance. Vous trouverez une liste de ces institutions à l'adresse www.santasusanna.org/comingtorome.

LOCATION D'APPARTEMENTS
La location d'un studio ou d'un petit deux pièces au centre de Rome revient à environ 900 € par mois. Pour un séjour de longue durée,

cette solution vous coûtera moins cher qu'une chambre d'hôtel et vous offrira un meilleur confort ainsi que la possibilité de cuisiner. Pour des adresses de résidences hôtelières, consultez la rubrique "*Sleeping*" du site www.060608.it, ou les sites Internet suivants :

Accommodations Rome (www.accomodationsrome.com)
Flat in Rome (www.flatinrome.it)
Flats in Italy (www.flatsinitaly.com)
Italy Accom (www.italy-accom.com)
Leisure in Rome (www.leisureinrome.com)
Rental in Rome (www.rentalinrome.com)
Sleep in Italy (www.sleepinitaly.com)

Plusieurs librairies disposent d'un panneau sur lequel des petites annonces concernant des locations d'appartements ou de chambres chez l'habitant sont affichées. D'autres annonces paraissent dans *Wanted in Rome* (sortie un mercredi sur deux à l'adresse www.wantedinrome.com).

Rome antique

Caesar House (carte p. 108 ; ☎ 06 679 26 74 ; www.caesarhouse.com ; Via Cavour 310 ; d 140-220 € ; ✖ ✖ 🖳 🛜). Cet établissement sympathique et calme, bien que situé sur un axe très fréquenté, possède 11 chambres ensoleillées avec sol en terracotta, Wi-Fi, accès Internet dans le hall et une minuscule salle de gym. La suite donne sur le forum, et les chambres, avec petites sdb, sont impeccables et joliment décorées.

Centre historique
PETITS BUDGETS ET CATÉGORIE MOYENNE

B&B 3 Coins (carte p. 102 ; ☎ 06 446 06 34 ; www.3coinsbb.com ; Via dei Crociferi 26 ; s avec/sans sdb 70-130/60-90 € , d avec/sans sdb 90-150/80-100 € ; ✖). À un jet de pièce de la fontaine de Trevi, vous trouverez dans cette charmante pension un appartement de caractère décoré de bibelots familiaux, et 7 chambres propres et confortables, de taille et de style variés.

Hotel Antica Locanda (carte p. 102 ; ☎ 06 478 81 729 ; www.antica-locanda.com ; Via del Boschetto 84 ; s 70-140 € , d 90-160 € ; ✖ ✖ 🖳). Ce petit hôtel du quartier Monti propose des chambres fort agréables, plus ou moins grandes, donnant sur une rue pavée. Mobilier ancien, têtes de lit sculptées et poutres en bois complètent la décoration.

Fellini B&B (carte p. 102 ; ☎ 06 427 42 732 ; www.fellinibnb.com ; Via Rasella 55 ; s 70-180 € , d 90-200 € , app 200-370 € ; ✖ ✖). Les affiches de films ornant les couloirs de cet établissement quelque peu labyrinthique rendent hommage au grand cinéaste italien qui immortalisa la toute proche fontaine de Trevi. Chambres impeccables,

confortables et simples, avec TV sat, bonne literie et sdb bien équipées. L'appartement du dernier étage, qui peut loger 5 personnes, donne sur une immense terrasse avec vue. Réductions possibles.

Relais Palazzo Taverna (carte p. 102 ; ☎ 06 203 98 064 ; www.relaispalazzotaverna.com ; Via dei Gabrielli 92 ; s 80-150 € , d 100-210 € ; ✖ 🖳). Un hôtel de charme, idéalement situé, avec 11 chambres dont la décoration résolument contemporaine s'accorde à merveille avec le style ancien du bâtiment. TV sat à écran plasma, thé et café en libre service et petit-déjeuner servi dans la chambre.

Hotel Mimosa (carte p. 102 ; ☎ 06 427 42 732 ; www.hotelmimosa.net ; Via di Santa Chiara 61, 2ᵉ ét ; s/d/tr/q 88/118/158/178 € , sans sdb 50/70/90/105 € ; ✖ ✖). En dépit d'un confort spartiate (chambres petites mais propres), cet hôtel petits budgets a l'avantage d'être l'un des seuls de cette catégorie à se trouver dans le centre historique. On vous demandera un numéro de carte de crédit pour réserver, mais le règlement se fait en espèces.

Albergo del Sole (carte p. 102 ; ☎ 06 687 94 46 ; www.soleialbiscione.it ; Via del Biscione 76 ; s avec/sans sdb 100-130/75 € , d avec/sans sdb 125-160/100-110 € ; 🅿 🛜). Malgré son architecture médiévale (dédale de couloirs et plafonds bas à poutres apparentes), l'hôtel le plus ancien de Rome (datant de 1462), propose des chambres somme toute assez ordinaires. Le toit en terrasse du 2ᵉ étage en revanche a beaucoup de charme. Établissement bien situé (proche du Campo), équipé du Wi-Fi. Les cartes de crédit ne sont pas acceptées.

Daphne B&B (carte p. 102 ; ☎ 06 478 23 529 ; www.daphne-rome.com ; Via di San Basilio 55 ; d avec sdb 130-220 € , d sans sdb 90-160 € ; ✖ ✖ 🖳 🛜). Une excellente adresse, tenue par un couple italo-américain. Chambres élégantes et confortables, personnel attentif et délicieux petit-déjeuner. Les 15 chambres sont réparties dans 2 édifices : celui-ci, proche de la Via Veneto (chambres avec sdb), le second au n°20 de la Via degli Avignonesi, vers la fontaine de Trevi. Connexion Wi-Fi.

Hotel Navona (carte p. 102 ; ☎ 06 686 42 03 ; www.hotelnavona.com ; Via dei Sediari 8 ; s 100-125 € , d 135-155 € ; ✖). Les chambres du Navona, réparties sur plusieurs étages dans un *palazzo* du XVᵉ siècle, sont de qualité variable : certaines sont grandes et lumineuses, d'autres minuscules. La déco est à l'avenant (un meuble ancien peut très bien côtoyer une lampe en plastique). Mais l'on paie surtout l'emplacement, à deux pas de la Piazza Navona.

Hotel Modigliani (carte p. 102 ; ☎ 06 428 15 226 ; www. hotelmodigliani.com ; Via della Purificazione 42 ; s 120-160 €, d 110-188 €, d supérieure 180-280 € ; 🅿 🛜). Le couple d'artistes qui tient l'hôtel est très attentif au confort de ses hôtes. Les 23 chambres, tapissées de gris et agrémentées de couvre-lits rouge et or, sont spacieuses et lumineuses. Certaines ont un balcon donnant soit sur l'extérieur, soit sur la cour intérieure arborée et paisible, idéale pour prendre un verre. Connexion Wi-Fi.

Teatropace 33 (carte p. 102 ; ☎ 06 687 90 75 ; www. hotelteatropace.com ; Via del Teatro Pace 33 ; s 120-160 €, d 150-250 € ; ✕ 🅿). Idéalement situé à deux pas de la Piazza Navona, ce trois-étoiles discret est une adresse de choix. Sis dans l'ancienne résidence d'un cardinal, il possède 23 jolies chambres avec parquet, rideaux de damas et poutres apparentes. On y accède par un monumental escalier du XVIIe siècle (pas d'ascenseur).

Hotel Portoghesi (carte p. 102 ; ☎ 06 686 42 31 ; www. hotelportoghesiroma.com ; Via dei Portoghesi 1 ; s 130-160 €, d 160-200 € ; ✕ 🅿 🖥 🛜). Dans une jolie rue proche de la Piazza Navona, cette adresse accueillante propose des chambres confortables, avec TV sat et Wi-Fi, bien qu'un peu exiguës pour certaines (surtout les individuelles). Agréable toit-terrasse.

Hotel Teatro di Pompeo (carte p. 102 ; ☎ 06 687 28 12 ; www.hotelteatrodipompeo.it ; Largo del Pallaro 8 ; s 140-160 €, d 180-210 € ; 🅿). Construit au-dessus d'un théâtre édifié par Pompée en 55 av. J.-C. (l'actuelle salle du petit-déjeuner), cet hôtel familial est proche du Campo de' Fiori. Chambres confortables, à l'atmosphère un peu vieillotte ; les chambres mansardées du 3e étage, avec poutres apparentes, sont les plus belles.

CATÉGORIE SUPÉRIEURE

Hotel Campo de' Fiori (carte p. 102 ; ☎ 06 687 48 86 ; www.hotelcampodefiori.com ; Via del Biscione 6 ; s 170-220 €, d 200-270 €, app 2 pers 130-150 €, app 4 pers 180 € ; 🅿 ✕ 🅿 🛜). Cette luxueuse adresse se situe dans un quartier très animé, mais le bruit n'est pas un problème grâce au double vitrage. Les chambres sont équipées d'élégantes sdb, de TV sat à écran plat et du Wi-Fi ; au besoin, on vous prêtera un ordinateur portable. Le toit-terrasse, avec ses fauteuils d'osier, est très agréable. L'hôtel possède aussi 13 appartements confortables dans le même quartier.

Tridente
PETITS BUDGETS ET CATÉGORIE MOYENNE
Hotel Panda (carte p. 102 ; ☎ 06 678 01 79 ; www.hotelpanda. it ; Via della Croce 35 ; s/d sans sdb 68/78 €, avec sdb 80/108 € ;

🛜). À 50 m de la Scalinata di Spagna, une excellente adresse bon marché – une anomalie, vu l'emplacement ! Les chambres, impeccables, sont petites mais joliment meublées et la literie est de bonne qualité. Pour la clim, compter 6 € de plus par nuit. Connexion Wi-Fi.

Hotel Scalinata di Spagna (carte p. 102 ; ☎ 06 699 40896 ; www.hotelscalinata.com ; Piazza della Trinità dei Monti 17 ; d 130-370 € ; 🅿). Bien que surplombant la Scalinata di Spagna, l'hôtel pratique des prix étonnamment abordables. Un endroit décontracté et sympathique, avec son dédale de couloirs, son toit-terrasse et ses charmantes petites chambres richement meublées. Réservez à l'avance pour obtenir une chambre avec vue (et balcon).

Casa Montani (carte p. 96 ; ☎ 06 326 00 421 ; www. casamontani.it ; Piazzale Flaminio 9 ; d 140-240 €). Cette charmante pension haut de gamme tenue par un couple franco-italien propose cinq chambres contemporaines avec mobilier sur mesure. Un excellent rapport qualité/prix pour cette adresse bien située (Porta del Popolo), surtout si vous réservez trois nuits en basse saison (chambre deluxe à 120 €).

CATÉGORIE SUPÉRIEURE
Casa Howard (carte p. 102 ; ☎ 06 699 24 555 ; www. casahoward.com ; Via Sistina 149 et Via Capo le Case 18 ; s 140-220 €, d 190-250 € ; 🅿 🖥). Cet hôtel de charme bien situé comporte 10 chambres (à la déco extravagante) réparties entre 2 demeures voisines. Celles de la Via Sistina sont l'œuvre de Tommaso Ziffer, l'architecte d'intérieur chargé de redécorer l'adresse préférée des stars, l'Hotel de Russie. Trois des chambres ont des sdb privées. Les établissements sont tous deux équipés de hammams, affichant l'insolent tarif de 25/50 € (Capo le Case/Sistina). Comptez un supplément de 10 € par personne pour le petit-déjeuner, servi dans la chambre.

Crossing Condotti (carte p. 102 ; ☎ 06 699 20633 ; www.crossingcondotti.com ; Via Mario de' Fiori ; ch 180-280 €). L'une des pensions romaines haut de gamme de dernière génération, qui se caractérise par le soin extrême apporté à la décoration comme aux équipements. Ce modèle d'architecture d'intérieur pratique néanmoins des tarifs raisonnables en raison de l'absence de certains services (restaurant, conciergerie, petit-déjeuner), mais il dispose d'une kitchenette en libre-accès approvisionnée en boissons et un café Nespresso. Les chambres, meublées avec goût, sont très agréables.

Portrait Suites (carte p. 102 ; ☎ 06 68 28 31 ; www. portraitsuites.com ; Via Bocca di Leone 23 ; ch 300-690 €

ⓟ ⊠ ⊠ ▣). Cet hôtel de charme, conçu par le célèbre architecte florentin Michele Bonan et appartenant à des parents de Salvatore Ferragamo, comporte 14 suites et studios répartis sur les six étages d'un hôtel particulier donnant sur la Via Condotti, le tout agrémenté d'une splendide terrasse panoramique. Le personnel est on ne peut plus charmant. Il n'y a pas de restaurant, mais vous pourrez vous faire livrer vos repas. Petit-déjeuner servi dans la chambre ou sur la terrasse.

Termini et Esquilin
PETITS BUDGETS

Hotel Beautiful (carte p. 100 ; ☎ 06 447 03 927 ; www. solomonhotels.com ; 4ᵉ ét, Via Milazzo 8 ; dort 16-27 €, s 25-40 €, d 45,50-80 € ; ⊠ ⊠ ▣). Ce deux-étoiles, à mi-chemin entre l'hôtel et l'auberge de jeunesse, compte 14 chambres (doubles, triples et dortoirs) confortables, propres et lumineuses, avec hauts plafonds et sdb privatives. Réception ouverte 24h/24.

Funny Palace (carte p. 100 ; ☎ 06 447 03 523 ; www. hostelfunny.com ; 5ᵉ ét, Via Varese 31 ; dort 15-25 €, s sans sdb 30-70 €, d sans sdb 55-100 € ; ⊠ ⊠ 🛜). Tenue par les sympathiques gérants de la laverie Splashnet, cette petite auberge de jeunesse jouit d'une excellente réputation. Les chambres doubles, triples et quadruples sont toutes accueillantes et confortables. Les serviettes de toilette, la bouteille de vin et les bons pour prendre un petit-déjeuner dans le café voisin, remis à votre arrivée, sont autant de petits gestes que vous apprécierez. Connexion Wi-Fi et Skype disponibles. Cartes de crédit refusées. Les propriétaires gèrent aussi Amazing Place, un établissement similaire, au coin de la rue.

M&J Hostel (carte p. 100 ; ☎ 06 446 28 02 ; www. mejplacehostel.com ; Via Solferino 9 ; dort 10-35 €, s 50-70 €, d 60-100 € ; ⊠ ⊠ 🛜). Cette auberge de jeunesse, tenue par deux frères, possède plusieurs dortoirs aux couleurs vives (pouvant accueillir jusqu'à 10 personnes), dont un réservé aux femmes. Certains ont une sdb. Les doubles sont décorées dans un style chic et minimaliste, et sont climatisées, contrairement aux dortoirs. Réception ouverte 24h/24, cuisine commune. Les propriétaires gèrent aussi le bar Living Room (ouvert jusqu'à 2h), au rez-de-chaussée. C'est là qu'on sert le petit-déjeuner ; la cuisine y est d'ailleurs très bon marché. Réductions possibles si vous réservez en ligne.

Yellow (carte p. 100 ; ☎ 06 493 82 682 ; www.the-yellow. com ; Via Palestro 44 ; dort 18-35 € ; ⊠ ▣ 🛜). Cette auberge de jeunesse (réservée aux 18-40 ans) remporte un franc succès auprès des jeunes fêtards, logés par 4 ou par 12 dans des dortoirs mixtes à la déco sympa. Confort rudimentaire (douches et toilettes partagées) mais accès Internet gratuit et connexion Wi-Fi. Le bar du rez-de-chaussée, ouvert jusqu'à 2h, sert des petits-déjeuner (non compris dans le tarif) et possède d'agréables tables en terrasse. Réception ouverte 24h/24.

Alessandro Palace Hostel (carte p. 100 ; ☎ 06 446 19 58 ; www.hostelalessandro.com ; Via Vicenza 42 ; dort 18-35 €, d 70-110 € ; ⊠ ⊠ ▣ 🛜). Cette adresse réputée auprès des familles à petit budget et des routards propose des chambres doubles, triples ou quadruples d'une propreté étincelante, ainsi que des dortoirs pouvant loger 4 à 8 personnes. Sdb et sèche-cheveux dans chaque chambre. Internet et Wi-Fi, réception ouverte 24h/24, pas de couvre-feu. Les propriétaires gèrent aussi l'Alessandro Downtown Hostel (carte p. 100 ; ☎ 06 443 40 147 ; Via Cattaneo 23), plus sommaire et donc meilleur marché.

✪ Beehive (carte p. 100 ; ☎ 06 447 04 553 ; www. the-beehive.com ; Via Marghera 8 ; dort 20-30 €, d sans sdb 70-95 €, tr 95-120 €). L'une des meilleures auberges de jeunesse de Rome, tenue par un couple de Californiens et équipée avec goût et originalité. Un dortoir mixte (8 personnes) et 6 chambres doubles à la propreté irréprochable. Salon avec accès Internet, bourse aux livres, café végétarien (petit-déjeuner 5 €, dîner plat du jour 6,50 €), cour-jardin et salle de yoga. Massages (35 €). Réservez longtemps à l'avance car l'établissement est vite complet.

CATÉGORIE MOYENNE

Welrome Hotel (carte p. 100 ; ☎ 06 478 24 343 ; www. welrome.it ; Via Calatafimi 15-19 ; s 40-100 €, d 50-110 €, tr 105-148 €, q 120-187 €). Un petit hôtel impeccable. La propriétaire prend soin de ses hôtes, et leur indique les restaurants bon marché, les endroits à voir ou à éviter, et toutes les activités possibles. Les familles choisiront l'immense chambre baptisée "Piazza di Spagna".

Hotel des Artistes (carte p. 100 ; ☎ 06 445 43 65 ; www. hoteldesartistes.com ; Via Villafranca 20 ; ch sans sdb 55-95 €, ch avec sdb 95-210 € ; ⊠ ⊠ ▣). Décor bois et or, faux mobilier ancien et teintes chaudes pour ces chambres avec TV sat et sdb correctes. Réductions sur les longs séjours et/ou les paiements en espèces.

Suite Dreams (carte p. 100 ; ☎ 06 489 13 907 ; www.suite-dreams.it ; Via Modena 5 ; s 110-130 €, d 130-180 €, ste 200-250 € ; ⊠ ⊠ ▣). Cette adresse tendance et réputée propose 15 chambres décorées dans un style sobre et contemporain, avec parquet et grande penderie, ainsi qu'une luxueuse suite équipée d'un Jacuzzi. Offres spéciales sur le site.

Residenza Cellini (carte p. 100 ; ☎ 06 478 25 204 ; www.residenzacellini.it ; Via Modena 5 ; d 145-240 €, ste 165-280 € ; ✗ ❂). Ce charmant hôtel, à la décoration classique et soignée, propose 11 grandes chambres, avec TV sat, Jacuzzi ou douche hydromassante et Wi-Fi. L'été, le petit-déjeuner est servi sur une terrasse ensoleillée, joliment fleurie.

Trastevere
PETITS BUDGETS ET CATÉGORIE MOYENNE

La Foresteria Orsa Maggiore (carte p. 98 ; ☎ 06 689 37 53 ; www.casainternazionaledelledonne.org en italien ; 2e ét, Via San Francesco di Sales 1a ; dort 26 €, s/d sans sdb 52/72 €, s/d sans sdb 75/110 € ; 🖳). Cette pension réservée aux femmes (lesbiennes bienvenues, ainsi que les petits garçons jusqu'à l'âge de 12 ans) est installée dans un ancien couvent du XVIe siècle accessible en fauteuil roulant. La Casa Internazionale delle Donne (Maison internationale des femmes) propose ici un hébergement sûr aux tarifs corrects dans un coin tranquille du Trastevere. Les 13 chambres (avec ou sans sdb) logent 2, 4, 5 ou 8 personnes. Couvre-feu à 3h.

Hotel Antico Borgo Trastevere (carte p. 106 ; ☎ 06 588 39 24 ; www.hotelanticoborgo.it ; Vicolo del Buco 7 ; s 45-100 €, d 65-150 € ; ✗ ✗). Niché dans un coin tranquille du Trastevere, cet hôtel au charme suranné occupe un petit *palazzo* des années 1800. Les chambres, jolies, sont bien tenues et pourvues d'une bonne literie, mais minuscules. Claustrophobes, passez votre chemin. Le petit-déjeuner est servi dans la chambre.

Arco del Lauro (carte p. 106 ; ☎ 9h-14h 06 97 84 03 50, 346 244 3212 ; Via Arco de' Tolomei, 27 ; s 75-125 €, d 95-145 €, tr 120-165 €, q 135-180 € ; ✗). Cette merveilleuse pension de 6 chambres seulement, installée dans un ancien *palazzo*, est un petit bijou, donnant sur une rue pavée et une arche de pierre. Ses chambres étincelantes allient rusticité et simplicité. Poutres apparentes dans la plus grande.

Hotel Trastevere (carte p. 106 ; ☎ 06 581 47 13 ; www. hoteltrastevere.net ; Via Manara 24a-25 ; s 80 €, d 103-105 € ; ✗ ✗). Surplombant la place du marché de San Cosimato (bruyante le soir), cet établissement sans prétention propose un hébergement rudimentaire et bon marché dans le Trastevere. Chambres spacieuses et propres.

Villa della Fonte (carte p. 106 ; ☎ 06 580 37 97 ; www.villafonte.com ; Via della Fonte dell'Olio 8 ; s 110-130 €, d 135-150 € ; ✗ ✗). Véritable petit bijou, cet hôtel occupe un édifice du XVIIe siècle, dans une rue proche de la Piazza Santa Maria in Trastevere. Ses 5 chambres à la déco assez sobre disposent d'agréables sdb et des lits confortables sont garnis de très jolis draps. Le jardin en terrasse, ensoleillé, est parfait pour prendre le petit-déjeuner.

Residenza Arco de' Tolomei (carte p. 106 ; ☎ 06 583 20 819 ; www.bbarcodeitolomei.com ; Via Arco de' Tolomei 27 ; d 160-220 € ; ✗ ❂). Au-dessus de l'Arco del Lauro, cet établissement tout aussi agréable que son voisin (bien que très différent) est richement décoré (mobilier ancien tapissé de chintz). Propriétaires sympathiques et connexion Wi-Fi.

Hotel Santa Maria (carte p. 106 ; ☎ 06 589 46 26 ; www.hotelsantamaria.info ; Vicolo del Piede 2 ; s 160-190 €, d 175-230 € ; ⓟ ✗ ✗ 🖳). Cet ancien couvent donnant sur une ruelle envahie par le lierre est un havre de paix. Les 19 chambres fraîches et confortables, à la déco soignée, sont disposées autour d'une ravissante cour plantée d'orangers. Grandes chambres familiales et qualité de service exceptionnelle. Une excellente adresse, accessible aux personnes en fauteuil roulant. À côté, la Residenza Santa Maria, plus intime et plus rustique, est gérée par les mêmes propriétaires.

Aventin
Hotel Sant'Anselmo (carte p. 106 ; ☎ 06 574 52 31 ; www. aventinohotels.com ; Via Melania 19 ; s 160-220 €, d 180-270 € ; ⓟ 🖳 ✗). Le paisible quartier résidentiel de l'Aventin, avec ses murs ocre et ses pins parasols, est l'un des plus prisés de Rome. Cet hôtel, romantique à souhait, y est magnifiquement situé. Ses 34 chambres au design original sont équipées de lits à baldaquin ou à tête sculptée, de baignoires pied de griffe, de Jacuzzi ou de douches. Fresques et chandeliers complètent la déco. Les chambres avec terrasse sont particulièrement appréciées pour leur jolie vue.

Cité du Vatican, Borgo et Prati
PETITS BUDGETS ET CATÉGORIE MOYENNE

Casa di Accoglienza Paolo VI (Piccolo Suore della Sacra Famiglia ; carte p. 98 ; ☎ 06 390 9141 ; casapaolovi@tiscalinet. it ; Viale Vaticano 92 ; s/d/tr/q 35/60/78/90 € ; ✗ ✗). Un ravissant couvent à la cour ornée de palmiers, en face de l'entrée des musées du Vatican. Les sœurs, charmantes, louent de petites chambres ensoleillées, étincelantes de propreté. Il est impératif de réserver longtemps à l'avance. Pas de petit-déjeuner, réduction sur les séjours de plus d'une nuit, couvre-feu à minuit.

Hotel Lady (carte p. 98 ; ☎ 06 324 21 12 ; www.hoteladyroma.it ; 4ᵉ ét, Via Germanico 198 ; s sans sdb 50-65 €, d avec/sans sdb 100-130 €/70-95 € ; ⊠). Une *pensione* à l'ancienne, paisible et chaleureuse, dans un immeuble résidentiel. Les 8 chambres sont confortables et d'une propreté impeccable ; la 4 et la 6 ont des poutres apparentes. Les sympathiques propriétaires servent le petit-déjeuner (10 €) dans un joli salon.

Hotel San Pietrino (carte p. 98 ; ☎ 06 370 01 32 ; www.sanpietrino.it ; Via Bettolo 43 ; s sans sdb 60-85 €, d avec/sans sdb 75-118/60-85 € ; ⊠ ▨ ▢ ☏). Une excellente adresse, dans le paisible quartier de Prati, à proximité du métro (station Ottaviano San Pietro). Les 16 chambres sont joliment décorées (sol en terracotta et sculptures dans certaines, ainsi que dans le couloir) avec literie confortable et connexion Wi-Fi. Le service est irréprochable.

Colors Hostel & Hotel (carte p. 98 ; ☎ 06 687 40 30 ; www.colorshotel.com ; Via Boezio 31 ; dort 23-27 €, s 50-90 €, d 100-135 € ; ⊠ ▨ ▢). Un hôtel-auberge de jeunesse à l'ambiance décontractée, avec 7 dortoirs ensoleillés, arborant des couleurs vives ; ils sont parfois bruyants lorsque les fenêtres sont ouvertes. On y trouve une cuisine équipée et des sdb communes impeccables, ainsi qu'une petite terrasse sur le toit. Les doubles, lumineuses, sont jolies et pourvues d'une bonne literie, de hauts plafonds et de sdb dernier cri. Dortoirs réservés aux 18-35 ans, réduction de 10 à 15 € pour les simples et les doubles avec sdb commune.

Hotel Bramante (carte p. 98 ; ☎ 06 688 06 426 ; www.hotelbramante.com ; Vicolo delle Palline 24-25 ; s 100-160 €, d 150-220 € ; ▨). Niché dans le quartier de Borgo, cet hôtel au charme rustique occupe un édifice du XVIᵉ siècle qui fut la demeure de l'architecte Domenico Fontana avant que le pape Sixte V n'oblige ce dernier à quitter Rome. On y trouve 16 chambres pleines de caractère, avec tapis orientaux et mobilier ancien.

OÙ SE RESTAURER

Les Romains aiment manger à l'extérieur, et la ville offre un large choix de trattorias, pizzerias, *ristoranti* et *enoteche* (bars à vin servant à manger). Le Trastevere et le *centro storico* sont réputés pour leurs excellentes adresses, ainsi que les quartiers de Prati, du Testaccio (réputé pour l'authenticité de sa cuisine romaine, riche en abats) et de San Lorenzo. En règle générale, mieux vaut éviter les alentours de la Stazione Termini et faire preuve de vigilance à proximité du Vatican,

où la qualité laisse parfois à désirer en raison de la forte fréquentation touristique.

Nombre de restaurants ferment plusieurs semaines au mois d'août, mais un décret municipal impose à chaque restaurateur de s'assurer qu'un établissement similaire au sien reste ouvert pendant sa période de vacances, dans un rayon de 300 m.

Sinon, pour environ 3 €, vous pouvez commander un *panino* dans l'un des nombreux *alimentari* (épiceries) que compte la ville, ainsi que dans les bars. Les *tramezzini* (sandwichs réfrigérés préparés d'avance) reviennent à 4 € environ. Sachez que consommer sur place dans un café ou un bar vous reviendra plus cher que la vente à emporter. Enfin, de nombreuses enseignes de *pizza al taglio* (pizza à la coupe), détaillent des parts de pizzas à emporter (3 € environ, selon la portion et la garniture).

Rome antique

Cavour 313 (carte p. 108 ; ☎ 06 678 54 96 ; Via Cavour 313 ; ⊙ 10h-14h30 et 19h30-0h30, fermé en août ; plats 7-14 €). Proche du Colisée et du Forum, ce bar à vin au décor en bois est à l'atmosphère feutrée accueille une clientèle des plus variées, de l'acteur au politicien, en passant par le simple touriste. Laissez-vous gagner par le charme de l'endroit et accompagnez votre plat du jour, assiette de charcuterie ou plateau de fromage, de l'un des 1 200 vins référencés sur la carte.

La Piazzetta (carte p. 108 ; ☎ 06 699 16 40 ; Vicolo del Buon Consiglio 23a ; repas 35 €). "*Molto simpatico*", ce restaurant à la fois chic et décontracté, niché dans une minuscule ruelle médiévale. Le buffet d'antipasti est sensationnel, et les *primi* et *secondi* sont tout aussi bons (goûtez donc les pâtes à la carbonara). Délicieux assortiment de pâtisseries en dessert.

Centre historique
PETITS BUDGETS

Antico Forno (carte p. 102 ; ☎ 06 679 28 66 ; Via delle Muratte 8 ; ⊙ 7h-21h). Ce snack-bar tout proche de la fontaine de Trevi est l'un des plus anciens de Rome. Grand choix de *panini* frais, de *focaccie* et de pizzas.

Forno di Campo de' Fiori (carte p. 102 ; ☎ 06 688 06 662 ; Campo de' Fiori 22 ; ⊙ 7h-13h30 et 17h30-20h30 lun-mer, ven et sam). Les pizzas à la coupe, tout juste sorties du four, sont si bonnes et si croustillantes que l'endroit ne désemplit pas. La *pizza bianca* ("pizza blanche" : huile d'olive, romarin et sel) est divine ; la *pizza rossa* ("pizza rouge" : huile d'olive, tomate, origan), sublime.

La *pizza patata* (pomme de terre et romarin) et la *pizza pomidorini* (tomates cerises) sont tout simplement merveilleuses.

Lo Zozzone (carte p. 102 ; ☎ 06 688 085 75 ; Via del Teatro Pace 32 ; pizza normale/grande 3/5 € ; ☾ lun-sam). Affichant une propreté étincelante – et ressemblant de plus en plus à un véritable restaurant –, Lo Zozzone possède quelques tables à l'intérieur et en terrasse. Ses *panini* figurent parmi les meilleurs de Rome. Passez d'abord à la caisse pour régler votre part normale/grande de *pizza bianca*, puis choisissez la garniture au bar.

Volpetti alla Scrofa (carte p. 102 ; ☎ 06 688 06 335 ; Via della Scrofa 31-32 ; repas moins de 10 € ; ☾ lun-sam). Véritable caverne d'Ali Baba pour gourmets – truffes, saucissons et fromages d'Italie, mais aussi bière belge et champagne français – cet établissement fait également office de *tavola calda* (littéralement "table chaude"), avec un menu pâtes, salades et fruit à moins de 10 €.

Zazá (carte p. 102 ; ☎ 06 688 01 357 ; Piazza San'Eustachio 49 ☾ 9h-22h lun-sam). Très bien situé, entre la Piazza Navona et le Panthéon, ce minuscule établissement sert des parts de pizza bio extrêmement digestes : la pâte, préparée avec de l'huile d'olive extra-vierge, repose pendant près de 60 heures. Essayez la pizza à la pomme de terre ou la margherita.

☉ Pizzeria da Baffetto (carte p. 102 ; ☎ 06 686 16 17 ; Via del Governo Vecchio 114 ; pizzas 6-9 € ; ☾ 18h30-24h). Les délicieuses pizzas à pâte fine, servies brûlantes dans cette authentique pizzeria romaine comptent parmi les meilleures de la ville. Rien d'étonnant donc, à devoir faire la queue devant la porte ; vous serez peut-être même invité à partager une table. En guise de mise en bouche, les savoureuses fleurs de courgette frites et des *olive ascolane* parfaites.

Filetti di Baccalà (carte p. 102 ; ☎ 06 686 40 18 ; Largo dei Librari 88 ; repas 20 € ; ☾ dîner lun-sam). Envie d'une friture de *baccalà* (morue) ? Misez sur

---

GELATI À GOGO

Le climat ensoleillé de Rome contribue sans doute pour beaucoup à la déraisonnable consommation de *gelati* des Romains. Les glaces font partie intégrante de la gastronomie locale, et l'on y trouve de superbes *gelaterie artigianali* (glaciers artisanaux) à tous les coins de rue, ou presque. Les meilleures préparent leurs crèmes glacées le jour même ; la plupart les agrémentent de *panna* (crème) fraîche. Pour repérer un bon glacier, fiez-vous à la couleur de la glace à la pistache : elle doit être d'un vert olive plutôt pâle. Lorsqu'il fait très chaud, les Romains ont coutume de siroter une *grattachecca* (mélange de glace pilée et de sirop de fruit). On trouve plusieurs stands à proximité des ponts centraux.

Voici quelques adresses, que, bien évidemment, nous avons testées :

▪ **Alberto Pica** (carte p. 102 ; ☎ 06 686 84 05 ; Via della Seggiola 12 ; ☾ 8h30-2h lun-sam, 16h-2h dim, fermé 2 sem en août). M. Pica travaillait pour Giolitti (voir ci-dessous) avant d'ouvrir sa propre boutique. Il s'agit de l'une des plus ancienne *gelaterie* de Rome, ouverte depuis 1960. En été, des parfums comme *fragolini di bosco* (fraises des bois) ou *petali di rosa* (pétales de rose) sont très appréciés, mais la glace au riz remporte toujours un franc succès, quelle que soit la saison.

▪ **Ara Coeli** (carte p. 102 ; ☎ 06 679 50 85 ; Piazza d'Aracoeli 9 ; 🚌 Piazza Venezia). Bien située à deux pas du Capitole, l'Ara Coeli propose un excellent choix de glaces bio (plus de 40 parfums), de *semifreddi* (mousse à base d'œufs et de crème), de granités siciliens et de yaourts.

▪ **Gelateria Giolitti** (carte p. 102 ; ☎ 06 699 12 43 ; Via degli Uffici del Vicario 40). Cette ancienne crèmerie fondée en 1900 continue de satisfaire les foules avec ses succulents sorbets et ses chocolats crémeux. Gregory Peck et Audrey Hepburn y firent une apparition dans le film *Vacances romaines* et le pape Jean Paul II en appréciait les marrons glacés.

▪ **Old Bridge** (carte p. 98 ; ☎ 06 397 23 026 ; Viale dei Bastioni di Michelangelo 5 ; ☾ 9h-2h). À deux pas du Vatican, cette minuscule boutique sert de généreuses glaces depuis plus de 20 ans. Nous vous recommandons la glace à la pistache ou au chocolat, avec un soupçon de chantilly.

▪ **San Crispino** (☎ 06 679 39 24) Via della Panetteria (carte p. 102 ; Via della Panetteria 42 ; ☾ 12h-0h30 lun, mer, jeu et dim, 12h-1h30 ven et sam) ; Piazza della Maddalena (carte p. 102 ; Piazza della Maddalena 3 ; ☾ 12h-0h30 lun, mer, jeu et dim, 12h-1h30 ven et sam). Il s'agit peut-être des meilleures glaces au monde ! Entièrement naturelles et aux parfums de saison, elles sont uniquement servies en coupe (les cônes en altéreraient la saveur).

cette vénérable adresse joliment située, où le poisson est servi avec une salade de *puntarella* (variété de chicorée) ou des fleurs de courgette frites, délicieusement craquantes.

Enoteca Corsi (carte p. 102 ; ☎ 06 679 08 21 ; Via del Gesù 88 ; repas 20 € ; ☽ déj lun-sam, fermé en août). Cette *osteria* familiale au décor rustique (alignement de bouteilles, tables en bois et nappes en papier), où règnent une atmosphère chaleureuse et un désordre savamment organisé, est un modèle du genre. On y sert une cuisine simple, faite d'ingrédients frais et de qualité. Le menu suit le calendrier : s'il y a des gnocchis, c'est jeudi.

Da Ricci (carte p. 102 ; ☎ 06 488 11 07 ; Via Genova 32 ; pizzas 8 € ; ☽ 19h-24h mar-dim). Cette ancienne cave à vin ouverte en 1905 est la plus ancienne pizzeria de Rome. On y sert, dans un décor en bois qui semble d'origine, des pizzas napolitaines à pâte épaisse (mais vous pouvez demander une pâte fine si vous préférez), richement garnies.

Alfredo e Ada (carte p. 102 ; ☎ 06 687 88 42 ; Via dei Banchi Nuovo 14 ; repas 20 € ; ☽ lun-ven). Après avoir trouvé une place dans cette minuscule trattoria où le temps semble s'être arrêté, il faudra encore patienter. En revanche, vous n'aurez pas à vous soucier du menu, Ada se charge de tout : elle vous servira un plat simple, copieux et savoureux. Des saucisses aux lentilles par exemple. Quant au dessert, il provient de la légendaire boîte à biscuits d'Ada. Les cartes de crédit ne sont pas acceptées.

CATÉGORIE MOYENNE
Da Francesco (carte p. 102 ; ☎ 06 686 40 09 ; Piazza del Fico 29 ; pizzas 6-9 € , repas 24 € ; ☽ 11h50-14h50 et 19h-0h45). Une adresse sympathique et animée, on ne peut plus romaine. Au menu : de copieux plats de pâtes et de savoureuses pizzas, à déguster à l'intérieur ou en terrasse, sur une jolie place. Pour éviter l'attente, venez tôt. Les cartes de crédit ne sont pas acceptées.

Sora Margherita (carte p. 102 ; ☎ 06 687 42 16 ; Piazza delle Cinque Scole 30 ; repas 25 € ; ☽ déj mar-dim, dîner ven-sam hiver, déj lun-ven, dîner ven été, fermé en août). Une adresse sans prétention, qui était à l'origine un simple restaurant de quartier. Le bouche à oreille a bien fonctionné depuis, et l'attente à la porte est inévitable. On y sert de copieuses assiettes de pâtes ou de *gnocchi* et de délicieuses spécialités juives à des prix imbattables (tarte à la ricotta par exemple), dans une atmosphère un peu bruyante, typiquement romaine. Service rapide ; vous devrez en contrepartie libérer rapidement votre table après avoir terminé. Fermé les week-ends d'été, plage oblige.

NOTRE SÉLECTION DES CINQ MEILLEURES TABLES DE ROME

- **Pizzeria da Baffetto** (p. 152) Les meilleures pizzas de Rome, servies avec une énergie rare.
- **Forno di Campo de' Fiori** (p. 151) Si les anges pouvaient préparer des *pizze al taglio* (pizzas à la coupe), elles auraient certainement ce goût.
- **Cacio e Pepe** (p. 165) Un délicieux repas en trois plats pour moins de 20 €.
- **Sora Margherita** (ci-dessous) Excellent rapport qualité/prix, dans le Ghetto. Une cuisine judéo-romaine copieuse.
- **La Veranda de l'Hotel Columbus** (p. 166) Offrez-vous un déjeuner dans le cadre somptueux de ce palais Renaissance, orné de fresques, à deux pas de la basilique Saint-Pierre. Le tout pour 35 €, vin compris.

Cul de Sac (carte p. 102 ; ☎ 06 688 01 094 ; Piazza Pasquino 73 ; repas 30 € ; ☽ 12h-16h et 18h-0h30 lun-sam). Une merveilleuse petite *enoteca*, tout près de la Piazza Navona, avec une minuscule terrasse et un intérieur typique d'un bar à vin. Service rapide et sympathique, délicieuses assiettes de charcuterie et de fromages, plats savoureux (les *involtini* sont exquis) et carte des vins très fournie. Réservation impérative le soir.

Gino (carte p. 102 ; ☎ 06 687 34 34 ; Vicolo Rosini 4 ; repas 30 € ; ☽ lun-sam). Une délicieuse trattoria, pittoresque et pleine d'effervescence, un modèle du genre. Vous y dégusterez d'excellents plats, tels que les *rigatoni alla gricia* (pâtes aux joues de porc fumées) ou les boulettes de viande, dans un cadre coloré, sur le thème de la vigne. Proche du parlement, l'adresse est constamment bondée de politiciens bavards. Les cartes de crédit ne sont pas acceptées.

Ar Galletto (carte p. 102 ; ☎ 06 686 17 14 ; Piazza Farnese 102 ; repas 35 € ; ☽ tlj). On ne s'attendrait pas à trouver un restaurant pratiquant des prix décents sur la Piazza Farnese, l'une des plus jolies de Rome. Et pourtant : cette vénérable *osteria*, fréquentée par une clientèle d'habitués, sert une cuisine romaine authentique dans une atmosphère conviviale, sur une merveilleuse terrasse. Si le poulet rôti est la spécialité de la maison, l'agneau est tout aussi bon.

Vineria Chianti (carte p. 102 ; ☎ 06 678 75 50 ; Via del Lavatore 81-82 ; repas 35 €). Une exception parmi les restaurants entourant la fontaine de Trevi, qui servent généralement des plats pour touristes à prix excessifs. Ce joli bar à vin habillé de lierre possède un intérieur typique et une terrasse idéale pour observer le monde défiler devant soi l'été. Cuisine toscane (viandes délicieuses), salades originales et pizza le soir.

Ditirambo (carte p. 102 ; ☎ 06 687 16 26 ; Piazza della Cancelleria 74-75 ; repas 35 € ; ⏱ déj mar-dim, dîner tlj). Tout près du Campo de' Fiori, cet établissement est réputé pour sa cuisine savoureuse et innovante. La carte change régulièrement et le chef fait grand usage de produits bio et artisanaux. Excellente carte des vins et grand choix de plats végétariens, ainsi qu'un tiramisu absolument divin. L'adresse est sans prétention, mais si populaire qu'il faut absolument réserver. En face, le Grappolo D'Oro, moins typique, est géré par la même équipe ; il constitue aussi un excellent choix.

Da Armando al Pantheon (carte p. 102 ; ☎ 06 688 03 034 ; Salita dei Crescenzi 31 ; repas 40 € ; ⏱ déj et dîner lun-ven, déj sam, fermé en août). La cuisine romaine de cette chaleureuse trattoria familiale, à deux pas du Panthéon, est excellente. L'endroit, convivial, authentique et toujours bondé, accueille parfois des célébrités (Jean-Paul Sartre et Pelé y ont mangé). Ne partez pas sans avoir goûté aux pâtisseries maison. Réservation conseillée.

Matricianella (carte p. 102 ; ☎ 06 683 21 00 ; Via del Leone 2/4 ; repas 40 € ; ⏱ lun-sam, fermé en août). Cuisine et décor typiquement romains dans cette trattoria chic et tranquille, proche de la jolie Piazza di San Lorenzo in Lucina. Parmi les spécialités : *carciofi alla giudia* (artichauts à la juive), boulettes de viande et ragoût. Les Romains semblent l'adorer, mieux vaut donc réserver.

Da Giggetto (carte p. 102 ; ☎ 06 686 11 05 ; Via del Portico d'Ottavia 21-22 ; repas 40 € ; ⏱ mar-dim). Une excellente cuisine juive-romaine, servie dans un cadre agréable, dans le Ghetto. En entrée, on y déguste de délicieux *carciofi alla giudia, fiore di zucca* (fleurs de courge) et *baccalà* (morue), suivis d'une *zuppa di pesce* (soupe de poisson) ou de *rigatoni alla gricia*. L'été, on y déjeune à l'ombre des ruines du Portico d'Ottavia. Pour les voyageurs à petit budget, il y a un café du même nom (**Giggetto 2** ; ☎ 06 64760369, Via Angelo in Pescheria 13-14), derrière le restaurant.

CATÉGORIE SUPÉRIEURE

Colline Emiliane (carte p. 102 ; ☎ 06 481 75 38 ; Via degli Avignonesi 22 ; repas 45 € ; ⏱ mar-sam, dim déj,

fermé en août). Près de la Piazza Barberini cette accueillante trattoria porte le drapeau de l'Émilie-Romagne, la province d'origine du parmesan, du vinaigre balsamique, de la sauce bolognaise et du jambon de Parme. On y sert de délicieuses viandes, des pâtes maison généreusement garnies et des desserts que vous n'êtes pas près d'oublier.

Osteria Sostegno (carte p. 102 ; ☎ 06 679 38 42 ; Via delle Colonnelle 5 ; repas 45 €). Une petite adresse très appréciée des journalistes et des hommes politiques, où l'on sert d'excellents plats comme la salade *caprese* (tomates et mozzarella) ou le *lasagnetto al forno con punte di asparagi* L'établissement jouit d'une jolie petite terrasse Dans la même rue, le Ristorante Settimio (☎ 06 678 96 51 ; Via delle Colonnelle 14 repas 45 €), tenu par des membres de la même famille, est tout aussi bon.

Monti
La Carbonara (carte p. 102 ; ☎ 06 482 5176 ; Via Panisperna 214 ; repas 25 €). Ouvert depuis 1906, l'établissement fut jadis fréquenté par les Ragazzi di Panisperna un groupe de jeunes physiciens comprenant Enrico Fermi, célèbres pour être à l'origine du premier réacteur nucléaire et de la première bombe atomique. Vous pourrez bien entendu déguster de savoureuses pâtes à la carbonara (mais le nom du restaurant n'a rien à voir avec ce plat : la première propriétaire était l'épouse d'un charbonnier !). Service dynamique et intérieur couvert de graffitis : les convives sont invités à laisser une trace de leur passage en écrivant un petit mot sur le mur.

Tridente
PETITS BUDGETS
Da Michele (carte p. 102 ; ☎ 349 252 5347 ; Via dell'Umiltà 31 ; ⏱ 8h-17h lun-ven, jusqu'à 20h été). Une adresse bien pratique, proche de la Piazza di Spagna non seulement vous déjeunerez d'une délicieuse *pizza a taglio*, légère et croustillante à souhait, mais les économies ainsi faites vous permettront peut-être de vous offrir les magnifiques vêtements de créateur don vous rêvez.

Pizzeria al Leoncino (carte p. 102 ; ☎ 06 686 7 57 ; Via del Leoncino 28 ; pizzas 6-8,50 € ; ⏱ jeu-mar dîner slt sam et dim). Saluons l'existence de cette table bon marché dans le quartier huppé de Tridente. C'est une petite pizzeria de quartier à l'ambiance animée, avec deux salles au décor gai, un service impersonnel mais efficace et d'excellentes pizzas à la romaine.

'Gusto (carte p. 102 ; ☎ 06 322 62 73 ; Piazza Augusto Imperatore 9 ; pizzas 7-11 €). Immense complexe gastronomique style ancien entrepôt, ce restaurant de designer est l'endroit idéal où s'asseoir en terrasse et contempler le nouveau bâtiment du musée de l'Ara Pacis (p. 125) conçu par Richard Meier. Préférez les pizzas napolitaines, bon marché et savoureuses, aux plats chers et parfois décevants du restaurant.

CATÉGORIE MOYENNE

La Buca di Ripetta (carte p. 96 ; ☎ 06 321 93 91 ; Via di Ripetta 36 ; repas 40 €). Très prisée par les acteurs et réalisateurs du quartier, qui savent reconnaître les bonnes choses au premier coup d'œil, cette adresse d'un bon rapport qualité/prix sert de savoureuses spécialités romaines. Essayez la *zuppa rustica con crostini di pane aromatizzati* (soupe campagnarde aux croûtons au romarin) ou le *matolino di latte al forno alle erbe con patate* (cochon de lait rôti aux pommes de terre), et vous serez fin prêt pour une après-midi de visites (ou pour une bonne sieste).

Palatium (carte p. 102 ; ☎ 06 692 02 132 ; Via Frattina 94 ; repas 40 € ; ☽ lun-sam, fermé en août). Véritable vitrine des produits du Latium, cette élégante *enoteca* proche de la Piazza di Spagna sert d'excellentes spécialités locales, tels la *porchetta* (porc rôti aux herbes), des fromages artisanaux, de délicieux saucissons, ainsi qu'un large éventail de vins du Latium (essayez les crus peu connus, comme l'Aleatico). Excellent choix pour un *aperitivo*.

Il Margutta (carte p. 102 ; ☎ 06 326 50 577 ; Via Margutta 118 ; repas 40 €). Cette galerie-restaurant végétarien à l'accueil sympathique propose un formidable assortiment de plats, ainsi qu'une carte des vins particulièrement fournie. Le brunch, présenté sous forme de buffet le samedi/dimanche (15/25 €), est d'un excellent rapport qualité-prix ; vous ferez votre choix parmi plus de 50 plats le dimanche. Propose aussi un menu végétalien de quatre plats (30 €).

CATÉGORIE SUPÉRIEURE

Nino (carte p. 102 ; ☎ 06 679 5676 ; Via Borgognona 11 ; repas 50 € ; ☽ 12h30-15h et 19h30-23h lun-sam). Les célébrités se bousculent aux portes de cette trattoria typiquement toscane, proche de la Piazza di Spagna : Tom Cruise et Katie Holmes, par exemple, y ont dîné en amoureux lorsqu'ils étaient fiancés. L'accueil réservé au commun des mortels est un peu froid mais les plats, servis dans un décor très classique (bois sombre et nappes blanches), sont excellents. La soupe de haricots toscane est particulièrement bonne.

Open Colonna (carte p. 102 ; ☎ 06 478 22 641 ; Via Milano 9a ; repas 55 € ; ☽ 12h-24h). Magnifiquement situé à l'arrière du Palazzo delle Esposizioni, le splendide restaurant du célèbre chef Antonello Colonna déploie ses tables en mezzanine sous une extraordinaire voûte en verre. Au menu : des plats romains préparés avec créativité et intuition, façon nouvelle cuisine. Le restaurant a en outre l'avantage d'être à la portée de toutes les bourses, puisqu'il propose un menu à 15 € le midi, ainsi qu'un brunch à 28 € le week-end, servi dans la grande salle du bas.

Termini et Esquilin
PETITS BUDGETS

Panella l'Arte del Pane (carte p. 100 ; ☎ 06 487 24 35 ; Via Merulana 54 ; ☽ 8h-14h et 17h-20h lun-mer et ven, 8h-14h jeu, 8h-14h et 16h30-20h sam, 8h30-14h dim). Une excellente adresse de *pizza al taglio*, où l'on peut aussi déjeuner de *supplì* (boulettes de riz frites), de *focaccia* et de croquettes frites. Accompagnez le tout d'un verre de Prosecco bien frais, tout en dévorant des yeux les spécialités gastronomiques vendues dans la boutique.

Indian Fast Food (carte p. 100 ; ☎ 06 446 07 92 ; Via Mamiani 11 ; curries 5,50-7,50 € ; ☽ 11h-16h et 17h-23h30). L'endroit ne paie pas de mine, avec ses tables en Formica et son éclairage au néon, mais l'ambiance et la cuisine sont typiquement indiennes.

CATÉGORIE MOYENNE

Trimani (carte p. 100 ; ☎ 06 446 96 30 ; Via Cernaia 37b ; repas 35 € ; ☽ lun-sam, fermé 2 sem août). Les bonnes adresses se font rares à Termini, aussi apprécierez-vous cet excellent bar à vin, qui propose un grand choix de plats, des huîtres à la soupe de lentilles, en passant par les saucissons et fromages accompagnés de moutarde ou de confiture. Grâce aux conseils avisés du serveur, vous choisirez votre vin parmi plus de 4 500 références.

CATÉGORIE SUPÉRIEURE

Agata e Romeo (carte p. 100 ; ☎ 06 446 61 15 ; Via Carlo Alberto 45 ; repas 120 € ; ☽ lun-ven). Ce restaurant chic, qui fut autrefois l'un des précurseurs de la nouvelle gastronomie romaine, figure toujours parmi les meilleures tables de Rome. Le menu et les plats sont élaborés par la chef Agata Parisella, qui adapte les recettes romaines avec une grande créativité. Son mari Romeo est en charge des vins, et leur fille Maria Antonietta des fromages. Réservation indispensable.

San Lorenzo

PETITS BUDGETS

Formula 1 (carte p. 100 ; ☎ 06 445 38 66 ; Via degli Equi 13 ; pizzas à partir de 5 € ; ☺ 18h30-1h30 lun-sam). Les serveurs aussi rodés qu'une équipe de formule 1 ne cessent de s'affairer en tous sens et à toute vitesse, dans cet endroit assailli en permanence d'étudiants noctambules amateurs de *bruschetta*, de fleurs de courgette frites, de *supplì al telefono* (croquettes de riz à la mozzarella) et de pizzas à croûte fine.

CATÉGORIE MOYENNE

Said (carte p. 100 ; ☎ 06 446 9204 ; Via Tiburtina 135 ; repas 35 € ; ☺ lun-sam). Cette ancienne chocolaterie des années 1920 est l'une des dernières adresses à la mode, dans le quartier de San Lorenzo. Vous pourrez bien entendu y acheter de délicieux chocolats dans la partie boutique, mais aussi y déguster des plats mettant le chocolat à l'honneur, comme le *sformatino B-Said di cavolfiore e cioccolato* (mousse chou-fleur et chocolat), ou y prendre l'*aperitivo*, entre 19h et 21h.

Tram Tram (carte p. 100 ; ☎ 06 49 04 16 ; Via dei Reti 44 ; repas 40 € ; ☺ mar-dim). Cette trattoria, à la fois tendance et rétro, doit son nom à la ligne de tramway qui passe juste à côté. On y sert des plats traditionnels, comme le *baccalà* le vendredi, des spécialités méridionales, comme les *orecchiette alla Norma* (pâtes en sauce avec aubergine, tomate basilic et ricotta) et des plats très copieux du type *riso cozze patate* (riz, moules et pommes de terre).

Trastevere

PETITS BUDGETS

Sisini (carte p. 106 ; Via di San Francesco a Ripa 137 ; ☺ 9h-22h30 lun-sam, fermé en août). Une enseigne de *pizza al taglio* très populaire, où il faut jouer des coudes pour accéder au comptoir. La simplicité règne ici en maître : goûtez donc la margherita ou la *marinara*. Les *supplì* (boulettes de riz frites) et le poulet rôti sont aussi des valeurs sûres.

Forno la Renella (carte p. 106 ; ☎ 06 581 72 65 ; Via del Moro 15-16 ; ☺ 9h-21h). Les fours à bois de cette vieille boulangerie produisent depuis plusieurs décennies une délicieuse fournée quotidienne de pizzas, de pains et de biscuits. Les garnitures de pizza sont nombreuses et variées – optez pour n'importe quel légume de saison, vous ne serez pas déçu.

Panattoni (carte p. 106 ; ☎ 06 580 09 19 ; Viale di Trastevere 53 ; pizzas 6-8,80 € ; ☺ 18h30-1h jeu-mar). Ses tables en marbre lui doivent le surnom de *l'obitorio* (la morgue), mais la ressemblance

s'arrête là, heureusement. C'est l'une des pizzerias les plus animées du Trastevere, réputée pour ses pizzas à pâte fine, ses serveurs bourrus, sa terrasse, ses *supplì* et son *baccalà*.

Dar Poeta (carte p. 106 ; ☎ 06 588 05 16 ; Vicolo del Bologna 46 ; pizzas à partir de 7 € ; ☺ à partir de 18h30). Niché dans une petite rue pleine de charme, Dar Poeta est renommé pour ses pizzas, à mi-chemin entre les pizzas romaines, croustillantes, et les pizzas napolitaines, plus épaisses. Le long temps de repos de la pâte est supposé les rendre très faciles à digérer. Osez la calzone Nutella-ricotta s'il vous reste de la place pour un dessert.

Da Augusto (carte p. 106 ; ☎ 06 580 37 98 ; Piazza de'Renzi 15 ; repas 20 € ; ☺ déj et dîner lun-sam sept-juil) Pour un repas à l'ancienne, attablez-vous chez Augusto afin de goûter une authentique cuisine de "mamma". Les plats classiques romains, parmi lesquels des *rigatoni all'amatriciana* et de la *stracciatella* (soupe aux œufs et au parmesan) sont prestement apportés par des serveurs affairés.

⚫ Da Lucia (carte p. 106 ; ☎ 06 580 36 01 ; Vicolo del Mattonato 2 ; repas 20 € ; ☺ mar-dim). Une excellente trattoria, dans une petite rue typique du Trastevere, où les touristes se mêlent aux habitants du quartier (particulièrement nombreux le dimanche midi). La carte propose toutes sortes de spécialités romaines, parmi lesquelles la *trippa alla romana* (tripes à la sauce tomate) et le *pollo con peperoni* (poulet aux poivrons), ainsi qu'un grand choix d'antipasti et l'un des meilleurs tiramisus de Rome.

CATÉGORIE MOYENNE

Beer & Fud (carte p. 106 ; ☎ 06 58940 16 ; Via Benedetta 23 ; repas 25 € ; ☺ 18h30-0h30, jusqu'à 2h ven et sam, fermé en août). Cette pizzeria est réputée pour la qualité de ses pizzas, *crostini* et légumes frits (pommes de terre, citrouille, etc.), ainsi que pour sa microbrasserie, installée sur place. Vous vous attablerez dans une salle voûtée orange et ocre, ou sous un chapiteau attenant à l'arrière. Gardez de la place pour le dessert. Réservation conseillée.

Alle Fratte di Trastevere (carte p. 106 ; ☎ 06 583 57 75 ; Via delle Fratte di Trastevere 49-50 ; repas 30 € ; ☺ jeu-mar, fermé en août). Une trattoria à l'atmosphère chaleureuse et à la clientèle éclectique (du prêtre au touriste, en passant par l'homme d'affaires pressé). Cuisine romaine classique, copieuse et savoureuse, qui se marie bien avec le vin maison.

(Suite du texte en page 165)

Architecture

Saint-Pierre de Rome (p. 133), sommet du génie artistique et de la dévotion catholique

Le style classique, clef de voûte de l'architecture italienne, est apparu à l'époque où les Grecs colonisèrent les villes du sud de l'Italie. Il fut ensuite perfectionné par les Romains, avant d'être redécouvert par les architectes de la Renaissance qui l'adaptèrent aux exigences de l'époque. L'architecture fasciste des années 1930 y fait également référence dans ses vigoureux édifices modernistes. Et aujourd'hui encore, des architectes comme Richard Meier se rapportent toujours aux modèles classiques. Pourquoi renoncer à une formule qui a fait ses preuves, a fortiori lorsqu'elle séduit l'œil et ravit l'âme ?

Il n'y a pas si longtemps, pourtant, l'excellence et la créativité italiennes en matière d'architecture sombraient peu à peu dans l'oubli. Fort heureusement, le vent a fini par tourner. Ainsi, après une longue période de déclin, l'architecture italienne est de retour sur la scène internationale avec d'importants bâtiments innovants signés par des créateurs comme Massimiliano Fuksas, Renzo Piano, Roselli et Ricci, Cino Zucchi, IaN+, ABDR Architetti Associati, 5+1, Garofalo Miura ou encore Beniamino Servino.

Que vous vous intéressiez à l'architecture contemporaine ou aux édifices de la Rome antique et de la Renaissance, un voyage en Italie vous comblera.

Vous trouverez p. 802 un glossaire des termes architecturaux employés dans ce guide.

top 5

ARCHITECTES

Filippo Brunelleschi (1377-1446). Brunelleschi fut un pionnier de la Renaissance : son dôme de la cathédrale de Florence en annonce l'avènement.

Leon Battista Alberti (1404-1472). Ce grand humaniste ne se contenta pas de concevoir de superbes édifices, il rédigea aussi d'importants traités sur l'art de les bâtir.

Donato Bramante (1444-1514). Après avoir été architecte à la cour de Milan, Bramante conçut le petit Tempietto et l'imposante basilique Saint-Pierre, à Rome.

Michel-Ange (1475-1564). L'architecture n'était qu'une des nombreuses cordes à son arc. Ses chefs-d'œuvre sont le dôme de la basilique Saint-Pierre et la Piazza del Campidoglio à Rome.

Bernin (Gianlorenzo Bernini, 1598-1680). Roi du baroque italien, il est surtout connu pour le grandiose baldaquin, la place et les colonnades de la basilique Saint-Pierre à Rome.

Le Museo dell'Ara Pacis (p. 125), de Richard Meier
PAOLO CORDELLI

Des touristes dans l'imposant Panthéon (p. 119), éclairé par un oculus dans la coupole

JOHN ELK III

ARCHITECTURE CLASSIQUE

"Monumental" : quel autre adjectif saurait qualifier les édifices de l'Antiquité italienne ? Les Romains, qui voyaient grand, ont bâti un empire d'une taille jusqu'alors inégalée, ainsi que des ouvrages à la mesure de ce territoire. De Rome jusqu'à l'actuelle Arabie saoudite en passant par la Slovaquie, ils construisirent thermes, arcs, basiliques, mais aussi amphithéâtres, aqueducs et temples, dont l'élégance ne cédait en rien au caractère imposant. Les Romains ont beaucoup appris des Grecs qui, présents dans le sud de l'Italie dès le VIIIe siècle av. J.-C., avaient édifié des villes grandioses comme Paestum ou Syracuse. Puis ils ont porté l'architecture à un tel degré de raffinement que leurs techniques, leurs plans et leur maîtrise de la proportion inspirent aujourd'hui encore nombre de projets architecturaux dans le monde entier.

Prenant modèle sur les trois ordres architecturaux nés en Grèce – dorique, ionique et corinthien –, les Romains ont réalisé de véritables chefs-d'œuvre, comme le Colisée (p. 112), dont les trois niveaux d'arches sont successivement ornés de colonnes doriques, ioniques et corinthiennes. Les Romains étaient aussi de formidables bâtisseurs de temples. Preuve en est le Panthéon (p. 119), à Rome, dont les proportions sont si justement équilibrées. Semblant reposer sur le vide, sa gigantesque coupole illustre magnifiquement l'une des innovations majeures de cette époque : l'utilisation du béton.

La Basilica di Santa Croce (p. 493), à Florence
GIORGIO COSULICH

Ca' d'Oro (p. 363) ou le gothique vénitien
KRZYSZTOF DYDYNSKI

ARCHITECTURE BYZANTINE

Après la conversion de l'empereur Constantin au christianisme, les bâtisseurs romains employèrent leurs exceptionnels talents à la construction d'églises. Constantin en commandita à Rome, mais aussi plus à l'est, jusqu'à l'ancienne Byzance, rebaptisée Constantinople. Ses successeurs, en particulier Justinien et son épouse Théodora, firent eux aussi bâtir des églises à Constantinople. Ces ouvrages de brique érigés sur un plan basilical romain (c'est-à-dire rectangulaire), mais comportant une coupole, présentaient des lignes sobres à l'extérieur contrastant fortement avec un intérieur somptueux entièrement décoré de mosaïques. Le style byzantin arriva en Italie vers le milieu du VIe siècle. C'est à Ravenne que l'on peut en admirer les plus beaux exemples : la Basilica di San Vitale (p. 465) et la Basilica di Sant'Apollinare in Classe (p. 466). Désormais édifiées selon un plan cruciforme et non plus basilical, ces églises étaient décorées de sublimes mosaïques, dont les reflets égayaient l'intérieur sombre des bâtiments.

ARCHITECTURE ROMANE

L'architecture religieuse italienne fut ensuite marquée par de nouvelles influences, venues cette fois-ci d'Europe : décliné en quatre formes régionales (lombarde, pisane, florentine et sicilo-normande), le style roman privilégie les lignes horizontales et la largeur du bâtiment au détriment de sa hauteur. L'ensemble roman se caractérise également par la construction d'un baptistère et d'un campanile séparés de l'église. Les façades des édifices florentins et pisans sont décorées d'une alternance de motifs en marbre vert et blanc ; dans le style lombard, on retrouve des façades joliment sculptées et des éléments décoratifs regroupés en bandes et en arcs ; quant au style sicilo-normand, il allie les influences normande et sarrasine. Vous aurez une bonne idée du roman italien une fois que vous aurez vu le superbe ensemble de la cathédrale de Pise (p. 523) et la cathédrale romano-lombarde de Modène (p. 446).

ARCHITECTURE GOTHIQUE

Le style gothique n'a pas suscité en Italie un enthousiasme comparable à celui qui a touché la France, l'Allemagne ou l'Espagne. Ses arcs-boutants, les figures fantastiques de ses gargouilles et ses éléments décoratifs complexes étaient tout simplement trop éloignés de l'idéal classique ancré dans l'âme italienne. Mais il y eut bien sûr des exceptions. Les Vénitiens, qui n'ont jamais su résister à un peu de frivolité, ont introduit le gothique dans de somptueux palais, comme la Ca' d'Oro (p. 363), et dans les façades de grands bâtiments publics tels que le palais des Doges (p. 356). Les Milanais, toujours prompts à suivre la dernière mode, ont édifié une cathédrale, le Duomo (p. 264), d'une exubérance démesurée, tandis que les Siennois ont laissé avec la leur (p. 539) un exemple d'architecture gothique tout à fait splendide.

DÉBUT DE LA RENAISSANCE

En 1436, lorsque la coupole du Duomo de Florence (p. 481) fut achevée, Leon Battista Alberti salua ce qu'il considérait comme le premier grand ouvrage de la "nouvelle" architecture, aussi important, si ce n'est plus, que les réalisations de l'Antiquité. S'inspirant directement de cette période, son architecte, Filippo Brunelleschi, créa une œuvre aussi révolutionnaire au plan technique que l'avait été, 1 300 ans auparavant, la coupole du Panthéon. Quelques années plus tôt (1419-1421), l'harmonieux portique néoclassique du Spedale degli Innocenti (p. 493), construit à Florence par le même Brunelleschi, constituait déjà une rupture avec le gothique flamboyant. À l'image de la Cappella de' Pazzi (p. 494), édifiée un peu plus tard

Vue en enfilade de la cathédrale de Pise et de sa célèbre Tour penchée (p. 523)

JOHN ELK III

L'intérieur tout en mosaïques de la Basilica di San Vitale (p. 465), à Ravenne   JOHN ELK III

dans la Basilica di Santa Croce de Florence, ces deux œuvres incarnent l'essence même de l'architecture du XVe siècle : élégance des lignes et innovations techniques s'inscrivent dans la tradition antique, tout en exaltant la place de l'homme moderne au centre de l'univers.

HAUTE RENAISSANCE

Au début de la Renaissance, le renouveau architectural est apparu à Florence, mais, au XVIe siècle, ce style va s'épanouir à Rome, où les papes successifs font appel aux artistes et architectes de toute l'Europe pour réaliser des édifices toujours plus grands et toujours plus beaux. Adepte du classicisme pur, le grand Donato Bramante esquissa nombre de ces bâtiments, notamment le Tempietto (p. 132) de la Chiesa di San Pietro in Montorio, à Rome. Cet ouvrage aux proportions parfaites est souvent considéré comme le plus beau fleuron de l'architecture Renaissance. Dans les autres régions de l'Italie, d'autres architectes fascinés par la Rome antique ont construit de remarquables édifices. Installé en Vénétie Andrea Palladio a dessiné la Villa Capra (ou Rotonda, p. 391), un élégant édifice symétrique portant la marque explicite du Tempietto de Bramante.

PÉRIODE BAROQUE

Cette recherche de sobriété et de perfection formelle ne pouvait susciter qu'une vive réaction. Aussi ne faut-t-il pas s'étonner de voir s'épanouir ensuite un style architectural remarquable par son exubérance – certains parleraient même de décadence. Après les formes classiques épurées des édifices de la Renaissance, le mouvement baroque (du portugais *barroco*, mot utilisé par les pêcheurs pour décrire une perle d'aspect dissymétrique) introduit effectivement de l'irrégularité dans les lignes. Le palais Carignano (p. 225), conçu par Guarino Guarini à Turin, ainsi que le baldaquin de la basilique Saint-Pierre (p. 134), dessiné par Bernin à Rome exhibent un foisonnement de courbes sensuelles, à des années-lumière de l'idéal classique.

XIXe SIÈCLE

L'Italie ne s'est guère illustrée d'un point de vue architectural durant cette période. On notera toutefois l'apparition d'un mouvement directement issu de la révolution industrielle et marqué par l'introduction d'innovations techniques dans le traitement du verre et du métal. On peut en admirer un bel exemple à Milan à la Galleria Vittorio Emanuele I (p. 265), dessinée en 1865 par Giuseppe Mengoni.

DÉBUT DU XXᵉ SIÈCLE

À cette époque, l'architecture connaît en Italie le même dynamisme que dans le reste de l'Europe. La version locale de l'Art nouveau, le "Stile Floreale" ou "Liberty", se caractérise par une extraordinaire exubérance. Allez voir par exemple la Casa Castiglione à Milan (Corso Venezia 47), un grand immeuble construit en 1903 par Giuseppe Sommaruga. Le mouvement moderniste a ensuite pris deux formes. La première, purement théorique, se fondait sur le *Manifeste du futurisme* écrit par Marinetti en 1909, qui devait avoir un grand retentissement. La deuxième forme fut le rationalisme, qui a été lancé en Italie par deux courants. Le premier, baptisé Gruppo Sette, comprenait sept architectes

Le Tempietto de Bramante (p. 132) : la perfection en miniature

PAOLO CORDELLI

s'inspirant du Bauhaus. La figure de proue en était Giuseppe Terragni, dont l'œuvre la plus importante est la Casa del Fascio ("Maison du fascisme", aujourd'hui renommée Casa del Popolo), construite à Côme en 1936. Rival du Gruppo Sette, le MIAR (Movimento Italiano per l'Architettura Razionale) avait pour chef de file Adalberto Libera. Cet architecte très influent construisit le célèbre Palazzo dei Congressi de l'EUR (p. 141), quartier moderne de Rome où l'on peut admirer de nombreux édifices à l'architecture caractéristique du rationalisme. Comme beaucoup d'architectes italiens de l'époque, Libera et Terragni créèrent leurs bâtiments résolument modernistes à la demande des autorités mussoliniennes et leur style est parfois qualifié d'"architecture fasciste".

FIN DU XXᵉ SIÈCLE

À l'avant-garde de la mode et du design, l'Italie ne s'est en revanche pas véritablement distinguée par son architecture dans la seconde moitié du XXᵉ siècle. L'un des temps forts de cette période reste néanmoins la construction, en 1956 à Milan, de la tour Pirelli, conçue par l'architecte Gio Ponti et l'ingénieur Pier Luigi Nervi. Le premier était le très influent fondateur du magazine international d'architecture et de design *Domus*, publié depuis 1928. Le second a joué un rôle de premier plan dans l'utilisation du béton armé, un matériau qui a révolutionné l'architecture moderne. D'autres architectes ont ensuite exploré des voies diverses. Carlo Scarpa, en Vénétie, a mis en œuvre le concept d'architecture organique, notamment avec le tombeau de la famille Brion, à San Vito d'Altivole. Écrivain et architecte, Aldo Rossi a reçu le prix Pritzker en 1990. Il reste connu aussi bien pour ses livres (notamment *L'Architecture de la ville*, publié en 1966) que pour ses créations. Installé à Rome, où il exerce toujours, l'universitaire et écrivain Paolo Portoghesi s'intéresse à l'architecture classique. Son œuvre la plus connue en Italie est la Mosquée centrale de Rome (1974), un bâtiment merveilleusement baigné de lumière.

La galerie MAXXI ou le nouveau visage de Rome

CHRISTINE WEBB / ALAMY

L'ARCHITECTURE AUJOURD'HUI

Le plus grand nom de l'architecture italienne contemporaine est sans conteste Renzo Piano, dont l'auditorium Parco della Musica (p. 173), construit en 2002 à Rome, a connu un retentissement international. Massimiliano Fuksas, son dauphin, dessine des projets aussi fantasques que saisissants. Ses créations les plus importantes sont le futuriste palais des expositions de Milan, inauguré en 2005, et le complexe paroissial San Paolo de Foligno. Son Centro Congressi La Nuvola (centre des congrès "Le Nuage"), dont la construction vient de débuter dans le quartier de l'EUR, à Rome, semble toutefois appelé à les surpasser.

Fait inhabituel, des architectes étrangers de renom ont signé des projets récemment achevés ou en cours de réalisation, tous très intéressants. Richard Meier a ainsi imaginé deux édifices à Rome : d'une part le pavillon de l'Ara Pacis (p. 125), qui a suscité bien des polémiques, d'autre part la sculpturale Chiesa Dives in Misericordia, une église baignée de lumière, édifiée dans une banlieue de la capitale et commanditée par le Vatican pour le jubilé de l'an 2000. Parmi les autres projets importants, citons, de Zaha Hadid, le terminal des ferries à Salerne, la gare pour trains à grande vitesse de Naples et la galerie d'art MAXXI à Rome (ouverte en 2010) ; de Peter Eisenman, les gares ferroviaires de Pompéi ; de David Chipperfield, l'extension du cimetière San Michele à Venise (p. 366) et le palais de justice de Salerne ; d'Arato Isozaki, le très attendu agrandissement des Offices à Florence (p. 487) ; enfin, de Tadao Ando, le très applaudi centre Punta della Dogana (p. 360) et la rénovation du Palazzo Grassi (p. 358) à Venise.

Arrêtons-nous enfin sur un projet d'urbanisme majeur, certainement le plus ambitieux depuis la Renaissance : s'inspirant de Bilbao, la ville de Milan compte sur une opération de régénération du tissu urbain pour attirer des visiteurs et accroître sa notoriété à l'étranger. parmi ces travaux, le projet "City Life" prévoit le réaménagement du quartier de la foire de Milan, où s'élèveront bientôt les trois plus grandes tours de la ville, conçues respectivement par Daniel Liebeskind, Zaha Hadid et Arata Isozaki.

(Suite de la page 156)

Da Enzo (carte p. 106 ; ☎ 06 581 83 55 ; Via dei Vascellari 29 ; repas 30 € ; ☾ lun-sam). Une cuisine romaine de saison (spaghettis aux fruits de mer ou côtelettes d'agneau par exemple), servie dans une jolie salle de caractère ou sur une minuscule terrasse donnant sur une rue pavée typique du Trastevere.

CATÉGORIE SUPÉRIEURE

Osteria della Gensola (carte p. 106 ; ☎ 06 581 63 12 ; Piazza della Gensola 15 ; repas 45 € ; ☾ fermé dim en été). Nichée dans un recoin tranquille du Trastevere, cette trattoria chic mais sans prétention ravira les fins gourmets avec ses plats d'influence sicilienne, faisant la part belle aux produits de la mer. Le tartare de thon est excellent, tout comme les *linguine* aux anchois frais et les *zuccherini* (petits poissons) à la menthe fraîche.

Paris (carte p. 106 ; ☎ 06 581 53 78 ; Piazza San Calisto 7a ; repas 45 € ; ☾ mar-sam, déj dim, fermé 3 sem août). Ce restaurant classique est la meilleure adresse où goûter une authentique cuisine juive romaine hors du Ghetto. Le *fritto misto con baccalà* (légumes frits et morue) et les *carciofi alla giudia* (artichauts à la juive) sont aussi mémorables que les *rigatoni alla carbonara*, un plat typiquement romain. Terrasse ombragée.

Testaccio

Pizzeria Remo (carte p. 106 ; ☎ 06 574 62 70 ; Piazza Santa Maria Liberatrice 44 ; pizzas à partir de 6 € ; ☾ dîner lun-sam). L'une des pizzerias les plus populaires de Rome, littéralement prise d'assaut par des hordes de jeunes Romains. Les pizzas, croustillantes à souhait, figurent parmi les plus grandes et les plus fines de Rome. Pour les commandes, c'est extrêmement simple : il suffit de cocher des cases sur une feuille de papier. Attente inévitable.

Volpetti Più (carte p. 106 ; ☎ 06 574 43 06 ; Via Volta 8 ; repas moins de 15 €). Cette formidable *tavola calda* est l'un des rares restaurants de Rome où l'on peut manger convenablement pour moins de 15 €. Grand choix de pizzas, de pâtes, de soupes, de viande, de légumes et d'amuse-gueules frits. Qualité et quantité sont au rendez-vous. L'épicerie Volpetti adjacente est une merveille.

Trattoria da Bucatino (carte p. 106 ; ☎ 06 574 68 86 ; Via Luca della Robbia 84 ; repas 25 € ; ☾ mar-dim). Un restaurant intime, convivial et extrêmement populaire. Demandez une table à l'étage ou en terrasse, la salle du bas ayant moins de charme. Ici, vous êtes sûr de vous régaler, que ce soit avec les *buccatini*

all'amatriciana, les cannellonis ou les *secondi* à base de viande. Gardez quand même de la place pour le dessert, délicieux lui aussi.

Da Felice (carte p. 106 ; ☎ 06 574 68 00 ; Via Mastro Giorgio 29 ; repas 30 € ; ☾ mar-dim). Une véritable institution du Testaccio, récemment relookée façon design post-industriel suite au changement de propriétaire, mais le menu reste typiquement romain. Essayez les merveilleux *tonnarelli cacio e pepe* (pâtes au pecorino et au poivre noir) ou les steaks. Les amateurs d'abats trouveront aussi leur bonheur. Excellent tiramisu.

Cité du Vatican, Borgo et Prati
PETITS BUDGETS

Dolce Maniera (carte p. 98 ; Via Barletta 27). Une boulangerie très populaire, ouverte 24h/24, à côté de la British School. Excellents *cornetti*, parts de pizza, *panini* et pâtisseries à des prix défiant toute concurrence.

Pizzeria Amalfi (carte p. 98 ; ☎ 06 397 33 165 ; Via dei Gracchi 12 ; pizzas 5-9,50 €). Une pizzeria toujours bondée, avec quelques tables ensoleillées en terrasse. Ici les pizzas, très réputées, sont à pâte épaisse, comme le laisse deviner les fresques de la baie de Naples. Vous pourrez terminer le repas en savourant une onctueuse crème brûlée.

Pizzarium (carte p. 98 ; ☎ 06 397 45 416 ; Via della Meloria 43 ; part de pizza 2-3 €). Encore un concurrent potentiel pour le titre de meilleure adresse de *pizza al taglio* de Rome. On y mange debout des pizzas à pâte moelleuse et craquante, garnies d'ingrédients aux saveurs intenses.

Cacio e Pepe (carte p. 98 ; ☎ 06 321 72 68 ; Via Avezzana 11 ; repas 20 € ; ☾ lun-sam). Les Romains affluent dans cette modeste trattoria, dont les tables garnies de nappes à carreaux envahissent le trottoir. Même le froid de l'hiver ne les fera pas renoncer au plaisir de s'asseoir en terrasse et de déguster un grand plat de *buccatini* confectionnés le matin même, servis avec une sauce crémeuse au fromage et au poivre. L'établissement sert d'autres grands classiques, comme les spaghettis à la carbonara.

Osteria dell'Angelo (carte p. 98 ; ☎ 06 372 94 70 ; Via Bettolo 24 ; repas 20 € ; menus 25-30 € ; ☾ déj mar-ven, dîner lun-sam, fermé 2 sem août). Cette trattoria de quartier immensément populaire (réservation impérative) est tenue par un ancien rugbyman prénommé Angelo. On y trouve de solides tables en bois garnies de nappes en papier, des serveurs bourrus, des photos des idoles sportives d'Angelo et une atmosphère conviviale. Le menu (pantagruélique) comprend une assiette d'antipasti variés, une assiette de pâtes à la romaine, une salade et un plat au choix. Le dessert est constitué de biscuits épicés légers à tremper dans un vin doux.

CATÉGORIE MOYENNE

Zigaetana (carte p. 98 ; ☎ 06 3212342 ; Via Cola di Rienzo 263 ; pizza 7,50-10 € ; repas 30 € ; ⏰ 12h30-23h dim-jeu, 12h30-24h ven-sam). Une immense cave voûtée décorée dans un style contemporain et gérée en famille depuis le début du siècle dernier. Le propriétaire possède même des poèmes de Trilussa (1871-1950) en dialecte romain. Les peintures ornant les murs et les inscriptions près du foyer ont été réalisées par des artistes désargentés en échange du couvert pendant la récession des années 1930. Rien d'étonnant à cela : la cuisine est excellente, qu'il s'agisse des antipasti, des pizzas ou des pâtes.

Dal Toscano (carte p. 98 ; ☎ 06 397 25 717 ; Via Germanico 58-60 ; repas 35 € ; ⏰ mar-dim, fermé en août). Les carnivores adoreront ce *ristorante* italien un peu rétro, qui propose une excellente cuisine toscane, avec notamment des viandes de qualité. Commencez par le jambon toscan, coupé à la main, puis essayez la *piccata di vitello* (escalope de veau sauce au citron), délicieusement fondante, ou l'excellent *bistecca alla fiorentina* (bifteck à la florentine). Réservation impérative.

Dino e Tony (carte p. 98 ; ☎ 06 397 33 284 ; Via Leone IV ; repas 35 € ; ⏰ mar-dim, fermé en août). Tony cuisine, Dino assure l'ambiance et le service. L'adresse est réputée pour son *amatriciana*, sa *pasta alla gricia* (avec pancetta), et ses portions copieuses ; on pourrait aisément se contenter des antipasti. Si vous arrivez à garder une petite place pour le dessert, vous ne le regretterez pas. La spécialité : le *granita di caffè* (café, glace pilée et crème fouettée). Les cartes de crédit ne sont pas acceptées.

CATÉGORIE SUPÉRIEURE

Ristorante l'Arcangelo (carte p. 102 ; ☎ 06 321 09 92 ; Via Belli 59-61 ; repas 55 € ; ⏰ fermé dim et sam midi). Si le quartier de Prati a la réputation d'être un haut lieu de la gastronomie romaine, l'Arcangelo n'y est sans doute pas pour rien. Il n'est pas rare de croiser des célébrités de la politique ou du show-business dans ce restaurant au décor en bois, assez traditionnel. La cuisine, étonnamment créative, revisite les classiques : *amatriciana*, *cacio e pepe*, *carbonara* et *baccalá*, tous préparés avec des ingrédients d'une fraîcheur absolue, sont d'une saveur exceptionnelle.

La Veranda de l'Hotel Columbus (carte p. 102 ; ☎ 06 687 2973 ; Borgo Santo Spirito ; repas 70 €). Rien que pour le cadre, cela vaut le coup de venir déjeuner dans la grande salle, ornée de splendides fresques du Pinturicchio ou dans la cour Renaissance de ce restaurant. La cuisine, elle aussi, est exceptionnelle : le chef italo-argentin, particulièrement créatif, fait bon usage des ingrédients traditionnels italiens. C'est l'endroit idéal où s'offrir un repas de luxe (filets de bœuf au foie gras...) dans un décor majestueux, d'autant que le menu du jour (*primo*, *secondo*, demi-litre d'eau minérale, verre de vin et café) ne coûte que 35 €.

San Giovanni et Celio

Il Bocconcino (carte p. 108 ; ☎ 06 770 791 75 ; Via Ostilia 23 ; repas 30 € ; ⏰ jeu-mar, fermé en août). Si vous souhaitez déjeuner dans une trattoria typique après avoir visité le Colisée, essayez la "petite bouchée". Ses nappes à carreaux, sa terrasse et son intérieur sympathique sont semblables à beaucoup d'autres dans le quartier, mais l'on y sert d'excellentes assiettes de pâtes et d'autres plats traditionnels, comme l'*insalata di finocchi arance e olive* (salade de fenouil, oranges et olives) ou le *saltimbocca alla romana* (veau à la sauge).

Faire son marché

Vous pouvez effectuer vos achats d'épicerie fine et de vins dans les *alimentari*, généralement ouverts de 7h à 13h30 et de 17h à 20h tous les jours, sauf le jeudi après-midi (ou le samedi après-midi en été) et le dimanche.

D'innombrables marchés en plein air vendent des fruits et légumes frais, de 7h30 à 13h, du lundi au samedi, parmi lesquels :

Campo de' Fiori (carte p. 102)
Piazza San Cosimato (carte p. 106). Quartier du Trastevere.
Piazza Testaccio (carte p. 106)
Piazza Vittorio Emanuele II (carte p. 108)
Via del Lavatore (carte p. 102). Près de la fontaine de Trevi.

Vous trouverez des supérettes un peu partout en ville :

Conad (carte p. 100 ; Stazione Termini)
DeSpar (carte p. 102 ; Via Giustiniani 18b-21). Près du Panthéon.
DeSpar (carte p. 102 ; Via Nazionale 212-213)
Di per Di (carte p. 102 ; Via Vittoria). Près de la Scalinata di Spagna.
Sir (carte p. 100 ; Piazza dell'Indipendenza 28)
Todis (carte p. 106 ; Via Natale del Grande 24). Dans le Trastevere.

OÙ PRENDRE UN VERRE

À Rome, la fréquentation des bars et des cafés est profondément ancrée dans les mœurs. La plupart de Romains prennent ainsi leur petit-déjeuner au café (cappuccino et petit pain sucré) et y retournent l'après-midi pour un *espresso*. Pour d'autres types de boissons, vous avez le choix entre les *enoteche* traditionnelles, quelques pubs – nouveaux donc tendance –, des bars chics et clinquants et quelques adresses alternatives.

Une grande partie de l'animation se concentre dans le *centro storico*. Le Campo de' Fiori, très animé bien que sans grande originalité, est apprécié des plus jeunes. Vous trouverez des établissements plus prestigieux dans les ruelles des alentours de la Piazza Navona. Le Trastevere est également riche en bars, où Romains et touristes se mêlent joyeusement. San Lorenzo reçoit, pour sa part, les faveurs des étudiants de la ville ; c'est aussi un endroit sympa pour faire la tournée des bistrots. On y trouve quantité de bars, de restaurants et de clubs, une foule compacte et une ambiance plus festive qu'au centre-ville. Les boissons y sont aussi nettement moins chères.

Des mesures restrictives récentes concernant la vente de boissons alcoolisées après 2h ont quelque peu refroidi l'ambiance dans le centre.

Cafés
ROME ANTIQUE
Caffè Capitolino (carte p. 108 ; ☎ 06 326 51 236 ; musées du Capitole, Piazza del Campidoglio 19). Ce café discret constitue un refuge idéal pour une pause café ou un en-cas (*panini*, salades, pizzas) entre deux visites dans les musées du Capitole. La terrasse sur le toit offre un superbe panorama. Si vous n'avez pas de billet pour les musées, vous pouvez passer par l'entrée donnant sur la rue, sur la droite du Palazzo dei Conservatori.

CENTRE HISTORIQUE
Caffè Sant'Eustachio (carte p. 102 ; ☎ 06 686 13 09 ; Piazza Sant'Eustachio 82). Un minuscule établissement, toujours bondé, où l'on sert l'un des meilleurs cafés de Rome : son célèbre *gran caffè*, merveilleusement onctueux, est confectionné en versant le café sur un mélange mousseux obtenu en battant vigoureusement les premières gouttes d'expresso avec plusieurs cuillerées de sucre. N'oubliez pas de le faire savoir, si vous le préférez *amaro* (amer) ou *poco zucchero* (avec peu de sucre).

Caffè Tazza d'Oro (carte p. 102 ; ☎ 06 678 97 92 ; Via degli Orfani 84 ; ☉ 8h-20h lun-sam). Un bar très fréquenté, au décor patiné datant des années 1940, réputé servir l'un des meilleurs cafés de la capitale. La spécialité de la maison est la *granita di caffè*, un mélange de café, de sucre et de glace pilée, généreusement agrémenté de crème fouettée.

Caffè Farnese (carte p. 102 ; ☎ 06 395 61 03 ; Via dei Baullari 106). Gœthe considérait la Piazza Farnese comme l'une des plus belles du monde. Vous en jugerez par vous-même en vous attablant à la terrasse de ce café sans prétention, idéalement situé (entre le Campo de'Fiori et la Piazza Farnese) pour une longue pause en milieu de journée. Essayez le *caffè alla casa*, à la recette tenue secrète.

TRIDENTE
Caffè Greco (carte p. 102 ; ☎ 06 679 17 00 ; Via Condotti 86). Keats et Casanova firent partie des premiers habitués de ce café richement décoré (dorures et velours), ouvert en 1760. Son passé historique est bien plus intéressant que sa carte. Il est préférable de prendre le café au bar, car le service en salle est hors de prix.

TERMINI, ESQUILIN ET SAN LORENZO
Dagnino (carte p. 100 ; ☎ 06 481 86 60 ; Galleria Esedra, Via Orlando 75). Situé dans une galerie pavée de marbre près de la Via Orlando, ce sympathique café des années 1950 sert de délicieuses spécialités siciliennes comme les *cannoli Siciliana* (pâtisseries garnies à la ricotta) et les *arancini* (boules de riz farcies), mais le reste est un peu décevant.

CITÉ DU VATICAN, BORGO ET PRATI
Castroni (carte p. 98 ; ☎ 06 687 43 83 ; Via Cola di Rienzo 196 ; ☉ 8h-20h lun-sam). Proche du Vatican, cette boutique est le paradis des gourmets (les expatriés apprécient particulièrement son choix de produits internationaux). Elle possède aussi un bar où vous pourrez commander rapidement un café et un *cornetto*. Autres adresses Via Ottaviano 55 (carte p. 98), Via Flaminia 38 (carte p. 96) et Via Nazionale 71 (carte p. 102).

Bars
CENTRE HISTORIQUE
Société Lutèce (carte p. 102 ; ☎ 06 683 01 472 ; Piazza di Montevecchio 17 ; ☉ 18h30-2h mar-sam, fermé 2 sem août). Cette adresse ouverte par un groupe de Turinois faiseurs de tendance est l'un des bars les plus branchés de Rome. L'ambiance y est plutôt bohème et grungy, à la différence

VIVE L'APERITIVO !

L'*aperitivo* fait fureur chez les jeunes Romains. Cette pratique, qui serait née dans les bars de Milan, consiste en un buffet d'en-cas servi de 18h à 21h environ, pour 7 à 10 €, boisson comprise. Si le buffet est suffisamment copieux, l'*aperitivo* peut même parfois faire office de dîner. Parmi les meilleures adresses, nous vous recommandons **Freni e Frizioni** (voir p. 169), **Femme** (ci-dessous) et **Il Pentagrappolo** (p. 169).

de son adresse-sœur du Trastevere, Freni e Frizioni (p. 169), plus chic et plus clinquante. On y passe de la bonne musique (de type Joy Division, avec des basses puissantes), l'*aperitivo* est somptueux et la foule s'y presse, avant de se déverser sur la place à l'extérieur.

Les Affiches (carte p. 102 ; ☎ 06 686 89 86 ; Via Santa Maria dell'Anima 52 ; 20h-2h lun-sam). Il aurait fallu plus qu'un changement de nom et de propriétaire pour que les bobos qui fréquentaient l'ancien "Stardust" renoncent à leurs habitudes. Les clients se massent dans la rue pavée comme dans les salles rouge et noire intimistes de l'établissement, où se tiennent parfois des concerts à l'heure de l'*aperitivo* (en début de soirée).

Il Goccetto (carte p. 102 ; ☎ 06 686 42 68 ; Via dei Banchi Vecchi 14 ; 11h30-14h et 17h30-24h lun-sam, fermé en août). Joignez-vous aux habitués, au comptoir de cet établissement de *vino e olio* à l'ancienne. Vous y savourerez un délicieux vin servi au verre, tout en dégustant un riche assortiment d'en-cas (fromages, saucissons, *crostini*...) dans une ambiance conviviale.

Salotto 42 (carte p. 102 ; ☎ 06 678 58 04 ; Piazza di Pietra 42 ; 8h30-2h mar-dim). Faisant face à l'imposant temple d'Hadrien, ce petit bar glamour tenu par un couple italo-suédois attire une clientèle tout aussi glamour. Son intérieur confortable (avec fauteuils, canapés et beaux livres) tient plus du véritable salon que du café.

Bar della Pace (carte p. 102 ; ☎ 06 686 12 16 ; Via della Pace 5 ; 8h30-2h). Dorures baroques et tables en bois à l'intérieur ; terrasse typique à l'extérieur, où touristes et habitués prennent la pose devant un Campari. Un parfait lieu d'observation.

Vineria Reggio (carte p. 102 ; ☎ 06 688 03 268 ; Campo de' Fiori 15 ; 8h30-2h30). Le point de ralliement de la jeunesse romaine branchée, sur le Campo de' Fiori. L'intérieur minuscule, aux étagères remplies de bouteilles, est aussi agréable (et fréquenté) que la terrasse.

Caffè Fandango (carte p. 102 ; ☎ 06 454 72919 ; Piazza di Pietra 32 ; 11h-2h). Ce bar appartenant à la maison de production cinématographique Fandango, fréquenté par une clientèle plutôt artiste, s'apparente à un petit labyrinthe, tout de noir, blanc et rouge. Concerts les mardis et les jeudis (musique classique ou pop) et nombreuses projections de films. Bière à 5 €, *aperitivo* à 12 € (18h30-21h).

Circus (carte p. 102 ; ☎ 06 976 19 258 ; www.circusroma. com ; Via della Vetrina 8 ; 10h-2h mar-dim). Un petit bar sympathique, qui vient d'ouvrir ses portes à deux pas de la Pizza Navona. On y vient s'y détendre et bavarder, tout en contemplant les œuvres qui y sont exposées ou en feuilletant l'un des nombreux livres à disposition. Les étudiants américains de l'école toute proche l'adorent. DJ le vendredi.

Etablì (carte p. 102 ; ☎ 06 97 616 694 ; Vicolo delle Vacche 9a ; 18h-2h mar-dim). Les sympathiques frères italo-chiliens Massimo et Alessandro Aureli vous accueillent avec le sourire dans leur bar-café-restaurant à la fois rustique et chic, installé dans un bâtiment du XVIe siècle. C'est un endroit décontracté, et la bande-son éclectique est riche en tubes des années 1960. Des jeunes gens s'y donnent rendez-vous pour prendre un verre ou un café, ou viennent simplement y lire les journaux, prendre l'*aperitivo* ou profiter du Wi-Fi.

Femme (carte p. 102 ; ☎ 06 686 48 62 ; Via del Pellegrino 14 ; mar-dim). Le fief de la jeunesse dorée de Rome : en pénétrant dans ce bar tendance, aux sièges argentés et à l'ambiance électro, on pourrait presque se croire dans une pub Calvin Klein. Des jeunes au look savamment étudié y viennent pour voir et être vus, sans doute après avoir dîné à la maison avec *mamma*. Excellent *aperitivo*, servi de 19h à 21h.

Trinity College (carte p. 102 ; ☎ 06 678 64 72 ; Via del Collegio Romano 6 ; 12h-2h30). Ce grand pub animé en retrait de la Via del Corso propose un bon choix de bières importées et une excellente "cuisine de pub", à déguster à l'intérieur ou en terrasse. L'endroit est pris d'assaut les week-ends et, revers de la médaille, les videurs sélectionnent scrupuleusement les arrivants.

TRIDENTE

Il Palazzetto (carte p. 102 ; Piazza della Trinità dei Monti ; 12h-15h et 19h30-22h30 mar-dim). Accessible depuis le haut de la Scalinata di Spagna, cette terrasse ensoleillée, ouverte seulement l'été, est l'endroit idéal pour se détendre devant un verre de Prosecco avant d'aller dîner.

L'Antica Enoteca (carte p. 102 ; ☎ 06 679 08 96 ; Via della Croce 76 ; repas 25 €). Les bars du Tridente sont souvent hors de prix et surchargés, mais celui-ci se démarque agréablement. Romains et touristes se mêlent au bar en bois du XIXe siècle pour profiter de l'impressionnante carte des vins (60 références) et du bon choix d'antipasti. Si vous avez encore faim, vous pouvez vous attabler à l'arrière pour commander une assiette de pâtes ou de polenta à prix correct.

Stravinskij Bar – Hotel de Russie (carte p. 96 ; ☎ 06 328 88 70 ; Via del Babuino 9). Ceux qui n'ont pas les moyens de loger avec les stars à l'Hotel de Russie pourront néanmoins se payer un verre dans son bar, qui occupe la cour ombragée de l'établissement, avec vue sur les jardins en terrasse. Un endroit merveilleusement romantique, où il fait bon venir prendre un cocktail le soir.

MONTI

Ai Tre Scalini (carte p. 102 ; ☎ 06 489 07 495 ; Via Panisperna 251 ; ☽ 12h-1h lun-ven, 18h-1h sam-dim). Étape quasi incontournable avant ou après un dîner à La Carbonara (p. 154), cette *enoteca* très fréquentée est réputée pour la qualité de ses vins et pour sa délicieuse Menabrea, une bière du nord de l'Italie. Si vous n'avez pas dîné, l'endroit propose de délicieux plateaux de fromages, assiettes de charcuterie et divers plats comme la *porchetta di Ariccia con patate al forno*.

TERMINI, ESQUILIN ET SAN LORENZO

Solea Club (carte p. 100 ; ☎ 328 9252925 ; Via dei Latini 51 ; ☽ 21h-2h). Avec ses vieux canapés et ses coussins jonchant le sol, ce bar a des airs de salle de chill-out (repos) occupant une demeure baroque à l'abandon. On y rencontre une foule de jeunes "hipsters" de San Lorenzo, assis par terre pour savourer de délicieux mojitos. Ambiance sympa.

Fiddler's Elbow (carte p. 100 ; ☎ 06 487 21 10 ; Via dell'Olmata 43 ; ☽ 17h-2h). Proche de la basilique Sainte-Marie-Majeure, ce pub irlandais fut l'un des premiers à ouvrir à Rome, il y a plus de 25 ans. Il attire aussi bien les expatriés que les Romains et les touristes, grâce à une formule qui a fait ses preuves : Guinness, fléchettes, chips, football et rugby.

Bar Zest au Radisson SAS (carte p. 100 ; ☎ 06 44 48 41 ; Via Filippo Turati 171 ; ☽ 10h30-1h). L'hôtel Radisson n'est certes pas le mieux placé pour servir de camp de base. En revanche, le bar du 7e étage est l'endroit parfait pour prendre un cocktail (13 €). Service charmant, chaises du designer anglais Jasper

Morrison, jolie vue depuis les grandes baies vitrées et agréable piscine sur le toit.

SAN GIOVANNI ET CELIO

Il Pentagrappolo (carte p. 108 ; ☎ 06 709 63 01 ; Via Celimontana 21b ; ☽ 12h-15h et 18h-1h mar-dim). À quelques rues du Colisée, ce bar à vin aux salles voûtées propose plus de 250 références de vins, dont une quinzaine servies au verre. Concerts de jazz ou de soul à partir de 22h et délicieux *aperitivo* (18h-20h30). L'*enoteca* qui lui fait face, Kottabus (☎ 06 772 01 145 ; Via Celimontana 32 ; 19h-1h), est tout aussi bonne.

TRASTEVERE

Bar San Calisto (carte p. 106 ; ☎ 06 589 56 78 ; Piazza San Calisto 3-5 ; ☽ 6h-2h30 lun-sam). Ce bar sans prétention n'est guère engageant de prime abord, mais son ambiance conviviale et ses prix très avantageux (2,50 € le grand verre de bière) attirent une large clientèle, italienne et étrangère. Enfin, l'adresse est réputée pour son célébrissime chocolat, servi chaud et crémeux en hiver, en crème glacée en été. On dit d'ailleurs que tant que vous n'y avez pas bu le café d'après-dîner, ou *sambuca con la mosca* (dans lequel flottent deux ou trois grains de café en guise de mouches), vous ne connaissez pas véritablement le Trastevere.

◎ Freni e Frizioni (carte p. 106 ; ☎ 06 583 34 210 ; Via del Politeama 4-6). Ce bar branché du Trastevere remporte tous les suffrages : dans une vie antérieure, l'endroit était un garage, d'où son nom ("freins et embrayages"). La clientèle, plutôt artiste, vient ici pour profiter des boissons à tarifs raisonnables (notamment les mojitos). Au cours de la soirée, la foule a tendance à s'éparpiller et colonise la place en face. Vous pouvez y prendre le petit-déjeuner, le déjeuner, le brunch le week-end et, cela va de soi, l'*aperitivo*.

Ombre Rosse (carte p. 106 ; ☎ 06 588 41 55 ; Piazza Sant'Egidio 12 ; ☽ 8h-2h). Une autre adresse incontournable du Trastevere : installez-vous en terrasse et regardez le monde défiler sous vos yeux. On y croise une clientèle cosmopolite, de tous âges et de tous milieux. Musique douce et concerts de jazz, blues et musique world les jeudis et dimanches soirs, d'octobre à mai.

CITÉ DU VATICAN, BORGO ET PRATI

Passaguai (carte p. 98 ; ☎ 06 874 513 58 ; Via Leto 1 ; ☽ 10h-2h lun-sam). Ce petit bar à vin aux allures de grotte sort agréablement des sentiers battus. On y trouve une bonne carte des vins et toute une gamme de bières artisanales, ainsi qu'un savoureux choix de fromages et de charcuteries.

CLUBS ET DISCOTHÈQUES

Si la vie nocturne y est en fait assez ordinaire, il est tout de même possible de bien s'amuser à Rome. Les soirées commencent tard et se poursuivent jusqu'à l'aube, une bonne nuit se finissant toujours par un cappuccino et un *cornetto* dans l'une des nombreuses cafétérias ouvertes à l'attention des couche-tard. Les concerts sont généralement annoncés pour 22h, mais il est inutile d'arriver avant 23h, et l'animation démarre rarement avant 1h dans les discothèques.

Certains des clubs les plus prisés ont une politique aussi triste que fantasque à l'entrée, et les hommes seuls ou en groupe se font souvent rejeter parce qu'ils sont… des hommes. Les boissons peuvent être très chères et d'une qualité variable, qu'il s'agisse d'un *mojito* ou d'une simple bière ; 10 € par boisson est un tarif habituel, mais certains n'hésitent pas à facturer 15 €.

CENTRE HISTORIQUE
Rialtosantambrogio (carte p. 102 ; ☎ 06 68133 640 ; www.rialto.roma.it ; Via di San'Ambrogio 4 ; ☽ variable). Dans le quartier du Ghetto, ce *centro sociale* à l'ambiance bohème et à la programmation chargée – concerts, expositions et cinéma d'art et d'essai – organise les meilleures soirées du centre de Rome.

La Maison (carte p. 102 ; ☎ 06 683 33 12 ; www.lamaisonroma.it ; Vicolo dei Granari 3 ; ☽ 23h-4h mer-sam, oct-mai). La Maison offre un décor intimiste – avec chandeliers et banquettes de velours – à la foule de ceux qui aiment voir et être vus, flirter et s'amuser sur fond de musique pop et house. Sous ses airs assez ordinaires, c'est un club où l'on s'amuse plus qu'on ne pourrait le supposer. L'entrée est gratuite pour ceux qui ne sont pas recalés à l'entrée, mais comptez de 10 à 15 € pour un verre. L'endroit se remplit vers 2h.

Bloom (carte p. 102 ; ☎ 06 688 02 029 ; Via del Teatro Pace 30 ; ☽ 23h30-5h mer-lun oct-mai). Un bar-club très chic occupant une ancienne chapelle du XIVe siècle, au design minimaliste et à l'éclairage signé Philippe Starck, qui attire une clientèle elle aussi très soucieuse des apparences.

MONTI
Galleria dei Serpenti (carte p. 102 ; ☎ 06 487 22 12 ; Via dei Serpenti 32 ; entrée 5 € environ. ☽ variable).

Une galerie-club excentrique et en retrait, dans le quartier Monti, où l'on passe des nuits mémorables. Soirées mashup (tous les mois), soirées DJ organisées par The Right Track (soul, boogaloo…), et électro.

SAN LORENZO
Dimmidisí (carte p. 100 ; ☎ 06 446 18 55 ; www.dimmidisi.it ; Via dei Volsci 126B). Un cadre intimiste où l'on diffuse aussi bien du jazz que de l'électro, de la soul, du dub ou du breakbeat… Soirées animées par des DJ et musique live.

Lian Club (carte p. 100 ; ☎ 347 650 72 44 ; Via degli Enotri 6 ; ☽ 20h-2h oct à mi-juin). Dans ce quartier étudiant, Lian est une bonne adresse pour écouter les groupes de rock montants de la ville. L'entrée est généralement fixée à 5 € (gratuite si vous y avez dîné), et les boissons sont à un prix abordable.

Locanda Atlantide (carte p. 100 ; ☎ 06 447 04 540 ; www.locandatlantide.it ; Via dei Lucani 22b ; ☽ généralement 21h-2h, oct-juin). Dans ce coin oublié de San Lorenzo, derrière une porte couverte de graffitis, un haut lieu de la scène alternative romaine. Au programme : poésie, musique, théâtre expérimental et performances artistiques.

TRASTEVERE
Lettere Caffè (carte p. 106 ; ☎ 06 972 70 991 ; www.letterecaffe.org ; Via di San Francesco a Ripa 100-01 ; ☽ 10h-2h hiver 18h-2h été, fermé mi-août à mi-sept). Vous aimez la littérature, le blues et le jazz ? Cette adresse est faite pour vous ! Des concerts, des lectures de poésie et des spectacles d'humoristes y sont régulièrement organisés, suivis de DJ passant du rock indé ou de la new wave.

Big Mama (carte p. 106 ; ☎ 06 5812551 ; www.bigmama.it ; Vicolo di San Francesco a Ripa 18 ; inscription annuelle 13 € ; ☽ 21h30-1h30 mer-sam, fermé juin-sept). Véritable institution pour les amateurs de blues, cette minuscule cave du Trastevere fait aussi parfois place au jazz, au funk, à la soul et au R&B.

TESTACCIO
Allez faire un tour dans le Testaccio vers minuit et flânez jusqu'à l'extrémité de la Via Galvani : vous constaterez que le quartier abrite une impressionnante concentration de clubs. Certains sont particulièrement bruyants et bas de gamme, mais d'autres sont de petits bijoux, et l'ambiance générale est trépidante.

Villaggio Globale (carte p. 106 ; ☎ 334 1790006 ; www.vglobale.biz ; Via di Monte Testaccio 22 ; ☽ variable, concerts vers 23h, mi-sept à juin). Pour une ambiance de soirée clandestine type warehouse party, allez

ROME GAY ET LESBIEN

À Rome, bien qu'elle ait depuis longtemps fait son coming-out, la scène gay est bien moins développée que dans nombre d'autres capitales européennes. La ville reste conservatrice : mentionnez simplement la notion de "mariage gay" dans les médias et la plupart des politiciens s'étoufferont en buvant leur cappuccino. Il semblerait que l'intolérance soit de retour depuis quelques années : en 2007, deux hommes ont été arrêtés pour s'être embrassés devant le Colisée et plusieurs établissements homosexuels ont été victimes d'incendies (sans gravité) d'origine criminelle. Néanmoins, le défilé de la Gay Pride qui a lieu chaque année en juin, le village gay estival et les nombreuses soirées gays organisées dans les boîtes de nuit de la ville sont autant de signes attestant que la scène gay, malgré sa discrétion, se porte bien.

La principale organisation culturelle et politique gay de Rome est le **Circolo Mario Mieli di Cultura Omosessuale** (carte p. 95 ; ☎ 06 541 39 85 ; www.mariomieli.it en italien ; Via Efeso 2a), près de la via Ostiense, non loin de la basilique Saint-Paul-hors-les-Murs. Le cercle organise des manifestations politiques et culturelles, telle la Rome Pride (juin). Il publie également un mensuel gratuit, *AUT*, incluant un agenda culturel, disponible auprès des librairies et des organisations gays.

L'organisation nationale des lesbiennes se nomme **Coordinamento Lesbiche Italiano** (carte p. 98 ; ☎ 06 686 42 01 ; www.clrbp.it en italien ; Via San Francesco di Sales 1b, Trastevere). Le centre dispose d'une auberge réservée aux femmes, La Foresteria Orsa Maggiore (p. 150).

La **Libreria Babele** (carte p. 102 ; ☎ 06 687 66 28 ; Via dei Banchi Vecchi 116), une librairie gay et lesbienne, est un bon endroit pour se renseigner.

Parmi les guides des manifestations culturelles, citons les mensuels gratuits *AUT*, *Clubbing* et *Guide Magazine*, ainsi que le guide gay international, *Spartacus*, disponible auprès des librairies et des organisations gays. Vous pouvez également vous rendre sur le site Internet www.gayrome.com. Un Village gay se tient l'été (www.gayvillage.it), rassemblant plusieurs boîtes de nuit et organisant diverses manifestations ; il se déplace d'une année sur l'autre.

Si les bars et boîtes de nuit gays ne sont pas très nombreux à Rome, beaucoup de boîtes de nuit organisent des soirées gays. Voici quelques adresses :

- **Coming Out** (carte p. 108 ; ☎ 06 700 98 71 ; www.comingout.it ; Via di San Giovanni in Laterano 8 ; 🕙 10h30-2h). Un bar décontracté, tout près du Colisée. Vous le repérerez aisément (arc-en-ciel et foule devant le bar). Spectacles de travestis, animation DJ et concerts.

- **Edoardo II** (carte p. 102 ; ☎ 06 699 42 419 ; www.edoardosecondo.it ; Vicolo Margana 115h-14 ; 🕙 20h-1h mer-dim). Restaurant-bar. Ambiance club privé.

- **Hangar** (carte p. 108 ; ☎ 06 488 13 971 ; Via in Selci 69a ; 🕙 22h30-2h30, fermé mar et 3 sem en août). Hommes uniquement. Porno le lundi et striptease le jeudi.

- **L'Alibi** (carte p. 106 ; ☎ 06 574 34 48 ; www.lalibi.it ; Via di Monte Testaccio 44 ; 🕙 minuit-5h jeu-dim). Club à l'atmosphère sensuelle à l'ambiance de cave, diffusant de la soulful house.

faire un tour dans ce *centro sociale* (un ancien squat) qui occupe depuis 30 ans les anciens abattoirs de la ville. L'entrée coûte environ 5 €, la bière est bon marché et les dreadlocks de rigueur. Musique essentiellement tournée vers le dancehall, reggae, dubstep et drum and bass (concerts et DJ). Le chapiteau dans la cour accueille des concerts à prix imbattables (récemment, Massive Attack).

Conte Staccio (carte p. 106 ; ☎ 06 572 89 712 ; www.myspace.com\contestaccio ; Via di Monte Testaccio 65b ; 🕙 20h-4h mar-sam, mi-sept à juin). Ce bar à cocktails décontracté possède une agréable terrasse et une salle voûtée, où des DJ et des groupes

viennent régulièrement se produire. L'entrée est généralement gratuite en semaine.

AKAB (carte p. 106 ; ☎ 06 572 50 585 ; www.akabcave.com ; Via di Monte Testaccio 68-69 ; 🕙 23h-4h mar-sam, fermé fin juin à mi-sept). Ancien atelier au style éclectique, qui possède deux niveaux et un jardin, l'AKAB pratique une sélection très stricte à l'entrée. Tous les mardis, L'Ektrika (www.l-ektrica.com) organise des soirées électro au cours desquelles des artistes connus viennent parfois se produire. Ambiance rétro le mercredi et R&B le jeudi, concerts de groupes locaux (surtout spécialisés dans les reprises) le vendredi et house le samedi. L'entrée est à 15 € avec une boisson.

OSTIENSE

Les "clubbers" qui se respectent iront à Ostiense, où l'on trouve un grand nombre d'établissements à la déco très industrielle, diffusant toutes sortes de musiques, du tango à l'electrobeat.

Alpheus (carte p. 95 ; ☎ 06 574 78 26 ; www.alpheus.it ; Via del Commercio 36 ; ☼ 23h-4h30 mar-dim oct-mai). Les 4 salles déclinent divers rythmes, du tango argentin à la musique électronique, et accueillent de nombreux concerts. Soirée gay très populaire le samedi ("Gorgeous, I am"), avec gogo dancers et DJ invités.

Goa (carte p. 95 ; ☎ 06 574 82 77 ; Via Libetta 13 ; ☼ 23h-4h30 mar-dim oct-mai). Goa est au top du clubbing à Rome : l'établissement accueille des artistes internationaux (récemment, 2ManyDJs) et une clientèle hyper-branchée. On y trouve aussi des danseuses sur podium, et des gros bras à l'entrée. Allez-y le jeudi, lorsque le célèbre DJ italien Claudio Coccoluto fait découvrir au public les meilleurs DJ de musique électronique d'Europe. Soirée lesbienne le dernier dimanche de chaque mois, avec "Venus Rising" (www.venusrising.it).

Rising Love (carte p. 95 ; ☎ 335 879 0428 ; www.risingrepublic.com ; Via delle Conce 14 ; ☼ 23h-4h mar-dim oct-mai). Les adeptes de musique électronique, techno, funky groove et house adoreront cet espace industriel aux murs blancs où des DJ invités comme DJ Falcon (Daft Punk) viennent se produire, de même que des groupes locaux. Nombreuses soirées spéciales.

AUTRES QUARTIERS

Circolo degli Artisti (carte p. 95 ; ☎ 06 703 05 684 ; www.circoloartisti.it ; Via Casilina Vecchia 42 ; ☼ 19h-2h mar-jeu, jusqu'à 4h30 ven-dim). Une excellente adresse pour assister à des concerts de musique alternative (Black Rebel Motorcycle Club, Glasvegas et Cornershop figurent parmi les derniers invités). Place aux gays le vendredi soir, avec les soirées "Omogenic" (musiques électroniques et house). Soirées Screamadelica le samedi (punk-funk, ska et new wave), au cours desquelles il n'est pas rare qu'un groupe se produise sur scène. Vous pourrez aussi profiter du bar en plein air dans le jardin. L'entrée est généralement gratuite, ou à un prix modeste.

Micca Club (carte p. 95 ; ☎ 06 874 40 079 ; www.miccaclub.com ; Via Pietra Micca 7a ; ☼ 22h-2h lun, mar et jeu, 22h-4h ven-sam, 18h-1h dim sept-mai). Cet établissement à la programmation éclectique est installé dans une ancienne cave voûtée, réaménagée dans une ambiance pop art avec éclairages aux couleurs vives. Au programme : spectacles burlesques et concerts (doo-wop, swing, glam rock...). Entrée payante pour les concerts et le week-end. Tarif réduit sur les réservations en ligne.

Alexanderplatz (carte p. 98 ; ☎ 06 397 42 171 ; www.alexanderplatz.it ; Via Ostia 9 ; ☼ 20h-2h sept-juin). Le plus célèbre des clubs de jazz de Rome – où le jazz est très apprécié – attire une foule enthousiaste et quelques grandes têtes d'affiche internationales. Vous devrez réserver une table si vous voulez dîner ; les concerts démarrent généralement vers 22h. De juillet à septembre, le club s'exporte vers le parc de la villa Celimontana (www.villacelimontanajazz.com), à l'occasion d'un agréable festival sous les étoiles.

Qube (☎ 06 438 54 45 ; www.qubedisco.com ; Via di Portonaccio 212 ; ☼ 23h30-5h30 jeu-sam oct-mai). La plus grande boîte de Rome, située dans la périphérie est de la ville. Soirée Radio Rock le jeudi et superbe soirée gay Muccassassina (www.muccassina.com) le vendredi, qui attire une foule mélangée. Soirée Babylon le samedi avec de nombreuses têtes d'affiche internationales parmi les DJ invités.

OÙ SORTIR

S'installer à une table de café et regarder la ville s'animer autour de soi est le divertissement romain par excellence. N'en concluez pas qu'il ne se passe rien d'autre. Le calendrier culturel est riche en événements, notamment l'été, lorsque le festival Estate Romana (voir p. 145) programme une multitude de pièces de théâtre, d'opéras, de concerts et de projections de films. Nombre de représentations se déroulent dans les parcs, les jardins et les cours d'église, profitant du cadre pittoresque des vestiges antiques et des villas de la Renaissance. L'automne aussi est très fertile en festivals, avec de la danse, du théâtre et du jazz.

Le guide le plus exhaustif sur les activités culturelles locales est *Romac'è* (www.romace.it ; 1 €), publié tous les mercredis. Vous apprécierez la lecture de *Metro*, supplément du jeudi d'*Il Messaggero*, et de *Trovaroma*, distribué le même jour avec *La Repubblica*. Les deux journaux répertorient par ailleurs dans leur édition quotidienne l'actualité du cinéma, du théâtre et des concerts. Voyez aussi les sites www.romaturismo.it et www.comune.roma.it.

Musique classique

Rome compte quantité de sites exceptionnels, merveilleusement propices à l'organisation de concerts. L'Auditorium Parco della Musica, un complexe contemporain dernier cri, allie l'innovation architecturale à une acoustique parfaite. Maintes églises accueillent des concerts gratuits, notamment à Pâques et pendant la période de Noël et du Nouvel An. Les places sont attribuées selon la règle du "premier arrivé, premier servi", et les programmes sont généralement excellents. Consultez les journaux et les rubriques d'information des magazines.

Les principales formations de musique classique sont l'**Accademia di Santa Cecilia** (carte p. 95 ; ☎ 06 808 20 58 ; www.santacecilia.it ; viale Pietro de Coubertin 34) et l'**Accademia Filarmonica Romana** (carte p. 95 ; ☎ 06 320 17 52 ; www.filarmonicaromana.org ; Piazza Gentile da Fabriano 17). Des musiciens étrangers de renom se joignent souvent à l'orchestre de Santa Cecilia pour donner des concerts à l'Auditorium Parco della Musica, tandis que l'Accademia Filarmonica Romana attire elle aussi de grands musiciens et propose un programme varié au Teatro Olimpico.

Auditorium Parco della Musica (carte p. 95 ; ☎ 06 802 41 281 ; www.auditorium.com ; Viale Pietro de Coubertin 10 ; ☺ 11h-20h). L'architecture de l'auditorium, œuvre de Renzo Piano, est tout aussi audacieuse que celle du Centre Pompidou de Paris, lui aussi conçu par le célèbre architecte italien. Situé dans le nord de Rome, l'auditorium se compose de trois modules en forme de scarabées, semblables à d'immenses vaisseaux extra-terrestres, répartis autour d'un amphithéâtre de 3 000 places. Il a accueilli 2,5 millions de spectateurs en 2008, un nombre impressionnant qui en fait le centre artistique le plus populaire d'Europe. Si le cadre est très chic, l'auditorium accueille un public extrêmement mélangé, reflet d'une politique de prix égalitaire (billets à partir de 5 €) et d'une programmation éclectique (de PJ Harvey à Puccini). Il suffit

d'entrer dans n'importe laquelle des trois salles de concerts (la plus grande, Santa Cecilia, compte 2 800 places) et de contempler son intérieur en bois et ses ravissants sièges rouges pour être définitivement conquis. L'acoustique est exceptionnelle – l'architecte s'est d'ailleurs inspiré de la structure des luths et des violons pour concevoir son bâtiment. Pour accéder à l'auditorium, prenez le tram n°2 depuis le Piazzale Flaminio ou le bus M, qui part toutes les 15 min de la Stazione Termini de 17h à la fin du dernier concert.

Teatro Olimpico (carte p. 95 ; ☎ 06 326 59 91 ; www.teatroolimpico.it ; Piazza Gentile da Fabriano 17). Ce théâtre accueille la saison de l'Accademia Filarmonica Romana. Le programme comprend essentiellement des concerts de musique classique, des opéras, quelques concerts contemporains et des événements multimédias, ainsi que des spectacles de ballet.

Opéra

À Rome, les représentations d'opéra sont données en salle de décembre à juin, puis en extérieur, dans le superbe cadre que constituent les thermes de Caracalla (p. 131).

Teatro dell'Opera di Roma (carte p. 100 ; ☎ 06 480 78 400 ; www.operaroma.it ; Piazza Gigli ; ☺ guichet 9h-17h lun-sam, 9h-13h30 dim). Difficile d'imaginer l'intérieur de velours rouge et de dorures derrière la façade réalisée pendant la période fasciste. L'histoire de ce théâtre est impressionnante : c'est ici que fut donnée la première représentation de *Tosca*, de Puccini, et Maria Callas y a chanté. Construit en 1880, il a été remanié dans les années 1920. Les représentations contemporaines ne sont pas toujours à la hauteur de la splendeur du décor, mais peut-être serez-vous chanceux. Prix des billets (hors premières) : de 13 à 65 € pour un ballet ; de 30 à 140 € pour un opéra.

Cinémas

Sur les 80 salles que compte Rome, seules quelques-unes diffusent des films en version originale (VO). Les billets coûtent environ 8 € ; tarifs réduits le mercredi. Les salles suivantes projettent des films en VO :

Warner Village Moderno (carte p. 100 ; ☎ 892 111 ; Piazza della Repubblica 45). Ce multiplexe accueille souvent les premières des grandes productions hollywoodiennes et les films italiens importants.

Metropolitan (carte p. 96 ; ☎ 06 320 09 33 ; Via del Corso 7). Proche de la Piazza del Popolo.

Sports

Assister à un match de football au **stade olympique** (Stadio Olimpico ; carte p. 95 ; ☎ 06 3 68 51 ; Foro Italico, viale dei Gladiatori 2) constitue une expérience mémorable, au cœur de la vie sportive romaine. En saison, de septembre à mai, il accueille presque tous les dimanches l'une des deux équipes de la ville, l'AS Roma (les *giallorossi,* maillot jaune et rouge ; www.asroma.it en italien) ou le Latium (les *biancazzuri,* maillot blanc et bleu ; www.sslazio.it en italien). Les places, de 15 à 65 €, sont en vente dans les Lottomatica (boutiques de loterie), au stade, dans les agences de spectacles ainsi que da les nombreuses boutiques de ces équipes. Essayez l'**AS Roma Store** (carte p. 102 ; ☎ 06 692 00 642 ; Piazza Colonna 360) ou le **Lazio Point** (carte p. 100 ; ☎ 06 482 6688 ; Via Farini 34).

Pour accéder au stade, empruntez la ligne A du métro jusqu'à Ottaviano, puis le bus n°32.

ACHATS

Les boutiques de créateurs sont particulièrement nombreuses dans les environs de la Piazza di Spagna (carte p. 102). Vous trouverez des boutiques vintage ainsi que de petits magasins de créateurs dans la splendide Via del Governo Vecchio (carte p. 102). Les amateurs d'antiquités et de cadeaux originaux pourront, quant à eux, essayer la Via dei Coronari (carte p. 102) ou la Via dei Banchi Vecchi (carte p. 102). La Via Margutta (carte p. 96) compte de nombreuses galeries d'art et divers magasins d'antiquités.

Si votre voyage coïncide avec les *saldi* (soldes), vous pourrez faire de bonnes affaires, mais préparez-vous à un shopping plutôt éreintant. Les soldes d'hiver s'étalent de janvier à mi-février et ceux d'été de juillet à début septembre.

Arts décoratifs et affiches

Bottega di Marmoraro (carte p. 96 ; Via Margutta 53b). Une minuscule boutique qui ne passe pas inaperçue, où vous pouvez faire graver sur une tablette de marbre l'inscription de votre choix (15 €). À l'heure du déjeuner, jetez-y un coup d'œil et vous apercevrez peut-être le *marmoraro* (marbrier) y faire mijoter une marmite de tripes sur un feu de bois.

Centro Russia Ecumenica il Messaggio dell'Icona (carte p. 98 ; ☎ 06 689 66 37 ; Borgo Pio 141). Rejoignez le flot des religieux du monde entier qui fréquentent ce magasin paisible pour acheter des affiches et des cartes postales à thème religieux, ainsi que des images pieuses et des icônes peintes, dont certaines sont décorées à la feuille d'or.

Nardecchia (carte p. 102 ; ☎ 06 686 93 18 ; Piazza Navona 25). Une bonne adresse pour des gravures anciennes, notamment des vues de Rome du XVIIIᵉ siècle de Giovanni Battista Piranesi (Piranèse), reproduites à partir de négatifs du XIXᵉ siècle des frères Alinari.

Vêtements et bijoux

Les grands noms de la mode sont largement représentés (voyez la carte p. 102) : Armani, Gucci et La Perla sur la Via Condotti ; Dolce & Gabbana et Missoni sur la Piazza di Spagna ; Emporio Armani et Etro sur la Via del Babuino ; Max Mara sur la Via Frattina et la Via Condotti ; Prada sur la Via Condotti et la Via del Babuino ; Versace sur la Via Bocca di Leone ; et Fendi, avec une magnifique boutique art-déco, Largo Goldoni 419.

Pour plus d'originalité ou pour trouver des vêtements vintage, direction Via del Governo Vecchio près de la Piazza Navona. Il est toujours intéressant d'aller faire un tour Via del Corso et Via Cola di Rienzo (près du Vatican), qui abritent des marques plus accessibles, ainsi que quelques petits magasins spécialisés.

Angelo di Nepi (carte p. 102 ; ☎ 06 360 42 99 ; Via del Babuino 147). Ce créateur romain conçoit de ravissants vêtements dans des tissus exotiques colorés (soieries indiennes, cotonnades africaines...), et les prix ne sont pas vertigineux.

Arsenale (carte p. 102 ; ☎ 06 686 1360 ; Via del Governo Vecchio 64). Une boutique aux allures d'entrepôt, très populaire auprès des jeunes Romaines adeptes des créations structuralistes de Patrizia Pieroni, confectionnées dans de magnifiques tissus.

Borsalino (carte p. 96 ; ☎ 06 326 50 838 ; Piazza del Popolo 20 ; ☾ 10h-19h30 lun-sam, 10h30-19h30 dim). Pourquoi ne pas oser le chapeau ? Borsalino

VÊTEMENTS DE CRÉATEURS À PRIX CASSÉS

L'abondance des magasins spécialisés dans la vente de vêtements de créateurs à prix réduits facilite sans doute la tâche des Romains, si soucieux de leur *bella figura* (élégance). **Discount dell'Alta Moda** Tridente (carte p. 96 ; ☎ 06 361 37 96 ; Via Gesù e Maria 14) ; Barberini (carte p. 102 ; ☎ 06 482 7790 ; Via dei Serviti 27) vend des vêtements de grands créateurs à prix cassés (-50%). **Outlet Point** (carte p. 102 ; ☎ 06 325 04 661 ; Via Vittoria 11) est réputé pour ses vêtements De Carlis, une marque romaine branchée, vendus avec des rabais de 50 à 60%, cachemire et robes de cocktail incluses. Vous ferez aussi des affaires en achetant des vêtements signés Chloé, Prada, Marni ou Jill Sander chez **Gente Outlet** (carte p. 98 ; ☎ 06 689 26 72 ; Via Cola di Rienzo 246), où ils sont vendus bien moins cher que dans le magasin principal de Gente, Via del Babuino. Les *fashion victims* à petit budget feront un saut à **Castel Romano Designer Outlet** (☎ 06 50 50 050), à 20 km au sud de Rome : plus de 100 boutiques y vendent des marques du type Dolce & Gabbana, Salvatore Ferragamo ou Valentino, avec des rabais de 30 à 70%. Une navette (☎ 06 373 50810) peut venir vous chercher à votre hôtel (23 € l'aller-retour).

est *le* chapelier italien par excellence ; dans les années 1920, Al Capone, l'empereur Hirohito et Humphrey Bogart comptaient parmi ses clients les plus célèbres. Du feutre à la casquette de paille, il y en a pour tous les goûts.

Scala Quattordici (carte p. 106 ; ☎ 06 588 35 80 ; Via della Scala 13-14). Adoptez un look à la Audrey Hepburn avec ces vêtements classiques confectionnés dans des tissus de qualité (sur mesure ou prêt-à-porter). Hors de prix (600 € la robe environ), mais d'un chic absolu.

Mario Pelle (carte p. 102 ; Via Vittoria 15 ; ☼ lun-ven). Vous devrez sonner à la porte puis monter quelques étages pour rejoindre cet atelier familial d'artisanat du cuir, où le temps semble s'être arrêté il y a quelques décennies. Les artisans y créent des ceintures (70-100 €), des bracelets de montre (40-90 €), des sacs, des cadres, des articles de voyage... Vous pouvez apporter votre propre boucle de ceinture, ou en choisir une sur place.

Design et ustensiles ménagers

TAD (carte p. 96 ; ☎ 06 326 95 131 ; Via del Babuino 155a). TAD est un grand magasin d'un nouveau genre, entièrement design, où l'on trouve le nécessaire pour tout relooker : vêtements (Chloé, Balenciaga...), parfums, fleurs, musique, coiffeur, mobilier contemporain... L'agréable café italo-asiatique est l'endroit typique où l'on se rend pour voir et être vu.

Cuirs et chaussures

Fausto Santini (carte p. 102 ; ☎ 06 678 41 14 ; Via Frattina 120). Les chaussures du créateur romain Fausto Santini sont réputées pour leurs lignes simples, structurées, leurs couleurs splendides et leur qualité excellente. Si les prix vous semblent prohibitifs, préférez la succursale, Giacomo Santini (carte p. 100 ; Via Cavour 106), où les modèles des saisons précédentes sont vendus 50% moins cher. Les deux magasins vendent aussi des sacs.

Furla (carte p. 102 ; ☎ 06 692 00 363 ; Piazza di Spagna 22). Furla est une chaîne populaire pour sa maroquinerie, ses parapluies et ses ceintures aux couleurs vives, d'un bon rapport qualité/ prix. D'autres boutiques se trouvent un peu partout en ville.

Sermoneta (carte p. 102 ; ☎ 06 679 19 60 ; Piazza di Spagna 61 ; ☼ 9h30-20h lun-sam, 10h30-19h dim). C'est la boutique du plus célèbre gantier de Rome : vous ferez votre choix parmi un éventail multicolore de gants de cuir ou de daim, doublés de soie ou de cachemire. Les vendeuses évalueront la taille de votre main d'un simple coup d'œil. Accueil plutôt froid.

Crepida (carte p. 102 ; ☎ 06 686 17 33 ; Via Arco della Ciambella 7 ; ☼ 9h30-13h30 et 15h30-19h30). Les Romains bien informés se bousculent aux portes de cette minuscule boutique en retrait du Largo Argentina pour se faire faire des chaussures sur mesure à un prix défiant toute concurrence. Compter 250 € pour une paire de bottes, 135 € pour une paire de chaussures. Délai de fabrication : 10 jours.

Marchés

Marché aux puces de Porta Portese (carte p. 106 ; Piazza Porta Portese). Pour changer d'ambiance, allez faire un tour dans cet immense marché aux puces, qui regroupe des milliers d'étals où à peu près tout se vend, des livres rares aux pièces détachées de bicyclettes, en passant par les châles péruviens et les lecteurs MP3. Un endroit extrêmement animé et divertissant. Faites attention aux pickpockets, et n'oubliez pas de marchander.

Magasins spécialisés

Ai Monasteri (carte p. 102 ; ☎ 06 688 02 783 ; Corso del Rinascimento 72 ; ☺ 10h-13h et 15h-19h30 lun-sam). Une véritable boutique d'apothicaire, qui vend des produits fabriqués dans des monastères : cosmétiques naturels, bonbons, miel, confiture, vin... et même un philtre d'amour.

Officina Profumo Farmaceutica di Santa Maria Novella (carte p. 102 ; ☎ 06 687 96 08 ; corso del Rinascimento 47 ; ☺ 9h30-19h30 lun-sam). Cette parfumerie ancienne fut fondée à Florence par des moines dominicains en 1221 et n'a cessé depuis de préparer des parfums et des onguents merveilleux. Comme à l'Ai Monasteri, tout – parfums, cosmétiques, tisanes, thés, etc. – est entièrement naturel.

Confetteria Moriondo et Gariglio (carte p. 102 ; ☎ 06 699 08 56 ; Via del Piè di Marmo 21-22 ; ☺ 9h-19h30 lun-sam oct-avr). Le poète romain Trilussa a dédié plusieurs sonnets à ce véritable temple de la confiserie. Des rangées de chocolats et de bonbons faits main (plus de 80 variétés, toutes des recettes anciennes) y trônent majestueusement dans des vitrines de verre à l'ancienne.

Papeterie

Officina della Carta (carte p. 106 ; ☎ 06 589 55 57 ; Via Benedetta 26b ; ☺ 10h-13h et 15h30-19h30 lun-sam). Un minuscule atelier d'où sortent de délicates boîtes peintes à la main, de jolis albums-photos, des cadres, des carnets en tous genres, ainsi que de ravissants théâtres de marionnettes.

DEPUIS/VERS ROME
Avion

Le principal aéroport de Rome est l'aéroport **Leonardo da Vinci** (FCO ; ☎ 06 6 59 51 ; www.adr.it), communément appelé Fiumicino, du nom de la ville où il se situe. Le second, **Ciampino** (CIA ; ☎ 06 659 51 ; www.adr.it), est plus petit. C'est l'aéroport des compagnies *low cost* et des vols charters. Voir p. 177 pour plus de précisions sur la desserte des aéroports.

Des vols quotidiens relient Rome aux autres capitales européennes, dont Paris.

Bus

La gare routière principale, terminus des bus longue-distance nationaux et internationaux, est située sur la Piazzale Tiburtina, en face de la Stazione Tiburtina. Pour vous y rendre, prenez la ligne B du métro à la Stazione Termini jusqu'à Tiburtina. Depuis la Stazione Termini, prenez la ligne B du métro jusqu'à Tiburtina et tournez à droite en sortant de la station.

Les bus longue distance se trouvent de l'autre côté du pont. De là, des bus réguliers partent vers des destinations méridionales comme Palerme (43 €, 12 heures) et Lecce (41 €, 7 heures).

Les **bus Cotral** (☎ 800 174 471 ; www.cotralspa.it), qui desservent la région du Latium, partent de divers endroits en ville, en fonction de leur destination. La compagnie fait partie du système des transports publics de la capitale. Ce qui veut dire que le ticket BIRG (*biglietto integrato regionale giornaliero*), valable dans les bus municipaux, le tramway et le métro, permet également d'emprunter certains bus et trains régionaux (voir l'encadré p. 181).

Moto et voiture

Accéder au centre-ville en voiture est loin d'être simple, même pour les Romains : restrictions de circulation, sens uniques, insuffisance flagrante du nombre de places de parking et conducteurs nerveux ne facilitent guère la tâche.

Pour parvenir au centre, en venant du nord par l'autoroute A1, prenez la sortie Roma Nord. En venant du sud, empruntez la sortie Roma Est. Au bout de quelques kilomètres, ces deux sorties rejoignent le Grande Raccordo Anulare (GRA), le périphérique qui assure la jonction avec les autoroutes et les routes nationales (*strade statali* ; SS). Ci-après sont indiqués les axes principaux de la capitale :

Via Aurelia (SS1). Commence au Vatican et sort de la ville par le nord-est, longe la côte tyrrhénienne et continue vers Pise, Gênes et la France.

Via Cassia (SS2). Commence au Ponte Milvio, puis part en direction du nord-ouest, vers Viterbe, Sienne et Florence.

Via Flaminia (SS3). Commence au Ponte Milvio, rejoint au nord-ouest Terni et Foligno, traverse les Apennins, gagne les Marches et finit à Fano, sur la côte adriatique.

Via Salaria (SS4). D'abord parallèle à la Via Cassia, bifurque vers Terni et Foligno, au nord-est. Au-delà des Apennins, elle rejoint les Marches et s'arrête à Fano, sur la côte adriatique.

Via Tiburtina (SS5). Relie Rome à Tivoli et à Pescara, sur la côte de l'Abruzzo.

Via Casilina (SS6). Part en direction du sud-est vers Anagni, traverse la Campanie et aboutit à Capoue (Capua), près de Naples.

Via Appia Nuova (SS7). La plus célèbre des anciennes voies consulaires longe la côte sud du Latium à la Campanie, via l'aéroport de Ciampino et les Castelli Romani, traverse les Apennins pour rejoindre la Basilicate, Potenza, Matera et Taranto, dans les Pouilles, et continue jusqu'à Brindisi.

Via Cristoforo Colombo. Part de la Porta San Sebastiano (où commence la Via Appia Antica) vers le sud jusqu'à l'EUR, puis Ostie.

Via del Mare/Via Ostiense (SS8). La Via del Mare dessert le sud-ouest vers Ostie et prend le nom de Via Ostiense sur le côté intérieur du GRA.

Sur le GRA, vous trouverez aussi une sortie pour rejoindre l'Autostrada Fiumicino menant à l'aéroport Leonardo da Vinci (Fiumicino) ainsi qu'à l'autoroute A24 qui dessert le Parco Nazionale d'Abruzzo et Pescara.

Train

Presque tous les trains arrivent et partent de la Stazione Termini (carte p. 100). Ils desservent régulièrement les grandes métropoles européennes et italiennes, ainsi que des villes plus petites.

Pour tout renseignement, rendez-vous au **bureau d'information** (carte p. 100 ; ⏱ 24h/24) de la Stazione Termini – il y a souvent de longues files d'attente : prenez un ticket et présentez-vous quand on appelle votre numéro. Les employés peuvent vous imprimer différentes possibilités de trajet ferroviaire, avec indication de prix. En revanche, pour réserver, rendez-vous au guichet principal dans le hall central. Il est aussi possible de réserver en ligne (www.trenitalia.com) ou dans les agences de voyages arborant un panneau FS (*Ferrovie dello Stato*) ou *biglietti treni* dans leur vitrine. Enfin, vous pouvez acheter votre billet auprès des machines automatiques (paiement en espèces et par carte de crédit). Attention : à la Stazione Termini, les quais 25 à 29 sont à 10 minutes de marche du hall principal.

N'oubliez pas de composter votre billet dans les appareils jaunes placés sur les quais afin d'éviter de payer une amende dans le train.

Les autres gares importantes à Rome sont les suivantes : la Stazione Tiburtina, la Stazione Roma-Ostiense (carte p. 95) et la Stazione Trastevere (carte p. 95).

COMMENT CIRCULER
Desserte des aéroports

L'aéroport **Leonardo da Vinci**, ou Fiumicino, à 30 km environ au sud-ouest du centre-ville, est bien desservi. Celui de **Ciampino**, situé à 15 km au sud-est du centre-ville, est moins facile d'accès car il est peu desservi par les transports publics.

BUS

La nuit, de 0h30 à 6h, vous pouvez prendre le bus N2 pour rejoindre la station de métro Tiburtina, où vous prendrez ensuite un bus

Cotral jusqu'à Fiumicino (4,50 €, 40 minutes). Achetez votre billet directement dans le bus.

Les bus à destination de Ciampino partent d'Anagnina, accessible par la ligne de métro A. Il y a un service toutes les 40 min de 6h30 à 22h40. Le trajet revient à 1,20 € (possibilité d'acheter son billet dans le bus).

Pour Ciampino, vous pourrez également prendre la **navette SIT** (☎ 06 591 6826 ; www.sitbusshuttle.com). Elle circule quotidiennement entre la Stazione Termini et Ciampino, de 4h30 à 21h45 (depuis Termini) et de 7h45 à 23h45 (depuis Ciampino). Le billet coûte 6/5 € depuis Termini/Ciampino. Les bus partent de Rome depuis un arrêt situé sur la Via Marsala. Il est possible d'acheter les billets à bord.

VOITURE

Si vous louez une voiture (voir ci-contre) depuis l'aéroport de Fiumicino, en partant, suivez les panneaux "Rome" jusqu'à l'autoroute. À hauteur de l'EUR, quittez l'autoroute puis suivez les panneaux *centro* (ressemblant à un œil de taureau) ou demandez votre chemin jusqu'à la Via Cristoforo Colombo. Elle rejoint directement le centre de Rome.

L'accès est plus aisé depuis Ciampino : sortez de l'aéroport et tournez à droite dans la Via Appia Nuova, qui mène droit au centre.

TAXIS ET SERVICES DE NAVETTES

Les taxis officiels, enregistrés auprès du Comune di Roma, attendent en face des arrivées à Fiumicino et à Ciampino. Ils sont blancs, avec une enseigne TAXI sur le toit et un numéro d'identification sur la porte. Il y a des tarifs fixes au départ de chaque aéroport vers diverses destinations à l'intérieur du mur d'Aurélien, dans le centre de Rome : 40 € depuis Fiumicino et 30 € depuis Ciampino. Ces tarifs incluent les bagages et sont valables depuis/vers les aéroports. Pour les destinations à l'extérieur du mur, les taxis utilisent leur compteur et incluent un supplément pour les bagages (1,04 €/bagage). Attention : les taxis enregistrés à Fiumicino facturent un tarif fixe de 60 € pour se rendre dans le centre – assurez-vous donc de bien prendre un taxi Comune di Roma.

Plusieurs sociétés privées assurent des services de navette. **Terravision** (www.terravision.eu) dessert la Stazione Termini depuis Fiumicino moyennant 7 € l'aller simple et 12 € l'aller-retour. Elles partent toutes les 2 heures environ entre 8h30 et 20h30 ; pour les billets, rendez-vous au guichet dans le hall des arrivées.

TRAINS À DESTINATION DES PRINCIPALES VILLES ITALIENNES

Depuis la Stazione Termini, vous pourrez prendre des trains vers les villes suivantes, et beaucoup d'autres encore. Les tarifs indiqués sont ceux de la 2e classe.

Destination	Tarif	Durée
Florence	40 € (train rapide), 16 € (train lent)	1 heure 40 (train rapide), 3 heures 40 (train lent)
Milan	75 € (rapide), 45 € (normal)	3 heures 30 (rapide), 6 heures (normal)
Naples	40 € (rapide), 10,10 € (lent)	1 heure 30 (rapide), 2 heures 40 (lent)
Palerme	58 € (jour), 45 € (nuit)	11 heures
Venise	62 € (rapide), 37 € (normal)	4 heures 30 (rapide), 6 heures (normal)

Airport Shuttle (☎ 06 420 13 469 ; www.airportshuttle.it) propose de vous conduire à votre hôtel à Rome depuis Fiumicino dans un minivan, moyennant 35 € pour une personne, puis 6 € pour chaque passager supplémentaire (8 pers maximum). De Rome à Fiumicino, le prix est de 28 €. Depuis/vers Ciampino, le tarif est de 42 €, plus 6 € par passager supplémentaire. Un surcoût de 30% est ajouté entre 21h et 7h. Il est nécessaire de réserver à l'avance.

TRAIN

L'aéroport de Fiumicino est facilement accessible en train. Le très efficace Leonardo Express part du quai 24 à la Stazione Termini et va directement à l'aéroport toutes les 30 min, de 5h52 à 22h52. Cela coûte 11 € (gratuit pour les enfants de moins de 12 ans) et dure 30 min environ. Pour rejoindre Termini depuis l'aéroport, ne prenez pas les trains lents indiquant Orte ou Fara Sabina, qui s'arrêtent aux gares du Trastevere, d'Ostiense et de Tiburtina uniquement. Ils partent toutes les 15 minutes (ttes les heures le dimanche) de 5h57 à 23h27, ou de 5h06 à 22h36 depuis Tiburtina. Le trajet coûte 4,50 €.

De Fiumicino, les trains circulent toutes les 30 minutes de 6h36 à 23h36. À Termini, les billets du *Leonardo Express* sont vendus dans les *tabacchi* et les kiosques à journaux de la gare, aux billetteries automatiques ou au guichet sur le quai. À Fiumicino, achetez-les aux distributeurs automatiques ou aux guichets du terminus ferroviaire.

Voiture et moto

Conduire une voiture dans Rome n'est pas si facile, mais c'est toujours moins dangereux que de circuler à moto ou à vélomoteur. La plupart des automobilistes regardent droit devant eux pour surveiller les voitures qui les précèdent, en espérant être imités par les véhicules qui les suivent !

L'essentiel du *centro storico* est fermé à la circulation de 6h30 à 18h du lundi au vendredi et de 14h à 18h le samedi, sauf pour les résidents et ceux qui ont un laissez-passer. Par ailleurs, la circulation est de plus en plus souvent interdite le dimanche et réservée aux plaques paires ou impaires un jour sur deux.

Les 22 rues permettant d'accéder à la zone de circulation limitée (ZTL) ont été équipées de dispositifs de détection électronique. Afin d'éviter d'être verbalisés, les touristes qui souhaitent rejoindre en voiture leur hôtel situé dans ce périmètre, doivent contacter la direction de l'établissement qui envoie un fax à la police précisant le numéro de leur plaque minéralogique. Cela vous évitera une amende de 68,25 €. Pour plus d'informations, consultez le site www.atac.roma.it ou appelez le ☎ 06 57 003 (de 8h à 20h).

Il est très difficile de se garer dans le centre-ville. Des lignes bleues délimitent les emplacements payants ; les tickets sont vendus aux distributeurs (avec de la monnaie) ou dans les *tabacchi* (bureaux de tabac). Le coût du stationnement varie ; au centre, comptez 1 €/heure de 8h à 20h (23h dans certains quartiers). Les agents de la circulation tolèrent de moins en moins le stationnement illégal. Au mieux vous êtes passible d'une contravention à 68,25 €, au pire vous aurez un sabot ou votre voiture sera enlevée. Si vous pensez que votre véhicule est parti à la fourrière, vérifiez d'abord auprès de la **police** (☎ 06 6 76 91). Il vous en coûtera environ 100 € pour le récupérer, sans compter une lourde amende.

Le plus vaste parking près du centre est aménagé près de la villa Borghèse (carte p. 96). L'entrée s'effectue par le Piazzale Brasile, en haut de la Via Vittorio Veneto. Du lundi au samedi, vous trouverez des parkings surveillés aux stations de métro et aux gares ferroviaires, y compris à la Stazione Ostiense (carte p. 95) et à la Stazione Tiburtina. Ils sont ouverts de 5h15 à 0h15 (jusqu'à 1h15 le samedi) et le stationnement y revient à 1,50 € les 12 heures.

LOCATION DE VOITURES

Les principales agences de location sont présentes à Rome et au terminal des arrivées des aéroports.

Avis (réservations 24h/24 ☎ 800 86 30 63 ; www.avis. fr ; aéroport de Ciampino (☎ 06 452 108 391) ; aéroport de Fiumicino (☎ 06 650 11 531) ; **Stazione Termini** (carte p. 100 ; ☎ 06 481 43 73)

Europcar (☎ 199 307 030 ; www.europcar.com) ; aéroport de Ciampino (☎ 06 793 40 387) ; aéroport de Fiumicino (☎ 06 657 61 211) ; Stazione Termini (**carte p. 100 ; ☎ 06 488 28 54**)

Hertz (☎ 02 694 30 006 ; www.hertz.com) aéroport de Ciampino (☎ 06 650 10256) ; aéroport de Fiumicino (☎ 06 592 27 42) ; Stazione Termini (**carte p. 100 ; ☎ 06 474 03 89**)

Maggiore National (☎ 199 151 120, 06 224 56 060 ; www.maggiore.it) ; aéroport de Ciampino (☎ 06 793 40 368) ; aéroport de Fiumicino (☎ 06 650 11508) ; Stazione Termini (carte p. 100 ; ☎ 06 488 00 49)

Transports publics

Bus, trams, métro et trains de banlieue font partie du même réseau public. Tous les types de billets sont valables sur ces différents modes de transport. Le plus simple est le *biglietto integrato a tempo* (BIT), qui coûte 1 € pour une validité de 75 min ; il permet d'emprunter autant de bus ou de trams que vous le désirez, mais une seule fois le métro. Le billet à la journée (*biglietto giornaliero*) revient à 4 €, le forfait de 3 jours à 11 € et le coupon hebdomadaire (CIS, *carta integrata settimanale*) à 16 €. Les enfants dont la taille n'atteint pas 1 m voyagent gratuitement. Ces billets ne sont pas valables pour le trajet jusqu'à l'aéroport de Fiumicino.

Vous pouvez vous procurer des billets dans les *tabacchi*, les kiosques à journaux et aux guichets de métro, de bus et de train. Le billet doit être acheté avant de monter dans le bus ou le train et être validé au moment de l'accès à bord, dans les composteurs jaunes. Dans le métro, on valide son ticket en passant la barrière. L'amende pour tout déplacement sans billet est élevée.

BUS ET TRAM

La compagnie municipale des transports en commun s'appelle **ATAC** (☎ 06 57003 ; www.atac. roma.it). La **principale gare routière** (carte p. 102 ; Piazza dei Cinquecento), est en face de la Stazione

Termini. Un **guichet d'information ATAC** (◷ 8h-20h) est installé au centre de la place. Autres grands points de convergence des bus : le Largo di Torre Argentina, la Piazza Venezia et la Piazza San Silvestro. En général, les bus circulent de 5h30 à minuit, avec des services réduits la nuit sur certains trajets.

Lignes utiles :

Bus H Stazione Termini, Via Nazionale, Piazza Venezia, Largo di Torre Argentina, Ponte Garibaldi, viale Trastevere et banlieue ouest.

Bus 3 Stazione Trastevere, Testaccio, Circo Massimo, Colisée, San Giovanni, Porta Maggiore, Policlinique, villa Borghèse (Bioparco et Galleria D'Arte Moderna).

Bus 23 Piazzale Clodio, Piazza Risorgimento, Ponte Vittorio Emanuele II, Lungotevere, Ponte Garibaldi, Via Marmorata (Testaccio), Piazzale Ostiense et Basilica di San Paolo.

Bus 40 express Stazione Termini, Via Nazionale, Piazza Nazionale, Piazza Venezia, Largo di Torre Argentina, Chiesa Nuova, Piazza Pia (pour le château Saint-Ange) et Saint-Pierre.

Bus 64 De la Stazione Termini à Saint-Pierre. Il emprunte le même itinéraire que le n°40, mais il s'arrête plus souvent ; il est également plus fréquenté.

Bus 170 Stazione Termini, Via Nazionale, Piazza Venezia, Via del Teatro Marcello et Bocca della Verità (puis, direction sud vers le Testaccio et l'EUR, terminus Piazzale dell'Agricoltura).

Bus 175 Stazione Termini, Piazza Barberini, Via del Corso, Teatro di Marcello, Aventino et Stazione Ostiense.

Bus 492 Stazione Tiburtina, San Lorenzo, Stazione Termini, Piazza Barberini, Piazza Venezia, Corso Rinascimento, Piazza Cavour, Piazza Risorgimento et Cipro-Musées du Vatican (ligne A du métro).

Bus 590 Suit la ligne A du métro. Il peut accueillir des personnes à mobilité réduite.

Bus 660 Largo Colli Albani, Via Appia Nuova et Via Appia Antica (proche du Mausolée de Cecilia Metella).

Bus 714 Stazione Termini, Piazza Santa Maria Maggiore, Piazza San Giovanni in Laterano et Viale delle Terme di Caracalla (puis direction sud vers l'EUR).

Bus 910 Stazione Termini, Piazza della Repubblica, Via Piemonte, Via Pincians (villa Borghèse), Piazza Euclide, Palazzetto dello Sport et Piazza Mancini.

Tram 8 Largo di Torre Argentina, Trastevere, Stazione Trastevere et Monteverde Nuovo.

MÉTRO ET TRAIN

Termini est la seule station où vous pouvez effectuer une correspondance entre les deux lignes du **métro** (☎ 06 57531, service d'information disponible en anglais 8h30-18h30 ; www.metroroma.it), les lignes A et B. La fréquence des rames est de 5 à 10 minutes de 5h30 à 23h30 (0h30 le samedi).

Toutes les stations de la ligne B possèdent des accès pour les fauteuils roulants, à l'exception des stations Circo Massimo, Colisée et Cavour (direction Laurentina). Sur la ligne A, seules quelques stations sont équipées pour les handicapés, parmi lesquelles Cipro-Musei Vaticani. L'arrêt de Manzoni, sur la ligne A, est actuellement en travaux.

La ligne C est en cours de construction. Elle desservira le centre-ville depuis Ottaviano (près du Vatican), puis s'arrêtera à la Piazza Venezia et à la Chiesa Nuova, avant de rejoindre les quartiers du sud-est de Rome. Elle devrait être mise en service progressivement à partir de 2012.

Complétant le service du métro, le réseau ferroviaire aérien est utile si vous envisagez de sortir de la ville pour rejoindre les Castelli Romani, les plages de Lido di Ostia ou le site d'Ostia Antica.

BUS DE NUIT

Plus de 20 lignes de bus assurent un service de nuit. Termini (Piazza dei Cinquecento) et la Piazza Venezia sont les principaux terminus. Les bus de nuit se reconnaissent à la lettre N inscrite à côté du numéro de ligne et leurs arrêts au symbole du hibou dessiné en bleu. Les bus circulent normalement toutes 30 minutes, mais il faut parfois attendre beaucoup plus longtemps.

Scooter et vélo

Circuler en scooter dans les rues de Rome est une expérience mémorable, quoique réservée aux intrépides. Si vous préférez louer un vélo, soyez prudent : les automobilistes romains n'ont pas l'habitude de voir des cyclistes dans les rues. Vous pouvez faire une tentative le dimanche, quand la plupart des rues du centre sont fermées aux véhicules motorisés. Pour pédaler en toute tranquillité, on trouve d'agréables pistes cyclables le long du Tibre.

Le nouveau **système de location de vélos en libre-service ATAC** (☎ 06 57003 ; www.atacbikesharing. com) dispose de 150 vélos accessibles dans 19 stations. Vous pouvez les repérer sur Internet et même vérifier le nombre de vélos disponibles dans chacune d'entre elles. Pour les utiliser, vous devez préalablement vous inscrire auprès de l'un des **guichets ATAC** (🕒 7h-20h lun-sam, 8h-20h dim) se trouvant dans les stations de métro Lepanto, Spagna et Termini (5 €). Vous recevrez une carte à

puce que vous pourrez recharger à volonté (la location coûte 0,50 €/heure). Vous pourrez ainsi louer un vélo pour une durée inférieure à 24 heures et le déposer dans la station de votre choix.

Pour louer un scooter, vous devrez présenter une carte de crédit et une carte d'identité. Vous devrez sans doute également déposer une caution. Voici deux loueurs de confiance :
Bici e Baci (carte p. 100 ; ☎ 06 482 84 43 ; www.bicibaci. com ; Via del Viminale 5 ; vélo 11 €/jour, scooter à partir de 19 €, moto 250cc, 80 €)

Eco Move Rent (carte p. 100 ; ☎ 06 447 04 518 ; www.ecomoverent.com ; Via Varese 48-50 ; vélo 11 €/jour, scooter à partir de 40 €). Dans le quartier des auberges de jeunesse, près de la Stazione Termini.
Offre régulièrement une réduction de 10% à ceux qui en font la demande.

Taxi

À Rome, comme ailleurs, les chauffeurs de taxi ont la réputation de chercher à rallonger les courses, surtout lorsqu'ils ont affaire à des étrangers. Vérifiez que le véhicule possède une licence et un compteur. Veillez à ce que celui-ci fonctionne et tenez-vous en au prix indiqué ; ne convenez pas d'un tarif à l'avance (les tarifs fixes depuis/vers les aéroports sont une exception à cette règle). En ville (à l'intérieur du périphérique), le forfait de prise en charge est fixé à 2,33 € (3,36/4,91 € dim/22h-7h), et le tarif est de 0,78 €/km.

En cas de litige, relevez le nom du chauffeur, le numéro de sa licence (indiquée sur une plaque en métal, à l'intérieur du véhicule, sur une porte arrière) et appelez la **municipalité de Rome** (☎ 06 06 06) ou l'**Agence centrale des taxis** (☎ 06 671 070 844).

Vous pouvez héler un taxi à Rome, mais il est souvent plus facile d'en trouver un à une station ou d'en réserver un par téléphone. Soit, dans le *centro storico*, au Largo di Torre Argentina, au Panthéon, Corso del Rinascimento et Piazza Navona, Piazza di Spagna, Largo Goldoni, Piazza del Popolo, Piazza Venezia, au Colisée, Piazza Belli dans le Trastevere et non loin du Vatican, Piazza del Pio XII et Piazza Risorgimento. Le chauffeur enclenche son compteur dès qu'il reçoit votre appel. Vous pouvez appeler l'un des numéros suivants :

La Capitale (☎ 06 49 94)
Radio Taxi (☎ 06 35 70)
Samarcanda (☎ 06 55 51)

LATIUM (LAZIO)

Si l'atmosphère de la Ville Éternelle commence à se faire trop pesante, faites comme les Romains, qui s'offrent de temps à autre une escapade au-delà des portes de la ville. Vous y découvrirez une magnifique région, peu visitée, aux paysages vallonnés au nord, secs et accidentés au sud, et d'une grande richesse historique et culturelle.

OSTIE (OSTIA ANTICA)

Avec des édifices aussi bien conservés que ceux de Pompéi, l'ancien port romain d'Ostie gagnerait à être plus connu. Mais s'il reçoit peu de visiteurs, c'est tout à votre avantage : vous aurez ainsi le site à vous tout seul, ou presque.

Fondé à l'embouchure (*ostium*) du Tibre au IVe siècle av. J.-C., le port d'Ostie (Ostia Antica) devint par la suite un centre de défense et de commerce stratégiquement important. Le déclin de Rome et la malaria finirent par vider la ville de ses occupants au IVe siècle. Le port s'enlisa progressivement jusqu'au deuxième étage des maisons, ce qui explique l'excellent état de conservation des vestiges. Le pape Grégoire IV fit reconstruire la ville au IXe siècle.

À voir

La visite des **ruines** (Scavi Archeologici di Ostia Antica ; ☎ 06 563 52 830 ; www.ostiantica.info en italien ; Viale dei Romagnoli 717 ; adulte/enfant 4 €/gratuit, parking 2,50 € ; ☺ 8h30-19h mar-dim avr-oct, 8h30-18h mar, 8h30-17h nov-fév, dernière entrée 1h avant la fermeture) permet de bien se représenter la vie quotidienne des Romains de l'Antiquité. La découverte du site nécessite plusieurs heures. Vous pouvez acheter une carte assez pratique à la billetterie (2 €).

Ostie était un port actif et animé, jusqu'en 42, ainsi que le démontrent les vestiges de restaurants, blanchisseries, échoppes, habitations et lieux publics. La **Decumanus Maximus**, principale artère d'Ostia Antica, s'étend sur plus de 1 km, de l'entrée de la ville (Porta Romana) jusqu'à la Porta Marina, qui marque la sortie vers l'ancien front de mer.

À une époque, Ostie possédait une vingtaine de thermes, dont les **Terme di Foro**, où une salle était équipée de toilettes en pierre (*forica*) pour l'essentiel parfaitement conservées. Les plus belles mosaïques sont celles des **Terme di Nettuno**, qui occupaient un pâté de maisons entier et datent de l'époque de rénovations du port faites par Hadrien. Depuis la plate-forme surélevée,

vous pourrez observer les trois monumentales mosaïques, notamment celle, superbe, qui représente Neptune sur son char tiré par des hippocampes, entouré de monstres, de sirènes et de tritons. Au centre des thermes il y avait une grande cour à arcades, appelée la Palaestra, dans laquelle les athlètes s'entraînaient, et dont vous ne verrez que les vestiges. Une autre mosaïque montre des boxeurs et des lutteurs en action.

À côté des thermes, le grand **amphithéâtre** érigé par Agrippa fut agrandi pour accueillir jusqu'à 3 000 spectateurs. Si vous grimpez en haut des gradins vous aurez, à travers la vue générale du site, une assez bonne idée de l'organisation du port au temps de son activité.

Derrière le théâtre, le **Piazzale delle Corporazioni** abritait les bureaux des corporations d'Ostie, ornées de mosaïques illustrant leurs différentes occupations.

Plus loin, vers la Porta Marina, se trouve l'un des clous de la visite : le **Thermopolium** (l'équivalent antique de la *tavola calda* romaine), ancêtre du bar. Admirez le comptoir central, la cuisine et la petite cour à l'arrière, où les clients pouvaient s'asseoir à côté de la fontaine et se détendre en prenant un verre. Au-dessus du bar, on peut encore deviner les restes d'une fresque représentant le menu.

Vous trouverez une cafétéria-bar (mais vous pouvez aussi pique-niquer), des toilettes, une boutique et un **musée** où sont exposés des statues et des sarcophages découverts sur le site.

Près de l'entrée du champ de fouilles, l'imposant **Castello di Giulio II** (☎ 06 563 58 024 ; Piazza della Rocca ; ☺ visites guidées gratuites 10h et 12h mar-dim, plus 15h mar et jeu), offre un exemple saisissant de l'architecture militaire du XVe siècle.

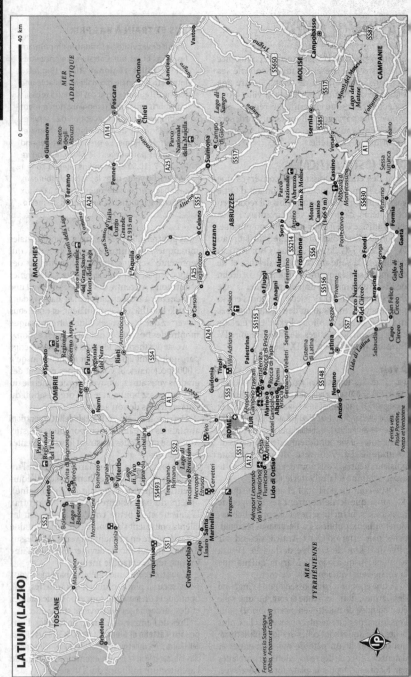

LATIUM (LAZIO)

Depuis/vers Ostie

Dans Rome, prenez la ligne B du métro jusqu'à la station Piramide, puis le train en direction d'Ostia Lido à la Stazione Porta San Paolo (située à côté de la station de métro), jusqu'à Ostia Antica. Les trains partent de Rome toutes les demi-heures. Le trajet dure 25 minutes et coûte le prix d'un billet BIT normal (voir p. 179). En sortant de la station Ostia Antica, empruntez la passerelle et continuez tout droit. Vous apercevrez le château sur votre droite et les ruines en face.

Les ruines sont également facilement accessibles en voiture. Prenez la Via del Mare, parallèle à la Via Ostiense, ou l'A12, en direction de Fiumicino et repérez les panneaux indiquant les *scavi* (fouilles).

TIVOLI

51 900 habitants / altitude 225 m

Perchée sur une colline, la ville de Tivoli fait office depuis des millénaires de lieu de villégiature pour les Romains fortunés. Elle compte deux sites classés au patrimoine mondial : la villa d'Hadrien et la villa d'Este. Toutes deux jouissent d'un cadre d'exception.

La villa d'Hadrien, résidence secondaire de l'empereur, s'apparente plus à une petite ville. La villa d'Este, quant à elle, est une merveille de la haute Renaissance. Vous pourrez visiter les deux sites dans la même journée, à condition toutefois de commencer tôt.

Des informations vous seront fournies à l'**office de tourisme** (☎ 07 743 13 536 ; ⏰ 10h-13h 16h-18h30, horaires réduits l'hiver) sur la Piazza Garibaldi.

À voir

VILLA D'HADRIEN

La **villa d'Hadrien** (Villa Adriana ; ☎ 06 399 67 900 ; adulte/enfant 6,50/3,25 €, supplément exposition 3,50 €, parking 2 € ; ⏰ 9h-1 heure avant le crépuscule), résidence d'été de l'empereur Hadrien, se trouve à 5 km de Tivoli. Bien que l'Empire romain ait déjà atteint des sommets en la matière, sa construction, entre 118 et 134, fut à l'origine de nouveaux standards du luxe. Près de l'entrée, une maquette donne un aperçu de cette propriété très vaste, dont la visite nécessite plusieurs heures. Les audioguides (4 €) donnent des explications utiles. Une petite cafétéria jouxte la billetterie, mais il est bien plus agréable d'apporter son pique-nique ou de déjeuner à Tivoli.

Passionné d'architecture et fin lettré, Hadrien prit modèle sur les monuments visités lors de ses voyages pour édifier sa villa. Le portique de l'imposant **Pœcile**, par lequel on entre, imite la Stoà Poikile d'Athènes. Le **Canope** s'inspire du sanctuaire de Serapis, près d'Alexandrie. Son long canal, à l'origine entouré de statues égyptiennes, est censé évoquer le Nil.

Parmi les constructions mises au jour grâce aux fouilles, citons, à l'est du *pœcile*, le bassin entouré d'une galerie souterraine où l'empereur se promenait l'été, et sa retraite privée, le **Teatro Marittimo**, édifié au centre d'un bassin artificiel. À l'époque, seul un pont mobile permettait de rejoindre cette île. On peut aussi admirer des nymphées, des temples, des casernes et visiter un musée qui expose les dernières trouvailles des fouilles en cours (souvent fermé).

VILLA D'ESTE

En plein centre de Tivoli et dominant les alentours, les jardins de la **villa d'Este** (☎ 199 766 166, 0445 230310 ; www.villadestetivoli.info ; adulte/enfant 6,50 €/gratuit ; ⏰ 8h30-1 heure avant le crépuscule mar-dim) sont un exemple aussi majestueux qu'inégalé de l'art des jardins de la haute Renaissance ; l'atmosphère y est empreinte de quelque chose de magique. La villa est un ancien couvent bénédictin, transformé en 1550 par le cardinal Ippolito d'Este – fils de Lucrèce Borgia – en un somptueux palais d'agrément. De 1865 à 1886, elle accueillit Franz Liszt, qui y composa *Aux cyprès de la villa d'Este* et *Les Fontaines de la villa d'Este*.

Si les riches fresques maniéristes de l'intérieur méritent un rapide coup d'œil, ce sont surtout les jardins que l'on vient voir : terrasses ornées de jets d'eau jaillissants de gargouilles, spectaculaires fontaines alimentées par la force gravitationnelle et majestueuses allées bordées de cyprès noueux, d'un vert intense. L'une des fontaines (dessinée par Bernin) jouait autrefois des airs d'orgue, tandis qu'une autre imitait le chant des oiseaux. Ne manquez pas l'allée des Cent Fontaines, qui aboutit à la "petite Rome".

La villa se trouve au nord du Largo Garibaldi, à 2 minutes à pied. On peut se restaurer dans un café très chic. Pique-niques interdits.

Depuis/vers Tivoli

Les bus Cotral desservent Tivoli, à 30 km à l'est de Rome, depuis la station Ponte Mammolo de la ligne B du métro.

Les bus partent au moins toutes les 20 minutes (aller simple/aller-retour 1,60/3,20 €, 1 heure). Le billet BIRG Zone 3 (6 €) inclut Tivoli. Toutefois, vous aurez sans doute intérêt à acheter un billet BIRG Zone 3 (6 €), valable toute la journée.

La villa d'Este étant proche du centre de Tivoli, il vaut mieux la visiter en premier. Prenez ensuite un bus CAT 4 ou 4X (www. cattivoli.com ; 1 €, 10 min, ttes les 30 min lun-sam, ttes les 70 min dim) dans le Largo Garibaldi. Demandez au chauffeur de s'arrêter devant l'entrée de la villa d'Hadrien. Après la visite, vous pouvez prendre un bus (2 €, 50 minutes) à l'extérieur du site pour rejoindre la station de métro Tiburtina.

En voiture, vous pouvez emprunter la Via Tiburtina ou, pour gagner du temps, l'autoroute Rome-L'Aquila (A24).

SITES ÉTRUSQUES

Certaines des places fortes les plus importantes de cette civilisation très cultivée, apparue v. 800 av. J.-C., se trouvaient dans le nord du Latium. Les Étrusques développèrent une architecture et des techniques artistiques très sophistiquées que s'approprièrent par la suite les Romains. Ce royaume (proche d'une confédération de cités) représenta une source d'irritation majeure pour les Romains jusqu'au IVᵉ ou IIIᵉ siècle av. J.-C., lorsque les dernières défenses étrusques cédèrent aux assauts des légionnaires romains.

Si vous avez le temps et souhaitez vous imprégner de cette culture raffinée, un petit séjour à Tarquinia et à Cerveteri, deux des plus importantes villes-États de la Ligue étrusque, s'impose. L'ensemble constitué par ces deux sites est classé au patrimoine mondial de l'Unesco.

Cerveteri

33 400 habitants / altitude 81 m

On y trouve, aux portes de Rome, une nécropole étrusque aussi mystérieuse qu'extraordinaire. Elle abrite un ensemble de tombeaux disposés à la manière des habitations d'une ville.

Cerveteri, ou Kysry pour les Étrusques, fut un important centre commercial de la Méditerranée entre le VIIᵉ siècle et le Vᵉ siècle av. J.-C. La ville fut annexée à Rome en 358 av. J.-C. et ses habitants devinrent des citoyens romains. Caere devint Caere Vetus (vieux Caere), origine de son nom actuel. Les premières explorations archéologiques furent tentées dans la région durant la première moitié du XIXᵉ siècle, puis des fouilles systématiques furent entreprises en 1911.

Renseignez-vous sur le site au **point d'information touristique** (☎ 06 995 52 637 ; Piazza Aldo Moro ; ☺ 9h30-12h30). De là, une navette part toutes les heures pour la **Necropoli di Banditaccia** (☎ 06 399 67

150 ; www.pierrici.it ; Via del Necropoli ; 6 €, avec entrée musée 8 € ; ☺ 8h30-1 heure avant le crépuscule), un ensemble de tombeaux situé à 2 km de la ville. À partir de 8h20, la navette fait entre 7 et 9 trajets par jour ; le dernier départ est à 18h (plus tôt en hiver). Le trajet (5 min) coûte 1 €. Vous pouvez aussi vous y rendre à pied (c'est une agréable promenade de 15 min), en suivant les indications.

Les 10 hectares de la nécropole sont organisés à la manière d'une ville de l'au-delà, dotée de rues, de places et de rangées de "maisons". La plupart des tombeaux sont des tumulus (*tumuli*), soit des constructions circulaires recouvertes de terre et surmontées d'un cumulus (une couche de gazon). Des pancartes indiquent le parcours à suivre et signalent les tombeaux majeurs, notamment la **Tomba dei Rilievi**. Cette dernière date du IVᵉ siècle et est ornée de reliefs peints figurant des ustensiles de cuisine et d'autres objets domestiques.

Dans le centre médiéval de Cerveteri, vous pourrez visiter le splendide **Museo Nazionale di Cerveteri** (Piazza Santa Maria ; 6 €, avec entrée nécropole 8 € ; ☺ 8h30-19h30 mar-dim), où les magnifiques objets trouvés dans les tombes permettent de se représenter ce qu'était la vie au temps des Étrusques.

Sur la même place, l'**Antica Locanda Le Ginestre** (☎ 06 994 06 72 ; Piazza Santa Maria 5 ; repas 45 € ; ☾ mar-dim) est un restaurant familial qui jouit d'une excellente réputation. Délicieuse, la cuisine préparée à base de produits bio locaux est servie dans une salle élégante ou dans la cour-jardin fleurie. Réservation indispensable. Pour un déjeuner meilleur marché, nous vous conseillons **Cavallino Bianco** (☎ 06 9943693 ; Piazza Risorgimento ; ☾ mer-dim).

DEPUIS/VERS CERVETERI
Cerveteri est aisément accessible depuis Rome par le bus Cotral (3,50 €, 65 min, 19 départs quotidiens à partir de 6h25), qui part de la station de métro Cornelia sur la ligne A. Une fois à Cornelia, prenez l'escalator et sortez dans la rue principale. L'arrêt est sur le même trottoir, à quelques pas de l'entrée du métro (cherchez le panneau Cotral). Au retour, prenez le bus sur la place principale, au pied de l'escalier venant du musée. Le dernier bus pour Rome part à 20h05.

En voiture, prenez la Via Aurelia (SS1) ou l'Autostrada Civitavecchia (A12) et sortez à Cerveteri-Ladispoli. Le trajet prend environ 40 minutes.

Tarquinia
16 200 habitants / altitude 169 m
Relativement distante de Rome, Tarquinia mérite toutefois qu'on lui consacre une journée pour admirer ses superbes tombes peintes, son magnifique musée étrusque et son quartier médiéval évocateur. Selon la légende, la ville aurait été fondée vers la fin de l'âge du bronze, au XIIe siècle av. J. C. Patrie des Tarquins, rois de Rome avant l'avènement de la République, elle atteignit le faîte de sa puissance au IVe siècle av. J.-C. avant de s'engager dans un siècle de conflits qui aboutit, en 204 av. J.-C., à sa sujétion à Rome.

Pour tout renseignement sur la ville et ses monuments, allez à l'**office du tourisme** (☎ 0766 84 92 82 ; info@tarquinia@apt.it ; Piazza Cavour 1 ; ☾ 8h-14h lun-sam), à gauche en entrant dans la ville par la porte médiévale (Barriera San Giusto).

À deux pas, le superbe Palazzo Vitelleschi, datant du XVe siècle, abrite le **Museo Nazionale Tarquiniese** (☎ 06 399 67 150 ; Piazza Cavour ; adulte/enfant 6/3 €, avec entrée nécropole 8/4 € ; ☾ 8h30-19h30 mar-dim). Sa collection comprend une époustouflante frise en terre cuite figurant des chevaux ailés (*Cavalli Alati*), des fresques peintes découvertes dans les tombeaux, des sarcophages, des bijoux

et des amphores, ainsi que quelques assiettes aux illustrations égrillardes (salle 6, au rez-de-chaussée). Toujours au rez-de-chaussée, la salle 9 expose le *Sarcofago con cerbiatto*, une belle pièce du IVe siècle av. J.-C. montrant une femme allongée à demi-nue qui tend une assiette à un jeune faon (*cerbiatto*) qui s'y abreuve.

Pour admirer *in situ* les célèbres tombes peintes, visitez la **nécropole** (☎ 06 399 67 150 ; adulte/enfant 6/3 €, avec musée adulte/enfant 8/4 € ; ☾ 8h30-1 heure avant le crépuscule mar-dim), à 2 km de la ville. Parmi les quelque 6 000 tombeaux fouillés depuis 1489, 60 sont ornés de peintures ; bien qu'important, ce nombre ne représente qu'une infime partie de la nécropole, qui s'étendait initialement jusqu'à la mer. Désormais placés sous la protection de l'Unesco, ils sont maintenus à température constante derrière des parois de verre. La Tomba della Caccia e della Pesca montre de belles scènes de chasse et de pêche, tandis que la Tomba delle Leonesse représente des danseurs, des lionnes et des dauphins. La Tomba della Fustigazione est ornée d'une surprenante scène sadomasochiste représentant un homme fouettant une femme, et la tombe des taureaux représente des couples hétérosexuels et homosexuels. L'érotisme était un thème artistique récurrent chez les Étrusques, dont l'ouverture d'esprit est bien connue.

Pour aller à la nécropole depuis l'office du tourisme, longez le Corso Vittorio Emanuele, et à la Piazza Nazionale, tournez à droite dans la Via di Porta Tarquinia. Passez devant la Chiesa di San Francesco puis descendez la Via Ripagretta jusqu'à la nécropole, à gauche. Autre possibilité, une navette (0,60 €) part depuis l'office du tourisme toutes les 30 à 45 min de 9h à 11h45 et de 15h à 18h15. Elle repart de la nécropole 5 minutes après son arrivée.

Tarquinia compte de nombreux établissements servant des plats corrects, notamment **Il Cavatappi** (☎ 07 668 42 303 ; Via dei Granari 19 ; ☾ tlj sf mar), spécialisé dans les repas à base de produits locaux, et le très coté **Re Tarquinio** (☎ 07 668 42 125 ; Alberata Dante Alighieri 10 ; ☾ tlj sf mar), qui occupe une ancienne cave ornée de fresques, dans le centre-ville médiéval.

DEPUIS/VERS TARQUINIA
À Rome, prenez un bus Cotral à l'arrêt de la station de métro Cornelia, sur la ligne A, pour vous rendre à Civitavecchia (4,50 €, 1 heure 30, départs presque ttes les heures). De là, prenez un bus pour Tarquinia (2 €, 25 min). Le dernier bus quitte Tarquinia pour Rome à 20h45.

En train, prenez le Pisa Centrale depuis la gare Termini (6,20 €, 1 heure 15 à 1 heure 30, ttes les 1 ou 2 heures). Achetez un aller-retour, car la billetterie de Tarquinia est fermée l'après-midi. En sortant de la gare de Tarquinia, prenez le bus-navette de la ligne BC jusqu'au centre-ville.

Tarquinia est à 90 km au nord-ouest de Rome. En voiture, empruntez l'Autostrada jusqu'à Civitavecchia, puis la Via Aurelia (SS1).

CIVITAVECCHIA
51 400 habitants
À moins de vouloir prendre un ferry pour la Sardaigne, il est peu probable que vous ayez l'occasion de vous arrêter dans cette ville agréable. Mais si vous y faites escale, vous serez néanmoins assuré de pouvoir y déguster un délicieux plat de poisson. Fondée par l'empereur Trajan en 106, cette ville portuaire fut ensuite conquise par les Sarrasins. En devenant l'une des places fortes de la papauté, elle regagna de l'importance au XVIe siècle. La ville médiévale fut entièrement détruite par les bombardements de la dernière guerre.

Le port est à peine à 400 m de marche de la gare ferroviaire. En sortant de la gare, tournez à droite dans le Viale Garibaldi et longez la route du front de mer. Pour goûter la cuisine locale, rendez-vous à l'excellent restaurant **La Scaletta** (☎ 0766 24334 ; Lungoporto Gramsci Antonio 65).

Depuis/vers Civitavecchia
DEPUIS/VERS ROME
Des trains relient régulièrement la gare Termini, à Rome, à Civitavecchia (4,50 € service régional, 1 heure 15). La fréquence est moins importante le dimanche. Le service interurbain est plus rapide (50 min) mais plus coûteux (14,30 €). À Civitavecchia, la gare se trouve près du port.

Les bus Cotral reliant Rome à Civitavecchia partent de la station Cornelia, sur la ligne A, toutes les heures environ (4,50 €, 1 heure 30). Une fois à Cornelia, prenez l'escalator et sortez dans la rue principale. L'arrêt est sur le même trottoir, à quelques pas de l'entrée du métro (cherchez le panneau Cotral). L'arrêt de bus à Civitavecchia se trouve dans le Viale Guido Baccelli. Civitavecchia est couverte par un billet BIRG Zone 5 (9 €). En voiture, prenez l'Autostrada A12 depuis Rome.

FERRIES DEPUIS/VERS LA SARDAIGNE
De Civitavecchia, les ferries desservent la Sardaigne, notamment Olbia (8 heures), Arbatax (10 heures) et Cagliari (14-17 heures).

Vérifiez les horaires et les tarifs des traversées, car ils changent chaque année. Les prix ci-dessous valent pour un aller sans couchette.

Tirrenia (☎ 02 263 02 803, en Italie 892 123 ; www.tirrenia. it) navigue jusqu'à Olbia (basse/haute saison 30/35 €), Arbatax (basse/haute saison 34/45 €) et Cagliari (basse/haute saison 30/45 €).

Moby (☎ 199 30 30 40 ; www.moby.it) dessert Olbia (30-70 € l'aller) de mai à septembre.

Les billets sont vendus dans les agences de voyages et au terminal des ferries de Civitavecchia. L'été, réservez bien à l'avance.

VITERBE (VITERBO)
60 500 habitants / altitude 327 m
Fondée par les Étrusques puis soumise par Rome, la Viterbe médiévale accueillit, au XIIIe siècle, la résidence des papes. Bien que gravement endommagée par les bombardements pendant la Seconde Guerre mondiale, Viterbe demeure la ville médiévale la mieux conservée du Latium et une excellente base pour explorer le nord de la région. Les visiteurs pressés par le temps la découvriront dans le cadre d'une journée d'excursion depuis Rome.

Hormis son intérêt historique, la ville est renommée pour ses sources chaudes aux vertus thérapeutiques. L'une des plus connues est la sulfureuse Bulicame, que Dante mentionne dans *La Divine Comédie*.

Orientation
Ceinturé de remparts, le petit *centro storico* de Viterbe se visite aisément à pied. De la Stazione Porta Roma, longez pendant quelques minutes le Viale Armando Diaz jusqu'à la Porta Romana, l'une des portes médiévales de la ville. Passez la porte et descendez la Via Giuseppe Garibaldi jusqu'à la Piazza Fontana Grande. Continuez ensuite sur la Via Cavour pour rejoindre la Piazza del Plebiscito, en plein cœur du centre historique.

De là, trois possibilités se présentent : soit vous tournez à droite dans la Via Roma. En la suivant, vous débouchez sur le Corso Italia, une élégante artère commerçante. Deuxième choix, vous choisissez de vous engager sur la Via San Lorenzo pour découvrir la cathédrale et le Palazzo dei Papi. Enfin, troisième option, vous descendez la Via F. Ascenzi pour rejoindre la Piazza Martiri d'Ungheria. Le quartier des hôtels est situé au nord-est de cette immense place disgracieuse.

La gare des bus interurbains est située à Riello, à plusieurs kilomètres du centre.

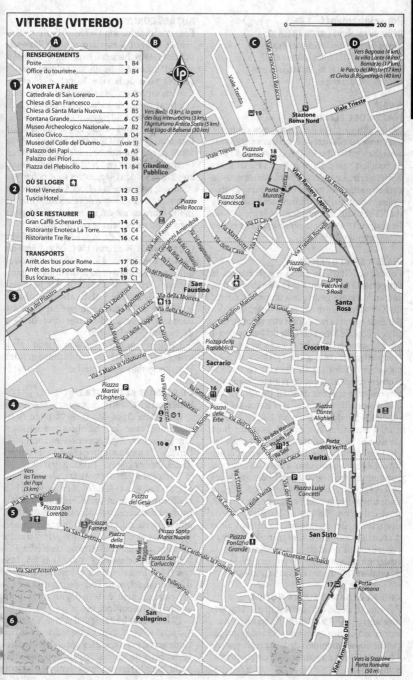

VITERBE (VITERBO)

0 ——— 200 m

RENSEIGNEMENTS
Poste...1 B4
Office du tourisme.............................2 B4

À VOIR ET À FAIRE
Cattedrale di San Lorenzo..................3 A5
Chiesa di San Francesco....................4 C2
Chiesa di Santa Maria Nuova.............5 B5
Fontana Grande................................6 C5
Museo Archeologico Nazionale..........7 B2
Museo Civico....................................8 D4
Museo del Colle del Duomo........(voir 3)
Palazzo dei Papi...............................9 A5
Palazzo dei Priori...........................10 B4
Piazza del Plebiscito.......................11 B4

OÙ SE LOGER
Hotel Venezia.................................12 C3
Tuscia Hotel...................................13 B3

OÙ SE RESTAURER
Gran Caffè Schenardi......................14 C4
Ristorante Enoteca La Torre.............15 B2
Ristorante Tre Re............................16 C4

TRANSPORTS
Arrêt des bus pour Rome.................17 D6
Arrêt des bus pour Rome.................18 C2
Bus locaux......................................19 C1

Renseignements

Office du tourisme (☎ 0761 32 59 92 ;
www.provincia.vt.it en italien ; Via Filippo
Ascenzi ; ⏰ 10h-13h et 15h-18h mar-dim).

Poste (☎ 0761 30 48 06 ; Via Filippo Ascenzi).
Face à l'office du tourisme.

À voir

PIAZZA DEL PLEBISCITO

Cette élégante place Renaissance est dominée
par l'imposant **Palazzo dei Priori** (Piazza del Plebiscito ;
entrée libre ; ⏰ 10h-13h et 16h-19h), construit en 1460.
Sa cour est parée d'une élégante fontaine du
XVIIe siècle. Le palais héberge désormais le
conseil municipal, mais il est toujours possible
de jeter un coup d'œil aux fresques très colorées
du XVIe siècle, notamment celle de la Sala
Reggia, au 1er étage, qui représente les mythes
et les origines de la ville.

PIAZZA SAN LORENZO

Fondée au XIIe siècle dans un style roman, la
Cattedrale di San Lorenzo (Piazza San Lorenzo) doit
son architecture gothique à un remaniement
du XIVe siècle. Suite aux bombardements des
Alliés, le toit et la nef durent être reconstruits.
Juste à côté, le **Museo del Colle del Duomo** (avec la
Sala del Conclave du Palazzo Papale, avec la visite guidée du
Palazzo dei Papi 3 € ou 5 €, Loggia 5 € ; ⏰ 10h-13h et 15h-20h
mar-dim, 15h-18h hiver) expose une petite collection
d'objets religieux, dont un reliquaire supposé
renfermer le menton de saint Jean-Baptiste.

Au nord de la place, le **Palazzo dei Papi**
(☎ 0761 34 17 16) fut construit au XIIIe siècle
afin d'attirer les souverains pontifes hors
de Rome. Le palais accueillit un temps les
élections pontificales. En 1271, devant l'échec
du collège des cardinaux à élire un nouveau
pape après trois ans de délibérations, les
Viterbesi enfermèrent les hommes d'Église
dans une salle à tourelles du palais gothique,
puis enlevèrent le toit et les privèrent de
nourriture. Les cardinaux se mirent alors
d'accord pour élire Grégoire X. Montez
l'escalier qui conduit à la gracieuse *loggia*
(galerie à colonnade) pour entrer dans la **salle
du conclave**, où furent élus cinq papes.

CHIESA DI SANTA MARIA NUOVA

Bâtie au XIe siècle, cette **église** romane (Piazza Santa
Maria Nuova ; ⏰ 10h-13h et 15h-17h) fut restaurée dans
sa forme d'origine après avoir été endommagée
par les bombardements de la dernière guerre.
Le cloître, peut-être antérieur, est particulièrement beau.

AUTRES CURIOSITÉS

Pour une introduction à la civilisation étrusque,
visitez le petit **Museo Archeologico Nazionale**
(☎ 0761 32 59 29 ; Piazza della Rocca ; 6 € ; ⏰ 8h30-19h30
mar-dim), hébergé dans un joli *palazzo* près de
l'entrée nord de la ville. Sa petite collection
d'objets étrusques mis au jour dans la région
et le beau groupe de statues dédiées aux Muses
du 1er étage sont intéressants.

À l'entrée nord de la ville, la **Chiesa di San
Francesco** (☎ 0761 34 16 96 ; Piazza San Francesco ; ⏰ 8h-
18h30) abrite les tombeaux de deux papes,
Clément IV (mort en 1268) et Adrien V (mort
en 1276). Ces deux sépultures sont richement
décorées, notamment celle d'Adrien, selon la
technique de mosaïque des Cosmati (marbre
multicolore et mosaïque en verre incrustés
dans la pierre et dans le marbre blanc).

De l'autre côté de la ville, le **Museo Civico**
(☎ 0761 34 82 75 ; Piazza Crispi ; 3,10 € ; ⏰ 9h-19h mar-dim
été, 9h-18h hiver) expose d'autres objets étrusques,
ainsi que de curieuses imitations d'objets
antiques créées au XVe siècle par le moine
faussaire Annius de Viterbe afin de renforcer
le prestige de la ville. Le musée expose aussi,
dans sa petite galerie d'art, une très belle *Pietà*
de Sebastiano del Piombo.

La bien nommée **Fontana Grande** (grande
fontaine ; Piazza Fontana Grande) est la plus ancienne
fontaine gothique de Viterbe.

Où se loger et se restaurer

Hotel Venezia (☎ 0761 03 03 56 ; www.hotelveneziaresidence.
it ; Via del Pavone 23 ; s/d 45/70 € ; ℗ 🐕). Un hôtel
bien situé, avec des chambres spacieuses et
lumineuses en façade, petites et sombres à
l'arrière. Toutes sont propres et agrémentées
de couvre-lits colorés. Parking gratuit.

Tuscia Hotel (☎ 07 613 44 400 ; www.tusciahotel.
com ; Via Cairoli 41 ; s 44-50 €, d 68-76 € ; ℗ 🗙 🐕). La
meilleure option en catégorie moyenne. Ce
trois-étoiles du centre-ville offre un confort et
une propreté sans égal à Viterbe. Chambres
spacieuses et claires, avec TV sat ; 9 d'entre
elles ont la clim. Toit-terrasse ensoleillé.

Gran Caffè Schenardi (☎ 07 613 45 860 ; Corso
Italia 11-13). Le café et les gâteaux n'ont rien
d'exceptionnel, mais l'on vient surtout dans
cet établissement ouvert depuis 1818 pour
admirer le magnifique décor.

🏠 **Ristorante Tre Re** (☎ 0761 30 46 19 ; Via Gattesco
3 ; repas 25 € ; ⏰ tlj sf jeu). Cette trattoria historique sert de savoureuses spécialités locales
et des plats de saison. Le plus typique est le
pollo alla Viterbese, excellent poulet rôti

fourré de pommes de terres et d'olives vertes épicées. Cuisine délicieuse et prix très raisonnables.

Ristorante Enoteca La Torre (☎ 0761 22 64 67 ; Via della Torre 5 ; repas 55 € ; ☯ déj tlj sf mer, dîner tlj). Le meilleur restaurant de Viterbe, et un paradis pour gourmets : le chef japonais utilise à bon escient les produits locaux dans une cuisine créative à la présentation sophistiquée ; le sommelier est très compétent.

À cinq kilomètres de Viterbe, sur la SS Cassia Nord, l'**Agriturismo Antica Sosta** (☎ 0761 251 369 ; repas 25 €, s/d 50/75 €), vaste demeure se dressant au milieu d'une campagne verdoyante, possède des chambres spacieuses et sobres ainsi qu'un délicieux restaurant, où l'on sert des plats savoureux, tels les *strozzapreti al radicchio gorgonzola e noci* (pâtes "étouffe-prêtres" accompagnées de chicorée, de gorgonzola et de noix).

Depuis/vers Viterbe

Depuis Rome, vous pouvez prendre un bus Cotral pour Viterbe. On en compte plusieurs par jour, qui partent du terminus de Saxa Rubra (4,80 € ; 1 heure 30, ttes les 30 min) sur la ligne ferroviaire Roma-Nord. Prenez le métro Piazzale Flaminio, juste au nord de la Piazza del Popolo, pour rejoindre le terminus de Saxa Rubra. Viterbe est accessible avec un billet BIRG Zone 5 (9 €).

Arrivé à Viterbe, descendez à la Porta Romana, plutôt qu'à la gare des bus interurbains de Riello, à quelques kilomètres au nord-ouest de la ville. Si vous vous retrouvez à Riello, vous pouvez prendre un bus pour le centre-ville (1 €). Au retour, prenez le bus à l'arrêt de la Porta Romana ou du Piazzale Gramsci.

Des trains partent toutes les heures du lundi au samedi et toutes les 2 heures le dimanche de la gare d'Ostiense à Rome (descendre à Viterbo Porta Romana). Le trajet dure près de 2 heures et coûte 4,50 € l'aller.

En voiture, le trajet pour gagner Viterbe passe par la Via Cassia (SS2, 1 heure 30 environ). Entrez dans la vieille ville par la Porta Romana, suivez la Via Giuseppe Garibaldi, qui devient ensuite la Via Cavour. Mieux vaut se garer sur la Piazza Martiri d'Ungheria ou sur la Piazza della Rocca.

ENVIRONS DE VITERBE

Les Romains se rendent surtout à Viterbe pour profiter de ses sources thermales, situées à environ 3 km à l'ouest de la ville. Les plus accessibles, les **Terme dei Papi** (☎ 07 61 35 01 ; www.

termedeipapi.it ; Strada Bagni 12 ; bassin lun-sam 12 €, dim 25 € ; ☯ 9h-19h mer-lun, et 21h30-1h sam), proposent une piscine d'eau sulfureuse, des massages revitalisants (à partir de 55 € pour 50 min) et des bains de boue bouillonnants (à partir de 10 €). Prenez le bus à Viterbe, sur le Viale Trento (1 €).

En outre, la région s'enorgueillit d'un riche patrimoine haute Renaissance. À Bagnaia, à 4 km au nord-est de Viterbe, vous pouvez visiter les superbes jardins de la **villa Lante**, où terrasses, cascades et statues forment un décor spectaculaire. Ils font partie d'un vaste **parc** (☎ 07 612 88 008 ; 2 € ; ☯ 8h30-1 heure avant le crépuscule mar-dim) champêtre entourant la villa du XVIe siècle. Pour rejoindre Bagnaia depuis Viterbe, prenez le bus sur le Viale Trieste (1 €).

À Caprarola, à environ 20 km au sud-est de Viterbe, le **Palazzo Farnese** (☎ 07 616 46 052 ; 2 € ; ☯ 8h30-18h30 mar-dim) est un autre chef-d'œuvre de la Renaissance, qui se caractérise par sa forme octogonale et sa cour intérieure ronde. Le tracé des murs fut imaginé par un ingénieur militaire, Antonio da Sangallo le Jeune, avant d'être adapté par Vignole. Ils ont été décorés par certains des meilleurs artistes maniéristes de l'époque. Les fresques de Taddeo et Federico Zuccari, dans la Sala del Concilio di Trento (salle du concile de Trente), sont particulièrement impressionnantes. Environ 6 bus desservent quotidiennement Caprarola (2 €) au départ de la gare routière de Riello, à proximité de Viterbe.

À Bomarzo, à 17 km au nord-est de Viterbe, adultes et enfants se laisseront surprendre par les étranges statues du XVIe siècle qui peuplent le **Parco dei Mostri** (☎ 07 619 24 029 ; www.parcodeimostri. com ; 9 € ; ☯ 8h-coucher du soleil). Parmi les gigantesques sculptures anciennes, éparpillées dans les jardins du Palazzo Orsini, on reconnaîtra notamment un ogre, un géant et un dragon. De Viterbe, prenez le bus Cotral à destination de Bomarzo à l'arrêt situé près du Viale Trieste (0,60 €, 30 min), puis suivez les panneaux indicateurs jusqu'au Palazzo Orsini.

À 32 km au nord de Viterbe, au milieu d'une magnifique campagne vert émeraude, se dessine le joli village de **Bagnoregio**. De là, vous pourrez accéder par une longue passerelle à une colline escarpée sur laquelle se dresse l'énigmatique **Civita di Bagnoregio**, surnommée "*il paese che muore*" (le village mourant). Il s'agit de l'ancien village, dont le destin fut scellé au XVIIe siècle à la suite d'un violent séisme. Il fut érigé sur un promontoire de tuf volcanique s'effritant peu à peu, si bien que les édifices situés sur ses bords s'effondrent les uns après les autres. Civita di Bagnoregio compte 12 résidents à l'année, et bien plus l'été. Pour plus d'informations, consultez le site www.civitadibagnoregio.it. Bagnoregio est régulièrement desservi par des bus Cotral au départ de Viterbe (2,50 €, 40 min) ; il faut ensuite parcourir 2 km à pied pour rejoindre l'ancien village.

CASTELLI ROMANI

À une vingtaine de kilomètres au sud de Rome, les Colli Albani (monts Albains) abritent les treize villes des Castelli Romani (ou châteaux romains). Région de villégiature estivale prisée par les riches Romains depuis l'Empire, ces villes furent essentiellement fondées par des familles patriciennes, des papes et des nobles. Castel Gandolfo et Frascati sont peut-être les plus connues. La première accueille la résidence d'été du pape, la seconde doit sa célébrité à son vin blanc. Les autres villes sont : Monte Porzio Catone, Montecompatri, Rocca Priora, Colonna, Rocca di Papa, Grottaferrata, Marino, Albano Laziale, Ariccia, Genzano et Nemi.

Frascati

Facilement accessible en bus ou en train depuis Rome, la jolie commune de Frascati constitue une agréable destination d'escapade, réputée pour sa vue sur Rome et sa gastronomie.

Frascati Point (☎ 06 940 15 378 ; ☉ 10h-16h lun-mer et ven, 10h-15h jeu, 10h-19h sam) fournit des informations sur les vins, les vignobles et les *cantine* (caves) de la région. Il occupe les anciennes écuries de la villa Aldobrandini et doit son nouveau look à un des plus grands architectes d'Italie, Massimiliano Fuksas, né en 1944.

L'imposante villa du XVIe siècle que l'on voit émerger des jardins surplombant la place est la **villa Aldobrandini**, dessinée par Giacomo della Porta et construite par Giovanni Fontana et Carlo Maderno.

À la sortie de Frascati, la ville ancienne de **Tusculum**, imposante et imprenable, demeura indépendante jusqu'en 380 av. J.-C., date à laquelle elle passa sous domination romaine. Aujourd'hui, il subsiste assez peu de traces de la cité : un petit amphithéâtre, les vestiges d'une villa et une portion de l'ancienne route romaine menant jusqu'à la ville. Vous pouvez vous y rendre en voiture ; la colline herbeuse de Tusculum est aussi un excellent but de promenade à pied et la vue depuis le sommet est superbe.

Mais c'est surtout pour boire et manger, ainsi que pour échapper à la chaleur étouffante de l'été, que tant de visiteurs viennent à Frascati. La région doit sa célébrité à son vin blanc et les sites de dégustation ne manquent pas. Le meilleur restaurant de la ville, **Cacciani** (☎ 06 942 03 78 ; Via Al Diaz ; repas 50 € ; ☉ mar-sam, fermé 1 sem en août), est réputé pour sa délicieuse cuisine et son élégante terrasse. Néanmoins, les voyageurs auront sans doute plus de plaisir à découvrir les célèbres *cantine* de la ville où l'on déjeune de *porchetta,* d'olives, de saucisson sec et de fromages, le tout arrosé de vin blanc de l'année. La *porchetta* se déguste aussi en *panino,* que vous pourrez vous procurer à l'un des stands de la Piazza del Mercato, qui remportent un vif succès le week-end. L'*enoteca* **Le Vie dei Canti** (☎ 06 940 10 413 ; Via D'Estouteville 3 ; ☉ 19h30-24h) est un bar à vin au décor en bois rustique et à l'atmosphère chaleureuse, où vous pourrez déguster de délicieux fromages, saucissons, carpaccios et *crostoni* (toasts) accompagnés de vin local.

Castel Gandolfo et ses environs

Un peu plus loin, dans la jolie ville de **Grottaferrata**, se trouve une **abbaye du XVe siècle** (☎ 06 945 93 09 ; Viale San Nilo ; ☉ 7h-12h30 et 15h30-1h avant le coucher du soleil) fondée en 1004. Elle abrite désormais une communauté de moines catholiques de rite gréco-byzantin arborant de hauts chapeaux noirs. L'atmosphère y est profondément mystique, et une épaisse fumée d'encens tend à masquer le décor ouvragé.

En continuant en direction du sud-ouest, vous arriverez à **Castel Gandolfo**, un joli bourg fortifié. C'est ici que se trouve la résidence d'été du pape. L'édifice du XVIIe siècle, où le pape tient ses audiences en juillet et en août, domine la cité.

En contrebas s'étend le **Lago di Albano**, d'un bleu profond. Il est possible de s'y baigner et de louer des chaises longues et des pédalos sur ses berges ; on y trouve aussi des cafés. Lorsqu'il fait trop chaud à Rome, il est agréable de venir se rafraîchir ici.

Près du **Lago di Nemi**, le plus petit des deux lacs volcaniques dans les Castelli Romani, se trouvait un temple dédié à la déesse Diane. C'était aussi un des lieux de repos favoris de l'empereur Caligula.

Le **Museo delle Navi Romane** (☎ 06 939 80 40 ; Via Diana ; 2 € ; ☉ 9h-19h), au bord du lac, fut construit par Mussolini afin de protéger deux barques romaines datant de l'époque de Caligula découvertes au fond du lac en 1932. Elles furent malheureusement détruites dans un incendie en 1944. Des modèles réduits des embarcations d'origine sont toutefois exposés. Vous pourrez manger un morceau à la **Trattoria La Sirena del Lago** (☎ 06 936 80 20 ; Via del Plebiscito ; repas 25 € ; ☺ mar-dim). Les pizzas et la truite sont excellentes et le vin est agréable. Nemi est aussi réputé pour ses fraises des bois, abondamment consommées (souvent sous forme de crème glacée) en saison.

Depuis/vers les Castelli Romani

Frascati est accessible en bus (2 €, 25 min, 35/ jour en semaine, moins le week-end) depuis la station de métro Anagnina sur la ligne A, à Rome. Sinon, des trains partent de la Stazione Termini (1,90 €, 30 min, toutes les heures ou 1 heure 30 du lundi au samedi, toutes les 2 heures le dimanche).

Pour relier Frascati à Grottaferrata (1 €, 15 min, ttes les 30 à 40 min), prenez un bus Cotral au départ de la Piazza Marconi. Pour gagner le Lago di Nemi, choisissez un bus à destination de Velletri et descendez à Genzano di Roma (1,30 €, 30 min, peu fréquents). De là, montez dans un autre bus desservant le lac (1 €, 10 min, peu fréquents). Pour Castel Gandolfo (1 €, 30 min, ttes les heures) prenez le bus Pomezia sur la Piazza Marconi. Des trains circulent entre la Stazione Termini, à Rome, et Castel Gandolfo (1,90 €, 40 min), mais aucun ne relie Frascati à Castel Gandolfo.

PALESTRINA

18 700 habitants

La jolie ville de Palestrina a été construite sur les flancs du Monte Ginestro, l'un des contreforts des Apennins. Sous l'Empire, les Romains fortunés venaient y séjourner lorsque la chaleur de l'été devenait trop étouffante.

La ville était surplombée par l'imposant **Santuario della Fortuna Primigenia**. Élevé par les Romains au IIe siècle av. J.-C., sur 6 niveaux en terrasse, le sanctuaire était dédié à la déesse Fortuna. Il s'étendait sur une large partie de l'actuel *centro storico*. Le **Palazzo Colonna Barberini** fut construit au XVIIe siècle sur la terrasse supérieure. Il abrite aujourd'hui l'excellent **Museo Archeologico Nazionale di Palestrina** (☎ 06 953 81 00 ; Piazza della Cortina ; 3 € ; ☺ 9h-19h). À l'intérieur, des dalles en Plexiglas laissent entrevoir les vestiges de l'ancienne construction. Vous pourrez y admirer notamment une magnifique sculpture de la triade capitoline :

Jupiter, Junon et Minerve, aux pieds desquels se trouvent les animaux qui leur sont associés, respectivement l'aigle, le paon et la chouette. Vous contemplerez également une splendide mosaïque du IIe siècle av. J.-C. représentant le Nil. Cette œuvre est une formidable illustration de la vie quotidienne dans l'Égypte antique. Les vestiges du sanctuaire peuvent être visités avec le billet du musée, à partir de 9h. Le site ferme 1 heure avant le coucher du soleil.

La meilleure table pour déjeuner est le **Ristorante Stella** (☎ 06 953 81 72 ; Piazza della Liberazione 3 ; repas 20 €), installé dans l'hôtel des années 1960 du même nom, à quelques mètres de la cathédrale. On y sert de délicieux plats, comme les *pappardelle alla lepre* (pâtes aux œufs servies avec du lièvre et de la sauce tomate) et le *risotto al tartufo* (risotto aux truffes).

Palestrina est accessible depuis Rome par le bus Cotral (2,50 €, 1 heure, ttes les 30 min) qui part de la station de métro Anagnina sur la ligne A. Elle est couverte par un billet BIRG Zone 3 (6 €). En arrivant à Palestrina, descendez au deuxième arrêt dans la rue principale, montez l'escalier très raide et suivez les rues étroites pour arriver au musée, qui se trouve sur la colline surplombant la cathédrale.

En voiture, suivez la Via Prenestina (SS155) tout droit sur 39 km.

LITTORAL ET PLAGES

L'été, Fregene et Lido di Ostia, les deux plages les plus proches de Rome, sont très fréquentées par les Romains (les noctambules motorisés les apprécieront tout particulièrement, car la plupart des clubs s'y installent en cette saison). Mais si vous n'appréciez guère les embouteillages, les eaux polluées et les dragueurs, la côte qui s'étend plus au sud vous séduira davantage.

Sabaudia

Construite dans les années 1930 sur un ancien marécage par des fascistes avides de vacances au soleil, Sabaudia, à 120 km au sud-est de Rome, a peu de chance de vous séduire. Ce lieu marque néanmoins le centre du **Parco Nazionale del Circeo** (www.parcocirceo.it ; Via Carlo Alberto 107 ; ☺ 10h-13h et 14h30-18h), une zone de 800 hectares couverte de dunes de sable, de côtes rocheuses, de forêts et de marécages. Le **centre d'accueil des visiteurs** (☎ 07 735 11 385) fournit des informations sur les activités proposées dans la région, autour de la pêche, de l'observation des oiseaux, de la randonnée et du cyclotourisme.

SAINT BENOÎT, HOMME DES GROTTES

Le fondateur de l'ordre des bénédictins, saint Benoît, est généralement considéré comme le "père" des moines d'Occident. Patron des mécaniciens et des spéléologues, il doit ce dernier titre aux trois ans qu'il a passés retiré dans une grotte. Fuyant les vices qui le rebutaient tant, alors qu'il était étudiant à Rome, il décida de vivre dans la solitude pour méditer et prier. Durant cette période, il s'attacha de nombreux fidèles parmi les habitants de la région, ce qui ne manqua pas de provoquer la colère des autres moines. Il fut finalement contraint de reprendre la route.

Installée sur un site isolé grandiose, la petite ville de **Subiaco** compte de splendides monastères et une abbaye impressionnante, jouissant d'un magnifique panorama. Le **monastère Saint-Benoît** (☎ 0774 8 50 39 ; ◷ 9h-12h30 et 15h-18h30) a été creusé dans la roche au-dessus de la grotte où vivait le saint. Outre son cadre impressionnant, qualifié par Pétrarque de "frange du Paradis", le monastère comporte des fresques richement colorées peintes du XIIIᵉ au XVᵉ siècle. À mi-chemin en descendant la colline, le **monastère Sainte-Scolastique** (☎ 07 748 55 25 ; ◷ 9h-12h30 et 15h30-19h) est le seul des 13 monastères bâtis par saint Benoît à être encore debout dans la vallée de l'Amiene. Sur place, un restaurant propose des menus au déjeuner et au dîner à 18 et 26 €. Si vous décidez d'y passer la nuit, la **Foresteria** (☎ 07 748 55 69 ; www.benedettini-subiaco.it ; B&B 36 €/pers, demi-pension 49 €/pers, pension complète 55 €/pers) est un excellent endroit pour une paisible étape de contemplation. Mieux vaut réserver à l'avance, car des moines bénédictins du monde entier viennent souvent en pèlerinage ici, où ils travaillent dans les célèbres **bibliothèques** et **archives** (◷ 9h-18h lun-ven, 9h-12h30 sam) du monastère.

De Subiaco, saint Benoît marcha vers le sud jusqu'à ce que, selon ses dires, trois corbeaux le conduisent au sommet du mont Cassin (Monte Cassino). Il y fonda en 529 une abbaye où il vécut jusqu'à sa mort, en 547. Figurant parmi les plus importants centres chrétiens du Moyen Âge, cette imposante **abbaye du Mont-Cassin** (☎ 07 763 11 529 ; ◷ 8h30-12h30 et 15h30-18h) fut détruite et reconstruite à plusieurs reprises jusqu'en 1953, date de sa dernière restauration. Pendant la Seconde Guerre mondiale, les Allemands firent de l'édifice le centre de leurs opérations visant à arrêter la progression des Alliés vers le nord. En mai 1944, l'abbaye fut le théâtre de l'une des plus intenses batailles de la guerre. Après six mois de combats acharnés, les bombes alliées s'abattirent sur l'édifice. À Cassino, vous trouverez un **office du tourisme** (☎ 07 762 12 92 ; Via Di Biasio ; www.apt.frosinone.it ; ◷ 8h30-13h30 et 15h-18h lun-ven, 9h-13h sam) fort utile.

Pour rejoindre les monastères de Subiaco depuis Rome, prenez un bus Cotral jusqu'à la gare routière de Subiaco (6,30 €, 50 min à 1 heure 15, ttes les 15 à 30 min lun-ven de 5h55 à 22h45, départs moins fréquents les week-ends) depuis Ponte Mammolo sur la ligne B du métro. Le trajet le plus court passe par l'A24 ; le plus long, par Tivoli. Le bus vous déposera en contrebas du Monastero di Santa Scolastica, d'où il vous restera 3 km à parcourir à pied, dans un cadre agréable.

Pour le mont Cassin, prenez le train à la Stazione Termini (7,40 €, 2 heures 15). Certains trains sont plus rapides (1 heure 45) mais aussi plus chers. Prenez ensuite l'une des navettes (2 € l'aller-retour) reliant la Piazza San Benedetto à l'abbaye. Il y a des départs à 9h45 (retour à 12h) et à 15h30 (retour à 17h). Si vous choisissez de marcher, il vous faudra 2 heures environ pour gravir la colline et 1 heure 30 pour en redescendre.

Les bus Cotral qui desservent Terracina en passant par Sabaudia (5,50 €, 2 ou 3 heures selon la circulation) démarrent devant la station Laurentina de la ligne B du métro.

Sperlonga

La ville côtière de Sperlonga, séduisante et branchée, semble tout entière dévolue au tourisme ; son *centro storico* aux édifices blanchis à la chaux est très fréquenté, notamment l'été. Elle compte également deux belles plages séparées par un promontoire rocheux.

En dehors de la plage, le principal centre d'intérêt est le **Museo Archeologico di Sperlonga** (☎ 07 715 48 028 ; Via Flacca, km 1,6 ; 4 € ; ◷ 8h30-19h30) qui renferme des sculptures et des masques datant du IIᵉ siècle av. J.-C. et une grotte à un bassin circulaire utilisé par l'empereur Tibère. Les vestiges de sa villa se dressent devant la grotte.

Hotel Mayor (☎ 07 715 49 245 ; Via 1 Romita 4 ; www.hotelmayor.it ; s 65-140 €, d 80-140 € ; ℗ 🕸). Proche de la principale route du front de mer. Le chambres propres, sobres et élégantes, don certaines avec balcon, proposent d'excellents équipements (notamment un solarium et une plage privée) qui satisfiront les mordus de la plage. En haute saison, vous devrez réserver 3 nuits au minimum.

Si vous aimez les fruits de mer ultra-frais, attablez-vous au rustique **Gli Archi** (☎ 07 715 43 00 ; Via Ottaviano 17 ; plats 35 €), en haut du quartier médiéval. Parmi les spécialités du chef, citons les *linguine agli scampi* (pâtes aux langoustines) et la *zuppa di cozze* (soupe de moules). Ne manquez pas de goûter la mozzarella de bufflonne servie en ville : sa fraîcheur est inégalable, car la région compte de nombreux producteurs.

Pour rejoindre Sperlonga depuis Rome, prenez un train régional (pas le réseau interurbain) de la Stazione Termini à Fondi (6,20 €, 1 heure 15, environ 20 trains/jour). De là, un bus de la compagnie **Piazzoli Giorgio** (☎ 07 715 19 067) assure la correspondance jusqu'à Sperlonga (1 €, 15 min, ttes les heures). Au retour, le bus à destination de Fondi part de la route principale dans la ville basse.

Sperlonga se trouve à 120 km de Rome par la route. Prenez la Via Pontina (SS148), puis suivez les panneaux en direction de Terracina et ensuite Sperlonga.

ISOLE PONTINE

Ce petit archipel idyllique, situé entre Rome et Naples, est un lieu de villégiature très prisé des Romains. Ils s'y rendent en nombre les week-ends pour se régaler de fruits de mer aux terrasses des restaurants, nager dans des criques émeraude et naviguer le long de côtes escarpées. Les touristes étrangers commencent tout juste à découvrir l'endroit. Sachez que Ponza et Ventotene – les deux seules îles habitées – sont prises d'assaut l'été et que les prix y sont très élevés. Mieux vaut donc s'y rendre au printemps ou à l'automne.

L'endroit était déjà très prisé dans l'Antiquité. Homère mentionne Ponza dans l'*Odyssée*, et les empereurs romains avaient coutume d'y séjourner accompagnés de leurs courtisans. Mais à la suite du déclin de l'Empire, ces îles, vulnérables, subirent de violentes attaques des Sarrasins, ainsi que d'assaillants venus de la péninsule ou des îles Éoliennes voisines. Durant cette période, l'archipel accueillait surtout les exclus de la société : femmes infidèles, filles aux mœurs faciles et chrétiens persécutés.

Ces îles connurent un nouvel essor au XVIIIe siècle. Le commerce prospéra, tandis que les nouveaux venus s'empressaient de construire et de cultiver la terre. Aujourd'hui, l'érosion liée aux cultures en terrasse est un véritable problème, et les oiseaux migrateurs feraient mieux de changer d'itinéraire, la chasse étant l'un des passe-temps favoris des habitants. Toutefois, ces îles sont aujourd'hui sous la protection d'un parc national.

Pour des informations sur Ponza, consultez le site www.ponza.it (en italien).

Où se loger et se restaurer

Les chambres chez l'habitant sont nombreuses ; les locations se négocient sur le port. Sinon, adressez-vous à l'office du tourisme **Pro Loco** (☎ 0771 80031 ; www.prolocodiponza.it). Les adresses suivantes se trouvent à Ponza.

Villa Ersilia (☎ 0771 800 97 ; www.villaersilia.it) propose des chambres, des studios et des appartements. Compter 35 à 100 € par personne et par nuit.

Villa Laetitia (☎ 0771 9851003 ; www.villalaetitia. com ; Salita Scotti ; d 150-230 €). Pour loger dans cette résidence très chic tenue par la famille Fendi, mieux vaut réserver longtemps à l'avance. Les 3 chambres, décorées avec goût, jouissent d'une splendide vue sur la mer.

Grand Hotel Santa Domitilla (☎ 0771 80 99 51 ; www.santadomitilla.com ; Via Panoramica ; d 280-390 € ; ✗ 🐾 💻 ♨). Un luxueux quatre-étoiles, d'une tranquillité et d'un charme absolus. Chambres spacieuses et lumineuses, et 3 piscines (dont un ancien bassin romain d'eau salée).

Comment s'y rendre et circuler

Ponza et Ventotene sont accessibles en ferry ou en hydrojet au départ d'Anzio, de Terracina ou de Formia. Certains services fonctionnent toute l'année, mais d'autres ne sont assurés que de fin juin à début septembre. Les principales compagnies sont **SNAP** (www.snapnavigazione.it), **Caremar** (www.caremar.it) et **Vetor** (www.vetor.it). Pour tout renseignement concernant les horaires, consultez les agences de voyage. L'été, ils sont publiés dans *Il Messaggero* et *Il Tempo*. Les tarifs varient en fonction du lieu de départ et du moyen de transport choisi (1 heure 10 en hydroptère ; 2 heures 30 en ferry). La traversée quotidienne de 2 heures 30 depuis Terracina revient à environ 25 € (aller-retour).

Les voitures et les grosses motos sont interdites sur Ponza en été, mais le réseau des bus locaux est pratique (ticket 1 €). Sinon, vous pouvez louer un scooter ou un buggy pour faire un tour.

Ligurie, Piémont et Val d'Aoste

Montagnes vertigineuses, stations balnéaires, Fiat et football – la Ligurie, le Piémont et le Val d'Aoste forment en quelque sorte une Italie en miniature. Ces trois enclaves culturelles du Nord-Ouest ont donné au pays son premier roi (Victor-Emmanuel II) et sa première capitale (Turin).

La Ligurie et le Piémont, qui conservent de précieux vestiges historiques, sont à la source de nombreuses traditions gastronomiques. Les plaines fertiles de la vallée du Pô abondent en produits qui s'invitent fréquemment à la table de tous les Italiens – riz arborio, raisin qui produit le Barolo, basilic pour le pesto et blé pour les focaccias parfumées, sans compter les anchois, les poulpes et les crevettes pêchés sur le littoral méditerranéen.

Les annales de l'histoire de la région recensent des noms d'Italiens célèbres comme ceux de Christophe Colomb, du comte de Cavour, de Giovanni Agnelli et de Giuseppe Mazzini. En outre, des musées intelligemment conçus et une belle architecture mettent le Piémont et la Ligurie au premier plan de la culture italienne.

Les touristes y sont moins envahissants et les découvertes inattendues plus nombreuses qu'ailleurs. Saviez-vous que le Val d'Aoste abrite une communauté de Walser germanophones, que la grand-place de Cuneo est plus vaste que la place Saint-Marc, ou encore qu'à Turin vous avez plus de chance de tomber sur un supporter de la Torino que sur un fan de la Juventus ?

LIGURIE, PIÉMONT ET VAL D'AOSTE

À NE PAS MANQUER

- Une expérience quasi mystique au **Stadio Olimpico di Torino**(p. 234), pour voir jouer la Juventus ou la Torino

- La découverte des alpages, avec des bouquetins pour seule compagnie, sur les sentiers des **Alpes maritimes** (p. 239)

- La dégustation comparative de Barolo et Barbaresco avec les amateurs de vin d'**Alba** (p. 239)

- Les heureux hasards du voyage dans le cadre pittoresque d'une auberge de **Savone** (p. 216)

- La diversité des langues – français, italien, allemand – dans le multiculturel **Val d'Aoste** (p. 247)

- Les pistes olympiques de la **Voie lactée** (p. 235)

- POPULATION : LIGURIE 1,6 MILLION ; PIÉMONT 4,4 MILLIONS ; VAL D'AOSTE 127 000

- SUPERFICIE : LIGURIE 5 413 KM² ; PIÉMONT 25 399 KM² ; VAL D'AOSTE 3 262 KM

LIGURIE (LIGURIA)

Arc de cercle enserré entre le Piémont et la mer, la Ligurie est la région où les Alpes et les Apennins viennent s'effondrer dans la Méditerranée. Le résultat, spectaculaire, est unique : des habitations anciennes s'accrochent aux falaises de granite, particulièrement dans les Cinque Terre, ces cinq villages de pêcheurs suspendus telles d'étranges bourgades médiévales perchées au-dessus d'eaux écumantes.

Large de seulement 7 km à son point le plus étroit, la Ligurie est dominée par Gênes, le plus grand port d'Italie. À l'ouest se déroule la Riviera di Ponente, havre de paix éclaboussé de soleil qui s'étend jusqu'à la frontière française. À l'est, c'est la Riviera di Levante, où les complexes animés se mêlent à des lieux de villégiature plus huppés bordés de palmiers, comme Portofino et Porto Venere, bondés de yachts.

Malgré sa petite superficie, la Ligurie a joué un grand rôle dans la culture italienne. Gênes était autrefois une puissante cité-État indépendant dont l'empire s'étendait jusqu'au Moyen-Orient. Aujourd'hui, les reliefs en terrasse autour des Cinque Terre demeurent une vitrine pour les produits locaux de qualité.

GÊNES

604 800 habitants

En contraste avec l'élégance de Turin, Gênes (Genoa) est un gigantesque port : ses rues étroites et sinueuses (*caruggi*) évoquent davantage une médina marocaine qu'un paysage vénitien romantique. Lieu de naissance d'Italiens célèbres comme Colomb et Mazzini, Gênes a un petit air cosmopolite qui laisse deviner la grandeur passée de son ancien empire, dont des vestiges peuvent être aperçus derrière ses portes dérobées et dans ses musées.

En plein cœur de la vieille ville, le plus laid côtoie le plus beau dans des rues aussi vibrantes qu'un décor de film noir. Des vieillards fument devant des bars bruyants et des prostituées font le guet dans les embrasures de portes obscures, tandis que, à deux pas de là, vous attend la quintessence de l'Italie – une fontaine scintillante, une *piazza* envahie par les pigeons (et les touristes), et l'une des cathédrales les plus spectaculaires (San Lorenzo) de toute la péninsule.

La très sereine république de Gênes régna sur la Méditerranée aux XIIe et XIIIe siècles avant de s'incliner devant le Piémont. Ses nobles croisés établirent des colonies au

Moyen-Orient et en Afrique du Nord, et son drapeau emblématique, la croix de saint Georges, fut repris par les Anglais.

Depuis qu'elle a accueilli l'Expo 1992 et qu'elle a été élue Capitale européenne de la culture en 2004 conjointement à Lille, Gênes s'est offert une véritable cure de jeunesse. Dans la zone portuaire autrefois défraîchie s'élèvent aujourd'hui le plus grand aquarium d'Italie et la Biosfera, une serre en forme de dôme abritant des écosystèmes contrastés.

Histoire

Gênes tiendrait son nom du latin *ianua*, "porte". Fondée au IVe siècle av. J.-C., elle devint un important port romain puis fut occupée tour à tour par les Francs, les Sarrasins et les Milanais. La première enceinte de Gênes fut érigée au XIIe siècle. (Le seul vestige de cette muraille, la Porta Soprana, date de 1155, mais l'on en voit aujourd'hui une version restaurée.)

La victoire sur Venise en 1298 marqua le début d'une période de croissance, mais les querelles entre les Grimaldi, les Doria, les Spinola et d'autres dynasties provoquèrent l'anarchie. Les Grimaldi partirent à l'ouest et établirent la principauté de Monaco – d'où les ressemblances entre le monégasque et le génois.

Au XVIe siècle, sous le règne de l'amiral impérial Andrea Doria, Gênes s'enrichit en finançant les expéditions espagnoles. Ses coffres continuèrent de se remplir au XVIIe siècle, période à laquelle la cité, en expansion, se dota d'une nouvelle enceinte, alors que ses palais nouvellement bâtis se remplissaient d'œuvres d'art et attiraient des maîtres comme Rubens. Le célèbre architecte Galeazzo Alessi (1512-1572) conçut beaucoup des magnifiques édifices de la ville.

La fin de l'âge des découvertes et le déclin de l'importance commerciale de la Méditerranée sonnèrent le glas de l'expansion de Gênes. La ville s'étiola pendant des siècles.

Gênes fut la première ville du nord de l'Italie à s'élever contre l'occupation nazie et les fascistes italiens pendant la Seconde Guerre mondiale, se libérant elle-même avant l'arrivée des troupes alliées. Après la guerre, la ville se développa rapidement le long de la côte, mais elle connut un nouveau déclin dans les années 1970 avec le retrait des grandes industries.

Christophe Colomb est le fils le plus célèbre de Gênes (voir l'encadré p. 202). En 1992, le 500e anniversaire de sa première expédition en Amérique ranima le vieux port déclinant de

ITINÉRAIRE RÉGIONAL
INCURSION GASTRONOMIQUE DANS LE NORD-OUEST
Deux semaines / Riomaggiore / Aoste

Si le catholicisme est la religion officielle en Italie, la vénération portée à la bonne cuisine n'arrive pas très loin derrière. Les traditions culinaires et les saveurs du Nord-Ouest, en particulier, sont louées dans le monde entier, et rien ne vaut une bonne dégustation sur place. Commencez dans les Cinque Terre, où mer et falaises fertiles sont exploitées depuis des siècles. À **Riomaggiore** (p. 212), dégustez de délicieux fruits de mer, et à **Manarola** (p. 211), du vin doux, le Sciacchetrà. On trouve de la focaccia dans toute l'Italie, mais la Ligurie se targue d'en être l'origine historique.

Vous goûterez différentes recettes sur toute la côte, mais le pain aux herbes de **Camogli** (p. 206) est un régal. À **Gênes** (p. 195), le basilic, l'ail, le fromage, les pignons et l'huile d'olive s'assemblent pour former le savoureux pesto, à apprécier *alla genovese*, sur des pâtes *trofie*. Autre spécialité, la *farinata* (crêpe à la farine de pois chiches), que l'on voit confectionner chez **Vino e Farinata** (p. 217) à Savone.

Pour le dessert, aventurez-vous dans l'intérieur des terres : vous tomberez sur la très discrète **Cuneo** (p. 237), fameuse pour ses chocolats au rhum. Conservez un peu de votre appétit pour **Bra** (p. 242), lieu de naissance du mouvement Slow Food, avant de lever votre verre à **Barolo** (p. 241), où le robuste raisin Nebbiolo produit le "roi des vins." **Alba** (p. 239) est un paradis gastronomique au pays de la truffe, et **Barbaresco** (p. 242) produit des rouges qui rivalisent avec le Barolo. **Asti** (p. 244) organise un festival culinaire en septembre, le Delle Sagre, et la région autour de **Casale Monferrato** (p. 245) offre moult occasions de déguster du vin et d'admirer des châteaux.

Vénéré pour son suaire, son équipe de foot et l'une des voitures les plus solides de l'histoire, **Turin** (p. 223) abrite aussi d'excellents cafés-bars. Goûtez le risotto dans la région rizicole de **Vercelli** (p. 246), avant d'étonner vos papilles dans les montagnes d'**Aoste** (p. 247), région de la polenta, des saucisses épicées et de la *fontina*, un fromage à la saveur douce et délicate.

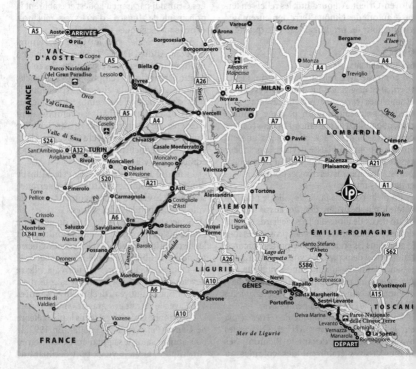

Gênes, qui devint la vitrine de la ville. Renzo Piano fut le maître d'œuvre d'importants travaux de rénovation. Deux ans plus tard, Gênes devenait ville européenne de la culture, avec de nouvelles mutations urbaines, notamment la création de plusieurs musées et la construction d'un métro. Malgré tout, Gênes conserve un côté désordonné qui fait son charme.

Orientation

Gênes s'étend sur 30 km de côte et ne compte pas moins de 15 gares ferroviaires. Le centre-ville inclut deux gares principales, la Stazione Principe (à l'ouest) et la Stazione Brignole (à l'est). L'élégante artère commerçante, la Via XX Settembre, part du côté sud-ouest de la Stazione Brignole, et rejoint le cœur même de la ville, la Piazza de Ferrari. Les quartiers les plus anciens de Gênes sont à l'ouest, en direction du port, et autour du front de mer, en direction de la Stazione Principe.

Renseignements

ACCÈS INTERNET

Une poignée de petits cybercafés sont installés Via Balbi et dans les alentours, près de la Stazione Principe. D'autres apparaissent (et disparaissent) régulièrement dans le centre-ville – le kiosque de l'office du tourisme vous fournira des adresses à jour. Comptez entre 3 et 5 €/heure.
Internet Cafe (☎ 011 868 89 79 ; Via Balbi 110 ; 🕙 9h-20h lun-ven, 14h-20h sam). Près de la Stazione Principe.

CONSIGNES

Comptez près de 3 € pour 24 heures aux **gares ferroviaires** (Stazione Brignole ; Piazza Giuseppe Verdi ; 🕙 7h-21h ; Stazione Principe ; Piazza Acquaverde ; 🕙 6h-24h).

LAVERIE

Ondablu (Via Antonio Gramsci 181r ; 🕙 8h-22h). Laverie en libre-service.

LIBRAIRIES

La Feltrinelli (☎ 010 54 08 30 ; Via XX Septembre 231-233r)
Libreria Porto Antico (☎ 010 251 8422 ; Palazzina Milo, Porto Antico). Choix limité de romans en langue étrangère, d'ouvrages touristiques sur Gênes et de cartes.

OFFICES DU TOURISME

On trouve des offices du tourisme à l'aéroport, au terminal des ferries et à la Stazione Principe. Un **kiosque d'information touristique**

(Genova Informa ; ☎ 010 24 87 11 ; www.apt.genova.it ; Piazza Giacomo Matteotti ; 🕙 9h30-19h45) se dresse en centre-ville, près de la Piazza de Ferrari.

POSTE

Poste. Poste centrale (Via Dante ; 🕙 8h-18h30 lun-sam) ; Stazione Principe (🕙 8h-18h30 lun-ven, 8h-12h30 sam)

SERVICES MÉDICAUX

Ospedale San Martino (☎ 010 55 51 ; Largo Rosanna Benci 10). Hôpital.

URGENCES

Police (☎ 010 5 36 61 ; Via Armando Diaz 2)

À voir

Des dizaines de palais génois édifiés entre 1576 et 1664 ont été classés au patrimoine de l'humanité en 2006 ; le site www.irolli.it les localise.

PIAZZA DE FERRARI

Après avoir parcouru les étouffants *caruggi*, découvrir cette grande place ornée d'une fontaine et bordée de magnifiques immeubles apporte une bouffée d'air. Parmi ces derniers figurent le **Palazzo della Borsa** de style Art nouveau fermé au public), autrefois la Bourse du pays, et le **Teatro Carlo Felice** (p. 205), néoclassique.

Également sur la place, le **Palazzo Ducale** (☎ 010 557 40 00 ; www.palazzoducale.genova.it ; Piazza Giacomo Matteotti 9 ; 5-10 € ; 🕙 expositions 9h-19h mar-dim), auquel on accède par la Piazza Giacomo Matteotti. L'ancienne résidence des souverains génois abrite désormais plusieurs petits musées et archives spécialisés, dont le **Museo del Jazz** (☎ 010 58 52 41 ; www.italianjazzinstitute.com ; entrée libre ; 🕙 16h-19h lun-sam, sur réservation uniquement) qui détient une collection d'enregistrements originaux. Le *palazzo* présente aussi des expositions artistiques temporaires très en vue, et possède une librairie, un café et des restaurants.

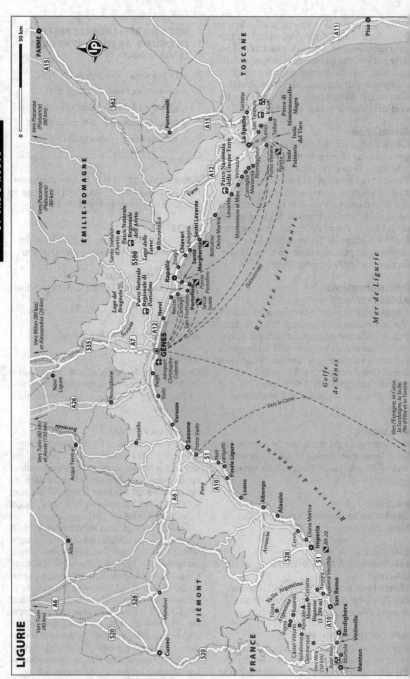

LIGURIE

0   30 km

TOSCANE

A15   PARME

Vers Piacenza
(Plaisance)
(60 km)

Vers Piacenza
(Plaisance)
(60 km)

ÉMILIE-ROMAGNE

Pontremoli

A15

562

Santo Stefano
d'Aveto

Parco Naturale
dell'Aveto

Lago delle
Lame

Borzonasca

S586

Parco Nazionale
delle Cinque Terre

San Terenzo
Lerici
Tellaro

La Spezia

Sarzana

Parco di
Montemarcello-
Magra

Lufi

Portovenere

Isola
Palmaria

Isola
del Tino

Riomaggiore

Manarola

Corniglia

Vernazza

Monterosso al Mare

Levanto

Deiva Marina

Bonassola

Vara

Chiavari

Lavagna

Sestri Levante

Sant'Margherita Ligure

Bertolina

Rapallo

Recco

Camogli

San Fruttuoso

Portofino

Punta
Portofino

Secca
Gonzatti

Parco Naturale
Regionale di
Portofino

Nervi

Lago del
Brugneto

Riviera di Levante

Mer de Ligurie

Vers Milan (80 km)
et Alessandria (20 km)

Trebbia

S35

A7

A12

Novi
Ligure

Busalla

Acqui Terme

A26

Vers Turin (60 km)
et Aoste (150 km)

Bormida

GÊNES

Aéroport
Christophe-
Colomb

Pegli

Voltri

Golfe
de Gênes

Vers la Corse

Arenzano

Varazze

Savone

Porto Vado

Noli

S1

Vado Ligure

Finale Ligure

Loano

Albenga

Pora

A10

A6

Vers l'Espagne, la Corse,
la Sardaigne, la Sicile,
l'île d'Elbe et la Tunisie

Riviera di Ponente

Alassio

Diana Marina

Cervo

Imperia

BR-20

Arroscia

S28

Taggia

Bussana Vecchia

S1

San Remo

Valle Argentina

Triora

Pigna

Argentina

Baiardo

Apricale

Monte
Ceriana

Isolabona

Castel Vittorio

Dolceacqua

Bajardo
(1 299 m)

Ventimille

Bordighera

Vintimille

A10

S20

Menton

Mortola

Baizi Rossi

Vers Nice
(48 km)

FRANCE

PIÉMONT

S28

S20

A6

Alba

Cuneo

Mondovi

Vers Turin
(40 km)

FAITES DES ÉCONOMIES

La **Card Musei** (www.museigenova.it ; 16 €) vous permet d'entrer gratuitement dans une vingtaine de musées de Gênes et vous fait bénéficier de réductions dans plusieurs autres pendant 48 heures. Elle s'achète dans divers musées, kiosques de renseignements ou en ligne sur www.happyticket.it.

CATTEDRALE DI SAN LORENZO

Si la superbe **cathédrale** (Piazza San Lorenzo ; 9h-12h30 et 15h30-19h) génoise, rayée de noir et de blanc, est toujours debout, c'est parce qu'une bombe n'a (heureusement) pas explosé en 1941. Ornée de colonnes torsadées et de lions, elle fut consacrée en 1118. Les deux clochers et la coupole sont un ajout du XVIe siècle.

À l'intérieur, au-dessus de l'entrée centrale, une peinture byzantine anonyme du début du XIVe siècle représente le Jugement dernier. Dans la sacristie, le **Museo del Tesoro** (musée du Trésor ; ☎ 010 247 18 31 ; adulte/enfant 5,50/4,50 € ; visites guidées 9h-12h et 15h-18h lun-sam) expose des reliques sacrées dont l'authenticité est sujette à caution. S'y trouvent aussi le Sacro Catino, une coupe médiévale en verre jadis considérée comme le Saint-Graal, le plateau en quartz sur lequel Salomé aurait reçu la tête de Jean-Baptiste et un fragment de la vraie Croix.

CHIESA DEL GESÙ

La **Chiesa del Gesù** (Piazza Giacomo Matteotti ; 16h30-19h), bâtie en 1597 sur les fondations d'une église médiévale, s'enorgueillit de deux œuvres de Rubens : la *Circoncisione*, au-dessus de l'autel principal, et *Miracoli di San Ignazio*, présenté dans une chapelle latérale.

VIA GARIBALDI ET SES ENVIRONS

À la lisière nord de l'ancien périmètre de la ville, la Via Garibaldi (appelée autrefois Strada Nuova ; www.stradanuova.it), dessinée par Galeazzo Alessi au XVIe siècle, devint rapidement le quartier des élites et des privilégiés.

La façade la plus travaillée est celle du **Palazzo Lomellino** (☎ 010 595 70 60 ; www.palazzolomellino.org ; Via Garibaldi 7 ; tarifs variables selon les expositions ; variables), qui date de 1563. L'extérieur gris-bleu est orné de stuc, et la cour intérieure est dominée par un *nymphaeum* (monument aux nymphes) du XVIIIe siècle. À l'étage, les fresques réalisées au XVIIe siècle par Bernardo Strozzi, remarquablement préservées, n'ont été mises au jour qu'en 2002, après être restées dissimulées sous un faux plafond près de 300 ans. Elles dépeignent des allégories du Nouveau Monde en hommage à l'une des familles propriétaires du palais, les Centurione, qui financèrent les expéditions de Christophe Colomb.

À l'est de la Via Garibaldi, une allée partant de la Piazza Corvetto serpente au milieu des jardins en terrasses jusqu'au **Museo d'Arte Orientale** (☎ 010 54 22 85 ; Piazzale Mazzini 1 ; adulte/enfant 4/2,80 € ; 9h-13h mar-ven, 10h-19h sam-dim). Cette collection d'art japonais est riche de 20 000 pièces, notamment des porcelaines, des bronzes, des costumes et des instruments de musique. Au sud-ouest, l'élégante **Via Roma**, avec ses boutiques Art nouveau et sa **Galleria Mazzini** couverte, est la rue des designers chic de Gênes. Elle relie la Piazza Corvetto à la Piazza de Ferrari.

MUSEI DI STRADA NUOVA

Les **Musei di Strada Nuova** (☎ 010 246 77 86 ; billet combiné adulte/enfant 8 €/gratuit ; 9h-19h mar-ven, 10h-19h sam et dim) occupent trois des grands palais de la Via Garibaldi : Rosso, Bianco et Doria Tursi. À eux trois, ils possèdent la plus belle collection de vieux maîtres de la ville.

Les billets s'achètent à la librairie située dans le **Palazzo Doria Tursi** (☎ 010 247 63 51 ; Via Garibaldi 9). Une salle du palais, la Sala Paganiniana, est consacrée à une collection modeste mais passionnante d'objets ayant appartenu au violoniste de légende Niccolò Paganini. On y voit notamment son violon "Canone", qui fut fabriqué à Crémone en 1743. Lors du festival Paganini qui se déroule en octobre, un musicien a la chance de pouvoir jouer avec le violon du virtuose. Des lettres et des partitions figurent parmi les pièces exposées. La mairie de Gênes occupe l'édifice depuis 1848.

Les salles décorées de riches fresques du **Palazzo Rosso** (☎ 010 247 63 51 ; www.museopalazzorosso.it ; Via Garibaldi 18) comportent plusieurs portraits de la famille génoise des Brignole-Sale par Van Dyck. Citons aussi le *San Sebastiano* de Guido Reni, *La morte di Cleopatra* du Guerchin, ainsi que des œuvres de Véronèse, de Dürer et de Bernardo Strozzi.

Les artistes flamands, espagnols et italiens sont présents au **Palazzo Bianco** (☎ 010 247 63 51 ; www.museopalazzobianco.it ; Via Garibaldi 11). *Venere e Marte* (Vénus et Mars) de Rubens et *Vertumna e Pomona* (Vertumne et Pomone) de Van Dyck font partie des pièces maîtresses. Des œuvres de Hans Memling, Filippino Lippi et Murillo sont aussi exposées, de même que des peintures religieuses du XVe siècle.

VIEILLE VILLE

Le cœur du Gênes médiéval, délimité par la Porta dei Vacca, les artères du front de mer, la Via Cairoli, la Via Garibaldi et la Via XXV Aprile, ainsi que la Porta Soprana, est son labyrinthe de *caruggi* (venelles). Comme le prouve le linge qui sèche à l'extérieur, ces ruelles obscures, souvent froides et humides, sont habitées. Elles abritent une profusion de bars, de boutiques et de cafés. La nuit tombée, certains endroits peuvent paraître inquiétants. Ils ne sont pas particulièrement dangereux, mais restez prudent dans le secteur à l'ouest de la Via San Luca et au sud jusqu'à la Piazza Banchi où se concentre la vie nocturne interlope de la vieille ville (prostitution, drogue et trafics en

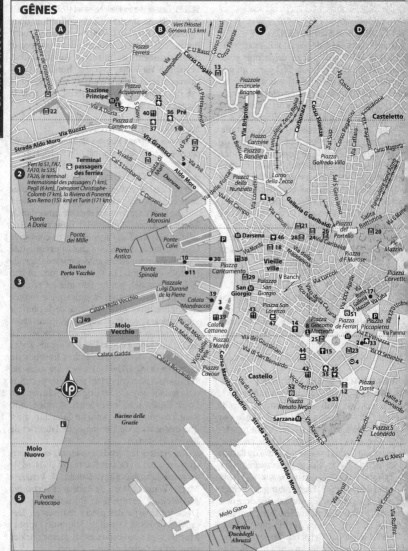

GÊNES

out genre). Dans la Via Orefici, à l'est de la piazza, vous trouverez des étals de **marché**.

Des jardins en terrasses entourent le **Palazzo Reale** (☎ 010 27 1 01 ; www.palazzorealegenova.it ; Via Balbi 0 ; adulte/enfant 5/3 € ; ☀ 9h-19h jeu-dim, 9h-13h30 mar-mer), qui propose une belle collection d'œuvres de la Renaissance. Le billet combiné avec l'accès à la **Galleria Nazionale** (☎ 010 270 53 00 ; www.palazzospinola.it ;

Piazza Superiore di Pellicceria 1 ; adulte/enfant 5/3 € ; ☀ 9h-20h mar-sam, 14h-20h dim) coûte 7 €. Ce musée, aménagé dans un palais du XVIe siècle, expose des œuvres espagnoles et flamandes de la Renaissance, mais son architecture est également intéressante.

Dominant l'extrémité ouest de la ville, le **Castello D'Albertis** héberge le **musée des Cultures du monde** (Museo delle Culture del Mondo ; ☎ 010 272 38 20 ;

LIGURIE, PIÉMONT ET VAL D'AOSTE

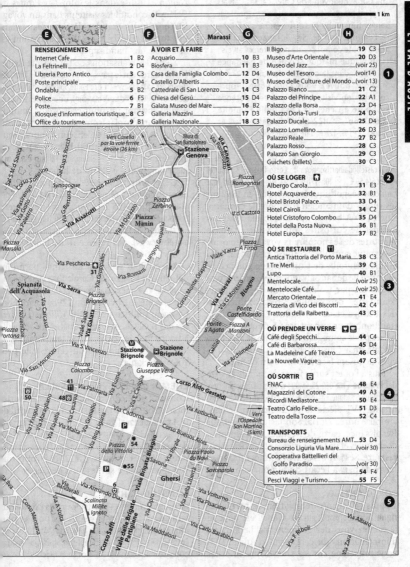

0 _____ 1 km

RENSEIGNEMENTS	
Internet Cafe	**1** B2
La Feltrinelli	**2** D4
Libreria Porto Antico	**3** C3
Poste principale	**4** D4
Ondablu	**5** B2
Police	**6** F5
Poste	**7** B1
Kiosque d'information touristique	**8** C3
Office du tourisme	**9** B1

À VOIR ET À FAIRE	
Acquario	**10** B3
Biosfera	**11** B3
Casa della Famiglia Colombo	**12** D4
Castello D'Albertis	**13** C1
Cattedrale di San Lorenzo	**14** C3
Chiesa del Gesú	**15** D4
Galata Museo del Mare	**16** B2
Galleria Mazzini	**17** D3
Galleria Nazionale	**18** C3

Il Bigo	**19** C3
Museo d'Arte Orientale	**20** D3
Museo del Jazz	(voir 25)
Museo del Tesoro	(voir14)
Museo delle Culture del Mondo	(voir 13)
Palazzo Bianco	**21** C2
Palazzo del Principe	**22** A1
Palazzo della Borsa	**23** D4
Palazzo Doria-Tursi	**24** D3
Palazzo Ducale	**25** D4
Palazzo Lomellino	**26** D3
Palazzo Reale	**27** B2
Palazzo Rosso	**28** C3
Palazzo San Giorgio	**29** C3
Guichets (billets)	**30** C3

OÙ SE LOGER	
Albergo Carola	**31** E3
Hotel Acquaverde	**32** B1
Hotel Bristol Palace	**33** D4
Hotel Cairoli	**34** C2
Hotel Cristoforo Colombo	**35** D4
Hotel della Posta Nuova	**36** B1
Hotel Europa	**37** B2

OÙ SE RESTAURER	
Antica Trattoria del Porto Maria	**38** C3
I Tre Merli	**39** C3
Lupo	**40** B1
Mentelocale	(voir 25)
Mentelocale Café	(voir 25)
Mercato Orientale	**41** E4
Pizzeria di Vico dei Biscotti	**42** C4
Trattoria della Raibetta	**43** C3

OÙ PRENDRE UN VERRE	
Café degli Specchi	**44** C4
Café di Barbarossa	**45** D4
La Madeleine Café Teatro	**46** C3
La Nouvelle Vague	**47** C3

OÙ SORTIR	
FNAC	**48** E4
Magazzini del Cotone	**49** A3
Ricordi Mediastore	**50** E4
Teatro Carlo Felice	**51** D3
Teatro della Tosse	**52** C4

TRANSPORTS	
Bureau de renseignements AMT	**53** D4
Consorzio Liguria Via Mare	(voir 30)
Cooperativa Battellieri del Golfo Paradiso	(voir 30)
Geotravels	**54** F4
Pesci Viaggi e Turismo	**55** F5

LIGURIE, PIÉMONT
ET VAL D'AOSTE

D'OÙ VIENT CHRISTOPHE COLOMB ?

Le navigateur Christophe Colomb (1451-1506) est né à Gênes. Certains pensent toutefois qu'il pourrait être natif de Calvi, en Corse (sous autorité génoise à l'époque).

Selon cette hypothèse, quand Colomb partit lever des fonds à la cour espagnole, il ne put avouer venir de Calvi, car les Calvais avaient massacré une garnison espagnole et anéanti les ambitions du royaume d'Espagne à l'endroit de l'île. Ses équipages étaient sans doute composés de nombreux Calvais ; une plaque marque son lieu de naissance présumé dans la citadelle de Calvi.

Vous pouvez vous faire votre propre opinion en visitant son lieu de naissance supposé à Gênes, la **Casa della Famiglia Colombo** (☎ 010 246 53 46 ; Piazza Dante ; entrée libre ; ⏱ 9h-12h et 14h-18h sam-dim).

---

www.castellodalbertisgenova.it ; Corso Dogali 18 ; adulte/enfant 6/4,50 € ; ⏱ 10h-17h oct-mar, 10h-18h avr-sept). Ce château néogothique fut construit en 1892 sur les ruines d'un ancien fort pour le capitaine Enrico D'Albertis, qui rassembla dans un cabinet de curiosités toutes sortes d'objets rapportés de ses nombreux voyages. Un ornithorynque empaillé y côtoie un fragment de la Grande Muraille de Chine et une poignée de sable de l'île de San Salvador (premier territoire découvert par Colomb). Une aile moderne réunit des céramiques précolombiennes, des textiles et des instruments de musique traditionnels provenant des Amériques. Si vous n'avez pas le courage de monter jusqu'au Corso Dogali, un ascenseur sur la Via Balbi (0,70 €) vous déposera face à la grille du château.

Plus à l'ouest sur le front de mer, le **Palazzo del Principe** (☎ 010 25 55 09 ; www.palazzodelprincipe. it ; Via Adua 6 ; adulte/enfant 9/6,50 € ; ⏱ 10h-17h mar-dim) fut au XVIe siècle la résidence du célèbre amiral Andrea Doria. Son fastueux intérieur Renaissance, garni de fresques, de peintures, de meubles et de tapisseries, a été entièrement restauré. Ses jardins bien ordonnés offrent un havre de paix à l'écart du tumulte urbain.

PORTO ANTICO

Depuis sa récente rénovation, le **port historique** (www.portoantico.it) de Gênes est devenu le rendez-vous des promeneurs. Le kiosque d'informations du centre-ville (voir p. 197) vous renseigne sur les sites d'intérêt et les manifestations dans le vieux port, ainsi que sur les nombreuses activités pour les enfants.

Surgissant des eaux, le très bleu **Acquario** (aquarium ; ☎ 010 234 56 78 ; www.acquariodigenova.it ; Ponte Spinola ; adulte/enfant 17/11 € ; ⏱ 9h30-19h30 lun-mer et ven, 9h30-22h jeu, 9h-30-20h30 sam-dim sept-juin, 9h30-23h juil-août) est habité par plus de 5 000 créatures marines, notamment des requins. Le galion *Neptune*, utilisé dans le film *Les Pirates* de Polanski, conduit les visiteurs dans un voyage à l'époque des grandes découvertes et dans une forêt tropicale malgache. L'aquarium est accessible aux handicapés.

Deux des réalisations de l'architecte Renzo Piano marquent le paysage portuaire : la **Biosfera** (biosphère ; ☎ 335 599 01 87 ; Ponte Spinola ; adulte/enfant 5/3,50 € ; ⏱ 10h-crépuscule mar-dim), une bulle de verre géante abritant un mini-écosystème humide comprenant des plantes tropicales, des papillons et des oiseaux ; et l'ascenseur panoramique (accessible aux handicapés), **Il Bigo** (Calata Cattaneo ; adulte/enfant 4/3 € ; ⏱ 14h-18h lun, 10h-18h mar-dim), qui hisse une cabine à 200 m de hauteur.

Gênes entretient avec la mer une relation étroite, ce dont témoigne le **Galata Museo del Mare** (☎ 010 234 56 55 ; www.galatamuseodelmare.it ; Calata di Mari 1 ; adulte/enfant 10/5 € ; ⏱ 10h-19h30 mars juil, sept-oct, 10h-19h30 sam-jeu, 10h-22h ven août, 10h-18h mar-dim nov-fév), qui retrace toute l'histoire de la navigation.

Marco Polo séjourna un temps parmi les détenus du **Palazzo San Giorgio** (Piazza Caricamento), orné de fresques. Bâti en 1260, le palais fut transformé en prison en 1298. Le célèbre voyageur vénitien y écrivit *Il Milione* (*Le Livre des merveilles du monde*). Le bâtiment accueille aujourd'hui des expositions temporaires ; le kiosque d'informations du centre-ville peut vous renseigner.

CHEMIN DE FER GÊNES-CASELLA

Construit en 1929, le chemin de fer à écartement étroit qui serpente sur 25 km au nord de la **Stazione Genova** (☎ 010 83 73 21 ; www.ferroviagenova casella.it ; Via alla Stazione per Casella 15) jusqu'au village de **Casella**, dans la vallée de Scrivia (aller simple/retour 2/3,20 €, 1 heure, 8 à 12/jour), offre une vue spectaculaire sur les forts de Gênes.

Circuits organisés

Renseignements et billets pour des excursions en bateau dans les environs du port et plus loin sont disponibles aux **guichets** (☎ 010 25 67 75 ; Ponte Spinola ; ⏱ 9h30-18h30 sept-juin, 9h-20h juil-août), côté de l'aquarium du Porto Antico.

Au printemps, d'intéressantes **excursions d'observation des baleines** (☎ 010 26 57 12 ; www.whalewatchliguria.it ; adulte/enfant 32/15 € ; ☷ départ 13h sam avril-oct) de 5 heures, gérées en accord avec le World Wide Fund for Nature, sont commentées par un biologiste.

Genova Tours (☎ 010 275 93 18, 010 59 16 25 ; adulte/enfant 10/7 €) organise 3 ou 4 circuits quotidiens en bus à toit ouvert, avec commentaires audio en 5 langues. Les kiosques d'information touristique peuvent vous renseigner sur le point de départ. Billets vendus à bord.

Fêtes et festivals

Slow Fish (www.slowfish.it). Toutes les années impaires, début mai, Gênes accueille un festival associé au mouvement Slow Food qui célèbre les produits de la mer, avec un marché au poisson et des dégustations. Des ateliers gratuits sur le réchauffement climatique, la pollution, les zones marines protégées et l'aquaculture sont proposés. Acheteurs et dégustateurs apprennent à contribuer à la protection de l'environnement halieutique.

Palio delle Quattro Antiche Repubbliche Marinare Gênes figure parmi les 4 villes maritimes historiques (avec Pise, Amalfi et Venise) qui accueillent à tour de rôle cette régate. La prochaine à Gênes aura lieu en 2012.

Premio Paganini Ce concours international de violon en hommage au violoniste génois Niccolò Paganini (1782-1849) se déroule en septembre.

Paganiniana D'autres événements musicaux sont organisés durant ce festival du mois d'octobre. Les dates et les salles de concert changent chaque année.

Où se loger

Des dizaines d'hôtels parsèment la ville. Ils sont surtout concentrés autour de la Stazione Principe et de la Via Balbi.

PETITS BUDGETS

Hostel Genova (☎ 010 242 24 57 ; hostelge@iol.it ; Via G Costanzi 120 ; dort/s/d avec petit-déj à partir de 16/23,50/44 € ; ☷ réception 9h-15h30 et minuit-7h fév à mi-déc ; **P**). À 2 km en amont du centre, la seule auberge de jeunesse de Gênes édicte des règles strictes : ses dortoirs de 8 lits ne sont pas mixtes, les portes ferment de 9h à 15h30, le couvre-feu est à 1h et la carte Hostelling International est obligatoire. Prenez le bus 40 de la Stazione Brignole jusqu'au terminus. Accès handicapé.

Albergo Carola (☎ 010 839 13 40 ; Via Groppallo 4 ; s/d à partir de 28/50 €, avec sdb à partir de 35/60 €). Des chambres bien tenues au 3ᵉ étage d'un vieil immeuble charmant, près de Stazione Brignole. Le personnel est agréable, mais n'oubliez pas votre guide de conversation en italien.

Hotel Acquaverde (☎ 010 26 54 27 ; www.hotelacquaverde.it ; Via Balbi 29 ; s/d à partir de 30/50 €, avec sdb à partir de 40/70 € ; ☷). Aux 3 derniers étages d'un hôtel particulier restauré du XVIIᵉ siècle (par ascenseur), des chambres simples et confortables. Quatre ont des cuisines. Possibilités de parking. Accès handicapé.

Hotel Della Posta Nuova (☎ 010 25 29 29 ; Via Balbi 24 ; s/d à partir de 70/100 € ; **P** ☷). Pas de surprise dans cet hôtel artisanal à 150 m de la Stazione Principe. Propre, sûr et relativement chaleureux pour le quartier. Chambres petites, sobres mais bien éclairées. Celles du haut ont une terrasse donnant sur la Via Balbi.

CATÉGORIE MOYENNE

☼ **Hotel Cairoli** (☎ 010 246 14 54 ; www.hotelcairoligenova.com ; Via Cairoli 14/4 ; s 65-90 € ; d 85-105 € ; ☷ ▢). Les chambres colorées déclinent les thèmes de divers artistes modernes : Mondrian se cache au 3ᵉ étage de ce *palazzo*. Bibliothèque, salon, espace Internet, gymnase tout équipé, journaux gratuits, terrasse et des cartes intéressantes sur le mur. Central et d'un bon rapport qualité/prix.

Hotel Cristoforo Colombo (☎ 010 251 36 43 ; www.hotelcolombo.it ; Via di Porta Soprana 27 ; s 55-90 €, d 85-110 €). Récemment rénové (sdb dans les 16 chambres), ce charmant hôtel tenu en famille est idéalement situé dans la vieille ville. Lors des douces soirées, admirez les lumières de la ville depuis la terrasse du toit.

Hotel Europa (☎ 010 25 69 55 ; www.hoteleuropa-genova.com ; Via delle Monachette 8 ; s 60-118 €, d 80-185 € ; **P** ☷ ▢ ☏). Dans une ruelle à quelques pas de la Stazione Principe, de petites chambres joliment décorées dans les tons pêche, avec TV satellite à écran plat et mini-bar. Le Wi-Fi coûte 10 € pour 24 heures.

CATÉGORIE SUPÉRIEURE

Hotel Bristol Palace (☎ 010 59 25 41 ; www.hotelbristolpalace.com ; Via XX Settembre 35 ; s 130-300 €, d 160-420 € ; **P** ☷ ▢ ☏). Derrière les immenses façades de la Via XX Settembre se dresse l'une des adresses les plus chics de Gênes, un chef-d'œuvre de la Belle Époque. Vastes chambres de charme aux parquets géométriques, ornées d'antiquités (et tout le confort moderne). Entrez par le grand escalier surplombé d'un toit de verre.

Où se restaurer

Impossible de quitter la ville sans avoir goûté le *pesto genovese* (présent sur tous les menus). Les autres spécialités locales sont la focaccia (au fromage, par exemple), la *farinata* (crêpe à la

JOUR DE MARCHÉ À GÊNES

Pour se procurer fruits et légumes, fromages, viandes et, surtout, poissons à moindre coût, rien de tel que le **Mercato Orientale** (marché couvert ; entrée Via XX Settembre 75r et Via Galata ; 8h-12h et 15h-19h lun-sam). Les échoppes des fleuristes, installés devant le marché couvert, Via XX Settembre, embaument.

Dans la vieille ville, étals de fruits et légumes se succèdent Piazza Banchi et Via degli Orefici, à l'est du Mercato Orientale.

Pour dénicher des œuvres d'artistes locaux ou des livres d'occasion, faites un tour du côté des échoppes en plein air, sous les arcades de la Piazza Colombo, jolie place au sud de la Via Galata. Les premiers samedi et dimanche du mois, d'octobre à juillet, des brocanteurs déploient leurs trésors dans les cours intérieures du Palazzo Ducale.

farine de pois chiches), la *torta pasqualina* (une sorte de quiche aux épinards et à la ricotta), les *pansotti* (raviolis aux épinards, à l'épaisse sauce aux noisettes) et les fruits de mer.

Les restaurants bon marché abondent autour du vieux port.

Pizzeria di Vico dei Biscotti (010 251 89 90 ; Vico dei Biscotti 4 ; pizzas 6-8 € ;). Immense établissement au décor bleu pourvu d'une mezzanine, plein d'habitants dégustant une pizza *quattro stagioni* (4 saisons) arrosée d'une bière.

Antica Trattoria del Porto Maria (010 246 18 45 ; Piazza Caricamento 22 ; repas 20-30 € ; déj mar-dim, dîner ven et sam). De la cuisine génoise classique comme du risotto de la mer, des langoustines au cognac, et des pâtes de formes et de tailles variées inondées de pesto vous sont proposées dans cette petite trattoria charmante du vieux port. En bas d'une volée de marches, dans une ancienne réserve aux plafonds bas et voûtés.

Mentelocale (010 595 96 48 ; Palazzo Ducale, Piazza de Ferrari ; repas 20-26 € ; restaurant déj et dîner, café 8h-22h lun-jeu, 8h-1h ven, 10h-1h sam et dim ;). Du thon au sésame et citron vert, du tempura de crevettes et du curry de poulet aux pommes sont servis dans ce restaurant fusion installé dans le palais ducal. Les salades originales, à base de produits locaux frais, constituent un repas à elles seules. Prenez un verre dans le café voisin, à la déco chic et design.

Trattoria delle Raibetta (010 246 88 77 ; Vico Caprettari 10-12 ; repas 20-30 € ; déj et dîner mar-dim). Restaurant familial génois authentique dans

le labyrinthe de rues près de la cathédrale. L[a] cuisine, déclinant les produits de la mer, es[t] simple. Essayez les fruits de mer au *riso vener*[e] (riz noir local) ou le *trofiette al pesto* maison. L[a] salade de poulpes constitue une bonne entrée. Carte des vins proposant 200 crus.

I Tre Merli (010 246 44 16 ; Palazzina Millo, Port[o] Antico ; en-cas 7-12 €, repas 20-25 €). Plus imposan[t] que certains de ses homologues du port, c[e] restaurant bien situé est flanqué de colonne[s] noir et blanc. Excellente cuisine ligurienne notamment des beignets de morue et du vea[u] farci aux champignons et pommes de terre[.] Mais vous pouvez vous contenter d'un verr[e] de vin accompagné d'en-cas cuits au feu d[e] bois comme la *focaccia col formaggio*.

Lupo (010 26 70 36 ; Via delle Monachette 20[;] repas 25-30 € ; 12h30-15h et 19h30-24h). Les chaleu[-] reux propriétaires et de délicieux fumets vou[s] accueillent dès l'entrée : seiche à la sauc[e] tomate, raviolis à la sauce aux noix et dessert[s] maison. La carte des vins est remarquable e[t] les antiquités, comme des lustres en fer forg[é] et une horloge grand-père, créent un[e] ambiance aussi raffinée que détendue.

Où prendre un verre

De nombreux bars se sont "arrimés" a[u] Porto Antico rénové. Branchés et moderne[s] ou simplement traditionnels, d'autres on[t] investi les rues au nord-ouest de la Piazza d[e] Ferrari. La Piazza delle Erbe est colonisée pa[r] les terrasses où il fait bon s'attarder autou[r] d'un verre.

La Nouvelle Vague (010 25 62 72 ; Vico de Gradi 4r[;] jusqu'à 1h dim-jeu, jusqu'à 2h ven-sam). Une clientèl[e] bohème fréquente cette librairie-bar souter[-] raine. Sirotez du vin italien ou un cocktail e[n] feuilletant un livre.

La Madeleine Café Teatro (010 246 53 12 ; Via dell[a] Maddalena 103). Des musiciens viennent souven[t] jouer à partir de 22h dans ce tonique café théâtre-bar musical.

Café degli Specchi (010 246 81 93 ; Via Salit[a] Pollaiuoli 43r ; plats 7-10 € ; lun-sam). Petite enclav[e] turinoise, ce café Art déco des années 192[0] est depuis longtemps une adresse privilégié[e] par les gens de lettres. Dégustez votr[e] expresso au rez-de-chaussée ou montez [à] l'étage vous asseoir dans les sièges en velour[s] et savourer un café, des gâteaux ou u[n] buffet *aperitivo*.

Café di Barbarossa (010 246 50 97 ; Piano d[i] Sant'Andrea 21-3r ; plats 10 € ; 7h-16h lun, jusqu'à 2h3[0] mar-ven, 17h-2h30 sam-dim). Une statue d'Elvis vou[s] accueille dès l'entrée. Ce bar plaisant occupe une cave médiévale de brique rouge, située sous la haute Porta Soprana, datant du XIIe siècle. Terrasse verdoyante à l'extérieur.

Où sortir
À l'extrémité ouest du Porto Antico, les Magazzini del Cotone, anciens entrepôts de coton, ont été transformés en un espace de divertissement comportant un cinéma multiplexe, des jeux vidéo et des boutiques.

Les billets pour les manifestations culturelles et sportives sont en vente à des billetteries dans les magasins **Ricordi Mediastore** (☎ 010 54 33 31 ; Via alla Porta degli Archi 88-94) et **FNAC** (☎ 010 29 01 11 ; Via XX Settembre 58).

Prenez une place pour une représentation au **Teatro Carlo Felice** (☎ 010 5 38 11 ; www.carlofelice.it ; Passo Eugenio Montale 4), l'étonnant opéra de Gênes (4 scènes). Casanova a foulé les planches du **Teatro della Tosse** (☎ 010 247 07 93 ; www.teatrodellatosse.it ; Piazza Renato Negri 4), qui date de 1702.

Depuis/vers Gênes
AVION
L'**aéroport** (GOA ; Aeroporto Internazionale Cristoforo Colombo ; ☎ 010 601 54 10 ; www.airport.genova.it), à 6 km à l'ouest de la ville, sur la commune de Sestri Ponente, assure des vols réguliers, nationaux et internationaux.

BATEAU
Des ferries assurent la liaison avec l'Espagne, la Sicile, la Sardaigne, la Corse et la Tunisie au départ du **terminal international des passagers de Gênes** (terminal traghetti ; renseignements 24h/24 ☎ 166 15239393 ; www.porto.genova.it ; Via Milano 51). Seuls les bateaux de croisière mouillent au terminal du Ponte dei Mille, dont la construction remonte aux années 1930.

Les tarifs indiqués s'entendent pour l'aller simple, en basse/haute saison pour un billet sur le pont. Parmi les opérateurs de ferries présents au terminal des passagers figurent :

Grandi Navi Veloci (☎ 800 466510, 010 2 54 65 ; www.gnv.it). Ferries depuis/vers la Sardaigne (Porto Torres toute l'année 34/75 € ; Olbia juin-sept 38/77 €) et toute l'année depuis/vers la Sicile (Palerme 70/110 €).

Moby Lines (☎ 010 254 15 13 ; www.mobylines.it). Ferries toute l'année depuis/vers la Corse (Bastia 17/32 €) et la Sardaigne (Olbia 35/65 €).

Tirrenia (☎ 800 824079 ; www.tirrenia.it). Ferries et bateaux rapides toute l'année depuis/vers la Sardaigne (Porto Torres 25/50 €, Olbia 28/38 €, Cagliari juil-sept 45 €), avec des correspondances pour la Sicile.

L'été, les bateaux de la **Cooperativa Battellieri del Golfo Paradiso** (☎ 018 577 20 91 ; www.golfoparadiso.it) circulent entre le Porto Antico et Camogli (10/15 € AS/AR), Portofino (10/15 €), les Cinque Terre (17/25 €) et Porto Venere (17/25 €) sur la Riviera di Levante.

Consorzio Liguria Via Mare (☎ 010 26 57 12 ; www.liguriaviamare.it) effectue en saison les liaisons de Gênes à Camogli, San Fruttuoso et Portofino, et les Cinque Terre/Porto Venere (20/30 €).

BUS
Les bus vers des destinations internationales partent de la Piazza della Vittoria, tout comme les bus desservant l'aéroport Malpensa de Milan (16 €, 2 heures, 2/jour à 6h et 15h) et les bus interrégionaux.

Les tickets sont en vente à **Geotravels** (☎ 010 59 28 37 ; geotravels@statcasale.com ; Piazza della Vittoria 30r) et à **Pesci Viaggi e Turismo** (☎ 010 56 49 36 ; pesciros@tin.it ; Piazza della Vittoria 94r).

TRAIN
Les Stazione Principe et Stazione Brignole de Gênes desservent Turin (15 €, 1 heure 45, 7 à 10/jour), Milan (15,50 €, 1 heure 30, jusqu'à 8/jour), Pise (15 €, 2 heures, jusqu'à 8/jour) et Rome (36,50 €, 5 heures 15, 6/jour). Les trains sont plus nombreux au départ de la Stazione Principe, surtout en direction de l'ouest, vers San Remo (13 €, 2 heures, 5/jour) et Vintimille (15 €, 2 heures 15, 6/jour).

Comment circuler
DESSERTE DE L'AÉROPORT
Le **bus AMT 100** (☎ 010 5582414) fait la navette entre la Stazione Principe et l'aéroport au moins toutes les heures de 5h30 à 23h (4 €, 30 min). Le machiniste vend des billets.

La course en taxi coûte environ 15 €.

TRANSPORTS PUBLICS
Les bus **AMT** (☎ 800 085 352, 010 599 74 14 ; www.amt.genova.it) quadrillent la ville. La compagnie dispose à son terminal d'un **bureau de renseignements** (Via d'Annunzio ; ☼ 7h15-18h lun-ven, 7h-19h sam-dim). Le bus 383 relie la Stazione Brignole à la Piazza de Ferrari. Le billet utilisable pendant 90 min coûte 1,20 € (trajet unique 0,70 €). Le billet valable une journée revient à 3,50 €. Les mêmes titres de transports servent sur les trains grandes lignes dans la limite de la zone urbaine, ainsi que pour les nombreuses stations du tout nouveau **métro** (www.genovametro.com), accessible aux personnes à mobilité réduite.

ENVIRONS DE GÊNES
Nervi

Ancien village de pêcheurs englouti par la croissance tentaculaire de Gênes, Nervi se considère comme une station balnéaire. Toutefois, les rivales ne manquent pas, si bien qu'elle est rarement la destination privilégiée de la Riviera. Ses atouts sont ses musées – quatre au total – et ses 2 km de promenade au bord de la falaise, la Passeggiata Anita Garibaldi.

Le musée le plus célèbre est la **Galleria d'Arte Moderna** (☎ 010 372 60 25 ; Via Capolungo 3 ; adulte/enfant 6/5 € ; ⏱ 10h-19h mar-dim), qui présente des œuvres d'artistes du XIXe et XXe siècle comme Filippo De Pisis, Arturo Martini et Rubaldo Merello.

D'autres œuvres de la fin du XIXe siècle et du début du XXe siècle, notamment le nu en marbre d'Eduardo Rubino, *Il Risveglio*, sont exposées aux **Raccolte Frugone** (☎ 010 32 23 96 ; Via Capolungo 9 ; adulte/enfant 4/2,80 € ; ⏱ 9h-19h mar-ven, 10h-19h sam-dim), logées dans la Villa Grimaldi Fassio, qui donne sur les arbres – et les écureuils – des Parchi di Nervi.

Le **Wolfsoniana** (☎ 010 323 13 29 ; www.wolfsoniana.it ; Via Serra Gropallo 4 ; adulte/enfant 5/2,80 € ; ⏱ 10h-19h mar-dim) possède 18 000 pièces d'arts décoratifs de la période 1880-1945 qui témoignent de cette époque agitée de l'histoire italienne, avec des affiches de propagande, des dessins architecturaux, des peintures et des meubles.

Le **Museo Giannettino Luxoro** (☎ 010 32 26 73 ; Via Mafalda di Savoia 3 ; adulte/enfant 4/2,80 € ; ⏱ 9h-13h mar-ven, 10h-13h sam) présente une riche collection d'horloges, d'argenterie, de céramiques et de meubles du XVIIIe siècle dans une villa magnifiquement restaurée.

Les quatre musées sont accessibles grâce à un billet combiné (10 €), ou bien sont inclus dans la Carte des musées (voir l'encadré p. 199).

Sur le front de mer, des musiciens se produisent souvent au **Chandra Bar** (☎ 010 860 36 40 ; Passeggiata Garibaldi 26r ; plats 18-25 € ; ⏱ 15h-2h mar-sam, 11h30-2h dim), où l'on déguste des pâtes, du poisson frais, des plats brésiliens et thaïs.

Il est facile de se rendre à Nervi, située à 7 km à l'est de Gênes, grâce aux trains fréquents qui partent de la Stazione Brignole et de la Stazione Principe (1,20 €, 20 à 25 min).

Pegli

Ses parcs fleuris font de Pegli un lieu paisible pour échapper à l'agitation urbaine de Gênes. À l'instar de Nervi, cet ancien village de bord de mer, à 9 km à l'ouest, fait désormais partie de l'agglomération génoise. Et, comme Nervi, il compte plusieurs musées. Le billet combiné pour tous les sites suivants coûte 8 €.

Le **musée d'Archéologie ligure** (Museo di Archeologia Ligure ; ☎ 010 698 10 48 ; www.museoarcheologicogenova.it ; Via Pallavicini 11 ; adulte/enfant 4/2,80 € ; ⏱ 9h-19h mar-ven, 10h-19h sam-dim), dans la superbe Villa Pallavicini, regroupe des pièces archéologiques de la préhistoire à l'époque romaine, mises au jour dans la région, ainsi que des antiquités égyptiennes.

Le **Musée naval** (Museo Navale ; ☎ 010 696 98 85 www.museonavale.it ; Villa Doria, Piazza Bonavino 7 ; adulte/enfant 4/2,80 € ; ⏱ 9h-13h mar-ven, 10h-19h sam-dim) traite de la navigation à travers des maquettes, des photos et autres souvenirs du temps de la marine à voile.

Le **parc Villa Pallavicini** (☎ 010 66 68 64 ; Via Pallavicini ; 3,50 € ; ⏱ 9h-19h avr-sept, 9h-17h oct-mars) avec ses pelouses soignées, ses lacs et ses serres, mérite également qu'on s'y attarde. De même, le **Jardin botanique** (Giardino botanico ; ☎ 010 66 68 64 3,50 € ; ⏱ 9h-12h30 mar-dim) possède une petite collection de plantes exotiques.

Depuis Gênes, des trains partent fréquemment des stations Brignole et Principe (1,20 € 20 à 25 min) à destination de Pegli.

RIVIERA DI LEVANTE

En quittant la banlieue est de Gênes, vous êtes rapidement arrêté par les eaux bleues et profondes de la Méditerranée, bordée par des complexes touristiques parmi les plus sélects d'Italie, notamment la ville favorite de la jet-set, Portofino. Cette partie de littoral est extrêmement fréquentée, mais jamais de mauvais goût. Plus loin vers l'est, les complexes huppés s'élèvent sur une côte toujours plus escarpée. Échappez à la foule lors de magnifiques promenades sur le promontoire de Portofino ou le long des falaises des Cinque Terre, protégées par l'Unesco.

Camogli
5 750 habitants

Sous une canopée de pins parasols et de magnifiques oliviers, les venelles pavées de ce petit port de pêche haut en couleurs, situé à 25 km à l'est de Gênes, arborent des fresques en trompe-l'œil.

Le nom de Camogli signifie la "maison des épouses," en référence au temps où les femmes s'occupaient du village pendant que leurs maris étaient en mer. Ce passé fait toujours l'objet de célébrations, la plus importante étant la

Sagra del Pesce (foire au poisson) à la mi-mai : une friture gargantuesque – des centaines de poissons grésillent dans des poêles de 3 m de diamètre au milieu du front de mer.

De l'esplanade principale, Via Garibaldi, des bateaux vous conduisent jusqu'à la **Punta Chiappa**, sur le promontoire de Portofino où l'on peut se baigner et lézarder au soleil. L'**office du tourisme** (☎ 0185 77 10 66 ; www.camogli.it ; Via XX Settembre 33 ; ☘ 9h-12h30 et 15h30-18h lun-sam, 9h-13h dim) tient à votre disposition la liste des écoles de plongée et des loueurs de bateaux.

À Camogli, l'**Hotel Cenobio dei Dogi** (☎ 0185 72 41 ; www.cenobio.com ; Via Cuneo 34 ; s 111-155 € , d 153-208 € ; P ✖ ⌨), une villa du XVIe siècle, loue plus de 100 chambres raffinées qui n'en offrent pas moins une atmosphère intime.

Pour échapper à la foule et dénicher l'une de ces focaccias croustillantes qui font la fierté de la ville, préférez les ruelles qui s'écartent du front de mer.

ATP Tigullio (☎ 0185 28 88 34) assure la liaison en bus depuis/vers Rapallo et Santa Margherita au moins toutes les heures, de l'arrêt situé après l'office du tourisme, Via XX Settembre.

Camogli (2,40 € , 40 min, 1/heure) se trouve sur la ligne ferroviaire Gênes-La Spezia.

Les bateaux de la Cooperativa Battellieri del Golfo Paradiso (p. 205) font la navette toute l'année avec Punta Chiappa (aller simple/ retour 5/7,50 €) et San Fruttuoso (7/10 €) ; de juin à septembre, ils desservent le Porto Antico de Gênes (10/15 €), Portofino (9/15 €), Cinque Terre et Porto Venere (18/25 €).

San Fruttuoso

À l'opposé de Portofino, San Fruttuoso est un havre de paix isolé des complexes balnéaires voisins, parmi les plus clinquants d'Italie. Pas de route ici – quel bonheur ! On y accède à pied ou en bateau.

Abritée par d'épaisses frondaisons dans une crique profonde, l'extraordinaire **abbaye bénédictine** (Abbazia di San Fruttuoso di Capodimonte ; ☎ 0185 77 27 03 ; adulte/enfant 4/2,50 € ; ☘ 10h-18h mai-sept, 10h-16h mars, avr et oct, 10h-16h jours fériés et fêtes de jours fériés uniquement déc-fév) du hameau fut édifiée pour accueillir la dépouille de l'évêque saint Fructueux de Tarragone (martyrisé en Espagne en 259). Elle fut reconstruite au milieu du XIIIe siècle avec l'aide de la famille Doria. Le déclin de sa communauté religieuse conduisit à l'abandon de l'abbaye qui, au XIXe siècle, fut divisée en logements pour les pêcheurs des environs.

En 1954, une **statue** en bronze, le *Christ des abîmes*, fut immergée par 18 m de fond pour bénir les eaux. On peut la voir en plongeant, ou d'un bateau quand les eaux sont calmes – la Cooperativa Battellieri del Golfo Paradiso (p. 205) vous renseignera. Une réplique a été immergée en 1961 dans le port St George, capitale de l'île de la Grenade, une autre en 1966 au large de Key Largo, en Floride.

Aucune route ne conduit à San Fruttuoso. On peut s'y rendre à pied depuis Camogli (une randonnée rocailleuse ardue, facilitée par des rampes métalliques) ou depuis Portofino (itinéraire abrupt mais plus aisé de 5 km le long de la falaise). Les deux randonnées prennent environ 2 heures 30 dans chaque sens. Vous pouvez aussi prendre un bateau depuis Camogli ou Punta Chiappa (aller/ aller-retour 5/6,50 €).

Portofino
550 habitants
Synonyme de luxe et de raffinement, le superbe village de Portofino est hors de portée de la plupart des voyageurs. Ce qui ne signifie pas qu'on ne puisse pas s'attarder devant un cappuccino hors de prix, près de son port bondé de yachts.

Planté d'élégants cyprès et formé d'un étonnant assortiment de villas pastel, Portofino domine un petit promontoire de terre qui se jette dans l'azur de la Méditerranée. Les conducteurs de voitures de sport qui filent sur la rue sinueuse venant de Santa Margherita ignorent que ce rocher est sillonné de plusieurs sentiers, pour la plupart étonnamment paisibles, et tous gratuits.

RENSEIGNEMENTS
L'**office du tourisme** de Portofino (☎ 0185 26 90 24 ; www.apttigullio.liguria.it ; Via Roma 35 ; ☘ 10h-13h et 13h30-16h30 mar-dim) propose des cartes gratuites des sentiers du Parco Naturale Regionale di Portofino (voir ci-contre) et des renseignements sur la location de VTT, ainsi que de bateaux à voile ou à moteur.

À VOIR
En venant du port, un escalier signalé "Salita San Giorgio" conduit à la **Chiesa di San Giorgio** puis au **Castello Brown** (☎ 0185 26 71 01 ; www.portofinoevents.com ; Via alla Penisola 13a ; adulte/enfant 3,50 € /gratuit), au total 10 minutes de marche (faites-vous indiquer les horaires de

visite à l'office du tourisme, car le chateau ferme parfois pour accueillir des événements privés). Ce château construit au XVIᵉ siècle par les Génois fut le théâtre de quelques batailles, notamment contre les Vénitiens, les Savoyards, les Sardes et les Autrichiens, avant de tomber aux mains de Napoléon Bonaparte. En 1867, le diplomate anglais Montague Yeats Brown le transforma en une somptueuse demeure privée. L'escalier orné de céramiques est l'une des pièces maîtresses de l'intérieur néogothique, et le jardin offre de beaux points de vue. Pour un panorama spectaculaire, poursuivez le même chemin sur 300 m jusqu'au **phare**.

À 2 km en direction du nord le long de la route côtière, l'**Abbazia della Cervara** (Abbazia di San Girolamo ; ☎ 800 652110 ; www.cervara.it ; Lungomare Rossetti, Via Cervara 10 ; 🕑 visites guidées sur réservation), date de 1361. Elle est entourée de jardins. Au cours des siècles, l'abbaye servit de retraite à des moines bénédictins, trois papes, une sainte (Catherine de Sienne). François Iᵉʳ y coula des jours moins heureux car il y fut emprisonné en 1525 après la bataille de Pavie. Les visites incluent les jardins, le chapitre du XVᵉ siècle, le cloître du XVIᵉ et la tour sarrasine.

OÙ SE LOGER ET SE RESTAURER

Si Portofino est souvent fréquenté par les footballeurs de série A et les gagnants du Loto, le voyageur lambda peut aller jusqu'à s'offrir un capuccino sur le port (5 €). Parmi les adresses d'hébergement les moins chères, citons **Eden** (☎ 0185 26 90 91 ; www.hoteledenportofino. com ; Vico Dritto 18 ; d 140-270 € ; **P** 🐾), dans une rue pavée tranquille non loin du port, et l'**Hotel Argentina** (☎ 0185 28 67 08 ; www.argentinaportofino.it ; Via Paraggi a Monte 56 ; d à partir de 160 € ; **P** 🐾), sur la route de la côte vers Santa Margherita. Les deux sont chics sans être prétentieux. Si vous avez l'intention de liquider vos économies, choisissez l'**Hotel Splendido** (www.splendido.orient-express.com ; Salita Baratta 16) et marchez dans les pas du duc de Windsor, de Frank Sinatra et d'autres milliardaires.

Des restaurants branchés donnent sur le port ; **Magazin** (☎ 0185 26 91 78 ; Calata Marconi 34 ; repas 28-35 € ; 🕑 ven-mer), aménagé comme une cabine de bateau, sert d'authentiques spécialités ligures. Le **Caffè Excelsior** (☎ 0185 26 90 05 ; Piazza Martiri dell'Olivetta 54 ; repas 30 €) est une autre bonne adresse aux boxes extérieurs romantiques, qui propose poulpes et crevettes.

COMMENT S'Y RENDRE ET CIRCULER

Des bus circulent régulièrement entre Portofino et Santa Margherita (lire page suivante pour le détails), mais le meilleur mode de déplacement est la marche. Un sentier épouse la magnifique côte sur 3 km.

D'avril à octobre, Servizio Marittimo de Tigullio (en face) assure des services de ferries quotidiens de Portofino vers/depuis San Fruttuoso (7,50/10,50 €), Rapallo (7/10,50 € et Santa Margherita (5,50/8,50 €).

Les motards doivent se garer à l'entrée du village et s'acquitter d'un tarif de stationnement, à partir de 4,50 € l'heure (espèce uniquement).

Santa Margherita
10 600 habitants

D'élégants hôtels à la façade Art nouveau font face à de luxueux yachts dans ce village de pêcheurs transformé en refuge pour riches retraités, aux allures de musée Belle Époque. Les tarifs y sont néanmoins abordables.

RENSEIGNEMENTS

L'**office du tourisme** (☎ 0185 28 74 85 ; www.apttigullio liguria.it ; Via XXV Aprile 2b ; 🕑 9h30-12h30 et 14h30-17h3 lun-sam) dispense une foule de renseignement sur les sports nautiques dans le golfe.

À VOIR ET À FAIRE

La situation idyllique de Santa Margherita, dans une baie abritée face aux eaux turquoise du Golfo di Tigullio, en fait une bonne base pour pratiquer la **voile**, le **ski nautique** et la **plongée**. L'**office du tourisme** (☎ 0185 28 74 85 ; www.apttigullio liguria.it ; Via XXV Aprile 2b ; 🕑 9h30-12h30 et 14h30-17h3 lun-sam) donne une foule de renseignement sur les sports nautiques dans le golfe. On peu aussi se contenter de lézarder sur sa **plage** populaire.

Passez au siège du **Parco Naturale Regionale di Portofino** (☎ 0185 28 94 79 ; www.parks.it/parco portofino ; Viale Rainusso 1) pour collecter de renseignements et des cartes de **randonnée**. Vous pouvez aussi effectuer une promenade au milieu des citronniers, des naies de camélias et d'hortensias, et d'autres plantes typiques du climat chaud de Santa Margherita, dans les jardins luxuriants qui entourent la **Villa Durazzo** (☎ 0185 29 31 35 accès Piazzale San Giacomo 3, Via San Francesco d'Assisi et Via Principe Centurione ; entrée libre ; 🕑 9h30-18h3 mars-oct, 9h40-16h30 nov-fév), qui voit passer de nombreux mariages.

OÙ SE LOGER

Fasce (☎ 0185 28 64 35 ; www.hotelfasce.it ; Via Luigi Bozzo 3 ; s/d 98/108 € ; 🗱 💻). L'une des adresses les moins chères de Santa Margherita, pourvue d'une terrasse sur le toit, de 16 chambres de taille correcte (mais avec de minuscules salles de bains) et proposant un petit déjeuner frugal. Comptez 18 € de plus pour le parking.

Lido Palace Hotel (☎ 0185 28 58 21 ; www.lidopalacehotel.com ; Via Doria 3 ; s 105-187 €, d 130-210 € ; P 🗱). Sur le front de mer en centre-ville, le Lido ressemble à une grande dame Art nouveau incarnant l'essence même de Santa Margherita. Les chambres sont de bonne taille, le buffet du petit déjeuner abondant. Le restaurant compte une terrasse avec vue plongeante. Formules demi-pension et pension complète.

OÙ SE RESTAURER ET PRENDRE UN VERRE

Trattoria dei Pescatori (☎ 0185 28 67 47 ; Via Bottaro 43-44 ; repas env 35 € ; 🕒 mer-lun sept-juin, tlj juil et août). Les *moscardini affogati* (jeunes poulpes épicés en ragoût) sont la spécialité estivale du plus ancien restaurant de Santa Margherita, ouvert en 1910. L'automne met des champignons sauvages dans votre assiette, et une délicieuse soupe de poissons régionale est servie toute l'année. Poisson rôti aux olives et pignons, et pâtes faites à la main, de toutes les tailles et de toutes les formes.

🍷 **Bar Colombo** (☎ 0185 28 70 58 ; Via Pescino 13 ; 🕒 jusque tard mar-dim). Célébration du style Art nouveau, ce café-bar-restaurant resplendissant sur le front de mer fut fréquenté par des célébrités de Hollywood.

DEPUIS/VERS SANTA MARGHERITA

Un bus **ATP Tigullio Trasporti** (☎ 0185 28 88 34 ; www.tigulliotrasporti.it) dessert Portofino (ttes les 20 min) et Camogli (ttes les 30 min).

Les trains vers Gênes (2,40 €, 35 min) et La Spezia (4,40 €, 1 heure 30) partent toutes les heures.

Servizio Marittimo del Tigullio (☎ 0185 28 46 70 ; www.traghettiportofino.it ; Via Palestro 8/1b) gère des ferries saisonniers vers/depuis Cinque Terre (aller/aller-retour 17/24,50 €), Porto Venere (21/32 €), San Fruttuoso (9,50/14,50 €), Portofino (5,50/8,50 €) et Rapallo (3,50/4,50 €).

Rapallo

30 300 habitants

On comprend aisément que W. B. Yeats ou Ezra Pound aient trouvé l'inspiration à Rapallo. Avec ses cabines de bain bleu vif, sa plage bordée de palmiers et son tout petit château du XVIe siècle surplombant la mer (et abritant des expositions temporaires), la ville cultive une nostalgie raffinée. Ce qui n'enlève rien à la chaleur de son accueil. La petite taille de Rapallo lui confère une atmosphère moins élitiste que ses voisines appréciées de la jet-set. Le jeudi, les étals colorés du marché envahissent la Piazza Cile centrale.

Depuis 1934, un **funiculaire** (☎ 0185 5 23 41 ; Piazzale Solari 2 ; 5,50/7,75 € AS/AR ; 🕒 9h-12h30 et 14h-18h) dessert le **Santuario Basilica di Montallegro** (612 m). Ce sanctuaire fut érigé à l'endroit où, le 2 juillet 1557, la Vierge Marie aurait fait une apparition. Marcheurs et cyclistes aguerris peuvent emprunter un ancien chemin muletier (5 km, 1 heure 30) pour parvenir au sommet de la colline. L'**office du tourisme** (☎ 0185 23 03 46 ; www.apttigullio.liguria.it ; Lungo Vittorio Veneto 7 ; 🕒 9h30-12h30 et 14h30-17h30 lun-sam) vous fournira renseignements et cartes pour d'autres randonnées dans la région.

OÙ SE LOGER ET SE RESTAURER

Hotel Miro (☎ 0185 23 41 00 ; www.hotelmiro.net ; Lungomare Vittorio Veneto 32 ; s 70-125 €, d 90-145 € ; P 🗱). Juste sur le front de mer, un adorable hôtel de charme installé dans une demeure du XIXe siècle qui a conservé son charme ancien, avec des lits à baldaquin et du papier peint fleuri. Renseignez-vous sur les cours d'équitation et la location de bateaux, que l'on peut réserver par le biais de l'hôtel.

Hotel L'Approdo (☎ 0185 23 45 45 ; www.approdohotel.it ; Via San Michele di Pagana 160 ; d 98-156 € ; 🗱). À flanc de colline, L'Approdo offre une belle vue sur la mer. Il loue des chambres étincelantes et modernes, pour certaines accessibles en fauteuil roulant. Le tarif des chambres donnant sur le jardin peut être négocié. Le parking (10 €/jour) doit être réservé.

Derrière des rangées de scooters, le front de mer compte de nombreux établissements où se restaurer, prendre un verre et un en-cas.

Les pâtes faites à la main d'**Antica Cucina Genovese** (☎ 0185 20 60 36 ; Via Santa Maria del Campo 133 ; repas 18-30 € ; 🕒 mar-dim ; V) comprennent une grande variété de versions végétariennes. Goûtez les raviolis à la châtaigne et au pesto, et les plats végétaliens comme les pommes de terre au ragoût de champignons. La cuisine ouverte prépare aussi viandes et poissons, et la carte propose de nombreux vins liguriens.

DEPUIS/VERS RAPALLO

Des trains sillonnent la côte vers Gênes (2,40 €, 40 min) et La Spezia (4,40 €, 1 heure).

Les bateaux de Servizio Marittimo del Tigullio (p. 209) desservent Santa Margherita (aller/aller-retour 3,50/4,50 €), Portofino (7/10,50 €), San Fruttuoso (10/15,50 €), Gênes (13,50/19 €), les Cinque Terre (17/24,50 €) et Porto Venere (21/32 €). Beaucoup sont saisonniers – les horaires sont indiqués sur le site Internet.

De Chiavari à Levanto

La côte qui s'étend entre le promontoire de Portofino et les Cinque Terre possède des plages figurant parmi les meilleures de la Riviera di Levante, mais les stations balnéaires de la région sont bondées en été.

En s'enfonçant dans les terres à partir de Chiavari (située à 12 km à l'est de Santa Margherita), on peut s'éloigner de la foule des vacanciers et respirer l'air frais de la montagne dans le **Parco Naturale Regionale dell'Aveto** (☎ bureau du parc 0185 34 03 11 ; www.parks.it/parco. aveto ; Via Marrè 75a, Borzonasca ; ☼ 14h30-17h30 jeu et ven, 8h30-12h30 sam-dim), une réserve naturelle s'étendant à l'extrémité nord du **Val d'Aveto**. Cette vallée paisible démarre à 12 km au nord de la côte, à **Borzonasca**.

En direction du nord, **Santo Stefano d'Aveto** (1 280 habitants) est une petite station de ski de fond et le principal village de la vallée. Entre les deux s'étend le **Lago delle Lame**, un lac glaciaire dont les eaux peu profondes recouvrent des souches de sapin datant de 2 500 ans.

Cinque Terre

Les Cinque Terre constituent l'endroit idéal pour planter le décor d'un film qui se déroulerait au XVIIe siècle. À l'exception des foules de touristes curieux et d'une voie ferrée du XIXe siècle qui traverse nombre de tunnels côtiers, ces cinq villages liguriens agrippés de façon spectaculaire à flanc de rochers n'ont pas beaucoup changé en trois siècles. Même les voitures sont absentes depuis qu'elles ont été bannies par l'Unesco en 1997.

Enracinés dans le passé, les cinq villages des Cinque Terre datent du début du Moyen Âge. Monterosso, le plus ancien, fut fondé en 643 quand les habitants des collines se réfugièrent sur la côte pour échapper aux barbares. Puis Riomaggiore aurait été fondé au VIIIe siècle par des Grecs fuyant les persécutions de Byzance. La plupart des vestiges que l'on peut voir dans les villages – notamment plusieurs châteaux

et cinq églises paroissiales à l'architecture éclectique – datent de la fin du Moyen Âge.

Outre ces édifices, ce sont bel et bien les falaises taillées en terrasses abruptes qui caractérisent les Cinque Terre ; elles ont été aménagées en un réseau complexe de champs et de jardins sculptés et entretenus depuis presque deux millénaires. Ces paysages ont été tellement modelés par les hommes que certains spécialistes comparent la beauté et la longueur des *muretti* (petits murs de pierre) à la Grande Muraille de Chine.

Indissociable de la mer, l'histoire des Cinque Terre est également intimement liée à celle de la cuisine italienne. Aux crevettes, poulpes et anchois, il faut ajouter de nombreux produits de la terre cultivés sur ces terrasses amoureusement entretenues. Parmi les spécialités originaires des Cinque Terre, notons la focaccia, le pesto et le vin blanc moelleux Sciacchetrà.

Longeant la côte sur 12 km, le Sentiero Azzurro (sentier bleu) était autrefois un chemin muletier reliant les cinq villages du bord de mer. Les chemins protégés actuels ont été tracés au début de la république de Gênes aux XIIe et XIIIe siècles. Jusqu'à l'arrivée du chemin de fer en 1874, c'était le moyen le plus pratique pour aller d'un village à l'autre. Ça l'est resté pour des milliers de visiteurs.

RENSEIGNEMENTS

Des renseignements vous attendent en ligne sur www.cinqueterre.it et www.cinqueterre.com

Bureaux du Parco Nazionale (www.parconazionale terre.it ; Corniglia ☎ 0187 81 25 23 ; ☼ 7h-20h ; La Spezia ☎ 0187 74 35 00 ; accès Internet 0,80 €/10 min ; ☼ 7h-20h ; Manarola ☎ 0187 76 05 11 ; ☼ 7h-20h ; Monterosso ☎ 0187 81 70 59 ; ☼ 7h-20h ; Riomaggiore ☎ 0187 92 06 33 ; Piazza Rio Finale 26 ; accès Internet 0,80 €/10 min ; ☼ 6h30-20h oct-mai, 6h30-22h juin-sept ; Vernazza ☎ 0187 81 25 33 ; ☼ 7h-20h). Le bureau de Riomaggiore est le principal du parc, devant la gare ferroviaire de Riomaggiore (p. 212).

MONTEROSSO
580 habitants

Village le plus facile d'accès en voiture et le seul des Cinque Terre à compter une **plage** touristique, Monterosso, le plus occidental, est le moins pittoresque des cinq (il fut même brièvement exclu du groupe dans les années 1940). Notable pour ses citronniers, le village possède deux quartiers distincts – l'un ancien et l'autre plus récent –, reliés par un passage souterrain.

À quelques pas de la mer, **Carla** (☎ 0187 82 90 89 ; Via IV Novembre 75 ; d 60-70 €) loue des chambres charmantes. Monterosso dispose d'une poignée d'hôtels, notamment l'**Hotel Palme** (☎ 0187 82 90 13 ; www.hotelpalme.it ; Via IV Novembre 18 ; d à partir de 140 € ; ☼ avr-oct ; **P** 🗷), un quatre-étoiles d'un bon rapport qualité/prix, où vous vous prélasserez sous les palmiers du jardin.

Sur le front de mer, les restaurants proposent des anchois frits, marinés au citron, saumurés ou au *tian* (avec des pommes de terre et des tomates). Faites ensuite une halte à l'un des bars à vin du village.

Arrêtez-vous à la **Focacceria Enoteca Antonia** (☎ 0187 82 90 39 ; Via Fegina 124 ; tranche de focaccia 1,20 € ; ☼ 9h-20h ven-mer mars-oct), où Paola et son mari Giuseppe proposent 15 types de *focaccia* brûlantes et des vins locaux à bons prix.

VERNAZZA
1 100 habitants

Gardien du seul point d'amarrage sûr des Cinque Terre, Vernazza est le plus charmant des cinq villages. Son minuscule port est dominé par la **Chiesa di Santa Margherita**, édifiée en 1318, tandis que les ruines d'un château du XIe siècle surplombent la mer.

Bordée de petits cafés, la grand-rue pavée de Vernazza, la Via Roma, relie la Piazza Marconi, en bord de mer, à la gare ferroviaire.

Si vous êtes tenté par une nuit romantique, **L'Eremo sul Mare** (☎ 339 268 5617 ; Via Gerai ; d 90 € ; ☼ mi-mars à mi-oct), une charmante villa à flanc de falaise, loue 3 chambres et possède un

ravissant solarium, à 10 minutes de marche en grimpant la colline.

Dégustez la cuisine traditionnelle des Cinque Terre à la **Trattoria Gianni Franzi** (☎ 0187 82 10 03 ; Piazza Matteotti 5 ; plats 22-30 € ; ☼ mi-mars à début jan) ou dans les salles à manger douillettes de la **Trattoria da Sandro** (☎ 0187 81 22 23 ; Via Roma 69 ; plats 20 €), qui compte parmi ses spécialités les moules farcies et l'espadon aux tomates, câpres, olives et pignons.

CORNIGLIA
600 habitants

Corniglia, le village du milieu, juché sur un promontoire rocheux entouré de vignes, est le seul des cinq villages dépourvu d'accès direct à la mer. Son vieux centre se compose d'allées étroites et de maisons à quatre étages colorées, paysage intemporel mentionné dans *Le Décaméron* de Boccace.

La plus belle vue se déploie depuis la **Torre**, tour de guet médiévale à laquelle on accède par des venelles et des escaliers. De la place centrale de Corniglia, la Via Fieschi traverse le cœur du village jusqu'au **belvédère Santa Maria**, qui offre un autre point de vue sur la mer.

Si vous vous arrêtez pour la nuit, le **Dai Fera'** (☎ 0187 81 23 23 ; Via alla Marina 39 ; d 60-80 €) propose des chambres simples et propres près du front de mer.

Comme ailleurs dans les Cinque Terre, le poisson est roi dans les restaurants de Corniglia – vous ne pouvez pas vous tromper en commandant la pêche du jour.

MANAROLA
850 habitants

Fort de plus de vignes qu'aucun autre village des Cinque Terre, Manarola est réputé pour son vin, le Sciacchetrà. En outre, ce village possède de nombreuses et précieuses reliques médiévales qui semblent lui donner raison lorsqu'il prétend être le plus ancien des cinq. Malgré sa proximité avec Riomaggiore, il conserve des traits spécifiques et demeure paisible. Ses habitants parlent un dialecte appelé *manarolese*.

La Via Discovolo conduit au nord au **Piazzale Papa Innocenzo IV**, où se dresse la tour de l'horloge, ancienne tour de guet. En face, la **Chiesa di San Lorenzo** (1338) conserve un polyptyque du XVe siècle. Si une promenade en pente raide ne vous effraie pas, de la Via Rollandi, vous pouvez suivre un chemin à travers les vignes jusqu'au sommet de la montagne.

LIGURIE, PIÉMONT ET VAL D'AOSTE

Unique auberge de jeunesse des Cinque Terre, l'**Ostello 5 Terre** (☎ 0187 92 02 15 ; www.cinqueterre.net/ostello ; Via Riccobaldi 21 ; dort 20-23 €, d 55-65 € ; ☉ réception 7h-13h, 16h-24h fév-juin et sept-nov, 7h-13h et 17h-1h juin-août, auberge ouverte mars-déc ; ▢), loue VTT, kayaks, bâtons de randonnée, ainsi que palmes et tubas. Chaque dortoir (non mixte) de 6 lits dispose d'une sdb. TV sat, Playstation et livres à échanger. Fermé entre 10h et 16h, ou 17h (juin à août).

De nombreux plats de poisson et la spécialité de la maison, la *zuppa di datteri* (soupe de dattes de mer), vous attendent à **Marina Piccola** (☎ 0187 92 01 03 ; www.hotelmarinapiccola.com ; Via Lo Scalo 16 ; s/d à partir de 87/115 €, plats 22-30 €), sans compter la vue sur la mer. Si vous souhaitez y passer la nuit, vous pouvez profiter d'intéressantes formules en demi-pension ou en pension complète.

RIOMAGGIORE
1 800 habitants
Village le plus oriental des Cinque Terre, Riomaggiore, le plus grand des cinq, est devenu son quartier général officieux (on y trouve le plus grand bureau du parc). Ses maisons à la peinture pastel écaillée dégringolent comme autant de boîtes de chocolat vers un tout petit port – la photo de carte postale la plus prisée de la région – et se teintent d'une lueur romantique au crépuscule. C'est là que débute le fameux chemin côtier Sentiero Azzurro.

Près de la gare au bord de l'eau, des **fresques** montrent le dur travail des paysans qui ont construit les Cinque Terre à mains nues.

On peut observer la flore locale et les oiseaux depuis la **Torre Guardiola** (☎ 0187 76 00 52 ; entrée libre ; ☉ 9h-13h août, 9h-13h et 16h-19h fév-juil, sept et oct), un centre d'observation de la nature et des oiseaux situé sur la **plage de Fossola**, au sud-est de la marina de Riomaggiore. Un chemin de promenade botanique part du centre et longe la côte. Pour plonger ou faire du snorkeling dans les eaux translucides, contactez le **Cooperative Sub 5 Terre** (☎ 0187 92 05 96 ; Via San Giacomo ; ☉ variables selon les saisons), qui loue aussi des canoës et des kayaks.

Des B&B et une poignée d'hôtels sont situés dans le village, ainsi que des agences de location de chambres et d'appartements comme **Edi** (☎ 0187 92 03 25 ; Via Colombo 111) et **La Dolce Vita** (☎ 0187 76 00 44 ; Via Colombo 120). Parmi les chambres bon marché avec vue sur le port figurent celles de **La Casa di Venere** (☎ 349 075 31 40 ; www.lacasadivenere.com ; Via Sant'Antonio 114 ; s sans sdb 30-50 €, d sans/avec sdb 40-60/50-70 €), près du haut de la rue principale.

Bars et restaurants bordent la Via Colombo : notamment le **Bar Centrale** (☎ 0187 76 00 75 ; Via Colombo 144 ; en-cas à partir de 5 € ; ☉ 7h30-24h), le plus animé tard le soir jusqu'à tôt le matin, et **La Lampara** (☎ 0187 92 01 20 ; Via Malborghetto 2 ; repas 25 € ☉ 7h-24h) qui propose pizzas et pâtes *al pesto*.

RANDONNÉES DANS LES CINQUE TERRE

Si le **Sentiero Azzurro** est l'un des chemins les plus fréquentés d'Italie, et l'un des rares dont l'accès est payant, il y a une raison. Il permet sans doute la randonnée littorale la plus magnifique du pays, son itinéraire empruntant un ancien réseau de sentiers reliant les villages des Cinque Terre depuis plus d'un millénaire. De panorama en panorama, il traverse des oliveraies balayées par le vent et des vignes qui semblent indéracinables, et plonge au petit bonheur dans chacun des cinq villages pittoresques où une poignée de curiosités historiques peuvent aisément transformer cette randonnée de 12 km en un marathon se prolongeant sur une journée.

L'Azzurro est un sentier étroit et escarpé, pourtant accessible à tous les randonneurs. La plupart des marcheurs privilégient la direction est-ouest, en partant de Riomaggiore pour finir à Monterosso, et commencent ainsi par la célèbre Via dell'Amore. Si vous préférez ne pas tout parcourir, essayez de randonner jusqu'au village du milieu, Corniglia, et revenez en train.

À peine moins long qu'un vrai marathon, le **Sentiero Rosso** qui chemine sur 38 km – de Porto Venere à Levanto – constitue un défi pour les bons randonneurs qui essaient de le parcourir en 9 à 12 heures. C'est une prouesse que vous n'oublierez pas, surtout quand vous arriverez dans la station balnéaire de Levanto où vous dégusterez enfin cette glace ou cette bière fraîche dont vous rêviez.

L'autre avantage est la (relative) solitude. Les randonneurs sont peu nombreux sur ce sentier qui est en grande partie plat, ombragé et ponctué de toute une série de raccourcis. On peut partir tôt grâce à des liaisons efficaces en train ou en bus pour Porto Venere (via La Spezia), et des rafraîchissements sont garantis en route grâce à quelques bars et restaurants accueillants.

Indiqué sentier N°1 sur les cartes, le Sentiero Rosso est bien balisé sur tout le trajet.

La Lanterna (☎ 0187 92 05 89 ; Via San Giacomo, Loc Marina ; repas 25-33 €) est perchée juste à côté du charmant port de Riomaggiore où s'entassent bateaux retournés et filets de pêche. Installé sur l'agréable terrasse, faites votre choix parmi la pêche du jour. Gardez un peu de place pour le dessert, un *babà al limoncello* par exemple (baba à la liqueur de citron). En face, dégustez du vin au verre à **Dau Cila** (☎ 0187 76 00 32 ; Via San Giacomo, Loc Marina ; vin et en-cas 10 € ; ◷ 8h-2h mars-oct), accompagnant des plats froids comme du thon fumé aux pommes et citron ou des anchois marinés au citron avec poires et parmesan. Pour atteindre le port, descendez les marches depuis l'extrémité sud de Via Colombo.

COMMENT S'Y RENDRE ET CIRCULER
Bateau
En été, les bateaux de la Cooperativa Battellieri del Golfo Paradiso (p. 205) desservent les Cinque Terre depuis Gênes.

Des services saisonniers vers/depuis Santa Margherita (AS/AR 14/24,50 €) sont gérés par le Servizio Marittimo del Tigullio (p. 209).

De fin mars à octobre, le Consorzio Maritimo Turistico Cinque Terre Golfo dei Poeti, basé à La Spezia (p. 215), propose des navettes quotidiennes entre tous les villages des Cinque Terre, sauf Corniglia, moyennant 16 € l'aller simple tous arrêts compris, 21 € l'aller-retour lun-ven et 23 € le week-end.

Train
Entre 6h30 et 22h, de 1 à 3 trains longent la côte entre Gênes et La Spezia et font halte à tous les villages des Cinque Terre. La carte Cinque Terre Treno (voir l'encadré p. 210) permet d'effectuer des trajets illimités en 2ᵉ classe entre Levanto et La Spezia.

Voiture et moto
Les véhicules particuliers ne peuvent pas entrer dans les villages. Si vous êtes motorisé, vous devrez vous garer dans les parkings (2,30 €/heure ou 19 €/24 heures). Depuis les parkings jusqu'à l'entrée des villages, il reste une marche raide de 1 km, voire plus ; dans certains villages, des minibus font la navette (1,50/2,50 € AS/AR) depuis les parkings ; les horaires varient selon la saison, renseignez-vous aux parkings.

La Spezia
94 200 habitants
Pour les voyageurs, la ville portuaire laborieuse de La Spezia n'est guère plus qu'un passage obligé vers les Cinque Terre. Pourtant, sans jouir des charmes des villages voisins distingués par l'Unesco, la plus grande base navale d'Italie possède de réels atouts architecturaux. Un charme presque génois se dégage des rues étroites et sinueuses de la vieille ville, surplombée par le château médiéval San Giorgio et délimitée par la Via Prione piétonne. Dans l'esprit de la gastronomie du Nord-Ouest, une poignée de restaurants jalonnent l'artère principale, mêlés à un petit réseau de trattorias douillettes proposant les spécialités liguriennes de base : vin, pain et pesto.

L'animation est à son comble le 19 mars, **jour de fête** du saint patron de la ville, San Giuseppe. Un marché envahit le port, et la base navale (fermée le reste de l'année) est ouverte au public pour la journée.

RENSEIGNEMENTS
Bureau du parc des Cinque Terre (☎ 0187 74 35 00 ; accès Internet 0,80 €/10 min ; ◷ 7h-20h). Dans la gare ferroviaire. Voir p. 211 pour les autres bureaux du parc.
Office du tourisme (☎ 0187 25 43 11 ; www. aptcinqueterre.sp.it ; Viale Giuseppe Mazzini 47 ; ◷ 9h-13h et 14h30-17h30 lun-sam, 9h-13h dim)
Police (☎ 0187 56 71 ; Viale Italia 497)
Poste (☎ 0187 79 61 ; Piazza Verdi ; ◷ 8h-18h30 lun-sam)

À VOIR ET À FAIRE
Le **Museo Amedeo Lia** (☎ 0187 73 11 00 ; www.castagna. it/mal ; Via Prione 234 ; adulte/enfant 6/3 € ; ◷ 10h-18h mar-dim) a investi un monastère restauré du XVIIᵉ siècle. Ses toiles du XIIIᵉ au XVIIIᵉ siècle sont signées de grands maîtres tels que le Tintoret, Montagna, Titien et Pietro Lorenzetti. Il donne également à voir des bronzes romains, des crucifix précieux et des partitions musicales enluminées. À côté, la Palazzina delle Arti, du XIXᵉ siècle, abrite le **Museo del Sigilio** (☎ 0187 77 85 44 ; Via Prione 236 ; 3 € ; ◷ 16h-19h mar, 10h-12h et 16h-19h mer-dim), qui regroupe plus de 1 500 sceaux et cachets, certains datant de 4000 av. J.-C.

Citons aussi, parmi les collections conservées à La Spezia, un assortiment d'objets archéologiques locaux de la préhistoire à l'époque médiévale présenté au **Castello di San Giorgio** (☎ 0187 75 11 42 ; www.castagna.it/sangiorgio ; Via XXVII Marzo ; adulte/enfant 5/4 € ; ◷ 9h30-12h30 et 15h-18h mer-lun mai et sept-oct, 9h30-12h30 et 17h-20 mer-lun juin-août, 9h30-12h30 et 14h-17h nov-avr), ainsi que les maquettes de bateaux et les *polene* (figures de proue) du **Museo Tecnico Navale** (☎ 0187 78 30 16 ; Viale Amendola 1 ; 1,55 € ; ◷ 8h-18h45 lun-sam, 8h-13h dim), musée naval fondé en 1870.

Pour une liste des clubs de plongée dans le golfe, contactez le **CNA** (☎ 347 490 90 66 ; www.consorzioliguriadiving.it), basé à La Spezia.

OÙ SE LOGER ET SE RESTAURER

Les hôtels bon marché foisonnent près de la gare ferroviaire, mais beaucoup sont un peu miteux. Le front de mer compte de nombreuses adresses où se restaurer et prendre un verre.

Albergo Birillo (☎ 0187 73 26 66 ; Via Dei Mille 11/13 ; s 30-50 € , d 55-75 €). Taverne accueillante où l'étroitesse des chambres est compensée par l'amabilité des propriétaires qui vous indiqueront les merveilles cachées de la ville, voire vous accompagneront à la gare. À quelques pâtés de maisons de la Via Prione et à proximité de nombreux bons restaurants, voici une alternative économique aux hébergements des Cinque Terre.

Hotel Firenze e Continentale (☎ 0187 713 200 ; www.hotelfirenzecontinentale.it ; Via Paleocapa 7 ; s 50-94 € , d 68-134 € ; 🖼). Plongez dans des chambres 1900 avec des hauts plafonds, de lourdes tentures et des lampes murales. Ce trois-étoiles est l'une des meilleures adresses près de la gare ferroviaire.

Le Ville Relais (☎ 0187 73 52 99 ; www.levillerelais.it ; Salita al Piano 18/19 ; s 80-100 € , d 100-120 € ; 🅿 🖼 🖥 🖭). À 3 km du centre ville, une nouvelle villa chic à flanc de colline avec vue sur le golfe des Poètes, notamment depuis la piscine. Des chambres claires et vastes à l'ameublement raffiné. Internet gratuit. Des gâteaux maison sont servis au petit déjeuner, et un nouveau restaurant devrait avoir ouvert.

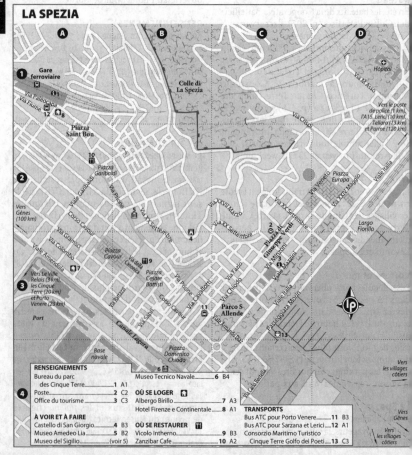

LA SPEZIA

RENSEIGNEMENTS
Bureau du parc des Cinque Terre	1 A1
Poste	2 C2
Office du tourisme	3 C3

À VOIR ET À FAIRE
Castello di San Giorgio	4 B3
Museo Amedeo Lia	5 B2
Museo del Sigilio	(voir 5)
Museo Tecnico Navale	6 B4

OÙ SE LOGER
Albergo Birillo	7 A3
Hotel Firenze e Continentale	8 A1

OÙ SE RESTAURER
Vicolo Intherno	9 B3
Zanzibar Cafe	10 A2

TRANSPORTS
Bus ATC pour Porto Venere	11 B3
Bus ATC pour Sarzana et Lerici	12 A1
Consorzio Maritimo Turistico Cinque Terre Golfo dei Poeti	13 C3

Vicolo Intherno (☎ 0187 23 99 8 ; Via della Canonica 22 ; repas env 20 € ; ☯ mar-sam). Prenez place autour de l'une des grandes tables de bois sous les poutres du plafond de ce restaurant affilié Slow Fish, et dégustez la *torta di verdure* (tourte aux légumes liguriens) ou du stockfish arrosé d'un cépage local.

Zanzibar Cafe (☎ 334 804 59 41 ; Via Prione 289 ; en-cas 5-10 € ; ☯ 6h30-20h30 mar-jeu, 6h30-1h ven et sam). Les restaurants et cafés ne manquent pas sur la Via Prione. Tirez à pile ou face, et vous finirez peut-être au très fréquenté Zanzibar, où des sièges zébrés et une lumière choisie lui donnent des airs branchés. Arborez vos plus jolies lunettes de soleil et savourez une boisson glacée, des antipasti, des *panini* et des desserts.

DEPUIS/VERS LA SPEZIA

Les bus d'**Azienda Trasporti Consortile** (ATC ; ☎ 800 322322 ; www.atclaspezia.it) sont le seul moyen de rejoindre les villes proches : Porto Venere (1,45 €, ttes les 30 min de la Via Domenico Chiodo), Lerici (1,45 €, ttes les 15 min) et Sarzana (1,60 €, 2 ou 3/jour), les deux derniers depuis la gare ferroviaire. Les services sont moins fréquents le dimanche.

La Spezia se trouve sur la ligne ferroviaire Gênes-Rome et des trains desservent Milan (21 €, 3 heures, 4/jour), Turin (24 €, 3 heures, plusieurs fois par jour) et Pise (5 €, 50 min, presque ttes les heures). Les Cinque Terre et les localités côtières sont faciles d'accès en train (voir p. 213).

Le **Consorzio Maritimo Turistico Cinque Terre Golfo dei Poeti** (☎ 0187 96 76 76 ; www.navigazionegolfodeipoeti. it ; Passeggiata Constantino Morin) assure des services de bateaux pour Gênes et Lerici, ainsi que les localités côtières, dont celles des Cinque Terre, sauf Camogli.

Porto Venere

4 000 habitants

Ville chargée d'histoire, juchée sur le promontoire ouest du golfe des Poètes, Porto Venere est parcourue d'un lacis de ruelles et d'escaliers et possède un port ravissant. Édifiée par les Romains comme base stratégique sur la route reliant la Gaule à l'Espagne, l'ancienne Portus Veneris vit passer au cours des siècles Byzantins, Lombards, Génois et troupes napoléoniennes. Le très long chemin de grande randonnée Sentiero Rosso qui relie les Cinque Terre à Levanto débute ici, juste derrière le château. À vos marques, prêt…

L'**office du tourisme** (☎ 0187 79 06 91 ; www. portovenere.it ; Piazza Bastreri 7 ; ☯ 10h-12h et 15h-18h jeu-mar sept-mai, 10h-12h et 15h-20h tjl juin-août) vend quelques cartes et des guides de randonnée utiles. En dehors de la frénésie estivale, Porto Venere tient un peu de la ville fantôme.

À VOIR

Depuis le front de mer, des marches étroites et des chemins pavés montent à la **Chiesa di San Lorenzo** (bâtie en 1130). Dans l'ombre de l'église se dresse le **Castello Doria** (adulte/ enfant 2,20/1,20 € ; ☯ 10h30-13h30 et 14h30-18h tlj avr-août, 10h30-13h30 et 14h30-18h sam-dim sept-mars) du XVIe siècle, formidable exemple d'architecture militaire génoise offrant une vue magnifique depuis ses jolis jardins en terrasse.

Au bout du quai se déploie une vue superbe sur les Cinque Terre depuis les rochers aménagés de la **Grotta Arpaia**, où plane encore l'ombre de Byron, qui traversa le golfe à la nage de Porto Venere à Lerici pour rendre visite à son ami Shelley. Des vestiges d'un temple païen ont été mis au jour dans la **Chiesa di San Pietro** (édifiée en 1277), de marbre rayé noir et blanc, sur le quai. À quelques encablures du promontoire émergent les minuscules îlots de **Palmaria**, de **Tino** et de **Tinetto**.

OÙ SE LOGER ET SE RESTAURER

Albergo Genio (☎ 0187 790 6 11 ; www.hotelgenioportovenere. com ; Piazza Bastreri 8 ; s 75-90 € , d 95-120 € ; ☯ mi-fév à mi-jan ; P ☒). De la Piazza Bastreri, un escalier en spirale dans la tour vous conduit à ce charmant hôtel louant sept chambres. L'été, le petit déjeuner est servi sous la vigne, et certaines chambres sont climatisées.

La Lanterna (☎ 0187 79 22 91 ; www.lalanterna.portovenere. it ; Via Capellini 109 ; d 75-85 € ; ☒). Près du pittoresque port de Porto Venere, une petite pension proposant 2 chambres claires (possibilité de louer un appartement pour 4 sur demande). Le petit déjeuner n'est pas inclus, mais reste possible, à moins que vous n'optiez pour un des cafés voisins.

Locanda Lorena (☎ 0187 79 23 70 ; Via Cavour 4). Sur l'île de Palmaria, des chambres et un délicieux restaurant. Appelez pour en savoir plus et pour qu'on vous envoie un bateau.

Une demi-douzaine de restaurants bordent Calata Doria, située au bord de la mer. La principale artère de la vieille ville, la Via Cappellini, compte plusieurs établissements de qualité.

DEPUIS/VERS PORTO VENERE

Plusieurs bus desservent Porto Venere quotidiennement depuis La Spezia (voir p. 215).

De fin mars à octobre, le Consorzio Maritimo Turistico Cinque Terre Golfo dei Poeti (p. 215), basé à La Spezia, assure un service en bateau entre Porto Venere et les Cinque Terre (aller, tous les arrêts 15 €, retour de 20 à 22 €) ; il propose des excursions aux îles de Palmaria, Tino et Tinetto (9 €) et dessert aussi La Spezia et Lerici (appelez pour connaître les horaires saisonniers).

Lerici et ses environs
11 200 habitants

Dans ce lieu de villégiature très chic, aux villas avec piscine accrochées aux falaises, les jardins publics datant des années 1930 sont plantés de magnolias, d'ifs et de cèdres.

Pour jouir d'une magnifique vue, montez à pied ou par l'ascenseur public jusqu'au **Castello di Lerici** (Piazza San Giorgio 1) du XIIe siècle. L'**office du tourisme** (☎ 0187 96 73 46 ; info@aptcinqueterre.sp.it ; Via Biaggini 6 ; ✆ 9h-13h et 14h30-17h30 lun-sam, 9h-13h dim) vous conseille sur les promenades à pied et à vélo, ainsi que sur l'hébergement.

Au départ de Lerici, un chemin côtier panoramique de 3 km en direction du nord mène à **San Terenzo**, petit village en bord de mer, doté d'une plage de sable et d'une forteresse génoise. Dans les années 1820, les époux Shelley séjournèrent dans la Villa Magni (fermée au public) qui fait face à la mer. Le poète se noya au large en 1922 quand son bateau coula en revenant de Livourne.

Une autre promenade longe le bord de mer sur 4 km, au sud ; après avoir dépassé plusieurs petites baies, vous arrivez à **Tellaro**, hameau de pêcheurs aux maisons roses et orange qui se pressent le long de ruelles étroites et autour de placettes minuscules. Asseyez-vous sur les rochers, à la **Chiesa di San Giorgio**, dont la légende veut que les cloches, sonnées par une pieuvre, aient prévenu les villageois d'une attaque des Sarrasins. Tellaro abrite un repaire de gourmands, la **Locanda Miranda** (☎ 0187 96 40 12 ; www.locandamiranda.com ; Via Fiascherina 92 € ; d 120 €, d demi-pension 180 €, menu 40-60 €, plats 20 € ; **P**), exquise auberge de 7 chambres ornées d'antiquités et d'œuvres d'art. Le restaurant étoilé par Michelin sert des spécialités de la mer.

Val di Magra

À la frontière de la Toscane, la plus grande ville de la vallée de Magra, **Sarzana** (20 120 habitants),

était un avant-poste de la république génoise. Sa **cathédrale** conserve un très ancien crucifix peint sur bois. Avant de rejoindre le parc protégé de cette jolie région, le **Parco di Montemarcello-Magra**, passez au **centre d'information** (☎ 0187 69 10 71 ; www.parcomagra.it ; Via Paci 2), à Sarzana.

Le centre fournit également des renseignements sur les sites archéologiques du Val di Magra, comme **Luni** (☎ 0187 6 68 11 ; adulte/enfant 2 €/gratuit ; ✆ 8h30-19h30 mar-dim), à 6 km au sud-est de Sarzana. Cette colonie romaine, établie en 177 av. J.-C. sur le site d'un village étrusque, connut la prospérité jusqu'au XIIIe siècle, époque à laquelle l'envasement du port provoqua une recrudescence de la malaria et l'abandon de la ville en 1204. Vous pourrez voir les vestiges d'un amphithéâtre, d'un forum, de temples et d'habitations ainsi que plusieurs pavements en mosaïque et des fresques remarquables.

RIVIERA DI PONENTE

Dessinant une courbe de Gênes à la frontière française, cette partie de la côte ligurienne est plus plate et que la clinquante Rivieria di Levante. Ainsi, on y trouve des points de chute étonnamment tranquilles, particulièrement entre Noli et Finale Ligure.

Les falaises calcaires attirent des adeptes de l'escalade libre venus d'Italie et d'ailleurs, et les montagnes de l'arrière-pays, qui se découpent derrière les falaises, sont parsemées de villages perchés.

Savone (Savona)
62 000 habitants

Derrière les équipements portuaires de Savone, le centre médiéval d'une grâce étonnante mérite un détour. Parmi les trésors rescapés des destructions commises par les Génois au XVIe siècle figurent la baroque **Cattedrale di Nostra Signora Assunta** (Piazza Cattedrale) et la massive **Fortezza del Priamàr** (Piazza Priamar). Cette imposante forteresse abrite deux musées consacrés à la sculpture ainsi que le musée archéologique **Civico Museo Storico Archeologico** (☎ 019 82 27 08 ; Piazza Priamar ; adulte/enfant 2,50/1,50 € ; ✆ 10h-12h et 15h-17h mar-sam, 15h-17h dim juin-sept, 9h30-12h30 et 15h-17h lun-ven, 10h-12h et 15h-17h sam, 15h-17h dim oct-mai).

Les amateurs d'art ne manqueront pas la **Pinacoteca Civica Savona** (☎ 019 81 15 20 ; Piazza Chabrol 1/2 ; adulte/enfant 4/2 € ; ✆ 8h30-13h et 14h-19h lun, mar et jeu, 14h-21h mer et ven, 8h30-13h et 20-23h sam-dim jui

LES CINQ MEILLEURS SITES DE PLONGÉE DE LIGURIE

Réserves marines protégées, épaves, grottes souterraines et crevasses offrent aux plongeurs de tous les niveaux de fascinantes explorations sous-marines. Les opérateurs de plongée sont cités dans les rubriques *À voir et à faire* de ce chapitre.

■ **BR-20** Ce bombardier italien Fiat BR-20 s'est abîmé en 1940 près de Vintimille, sans subir de dégât structurel. Niveau difficile.

■ **Secca Isuela** Dans une zone protégée, ce pic rocheux sous-marin près de Camogli est visité par une foule de poissons qui viennent y dévorer les anchois. Niveau moyen.

■ **Parete** À l'ouest de la minuscule île de Tino, près de Porto Venere, la paroi fissurée de Parete abrite scorpions de mer et congres. Niveau facile.

■ **Punta Portofino** Des rochers assez grands pour cacher des mérous se dressent près de Portofino, parmi des courants parfois traîtres. Niveau difficile.

■ **Bettolina** À 10 minutes en bateau de Sestri Levante, ce bateau allemand de la Seconde Guerre mondiale arbore de rares anémones bijoux sur son échelle arrière. Niveau moyen.

et août, 8h30-13h et 14h-19h lun, mar et jeu, 14h-21h mer et ven, 8h30-13h et 15h30-18h30 sept-juin) qui expose des peintures religieuses des XIVᵉ et XVᵉ siècles, notamment une *Vierge à l'Enfant* par Taddeo di Bartolo. Vous verrez aussi deux Picasso.

L'**office du tourisme** (☎ 019 840 23 21 ; iatsavona@ infocomm.it ; Corso Italia 157r ; ☺ 9h-12h30 et 15h-18h lun-sam, 9h-12h30 dim avr-sept, 9h-12h30 et 15h-18h mar-sam jan-mars, oct et nov) n'est pas loin à pied de la **plage** de sable.

Des **excursions d'observation des baleines** (☎ 010 26 57 12 ; www.whalewatchliguria.it ; adulte/enfant 35/23 €) de 6 à 7 heures quittent Savone à 10h de juillet à septembre.

OÙ SE LOGER ET SE RESTAURER

L'office du tourisme vous aide à réserver une chambre, ici et dans les villes de la côte plus à l'ouest. Savone possède l'une des rares auberges de jeunesse de Ligurie, **Villa de' Franceschini** (☎ 019 26 32 22 ; www.ostellionline.org ; Via alla Strà 'Conca Verde' 29 ; dort/d 13/32 € ; ☺ mi-mars à oct ; ℗ ▣ ☐), à 3 km de la gare ferroviaire dans un grand parc. Autre adresse bon marché, l'**Albergo Savona** (☎ 019 82 18 20 ; Piazza del Popolo 53 ; s 30-40 €, d 45-62 €), sans prétention, est coincé entre la gare ferroviaire et la vieille ville.

En entrant dans le restaurant **Vino e Farinata** (Via Pia 15 ; repas 17-20 € ; ☺ mar-sam), dans l'une des rues pavées du centre, vous passez devant les deux chefs, l'un qui enfourne du poisson dans un four à bois et l'autre qui prépare de la pâte dans une énorme baratte. Le résultat : la *farinata ligurienne*, spécialité des restaurants locaux qui l'accompagnent d'un très bon vin.

DEPUIS/VERS SAVONE

Les **bus de la SAR** (☎ 0182 215 44) et d'**ACTS** (☎ 019 2 20 11) partent de la Piazza del Popolo et de la gare ferroviaire pour rallier l'intérieur des terres. Le n°2 relie la gare à la forteresse. Si vous longez à pied la Via Collodi et la Via Don Minzoni, vous arrivez à la gare, puis vous traversez la Letimbro, en direction de la Piazza del Popolo, d'où la Via Paleocapa vous mène jusqu'à la marina.

Des trains circulent le long de la côte jusqu'à la Stazione Brignole de Gênes (3,30 €, 45 min, ttes les heures environ) et San Remo (5,70 €, 1 heure 45, 8/jour).

Trois bateaux de **Corsica Ferries** (☎ 019 21 55 11 ; corsicaferries.com) circulent quotidiennement entre le Porto Vado de Savone et la Corse.

Noli
3 000 habitants

À l'ouest de Savone, Noli est l'un des joyaux de la côte ligurienne et un havre pour les amateurs de calme. De son centre historique, des remparts bien préservés montent en zigzaguant sur le flanc du **Monte Ursino** (120 m), où se dressent les ruines d'un château du XIᵉ siècle. La balade le long de cette muraille jusqu'au château offre un panorama spectaculaire des huit **tours génoises** encore existantes.

L'église la plus ancienne de Noli, **San Paragorio**, date de l'an 1000 sous sa forme romane actuelle, et l'on a longtemps pensé que sa construction d'origine datait de 800. Des découvertes archéologiques effectuées fin 2006 tendraient à prouver que l'église est en fait bien plus ancienne.

Les pêcheurs vendent leurs prises aux villageois tous les matins sur la jolie **plage** de Noli, d'où la vue s'étend jusqu'à la Toscane.

Le petit **office du tourisme** de Noli (☎ 019 749 90 03 ; Corso Italia 8 ; 🕙 9h-12h et 14h30-18h lun-sam, 9h-12h dim avr à mi-sept, 9h-12h et 14h30-18h lun-sam 15 sept-fin mars) informe sur les hôtels, les restaurants, et les sports comme la **planche à voile**.

Les bus **SAR** (☎ 0182 21 54 44) desservent Savone toutes les 30 minutes dans les deux sens (2,20 €, 30 min), et continuent jusqu'à Finale Ligure et Finalborgo (1,30 €, 20 min).

Finale Ligure
12 300 habitants

Entourée d'une végétation méditerranéenne luxuriante, cette localité se compose en fait de plusieurs quartiers. **Finale Ligure** possède une grande plage de sable blanc et fin ; le centre médiéval, ceint de remparts, **Finalborgo**, est un entrelacs de ruelles sinueuses, à 1 km de la côte, sur la Pora. **Finale Marina** regarde la mer, et le quartier résidentiel de **Finale Pia** s'étend le long de la Sciusa, en allant vers Gênes.

Chaque année en mars, les cloîtres de Finalborgo accueillent le **Salone dell'Agroalimentare Ligure**, où fermiers et producteurs locaux proposent spécialités et vins.

Hotel Florenz (☎ 019 69 56 67 ; www.florenz.it ; Via Celesia 1 ; s 52-75 €, d 74-120 € ; 🕙 fermé nov et fév ; 🅿 🖥 🐾). Cet ancien couvent du XVIIIe siècle, situé à l'extérieur des murailles de Finalborgo (à 800 m de la mer), est l'un des lieux les plus agréables où faire étape. Son rival, **Castello Vuillermin** (☎ 019 69 05 15 ; Via Generale Caviglia 46 ; dort/d 15,50/44 €) est une auberge de jeunesse tout simplement installée dans un château, dont la terrasse offre une vue superbe. À 1 km de la gare et au sommet de plus de 300 marches. Les non-membres sont acceptés contre un modeste supplément.

La rustique **Osteria ai Cuattru Canti** (☎ 019 68 05 40 ; menu 20 € ; 🕙 mar-dim), dans le centre historique de Finalborgo, prépare une cuisine ligurienne délicieuse.

De la **gare ferroviaire**, située sur la Piazza Vittorio Veneto, à l'extrémité ouest de Finale Marina, empruntez la Via Saccone jusqu'à la mer et l'**office du tourisme** (☎ 019 68 10 19 ; finaleligure@ inforiviera.it ; Via San Pietro 14 ; 🕙 9h-12h30 et 15h-18h30 lun-sam, 9h-12h dim). La promenade qui longe la Via San Pietro et la Via Concezione, ainsi que l'artère piétonne, la Via Roma, fourmillent de restaurants.

Les **bus de la SAR** (☎ 0182 215 44) font la navette, toutes les 30 minutes environ, le long de la côte depuis/vers Finale Ligure et Savone (2 €, 50 min), et font halte à Finalborgo (1 €, 5 min) et Noli (1,30 €, 20 min).

D'Albenga à Imperia

La Ligurie compte ici l'une de ses rares étendues plates, mise à profit pour la culture des fruits, des légumes et des fleurs.

La région est bien desservie par les trains et bus SAR (3,40 € pour Savone).

Albenga (22 760 habitants) offre la halte la plus intéressante. Habitée dès le Ve siècle av. J.-C., cette cité romaine devint une république maritime indépendante au Moyen Âge, et a préservé à ce jour son centre médiéval. Son **office du tourisme** (☎ 0182 55 84 44 ; albenga@inforiviera.it ; Lungocorsa Croce Bianca 12 ; 🕙 9h-12h30 et 15h-18h30 mar-sam) propose de nombreuses informations utiles sur les sites de la ville.

Le **musée diocésain d'Art sacré** (Museo Diocesano d'Arte Sacra ; Via Episcopio 5 ; adulte/enfant 3/1 € ; 🕙 10h-12h et 15h-18h mar-dim) d'Albenga, fier de posséder un tableau du Caravage, se situe à côté d'un **baptistère** du Ve siècle et d'une **cathédrale** romane. Une jolie collection d'amphores à vin du Ier siècle, découvertes en 1950 dans l'épave d'un navire romain échoué à 4 km de ses côtes, est présentée au **Musée naval romain** (Museo Navale Romano ; ☎ 0182 5 12 15 ; Piazza San Michele 12 ; adulte/enfant 3/1 € ; 🕙 9h30-12h30 et 15h30-19h30 mar-dim juil et août, 10h-12h30 et 14h30-18h mar-dim sept-juin).

Alassio (11 365 habitants) est une ville plus touristique (et sensiblement plus chère). Ses 3 km de plage de sable blanc ont longtemps été une destination privilégiée pour des célébrités américaines comme Hemingway, qui ont laissé leur marque, sous forme d'autographes, sur le **Muretto di Alassio**. Ce "mur de gloire" s'étend entre la mer et la gare ferroviaire Art nouveau. Si vous vous rendez à Alassio, ne manquez pas les *bacci* d'Alassio – biscuits fourrés au chocolat.

La bourdonnante **Imperia** (39 518 habitants) a été créée en 1923 par Mussolini lorsqu'il fit jeter un pont sur l'Impero pour réunir les villes d'Oneglia (à l'est) et de Porto Maurizio (à l'ouest). Cette dernière est dominée par une grande cathédrale néoclassique et mérite une petite promenade. L'office du tourisme de Savone (voir p. 217) vous renseignera sur la région.

San Remo

50 900 habitants

À 50 km à l'est de la capitale européenne du jeu, San Remo est le Monte-Carlo de l'Italie : une station balnéaire pourvue d'un casino, d'une poignée de villas tape-à-l'œil et empreinte de toute la majesté de la Riviera. Surnommée "la cité des fleurs" pour ses floraisons estivales, San Remo accueille un festival de musique annuel (qui aurait inspiré la création de l'Eurovision) et la plus longue course cycliste d'une journée du monde, les 298 km du Milan-San Remo.

Au milieu du XIXᵉ siècle, la ville attirait les monarques comme l'impératrice Élisabeth d'Autriche ou le tsar Nicolas de Russie, qui appréciaient la douceur de ses hivers. L'inventeur suédois Alfred Nobel y possédait une villa. L'église orthodoxe russe au dôme en forme de bulbe fait penser à la cathédrale Saint-Basile de Moscou.

Outre des pelouses parfaitement entretenues et des hôtels Belle Époque, San Remo cache une vieille ville peu fréquentée, labyrinthe d'allées sinueuses qui dévalent le relief. En aval, un chemin pour cyclistes et randonneurs longe la côte jusqu'à Imperia, suivant une ancienne voie de chemin de fer et traversant les deux ports très pittoresques de la ville.

RENSEIGNEMENTS

Procurez-vous à l'office du tourisme un exemplaire du mensuel gratuit *Riviera dei Fiori News*. Pour en savoir plus sur les environs, consultez les sites www.sanremoguide.com, www.sanremonet.com et www.sanremo manifestazioni.it.

Hôpital (☎ 0184 53 61 ; Via Giovanni Borea 56)
Office du tourisme (☎ 0184 5 90 59 ; www.rivieradei fiori.org ; Largo Nuvoloni 1 ; ☽ 8h-19h lun-sam, 9h-13h dim)
Police (☎ 0184 5 23 71 ; Corso Felice Cavallotti 16)
Poste (Via Roma 156 ; ☽ 8h-18h lun-sam)

À VOIR ET À FAIRE

À côté de l'office du tourisme, l'**église russe orthodoxe** (Chiesa Russa Ortodossa ; ☎ 0184 53 18 07 ; Via Nuvoloni 2 ; 1 € ; ☽ 9h30-12h et 15h-18h), multicolore, a été construite par la communauté russe qui avait suivi l'impératrice Maria Alexandrovna à San Remo. Les bulbes et l'intérieur bleu pâle de l'église furent conçus en 1906 par Alexei Shchusev qui, vingt ans plus tard, dessina les plans du mausolée de Lénine à Moscou.

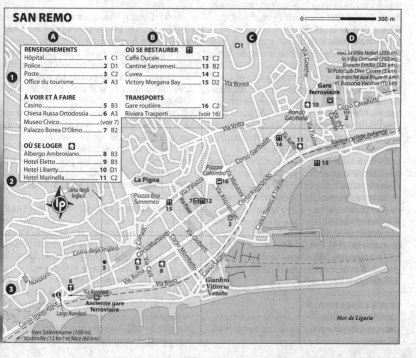

SAN REMO

RENSEIGNEMENTS	
Hôpital	1 C1
Police	2 D1
Poste	3 C2
Office du tourisme	4 A3

À VOIR ET À FAIRE	
Casino	5 B3
Chiesa Russa Ortodossia	6 A3
Museo Civico	(voir 7)
Palazzo Borea D'Olmo	7 B2

OÙ SE LOGER 🏠	
Albergo Ambrosiano	8 B3
Hotel Eletto	9 B3
Hotel Liberty	10 D1
Hotel Marinella	11 C2

OÙ SE RESTAURER 🍴	
Caffè Ducale	12 C2
Cantine Sanremesi	13 B2
Cuvea	14 C2
Victory Morgana Bay	15 D2

TRANSPORTS	
Gare routière	16 C2
Riviera Trasporti	(voir 16)

Vers la Villa Nobel (250 m), la Villa Ormond (250 m), Bianchi Emilio (325 km), le Polo Sub Dive Centre (5 km), le marché aux fleurs (6 km) et Bussana Vecchia (10 km)

Gare ferroviaire

Corso Cavallotti
Via Goethe
Via Borea
Via della Castello
Rondò Garibaldi
Riviera cycliste italienne
Via Volta
Corso Garibaldi
Via Mombello
Via Fiume
Piazza Colombo
La Pigna
Piazza Eroi Sanremesi
Via Palazzo
Via Manzoni
Corso Raimondo
Corso Trento e Trieste
Via Aquasola
Corso degli Inglesi
Via Roma
Corso Matteotti
Corso Cavour
Via Gioberti
Via Bixio
Corso Mombello
Corso Sauro
Giardini Vittorio Veneto
Via Nuvoloni
Ancienne gare ferroviaire
Largo Nuvoloni
Corso Imperatrice
Vers Solentiname (100 m), Vintimille (12 km) et Nice (60 km)
Mer de Ligurie

0 — 300 m

LIGURIE, PIÉMONT ET VAL D'AOSTE

Aujourd'hui, des icônes russes y sont exposées. À proximité, le fameux **casino** (Corso degli Inglesi), bâti en 1905, est toujours en activité.

La promenade le long du Corso Matteotti, bordé de commerces, vous conduira au **Palazzo Borea d'Olmo**, édifié au XVe siècle. Ce palais somptueux donne accès au **Museo Civico** (☎ 0184 53 19 42 ; Corso Matteotti 143 ; entrée libre ; ☉ 9h-12h et 15h-18h mar-sam). Plusieurs salles, certaines ornées de belles fresques au plafond, mettent en scène des vestiges de la préhistoire et de l'Antiquité romaine, découverts lors de fouilles locales, des peintures et des expositions temporaires. Le tableau *Gloria di San Napoleone* (1808) de Maurizio Carrega, qui rend un hommage appuyé à Napoléon Ier, et des statues en bronze de Franco Bargiggia retiennent l'attention.

À l'est de la ville, vous verrez d'élégantes villas, dont la mauresque **Villa Nobel** (Corso Felice Cavallotti 112 ; entrée libre ; ☉ 11h-12h30 mar-ven), abritant un musée consacré à l'inventeur suédois Alfred Nobel, qui imagina ici le prix qui porte son nom, et les paisibles jardins japonais de la **Villa Ormond** (☎ 0184 50 57 62 ; Corso Felice Cavallotti 51 ; entrée libre ; ☉ jardins 8h-19h).

Vous pouvez assister aux enchères frénétiques qui ont lieu sur le plus grand **marché aux fleurs** d'Italie (Via Frantoi Canaii ; ☉ 6h-8h oct-juin), à 6 km à l'est de la ville.

Bussana Vecchia, à 10 km au nord-est de San Remo, accueille une intéressante communauté d'artistes. Le mercredi des Cendres 1887, un tremblement de terre détruisit le village. Dans les années 1960, des artistes arrivèrent dans ce village fantôme et le reconstruisirent en utilisant les pierres d'origine. Aujourd'hui, c'est une active communauté d'artistes internationaux qui y vit encore, malgré les tentatives des autorités visant à les déloger.

En toute cohérence pour une ville organisant une grande course cycliste, San Remo est en train de réaliser un chemin piéton et cyclable de 25 km surnommé la **Riviera cycliste italienne**. Sa plus grande partie – qui longe une ancienne voie ferrée – est aujourd'hui ouverte et on peut y louer des vélos. Renseignez-vous à l'office du tourisme (p. 219). Polo Sub Dive Centre (☎ 0184 53 53 35 ; Via Lungomare, Arma di Taggia) vous fait plonger pour 35 € la descente depuis la Darsena Porto à Taggia, à 5 km à l'est.

FÊTES ET FESTIVALS

Corso Fiorito (défilé des fleurs). Le dernier week-end de janvier, ce défilé coloré donne le coup d'envoi des festivités de l'année.

Festival de San Remo (www.festivaldisanremo.com) Hommage à la variété italienne, ce festival rassemble depuis 1951 des grands noms de la chanson italienne, en mars.

Rally Storico En avril, les célèbres courses automobiles de San Remo (www.sanremorally.it) accueillent des voitures fabriquées entre 1931 et 1981.

Rally Classic Il se déroule en mai.

Rally de San Remo La plus importante des courses automobiles ; fut lancée en 1926 et se tient en septembre.

OÙ SE LOGER

San Remo ne manque pas d'hôtels. Notez qu'en été et lors des festivals, les touristes sont nombreux et que quelques établissements ferment entre septembre et juste avant Noël.

Albergo Ambrosiano (☎ 0184 57 71 89 ; www.hotelambrosiano.it ; Via Roma 36 ; d 60-100 € ; ☒). Cet agréable hôtel loue 8 vastes chambres immaculées, mais le minuscule ascenseur est un véritable défi pour les voyageurs encombrés de bagages !

Hotel Eletto (☎ 0184 53 15 48 ; www.elettohotel.it ; Via G Matteotti 44 ; s 50-95 €, d 60-125 € ; P ☒). Central. Après l'entrée très Art nouveau, la réception accueillante vous dirige à l'étage vers votre chambre, propre, rénovée et bien insonorisée.

Hotel Liberty (Rondò Garibaldi 2 ; s 45-55 €, d 70-90 €). Jeunes propriétaires pour cet hôtel de 10 chambres dans une villa Art nouveau, non loin d'un rond-point à 100 m de la gare ferroviaire. Les chambres, petites mais propres, sont tranquilles et élégantes. La plupart des sites intéressants ne sont qu'à quelques pas.

Hotel Marinella (☎ 0184 50 59 00 ; www.hotelmarinella.it ; Via Ruffini 21 ; s 55-72 €, d 70-105 € ; ☒). Séparées de la mer par la route, la plupart des chambres ont des balcons, et toutes sont ensoleillées, spacieuses et impeccablement tenues. Le restaurant vitré donne un peu l'impression de manger dans un aquarium (plats environ 15 €), mais la vue sur la mer vaut le détour.

OÙ SE RESTAURER ET PRENDRE UN VERRE

Les trattorias bon marché abondent dans les ruelles de la vieille ville, autour de la Piazza Eroi Sanremesi, sans parler des snack-bars en plein air le long du Corso Nazario Sauro, la promenade qui domine le vieux port.

♥ **Cantine Sanremesi** (☎ 0184 57 20 63 ; Via Palazzo 7 ; plats 7-12 € ; ☉ mar-dim). Rencontrez les habitants dans cette taverne ancienne en dégustant des *trofie al pesto* ou un délicieux *stoccafisso alla sanremasa* (stockfish aux tomates et pommes de terre).

Cuvea (☎ 0184 50 34 98 ; Corso Giuseppe Garibaldi 110 ; menu 15-20 € , plats 8-9 € ; ⊙ déj lun-sam et dîner tlj juil et août, déj tlj et dîner lun-sam sept-juin). Établissement douillet et clair, décoré de rangées de bouteilles. Les habitués y savourent des pâtes au pesto.

Victory Morgana Bay (☎ 0184 59 16 20 ; Corso Trento e Trieste 16 ; plats 8-16 € ; ⊙ 11h-15h mar, 11h-2h mer-lun). Si proche de la mer qu'il paraît prêt à mettre les voiles, ce café-restaurant chic propose des salades, des poissons et des viandes grillées, parfois sur fond de musique live.

Caffè Ducale (☎ 0184 195 52 02 ; Via Matteotti 145 ; menu déj 18-22 € ; ⊙ 7h30-0h). Le panache italien mâtiné d'élégance à la San Remo fait de ce café-bar à vin-salon de thé l'un des établissements les plus raffinés de la côte. Savourez quelques *aperitivi* sous ses lustres imposants avant de dépenser toutes vos économies au casino.

Solentiname (☎ 0184 66 44 77 ; Lungomare Vittorio Emanuele 9 ; ⊙ 19h-tard mar-dim). DJ et musique live attirent les foules dans cette pizzeria-pub ; déjeuner possible en juil-août.

COMMENT S'Y RENDRE ET CIRCULER

Les bus **Riviera Trasporti** (☎ 0184 59 27 06 ; Piazza Colombo 42) partent de la gare routière pour la frontière française, en direction de l'est le long de la côte et pour des destinations dans l'arrière-pays.

De la gare ferroviaire souterraine, des trains réguliers (ttes les heures) desservent Gênes (8,10 € , 3 heures), Vintimille (1,90 € , 15 min) et les gares intermédiaires.

Vintimille (Ventimiglia)
26 800 habitants

Bien avant que soit tracée la frontière entre l'Italie et la France, Vintimille était une cité romaine appelée Albintimulium, qui survécut jusqu'à ce qu'elle soit assiégée par les Goths, au Ve siècle.

Prise en sandwich entre la route et la ligne de chemin de fer à la bordure est de la ville, l'**Area Archeologica** (ruines romaines ; entrée libre ; ⊙ 15h-17h30 sam et dim), qui témoigne du passé romain de Vintimille, abrite les vestiges d'un amphithéâtre et de thermes datant des IIe et IIIe siècles.

Aujourd'hui, la ville doit surtout sa renommée à son immense **marché du vendredi** (⊙ 8h-15h ou 16h), où des centaines d'étals proposent nourriture, vêtements, ustensiles, paniers et tutti quanti. Ce marché, installé autour de la Piazza della Liberta, près de la rivière, est très fréquenté par les Français de passage pour la journée.

Le Corso Genova dessert l'entrée est de la ville ; à l'ouest il devient la Via Cavour. L'**office du tourisme** (☎ 0184 35 11 83 ; Via T Hanbury 3a ; ⊙ 9h-12h30 et 15h30-19h lun-sam juil-août, 9h-12h30 et 15h-18h30 lun-sam sept-juin) n'est qu'à quelques pas de la gare ferroviaire.

Sur une colline de la rive ouest de la Roia, la cité médiévale de Vintimille est couronnée par une **cathédrale** (Via del Capo) du XIIe siècle. La cité elle-même est surtout résidentielle.

La flore des cinq continents s'épanouit aux **Giardini Botanici Hanbury** (☎ 0184 22 95 07 ; Corso Montecarlo 43, La Mortola ; adulte/enfant 7,50/4 € ; ⊙ 9h30-18h mi-juin à mi-sept, 9h30-17h mi-sept à mi-oct et mars à mi-juin, 9h30-16h mi-oct à fév). Aménagés en 1867 par un homme d'affaires anglais, les 18 ha de la villa Hanbury sont plantés de 5 800 espèces botaniques, notamment des cactus, des palmeraies et des vergers d'agrumes. C'est aujourd'hui une zone protégée, sous la tutelle de l'université de Gênes. Prenez le bus 1a dans la Via Cavour, à Vintimille ; il va jusqu'au poste-frontière de Ponte San Lodovico, d'où on peut marcher jusqu'aux grottes des Balzi Rossi, à la frontière française.

À 10 minutes à pied le long de la mer depuis le centre-ville, l'**Hotel Seagull** (☎ 0184 35 17 26 ; www.seagullhotel.it ; Passeggiata Marconi 24 ; s/d à partir de 55/75 € ; Ⓟ ⊗), tenu par une famille, offre des chambres simples mais jolies, un jardin parfumé et une terrasse aérée. Demi-pension ou pension complète. Des restaurants bon marché, à l'ambiance joyeuse, vous attendent vers la Via Cavour.

De la **gare ferroviaire** (Via della Stazione), le Corso della Repubblica mène à la plage. Des trains réguliers (un par heure) assurent la connexion avec Gênes (9,30 € , 2 à 3 heures 30), Nice (50 min) et d'autres destinations en France.

PIÉMONT (PIEMONTE)

Le Piémont pourrait se définir comme la quintessence de l'Italie. Né du chaos des guerres autrichiennes, le mouvement de l'unité italienne a débuté ici dans les années 1850, lorsque le royaume, ambitieux mais géographiquement menacé, donna à la nation italienne naissante son premier Premier ministre (Cavour) et sa famille royale, la noble Maison de Savoie.

Traversée par le Pô, au pied des Alpes enneigées, sa capitale, Turin, jouit d'une importance incontestable avec son grand centre datant de l'époque de Napoléon et son activité industrielle solide, dominée par Fiat.

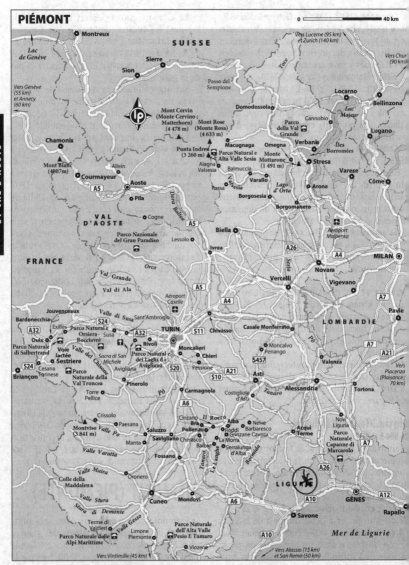

PIÉMONT

0 ⸺ 40 km

Le Piémont n'est pas seulement réputé pour ses usines automobiles, mais aussi pour sa cuisine – du riz arborio aux truffes blanches – dont les précieux ingrédients proviennent d'une campagne agricole verdoyante, souvent comparée à la Toscane, les touristes en moins.

Les petites villes du Piémont étaient autrefois à la tête de fiefs qui se querellaient pour des motifs commerciaux et religieux. Aujourd'hui leur rivalité a changé de terrain puisqu'il s'agit de savoir qui produit le meilleur vin ou le meilleur fromage. Traditionnellement, dans le domaine culinaire, Asti et Alba tiennent le haut du pavé, tandis que le méconnu Cuneo, non loin des Alpes maritimes, vous fera découvrir sa passion ancestrale pour le chocolat.

À faire

Le Piémont abrite le plus grand espace naturel d'Italie, le **Parco Nazionale della Val Grande** (www. parcovalgrande.it).

Les randonneurs chevronnés peuvent s'attaquer à la **Grande Traversata delle Alpi** (GTA), qui débute dans le sud du Piémont et suit un réseau de *rifugi* (refuges) vers le nord dans la province alpine de Cuneo, la Valle di Susa et le Val d'Aoste (voir l'encadré p. 239).

L'**équitation** se pratique couramment en été. Prenez contact avec l'**Agriturismo Piemonte** (☎ 011 53 49 18 ; www.agriturismopiemonte.it ; Via Lagrange 2) à Turin pour vous procurer la liste d'une centaine de fermes offrant un large éventail d'activités, ainsi que le gîte et le couvert du soir.

Certaines pistes de **ski alpin** parmi les plus cotées d'Europe sont proches de Turin.

TURIN (TORINO)

901 000 habitants / altitude 240 m

Par où commencer ? Véritable métropole, Turin abrite l'une des plus grandes entreprises automobiles du monde (Fiat), une équipe de football emblématique (la Juventus), deux des plus importants musées d'Italie (le Museo Egizio et la Mole Antonelliana) et l'un des mystères les plus controversés de l'histoire religieuse (le Saint Suaire). Le meilleur endroit pour réfléchir à toutes ces richesses est sans doute l'un des cafés-pâtisseries ornés de dorures qui embellissent la "capitale des Alpes" aux vitrines élégantes et aux interminables passages couverts.

Profondément italienne, mâtinée d'influences françaises, Turin constitue depuis longtemps une porte entre Europe du Nord et Europe du Sud. Par de nombreux aspects, la ville a conservé des éléments caractéristiques des deux cultures. Elle ne peut certes pas rivaliser avec le patrimoine antique romain, la frénésie napolitaine, les stupéfiants paysages urbains de Venise, ni l'élégance milanaise, mais la ville incarne pour sa part l'assurance et la grandeur. Quatrième ville d'Italie, Turin a accueilli les Jeux olympiques d'hiver de 2006. Le Pô, qui traverse majestueusement son centre, fait également partie de ses charmes.

Comme toutes les grandes villes, Turin a apporté sa pierre à la culture mondiale, notamment dans le domaine de la gastronomie. C'est là que sont nés le chocolat à croquer, le café Lavazza, les gressins et certains aspects du mouvement Slow Food. En outre, Turin fut (brièvement) la première capitale italienne et a "donné" sa monarchie – la vénérable Maison de Savoie – à la nation italienne unifiée en 1861.

Pourtant, Turin n'est pas envahie par les touristes, ce qui constitue un mystère au moins aussi étonnant que le Saint Suaire. Les amateurs de Turin savent rester discrets, car la ville a des secrets qui valent la peine d'être gardés.

Histoire

On ignore si la ville antique de Taurisia naquit celtique ou ligurienne, mais elle fut détruite par Hannibal en 218 av. J.-C. La colonie romaine d'Augusta Taurinorum fut établie ici presque deux siècles plus tard. Les Goths, les Lombards et les Francs passèrent ensuite par la ville. En 1563, les Savoie abandonnèrent leur vieille capitale de Chambéry pour installer leur cour à Turin, qui partagea alors les fortunes de cette dynastie. Ils annexèrent la Sardaigne en 1720, mais Napoléon mit un terme à leur domination en occupant Turin en 1798. La ville fut occupée par l'Autriche et la Russie avant que Vittorio Emanuele I ne restaure la Maison de Savoie et ne revienne à Turin en 1814. Pourtant, l'Autriche demeura la vraie maîtresse de l'Italie du Nord jusqu'aux luttes pour l'indépendance (Risorgimento) qui amenèrent à l'Italie unifié en 1861, date à laquelle Turin devint la capitale de la nation. Ce statut ne dura que jusqu'en 1864, le parlement ayant déménagé à Florence.

Turin s'adapta rapidement à la perte de son importance politique en devenant un centre industriel au début du XXe siècle. Des géants comme Fiat attirèrent des milliers d'Italiens du Sud et les logèrent dans de grandes banlieues construites par les entreprises. La famille Agnelli, propriétaire de Fiat (mais aussi de la Juventus, du quotidien de Turin et d'une grande partie du quotidien national *Il Corriere della Sera*), reste l'un des piliers de l'establishment italien. Fiat a vu son étoile décliner à la fin du XXe siècle, mais connaît des jours meilleurs depuis une dizaine d'années.

Les Jeux olympiques d'hiver de 2006 marquèrent un tournant pour la ville. Le boom immobilier s'accompagna d'un tout nouveau système de métro et Turin se transforma en une vibrante métropole. Nommée Capitale mondiale du design en 2008, Turin a été de nouveau sous le feu des projecteurs, en accueillant conférences et expositions. En 2011, la ville sera le cadre des festivités célébrant le 150e anniversaire du Risorgimento.

Orientation

La Via Roma, principale artère commerçante de Turin depuis 1615, part du nord-est de la Stazione Porta Nuova jusqu'à la place centrale, Piazza Castello. La majorité des trains arrivent aujourd'hui à la Stazione Porta Nuova, mais la Stazione Porta Susa, rénovée, devrait bientôt devenir la principale gare ferroviaire de la ville.

L'animé Corso Vittorio Emanuele II, qui va du sud-est au nord-ouest, est l'axe principal emprunté par les bus et les tramways. La Piazza Carlo Felice, la place face à la Stazione Porta Nuova, et la Via Nizza, qui continue vers le sud-ouest après la gare, sont les principales artères des quartiers moins prestigieux de la ville.

La flèche de la Mole Antonelliana (édifice d'Antonelli, du nom de son architecte) domine l'horizon à l'est, tandis que l'immense Piazza Vittorio Veneto descend jusqu'aux berges du Pô, où se tient l'essentiel de la vie nocturne. À l'ouest de la Piazza Castello, le Quadrilatero Romano ("quartier latin" de Turin) abrite quantité de bars et de librairies.

Renseignements

ACCÈS INTERNET

1PC4YOU (☎ 011 83 59 08 ; Via G Verdi 20g ; 6 €/heure ; ◷ 9h-22h lun-sam, 12h-22h dim)

ARGENT

La Stazione Porta Nuova est dotée d'une banque, d'un DAB et d'un guichet de change. Vous trouverez d'autres banques un peu partout dans la ville. Un changeur automatique fonctionnant 24h/24 se trouve à l'extérieur de l'**Unicredit Banca** (Piazza CLN).

CONSIGNE

Stazione Porta Nuova (face au quai 16 ; 3/2 € 12 premières heures/12 heures suivantes ; ◷ 6h-24h)

LAVERIES

Lav@sciuga (www.lavasciuga.torino.it ; ◷ 8h-22h). Plusieurs adresses en ville : Piazza della Repubblica 5, Via Sant'Anselmo 9 et Via Vanchiglia 10. Ces laveries fournissent aussi un accès Internet à leurs clients.

LIBRAIRIE

Touring Club Italiano (☎ 011 562 72 07 ; Via San Francesco d'Assisi 3). Excellent choix de cartes et de guides touristiques.

OFFICES DU TOURISME

Le **centre d'appel** du service du tourisme (☎ 011 53 51 81 ; www.turismotorino.org ; ◷ 9h30-21h30) fournit des renseignements et aide les visiteurs.
Office du tourisme (☎ 011 53 51 81 ; ◷ 9h30-19h). À la Stazione Porta Nuova ; réserve gratuitement hôtels et restaurants.
Office du tourisme (☎ 011 53 51 81 ; ◷ 8h-23h). À l'aéroport.
Circolo Culturale Maurice (☎ 011 521 11 16 ; www.mauriceglbt.org ; Via della Basilica 3-5). Renseignements destinés à la communauté gay et lesbienne.

POSTE

Poste (Via Alfieri 10 ; ◷ 8h30-19h lun-ven, 8h30-13h sam)

TURIN EN...

Un jour

Réveillez-vous avant les habitants et partez marcher/courir/pédaler le long du Pô. Profitez du petit déjeuner au **Caffè San Carlo** (p. 232) tout en contemplant l'animation du coup de feu du matin. Tirez à pile ou face pour choisir l'un des deux excellents musées – le **Museo Egizio** (p. 228) ou le **Museo Nazionale del Cinema** (p. 229) – qui devrait vous occuper jusqu'au déjeuner. Savourez un *panino* en feuilletant les livres de **Mood** (p. 232) avant de partir en balade autour de la Via Garibaldi et de vous émerveiller devant les superbes vitrines. Visitez les expositions temporaires du **Palazzo Bricherasio** (p. 228) avant de prendre un apéritif au **Fiorio** (p. 232) et de dîner au **8¾** (p. 231).

Deux jours

Le deuxième jour, partez tôt en tram pour découvrir avant la foule la **Basilica di Superga** (p. 229). Admirez le cadre et trempez vos doigts dans l'eau bénite avant de descendre acheter des vivres pour votre pique-nique au **marché Porta Palazzo** (p. 232). L'après-midi, visitez le musée que vous n'avez pas tiré au sort la veille et partez en croisière sur le **Pô** (p. 229). Goûtez le chocolat d'**Al Bicerin** (p. 233) avant d'aller chercher vos **billets pour l'opéra** (p. 233) et de passer une soirée baignée de musique italienne. Dégustez un repas tardif au légendaire **Restaurant del Cambio** (p. 231) et dépensez vos dernières économies à **Hiroshima Mon Amour** (p. 233).

SERVICES MÉDICAUX
Farmacia Boniscontro (☎ 011 53 82 71 ; Corso Vittorio Emanuele II 66 ; ⌚ 15h-0h30). Pharmacie de nuit.
Ospedale Mauriziano Umberto I (☎ 011 5 08 01 ; Largo Turati 62). Hôpital.
Pharmacie (☎ 011 518 64 67 ; Stazione Porta Nuova ; ⌚ 7h-19h30)

URGENCES
Police (☎ 011 5 58 81 ; Corso Vinzaglio 10)

À voir
Des boulevards et de superbes places sont bordés de musées, dont certains sont remarquables.

PIAZZA CASTELLO
La place principale de Turin compte un grand nombre de musées, de théâtres et de cafés. De style baroque pour l'essentiel, elle fut aménagée à partir du XIVe siècle pour être le siège de la puissante dynastie de la Maison de Savoie.

Le **Palazzo Madama**, à la fois médiéval et baroque, domine la place. Sa construction remonte au XIIIe siècle sur le site d'une porte romaine. Madama Reale Maria Cristina, veuve de Vittorio Amedeo I, en fit sa résidence principale au XVIIe siècle. Aujourd'hui, le palais héberge le **Museo Civico d'Arte Antica** (☎ 011 443 35 01 ; Piazza Castello ; adulte/enfant 7,50/6 € ; ⌚ 10h-18h mar-ven et dim, 10h-20h sam), où l'on peut admirer une somptueuse collection d'œuvres illustrant les mouvements artistiques nés après l'unité.

À l'angle nord-ouest de la place, la **Chiesa di San Lorenzo**, de style baroque, fut dessinée par Guarino Guarini. La richesse et la complexité de son intérieur contrastent avec le dénuement de la façade.

Les statues des jumeaux mythologiques Castor et Pollux gardent l'entrée du **Palazzo Reale** (palais royal ; ☎ 011 436 14 55 ; Piazza Castello ; adulte/enfant 6,50/3,25 € ; ⌚ 8h30-19h mar-dim) et, d'après la légende locale, la frontière entre le bien et le mal qui se partagent la ville. Ce bâtiment plutôt austère, édifié pour le compte de Carlo Emanuele II en 1646, compte plusieurs salles à la décoration somptueuse qui rassemblent un assortiment de meubles, de vaisselle en porcelaine et d'objets divers. Le **Giardino Reale** (jardin royal ; entrée libre ; ⌚ 9h-1 heure avant le coucher du soleil), qui le borde côté est, fut dessiné en 1697 par André Le Nôtre, à qui l'on doit les jardins de Versailles.

L'entrée de l'**Armeria Reale** (armurerie royale ; ☎ 011 54 38 89 ; www.artito.arti.beniculturali.it ; Piazza Castello ; adulte/enfant 4 €/gratuit ; ⌚ 9h-14h mar-ven, 13h-19h sam-dim) des Savoie, située sous les portiques juste à droite des portes du palais, donne accès à une importante collection d'armes.

DUOMO DI SAN GIOVANNI
La **cathédrale de Turin** (Piazza San Giovanni), érigée entre 1491 et 1498 sur le site de trois basiliques du XIVe siècle, conserve le fameux **Saint Suaire** ou **linceul de Turin** (qui ne serait autre que le linge ayant enveloppé le corps du Christ à sa descente de la Croix). Une copie de la relique est présentée devant l'autel de la cathédrale.

À gauche de celle-ci, le **clocher** de style roman, conçu par Juvarra, fut construit entre 1720 et 1723. Au nord, vous apercevrez un **amphithéâtre romain** du Ier siècle et, en continuant vers le nord-ouest, la **Porta Palatina**, les ruines en brique rouge d'une porte d'époque romaine.

Le **musée des Antiquités** (Museo d'Antichità ; ☎ 011 521 22 51 ; Via XX Settembre 88c ; adulte/enfant 4/2 € ; ⌚ 8h30-19h30 tlj sauf lun) expose des antiquités réunies par la Maison de Savoie. Urnes funéraires étrusques, bronzes romains et vases grecs y côtoient des vestiges locaux.

MUSEO NAZIONALE DEL RISORGIMENTO ITALIANO
Le **Palazzo Carignano**, de style baroque, fut la maison natale de Carlo Alberto et de Vittorio Emanuele II, ainsi que le siège du premier Parlement italien de 1861 à 1864. On peut voir le parlement au **musée national du Risorgimento Italiano** (☎ 011 562 11 47 ; Via Accademia delle Scienze 5), récemment rénové.

TURIN

Vers le Stadio delle Alpi (4 km)

Corso Francia

Vers Docks Home (2,8 km), le Castello di Rivoli (12 km) et la Valle di Susa/ Voie lactée (52 km)

Vers la gare routière (500 m)

Piazza Statuto

Piazza XVII Dicembre

Stazione Porta Susa

Giardino Cittadella

RENSEIGNEMENTS
1PC4YOU	1 G3
Agriturismo Piemonte	2 F3
Banque/bureau de change	3 E4
Circolo Culturale Maurice	4 F2
Farmacia Boniscontro	5 E4
Lav@sciuga	6 F1
Lav@sciuga	7 H3
Lav@sciuga	8 E5
Libreria Luxemburg	9 F3
Pharmacie	10 E5
Police	11 C2
Poste	12 E3
Touring Club Italiano	13 E2
Office du tourisme	14 E5
Unicredit Banca	15 E3

À VOIR ET À FAIRE
Armeria Reale	16 F2
Castello del Valentino	17 F6
Chiesa di Gran Madre di Dio	18 H4
Chiesa di San Lorenzo	19 F2
Duomo di San Giovanni	20 F2
Galleria Civica d'Arte Moderna e Contemporanea	21 C4
Galleria Sabauda	(voir 31)
Giardino Reale	22 G2
Imbarco Murazzi	23 G5
Mole Antonelliana	24 G3
Museo Civico d'Arte Antica	25 F2
Museo d'Antichità	26 F1
Museo della Sindone	27 E1
Museo Egizio	(voir 31)
Museo Nazionale del Cinema	(voir 24)
Museo Nazionale del Risorgimento Italiano	28 F3
Museo Regionale di Scienze Naturale	29 G4
Palazzo Bricherasio	30 F4
Palazzo Carignano	(voir 28)
Palazzo dell'Accademia delle Scienze	31 F3
Palazzo Madama	(voir 25)
Palazzo Reale	32 F2
Parco Valentino	33 G5
Porta Palatina	34 F2
Amphithéâtre romain	35 F2

OÙ SE LOGER
Ai Savoia	36 E1
Hotel Bologna	37 E4
Hotel Chelsea	38 F2
Hotel Dogana Vecchia	39 E2
Hotel Due Mondi	40 E5
Hotel Montevecchio	41 D5
Hotel Roma e Rocca Cavour	42 E4
Ostello Torino	43 H6

OÙ SE RESTAURER
8¾	44 E3
Brek	45 E4
Grom - Piazza Paleocappa Branch	46 E4
Grom - Via Accademia delle Scienze Branch	47 F3
Kuoki	48 G3
Pizzeria Il Rospetto	49 F5
Pizzeria Stars & Roses	50 E4
Porta di Savona	51 G4
Porta Palazzo	52 F1
Restaurant del Cambio	53 F3
Sfashion	54 F3

OÙ PRENDRE UN VERRE
Al Bicerin	55 E1
Baratti & Milano	56 F3
Caffè Elena	57 H4
Caffè Mulassano	58 F3
Caffè San Carlo	59 F3
Caffè Torino	60 F3
Fiorio	61 G3
I Tre Galli	62 E1
La Drogheria	63 H4
Lobelix	64 E2
Mood	65 E1
Pastis	66 E1
Pepino	67 F3
Platti	68 D4
San Tommaso 10	69 F2

OÙ SORTIR
Cinema Massimo	70 G3
FNAC	71 F3
Teatro Regio Torino	72 G3

ACHATS
Gerla	73 D4
Giordano	74 E4
Pastificio Defilippis	75 E4
Peyrano	76 D4

TRANSPORTS
Arrêt des bus pour l'aéroport	77 E4
Bureau d'information du Gruppo Torinese Trasporti	78 E4

Vers l'Ospedale Mauriziano Umberto I (1 km), le Stadio Olimpico di Torino (3 km), Asti (60 km) et Gênes (170 km)

Vers Eataly, Le Meridien Lingotto et Le Meridien Art + Tech, le Lingotto Fiere et la Pinacoteca Giovanni e Marella Agnelli (3 km)

LIGURIE, PIÉMONT
ET VAL D'AOSTE

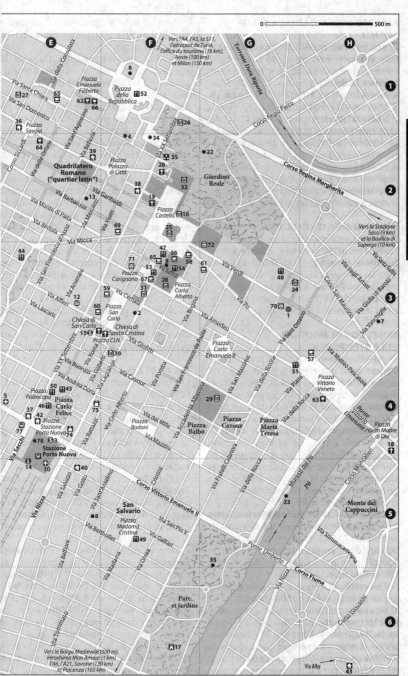

PALAZZO DELL'ACCADEMIA DELLE SCIENZE

L'immense **Palazzo dell'Accademia delle Scienze** (palais de l'Académie des sciences ; Via Accademia delle Scienze 6) abrite deux musées importants : le **Museo Egizio** (Musée égyptien ; ☎ 011 561 77 76 ; adulte/enfant 7,50 €/gratuit ; ☽ 8h30-19h30 mar-dim) du XIXᵉ siècle, qui présente des trésors égyptiens ; et la **Galleria Sabauda** (galerie de Savoie ; ☎ 011 547 74 40 ; adulte/enfant 4 €/gratuit ; ☽ 8h30-14h mar, ven, sam-dim, 14h-19h30 mer, 10h-19h30 jeu), qui détient la collection d'œuvres d'art de la famille de Savoie, dont des œuvres de Van Dyck, de Rembrandt, de Poussin, du Tintoret et de Jan Bruegel. Un ticket combiné pour les deux musées coûte 8 € (entrée gratuite pour les enfants).

MUSEO REGIONALE DI SCIENZE NATURALI

Une ménagerie d'animaux empaillés (dont des ours bruns) est présentée au **musée régional des Sciences naturelles** (☎ 011 432 63 65 ; Via Giovanni Giolitti 36 ; adulte/enfant 5 €/gratuit ; ☽ 10h-19h mer-lun), mais ce musée vaut surtout par son cadre : un hôpital du XVIIᵉ siècle pourvu de quatre cours intérieures et d'une chapelle.

MUSÉES D'ART MODERNE ET CONTEMPORAIN

Turin, ville natale de l'Arte Povera, un mouvement artistique révolutionnaire qui s'est développé à la fin des années 1960, compte depuis comme une ville importante du réseau international de l'art contemporain. Selon Valentina Marocco, du musée des Arts contemporains du Castello di Rivoli (ci-dessous), l'Arte Povera a eu un grand impact avec des artistes comme Mario Merz, Michelangelo Pistoletto, Gilberto Zorio et Giuseppe Penone, a inspiré, dit-elle, "une génération visionnaire de collectionneurs, de critiques et de galeristes."

La **Galleria Civica d'Arte Moderna e Contemporanea** (GAM ; ☎ 011 562 99 11 ; www.gamtorino.it ; Via Magenta 31 ; adulte/enfant 7,50 /4 € ; ☽ 9h-19h tlj sauf lun) est consacrée aux artistes européens des XIXᵉ et XXᵉ siècles, parmi lesquels de Chirico, Otto Dix et Paul Klee.

Des expositions temporaires d'art contemporain animent le **Palazzo Bricherasio** (☎ 011 517 18 11 ; www.palazzobricherasio.it ; Via Lagrange 20 ; adulte/enfant 7,50 €/gratuit, audio-guide 1/2 pers 3,50/5 € ; ☽ 14h-20h lun, 9h-20h mar et mer, 9h-23h jeu-dim). Il y a quelques années, cette galerie aménagée dans un palais du XVIIᵉ siècle a accueilli une exposition de Dali et fut "emballée" par Christo et Jeanne-Claude.

Au Lingotto, la Pinacoteca Giovanni e Marella Agnelli (p. 229) présente sa collection de grands maîtres.

Plus loin, mais le trajet en vaut la peine, la star de la scène artistique turinoise contemporaine est le **Castello di Rivoli** (☎ 011 956 52 22 ; www.castellodirivoli.org ; Piazza Mafalda di Savoia, Rivoli ; adulte/enfant 6,50/4,50 € ; ☽ 10h-17h mar-jeu, 10h-21h ven-dim, visites guidées gratuites 15h30 et 18h sam, 11h, 15h et 18h dim). Son architecture du XVIIᵉ siècle sert d'écrin au **Museo d'Arte Contemporanea**. Des œuvres de Bruce Naumann, Richard Long, Gilbert et George, et Maurizio Cattelon trônent aujourd'hui dans des lieux qui furent habités par la Maison de Savoie. Le château se trouve dans la banlieue de Turin, dans la ville de Rivoli (ne pas confondre avec la station de métro du même nom). Prenez le bus GTT 36 de la Piazza Statuto jusqu'à la gare routière de Rivoli, puis le 36n ou n'importe quel 36 indiquant "Castello." Comptez environ 1 heure de trajet. Sinon, prenez le métro jusqu'à Fermi, d'où une navette gratuite vous conduit tous les jours au musée (horaires sur place).

La brochure gratuite *L'Arte Contemporanea*, proposée à l'office du tourisme, indique un itinéraire à la découverte des installations d'art public les plus remarquables dans Turin.

VIA PO ET SES ALENTOURS

Des cafés à la mode s'égrènent sur et autour de la Via Po, qui relie la Piazza Castello au plus grand fleuve d'Italie en passant par la Piazza Vittorio Veneto.

Une promenade vers le sud-ouest le long du Pô vous mène au Castello del Valentino (fermé au public), château du XVIᵉ siècle, qui fut l'une des résidences de la Maison de Savoie. Les 550 000 m² de jardins à la française du **Parco Valentino** (entrée libre ; ☽ 24h/24) qui entourent le château, ouverts depuis 1856, sont remplis de joggers et de promeneurs qui fréquentent ses cafés, de jour comme de nuit (soyez prudent si vous y êtes seul tard le soir).

Un peu plus loin au sud-ouest s'étend le **Borgo Medievale**, reconstitution d'un bourg médiéval, comprenant la **Rocca** (château ; ☎ 011 443 17 01 ; Viale Virgilio 107 ; adulte/enfant 5/4 € ; ☽ 9h-17h mar-sam, 9h-18h dim avr-sept, 9h-16h mar-sam, 9h-17h dim oct-mars) et le **village** (Borgo ; entrée libre ; ☽ 9h-20h avr-sept, 9h-19h oct-mars). Le bourg fut inauguré à l'occasion de l'Exposition générale italienne de 1884.

Au sud-est de la Piazza Vittorio Veneto, de l'autre côté du Pô, la **Chiesa di Gran Madre di Dio** (fermée au public) fut érigée entre 1818 et 1831 pour commémorer le retour d'exil de Victor-Emmanuel Iᵉʳ. On murmure que le Saint-Graal y serait conservé.

Mole Antonelliana

La **Mole Antonelliana** (édifice d'Alessandro Antonelli ; Via Montebello 20) est l'emblème de Turin. Cette tour de 167 m, de style composite, surmontée d'une flèche d'aluminium, apparaît sur les pièces de 2 centimes en Italie. Destinée à abriter une synagogue au début de sa construction en 1862, elle ne servit jamais de lieu de culte.

Depuis 2000, la tour accueille sur plusieurs étages le **Museo Nazionale del Cinema** (☎ 011 813 85 60 ; www.museonazionaledelcinema.org ; adulte/enfant 6,50 €/gratuit ; ☉ 9h-20h mar-ven et dim, 9h-23h sam), qui vous offre un fabuleux voyage dans l'histoire du cinéma – des premières lanternes magiques à aujourd'hui. Les visiteurs peuvent ainsi s'attarder devant un bustier en dentelle noire ayant appartenu à Marilyn Monroe, la tunique portée par Peter O'Toole dans *Lawrence d'Arabie* et le cercueil utilisé par Bela Lugosi dans *Dracula*. Au cœur du musée, l'Aula del Tempio (salle du temple) est entourée de dix pavillons consacrés aux divers genres cinématographiques.

L'**ascenseur panoramique** (ascenseur et musée 8 €) en verre de la Mole transporte les visiteurs en 59 secondes et sans un bruit jusqu'à l'étonnant toit en terrasse de la tour, à 85 m de hauteur. Soyez prudent si vous êtes sujet au vertige, l'impression d'envol est saisissante. Le panorama à 360° est réellement spectaculaire de jour comme de nuit.

LINGOTTO

À 3 km au sud de la ville se dresse le **Lingotto Fiere** (☎ 011 664 41 11 ; www.lingottofiere.it ; Via Nizza 294), l'ancienne usine Fiat de Turin, que l'architecte Renzo Piano a transformée en palais des congrès et d'espaces pour accueillir des expositions à la pointe du design. Outre deux hôtels Le Meridien (voir p. 231), les lieux abritent la **Pinacoteca Giovanni e Marella Agnelli** (☎ 011 006 27 13 ; www.pinacoteca-agnelli.it ; Via Nizza 230 ; adulte/enfant 4/2,50 € ; ☉ 10h-19h tlj sauf lun), qui présente, dans une magnifique galerie qui semble suspendue au-dessus du bâtiment, des chefs-d'œuvre signés Canaletto, Renoir, Manet, Matisse et Picasso, entre autres.

Attenant au centre de congrès, le supermarché Slow Food **Eataly** (☎ 011 1950 6811 ; www.eatalytorino.it ; Via Nizza 230 ; ☉ 10h-20h mar-dim) vend une variété étourdissante de produits alimentaires affiliés Slow Food – fromages,

pains, viande, poisson, pasta, chocolat et plus encore. Allez-y entre 12h30 et 14h30, c'est le meilleur moment : le petit restaurant de chaque rayon propose alors à déjeuner. Il y a aussi un restaurant haut de gamme, pour lequel il est impératif de réserver.

Certains trains s'arrêtent au Lingotto, mais le moyen le plus simple pour s'y rendre du centre-ville consiste à prendre le bus 1 ou 35 à la Stazione Porto Nuova.

BASILICA DI SUPERGA

En 1706, Victor-Amédée II promit d'édifier une basilique en l'honneur de la Vierge si Turin échappait à ses assaillants, français et espagnols. La ville fut sauvée et l'architecte Filippo Juvarra construisit l'église sur une colline de l'autre côté du Pô, au nord-est de Turin. C'est dans la **Basilica di Superga** (☎ 011 899 74 56 ; www.basilicadisuperga. com ; Strada della Basilica di Superga 73) que reposent les Savoie. Les tombeaux sont intéressants à voir, tout comme le dôme. En 1949, un avion transportant l'équipe de football de Turin s'écrasa sur l'église en raison du brouillard, tuant tous ses passagers. La tombe des victimes est au fond de la basilique.

Pour vous y rendre, prenez le tram 15 de la Piazza Vittorio Veneto jusqu'à l'arrêt Sassi-Superga sur le Corso Casale, puis parcourez 20 m jusqu'à la **Stazione Sassi** (☎ 011 576 47 33 ; Strada Comunale di Superga 4), d'où un **tram** de 1934 (aller/retour 2/4 € 3,50/5,50 € ; ☉ depuis Sassi 9h-12h et 14h-20h lun, mer, jeu et ven, 9h30-12h30 et 14h30-20h30 sam-dim, 30 min plus tard depuis Superga, fermé mar) gravit 3,1 km en 18 minutes.

Circuits organisés

Des promenades guidées (6,50-8 €) thématiques, tels le Turin littéraire ou le Turin gourmet, débutent le samedi à 18h. Les visites classiques de la ville partent à 10h le samedi. Elles durent en général 1 heure 30. Contactez le service du tourisme (p. 224) pour une confirmation du point de départ, et pour vous renseigner sur les visites d'usines proposées.

Turismo Bus Torino (ticket 1 jour adulte/enfant 5/3 € ; ☉ 10h-18h sam-dim jan-juin et mi-sept à mi-déc, 10h-18h tlj juil à mi-sept et jours fériés/fêtes) est un service de bus où l'on monte et l'on descend à volonté, qui dessert une dizaine de sites du centre de Turin ; une personne à bord du bus se charge de vous renseigner. Les tickets sont en vente dans le bus, et le Gruppo Torinese Trasporti (GTT ; p. 235) vous fournira de plus amples informations.

GTT exploite également des bateaux **Navigazione sul Po** (adulte 3,10 € aller-retour) qui desservent Moncalieri ainsi que le Borgo Medievale, dans le Parco Valentino. Les départs ont lieu depuis l'**Imbarco Murazzi** (Murazzi del Po 65) quatre fois par jour du mardi au samedi et sept fois par jour le dimanche de mai à septembre (fréquence réduite le reste de l'année).

Les promenades guidées de **Somewhere** (☎ 011 668 05 80 ; www.somewhere.it) vous éclaireront sur le monde étrange de la "magie noire et blanche" de Turin. Ce prestataire propose d'autres visites portant sur des aspects moins connus de la ville, comme le Turin souterrain. La promenade coûte environ 25 € ; faites-vous confirmer le lieu de départ en réservant.

Fêtes et festivals

L'office du tourisme vous renseigne sur ces manifestations et bien d'autres.

CioccolaTÒ Le fameux chocolat de Turin est célébré en mars – voir l'encadré p. 233.

Festival Internazionale di Film con Tematiche Omosessuali (www.turinglfilmfestival.com) En avril, un festival international de films gays et lesbiens.

Foire aux livres En mai, l'une des plus importantes foires aux livres d'Europe.

Salone Internazionale del Gusto En octobre, les années paires, les gourmets se précipitent à ce salon, organisé par Slow Food, où des producteurs du monde entier présentent leurs produits traditionnels dans un immense marché à Lingotto Fiere. L'entrée coûte 20 €/jour, les dégustations entre 1 et 5 €.

Festival du film de Turin Ce festival, dirigé depuis 2007 par le cinéaste Nanni Moretti, se déroule en novembre.

Où se loger

Le week-end, certains hôtels de trois à cinq étoiles proposent des tarifs réduits dans le cadre d'une formule "Torino Weekend" (www.turismotorino.org) qui comprend une carte Torino + Piemonte de 2 jours gratuite (voir l'encadré p. 225) et des extras comme une bouteille de vin. Disponible toute l'année hormis lors des événements particuliers.

PETITS BUDGETS

Ostello Torino (☎ 011 660 29 39 ; www.ostellotorino.it ; Via Alby 1 ; dort/s/lits jum sans sdb 15/22/42 € ; ☺ mi-jan à mi-déc ; ✄ 🖵). L'auberge de jeunesse HI de Turin propose 76 lits à 1,8 km de la gare ferroviaire. Elle est desservie par le bus 52 (le 64 le dimanche) depuis la Stazione Porta Nuova. Les équipements y sont de qualité (ordinateurs, Wi-Fi, dîner du lundi au

samedi à 10 €) et le petit déjeuner est inclus. Ferme l'après-midi.

Halldis (☎ 02 89 82 71 ; www.halldis.com ; 🅿 ✄ 🖵). Agence immobilière italienne louant des appartements pour de courtes périodes, dont les prix peuvent démarrer à 30-40 € par personne et par jour. De nombreuses adresses dans le centre, peu de paperasse et une remise de clé facilitée.

Hotel Bologna (☎ 011 562 01 93 ; www.hotelbolognasrl.it ; Corso Vittorio Emanuele II 60 ; s/d 75/95 €). Idéalement situé en face de la Stazione Porta Nuova et près de la Via Roma, cet hôtel deux étoiles est une bonne option. Les chambres sont pourvues de grandes douches, mais celles donnant sur le restaurant voisin peuvent être bruyantes.

Hotel Due Mondi (☎ 011 650 50 84 ; www.hoteldue-mondi.it ; Via Saluzzo 3 ; s/d 55/69 € ; ✄ 🖵 🛜). Bonne adresse près de la gare, proposant de petites chambres aux parquets luisants, mobilier confortable et ingénieuses douches-sauna. La plupart ont le Wi-Fi. Un salon agréable est à votre disposition et le restaurant voisin laisse apercevoir des desserts couvertes de mets alléchants. Tout cela fait facilement oublier le quartier peu reluisant.

CATÉGORIE MOYENNE

Hotel Montevecchio (☎ 011 562 00 23 ; www.hotelmontevecchio.com ; Via Montevecchio 13 ; s 40-85 €, d 60-100 € ; 🖵). Dans un quartier résidentiel tranquille, à 300 m de la Stazione Porta Nuova, ce deux-étoiles loue des chambres aux tons chauds. Buffet de petit déjeuner au-dessus de la moyenne et laverie pratique.

Ai Savoia (☎ 339 1257711 ; www.aisavoia.it ; Via del Cazmine 1b ; s 75 €, d 85-115 € ; 🅿). Dans une demeure du XVIIIe siècle, ce joyau donne sur la jolie Piazza Savoia. Le décor classique de ses 3 chambres est sophistiqué sans être chargé, et le personnel est serviable.

Hotel Roma e Rocca Cavour (☎ 011 561 27 72 ; www.romarocca.it ; Piazza Carlo Felice 60 ; s 62,50-95,50 €, d 91-124 € ; 🅿 ✄). Si vous en avez soupé des chambres étriquées, vous aimerez cet hôtel datant de 1854, face à la gare ferroviaire Porta Nuova. Les couloirs sont larges, les plafonds hauts et les chambres ornées d'antiquités somptueusement proportionnées, surtout les "comfort rooms."

Hotel Dogana Vecchia (☎ 011 436 67 52 ; www.hoteldoganavecchia.com ; Via Corte d'Appello 4 ; s/d 90/110 € ; 🅿). Mozart, Verdi et Napoléon figurent parmi les clients de cet établissement trois étoiles historique. De récentes innovations ont su conserver son charme, et sa situation dans le Quadrilatero Romano est imbattable.

Hotel Chelsea (☎ 011 436 01 00 ; www.hotelchelsea. it ; Via XX Settembre 79e ; s 85-120 €, d 110-160 € ; P). À deux pas de la grande place de Turin, Piazza Castello, le Chelsea loue des chambres modernes à la lumière douce et aux tissus coordonnés. Les parents peuvent utiliser un babyphone en dînant au restaurant romantique du bas, La Campana, qui sert de la cuisine des Pouilles (menus 20 €).

CATÉGORIE SUPÉRIEURE
Le Meridien Lingotto et Le Meridien Art + Tech (☎ 011 664 20 00 ; www.lemeridienlingotto.it ; Via Nizza 262 ; le Meridien Lingotto d 270-300 €, Le Meridien Art + Tech d 390-410 € ; P). Hôtels jumeaux installés dans l'usine Fiat, érigée dans les années 1920 et rénovée par Renzo Piano à la fin des années 1980. Les grandes fenêtres de l'usine ont été conservées, laissant la lumière inonder les grandes chambres luxueuses du quatre-étoiles Le Meridien Lingotto et celles du cinq-étoiles, Le Meridien Art + Tech. Les clients peuvent faire leur jogging sur l'ancien circuit automobile aménagé sur le toit, que l'on voit dans *L'or se barre*, film réalisé en 1969 par Peter Collinson.

Où se restaurer
La cuisine turinoise a subi moult influences, française ou sicilienne, mais sa principale inspiration vient du Piémont. Les spécialités comprennent le *risotto alla Piemontese* (risotto au beurre et fromage), la *finanziera* (ris de veau, champignon et foie de volaille en sauce) et la *panna cotta*.

Le quartier de San Salvario, au sud-est de la ville, compte de nombreux restaurants multiculturels, surtout autour de la Piazza Madama Cristina, ainsi que des pizzerias et des pubs parmi les meilleurs de la ville.

PETITS BUDGETS
8¾ (Ottoetre Quarti ; ☎ 011 517 63 67 ; Piazza Solferino 8c ; pizzas 3,80-10 €, plats 8-18 € ; lun-ven ;). L'esprit de Fellini est peut-être absent, mais ce restaurant propose néanmoins une cuisine remarquable. Les 2 salles à manger arborent des murs badigeonnés de rose et de bleu, des nappes à rayures, et le pain est servi enveloppé dans du papier blanc. Essayez la *bistecca di vitello alla grissinopoli* (bœuf ou veau émietté, avec des grissins), les immenses salades et les excellentes bouteilles de vin piémontais.

Pizzeria Il Rospetto (☎ 011 669 82 21 ; Piazza Madama Cristina 5 ; pizzas 5-12 € ;). Il y a des centaines de pizzerias à Turin, toutes différentes, mais le modeste Il Rospetto (petit crapaud) de San Salvario figure définitivement parmi les meilleures. Rapide, bondé et incroyablement populaire, il propose plus de 30 pizzas différentes, sans oublier celle au Nutella en dessert !

Kuoki (☎ 011 839 78 65 ; Via Gaudenzio Ferrari 2h ; menus 9-25 €, plats 6-10 € ; 11h-15 et 18h30-23h lun-sam ;). Non loin de la Mole Antonelliana, ce curieux établissement est tenu par l'ancien chef de Giorgio Armani, Toni Vitiello. Assis à de hautes tables collectives, savourez des spécialités italiennes ou optez pour des sushis originaux, comme le Kuoki (saumon ou thon avec ricotta, huile d'olive et basilic). Parmi les autres créations fusion de Toni, notons le poulet au Coca-Cola et zeste d'orange.

Pizzeria Stars & Roses (☎ 011 516 20 52 ; Piazza Paleocapa 2 ; pizzas 7-9 € ; mar-sam). Un restaurant élégant proposant un assortiment de pizzas inédites, au saumon et whisky, ou caviar et vodka, par exemple. Chacune de ses salles décline une couleur (rouge, blanc, gris, rose, bleu et noir), à choisir selon votre humeur. De vieilles photos de vedettes du cinéma (Hugh Grant, Al Pacino, etc.) ornent les murs.

CATÉGORIE MOYENNE
Porta di Savona (☎ 011 817 35 00 ; Piazza Vittoria Veneto 2 ; repas 16-24 € ; déj et dîner mer-dim, dîner seulement mar). Trattoria sans prétention à la réputation méritée pour ses excellents *agnolotti al sugo arrosto* (raviolis piémontais en sauce à la viande), et ses *gnocchi di patate al gorgonzola*. Les plats – notamment le *bollito misto alla Piemontese* (viande bouillie et ragoût de légumes) – sont mémorables. Soyez patient : le service est long, sans doute parce que tout est fait sur place.

Sfashion (☎ 011 516 00 85 ; Via Cesare Battisti 13 ; menu 21 €, plats 7,50-14,50 €). Le présentateur et humoriste turinois Piero Chiamretti recommande cet établissement postmoderne insolite, orné de jouets rétro. Goûtez les moules à la sauce tomate ou les *penne* aux courgettes.

CATÉGORIE SUPÉRIEURE
Restaurant del Cambio (☎ 011 54 66 90 ; Piazza Carignano 2 ; menus à partir de 60 € ; lun-sam). Velours rouge, lustres étincelants, miroirs baroques et atmosphère intemporelle vous attendent dans cette institution gastronomique turinoise, autrefois fréquentée par le comte de Cavour.

Ouvert depuis 1757, il propose de la cuisine piémontaise classique. Réservation et tenue élégante de rigueur.

FAIRE SON MARCHÉ

Porta Palazzo (Piazza della Repubblica ; 🕑 8h30-13h30 lun-ven, 8h30-18h30 sam). Le plus grand marché de plein air d'Europe compte des centaines d'étals de nourriture. Pour votre pique-nique.

Brek (Piazza Carlo Felice 18 ; buffets à partir de 10 € ; 🕑 8h30-23h). Petite chaîne de restauration rapide proposant des pâtes fraîches, des pizzas, des saucisses, des salades et des desserts. À l'intérieur, l'ambiance est loin d'être artificielle. On a même envie de se prélasser un instant dans la cour ornée de plantes.

Grom (www.grom.it ; Piazza Paleocapa 1d ; 🕑 12h-24h lun-jeu, 12h-1h ven et sam, 11h-23h dim). Première boutique de ce glacier estampillé Slow Food, connu pour ses parfums bio tel le thé vert. À Turin, une autre boutique est ouverte Via Accademia delle Scienze 4, aux mêmes horaires.

Où prendre un verre

Les *aperitivi* sont une institution à Turin. Comme à Milan (voir l'encadré p. 275), si votre budget est serré, vous pouvez vous rassasier dans un bar en profitant d'un généreux buffet d'en-cas pour le prix d'un verre.

Les principaux établissements se trouvent à côté du fleuve dans les alentours de la Piazza Vittoria Veneto et dans le quartier du Quadrilatero Romano.

Pastis (☎ 011 521 10 85 ; Piazza Emanuele Filiberto 9 ; 🕑 9h-15h30 et 18h-2h). Café-bar aux couleurs audacieuses où se retrouvent les employés turinois pour la pause déjeuner – boulettes épicées accompagnées d'un verre de vin.

Mood (☎ 011 566 08 09 ; Via Battisti 3e ; 🕑 café 8h-21h lun-sam, librairie 10h-21h lun-sam). Café-bar à cocktail et librairie difficile à quitter. Feuilletez un classique tout en sirotant un cappuccino ou un *aperitivo à 7 €*. Le décor est très branché, tout en béton poli et parquet luisant.

I Tre Galli (☎ 011 521 60 27 ; Via Sant'Agostino 25 ; 🕑 12h-0h). Spacieux et rustique, un lieu fabuleux pour prendre un verre à toute heure, mais la plupart des clients viennent pour les délicieux en-cas de l'*aperitivo* servis sur la terrasse animée. Repas environ 15 €.

La Drogheria (☎ 011 812 24 14 ; Piazza Vittorio Veneto 18 ; 🕑 11h-2h). Les sofas sont généralement occupés par une joyeuse brochette d'étudiants qui profitent des boissons peu chères et des en-cas accompagnant l'*aperitivo*.

Lobelix (☎ 011 436 72 06 ; Via Corte d'Appello 15f ; 🕑 19h-3h lun-sam). Sous les arbres de la Piazza Savoia, la terrasse du lieu est très courue pour l'*aperitivo* – le buffet est l'un des plus extravagants de Turin.

CAFÉS HISTORIQUES

Les cafés de Turin sont sans doute à la hauteur de ceux de Trieste et de Rome. Ce sont des lieux d'excellence architecturale, imprégnés de culture et de l'arôme du café. Et puis, il y a le chocolat, liquide ou solide (voir l'encadré ci-contre), grande spécialité locale.

🟢 **Caffè San Carlo** (☎ 011 53 25 86 ; Piazza San Carlo 156 ; 🕑 8h-1h). Très chargé en dorures, ce café somptueux date de 1822. Les lustres sont admirables.

Caffè Mulassano (☎ 011 54 79 90 ; Piazza Castello 15 ; 🕑 7h30-22h30). Des dizaines de clients et seulement 4 tables : c'est dans ce populaire établissement Art nouveau que les habitués dégustent leurs expressos *in piedi*.

Platti (☎ 011 506 90 56 ; Corso Vittorio Emanuele II 72 ; 🕑 7h30-21h). Cafés, gâteaux et liqueurs dans un cadre à dorures datant de 1870.

Caffè Torino (☎ 011 54 51 18 ; Piazza San Carlo 204 ; 🕑 7h30-1h). Ce café prestigieux ouvrit en 1903. Une plaque de cuivre portant l'emblème de la ville, un taureau, est scellée dans le trottoir, frottez-y vos chaussures pour vous porter chance.

Caffè Elena (☎ 011 812 33 41 ; Piazza Vittorio Veneto 5 ; 🕑 8h30-0h lun, mar, jeu et dim, 8h30-1h ven et sam). Café lambrissé autrefois fréquenté par Nietzsche, aux sièges signés Starck.

San Tommaso 10 (☎ 011 53 42 01 ; Via San Tommaso 10 ; 🕑 8h-0h lun-sam). C'est ici, en 1900, que la famille Lavazza a commencé à torréfier du café. L'établissement propose aujourd'hui une étonnante variété de saveurs et un excellent restaurant. Vend des machines à expresso.

Fiorio (☎ 011 817 32 25 ; Via Po 8 ; 🕑 8h30-1h mar-dim). Il y a quelque chose de magique à s'asseoir à la place de Mark Twain et à contempler les dorures d'un café où des étudiants du XIXᵉ siècle échafaudèrent des révolutions, et où le comte de Cavour jouait au twist. Et tout cela avant même que votre café n'arrive.

Où sortir

Torino Sette, le supplément de l'édition du vendredi de **La Stampa** (www.lastampa.it) publie la liste des manifestations incontournables. Le programme des cinémas, théâtres et expositions se trouve également sous la rubrique quotidienne *Cronaca Spettacoli.* Procurez-vous, à l'office du tourisme ou dans les nombreux bars qui le distribuent, **News Spettacolo** (www. newspettacolo.com), un hebdomadaire gratuit de 80 pages répertoriant plusieurs centaines

UN GOÛT DE DOLCE VITA : LE CHOCOLAT TURINOIS

Les accros du chocolat peuvent remercier Madama Reale (Madame Royale), reine de l'État de Savoie, d'avoir mis le chocolat à la portée du peuple. En 1678, c'est elle qui accorda la première licence au chocolatier turinois Giò Antonio Ari – et c'est ainsi que naquit le chocolat solide.

La production de chocolat ne tarda pas à devenir une industrie à Turin, qui prospéra jusqu'à l'arrivée de Napoléon, lorsque l'importation des fèves de cacao fit l'objet de restrictions commerciales. Mais les chocolatiers Isidore Caffarel et Michele Prochet trouvèrent une solution consistant à utiliser les noisettes naturellement sucrées du Piémont pour rallonger les fèves. En 1865, ils lancèrent leur chocolat à base de noisettes et de cacao (sans lait à l'époque – les Suisses, qui apprirent la fabrication du chocolat à Turin, furent les premiers à en ajouter). Caffarel et Prochet baptisèrent leur nouveau chocolat "gianduiotto", d'après le personnage de carnaval Gianduja. Gianduja proposait des échantillons gratuits aux participants ravis du carnaval de Turin. Ces longs chocolats pyramidaux furent les premiers à être enveloppés dans du papier.

Un siècle plus tard, le goût chocolat/noisette du gianduiotto inspira la création du Nutella, fabriqué par l'entreprise piémontaise Ferrero à Alba.

Turin célèbre le chocolat et ses dérivés pendant 2 semaines en mars, durant le **CioccolaTÒ** (www.cioccola-to.com), avec des dégustations, des démonstrations de fabrication, des sculptures et des étals de dizaines de créateurs de chocolat. L'emplacement du festival change chaque année.

Vous pouvez acquérir un ChocoPass toute l'année à l'office du tourisme de Turin. Il donne accès à 10 dégustations pendant 24 heures dans des boutiques et des cafés particuliers (10 €), ou à 15 dégustations en 48 heures (15 €).

La maison du chocolat la plus célèbre de la ville est **Peyrano** (☎ 011 53 87 65 ; www.peyrano. com ; Corso Vittorio Emanuele II 76), créateur des *Dolci Momenti a Torino* (doux moments à Turin) et des *grappini* (chocolats à la grappa). **Gerla** (Corso Vittorio Emanuele II 88) et **Giordano** (Piazza Carlo Felice 69) comptent aussi parmi les chocolatiers les plus connus.

Parmi les cafés historiques où l'on peut goûter le chocolat sous toutes ses formes, citons **Baratti & Milano** (☎ 011 561 30 60 ; Piazza Castello 27 ; plats 10-15 € ; ⏲ 8h-21h mar-dim), dont le remarquable intérieur remonte à 1858 ; et **Pepino** (☎ 011 54 20 09 ; Piazza Carignano 8 ; ⏲ 8h30-20h dim-jeu, 8h30-24h ven et sam, plus tard l'été), inventeur de l'esquimau en 1937. **Al Bicerin** (☎ 011 436 93 25 ; Piazza della Consolata 5 ; ⏲ 8h30-19h30 lun, mar, jeu et ven, 8h30-13h et 15h30-19h30 sam-dim), établi depuis 1763 sous un clocher du XIVe siècle, tient son nom du *bicerin,* chocolat chaud au café et à la crème. Il sert aussi des en-cas comme des tartines de chocolat. Voyez ci-contre pour d'autres adresses.

d'adresses. **Extra Torino** (www.extratorino.it) fournit des informations complètes et à jour.

Des billets pour des concerts de rock sont en vente à la **FNAC** (☎ 011 551 67 11 ; Via Roma 56). L'office du tourisme vous renseigne et vend des billets pour les autres événements.

CLUBS, DISCOTHÈQUES ET MUSIQUE LIVE

La plupart des clubs ouvrent à 21h jusque tard et appliquent des prix d'entrée variables selon les soirées. Les discothèques sont surtout regroupées du côté des Murazzi del Po (également appelé Lungo Po Murazzi), le quartier des arcades en bordure du fleuve, entre les ponts Vittorio Emanuele I et Umberto I. Laissez-vous guider par la foule et par la musique.

En dehors du centre-ville, allez au **Docks Home** (☎ 011 28 02 51 ; Via Valprato 68), dans un entrepôt reconverti de 1912, écouter de la house et voir des expositions. Bougez au légendaire club **Hiroshima Mon Amour** (HMA ; ☎ 011 317 66 36 ; Via Bossoli 83 ; entrée libre-15 €), qui joue de tout, du folk au punk en passant par le tango et la techno.

CINÉMA

Non loin de la Mole Antonelliana, le **Cinema Massimo** (☎ 011 812 56 58 ; Via Giuseppe Verdi 18 ; 7 €) propose un choix éclectique de films. Une des salles est exclusivement réservée aux classiques du 7e art.

THÉÂTRE

Teatro Regio Torino (☎ 011 881 52 41 ; www.teatroregio. torino.it ; Piazza Castello 215 ; billetterie 10h30-18h mar-ven, 10h30-16h sam et 1 heure avant les spectacles). Les représentations à guichet fermé sont parfois retransmises en direct sur des écrans installés dans le Teatro Piccolo Regio (☎ 011 881 52 41) attenant, où fut donnée la première de *La Bohème* de Puccini en 1896.

LA VEILLE DAME ET LE BALLON

En Italie, aucun sport ne déchaîne autant les passions que le *calcio* (football), et aucune équipe n'enflamme l'imagination du public comme la *Vecchia Signora* ("vieille dame") de Turin, mieux connue sous le nom de Juventus.

Avec 27 titres de série A (10 de plus que son rival le plus sérieux) et 11 trophées européens, la Juventus est l'une des équipes les plus heureuses de l'histoire du football. Parmi les joueurs emblématiques ayant revêtu le fameux maillot noir et blanc des *bianconeri* (adopté après avoir "emprunté" des tenues au club anglais Notts County) figurent Renato Cesarini, John Charles, Zinédine Zidane, Paolo Rossi, Alessandro del Piero et Michel Platini. La popularité du club dépasse largement les frontières et la Juventus compte l'un des fan-clubs les plus importants du monde – environ 170 millions de membres sur tous les continents.

La Juventus, comme la plupart des équipes italiennes, joue au foot avec panache. Dans une nation qui a donné naissance à Michel-Ange, la beauté est tout. Pas de passe grossière dans le style British Premier League ici, mais des manœuvres habiles sur le terrain en attendant l'inspiration divine qui illumine tant de parties italiennes. Ironie du sort, le génie est contrarié par une autre tactique footballistique italienne typique : la ruse. Les matchs de série A sont renommés pour les tentatives désolantes d'amadouer l'arbitre, et ce n'est pas toujours beau à voir.

Cette tactique est allée trop loin en mai 2006, quand la Juventus a été impliquée, ainsi que cinq autres clubs, dans un scandale qui a secoué le football italien. Au cœur de l'affaire – appelée *Calciopoli* en Italie – se trouvait le manager de la Juventus, Luciano Moggi, accusé par la Fédération italienne de football d'avoir truqué des matchs en recrutant des arbitres partiaux. Sa culpabilité démontrée, la Juventus perdit 9 points, fut bannie d'Europe pendant un an, destituée de ses titres de série A (2005 et 2006) et – le pire de tout – rétrogradée en série B pour la première fois de son histoire.

Avec un vrai aplomb turinois, il n'a pas fallu longtemps à la *Vecchia Signora* pour mettre en scène un retour à la Sinatra. Menée par l'enthousiaste capitaine Alessandro del Piero, la Juventus – plus mûre et apparemment repentante – est revenue en série A un an plus tard et l'équipe nationale italienne, dotée de cinq joueurs de la Juventus, a remporté la Coupe du monde. Ironie du sort !

Les principaux rivaux de la Juventus sont les joueurs de Torino FC, également turinois. Paradoxalement, Torino compte un bien plus grand nombre de fans à Turin, alors que les millions de supporters de la Juventus sont disséminés dans le monde entier. Les matchs très disputés (et parfois violents) entre les deux équipes sont appelés *Derby della Mole*.

SPORTS

Turin compte deux équipes de foot, le **Torino Football Club** (www.torinofc.it) et la *Vecchia Signora* ou **Juventus** (www.juventus.it). Les plupart des Turinois soutiennent la première, le reste du monde a un faible pour la seconde. Assister à un des matchs est une expérience quasi religieuse. Les équipes jouent au **Stadio Olimpico di Torino** (☎ 011 327 79 88 ; Corso Sebastopoli 123), à la lisière sud-ouest de la ville, desservi par des bus les jours de match. Les billets sont difficiles à obtenir ; renseignez-vous sur leurs sites Internet ou à l'office du tourisme.

Achats

Les arcades de la Via Roma abritent les boutiques de mode les plus chères de la ville, alors que celles de la Via Garibaldi sont plus abordables. De bonnes boutiques de disques d'occasion et de vêtements alternatifs et vintage sont installées sur la Via Po.

Jetez un œil par la porte de **Pastificio Defilippis** (☎ 011 54 21 37 ; Via Lagrange 39 ; ☉ 8h30-13h et 16h-19h30 lun-sam). Cette entreprise familiale confectionne depuis 1872 des dizaines de variétés de pâtes ; vous pouvez les acheter, fraîches ou sèches.

Les crus proposés par d'excellents cavistes et les célèbres chocolats de Turin (voir l'encadré p. 233) font de savoureux souvenirs.

Un **marché d'antiquités** géant (Gran Balón ; www. balon.it ; Piazza Borgo Dora ; ☉ 8h30-18h) se tient le 2ᵉ dimanche de chaque mois à Borgo, tandis qu'une version plus réduite (Balón) a lieu chaque samedi au même endroit.

Depuis/vers Turin
AVION

L'**aéroport** (TRN ; ☎ 011 567 63 61 ; www.turin-airport.com), à 16 km au nord-ouest du centre-ville, se situe sur la commune de Caselle ; il dessert plusieurs lignes intérieures et villes d'Europe. Plusieurs compagnies à bas coût sont présentes.

BUS

La **gare routière** (☎ 011 433 25 25 ; Corso Castelfidardo) accueille les bus assurant les liaisons internationales, nationales et régionales. Il est également possible, depuis cette gare, de rejoindre l'aéroport Malpensa de Milan.

TRAIN

Des trains relient régulièrement la **Stazione Porta Nuova** (Piazza Carlo Felice) de Turin à Milan (9,20 €, 1 heure 45), Aoste (7,55 €, 2 heures), Venise (35 €, 5 heures), Gênes (15 €, 1 heure 45) et Rome (à partir de 46,50 €, 7 heures). La plupart marquent l'arrêt à la **Stazione Porta Susa** (Corso Inghilterra), qui devrait devenir la gare principale ces prochaines années. Certains trains desservent aussi à la **Stazione Torino Lingotto** (Via Pannunzio 1), mais il est souvent plus pratique de prendre un bus du centre-ville à Lingotto.

Comment circuler

DESSERTE DE L'AÉROPORT

Sadem (☎ 011 300 01 66 ; www.sadem.it) assure la navette entre l'aéroport et la Stazione Porta Nuova (5 €, 40 min), après un arrêt à la Stazione Porta Susa (30 min). Un bus part toutes les 30 min, entre 5h15 et 22h30 (6h30 et 23h30 de l'aéroport). Le billet coûte 5 € l'aller simple si vous le prenez à la **Confetteria Avvignano** (Piazza Carlo Felice 50), juste en face de l'arrêt de bus, ou 5,50 € si vous l'achetez dans le bus.

La course en taxi de l'aéroport au centre-ville coûte environ 35 à 40 €.

TAXI

Centrale Radio (☎ 011 57 37)
Radio Taxi (☎ 011 57 30)

TRANSPORTS PUBLICS

Turin possède un réseau très dense de bus et de trams, ainsi qu'un funiculaire, exploités par le **Gruppo Torinese Trasporti** (GTT ; ☎ 800 01 91 52 ; www.gtt.to.it en italien), qui dispose d'un **bureau d'information** (☉ 7h-21h) à la Stazione Porta Nuova. Bus et trams circulent de 6h à minuit ; le billet coûte 0,90 € (12,50 € le carnet de 15, 3 € le pass valable une journée).

Le métro de Turin ne comporte actuellement qu'une ligne, qui va de Collegno, en banlieue, à la Stazione Porta Susa. Des travaux sont en cours pour étendre la ligne jusqu'à la Stazione Porta Nuova et Lingotto. Cette section devrait ouvrir en 2010. Voir www.metrotorino.it pour en savoir plus sur les travaux.

VOITURE ET MOTO

Les principaux loueurs de voitures sont présents à la Stazione Porta Nuova et à l'aéroport.

VOIE LACTÉE (VIA LATTEA)

Non, la Via Lattea n'est pas une galaxie ! Il s'agit de deux vallées parallèles à l'ouest de Turin, disposant d'équipements de ski de haute qualité. La **Valle di Susa**, plus au nord, serpente en longeant une magnifique abbaye, la vieille ville celte de Susa et une poignée de jolis villages de montagne. Son pendant méridional, la **Valle di Chisone**, est entièrement voué aux plaisirs de la glisse.

Ces vallées ont accueilli de nombreuses épreuves lors des Jeux olympiques de 2006 – celles de ski alpin, de ski freestyle et de bobsleigh, notamment – et possèdent de ce fait des infrastructures et des équipements ultramodernes.

Renseignements

Voici les offices du tourisme des vallées les plus importants ; ils ouvrent parfois moins longtemps hors saison.

Avigliana (☎ 011 936 60 37 ; Piazza del Popolo 2 ; ☉ 9h-13h et 14h-18h lun-ven).
Bardonecchia (☎ 0122 9 90 32 ; www.montagnedoc.it ; Piazza de Gasperi 1 ; ☉ 9h-12h30 et 14h30-19h).
Cesana Torinese (☎ 0122 8 92 02 ; cesana@ montagnedoc.it ; Piazza Vittorio Amedeo 3 ; ☉ 9h-12h30 et 14h30-19h).
Sestriere (☎ 0122 75 54 44 ; www.sestriere.it ; Via Louset ; ☉ 9h-12h30 et 14h30-19h).
Susa (☎ 0122 62 24 47 ; Corso Inghilterra 39 ; ☉ 9h-12h et 15h-18h).

À voir

La **Sacra di San Michele** (☎ 011 93 91 30 ; adulte/enfant 4/3 € ; ☉ 9h30-12h30 et 15h-18h mar-ven, 9h30-midi et 14h40-18h sam et dim, jusqu'à 17h oct-mars) s'élève à 14 km de Turin. Cette abbaye romano-gothique veille sur le Monte Pirchiriano (962 m) depuis le Xe siècle. À l'intérieur, ne manquez pas la porte du Zodiaque (XIIe siècle), ornée de chérubins joufflus en train de se tirer les cheveux. Pour vous y rendre, descendez à la gare de **Sant'Ambrogio** et gravissez un sentier abrupt pendant 1 heure 30. Ou empruntez le bus spécial de la gare d'Avigliana qui s'y rend 6 fois par jour de mai à septembre. Des concerts ont lieu le samedi soir ; renseignez-vous auprès de l'office du tourisme d'**Avigliana** (10 500 habitants), la ville la plus proche de l'abbaye, à 12 km à l'ouest.

Un puits druidique témoigne des origines celtes de **Susa** (6 580 habitants ; altitude 503 m) avant que la cité ne tombe sous le joug romain. Les ruines romaines de Susa constituent une halte intéressante sur le chemin menant aux stations de ski de l'ouest. Outre les vestiges d'un **aqueduc** romain, un **amphithéâtre** encore utilisé et le triomphant **Arco d'Augusto**, datant de 9 av. J.-C., vous pouvez visiter la **cathédrale** du début du XIe siècle.

Ne manquez pas le menaçant **Forte di Exilles** (☎ 0122 5 82 70 ; adulte/enfant 6/2 € ; ⏱ 10h-19h mar-dim avr-sept, 10h-14h oct-mars), qui donne sur le tranquille village d'Exilles, à 15 km à l'ouest de Susa. Son rôle militaire ne prit fin qu'en 1943.

À faire

Le prestigieux domaine skiable de la Voie lactée comprend 400 km de pistes et 5 stations interconnectées : Sestriere (2 035 m), Sauze d'Oulx (1 509 m), Sansicario (1 700 m), Cesano Torinese (1 350 m) et Claviere (1 760 m) en Italie ; sans oublier Montgenèvre (1 850 m) toute proche, en France. Sa très grande variété de pistes et des conditions d'enneigement généralement bonnes permettent un accès aux skieurs et surfeurs de tous les niveaux. Un forfait journalier de 34 € couvre toute la Voie lactée, y compris les pistes françaises de Montgenèvre. Pour plus d'informations, consultez le www.vialattea.it.

Construite dans les années 1930 par le clan Agnelli, à la tête de Fiat, **Sestriere** (885 habitants) est une station de ski prestigieuse, notamment en raison de sa situation favorable sur le versant oriental de l'immense domaine skiable que constitue la Voie lactée.

Les offices du tourisme fournissent de nombreuses informations sur tous les sports praticables, hiver comme été, notamment l'**héliski**, le **bobsleigh**, les **courses en traîneau**, le **golf** sur le terrain le plus haut d'Europe, la **randonnée**, l'**escalade** et le **VTT**.

Dans la région, le ski de fond se pratique surtout à **Bardonecchia** (3 084 habitants ; altitude 1 312 m), dernière halte en Italie avant le tunnel du Fréjus.

L'office du tourisme d'Avigliana dispose de cartes et de renseignements sur les randonnées d'été et le VTT, notamment vers les lacs et les marais protégés du **Parco Naturale dei Laghi di Avigliana** (www.parks.it/parco.laghi.avigliana), à la bordure ouest de la ville. D'Avigliana, les promeneurs expérimentés peuvent se lancer dans une ascension ardue ou emprunter un circuit cycliste en boucle de 30 km jusqu'à l'abbaye Sacra di San Michele.

Des sorties en raft et en kayak sont organisées par **OK Adventure** (☎ 335 628 27 28 ; www.okadventure.it ; 40-50 €/sortie de 3h) au départ de Cesana Torinese.

Où se loger et se restaurer

De nombreux hôtels n'ouvrent que l'été et l'hiver. Les dates exactes de fermeture varient d'une année sur l'autre, selon l'enneigement et la météo. Les offices du tourisme de la région effectuent des réservations.

Casa Cesana (☎ 0122 8 94 62 ; Viale Bouvier, Cesana Torinese ; s/d à partir de 42/84 € ; 🅿 ✖). Ce chalet a été construit, juste en face du télésiège Cesana, pour les Jeux olympiques de 2006. Ses chambres sont propres et ensoleillées. Le restaurant bien fréquenté est ouvert à tous (menus environ 18 €), et son bar est l'un des plus animés.

Hotel Susa & Stazione (☎ 0122 62 22 26 ; www.hotelsusa.it ; Corso Stati Uniti 4/6, Susa ; s/d 60/83 € ; 🅿). Idéalement situé pour partir en excursion dans toute la région, juste en face de la gare ferroviaire de Susa, cet hôtel ami des cyclistes loue 12 chambres uniformes avec sdb privée. Restaurant (menu 20 €). Le personnel dispense cartes et itinéraires de randonnée.

Grand Hotel Principi di Piemonte (☎ 0122 79 41 ; www.gh-principipiemonte.it ; Via Sauze 3, Sestriere ; d à partir de 180 € ; 🅿 ✖ 🖥 🛒 📶). Érigé en 1932 pour la famille Agnelli et fréquenté par des célébrités, cet édifice emblématique surmonté de tourelles et de flèches propose des chambres soignées, des repas gastronomiques (demi-pension possible) et un superbe spa.

La place centrale de Sestriere, la Piazza Fraiteve, compte restaurants et bars en abondance, notamment la toujours populaire pizzeria **Pinky** (☎ 0122 7 64 41 ; Piazza Fraiteve 5n ; pizzas 4-6 €) et la plus tendance **Napapijri** (☎ 0122 7 71 06 ; Piazza Agnelli 1 ; repas 17-18 €).

Depuis/vers la Voie lactée

L'autoroute et la ligne de chemin de fer entre l'Italie et la France longent la Valle di Susa. La région est donc facilement accessible (en voiture, prévoyez de la monnaie pour les nombreux péages).

Les **bus Sapav** (☎ 800 801901, 0122 62 20 15 ; www.sapav.it) relient Susa et Avigliana (35 min), Oulx (45 min), Turin (1 heure 15) et les stations de la Voie lactée. De Sestriere, des bus desservent Cesana (25 min), Oulx (45 min) et Turin (2 à 3 heures), jusqu'à 5/jour.

PIÉMONT DU SUD ET DE L'EST

Les fins gourmets qui ont apprécié les merveilles de l'Émilie-Romagne (et ont fait provision de vinaigre balsamique et de parmesan) pensent être au bout de leur expérience gastronomique. Il n'en est rien. Les collines bucoliques, les vallées et les villes du sud et de l'est du Piémont forment le grenier de l'Italie du Nord, empli de noisettes, de rares truffes blanches, de riz arborio, de veau fondant, de fromages fins et de raisin qui produit le Barolo et le Barbaresco. Dans la vallée du Pô, les étoiles au Michelin poussent comme des champignons. La cuisine est sublime, enracinée dans des traditions aussi anciennes que les villes dont elle est originaire. Il y a Bra, où est né le mouvement Slow Food ; Pollenzo, qui compte une université des sciences gastronomiques ; Asti, ses truffes et son vin ; et Alba, où il est presque impossible de mal déjeuner ou dîner.

Beaucoup choisissent la voiture pour découvrir la région, mais on peut y faire d'excellentes randonnées à pied et à vélo pour brûler quelques calories.

Au sud de Cuneo, les Alpes maritimes étaient autrefois le domaine de chasse des rois de Savoie, aujourd'hui rendu à la nature et aux randonneurs.

Cuneo et ses environs

54 700 habitants / altitude 543 m

À voir la gigantesque **Piazza Galimberti** de Cuneo, on se croirait dans une capitale. Pourtant, cette ville est très peu connue (sauf des amateurs de son chocolat au rhum). Cette immense place à la splendeur napoléonienne, achevée en 1884, vint compléter une ville aux nombreux portiques fondée en 1198. Au sud-ouest s'étendent les Alpes maritimes (voir l'encadré p. 239), prisées des amateurs de loisirs en plein air, avant-poste de la France.

L'**office du tourisme** (☎ 0171 69 32 58 ; www.comune. cuneo.it ; Via Roma 28 ; ⏰ 9h30-12h30 et 15h-18h30 lun-sam) vous renseigne sur la ville. Des informations concernant toute la région sont dispensées à l'**Azienda Turistica Locale del Cuneese** (ATL ; ☎ 0171 69 02 17 ; www.cuneoholiday.com ; Via Vittorio Amedeo II 8a ; ⏰ 8h30-13h et 14h30-18h lun-ven), qui propose de très bonnes brochures gratuites pour la randonnée à pied et à vélo, ainsi que des cartes.

Vous découvrirez l'histoire de la ville au **Museo Civico di Cuneo** (☎ 0171 63 41 75 ; adulte/enfant 2,60/1,55 € ; ⏰ 8h30-13h et 14h30-17h30 mar et sam, 8h30-13h et 14h30-17h mer-ven, 10h-12h30 et 15h-18h dim), aménagé autour des cloîtres du couvent et de l'église sécularisés San Francesco.

De Cuneo, l'on peut se rendre dans les vallées qui rayonnent jusqu'aux Alpes françaises. Quand l'enneigement s'y prête, on y fait du **ski** et du **snowboard**.

OÙ SE LOGER

Hotel Ligure (☎ 0171 63 45 45 ; www.ligurehotel.com ; Via Savigliano 11 ; s 55-65 €, d 70-80 €, app long séjour 40 € ; P ✖ ⌨). Au cœur de la vieille ville, cet hôtel deux étoiles propose une poignée d'appartements équipés de cuisines (7 nuits minimum ; pas de petit-déj). Si vous ne faites que passer, optez pour l'une de ses chambres fraîchement rénovées (avec petit-déj), simples mais impeccables. Appelez pour réserver une place de parking.

Hotel Royal Superga (☎ 0171 69 32 23 ; www. hotelroyalsuperga.com ; Via Pascal 3 ; s 55-70 €, d 75-95 € ; P ✖ ⌨). Cet agréable hôtel à l'ancienne dans un angle de la Piazza Galimberti propose tout le confort moderne, notamment un accès Internet gratuit (encore rare en Italie), des DVD gratuits à regarder dans votre chambre, un apéritif offert dans le hall entre 17h et 21h, et des vélos gracieusement mis à disposition. Le petit déjeuner bio (inclus) est délicieux.

Castello Rosso (☎ 0175 23 00 30 ; www.castellorosso. com ; Via Ammiraglio Reynaudi 5 ; s 75-140 €, d 105-165 € ; P ✖ ⌨ ✇). Vivez votre rêve princier dans ce château du XVe siècle, au cœur d'un parc ponctué de belvédères. Profitez du restaurant royal, du centre de bien-être et n'oubliez pas de contempler les fresques d'origine au 2e étage. Le château se trouve à 10 km au nord de Cuneo ; on peut venir vous chercher.

OÙ SE RESTAURER ET PRENDRE UN VERRE

Cuneo compte d'excellents établissements gastronomiques.

Lo Schiaccianoci (☎ 0171 60 36 28 ; Via Peveragno 4 ; repas 14-20 € ; ⏰ déj et dîner, fermé lun). Établissement minuscule (si vous trouvez une place) près de la Via Roma, idéal pour une assiette légère à midi ou pour un repas plus substantiel. Le plafond de bois original et les rideaux rose pâle renforcent le sentiment d'intimité. Excellents risotto marinara et ratatouille.

Locanda da Peiu (☎ 0171 41 21 74 ; www.locandadapeiu. com ; menu 35 € ; ⏰ mar-dim). Seuls les meilleurs ingrédients sont utilisés à cette table, à 3 km du centre-ville, mais à 5 minutes en bus (demandez les horaires en réservant). Les menus à 35 €, remarquables pour le prix, comprennent *antipasti*, 1er, 2e plat, dessert et vin.

Essayez les gnocchis au fromage de Castelmagno, servis dans une corbeille en pain.

☉ Osteria della Chiocciola (☎ 0171 6 62 77 ; Via Fossano 1 ; menu déj 17,20 € , dîner 28-33 € ; ☽ lun-sam). Arrêtez-vous pour prendre un verre de vin (6 € et plus) accompagné de fromage et de salami au rez-de-chaussée de ce restaurant Slow Food très apprécié. À l'étage, dans une salle jaune d'or, un menu riche en saveurs vous attend.

Parmi les chocolatiers figure **Bruno** (☎ 017168 19 50 ; www.localistorici.it ; Via Roma 28), depuis 1864, et **Arione** (☎ 0171 69 25 39 ; www.arione-cuneo.com ; Piazza Galimberti 14 ; ☽ 8h-20h mar-sam, 8h-13h et 15h30-20h dim), établi dans les années 1920, l'inventeur des *cuneesi al rhum* – des bouchées au rhum enrobées de cellophane. La visite d'Hemingway en 1954 est immortalisée en vitrine.

Le **Bar Corso** (☎ 0171 60 20 14 ; Corso Nizza 16 ; ☽ 7h-1h jeu-mar) vend les meilleurs *gelati* de Cuneo. Tout le monde apprécie aussi d'y prendre un verre.

DEPUIS/VERS CUNEO

Des trains réguliers partent de la gare ferroviaire centrale de Cuneo, sur le Piazzale Libertà, à destination de Saluzzo (2,70 € , 35 min, jusqu'à 6/jour), Turin (5,30 € , 1 heure 15, jusqu'à 8/jour), San Remo (6,50 € , 2 heures 15, 3/jour) et Vintimille (5,40 € , 2 heures, environ 4/jour), ainsi que Nice (2 heures 45, au moins 6/jour). Une autre gare ferroviaire (ligne Cuneo-Gesso) dessert la petite ville de Mondovì, où des correspondances desservent Savone et Gênes.

Saluzzo

16 500 habitants / altitude 395 m

Comme Asti et Alba, Saluzzo était autrefois une puissante cité-État. Bien qu'elle ait décliné depuis lors, elle mérite toutefois d'être visitée. Cette ville est une sorte de joyau oublié des touristes gastronomes qui vont généralement directement vers l'est à Barolo et les Langhe. Tant mieux pour vous.

La ville se divise en "vieux" et "nouveaux" quartiers, mais la "ville nouvelle" remonte en réalité à des temps assez anciens. Les deux parties se trouvent à une courte distance à pied l'une de l'autre. Autrefois place forte médiévale, Saluzzo a gardé son indépendance jusqu'à ce qu'elle revienne à la Maison de Savoie en vertu d'un traité avec la France en 1601. L'un de ses fils les plus connus est l'écrivain italien Silvio Pellico (1789-1854). Emprisonné pour son opposition à l'occupation

autrichienne, il écrivit une partie de son roman, *Le Mie Prigioni* (Mes prisons) avec son propre sang. Autre enfant du pays, le général Carlo dalla Chiesa (1920-1982), dont la lutte implacable contre la Mafia lui valu d'être assassiné.

À VOIR

Les toits rouge foncé de la vieille ville de Saluzzo paraissent intemporels vus de la loggia située sous le beffroi du XVe siècle de la **Torre Civica** (☎ 0175 4 14 55 ; Via San Giovanni, 1,30 € , avec le Musée Civico di Casa Cavassa 5 € ; ☽ 9h30-12h30 et 14h30-18h30 jeu-dim mars-sept, et sam-dim oct-fév), à laquelle on accède par une volée de marches. Au Moyen Âge, la justice était rendue depuis **La Castiglia** (Piazza Castello), le château du XIIIe siècle situé en haut de Saluzzo. Lors de notre passage, il devait rouvrir sous peu – renseignez-vous à l'**Office du tourisme** (☎ 0175 4 67 10 ; www.comune.saluzzo.it ; Piazza Risorgimento ; ☽ 9h-12h30 et 15h-18h30 lun-sam, 9h-12h e 15h-19h dim avr-sept, 9h-12h30 et 14h-17h30 lun-sam, 9h-12h et 14h-18h dim oct-mars).

Le **Museo Civico di Casa Cavassa** (☎ 0175 4 14 55 Via San Giovanni 5 ; adulte/enfant 4/2 € , avec la Torre Civica 5 € ; ☽ 10h-13h et 14h-18h jeu-dim avr-sept, 10h-13h e 14h-17h mar et mer oct-mars), bel exemple de résidence noble du XVIe siècle, renferme une précieuse peinture à la feuille d'or de 1499 *Nostra Signora delle Grazie* (Notre-Dame des Grâces), de Hans Klemer.

Des marches mènent de la Via San Giovanni pavée à la magnifique église **San Giovanni** (XIVe siècle).

À quelques kilomètres au sud de Saluzzo le **château** médiéval (☎ 0175 8 78 22 ; www.findoambiente.it ; Viale Coni Zugna 5, Manta ; adulte/enfant avec audioguide 5/2,50 € ; ☽ 10h-13h et 14h-17h mar-dim oct à mi-déc, jusqu'à 18h mar-dim fév-sept, fermé mi-déc à jan du village de Manta, l'un des plus beaux de son genre, conserve précieusement le cycle de fresques séculaires gothique tardif le plus important d'Europe. Son grand parc ouvre toute la journée.

OÙ SE LOGER ET SE RESTAURER

Albergo Ristorante Persico (☎ 0175 4 12 13 ; www albergopersico.net ; Vicolo Mercati 10 ; s/d 43/63 € P ☒ ☐ ☎). Cet hôtel simple mais confortable s'élève près de la Piazza Cavour dans la ville nouvelle de Saluzzo. Des formules demi-pension à tarif réduit sont proposées au restaurant (fermé lundi), qui sert de menus régionaux entre 15 et 25 € pour les non-résidents. Wi-Fi gratuit.

DÉTOUR PAR LES ALPES MARITIMES

Surpeuplé, le nord de l'Italie ? Vous changerez d'avis si vous apportez vos chaussures de marche. Entre les plaines rizicoles du Piémont et la côte étincelante de la Ligurie s'étendent les troublantes Alpes maritimes – montagnes au relief spectaculaire qui s'élèvent tels des garde-frontière de pierre entre la France et l'Italie. Plus petites mais non moins impressionnantes que leurs cousines alpines du nord, elles sont ponctuées de lacs miroitants, peuplées de bouquetins et riches d'un héritage culturel métissé qui tient autant du sud de la France que du nord de l'Italie.

Malgré son étendue limitée, cette région aux pics austères offre une nature qui semble sauvage. Quittez les vallées peuplées pour l'imposant massif, au centre, et vous vous trouverez rapidement projeté dans un paradis de haute altitude. Depuis un réseau de sentiers bien balisé, où la vue d'un autre randonneur est rare, vous apercevrez des marmottes sifflantes qui disparaissent à toute allure dans des crevasses brumeuses. C'est l'Italie dans toute sa sérénité. À moins de 20 km au sud s'étendent les stations huppées de Portofino et de San Remo, qui accueillent les célébrités. Ici, dans les hauteurs chevauchant l'invisible frontière entre Italie et France, vous n'avez besoin que d'une carte, une bonne paire de chaussures et assez de fromage et de ciabatta (pain) pour tenir jusqu'au dîner.

Les principaux départs des sentiers se trouvent au sud de la ville de Cuneo dans deux parcs régionaux récemment inaugurés : le **Parco Naturale delle Alpi Marittime** et le **Parco Naturale dell'Alta Valle Pesio e Tanaro**. Le circuit Lago di Valscura (21 km) débute à Terme di Valdieri et suit une ancienne route militaire via le Piano del Valasco jusqu'à un lac glaciaire près de la frontière française. Il revient par le Rifugio Questa avant de redescendre par le même itinéraire. Pour une randonnée de 2 jours, essayez le circuit Marguareis (35 km) qui commence dans la petite station de ski de Limone Piemonte et remonte par des cols et des arêtes jusqu'au **Rifugio Garelli** (☎ 0171 73 80 78 ; dort 36 € ; ☽ juin-sept.). Le deuxième jour, vous empruntez un petit tronçon français pour revenir à votre point de départ à Limone. Pour davantage de renseignements sur ces deux parcours, consultez le guide Lonely Planet *Hiking in Italy* ou le bureau de l'APT à Terme ou Limone.

Perpoin (☎ 0175 4 23 83 ; www.hotelsaluzzo.com ; Via Spielberg 19-27 ; s 40-70 € , d 70-100 € , menus 12-25 € ; ℗). De solides repas maison (et croissants frais au Nutella pour le petit déjeuner) dans cet hôtel-restaurant familial au centre de la ville nouvelle. Pas de réception (mais un labyrinthe de couloirs) ; appelez avant votre arrivée.

L'Ostu dij Baloss (☎ 0175 24 86 18 ; www.ostudi-baloss.it ; Via Gualtieri 38 ; menus bistrot 16 € , restaurant 34-40 € ; ☽ déj mar-sam, dîner lun-sam ; ☷). Agneau de printemps cuisiné grillé, au vin rouge ou rôti, et pâtes *tajarin* maison (un peu comme des tagliatelles) figurent parmi les spécialités locales proposées à l'étage de ce restaurant de la vieille ville de Saluzzo. Au rez-de-chaussée, le bistrot au décor contemporain, moins formel, sert des plats de saison plus légers.

Le Quattro Stagioni (☎ 0175 4 74 70 ; Via Volta 21 ; ☽ déj et dîner mer-lun). Comme son nom l'indique, la cuisine change avec les saisons dans cette osteria-restaurant installée dans une rue sombre à arcades. L'arôme d'un vin fruité vous chatouille les narines dès l'entrée et, à l'intérieur, pizzas croustillantes et pâtes al dente finissent de vous combler. Joli jardin.

DEPUIS/VERS SALUZZO

Des **bus** (☎ 0175 4 37 44) circulent entre Saluzzo et Turin (3,50 € , 1 heure 30, ttes les heures). Il est également possible de prendre le train jusqu'à Savigliano (1,70 € , 30 min, jusqu'à 6/jour), puis ensuite une correspondance pour Turin.

Alba

32 000 habitants / altitude 172 m

Au pays de la gastronomie, Alba ne détonne pas. Cette ville, autrefois puissante cité-État, consacre toute son énergie à l'art de la vraie cuisine, élaborée avec des ingrédients frais locaux. La ville est connue pour son usine de chocolat Ferrero Rocher (Kinder Surprises et Nutella), ses truffes blanches et ses vieux vins – notamment l'incomparable Barolo, la Ferrari des rouges. Notons la foire à la truffe annuelle et la tout aussi enthousiasmante *vendemmia* (vendange).

Les collines des Langhe, couvertes de vignes, rayonnent depuis Alba tel un verger ondulant parsemé de noisetiers et d'exploitations viticoles. Les parcourir à pied ou à vélo est un plaisir rare.

RENSEIGNEMENTS

De la gare routière, prenez à gauche le Corso Bandiera et son prolongement, le Corso Matteotti, jusqu'à l'office du tourisme.

Dans le centre historique de la ville, l'**office du tourisme** (☎ 0173 3 58 33 ; www.langheroero.it ; Piazza Risorgimento 2 ; 9h-13h et 14h-18h lun-ven, à partir de 10h sam-dim mi-nov à mars, 9h-13h et 14h30-18h30 lun-ven, 9h30-13h30 et 14h30-18h30 sam-dim avr à mi-sept, 9h-13h et 14h30-18h30 lun-ven, 9h-20h sam, 9h-19h dim mi-sept à mi-nov) vend des cartes de randonnée et dispose d'un accès Internet.

À VOIR ET À FAIRE

Déjà chargée d'histoire, la ville d'Alba a connu son âge d'or au Moyen Âge et jusqu'en 1628, lorsqu'elle passa sous la férule des Savoie. Alba comptait alors plus de 100 tours. Aujourd'hui, il en reste 4, ainsi que l'imposante **Cattedrale di San Lorenzo** (Piazza Duomo) du XIIe siècle. Ne manquez pas non plus le **Museo Civico Archeologico "Federico Eusebio"** (Via Vittorio Emanuele II ; entrée libre ; 15h-18h mar-ven, 9h30-12h30 et 15h-18h sam et dim).

Les rues pavées voisines sont bordées de boutiques chics, de bars et de restaurants.

CIRCUITS ORGANISÉS

L'office du tourisme d'Alba (ci-dessus) organise un nombre étonnant d'excursions dans la vallée des Langhe/Roero. Citons notamment une **promenade de 10 km** (2 heures 30, 15 €) dans les bosquets de châtaigniers de Roero, des **visites des vignes** (3 heures 30, 80-100 €) en minibus climatisé, des **cours de cuisine** (cours demi-journée/journée 70/100 €), une **excursion à la recherche de truffes** (2 heures, prix selon la taille du groupe), de l'**équitation** (80 €/jour) dans les hautes Langhe, du **rafting** (3 heures adulte/enfant à partir de 20/12 €) sur le Tanaro, et – pour contempler les vignes – un **vol en montgolfière** (220-250 € comprenant transferts, vins et petit-déj). Les vols au lever du soleil durent 1 heure mais comptez 4 heures au total.

Il est nécessaire de réserver la plupart des activités et des circuits au moins 2 jours à l'avance (les circuits peuvent être annulés faute d'un nombre suffisant de participants).

OÙ SE LOGER

Dans les collines des Langhe se nichent quelques établissements tranquilles – voyez le paragraphe *Environs d'Alba* (p. 241), ou contactez le **service de réservation de l'office du tourisme** (Conzorzio Turistico Langhe Monferrato Roero ; ☎ 0173 36 25 62 ; www.turismodoc.it), qui vous réserve aussi une table au restaurant.

Hotel Savona (☎ 0173 44 04 40 ; www.hotelsavona.com ; Via Roma 1 ; s/d 72/110 € ; P). Trois étoiles un peu formel, proche de tous les sites d'Alba (gastronomiques et autres), le Savona est sans surprise mais propose des chambres propres et confortables. Le personnel bien renseigné parle anglais.

Hotel San Lorenzo (☎ 0173 36 24 06 ; www.albergo-sanlorenzo.it ; Piazza Rossetti 6 ; s 65-75 €, d 95-100 € ; fermé 2 sem jan et 2 sem août ; P). Onze chambres dans une demeure du XVIIIe siècle rénovée, à quelques pas de la cathédrale, pour un hôtel de charme dont la boutique du rez-de-chaussée vend des pâtisseries sans beurre, œufs ni produits laitiers. Cela n'existe qu'à Alba. Profitez-en.

OÙ SE RESTAURER ET PRENDRE UN VERRE

Vincafé (☎ 0173 36 46 03 ; Via Vittorio Emanuele II 12 ; menus 10-25 €). Branché sans être inaccessible. Chacun peut venir y siroter un verre de vin. Le tout est de parvenir à y entrer (l'endroit est petit et très fréquenté) et d'avoir le temps de parcourir les 350 variétés proposées. Dans le doute, essayez le Barolo. En bas, dans une cave voûtée fraîche, le restaurant sert de bonnes salades et des pâtes.

Osteria dei Sognatori (☎ 0173 3 40 43 ; Via Macrino 8b ; repas 12-20 € ; déj et dîner lun-sam). Pas de menu, dans cet établissement rustique. Ici, c'est à la fortune du pot, mais les papilles y trouvent leur compte. Par exemple, des pâtes maison au pesto et aux noisettes et les meilleurs gressins d'Italie. Les murs font la part belle au football et arborent des photos en noir et blanc de partisans de la Résistance.

Piazza Duomo-La Piola (☎ 0173 44 28 00 ; Piazza Risorgimento 4 ; repas 20-30 €, menu 60-80 € ; déj et dîner, fermé lun et dîner dim). Extravagance culinaire pour toutes les bourses sur la grande place d'Alba. En bas, La Piola propose ses plats du jour sur une ardoise, comme le *vitello tonnato* et propose aux convives de composer eux mêmes leurs assiettes. À l'étage, le restaurant s'internationalise au Piazza Duomo, où le chef étoilé au Michelin Enrico Crippa élabore une cuisine créative, à déguster sous les fresques de l'artiste contemporain Francesco Clemente.

La Via Vittorio Emanuele II, principale voie piétonne d'Alba, est bordée de cafés et de traiteurs vendant des truffes fraîches en saison ainsi que de la *crutina al tartufo* (fromage à la truffe). Les étals de marché du centre-ville proposent des produits frais et des spécialités régionales le samedi matin.

DEPUIS/VERS ALBA

De la **gare routière** (☎ 800 019 152 ; Corso Matteotti 10), des bus assurent des liaisons fréquentes avec Turin (3,70 €, 1 heure 30, jusqu'à 10/jour), plus rares avec Barolo (1,60 €, 25 min, 2/jour) et les villages des environs.

De la **gare ferroviaire** (Piazza Trento e Trieste), un train part toutes les heures en direction de Turin pendant qu'un autre train fait le trajet inverse (4,80 € via Bra/Asti, 50 min).

Les bus étant très irréguliers, mieux vaut visiter les Langhe en voiture ou à vélo. Pour louer des vélos, adressez vous à **Cicli Gagliardini** (☎ 0173 44 07 26 ; Via Ospedale 7) ou à l'office du tourisme. Les prix tournent autour de 15 € par jour. Pour une voiture, comptez à partir de 23 € par jour. L'office du tourisme peut vous trouver un chauffeur (tarifs variables). Mieux encore : louez une Vespa.

Environs d'Alba

Alba contre Asti, Barolo contre Barbaresco : on pourrait presque penser que le Piémont compte toute une série de rivalités historiques par ordre alphabétique ! Les collines des Langhe, ceintes de châteaux, produisent des vins rouges parmi les meilleurs d'Italie. Louez un vélo et allez d'une salle de dégustation à l'autre.

CHERASCO

♥ 200 habitants / altitude 288 m

À 23 km à l'ouest d'Alba, au milieu des luxuriants vignobles des Langhe, Cherasco est célèbre pour ses *lumache* (escargots). La ville abrite l'**Istituto Internazionale di Elicoltura** (Institut international d'héliciculture ; ☎ 0172 48 92 18 ; www.lumache-elici.com ; Via Vittorio Emanuele 55), qui dispense des conseils techniques aux éleveurs d'escargots. Ici, l'escargot se mange *nudo* (sans coquille). On le fait frire, rôtir sur une brochette, on l'agrémente d'une sauce à l'artichaut. On le hache aussi pour farcir des raviolis. Parmi les plats typiques du Piémont, citons les *lumache al Barbera* (escargots pochés dans une sauce au vin rouge – du Barbera –, et aux arachides), les *lumache alla piemontese* (escargots mijotés avec oignons, noix, anchois et persil dans une sauce tomate).

Parmi les trattorias préparant ces spécialités figure l'**Osteria della Rosa Rossa** (☎ 0172 48 81 33 ; Via San Pietro 31 ; menus 30-35 € ; 🕑 12h30-14h et 20h-21h ven-mar). Réservation indispensable.

Le vin n'est pas en reste à Cherasco. La **Scuola di Degustazione Enoteca Patrito** (☎ 0172 48 96 75 ; www.enotecapatrito.it ; Via Vittorio Emanuele 78 ; cours 2 pers 2 heures/jour 80/210 €) propose des stages

d'œnologie en plusieurs langues (tarifs plus intéressants pour des groupes car, chaque fois, des bouteilles sont ouvertes spécialement).

Et puis il y a le chocolat. La magnifique confiserie **Pasticceria Barbero** (☎ 0172 48 83 73 ; www.pasticceriabarbero.com ; Via Vittorio Emanuele 74 ; 🕑 jeu-mar) est un monument classé qui allie le bois au marbre blanc et au cuivre. Depuis son ouverture en 1881, elle vend ses *Baci di Cherasco* (baisers de Cherasco, 60% de chocolat et noisettes grillées) et d'autres délices comme des bonbons à la grappa, des truffes en chocolat, ainsi que des escargots (chocolat, miel et pâte de noisettes).

Al Cardinal Mazzarino (☎ 0172 48 83 64 ; www.cardinalmazzarino.com ; Via Pietro 48 ; s 150-200 €, d 180-220 € ; P) est l'un des hébergements les plus charmants de Cherasco. Cette ancienne résidence de cardinal, dans le centre-ville, loue trois chambres décorées d'antiquités. Son nouveau restaurant sert des spécialités régionales de grande qualité (ouvert aux non-résidents).

BAROLO ET LA MORRA

Surnommé le "roi des vins", le vin aux arômes de truffe est produit aux alentours de Barolo (680 habitants) et de ses 10 villages voisins (dont La Morra, Cherasco et Serralunga). Élaboré essentiellement à partir du cépage Nebbiolo, il est vieilli dans des fûts de chêne pendant trois à quatre années.

Niché au cœur de ces vignobles réputés, le petit village de Barolo est dominé par son château, le **Castello Falletti** (☎ 0173 5 62 77 ; www.barololoworld.it ; 3,50 € ; 🕑 10h-12h30 et 15h-18h30 ven-mer), que l'on peut découvrir dans le cadre d'une visite à l'**Enoteca Regionale del Barolo**. Dans l'enceinte du château, l'*enoteca* (bar à vin) organise tous les jours une dégustation de 3 vins de Barolo, pour 2 € l'un ou 5 € les 3.

Si vous voulez visiter des vignobles de Barolo (et déguster), contactez **L'Insieme** (☎ 0173 50 92 12 ; www.linsieme.org ; Cascina Nuova 51, La Morra) à La Morra (2 670 habitants). Cette association réunissant 9 petits producteurs indépendants s'attache à produire des vins d'excellence et reverse une partie de ses bénéfices à des œuvres caritatives. **Mauro Veglio** (☎ 336 72 49 68 ; www.mauroveglio.com ; Frazione Annunziata, Cascina Nuova 50, La Morra), qui en est membre, sera heureux de vous faire visiter et de vous offrir une dégustation gratuite. Des bouteilles de Nebbiolo plus économiques (même cépage, mais le raisin n'est conservé qu'un an en fût de chêne avant consommation) sont aussi en vente. Appelez pour réserver et vous faire expliquer le chemin.

Où se loger et se restaurer

Hotel Barolo (☎ 0173 5 63 54 ; www.hotelbarolo.it ; Via Lomondo 2, Barolo ; s/d 65/90 € ; P ⬛ ☎). Cet hôtel agréable est installé dans la petite ville de Barolo, surplombée par la célèbre œnothèque déguisée en château. Dégustez un bon verre de vin sur sa terrasse, en admirant l'architecture piémontaise du XVIIIe siècle. Piscine aux eaux miroitantes. Inutile d'aller très loin pour déguster un bon repas : sur place, le Ristorante Brezza sert depuis un siècle truffes et autres merveilles.

Villa Carita B&B (☎ 0173 50 96 33 ; www.villacarita. it ; Via Roma 105, La Morra ; s/d/ste 90/120/150 € ; P). Chaque chambre de ce B&B (tout comme sa terrasse panoramique) a une vue paradisiaque sur les vignes le jour, et sur les lumières du village de La Morra la nuit. Derrière le principal bâtiment, une chambre et une suite cachent leurs terrasses privées à flanc de colline.

Belvedere (☎ 0173 5 01 90 ; Piazza Castello 5, La Morra ; menu 42 € ; ☉ déj mar-dim, dîner mar-sam mars-déc, fermé la dernière semaine de juil.). Une vue superbe comme son nom l'indique, à côté du point de vue de La Morra. Le *risotto al Barolo* de Gian Bovio, le steak au Barbera et la triple pyramide de chocolat réussissent à vous distraire de la vue. Courage, il faut choisir parmi une carte de plus de 1 000 vins.

SERRALUNGA D'ALBA
500 habitants

Perché au-dessus du village de Serralunga d'Alba, à 15 km au sud d'Alba, le **Castello di Serralunga d'Alba** (☎ 0173 61 33 58 ; entrée libre ; ☉ 10h-12h et 14h-17h mar-dim l'hiver, jusqu'à 18h l'été) est le château le plus envoûtant des Langhe, grâce à son intérieur intact, jamais rénové. En se promenant dans les salles où retentit un écho, on jurerait entendre les pas de la sentinelle en armure qui le gardait autrefois. La forteresse originale date du XIe siècle, mais ce que l'on voit aujourd'hui a été en majeure partie reconstruit au XIVe siècle, notamment le système de défense, très avancé pour l'époque (vous pourrez voir les vestiges du pont-levis). S'il n'y a personne aux heures d'ouverture, frappez à la porte du gardien.

Situé en contrebas du château, le petit village intact possède une poignée de restaurants simples, notamment le **Ristorante di Anselma** (☎ 0173 61 31 24 ; Piazza Cappellano 3a ; plats environ 10 € ; ☉ tlj sauf lun) où savourer des spécialités des Langhe ou boire un verre de vin local.

BARBARESCO ET NEIVE

Même cépage, saveurs différentes ! Quelques kilomètres seulement séparent Barolo de Barbaresco (660 habitants), qui produit le vin éponyme, mais un microclimat plus humide et un moindre vieillissement font de ce vin un rouge plus doux et plus délicat : la reine du roi Barolo. Vous pourrez savourer de Barbaresco dans l'intime **Enoteca Regionale de Barbaresco** (☎ 0173 63 52 51 ; Piazza del Municipio 7, Barbaresco ; ☉ 9h20-18h30 lun, mar et jeu-sam, 9h30-13h et 14h30-18h dim), installée dans une église sécularisée, où les bouteilles sont alignées là où se trouvait l'autel. Comptez 1,50 € par dégustation individuelle ; 6 vins de Barbaresco sont débouchés chaque jour.

Ristorante Rabayà (☎ 0173 63 52 23 ; Via Rabayà 9, Barbaresco ; menu 28-40 € ; ☉ ven-mer, fermé mi-fév à début mars). Situé en lisière de la ville, ce restaurant est l'un des meilleurs de Barbaresco. On se croirait dans une maison particulière. Sa salle à manger ornée d'antiquités est chauffée par un grand feu, mais quand le soleil brille, rien ne vaut la terrasse qui surplombe les vignes. Essayez le lapin au Barbaresco, suivi du plateau de fromages locaux.

Dégustation de vin, encore, à 4 km à l'est dans le tranquille village de Neive (2 930 habitants), où est installée la **Bottega dei Quattro Vini** (☎ 0173 67 70 14 ; Piazza Italia 2, Neive ; ☉ variables). Cette boutique comportant deux salles a été ouverte par la communauté locale pour présenter les quatre vins DOC (Dolcetto d'Alba, Barbaresco, Moscato et Barbera d'Alba) produits sur les collines de Neive (Neive est le premier village italien à avoir prétendu à quatre DOC). Dégustez-y des vins au verre (de 1,80 à 4,50 €), accompagnés de spécialités locales froides (de 3,50 à 10 €), comme des anchois à la sauce verte, du fromage des Langhe servi avec de la *cugnà* (confiture de raisin) ou de la *torta di nocciole* (gâteau aux noisettes sans farine, parfait avec un Passito tardif). La boutique sert de vitrine à 34 producteurs et vend le vins aux prix pratiqués dans les caves.

Bra et Pollenzo
28 300 habitants

Le nom de Bra est peu connu hors de la région. C'est pourtant dans cette petite ville piémontaise qu'en 1987, l'audacieux mouvement Slow Food a pris racine. Né de l'imagination d'un groupe de journalistes locaux désenchantés, le manifeste initial (voir l'encadré p. 244) lança une croisade mondiale contre le rouleau

LE ROI BAROLO ET LA REINE BARBARESCO

Dans un pays qui produit plus de vin que nul autre (y compris la France), rien d'étonnant que les Piémontais aient baptisé leurs célèbres Barolo et Barbaresco les "roi et reine des vins". Ces vins rouges qui ont du corps et sont célébrés dans le monde entier proviennent de cépages 100% Nebbiolo, cultivés à moins de 3 km les uns des autres, dans un triangle de terre entre les deux domaines médiévaux d'Alba et Asti. En dialecte piémontais, *nebbia* signifie "brume," allusion non pas à l'état de votre cerveau après un excès du breuvage, mais à la brume matinale suspendue tel un saint suaire au-dessus des collines des Langhe pendant la vendange, en octobre.

Si les deux vins ont des arômes piémontais classiques de rose, de truffe et de goudron, ils présentent des différences légères mais incontestables. Le climat plus doux de la zone du Barbaresco, un peu plus à l'est, permet des vendanges et un processus de maturation plus précoces, ce qui donne des saveurs plus subtiles et plus moelleuses (d'où le nom de "reine") et des millésimes moins âgés. En outre, la zone de culture du Barbaresco est bien plus limitée que celle du Barolo, produisant une récolte moins abondante mais, selon de nombreux amateurs, une qualité plus élevée.

Plus à l'ouest, le Barolo a une histoire plus ancienne que son royal partenaire. Sa formule initiale fut mise au point par des personnalités historiques – tel le comte de Cavour qui en proposait à ses amis de la Maison de Savoie – ce qui lui valut le surnom de "vin des rois." L'ancien Barolo était tannique, âgé et plutôt sucré mais, suite à une réinvention dans les années 1970 et 1980, lors d'un épisode surnommé les "guerres du Barolo", des crus plus jeunes et plus fruités ont vu le jour.

Les deux vins accompagnent parfaitement une grillade, un ragoût, le veau et les truffes.

compresseur des fast-food qui menaçait d'engloutir les traditions culinaires italiennes. Ce fut un succès dont Bra s'enorgueillit. Pas de voiture ni de supermarché dans le centre historique à l'agréable atmosphère détendue, où de petites échoppes familiales (qui ferment lors du "ralentissement" ou "Slow down", 2 fois par semaine) regorgent de saucisses bio, chocolats maison et produits fermiers locaux.

RENSEIGNEMENTS
L'office du tourisme (☎ 0172 43 01 84 ; www.comune. bra.cn.it ; Via Moffa di Lisio 14 ; ⏰ 9h-13h et 15h-18h lun-ven, 9h-12h sam et dim mars-nov) de Bra vous renseigne sur les deux villes et la région.

À VOIR
Aujourd'hui, la ville abrite encore le **siège de Slow Food** (☎ 0172 41 96 11 ; www.slowfood.it ; Via della Mendicità Istruita 14), qui se limite toutefois à un bureau (distribuant des brochures), à une petite librairie et à un restaurant, l'Osteria del Boccondivino (voir ci-contre).

L'histoire de Bra a commencé bien avant la naissance du Slow Food en 1987. La grande place en pente arbore une architecture baroque majestueuse, incarnée par la **Chiesa di San Andrea** (Piazza Caduti) conçue par Bernin. Le **Santuario della Madonna dei Fiori** (Viale Madonna dei Fiori), mélange baroque et néoclassique, se consacre à la Vierge, qui y serait apparue en 1336, tandis que la **Chiesa di Santa Chiara** (Via Craveri),

aux dômes élégants, est un véritable joyau du rococo piémontais.

L'histoire de la ville est présentée dans le Palazzo Traversa, aussi appelé **Museo Civico Artistico-Storico** (☎ 0172 42 38 80 ; Palazzo Traversa, Via Parpera 4 ; entrée libre ; ⏰ 15h-18h mar-jeu, 10h-12h et 15h-18h sam-dim 2e sem du mois), qui comprend des objets romains, des peintures du XVIIIe siècle et des armes médiévales. Le **Museo Civico di Storia Naturale** (☎ 0172 41 20 10 ; Via Craveri 15 ; entrée libre ; ⏰ 15h-18h tlj sauf lun) soumet minéraux, fossiles et oiseaux naturalisés à la curiosité des visiteurs.

À 4 km au sud de Bra s'étend le village de Pollenzo, qui fut une ville romaine importante et abrite depuis 2004 l'**Università di Scienze Gastronomiche** (université des sciences gastronomiques ; ☎ 0172 45 84 19 ; www.unisg.it ; Piazza Vittorio Emanuele 9), autre création de Carlo Petrini, fondateur du mouvement Slow Food. Le campus occupe un ancien palais royal, et propose un cursus de 3 ans en gastronomie et gestion des aliments. On y trouve aussi le très connu **Guido Restaurante** (Guido Ristorante ; ☎ 0172 45 84 22 ; www.guidoristorante. it ; menu 75 € ; ⏰ mar-sam, fermé jan et août). Certains viennent de loin pour y faire bombance, notamment pour y savourer son veau. Juste à côté se trouvent l'Albergo Dell'Agenzia et la **Banca del Vino** (☎ 0172 45 84 18 ; www.bancadelvino.it), une cave à vin-"bibliothèque". Des dégustations gratuites et guidées sont possibles sur réservation. L'université possède aussi un campus à Colorno, dans la province de Parme.

LE MANIFESTE DE LA BONNE FOURCHETTE

Déjeuner ? Non, pas le sandwich que l'on avale d'une main en tapotant sur le clavier de l'ordinateur ou en téléphonant de l'autre, mais un vrai *pranzo* italien – celui qui vous fait saliver d'avance, la fourchette à la main. Vous ne vous souvenez plus du dernier ? C'était aussi le cas de journalistes italiens de la petite ville de Bra, dans le Piémont, en 1987. McDonald's venait juste d'arriver en Italie, et les déjeuners semblaient à jamais condamnés aux petits pains ronds. Carlo Petrini et d'autres *neoforchettoni* (bonnes fourchettes) décidèrent de passer à l'action. Dans un manifeste publié dans le magazine culinaire *Gambero Rosso*, ils déclarèrent qu'un repas devait être jugé non par la vitesse à laquelle on l'avale, mais par le plaisir qu'il procure. Ils fondèrent une association qui allait bientôt acquérir une renommée internationale, **Slow Food** (www.slowfood.com) et qui se donnait pour mission de rétablir un lien entre producteurs artisanaux et consommateurs enthousiastes et avertis. L'association compte aujourd'hui plus de 80 000 membres dans 50 pays – sans oublier les *agriturismi*, restaurants, fermes, vignobles, fromagers et marchés Slow Food dans toute l'Italie.

Slow Food est un mouvement politique, qui promeut la biodiversité, la durabilité et le partage des ressources mondiales. Une ancienne usine Fiat de Turin a été transformée en un immense salon présentant de succulents amuse-gueules lors du **Salone del Gusto e Terre Madre** biennal, le symposium mondial de Slow Food, où se rassemblent producteurs, chefs, activistes, restaurateurs, agriculteurs, écologistes et épicuriens de 131 pays. Cette manifestation a lieu les années paires ; les années impaires, d'autres manifestations se tiennent ailleurs : **Slow Fish** (www.slowfish.it), où le poisson est à l'honneur, se déroule à Gênes, **Cheese** (www.cheese.slowfood.com), la fête du fromage, à Bra, et **Slow Food on Film** (www.slowfoodonfilm.it), festival de films sur le Slow Food, à Bologne. Dans le Piémont, Slow Food se développe plus vite que McDonald's : la chaîne américaine possède peut-être 28 restaurants dans la région, mais ceux de Slow Food y sont deux fois plus nombreux. À ce rythme, lent mais sûr, les générations futures sauront peut-être encore manier la fourchette…

Alison Bing, membre de Slow Food à San Francisco depuis 2004

OÙ SE LOGER ET SE RESTAURER

Albergo Cantine Ascheri (☎ 0172 43 03 12 ; www. ascherihotel.it ; Via Piumati 25, Bra ; s/d 80/120 € ; P 🏠 🖳). Érigé autour de l'exploitation viticole de la famille Ascheri établie en 1880, cet hôtel très contemporain mêle bois, maille d'acier et verre. Il compte une bibliothèque en mezzanine, 27 chambres ensoleillées et une terrasse bordée de vigne donnant sur les toits. Du vestibule, on peut voir les cuves de la cave (les résidents ont droit à une visite gratuite). À quelques rues au sud de la gare ferroviaire de Bra.

Albergo Dell'Agenzia (☎ 0172 45 86 00 ; www. albergoagenzia.it ; Via Fossano 21, Pollenzo-Bra ; s 155 €, d 195-240 € ; P 🏠). Le prince Charles est l'une des personnalités à avoir séjourné dans cet établissement unique, qui fait partie du complexe de l'université des sciences gastronomiques de Pollenzo. Les chambres sont vastes et meublées avec élégance, dotées de lits immenses, de dressings et de sdb rutilantes. Le restaurant est géré avec professionnalisme et la cave est bien pourvue. Un parc est à votre disposition.

Osteria del Boccondivino (☎ 0172 42 56 74 ; www. boccondivinoslow.it ; Via Mendicità Istruita 14, Bra ; menus 26-28 € ; 🕑 mar-sam). Au 1er étage du QG du mouvement Slow Food, ce petit restaurant agréable où s'alignent les bouteilles de vin fut le premier ouvert par l'organisation dans les années 1980. La cuisine est fraîche et succulente, et le menu des Langhe change chaque jour.

DEPUIS/VERS BRA

De la gare ferroviaire sur Piazza Roma, des trains relient Bra à Turin (3,50 €, 1 heure) en passant par Carmagnola. Des bus desservent Pollenzo (1 €, 15 min, lun-sam matin).

Asti

73 400 habitants / altitude 123 m

Distantes d'à peine 30 km, Asti et Alba étaient au Moyen Âge de farouches rivales, places fortes aux mains de familles royales ennemies. Cet antagonisme est commémoré chaque année, le 3e dimanche de septembre, par le **Palio d'Asti**, une course de chevaux montés à cru célébrant une victoire contre Alba, qui attire plus de 250 000 spectateurs (Alba répond par une course d'ânes le premier dimanche d'octobre). Aujourd'hui, la viticulture constitue le trait d'union entre ces deux villes, qui ont dépassé leurs anciennes querelles. Asti – la plus grande des deux – produit le blanc pétillant Asti Spumante, fait avec du Muscat, tandis qu'Alba crée le Barolo et le Barbaresco.

Le festival **Douja d'Or** (une *douja* est une cruche à vin typique d'Asti), organisé durant 10 jours au début du mois de septembre, est prolongé par le festival gastronomique **Delle Sagre**, le 2e dimanche de septembre.

Comme à Alba, la campagne autour d'Asti dissimule de précieuses truffes noires et blanches. La **foire à la truffe** d'Asti se déroule en novembre.

Le centre largement piétonnier de la ville ne manque pas de charme, sans être aussi chaleureux que celui d'Alba. La ville, colonie romaine en 89 av. J.-C., devint une cité-État indépendante aux XIIIe et XIVe siècles, puis passa successivement sous la férule de l'Espagne, de l'Autriche, de la France et enfin de la Maison de Savoie, avant l'unité italienne.

RENSEIGNEMENTS

Les deux **offices du tourisme** (☎ 0141 53 03 57 ; www.astiturismo.it) Piazza Alfieri 29 (☼ 9h-13h et 14h30-18h30) ; Corso Alfieri 328 (☼ 10h-13h et 15h-18h) vous renseignent sur les fêtes et les foires organisées en septembre sur le thème du vin.

À VOIR

À la fin du XIIIe siècle, la région était devenue l'une des plus riches d'Italie, Asti comptant à elle seule quelque 150 tours. Sur les 12 qui subsistent aujourd'hui, on ne peut en gravir qu'une, la **Torre Troyana o Dell'Orologio** (☎ 0141 39 94 60 ; Piazza Medici ; entrée libre ; ☼ 10h-13h et 16h-19h avr-sept, 10h-13h et 15h-18h sam-dim oct), de 38 m de hauteur. L'énorme clocher de la **Cattedrale di Santa Maria Assunta** (Piazza Cattedrale), romano-gothique du XIIIe siècle, surplombe le centre historique d'Asti. Ses fresques méritent le coup d'œil.

OÙ SE LOGER ET SE RESTAURER

Hors du centre-ville, les vignes de Monferrato cachent de charmants hôtels – allez-y ou demandez aux offices du tourisme d'Asti une liste des établissements, notamment des *agriturismi*.

Hotel Cavour (☎ 0141 53 02 22 ; www.hotelcavour-asti.com ; Piazza Marconi ; s 45-50 €, d 65-73 € ; P ✕). L'adresse petits budgets d'Asti est un établissement modeste à côté de la gare ferroviaire, où les couleurs vivent égaient des chambres un peu ternes. Tout y propre, même si les nez les plus sensibles détecteront une odeur de cigarette. Petit restaurant et accès handicapé.

Hotel Palio (☎ 0141 3 43 71 ; www.hotelpalio.com ; Via Cavour 106 ; d 75-107 € ; P ✕ ⚑ ⏚ ⚏). Entre la gare ferroviaire et la vieille ville, un hôtel dont l'aspect fonctionnel dissimule un grand confort. À l'image d'Asti, il associe moderne et ancien dans des chambres chics pourvues de TV sat et du Wi-Fi. Salon joliment décoré. Les propriétaires gèrent le Ristorante Falcon Vecchia, l'un des plus anciens d'Asti, ouvert en 1607.

Pompa Magna (☎ 0141 32 44 02 ; Via Aliberti 65 ; menu 20-30 € ; ☼ mar-dim ; ✕). Restaurant de style brasserie, sur deux niveaux, idéal pour une bruschetta et un verre de très bon vin (le Pompa Magna possède une *enoteca* en ville, Corso Alfieri 332 ; fermé lundi). Venez le ventre creux pour faire honneur au menu du chef et notamment à son *bonnet* (gâteau au chocolat sophistiqué).

Osteria La Vecchia Carrozza (☎ 0141 53 86 57 ; Via Caducci 41 ; repas 18-25 € ; ☼ mar-dim). Vous partagerez peut-être la salle avec un groupe de nonnes ou d'étudiants festoyant dans cet établissement à l'ambiance très piémontaise. Vous êtes à Asti, la cuisine regorge de truffes, de Barolo et de mémorables *agnolotti all'astigiana*.

Achetez des vêtements et toutes sortes d'objets pour la maison aux marchés du mercredi et du samedi matin sur la Piazza Alfieri et la Piazza Campo del Palio.

DEPUIS/VERS ASTI

La ligne ferroviaire Turin-Gênes passe par Asti, et la ville est desservie toutes les heures dans les deux sens. Le trajet dure de 30 à 55 minutes depuis/vers Turin (3,90 €) et 1 heure 45 depuis/vers Gênes (6,50 €), avec un arrêt à Alba (2,70 €, 40 min).

Environs d'Asti

Asti est entourée de vignobles, de châteaux et de restaurants célèbres. La plupart des villages autour d'Asti sont desservis par des bus ; les offices du tourisme d'Asti vous en indiqueront les horaires.

MONFERRATO

Terre de géants littéraires (Umberto Eco et le dramaturge du XVIIIe siècle Vittorio Alfieri) et d'un autre vin classique (l'intense Barbera del Monferrato), la région du Monferrat occupe un triangle fertile entre Asti, Alessandria et sa capitale historique, **Casale Monferrato** (dans l'histoire de France souvent appelée Casal ; 38 500 habitants) – au bord du Pô.

Le hameau de **Moncalvo** (3 320 habitants), à 15 km au nord d'Asti sur la S457, permet de prendre de jolies photos depuis son point de vue surplombant le **château**. Un **bureau d'information** (Piazza Antico Castello ; ☽ sam et dim, horaires variables) et des dégustations de vin accueillent les visiteurs.

De nombreux producteurs, comme Tenuta Castello di Razzano (plus bas), proposent des visites de caves à vin ; le **Consorzio Operatori Turistici Asti e Monferrato** (☎ 0141 59 46 98 ; www.terredasti.it ; Piazza Alfieri 29), à Asti, fournit une liste détaillée des circuits vinicoles et peut vous orienter.

Debout depuis 1550, la **Tenuta del Barone** (☎ 0141 91 01 61 ; www.tenutadelbarone.com ; Via Barone 18, Penango ; s 45-50 €, d 70-75 €, dîner vin compris 25 € ; [P] [⊠]) est une ferme familiale transformée en agréable B&B. Vous dormirez dans les anciennes étables et vous vous régalerez de copieux repas maison. Des cours de cuisine médiévale et des dégustations de vin sont organisés. Penango, à 2 km de Moncalvo, est indiqué au sud du hameau.

Tenuta Castello di Razzano (☎ 0141 92 21 24 ; www.castellodirazzano.it ; Frazione Casarello 2, Alfiano Natta ; d/ste 110/200 € ; [P] [⊠] [⊡]). Dans un vaste château, dont on peut visiter l'installation vinicole, et où sont proposées des dégustations (à partir de 6 € pour 5 vins différents, un vin aromatique et de la grappa Barbera accompagne de saucisson local cru et cuit, de pain, de focaccia et de pizza ; jusqu'à 15 € pour 8 vins et une véritable farandole d'amuse-gueules). Pour vous imprégner de l'ambiance du château, séjournez dans l'une des chambres – de la taille d'un appartement –, parcourez ses corridors chargés d'histoire ou évadez-vous dans la salle de lecture. Alfiano Natta est située à 6 km à l'ouest de Moncalvo.

On prendra bien soin de vous à la **Locanda del Sant'Uffizio** (☎ 0141 91 62 92 ; Strada Sant'Uffizio 1, Cioccaro di Penango ; s 128-175 €, d 171-240 € ; [P] [⊠] [⊡] [⊡]), un couvent restauré du XVIIe siècle (agrémenté d'une nouvelle aile élégante et d'un centre de bien-être), au milieu de 4 ha de vignes. Les chambres du couvent, certaines ornées de fresques d'origine, prennent fréquemment les couleurs des fleurs dont elles portent le nom. Des vélos sont à votre disposition si vous avez envie de faire des balades, et on peut venir vous chercher à Asti. Sant'Uffizio possède un petit **restaurant** (menu déj/dîner 23/55 €) raffiné, ouvert aux non-résidents sur réservation.

NORD DU PIÉMONT

La région autour de **Vercelli** (480 010 habitants) sur la rive ouest de la Sesia, est si plate et humide que quelque 100 variétés de riz y sont cultivées. La variété la plus célèbre vient du petit **Arborio** (1 035 habitants) à 20 km au nord de Vercelli, village qui est devenu synonyme de *riso* (riz ; servant au risotto).

En suivant la rivière vers le nord après Varallo jusqu'au Monte Rosa, à cheval sur le Val d'Aoste, les versants alpins deviennent abrupts. Cette région montagneuse peut être explorée à ski, à pied, à vélo et en raft.

Le nord-est du Piémont est la région du Lago d'Orta et de la rive ouest du lac Majeur (Lago Maggiore) et des îles Borromées (voir le chapitre *Lombardie*, p. 260).

Ivrea mérite une halte. Paisible la plus grande partie de l'année, cette ville, située à 55 km au nord-est de Turin en direction du Val d'Aoste explose au moment de la **Battaglia delle Arance**. Cette "bataille d'oranges" de 3 jours commence le dimanche précédant le Mardi gras : plus de 3 500 personnes se jettent 400 tonnes d'oranges, rejouant symboliquement le soulèvement du peuple contre l'aristocratie au XIIe siècle (c'est Napoléon qui exigea que des oranges remplacent les pierres).

L'**office du tourisme d'Ivrea** (☎ 0125 61 81 31 ; www.canavese-vallilanzo.it ; Corso Vercelli 1 ; ☽ 9h30-12h30 et 14h30-18h lun-ven, 10h-12h et 15h-18h sam) vous renseigne sur les visites du **château** médiéval de la vieille ville et sur la **cathédrale** du XIe siècle.

C'est à Ivrea que l'entrepreneur Camillo Olivetti (1868-1943) fonda en 1896 son entreprise de machines à écrire. Inspirés du Bauhaus allemand, les bâtiments de l'usine avec leurs immenses façades en verre, font aujourd'hui partie du **MAAM** (Musée à ciel ouvert de l'architecture moderne ; ☎ 0125 64 18 15 ; Via Jervis 26 entrée libre ; ☽ musée 24h/24, centre d'information 9h-13h mar-sam). Sept panneaux numérotés informent les visiteurs qui effectuent le tour de l'extérieur des bâtiments (toujours en activité).

De la gare située à l'angle du Corso Jervis et du Corso Nigra, dans la ville nouvelle, de trains partent toutes les heures vers Aoste (3,50 €, 1 heure) et plusieurs fois par jour vers Turin (3,90 €, 1 heure). Le centre historique et le MAAM sont accessibles à pied depuis la gare.

Le nord du Piémont inclut aussi la vallée de Valsesia, qui, avec les Valle d'Ayas et le Val de Gressoney, du Val d'Aoste, forme le domaine skiable du Monte Rosa (voir p. 256).

LIGURIE, PIÉMONT ET VAL D'AOSTE

VAL D'AOSTE (VALLE D'AOSTA)

120 600 habitants

La région autonome du Val d'Aoste – la plus petite et la moins peuplée d'Italie – est demeurée enclavée jusqu'à l'ouverture du tunnel du mont-Blanc en 1965. Tandis que les Dolomites voisines présentent des traits allemands et que le Frioul-Vénétie julienne tend à se tourner vers l'est, Aoste est incontestablement d'influence française. Cette association compose une culture valdôtaine hybride, mélange de franco-provençal et d'italien du Nord qui détient sur la cuisine (polenta, saucisses épicées et le fameux fromage *fontina*) et a assuré la survie d'un patois local, le franco-provençal ou valdôtain, parlé par environ 55% de la population.

Le Val d'Aoste est une large vallée glaciaire qui s'étire d'est en ouest, entaillée par plusieurs vallées mineures. Certains des pics les plus élevés d'Europe la surplombent, notamment le mont Blanc, le Cervin, le mont Rose et le Grand Paradis (Gran Paradiso). Les pistes de ski s'étendent jusqu'à la Suisse et la France, et les glaciers sont surplombés par des téléphériques gigantesques.

Après la fonte des neiges, les amateurs peuvent y faire de magnifiques randonnées : parcourir les 165 km du tour du Mont Blanc, visiter le parc national du Grand Paradis, et découvrir les deux sentiers de grande randonnée d'Aoste, les Alte Vie 1 et 2.

Aoste a des racines romaines – la ville éponyme compte quelques vestiges notables – et son annexion par la Maison de Savoie au XIe siècle a mené à l'érection de nombreux châteaux médiévaux. Aux XIIe et XIIIe siècles, les Walser, Suisses d'origine allemande spécialisés dans le commerce de tissus, ont émigré dans le Val di Gressoney et une poignée de villages en ont conservé la langue et l'architecture.

L'ouverture du tunnel du mont Blanc en 1965 a profondément bouleversé la vie dans le Val d'Aoste, attirant des flots de touristes venus skier à Courmayeur et Breuil-Cervinia. Passée en peu de temps de la ruralité à la modernité du XXIe siècle, l'économie valdôtaine repose aujourd'hui sur le tourisme et la production de fromage et de vin de qualité. La région a le niveau de vie le plus élevé du pays, mais le taux de natalité le plus faible du monde.

À faire

D'excellentes opportunités de hors-piste abondent dans les montagnes du Val d'Aoste, où vous pourrez aussi dévaler les pistes de **ski alpin**. Courmayeur (au pied du massif du Mont-Blanc) et Breuil-Cervinia (qui donne accès au domaine skiable de Zermatt, en Suisse) sont les stations les plus réputées. Des stations moins courues, comme Pila (au sud d'Aoste) ou les pistes du Monte Rosa offrent aussi des paysages somptueux aux skieurs de tous niveaux. La Valle di Cogne, dans le parc national du Gran Paradiso, et le Val di Gressoney, au pied du Monte Rosa, sont des centres importants de **ski de randonnée**.

Le forfait valable 3/6 jours couvrant le Val d'Aoste, Alagna Valsesia (Piémont) et Zermatt (Suisse) revient à 104/195 €. Le forfait de 6 jours "safari neige dans le Mont-Blanc" donne accès au domaine skiable des Quatre Vallées (Suisse), de Chamonix et du Val d'Aoste, pendant 6 jours (220 €). Il existe d'autres forfaits (www.skivallee.it).

AOSTE (AOSTA)

34 200 habitants / altitude 565 m

Les pics alpins semblent monter la garde au-dessus d'Aoste, dont les habitants leur vouent un culte depuis l'époque romaine. Déchirée entre la Maison de Bourgogne et la Maison de Savoie au Moyen Âge, la ville moderne appartient aux deux aires linguistiques (française et italienne) et revendique une culture valdôtaine, reflétée par le dialecte local et la cuisine simple mais roborative.

Colonie romaine d'importance, Aoste est construite sur un quadrillage de rues géométrique et ses murs vieux de deux millénaires ont résisté à l'invasion des voitures et des touristes. Pourtant, les skieurs dépassent en nombre les archéologues (un télésiège permet d'accéder aux pistes directement depuis le centre-ville). Aoste est proche du Gran Paradiso, le plus ancien parc national d'Italie, véritable paradis pour les randonneurs et les alpinistes l'été.

Renseignements

De nombreuses banques donnent sur la Piazza Chanoux et ses alentours.

Aosta Web (☎ 0165 06 00 15 ; Ave Pere Laurent angle XXVI Febbraio ; 2 €/heure ; 🕑 9h30-12h30, 14h30-20h30, fermé dim matin). Internet.

Farmacia Centrale (☎ 0165 26 22 05 ; Piazza Chanoux 35)

Hôpital (☎ 0165 3 41 ; Viale Ginevra 3)

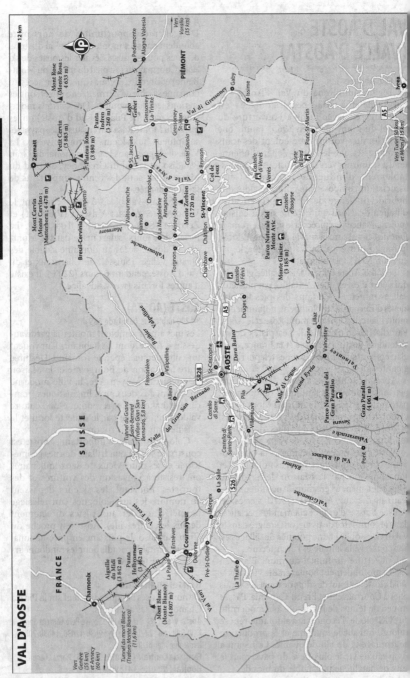

VAL D'AOSTE

0   12 km

ffice du tourisme d'Aoste (☎ 0165 23 66 27 ; www.
egione.vda.it/turismo ; Piazza Chanoux 2 ; ☺ 9h-13h
t 15h-20h juin-sept, 9h30-13h et 15h-18h30 lun-sam,
h-13h dim oct-mai). Donne une liste des hébergements.

olice (☎ 0165 26 21 69 ; Corso Battaglione Aosta 169).
. l'ouest de la ville.

oste (Piazza Narbonne ; ☺ 8h15-18h lun-ven, 8h15-13h sam)

voir

RUINES ROMAINES

Si les faubourgs d'Aoste dénaturent quelque
eu le paysage, son quartier central vieux de
2 000 ans abonde en vestiges romains. Symbole
le la ville, l'**arc d'Auguste** (Piazza Arco di Augusto), en
uine, comporte un crucifix suspendu en son
entre depuis l'époque médiévale.

De l'arc, prenez vers l'est en traversant le
ont sur la Buthier pour jouir d'une belle vue
ur le **pont romain** pavé, toujours en service
lepuis le Ier siècle. Revenez en arrière sur 300 m
 l'ouest, le long de la Via Sant'Anselmo jusqu'à
a **porte Praetoria**, accès principal de la ville
omaine.

Continuez vers le nord et longez la Via di
Bailliage jusqu'au **théâtre romain** (Via Porta Praetoria ;
ntrée libre ; ☺ 9h-19h sept-juin, 9h-20h juil-août), dont
ne partie de la façade de 22 m de hauteur
st encore intacte. En été, des spectacles se
iennent dans la partie inférieure de l'édifice,
nieux préservée. Tout ce qui reste du **forum
omain**, deux pâtés de maisons plus à l'ouest,
rès la Piazza Giovanni XXIII, se limite à une
llée de colonnes, le **Criptoportico**.

La sinistre **Torre dei Balivi**, ancienne prison,
narque l'un des angles du rempart romain ;
lle veille sur son homologue plus modeste,
a **Torre dei Fromage** (☺ variables selon les expositions),
ui tire son nom d'une famille locale – et non
l'un fromage. Elle accueille des expositions
emporaires ; renseignez-vous auprès de l'office
lu tourisme.

CATTEDRALE SANTA MARIA ASSUNTA

La **cathédrale** (Piazza Giovanni XXIII ; ☺ 6h30-12h et
5h-19h) arbore une façade néoclassique qui
ne laisse pas soupçonner son magnifique
ntérieur gothique. Les belles stalles du chœur
n noisetier sculpté remontent au XVe siècle.
Deux mosaïques au sol, du XIIe au XIVe siècle,
néritent l'attention, tout comme les œuvres
l'art religieux du **Museo del Tesoro** (musée du
résor ; ☎ 0165 40 413 ; adulte/enfant 2,10/0,75 € ; ☺ 9h-
1h30 et 15h-17h30 lun-sam, 8h30-10h et 10h45-11h30 dim
vr-sept, 8h30-10h, 10h45-11h30 et 15h-17h30 dim oct-fév),
lans le déambulatoire.

CHIESA DI SANT'ORSO

Le site le plus intrigant d'Aoste est cette **église**
(Via Sant'Orso ; ☺ 10h-12h30 et 13h30-17h lun-ven, 10h-
12h30 et 13h30-18h dim oct-fév, 9h-19h mars-juin et sept,
9h-20h juil et août), qui fait partie d'un monastère
encore en activité. Sa construction date du
Xe siècle, mais elle a subi de nombreuses
modifications, surtout au XVe siècle, lorsque
Giorgio di Challant, membre de la famille
régnante, fit recouvrir les **fresques** d'origine
et installa une nouvelle toiture. Par chance,
ces transformations ont laissé intacts les
niveaux supérieurs des fresques. Vous pouvez
demander au gardien de déverrouiller la porte,
et gravir une étroite volée de marches jusqu'à
l'entre-deux plafonds afin de contempler ces
vestiges bien conservés du XVe siècle.

L'intérieur et les stalles du chœur magnifiquement sculptées sont gothiques. Des fouilles
ont mis au jour les vestiges d'une église plus
ancienne. Sous l'autel, vous pourrez admirer
une mosaïque du XIIe siècle protégée par du
verre, découverte en 1999.

À droite de l'église, le beau **cloître** roman
du monastère est orné de chapiteaux sculptés
illustrant des scènes de la Bible.

À faire

SKI

Située à 1 800 m d'altitude, la station de **Pila**
(☎ 0165 36 36 15 ; www.pila.it ; forfait demi-journée/journée
21,50/30 € ; ☺ mi-déc à mi-avr) est accessible de la ville
par le téléphérique Aoste-Pila ou par le sud,
en voiture (18 km). Les 70 km de pistes et les
13 remontées mécaniques en font l'une des
plus grandes stations de la vallée. Sa piste la plus
élevée, sur les flancs du Gran Paradiso, culmine
à 2 700 m ; elle est aussi équipée d'un parc pour les
adeptes du **snowboard** et du ski freestyle, avec
half-pipe, tremplin, glissières et obstacles. La
station forme un village, mais les services (dont
l'office du tourisme) sont à Aoste. Pour des
précisions sur les forfaits permettant d'accéder
aux stations du Val d'Aoste, voir p. 247.

RANDONNÉE À PIED ET À VTT

Les pentes moins abruptes qui vont de Pila
à la vallée de la Dora Baltea offrent de belles
promenades pédestres ou cyclistes, sans
grande difficulté. On peut emporter son VTT
gratuitement à bord du **téléphérique Aoste-Pila**
(adulte AS/AR 3/5 € ; ☺ 8h-12h15 et 14h-17h ou 18h
juin-août). Les vététistes peuvent aussi acheter
un forfait à la journée (transport seul, 13 €)
donnant un accès illimité au téléphérique et

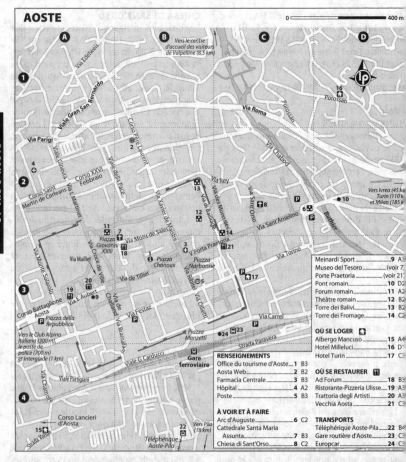

AOSTE

RENSEIGNEMENTS	
Office du tourisme d'Aoste	1 B3
Aosta Web	2 B2
Farmacia Centrale	3 B3
Hôpital	4 A2
Poste	5 B3

À VOIR ET À FAIRE	
Arc d'Auguste	6 C2
Cattedrale Santa Maria Assunta	7 B3
Chiesa di Sant'Orso	8 C2
Meinardi Sport	9 A3
Museo del Tesoro	(voir 7)
Porte Praetoria	(voir 21)
Pont romain	10 D2
Forum romain	11 A2
Théâtre romain	12 B2
Torre dei Balivi	13 B2
Torre del Fromage	14 C2

OÙ SE LOGER	
Albergo Mancuso	15 A4
Hotel Milleluci	16 D1
Hotel Turin	17 C3

OÙ SE RESTAURER	
Ad Forum	18 B3
Ristorante-Pizzeria Ulisse	19 A3
Trattoria degli Artisti	20 A3
Vecchia Aosta	21 C3

TRANSPORTS	
Téléphérique Aoste-Pila	22 B4
Gare routière d'Aoste	23 C3
Europcar	24 C3

aux autres remontées. L'office du tourisme vous conseillera sur les itinéraires à vélo et les sentiers de randonnée ; il possède une liste des guides et des hébergements de montagne.

Voici les coordonnées de quelques clubs de randonnée qui organisent des sorties ou fournissent des guides de montagne.

Club Alpino Italiano (CAI ; ☎ 0165 4 01 94 ; www.caivda.it ; Corso Battaglione Aosta 81 ; ⏲ 6h30-20h mar, 20h-22h ven). À l'ouest du centre-ville.

Interguide (☎ 0165 4 09 39 ; www.interguide.it ; Via Monte Emilius 13 ; ⏲ 18h30-20h mar, 20h-22h ven). À l'ouest du centre-ville.

Meinardi Sport (☎ 0165 4 06 78 ; Via E. Aubert ; ⏲ 15h-19h30 lun, 9h-12h30 et 15h-19h30 mar-sam). Magasin de sport bien pourvu en cartes et articles de randonnée.

DÉGUSTATIONS DE VIN ET DE FROMAGE

Le Val d'Aoste possède des vignes produisar des vins blancs très recherchés, difficiles obtenir en dehors de la région de productior notamment ceux des vignobles réputés le plus élevés d'Europe, **Morgex** et **La Salle** (www caveduvinblanc.com), du nom des deux village devenus une seule entité par leurs vignes. L'office du tourisme d'Aoste dispose d'un brochure gratuite et complète, contenar des informations sur les caves à visiter ave dégustation.

Vous pouvez goûter des fromages locau au centre d'accueil des visiteurs de Valpellin – voir l'encadré p. 252. Il vous faudra votr propre moyen de transport pour accéder ces deux sites.

Fêtes

Depuis plus d'un millénaire, la **Fiera di Sant'Orso**, foire au bois annuelle, se déroule dans les environs de la Porta Praetoria les 30 et 31 janvier en l'honneur du saint patron de la ville, qui fabriquait des sabots pour les pauvres (d'où les nombreux sabots proposés dans les boutiques d'artisanat). Des artisans du bois venus de toute la vallée convergent à Aoste pour présenter les objets qu'ils ont sculptés et faire une offrande au saint dans l'église qui lui est dédiée.

Où se loger

Outre les hôtels d'affaires, la vallée compte nombre d'établissements meilleur marché (et souvent plus charmants). Renseignez-vous à l'office du tourisme.

Hotel Turin (☎ 0165 4 45 93 ; www.hotelturin.it ; Via Torino 14 ; s 34-60 € , d 58-84 € ; Ⓟ ▯). Architecture moderne mêlant verre et acier pour ce trois-étoiles proche de la gare routière et du téléphérique conduisant à Pila.

Albergo Mancuso (☎ 0165 3 45 26 ; www.albergo-mancuso.com ; Via Voison 32 ; s/d 45/55 € ; Ⓟ). Un hôtel un peu désuet (jetez un œil aux photos de concerts des années 1970 dans l'escalier) et sans luxe aucun, mais accueillant, familial et incroyablement bon marché. Toutes les chambres sont différentes : demandez à les voir avant de vous décider (certaines sont petites). Offre des réductions dans certains restaurants, notamment l'Ulisse (ci-contre).

◗ **Hotel Milleluci** (☎ 0165 4 42 74 ; www.hotelmille-luci.com ; Loc Porossan 15 ; s 110-130 € , d 130-240 € ; Ⓟ ▯ ▯ ▯). Vieux skis et souliers de bois, baignoires à pattes de lion, piscine intérieure et extérieure, Jacuzzi, sauna, salle de gym et un superbe petit déjeuner donnent des allures de palace à cette grande ferme familiale reconvertie. Il est installé en amont de la ville, si bien que ses chambres pourvues de balcons donnent sur les lumières d'Aoste.

Où se restaurer et prendre un verre

Parmi les plats traditionnels, citons la *seupa valpellinenze* (soupe aux choux, pain, bouillon de bœuf et *fontina*) et la *carbonada con polenta* (soupe à base de viande de chamois, souvent remplacée par du bœuf).

L'été, les terrasses fleurissent sur la Piazza Chanoux.

Trattoria degli Artisti (☎ 0165 4 09 60 ; Via Maillet 5-7 ; plats 18-28 € ; ◷ mar-sam). Dans une allée près de la Via Aubert, cette petite trattoria sombre met à l'honneur une fabuleuse cuisine régio-

nale. Les *antipasti* comprennent des bouchées à la fondue valdôtaine, du jambon fumé et du saucisson de la région, suivis de plats comme du chevreuil à la polenta et du bœuf braisé au vin blanc Morgex et La Salle.

Ristorante-Pizzeria Ulisse (☎ 0165 4 11 80 ; Via E Aubert 58 ; repas 15-18 € ; ◷ déj lun-dim, dîner jeu-lun). Il n'est pas rare que le chef lui-même vous apporte votre commande. Les pizzas margherita à 5 € sont parfaites.

Ad Forum (☎ 0165 4 00 11 ; Via Mons de Sales 11 ; repas 22-30 € ; ◷ mar-dim ; ✇). Autre restaurant dans un cadre somptueux – un jardin élégant et de belles salles – érigé sur une partie des vestiges du forum romain. Des plats inventifs, tels le risotto au fraises et à l'Asti ou des lasagnettes aux poires et au bleu, sont servis en généreuses portions. L'apéritif est offert. L'*enoteca* propose une excellente carte des vins.

◗ **Vecchia Aosta** (☎ 0165 36 11 86 ; Piazza Porte Pretoriane 4 ; menu 27 € ; ◷ déj mar-dim, dîner mar-sam ; ✇). Les restaurants comme la Vecchia Aosta font preuve d'une grande créativité culinaire. Bâti contre une partie de l'ancien mur romain, dans un cadre sublime, il emploie des serveurs sympathiques. Suivez leurs conseils et choisissez l'agneau. Un moment fort de vos vacances.

Achats

Les boutiques d'artisanat de la ville vendent des objets traditionnels de la vallée fabriqués par des artisans locaux certifiés. La *grolla* est une grande coupe de bois, inspirée du Graal, que les artisans locaux auraient copiés. Autre tradition valdôtaine, la *coppa dell'amicizia* (coupe de l'amitié) – un bol en bois rempli de café flambé, aux zestes de citron et à la grappa. La coupe, qui compte de 2 à 15 becs, passe parmi les amis qui y boivent tour à tour.

Depuis/vers Aoste

Les bus de la **Savda** (www.savda.it) pour Milan (1 heure 30 à 3 heures 30, 2/jour), Turin (2 heures, jusqu'à 10/jour) et Courmayeur (3,20 € ; 1 heure, jusqu'à 8/jour), de même que pour des destinations en France dont Chamonix, partent de la **gare routière d'Aoste** (☎ 0165 26 20 27 ; Via Giorgio Carrel), située presque en face de la gare ferroviaire. Pour Breuil-Cervinia, prenez un bus de Turin à Châtillon (30 min, 8/jour), puis une correspondance jusqu'à la station (1 heure, 7/jour).

La gare ferroviaire, sur la Piazza Manzetti, est desservie par des trains venus de tout le

LE FROMAGE VALDÔTAIN

La *fontina* est protégée par son appellation d'origine. Ce fromage à pâte semi-cuite (son goût se rapproche un peu du cantal) est fabriqué à partir de lait entier cru, provenant de vaches du Val d'Aoste qui fréquentent des alpages d'altitude (2 700 m). Pendant les trois mois de sa maturation dans des caves sous les rochers, les fromages sont retournés chaque jour, brossés et salés en alternance.

Cette fabrication artisanale et d'autres traditions fromagères locales vous seront expliquées en détail au **centre d'accueil des visiteurs de Valpelline** (☎ 0165 73 33 09 ; www.fontinacoop.it ; Frissonnière ; entrée libre ; ⏱ 8h30-12h30 et 14h30-18h30 lun-ven, 9h-12h et 15h-18h sam-dim mi-juin à mi-sept, 9h-12h et 14h30-17h30 lun-ven mi-sept à mi-juin). Il vous faut un véhicule pour parvenir au centre depuis Aoste : longez la SR28 sur 7 km, vers le nord, jusqu'à Valpelline, tournez vers l'est en direction d'Ollomont et, au bout de 1,5 km, prenez à l'ouest une route de montagne jusqu'à Frissonnière.

À Aoste, des boutiques proposent des fromages régionaux, tel le *stravecchio di montagna*, fromage à pâte dure fort, salé et puissant, que l'on goûtera de préférence avant d'en apprendre le secret de fabrication.

pays, via Turin (7,55 €, 2 heures à 2 heures 30, plus de 10/jour).

Aoste est sur le trajet de l'A5, qui relie Turin à la France par le tunnel du Mont-Blanc. En direction du nord, une route rejoint la Suisse par le tunnel du Grand-Saint-Bernard.

Comment circuler

Le centre d'Aoste, interdit aux voitures, se visite facilement à pied. Des bus sillonnent la ville depuis la gare ferroviaire. Vous pouvez réserver un taxi (☎ 0165 31831) ou louer une voiture auprès d'**Europcar** (☎ 0165 4 14 32) à la gare ferroviaire.

CHÂTEAUX DU VAL D'AOSTE

Des châteaux gothiques dominent le Val d'Aoste. Chacun a une vue sur le suivant, car les messages étaient autrefois communiqués dans la vallée par des drapeaux. En voiture, vous en verrez plusieurs en un seul jour, mais attention aux jours de fermeture. D'Aoste, suivez plutôt la spectaculaire S26 que l'A5, plus fréquentée. Les châteaux sont clairement indiqués.

À l'est d'Aoste, le **Castello di Fénis** (☎ 0165 76 42 63 ; 5 € ; ⏱ 9h-19h mar-juin et sept, 9h-20h juil et août, 10h-12h30 et 13h30-17h mer-sam et lun, 10h-12h30 et 13h30-18h dim oct-fév) est magnifiquement restauré ; il renferme notamment de belles fresques. Ancienne propriété de la famille Challant, il a toujours été une résidence particulière.

Après Saint-Vincent se dresse le sobre **Castello di Verrès** (☎ 0125 92 90 67 ; 3 € ; ⏱ 9h-19h mars-juin et sept, 9h-20h juil et août, 10h-12h30 et 13h30-17h ven, sam et lun-mer, 10h-12h30 et 13h-18h dim oct-fév), édifice gothique tardif qui se dresse sur l'antique Via Francigena ("voie des Français"), chemin de pèlerinage menant de Canterbury, en Angleterre, à Rome, via la France et la Suisse.

À 1 km au sud-ouest de la Dora Baltea, en contrebas de la ville de Verrès, le **Castello d'Issogne** (☎ 0125 92 93 73 ; 5 € ; ⏱ 9h-19h mars-juin et sept, 9h-20h juil et août, 10h-12h30 et 13h30-17h jeu-sam et lun et mar, 10h-12h30 et 13h30-18h dim oct-fév) date du XVe siècle. Il fut édifié pour servir de forteresse malgré ses airs de demeure princière. Les arcades de la cour intérieure sont décorées de fresques présentant des scènes de la vie quotidienne du bas Moyen Âge.

Plus bas dans la vallée, vers Pont-Saint-Martin, l'imposant **Forte di Bard** (☎ 0125 83 3 11 ; adulte/enfant 8/4 € ; ⏱ 10h-18h mar-ven, 10h-19h sam-dim) était un solide avant-poste militaire qui fut défait par Napoléon lors de sa première campagne d'Italie. Il abrite aujourd'hui le **Musée delle Alpi** et diverses expositions archéologiques et scientifiques sur la montagne (entrée 3/2 € par adulte/enfant). De Pont-Saint-Martin, vous rejoindrez au nord le Castel Savoia, à Gressoney-Saint-Jean (voir p. 257).

En quittant Aoste par l'ouest, vers le mont Blanc, vous arrivez rapidement au **Castello di Sarre** (☎ 0165 25 75 39 ; 5 €/gratuit ; ⏱ 9h-19h mars-juin et sept, 9h-20h juil et août, 10h-12h30 et 13h30-17h mar-sam 10h-12h30 et 13h30-18h dim oct-fév). Construit en 1710 sur les vestiges d'un fort du XIIIe siècle, il fut racheté en 1869 par le roi Victor-Emmanuel II qui en fit un pavillon de chasse. La famille des Savoie le revendirent en 1972 ; c'est aujourd'hui un musée qui illustre la présence royale dans la région.

Vers l'ouest, le **Castello di Saint-Pierre** (☎ 0165 90 34 85 ; adulte/enfant 3 €/gratuit ; ⏱ 10h-12h et 13h30-17h30 lun et mer-sam, 10h-12h et 13h30-18h30 dim mar-sam 10h-12h et 13h30-16h30 lun et mer-sam, 10h-12h et 13h30-17h30 dim oct-fév) abrite un musée d'histoire naturelle aux expositions temporaires.

COURMAYEUR

8 000 habitants / altitude 1 224 m

À la frontière française et relié à Chamonix par un téléphérique spectaculaire, Courmayeur est un village installé sur une ancienne station thermale romaine, qui s'est doté d'équipements de sports d'hiver. Son attrait majeur est le mont Blanc, le plus haut sommet d'Europe occidentale, qui surplombe de ses 4 810 m de roche et de glace les vallées encaissées du nord-ouest de l'Italie.

L'hiver, Courmayeur est une base incontournable pour les skieurs à destination des hautes pistes qui surplombent la ville, couvertes de neige jusque tard dans la saison. L'été, la station change de casquette : elle accueille la Società delle Guide Alpine di Courmayeur, et la ville est une étape importante du tour du mont Blanc (TMB), l'un des plus grands sentiers de randonnée d'Europe.

Renseignements

Ambulance (☎ 0165 84 46 84)

Centro Traumatologico (☎ 0165 84 46 84 ; Strada dell Volpi 3). Clinique médicale ; magasin ouvert en journée. L'hôpital le plus proche se trouve à Aoste.

Office du tourisme (☎ 0165 84 20 60 ; www.courmayeur.net ; Piazzale Monte Bianco 13 ; ☉ 9h-12h30 et 15h-18h30)

À faire

La **Società delle Guide Alpine di Courmayeur** (☎ 0165 84 20 64 ; www.guidecourmayeur.com ; Strada del Villair), fondée en 1859, est la plus ancienne association de guides d'Italie. En hiver, ceux-ci escortent les amateurs de ski hors piste, les alpinistes qui partent à l'assaut des cascades gelées ou les expéditions d'**héliski**. L'été, ils encadrent des activités telles que l'escalade, le canyoning, le canoë, le kayak ou la randonnée. Le **Museo Alpino Duca degli Abruzzi** (☎ 0165 84 20 64 ; Piazza Henry 2 ; 3 € ; ☉ 9h-12h et 15h30-18h30 jeu-mar, 15h30-18h30 mer) retrace l'histoire passionnante de cette association.

Pour des promenades à plus basse altitude avec un guide nature, contactez **Sirdar** (☎ 347 1632466 ; www.sirdar-montagne.com).

SKI

Courmayeur est desservie par des téléphériques, des télécabines et de nombreuses remontées mécaniques, exploités par **Funivie Courmayeur-Mont-Blanc** (☎ 0165 84 66 58 ; www.courmayeur-montblanc.com ; Strada Regionale 47). Les cours de ski avec la **Scuola di Sci Monte Bianco** (☎ 0165 84 24 77 ; www.scuolascimontebianco.com ; Strada Regionale 51), fondée en 1922.

La **vallée Blanche** offre une descente hors piste grisante de Punta Helbronner (voir ci-contre) à travers le glacier de la mer de Glace jusqu'à Chamonix. La difficulté est modérée (des compétences moyennes suffisent), mais un guide expérimenté est nécessaire pour vous guider à travers les crevasses cachées. Les 24 km de la vallée Blanche demandent 4 à 5 heures, en comptant les haltes pour admirer la vue. Les skieurs très chevronnés peuvent s'attaquer à la descente du **glacier de Toula**, qui part aussi de la Punta Helbronner et plonge sur 6 km jusqu'à La Palud. Ici aussi, un guide est indispensable. Dans les deux cas, il est souvent facile de se joindre à un groupe.

RANDONNÉE À PIED ET À VTT

En juillet et août, les **téléphériques** (☎ 0165 84 66 58 ; AS/AR 6/10 €) de Courmayeur et de Val Veny et le **télésiège** (☎ 0165 84 66 58 ; adulte AS/AR 4/5 €) de la Maison Vieille transportent randonneurs et vététistes en altitude ; le transport des vélos est gratuit. Ces remontées fonctionnent de 9h15 à 13h et de 14h15 à 17h15, de juin à août.

L'impressionnant **téléphérique La Palud-Punta Helbronner** (☎ 0165 8 99 25 ; www.montebianco.com ; aller-retour 36 € ; ☉ 8h30-12h40 et 14h-16h30) part toutes les 20 minutes dans chaque sens. Si vous descendez au **Pavillon du Mont Fréty** (aller-retour 15,50 €), l'arrêt à mi-hauteur (2 173 m), vous pourriez vous promener l'été au milieu des fleurs du **Giardino Alpino Saussurea** (☎ 0165 8 99 25 ; adulte/enfant 2/1,50 € ; ☉ 9h30-18h juil-sept), un jardin alpin qui disparaît sous la neige en hiver. De nombreux sentiers aboutissent à l'**oasis du Pavillon du Mont Fréty**, une zone protégée de 1 200 ha coincée entre les glaciers, où vivent bouquetins, marmottes et chevreuils.

Même en plein été, le thermomètre peut descendre à -10°C à **Punta Helbronner** (3 462 m). Pensez à emporter vêtements chauds d'hiver et lunettes de soleil pour vous protéger de la neige aveuglante, et partez de bonne heure afin d'échapper au mauvais temps qui menace parfois les sommets en début d'après-midi. À Punta Helbronner, un petit **musée** gratuit expose des cristaux trouvés dans la montagne. De Punta Helbronner, un autre téléphérique (fonctionnant de fin mai à fin septembre, selon les conditions climatiques) vous emporte dans un époustouflant voyage de 5 km au-dessus du glacier jusqu'à l'aiguille du Midi (3 842 m), en France (aller/aller-retour

LIGURIE, PIÉMONT ET VAL D'AOSTE

LES ROIS DE LA MONTAGNE

La plupart des randonneurs accomplissent les 165 km du célèbre tour du mont Blanc en 7 à 10 jours ; pourtant, pour quelques acharnés (environ 2 000 par an), marcher ne suffit pas. Depuis 2003, ces coureurs entraînés prennent le départ de l'Ultra Trail Tour du mont Blanc (ou UTMB), l'une des courses à pied en une seule étape les plus difficiles du monde. Cette rude épreuve débute à Chamonix et suit le sentier de randonnée habituel du tour du mont Blanc dans le sens inverse des aiguilles d'une montre, en passant par la Suisse et l'Italie. Les coureurs ne doivent pas seulement tenir la distance, mais aussi franchir quelque 15 cols alpins et faire l'ascension de près de 9 000 m au total. Les meilleurs finissent en général en 21 heures, la plupart en 30 à 45 heures. Le point de liaison en Italie est la ville de Courmayeur, dans le val d'Aoste.

Si courir dans des conditions extrêmes vous intéresse, consultez le site officiel de la course sur www.ultratrailmb.com. Attention, les critères d'inscription sont très stricts.

18/34 €), d'où le téléphérique le plus élevé au monde vous transporte jusqu'à Chamonix, en France (46 €).

Pour beaucoup de randonneurs (quelque 30 000 chaque été), le **tour du mont Blanc** (TMB) est un défi incontournable. Cette marche de 165 km passe par l'Italie, la France et la Suisse, s'arrêtant en chemin dans 9 villages. La neige rend l'itinéraire impraticable la plus grande partie de l'année. La durée moyenne varie de 1 semaine à 12 jours ; on peut parcourir des trajets plus courts. Il est possible de se lancer sans guide, mais si vous ne connaissez pas la région, en engager un est une bonne idée, car vous devrez traverser des glaciers.

Des VTT se louent environ 10 €/jour à **Noleggio Courmayeur** (☎ 0165 84 22 55), devant le télésiège de Courmayeur.

BALNÉOTHÉRAPIE THERMALE

L'eau thermale de Pré-Saint-Didier jaillit naturellement à 37°C des profondeurs de la montagne, et ses vertus thérapeutiques sont utilisées depuis longtemps. Un magnifique immeuble des années 1920 abrite ces **thermes** (Terme di Pré-St-Didier ; ☎ 0165 86 72 72 ; www.termedipre. it ; Allée des Thermes ; lun-ven 36 €, sam-dim 45 € ; ☼ 10h-21h

dim-ven, 10h-23h sam). Le prix de l'entrée comprend un peignoir, une serviette et des chaussons, des jus de fruits frais, des fruits et des tisanes. Outre les saunas, bains à remous et cascade tonifiantes, une piscine thermale intérieure et extérieure vous attend. Éclairée aux chandelles et aux torches le samedi soir, elle est spectaculaire sous la neige et les étoiles.

Avant de quitter les termes, parcourez 50 m après le parking, dans la direction opposée à celle du village, jusqu'à un petit **pont romain** jeté sur la rivière où frétillent les truites.

Où se loger et se restaurer

Demandez une liste des refuges (*rifugi*) à l'office du tourisme, ouvert de fin juin à mi-septembre. Traiteurs et restaurants de qualité bordent la Via Roma.

Camping Arc-en-Ciel (☎ 0165 80 92 57 ; www. campingarcenciel.it ; Strada Feysoulles 20, Morgex ; 5,20/7 € par pers/tente et voiture ; ☼ toute l'année). Camping verdoyant et paisible sur plus de 1 020 m², proposant des sites ombragés et assez spacieux, ainsi que son propre bar-restaurant. À 9 km à l'est de Courmayeur.

Hotel Triolet (☎ 0165 84 68 22 ; www.hoteltriolet. com ; Strada Regionale 63 ; s 70-100 €, d 100-150 € ; ⓟ ⊠ ⊠ ⊡). Un tantinet plus élégant que les autres hôtels pour skieurs, le Triolet est aussi plus petit, avec seulement 20 chambres, ce qui permet au service d'être plus personnalisé. Outre les équipements habituels, il dispose d'un spa agréable (Jacuzzi, hammam, sauna), de vestiaires pour les skis et d'une salle de petit déjeuner avec vue. À deux minutes à pied du téléphérique. Fermé hors saison – renseignez-vous avant de venir.

☉ Hotel Bouton d'Or (☎ 0165 84 67 29 ; www. hotelboutondor.com ; Strada Statale 26/10, Courmayeur ; s 70-80 €, d 95-125 € ; ⓟ ⊠). Contemplez la majesté du mont Blanc dès le réveil. De tels hôtels, avec des chambres si propres, une telle vue, un service de cette qualité, ne sont pas nombreux. Cerise sur le gâteau, il est au centre de Courmayeur et propose un sauna, un bon petit déjeuner, une navette pour le téléphérique et un salon orné d'objets régionaux.

Mont Blanc Hotel Village (☎ 0165 86 41 11 ; www. hotelmontblanc.it ; La Croisette 36 ; s 173-240 €, d 198-265 € ; ⓟ ⊠ ⊡ ⊠). Sur le flanc de La Salle, à 10 km à l'est de Courmayeur, ce havre de luxe loue de magnifiques chambres en bois et pierre, pour la plupart dotées de gigantesques balcons donnant sur la vallée. Des recoins dissimulent spas et saunas. Demi-pension possible au restaurant standard de l'hôtel. Pour un dîner gastronomique, optez pour le second restaurant de l'hôtel, ouvert à tous.

La Terraza (☎ 0165 84 33 30 ; Via Circonvalazione 73 ; menu 19 € ; ❍ déj et dîner). Bar-pizzeria central animé, servant l'assortiment coutumier de pizzas et de plats roboratifs, parfaits après une journée de ski. De nombreux plats valdôtains y sont proposés, notamment de la polenta, de la saucisse piquante et des pâtes à la *fontina*.

Rifugio Pavillon (☎ 0165 84 40 90 ; Pavillon du Mt Fréty ; repas 25 € ; ❍ 10h-17h déc-oct). Perché à la première étape du téléphérique de Punta Helbronner, à quelque 2 173 m d'altitude, un bar-café-restaurant vous accueille sur sa terrasse couverte de transats et sert des mets qui tiennent au corps, notamment du chou farci aux châtaignes et des pâtes à la sauce au chevreuil.

Depuis/vers Courmayeur

Tous les jours, trois trains partent d'Aoste pour le terminus de Pré-Saint-Didier, où un bus assure la correspondance (20 à 30 min, 8-10/jour) jusqu'à la **gare routière de Courmayeur** (☎ 0166 84 13 97 ; Piazzale Monte Bianco), devant l'office du tourisme. Huit bus directs relient chaque jour Aoste à Courmayeur (3,20 €, 1 heure) et des bus longue distance vont jusqu'à Milan (15,50 €, 4 heures 30, 3 à 5/jour) et Turin (9 €, 3 heures 30 à 4 heures 30, 2 à 4/jour).

Au nord de Courmayeur, le tunnel du Mont-Blanc, long de 11,5 km, permet de rejoindre Chamonix. À l'entrée, côté italien, une plaque rend hommage à Pierlucio Tinazzi, un employé de la sécurité qui perdit la vie en sauvant plus d'une dizaine de personnes lors de l'incendie de 1999, mais causa la mort de 41 personnes, quand un camion prit feu dans le tunnel.

PARCO NAZIONALE DEL GRAN PARADISO

Le plus ancien parc national d'Italie est aussi l'un des plus riches. Le Gran Paradiso, créé en 1922 quand Victor Emmanuel II fit don de sa réserve de chasse à l'État (pour protéger le bouquetin, espèce menacée) mérite bien son nom. Il y subsiste une sensation de nature sauvage, ce qui est rare en Italie. Le parc fut aménagé avant l'essor des stations de ski, si bien qu'il a résisté aux sirènes du tourisme commercial et de sa cohorte de télésièges et de son architecture hasardeuse.

Le Gran Paradiso comprend les vallées dominées par le pic éponyme (4 061 m), le 7e plus haut d'Italie, dont trois s'élèvent dans le

Val d'Aoste : le Valsavarenche, le Val di Rhêmes et le beau Valle di Cogne. Côté piémontais de la montagne, le parc embrasse les vallées de Soana et Orco.

Le principal foyer de peuplement du parc est le calme village de **Cogne** (1 474 habitants ; 1 534 m), antidote à la surdéveloppée Cervinia de l'autre côté du Val d'Aoste. Outre la foule d'activités de plein air qu'il permet, Cogne est réputé pour sa dentelle ; vous pouvez en acheter dans la jolie boutique d'antiquité et d'artisanat **Le Marché aux Puces** (☎ 0165 74 96 66 ; Rue Grand Paradis 4 ; ❍ fermé mer).

Renseignements

L'**office du tourisme** de Cogne (☎ 0165 74 40 ; www. cogne.org ; Piazza Chanoux 36 ; ❍ 9h-12h30 et 14h30-17h30 lun-sam) dispense quantité d'informations sur le parc et une liste des numéros d'urgence. Le **Consorzio Gran Paradiso Natura** (☎ 0165 92 06 09 ; www.granparadisonatura.it ; Loc Trépont 91, Villeneuve) fournit aussi des renseignements.

À faire

Le Gran Paradiso est l'un des meilleurs sites d'Italie pour randonner ; Il compte plus de 700 km de sentiers jalonnés par un réseau dense de refuges.

Si les pistes de ski alpin sont rares, la Valle di Cogne compte 80 km de **pistes de ski de fond** (accès 4 €/jour) bien balisées. On compte tout de même 9 km de pistes de ski alpin. Un forfait d'une journée permettant d'utiliser le téléphérique, le télésiège et le téléski de Cogne coûte 22 €. Apprenez à skier avec la **Scuola Italiana Sci Gran Paradiso** (☎ 0165 7 43 00 ; Piazza Chanoux 38, Cogne). Tentez une expédition d'**escalade de glacier** sur la chute de Lillaz avec la Società Guide Alpine de Cogne (voir p. 256).

De Cogne, un sentier de randonnée facile (3 km) part au sud-est et traverse la forêt jusqu'à cette cascade. C'est un lieu de **baignade** apprécié, mais prenez garde, l'eau peut être dangereusement froide, même en été.

L'été, admirez l'étonnante biodiversité du parc, notamment ses papillons et sa flore, au fascinant **Giardino Alpino Paradisia** (☎ 0165 74 1 47 ; adulte/enfant 3/1,50 € ; ❍ 10h-17h30 juin à mi-sept, 10h-18h30 juil et août), un jardin botanique situé dans le petit village de Valnontey (1 700 m), à 3 km au sud de Cogne. Des promenades guidées de découverte de la nature sont organisées de juin à septembre par l'**Associazione Guide della Nature** (☎ 0165 7 42 82 ; Piazza Chanoux 36, Cogne ; ❍ 9h-12h lun, mer et sam).

De Valnontey, une balade classique et pas trop ardue vous conduit au **Rifugio Sella** (☎0165 7 43 10 ; dort 17 €), ancien pavillon de chasse du roi Victor Emmanuel II. Du pont, gravissez l'Alta Via 2 pendant 2 heures à 2 heures 30. Les plus aventureux continueront sur la vivifiante traversée Sella-Herbetet (15 km), un circuit de 7 heures qui vous fait revenir à Valnontey. Il faut se munir d'une carte et ne pas avoir le vertige. Le principal point de départ pour le pic du Gran Paradiso est Pont, dans le Valsavarenche. En principe, on peut en faire l'ascension en une journée, mais il faut prendre un guide. Contactez la **Società Guide Alpine di Cogne** (☎0165 7 48 35 ; Via Bourgeois 33, Cogne).

Équitation (25 €/heure) et **promenades en attelage** (45 min ; jusqu'à 4 pers/40 €) dans les alpages sont organisées par **Pianta Cavalli** (☎3333 14 72 48), à Valnontey.

Où se loger et se restaurer

Le camping sauvage est interdit dans le parc, qui compte 11 refuges ; l'office du tourisme en a la liste.

Camping Lo Stambecco (☎0165 7 41 52 ; www.campinglostambecco.com ; Valnontey ; 7/3/6 € par pers/tente/voiture ; ✆ Ⓜ ⚅ ▣ -sept ; Ⓟ). Plantez la tente sous les pins dans ce camping accueillant et bien entretenu, au cœur du parc. L'hôtel affilié, La Barme, loue des VTT pour sillonner la montagne.

Hotel Sant'Orso (☎0165 7 48 21 ; Via Bourgeois 2, Cogne ; s/d 46/92 €, demi-pension 71/142 € ; ✆ fermeture variable printemps et automne ; Ⓟ ✕). À l'image de Cogne, le Sant'Orso est agréable, calme et discret. Il possède un restaurant, un petit cinéma, une salle pour les enfants et une terrasse. La piste de ski de fond débute presque à la porte. Les propriétaires tiennent aussi l'Hotel du Grand Paradis voisin.

Hotel Ristorante Petit Dahu (☎0165 7 41 46 ; www.hotelpetitdahu.com ; Valnontey ; s 36-50 €, d 72-100 €, menu 35 € ; ✆ fermé mai et oct ; Ⓟ). Dans deux bâtiments traditionnels en pierre et en bois, cet établissement chaleureux tenu en famille compte un fabuleux restaurant (ouvert aux non-résidents, réservation obligatoire) proposant une cuisine régionale rehaussée par des herbes alpines sauvages.

☻ Hotel Bellevue (☎0165 7 48 25 ; www.hotelbellevue.it ; Rue Grand Paradis 22, Cogne ; d 170-240 €, chalet 2 pers 250-320 € ; ✆ mi-déc à mi-oct ; Ⓟ ▣). Ce chalet aux volets verts donnant sur les alpages évoque les années 1920 de ses origines, avec ses lits à baldaquin romantiques, ses clarines

accrochées aux poutres et ses baignoires à pattes de lion. Certaines chambres ont de cheminées. Le thé est compris dans le prix ainsi que l'usage du spa, et vous pouvez louer des VTT et des chaussures de neige. Parmi ses quatre restaurants figurent un étoilé au Michelin, un restaurant (fermé mardi) où le fromage provient de la cave familiale, une terrasse pour le déjeuner et une brasserie (fermée lundi) sur la place du village, à quelques minutes à pied.

Depuis/vers Cogne et Gran Paradiso

Chaque jour, 7 bus circulent entre Cogne e Aoste (50 min). De Pila, on peut rejoindre Cogne en téléphérique.

Des bus (jusqu'à 10/jour) relient Cogne Valnontey (0,90 €, 5 min) et à Lillaz (0,90 € 5 min).

VALTOURNENCHE

Prenez le **Cervin** (Matterhorn ; 4 478 m), l'une des montagnes les plus spectaculaires d'Europe et placez juste devant un horrible amalgame de bâtiments en béton : vous obtiendrez Breuil Cervinia, l'une des stations de ski les plu anciennes… et les moins attrayantes d'Italie Byron s'émerveilla un jour devant le "noble rocher de l'Europe." On se demande ce que lu aurait inspiré son état actuel. L'avantage es que les équipements de ski sont d'un excellen niveau ; on peut y skier toute l'année et même aller jusqu'à Zermatt, en Suisse. Parmi les domaines de moindre importance, citons **Antey-Saint-André** (1 080 m), **La Magdelein** (1 644 m) et **Valtournenche** (1 524 m), à 9 km au sud de Breuil-Cervinia.

Renseignements

Les offices du tourisme de la vallée peuven vous renseigner sur les hébergements :
Breuil-Cervinia (☎0166 94 91 36 ; www.cervinia.it ; Via Carrel 29 ; ✆ 9h-12h et 15h-18h30)
Valtournenche (☎0166 9 20 29 ; valtournenche@montecervino.it ; Via Roma 45 ; ✆ 9h-12h et 15h-18h30)

À faire

Le Plateau Rosa (3 480 m) et le petit Cervi (3 883 m), sur le domaine skiable de Breuil Cervinia, comptent parmi les pistes d ski les plus élevées d'Europe. Le domaine de Campetto a lancé la mode du ski noc turne dans le Val d'Aoste. Une vingtain de téléphériques, dont quatre au départ d Breuil-Cervinia, desservent les 200 km d

pistes skiables situées en aval. Le forfait de
ski d'une journée couvrant Breuil-Cervinia
et Valtournenche coûte 36 €.

Contactez les **écoles de ski de Breuil-Cervinia**
(Scuola di Sci del Breuil Cervinia ; ☎ 0166 94 09 60 ; www.
scuolascibreuil.com ; Scuola Sci del Cervino ; ☎ 0166 94 87
44 ; www.scuolacervino.com) pour des cours de ski
ou de snowboard, ou l'**Association des guides du
Cervin** (Società Guide del Cervino ; ☎ 0166 94 81 69 ; www.
guidedelcervino.com ; Via J. Antoine Carrel 20) pour profiter
pleinement des opportunités de ski hors piste
offertes dans les espaces du Cervin.

Entre juillet et septembre, de nombreux
téléphériques et télésièges desservant le **Plateau
Rosa** continuent leur noria, permettant de
skier toute l'année sur le versant suisse de
la montagne. Un forfait international d'une
journée coûte 50 €.

Des cartes de **randonnées** simples sont disponibles au centre de renseignements. Deux
grandes randonnées classiques comprennent
le **Giro del Cervino**, une promenade ardue de 8
à 10 jours autour du pied du Cervin, et le tout
aussi difficile **tour du Monte Rosa** (www.tourmonte
rosa.com). Le Cervin ne doit être abordé que
par des alpinistes expérimentés. L'Association
des guides du Cervin (ci-dessus) organise des
expéditions de 5 jours à partir de 1 200 €.

Où se loger et se restaurer

Les hôtels sont nombreux à Breuil-Cervinia.
Pour davantage de tranquillité, essayez
Valtournenche, village proche qui porte le
nom de la vallée.

Hotel Punta Maquignaz (☎ 0166 94 91 45 ; www.
puntamaquignaz.com ; Breuil-Cervinia ; d demi-pension
144-270 € ; ☽ fermeture variable printemps et automne).
Chalet arborant bûches, clarines et peaux
d'ours, dont la cuisine jouit d'une excellente
réputation.

Rifugio Guide del Cervino (☎ 0166 9 21 01 ; giorgio.
carrel@galactica.it ; ☽ déc à mi-mai et fin juin à mi-sept).
Empruntez le téléphérique du Plateau Rosa
pour accéder à ce refuge de montagne, niché à
3 480 m sur le Plateau Rosa. Organise des dîners
lors de la pleine lune, suivis d'une descente aux
flambeaux jusqu'à Breuil-Cervinia.

Depuis/vers Valtournenche

Les **bus de la Savda** (☎ 0165 36 12 44) circulent entre
Breuil-Cervinia et Châtillon (1 heure, 7/jour).
De là, vous pouvez rejoindre Aoste en bus et
d'autres villes du pays, en train. En saison, des
bus longue distance relient Breuil-Cervinia à
Turin, à Milan et à Gênes.

VALLE D'AYAS, VALSESIA ET VAL DI GRESSONEY

La beauté des Alpes réside dans le fait que,
hormis quelques sites trop exploités, la plupart
des vallées ont conservé leurs traditions. Si
une partie du Val d'Aoste se tourne culturellement vers la France, les trois vallées d'Ayas,
Gressoney et Sesia (cette dernière au Piémont),
qui sinuent vers le nord au pied du majestueux
mont Rose (4 633 m), possèdent des traditions
vieilles de huit siècles, celles des Walser.
Ceux-ci, émigrants d'origine alémanique,
quittèrent la région du Valais au XIIIᵉ siècle
pour s'installer ici, où une communauté
survécut. Beaucoup des habitants de cette
région accidentée parlent encore allemand
(et walsersertitsch) et habitent des maisons
traditionnelles, en bois et construites sur de
petits pilotis.

Vous découvrirez la culture walser à l'excellent **Museo Walser** (http://www.museowalser.it/FR/
index.htm ; ☎ 0163 92 29 35 ; 2 € ; ☽ 14h-18h sam et dim
sept-juin, 14h-18h tlj juil-août) à Pedemonte, juste au
nord d'Alagna Valsesia (1 191 m), une petite
station de ski à l'entrée de Valsesia.

À l'autre extrémité de la vallée, **Varallo**
(7 795 habitants ; 451 m d'altitude) garde
l'étonnant **Sacro Monte di Varallo** (mont sacré de
Varallo ; ☎ 0163 5 39 38 ; www.parks.it/riserva.sacro.monte.
varallo ; entrée libre), un ensemble de 50 chapelles
et de 800 statues religieuses grandeur nature
datant du XVᵉ siècle, illustrant la passion du
Christ. On y accède par un sentier depuis la
Piazza Ferrari, en ville.

À l'ouest, la Valle d'Ayas possède sa propre
station de ski, **Champoluc** (500 habitants ;
1 560 m d'altitude), tout droit sortie d'un
livre de contes, épargnée par le tourisme de
masse grâce à un accès difficile, par la route
qui sinue en épingles à cheveux après la sortie
A5 à Verrès.

Enfin, les principaux villages du Val di
Gressoney sont le joli **Gressoney-Saint-Jean**
(816 habitants ; 1 385 m d'altitude), au bord
d'un lac, et **Gressoney-La-Trinité** (306 habitants ;
1 637 m d'altitude), à quelques kilomètres
plus au nord – deux bastions de tradition
walser. En 1894, la reine Marguerite avait
choisi Gressoney-Saint-Jean pour y ériger le
Castel Savoia (☎ 0125 35 53 96 ; adulte/enfant 3/2 € ;
☽ 10h-12h30 et 13h30-18h lun-sam, jusqu'à 19h dim
mars-sept, 10h-12h30 et 13h30-17h lun-sam, 10h-midi et
13h30-18h dim, fermé jeu oct-fév), opulente demeure
fréquentée par la famille royale italienne
jusqu'au XXᵉ siècle.

ITINÉRAIRES DE GRANDE RANDONNÉE DU VAL D'AOSTE

Les bons marcheurs s'en donneront à cœur joie dans le Val d'Aoste, où les sentiers de grande randonnée sillonnent les vallées. Comme ailleurs en Italie, un réseau dense de refuges facilite les excursions de plusieurs jours. Il est également possible de ne parcourir que certaines sections des chemins, pour de plus courtes randonnées. Voici un aperçu des principaux sentiers :

■ **Alta Via 1** – le "sentier des géants", en 13 étapes, traverse le nord du Val d'Aoste de Gressoney à Courmayeur, et passe en contrebas des plus hauts sommets d'Europe.

■ **Alta Via 2** – ce sentier en 12 étapes à travers la végétation d'altitude parcourt les flancs sud de la vallée de Champorcher à Courmayeur, et s'attarde dans le Parco Nazionale del Gran Paradiso. Son point culminant est le col Lauson, à 3 300 m.

■ **Grande Sentiero Walser** – sentier historique qui suit l'ancien itinéraire de migration des Walser, empruntant la vallée Valtournenche, Valle d'Ayas et Val di Gressoney. Il est jalonné de panneaux explicatifs passionnants.

■ **Tour du mont Rose** – 9 jours et 150 km de marche fabuleuse pour faire le tour du mont Rose (qui culmine à 4 633 m), en passant par la Suisse. Ce trek pénètre dans le Val d'Aoste au col d'Olen, près du Valsesia, et ressort au Colle Teodulo, au nord de Valtournenche.

■ **Tour du mont Blanc** – marathon de 165 km, en 7 à 10 jours, passant par l'Italie, la France et la Suisse, pour contourner le plus haut sommet d'Europe. C'est l'une des randonnées les plus renommées du continent, qui offre des paysages à couper le souffle. Le point de liaison en Italie est à Courmayeur.

■ **Tour du Cervin** – spectaculaire tour du Cervin, sur 145 km, permettant de découvrir trois cultures différentes (walser, française et italienne) et traversant 2 glaciers. Pour randonneurs expérimentés uniquement.

■ **Via Francigena** – itinéraire médiéval de pèlerinage (partiellement restauré) entre Canterbury, en Angleterre, et Rome. Le sentier dans le Val d'Aoste descend du col du Saint-Bernard, traverse la ville d'Aoste puis suit la grande vallée par Châtillon et Verrès pour entrer dans le Piémont.

■ **Grande Traversata delle Alpi (GTA)** – deuxième par la longueur après le Sentiero Italia, qui parcourt toute la péninsule, le GTA de 200 km traverse les Alpes italiennes, des Dolomites aux Alpes maritimes. Le sentier chemine au sud-est du Val d'Aoste, dans et autour du Parco Nazionale del Gran Paradiso.

Renseignements

Vous trouverez un office du tourisme à :
Alagna Valsesia (☎ 0163 92 29 88 ; www.alagna.it ; Piazza Grober 1). Principale source d'information sur les activités de montagne dans le Valsesia.

Champoluc (☎ 0125 30 71 13 ; www.aiatmonterosa. com ; Via Varasc 16 ; ◷ 9h-12h30 et 16h-19h jan-avr, 9h-12h30 et 15h-18h mai-déc)

Gressoney-Saint-Jean (☎ 0125 35 51 85 ; www. aiatmonterosawalser.it ; Villa Deslex ; ◷ 9h-12h30 et 14h30-18h30 lun-sam, 9h-12h30 et 14h30-18h dim)

Varallo (☎ 0163 56 44 04 ; www.turismovalsesiavercelli.it ; Corso Roma 38 ; ◷ 9h-13h et 14h30-18h30 lun-ven, 9h30-13h et 14h30-19h sam)

À faire

Monterosa Ski (www.monterosa-ski.com) possède 180 km de pistes (convenant surtout aux skieurs de niveau moyen) et 38 télésièges.

D'**Alagna Valsesia**, un téléphérique monte jusqu'à Punta Indren (3 260 m). Sa piste de Gressoney Saint-Jean, de 25 km de longueur, fait passer les skieurs par Castel Savoia et par des dizaines de maisons valaisanes traditionnelles.

De mai à septembre, les rapides tumultueux de la Sesia permettent de pratiquer le rafting, le canoë et le kayak ; contactez l'**Accadueo Scuola di Sport Fluviali** (☎ 347 583 68 88 ; www.accadueo-sesia. it ; Crevola Varallo) de Varallo.

Depuis Alagna, le **Corpo Guide Alagna** (☎ 016_ 9 12 10 ; www.guidealagna.com ; Piazza Grober) organise une foule d'activités en été comme en hiver. En particulier, une excursion estivale de 2 jours conduit jusqu'au plus haut refuge d'Europe, la **Capanna Regina Margherita** (☎ 0163 9 10 39 ; dortoir 80 €) perchée au sommet de Punta Gnifetti à la frontière suisse, à quelque 4 554 m d'altitude. L'ascension guidée (comprenant une nuit dans le refuge) coûte à partir de 180 €/personne selon la taille du groupe.

Les vallées sont reliées par de nombreux sentiers de grande randonnée, notamment l'**Alta Via 1** et le **Grande Sentiero Walser**. Vous pouvez goûter à un échantillon de l'Alta Via en marchant de Valtournenche (p. 256) à Saint-Jacques, au début de la Valle d'Ayas (15 km, 5 heures 30 à 6 heures 30). De là, le Grande Sentiero Walser se dirige au sud puis au sud-est par le Col di Pinter (2 777 m) jusqu'à Gressoney-Saint-Jean (17 km, 8 heures). De Gressoney-La Trinité (4 km au nord de Saint-Jean), le téléphérique vous conduit à Lago Gabiet (2 357 m), lac alpin d'où partent de nombreux sentiers plus courts.

Où se loger et se restaurer

Rifugio Gabiet (☎ 0125 36 62 58 ; www.rifugiogabiet. t ; Lago Gabiet ; d demi-pension 80 € ; ☺ mi-déc à mi-avr). Surplombant le Lago Gabiet à 2 880 m d'altitude, ce vertigineux établissement loue 25 chambres meublées dans le style walser, et propose un confortable salon chauffé au feu de bois, ainsi qu'une terrasse. On y accède en téléphérique depuis Gressoney-La Trinité.

Hotel Lyskamm (☎ 0125 35 54 36 ; www.lyskammhotel. com ; Gressoney-Saint-Jean ; s 40-60 €, d 80-120 € ; P X 💻). Datant de 1887, le Lyskamm est fier d'arborer encore son enseigne "Grande Albergo". Bien situé à Gressoney-Saint-Jean, il propose des chambres propres, un service efficace, un bon restaurant et une foule de jeux pour les soirées d'hiver. Deux télésièges sont à proximité.

Hotel Genzianella (☎ 0125 30 71 56 ; www.hotelgenzianella.it ; Place de la Grotte 5 ; s/d 52/104 € ; P 💻). Hôtel de montagne simple, louant 20 chambres dans le minuscule village de Saint-Jacques, dans la Valle d'Ayas, à 3 km au nord de l'agitation de Champoluc. Ski alpin ou de fond l'hiver. L'été, asseyez-vous dans le jardin pour décider de

partir en randonnée vers l'ouest (Alta Via 1) ou vers l'est (Grande Sentiero Walser).

Hotel Breithorn (☎ 0125 30 87 34 ; www.breithornhotel. com ; Route Ramey 27, Champoluc ; s/d 60/120 €, plats 15-20 € ; P X). Hôtel de rêve datant du début du XXe siècle, au centre du village de Champoluc, louant des chambres lambrissées. Il dispose d'un excellent restaurant, et son guide organise un programme hebdomadaire d'excursions gratuites pour les clients. Pour un isolement total, renseignez-vous sur le chalet de l'hôtel (double demi-pension à partir de 230 € ; plats 20 €), accessible uniquement en jeep l'été ou en Skidoo l'hiver.

La Grange (☎ 0125 30 78 35 ; Saint-Jacques ; plats 7-16 € ; ☺ midi-2h jeu-mar). Fabuleux bar musical au pied du télésiège de Saint-Jacques, servant des classiques alpins comme des saucisses à la polenta, du sanglier rôti et des pommes de terre, sans oublier la fondue.

Atelier Gourmand (☎ 0125 30 78 88 ; Rte Ramey 69, Champoluc ; menu déj 15-21 €, plats 6,50-17 €). Restaurant romantique. Salle à manger éclairée aux chandelles et chauffée par la cheminée. Menu montagnard et plus de 300 vins.

Depuis/vers Valle d'Ayas, Valsesia et Val di Gressoney

Les trains se dirigeant vers Aoste s'arrêtent à Saint-Vincent et à Verrès, où vous pouvez prendre un bus pour l'une des vallées, Ayas ou Gressoney. Les bus de la **Valdostana Impresa Trasporti Automobilistici** (☎ 0125 96 65 46) relient la gare ferroviaire de Verrès à Saint-Jacques (3,20 €) via Champoluc (3 €, 1 heure, jusqu'à 9/jour).

Autoservizi Novarese (☎ 011 903 10 03) propose des bus de Varallo à Turin (2 heures 15, 2/jour). Pour des renseignements sur les bus desservant Alagna Valsesia (1 heure, jusqu'à 5/jour), contactez l'**ATAP** (☎ 0158 40 81 17).

LIGURIE, PIÉMONT ET VAL D'AOSTE

Lombardie et région des lacs

S'étendant des Alpes à la plaine du Pô, la Lombardie présente à la fois d'anciens bourg médiévaux perchés sur des collines, des villes industrielles, des stations balnéaires bordant de lacs entourés de massifs enneigés, des champs à perte de vue, des rizières et des vignobles.

Poumon économique de l'Italie et première place boursière du pays, Milan n'est pa: uniquement la capitale de Lombardie, c'est aussi celle de la mode. Deuxième ville italienne par la taille après Rome, elle possède les plus grands centres d'exposition européens.

Une kyrielle de lacs s'égrènent au nord de la province, d'élégantes bourgades et de coquet: villages bordent les rives de ces étendues étincelantes qui se parent de villas luxueuses et de jardins en terrasses. Plus au nord, la Valtellina et le massif alpin s'appuyant contre la Suisse abritent des parcs nationaux et de belles pistes de ski aux alentours de Bormio.

Au sud, Bergame la médiévale, Crémone et ses lutheries, Brescia la romaine et Mantoue, cité emblématique de la Renaissance, sont profondément ancrées dans l'histoire de l'Italie.

Le poisson fraîchement pêché abonde sur les tables lombardes, à l'instar du risotto et de la polenta, mais aussi du beurre, du fromage et de la crème fraîche des Alpes, sans oublier le: vins rouges Valtellina et le pétillant Franciacorta, produit selon la méthode champenoise.

Le hic ? La Lombardie a un prix : son industrie et son agriculture en font l'une des plus riche provinces italiennes et donc l'une des plus chères. S'il est possible de visiter la région sans se ruiner, la Lombardie n'est pas avare de récompenses lorsque l'on sait faire quelques folies…

À NE PAS MANQUER

- Une traversée en ferry du **lac de Côme** (p. 300) au crépuscule
- Les trésors gastronomiques de **Peck** (voir l'encadré p. 275), une épicerie fine fondée à Milan au XIXᵉ siècle, qui vous feront saliver
- Un saut dans le passé parmi les joyaux médiévaux de la **Piazza Vecchia** (p. 282) de Bergame
- **La Cène** (p. 270) de Léonard de Vinci à Milan
- **Isola Bella** (p. 298), l'une des plus belles îles du lac Majeur, et les jardins de son palais
- Le championnat international de planche à voile de **Nago-Torbole** (p. 312) sur le lac de Garde

| ■ POPULATION : 9,64 MILLIONS | ■ SUPERFICIE : 23 835 KM² |

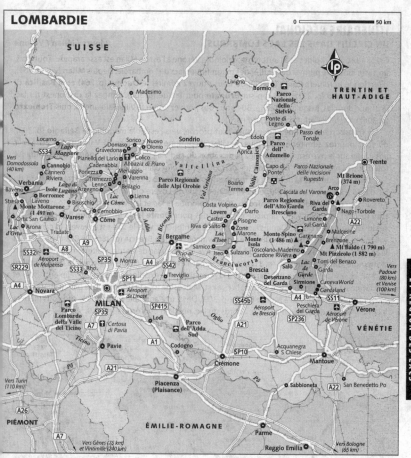

LOMBARDIE

0 _____ 50 km

SUISSE

Vers Domodossola (40 km)

Locarno • SS34 • *Lago Maggiore* • Sorico • Nuovo Olonio • Sondrio • Madesimo • Livigno • Bormio • Parco Nazionale dello Stelvio • Ponte di Legno • Passo del Tonale • TRENTIN ET HAUT-ADIGE

Domaso • Gravedona • Cadenabbia • Colico • Abbazia di Piano • *Valtellina* • Edolo • Aprica • Parco dell'Adamello

Pianello del Lario • Menaggio • Varenna • Cannobio • Argegno • Lenno • Bellagio • Parco Regionale delle Alpi Orobie • Capo di Ponte • Cascata del Varone • Mt Brione (374 m) • Trente

Verbania • Isole Lugano • *Lago di Lugano* • Tremezzo • Lierna • Boario Terme • *Val Seriana* • Parco Nazionale delle Incisioni Rupestri • Arco • Rovereto

Bisuschio • Cernobbio • Lecco • Costa Volpino • Darfo • Riva del Garda • Nago-Torbole

Baveno • Isole Borromee • Lavéno • *Lac de Côme* • Riva di Solto • Castro • Zone • Pisogne • Parco Regionale dell'Alto Garda Bresciano • Limone sul Garda

Stresa • Mt Motterone (1 491 m) • Varese • Côme • *Lac d'Iseo* • Marone • Monte Isola • Monte Spino (1 486 m) • Malcesine

Orta San Giulio • *Lac d'Orta* • Arona • Tradate • *Adda* • *Val Brembana* • Bergamo • Sarnico • Sulzano • Toscolano-Maderno • Gardone Riviera • Gargnano • Mt Baldo (1 790 m) • Mt Pizzicolo (1 582 m)

SS32 • SR229 • *Aéroport de Malpensa* • A8 • A9 • *Oglio al Serio* • Iseo • *Franciacorta* • Salò • *Lac de Garde* • Brenzone • Torri del Benaco

Novara • SS33 • Rho • Monza • A4 • SP11 • Treviglio • SP42 • Brescia • Desenzano del Garda • Sirmione • CanevaWorld • Garda • *Vers Padoue (80 km) et Venise (100 km)*

Vers Turin (110 km) • A4 • MILAN • *Aéroport de Linate* • SP35 • SP415 • Lodi • SS45b • *Aéroport de Brescia* • Peschiera del Garda • Gardaland • A4 • SS11 • Vérone

Parco Lombardo della Valle del Ticino • A7 • Certosa di Pavia • Parco dell'Adda Sud • A21 • SP236 • *Aéroport de Vérone* • VÉNÉTIE

Ticino • Pavie • *Oglio* • Codogno • SP10 • Acquanegra S Chiese • Mantoue

Pô • A21 • Crémone • *Pô* • Sabbioneta • A22 • San Benedetto Po

A26 • Piacenza (Plaisance)

PIÉMONT • A7 • *Vers Gênes (75 km) et Vintimille (240 km)* • ÉMILIE-ROMAGNE • Parme • *Vers Bologne (65 km)*

Reggio Emilia

MILAN (MILANO)

1,3 million d'habitants

Bénéficiant d'un remarquable patrimoine architectural, ancien et moderne, la belle capitale lombarde est devenue au fil des ans le moteur économique de l'Italie.

Ravagée par la Seconde Guerre mondiale, Milan possède encore quelques trésors historiques tels que sa cathédrale, la fameuse *Cène* de Léonard de Vinci, l'opéra de la Scala et le Castello Sforzesco. Mais la ville se caractérise surtout par son énergie créatrice et son atmosphère cosmopolite.

Armani, Versace, Prada, Dolce & Gabbana, Gucci, et bien d'autres ont débuté à Milan (bien que nombre d'entre eux, comme Gucci, aient réellement percé à Florence). Aujourd'hui les fashionistas affluent dans les boutiques phares du Carré d'or (Quadrilatero d'Oro).

Le soir venu, les Milanais savent aussi s'amuser. Ils commencent par l'*aperitivo*, sorte d'*happy hour* au cours duquel les meilleurs bars de la ville proposent une profusion d'en-cas gratuits pour accompagner vins et cocktails. Certains se dirigeront ensuite vers les nombreux bars qui bordent les canaux du quartier de Navigli, dédié à la vie nocturne.

Outre la mode et la finance, le football (*calcio*) est la troisième religion de la ville. Pendant la saison, l'AC Milan et l'Inter, deux des plus grandes équipes italiennes (la seconde a remporté le championnat national en 2009),

ITINÉRAIRE RÉGIONAL
UN CIRCUIT DANS LES LACS LOMBARDS

8 jours / Milan / Vérone

Grâce aux trains rapides et à l'autoroute, rejoindre Vérone à l'est de Milan est assez rapide. Toutefois, un autre itinéraire permet de profiter des magnifiques lacs de Lombardie. Depuis **Milan** (voir p. 261), direction le nord vers **Côme** (p. 300) où vous pouvez admirer le **Duomo** (p. 264) et la **Basilica di Sant'Abbondio** (p. 302), puis cap sur **Brunate** pour la vue (p. 302). Longez la rive ouest du lac, jalonnée de villas, jusqu'à **Lenno** (p. 304), où vous pouvez visiter la Villa Balbianello, puis **Tremezzo** (p. 306) et la Villa Carlotta et ses jardins.

Un transbordeur part de Cadenabbia, tout proche, vers l'est et le magnifique **Bellagio** (p. 303), où vous pourrez admirer encore plus de villas. Il continue ensuite jusqu'à **Varenna,** (p. 307) tout aussi jolie sur la rive est. De là, prenez la direction du sud via Lecco pour récupérer l'autostrada A4 (ou d'autres routes) pour **Bergame** (p. 282), où la *città alta* (ville haute) se visite en un jour.

La SS42 monte vers le nord-est en longeant le tranquille lac d'Endine jusqu'à l'extrémité nord du lac d'Iseo à **Lovere** (p. 308). Plusieurs villes au-dessus de Lovere ont une vue imprenable sur le lac. Au sud de Lovere, l'adorable **Sarnico** (p. 307) surplombe le lac et la rivière Oglio. Non loin se trouve **Iseo** (p. 308), son joli rivage, sa plage et des ferries pour **Monte Isola** (p. 308), une île escarpée qui se dresse au milieu du lac. Depuis Iseo, les routes s'enfoncent vers le sud-est à travers la campagne vallonnée de **Franciacorta** (p. 308), une région viticole, jusqu'à **Brescia** (p. 286). De Brescia, la SP11 et la SS45Bis mènent à **Salò** (p. 311), au bas de la rive ouest du lac de Garde ; halte sympathique avant d'atteindre **Gardone Riviera** (p. 312), dominée par l'exubérante citadelle **Vittoriale degli Italiani** (p. 311) et ses jardins. **Riva del Garda** (p. 312) constitue une excellente base pour véliplanchistes et randonneurs. Installée au sud le long de la rive est, **Malcesine** (p. 311) est dominée par un château. Un téléphérique monte jusqu'au **Monte Baldo** (p. 309). De là, une agréable route vers le sud vous mènera à la ville viticole de **Bardolino**, sur les bords du lac, non loin de **Vérone** (p. 392).

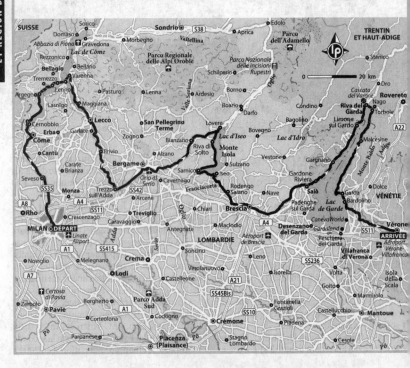

attirent chaque dimanche un public passionné au stade San Siro (chacune à tour de rôle).

Si vous prenez le temps de la découvrir, Milan vous laissera un souvenir impérissable.

HISTOIRE

Milan a été fondée par les tribus celtiques qui s'installèrent le long du Pô au VIIe siècle av. J.-C. En 313, l'empereur Constantin promulgua son célèbre édit, qui accordait la liberté de culte aux chrétiens. La ville avait déjà remplacé Rome en tant que capitale de l'Empire en 286 – rôle qu'elle conserva jusqu'en 402.

Au XIe siècle fut créé un *comune*, sorte de cité-État gérée par les membres de toutes les classes sociales. À partir du milieu du XIIIe siècle, elle fut gouvernée par différentes dynasties – les Torriani, les Visconti et les Sforza. Elle tomba aux mains de l'Espagne en 1525, puis de l'Autriche en 1713. En 1860, la ville fut intégrée au tout jeune royaume d'Italie.

Benito Mussolini, alors rédacteur en chef, à Milan, du journal socialiste *Avanti !*, y fonda le Parti fasciste en 1919, avant d'embarquer l'Italie dans la Seconde Guerre mondiale aux côtés d'Hitler en 1940. Il y sera également pendu par les pieds en 1945 par ses partisans alors qu'il tentait de fuir en Suisse. La même année, les bombardements alliés de la Seconde Guerre mondiale détruisirent une grande partie du centre-ville.

En 1992 éclata le scandale Tangentopoli, impliquant des milliers d'hommes politiques, de hauts fonctionnaires et d'hommes d'affaires italiens (dont de nombreux Milanais), parmi lesquels les grands noms de la mode Gianni Versace et Giorgio Armani.

Self-made man milanais et magnat des médias, Silvio Berlusconi est entré en politique dans les années 1990 avant d'être élu Premier ministre à trois reprises, la dernière fois en 2008.

Le prochain grand événement de la ville aura lieu en 2015 puisqu'elle accueillera l'Exposition universelle.

ORIENTATION

Toutes les rues du centre-ville partent de la cathédrale (il Duomo), le cœur à la fois spirituel et géographique de la ville.

Au nord de la cathédrale, le Carré d'or (Quadilatero d'Oro) abrite les boutiques des grands créateurs milanais. Au nord-ouest, le quartier de Brera, avec ses ruelles pavées,

---

TOP 5 DES PLUS BEAUX SITES DE LOMBARDIE

- **Orta San Giulio, lac d'Orta** (p. 295)
- **Villa Balbianello, Lenno, lac de Côme** (p. 306)
- **Città alta, Bergame** (p. 282)
- **Isola Bella, lac Majeur** (p. 298)
- **Gardone Riviera, lac de Garde** (p. 309)

---

ses antiquaires et ses terrasses de cafés, est plébiscité par les bobos. La vie nocturne évolue autour du Corso Como, vers le nord-ouest. Au-delà s'étend le quartier d'Isola, célèbre pour ses designers branchés. Au nord-est de la Piazza del Duomo se trouve la Stazione Centrale (gare ferroviaire centrale). À environ 2 km au sud de la cathédrale s'étend le quartier de Navigli avec ses canaux, tandis que le Castello Sforzesco, au sein du Parco Sempione, se situe à l'ouest.

RENSEIGNEMENTS
Accès Internet

Internetpoint (carte p. 268 ; ☎ 02 7209 5780 ; Cairoli metro ; 4 €/heure ; ☻ 10h-21h). Café Internet coquet et bien tenu à l'entrée de la station de métro de la Via Dante.

Agence de voyages

Agenzie 365 (carte p. 266 ; ☎ 02 6749 3147 ; Piazza Luigi di Savoia, Stazione Centrale). Près de l'arrêt de la navette desservant l'aéroport.

Argent

Vous trouverez des bureaux de change dans les deux aéroports, ainsi que du côté ouest de la Piazza del Duomo.
American Express (carte p. 268 ; ☎ 02 7210 4006 ; Via Larga 4 ; ☻ 9h-17h30 lun-ven)
Banca Cesare Ponte (carte p. 268 ; Piazza del Duomo 19). Change automatique 24h/24. Taux avantageux.
Banca Intesa San Paolo (carte p. 268 ; Piazza della Scala). Change automatique et DAB 24h/24.

Consigne

Stazione Centrale (carte p. 266 ; 4 € les 5 premières heures, 0,60 €/heure les 7 heures suivantes puis 0,20 €/heure ; ☻ 6h-23h50). Cinq jours maximum.

Laverie

Allwash (carte p. 268 ; Via Savona 1 ; 3,50 €/7 kg, sèche-linge 3,50 €/20 min ; ☻ 8h-22h).

Librairies

Librairie de la Scala (☎ 02 869 22 60 ; www.lascala bookstore.com ; Piazza della Scala). Ouvrages, CD et DVD sur l'opéra.

Panton's English Bookshop (carte p. 266 ; ☎ 02 469 44 68 ; www.englishbookshop.it ; Via Mascheroni 12)

Rizzoli (carte p. 268 ; ☎ 02 8646 1071 ; Galleria Vittorio Emanuele II). Son sous-sol déborde d'œuvres (traduites) d'écrivains italiens et de littérature de voyage sur l'Italie.

Touring Club Italiano (carte p. 268 ; ☎ 02 852 6304 ; Corso Italia 10). Excellent choix de guides de voyages et plans de randonnée.

Offices du tourisme

Office du tourisme central (carte p. 268 ; ☎ 02 7740 4343 ; www.provincia.milano.it/turismo ; niveau inférieur, Piazza del Duomo 19a ; ☽ 8h45-13h et 14h-18h lun-sam, 9h-13h et 14h-17h dim).

Welcome Desk Meeting Milano aéroport de Linate (hors carte p. 266 ; ☎ 02 7020 0443 ; ☽ 7h30-23h30) ; aéroport de Malpensa (hors carte p. 266 ; ☎ 02 5858 0080 ; Terminal 1 ; ☽ 8h-20h)

Office du tourisme (carte p. 266 ; ☎ 02 7740 4318 ; Stazione Centrale ; ☽ 9h-18h lun-sam, 9h-13h et 14h-17h dim et jours fériés). Devant le quai n°13.

Poste

Poste centrale (carte p. 268 ; Piazza Cordusio 1)
Poste de la Stazione Centrale (carte p. 266 ; Piazza Duca d'Aosta ; ☽ 8h-19h lun-sam)

Services médicaux

Pharmacie 24h/24 (carte p. 266 ; ☎ 02 669 09 35 ; Stazione Centrale).

Farmacia Carlo Erba (carte p. 268 ; ☎ 02 87 86 68 ; Piazza del Duomo 21 ; ☽ 15h-19h et 20h-8h30 lun, 9h30-19h et 20h-8h30 mar-sam, 20h-8h30 dim).

Milan Clinic (carte p. 268 ; ☎ 02 7601 6047 ; www.milan clinic.com ; Via Cerva 25). Médecins parlant français ou anglais.

Ospedale Maggiore Policlinico (carte p. 268 ; ☎ 02 5 50 31, interlocuteurs parlant français ou anglais 02 5503 3137 ; www.policlinico.mi.it ; Via Francesco Sforza 35). Hôpital.

Urgences

Poste de police pour les étrangers (carte p. 268 ; ☎ 02 6 22 61 ; Via Montebello 26). Pour les questions d'immigration.

Police (carte p. 268 ; ☎ 02 6 22 61 ; Via Fatebenefratelli 11)

Voyageurs handicapés

Pour les personnes à mobilité réduire, le système de transports publics de Milan, ATM, possède des bus surbaissés sur de nombreuses lignes, et quelques-unes des stations de métro sont équipées d'ascenseurs. Voir le site **Milano**

Per Tutti (www.milanoper tutti.it ; en italien et en anglais) pour plus de détails, notamment sur les circuits de sites accessibles.

DÉSAGRÉMENTS ET DANGERS

Milan est une ville relativement sûre, même si de nombreux pickpockets (y compris des enfants) opèrent dans les rues commerçantes, aux abords des gares et dans les transports publics les plus fréquentés.

À VOIR

Certains touristes viennent à Milan uniquement pour les boutiques, mais il serait dommage de faire l'impasse sur les sites historiques intéressants.

Cathédrale de Milan et ses alentours
CATHÉDRALE (DUOMO)

La **cathédrale** en marbre rose de Candoglia (carte p. 268 ; ☎ 02 7202 2656 ; www.duomomilano.it ; Piazza del Duomo), dont la construction a débuté en 1386 à l'initiative de Gian Galeazzo Visconti, est un chef-d'œuvre du gothique flamboyant. C'est la cathédrale gothique la plus vaste du monde et la troisième d'Europe, tous styles confondus. Elle peut accueillir jusqu'à 40 000 personnes (la population milanaise au XIVe siècle).

Après des siècles de construction (d'est en ouest), la cathédrale fut achevée en 1812 (même si certains éléments ne lui furent rattachés que dans les années 1960). Surplombant cette merveille, trône une statue en cuivre doré de la **Madonnina** (la petite Madone), sainte protectrice de la ville. Curieusement, il n'y a pas de clocher.

L'intérieur est tout aussi impressionnant, avec ses 146 vitraux et ses piliers magnifiquement ouvragés. Le plafond semble lui aussi avoir été sculpté, mais il s'agit en fait d'un décor en trompe-l'œil. Au-dessus de l'autel est exposée une relique précieuse, un **clou** qui aurait été retiré de la main droite du Christ sur la croix. À côté de l'entrée principale, un escalier mène au **Battistero di San Giovanni** (entrée 1,50 € ; ☽ 9h30-17h15 mar-dim), le baptistère chrétien qui se dressait sur le site avant la construction de la cathédrale. La **crypte** (entrée libre) renferme un coffret de verre qui n'est autre que le reliquaire de San Carlo Borromeo (décédé en 1584). Sur le côté, le **trésor** (1 € ; ☽ 9h30-13h30 et 14h-18h lun-ven, 9h30-13h30 et 14h-17h sam, 13h30-15h30 dim) contient une petite collection d'objets liturgiques qui n'intéressera que les spécialistes.

MILAN EN...

Deux jours

En deux jours, vous verrez l'essentiel : en priorité le Duomo, la cathédrale de Milan, puis la Galleria Vittorio Emanuele II non loin de là, et l'opéra la Scala. Puis viennent le Castello Sforzesco et le Parco Sempione juste après. Assurez-vous de réserver votre visite à *La Cène* de Léonard de Vinci le matin du deuxième jour. Tant de beauté vous inspirera probablement une virée dans le quartier Monte Napoleone (ou quartier d'Or) pour un peu de shopping. Enfin, redescendez dans le quartier de Navigli pour manger et boire quelque chose le soir venu.

Quatre jours

Avec deux jours supplémentaires, vous ferez mieux connaissance avec la ville. Côté art, optez pour la Pinacoteca di Brera et le Museo Poldi-Pezzoli. Prenez le temps de flâner, surtout à l'heure de l'*aperitivo*, par exemple sur le Corso Como. Les amateurs d'architecture arpenteront la ville à la recherche d'anciennes basiliques : la Basilica di Sant'Ambrogio et la Basilica di San Lorenzo.

Une semaine

En une semaine, il est possible d'ajouter de petites excursions en dehors de Milan : notamment à Bergame, Brescia, Crema, Pavie ou Vigevano (vous pouvez combiner les deux dernières villes en un jour). Les trains rapides peuvent même vous mener à Vérone, Bologne ou Turin pour la journée.

Il faut gravir 165 marches pour accéder au **toit de la cathédrale** (5 € ; ☉ 9h-17h45), mais vous pourrez alors admirer la multitude de flèches, de statues et de pinacles ainsi que la vue spectaculaire qui s'étend jusqu'à la Suisse par temps clair. Les moins sportifs prendront l'**ascenseur** (8 € ; ☉ 9h-17h30). Les deux entrées sont à l'extérieur de la cathédrale, du côté nord.

L'esplanade de la cathédrale, la **Piazza del Duomo**, accueille toutes sortes de festivités et de célébrations.

Si vous souhaitez en savoir plus sur la cathédrale, visitez le **Museo del Duomo** (carte p. 268 ; www.duomomilano.it ; Piazza del Duomo 14). Au moment de la rédaction de ce guide, le musée était fermé pour restauration, mais personne ne sait encore quand elle aura lieu.

C'est depuis l'**Arengario** (carte p. 268), dominant la Piazza del Duomo (et bardée d'échafaudages), que Mussolini haranguait les foules à l'apogée de son régime. Il est prévu que le palais accueille un jour le **Museo del Novecento** (www.museodelnovecento.org), un musée consacré à l'histoire et à la société du XXᵉ siècle.

GALLERIA VITTORIO EMANUELE II

La **Galleria Vittorio Emanuele II** (carte p. 268), sur le côté nord de la Piazza del Duomo, est une galerie en arcades couverte d'un toit en verre et en métal, en forme de croix. Elle abrite un hôtel sept-étoiles (si !), le **Townhouse Galleria** (www. townhousegalleria.it), ainsi que des cafés de haut standing, des boutiques de luxe et, dépareillant un peu dans ce décor, un McDonald's.

Giuseppe Mengoni conçut cette galerie pour symboliser le modernisme de Milan. Malheureusement, il se tua en tombant d'un échafaudage en 1877, quelques semaines à peine avant que sa construction, qui nécessita 14 ans en tout, ne soit achevée. Depuis, la tradition milanaise veut que frotter son talon contre les testicules du taureau en mosaïque (juste à gauche de la croix centrale, en faisant face au nord) porte bonheur.

PINACOTECA AMBROSIANA

La première bibliothèque publique d'Europe, la biblioteca Ambrosiana, construite en 1609, héberge un très beau musée de peintures, la **Pinacoteca Ambrosiana** (carte p. 268 ; ☎ 02 80 69 21 ; www.ambrosiana.it ; Piazza Pio XI 2 ; adulte/enfant 8/5 € ; ☉ 10h-17h30 mar-dim). On peut y admirer la première nature morte italienne, *La Corbeille de fruits*, du Caravage, et *Portrait du Musicien Franchino Gaffurio* de Léonard de Vinci.

La Scala

La façade austère du légendaire opéra milanais, la **Scala** (Teatro alla Scala), contraste avec le luxe de son intérieur à six niveaux, de ses chandeliers et ses loges tendues de soie rouge. La simplicité de l'extérieur s'explique par le fait qu'il fut construit, en 1778, dans une rue étroite et bordée de maisons. Depuis, leur destruction a permis de dégager une esplanade, la Piazza della Scala, grâce à laquelle on peut désormais prendre du recul pour l'admirer.

LOMBARDIE ET RÉGION DES LACS

MILAN

Voir la carte Centre de Milan (p. 268)

RENSEIGNEMENTS

Pharmacie 24h/24................**1** E1	
Agenzie 365......................**2** E1	
Centro d'Iniziativa	
Gay-ArciGay Milano............**3** F4	
Consigne..........................**4** E1	
Consulat des Pays-Bas..........**5** B4	
Panton's English	
Bookshop........................**6** B3	
Poste de la Stazione	
Centrale..........................**7** E1	
Office du tourisme..............**8** F1	

À VOIR ET À FAIRE

Fieramilanocity..................**9** A2	

OÙ SE LOGER 🏠

Foresteria Monforte............**10** F4	
Hotel Del Sole..................**11** F2	
Hotel Etrusco...................**12** G1	
La Cordata......................**13** D5	
Vietnamonamour................**14** G2	

OÙ SE RESTAURER 🍴

Acquasala.......................**15** B6	
El Brellin........................**16** C5	
Mercato Comunale..............**17** C5	
Osteria Le Vigne................**18** B6	
Piccola Ischia...................**19** D3	
Piquenique......................**20** B5	
Pizzeria Spontini................**21** F2	

OÙ PRENDRE UN VERRE 🍷

Bar Basso........................**22** G3	
L'Elephante.....................**23** F3	

OÙ SORTIR 🎭

Auditorium di Milano...........**24** C6	
Blue Note........................**25** D1	
Gattopardo......................**26** B1	
Magazzini Generali..............**27** E6	
New Milan Point.................**28** C6	
Plastic...........................**29** G4	
Scimmie.........................**30** C6	

ACHATS 🛍

Emporio 31......................**31** B6	

TRANSPORTS

Bus pour les aéroports de Linate,	
de Malpensa	
et d'Orio al Serio................**32** F1	
Starfly...........................**33** F1	
Station de taxis..................**34** E2	

CENTRE DE MILAN

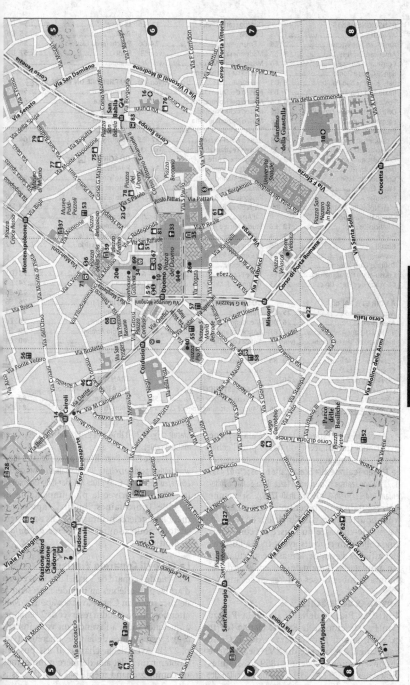

LOMBARDIE
ET RÉGION DES LACS

Assister à un spectacle à la Scala est une expérience inoubliable (voir p. 277 pour l'achat des billets). Une autre solution consiste à visiter le **Museo Teatrale alla Scala** (carte p. 268 ; ☎ 02 4335 3521 ; www.teatroallascala.org ; Piazza della Scala ; adulte/enfant 5/4 € ; ☷ 9h-12h30 et 13h30-17h30). Si aucune représentation ou répétition n'est en cours, vous pourrez alors voir l'intérieur de l'édifice. Le rez-de-chaussée du musée est consacré à une collection d'objets ayant trait à l'opéra : des affiches d'époque, le masque mortuaire et un moulage de la main de Giuseppe Verdi qui monta nombre de ses œuvres en ces murs.

Environs de la Scala

Entre la Piazza della Scala et la Piazza San Fedele émerge le **Palazzo Marino** (carte p. 268), conçu par Galeazzo Alessi. Cette majestueuse résidence du XVIe siècle abrite le conseil municipal depuis 1859. Possibilités de visites (☎ 02 8845 6617 ; www.comune.milano.it ;

gratuit ; ☷ 9h30-12h30 et 14h-17h lun-ven, réservation indispensable).

Le **Museo Poldi-Pezzoli** (carte p. 268 ; ☎ 02 79 48 89 ; www.museopoldipezzoli.it ; Via Alessandro Manzoni 12 ; adulte/enfant 8/5,50 € ; ☷ 10h-18h mar-dim) conserve la collection privée la plus importante de la ville (porcelaines, bijoux, tapisseries, meubles anciens, peintures). Mais on y vient surtout pour admirer *La Vierge à l'Enfant* de Botticelli.

La Cène (Il Cenacolo Vinciano)

La Cène de Léonard de Vinci, l'une des œuvres d'art les plus célèbres au monde, représente le dernier repas du Christ avec ses apôtres. Mais attention, il vous faudra réserver de 2 semaines à quelques mois à l'avance, ou vous inscrire à une visite guidée de la ville, onéreuse (voir p. 272). Avec de la chance, il est possible d'obtenir un billet à la dernière minute, mais ne comptez quand même pas trop là-dessus.

Une fois à l'intérieur, vous aurez 15 minutes pour contempler ce chef-d'œuvre.

La célèbre **fresque** (carte p. 268 ; ☎ 02 8942 1146 ; www.cenacolovinciano.org ; adulte/citoyen UE 18-25 ans/ citoyen UE de moins de 18 ans et de plus de 65 ans 6,50 €/3,25 €/ gratuit, frais de réservation 1,50 € ; ⏱ 8h15-19h mar-dim) orne un mur du Cenacolo Vinciano, le réfectoire attenant à la **Chiesa di Santa Maria delle Grazie** (carte p. 268 ; Corso Magenta ; ⏱ 8h15-19h mar-dim). Les travaux de restauration de *La Cène*, terminés en 1999, ont duré 22 ans. Mais malgré tous les efforts, 80% des couleurs originales ont disparu. Léonard de Vinci lui-même est à blâmer : il travailla sur un mur sec pendant trois ans (de 1495 à 1498) au lieu de peindre rapidement sur du plâtre mouillé (qui absorbe les pigments dilués) – les fresques étaient généralement réalisées en une semaine. L'œuvre commença ainsi à se détériorer quelques années seulement après avoir été peinte.

Les réservations s'effectuent obligatoirement par téléphone : l'opérateur vous attribuera un jour et une heure de visite ainsi qu'un numéro de réservation, que vous devrez présenter 30 minutes avant la visite au guichet du réfectoire. Si vous arrivez en retard, votre billet sera revendu.

Les visites guidées coûtent 3,25 € ; les horaires sont variables. Réservez longtemps à l'avance.

Castello Sforzesco et Parco Sempione

À l'origine forteresse des Visconti, l'imposant **Castello Sforzesco** (carte p. 268 ; ☎ 02 8846 3700 ; www.milanocastello.it ; Piazza Castello ; adulte/senior/enfant de moins de 18 ans 3 €/1,50 €/gratuit, après 14h gratuit ven ; ⏱ jardins du château 7h-18h ou 19h mar-dim, musées 9h-17h30 mar-dim) fut par la suite la résidence de la puissante dynastie des Sforza qui régna sur Milan à la Renaissance. Léonard de Vinci lui-même conçut son système de défense, mais Napoléon fit assécher les douves et enlever les ponts-levis. Plusieurs musées auxquels on peut accéder avec le même billet occupent désormais les lieux.

Parmi les incontournables, le **Museo d'Arte Antica** (carte p. 268) renferme la dernière œuvre, demeurée inachevée, de Michel-Ange, la *Pietà Rondanini* (dans la Sala degli Scarlioni). Des peintures signées Bellini, Tiepolo, Mantegna, Corrège, Titien et Van Dyck occupent une place de choix dans la **Pinacoteca e Raccolte d'Arte** (carte p. 268). Le **Museo della Preistoria** (carte p. 268) dévoile une collection d'objets archéologiques locaux, allant du paléolithique

à l'âge du fer. Le **Museo degli Strumenti Musicali** (carte p. 268), pour sa part, ravira les amateurs d'instruments de musique anciens.

Sur une superficie de 47 ha, le parc du château, le **Parco Sempione** (carte p. 268), renferme une arche néoclassique et la **Torre Branca** (carte p. 268 ; ☎ 02 331 41 20 ; www.branca.it ; 3 € ; ⏱ 21h30-24h mar et jeu, 10h30-12h30, 16h-18h30 et 21h30-24h mer, 14h30-18h et 21h30-24h ven, 10h30-14h, 14h30-19h30 et 21h30-24h sam et dim mi-avr à mi-oct, 10h30-12h30 et 16h-18h30 mer, 10h30-13h, 15h-18h30 et 20h30-24h sam, 10h30-14h et 14h30-19h dim mi-oct à mi-avr), une tour métallique de 108 m de hauteur datant de 1933, de laquelle on découvre une superbe vue de la ville. On y trouve également le vieil **Acquario Civico** (carte p. 268 ; ☎ 02 8646 2051 ; Viale Gadio 2 ; www.verdeacqua. eu ; gratuit ; ⏱ 9h-13h et 14h-17h30 mar-dim) et la **Triennale di Milano** (carte p. 268 ; ☎ 02 7243 4212 ; www.triennale designmuseum.it ; Viale Emilio Alemanga 6 ; adulte/senior et étudiant 8/6 € ; ⏱ 10h30-20h30 mar-dim). Depuis son ouverture dans les années 1930, elle présente des expositions régulières consacrées au design, mais ses collections permanentes consacrées au design italien ne datent que de 2007.

Environs du Castello Sforzesco

Au sud du château, trois sites sont intéressants à visiter : un musée archéologique, une basilique et un musée des sciences et des techniques.

Installé dans le monastère Maggiore, un couvent bénédictin du IXe siècle reconstruit dans les années 1500, le **Civico Museo Archeologico** (carte p. 268 ; ☎ 02 8645 0011 ; Corso Magenta 15 ; adulte/enfant 2/1 € ; gratuit après 14h ven ; ⏱ 9h-13h et 14h-17h30 mar-dim) expose une belle collection d'objets romains, grecs et étrusques.

Saint Ambroise, le saint patron de Milan, est enterré dans la crypte de la **Basilica di Sant'Ambrogio** (carte p. 268 ; Piazza Sant'Ambrogio 15), qu'il fonda au IVe siècle. Cette église fut rebâtie et restaurée à plusieurs reprises, ce qui explique le mélange des styles.

Accueillant des expositions sur des sujets aussi divers que l'électricité, l'astronomie, la fabrication des horloges ou des guitares, le fascinant **Museo Nazionale della Scienza e della Tecnologia "Leonardo da Vinci"** (carte p. 268 ; ☎ 02 48 55 51 ; www.museoscienza.org ; Via San Vittore 21 ; adulte/enfant 8/6 €, avec la visite du sous-marin 10/8 € ; ⏱ 9h30-17h mar-ven, 9h30-18h30 sam, dim et jours fériés) permet aussi de découvrir les nombreuses inventions de Léonard de Vinci. En réservant, vous pourrez visiter le sous-marin *Toti* des années 1940.

Pinacoteca di Brera

La **Pinacoteca di Brera** (carte p. 268 ; ☎ 02 8942 1146 ; www.brera.beniculturali.it ; Via Brera 28 ; adulte/enfant 10/7,50 € ; adulte/enfant citoyen UE 5 €/gratuit ; 8h30-19h15 mar-dim), dans le Palazzo di Brera (XVIIᵉ siècle), conserve une collection de tableaux religieux rassemblés par Napoléon. Elle comprend notamment *Le Christ mort* d'Andrea Mantegna et *La Cène* de Véronèse, très différente de celle de Vinci, ainsi que des œuvres de Raphaël, Bellini, Rembrandt, Goya, Van Dyck et du Caravage.

Civica Galleria d'Arte Moderna

La villa Reale fut construite au XVIIIᵉ siècle et elle eut l'occasion d'accueillir un temps Napoléon. Aujourd'hui, ses murs ont été investis par la **Civica Galleria d'Arte Moderna** (GAM ; carte p. 268 ; ☎ 02 7600 2819 ; Via Palestro 16 ; 9h-17h30 mar-dim), qui détient une importante collection d'œuvres d'art italiennes du XIXᵉ et du XXᵉ siècles allant de celles du sculpteur néo-classique Canova aux peintres futuristes Giacomo Balla et Umberto Boccioni.

CIRCUITS ORGANISÉS

L'office du tourisme vend les billets pour la visite guidée de la ville organisée en bus par Autostradale (3 heures, 55 € avec accès à *La Cène*, au Castello Sforzesco et au musée de la Scala). Vous visiterez une multitude de sites en un temps restreint, mais le billet d'entrée pour le Castello et la Scala étant valable toute la journée, vous pourrez les revoir ensuite à votre rythme. Le départ du circuit s'effectue à la station de taxi située du côté ouest de la Piazza del Duomo à 9h30 (mar-dim, fermé une partie du mois d'août). D'avril à octobre, l'office du tourisme organise aussi des excursions d'une journée au lac de Côme (60 €).

Zani Viaggi (☎ 02 86 71 31 ; www.zaniviaggi.it) organise toute une série de circuits dans le centre-ville et à l'extérieur de Milan (25 à 55 €), dont certains incluent l'accès à *La Cène*. Départ de la Piazza Castello ou de la Stazione Centrale.

FÊTES ET FESTIVALS

La Scala démarre sa saison le 7 décembre, lors de la **Festa di Sant'Ambrogio** (fête du saint patron de Milan), la plus grande fête de la ville.

Milan possède deux centres d'exposition reliés entre eux, et baptisés collectivement **Fiera Milano** (www.fiera milano.it). Le plus ancien des deux, la **Fieramilanocity** (carte p. 266), est proche du centre (ligne de métro n°2, arrêt Lotto Fieramilanocity), tandis que le principal, la **Fieramilano**, se situe à l'ouest de la ville dans la ville périphérique de Rho (ligne de métro n°2, arrêt Rho Fiera). Voir l'encadré p. 278 pour de plus amples informations sur les défilés de mode internationaux ici et ailleurs.

Autres fêtes et festivals à ne pas manquer :
Carnevale Ambrosiano : ce carnaval, le plus long du monde, se clôt par une procession au Duomo (en fév).

Cortili Aperti (www.italiamultimedia.com/cortiliaperti) : un dimanche en mai, certaines des plus belles cours privées de la ville ouvrent leurs portes. Imprimez un plan et faites votre propre itinéraire.

Festa del Naviglio : défilés, concerts et spectacles les dix premiers jours de juin.

La Bella Estate (www.comune.milano.it) : concerts dans la ville (et à proximité) de juin à août. Consultez le site Internet de l'hôtel de ville.

OÙ SE LOGER

Trouver une chambre bon marché n'est pas facile, en particulier au moment des défilés de mode, des salons du mobilier et autres expositions et foires durant lesquelles les tarifs atteignent des sommets.

L'office du tourisme édite chaque année le *Milano Hotels*, un annuaire gratuit, qui recense environ 350 hôtels de Milan. Le site de réservations de Lonely Planet (www.lonelyplanet.com/hotels) propose de belles propriétés à la location.

Petits budgets

Le quartier de la Stazione Centrale peut être assez mal famé, mais il abrite certains des établissements les moins chers de la ville.

AUBERGES DE JEUNESSE ET CAMPINGS

Campeggio Città di Milano (hors carte p. 266 ; ☎ 02 4820 7017 ; www.campingmilano.it ; Via G Airaghi 61 ; camping 2 personnes, voiture et tente 28,50 €, bungalow 2/3/4 pers à partir de 90/105/120 €). Ce camping quatre étoiles situé à l'ouest du centre-ville comprend un bar, un restaurant, une laverie, un service de location de vélos et un parc aquatique (www.parcoaquatica.com) qui offre 40% de réduction pour les campeurs. Depuis la station de métro De Angeli, prenez le bus n°72 de Piazza de Angeli à l'arrêt Di Vittorio. Il reste ensuite 400 m à parcourir à pied. En voiture, quittez Tangenziale Ovest à San Siro-Via Novara.

La Cordata (carte p. 266 ; ☎ 02 5831 4675 ; www.ostellimilano.it ; Via Burigozzo 11 ; dort/s/d 21/70/90 € ; □ ⚡). Proche du quartier du canal, cet établissement

MILAN, CAPITALE DU DESIGN

Milan est la capitale de la décoration d'intérieur. Les dernières innovations sont dévoilées chaque année en avril pendant cinq jours lors du **Salone Internazionale del Mobile** (Salon international du meuble ; www.cosmit.it) à la **Fieramilano** (www.fieramilano.it) de Rho. Les fans du design d'intérieur y sont comblés depuis 1961.

La ville est investie par les galeries, les boutiques et les salles d'expositions. Dans le magasin du pionnier du plastique **Kartell** (carte p. 268 ; ☎ 02 659 79 16 ; www.kartell.it ; Via Carlo Porta 1), vous pourrez notamment acquérir l'étagère Bookworm de Ron Arad. Si vous préférez les lignes épurées, direction **B&B Italia Store** (carte p. 268 ; ☎ 02 76 44 41 ; www.milano.bebitalia.com ; Via Durini 14). Ajoutons à ces grands noms celui d'**Alessi** (carte p. 268 ; ☎ 02 79 57 26 ; www.alessi.it ; Corso Matteotti 9), qui a beaucoup fait pour les arts de la table et de la cuisine.

Emporio 31 (carte p. 266 ; ☎ 02 422 25 77 ; www.emporio31.com en italien ; Via Tortona 31) est le premier magasin de design à bas coût (à gauche dans la cour intérieure). Des lampes de bureau Flos et des machines à expresso Bugatti s'y affichent à moitié prix.

Les galeries de la ville savent mêler art contemporain et design. La plus importante, **Padiglione d'Arte Contemporanea** (PAC ; carte p. 268 ; ☎ 02 7600 9085 ; www.comune.milano.it/pac ; Via Palestro 14 ; adulte/senior et étudiant 5/3 € ; ☽ 14h30-19h30 lun, 9h30-19h30 mar, mer et ven-dim, 9h30-22h30 jeu), monte des expositions expérimentales alliant tous les médias. Le **Studio Museo Achille Castiglioni** (carte p. 268 ; ☎ 02 7243 4231 ; Piazza Castello 27 ; ☽ visites guidées 10h, 11h et 12h mar-dim) vend des objets rétro comme des lampadaires Arco ou les premiers gadgets étranges d'Alessi. Visite gratuite avec les billets prépayés Triennale di Milano (voir p. 271), mais réservation indispensable.

Parmi les magazines spécialisés dans le design figurent *Domus* (www.domusweb.it) et *Casabella*, tous deux fondés en 1928 par Gio Ponti (1891-1979), architecte italien réputé.

La ville même de Milan est actuellement en pleine réhabilitation architecturale. Le projet le plus grand et le plus controversé est le complexe CityLife (p. 266). De grands architectes comme Zaha Hadid, Arata Isozaki, Daniel Libeskind et Pier Paolo Maggiora travaillent à la modernisation de l'ancien site des expositions à l'ouest du centre de Milan, qui comprendra en 2014 trois tours de bureaux, une tour résidentielle de 20 étages et un parc... si, d'ici là, les groupes d'opposants au projet ne parviennent pas à le stopper devant les tribunaux.

LOMBARDIE ET RÉGION DES LACS

moderne de brique et de verre dispose de chambres carrelées un peu austères mais impeccables et d'une cuisine commune. Ouvert 24h/24, formalités d'arrivée entre 14h et 22h.

HÔTELS

Hotel Etrusco (carte p. 266 ; ☎ 02 236 38 52 ; www.hotel etrusco.it ; Via Porpora 56 ; s/d 60/80 € ; P). Cet élégant hôtel trois étoiles, certainement la meilleure adresse aux alentours de la Piazza Aspromonte, propose d'agréables chambres, dont six avec terrasse donnant sur un joli jardin.

Hotel Casa Mia (carte p. 268 ; ☎ 02 657 52 49 ; www. casamiahotel.it ; Viale Vittorio Veneto 30 ; s/d 62/85 € ; ☒). Niché en amont de la Piazza della Repubblica, le Casa Mia est un établissement basique bien situé à mi-chemin entre la Stazione Centrale et le Duomo, en face des Giardini Pubblici.

Catégorie moyenne

Hotel Del Sole (carte p. 266 ; ☎ 02 2951 2971 ; www. delsolehotel.com ; Via G Spontini 6 ; s/d 50/95 € ; ☒). L'un des meilleurs choix dans le quartier de la Stazione Centrale, cet hôtel convivial possède des chambres tout à fait acceptables, certaines avec balcon. Celles avec sdb commune sont moins chères.

Vietnamonamour (carte p. 266 ; ☎ 02 7063 4614 ; www. vietnamonamour.com ; Via Alessandro Pestalozza 7 ; s/d à partir de 80/120 € ; ☒ ☏). Un beau parquet et du mobilier asiatique plantent le décor dans cette résidence de 1903 devenue B&B. Outre quatre chambres romantiques, le propriétaire (un Vietnamien né à Paris), possède également un restaurant vietnamien accueillant au rez-de-chaussée.

Foresteria Monforte (carte p. 266 ; ☎ 02 7631 8516 ; www.foresteriamonforte.it ; Piazza del Tricolore 2 ; d 150-190 €). Fauteuils Philippe Starck et écrans plats décorent les 3 chambres chics de ce B&B haut de gamme à quelques pas du Duomo. Le petit déjeuner est servi dans les chambres. Cuisine commune.

Hotel Ariston (carte p. 268 ; ☎ 02 7200 0556 ; www.aris-tonhotel.com ; Largo Carrobbio 2 ; s petit-déj compris 110-200 €, d petit-déj compris 160-290 € ; P ☒ ☐ ☏). Cet établissement écologique propose infusions à base d'eau filtrée, petit déjeuner bio, matelas en fibres naturelles, savons et shampoings naturels… sans oublier le vélo mis gracieusement à la disposition de la clientèle.

☻ Antica Locanda Leonardo (carte p. 268 ; ☎ 02 4801 4197 ; www.anticalocandaleonardo.com ; Corso Magenta 78 ; s 120 € ; d 165-245 € ; ✄ ⊚). Les chambres de cette résidence du XIXᵉ siècle respirent le confort. Lits en bois et parquet dans certaines, mobilier ancien et rideaux peluchés dans d'autres. Prenez votre petit déjeuner dans le jardin intérieur, paisible et parfumé.

Alle Meraviglie (carte p. 268 ; ☎ 02 805 10 23 ; www. allemeraviglie.it ; Via San Tomaso 8 ; d 180-247 € ; Ⓟ ✄ ⊚). Cet hôtel de charme situé dans une jolie petite rue du centre-ville renferme 6 chambres, chacune arborant une décoration différente avec jolis tissus et fleurs fraîches. Pas de TV.

Catégorie supérieure

3Rooms (carte p. 268 ; ☎ 02 62 61 63 ; www.3rooms-10Corsocomo.com ; Corso Como 10 ; d 270-310 € ; Ⓟ ✄ ⊡ ⊚). Pour rester dans l'ambiance des boutiques de luxe du Corso Como, réservez l'une des trois chambres d'hôte de cette villa. Le mobilier est signé Arne Jacobsen ou Saarinen, et les couvre-lits sont des créations d'Eames.

Straf (carte p. 268 ; ☎ 02 80 50 81 ; www.straf.it ; Via s San Raffaele 3 ; s/d à partir de 295/320 € ; ✄ ⊡). Ciment, pierre couleur ardoise et verre rayé donnent le ton de cette adresse ultra-design tout près du Duomo. Dans certaines chambres, fauteuils de massage et aromathérapie vous attendent, et toutes arborent une décoration extrêmement imaginative. En bas, le bar abrite des installations artistiques et les hôtes pourront profiter d'une salle de sport.

Antica Locanda Solferino (carte p. 268 ; ☎ 02 657 01 29 ; www.anticalocandasolferino.it ; Via Castelfidardo 2 ; s 140-270 €, d 180-400 € ; ✄ ⊚). Un établissement authentique et retiré, doté de 11 chambres au style ancien avec de belles peintures et affiches. Cet hôtel de charme raffiné attirant, entre autres, des artistes et des écrivains, pensez à réserver.

OÙ SE RESTAURER

Tout comme sa mode, Milan propose une cuisine variée, qu'elle soit classique, fusion ou importée. De nombreux grands couturiers (Gucci, Armani et autres) possèdent des cafés-restaurants attenant à leurs boutiques.

Parmi les spécialités milanaises figurent la polenta et le *risotto alla milanese* (au safran et à la moelle de bœuf) souvent servis en entrée. Les plats de résistance comprennent le *fritto misto alla milanese* (tranches frites de moelle, foie et poumon), la *busecca* (tripes bouillies accompagnées de haricots) et la *cotoletta alla milanese* (côte de veau panée). Milan est également la ville du *panettone* (brioche aux fruits, spécialité de Noël) et de la *colomba* (gâteau en forme de colombe remontant au VIᵉ siècle, traditionnellement servi à Pâques avec un vin liquoreux).

Restaurants

Vous trouverez des restaurants très chics autour de la cathédrale. Dès les beaux jours, dans le quartier de Brera, les terrasses se succèdent le long de la très branchée Via Fiori Chiari. Le quartier des canaux compte également de très bonnes adresses.

Nous vous conseillons de réserver, notamment dans les établissements haut de gamme.

Piccola Ischia (carte p. 268 ; ☎ 02 204 76 13 ; Via Giovanni Battista Morgagni 7 ; pizzas 8-15 €, repas 30 € ; ☽ déj et dîner lun, mar, jeu et ven, dîner seulement sam et dim). En entrée, la carte propose croquettes de pommes de terre campaniennes, *arancini* (beignets de riz) ou encore fleurs de courgettes. Mais le plat phare de l'établissement reste la pizza.

Latteria (carte p. 268 ; ☎ 02 659 76 53 ; Via San Marco 24 ; repas 25-30 € ; ☽ lun-ven). Si vous arrivez à dégoter une place dans ce minuscule restaurant prisé depuis toujours, vous découvrirez sur le menu (constamment renouvelé et principalement biologique) de grands classiques comme les *spaghetti alla carbonara* associés à des créations du chef Arturo : *polpettine al limone* (petites boulettes de viande au citron) ou le *riso al salto* (beignets de risotto).

☻ Osteria Le Vigne (carte p. 266 ; ☎ 02 837 56 17 ; Ripa di Porta Ticinese 61 ; repas 25-30 € ; ☽ lun-sam). Cet établissement très populaire situé dans le quartier de Navigli affiche un rapport qualité/prix imbattable. Au menu, des plats comme les *straccetti di pasta fresca con pollo* (rubans de pâtes fraîches au poulet).

Pescheria Da Claudio (carte p. 268 ; ☎ 02 805 68 57 ; Via Ponte Vetero 16 ; repas 25-30 € ; ☽ 11h-20h lun, 9h-21h30 mar-sam). Savourez un déjeuner copieux ou un dîner de *pesce crudo* (poisson cru). Les assiettes, composées de thon mariné, de divers saumons et de thon et de hareng aux pistaches ou de carpaccio de poulpe légèrement blanchi, sont consommées par une clientèle d'affaires au bar en forme de fer à cheval.

LOMBARDIE ET RÉGION DES LACS

ADRESSE GOURMANDE

Les gourmets se précipiteront, les yeux fermés, chez **Peck** (carte p. 268 ; ☎ 02 802 31 61 ; www.peck.it ; Via Spadari 7-9 ; ☺ 15h-19h30 lun, 8h45-19h30 mar-sam), une institution milanaise qui a ouvert ses portes en 1883. Depuis, cette épicerie fine s'est adjoint un restaurant-bar à l'étage ainsi qu'une *enoteca* (bar à vin). Cette caverne d'Ali Baba est moins vaste qu'on pourrait croire, mais le choix de ses produits est étourdissant : 3 200 variétés de *parmigiano reggiano* (parmesan), mais aussi des chocolats exquis, des pralines et des pâtisseries, des glaces artisanales, des fruits de mer, du caviar, des pâtés, des fruits et légumes, des truffes, de l'huile d'olive et du vinaigre balsamique.

Piquenique (carte p. 266 ; ☎ 02 4229 7225 ; Via Bergognone 24 ; repas 30 € ; ☺ lun déj uniquement, mar-sam déj et dîner, dim brunch 12h-15h). Le Piquenique arbore des tables et des chaises toutes différentes et délibérément disposées en vrac, un sol parqueté et des nappes variant de la toile de Vichy au chintz. Les plats sont principalement composés d'ingrédients biologiques et les options végétariennes comprennent des plats à base de semoule.

Acquasala (carte p. 266 ; ☎ 02 8942 3983 ; repas 30-35 € ; Ripa di Porta Ticinese 71 ; ☺ mar-dim). Les plats apuliens traditionnels concoctés ici incluent notamment les *orecchiette* (pâtes en forme de "petites oreilles" accompagnées de diverses manières (avec une sauce à la viande de cheval par exemple). Le menu comprend surtout des viandes, des saucisses de cheval aux entrecôtes toscanes.

El Brellin (carte p. 266 ; ☎ 02 5810 1351 ; angle Vicolo dei Lavandai 14 et Alzaia Naviglio Grande 14 ; repas 40-45 € ; ☺ 19h-2h lun-sam, 12h30-15h dim). Installé dans une ancienne blanchisserie du XVIIIe siècle qui utilisait l'eau du Naviglio Grande, El Brellin dispose d'un jardin romantique éclairé aux bougies. Ses pâtes et ses spécialités milanaises comme la *cazzuola* (sorte de potée avec différents morceaux de porc) sont faites maison.

L'Antico Ristorante Boeucc (carte p. 268 ; ☎ 02 760 20 224 ; Piazza Belgioioso 2 ; repas 60-80 € ; ☺ déj et dîner lun-ven, dim déj uniquement). Le plus ancien restaurant de Milan (ouvert depuis 1696) sert des œuvres d'art culinaire, qu'il s'agisse de *crespelle al prosciutto* (sortes de crêpes au jambon), de *trancia di salmone al pepe verde* (saumon aux poivrons verts) ou de steaks à la florentine.

Cafés et en-cas

Gelateria le Colonne (carte p. 268 ; ☎ 02 837 22 92 ; Corso di Porta Ticinese 75 ; glaces 2-3 € ; ☺ 12h30-1h30 lun-jeu, 12h30-2h ven et sam, 15h-1h dim). Venez y déguster des glaces artisanales aux parfums originaux : riz, amaretto, fleur d'oranger ou encore café Huehuetenango du Guatemala.

Princi (carte p. 268 ; ☎ 02 87 47 97 ; Via Speronari 6 ; repas 10 € ; ☺ 7h-20h lun-ven, 8h-20h sam). Envie d'un *cornetto* (croissant italien) le matin ou d'une fougasse au *stracchino* (fromage au lait de vaches lombardes) en rentrant le soir ? Princi est idéal pour les petits creux.

Pizzeria Spontini (carte p. 266 ; ☎ 02 204 74 44 ; Via Spontini 2 ; repas 10-15 € ; ☺ mar-dim). Un petit établissement prisé servant les meilleures pizzas du quartier de la Stazione Centrale depuis 1953.

Faire ses courses

Parfaits pour faire ses courses, le supermarché **Standa** (carte p. 268 ; Via della Palla 2a), possède des magasins dans toute la ville et le marché couvert **Mercato Comunale** (carte p. 266 ; Piazza XXIV Maggio ; ☺ 8h30-13h lun, 8h30-13h et 16h-19h30 mar-ven, 8h30-13h et 15h30-19h30 sam) propose fruits, légumes et poissons frais.

OÙ PRENDRE UN VERRE

La plupart des bars restent ouverts jusqu'à 2h ou 3h du matin et servent des *aperitivi* (voir l'encadré ci-dessous).

Les Milanais se rendent de préférence dans les bars du quartier de Navigli, des rues pavées

---

L'HEURE CONVIVIALE DE L'APERITIVO

L'*aperitivo*, plus fort que l'*happy hour* : à Milan, presque tous les bars mettent en scène, à partir de 18h, un moment de joyeuse convivialité. Vous commandez un cocktail, un verre de bière ou de vin, et vous voici en train de grignoter des *antipasti*, bruschetta, viandes séchées, salades, pâtes ou fruits de mer. Dans certains établissements, vous serez servi à table, dans d'autres il faudra vous déplacer jusqu'au buffet. Ces formidables *aperitivi* – en-cas et boisson – ne vous coûteront pas plus de 6 à 12 €. Un moment que les Milanais aiment partager ; vous adorerez !

de Brera et de l'élégant Corso Como et de ses environs.

Bar Basso (carte p. 266 ; ☎ 02 2940 0580 ; Via Plinio 39 ; ⏰ 9h-2h mer-lun). Cet élégant bar est le berceau du *sbagliato*, un Negroni à base de Prosecco et non de gin, ainsi que du concept original *mangia e bevi* (manger et boire), comprenant une énorme coupe de fraises, de crème et de glace à la noisette accompagnée d'un grand verre d'alcool.

Bhangra Bar (carte p. 268 ; ☎ 02 3493 4469 ; Corso Sempione 1 ; gratuit-6 € ; ⏰ 19h-24h mer et jeu, 19h-2h ven, 22h-2h sam, 19h-22h dim). Endroit réputé pour ses coussins et son buffet de couscous et de currys servi sur fond de percussions africaines le vendredi.

Caffè Zucca (carte p. 268 ; ☎ 02 8646 4435 ; Galleria Vittorio Emanuele II 21 ; ⏰ tlj). Ce café, le plus ancien de Milan, avec son décor de mosaïques datant de 1867, surplombe la Piazza del Duomo. Évitez toutefois d'y manger.

G-Lounge (carte p. 268 ; ☎ 02 805 30 42 ; Via Larga 8 ; ⏰ 7h30-21h30 lun, 7h30-2h mar-dim). L'ambiance relax et les *caipirinhas* (cocktail brésilien à la cachaça et au citron vert) sont au programme de ce bar branché à l'éclairage rouge et aux étagères chargées de bouteilles.

Le Biciclette (carte p. 268 ; ☎ 02 5810 4325 ; Via Torti 4 ; ⏰ 18h-2h lun-sam, 12h30-2h dim). Cet ancien atelier de vélos (comme en témoigne la décoration) a fait place à l'un des meilleurs bars de Milan pour l'*aperitivo*.

L'Elephante (carte p. 266 ; ☎ 02 2951 8768 ; Via Melzo 22 ; ⏰ 18h-2h mar-dim). Hétéros, gays et lesbiennes, habitués et touristes se retrouvent dans ce lieu alternatif devant des cocktails à tomber par terre. Le cadre est aussi hétéroclite que la clientèle : il n'y a pas deux chaises identiques et les couleurs dominantes sont le noir, le gris métallique et diverses nuances de pourpre.

Living (carte p. 268 ; ☎ 02 331 00 84 ; Piazza Sempione 2 ; ⏰ 8h-2h lun-ven, 9h-2h sam et dim). Le Living possède l'un des plus beaux décors de Milan avec de grandes baies vitrées dominant l'Arco della Pace. Son *aperitivo* généreux et ses cocktails attirent une clientèle de jeunes à la fois chic et décontractée.

Radetzky (carte p. 268 ; ☎ 02 657 26 45 ; Corso Garibaldi 105 ; ⏰ 20h-1h). De belles banquettes et une vue agréable depuis ses fenêtres font du Radetzky l'un des bars les plus courus du Corso Garibaldi pour l'*aperitivo* ou un long brunch le dimanche.

OÙ SORTIR

Milan, qui possède quelques-unes des meilleures discothèques du pays, affiche toute l'année un fabuleux programme culturel que couronne la saison d'opéra de la Scala. La saison théâtrale débute en octobre, ainsi que celle des concerts.

Sur le site en français (www.enit.it) de l'Office national italien du tourisme (ENIT), vous retrouverez aisément la liste des grands événements culturels de l'actualité milanaise. Les journaux gratuits distribués dans le métro offrent également un aperçu des programmes.

Pour la liste des discothèques et des clubs, consultez *ViviMilano* (www.corriere.it/vivi-milano) qui sort le mercredi avec le journal *Corriere della Sera*, ou les pages de ce dernier consacrées à Milan (http://milano.corriere.it). Vous pouvez aussi feuilleter *La Repubblica* (www.repubblica.it en italien) qui paraît le jeudi, *Milano2night* (www.milanotonight.it) ou encore *Milanodabere* (www.milanodabere.it).

Musique live

Blue Note (carte p. 266 ; ☎ 899 700022 ; www.bluenotemilano.com ; Via Borsieri 37 ; billets 23-30 € ; ⏰ concerts 21h et 23h mar-ven, 21h et 23h30 sam, 21h dim). Concerts de jazz de qualité donnés par des artistes du monde entier. Les billets s'achètent par téléphone, en ligne ou sur place à partir de 19h30. Le dimanche, un brunch est organisé, sur fond de musique plus accessible (35 € ou 55 € pour deux adultes et deux enfants).

OÙ RÉSERVER SES BILLETS

Les sites Internet **Ticket One** (☎ 892101 ; www.ticketone.it) ou **Ticket Web** (☎ 199 158158 ; www.ticketweb.it) permettent de réserver en ligne des billets pour des concerts, des matches et des pièces de théâtre. **Milano Concerti** (☎ 02 4870 2726) ne s'occupe que des concerts de rock internationaux. **Box Tickets** (☎ 02 8470 9750 ; www.boxtickets.it) vend des billets pour les comédies musicales du Teatro Smeraldo et d'autres spectacles à Milan.

Vous pouvez retirer vous-même les billets pour les concerts au guichet de **Ricordi Mediastore** (carte p. 268 ; ☎ 02 8646 0272 ; www.ricordimediastores.it ; Galleria Vittorio Emanuele II) et de la **FNAC** (carte p. 268 ; ☎ 02 72 08 21 ; fnac@ticketweb.it ; Via della Palla 2), dont l'entrée se trouve Via Torino.

MILAN GAY ET LESBIEN

Au milieu d'une population très stylée et de nombreux bars et restaurants branchés, le visiteur homosexuel ne sait pas toujours très bien où se trouvent les lieux spécifiquement gays de Milan. Soit dit en passant, les soirées qui leur sont en principe réservées attirent aussi bien lesbiennes qu'hétérosexuels.

Ce n'est pas Oxford St, Soho ni West Village, mais la Via Sammartini compte quelques clubs spécifiquement gays à l'ouest de la Stazione Centrale.

Centro d'Iniziativa Gay – ArciGay Milano (carte p. 266 ; ☎ 02 5412 2225 ; www.arcigaymilano. org en italien ; Via Bezzecca 3) renseignera gays et lesbiennes en visite à Milan.

Magazzini Generali (carte p. 266 ; ☎ 02 539 39 48 ; www.magazzinigenerali.it ; Via Pietrasanta 14 ; ☾ 22h-4h mer-dim). Lorsque cet ancien entrepôt est bondé de personnes transpirant sur un tube international de musique indie, c'est *le* lieu où il faut être. La plupart des concerts coûtent moins de 20 € et l'entrée est gratuite certains soirs animés par des DJ.

Scimmie (carte p. 266 ; ☎ 02 8940 2874 ; www.scimmie. it ; Via Cardinale Ascanio Sforza 49 ; 8-15 € ; ☾ 20h-3h lun-sam). Jazz, rock alternatif et blues y sont joués dans la salle, dans le jardin et, en été, sur la péniche dédiée au jazz, par de jeunes talents qui attirent là une foule débordante.

La plupart des grands noms qui se produisent à Milan jouent dans les grandes salles en dehors du centre-ville, d'où partent des navettes pour les concerts. Parmi ces salles, citons le **Mediolanum Forum** (hors carte p. 266 ; ☎ 199 128800 ; www.forumnet.it ; Via di Vittorio 6, Assago ; Ⓜ Romolo/Famagosto, puis navette), le **Palasharp** (hors carte p. 266 ; ☎ 02 3340 0551 ; Viale Sant'Elia 33 ; Ⓜ Lampugnano) et le **San Siro Stadium** (hors carte p. 266 ; Via Piccolomini ; Ⓜ Lotto).

Clubs et discothèques

Généralement ouverts jusqu'à 3 ou 4h tous les jours sauf le lundi, les clubs font payer leur entrée de 10 à 20 €. À mesure que la nuit avance, le filtrage à la porte est de plus en plus sévère.

Gattopardo (carte p. 266 ; ☎ 02 3453 7699 ; www. ilgattopardocafe.it ; Via Piero della Francesca 47 ; ☾ 18h-4h mar-dim). Installé dans une ancienne église, ce club remarquable par son mobilier baroque, son éclairage aux chandelles et ses murs sable, accueille une clientèle tout aussi élégante.

Le Banque (carte p. 268 ; ☎ 02 8699 6565 ; www. lebanque.it ; Via Porrone Bassano 6 ; ☾ à partir de 18h mar-dim). En plein centre-ville, ce club occupe une ancienne banque. Musique correcte, bar-lounge à l'ambiance languide et restaurant baignant dans une lumière tamisée.

Plastic (carte p. 266 ; ☎ 02 73 39 96 ; www.thisisplastic. com ; Viale Umbria 120 ; ☾ 22h-4h mar-dim). Excellente musique transgressive indépendante pour la soirée "London Loves" du vendredi soir qui attire une clientèle jeune et ultra-relax. Le dimanche accueille quant à lui la soirée privée "Match à Paris" du directeur artistique du club, Nicola Guiducci, qui mixe pop française, musique indie et d'avant-garde.

Shocking Club (carte p. 268 ; ☎ 02 6269 0045 ; www. shockingclub.net ; Bastioni di Porta Nuova 12 ; ☾ 23h30-4h mar-dim). Une immense discothèque très prisée qui organise des soirées en tous genres. Les DJ y passent un peu tout, des années 1980 au hip-hop et à la house.

Gasoline (carte p. 268 ; ☎ 339 7745797 ; www. discogasoline.it ; Via Bonnet 11A ; env 20 € ; ☾ 23h-4h jeu et sam, minuit-4h ven, 18h-23h dim, fermé en août). Soirée électro grunge Popstartz le jeudi, techno/house Queen le vendredi et musique "Disorder" le samedi.

Opéra et théâtre

La saison d'opéra de la **Scala** (carte p. 268) s'étend de novembre à juillet, mais des pièces de théâtre, ballets et concerts y sont programmés toute l'année, sauf en août.

Obtenir une place à l'opéra (10-180 € et jusqu'à 2 000 € pour une première) nécessite de la persévérance et de la chance. Les billets sont en vente environ deux mois à l'avance, par téléphone (☎ 02 86 07 75 ; 24h/24) et en ligne (avec une surtaxe de 20%). Un mois avant la première, les billets restants sont disponibles (avec une surtaxe de 10%) au **guichet principal de la Scala** (carte p. 268 ; ☎ 02 7200 3744 ; www. teatroallascala.org ; Galleria Vittorio Emanuele ; ☾ 12h-18h). Les jours de spectacle, 140 billets situés au dernier balcon sont vendus deux heures avant l'ouverture (un billet par personne). Pensez à arriver tôt.

Des comédies musicales sont montées au **Teatro Smeraldo (**carte p. 268 ; ☎ 02 2900 6767 ; www. smeraldo.it ; Piazza XXV Aprile 10 ; ☾ guichet 10h-18h15 lun-sam, 12h-16h30 dim).

Des concerts classiques se produisent à l'**Auditorium di Milano** (carte p. 268 ; ☎ 02 8338 9401 ; www.laverdi.org ; Largo Gustav Mahler, Corso San Gottardo 42a ; ☾ guichet 14h30-19h mar-dim).

Sports
FOOTBALL
Milan compte deux clubs de football : l'AC Milan (fondé en 1899) et le FC Internazionale Milano ou Inter de Milan (fondé en 1908). En saison, ils jouent à tour de rôle, un dimanche sur deux, au **stade San Siro** (Stadio Giuseppe Meazza ; hors carte p. 266 ; ☎ 02 404 24 32 ; www.sansirotour.com ; Via Piccolomini 5 ; entrée du musée et des visites guidées Porte 14 ; musée adulte/enfant 7-5 €, musée et visite guidée adulte/enfant 12,50/10 € ; ⏱ 10h-17h en dehors des jours de match).

Des visites guidées permettent de découvrir les coulisses de ce stade, construit dans les années 1920, notamment les vestiaires des joueurs. Le circuit comprend une visite au Museo Inter e Milan, riche en caricatures des joueurs, vidéos des plus belles actions sur le terrain et autres souvenirs liés au club.

Prenez le tramway n°24, le bus n°95, 49 ou 72, ou encore le métro jusqu'à la station Lotto, où une navette gratuite vous conduira au stade. Les billets sont en vente sur place ou bien, pour les matchs de l'**AC Milan** (www.acmilan. com), chez **New Milan Point** (carte p. 266 ; ☎ 02 8942 2711 ; Corso San Gottardo 2) et dans les agences de la Banca Intesa Sanpaolo d'Italia. Pour les matchs de l'Inter (☎ 02 5 49 14 ; www.inter.it), essayez la Banca Popolare di Milano ou Ticket One (voir l'encadré p. 276).

FORMULE UN
Le Grand Prix automobile italien se tient en septembre sur l'**Autodromo Nazionale Monza** (hors carte p. 266 ; ☎ 039 248 22 12 ; www.monzanet.it ; Parco di Monza, Via Vedano 5), à 20 km du centre de Milan en direction du nord.

ACHATS
Milan est un haut lieu de la mode et du design (voir les encadrés ci-dessous et p. 273).

Ferrari Store (carte p. 268 ; ☎ 02 7631 6077 ; www. ferraristore.com ; Piazza Liberty 8). Les passionnés de Formule Un trouveront leur bonheur dans le plus grand des magasins d'Italie qui vend, sur trois étages, des jouets, des accessoires et des combinaisons pour les courses automobiles. Il y a deux autres boutiques Ferrari à l'aéroport de Malpensa.

Marchés
Le mardi (7h30-13h) et le samedi (7h30-17h), les marchés envahissent les rives du canal sur

---

MILAN, CAPITALE DE LA MODE
Milan a détrôné Florence (et Rome) pour devenir la capitale de la haute couture du pays à la fin des années 1960. Aujourd'hui, les grands couturiers dévoilent leurs collections femme en février/mars et en septembre/octobre, tandis que la mode homme est à l'honneur en janvier et juin/juillet.

La mode et le shopping vont de pair. Gucci a quitté Florence pour Milan dans les années 1960, et a ouvert sa boutique dans le quartier que l'on nomme aujourd'hui le **Quadrilatero d'Oro** (le Carré d'or ; carte p. 268), délimité par quatre rues piétonnes : la Via della Spiga, la Via Sant'Andrea, la Via Monte Napoleone et la Via Alessandro Manzoni. Dans ces rues étroites se concentrent les boutiques des grands créateurs italiens comme Prada, Versace, Dolce & Gabbana, Moschino ou **Giorgio Armani** (carte p. 268 ; ☎ 02 7600 3234 ; www.giorgioarmani.com ; Via Sant'Andrea 9), qui révolutionna le prêt-à-porter au début des années 1980. L'office du tourisme vous fournira gratuitement un plan du quartier, mais il est tout aussi agréable de flâner dans ces petites rues sans itinéraire précis.

Pour trouver des accessoires de style, direction le plus grand diamantaire d'Italie, **Damiani** (carte p. 268 ; ☎ 02 7602 8088 ; www.damiani.com ; Via Monte Napoleone 10) ; le gantier déjanté **Sermoneta** (carte p. 268 ; ☎ 02 7631 8303 ; www.sermonetagloves.com ; Via della Spiga) ; et le chapelier **Alan Journo** (carte p. 268 ; ☎ 02 7600 1309 ; www.alanjourno.com ; Via della Spiga 36). Au XVIe siècle déjà, les Milanais étaient réputés pour leurs chapeaux et leurs bonnets originaux.

Le Carré d'or n'a toutefois pas le monopole des boutiques de mode. On retrouve les plus grandes marques à **La Rinascente** (carte p. 268 ; www.rinascente.it ; Piazza del Duomo ; ⏱ 9h30-22h lun-sam, 10h-21h dim), le grand magasin où Giorgio Armani a fait ses débuts comme étalagiste. Entre deux achats, arrêtez-vous au bar-restaurant du 7e étage, qui donne sur les flèches du Duomo.

Corso Como 10 (carte p. 268 ; ☎ 02 2900 2674 ; www.10corsocomo.com ; Corso Como 10), une boutique au concept ultra-exclusif ouverte par Carla Sozzani, ancienne collaboratrice de Vogue Italia, se niche dans une cour intérieure verdoyante et couverte de vigne vierge.

Cherchez les bonnes affaires, échantillons et invendus, dans les magasins discount en ville et aux alentours. L'office du tourisme fournit un plan gratuit. Le Corso Buenos Aires est intéressant.

le Viale Papiniano, au sud-ouest de la ville. Un marché d'antiquaires se tient sur la Via Fiori Chiari et dans les rues alentour, dans le quartier de Brera, le 3e dimanche du mois. Le 2e dimanche du mois, la Piazza Diaz accueille un marché de livres anciens.

Gramophones, platines, lampes faite à partir de lave, téléphones en bakélite, mannequins de tailleur, meubles, vêtements anciens, bijoux… vous trouverez de tout sur les rives du principal canal de la ville et dans les rues avoisinantes, durant le marché aux antiquités qui se tient le dernier dimanche du mois sur l'Alzaia Naviglio Grande et la Ripa di Porta Ticinese.

DEPUIS/VERS MILAN
Avion
La plupart des vols européens et internationaux atterrissent à l'**aéroport de Malpensa** (www.sea-aeroportimilano.it), à 50 km au nord-ouest de la ville. La majorité des vols nationaux et quelques vols européens utilisent l'**aéroport de Linate** (www.sea-aeroportimilano.it), à seulement 7 km à l'est du centre. Pour toute information sur ces deux aéroports, composez le ☎ 02 7485 2200.

Un nombre croissant de compagnies low cost desservent également l'**aéroport d'Orio al Serio** (☎ 035 32 63 23 ; www.sacbo.it), près de Bergame.

Bus
La plupart des bus nationaux et internationaux partent du nouveau terminal de bus Lampugnano près de la station de métro Lampugnano (ligne 1, en rouge), à l'ouest du centre-ville. Les services nationaux sont gérés par **Autostradale** (☎ 02 7200 1304 ; www.autostradale.it), qui possède un guichet à l'office du tourisme cental (voir p. 264).

Train
Les trains de la **Stazione Centrale** (Piazza Duca d'Aosta ; carte p. 266) desservent toutes les grandes villes d'Italie.

De nombreux trains (les tarifs indiqués sont ceux des liaisons les plus rapides) desservent chaque jour Venise (25,20 €, 2 heures 30), Florence (39,90 €, 2 heures 10), Genève (15,50 €, 1 heure 45), Turin (21,90 €, 1 heure 20), Rome (67,50 €, 3 heures 30) et Naples (75,10 €, 4 heures 50).

C'est également là qu'on emprunte les correspondances pour/depuis la Suisse et la France.

Les trains Ferrovie Nord Milano (FNM), partant de la **Stazione Nord** (Stazione Cadorna ; carte p. 268 ; www.ferrovienord.it ; Piazza Luigi Cadorna), relient Milan à Côme (3,60 €, 1 heure, ttes les 30 min). Les services régionaux à destination de nombreuses villes au nord-ouest de Milan sont plus fréquents au départ de la **Stazione Porta Garibaldi** (Piazza Sigmund Freud ; carte p. 268).

COMMENT CIRCULER
Depuis/vers les aéroports
AÉROPORT DE LINATE
De la Piazza Luigi di Savoia, près de la Stazione Centrale, les bus **Starfly** (carte p. 266 ; ☎ 02 5858 7237) desservent l'aéroport de Linate (adulte/enfant 4,50/2,50 €, 25 min, ttes les 30 min entre 5h40 et 21h35). Les billets sont vendus à bord, dans les kiosques à journaux et au guichet au rdc de la gare.

Le bus ATM n°73 (1 €, 20 min, ttes les 10-15 min entre 5h35 et 12h35) sur la Piazza San Babila (carte p. 268) effectue également le trajet.

AÉROPORT DE MALPENSA
Le train **Malpensa Express** (☎ 199 151152 ; www.malpensa express.it ; ☺ guichet 7h-20h), qui relie la Stazione Nord à l'aéroport de Malpensa (adulte/enfant 11/5,50 €, 40 min, ttes les 30 min), est le meilleur moyen de s'y rendre, les horaires des bus étant moins fiables en raison de la circulation.

L'aéroport est également desservi par la navette **Malpensa Shuttle** (☎ 02 5858 3185 ; www.malpensa-shuttle.com ; ☺ guichet 7h-21h) au départ de la Piazza Luigi di Savoia (adulte/enfant 7/3,50 €, 50 min, ttes les 20 min entre 5h et 22h30). Des billets sont en vente aux mêmes endroits que ceux à destination de Linate.

Des bus Autostradale circulent toutes les 20 min environ entre 4h30 et 23h entre la Piazza Luigi di Savoia et Malpensa (adulte/enfant 7,50/3,75 €, 50 min).

Comptez au moins 65 € pour relier Malpensa à Milan en taxi (mais bien plus en période de pointe).

AÉROPORT D'ORIO AL SERIO
Des bus Autostradale circulent toutes les 30 min environ, entre 4h et 23h30h, entre la Piazza Luigi di Savoia et l'aéroport d'Orio al Serio, près de Bergame (adulte/enfant 8,90/4,45 €, 1 heure). Possibilité de le rallier également avec la navette **Orio Shuttle** (www.orioshuttle.com ; adulte/enfant 8/3 €, 1 heure) au départ de la Piazza Luigi di Savoia toutes les 30 à 60 minutes de 4h à 23h15.

Taxi

Inutile de faire signe à un taxi, il ne s'arrêtera pas. Cherchez une station ou appelez le ☎ 02 40 40, le 02 69 69 ou le 02 85 85. Une course rapide en ville coûte en moyenne 10 €.

Transports publics

Le réseau milanais de transports publics, géré par **ATM** (☎ 800 808181 ; www.atm-mi.it), est efficace. Les quatre lignes de métro (la rouge MM1, la verte MM2, la jaune MM3 et la bleue Passante Ferroviario) fonctionnent de 6h à minuit.

Un ticket, valable pour un trajet en métro ou pendant 75 min sur les bus et tramways ATM, coûte 1 €. Vous pouvez acheter un carnet de 10 tickets pour 9,20 € ou un pass illimité pour 1/2 jour(s) valable dans les bus, tramways et lignes de métro pour 3/5,50 €. Ils sont vendus dans les stations de métro, bureaux de tabac et kiosques à journaux. Les tickets doivent être oblitérés à la montée dans le tram ou le bus.

Des cartes du réseau de transport de Milan sont disponibles gratuitement au **Point info ATM** (carte p. 268 ; ⊗ 7h45-19h15 lun-sam) de la station de métro Duomo.

Vélo

Le réseau **BikeMi** (www.bikemi.it) possède des stations de vélos publics dans tout Milan. Avec un pass journalier, hebdomadaire ou annuel, vous circulez en ville en prenant un vélo à la station de votre choix et en le reposant ailleurs. Vous obtiendrez ce pass en ligne, par téléphone auprès de l'organisme responsable des transports publics de la ville, **ATM** (☎ 800 808181), ou à l'un de ses points d'information (voir plus haut).

Voiture et moto

Le stationnement dans le centre-ville coûte 1,50 €/heure et 2 €/heure par tranche de 5 heures après 19h. Achetez une carte SostaMilano dans un bureau de tabac, indiquez la date et l'heure et mettez-la en vue derrière votre pare-brise. Les parkings souterrains coûtent 2,50 € la première demi-heure et ensuite de 1 à 3 € l'heure, selon la durée du stationnement. L'entrée dans le centre historique est réservée aux titulaires de l'**Ecopass** (☎ 02 02 02 ; www.comune.milano.it/ecopass). Mieux vaut se garer à l'extérieur du centre et utiliser les transports publics.

Les loueurs de voitures sont présents à la Stazione Centrale et aux deux aéroports.

SUD DE MILAN

PAVIE (PAVIA)

70 200 habitants

Pavie est entourée de zones industrielles et agricoles peu attrayantes, mais le centre-ville, avec ses rues pavées, ses petites places et sa population estudiantine devraient vous faire oublier le rythme trépidant de Milan, à 30 km au nord. Toutefois, une demi-journée de visite est amplement suffisante.

Jusqu'au XIe siècle, Pavie rivalisait avec Milan pour le titre de capitale des rois lombards, qui y firent construire une basilique romane. De cette époque tourmentée subsistent des tours médiévales et un château du XVe siècle, le Castello Visconteo.

La Certosa di Pavia (chartreuse de Pavie), l'un des monuments les plus somptueux du nord de l'Italie, se trouve à 10 minutes en bus ou en voiture de Pavie.

Renseignements

Office du tourisme (☎ 0382 59 70 01 ; www.turismo. provincia.pv.it ; Piazza Petrarca 4 ; ⊗ 8h30-12h et 14h-17h lun-ven).

À voir

VIEILLE VILLE

Le centre-ville de Pavie est majoritairement réservé aux piétons.

L'imposant **Castello Visconteo**, édifié en 1360 pour Galeazzo II Visconti, surplombe la vieille ville. Il accueille désormais le **Museo Civico** (☎ 0382 30 48 16 ; www.museicivici.pavia.it ; Viale XI Febbraio 35 ; adulte/senior et enfants jusqu'à 18 ans ressortissants de l'UE 6 €/gratuit ; ⊗ 9h-13h30 mar-dim déc-fév, juil et août, 10h-18h mar-dim, mars-juin et sept-nov). Les étonnantes collections archéologiques, ethnographiques et d'œuvres d'art sont complétées par des expositions sur la Pavie médiévale, la Renaissance, le Risorgimento (époque de la formation de l'unité italienne) et, dans la tour est, sur la Somalie (ancienne colonie italienne).

Christophe Colomb et Alessandro Volta, l'inventeur de la pile électrique, comptent parmi les prestigieux diplômés de l'**Università degli Studi di Pavia** (Université de Pavie ; ☎ 0382 98 11 ; www.unipv.it ; Corso Strada Nuova 65). Cet établissement d'enseignement, fondé au IXe siècle, accéda au statut d'université en 1361. Lorsque l'université est ouverte, vous pouvez circuler sur le campus imposant qui abrite le petit **Museo**

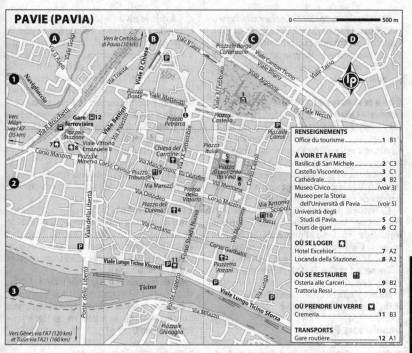

PAVIE (PAVIA)

LOMBARDIE ET RÉGION DES LACS

per la Storia dell'Università di Pavia (☎ 0382 98 47 09 ; Corso Strada Nuova 65 ; gratuit ; ☺ 14h-17h lun, 9h-12h mer et ven), consacré à son histoire. Les autres collections de l'université, lorsqu'elles sont ouvertes au public, ne sont accessibles que sur rendez-vous.

Dominant le centre-ville, la **cathédrale** de brique rouge est surmontée du troisième plus grand dôme d'Italie. Léonard de Vinci et Bramante contribuèrent à sa conception. Sa construction commença en 1488 et ne s'acheva qu'au XIXe siècle. En 1989, le clocher s'est effondré, causant la mort de 4 personnes.

Frédéric Ier, dit Frédéric Barberousse, le saint empereur romain germanique, fut couronné en 1155 à la **Basilica di San Michele** (Piazzetta Azzani 1), édifiée en 1090 (style roman).

Plus de 100 tours de guet hérissaient autrefois la vieille ville. Les trois **tours de guet** de la Piazza Leonardo da Vinci et quelques autres éparpillées en ville sont tout ce qu'il en reste.

CHARTREUSE DE PAVIE

L'une des constructions les plus remarquables de la Renaissance italienne est la splendide **Certosa di Pavia** (chartreuse de Pavie ; ☎ 0382 92 56 13 ; www.certosadipavia.com ; Viale Monument ; don à l'entrée ; ☺ 9h-11h30 et 14h30-17h30 mar-dim). Ce monastère situé à 10 km au nord de Pavie fut fondé en 1396 par Gian Galeazzo Visconti, duc de Milan, pour servir de chapelle privée à la famille Visconti. Il accueillait à l'époque douze moines.

L'intérieur est de style gothique, bien que l'influence de la Renaissance saute aux yeux. Dans l'ancienne sacristie trône un immense triptyque en ivoire d'hippopotame datant de 1409, composé de 94 statuettes et de 66 bas-reliefs. Derrière les 122 arches des grands cloîtres, 24 cellules accueillaient des moines. Certaines se visitent.

La chartreuse est à environ 10 minutes à pied depuis l'arrêt du bus. Tournez à droite aux feux et continuez tout droit. Voir p. 282 pour les informations sur les bus.

Où se loger

Locanda della Stazione (☎ 0382 2 93 21 ; www.locandadellastazione.it ; Viale Vittorio Emanuele 14 ; s/d avec sdb commune 30/40 €, d 60 € ; ⌘). Parquet ou mosaïque au sol, plafonds moulés en stuc et décor début XXe siècle : cette adresse agréable vous fait remonter le temps à un prix raisonnable.

Hotel Excelsior (☎ 0382 2 85 96 ; www.excelsiorpavia. com ; Piazzale Stazione 25 ; s/d 60/86 € ; P ⚟ 🖵). Rapport qualité/prix exceptionnel. Chambres spacieuses décorées de gravures de la vieille ville de Pavie, avec meubles en bois massif et parquet flottant.

Où se restaurer et prendre un verre

Osteria alle Carceri (☎ 0382 30 14 43 ; Via Marozzi 7 ; repas 30 € ; ☽ déj et dîner lun-ven, dîner sam). Sur les tables estampillées de numéros de prison de cette charmante *osteria* (bar à vin servant des plats), régalez-vous de grillades et de *linguine Cocco con guanciale, carciofi, semi di pappavero e ricotta di pecora* (pâte à la joue de porc, aux artichauts, aux graines de pavot et à la ricotta de brebis).

◯ Trattoria Ressi (☎ 0382 2 01 84 ; Via Ressi 8-10 ; repas 30 € ; ☽ fermé dim). Paradis de la cuisine lombarde, au fond d'une allée de briques rouges. Goûtez aux *pizzocheri valtellinesi* (pâtes de sarrasin fraîches aux légumes).

Cremeria (☎ 0382 53 94 07 ; Piazzale Ponte Ticino 4 ; ☽ 11h-15h et 18h-2h mar-sam, 8h30-2h dim). La clientèle branchée s'affiche en terrasse de ce bar "rétro-glam" surplombant le fleuve.

Depuis/vers Pavie

Le bus 175 (Pavie-Binasco-Milan) de **Sila** (☎ 199 153155 ; www.sila.it) relie la **gare routière de Pavie** (Via Trieste) à la chartreuse de Pavie (15 min, au moins 7/jour). Les bus **Migliavacca** (☎ 0382 525858 ; www.migliavaccabus.it) desservent l'aéroport de Linate à Milan (11 €, 1 heure) jusqu'à 6 fois/ jour, via la chartreuse de Pavie.

De nombreux trains directs relient Pavie à Milan (à partir de 3,05 €, 25 à 40 min), à Gênes au sud (à partir de 6,75 €, 1 heure 10 à 1 heure 30) et au-delà.

EST DE MILAN

À l'est de Milan il faut partir à la rencontre des cités historiques de Bergame, Brescia, Crémone et Mantoue, non loin des éblouissants lacs de Lombardie : le lac de Côme au nord de Milan, le lac d'Iseo au nord-est de Bergame et le lac de Garde au nord-ouest de Brescia et le lac de Garde au nord de Mantoue.

BERGAME (BERGAMO)
115 800 habitants

Dotée d'édifices médiévaux, Renaissance et baroques, Bergame est l'une des perles cachées de l'Italie du Nord.

La ville se divise en fait en deux parties : la *città alta* (ville haute), délimitée par plus de 5 km de remparts, avec un téléphérique qui relie son extrémité ouest au joli quartier de San Vigilio (le chemin à pied offre une très belle vue), et la *città bassa* (ville basse), située dans la plaine, avec ses constructions modernes et ses rues encombrées par la circulation.

Même si, par temps clair, on peut apercevoir les gratte-ciel de Milan, au sud-est, l'histoire de Bergame a davantage été influencée par Venise, qui la domina pendant 350 ans jusqu'à l'arrivée de Napoléon.

Dans les environs, plusieurs petites stations de ski permettent de pratiquer l'escalade.

Renseignements

Office du tourisme de la ville basse (☎ 035 21 02 04 ; www.turismo.bergamo.it ; Piazzale Marconi ; ☽ 9h-12h30 et 14h-17h30 lun-ven). Informations sur toute la province, y compris les activités praticables dans les Alpes. Consultez aussi www.apt.bergamo.it.
Office du tourisme de la ville haute (☎ 035 24 22 26 ; Via Gombito 13 ; ☽ 9h-12h30 et 14h-17h30). Dans une immense tour de guet du XIIᵉ siècle, au carrefour des antiques routes romaines impériales de Milan, Brescia et Côme.
Ospedali Riuniti (☎ 035 26 91 11 ; Largo Barozzi 1). Hôpital.
Police (☎ 035 27 61 11 ; Via Noli 26)

À voir
PIAZZA VECCHIA

Le cœur de la ville haute bat sur cette place bordée de cafés et d'édifices dont les styles architecturaux illustrent toute l'histoire de la ville. Le Corbusier l'aurait qualifiée de "plus belle place d'Europe", bien que son style n'ait rien à voir avec cette dernière.

La construction blanche à portiques de la Via Bartolomeo Colleoni, qui constitue la partie nord de la place, est le **Palazzo Nuovo**. Cette construction du XVIIᵉ siècle héberge aujourd'hui une bibliothèque. De l'autre côté de la place, admirez les impressionnantes arcades et colonnes du **Palazzo della Ragione** (XIIᵉ siècle). Le lion de saint Marc rappelle le long règne vénitien. Face au palais, la colossale **Torre del Campanone** (Piazza Vecchia ; 3 € ; ☽ 9h30-13h et 14h-17h30 mar-ven, 9h30-13h et 14h-19h30 sam et dim mi-mars à oct, lun-sam sur réservation nov à mi-mars) sonne toujours l'ancien couvre-feu de 22h. Un ascenseur permet l'accès des personnes handicapées. Un ticket de 5 € donne accès à la tour et à d'autres sites de la ville, notamment La Rocca et le Museo Donizettiano (voir p. 284).

BERGAME (BERGAMO)

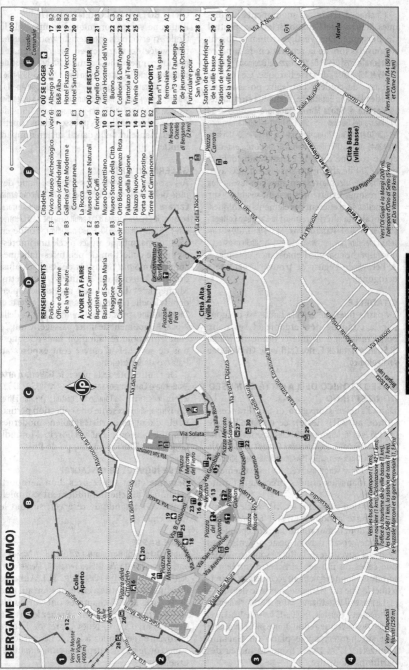

RENSEIGNEMENTS	
Police...	**1** F3
Office du tourisme	
de la ville haute........................	**2** B3

À VOIR ET À FAIRE	
Accademia Carrara......................	**3** E2
Baptistère....................................	**4** B3
Basilica di Santa Maria	
Maggiore......................................	**5** B3
Capella Colleoni.................... (voir 5)	
Citadelle......................................	**6** A2
Civico Museo Archeologico...... (voir 6)	
Duomo (cathédrale)...................	**7** B3
Galleria d'Arte Moderna e	
Contemporanea..........................	**8** E3
La Rocca......................................	**9** C2
Museo di Scienze Naturali...... (voir 6)	
Enrico Caffi................................	**10** B3
Museo Donizettiano...................	**11** C2
Museo Storico della Città..........	**12** A1
Orto Botanico Lorenzo Rota......	**13** B3
Palazzo della Ragione...............	**14** B3
Palazzo Nuovo............................	**15** D2
Porta di Sant'Agostino...............	**16** B2
Torre del Campanone................	

OÙ SE LOGER	
Albergo Il Sole...........................	**17** B2
B&B Alba....................................	**18** B2
Hotel Piazza Vecchia.................	**19** B2
Hotel San Lorenzo.....................	**20** B2

OÙ SE RESTAURER	
Agnello d'Oro............................	**21** B3
Antica Hosteria del Vino	
Buono..	**22** C3
Colleoni & Dell'Angelo..............	**23** B2
Trattoria al Teatro.....................	**24** A2
Vineria Cozzi.............................	**25** B2

TRANSPORTS	
Bus n°1 vers la gare	
ferroviaire..................................	**26** A2
Bus n°3 vers l'auberge	
de jeunesse (Ostello).................	**27** C3
Funiculaire pour	
San Vigilio..................................	**28** A2
Station de téléphérique	
de la ville basse........................	**29** C4
Station de téléphérique	
de la ville haute........................	**30** C3

Cachée derrière ces monuments histori-ques, la Piazza del Duomo est le cœur spirituel de Bergame. Des vestiges romains furent découverts lors de la rénovation de la petite **cathédrale** (☎ 035 21 02 23 ; Piazza del Duomo ; ☽ 7h30-11h45 et 15h-18h30) de style baroque. Cet édifice ramassé de couleur bordeaux possède une façade blanche éclatante. Bien plus étonnante, la **Basilica di Santa Maria Maggiore** (☎ 035 22 33 27 ; Piazza del Duomo ; ☽ 9h-12h30 et 14h30-18h avr-oct, 9h-12h30 et 14h30-17h lun-ven, 9h-12h30 et 14h30-18h sam, 9h-12h45 et 15h-18h dim nov-mars), à côté, est une église romane dont la construction débuta en 1137. Elle affiche un style éclectique, avec ses absides circulaires romanes (sur lesquelles des fresques extérieures restent visibles) sur lesquelles se greffèrent des éléments gothiques. On lui ajouta ultérieurement la **Cappella Colleoni** (☎ 035 21 00 61 ; Piazza del Duomo ; ☽ 9h-12h30 et 14h-16h30 mar-dim nov-fév, 9h-12h30 et 14h-18h30 mars-oct), une superbe chapelle Renaissance, côté place. À l'écart de l'église se trouve le **baptistère** octogonal.

CITADELLE

La partie ouest de la ville haute est occupée par la citadelle de Bergame et ses deux petits musées, d'un intérêt limité : le **Museo di Scienze Naturali Enrico Caffi** et le **Civico Museo Archeologico**.

MUSEO STORICO DELLA CITTÀ ET MUSEO DONIZETTIANO

Dans l'ancien Convento di San Francesco (fondé au XIIIe siècle), ce **musée d'Histoire** (☎ 035 24 71 16 ; http://fondazione.bergamoestoria.it ; Piazza Mercato del Fieno 6a ; adulte/enfant 3 €/gratuit ; ☽ 9h30-13h et 14h-17h30 mar-ven, 9h30-19h sam-dim juin-sept, 9h30-13h et 14h-17h30 mar-ven oct-mai) retrace les événements locaux dans les années précédant l'unité italienne.

La section consacrée au XIXe siècle occupe la forteresse la **Rocca** (☎ 035 24 71 16 ; Piazzale Brigata Legnano), dont la tour ronde date de l'époque où Bergame servait d'avant-poste à Venise. Les heures d'ouverture de la Rocca sont les mêmes que celles du musée. Le ticket d'entrée à la forteresse donne également accès au **parc**, depuis lequel la vue sur Bergame mérite le détour.

Le **Museo Donizettiano** (☎ 035 39 92 69 ; Via Arena 9 ; adulte/enfant 3 €/gratuit ; ☽ 10h-13 lun-ven, 10h-13h et 14h30-17h sam-dim) se réduit à une pièce quelque peu surchargée, où le piano de Gaetano Donizetti (1797-1848) trône au milieu des partitions du maître.

ORTO BOTANICO LORENZO ROTA

Pour une vue panoramique, grimpez sur le Colle Aperto, puis montez sur votre gauche une volée de marches en pierre (signalée par un panneau) jusqu'au **jardin botanique de Bergame** (Orto Botanico Lorenzo Rota ; ☎ 035 39 94 66 ; www.ortobotanicodibergamo.it ; Scaletta di Colle Aperto ; gratuit ; ☽ 9h-12h et 14h-18h lun-ven, 9h-19h sam et dim avr-sept, 9h-12h et 14h-17h lun-ven mars et oct). Plus de 1 200 espèces de plantes poussent dans ce petit lieu enchanteur, taillé dans l'ancien rempart vénitien.

GALERIES D'ART

À l'est des remparts s'est installée l'une des plus belle collection d'art d'Italie, l'**Accademia Carrara** (☎ 035 39 96 40 ; www.accademiacarrara.bergamo.it ; Piazza Carrara 82a ; adulte/enfant 2,60 €/entrée libre ; ☽ 10h-13h et 14h30-17h30 mar-dim). Fondé en 1780, ce magnifique musée recèle une impres-sionnante collection de peintures italiennes comme un *Saint Sébastien* de Raphaël, ainsi que des œuvres de Botticelli, Canaletto, Mantegna et Titien. Il est accessible à pied depuis la ville haute, en passant par la **Porta di Sant'Agostino**, puis en descendant la Via della Noca. Au moment de notre passage, le musée était fermé pour restauration, mais quelques-uns de ses chefs-d'œuvre sont exposés au Palazzo della Ragione.

De l'autre côté de la place, la **Galleria d'Arte Moderna e Contemporanea** (GAMeC ; ☎ 035 27 02 72 ; www.gamec.it ; Via San Tomaso 53 ; gratuit ; ☽ 10h-13h et 15h-19h mar-dim) présente une collection perma-nente d'œuvres d'artistes italiens modernes tels que Giacomo Balla, Giorgio Morandi, Giorgio de Chirico ou Filippo de Pisis.

Où se loger et se restaurer

Bergame étant située près d'un aéroport, les hôtels affichent rapidement complet. Il est recommandé de réserver, surtout le week-end.

VILLE BASSE

Nuovo Ostello di Bergamo (☎ 035 36 17 24 ; www.ostellodibergamo.it ; Via Galileo Ferraris 1, Monterosso ; dort/s/d 18/35/50 € ; ☽ 24h/24 ; P 🖳). Auberge de jeunesse moderne à environ 4 km au nord de la gare. Les 27 chambres ont vue sur la vieille *città alta* de Bergame. Prenez le bus n°6 depuis Largo Porta Nuova, près de la gare ferroviaire (descendez à l'arrêt Leonardo da Vinci) ou le bus n°3 depuis la *città alta* (arrêt Ostello).

VILLE HAUTE

Les hébergements ayant le plus de charme sont sur les hauteurs de Bergame.

Albergo Il Sole (☎ 035 21 82 38 ; www.ilsolebergamo. com ; Via Colleoni 1 ; s/d 65/85 €). Baies vitrées et dessus-de-lit colorés donnent aux chambres un air champêtre que l'on retrouve au restaurant (repas 30 € ; vendredi à mercredi, mars à octobre), installé dans un jardin verdoyant. En retrait de la Piazza Vecchia.

B&B Alba (☎ 349 5752596 ; www.bbalbachiara.info ; Via Salvecchio 2 ; d/tr 100/120 €). Vieille et grande maison de ville proposant trois chambres. Mosaïques et terre cuite au sol, hauts plafonds peints et mobilier ancien donnent du charme à cette pension.

Hotel San Lorenzo (☎ 035 23 73 83 ; www.hotelsan-lorenzobg.it ; Piazza Mascheroni 9a ; s 75-110 €, d 100-170 € ; **P** ✿). Ses 25 chambres calmes et confortables (quoique assez ordinaires) sont dans un ancien bâtiment bien rénové qui surplombe la Piazza Mascheroni. Demandez celles du dernier étage avec balcon donnant sur la montagne.

Hotel Piazza Vecchia (☎ 035 428 42 11 ; www.hotelpiaz-zavecchia.it ; Via Colleoni 3 ; s 135-170 €, d 150-190 € ; ✿ ▣). Dans un édifice du XIIe siècle, à deux pas de la Piazza Vecchia, les 13 chambres de cet hôtel sont toutes différentes. Toutes ont du parquet et des baignoires en pierre, mais certaines ont une baie vitrée, d'autres un balcon ou un lit *king size*.

Où se restaurer

Tout comme ailleurs en Italie du Nord, la polenta compte parmi les plats préférés des habitants, qui lui ont même rendu hommage en créant un dessert d'après un mets apprécié, la *polenta e osei* (polenta et cailles). Il s'agit en fait d'une génoise fourrée à la crème, puis recouverte d'un glaçage et d'oiseaux en chocolat. Le gâteau ressemble à s'y méprendre de la polenta. Bergame est également la patrie des *casonsèi* (ou *casoncelli*), sorte de raviolis à la viande, sans oublier les vins rouges renommés tels que le Valcalepio.

VILLE BASSE

Il Giupì e la Margì (☎ 035 24 23 66 ; Via Borgo Palazzo 25 ; repas 30 € ; ✿ déj et dîner mar-sam, déj dim, fermé en août). Sous ses voûtes de brique, goûtez de succulentes spécialités (saucisses frites, risotto, lapin rôti à la grappa et à la polenta…). Formule déjeuner à 28 €, menu dégustation à 40 € (le soir).

Da Vittorio (☎ 035 68 10 24 ; Via Cantalupa 17, Brusaporto ; menus 70-140 € ; ✿ jeu-mar, fermé 3 semaines en août). Dans une maison de campagne à 9 km à l'est de la ville, ce restaurant, l'un des meilleurs d'Italie,

a conquis sa renommée grâce, notamment, à ses plats à base de truffes (menu spécial sur le thème de la truffe à 280 €). Quelques chambres également (s/d 200 €/250 €).

VILLE HAUTE

Régalez-vous de pizzas chaudes, fougasses et desserts vendus dans les délicieuses boulangeries jalonnant la rue principale de la ville haute.

Agnello d'Oro (☎ 035 24 98 83 ; Via Gombito 22 ; formules 20 € ; ✿ déj mar-dim, dîner mar-sam). Édifice du XVIIe siècle, décoré d'un bric-à-brac incroyable d'objets sur chaque mur. Jolies chambres (s/d 55 €/92 €) et terrasse pour dîner en été.

Antica Hosteria del Vino Buono (☎ 035 24 79 93 ; Piazza Mercato delle Scarpe ; repas 25 € ; ✿ dîner mar, déj et dîner mer-dim). Au menu, des plats typiques comme les *casoncelli* (ravioles maison à la farce épicée, arrosées d'une sauce au beurre et à la sauge) au fromage ou le *stinco al forno con polenta* (jarret de bœuf braisé à la polenta).

Trattoria al Teatro (☎ 035 23 88 62 ; Piazza Mascheroni 3 ; repas 30-35 € ; ✿ mar-dim). Dans un bâtiment plusieurs fois centenaire, à l'ouest de la *città alta*, cette adresse familiale propose un menu sans cesse renouvelé de spécialités locales maison. Parmi les *primi* et *secondi*, laissez-vous tenter par un grand classique comme les *casoncelli alla bergamasca*, suivis d'un *filetto ai ferri* (filet de bœuf grillé).

Vineria Cozzi (☎ 035 23 88 36 ; www.vineriacozzi.it ; Via Colleoni 22 ; repas 35-45 € ; ✿ jeu-mar). Belle carte de vins au verre à explorer à l'intérieur ou dans la petite cour. Vous aurez le choix entre plusieurs plats de pâtes et de riz en entrée, suivis par exemple d'un lapin au vin rouge Valcalepio. Les desserts, agrémentés d'une petite touche moderne, sont tous maison.

Colleoni & Dell'Angelo (☎ 035 23 25 96 ; www. colleonidellangelo.com ; Piazza Vecchia 7 ; repas 50-60 €, menus dégustation 75 € ; ✿ mar-dim). La Piazza Vecchia offre certainement le meilleur cadre pour déguster une cuisine locale originale. Parmi les entrées, goûtez les *ravioloni ripieni di bagoss alle foglie di basilico fritto e vitello glassato* (grosses ravioles au fromage bagoss, au basilic frit et au veau glacé).

Depuis/vers Bergame

AVION

L'aéroport de Bergame, **Orio al Serio** (☎ 035 32 63 23 ; www.sacbo.it), situé à 4 km au sud-est de la gare ferroviaire, assure des vols quotidiens, réguliers ou à bas coût, avec les principales villes européennes.

BUS

Au départ de la **gare routière** (☎ 800 139392, 035 28 90 00 ; www.bergamotrasporti.it), juste à côté du Piazzale Marconi, les bus **SAB** (☎ 035 28 90 00 ; www.sab-autoservizi.it en italien) assurent des liaisons avec les lacs et les Alpes.

TRAIN

Au départ de la gare du Piazzale Marconi, un à deux trains par heure à destination/en provenance de Milan, mais tous ne vont pas à la Stazione Centrale (4,20 €, 50 à 60 min). Un train circule depuis/vers Brescia toutes les 30 à 60 minutes (3,60 €, 1 heure à 1 heure 30).

Comment circuler
DESSERTE DE L'AÉROPORT

Les bus **ATB** (☎ 035 23 60 26) font la navette entre la gare routière de Bergame et l'aéroport d'Orio al Serio toutes les 20 min (1,70 €, 15 min). Des bus directs relient également l'aéroport à Milan et Brescia.

TRANSPORTS PUBLICS

Le bus **ATB** n°1 relie la gare ferroviaire au téléphérique qui conduit à la ville haute et au Colle Aperto (dans l'autre sens, certains bus s'arrêtent uniquement à Porta Nuova). De Colle Aperto, le n°21 (ou un funiculaire) poursuit l'ascension jusqu'au Monte San Vigilio. Le billet de bus, valable 75 minutes, coûte 1 € et s'achète aux guichets automatiques de la gare ou des arrêts de téléphérique, ou dans les kiosques à journaux. Le billet de téléphérique coûte 1,5 €.

VÉLO

Vous pouvez louer un vélo devant la gare ferroviaire chez **Ciclostazione 42** (☎ 389 5137313 ; www.pedalopolis.org ; Piazzale Marconi ; 10 €/jour ; ⏱ 7h30-11h30 et 16h-19h30 lun-ven).

RÉGION DE LA VALTELLINA

Nichée au pied des Alpes, le long de la frontière suisse, la vallée de la Valtellina est une magnifique région peu fréquentée par les touristes, sillonnée de pistes de ski et de sentiers de randonnées.

L'**office du tourisme de la Valtellina** (www.valtellina.it) dispose de plusieurs points d'information dans la région, dont le principal est l'**office du tourisme de Sondrio** (☎ 0342 45 11 50 ; Piazzale Bertacchi 77, Sondrio ; ⏱ 9h-12h et 15h30-18h30 lun-ven, 9h-12h sam), qui vous renseignera sur les possibilités de randonnée. Pour toute information

sur la station de ski de Bormio, à l'est de la Valtellina, reportez-vous au Parco Nazionale dello Stelvio, p. 336.

Des trains relient Milan à Sondrio (7,80 €, 2 heures, 1 train toutes les 2 heures), et poursuivent à l'est vers Tirano. De Sondrio, des bus desservent différentes localités et stations de ski de la région.

BRESCIA

189 700 habitants

La première impression laissée par cette agglomération tentaculaire est rarement favorable, avec ses gares routières et ferroviaires peu accueillantes et ses quelques gratte-ciel. Pourtant, la vieille ville de Brescia a un centre historique au passé intéressant.

Lorsque les Romains prirent le contrôle de la ville gauloise, en 225 av. J.-C., Brescia comptait déjà des siècles d'histoire dont on ignore presque tout aujourd'hui. Les Carolingiens qui prirent le contrôle de la ville au IXᵉ siècle allaient inaugurer un millénaire de domination étrangère, notamment vénitienne. Lorsque la vague révolutionnaire gagna l'Europe en 1848-1849, Brescia fut surnommée "la Lionne" en raison de son soulèvement contre l'Autriche - prélude infructueux à sa participation, une dizaine d'années plus tard, au mouvement en faveur de l'unité italienne.

Brescia a conservé de nombreux vestiges de son passé, notamment des ruines romaines, deux cathédrales et un imposant château médiéval.

Renseignements

Office du tourisme (☎ 030 240 03 57 ; www.provincia.brescia.it/turismo ; Piazza Loggia 6 ; ⏱ 9h-18h30 lun-sam, 10h-18h dim et jours fériés)
Police (☎ 030 3 74 41 ; Via Botticelli 2). Au sud-est du centre-ville.
Poste (Piazza della Vittoria)
Spedali Civili (☎ 030 3 99 51 ; Piazzale Spedali Civili). Hôpital au nord du centre-ville.

À voir

L'office du tourisme dispose d'audioguides (5 €) avec des commentaires sur les sites du centre.

CHÂTEAU

Le centre historique de Brescia est dominé par une colline, la **Colle Cidneo**, chapeautée par le **Castello** (château ; gratuit ; ⏱ 8h-20h) en ruine qui défendit la ville pendant des siècles. La **Torre**

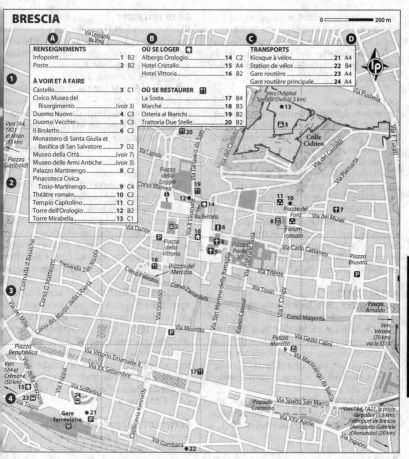

BRESCIA

0 ⸻ 200 m

RENSEIGNEMENTS	
Infopoint	**1** B2
Poste	**2** B2

À VOIR ET À FAIRE	
Castello	**3** C1
Civico Museo del Risorgimento	(voir 3)
Duomo Nuovo	**4** C3
Duomo Vecchio	**5** C3
Il Broletto	**6** C2
Monastero di Santa Giulia et Basilica di San Salvatore	**7** D2
Museo della Città	(voir 7)
Museo delle Armi Antiche	(voir 3)
Palazzo Martinengo	**8** C2
Pinacoteca Civica Tosio-Martinengo	**9** C4
Théâtre romain	**10** C2
Tempio Capitolino	**11** C2
Torre dell'Orologio	**12** B2
Torre Mirabella	**13** C1

OÙ SE LOGER 🏠	
Albergo Orologio	**14** C2
Hotel Cristallo	**15** A4
Hotel Vittoria	**16** B2

OÙ SE RESTAURER 🍴	
La Sosta	**17** B4
Marché	**18** B3
Osteria al Bianchi	**19** B2
Trattoria Due Stelle	**20** B2

TRANSPORTS	
Kiosque à vélos	**21** A4
Station de vélos	**22** B4
Gare routière	**23** A4
Gare routière principale	**24** A4

Mirabella, la tour principale, fut construite par les Visconti au XIIIe siècle.

Le château abrite deux **musées** (entrée aux deux musées 5 € ; 9h30-13h et 14h30-17h mar-dim oct-mai, 10h-13h et 14h-18h mar-dim juin-sept) plus ou moins intéressants, le **Museo delle Armi Antiche** (030 29 32 92 ; www.bresciamusei.it), qui possède une collection d'armes d'époque, et le **Civico Museo del Risorgimento** (030 4 41 76), consacré à l'histoire de l'unité italienne.

SITES ANTIQUES

Parmi les vestiges romains de Brescia, les plus notables sont ceux du **Tempio Capitolino** (Via dei Musei ; entrée libre ; 11h-16h), un temple romain construit par l'empereur Vespasien en 73. Le magnifique **Palazzo Martinengo** (030

280 79 34 ; Via dei Musei 28 ; prix variables ; 9h15-13h lun-ven) accueille des expositions artistiques temporaires.

À 50 m à l'est du Tempio Capitolino, sur la Via dei Musei, la ruelle pavée le Vicolo del Fontanon mène jusqu'aux ruines bien préservées d'un **théâtre romain**. Quelques vestiges de l'ancien **forum** subsistent sur la Piazza del Foro.

En continuant vers l'est, vous arriverez au lieu le plus intrigant de Brescia, le **Monastero di Santa Giulia** et la **Basilica di San Salvatore**. À l'intérieur de cet ensemble en ruine, regroupant une église et un couvent, sont exposés des objets datant de la ville romaine et quelques superbes mosaïques dans le **Museo della Città** (030 297 78 34 ; Via dei Musei 81b ; adulte/étudiant

14-18 ans/enfant 8/6 €/gratuit, exposition temporaire en supplément ; 🕑 9h-19h mar-jeu et dim, 9h-20h ven et sam). La pièce maîtresse de la collection est la **Croce di Desiderio**, une croix lombarde du VIIIᵉ siècle incrustée de centaines de pierres précieuses.

CATHÉDRALES

Le remarquable **Duomo Vecchio** (ancienne cathédrale ; Piazza Paolo VI ; 🕑 9h-12h et 15h-19h mar-dim avr-oct, 10h-12h et 15h-18h mar-dim nov-mars) est un exemple rare de basilique romane circulaire (XIᵉ siècle), bâti sur le site d'une église du VIᵉ siècle. Ses caractéristiques les plus intéressantes sont les fragments de mosaïque sur les sols et le sarcophage de l'évêque Berado Maggi datant du XIVᵉ siècle. Juste à côté, le **Duomo Nuovo** (nouvelle cathédrale ; Piazza Paolo VI ; 🕑 7h30-12h et 16h-19h lun-sam, 8h-13h et 16h-19h dim), construit en 1604, est bien plus imposant mais plus banal. Sur la même place, **Il Broletto**, l'hôtel de ville médiéval, est doté d'une tour du XIᵉ siècle.

AUTRES SITES

La **Pinacoteca Civica Tosio-Martinengo** (☎ 030 377 49 99 ; Via Martinengo da Barco 1 ; 3 € ; 🕑 9h30-13h et 14h30-17h mar-dim oct-mai, 10h-13h et 14h30-18h mar-dim juin-sept) présente des œuvres signées d'artistes de l'école de Brescia, ainsi que quelques autres de Raphaël, Lorenzo Lotto et Luca Giordano. La pinacothèque est fermée pour rénovation jusqu'en 2011.

La **Torre dell'Orologio** (tour de l'horloge) avec son beau cadran orné des signes du zodiaque, s'inspire de celle de la place Saint-Marc, à Venise.

Où se loger

Hotel Cristallo (☎ 030 377 24 68 ; www.hotelcristal-lobrescia.com ; Viale della Stazione 12a ; s/d 62/103 € ; 🅿 🖳 🍴). Avec son mobilier d'un autre âge, ses couvre-lits à fleurs et ses grandes sdb, le Cristallo constitue un hébergement correct, bien placé à côté de la gare.

Albergo Orologio (☎ 030 375 54 11 ; www.albergoorologio.it ; Via Beccaria 17 ; s/d 115/130 € ; 🅿 🖳). Jouxtant la tour de l'horloge, dans le centre piétonnier de la vieille ville, cet hôtel de charme est un petit bijou (œuvres d'art, mobilier aux couleurs or, brun et olive, carrelage de terre cuite).

Hotel Vittoria (☎ 030 28 00 61 ; www.hotelvittoria.com ; Via X Giornate 20 ; s/d 166/274 € ; 🅿 🖳). Avec ses chandeliers, ses salles de réception et ses chambres classiques, cet hôtel des années 1930 est une valeur sûre et abordable.

Où se restaurer

Risotto, bœuf et *lumache alla bresciana* (escargots au parmesan et aux épinards) sont les spécialités de Brescia. La région produit des vins excellents, notamment le Botticino, le Lugana et le Riviera del Garda.

Osteria al Bianchi (☎ 030 29 23 28 ; Via Gasparo da Salò 32 ; repas 20-25 € ; 🕑 jeu-lun). On s'entasse dans cet établissement de style classique du XIXᵉ siècle pour un verre de vin et un en-cas au bar, ou un repas à une table de bois. Laissez-vous tenter par les *pappardelle al taleggio e zucca* (larges pâtes au fromage taleggio et au potiron).

♡ Trattoria Due Stelle (☎ 030 375 81 98 ; Via San Faustino 46 ; repas 30 € ; 🕑 mer-lun). La cuisine succulente, les solides tables en bois (éclairées par des bougies) et les murs lambrissés incitent les habitants et les visiteurs à venir festoyer ici. Les risottos sont excellents (essayez les *agli scampi mantecato alla citronette* – risotto crémeux aux écrevisses et sauce au citron).

La Sosta (☎ 030 29 25 89 ; Via Martino della Battaglia 20 ; repas 50-60 € ; 🕑 déj et dîner mar-sam, déj dim, fermé août). En partie installée dans les écuries d'un palais de 1610, La Sosta mijote d'excellentes créations gastronomiques. Le *filetto di vitello alla scamorza affumicata* (filet de veau au fromage fumé) fond dans la bouche.

Faites le plein de fruits et légumes frais au **marché** (Piazza del Mercato ; 🕑 7h30-19h lun-sam) coloré de Brescia.

Comment s'y rendre et circuler

Sous-exploité, l'**aéroport** (Aeroporto Gabriele d'Annunzio ; ☎ 030 204 15 99 ; www.aeroportobrescia.it) est à 20 km à l'est de Brescia. Des navettes relient l'aéroport et la gare routière de Brescia (vers l'aéroport 11 €, depuis l'aéroport 7,50 €, 25 min).

Depuis la **gare routière** (☎ 030 4 49 15 ; Via Solferino), les bus **SAIA Trasporti** (☎ 800 883999 ; www.saiatrasporti.it) desservent toute la province de Brescia. Certains démarrent d'une autre gare, près de la Via della Stazione.

Des trains font régulièrement la navette entre Brescia et Milan (5,55-13,30 €, 45 min à 1 heure 30), et Brescia et Vérone (3,95 €, 40 min).

De juin à septembre (habituellement), vous pouvez louer un vélo (1 €/2 heures, 10 €/jour) au **kiosque à vélos** (🕑 7h30-20h30) installé devant la gare, sur le Piazzale della Stazione, ou à une autre station près de Via Gambara.

CRÉMONE (CREMONA)

72 000 habitants

Cité-État prospère et indépendante pendant des siècles, Crémone a conservé son bel héritage architectural. Mais elle est surtout réputée dans le monde entier pour sa lutherie d'excellence (voir l'encadré p. 290).

Le centre médiéval de Crémone, qui s'étend autour de sa magnifique cathédrale, est de toute beauté. Sur la place principale, l'**office du tourisme** (☎ 0372 2 32 33 ; http://turismo.comune. cremona.it ; Piazza del Comune 5 ; ☺ 9h-12h30 et 15h-18h sept-juin, 9h-12h30 et 15h-18h lun-sam, 9h-12h30 dim juil et août) vous renseignera sur la ville.

À voir

Crémone était un *comune* (cité-État) indépendant. Mais, au XIVᵉ siècle, les Visconti de Milan l'annexèrent. La ville ne sortit du duché de Milan qu'à l'unité italienne. Pour marquer la différence entre le sacré et le profane, les bâtiments ecclésiastiques investirent le côté est de la **Piazza del Comune**, ceux qui relevaient des affaires séculières occupèrent le côté opposé. Le deuxième dimanche du mois, la place se emplit de stands d'antiquités.

La **Cattedrale** (cathédrale ; ☎ 0372 2 73 86 ; www. cattedraledicremona.it ; Piazza del Comune ; ☺ 8h-12h et 15h30-19h) de Crémone fut d'abord une basilique romane, mais, une fois achevée en 1190, elle avait tout d'un édifice gothique. La façade principale comporte également quelques touches Renaissance, que l'on retrouve à l'intérieur avec des peintures de maîtres tels que Boccaccio Boccaccino, Giulio Campi et Gian Francesco Bembo. Les vestiges de fresques plus anciennes, mises au jour dans les années 1990, en intrigueront certains, notamment la grande *Crucifixion* qui surplombe le portail central.

Le bien le plus précieux de la cathédrale est la "sainte épine", qui proviendrait de la couronne d'épines du Christ. Il s'agirait d'un don fait en 1591 par le pape Grégoire XIV, ancien évêque de Crémone. Elle est désormais conservée derrière une grille dans la Capella delle Reliquie. Dans la crypte, le corps habillé et masqué de Sant' Omobono Tucenghi, saint patron de Crémone au XIIᵉ siècle, gît dans un coffret de verre.

Haut de 111 m, l'imposant **torrazzo** (clocher ; adulte/enfant 4/3 €, avec baptistère 5/4 € ; ☺ 10h-13h mar-ven, 10h-13h et 14h30-18h sam et dim) attenant, avec sa

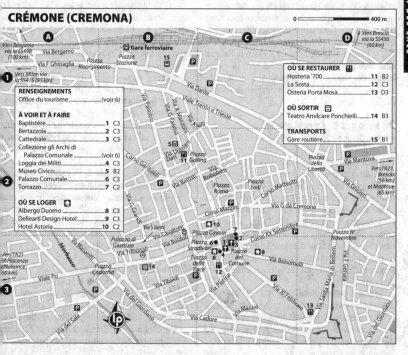

CRÉMONE (CREMONA)

0 — 400 m

RENSEIGNEMENTS
Office du tourisme ....(voir 6)

À VOIR ET À FAIRE
Baptistère 1 C3
Bertazzola 2 C3
Cattedrale 3 C3
Collezione gli Archi di
  Palazzo Comunale ....(voir 6)
Loggia dei Militi 4 C3
Museo Civico 5 B2
Palazzo Comunale 6 C3
Torrazzo 7 C2

OÙ SE LOGER
Albergo Duomo 8 C3
Dellearti Design Hotel 9 C3
Hotel Astoria 10 C2

OÙ SE RESTAURER
Hosteria '700 ....11 B2
La Sosta 12 C3
Osteria Porta Mosa 13 D3

OÙ SORTIR
Teatro Amilcare Ponchielli 14 B3

TRANSPORTS
Gare routière 15 B1

LES VIOLONS DE CRÉMONE

C'est à Crémone qu'Antonio Stradivari (souvent appelé Stradivarius) a assemblé avec amour ses premiers violons stradivarius, contribuant ainsi à établir une tradition qui perdure aujourd'hui. D'autres grandes dynasties de luthiers ont débuté ici (Amati et Guarneri entre autres).

Aujourd'hui, une centaine de lutheries, que l'on peut visiter, sont réparties dans le quartier autour de la Piazza del Comune. L'office du tourisme les a recensées et peut vous aider à fixer votre choix. Le site www.cremonaliuteria.it propose également des informations.

Divers événements liés à la lutherie sont organisés, notamment la **Triennale Internazionale degli Strumenti ad Arco** (Exposition internationale des instruments à corde ; www.entetriennale.com) qui se tient à Crémone tous les trois ans, en septembre/octobre (la prochaine aura lieu en 2012).

Tout au long de l'année, vous pourrez visiter la **Collezione gli Archi di Palazzo Comunale** (☎ 0372 2 05 02 ; Piazza del Comune 8 ; adulte/enfant 6/3,50 € , Museo Civico inclus 10/5 € ; ☎ 9h-18h mar-sam, 10h-18h dim), qui comprend des instruments provenant des ateliers de Stradivari.

Le **Museo Civico** (☎ 0372 3 12 22 ; Via Ugolani Dati 4 ; adulte/enfant 7/4 € , Civica Collezione di Violini incluse 10/5 € ; ☺ 9h-18h mar-sam, 10h-18h dim) expose des dessins, des outils, des instruments d'Amati et de Guarneri, ainsi que des objets d'art et des vestiges archéologiques.

Si vous souhaitez écouter les violons de Crémone, rendez-vous au **Teatro Amilcare Ponchielli** (☎ 0372 02 20 01 ; www.teatroponchielli.it ; Corso Vittorio Emanuele II 52), qui date du XIXᵉ siècle. La saison s'étend d'octobre à juin ; pour le programme et l'achat de billets, consultez le site Internet.

grande horloge zodiacale, est relié à la cathédrale par une loggia Renaissance, la **Bertazzola**. De l'autre côté de la cathédrale, le grand **baptistère octogonal** du XIIᵉ siècle (adulte/enfant 2/1 € , avec le torrazzo 5/4 € ; ☺ 10h-13h et 14h30-18h mar-dim) abrite quelques fragments architecturaux, notamment une statue de l'archange Gabriel (XIIᵉ siècle), qui surplombait jadis le toit du baptistère.

De l'autre côté de la place s'élève le **Palazzo Comunale** (hôtel de ville) et, au sud, la petite **Loggia dei Militi**, à portiques, qui abritait la milice communale. Ces deux bâtiments datent du XIIIᵉ siècle.

Où se loger et se restaurer

Albergo Duomo (☎ 0372 3 52 96/42 ; fax 0372 45 83 92 ; Via Gonfalonieri 13 ; s/d 45/65 € ; P ☒). À quelques pas seulement de la cathédrale, cet hôtel loue des chambres correctes, meublées simplement et décorées tout en blanc. Au printemps, les jardinières en fer forgé débordent de fleurs.

Hotel Astoria (☎ 0372 46 16 16 ; www.astoriahotel-cremona. it ; Via Bordigallo 19 ; s/d 60/90 € ; ☒). Dans une ruelle tranquille, proche de la Piazza Cavour, cet endroit charmant dispose de chambres impeccables (certaines possèdent des chambres séparées, très pratique lorsqu'on voyage avec des enfants).

Dellearti Design Hotel (☎ 0372 2 31 31 ; www. dellearti.com ; Via Bonomelli 8 ; s/d 119/169 € ; P ☒ ☐). L'hôtel ultramoderne en verre, béton et métal, qui accueille des expositions temporaires de peintures et de photographies. Chambres

élégantes aux lignes épurées, avec des couleurs vives et un éclairage sophistiqué. À disposition bain turc et salle de gym.

Hosteria '700 (☎ 0372 3 61 75 ; Piazza Gallina 1 ; repas 25-30 € ; ☺ déj et dîner mer-dim, déj lun). Caché derrière une façade décrépite et une rangée de voitures garées, ce petit bijou aux pièces voûtées offre un cadre romantique pour déguster de copieux plats lombards. Goûtez les *marubini al brodo* o al burro fuso (raviolis ronds à la viande et au fromage, dans un bouillon ou au beurre fondu), spécialité de la ville.

Osteria Porta Mosa (☎ 0372 41 18 03 ; Via Santa Maria in Betlem 11 ; repas 25-30 € ; ☺ lun-sam). Tables de bois sombre installées dans un décor bleu marine et œuvres d'art aux murs. Les *ravioli di zucca* (raviolis au potiron), presque sucrés-salés, sont exquis.

La Sosta (☎ 0372 45 66 56 ; Via Vescovo Sicardo 9 ; repas 30-35 € ; ☺ déj et dîner mar-sam, déj dim sept-juin). Entouré de lutheries, ce restaurant sert de délicieux plats régionaux tels que le *bollito* (sorte de ragoût) et le *cotechino* (saucisse de porc cuite) avec de la polenta et de la *mostarda* (fruits dans une sauce sucrée à la moutarde).

Depuis/vers Crémone

La ville est desservie par le train depuis Milan (5,55 € , 1 heure 10 à 1 heure 45, plusieurs/jour), Mantoue (4,60 € , 45 min à 1 heure 15, 1/heure) et Brescia (4,20 € , 1 heure, 1/heure) ; depuis les villes plus au sud, il faut changer à Piacenza. De nombreux bus sillonnent la région.

MANTOUE (MANTOVA)

47 650 habitants

Ravissante et paisible cité, Mantoue se dresse sur les rives de trois lacs formés par un élargissement de la rivière Mincio : le lac Supérieur (Lago Superiore), le lac Moyen (Lago di Mezzo) et le lac Inférieur (Lago Inferiore). Une partie de ces eaux est protégée par le Parco del Mincio, mais la zone industrielle du secteur pétrochimique, en pleine expansion, empiète sur la campagne alentour.

Mantoue, fondée par les Étrusques au Xe siècle av. J.-C., se développa sous la domination romaine. Virgile, le plus célèbre des poètes latins, naquit en 70 av. J.-C. à la périphérie de la ville moderne. En 1328, Mantoue passa aux mains de la dynastie des Gonzague sous laquelle elle prospéra, attirant des personnalités telles que Pétrarque ou Rubens. L'âge d'or de "la Gloriosa" toucha brutalement à sa fin en 1708, lorsque l'Autriche s'en empara. En dehors de l'interlude napoléonien, les troupes des Habsbourg restèrent au pouvoir jusqu'en 1866, date à laquelle Mantoue finit par rejoindre le giron italien. Sa superbe architecture témoigne de la richesse de son histoire, particulièrement au centre-ville, autour des quatre places pavées qui communiquent entre elles. En 2008, la ville fut le 42e site italien inscrit au Patrimoine mondial de l'Unesco, avec sa voisine Sabbioneta (voir p. 294).

Renseignements

La carte Mantova (5 €), valable cinq jours, donne droit à des réductions dans de nombreux musées, certains hôtels et restaurants, ainsi qu'à un accès gratuit aux transports publics. Adressez-vous à l'office du tourisme.

Ospedale Carlo Pola (☎ 0376 20 11 ; Via Albertoni 1). Hôpital

Office du tourisme (☎ 0376 43 24 32 ; www.turismo. mantova.it en italien ; Piazza Mantegna 6 ; 9h30-18h30)

Police (☎ 0376 20 51 ; Piazza Sordello 46)

Poste (Piazza Martiri di Belfiore 15).

À voir

PALAZZO DUCALE

Le **Palazzo Ducale** (☎ 0376 35 21 00 ; www.mantova ducale.beniculturali.it ; Piazza Sordello 40 ; adulte/étudiant 18-25 ans/senior et enfant ressortissants UE 6,50/3,25 €/gratuit ; 8h30-19h mar-dim) occupe une vaste partie du quartier nord-est. Ses imposantes murailles renferment trois places, quinze cours, un parc et environ 500 pièces. En son centre, le **Castello di San Giorgio** est rempli d'œuvres d'art rassemblées par la famille Gonzague, qui a longtemps régné sur Mantoue. Ne manquez pas la **Camera degli Sposi**, magnifique série de fresques exécutées par Andrea Mantegna entre 1465 et 1474 dans l'une des tours du château. L'oculus peint en trompe-l'œil sur la voûte ajoute une touche cocasse aux scènes de famille, plus formelles. Il vous sera peut-être nécessaire de réserver l'entrée pour 1 € supplémentaire. De nombreuses autres salles méritent la visite : citons la **Sala del Pisanello**, dont les fresques inachevées du XVe siècle représentent des scènes de la légende d'Arthur par le peintre Pisanello, la **Sala di Troia**, très décorée, et la **Camera dello Zodiaco**, dont le magnifique plafond d'un bleu profond est orné de figures zodiacales. Tout aussi bizarre, la **Sala dei Fiumi** (XVIIIe siècle), une reconstitution de grottes recouvertes de coquillages et de mosaïques, est une fantaisie de l'époque des Habsbourg. Les photographies sont interdites.

ÉGLISES

Le dôme baroque de la **Basilica di Sant'Andrea** (☎ 0376 32 85 04 ; Piazza Andrea Mantegna ; gratuit ; 8h-12h et 15h-19h lun-ven, 10h30-12h et 15h-18h sam, 11h45-12h15 et 15h-18h dim), très travaillé, se détache au-dessus de la ville. Conçue par Leon Battista Alberti en 1472, elle abrite une relique très controversée : des vases qui contiendraient de la terre imbibée du sang du Christ. Longinus, le soldat romain qui transperça de sa lance le Christ sur la croix, aurait recueilli la terre puis l'aurait enfouie à Mantoue après avoir quitté la Palestine. Aujourd'hui, ces vases en or sont conservés sous un octogone de marbre en face de l'autel ; on les fait défiler à travers toute la ville lors de la grande procession du Vendredi saint. La basilique renferme aussi le tombeau d'Andrea Mantegna.

Au sud de la basilique, de l'autre côté de la Piazza delle Erbe, la **Rotonda di San Lorenzo** (☎ 0376 32 22 97 ; Piazza delle Erbe ; gratuit ; 10h-13h et 15h-19h lun-ven, 10h-18h sam et dim avr-oct, 10h-13h et 14h-18h lun-ven, 10h-18h sam et dim nov-mars), église romane du XIe siècle entourée de colonnes du XVe siècle, s'est enfoncée au fil des années dans le sol. Elle aurait été édifiée sur le site d'un temple romain dédié à Vénus. Dans le **Palazzo della Ragione** (☎ 0376 22 00 97 ; Piazza delle Erbe ; gratuit ; 10h-13h et 16h-19h mar-dim pendant les expositions temporaires), qui s'étend sur toute la longueur de la place et fut le siège du pouvoir séculier de la ville, vous pouvez voir des expositions d'intérêt variable (souvent gratuites).

LOMBARDIE
ET RÉGION DES LACS

MANTOUE (MANTOVA)

RENSEIGNEMENTS		
Police	1	E3
Poste	2	D4
Office du tourisme	3	D3

À VOIR ET À FAIRE		
Basilica di Sant'Andrea	4	D3
Castello di San Giorgio	5	F2
Cattedrale	6	E2
Imbarco Motonavi Andes	7	E2
Motonavi Andes	8	E2
Navi Andes	9	C1
Palazzo Broletto	10	E3
Palazzo della Ragione	11	E3
Palazzo Ducale	12	E2
Rotonda di San Lorenzo	13	D3
Torre della Gabbia	14	E3

OÙ SE LOGER		
Hotel ABC	15	B3
Hotel Broletto	16	E3
Libenter B&B	17	F4
Rechigi Hotel	18	E3

OÙ SE RESTAURER		
Caravatì	19	E3
Fragoletta Antica	20	F3
Grifone Bianco	21	E3
Hosteria dei Canossa	22	D2
La Ducale	23	D3
Libenter Moderna Osteria	24	E3
Pavesi	25	E3
Ristorante Masseria	26	E3

TRANSPORTS		
Gare routière	27	B3

400 m

0

La **Cattedrale** (cathédrale ; Piazza Sordello 16) semble dérisoire face à la splendeur de la basilique. Sa façade date du milieu du XVIIIe siècle, et l'intérieur fut reconstruit par Giulio Romano après un incendie en 1545.

PALAZZO DEL TE

Autre possession des Gonzague à Mantoue, le **Palazzo del Te** (☎ 0376 32 32 66, 199 199111 ; www.centropalazzote.it ; Viale Te ; adulte/étudiant/senior/enfant /2,50/5 €/gratuit ; ☺ 13h-18h lun, 9h-18h mar-dim) est un palais du XVIe siècle, d'un style architectural très particulier. Conçu par Giulio Romano, il accueille aujourd'hui une collection d'art moderne et un musée égyptien. Parmi les nombreuses et superbes salles, la **Camera dei Giganti** (chambre des Géants) contient l'une des fresques les plus fantastiques et les plus effrayantes de la Renaissance, qui dépeint la destruction des Titans par Jupiter.

AUTRES SITES

Au-delà du Palazzo della Ragione (XIIIe siècle) se dresse le **Palazzo Broletto**, qui domine la Piazza del Broletto. Sur la façade, une niche abrite un personnage assis qui, dit-on, représenterait le poète Virgile. Engagez-vous sur la Piazza Sordello par le côté sud : vous verrez sur votre gauche la magnifique résidence des prédécesseurs des Gonzague, le clan Bonacolsi.

Les malheureux prisonniers étaient autrefois enfermés dans une cage accrochée à la tour, appelée la **Torre della Gabbia** (tour de la cage).

En 1476, la famille Gonzague, qui régnait sur la ville, donna à Andrea Mantegna une terre sur laquelle construire sa maison. Celle-ci, la **Casa Mantegna** (☎ 0376 36 05 06 ; www.provincia. mantova.it ; Via G Acerbi 47 ; 2-5 € ; ☺ 10h-12h30 et 15h-18h mar-dim), est à présent utilisée comme espace d'exposition. Derrière la façade sobre, une série de chambres s'organise autour d'une unique cour intérieure cylindrique.

À faire

EXCURSIONS EN BATEAU

Motonavi Andes (☎ 0376 360870 ; www.motonaviandes.it ; Via San Giorgio 2) programme des circuits en bateau sur les lacs (à partir de 8 €/1 heure 30), des excursions de 5 heures jusqu'à San Benedetto Po (aller simple lun-sam 13,50 €, dim 15,50 €) et d'une journée à Venise (lun-sam 77 €, dim 84 €). Les bateaux arrivent et partent d'Imbarco Motonavi Andes, l'embarcadère situé derrière le Castello di San Giorgio, sur les rives du lac Moyen.

Navi Andes (☎ 0376 32 45 06 ; www.naviandes.com ; embarcadère du lac Moyen) propose des circuits à des tarifs similaires. Des **propriétaires de bateaux** (Barcaioli del Mincio ; ☎ 0376 34 92 92 ; www.fiumemincio.it) organisent, sur des cours d'eau moins fréquentés, des circuits axés sur l'environnement. Adressez-vous à l'office du tourisme.

CYCLOTOURISME

L'office du tourisme dispose d'une excellente brochure concernant les itinéraires cyclables le long du Pô, dans le **Parco del Mincio** (☎ 0376 22 83 20 ; www.parcodelmincio.it ; Piazza Porta Giulia 10, Cittadella) et autour des lacs. Une piste cyclable de 48 km longe les rives du lac Supérieur vers le Santuario di Santa Maria delle Grazie, puis rentre à Mantoue. **La Rigola** (☎ 0376 36 66 77 ; Via Trieste 7 ; à partir de 10 €/jour) loue des vélos.

PARCO DELL SCIENZA

Pour une sortie instructive, visitez le **Parco della Scienza**, promenade au bord du lac Moyen qui vous mènera de Porta San Giorgio à Porta Molina. Panneaux d'information et différentes installations destinées aux enfants illustrent des phénomènes physiques et scientifiques.

Fêtes et festivals

En septembre, pendant 5 jours, le centre de Mantoue est investi par le **Festivalletteratura** (Festival de littérature ; www.festivaletteratura.it), au cours duquel ont lieu des lectures publiques et des rencontres avec des auteurs.

Le festival de jazz de Mantoue, **Mantova Jazz** (www.mantovajazz.it), se déroule entre fin mars et début mai.

Où se loger

Hotel ABC (☎ 0376 32 23 29 ; www.hotelabcmantova.it ; Piazza Don Leoni 25 ; s/d 65/95 € ; P ⊗ ☎). En face de la gare, donc très pratique, un établissement correct aux chambres propres et confortables, certaines avec poutres apparentes.

Hotel Broletto (☎ 0376 22 36 78 ; www.hotelbroletto.com ; Via dell'Accademia 1 ; s/d 75/120 € ; ⊗ ☎). Emplacement imbattable, à proximité de la Piazza Broletto et à 100 m du lac. Les chambres confortables sont un peu désuètes (lino au sol, meubles encastrés en imitation bois) mais elles reçoivent la TV satellite.

Libenter B&B (☎ 334 791 0912 ; www.libenter. org ; Via Pomponazzo 15 ; app petit-déj compris 70-150 € ; ⊗). Donnant sur une cour intérieure décorée avec goût, cette maison centrale loue deux appartements d'une chambre et un autre de deux chambres. Ces appartements indépendants logent jusqu'à 4 personnes. Le petit déjeuner est servi tout près, au Libenter Moderna Osteria, petit restaurant branché du propriétaire, Piazza Concordia 18.

Rechigi Hotel (☎ 0376 32 07 81 ; www.rechigi.com ; Via Pier Fortunato Calvi 30 ; s/d 140/190 € ; P ✗ ◻). Marbre, chaises signées Le Corbusier et œuvres d'art contemporain composent le cadre de ce fabuleux hôtel. Moins sophistiquées que le hall, les chambres sont néanmoins calmes, fraîches et élégantes. Cour paisible à l'arrière.

Où se restaurer

Plus d'un million de porcs sont élevés chaque année dans la province de Mantoue. Goûtez donc la pancetta, le *prosciutto crudo* (jambon salé, ou jambon de Parme) et le risotto, dont le riz *vialone nano* est cultivé dans la région. Au menu des restaurants figurent souvent les *tortelli di zucca* (sorte de raviolis farcis au potiron), spécialité incontestée de la ville, ou le *risotto alla pilota* (risotto au porc émincé) et le *luccio* (brochet). Les desserts sont aussi très renommés, notamment la *torta di tagliatelle* (couches de tagliatelles croustillantes cuites avec du sucre et des amandes) et la *torta sbrisolona* (petit gâteau sec aux amandes).

Les terrasses de cafés s'étalent sur les places Sordello, Broletto et delle Erbe.

Fragoletta Antica (☎ 0376 32 33 00 ; Piazza Arche 5 ; repas 35 € ; ☽ mar-dim). Situé juste un peu en retrait du lac, ce restaurant campagnard sert des plats succulents (comme le *risotto alla pilota* et des gnocchis à la ricotta, au beurre noir et au parmesan), dans une salle très confortable où s'alignent les bouteilles de vin.

Ristorante Masseria (☎ 0376 36 53 03 ; Piazza Broletto 7 ; repas 36 € ; ☽ déj ven-mer, dîner jeu-mar). Masseria sert les meilleures (ou presque) *tortelli di zucca* de la ville, mais aussi un ragoût de bœuf à la mantovane avec un Lambrusco et de la polenta, et des plateaux de fromages locaux accompagnés de moutarde. Choisissez entre la cour pavée et la salle à manger du XIIIᵉ siècle comportant une fresque du XVᵉ siècle, la plus ancienne représentation de Mantoue connue à ce jour.

Hosteria dei Canossa (☎ 0376 22 17 50 ; Vicolo Albergo 3 ; repas 40-45 € ; ☽ mer-lun). Blotti dans une ruelle, cet excellent restaurant propose un risotto régional, des pâtes et des plats de viande arrosés de vins rares de Lombardie, le tout dans un décor de briques rouges.

Grifone Bianco (☎ 0376 36 54 23 ; www.grifonebianco.it ; Piazza delle Erbe 6 ; repas 45-50 € ; ☽ jeu-lun). Cuisine

gastronomique, nappes damassées et couvert▮ en argent. Ne manquez pas les assiettes de salami et de brochet de la région servi avec sa sauce et de la polenta.

Pour des friandises locales, passez che▮ **Caravatti** (Piazza delle Erbe 18) ; **La Ducale** (Via Pier Fortunat▮ Calvi 25), datant tous deux de 1865 ; ou l'accueillan▮ **Pavesi** (angle Via dell'Accademia et Via Broletto).

Achats

Le jeudi matin, des étals de marché envahissen▮ les places Sordello, Broletto, delle Erbe et le▮ rues environnantes : on y trouve de tout, de▮ fruits aux fleurs en passant par la vaisselle e▮ les vêtements.

Depuis/vers Mantoue

APAM (☎ 0376 23 01 ; www.apam.it) assure des service▮ de bus depuis/vers Sabbioneta (billets aller-re▮ tour uniquement) et San Benedetto Po. Les bu▮ ARV (Azienda Provinciale Trasporti Verona▮ desservent le lac de Garde (p. 309).

Depuis la **gare ferroviaire** (Piazza Don Leoni), il y▮ des trains directs depuis/vers Crémone (4,60 €▮ 45-90 min, 1-2/heure), Milan (7,85 €, 2 heure▮ à 2 heures 30, 1/heure ou ttes les 2 heures) e▮ Vérone (2,55 €, 45-50 min, 1/heure env, mai▮ aucun train de 7h51 à 12h21 !). Pour Venise▮ changez à Vérone.

ENVIRONS DE MANTOUE
Sabbioneta
4 370 habitants

À 30 km au sud-ouest de Mantoue, cett▮ localité surréaliste fut fondée au XVIᵉ siècle pa▮ Vespasiano Gonzaga Colonna, qui souhaita▮ créer une cité utopiste.

Ses murs renferment quatre monument▮ du XVIᵉ siècle. Le **guichet** (☎ 0375 5 20 39 ; www▮ sabbioneta.org ; Piazza d'Armi 1 ; ☽ 9h30-13h et 14h30-18▮ mar-ven, 9h30-13h et 14h30-18h30 sam et dim avr-oct, ferm▮ 1h plus tôt nov-mars), dans le Palazzo Giardino, ven▮ des billets permettant de visiter les quatre site▮ (adulte/étudiant/enfant 10/5 €/gratuit).

Le **Teatro all'Antica** (théâtre antique), achevé e▮ 1590 et orné de statues des dieux de l'Olymp▮ surplombe une loggia soutenue par des pilier▮ corinthiens, et la **Galleria degli Antichi** (galerie d▮ antiques), de 90 m de longueur, avec des mur▮ ornés de fresques et un plafond en bois peint. L▮ duc de Sabbioneta résidait dans le **Palazzo Giardin▮** (palais du jardin) et dirigeait le duché depuis l▮ **Palazzo Ducale** (palais ducal, 1554). Vous pourre▮ également visiter la **synagogue** (billet indépendan▮ disponible pour ceux qui ne souhaitent visite▮

que ce monument, 4 €), du XIXᵉ siècle, et le **Museo di Arte Sacra**, dont la salle du trésor comporte un médaillon de la Toison d'or découvert dans le tombeau de Vespasiano Gonzaga.

Les rues de Sabbioneta abritent quelques cafés et restaurants basiques.

Les bus **APAM** (☎ 0376 23 03 01 ; www.apam.it) relient Sabbioneta à Mantoue.

San Benedetto Po
7 640 habitants

Petite ville tranquille de la vallée du Pô, à 21 km au sud-est de Mantoue, San Benedetto Po est surtout connue pour son **abbaye bénédictine** (☎ 0376 62 00 25 ; Piazza Matteotti ; église entrée libre, musée 2 € ; ☺ église 7h30-12h30 et 15h-19h, cloîtres 8h-19h). Fondée en 1007, elle a conservé peu de choses de sa construction d'origine à l'exception d'une mosaïque du XIIᵉ siècle à la Chiesa di Santa Maria. Ne manquez pas la fresque du Corrège, découverte dans le réfectoire en 1984.

Des bus et des trains relient San Benedetto Po et Mantoue, cependant le trajet par bateau offre une vue panoramique sur la région (voir p. 293).

RÉGION DES LACS

Des écrivains comme Goethe, Stendhal ou Hemingway ont célébré la magnificence des lacs italiens. Pourtant, leur beauté surpasse la plus élogieuse de ces descriptions.

Ces lieux magiques, dominés par des sommets enneigés, ont séduit les hommes depuis des siècles, comme en attestent les villas somptueuses, aujourd'hui propriétés de célébrités. Le tourisme est cependant beaucoup moins développé qu'on pourrait s'y attendre. Les Italiens du Nord viennent s'y reposer une journée ou un week-end, mais préfèrent la côte ligure pendant l'été. On peut donc profiter pleinement de la sérénité de la région, même en plein mois d'août.

Nous avons choisi de n'évoquer dans ce guide que les grands lacs du nord de l'Italie, même s'il en existe une myriade d'autres, plus petits. Voici les principaux, d'ouest en est.

Le lac d'Orta, le plus occidental des grands lacs et certainement le plus romantique, fait partie du Piémont. Les trois grands lacs sont, d'ouest en est, le lac Majeur (Lago Maggiore), avec ses spectaculaires îles Borromées ; le lac de Côme (Lago di Como), encerclé par des montagnes densément boisées et parsemé

de villas somptueuses et de jardins ; et le lac de Garde (Lago di Garda), le plus grand et le plus animé.

Dans l'angle sud-est de ce dernier, en Vénétie, le parc de loisirs de Gardaland est le plus important d'Italie. Le nord du lac de Garde s'étend dans la région alpine du Trentin Haut-Adige.

Des trains desservent les villes principales, alors que les ferries transportent passagers et véhicules sur les lacs. Si vous êtes motorisé, vous emprunterez des routes certes sinueuses, mais qui suivent les berges des lacs en offrant une vue spectaculaire. La circulation dense et l'étroitesse des rues autour du lac rendent en revanche la circulation à vélo difficile.

LAC D'ORTA (LAGO D'ORTA)

Entouré de forêts sombres et luxuriantes, le petit lac d'Orta ne mesure que 13,4 km de long sur 2,5 km de largeur. Il est séparé de son célèbre voisin oriental, le lac Majeur, par le Monte Mottarone.

Sa principale localité est le village médiéval d'**Orta San Giulio** (1 170 habitants), ou Orta. Ses rues pavées et ses petites places valent le détour, mais on s'y rend surtout pour visiter l'**Isola San Giulio**. À son extrémité sud, l'île est dominée par la **Basilica di San Giulio** (☺ 9h30-18h45 mar-dim, 12h-18h45 lun avr-sept, 9h30-12h et 14h-17h mar-dim, 14h-17h lun oct-mars), du XIIᵉ siècle, recouverte de fresques pleines de vie qui à elles seules méritent le détour. L'église, l'île et le village doivent leur nom à un évangéliste grec, Giulio, qui aurait libéré l'île d'une invasion de serpents, dragons et autres monstres à la fin du IVᵉ siècle. Le sentier paisible qui fait le tour de l'île est surnommé Via del Silenzio. Le seul restaurant, qui sert aussi des en-cas, est parfois ouvert les week-ends les plus animés. Des ferries (2,50 € aller-retour) et bateaux privés (4 € aller-retour) rejoignent l'île en 5 minutes.

Pour plus de sérénité, grimpez jusqu'au **Sacro Monte**, une colline parsemée d'une vingtaine de petites chapelles dédiées à saint François d'Assise. L'endroit est idéal pour pique-niquer. Vous pourrez vous approvisionner au marché d'Orta San Giulio, le mercredi.

L'**office du tourisme principal** (☎ 0322 90 51 63 ; www.comune.ortasangiulio.no.it ; Via Panoramica ; ☺ 9h-13h et 14h-18h mer-dim avr-oct, 9h-13h et 14h-18h mer-ven, 8h-12h30 et 13h30-17h sam et dim nov-mars) d'Orta San Giulio fournit tous les renseignements concernant le lac et sa région. L'**office du tourisme Pro Loco** (☎ 0322 9 01 55 ; Via Bossi 10 ; ☺ 11h-13h et 14h-18h lun et mer-ven, 10h-13h et 14h-18h sam et dim), installé dans l'hôtel de ville, est également utile.

Où se loger et se restaurer

Camping Orta (☎ 0322 90 02 67 ; www.campingorta.it ; Via Domodossola 28, Orta San Giulio ; camping 2 pers, voiture et tente 27,50-31,50 € ; P 🖳 🛜). Camping familial installé dans les bois, à 1,5 km au nord-est du centre médiéval d'Orta San Giulio. Il est ouvert toute l'année et dispose de chauffage l'hiver. La plupart des emplacements sont de l'autre côté de la route par rapport au lac. Pour quelques euros supplémentaires, vous en aurez un au bord du lac.

Piccolo Hotel Olina (☎ 0322 90 56 56 ; www.orta. net/olina ; Via Olina 40, Orta San Giulio ; s/d 75/100 € ; 🍴). Respectueux de l'environnement, joliment décoré d'affiches contemporaines et meublé de bois clair, ce bijou aux couleurs vives est situé au cœur du village médiéval d'Orta San Giulio. L'hôtel propose des petits-déjeuners faits maison et un restaurant avant-gardiste, le Ristoro Olina, est ouvert également aux non-résidents.

Villa Crespi (☎ 0322 91 19 02 ; www.slh.com/crespi ; Orta San Giulio ; s/d à partir de 220/280 € ; P 🍴 🖳 🛜). Succombez à l'opulence en séjournant dans cette somptueuse demeure du XIXe siècle à la décoration mauresque et surplombée d'un dôme byzantin en forme de bulbe. La propriété est entourée de jardins luxuriants et l'intérieur grandiose abrite des meubles d'époque.

Enoteca Al Boeuc (☎ 339 584 00 39 ; Orta San Giulio 28 ; plats 6-13 € ; ✆ 18h30-1h). Petit trésor de la vieille ville où savourer un verre de vin, des plateaux de fromage et de viande ainsi qu'une spécialité piémontaise, la *bagna cauda* (sauce tiède à base de beurre, d'huile d'olive, d'ail et d'anchois dans laquelle on trempe des crudités).

Agriturismo Il Cucchiaio di Legno (☎ 0322 90 52 80 ; Via Prisciola 10 Località Legro ; menus fixes 25 € ; ✆ dîner jeu-dim). À 500 m à pied de la gare ferroviaire, cet excellent restaurant (pas de chambres) propose de délicieux plats régionaux : risotto, poisson frais du lac, salami et fromages des vallées avoisinantes. Dînez en plein air, dans un patio ombragé de vigne vierge qui surplombe un jardin de plantes aromatiques.

♡ Ristoro Olina (repas 30-35 € ; ✆ jeu-mar). Le restaurant du Piccolo Hotel Olina revisite la cuisine italienne de manière inventive et propose un service impeccable. Commencez par exemple avec les *gnocchi di castagne e zucca con crema di radicchio scottato* (gnocchis aux châtaignes, potiron et crème de chicorée rouge), légèrement sucrés-salés.

Depuis/vers le lac d'Orta

La gare ferroviaire d'Orta Miasino se trouve à 3 km du centre d'Orta San Giulio. De mars à octobre, un petit **train touristique** (aller/aller retour 2,50/4 € ; ✆ jeu-mar) assure la navette entre le centre-ville et la gare toutes les 30 minutes environ.

Depuis Milan, des trains partent de la Stazione Centrale (changez à Novara ; 5,40 € ; 2 heures).

Les bateaux de **Navigazione Lago d'Orta** (☎ 032 84 48 62) relient nombre de villes du lac depuis son embarcadère de la Piazza Motta, dont l'Isola San Giulio (aller/aller-retour 1,80/2,50 €) Omegna (4/6 €), Pella (2,20/4 €) et Ronco (2,80/4 €). Un billet pour la journée permettant un nombre de trajets illimité coûte 7,50 €.

LAC MAJEUR (LAGO MAGGIORE)

Si vous arrivez de Suisse en train, une fois passés les tunnels sous les Alpes, vous aurez une vue inoubliable : dans une lumière éblouissante, les îles Borromées, couvertes de fleurs, se détachent sur le bleu étincelant du lac Majeur.

La ligne ferroviaire suit la côte occidentale du lac, qui est la plus pittoresque, avec ses petits villages, ses bourgs et Stresa, sa ville principale.

COMMENT S'Y RENDRE ET CIRCULER

Au départ de Stresa, des bus desservent les villes situées autour du lac, ainsi que Milan, Novara et le lac d'Orta. La ligne Verbania Intra-Milan de la société **SAF** (☎ 0323 55 21 72 ; www.safduemila. com en italien) relie Stresa à Arona (2 € ; 20 min), Verbania Pallanza (2 € ; 20 min), Verbania Intra (2 € ; 25 min) et Milan (6,70 €, 1 heure 30).

Stresa se trouve sur la ligne ferroviaire Domodossola-Milan (voir l'encadré ci-contre). Domodossola (3-7,60 €), 30 minutes au nord-ouest, est sur la frontière suisse, d'où part la ligne pour Brig et Genève.

Ferries et hydroglisseurs de la compagnie **Navigazione Lago Maggiore** (☎ 800 551801 ; www. navigazionelaghi.it) desservent le lac ; principale billetterie à Arona. Des bateaux relient Stresa et Arona (aller adulte/enfant 7,40/4 €, 40 min) Angera (7,40/4 €, 35 min), Baveno (4,90/2,80 € 20 min) et Verbania Pallanza (6,30/3,50 € 35 min).

Plusieurs pass à la journée existent : au départ de Stresa, un billet pour Isola Superior (dite des Pescatori), Isola Bella et Isola Madre coûte 12 € ; un billet illimité à la journée pour Isola Superiore et Isola Bella vaut 9,80 €

d'autres pass plus chers comprennent l'entrée dans les diverses villas.

Les départs sont nettement moins fréquents en automne et en hiver.

Le seul ferry pour véhicules reliant les rives ouest et est assure la liaison de Verbania Intra (partie suisse de Verbania) à Laveno (départ ttes les 20 min). Pour une voiture et son conducteur, l'aller simple revient à 6,90-11,50 € ; pour un vélo et un cycliste, comptez 4,30 €.

Stresa
5 180 habitants

Depuis Stresa, située sur la rive ouest du lac Majeur, on bénéficie d'une vue imprenable sur le lever du soleil. Bien desservie depuis Milan, cette petite ville attira de nombreux artistes en quête d'inspiration. Ainsi, Hemingway y séjourna en 1918 pour se remettre d'une blessure de guerre. La fin de son roman *L'Adieu aux armes* a d'ailleurs pour cadre le Grand Hotel des îles Borromées, l'établissement le plus luxueux du lac. Stresa semble avoir conservé la nostalgie de cette époque.

Depuis Stresa, des ferries relient régulièrement les îles Borromées, ce qui constitue une très agréable excursion.

RENSEIGNEMENTS

Les banques et DAB sont sur la route en bordure du lac (le Corso Italia). Consultez www.visitstresa.com pour plus de renseignements sur la ville.

New Data (☎ 0323 83 03 23 ; Via De Vit 15a ; €/30 min ; ☻ 9h30-12h30 et 15h30-18h). Accès Internet.

Office du tourisme (☎ 0323 3 13 08 ; http://distrettolaghi.eu ; Piazza Marconi 16 ; ☻ 10h-12h30 et 15h-18h30 mi-mars à mi-oct, 10h-12h30 et 15h-18h30 lun-ven, 10h-12h30 sam mi-oct à mi-mars).

LAGO MAGGIORE EXPRESS

Lago Maggiore Express (www.lagomaggioreexpress.com ; adulte/enfant 30/15 €) est une excursion pittoresque d'une journée (sans guide) qui comprend le voyage en train d'Arona ou Stresa à Domodossola, où vous prendrez un charmant petit train vers Locarno en Suisse avant de revenir en ferry de Locarno jusqu'à Stresa. La variante de 2 jours est plus intéressante si vous avez du temps (36/18 €). Les billets sont en vente auprès de Navigazione Lago Maggiore.

À VOIR ET À FAIRE

Le téléphérique **Funivia Stresa-Mottarone** (☎ 03233 02 95 ; www.stresa-mottarone.it ; Piazzale della Funivia ; adulte/enfant aller-retour 17,50/11 € ; ☻ 9h30-17h30) vous offre 20 minutes de panorama grandiose jusqu'au sommet du Monte Mottarone (1 491 m). En été, départ toutes les 20 minutes. Par temps dégagé, on aperçoit le lac Majeur, le lac d'Orta, plusieurs autres petits lacs et le Monte Rosa au niveau de la frontière suisse.

À mi-hauteur, à l'arrêt Alpino (803 m), le **Giardino Botanico Alpinia** (☎ 0323 3 02 95 ; www.giardinoalpinia.it ; adulte/enfant 2/1,50 € ; ☻ 9h30-18h avr-oct), jardin botanique datant de 1934, cultive plus de 1 000 espèces végétales alpines et subalpines.

La montagne offre plusieurs **sentiers cyclistes** ainsi que d'intéressants itinéraires de **randonnées** (compter 4 heures de Stresa jusqu'au sommet à pied). **Bicicò** (☎ 0323 3 03 99 ; www.bicico.it) loue des VTT au départ du téléphérique. Le tarif inclut un casque et un carnet de route détaillant une descente panoramique de 25 km (environ 3 heures, dont 30 min seulement de montée légère, ce qui la rend accessible à tous ou presque) du sommet du Mottarone à Stresa. L'aller simple avec un VTT à bord du téléphérique jusqu'à Alpino/Mottarone coûte 7/10 €.

Mottarone comprend 5 pistes de ski vertes et 2 bleues, ce qui la rend parfaite pour les débutants. Le matériel peut être loué au sommet de la station. Le **forfait de ski** (www.mottaroneski.it ; aller-retour adulte/enfant 23/17,50 €) comprend le trajet en téléphérique.

Les oiseaux et animaux exotiques qui déambulent en semi-liberté dans le **Parco della Villa Pallavicino** (☎ 0323 3 15 33 ; www.parcozoopallavicino.it ; adulte/enfant 9/6 € ; ☻ 9h-18h mars-oct), à l'extrémité sud de Stresa, raviront les enfants.

OÙ SE LOGER ET SE RESTAURER

Une quarantaine de terrains de camping occupent la rive ouest du lac ; leurs coordonnées sont disponibles à l'office de tourisme. La plupart ferment de novembre à février, mais il vaut mieux se renseigner au préalable. Attention, certains hôtels ferment également à cette période.

Hotel Elena (☎ 0323 3 10 43 ; www.hotelelena.com ; Piazza Cadorna 15 ; s/d 55/80 € ; P). Cet hôtel à l'ancienne, attenant à un café, prend ses aises sur la grande place piétonne. Toutes les chambres confortables disposent de parquet et d'un balcon, certains surplombant la place. Accessible aux fauteuils roulants.

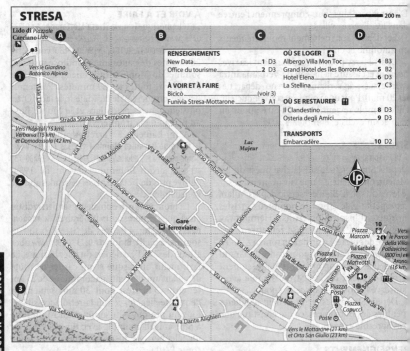

STRESA

RENSEIGNEMENTS	
New Data.....................................1 D3	
Office du tourisme....................2 D3	

À VOIR ET À FAIRE	
Bicicò.....................................(voir 3)	
Funivia Stresa-Mottarone.......3 A1	

OÙ SE LOGER	
Albergo Villa Mon Toc............4 B3	
Grand Hotel des îles Borromées......5 B2	
Hotel Elena...............................6 D3	
La Stellina................................7 C3	

OÙ SE RESTAURER	
Il Clandestino...........................8 D3	
Osteria degli Amici..................9 D3	

TRANSPORTS	
Embarcadère...........................10 D2	

La Stellina (☎ 0323 3 24 43 ; www.lastellina.com ; Via Molinari 10 ; s/d 70/80 €). Situé à proximité de la place centrale, ce beau bâtiment du XIXᵉ siècle abrite un charmant B&B composé de trois chambres à thème floral. Un escalier en colimaçon mène de la "chambre des roses" à un petit salon dans le grenier.

Albergo Villa Mon Toc (☎ 0323 3 02 82 ; www.hotelmontoc.com ; Viale Duchessa di Genova 67-69 ; s/d 55/85 € ; ⚒ P). Cette résidence sur trois niveaux aux tons orange constitue une adresse gaie et confortable en retrait de la voie ferrée. Les chambres au charme vieillot et aux sols carrelés sont meublées de bois sombre et de grands lits. Adorable jardin à l'arrière.

Osteria degli Amici (☎ 0323 3 04 53 ; Via Anna Maria Bolongaro 33 ; pizzas 4,50-9 €, repas 25 €). L'une des terrasses les plus agréables du centre de Stresa, ombragée par une tonnelle. Rançon du succès : il faut souvent patienter avant d'obtenir une table.

Il Clandestino (☎ 0323 3 03 99 ; Via Rosmini 5 ; repas 30 € ; ⊙ mer-lun). Dans cette salle à manger élégante, on déguste de délicieux poissons et fruits de mer du lac agrémentés à la sicilienne. Essayez les *scampi e gamberi di Sicilia nel raviolo di farro biologico* (gros ravioli d'épeautre bio aux crevettes et langoustines)

Borromées (Isole Borromee)

Formant la plus belle partie du lac Majeur, les quatre îles Borromées sont accessibles depuis plusieurs villes au bord du lac, mais Stresa et Baveno sont les meilleurs points de départ. On ne peut visiter que trois des îles, Bella, Madre et Pescatori (également appelée Superiore), San Giovanni étant fermée au public.

ISOLA BELLA

Isola Bella tient son nom de la femme de Charles (Carlo) III de Bourbon-Parme, la *bella* Isabella. Elle fut baptisée ainsi au XVIIᵉ siècle, lorsque la famille Borromeo y fit construire le **Palazzo Borromeo** (☎ 0323 3 05 56 ; www.borromeoturismo.it ; adulte/enfant 12/5 € ; ⊙ 9h-17h3 avr à mi-oct). Surplombant plus de 10 niveaux de jardins en terrasses, ce somptueux palais baroque renferme des œuvres de Tiepolo et de Van Dyck (ticket d'entrée à la Galleria dei Quadri, 4 €) ainsi que des tapisseries flamandes et des sculptures de Canova.

Napoléon et Joséphine y ont séjourné en 1797 (vous pourrez d'ailleurs voir le lit où ils ont dormi), ainsi que le prince Charles et la princesse Diana, en 1985. En août et septembre, la famille Borromeo occupe le 2ᵉ étage, même si le reste du palais est toujours ouvert aux visiteurs. L'ancienne salle de concert, d'une hauteur sous plafond de 23 m, expose une maquette bicentenaire de l'hôtel et de l'île. L'entrée combinée aux palais Borromeo et Madre coûte 16,50/7,50 € par adulte/enfant.

Le reste de l'île est envahi par les marchands de glaces, de pizzas et de souvenirs.

Elvezia (☎ 0323 3 00 43 ; Isola Bella ; plats 30-35 € ; ☒ mar-dim mars-oct, ven-dim nov-fév) sert une cuisine italienne authentique. On y savoure des pâtes (raviolis à la ricotta, lasagnes) et des poissons du lac (la perche en papillote, par exemple). L'hiver, il faut réserver pour le dîner.

ISOLA MADRE

L'Isola Madre est occupée en totalité par le fabuleux **Palazzo Madre** (☎ 0323 3 05 56 ; adulte/enfant 10/5 € ; ☒ 9h-17h30 mars-oct), bâti entre le XVIᵉ et le XVIIIᵉ siècle. Ses jardins à l'anglaise, peuplés de paons blancs, rivalisent de beauté avec ceux de l'Isola Bella. Le palais abrite notamment un théâtre de marionnettes de style néoclassique conçu par un scénographe de la Scala de Milan, ainsi qu'un "petit théâtre des horreurs" et ses marionnettes diaboliques.

Voir plus haut pour l'entrée combinée des Isola Madre et Isola Bella.

ISOLA SUPERIORE (DEI PESCATORI)

En l'absence de baraques à souvenirs, cette toute petite île a conservé son atmosphère de village de pêcheurs. Hormis une abside du XIᵉ siècle et une fresque du XVIᵉ siècle ornant la **Chiesa di San Vittore**, elle offre peu d'intérêt – c'est pourquoi les touristes ne s'y arrêtent souvent que pour déjeuner. Les nombreux restaurants autour de l'embarcadère servent tous du poisson grillé fraîchement pêché dans le lac pour environ 15 €.

L'**Albergo Verbano** (☎ 0323 3 04 08 ; www.hotelverbano.it ; s/d 120/185 € ; ☒ mars-déc) est un hôtel romantique comprenant une douzaine de chambres meublées de lits en fer forgé. Possibilité de pension ou demi-pension. En dehors des heures de circulation des ferries, vous pourrez profiter du bateau-navette gratuit de l'établissement.

Sud de Stresa

C'est à **Arona** (14 370 habitants), à 20 km au sud de Stresa, qu'est né le fils du comte d'Arona et de Marguerite de Médicis, qui deviendra San Carlo Borromeo (saint Charles Borromée, 1538-1584). Le château de Rocca Borromea, où il vit le jour, fut détruit par Napoléon. On célèbre toujours la mémoire de ce saint : sur une colline qui lui est dédiée se dressent plusieurs chapelles, une église et un monument, le **Sancarlone** (4 € ; ☒ 9h-12h30 et 14h-18h15 avr-sept, 9h-12h30 et 14h-18h15 sam et dim oct, 9h-12h30 et 14h-16h30 sam et dim mars, nov et déc). Construite entre 1614 et 1698, cette statue en bronze et en cuivre haute de 35 m offre une vue spectaculaire du haut de ses escaliers.

De l'autre côté du lac, l'imposant château médiéval de *Rocca di Angera* abrite les 12 pièces du **Museo della Bambola** (musée des poupées ; ☎ 0331 93 13 00 ; adulte/enfant 7,50/4,50 € ; ☒ 9h-17h30 avr à mi-oct), où est exposée l'inestimable collection de poupées de la famille Borromeo. Le billet comprenant aussi l'accès à Isola Bella et Isola Madre coûte 20/10 € par adulte/enfant.

En bord de lac, nombre de cafés ont une vue magnifique sur le château, mais pour une vraie expérience gastronomique, sortez du centre et allez goûter le poisson frais servi à l'**Hotel Lido Angera** (☎ 0331 93 02 32 ; www.hotellido.it ; Viale Libertà 11 ; repas 45 € ; ☒ déj et dîner mar-dim, dîner lun). Installé sur les berges et entouré de verdure, cet hôtel-restaurant concocte en entrée un plateau original de sushis du lac Majeur. Les chambres (simples/doubles à 78/110 €) sont tentantes.

Le **monastère de Santa Caterina del Sasso** (gratuit ; ☒ 8h30-12h et 14h30-18h) jouit d'un emplacement parmi les plus spectaculaires du nord de l'Italie. Accroché à la paroi rocheuse de la rive sud-est du lac Majeur, à 13 km au nord d'Angera, il est accessible par un escalier en colimaçon (un ascenseur est en construction) partant 60 m au-dessus. L'église est un patchwork de chapelles datant des XIIIᵉ et XIVᵉ siècles et formant un tout étrange rempli de fresques.

Nord de Stresa

À **Baveno** (4 860 habitants), à 4 km au nord de Stresa, de nombreuses liaisons en ferry visitent les îles Borromées, et il y a quelques hôtels. Petits et grands pourront se dépenser au **Lago Maggiore Adventure Park** (☎ 0323 91 97 99 ; www.sport-fun.info ; Strada Cavalli 18, Baveno ; adulte/enfant 22/15 € ; ☒ 10h-19h mars-nov), en mesurant leur force au mur d'escalade, sur les trampolines, sur le parcours d'accrobranche, et sur une piste bosselée pour VTT... Depuis le patio du café, la vue sur le lac est magnifique.

Plus au nord, vers la Suisse, **Verbania** (30 940 habitants), la plus grande ville du lac, se compose de trois quartiers. Verbania Pallanza est le plus intéressant avec son labyrinthe de venelles dans le centre historique et, joyaux de la ville, les jardins de la **Villa Taranto** (☎ 0323 40 45 55 ; www.villataranto.it ; Via Vittorio Veneto ; adulte/enfant 9/5,50 € ; ✆ 8h30-18h30 mars-sept, jusqu'à 17h oct), qui date de la fin du XIXe siècle. En 1931, Neil McEacharn, un capitaine écossais, racheta la villa à la famille de Savoie et y planta 20 000 espèces végétales en 30 ans, créant ainsi l'un des plus beaux jardins botaniques d'Europe. Les bateaux s'arrêtent à Pallanza et à l'embarcadère en face de la villa.

En bordure du lac à Verbania Pallanza, l'**office du tourisme** (☎ 0323 50 32 49 ; www.verbania-turismo.it ; Corso Zanitello 6-8 ; ✆ 9h-13h et 15h-18h lun-ven) fournit une liste d'hébergements. Pour les routards, une seule auberge de jeunesse : l'**Ostello Verbania** (☎ 0323 50 16 48 ; prenotazioni@ostelloverbania.it ; Via alle Rose 7 ; dort petit-déj compris 16 €, s/d 25/50 € ; ✆ réception 9h-12h et 16h-22h mars-oct et Noël ; P), avec vue sur le lac grâce à son emplacement en hauteur par rapport au centre historique de Verbania Pallanza. Le **Caffè Bolongaro** (☎ 0323 50 32 54 ; Piazza Garibaldi 9 ; pizzas 4,50-8 €), au bord de lac à Pallanza, propose un choix impressionnant de délicieuses pizzas.

Cannobio (5 120 habitants) se situe à 5 km de la frontière suisse. L'**office du tourisme** (☎ 0323 7 12 12 ; www.procannobio.it ; Via Giovanola 25 ; ✆ 9h-12h et 16h-19h lun-sam, 9h-12h dim et jours fériés) est près de la principale route qui longe le lac en traversant le centre de la ville. Entre cette route et le lac, les minuscules ruelles pavées ont un charme fou, tandis que les berges constituent un endroit de rêve pour une *passeggiata* et un en-cas dans l'un des nombreux petits restaurants.

À son extrémité nord, une école dynamique de voile et de planche à voile, **Tomaso Surf & Sail** (☎ 0323 7 22 14 ; www.tomaso.com ; Via Nazionale 7), est installée près d'une plage de graviers. **Cicli Prezan** (☎ 0323 7 12 30 ; www.cicliprezan.it ; Viale Vittorio Veneto 9) loue des VTT pour 4/14 € par heure/jour.

L'**Hotel Pironi** (☎ 0323 7 06 24 ; www.pironihotel.it ; Via Marconi 35 ; s 120 €, d 130-170 €), installé dans un palais du XVe siècle au cœur du dédale de rues pavées de Cannobio, comporte un restaurant avec des tables sous le portique. Le village comprend plusieurs hôtels de charme comme celui-ci. La Piazza Vittorio Emanuele III en bordure du lac est aussi jalonnée de petits restaurants.

LAC DE CÔME (LAGO DI COMO)

Au pied des Alpes rhétiques, le lac de Côme (ou Lago Lario) est un pur enchantement. Cette immense étendue d'eau forme un Y à l'envers et son littoral est parsemé de villages, comme celui de Bellagio, sur la rive sud. Là où les deux bras du Y convergent se dresse Côme, la principale ville du lac. Lecco, la seconde agglomération, se situe à l'extrémité est, dans une région moins visitée.

L'Isola Comancina, la seule île de ce lac de 146 km², servit autrefois de refuge aux rois lombards.

COMMENT S'Y RENDRE ET CIRCULER

Basés à Côme, les bus de **ASF Autolinee** (☎ 031 24 72 47 ; www.sptlinea.it) offrent depuis la gare routière des liaisons régulières autour du lac. Les itinéraires principaux comprennent la ligne Côme-Colico (5,10 €, 1 heure 30, 3-5/jour) via tous les villages de la rive ouest mentionnés dans cette section ; et Como-Bellagio (2,75 €, 1 heure 10, ttes les heures).

Les trains de la Stazione Centrale et de la gare Porta Garibaldi de Milan (3,60-8,50 €, 40 min-1 heure, ttes les heures) arrivent à la principale gare de Côme (Como San Giovanni) et certains vont jusqu'en Suisse. Les trains en provenance de la Stazione Nord de Milan (3,60 €, 1 heure, ttes les heures) arrivent à la Stazione FNM de Côme (appelée Como Nord Lago sur les horaires de train). Les trains reliant Milan à Lecco continuent vers le nord en longeant la rive est.

Les ferries et hydroglisseurs de la compagnie **Navigazione Lago di Como** (☎ 800 551801 ; www.navigazionelaghi.it ; Piazza Cavour) sillonnent le lac toute l'année depuis la jetée située à l'extrémité nord de la Piazza Cavour. Pour un aller simple, comptez entre 1,90 € (Como-Cernobbio) et 10 € (Como-Lecco). L'aller-retour coûte le double.

Des car-ferries relient Cadenabbia sur la rive ouest à Varenna sur la rive est, et Bellagio.

Côme (Como)
83 170 habitants

À 50 km au nord de Milan, Côme l'élégante, connue pour son lac, dont elle est le principal point d'accès, et aussi pour son industrie traditionnelle de la soie. La révolution industrielle et la destruction des mûriers par une maladie dans les années 1900 ont considérablement réduit cette activité, mais bien que le fil soit maintenant importé, la soie est toujours tissée à Côme (voir l'encadré p. 305).

CÔME (COMO)

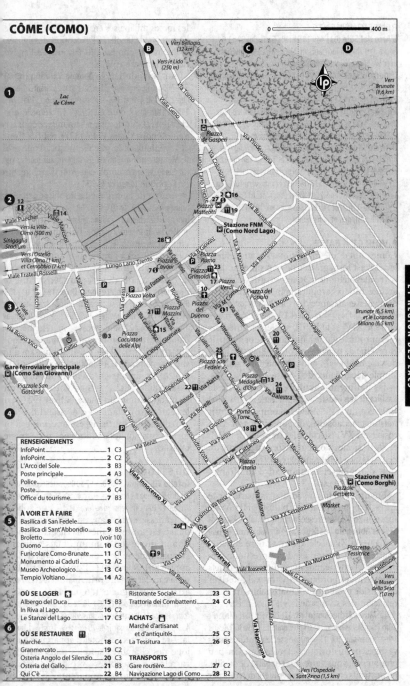

0 — 400 m

**LOMBARDIE
ET RÉGION DES LACS**

RENSEIGNEMENTS

InfoPoint	**1** C3
InfoPoint	**2** C2
L'Arco del Sole	**3** B3
Poste principale	**4** A3
Police	**5** C5
Poste	**6** C4
Office du tourisme	**7** B3

À VOIR ET À FAIRE

Basilica di San Fedele	**8** C4
Basilica di Sant'Abbondio	**9** B5
Broletto	(voir 10)
Duomo	**10** C3
Funicolare Como-Brunate	**11** C1
Monumento ai Caduti	**12** A2
Museo Archeologico	**13** C4
Tempio Voltiano	**14** A2

OÙ SE LOGER

Albergo del Duca	**15** B3
In Riva al Lago	**16** C2
Le Stanze del Lago	**17** C3

OÙ SE RESTAURER

Marché	**18** C4
Granmercato	**19** C2
Osteria Angolo del Silenzio	**20** C3
Osteria del Gallo	**21** B3
Qui C'è	**22** B4
Ristorante Sociale	**23** C3
Trattoria dei Combattenti	**24** C4

ACHATS

Marché d'artisanat et d'antiquités	**25** C3
La Tessitura	**26** B5

TRANSPORTS

Gare routière	**27** C2
Navigazione Lago di Como	**28** B2

RENSEIGNEMENTS

L'Arco del Sole (031 449 18 91 ; Via Garibaldi 59 ; 3 €/heure 🕑 7h-19h lun-sam, 9h-13h dim). Café convivial avec Wi-Fi et quelques ordinateurs.

Ospedale Sant'Anna (☎ 031 58 51 ; Via Napoleona 60). Hôpital.

Police (☎ 031 31 71 ; Viale Roosevelt 7)

Poste (🕑 8h30-19h lun-ven, 8h30-12h30 sam). Bureau principal (**Via T Gallio** 6) ; Vieille ville (**Via Vittorio Emanuele II** 113). Le bureau principal change des devises.

Office du tourisme (☎ 031 26 97 12 ; www.lakecomo. org ; Piazza Cavour 17 ; 🕑 9h-13h et 14h30-18h lun-sam, et 9h30-13h dim juin-sept) ; InfoPoint (arrêt de bus ; 🕑 10h30-12h30 et 14h30-18h lun et mer-ven, 10h-20h sam, dim et jours fériés) ; InfoPoint (Via Maestri Comacini ; 🕑 10h30-12h30 et 14h30-18h mar-ven, 10h-13h et 14h-18h sam, dim et jours fériés).

À VOIR ET À FAIRE

Côme jouit d'une magnifique situation sur le lac et il est fort agréable de se promener dans ses ruelles piétonnes. On retrouve des éléments architecturaux baroques, gothiques, romans et de style Renaissance dans le **Duomo** (cathédrale ; Piazza del Duomo ; 🕑 7h-12h et 15h-19h). Construite entre le XIVᵉ et le XVIIIᵉ siècle, la cathédrale est couronnée d'une haute coupole octogonale et revêtue de marbre. À côté, le **Broletto** (hôtel de ville médiéval), polychrome, fait figure de simple dépendance de l'église.

Le bâtiment circulaire d'origine de la **Basilica di San Fedele** (Piazza San Fedele ; 🕑 8h-12h et 15h30-19h) du XVIᵉ siècle se compose de trois nefs et trois absides, disposées en trèfle. La rosace du XVIᵉ siècle et les fresques des XVIᵉ et XVIIᵉ siècles ajoutent encore au charme du lieu. Si la façade fut rénovée en 1914, les absides sont d'origine et comportent d'admirables sculptures côté est.

Environ 500 m au sud des remparts, juste après le bouillonnant et plutôt vilain Viale Innocenzo XI, se dresse la remarquable **Basilica di Sant'Abbondio** (Via Regina ; 🕑 8h-18h), une église romane du XIᵉ siècle. Outre sa fière et haute construction et son abside impressionnante décorée à l'extérieur de magnifiques bas-reliefs géométriques bordant les vitraux, l'intérieur de l'abside présente de remarquables fresques retraçant des scènes de la vie du Christ.

Le **Museo Archeologico** (☎ 031 25 25 50 ; Piazza Medaglie d'Oro 1 ; adulte/senior/enfant 3/1,50 €/gratuit ; 🕑 9h30-12h30 et 14h-17h mar-sam, 10h-13h dim) possède d'intéressants vestiges préhistoriques et romains. Un peu plus au sud, vous verrez les **remparts** de la ville, reconstruits en 1162 après avoir été détruits par

les forces milanaises en 1127 (comme tous les bâtiments de la ville, à l'exception des églises). Côme resta soumise à Milan jusqu'à l'arrivée de Barberousse en 1152.

Au bord du lac, le **Tempio Voltiano** (☎ 031 57 47 05 ; Viale Guglielmo Marconi ; adulte/enfant 3 €/entrée libre ; 🕑 10h-12h et 15h-18h mar-dim avr-oct, 10h-12h et 14h-16h nov-mars) date de 1927. Ce temple néoclassique abrite désormais un musée consacré à Alessandro Volta (1745-1827), natif de Côme et inventeur de la pile électrique. Tout près, le **Monumento ai Caduti** (monument aux morts ; Viale Puecher 9) est un exemple classique d'architecture de l'époque fasciste (1931).

Au sud de la vieille ville, le **Museo della Seta** (musée de la soie ; ☎ 031 30 31 80 ; www.museosetacomo. com ; Via Castelnuovo 9 ; adulte/enfant 8/2,60 € ; 🕑 9h-12h et 15h-18h mar-ven) retrace l'histoire locale de l'industrie de la soie. Des outils anciens servant à la teinture et à l'impression sont exposés.

En longeant le lac vers le nord-est, après la Piazza Matteotti et la gare ferroviaire, on parvient au **Funicolare Como-Brunate** (☎ 031 30 36 08 ; www.funicolarecomo.it ; Piazza de Gasperi 4 ; adulte/enfant aller 2,50/1,65 €, aller-retour 4,35/2,75 € ; 🕑 6h-24h mi-sep à mi-sept, jusqu'à 22h30 mi-sept à mi-avr), téléphérique datant de 1894. Le trajet dure 7 minutes jusqu'à **Brunate** (720 m), village paisible jouissant d'un superbe panorama. À **San Maurizio**, à 30 minutes à pied par un ancien chemin muletier pavé assez raide, 143 marches vous mèneront jusqu'au sommet du phare, bâti en 1927 pour le centenaire de la mort d'Alessandro Volta.

L'office du tourisme est une mine d'informations sur les randonnées pédestres et cyclistes.

OÙ SE LOGER

Ostello Villa Olmo (☎ 031 57 38 00 ; ostellocomo@tin.it Via di Bellinzona 6 ; dort petit-déj compris 15 € ; 🕑 réception 7h-10h et 16h-24h, fermé déc-fév ; **P**). Cette auberge de jeunesse, située dans un jardin sur le bord du lac, est voisine d'une villa classée du même nom. Couvre-feu à minuit, mais ambiance sympathique au bar (on ne sert plus d'alcool après 22h). Repas 10 €. L'auberge est à 1 km de la gare ferroviaire principale et à 20 m d'un arrêt de bus (ligne n°1, 6 ou 11).

In Riva al Lago (☎ 031 30 23 33 ; www.inrivaallago. com ; Piazza Matteotti 4 ; s/d sans sdb 38/47 €, s/d avec sdb 45/63 €, app 2 pers à partir de 70 € ; **P**). Juste derrière la gare routière, cet hôtel d'apparence banale loue des chambres simples mais agréables, carrelées et meublées avec goût (certaines dotées de poutres apparentes d'origine).

Quelques appartements sont disponibles et peuvent loger jusqu'à 5 personnes.

Le Stanze del Lago (☎ 339 544 65 15 ; www. stanzedellago.com ; Via Rodari 6 ; app 2/4 pers à partir de 60/90 € ; 🕐). Cinq appartements douillets à la décoration moderne mais discrète, tous avec lit double, canapé-lit, plafond de bois et sol carrelé. Bonne adresse dans le centre de Côme. La cuisine est disponible pour les séjours de 3 jours ou plus.

Albergo del Duca (☎ 031 26 48 59 ; www.albergodelduca.it ; Piazza Mazzini 12 ; s/d 75/120 € ; P 🕐 💻). Sur une place tranquille du centre de Côme, ce bâtiment rénové datant du XVIIᵉ siècle possède une agréable cour intérieure. Les chambres chaleureuses aux parquets de bois donnent sur la place ou la cour.

Locanda Milano (☎ 031 336 50 69 ; www.locandamilano. Via Volta 62, Brunate ; s/d 80/100 € ; P). Montez jusqu'à Brunate pour louer à la Locanda Milano une chambre très calme, dans les tons jaunes et bleus, au-dessus d'un restaurant réputé (repas 45 €).

OÙ SE RESTAURER

Trattoria dei Combattenti (☎ 031 270574 ; Via Balestra 5/9 ; repas 20 € ; 🕐 mer-lun). Installée dans le bâtiment de l'Association des anciens combattants italiens, cette trattoria populaire propose une salle à l'intérieur et une cour ensoleillée devant. Au menu, une cuisine simple mais délicieuse. Essayez les *insalatone* (9 €, grande salade), ou le menu à 14 €.

Osteria del Gallo (☎ 031 27 25 91 ; Via Vitani 16 ; repas 25 € ; 🕐 déj lun-sam). Idéal pour déjeuner. Le menu, qui vous est récité, propose par exemple des raviolis géants à la mozzarella et la tomate en entrée, suivis de filets d'agone, un poisson du lac, légèrement frits.

Ristorante Sociale (☎ 031 26 40 42 ; Via Rodari 6 ; repas 25 € ; 🕐 mer-lun). Une institution locale dont la salle à manger, à l'étage, est dotée d'une cheminée baroque démesurée et de fresques. Le serveur annonce une série de plats du jour, qui changent constamment. La cuisine est classique, du *risotto trevisana* (à la trévisane) aux gigantesque *scaloppine* milanaises (escalopes de veau).

Osteria Angolo del Silenzio (☎ 031 337 21 57 ; Viale Lecco 25 ; repas 35-40 € ; 🕐 déj et dîner mer-dim, dîner mar). Le Coin du Silence est apprécié des habitants pour ses *tagliatelle nere con gamberi e seppie* (tagliatelles noires aux crevettes et à la seiche) et son succulent *petto d'anatra al pepe rosa* (magret de canard au poivre rose), à la présentation originale.

Pour faire vos courses, direction **Granmercato** (Piazza Matteotti 3 ; 🕐 8h30-13h dim-lun, 8h30-13h30 et 15h30-19h30 mar-ven, 8h-19h30 sam) et **Qui C'è** (Via Natta 43 ; 🕐 8h-13h30 et 15h30-20h lun-sam, 9h30-12h30 dim). Pour les fruits, les légumes frais et autres bonnes choses, rendez-vous au **marché** (🕐 8h30-13h mar et jeu, 8h30-19h sam) près de la Porta Torre.

ACHATS

La Tessitura (☎ 031 32 16 66 ; Viale Roosevelt 2 ; 🕐 11h-21h mar-sam). Mantero, l'un des plus grands noms de la soie de Côme, gère cette grande boutique installée dans une ancienne usine (située en périphérie de la ville). Tout ce qu'on peut imprimer et tisser se trouve ici.

Un **marché d'artisanat et d'antiquités** (Piazza di San Fedele ; 🕐 9h-19h sam) occupe la place en face de la basilique.

Rive sud

La route étroite de 32 km qui relie Côme à Bellagio est escarpée, sinueuse, très fréquentée et à flanc de colline. Si vous avez le temps, arrêtez-vous dans les villages qui jalonnent le chemin, mais le plus beau est sans conteste Bellagio, suspendu à son promontoire, là où les bras est et ouest du lac se séparent puis se prolongent vers le sud.

Le cœur du triangle formé par les deux bras du lac et délimité par Côme, Lecco et Bellagio est une zone montagneuse abritant de pittoresques villages peu visités, bien qu'ils offrent de beaux panoramas. Côme et Bellagio sont reliées par un sentier balisé jadis emprunté par les mules et les charrettes. Cette randonnée s'effectue sans problème en deux jours, grâce aux *rifugi* (refuges de montagne) et aux restaurants qui ponctuent l'itinéraire. L'office du tourisme de Côme fournit une description détaillée de ce circuit.

BELLAGIO
3 020 habitants

Avec son dédale d'escaliers de pierre, ses maisons aux volets colorés et les eaux bleues saphir de son port, la "perle du lac" est à la hauteur de sa réputation. Les visiteurs s'y pressent d'ailleurs en haute saison et le week-end, mais, en dehors de ces périodes, le village retrouve sa sérénité. Pour la petite histoire, sachez que Bellagio a donné son nom au célèbre casino de Las Vegas, décor du film *Ocean's 11*.

L'**office du tourisme** (☎ 031 95 02 04 ; Piazza Mazzini ; ◷ 9h-12h30 et 14h30-17h lun, mar et jeu, 9h-13h mer, 9h-13h et 15h-18h ven et sam) de Bellagio, près de l'embarcadère, donne des renseignements sur les sports nautiques, les excursions en VTT et autres activités lacustres. **PromoBellagio** (☎ 031 95 15 55 ; www.bellagiolakecomo.com ; Piazza della Chiesa 14 ; ◷ 9h30-13h lun, 9h30-12h30 et 13h30-16h mer-ven), au sous-sol d'une tour de guet du XIe siècle, dispose également d'informations.

Un accès Internet (ordinateurs et Wi-Fi) est disponible chez **bellagiopoint.com** (☎ 031 95 04 37 ; Salita Plinio 8-12 ; 2 €/15 min 6 €/heure ; ◷ 10h-22h). Le soir, l'endroit fait également bar *aperitivo* et sert de nombreux en-cas.

Les jardins luxuriants de la **villa Serbelloni** (☎ 031 95 15 55 ; Via Garibaldi 8 ; adulte/enfant 6,50/3 € ; ◷ visites guidées 11h et 16h mar-dim avr-oct) couvrent une grande partie du promontoire sur lequel Bellagio s'est étendu. Les visites sont obligatoirement guidées et le nombre de participants limité. Les billets sont vendus 10 minutes à l'avance au **PromoBellagio**.

Les amoureux des jardins pourront aussi admirer ceux de la **Villa Melzi D'Eril** (☎ 339 4573838 ; www.giardinidivillamelzi.it ; Lungo Lario Manzoni ; adulte/enfant 6/4 € ; ◷ 9h-18h avr-oct), construite dans un style néoclassique en 1808 pour un proche de Napoléon. Si vous avez la chance d'y passer au printemps, vous verrez les azalées et les rhododendrons en fleurs.

Où se loger et se restaurer

Étant donné la beauté du cadre, les tarifs sont étonnamment abordables (mais vous trouverez aussi de nombreux endroits luxueux).

Bellagio Bed & Breakfast (☎ 031 95 16 80 ; www.bellagiobedandbreakfast.com ; Salita Mella 38 ; s/d 50/60 € ; ❒ 🍽 🛜). Ces deux petits appartements perchés en haut des marches de pierre d'une ruelle sont une très bonne adresse. Indépendants, avec cuisine et pièce à vivre, ils peuvent accueillir 6 personnes et le prix comprend le ménage et la literie.

Residence La Limonera (☎ 031 95 21 24 ; www.residencelalimonera.com ; Via Bellosio 2 ; app 2 pers 70-100 € ; ❒). Cette élégante villa située dans un ancien jardin de citronniers a été divisée en 11 appartements spacieux et confortablement meublés, certains conçus pour 3 ou 4 personnes.

Albergo Silvio (☎ 031 95 03 22 ; www.bellagiosilvio.com ; Via Carcano 12 ; s/d à partir de 65/85 € ; ◷ mars à mi-nov et semaine de Noël ; 🅿 🍽 ❒ 🛜). Son emplacement, au-dessus du bras occidental du lac de Côme, suffit pour recommander cet établissement, à 1 km seulement du centre de Bellagio. Les 15 € supplémentaires pour la vue sur le lac sont justifiés. On se presse au restaurant du rez-de-chaussée et sur sa terrasse extérieure pour les délicieux poissons du lac et la vue (repas 25 à 30 €).

Hotel Bellagio (☎ 031 95 22 02 ; www.hotelbellagio.it ; Salita Grandi 6 ; s/d 120/160 € ; 🍽). Niché près d'une ruelle au centre du village, ce deux-étoiles de charme loue des chambres aux parquets de bois, modernes et décorées avec goût, et souvent avec vue sur le lac. Petite salle de gym et solarium sur le toit.

Rive ouest

Comme la lumière n'est pas arrêtée par les montagnes, la rive ouest du lac est la plus ensoleillée. C'est pourquoi elle abrite les somptueuses villas des célébrités du football ou du cinéma. Elle s'étend sur 80 km de Côme à Sorico, à l'extrémité nord du lac. Encore plus au nord, on passe la frontière suisse, tandis que vers l'est, s'étend le Trentin Haut-Adige.

DE CERNOBBIO À LENNO

Si *Bellagio* a donné son nom à un casino de Las Vegas, décor du film *Ocean's 11*, certaines des scènes d'*Ocean's 12* ont, elles, été tournées sur le lac de Côme, dans le village de **Cernobbio**, plus exactement dans la Villa Erba datant du XIXe siècle (Largo Luchino Visconti ; fermé au public). Cernobbio abrite aussi l'hôtel le plus prestigieux du lac, la **Villa d'Este** (www.villadeste.it). Mais si une nuit entre 800 et 950 € n'entre pas dans votre budget, vous choisirez le très confortable **Albergo Centrale** (☎ 031 51 14 11 ; www.albergo-centrale.com ; Via Regina 39, Cernobbio ; s/d 85/150 € ; 🅿 🍽 ❒ 🛜). Dans la rue principale de Cernobbio, un peu en retrait du lac, cet établissement dispose d'une terrasse fleurie, d'une cave en brique rouge et d'une taverne où l'on sert des pizzas cuites au feu de bois. Les chambres aux parquets de bois, couleur pastel et hauts plafonds, sont agréables.

Si vous êtes motorisé, suivez la route littoral en contrebas (Via Regina Vecchia), au nord de Cernobbio. Elle longe une succession de somptueuses villas construites au XIXe siècle autour de **Moltrasio**. Le grand couturier Gianni Versace, assassiné en Floride en 1997, est enterré dans le cimetière du village. Sa villa est toujours la propriété de sa famille.

À quelques kilomètres au nord, la route traverse le charmant hameau de **Laglio** (où George Clooney possède d'ailleurs une maison).

MORITZ MANTERO ET SA ROUTE DE LA SOIE

Né en 1946, Moritz Mantero appartient à la troisième génération de Mantero, l'une des plus grandes familles productrices de soie à Côme. Nous l'avons rencontré au siège historique de l'entreprise, situé depuis 1923 sur la Via Volta.

Comment Côme est-elle devenue un grand centre de production de soie ?

Côme était un centre de production de laine, et les filatures avaient également travaillé la soie mais elles avaient essuyé des difficultés financières. L'impératrice Marie Thérèse (1717-1780), face à la détresse de la région du lac de Côme, a exonéré toute la production textile d'impôts dans l'empire austro-hongrois. C'est ainsi qu'est née l'industrie moderne de la soie de Côme.

Il y avait d'autres grandes fabriques de soie en Europe. Comment Côme a-t-elle survécu ?

À Krefeld (Allemagne), il n'y a plus grand-chose. Lyon était plus connue et les Français avaient un grande maîtrise de leur travail. Mais les Italiens sont plus flexibles, et nos coûts étaient plus bas.

Les coûts sont-ils toujours moins élevés ?

Non, mais Côme garde con cap en jouant sur l'innovation et la flexibilité.

Quelle est l'importance de l'industrie de la soie ?

Sur l'ensemble des fibres naturelles et synthétiques consommées dans le monde, la soie ne représente que 0,2%. C'est une niche. Mais à Côme, c'est une niche importante qui emploie un tiers de la main-d'œuvre dans la province (27 000 personnes).

Comment ce chiffre a-t-il évolué avec le temps ?

Il y a dix ans, on comptait environ 40 000 emplois dans ce secteur.

Que s'est-il passé ?

Le premier choc est dû à l'OMC (Organisation mondiale du commerce) et à la libéralisation du commerce de tous les types de textiles.

La Chine est-elle la première concurrente ?

Toute notre soie brute ou partiellement transformée vient depuis longtemps de Chine. Pour les produits finis, les Chinois se concentrent sur la production à grande échelle de produits de moyenne et basse qualité. Nous nous focalisons sur la meilleure qualité, à petite échelle.

Vous vendez vos produits à de grands noms de la mode, mais seules leurs marques apparaissent. La soie de Côme est-elle toujours à son sommet ?

Nous ne serons jamais une cantine universitaire distribuant la nourriture à tour de bras, mais plutôt un restaurant haut de gamme préparant et servant les plats au fur et à mesure des commandes.

Mantero a récemment fusionné avec l'une des quatre grandes soieries de Côme.

Tout le monde a été surpris.

Pourquoi ?

Nous avions toujours été concurrents. C'est comme si les clubs de foot Milan AC et Inter s'associaient. L'intégration s'est faite assez facilement, et la fusion réduira nos coûts fixes.

Les grandes fabriques de soie fusionneront-elles un jour en une seule ?

J'imagine plutôt Ratti (la plus grande entreprise) racheter des entreprises plus petites.

Ces dernières sont-elles nombreuses ?

Il y en a des centaines ! Côme compte la plus grande concentration de studios de design textile au monde, certains gérés par une seule personne.

Le plus gros de la crise de l'industrie est-il passé ? Comment envisagez-vous l'avenir ?

Difficile à dire, mais je suis optimiste. La production des pays occidentaux se réalisera essentiellement sur des secteurs très performants. Les entreprises capables de se renouveler constamment en étant les premières à apporter des changements sur le marché s'en sortiront bien.

Moritz Mantero, président de Mantero

Encore plus au nord, la **Funivia Argegno-Pigra** (☎ 0318 108 44 ; aller/aller-retour 2,50/3,40 € ; ☺ 8h30-12h t 14h30-18h30) d'**Argegno** est le point de départ vers les montagnes. Toutes les 30 minutes, ce téléphérique grimpe en 5 minutes jusqu'au petit village de **Pigra** (860 m). D'ici, la vue est magique. Les plages horaires sont plus restreintes en hiver. À Argegno, la **Locanda Sant'Anna** (☎ 031 82 17 38 ; www.locandasantanna.it ; Via Sant'Anna 152 ; d 100-160 € ; ℗ ✂ ▯) dispose de jolies chambres d'hôte et d'un restaurant rustique.

Plusieurs scènes de *Star Wars : Episode II* et du James Bond *Casino Royale* de 2006 ont été tournées à **Lenno**, dans la **Villa Balbianello** (☎ 0344 5 61 10 ; www.fondoambiente.it ; Via Comoedia 5, Località Balbianello ; villa et jardins adulte/enfant 11/6 €, jardins uniquement adulte/enfant 5/2,50 € ; ☽ 10h-18h mar et jeu-dim mi-mars à mi-nov), construite pour le cardinal Angelo Durini en 1787 et occupée par les forces alliées à la fin de la Seconde Guerre mondiale. C'est l'un des sites les plus extraordinaires du lac de Côme, avec ses jardins se déroulant de part et d'autre du promontoire et le curieux musée d'objets hétéroclites installé dans la villa.

Pour visiter la villa, il faut se joindre obligatoirement à la visite guidée (généralement en italien), qui débute à 16h15. On ne peut parcourir le kilomètre qui sépare l'embarcadère de Lenno de la propriété que le mardi et le week-end ; les autres jours, il faut emprunter un **bateau-taxi** (☎ 333 410 38 54 ; aller-retour 6 €) à Lenno ou à Sala Comacina (quelques kilomètres au sud)

TREMEZZO
1 300 habitants

Au printemps, les jardins botaniques de la **Villa Carlotta** (☎ 0344 40 405 ; www.villacarlotta.it ; Riva Garibaldi ; adulte/senior et étudiant/enfant 8/4 €/gratuit ; ☽ 9h-18h Pâques-sept, 9h-17h mi-mars à Pâques et oct à mi-nov) se parent des couleurs de quelques-uns des plus beaux rhododendrons, azalées et camélias d'Europe, et de celles des orangers qui s'entrecroisent pour former des pergolas. Cet édifice du XVIIe siècle, renfermant des peintures, des sculptures (essentiellement d'Antonio Canova) et des tapisseries, doit son nom à une princesse prussienne qui, en 1847, le reçut de sa mère en cadeau de mariage. Les immenses jardins abritent toutes sortes de plantes, des camélias japonais aux séquoias d'Amérique.

L'**office du tourisme** (☎ 0344 40 493 ; infotremezzo@ tiscalinet.it ; Via Statale Regina ; ☽ 9h-12h et 15h30-18h30 mer-lun avr-oct) de Tremezzo se situe à côté de l'embarcadère.

En continuant à pied vers le sud, vous trouverez facilement l'**Hotel Villa Marie** (☎ 0344 40 427 ; www.hotelvillamarie.com ; Via Regina 30, Tremezzo ; d 95-140 € ; P ☒ ☒), ancienne villa du XIXe siècle qui loue des chambres spacieuses et très lumineuses donnant sur une terrasse dominant le lac de Côme. Les deux suites de style Liberty (Art nouveau) sont dignes d'un vrai musée.

CADENABBIA ET MENAGGIO

Les automobilistes peuvent traverser le lac en ferry à Cadenabbia. Vous pouvez passer la nuit à l'**Alberghetto della Marianna** (☎ 0344 43 095 ; www.la-marianna.com ; Via Regina 57, Cadenabbia di Griante ; s/d 65/95 € ; ☽ mer-lun ; ☒), dont le restaurant accueillant, **La Cucina di Marianna** (☎ 0344 43 111 ; menu 30-45 €, menu enfant 12 € ; ☽ mer-dim), propose des menus originaux au thème renouvelé quotidiennement.

Menaggio (3 260 habitants) se trouve 3 km plus au nord. L'**office du tourisme** (☎ 0344 3 2 24 ; www.menaggio.com ; Piazza Garibaldi 3 ; ☽ 9h-12h30 et 14h30-18h lun-sam, 10h-16h dim avr-oct, 9h-12h30 et 14h30-18h lun, mar et jeu-sam nov-mars) a plusieurs excellentes brochures sur les randonnées pédestres et cyclistes dans la région. À environ 100 m au-dessus de l'embarcadère du ferry de Menaggio, l'hôtel **Ostello La Primula** (☎ 0344 3 23 56 ; www.lakecomohostel.com ; Via IV Novembre 106 ; dort petit-déj compris 16 € ; ☽ réception 8h-10h et 16h-24h mi-mars à début nov ; ☒) comprend 35 lits répartis dans ses chambres avec vue sur le lac et propose des repas (également végétariens) pour 13 €. Location de vélos et kayaks (14,50 €/jour) et terrasse où se relaxer.

LAC DE PIANO (LAGO DI PIANO) ET LAC DE LUGANO (LAGO DI LUGANO)

De Menaggio, on peut accéder au lac de Piano dans le Val Menaggio, une vallée isolée reliant le lac de Côme à celui de Lugano, à cheval sur la frontière suisse. Le petit lac de Piano est une zone protégée appartenant à la **Riserva Naturale Lago di Piano**. Trois sentiers balisés de 4 à 5,3 km font le tour du lac. Le **centre des visiteurs** (☎ 0344 7 49 61 ; www.riservalagodipiano.it ; Via Statale 117, Piano di Porlezza ; ☽ 9h-12h lun, mar et sam, 14h-16h mer mai-oct) sur la rive nord du lac, loue des VTT (2,5 €/heure), des barques (7 €/heure) et organise des visites guidées à pied (5/8 € par personne la demi-journée/journée).

À quelques kilomètres à l'est du lac de Piano s'étend le lac de Lugano. Côté italien, la plus grande ville est **Porlezza** (4 470 habitants), d'où partent des ferries pour Lugano en Suisse.

À l'est de la réserve, quelques terrains de camping sont indiqués à partir de la route Menaggio-Porlezza-Lugano.

ALTO LARIO

Au nord de Menaggio, la route qui longe la rive occidentale du lac de Côme s'élargit un peu et devient moins vallonnée, ce qui permet à l'automobiliste d'apprécier la vue spectaculaire

Cette partie septentrionale du lac est connue sous le nom d'Alto Lario (ou haut Lario, Lario étant l'autre nom du lac de Côme).

Les adeptes de sports aquatiques ont tout intérêt à faire une halte à **Gravedona** (2 750 habitants). Parmi les multiples hôtels de la ville, citons l'**Hotel Regina** (☎ 0344 8 94 46 ; www.regina hotels.it ; Via Regina Levante 18 ; s 65-100 €, d 100-140 € ; **P** **⊠** **⊛**). Face à la plage, il dispose de multiples équipements sportifs dont une salle de gym et des VTT pour explorer les montagnes environnantes. Solarium et douche de courtoisie pour les hôtes quittant l'hôtel tard dans la journée.

Les offices du tourisme autour du lac donnent une liste des campings de la région et informent sur la pratique de la voile, de la planche à voile, du kitesurf et du ski nautique.

Rive est

La rive est du lac de Côme est la moins visitée. Elle est pourtant émaillée de charmants villages. Si vous êtes motorisé, quittez la route principale et prenez la SS36 au sud de **Colico** en direction de Lecco.

À environ 3 km au sud de Colico, l'**Abbazia di Piona** (☎ 0341 94 03 31 ; www.cistercensi.info/piona ; **⊗** 7h-19h), une abbaye cistercienne, offre une oasis de tranquillité. À partir de la SS36, suivez sur 2 km la route étroite dont le dernier tronçon est pavé.

VARENNA

850 habitants

Le joli village de Varenna, à 13 km au sud de l'Abbazia di Piona, est célèbre pour ses rues pavées, son château en hauteur et ses nombreuses villas.

L'**office du tourisme** (☎ 0341 83 03 67 ; www. varennaitaly.com ; Via del IV Novembre 7 ; **⊗** 10h-12h30 et 15h-17h30 mar-sam, 10h-12h30 dim avr-sept, 10h-17h sam oct-mars) donne toutes sortes de renseignements sur la rive est du lac.

Les jardins de la **Villa Monastero** (☎ 0341 29 54 50 ; www.villamonastero.eu ; Via IV Novembre ; adulte/senior/ enfant 7-13 ans/moins de 7 ans 4/2/1 €/gratuit ; **⊗** jardins 9h-18h tlj, villa 9h-13h et 14h-18h sam, dim et jours fériés mars-oct), un ancien monastère reconverti en résidence privée au XVIIe siècle, et de la **Villa Cipressi** (☎ 0341 83 01 13 ; Via IV Novembre 22 ; adulte/ enfant 3/1,50 € ; **⊗** 9h-19h mars-oct) possèdent des magnolias, camélias et yuccas, entre autres merveilles végétales. Pour arriver aux villas depuis le Piazzale Martiri della Libertà, près de la jetée, suivez l'étroite **promenade en bordure du lac**, puis montez les marches à gauche (dans les terres) jusqu'à la Piazza San Giorgio, la place du village. De là, les deux villas sont indiquées par des panneaux. Montez à pied (marche raide de 30 minutes) ou en voiture (3 km) jusqu'à **Vezio**, pour une vue vertigineuse sur Varenna depuis les ruines du **Castello di Vezio** (☎ 348 824 25 04 ; www.castellodivezio.it ; 4 € ; **⊗** 10h-18h).

Les chambres blanchies à la chaux de l'**Albergo del Sole** (☎ 0341 81 52 18 ; www.albergodelsole.lc.it ; Piazza San Giorgio 21 ; s/d 85/120 € ; **⊠**), reconnaissable à ses volets bleus, ont des parquets de bois ciré et s'inspirent des bateaux à vapeur du lac. Bon restaurant. Sur le lac, **Vecchia Varenna** (☎ 0341 83 07 93 ; www.vecchiavarenna.it ; Contrada Scoscesa 10, Varenna ; repas 40-45 € ; **⊗** mar-dim fév-déc) concocte du risotto aux poires et fromage taleggio, ou encore des poissons du lac, des magrets de canard et une *tagliata di struzzo con radicchio e noci* (steak d'autruche à la chicorée et aux noix).

LECCO ET SES ENVIRONS

47 330 habitants

Les jolies berges de Lecco mènent à plusieurs piazzas (peu de choses à voir cependant), et il est possible en hiver de **skier** sur les montagnes voisines. Renseinements auprès de l'**office du tourisme** (☎ 0341 29 57 20 ; www.turismo.provincia.lecco. it ; Via Nazario Sauro 6 ; **⊗** 9h-13h et 15h-18h mi-mars à mi-oct, 9h-13h et 14h30-17h lun-sam mi-oct à mi-mars) de Lecco. Le forfait journalier coûte 28 €.

Depuis Lecco, on rejoint aisément Bergame, au sud-est, en train (2,75 €, 45 minutes).

LAC D'ISEO (LAGO D'ISEO)

Situé à moins de 100 km de Bergame et de Brescia, le lac d'Iseo (ou Sebino) est l'un des moins connus de tous les lacs de Lombardie. Cerné de montagnes, c'est une pure splendeur. En son centre, une autre montagne surgit des eaux pour former une île.

À l'exception de la rive sud et d'une série de tunnels à l'extrémité nord-est du lac, la route longe les berges, et la vue est particulièrement belle au sud de Lovere. Consultez le site www. lagodiseo.org pour plus de détails.

Si vous arrivez au lac d'Iseo depuis le sud-ouest, vous passerez par **Sarnico** (6 230 habitants). Avec ses charmantes villas de style Art nouveau, ses quelques hôtels et ses restaurants, cette petite ville est idéalement située sur la rive nord de la rivière Oglio, à l'endroit où elle se jette dans le lac. Pour tout renseignement, direction **Pro Loco Sarnico** (☎ 035 4 20 80 ;

www.prolocosarnico.it ; Via Lantieri 6 ; 9h30-12h30 et 15h-18h30 mar-sam, 9h30-12h30 dim). Quatre B&B jalonnent la Via Lantieri, à deux pas de la rivière. **B&B Borgo dei Lantieri** (035 91 40 76 ; www. borgodeilantieri.it ; Via Lantieri 31 ; s/d 35/65 €) possède quelques chambres, une jolie cour verdoyante et une terrasse ensoleillée. À la **Taverna Enoteca Lantieri** (035 91 44 77 ; Via Lantieri 53 ; repas 10-15 € ; mer-lun), on déguste de délicieux fromages (le bagoss par exemple, fromage de montagne lombard au lait de chèvre), des plateaux de viande, de la *bruschetta* et autres en-cas, le tout arrosé de bon vin local.

À 12 km plus à l'est, le long de la rive sud bordée de terrains de camping, la principale ville, **Iseo** (9 060 habitants) est plutôt agréable, avec sa charmante promenade en bord de lac et sa plage publique où louer canoës et pédalos. Au sud s'étend une zone marécageuse sur 2 km, la **Riserva Naturale Torbiere del Sebino** (www.torbiere.it), créée sur des tourbières du XVIIIᵉ siècle. À la fin du printemps, les plans d'eau se couvrent de nénuphars. Malgré le sentier pédestre, s'aventurer ici est un peu hasardeux.

L'**office du tourisme** (030 98 02 09 ; Lungolago Marconi 2 ; 10h-12h30 et 15h30-18h30 Pâques-sept, 10h-12h30 et 15h-18h lun-ven, 10h-12h30 sam oct-Pâques) vous renseignera sur les nombreuses possibilités de randonnée autour du lac et dans les terres, et dispose d'une liste des campings.

L'**Hotel Milano** (030 98 04 49 ; www.hotelmilano. info ; Lungolargo Marconi 4 ; s/d 50/90 € ;) est l'un des deux seuls hôtels du centre d'Iseo, situé sur les rives du lac. Les tarifs indiqués sont ceux des chambres avec vue sur le lac et une place de choix pour admirer le soleil se coucher derrière les montagnes. Restaurant.

D'Iseo, vous pourrez prendre un bateau vers **Monte Isola** (www.monteisola.com), la plus grande île lacustre d'Europe (5 km²). Seuls le médecin, la police et le prêtre ont le droit de circuler en voiture sur l'île, afin de préserver le calme du village de pêcheurs. Vous pourrez parcourir à pied ou à vélo le sentier de 15 km qui fait le tour de l'île, voire planter votre tente sur un terrain de camping rudimentaire, le **Campeggio Monte Isola** (030 982 52 21 ; Via Croce 144 ; 10 € pour une personne et sa tente). Les bateaux arrivent sur l'île depuis plusieurs endroits, dont Iseo, mais les traversées les plus fréquentes et les plus rapides vont de Sale Marasino à Carzano ou de Sulzano à Peschiera, toutes deux sur la rive est (3,10 € aller-retour, 10 min, ttes les 30 min).

La région vallonnée de la **Franciacorta**, qui produit l'excellent cru du même nom, s'étend au sud du lac d'Iseo et à l'est jusqu'à Brescia. L'office du tourisme d'Iseo dispose de plusieurs brochures sur la région, qui se prête à de belles balades en voiture ou à vélo au milieu des vignobles et des villages. Vous croiserez en cours de route quelques manoirs, châteaux, églises romanes et bons restaurants.

Accrochée à l'extrémité nord-ouest du lac, la ville portuaire de **Lovere** (5 410 habitants) possède un centre historique un peu confus et donne accès à de nombreux sentiers de randonnée dans les collines. Les rues pavées de la vieille ville longent le port et une très belle promenade ombragée borde le lac. Sur la colline située à l'ouest du port, l'auberge de jeunesse **Ostello del Porto** (035 983 52 90 ; http://ostellodelporto.interfree.it ; Via Paglia 70 ; dort/s/d 17/35/42 € ; mi-mars à oct ;) est installée dans un ancien centre de réunion des ouvriers qui faisait partie autrefois d'une usine métallurgique (on y accède par une étroite rampe depuis la route). Les chambres avec sdb donnent toutes sur le lac. Les villages voisins de **Bossico** et **Esmate**, accessibles rapidement en voiture, offrent des points de vue fantastiques sur le lac.

Au nord du lac d'Iseo, la **Valle Camonica** s'étend vers l'immense **Parco dell'Adamello** et, plus au nord, vers le **Parco Nazionale dello Stelvio** (p. 336). Cette région, qui longe le Trentin Haut-Adige, constitue la plus belle partie des Alpes lombardes. Les deux parcs nationaux, dotés de refuges, sont le paradis des randonneurs.

À mi-chemin environ entre Darfo et Edolo à Capo di Ponte, le **Parco Nazionale delle Incisioni Rupestri** (0364 4 21 40 ; www.arterupestre.it ; Località Naquane ; adulte/enfant/senior 4/2 €/gratuit ; 9h-19h30 mar-dim mai-sept, 9h jusqu'à 1h avant la nuit oct-avr) est un musée en plein air : 30 ha accueillant un ensemble représentatif de gravures rupestres remontant à l'âge du bronze. Une grande église romane des XIᵉ et XIIᵉ siècles, la **Pieve di San Siro** (15h-18h sam-lun), est aussi perchée sur une corniche au-dessus de la rivière Oglio.

La région au nord d'Edolo est jalonnée de **domaines skiables**, en particulier près de Ponte di Legno, au nord de la vallée, et dans le Passo de Tonale. L'office du tourisme de Brescia (voir p. 286) vous renseignera sur les randonnées, le camping et les refuges.

La vallée compte plusieurs offices de tourisme, dont la **Pro Loco** (0364 4 20 80 ; www. proloco.capo-di-ponte.bs.it ; Via Briscioli 42 ; 9h-12h et 14h30-16h30 mar-sam, 9h30-12h30 dim, lun et jours fériés) à Capo di Ponte.

COMMENT S'Y RENDRE ET CIRCULER

Les bus **SAB** (☎ 035 28 90 00 ; www.sab-autoservizi.it) assurent fréquemment la liaison entre Sarnico et Bergame (2,80 € ; 50 min), et des trains relient Iseo à Brescia (2,85 €, 30 min, 1 par heure), d'où on peut ensuite prendre une correspondance pour Bergame.

Les ferries **Navigazione sul Lago d'Iseo** (☎ 035 97 14 83 ; www.navigazionelagoiseo.it) effectuent jusqu'à huit rotations par jour entre Sarnico, Iseo, Monte Isola, Lovere et Pisogne (du sud au nord), auxquels s'ajoutent quelques arrêts moins importants. Allers simples : 1,90 à 5,75 €. Liaisons beaucoup moins fréquentes l'hiver.

LAC DE GARDE (LAGO DI GARDA)

Véritable terrain de jeux pour les Italiens de tout âge, le lac de Garde s'étend sur 370 km². Au sud-ouest, **Desenzano del Garda**, ou *porta del lago* (porte du lac), est très bien desservie par de multiples moyens de transport permettant de relier les rives du lac à l'arrière-pays. Au centre de la côte méridionale, au bout d'une péninsule, se niche la charmant ville de **Sirmione**. La partie sud-est du lac compte deux parcs d'attractions qui plaisent beaucoup aux enfants.

Le lac de Garde devient le paradis des véliplanchistes lorsque souffle l'*ora* (vent du sud) ou le *peler* (vent du nord). Au fur et à mesure que l'on se rapproche du village fleuri de **Gardone Riviera** et que l'on monte en altitude, le lac devient de plus en plus étroit. En face, sur la rive est, un téléphérique passe au-dessus de **Malcesine** pour atteindre le **Monte Baldo** (2 200 m), d'où partent de nombreux chemins de randonnées à VTT. En hiver, ces mêmes pentes se descendent à ski. À la pointe nord, près de **Riva del Garda**, des escarpements prodigieux s'avancent vers le lac, à qui ils confèrent des airs de fjord.

Le lac de Garde est un centre touristique particulièrement développé en raison de la multitude d'activités de loisir que l'on peut y pratiquer. Malgré la pléthore d'hébergements, il est donc recommandé de réserver.

COMMENT S'Y RENDRE ET CIRCULER

Au départ de la gare ferroviaire de Desenzano del Garda, les bus de l'**APTV** (☎ 045 805 79 11 ; www.aptv.it en italien) desservent Riva del Garda (2 heures, jusqu'à 6/jour) sur la rive occidentale. La gare ferroviaire de Peschiera del Garda (à 10 km au sud-est de Sirmione) est située sur la ligne de bus APTV Riva del Garda-Malcesine-Garda-Vérone. Les bus

se rendent toutes les heures à Riva (3,80 €, 1 heure 40) et Vérone (2,80 €, 30 min). Ils circulent aussi entre Peschiera del Garda et Mantoue (1 heure 15, jusqu'à 8/jour). La ligne de bus Riva del Garda-Milan (3 heures 45, 3/jour), exploitée par la **Società Italiana Autoservizi** (SIA ; ☎ 030 377 42 37 ; www.sia-autoservizi.it), fait aussi la liaison entre la rive occidentale et Brescia.

Toutes les heures, les bus de **Trentino Trasporti** (☎ 0461 821 000 ; www.ttesercizio.it) relient Riva del Garda et Arco (20 min), Rovereto (45 min) et Trento (1 heure 45).

Les deux gares ferroviaires desservant le lac, Desenzano del Garda et Peschiera del Garda, se situent sur la ligne Milan-Venise. La plupart des trains s'arrêtent à l'une ou l'autre de ces deux gares, dans les deux directions.

Les ferries **Navigazione sul Lago di Garda** (☎ 800 551801 ; www.navigazionelaghi.it ; Piazza Matteotti 2, Desenzano del Garda) assurent de nombreuses navettes toute l'année. Les passagers avec véhicule peuvent traverser le lac grâce au ferry qui relie Toscolano-Maderno (sur la rive ouest) à Torri del Benaco (sur la rive est) ; en saison, un autre bâtiment relie Limone (à 11 km au sud de Riva del Garda, sur la rive ouest) à Malcesine (à 15 km au sud de Riva, sur la rive est). L'aller (comprenant le changement de ferry si nécessaire) coûte jusqu'à 11,30/6,50 € (adulte/enfant), par exemple depuis Peschiera jusqu'à Riva del Garda. Un ticket à la journée permettant un nombre illimité de trajets coûte 25,80/13,40 € (adulte/enfant).

Desenzano del Garda
26 610 habitants

Desenzano del Garda est au cœur du réseau de transports qui dessert le lac. Plus résidentielle que les autres villes du lac, elle attire moins de touristes que ses voisines. Elle est certes moins pittoresque, mais reste animée tout au long de l'année et ne croule pas sous le flot saisonnier des touristes. En outre, le vieux port et le centre historique valent le détour. Pour tout renseignement, contactez l'**office du tourisme** (☎ 030 374 99 90 ; Via Porto Vecchio 34 ; ◷ 10h-12h30 et 15-18h lun-ven, 10h-12h30 sam).

Les pieds dans l'eau, tout près de la principale plage de Desenzano, l'**Hotel Europa** (☎ 030 914 23 33 ; www.desenzano.com ; Lungolago Battisti 71 ; s/d 62/104 € ; ⊠ ▯) est un établissement moderne et agréable, tout comme son restaurant.

La vie nocturne de Desenzano est très animée en été, avec nombre de bars et de discothèques éparpillés dans toute la ville.

Sirmione

7 830 habitants

Cette ravissante petite ville est située à 9 km au nord-est de Desenzano, dans la partie sud du lac de Garde. Elle occupe l'extrémité d'une étroite péninsule qui s'avance dans les eaux. Sirmione est parvenue à conserver son charme et son caractère malgré les touristes qui affluent par milliers en pleine saison. L'entrée de cet îlot est protégé par un **château** (Castello Scaligero ; ☎ 030 91 64 68 ; adulte/enfant 4/2 € ; ☼ 9h-12h30 et 15-18h lun-ven, 9h-12h30 sam), construit en 1250 par les seigneurs de Vérone, les Scaligeri. L'intérieur n'a rien d'exceptionnel, mais la vue est magnifique du haut de la tour.

L'**office du tourisme** (☎ 030 91 61 14 ; Viale Marconi 6 ; ☼ 9h-21h Pâques-oct, 9h-12h30 et 15h-18h lun-ven, 9h-12h30 sam nov-Pâques) jouxte une banque et la gare routière. Les véhicules sont interdits au-delà de ce point, sauf pour les clients ayant réservé dans un hôtel de la presqu'île. (De toute façon, la rue principale est toujours noire de monde et il est très difficile de s'y frayer un chemin en voiture.)

Au départ de la **jetée** proche du château, des bateaux effectuent différents circuits sur le lac, souvent coûteux. Les propriétaires organisent aussi toutes sortes d'activités aquatiques.

Au nord du petit centre où se regroupent boutiques et restaurants, se trouvent les bassins couverts ou en plein air des **Terme di Sirmione** (☎ 030 990 49 22 ; www.termedisirmione. com ; Piazza Virgilio 1 ; entrée lun-ven pour 5h max 29 €, pass journée à partir de 36 € ; ☼ 14h-22h lun, 10h-22h mar-dim, jusqu'à minuit jeu). Les sources chaudes découvertes dans les années 1800 au large de Sirmione permettent de conserver à 37°C la température de l'eau. Possibilité de massage et autres soins ; bassins accessibles aux personnes en fauteuil roulant. Réservation indispensable. Le soir, l'entrée (16h-24h) coûte 39 € et inclut un cocktail.

À l'extrémité nord de la péninsule s'étend un dédale de ruines romaines baptisé **Grotte di Catullo** (☎ 030 91 61 57 ; adulte/enfant 4 €/gratuit ; ☼ 8h30-19h mar-sam, jusqu'à 17h dim mars-sept, 8h30-17h mar-dim oct-fév). Contrairement à ce qu'indique son nom, il ne s'agit pas d'une grotte (les découvreurs de ces ruines crurent qu'il s'agissait d'une caverne en raison de la végétation qui les recouvrait). En fait, c'est la plus grande villa romaine découverte dans le nord de l'Italie, et elle remonte à la fin du Ier siècle av. J.-C.

OÙ SE LOGER ET SE RESTAURER

Sirmione compte un nombre étonnamment élevé d'hôtels (la plupart ferment de fin octobre à mars) ainsi que quatre terrains de camping à proximité. L'office du tourisme conseille également d'autres campings autour du lac.

Pizzerias, glaciers et restaurants se partagent la Piazza Carducci et la rue principale. D'autres établissements plein de charme sont nichés dans les rues adjacentes qui mènent au lac de chaque côté de la péninsule.

Camping Sirmione (☎ 030 91 90 45 ; www.camping-sirmione.com ; Via Sirmioncino 9, Colombane ; camping 2 pers voiture et tente 36 € ; ☼ fin mars-début oct ; ℗ ☕). Un terrain agréable et bien entretenu, à l'entrée de la péninsule (à 2,5 km du château), qui dispose aussi de bungalows modernes bien conçus (113 €, jusqu'à 4 pers), d'un restaurant, d'une boutique et d'une école de ski nautique.

♡ Hotel Marconi (☎ 030 91 60 07 ; www.hotelmarconi info ; Via Vittorio Emanuele II 51 ; s 40-65 €, d 65-110 € ; ℗ ☕). Même si un café vous suffit le matin, vous ne résisterez pas aux gâteaux et aux tartes préparés par la famille qui gère cet élégant hôtel. Les chambres sont impeccables et il est si agréable de se détendre à l'ombre des parasols sur la jetée en bois qui s'avance sur le lac.

Hotel Catullo (☎ 030 990 58 11 ; www.hotelcatullo.it Piazza Flaminia 7 ; d jusqu'à 140 € ; ☕). Datant de 1888, le Catullo (nommé d'après Catulle, un poète romain qui habitait la région) compte parmi les plus anciens de Sirmione. Très bien placé en bordure du lac, et entouré d'un ravissant jardin, il propose des chambres modernes (celles donnant sur le lac et bénéficiant d'une touche décorative plus classique coûtent 10 € de plus). Possibilité de pension et demi-pension.

Antica Trattoria La Speranzina (☎ 030 990 62 92 Via Dante 16 ; repas 60-65 € ; ☼ mar-dim). Cette trattoria authentique est bien loin de l'agitation touristique. On y déjeune près du lac, sur une terrasse ombragée par des oliviers.

Parcs de loisirs du lac de Garde

Dinosaures plus vrais que nature, bateaux de pirates, montagnes russes et dauphins : voici les attractions, surtout destinées aux enfants, que l'on trouve sur la rive est du lac, dans le parc de loisirs de **Gardaland** (☎ 045 644 97 77 www.gardaland.it ; adulte/enfant 35/29 € ; ☼ 9h-23h mi-jui à mi-sept, 10h-18h avr à mi-juin et 2 dernières semaines de sept, 10h-18h sam et dim, juin, déc et début jan).

Au nord, **CanevaWorld** (☎ 045 696 99 00 www.canevaworld.com ; Via Fossalta 1) comprend deux parcs à thème. **Aquaparadise** (adulte/enfant 23/18 €

☾ 10h-19h juil et août, 10h-18h mi-mai à juin et sept) est un parc aquatique, tandis que **Movieland** (adulte/enfant 23/18 € ; ☾ 10h-19h dim-ven, jusqu'à 23h sam juil et août, 10h-18h tlj Pâques-juin et sept, 10h-18h sam et dim oct) propose un large choix de spectacles pleins d'action. Les heures d'ouverture pouvant varier durant l'année, mieux vaut consulter le site Internet. Le soir, assistez à un **spectacle médiéval** (dîner et spectacle adulte/enfant 28/20 € ; ☾ avr-sept) incluant un banquet.

Des bus gratuits font la navette entre la gare ferroviaire de Peschiera del Garda et les deux parcs (2 km).

Gardone Riviera et ses environs
2 710 habitants

En partant de Desenzano del Garda, si vous prenez la direction du nord sur la rive ouest du lac de Garde, vous arriverez à **Salò** (10 420 habitants), une jolie petite ville nichée dans une crique, qui donna son nom à la république fantoche instaurée par Mussolini en 1943, après que le dictateur, arrêté et emprisonné dans le sud, eut été sauvé par les nazis.

Toujours plus au nord, à l'extrémité d'un petit îlot, se tient Gardone Riviera, autrefois l'un des lieux de villégiature les plus chics du lac. Le village est ceint de montagnes et ses jardins sont remplis de magnolias, palmiers, jasmins, cèdres et cyprès.

L'**office du tourisme** (☎ 0365 374 87 36 ; Corso della Repubblica 8 ; ☾ 9h-12h30 et 14h15-18h lun-sam) est une mine d'informations sur les activités et hébergements autour du lac.

La splendeur passée de Gardone Riviera est toujours visible au **Vittoriale degli Italiani** (☎ 0365 29 65 11 ; www.vittoriale.it ; Piazza Vittoriale ; jardins de la propriété : adulte/enfant 7/5 €, Il Vittoriale et le Museo della Guerra 12/8 €, Il Vittoriale, Museo della Guerra et Casa di d'Annunzio 16/12 € ; ☾ Casa di D'Annunzio 9h30-19h avr-sept, 9h-13h et 14h-17h oct-mars, fermé le lun ; Museo della Guerra 9h30-19h avr-sept, 9h-13h et 14h-17h oct-mars, fermé le mer ; jardins 8h30-20h avr-sept, 9h-7h oct-mars). Cette magnifique propriété appartenait au poète ultranationaliste Gabriele D'Annunzio (1863-1938), qui emménagea ici en 1922 afin, selon ses dires, d'échapper au monde qui le rendait malade. Toutes les visites de la maison sont guidées (en italien seulement, 25 min, départ ttes les 10 min). Le **Museo della Guerra** présente les faits d'armes de D'Annunzio au cours de la Première Guerre mondiale. En juillet-août, des concerts classiques, des ballets, des pièces de théâtre et des opéras se tiennent dans le **théâtre en plein air** (☎ 0365 29 65 19) du parc.

Le **Giardino Botanico Fondazione André Heller** (☎ 336 41 08 77 ; www.hellergarden.com ; Via Roma 2 ; adulte/enfant 9/5 € ; ☾ 9h-19h mars-oct), ouvert en 1900 et reaménagé à la fin des années 1990 par l'artiste multimédia André Heller, expose des sculptures de Keith Haring et Roy Lichtenstein parmi quelque 8 000 espèces de plantes.

Locanda Agli Angeli (☎ 0365 2 09 91; www.agliangeli.com; Via Dosso 7; s 70 €, d 90-150 € ; **P**), auberge biscornue à 5 minutes à peine du Vittoriale, loue quelques chambres, certaines avec poutres apparentes et climatisation.

C'est dans la charmante ville portuaire de **Gargnano** (3 070 habitants), à 12 km au nord de Gardone, juste après l'embarcadère des ferries pour voitures de Toscolano-Maderno, que résida Mussolini pendant la courte existence de sa Repubblica Sociale Italiana (république de Salò). La régate la plus prisée du lac, la **Centomiglia**, prend son départ à proximité, chaque année en septembre.

Malcesine
3 640 habitants

Sur la rive orientale du lac, Malcesine est une petite ville prisée des amateurs de planche à voile. Son centre aux rues pavées est dominé par le **Castello e Museo Scaligero** (☎ 045 740 08 37 ; Via Castello ; adulte/enfant 5/1 € ; ☾ 9h30-19h avr-oct, 11h-16h sam, dim et jours fériés nov-mars). L'édifice abrite un musée d'histoire naturelle ainsi qu'une collection d'ouvrages de Goethe, qui a immortalisé le château dans ses écrits. Du haut de la tour, la vue est fabuleuse.

D'autres vues imprenables sur le lac défilent durant le trajet de 10 minutes de la **Funivia Malcesine-Monte Baldo** (☎ 045 740 02 06 ; www.funiviedelbaldo.it ; adulte aller-retour 17 €, forfait ski adulte/enfant 18/14 €, départ ttes les 30 min ; ☾ 8h-18h45 mi-mars à nov, 8h-16h45 déc-fév), un téléphérique aux cabines de verre rotatives. L'**office du tourisme** (☎ 045 740 00 44 ; www.malcesinepiu.it ; Via Capitanato 6 ; ☾ 9h30-12h30 et 15h-18h lun-sam 9h30-12h30 dim) de Malcesine vous renseignera sur les sentiers et les cartes. L'hiver, on skie sur les pentes du Monte Baldo.

Les olives récoltées près de Malcesine sont pressées au **Consorzio Olivicoltori di Malcesine** (☎ 045 740 12 86 ; www.oliomalcesine.com ; Via Navene) et transformées en huile extra-vierge.

Couleur pêche, l'**Albergo Aurora** (☎ 045 740 01 14 ; www.aurora-malcesine.com ; Piazza Matteotti 10 ; d 50 € ; **P**) est une bonne auberge familiale dans le centre du village. Chambres propres aux parquets de bois. Petit-déjeuner (7 €/pers) servi sur demande ou demi-pension (43 €/pers).

Nago-Torbole

2 650 habitants

Décrit par Goethe comme "une merveille de la nature, un spectacle enchanteur", le *comune* (cité-État) de Nago-Torbole, à 15 km au nord de Malcesine, a su conserver le charme d'un village de pêcheurs.

L'**office du tourisme** (☎ 0464 50 51 77 ; www.gardatrentino.it ; Via Lungolago Verona 19 ; ⏱ 9h-19h lun-sam, 9h-13het 15h-19h dim mai-sept, 10h-13h et 14h-17h30 lun et mer-sam avr, oct et nov) de Torbole possède une liste des écoles de planche à voile, distribue des cartes gratuites de VTT et de randonnée et renseigne sur les hébergements.

La localité se prête à des promenades fort agréables, mais la plupart des visiteurs y viennent pour les sports nautiques. En été, Torbole accueille diverses compétitions de voile et de planche à voile.

Débutants et pros peuvent s'inscrire au **Marco Segnana Surf Center** (☎ 0464 50 59 63 ; www.surfsegnana.it ; Foci del Sarca), installé au Lido di Torbole et sur la plage de Porfina, à Riva del Garda. Ce centre loue des planches et donne des cours (3 heures débutants/confirmés 59/68 € ; location de planches 18/42 € par heure/jour). Il loue aussi des catamarans (39/89 € par heure/demi-journée), des kayaks et des vélos.

La **Residence Garnì Torbole** (☎ 0464 50 52 16 ; www.hotel torbole.it ; Via Lungolago Verona 47 ; d 84-100 € ; **P**) présente l'un des meilleurs rapports qualité/prix. La plupart de ses chambres spacieuses et de ses appartements disposent d'un balcon avec vue sur le lac

Le restaurant le plus chaleureux est le **Ristorante Al Forte Alto** (☎ 0464 50 55 66 ; Via Castel Pedede 16, Nago ; 5 plats 30 € ; ⏱ dîner tlj, déj sam et dim), qui sert une excellente cuisine typique du Trentin dans une ancienne forteresse de 1860, tout près du centre de Torbole.

Riva del Garda

15 610 habitants

Enserrée sur une étroite bande de terre entre le lac et le versant de la montagne, Riva del Garda s'étend à cheval sur la frontière entre la Lombardie et la région alpine du Trentin Haut-Adige.

Comme ses voisines Malcesine et Torbole, Riva constitue un site privilégié pour les véliplanchistes. Ses écoles dispensent des cours et louent des équipements.

Le principal **office du tourisme** (☎ 0464 55 44 44 ; www.gardatrentino.it ; Largo Medaglie d'Oro ; ⏱ 9h-19h mai-sept, jusqu'à 18h oct-avr) et son **kiosque** (☎ 0464 55 07 76 ; Lungolago d'Annunzio 4c ; ⏱ 10h-17h30 ven-mer avr-oct), surplombant la Piazza Catena où accostent les bateaux, ont une liste de ces écoles. On vous renseignera également sur les activités (escalade et parapente, notamment) ou encore sur les dégustations de vins et les brocantes.

À VOIR ET À FAIRE

La meilleure raison de visiter les expositions d'histoire locale du **Museo Civico** (☎ 0464 57 38 69 ; Piazza Cesare Battisti 3 ; adulte/enfant 2/1,50 € ; ⏱ 10h30-12h30 et 13h30-18h mar-dim avr-nov) est le château qui l'abrite : Rocca di Riva, édifié en 1124 au bord de l'eau. La **Torre Apponale** (adulte/enfant 1 €/entrée libre), juste à côté, est une tour de 34 m datant du XIIIe siècle. N'hésitez pas à monter tout en haut afin d'admirer la vue magnifique sur le lac et les montagnes. Une girouette en forme d'ange couronne l'édifice.

Une agréable promenade de 3 km (45 min) au nord de la ville conduit à la **Cascata del Varone** (☎ 0464 52 14 21 ; www.cascata-varone.com ; 5 € ; ⏱ 9h-19h mai-août, jusqu'à 18h avr et sept, jusqu'à 17h mars et oct, 10h-19h dim et jours fériés nov). Haute de 100 m, elle est alimentée par le lac de Tenno, minuscule étendue d'eau au nord-ouest du lac de Garde.

Riva constitue un bon point de départ pour les randonnées à pied ou à VTT sur les sentiers du **Monte Rocchetta** (1 575 m), qui surplombe la partie nord du lac. Au sud de la ville, une longue plage de galets borde un grand parc.

OÙ SE LOGER ET SE RESTAURER

Campeggio Bavaria (☎ 0464 55 25 24 ; www.bavaria.net.it ; Viale Rovereto 100 ; camping 2 pers, voiture et tente 34 € ; **P**). Quatre terrains de camping sont installés sur les rives de Riva. Celui-ci, qui fait partie du Marco Segnana Surf Center (voir ci-contre), attire les véliplanchistes et vététistes.

Ostello Benacus (☎ 0464 55 49 11 ; www.ostelloriva.com ; Piazza Cavour 10 ; dort/d 16/40 € ; ⏱ réception 7h-9h et 15h-23h avr-oct ; **P** 💻). L'auberge de jeunesse de Riva est située à quelques pas de la principale place du centre-ville et du lac. Elle a son propre parking et sert des repas pour 10 €. Les horaires d'ouverture de la réception étant irréguliers, mieux vaut les prévenir de votre arrivée si vous ne voulez pas attendre.

Hotel Giardino Verdi (☎ 0464 55 25 16 ; www.giardinoverdi.com ; Piazza Giardino Verdi 4 ; s/d 66/122 € ; **P** 🍴 💻 🛜). Ce trois-étoiles dispose de chambres certes petites (sdb minuscules), mais très modernes, claires et blanches, et dotées de balcons donnant sur une place tranquille. La terrasse, devant l'hôtel, est l'endroit idéal pour goûter la cuisine régionale. La salle à l'intérieur, aux tissus damassés, est très chic (repas 35-40 €). Les enfants sont bien reçus.

Hotel Sole (☎ 0464 55 26 86 ; www.hotelsole.net ; Piazza 3 Novembre 35 ; d 106-160 € ; ⏰ mars-oct ; **P** 🍴 🛜). Cet élégant hôtel tout doré, qui accueillit Nietzsche, est une véritable institution de Riva. La plupart des chambres, un peu fanées mais agréables, disposent d'un balcon.

Riva ne manque pas d'établissements vendant des plats à emporter et d'épiceries pour se ravitailler avant un pique-nique, ni de cafés, pâtisseries et glaciers au bord du lac.

Nord de Riva del Garda

Depuis le village médiéval d'**Arco** (16 160 habitants), à 5 km au nord de Riva, une promenade de 20 minutes à travers une oliveraie jusqu'au **Castello di Arco** (☎ 0464 51 01 56 ; adulte/senior et moins de 18 ans 2/1,50 € ; ⏰ 10h-19h avr-sept, jusqu'à 16h oct, nov, fév et mars, 10h-16h sam et dim déc et jan) préparera vos jambes aux sentiers plus ardus qui vous attendent à quelques kilomètres au nord.

Les amateurs d'activités de plein air contacteront **Friends of Arco** (☎ 0464 53 28 28 ; www. friendsofarco.it ; Via Segantini 64, Arco ; ⏰ bureaux 17h-22h lun-ven, sur rendez-vous sam-dim, permanence téléphonique à partir de 9h) : ces guides de montagne organisent un grand nombre de stages et d'excursions, depuis la promenade facile d'une journée à la découverte de la flore locale jusqu'aux excursions de plusieurs jours de canyoning, randonnée, escalade ou ski. Ils peuvent aussi vous aider à trouver un hébergement, tout comme l'**office du tourisme** (☎ 0464 53 22 55 ; Viale delle Palme 1 ; ⏰ 9h-19h lun-sam, 9h-13h et 15h-19h dim mai-sept, 10h-13h et 14h-17h30 lun et mer-sam oct-avr) d'Arco vous aidera également.

L'**Hotel L'Olivo** (☎ 0464 51 64 30 ; www.hotelolivo.it ; Via Roma 2 ; s/d 75/100 € ; **P** 🍴 🖥) est un plaisant trois-étoiles aux chambres confortables, dans le centre d'Arco. Son petit spa est agréable après une journée de marche en montagne. Les prix sont valables pour un séjour de trois jours minimum. Sinon, ils seront probablement plus élevés en juillet et août.

Trentin et Haut-Adige

En Europe occidentale, les influences culturelles sont rarement aussi nombreuses que dans le nord de l'Italie. Dans les deux provinces semi-autonomes du Trentin et du Haut-Adige, les traditions tyroliennes se mêlent aux mœurs méditerranéennes, créant une juxtaposition très contrastée. Ici, l'efficacité austro-allemande se combine au panache italien et le rationalisme de Kant rencontre la passion de la Renaissance. Un mélange plutôt étonnant !

Jusqu'en 1919, le Trentin et le Haut-Adige faisaient partie de l'Empire austro-hongrois. Omniprésentes, les influences austro-germaniques sont perceptibles en cuisine (avec les saucisses et les *strudel*), en architecture (avec les toits à pignon) ainsi que dans la gestuelle (les hochements de tête tendent à remplacer les mouvements des mains).

La région, dominée par les Dolomites, abrite sept parcs naturels, parmi lesquels figure le Stelvio, un paradis pour les randonneurs. Si les Dolomites ne constituent pas le massif le plus élevé des Alpes, elles sont certainement les plus spectaculaires. C'est dans ces montagnes que se sont formés certains des plus grands alpinistes au monde, notamment Reinhold Messner.

Le Trentin et le Haut-Adige sont sillonnés par des vallées, conservant des particularités culturelles marquées, qu'elles soient autrichiennes, italiennes ou, plus étonnant encore, ladines. Si le Trentin du Sud est une région d'influence italienne, en remontant vers le nord, le long de l'Adige, les voyageurs choisiront une *Zimmer* (chambre) dans une *Gasthof* (auberge). À Merano, dans le sud du Tyrol, vous serez plus proche, culturellement parlant, de Vienne que de Venise.

TRENTIN ET HAUT-ADIGE

À NE PAS MANQUER

- Les sports d'hiver dans la station de ski luxueuse de **Madonna di Campiglio** (p. 325), fréquentée par les célébrités
- Une randonnée le long d'une vertigineuse *via ferrata*, dans les superbes **Dolomites de Brenta** (p. 322)
- Un repas typique à base de *fettuccine* suivies d'un strudel aux pommes à **Trente** (p. 321), réputée pour sa diversité culturelle
- L'ascension au Rifugio Bolzano, à 2 457 m, dans le **Parco Naturale Sciliar-Catinaccio** (p. 338)
- Le **Messner Mountain Museum** (p. 331), à Bolzano, pour méditer sur les liens immémoriaux qui unissent l'homme à la montagne
- Les **Terme Merano,** rénovés, (p. 335), pour soulager vos pieds endoloris

- POPULATION : 1 MILLION
- SUPERFICIE : 13 613 KM²

RENSEIGNEMENTS

Les offices du tourisme des capitales du Trentin et du Haut-Adige, respectivement Trente (Trento) et Bolzano, proposent des informations sur l'ensemble de leur province respective, notamment une liste à jour des *rifugi* (refuges de montagne) et des chambres d'hôte.

À FAIRE
Ski dans les Dolomites

La très chic Cortina d'Ampezzo, les localités du Val di Fassa, celles du Val Gardena et celles des Dolomites de Brenta figurent parmi les nombreuses stations de ski des Dolomites.

Les hôtels et les domaines skiables ne manquent pas, tout comme les activités : ski de descente (alpin), ski de fond ou encore *sci alpinismo*, qui associe ski et alpinisme (prévoir une sortie plus longue). La pratique du snowboard et d'autres sports d'hiver est très répandue.

La haute saison s'étend de mi-décembre à début janvier puis de février à mi-mars.

Dans la partie est de la région, le **forfait Dolomiti Superski** (www.dolomitisuperski.com) donne accès à 464 télésièges et à 1 220 km de pistes. Il coûte 102/180 € pour 3/6 jours (128/225 € en haute saison). Le **forfait Super Skirama** (www.funiviecampiglio.it) couvre les Dolomites de Brenta, à l'ouest, qui comprent notamment les stations de Madonna di Campiglio et Andalo-Fai della Paganella. Prévoyez 100/177 € pour 3/6 jours (109/188 € en haute saison). Ces forfaits offrent une souplesse maximale. Il en existe d'autres, moins onéreux mais ne couvrant qu'une seule station.

Dans chaque station, des écoles de ski proposent des cours de snowboard ou de ski de descente. Un stage de 6 jours (3 heures/jour) en cours collectif, coûte environ 130 €. Si vous souhaitez un cours privé, comptez environ 40 € l'heure.

TOP 5 DU SKI DANS LE TRENTIN ET LE HAUT-ADIGE

- **Sella Ronda – Val di Fassa** (p. 330)
- **La course de ski de fond Marcialonga – Val di Fassa** (p. 329)
- **Plan de Corones – Val Pusteria** (p. 341)
- **Passo della Stelvio – Parco Nazionale dello Stelvio** (p. 336)
- **Madonna di Campiglio – Dolomites de Brenta** (p. 325)

Randonnées dans les Dolomites

Le fait que certains des meilleurs alpinistes au monde viennent des Dolomites (notamment l'incomparable Reinhold Messner ; voir encadré p. 334) n'est pas un hasard. La région offre des randonnées magnifiques.

Les sentiers numérotés y sont généralement bien balisés par des traits rouges et blancs peints sur les arbres et les pierres ou par des triangles de différentes couleurs pour les *alte vie* (parcours en altitude). Les Italiens n'affectionnent pas particulièrement le camping sauvage, mais bon nombre de *rifugi*, situés approximativement à une journée de marche les uns des autres, proposent hébergement et repas.

D'excellentes cartes de randonnées, où les sentiers sont bien indiqués, sont en vente chez les marchands de journaux ou dans les librairies. La carte *Trento-Alto Adige* (1/200 000) du Touring Club Italiano donne un bon aperçu de la région. Pour plus de détails, préférez les diverses cartes au 1/25 000 publiées par Kompass et Tabacco.

Si vous préférez suivre un guide ou vous attaquer à des circuits de haut niveau associant alpinisme et randonnée (avec ou sans guide), renseignez-vous dans les bureaux des *Guide Alpine* (guides de montagne) de la région (voir la rubrique *Renseignements* des villes concernées).

Les randonnées se font de fin juin à fin septembre (et parfois en octobre, selon les conditions météo). Notez que la plupart des refuges ferment à la mi-septembre.

Voici les meilleurs domaines de randonnées dans les Dolomites :

Alpe di Siusi, Sciliar et massif du Catinaccio – tous accessibles depuis Siusi, Castelrotto, les villages environnants et le Val Gardena ;

Dolomites de Brenta – accessibles depuis Altipiano della Paganella ou Madonna di Campiglio ;

Région de Cortina – à cheval sur le Haut-Adige et la Vénétie, vous y trouverez le magnifique Parco Naturale di Fanes-Sennes-Braies et, plus au sud, le Monte Pelmo, le Monte Civetta et le Val di Zoldo ;

Massif de la Sella – accessible depuis le Val Gardena, le Val Badia, Pieve di Livinallongo et le Val di Fassa ;

Pale di San Martino – accessibles depuis San Martino di Castrozza et Fiera di Primiero ;

Dolomites du Sesto – au nord de Cortina en direction de l'Autriche, accessibles depuis San Candido ou Sesto dans le Val Pusteria ;

Val di Genova et massif de l'Adamello – tous deux accessibles depuis Madonna di Campiglio (les massifs de Brenta et de l'Adamello forment le Parco Naturale Adamello-Brenta).

ITINÉRAIRES DANS LA RÉGION
ESCAPADE DANS LES VALLÉES
Une semaine / Trente

Dans le Trentin et le Haut-Adige, les vallées ne délimitent pas seulement les bassins hydrographiques, elles séparent des cultures radicalement différentes, dont les particularités ne se manifestent pas uniquement dans les recettes de pâtes ou dans la manière de fabriquer le fromage, mais aussi dans les artisanats, les coutumes locales et, très souvent, dans la langue.

Parcourez les vallées du nord de l'Italie en prenant un train à **Trente** (p. 317), dans le **Val d'Adige**, riche en vignobles, et dirigez-vous vers le nord jusque dans le **Val di Non** (p. 326), italianophone, réputé pour ses pommeraies et ses châteaux de conte de fées. Routes et voies ferrées relient le **Val di Sole** (p. 327) voisin, où les sportifs pourront s'adonner à diverses activités, comme le rafting et le cyclisme, ou encore le ski dans les nombreuses stations des environs. Une vallée adjacente au Val di Sole, le **Val di Rabbi** (p. 327), abrite un spa très prisé et permet de gagner, à pied, le splendide Parco Nazionale dello Stelvio. Les randonneurs pourront suivre un sentier jusque dans le **Val Martello** (p. 337), germanophone, renommé pour ses fraises, ou continuer vers l'ouest jusqu'au paisible **Val di Solda** (p. 337), station de ski sans prétention qui possède également l'un des plus fantastiques musées consacrés à la montagne, conçu par l'alpiniste tyrolien, Reinhold Messner.

Après avoir traversé Merano et Bolzano, partez vers l'est jusqu'au luxuriant **Val Pusteria** (p. 341), où les hautes Dolomites du Sesto attirent les sportifs avec ses *vie ferrate* et les amateurs d'histoire avec les vestiges de la Première Guerre mondiale. Le **Val Badia** (p. 339) est la plus mystérieuse des cinq vallées où l'on parle ladin. Elle offre un accès facile au sentier de randonnée Alta Via 1 (en été) et au circuit de ski Sella Ronda (en hiver). En suivant ce circuit dans le sens des aiguilles d'une montre, on atteint le **Val Gardena** (p. 337), réputé pour ses sculpteurs sur bois et son musée ladin ésotérique, puis le magnifique **Val di Fassa** (p. 328), haut lieu du ski de fond. Traversez ensuite le **Val de Fiemme** (p. 327), vallée germanophone qui conserve un fort sens de la communauté, avant de repartir vers Trente et de retrouver les sonorités italiennes.

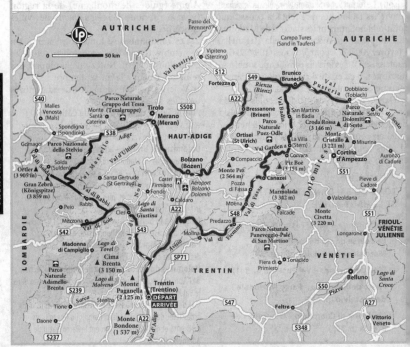

Il existe quatre *alte vie* dans les Dolomites, chacune demandant jusqu'à deux semaines de marche. De nouveaux itinéraires permettent aujourd'hui de franchir plus aisément les sections difficiles.

Une série de *rifugi* jalonne le parcours ; libre à vous de n'effectuer qu'une partie des randonnées :

Alta via n°1 – traverse les Dolomites du nord au sud, du Lago di Braies à Belluno.

Alta via n°2 – de Bressanone à Feltre. Surnommée *l'"alta via des légendes"*, car elle passe par Odle, royaume mythique des contes de fées ladins.

Alta via n°3 – de Villabassa à Longarone.

Alta via n°4 – de San Candido à Pieve di Cadore.

Les *alte vie* sont balisées par des chiffres à l'intérieur de triangles – bleu pour la n°1, rouge pour la n°2 et orange/marron pour la n°3 –, tandis que la n°4 est signalée par des chiffres inscrits sur des bandes rouges et blanches. Des livrets détaillant ces chemins de randonnée sont disponibles dans la plupart des offices du tourisme de la région.

Autres activités

L'été, vous pourrez pratiquer aussi bien le rafting, le VTT, le deltaplane que l'escalade. Rien que dans le Trentin, on compte quelque 400 km de pistes cyclables goudronnées, à l'écart de la circulation, et plus de 4 500 km de sentiers de VTT. Les offices du tourisme peuvent vous aider à trouver des itinéraires, des points de location de vélos et des écoles de deltaplane.

Comment s'y rendre et circuler

L'aéroport de Bolzano (p. 333) n'est desservi que par quelques vols européens. Les autres aéroports les plus proches sont ceux de Vérone (Verona), de Bergame (Bergamo) et d'Innsbruck (en Autriche), où un train vous conduira jusqu'à Bolzano.

Les transports publics dépendent de deux sociétés principales : **Trentino Trasporti** (☎ 0461 82 10 00 ; www.ttspa.it en italien) dans le Trentin et **Servizi Autobus Dolomiti** (SAD ; ☎ 0471 45 01 00 ; www.sad.it) dans le Haut-Adige. La plupart des villes et des stations de ski sont reliées aux grandes agglomérations italiennes – Rome, Florence, Bologne, Milan, Gênes.

La plupart des grands centres urbains et certaines des vallées de moindre importance sont desservis par le réseau ferroviaire national (consultez le site Internet www.trenitalia.it).

TRENTIN (TRENTINO)

TRENTE (TRENTO)

110 200 habitants / altitude 194 m

Dans une région réputée pour ses innombrables attraits, la modeste ville de Trente est souvent ignorée. Nichée dans une vaste vallée glaciaire cernée par les sommets effilés des Dolomites de Brenta, la capitale régionale, ancrée à gauche malgré sa culture catholique nettement marquée, a longtemps été un important carrefour de communication. Durant la Contre-Réforme (1548-1563), le puissant concile de Trente se réunissait ici pour condamner les protestants et réaffirmer la supériorité de l'Église catholique.

Aujourd'hui, Trente a renoncé à tout prosélytisme. Désormais, les vélos sillonnent les places pavées, les étudiants dégustent des cappuccinos à côté de fontaines Renaissance et les châteaux, les portiques ombragés, ainsi que les fresques médiévales qui caractérisent la ville composent un cadre harmonieux.

Postée au milieu des vignobles et des pommeraies, Trente impressionne les voyageurs avec ses rues impeccables qui partent de la place principale au charme indéniable. Si elle n'a pas le caractère allemand de Bolzano (Bolzan) ou de Merano (Meran), Trente n'est pas dénuée d'influences germaniques (comme le strudel aux pommes) et la plupart des habitants sont bilingues, voire trilingues.

En raison de sa proximité avec les Dolomites de Brenta, Trente s'est forgé une réputation de destination idéale pour les activités de plein air. Quand ils ne font pas de vélo, les habitants aiment se rendre dans les montagnes pour faire des randonnées, du ski ou du snowboard.

Renseignements

ACCÈS INTERNET

Wireless Internet Café Olimpia (☎ 0461 98 24 45 ; Via Belenzani 33/1 ; 5 €/heure ; ☯ 7h-21h lun-mar, 7h-24h mer-sam)

CONSIGNE

Gare ferroviaire principale (1 €/heure ; ☯ 8h30-12h15 et 13h30-17h30)

LIBRAIRIES

Libreria Ancora (Via Santa Croce 35). Cartes de randonnée.

Libreria Ubik (Corso III Novembre 10). Romans en anglais.

Libreria Viaggeria (Via Vigilio 20). Une excellente librairie pour les voyageurs.

TRENTIN ET HAUT-ADIGE (TRENTINO-ALTO ADIGE)

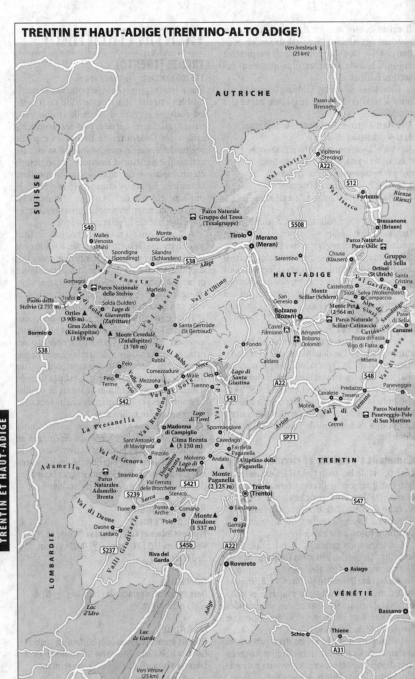

TRENTIN ET HAUT-ADIGE

OFFICES DU TOURISME
Office du tourisme (☎ 0461 21 60 00 ; www.apt. trento.it ; Via Manci 2 ; ☼ 9h-19h)
Trentino Agritur (☎ 0461 23 53 23 ; Via Aconcio 13 ; ☼ 9h-17h lun-ven). Informations sur l'*agriturismo*, les restaurants et les activités à pratiquer dans le Trentin.

POSTE
Poste (Piazza Vittoria ; ☼ 8h-18h30 lun-ven, 8h-12h30 sam)

SERVICES MÉDICAUX
Guardia Medica (☎ 0461 91 58 09). Urgence médicale.
Hôpital (☎ 0461 90 31 11 ; Largo Medaglie d'Oro 9).
Au sud-est du centre-ville.

URGENCES
Police (☎ 0461 89 95 11 ; Piazza della Mostra 3)

À voir
Trente n'est pas surnommé la "ville peinte" sans raison : de fait, elle invite à un séjour prolongé avec ses fresques, ses places romantiques, le ronronnement des conversations devant les bars et le mélange des styles autrichiens et italien. Asseyez-vous pour déguster une glace et observez l'animation de la ville : c'est une expérience des plus agréables.

La ville s'organise autour de la Piazza del Duomo, tout à la fois animée et intime, que domine la robuste **cathédrale** (☼ 6h40-12h15 et 14h30-20h), un édifice roman qui accueillait le concile de Trente. Des fragments de fresques médiévales sont encore visibles au niveau des transepts. Deux escaliers à colonnades bordent la nef et une zone archéologique cerne les fondations d'une église romano-gothique ainsi que des vestiges romains antérieurs à l'église originelle. À côté, un mausolée renferme les tombes des évêques de la ville.

De l'autre côté de la place se trouve le **Palazzo Pretorio** (XIe siècle), ancienne résidence épiscopale. Il abrite aujourd'hui le **Museo Diocesano** (☎ 0461 23 44 19 ; Piazza del Duomo 18 ; adulte/enfant 4/1 € ; ☼ 9h30-12h30 et 14h30-18h mer-lun) qui présente une très belle collection de manuscrits ornés d'enluminures, peintures représentant le concile de Trente et habits sacerdotaux. L'entrée inclut la visite du site archéologique et du trésor de la cathédrale.

Connues sous le nom de **Casa Cazuffi-Rella**, deux maisons Renaissance aux façades décorées de fresques bordent le côté nord de la place. Au centre se dresse l'étonnante **Fontana di Nettuno**, magnifique fontaine du XVIIIe siècle représentant Neptune armé de son trident.

Pour découvrir l'univers souterrain de Trente, visitez la **Tridentum La Città Sotterranea** (☎ 0461 23 01 71 ; Piazza Battisti ; adulte/enfant 2/1 € ; ◉ 9h30-13h et 14h-17h30 mar-dim sept-mai, 9h30-13h et 14h-18h juin-sept). De nombreux vestiges ont été mis au jour il y a vingt ans lors de travaux de restauration effectués dans le théâtre donnant sur la place. On peut notamment y admirer des tronçons de voies pavées, des portions de remparts de la ville, une tour, une maison décorée de mosaïques ainsi qu'un atelier.

Résidence des princes-évêques de la ville jusqu'à l'arrivée de Napoléon, en 1801, le **Castello del Buonconsiglio** (☎ 0461 23 37 70 ; www.buonconsiglio.it ; Via Bernardo Clesio 5 ; adulte/enfant 7/4 € ; ◉ 10h-18h mar-dim juin-oct, 9h30-17h mar-dim nov-mai) est protégé par d'imposantes fortifications derrière lesquelles se tient le château d'origine, le **Castelvecchio** (XIIIe siècle), ainsi qu'une résidence Renaissance, le **Magno Palazzo**. Une collection d'art et d'antiquités est exposée dans le cadre de ce superbe édifice, qui accueille également des expositions temporaires.

Proche de la gare ferroviaire principale, la **Badia di San Lorenzo** (Via Andrea Pozzo 2 ; ◉ 6h30-12h et 15h-19h), l'abbaye du XIIe siècle d'un monastère disparu, se distingue par sa croisée de voûtes ornée d'étoiles rouges et sa statue en bronze de Padre Pio. Gravement endommagée par un bombardement lors de la Première Guerre mondiale, puis par des inondations en 1966, l'abbaye a été parfaitement restaurée.

Le majestueux Palazzo delle Albere héberge le petit **Museo di Arte Moderna e Contemporanea** (MART ; ☎ 0461 23 48 60 ; Via Roberto da Sanseverino 45 ; adulte/enfant 6/4 €, avec le MART de Rovereto 10/7 € ; ◉ 10h-18h mar-dim), qui fait partie du MART de Rovereto (voir p. 322). On peut y contempler des œuvres d'artistes locaux appartenant aux courants impressionniste et symboliste du XIXe et du début du XXe siècle. *La Leggenda di Orfeo* (la Légende d'Orphée, 1905), immense triptyque de Luigi Bonazza, retient particulièrement l'attention. À noter aussi, les fragments de fresques colorées sur les murs.

À faire

Une ascension en téléphérique permet de rejoindre Sardagna en profitant de superbes paysages. Empruntez la **Funivia Trento-Sardagna** (☎ 0461 23 21 54 ; Via Montegrappa 1 ; aller simple 0,90 €). Quelque 15 km de route sinueuse aboutissent à la petite station de **Vaneze di Monte** (1 350 m), reliée par téléphérique à **Vasòn** (où se trouvent la plupart des écoles de ski et des magasins de

location de matériel) et aux pentes douces du **Monte Bondone** (1 537 m ; www.montebondone.it).

Ce dernier offre 37 km de pistes de ski de fond et neuf pistes de descente. En été, vous visiterez le **Giardino Alpino Botanico** (☎ 0461 94 80 50 ; Viote de Monte Bondone ; adulte/enfant 2/1 € ; ◉ 9h-12h et 14h-17h juin et sept, 9h-12h et 14h-18h juil-août).

Les week-ends de décembre à mars, le Skibus Monte Bondone, géré par Trentino Trasporti, relie Trente à Vaneze (0,90 € l'aller simple).

Pour tout savoir sur les randonnées, les itinéraires et les refuges du Trentin, contactez la **Società degli Alpinisti Tridentini** (SAT ; ☎ 0461 98 18 71 ; Via Manci 57 ; ◉ 8h-12h et 15h-19h lun-ven).

Circuits organisés

L'office du tourisme assure de très instructives visites guidées du centre-ville et du Castello del Buonconsiglio (adulte/enfant 3 €/gratuit pour les 2 visites). Les visites, de deux heures en général, ont lieu en principe le samedi matin, mais vous pouvez demander à l'office du tourisme d'organiser un circuit particulier.

Fêtes

Feste Vigiliane Une semaine à la mi-juin, défilés en costumes, marchés d'artisanat et de produits régionaux, reconstitutions historiques, musique et feux d'artifice, pour célébrer saint Vigile, le patron de la ville.

Fête de la polenta Le dernier week-end de septembre, Trente rend hommage à sa grande spécialité culinaire.

Marché de Noël Occupe la Piazza di Fiera de fin novembre au 24 décembre.

Où se loger

Si vous disposez d'une voiture, le bureau Agritur de Trente (voir p. 319) fournit des informations utiles sur les chambres d'hôte et les hébergements dans des lieux idylliques.

Ostello Giovane Europa (☎ 0461 26 34 84 ; info@gayaproject.org ; Via Torre Vanga 9 ; petit-déj inclus dort 16-20 €, s/d 28/50 € ; ◉ réception 7h30-11h et 15h-23h). Affichant le mot "Bienvenue" en 32 langues différentes, cette option impeccable, en plein centre-ville et à courte distance de la gare ferroviaire, garantit un accueil chaleureux. Les voyageurs à petit budget se réjouiront de trouver une telle auberge de jeunesse dans un pays qui en compte si peu. Certaines chambres sont dotées d'un balcon avec vue sur la montagne.

☑ **Hotel Venezia** (☎ 0461 23 41 14 ; www.hotel veneziatn.it ; Piazza del Duomo 45 ; petit-déj inclus s/d 49/69 €, sans sdb 38/55 €). Ce deux-étoiles confortable jouit d'un emplacement fantastique sur la Piazza del Duomo. Murs blanchis à la chaux et meubles

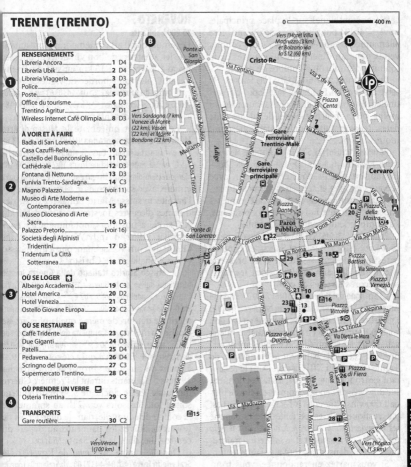

TRENTE (TRENTO)

0 — 400 m

en bois sombre confèrent du caractère aux chambres pourtant très simples. Le petit déjeuner à l'allemande est plus copieux que le simple "café-croissant" romain.

Hotel America (☎ 0461 98 30 10 ; www.hotelamerica. it ; Via Torre Verde 50 ; s 68-88 €, d 102-110 €, app 350 €/sem ; 🅿 🔣 🖳 🛜). Cet hôtel moderne, lumineux et coloré est parfait pour ceux qui voyagent en voiture et ne savent où se garer. Proche de la gare ferroviaire, il dispose de chambres élégantes et spacieuses ainsi que de quelques appartements impeccables et tout équipés (séjour d'une semaine minimum). Une connexion Wi-Fi est disponible dans les parties communes de l'hôtel, mais pas dans les appartements. Le restaurant propose un excellent buffet au petit déjeuner et des menus compris entre 20 et 28 €.

Albergo Accademia (☎ 0461 23 36 00 ; www.accademiahotel.it ; Vicolo Colico 4/6 ; s 102-118 €, d 160-180 € ; 🅿 🔣 🖳 🛜). Une option élégante installée dans une demeure médiévale restaurée : les chambres spacieuses et lumineuses bénéficient du Wi-Fi et de TV écran plat. La suite à 224 €, immense, donne accès à un toit-terrasse avec une table pour un dîner en tête à tête.

Où se restaurer et prendre un verre

Trente se prête aux repas conviviaux et possède plusieurs établissements de caractère. Goûtez le Trento AOC, un Chardonnay pétillant, et le "prince des vins", le Teroldego Rotaliano AOC, un rouge très agréable en bouche.

Caffè Tridente (☎ 0461 98 52 65 ; Piazza del Duomo 35 ; en-cas 3-3,50 €, plats midi 5-7 €). Ne manquez pas ce café (sans enseigne) sur la place principale, ouvert 24h/24 pour un expresso ou une bière allemande. En soirée, on y voit des couples venus pour un dîner romantique près de la fontaine centrale ou à l'ombre de l'église.

Due Giganti (☎ 0461 23 75 15 ; Via Simonino 14 ; buffets à partir de 7 €). Enfin un "fast-food" qui sert une cuisine pas trop grasse et savoureuse. Au menu : pizzas fraîches, buffet de salades et de pâtes. Repas gratuits pour les enfants mesurant moins de 1 m.

Patelli (☎ 0461 23 52 36 ; Via Dietro le Mura 45 ; menus 20-28 €, plats 8-12 € ; ⏰ 12h-14h15, 19h-22h30). Restaurant obscur, tout en longueur, avec serveurs en gilet et serviettes joliment pliées. Les plats traditionnels de trattoria, comme les gnocchi frais aux noisettes et aux pistaches, s'accompagnent de vins rouges fruités.

Pedavena (☎ 0461 98 62 55 ; Piazza di Fiera 13 ; menus 20-28 €, plats 8-12 € ; ⏰ mer-lun). Saucisses, tripes et pâtes figurent sur la carte de cette brasserie allemande des années 1920, dont les murs sont décorés de têtes de cerf.

⭐ **Scringno del Duomo** (☎ 0461 22 00 30 ; Piazza del Duomo 29 ; à l'étage : plats 8,50-20 €, en bas : menus 50-70 € ; ⏰ à l'étage déj et dîner tlj, en bas déj mar-ven et dim, dîner mar-dim). Pour un dîner à prix raisonnable, mieux vaut éviter les menus de cet établissement raffiné, qui occupe le bâtiment le plus ancien de Trente (datant du XIIIe siècle). Dans le restaurant gastronomique du bas, les tables donnent sur une cave de l'époque romaine riche de plus de 1 000 vins différents. À l'étage, le couvert est plus rustique mais les spécialités locales, comme les *canederli di pomi con fonduta di taleggio* (quenelles au fromage) et le *salmerino* fraîchement pêché dans le lac, tout aussi excellentes.

Si vous partez en randonnée, vous trouverez tout ce qu'il faut pour pique-niquer au **Supermercato Trentino** (Corso III Novembre 4-6).

Depuis/vers Trente

La ville est bien desservie. Des trains relient la **gare ferroviaire** (Piazza Dante) à Vérone (5,40 €, 1 heure, ttes les 30 min), Venise (8,40 €, 2 heures 30, ttes les heures), Bologne (11,30 €, 3 heures 15, ttes les 2 heures) et Bolzano (3,35 €, 30 min, 4/heure). Juste à côté de la gare principale, la ligne Trentino-Malé dessert Cles, dans le Val di Non.

De la **gare routière** (Via Andrea Pozzo), les bus de la compagnie locale **Trentino Trasporti** (☎ 0461 82 10 00 ; www.ttspa.it) desservent notamment Madonna di Campiglio, San Martino di Castrozza, Molveno, Canazei et Rovereto.

ROVERETO
35 200 habitants

Les amoureux d'art contemporain tout autant que les amateurs de bon vin doivent pousser jusqu'à Rovereto, à 15 km au sud de Trente par une jolie route bordée de vignes.

L'**office du tourisme** (☎ 0464 43 03 63 ; www. aprtovereto.it ; Corso Rosmini 6a ; ⏰ 8h30-12h15 et 14h30-18h lun-ven) fournit des informations sur la ville.

Le bâtiment qui abrite le **Museo di Arte Moderna e Contemporanea** (MART ; ☎ 0464 43 88 87 ; www.mart.trento.it ; Corso Berttini 43 ; adulte/enfant 8/5 €, avec la visite du MART de Trente 10/7 € ; ⏰ 10h-18h mar-jeu et sam-dim, 10h-21h ven) est une œuvre à part entière, avec sa coupole de verre conçue par l'architecte suisse Mario Botta. Il expose des dizaines d'œuvres inestimables du début du XXe siècle à nos jours, notamment les *Four Marilyns* (1962) d'Andy Warhol, le *Seascape* (1966) de Tom Wesselman, plusieurs Picasso et des emballages de Christo.

Le **Museo Storico Italiano della Guerra** (musée historique italien de la Guerre ; ☎ 0464 43 81 00 ; Via Castelbarco 7 ; adulte/enfant 5,50/2 € ; ⏰ 10h-18h mar-ven 9h30-18h30 sam-dim oct-juin, 10h-18h mar-dim juil-sept) mérite le détour, de même que la plus grosse cloche du monde, la **Campana della Pace** (cloche de la Paix ; adulte/enfant 1/0,50 € ; ⏰ 9h-19h avr-sept, 9h-18h mars et oct, 9h-16h30 nov-fév), qui a été coulée en 1924 à partir de canons en bronze donnés par les 19 pays belligérants durant la Première Guerre mondiale. Cette cloche de 3,36 m de hauteur sonne tous les soirs vers 21h au sommet de la colline de Miravelle, dans le quartier est de Rovereto. Suivez les panneaux au départ du centre-ville, dans la Via Santa Maria.

Dans le centre médiéval de Rovereto, la **Scala della Torre** (☎ 0464 43 71 00 ; Via Scala della Torre 7 ; plats environ 10 €), une chaleureuse trattoria et *birreria* (brasserie) à l'ancienne, est parfaite pour déguster des plats montagnards.

Des bus vont à Trente (30 min, 10/jour).

DOLOMITES DE BRENTA (DOLOMITI DI BRENTA)

Les Dolomites de Brenta s'étirent telles une île rocheuse, à l'ouest du principal massif des Dolomites. Protégés par le **Parco Naturale Adamello-Brenta**, ces majestueux pics montagneux sont réputés chez les alpinistes pour leurs falaises abruptes et leurs ascensions difficiles. On y trouve certaines des *vie ferrate* (voies équipées de cordes en acier ; voir p. 342) les plus connues au monde. Harnais et cordes sont indispensables pour la plupar des sorties en haute montagne, telles la très célèbre **Via Ferrata delle Bocchette**, ouverte dans les années 1860 par l'alpiniste britannique Francis Fox Tuckett.

Sur le versant est des Dolomites de Brenta, l'**Altipiano della Paganella** est un haut plateau où sont établis cinq petits villages, tandis que **Madonna di Campiglio**, l'une des stations les plus huppées d'Europe, se trouve sur le versant ouest. Les deux stations offrent de bonnes et nombreuses possibilités de ski en hiver et de randonnée en été (le printemps et l'automne sont par contre des saisons creuses). Elles sont reliées par les S421, S237 et S239, des routes tortueuses et plutôt périlleuses, mais magnifiques. Il existe aussi des services réguliers de bus avec Trente.

Altipiano della Paganella

5 000 habitants

À moins d'une heure de route au nord-ouest de Trente, ce haut plateau en terrasse au pied des Dolomites de Brenta compte cinq villages. Il s'agit des stations de ski de **Fai della Paganella**, de la touristique **Andalo**, de **Molveno** au bord du lac, de la petite localité de **Cavedago**, et de **Spormaggiore**, territoire d'ours bruns récemment réintroduits.

RENSEIGNEMENTS

Le site www.esperienzatrentino.it centralise les informations pour l'ensemble de l'Altipiano della Paganella.

Guardia Medica (☎ 0461 58 56 37 ; ⏱ 20h-8h). Assistance médicale de nuit.

Office du tourisme d'Andalo (☎ 0461 58 58 36 ; Piazza Dolomiti 1 ; ⏱ 9h-12h30 et 15h-18h30 lun-sam, 9h30-12h30 dim). Le principal office du tourisme de l'Altipiano possède une documentation très complète sur les activités hivernales et estivales sur tout le plateau.

Office du tourisme de Fai della Paganella (☎ 0461 58 31 30 ; Via Villa ; ⏱ 9h-12h30 et 15h-18h30 lun-sam, 9h30-12h30 dim)

Offices du tourisme de Molveno (☎ 0461 58 69 24 ; Piazza Marconi 5 ; ⏱ 9h-12h30 et 15h-18h30 lun, mer, ven et sam, 9h-12h30 mar et jeu, 9h30-12h30 dim).

Service médical touristique (☎ 0461 58 60 45). Assistance médicale de jour.

À FAIRE

L'association de guides **Dolomiti di Brenta-Paganella** (☎ 329 582 41 46 ; guidealpine@esperienza trentino.it ; ⏱ en saison, variables) Andalo (centre sportif) ; Molveno (Piazza Marconi) organise randonnées et sorties d'escalade en été, ski de randonnée, escalade de cascades gelées et sorties en raquettes

dans le Parco Naturale Adamello-Brenta en hiver. Comptez 6 € pour une randonnée, 10 € pour une sortie en raquettes et 30 € pour une balade en scooter des neiges jusqu'à un refuge de montagne (dîner compris). On peut également effectuer des sorties en individuel avec un guide.

Le domaine skiable de Paganella est accessible depuis Andalo (par téléphérique) et Fai della Paganella (par télésiège). Deux pistes de ski de fond et 50 km de pistes de ski de descente s'adressent aux skieurs de tous niveaux. De nombreux magasins de sport louent des équipements à Andalo et à Fai della Paganella. Voir p. 325 pour les forfaits.

Du sommet du village de Molveno, un **téléphérique** (☎ 0461 58 69 81 ; aller-retour 3,50/6,50 €) vous conduit en deux étapes jusqu'à Pradel (1 400 m), où vous pourrez emprunter le chemin de randonnée n°340 qui vous mènera, après une heure de marche très agréable, au **Rifugio Croz dell'Altissimo** (1 430 m ; ☎ 0368 98 92 42 ; ⏱ juin-sept). D'autres sentiers de randonnée (de difficulté variable) partent de Pradel. Vous trouverez la liste complète des refuges dans les offices du tourisme. Renseignez-vous avant votre départ pour savoir avec précision sur quel hébergement vous pouvez compter.

Le **centre d'équitation d'Andalo** (☎ 0461 58 59 00 ; Centre sportif d'Andalo ; ⏱ 9h30-12h et 15h-19h mi-juin à août) propose des cours et des balades (50 min) pour 22 €, ainsi que des promenades en attelage (1 heure) pour 15 €.

Le Parco Naturale Adamello-Brenta est notamment connu pour son site de réintroduction des ours bruns, Spormaggiore – voir l'encadré p. 324.

OÙ SE LOGER ET SE RESTAURER

Les cinq villages du plateau disposent au total de 120 hôtels. La plupart ferment hors saison (avril, mai, octobre, novembre). On trouve aussi de nombreuses fermes-auberges et des appartements à louer, pour les voyageurs motorisés. Renseignez-vous auprès des offices du tourisme.

Camping Spiaggia (☎ 0461 58 69 78 ; www.camping molveno.it ; Via Lungolago 25 ; 2 adultes et voiture 20-44 € ; ⏱ réception 9h-12h et 14h-19h toute l'année ; P 🖳). Les tarifs de ce camping installé sur les rives du lac de Molveno comprennent l'accès à la piscine, au court de tennis et aux tables de ping-pong. Les sports nautiques et activités diverses ne manquent pas, en été, et le petit village animé de Molveno est tout proche.

TRENTIN ET HAUT-ADIGE

♥ **Hotel Alexander Cima Tosa** (☎ 0461 58 69 28 ; www.alexandermolveno.com ; Piazza Scuole 7, Molveno ; ch 39 €/pers, demi-pension 54-100 €, pension complète 58-104 € ; ❂ fermé nov ; P X □ ℝ). Tenu par la même famille, le plus vieil hôtel de Molveno a autrefois accueilli des alpinistes et des skieurs britanniques et allemands. Aujourd'hui, l'endroit est un peu plus chic, avec ses 40 chambres bien équipées (dotées de balcon), salle de gym, piscine couverte, salle de jeux, VTT et centre de bien-être. Le restaurant polyvalent est pratique si vous avez choisi l'option demi-pension ou pension complète. Ouvert toute l'année sauf en novembre.

Hotel Corona (☎ 0461 58 58 72 ; Via Dossi 6, Andalo ; pension complète 55-84 €/pers ; P X □ ℝ). Une girouette au-dessus de la tourelle, des fresques dans les bow-windows, un toit pentu et des balcons en fer forgé font le charme de cet hôtel couleur pêche, situé dans la station de ski d'Andalo. Les meubles en bois et les détails contemporains forgent une ambiance moderne et décontractée. En pension complète, attendez-vous à des repas somptueux.

Alp & Wellness Sport Hotel Panorama (☎ 0461 58 31 34 ; www.sporthotelpanorama.it ; Via Carletti 6, Fai della Paganella ; d 100-200 € ; P X □ ℝ). Un bâtiment moderne et multicolore aux chambres élégantes et dépouillées, jouissant de belles vues, certaines avec mezzanine. Forme et santé sont au programme dans cet établissement disposant de multiples équipements, notamment de deux piscines (une couverte et une extérieure).

LES OURS DU PARCO NATURALE ADAMELLO-BRENTA

C'est dans ce vaste territoire sauvage – qui englobe plus de 80 lacs ainsi que l'imposant glacier Adamello – que vivaient auparavant les seuls ours bruns des Alpes. Lorsqu'il devint un parc provincial en 1988 – après avoir été déclaré zone protégée en 1967 –, la population d'ours bruns, victime de la destruction de leur habitat et des éleveurs qui voyaient en eux une menace contre leur activité, ne comptait plus que trois individus.

Les autorités ont réintroduit 10 ours slovènes en 1999. Les premiers jeunes sont nés en 2002. Depuis, de nouvelles naissances ont lieu chaque hiver, portant à 20 le nombre d'individus présents dans le parc au moment de la rédaction de ce guide.

L'ours brun mesure 1,20 m lorsqu'il est sur ses quatre pattes, mais plus de 2 m lorsqu'il se dresse sur ses membres postérieurs. Il pèse entre 100 et 250 kg selon la période de l'année. Les ours du parc portent un collier électronique permettant aux autorités de les surveiller de près. On peut en observer certains dans l'enclos du **Centro Visitatori Spormaggiore** (☎ 0461 65 36 22 ; Via Alt Spaur 6 ; enclos 2 €juin-sept, gratuit oct-mai ; ❂ 9h30-12h30 et 15h-18h30 lun-ven, 10h-12h et 14h-18h sam-dim), à Spormaggiore, à 15 km au nord-est de Molveno. Le centre propose des informations intéressantes sur la réintroduction de cet animal, dont une partie spécialement conçue pour les enfants. L'objectif est de rétablir une population d'ours dans toutes les Alpes d'ici à 50 ou 100 ans.

Prenant en compte les intérêts des éleveurs, les autorités du Trentin financent l'installation de clôtures électriques et remboursent tous les dommages éventuels occasionnés par les ours.

Les 620 km² du parc, qui constituent la plus grande zone protégée du Trentin, abritent également des bouquetins, des cerfs, des marmottes, des chamois, 82 espèces d'oiseaux et 1 200 espèces de fleurs de montagne, dont deux (la *Nigritella luschmannie* et l'*Eryshimum auranthiacum*) sont endémiques.

On peut notamment observer cette faune sur les rives du **Lago di Tovel**, niché dans une forêt en plein cœur du parc, à 30 km au nord de Spormaggiore. La présence d'une algue rare donnait auparavant un aspect rouge sang au lac mais, de manière tout à fait inexplicable, l'eau a retrouvé une couleur normale dans les années 1960, bien que l'algue soit toujours présente. On peut faire le tour du lac par un sentier accessible à tous (1 heure). Le **centre d'information des visiteurs** (☎ 0463 45 10 33 ; ❂ 9h-13h et 14h-18h juil-août, 9h-13h et 14h-18h sam-dim sept), au bord du lac, vous renseignera sur les autres randonnées à faire dans le parc.

Pour plus d'informations sur le parc (refuges, guides de montagne, cartes et itinéraires de randonnée, hébergements appliquant les règles de respect de l'environnement), adressez-vous à l'efficace **centre d'information des visiteurs** (❂ 9h-12h et 16h-20h avr-sept) de Sant'Antonio di Mavignola, à 7 km au sud de Madonna di Campiglio, ou au **bureau du parc** (☎ 0465 80 66 66 ; www. pnab.it ; Via Nazionale 12 ; ❂ 8h30-12h et 14h-19h juil-août, 8h30-12h et 16h-18h lun-ven sept-juin), à quelques kilomètres au sud de Strembo (440 habitants).

Al Penny (☎ 0461 58 52 51 ; Viale Trento 23, Andalo ; repas 22-25 € ; ☼ 11h-15h et 17h-2h). Ce restaurant confortable et décontracté situé à la sortie d'Andalo propose des spécialités du Trentin, notamment des quenelles aux épinards et du poisson. Les pains sont faits maison ; optez pour la corbeille comprenant du pain complet, du pain blanc croustillant et un délicieux pain à la pomme de terre, servi chaud. L'établissement loue aussi quelques chambres et appartements (renseignez-vous sur les prix).

DEPUIS/VERS L'ALTIPIANO DELLA PAGANELLA

Au départ des cinq villages, les bus **Trentino Trasporti** (☎ 0461 82 10 00 ; www.ttspa.it en italien) desservent Trente (2,90-3,30 €, 3 heures 30, jusqu'à 9/jour), Madonna di Campiglio (8,60 €) et Riva del Garda (5,60 €) sur le lac de Garde. Les offices du tourisme donnent des brochures avec les horaires.

Des navettes gratuites desservent les stations en hiver.

Madonna di Campiglio et Pinzolo

Ce petit village (600 habitants sans les touristes) est *la* station chic des Dolomites, où des skieurs huppés et glamour viennent profiter de fantastiques pistes. L'empereur autrichien François-Joseph et son épouse donnèrent le ton au XIXe siècle, une époque que l'on fait revivre lors du carnaval des Habsbourg, organisé chaque année fin février, avec feux d'artifice, valses et costumes d'époque.

Heureusement, Madonna di Campiglio a su conserver son caractère, que l'on découvre sur la jolie place du village dominée par les remparts des Dolomites de Brenta. L'été, c'est une base pratique pour les randonneurs et les sportifs voulant emprunter la *via ferrata*.

À 16 km au sud, la station de Pinzolo (2 000 habitants, altitude 800 m), moins onéreuse, est habitée et animée toute l'année.

RENSEIGNEMENTS

Guardia Medica (☎ 0465 44 05 38, 0465 80 16 00). Médecin d'urgence.
Office du tourisme de Madonna (☎ 0465 44 75 01 ; www.campiglio.to ; Via Pradalago 4 ; ☼ 9h-12h30 et 15h-19h lun-sam, 10h-13h dim)
Office du tourisme de Pinzolo (☎ 0465 50 10 07 ; www.pinzolo.to ; Piazzale Ciciamimo ; ☼ 9h-12h30 et 15h-18h30 lun-sam, 9h-12h30 dim)
Service médical touristique (☎ 0465 44 30 73 ; ☼ début déc-Pâques et mi-juin à mi-sept)

À VOIR ET À FAIRE

En hiver, les télésièges et **téléphériques** (☎ 0465 44 77 44) conduisent les skieurs et snowboarders de Madonna jusqu'aux pistes de ski et au parc de snowboard (avec half-pipe, parc de glisse et boardercross). En été, ils desservent les chemins de randonnée et de VTT. À Pinzolo, l'unique **téléphérique** (☎ 0465 50 12 56 ; www.funiviepinzolo.it ; Via Nepomuceno Bolognini 84 ; ☼ 8h30-12h30 et 14h-18h mi-déc à avr et juin à mi-sept) gravit la montagne jusqu'à Doss del Sabion à une altitude de 2 100 m (aller-retour 5/8 €, 20 min), et dessert en chemin la station de Pra Rodont (1 530 m ; aller-retour 5/6 € ; 10 minutes). L'été, vous pouvez louer des VTT à cet arrêt.

En hiver, un **forfait** de 1/3/6 jours pour Madonna di Campiglio coûte 34/98/173 € (haute saison 37/105/183 €). Le forfait Super Skirama Dolomiti Adamello-Brenta permet de skier à Madonna et à Pinzolo, mais aussi dans d'autres stations de la vallée, notamment celles de l'Altipiano della Paganella. Il coûte 102/196 € pour 3/7 jours (1114/223 € en haute saison), avec de nombreuses options possibles.

Il existe d'innombrables possibilités de randonnée pour les marcheurs. De mi-juillet à septembre, l'office du tourisme de Madonna et le Parco Naturale Adamello-Brenta organisent le mercredi une randonnée avec guide vers une cabane de berger dans le parc national (15 €). Dans le cadre des "Mystères des Dolomites", l'office du tourisme propose également en été des randonnées et des manifestations culturelles et artistiques qui permettent de mieux comprendre la géologie des Dolomites.

À Campo Carlo Magno, à 2 km au nord de Madonna, les téléphériques **Cabinovia Grostè** (aller-retour 10/15 € ; ☼ 8h30-12h30 et 14h-17h mi-déc à avr et juin à mi-sept) conduisent les randonneurs, en deux étapes, jusqu'au Passo Grostè (2 440 m), d'où l'on peut partir vers les Dolomites de Brenta. La Via delle Bocchette (chemin n°305) – *via ferrata* qui a fait la réputation des Dolomites de Brenta – débute également à l'arrêt du téléphérique ; seuls les alpinistes expérimentés et correctement équipés peuvent s'y aventurer. Si ce n'est pas votre cas, vous pourrez emprunter le chemin n°316 vers le **Rifugio del Tuckett** (☎ 0464 44 12 26 ; ☼ mi-juin à mi-sept) et le Q. Sella (2 271 m). De là, prenez le chemin n°328, puis le 318 en direction du **Rifugio Brentei** (☎ 0465 44 12 44) à 2 182 m d'altitude. Les sentiers qui partent de ce point vers une altitude supérieure traversent des glaciers et requièrent un équipement spécial.

La **Chiesa di San Vigilio** de Pinzolo, église datant du XVIe siècle, vaut le détour pour sa fresque extérieure, *La Danza Macabra* (la Danse macabre). Au nord de Pinzolo, vous arriverez aux portes du **Val di Genova**, vallée souvent considérée comme l'une des plus belles des Alpes. Une série de cascades spectaculaires font de ce site un endroit idéal pour la randonnée. Vous pourrez dormir dans l'un des quatre refuges de la vallée – renseignez-vous auprès de l'office du tourisme de Pinzolo.

OÙ SE LOGER ET SE RESTAURER

Il existe peu de logements bon marché à Madonna et, la plupart du temps, les offres incluent obligatoirement la pension complète ou la demi-pension. En période d'affluence, certains établissements exigent en outre une durée minimale de séjour.

Les hôtels de la région, y compris ceux de Pinzolo, ouvrent de début ou mi-décembre à Pâques et de mi-juin à mi-septembre.

Camping Parco Adamello (☎ 0465 50 17 93 ; www.campingparcoadamello.it ; Carisolo ; 8-9 €/pers, tente et voiture 12-18 € ; ☺ toute l'année ; ℗)). Magnifiquement situé au cœur du Parco Naturale Adamello-Brenta, à 1 km au nord de Pinzolo, ce camping est un point de départ idéal pour toutes sortes d'activités, comme le ski, les raquettes, la randonnée ou le vélo.

Hotel Bellavista (☎ 0465 50 11 64 ; www.bellavistanet.com, in Italian ; Pinzolo ; demi-pension 55-80 €/pers et par jour, 273-406 €/sem ; ☺ toute l'année ; ℗)). Moderne, cet hôtel – l'un des rares ouverts toute l'année – propose 57 chambres nettes et confortables meublées de bois sombre. Son restaurant sert des plats généreux qui tiennent au corps.

Hotel Crozzon (☎ 0465 44 22 22 ; www.hotelcrozzon.com ; Viale Dolomiti di Brenta 96, Madonna ; demi-pension 55-90 €/pers ; ℗)). Cet hôtel sympathique loue des chambres propres et lumineuses, certaines avec vue sur la montagne. Les repas – à la chandelle en hiver – sont servis sur place, mais on peut aussi se restaurer en été dans le petit chalet d'altitude de l'hôtel. Possibilité de pension complète (10 € supp/pers).

Oberosler Design Hotel (☎ 0465 44 11 36 ; www.hoteloberosler.it ; Via Monte Spinale 27, Madonna ; d demi-pension 150-240 € ; ℗ ✂ ▯)). Installé au pied du téléski de Spinale, le très chic Oberosler allie le charme traditionnel d'un chalet de montagne à un décor résolument contemporain. L'espace bien-être est luxueux et le restaurant présente ses plats comme des œuvres d'art. Si vous ne séjournez pas ici, passez tout de même voir le

chalet-bar à la déco à la fois rétro et futuriste, **Ober 1** (☺ 10h-2h), avec sono décoiffante, concert le vendredi et DJ le samedi. Il y a aussi un bar à sushis sur place.

DEPUIS/VERS MADONNA DI CAMPIGLIO ET PINZOLO

Madonna di Campiglio et Pinzolo sont accessibles toute l'année par bus depuis Trente (8 €, 1 heure 30, 5/jour), Milan (12 €, 3 heures 45, 1/jour) et Brescia.

De mi-décembre à mi-avril, des **navettes** relient une fois par semaine Madonna et Pinzolo aux aéroports de Milan (Malpensa et Linate) via l'aéroport de Bergame (aller simple 36 €). L'aéroport Villafranca de Vérone est également desservi, via l'aéroport de Brescia (aller simple 30 €).

VAL DI NON, VAL DI SOLE ET VAL DI RABBI

Nichées entre les Dolomites de Brenta et le Parco Nazionale dello Stelvio (p. 336), ces trois vallées italophones, facilement accessibles en train depuis Trente, méritent une visite approfondie. Le principal centre urbain est Malè, dans le Val di Sole.

COMMENT S'Y RENDRE ET CIRCULER

Les bus **Ferrovia Trento-Malè** (☎ 0463 90 11 50) desservent Rabbi, Madonna di Campiglio et Malè. Cles (2,90 €, 45 min) et Malè (5 €, 1 heure 30, 8/jour) sont sur la ligne de chemin de fer Trente-Comezzadure. Un **téléphérique** (aller 5 €) achemine skieurs et randonneurs en altitude depuis la gare ferroviaire.

Des navettes gratuites circulent en hiver. Les offices du tourisme donnent les horaires.

Val di Non

Le **Val di Non** frappe surtout par l'omniprésence des pommiers. Ces arbres noueux sont magnifiques au printemps, quand ils se couvrent de fleurs blanches odorantes. Le second élément surprenant sont les châteaux qui surgissent derrière les vergers, apparemment tout droit sortis d'un conte de Hans Christian Andersen. La ville principale, **Cles**, possède un **office du tourisme** (☎ 0463 42 13 76 ; Corso Dante 30 ; ☺ 9h-12h lun, 9h-12h et 15h-18h mar-sam) donnant sur l'artère principale.

Installée à la périphérie sud de la ville, l'entreprise de traitement de pommes **Mondo Melinda** (☎ 0463 46 92 99 ; Cles ; mondomelinda@melinda.it ; prix des visites guidées sur demande ; ☺ bureau 9h-13h et 15h-19h mar-sam), réputée pour ses fruits délicieux propose vidéos d'information, dégustations, cours de cuisine et visites de l'usine. En été, on peut également découvrir les vergers en VTT avec un guide, tandis qu'en septembre et octobre on peut participer à la récolte. Juste à côté, la fromagerie **Trentingrana** (☎ 0463 46 94 56 ; www.trentingrana.it ; Cles ; prix et horaires des visites sur demande), qui fabrique de la *grana*, un fromage rappelant le parmesan, se visite elle aussi.

Val di Sole

Laissez Cles derrière vous et traversez des pommeraies jusqu'au **Val di Sole**, à l'ouest en suivant le cours de la rivière tumultueuse Noce.

Réputée pour sa grande accessibilité (un train la dessert depuis Trente), la vallée offre des activités qui changent du ski et de la randonnée. Le raft sur la Noce est très prisé. Le **Centro Rafting Val di Sole** (☎ 0463 97 32 78 ; www.raftingcenter.it ; Via Gole 105, Dimaro ; ☼ juin-sept) organise notamment des sorties de rafting (à partir de 39 €), de kayak, de canyoning, de marche nordique, entre autres activités de plein air. Le Val di Sole abrite également une section assez plate du circuit cycliste dans les Dolomites de Brenta et propose un train spécial pour les cyclistes de juin à septembre, ce qui leur permet de se reposer lorsqu'ils sont trop fatigués. Des neuf établissements de location de vélos, **Cicli Andreis Specialized** (☎ 0463 90 28 22 ; Via Conci, Malè) est le mieux situé. Comptez 20 € pour une journée de location avec utilisation illimitée du train.

L'**office du tourisme** de Malè (☎ 0463 90 12 80 ; www.valdisole.net ; Piazza Regina Elena 19 ; ☼ 9h-12h et 15h30-18h30 lun-sam, 10h-12h dim) vous renseignera sur la vallée et, plus précisément, sur les chemins de randonnée et les domaines skiables du parc national du Stelvio, tout proche.

Dolomiti Camping Village (☎ 0463 97 43 32 ; www.campingdolomiti.com ; Via Gole 105 ; 2 adultes, tente et voiture 21-29 €, bungalow pour 2 pers 45-65 €, app pour 2 pers avec petit-déj 50-84 € ; ☼ mi-mai à mi-oct et déc-Pâques ; P 🖳 🖉). Difficile de trouver mieux équipé que ce terrain de camping au bord de la rivière, juste à côté du centre de rafting. Outre les emplacements pour tente, qui disposent d'une connexion Wi-Fi (vous avez bien lu !), 20 bungalows flambant neufs et un chalet abritant neuf appartements joliment décorés hébergent les visiteurs. Centre de remise en forme, piscines extérieure et intérieure, terrain de volley-ball et trampolines sont, entre autres équipements, à disposition. L'excellent **restaurant** (plats 15-20 €), accessible même si l'on ne séjourne pas au camping, sert des portions

pantagruéliques, notamment des pizzas à la truite fumée et aux noix. Le camping se situe à 1 km à l'est de la gare ferroviaire et du téléphérique de Comezzadure.

Ceux qui disposent d'un véhicule peuvent louer une chambre d'hôte à l'**Agritur Fior di Bosco** (☎ 0462 91 00 02 ; Valfloriana ; prix et dates à convenir ; P), un charmant *agriturismo* (hébergement à la ferme) proposant également des repas à base de produits bio, notamment des fromages produits sur place (vous pourrez même donner un coup de main à la fabrication).

Valle di Peio

Des télésièges relient **Peio Terme** (1 393 m), dans la **Valle di Peio**, au Rifugio Doss dei Cembri (2 400 m), d'où les alpinistes expérimentés pourront grimper jusqu'au Monte Vioz (3 645 m) et à la limite du glacier Forni. Le village de Peio, dans le Parco Nazionale dello Stelvio, abrite dans un bâtiment ancien en pierre la dernière **coopérative laitière** (Il Caprino di Pejo ; Peio ; visite guidée 2 €) de la région ; on peut s'inscrire pour une visite guidée (qui se termine avec une dégustation) dans l'un des bureaux du parc. Il y a à Peio un petit **office du tourisme** (☎ 0463 75 31 00 ; peio@valdisole.net ; Peio ; ☼ horaires variables).

Val di Rabbi

Agréable vallée alpine dénuée de stations de ski, le Val di Rabbi est un excellent point d'entrée dans le parc national du Stelvio. Il est également célèbre pour sa source Antica Fonte "découverte" en 1650 par un vénérable pasteur et révérée depuis pour ses vertus thérapeutiques supposées. Les **Terme di Rabbi** (☼ 8h-12h et 15h-19h lun-ven, 8h-12h sam mai-sept, 8h-12h dim juil-août), dans le village du même nom à 12 km de Malè en remontant la vallée, proposent un grand choix de soins réparateurs. Ils sont dirigés par le **Grand Hotel Rabbi** (☎ 0463 98 30 50 ; www.grandhotelrabbi.it ; Fonti di Rabbi 153 ; d demi-pension 100-160 € ; P 🖉). À côté se trouve un petit **centre d'information** (☎ 0463 98 51 90 ; ☼ 8h-13h et 15h-19h juin-sept, 8h-12h et 14h-18h oct-mai), ainsi que le point de départ de plusieurs sentiers dans le Stelvio, dont certains relient le Val Martello, dans le Haut-Adige (p. 337).

Des bus réguliers rejoignent la vallée au départ de la gare ferroviaire de Malè.

VAL DI FIEMME

Dans une région où l'on parle rarement le même dialecte d'une vallée à l'autre (et où il y a au moins autant de sortes de fromages que de dialectes !), le Val di Fiemme se démarque. Au XIIe siècle, des nobles locaux à l'esprit indépendant y établirent une "quasi-république", la Magnifique Communauté de Fiemme, et aujourd'hui encore, la philosophie des fondateurs perdure.

L'**office du tourisme de Cavalese** (☎ 0462 24 11 11 ; www.aptfiemme.tn.it ; Via Bronzetti 60 ; ☽ 9h-12h et 15h30-19h lun-sam) accueille le siège d'associations de guides alpins, qui organisent des sorties en montagne, dont une randonnée à ski de 120 km, dans les Pale di San Martino, la Cima della Madonna et le Sass Maor.

Aujourd'hui, le siège de cette "Communauté" moins séparatiste se trouve dans le **Palazzo Vescovile** (Piazza Battisti), orné de splendides fresques, à **Cavalese** (3 600 habitants ; altitude 1 000 m), ville principale de la vallée. L'édifice mérite réellement d'être vu. Un peu plus bas, vous pourriez détendre au **Centro Arte Contemporanea Cavalese** (☎ 0462 23 54 16 ; www. artecavalese.it ; Palazzo Firmian, Piazzetta Rizzoli 1 ; entrée libre ; ☽ 15h30-19h30 ven-dim), une étonnante exposition d'œuvres d'art sur la montagne.

De Cavalese, un téléphérique emmène les skieurs à Cermis (2 229 m), qui fait partie de l'immense domaine Superski Dolomiti.

La ville compte de multiples hébergements et restaurants.

Essayez l'**Hotel Garni Laurino** (☎ 0462 34 01 51 ; www.hotelgarnilaurino.it ; Via Antoniazzi 14 ; d 76-120 € ; P 🖳), une ravissante petite adresse en plein cœur de la ville, joliment décorée de tissu à fleurs et de meubles en bois, installée dans un édifice du XVIIe siècle. Les tarifs sont très raisonnables si l'on considère que les chambres sont des mini-suites. Les hôtes ont accès au jardin, au balcon, aux VTT et à une visite dans le centre de bien-être.

Véritable légende dans la vallée et récemment récompensé d'une étoile au Michelin (les prix s'en ressentent), **El Molin** (☎ 0462 34 00 74 ; Piazza Battisti 11 ; repas à l'étage 12-18 €, en bas 40-50 € ; ☽ déj et dîner, fermé déj mar et mer) occupe un ancien moulin du village. Au niveau de la rue, on s'installe sur de hauts tabourets pour déguster des plats de viande, de poisson ou de pâtes (tous délicieux). En bas, dans une salle en pierre aux nombreux recoins, près de la roue à eau, on savoure à la chandelle les spécialités du chef Alessandro Gilmozzi, qui mettent à l'honneur les ingrédients régionaux de saison préparés d'une main de maître.

PALE DI SAN MARTINO

Rose et vert se mêlent harmonieusement sur les Pale di San Martino (altitude 1 467 m). Là, les lumineuses Dolomites s'élèvent tels des fantômes

au-dessus de l'ancienne forêt de Paneveggio, dont le bois sert à fabriquer des violons réputés. En empruntant l'autoroute du Brenner (A22) vers l'est, vous parvenez aux Pale di San Martino (1 467 m), un massif lumineux qui fait partie du **Parco Naturale Paneveggio-Pale di San Martino** (☎ 0439 76 88 59 ; http://parcopan.org en italien ; Via Laghetto, San Martino), où vivent chevreuils, chamois, marmottes, gibier à plumes et oiseaux de proie – notamment des aigles royaux. Les bureaux du parc occupent l'impressionnante **Villa Welsperg** (☎ 0439 64 851 ; Via Castelpietra 2 ; ☽ 9h30-12h30 et 15h-18h), construite en 1853 à Val Canali. Vous pourrez y admirer des aquariums suspendus renfermant des espèces de la région, ainsi que des expositions sur la flore et la faune. Pour vous rendre sur place depuis San Martino di Castrozza, suivez la S50 sur 14 km en direction du sud. Au village de Fiera di Primiero, prenez une route étroite en direction de l'est. Après le hameau de Tonadico, 2 ou 3 km plus loin, tournez à gauche (vers le nord).

Au pied du parc, **San Martino di Castrozza** est une petite station de ski et de randonnée très prisée. Elle est accessible en bus **Trentino Trasporti** (www.ttspa.it) au départ de Trente. De là, des bus locaux desservent les différentes vallées.

L'**office du tourisme de San Martino** (☎ 0439 76 88 67 ; www.sanmartino.com ; Via Passo Rolle 165 ; ☽ 9h-12h et 15h-19h lun-sam, 9h30-12h30 dim) est une bonne source d'informations. En été, les randonneurs peuvent monter en télésiège ou en téléphérique de San Martino au Rifugio Rosetta (2 600 m), d'où partent plusieurs sentiers.

Des navettes gratuites sont à disposition dans les vallées en hiver. En été, on peut circuler dans le parc grâce aux bus du Parco Naturale Paneveggio-Pale di San Martino.

VAL DI FASSA

Le Val di Fassa est la seule vallée du Trentin où l'on parle ladin (on en trouve quatre autres dans le Haut-Adige). Pourtant, là encore, la langue comprend deux dialectes distincts : le *cazét* et le *brach*. Délimitée par les sommets du Gruppo del Sella au nord, du Catinaccio à l'ouest et de la Marmolada (3 342 m) au sud-est, la vallée compte deux centres de vie : la station animée de **Canazei** (1 810 habitants ; altitude 1 465 m) et l'agréable **Moena** (2 660 habitants ; altitude 1 114 m). La vallée est la région phare pour le ski de fond en Italie. Champion italien dans cette discipline, Christian Zorzi est originaire de Moena. La ville accueille d'ailleurs tous les ans la compétition de ski de fond la plus célèbre, la **Marcialonga** (www.marcialonga.it), une course de 70 km reliant Canazei puis passant par Cavalese, dans le Val di Fiemme. Plus de 6 000 concurrents y ont participé en 2009.

Renseignements

Office du tourisme de Canazei (☎ 0462 60 11 13 ; www.fassa.com ; Piazza Marconi 5 ; ⏰ 8h30-12h15 et 15h30-19h lun-sam, 10h-12h30 dim)

Office du tourisme de Val di Fassa (☎ 0462 60 95 00 ; www.fassa.com ; Strèda de Dolèda 10, Canazei ; ⏰ 8h30-12h15 et 13h30-17h lun-sam, 10h-12h30 dim). Renseignements sur toute la vallée.

À voir et à faire

Les skieurs auront l'embarras du choix dans le Val di Fassa, grâce aux 120 km de pistes de descente et de ski de fond, ainsi qu'aux excursions de haut niveau et au circuit de la Sella Ronda (voir p. 330). Les forfaits Dolomiti Superski sont valables dans cette région, de même que les forfaits moins onéreux réservés au Val di Fassa (80/141 € pour 3/6 jours). Le forfait Tre Valli (à partir de 88/155 € pour 3/6 jours) couvre les vallées de Fassa, Biois et San Pellegrino. En été, vous pouvez skier sur le glacier de la Marmolada.

Les skieurs et les randonneurs accèdent au Gruppo del Sella par un téléphérique qui part de **Passo Pordoi** et grimpe pratiquement jusqu'à 3 000 m. L'approche du Catinaccio s'effectue par Vigo di Fassa, à 11 km au sud-ouest de Canazei, près de Pozza di Fassa, où un téléphérique s'élève jusqu'à une altitude de 2 000 m. L'arrivée se situe près du refuge de **Baita Checco** (☎ 0462 76 35 81 ; Vigo di Fassa ; plats 7-12 € ; ⏰ 8h-16h30 déc-mars et juil à mi-sept). À l'intérieur ou sur la terrasse abritée, des employés vêtus de vichy rouge et blanc servent des spécialités, comme les *canederli* (quenelles) au gorgonzola.

Disponible à l'office du tourisme, une brochure décrit 29 itinéraires faciles (de 1,5 à 8 km) dans la vallée. Nous vous conseillons les randonnées intégrant la visite de vestiges ladins, comme la **Botega da Pinter** (☎ 0462 57 35 74 ; Via Dolomiti 4, Canazei ; ⏰ 10h-12h et 16h-19h lun-sam mi-juin à mi-sept), authentique reconstitution d'un atelier de tonnelier, ou encore **La Sia** (☎ 0462 60 23 23 ; Via Pian Trevisan, Penia ; ⏰ 9h-12h et 15h-18h lun-ven mi-mars à mi-déc), une scierie du XVIe siècle, distante de 3 km à l'est de Canazei, par l'étroite S641.

Detomas Fiorenzo (☎ 0462 60 24 47 ; Via Pareda 31, Canazei) loue notamment des VTT et des snowboards. Les points de location de matériel de ski sont légion alentour.

Jetez un coup d'œil à l'atelier du sculpteur **Andrea Soraperra** (☎ 0462 60 24 27 ; Via Dolomites 109), situé dans le centre du village. En vente dans la boutique adjacente, ses créations comprennent des jouets, des sculptures et des masques en bois typiques, que les habitants portent chaque année lors du **Carnevale Fassano**, organisé dans la vallée en février ou en mars.

Où se loger, se restaurer et prendre un verre

Attention, nombre d'hôtels et de restaurants ferment hors saison (avr, mai, oct et nov).

CANAZEI

🅒 **Garni Stella Alpina** (☎ 0462 60 11 27 ; www.stella-alpina.net ; Via Antermont 6 ; d 68-128 € ; 🅿). Offrant un cadre dépaysant (à moins d'avoir de la famille ladine), ce B&B original loue 7 chambres douillettes au style ladin traditionnel. Le sauna-Jacuzzi, l'accueil chaleureux et l'étrange boutique-cave au rez-de-chaussée ajoutent au charme de l'endroit. Tout comme les tarifs avantageux.

Hotel Rita (☎ 0462 60 12 19 ; www.hotelrita.com ; Streda de Pareda 16 ; d demi-pension à partir de 98 € ; 🅿 🖥 🛜). Occupant une maison semblant tout droit sortie d'un conte de fées, le Rita se tient à 50 m de la place principale et à peu près à la même distance du téléski. Les 21 chambres, avec connexion Wi-Fi, sont meublées d'éléments en pin. Service de massage, piano-bar. En hiver, une durée minimale de séjour, variable selon la période, est exigée.

Café Antermont (☎ 0462 60 10 40 ; Piazza Marconi 15 ; gâteaux env. 3,10 € ; ⏰ 7h-24h toute l'année). Situé près de l'arrêt de bus, ce café tout en bois est réputé pour sa génoise nappée de crème fraîche et son expresso. Non loin, une échoppe en bord de route vend des saucisses allemandes.

El Paél (☎ 0462 60 14 33 ; Streda Roma 54 ; menus 27 €, repas 25-35 € ; ⏰ mar-dim). Sans prétention mais jouissant d'une bonne réputation, cette Osteria Tipica Trentina concocte des plats typiques, tels que des quenelles aux orties servies avec des épinards et du fromage Venezza, des asperges à la réglisse ou de la venaison au potiron.

Husky Pub (☎ 0462 60 11 11 ; www.huskypub.com ; ⏰ 8h30-1h30 mar-dim déc-Pâques ; 🖥). Ce pub, situé au sous-sol de l'Hôtel Croce Bianca, est tenu par une équipe jeune et dynamique. Les skieurs viennent reprendre des forces en buvant un Husky Roska, un cocktail à base de liqueur de baies, de vodka et de glace pilée. Concerts (tubes contemporains surtout) presque tous les soirs.

MOENA

⭕ **Central Hotel** (☎ 0462 57 32 28 ; www.central hotel.
it ; Strada L Heilmann 4 ; s/d 50/100 € ; Ⓟ 🖳). Élégant
bâtiment dans le centre de la ville, avec une
tour conique, cet hôtel de charme est un
véritable palais. Chambres avec TV écran plat
et banquette dans les bow-windows. Le salon
Vienna est coiffé d'un magnifique plafond en
bois sculpté. Agréable café-bar à vin et spa à
l'éclairage tamisé au rez-de-chaussée.

Kusk La Locanda (☎ 0462 57 46 27 ; Via dei Colli 7 ;
plats à partir de 7 € ; 🕒 8h-2h mer-lun, fermé mai). Le
Kusk, qui se surnomme *Il locale piú trendy
delle Dolomiti*, est très connu des noctambules
du Val di Fassa. L'établissement, où l'on peut
passer toute la soirée, se divise en quatre
sections : pizzeria, bar américain, discothèque
et restaurant italien.

Depuis/vers le Val di Fassa

Le Val di Fassa est desservi toute l'année
par des bus au départ de Trente et, de juin
à mi-septembre, par des bus SAD venant
de Bolzano et du Val Gardena. Des navettes
gratuites circulent dans la région en hiver.

GRUPPO DEL SELLA

Pour les skieurs, le massif dolomitique du Sella
(dominé par le Piz Boé, qui culmine à 3 151 m)
est synonyme de la **Sella Ronda**, circuit circulaire
(desservi par divers téléphériques et téleskis)
considéré comme l'un des itinéraires de ski les
plus légendaires. Le circuit traverse quatre cols
et les quatre vallées voisines – le Val Gardena,
le Val Badia, l'Arabba (en Vénétie) et le Val de
Fassa – au caractère ladin indéniable.

Les skieurs expérimentés prévoiront une
seule journée pour effectuer les 40 km de la
Sella Ronda (dont 26 km de pistes et 13,5 km
de remonte-pente). Les offices du tourisme
fournissent des brochures décrivant les excursions (dans le sens des aiguilles d'une montre
en orange, ou dans le sens inverse des aiguilles
d'une montre en vert), qui partent de Selva
(1 565 m), dans le Val Gardena, à 10h au plus
tard. Portavescovo, à 2 495 m, est le point le
plus élevé. Ce circuit n'est possible qu'avec
le forfait Dolomiti Superski (p. 315). En été,
les randonneurs peuvent emprunter la navette
qui suit le circuit de la Sella Ronda. Les mêmes
sentiers sont utilisés par les amateurs de VTT.

Les chemins de randonnée du Sella et de
Sassolungo sont accessibles depuis les stations
de Canazei ou du Val Gardena en empruntant
un bus en direction du Passo di Sella ou du Passo

di Pordoi. Le Passo di Sella (2 244 m) est un col
aux multiples virages en épingle à cheveux. Au
départ du tout aussi vertigineux Passo di Pordoi
(2 239 m), un téléphérique vous conduit au Sasso
Pordoi (2 950 m). Admirez les magnifiques paysages à la terrasse du **Rifugio Maria** (☎ 0462 60 11 78),
puis prenez l'*alta via* n°2 qui traverse le massif,
descend jusqu'au Passo Gardena et continue dans
le Parco Naturale Puez-Odle.

HAUT-ADIGE (ALTO ADIGE)

BOLZANO (BOZEN)
97 300 habitants / altitude 265 m

Dans les rues de Bolzano, les *Biergartens*
voisinent les pizzerias et les chaleureux "*guten
Morgen*" se mêlent aux langoureux "*ciao bella*".
Les visiteurs ne mettent pas longtemps à
comprendre que les généralisations culturelles
ne peuvent pas s'appliquer à cette ville montagnarde prospère qui ressemble plus à une petite
localité qu'à une capitale de province, et où les
Tyroliens du Sud sont cernés par les montagnes
abruptes des Dolomites. Avec son centre-ville
historique plus allemand que celui de Trente,
mais plus italien que celui de Merano, Bolzano
est un melting-pot accueillant des cyclistes en
Prada et des automobilistes étrangement polis
qui (loin de respecter les habitudes italiennes !)
s'arrêtent aux passages pour piétons.

Capitale symbolique du Tyrol du Sud, Bolzano
offre une bonne qualité de vie – l'une des
meilleures du pays – qui se reflète dans sa verdure.
Des allées de vieux marronniers mènent de la
gare ferroviaire à la Piazza Walther, où d'élégants
cafés viennois et des étals en bois recouverts de
produits frais, de fromages et de *speck* (jambon
fumé) rappellent l'Europe centrale.

Le monument le plus emblématique de
Bolzano, entouré d'innombrables châteaux,
est sa splendide cathédrale gothique, édifice
imposant dominé, en arrière-plan, par les
sommets des Dolomites voisines. Les sentiers
de randonnée pédestre et cycliste qui partent
de là, suivant l'Adige vers l'ouest ou vers le
sud, permettent de merveilleuses escapades
dans les montagnes environnantes.

Ville autrichienne jusqu'à la fin de la
Première Guerre mondiale, Bolzano a subi
l'"'italianisation" lancée par Mussolini dans
les années 1920. Aujourd'hui, la population
italianophone est majoritaire (73%), même

si son histoire, enracinée dans la légende du héros patriote tyrolien Andreas Hofer, la relie intrinsèquement au Tyrol autrichien.

Renseignements

Hôpital (☎ 0471 90 81 11 ; Via Lorenz Böhler). À l'extérieur de la ville, en direction de Merano.

Office du tourisme (☎ 0471 30 70 00 ; www.bolzano-bozen.it ; Piazza Walther 8 ; ⊙ 9h-13h et 14h-19h lun-ven, 9h-14h sam)

Police (☎ 0471 94 76 11, 0471 94 76 80 ; Via Marconi 33)

Poste (Piazza Parrocchia 1 ; ⊙ 8h-18h30 lun-ven, 8h-12h30 sam)

À voir et à faire

La **cathédrale** (Piazza Parrocchia ; ⊙ 9h30-17h30 lun-sam), de style gothique, se dresse à côté de la Piazza Walther, la place principale de Bolzano. Non loin de là, vous pourrez admirer les fresques du XIVᵉ siècle de l'école de Giotto dans les cloîtres et la chapelle de la **Chiesa dei Domenicani** (Piazza Domenicani ; ⊙ 9h30-18h lun-sam). Arpentez les arcades de la **Via Portici**, traversez la charmante Piazza delle Erbe et son marché de produits frais, et vous arriverez à la **Chiesa dei Francescani** (Via dei Francescani), du XIVᵉ siècle. Outre les beaux cloîtres de cette église, vous admirerez son retable gothique, sculpté par Hans Klocker en 1500, dans la Cappella della Beata Vergine (chapelle de la Sainte Vierge).

Le principal centre d'intérêt du **Museo Archeologico dell'Alto Adige** (☎ 0471 32 01 00 ; www.iceman.it ; Via Museo 43 ; adulte/moins de 6 ans 8 €/gratuit ; ⊙ 10h-18h mar-dim) demeure Ötzi, l'"homme des glaces" (voir l'encadré p. 333). Ce corps momifié vieux de plus de 5 000 ans, orné de mystérieux tatouages, fut découvert en septembre 1991 dans le glacier de Similaun. Outre ses vêtements et son équipement, vous verrez aussi sa dépouille, exposée dans une pièce à température contrôlée.

Découvrez la faune, la flore et les merveilles géologiques du Haut-Adige au **Museo di Scienze Naturali dell'Alto Adige** (☎ 0471 41 29 64 ; www.museonatura.it ; Via dei Bottai 1 ; adulte/enfant 5/3,50 € ; ⊙ 10h-18h mar-dim), dont le clou est un gigantesque aquarium d'eau de mer.

Nouveau chef-d'œuvre architectural de Bolzano, le **Museion** (Via Dante 2 ; adulte/enfant 6 €/gratuit ; ⊙ 10h-18h mar-dim, 10h-22h jeu) est un incroyable édifice cubique en verre, installé près de la rivière, qui abrite le musée d'art contemporain. Le design moderniste rend bien tant à l'intérieur qu'à l'extérieur. On y trouve un café, une librairie et une bibliothèque.

CARTE MUSEUM DE BOLZANO

Valable un an, la **carte Museum** (2,50 €) permet de bénéficier de réductions sur les visites de la ville et les cinq musées de Bolzano. Elle est disponible à l'office du tourisme et dans les musées adhérents.

Suivant pour l'essentiel le cours de la rivière, une piste cyclable de 20 km relie les différents châteaux de Bolzano : le **Castel Mareccio** (Schloss Maretsch ; ☎ 0471 97 66 15 ; mareccio@comune.bolzano.it ; Via C de Medici 12 ; ⊙ 9h30-12h30 et 14h-17h30 lun-ven), du XIIᵉ siècle ; le **Castel Roncolo** (Schloss Runkelstein ; ☎ 0471 32 98 08 ; roncolo@comune.bolzano.it ; Via Castel Ried ; adulte/enfant 8/5,50 € ; ⊙ 10h-18h mar-dim), un bâtiment de 1237 connu pour ses fresques uniques du XIVᵉ siècle illustrant des scènes de la littérature profane, notamment l'histoire de Tristan et Iseult ; et surtout le **Castel Firmiano**, qui date de l'an 945. C'est dans les ruines de ce vaste domaine fortifié que s'est installé le **Messner Mountain Museum** (MMM ; ☎ 0471 63 31 45 ; www.messner-mountain-museum.it ; adulte/étudiant 8/6 € ; ⊙ 10h-18h mar-dim mars-nov), pièce centrale des 5 musées créés par l'alpiniste Reinhold Messner. Explorant la relation de l'homme avec la montagne dans toutes les cultures, le MMM est conçu de manière à ce que le visiteur grimpe des centaines de marches, afin d'appréhender la progression en altitude. Le dénivelé et les passerelles métalliques imposent le port de bonnes chaussures et empêchent l'accès aux fauteuils roulants. Des navettes desservent les châteaux (renseignements à l'office du tourisme).

Bolzano possède 3 téléphériques, parmi lesquels le plus long (Renon, 4 556 m) et le plus vieux (Colle, 1908) au monde :

Funivia del Colle (☎ 0471 97 85 45 ; Piazza Campiglio ; aller simple/aller-retour 3/4 €)

Funivia del Renon (☎ 0471 97 84 79 ; Via Renon ; aller simple/aller-retour 2,50/3,50 €). À 500 m à l'est de la gare ferroviaire.

Funivia San Genesio (☎ 0471 97 84 36 ; Via Sarentino ; aller simple/aller-retour 3/3,20 €)

Circuits organisés

D'avril à début novembre, l'office du tourisme organise des visites guidées dans les environs de Bolzano, nécessitant peu d'entraînement ; une demi-journée/journée complète de marche revient à 8/20 € et il faut réserver les places. Pour des informations sur des excursions plus

BOLZANO (BOZEN)

0 ————— 200 m

sportives dans le Haut-Adige, contactez le club de randonnée **Club Alpino Italiano** (☎ 0471 97 81 72 ; Piazza delle Erbe 46 ; ⏰ 11h-13h et 17h-19h mar-ven) ou appelez l'**Alpine Information Office** (Alpenverein Südtirol ; ☎ 0471 99 99 55).

Où se loger

Ostello della Gioventù Bolzano (☎ 0471 30 08 65 ; www. jugendherberge.it ; Via Renon 23 ; petit-déj inclus dort 19,50-21,50 €, s 22-24 € ; 🖥️). Proche de la gare ferroviaire, cette nouvelle auberge de jeunesse indépendante a aménagé ses dortoirs afin d'isoler les trois ou quatre lits les uns des autres par des placards. Autre avantage non négligeable, elle reste ouverte toute la journée.

Hotel Figl (☎ 0471 97 84 12 ; www.figl.net ; Piazza del Grano 9 ; s 80-100 €, d 100-110 € ; 😾 🖥️). Un peu en retrait sur une jolie place à proximité de la Piazza Walther, cet hôtel raffiné propose des chambres élégantes à des prix corrects : décorées dans les tons caramel et chocolat, elles possède une sdb séparée par une cloison de verre et du mobilier contemporain. Un bar aux lignes épurées occupe le rez-de-chaussée. Le "petit déjeuner italien" (expresso et brioche) coûte 3 €, le buffet 11 €. Parking gratuit dans la rue (retirer un bon à la réception), ou bien à prix réduit dans un parking public à proximité.

Stadt Hotel Città (☎ 0471 97 52 21 ; www. hotelcitta.info ; Piazza Walther 21 ; s 94-110 €, d 135-180 € ; 🅿️ 😾 🖥️). Vu ses tarifs, son emplacement, son ambiance et ses infrastructures, le Stadt Hotel Città est le meilleur hôtel de Bolzano. Mêlant le dynamisme italien à l'efficacité allemande, les chambres marient éléments modernes et traditionnels. Le café a des airs d'établissement viennois. Au sous-sol, le spa (gratuit pour les clients) est une oasis de charme à l'allemande.

Parkhotel Laurin (☎ 0471 31 10 00 ; www.laurin.it ; Via Laurin 4 ; s 112-172 €, d 170-240 € ; 🅿️ 😾 🖥️ 🐾). C'est l'hôtel le plus chic de la ville, ouvert en 1910. Dans le centre-ville, au cœur d'un jardin luxuriant, les chambres, spacieuses, s'agrémentent d'œuvres d'art originales et d'une sdb en marbre. Le restaurant est l'un des plus réputés de Bolzano (plats 23-24 €). Concerts de jazz le vendredi au piano-bar.

Où se restaurer et prendre un verre

Si vous voulez goûter une spécialité locale, essayez la *Speckknödelsuppe* (soupe au jambon

ÖTZI, PREMIER ALPINISTE DU MONDE ?

En 1991, au col du Hauslabjoch, deux étudiants autrichiens firent la découverte macabre d'un corps humain dans le glacier. Ils pensèrent d'abord qu'il s'agissait du cadavre d'un alpiniste malchanceux, pris au piège par une tempête de neige. Pourtant, après que le corps momifié eut été retiré et emporté dans une morgue d'Innsbruck quelques jours plus tard, il s'avéra qu'il avait plus de 5 300 ans. Ce cadavre d'homme – par la suite surnommé Ötzi ou l'"homme des glaces" – est le plus ancien cadavre momifié jamais trouvé en Europe. Il appartenait à une civilisation de l'âge du cuivre qui vivait dans les Dolomites 150 ans avant la fondation de l'Égypte ancienne.

Ötzi fut d'abord revendiqué par le gouvernement autrichien, mais il fut ensuite confirmé qu'il avait été extrait du sol du côté italien, à 100 m de la frontière, dans le glacier de Schnalstal. Après une brève bataille diplomatique, la momie fut finalement rendue à l'Italie, où elle est désormais exposée, au Museo Archeologico dell'Alto Adige, à Bolzano, depuis 1998.

Reste à savoir ce qu'Ötzi pouvait bien faire à 3 200 m d'altitude sur un flanc de montagne pris dans la glace, il y a 52 siècles. Certains prétendent qu'il s'agissait d'un berger errant, tué lors d'un combat. D'autres préfèrent se dire qu'il s'agissait simplement du premier alpiniste de l'histoire.

fumé et aux petites quenelles), à accompagner d'un rouge St Magdalener ou Lagrein.

La vie nocturne s'organise autour de la Piazza delle Erbe.

Fischbänke Pic-Nic Bar (☎ 0471 97 17 14 ; Via Dott Streiter 26a ; plats 5-10 € ; ☼ 9h-19h lun-ven, 9h-12h30 sam). "Ici, on n'est pas chez McDonald's" proclame un panneau à l'intérieur de ce bar aménagé dans l'ancien marché au poisson, le Fischbänke, dont il a conservé les tables de marbre blanc. Tout est dit. Bon vivant et artiste, Cobo, le propriétaire, vous montrera ses œuvres (notamment de fascinants oiseaux de BD) après vous avoir servi un verre de vin du Tyrol et une délicieuse *bruschetta*. Les horaires varient, car Cobo baisse le rideau quand ça lui chante (généralement assez tard le soir).

Hopfen & Co (☎ 0471 30 07 88 ; Piazza delle Erbe 17 ; repas 15-20 € ; ☼ 9h30-1h lun-sam). Tout droit sortie de l'Autriche des Habsbourg, cette vénérable auberge vieille de 800 ans sert de généreuses portions de plats traditionnels, comme de la choucroute et des saucisses cuites à la bière. Dans le bar lambrissé de bois, vous pourrez goûter la bière trouble, non filtrée, brassée sur place dans deux cuves de cuivre étincelant.

Vögele (☎ 0471 97 39 38 ; Via Goethe 3 ; repas 19-24 € ; ☼ 9h-1h). Fondé en 1277 et tenu par la même famille depuis 1840, ce pub-restaurant rempli d'antiquités propose une généreuse cuisine tyrolienne (par exemple des *schnitzels*) dans une salle éclairée aux chandelles. Vous pouvez aussi vous contenter d'un verre.

Restaurant Walthers' (☎ 0471 32 40 22 ; Piazza Walther 6 ; repas 20-25 € ; ☼ 8h-1h lun-sam, 8h-19h dim ; ☒). En terrasse, ou dans la salle sombre et fraîche, dégustez des plats aux influences asiatiques et méditerranéennes, comme les tagliatelles aux crevettes sautées au wok, le thon grillé aux petits légumes, graines de sésame et wasabi, ou le veau rôti à la broche. Terminez par une mousse à l'expresso, nappée de crème fraîche.

Stadt Caffè Città (☎ 0471 97 52 51 ; Piazza Walther 21 ; en-cas 7-15 € ; ☼ 8h-1h lun-sam, 8h-19h dim ; ☒). Avec son décor très "fin de siècle", ses serveurs en uniforme accueillants, son café crémeux, les en-cas "gratuits" du buffet et les 32 quotidiens (en une dizaine de langues différentes), ce café offre toute l'hospitalité viennoise à deux pas des Dolomites.

Le matin, on trouve fruits, légumes, pain et fromages au **marché** (Piazza delle Erbe ; ☼ lun-sam).

Comment s'y rendre et circuler

L'**aéroport de Bolzano** (Aeroporto di Bolzano ; ☎ 0471 25 52 55 ; www.abd-airport.it) est desservi par des vols depuis/vers Rome, Olbia et Cagliari. **Locus Coach** vous emmènera à l'aéroport pour un prix raisonnable.

Les bus **SAD** partent de la **gare routière** (☎ 800 846 047 ; Via Perathoner) en direction de diverses villes de la province, dont Val Gardena (12/jour), Brunico (20/jour) et Merano (55 min, ttes les heures). Ces bus desservent aussi des stations en dehors de la province, dont Cortina d'Ampezzo. Les horaires sont disponibles sur le site Internet (www.sad.it).

Des trains partent toutes les heures de la **gare** (Piazza Stazione) de Bolzano en direction de Merano (2,40 € ; 40 min), Trente (3,35 € ; 30 min) et Vérone (8 € ; 2 heures 30). Brunico (1 heure 30), dans le Val Pusteria, est moins bien desservi (6/jour).

Vous pouvez louer un vélo dans le **kiosque en plein air** (☎ 0471 99 75 78 ; Via della Stazione 2 ; ☺ 7h30-20h Pâques-oct) près de la gare ferroviaire. Les vélos coûtent la somme modique de 1 €/6 heures, mais ils doivent être rendus pour la nuit. Prévoyez de l'argent pour la caution et munissez-vous de vos papiers d'identité. L'office du tourisme loue également des vélos pour 5 €/jour (plus une caution). Comme Amsterdam, Bolzano est très facile à explorer en vélo et il est même possible de sortir de la ville sans avoir à quitter les nombreuses pistes cyclables.

MERANO (MERAN)
34 300 habitants / altitude 323 m
Boulevards verdoyants, palmiers exotiques, chants d'oiseaux dans le centre-ville… Merano est le lieu où l'Europe centrale rencontre la Méditerranée autour d'une assiette de spaghettis, d'un strudel et de quelques pages de Dante et de Nietzsche en *contorno* (accompagnement). Appréciée depuis longtemps pour la douceur de son climat, la ville est devenue véritablement thermale au XIXᵉ siècle, époque à laquelle ses environs se couvrirent de superbes parcs et villas, dont le magnifique Castel Trauttmansdorff. Situés dans le centre-ville, les Terme Merano attirent encore les visiteurs avec leurs bassins modernes donnant sur une promenade classique en bord de rivière.

Ayant passé 90% du dernier millénaire sous influence viennoise, Merano ne ressemble pas aux destinations italiennes traditionnelles. Il est ici souvent plus pratique de parler allemand qu'italien (même si tout le monde est bilingue) et les habitants sont généralement plus friands de bière et de saucisses que de vin et de *fettuccine*.

Orientation et renseignements
Les gares routière et ferroviaire sont à 10 minutes de marche du centre-ville. En sortant de la gare ferroviaire, prenez la Via Europa sur votre droite, puis, sur la Piazza Mazzini, empruntez le Corso Libertà, passez devant l'office du tourisme et plusieurs banques équipées de DAB, et vous arriverez dans le centre historique. La Via dei Portici, piétonne, est la principale rue commerçante.
Office du tourisme (☎ 0473 23 52 23 ; www.meraninfo.it ; Corso Libertà 35 ; ☺ 9h-12h30 et 14h-18h lun-ven, 9h30-12h30 sam)

REINHOLD MESSNER

Si la majorité des randonneurs qui arpentent les Dolomites sont allemands, le plus célèbre d'entre eux, Reinhold Messner, est en réalité, malgré son nom aux sonorités germaniques et sa langue maternelle allemande, un Italien originaire de Bressanone (Brixen), dans le Haut-Adige.

Né en 1944, Messner a grandi au milieu des pics acérés des Dolomites. Après avoir gravi son premier sommet à l'âge de cinq ans, il a rapidement pris les Alpes d'assaut et est apparu, à l'âge de 20 ans à peine, comme une star montante de l'alpinisme. Critique à l'égard des techniques utilisées lors des expéditions traditionnelles dans l'Himalaya dans les années 1960, Messner préconisait une approche plus simple, insistant sur une ascension rapide avec un minimum de matériel. Dès les années 1970, il s'est tourné vers l'Everest, annonçant son ambition de gravir cette montagne sans utiliser d'oxygène de secours.

En 1978, il a réalisé son projet avec l'Autrichien Peter Habeler, et tous deux sont devenus les premiers hommes à avoir atteint le plus haut sommet du monde sans oxygène, une prouesse considérée à l'époque comme physiquement impossible, voire suicidaire. Messner a renouvelé l'ascension du sommet deux ans plus tard, cette fois seul, par la face nord, et toujours sans oxygène. Beaucoup ont comparé cet exploit surhumain aux premiers pas sur la Lune.

La célébrité de Messner a longtemps intrigué la communauté des alpinistes. Non seulement ses capacités physiques n'étaient pas exceptionnelles pour un homme de son âge, mais il était en outre handicapé par les trois doigts et sept orteils qu'il avait perdus suite à une dramatique expédition dans l'Himalaya en 1970 (durant laquelle son jeune frère Günter a péri).

Les années n'ont pas ébranlé son courage : en effet, Messner a établi un nouveau record en 1986 en devenant le premier homme à gravir les 14 sommets de plus de 8 000 m. Fuyant une retraite bien méritée, il a également participé à la première traversée sans assistance de l'Antarctique.

Aujourd'hui, Messner effectue des randonnées plus tranquilles, principalement dans les Dolomites. Député européen (1995-2000) du parti écologique italien, Messner s'occupe de ses cinq Messner Mountain Museums, dont celui du Firmian, à 6 km au sud de Bolzano (voir p. 331).

TRENTIN ET HAUT-ADIGE

Ospedale Civile Tappeiner (☎ 0473 26 33 33 ;
Via Rossini 5). Urgences médicales.

Poste (Via Roma 2). De l'autre côté de la rivière Passirio,
depuis la vieille ville.

À voir

Le centre historique de la ville s'étend autour
de la Via dei Portici, une rue à arcades, et de
la Piazza del Duomo ; prenez n'importe quelle
rue partant du Corso della Libertà, près de
l'office du tourisme.

Deux siècles de mode féminine sont retracées
au **Museo della Donna** (☎ 0473 23 12 16 ; Via dei Portici 68 ;
adulte/enfant 4/3 € ; ☟ 10h-12h et 14h-17h lun-ven, 10h-12h30
sam jan-oct, 10h-18h sam-lun nov-déc), qui présente des
costumes et des accessoires d'époque. Le petit
mais très intéressant **Museo Ebraico** (☎ 0473 23 61
27 ; Via Schiller 14 ; entrée libre ; ☟ 15h-18h mar-mer, 9h-12h
jeu, 15h-17h ven), installé dans la synagogue de
Merano construite en 1901, raconte l'histoire
de la population juive de la ville du début du
XIXe siècle à la Seconde Guerre mondiale.

À la sortie de la ville de Tirolo, le **Castel
Tirolo** (Schlosstirol ; ☎ 0473 22 02 21 ; www.schlosstirol.it ;
adulte/enfant 6/3 € ; ☟ 10h-17h mar-dim mi-mars à oct,
jusqu'à 18h en août) abrite depuis peu le musée du
même nom, dont la collection, régulièrement
réorganisée, évoque l'histoire du Tyrol. Le
donjon est consacré au passé tourmenté du
Tyrol du Sud au XXe siècle. Tirolo est desservi
par un télésiège au départ de Merano, ainsi
que par des trains et des bus.

Plantations et volière entourent le **Castel
Trauttmansdorff** (www.trauttmansdorff.it ; Via San
Valentino 51a), un château du milieu du XIXe siècle
où logeait l'impératrice Sissi lorsqu'elle venait
prendre les eaux à Merano. À l'intérieur du
château, le **Touriseum** (musée du Tourisme ; ☎ 0473
27 01 72 ; www.touriseum.it ; jardin et musée adulte/enfant
10,20/7,50 € ; ☟ 9h-18h mi-mars à avr et oct à mi-nov,
9h-21h mai-sept) retrace les deux derniers siècles
du tourisme alpin, des aristocrates brandissant
leur Baedeker aux snowboarders à gros bonnets
d'aujourd'hui. On profite particulièrement
bien du cadre au restaurant du parc ou au café
installé en bordure de l'étang à nénuphars.

Nous conseillons aux amateurs la visite (sur
réservation) de la **Brasserie Forst** (☎ 0473 26 01 11 ;
Forst), juste à la sortie de Merano ; renseignez-
vous auprès de l'office du tourisme.

À faire

Les **Terme Merano** (☎ 0473 25 20 00 ; www.kurbadmeran.
it ; Piazza Terme 1 ; bassins 2 heures adulte/enfant 10,50/7 €,
journée 15/10 € ; ☟ 9h-22h) font la renommée
de Merano depuis des siècles. Récemment
rénovés, ils occupent désormais un bâtiment
futuriste organisé autour d'un cube en verre et
comptent pas moins de 13 bassins intérieurs
et 12 extérieurs, dont un d'eau de mer avec
diffusion de musique sous l'eau. La liste des
soins proposés est très longue, allant du bain de
laine de mouton du Tyrol du Sud (29 €, 20 min)
à un programme d'élimination des toxines
en plusieurs jours. Le complexe comprend
aussi un restaurant et un hôtel quatre-étoiles.
Il faut réserver au moins un mois à l'avance
pour une cure.

À 6 km de la ville, le téléphérique **Funivia
Val di Nova** (forfait adulte à la demi-journée/journée
16/25 € ; ☟ 9h-12h et 13h15-17h), de la société **Funivie
Monte Ivigna** (☎ 0473 23 48 21 ; www.meran2000.com ; Via
Val di Nova 37), conduit les skieurs jusqu'à Piffling,
à **Merano 2000**, petite station à 2 000 m d'altitude
comprenant 30 km de pistes desservies par cinq
télésièges, un téléphérique et quelques remon-
te-pentes. Les pistes conviennent surtout aux
débutants. Le bus n°1B relie la gare de Merano
au téléphérique du Val di Nova.

De juillet à septembre, l'office du tourisme
organise des excursions guidées et distribue
une carte gratuite indiquant les différents parcs
et chemins, dont la célèbre **Passeggiata Tappeiner**,
qui part de la Via Laurin et serpente sur 4 km
autour du Monte Benedetto (514 m) avant de
redescendre vers la rivière Passirio. Le **télésiège**
(☎ 0473 92 31 05 ; Via Laurin ; ☟ 9h-18h sept-juin, 9h-19h
juil-août), au point de départ du sentier, relie
Merano au village de **Tirolo**, où un **téléphérique**
(☎ 0473 92 34 80) gravit la montagne jusqu'à **Muta**.
La Passeggiata Gilf constitue également une
jolie balade au bord de la rivière – un poème
est inscrit sur chacun des 24 bancs de bois qui
jalonnent le sentier.

Où se loger et se restaurer

Ostello della Gioventù Merano (☎ 0473 20 71 54 ;
www.jugendherberge.it ; Via Carducci 77 ; dort 19,50 €,
s 22 € ; ℗ ◨). Aisément accessible à pied depuis
la gare ferroviaire et à moins d'un pâté de
maison de la promenade en bord de rivière,
cette auberge de jeunesse indépendante est
parfaitement entretenue. Vous y trouverez
un billard, un baby-foot (pour les jours de
pluie), une laverie et 59 lits dans des dortoirs
de quatre personnes maximum.

Hotel Graf von Meran (☎ 0473 23 21 81 ; www.
contedimerano.com ; Via delle Corse 78 ; s 48-60 €, d 76-100 € ;
℗). Situé près de la Via dei Portici, l'élégante
artère commerçante de Merano, cet hôtel

raffiné propose des chambres élégantes au décor dépouillé. La demi-pension/pension complète dans le restaurant lambrissé coûte un supplément de 11/18 € par personne.

Vigilius Mountain Resort (☎ 0473 55 66 00 ; www. vigilius.it ; Lana ; s 225-235 €, d 310-345 € ; P ⊠). Fatigué de conduire ? Laissez donc votre voiture au parking privé dans la vallée et prenez le téléphérique (7 min) jusqu'à ce centre thermal écologique bâti au-dessus de Merano. Construit en matériaux naturels (argile, bois), ce paradis montagnard est dédié au bien-être avec ses soins anti-stress (comme la réflexologie aux pommes de pin ou le gommage à la polenta), son jacuzzi avec vue sur les sommets et ses deux restaurants (un traditionnel, un gastronomique). Le prix inclut la remontée en téléphérique et les activités comme le yoga ou la marche nordique.

Café König (☎ 0473 23 71 62 ; Corso della Libertà 168). La meilleure *pasticceria* (pâtisserie) de Merano est un lieu de rendez-vous rétro prisé, avec des plats sympathiques à emporter ou à déguster sur place, à l'arrière. Excellent pour un expresso et une part de strudel ou un en-cas plus copieux (à partir de 3,50 €).

Vinoteca Pizzeria Relax (☎ 0473 23 67 35 ; Via Cavour 31 ; pizzas env. 7-9 € ; ☽ 12h-14h30 et 18h-0h30). Ce bar-restaurant tapissé de bouteilles est idéal pour goûter un verre ou deux d'un excellent vin de l'Alto Adige, ainsi que pour les pizzas.

◖ **Forsterbräu** (☎ 0473 23 65 35 ; Corso della Libertà 90 ; repas env. 20 € ; ☽ mer-lun). Installé dans une jolie cour, ce restaurant tyrolien sert une très bonne *Gulaschsuppe* (soupe au goulash) et accommode la truite de différentes manières. Pour faire glisser le tout, une pinte de bière Forst s'impose (l'auberge fait partie de la brasserie).

Comment s'y rendre et circuler

Au départ de Merano, les bus SAD relient la **gare routière** (Piazza Stazione) à Monte Santa Caterina ainsi qu'à d'autres villages donnant accès au massif de Tessa, à Silandro et aux vallées menant à la chaîne de montagnes de l'Ortles et au Parco Nazionale dello Stelvio.

En train, Bolzano (2,40 €, environ ttes les heures) n'est qu'à 40 minutes de la **gare ferroviaire** (Piazza Stazione). **Bici Val Venosta** (☎ 0473 20 15 00 ; ☽ 8h-20h avr-nov), à côté de la gare, vend l'**Event Card** (adulte/enfant 16/8 €) qui donne accès à une location de vélo d'une journée (avec casque) et à des voyages en train illimités entre Bolzano-Merano-Malles. Les 65 km de route sont jalonnés de pistes cyclables.

PARCO NAZIONALE DELLO STELVIO

Avec ses 1 346 km^2, le **Parco Nazionale dello Stelvio** (☎ 0469 03 04 6 ; www.parks.it/parco.nazionale.stelvio) est le plus grand parc national d'Italie (et des Alpes), s'étendant jusqu'en Lombardie et jouxtant le Parco Nazionale Svizzero, en Suisse.

C'est avant tout un havre pour les randonneurs, qui viennent ici profiter du vaste réseau bien organisé de refuges et de pistes balisées qui, bien que souvent difficiles, ne nécessitent pas non plus l'expérience de l'alpinisme requise ailleurs dans les Dolomites. Le massif central du Stelvio est gardé par le Monte Cevedale (3 769 m) et l'Ortles (3 905 m), qui abritent des glaciers, des forêts, de nombreuses espèces animales et une multitude de traditions, aussi bien italiennes que sud-tyroliennes. Il y a moins d'un siècle, ces paysages majestueux servirent de théâtre aux combats de la Première Guerre mondiale. Les vestiges des anciens bâtiments de guerre témoignent de ce drame, de même qu'un petit musée.

Quoique moins "gâché" par les stations de ski que les autres régions, le Stelvio compte plusieurs pistes bien desservies à Solda et un **Passo dello Stelvio** (2 757 m), skiable toute l'année. Le Passo dello Stelvio est le deuxième plus haut col des Alpes ; il est accessible à partir du hameau de **Trafoi** (1 543 m), au nord, par une route spectaculaire avec une série de lacets sur 15 km et des passages abrupts. La route est également connue des cyclistes, qui s'entraînent l'hiver à cette ascension épuisante (elle a souvent été incluse dans le *Giro d'Italia*).

Accès depuis Merano (d'où l'on rejoint facilement le Val d'Ultimo, le Val Martello, le Val di Solda et le Passo dello Stelvio), ou depuis le Val di Sole dans le Trentin.

Bormio
altitude 1 125 m

Située juste au sud du Passo dello Stelvio, la petite ville médiévale de Bormio est officiellement en Lombardie, mais sert officieusement de QG du nord pour le parc national du Stelvio. Les vertus curatives de ses sources sont connues depuis l'époque romaine.

Non loin de certaines des plus hautes pistes d'Italie, Bormio est une station de ski très active. La Cima Bianca se dresse juste à côté de la localité et l'emblématique Pista Stelvio (1 800 m de dénivelé sur plus de 8 km), où est organisée chaque année la Coupe du monde de descente, est également proche. Cette dernière est ouverte toute l'année.

L'**office du tourisme de Bormio** (☎ 0342 90 33 00 ; www.bormioonline.com ; Via Roma 131b, Bormio ; ☺ en saison, horaires variables) constitue une bonne source d'information sur le parc. À proximité se trouvent les **bureaux du parc** (☎ 0342 91 91 99 ; Via Roma 26), qui fournissent des cartes, des prévisions météo et des conseils pour la randonnée.

Pour les amateurs de détente aquatique, les **thermes** (☎ 0342 90 13 25 ; www.bormioterme.it ; Via Stelvio 10 ; 1 heure 8-11 € ; ☺ 9h-22h lun et mer, 9h-24h ven, 9h-20h jeu, sam-dim, fermé mai) proposent de nombreux bassins et toute une gamme de soins spa (inhalations, bains de boue, etc.).

Pour vous faire encore plus dorloter, résidez à l'**Hotel Bagni Vecchi** (☎ 0342 91 01 31 ; www.bagnidibormio.it ; Via Statale Stelvio ; d 208-268 € ; ⓟ ⓧ ⓡ), luxueux établissement thermal aménagé sur le site de thermes romains, avec 30 sources chaudes, 11 bassins extérieurs et un bon choix de soins. Les tarifs de l'hôtel sont élevés mais donnent un accès illimité au spa (payant pour les non résidents). Léonard de Vinci profita lui-même des thermes en 1493 !

Val di Solda

Le village de **Solda** (1 906 m), au sommet du Val di Solda, est une station de ski discrète, mais qui reste très appréciée en été des randonneurs et des grimpeurs. Des sentiers escarpés mènent rapidement à de hautes altitudes, comme le n°28, qui passe par le Passo di Madriccio (3 123 m) pour rejoindre le Val Martello. L'**office du tourisme** (☎ 0473 61 30 15 ; Solda ; ☺ en saison, horaires variables) de Solda vous renseignera sur les activités estivales et hivernales.

Situé – plus ou moins littéralement – à l'intérieur d'une montagne, le **musée de la montagne Messner-Ortles** (☎ 0473 61 32 66 ; adulte/enfant 5/3 € ; ☺ 14h-18h mer-lun, fermé mai et nov) s'articule autour du thème de la glace, avec de belles expositions sur les glaciers, l'escalade glaciaire et les expéditions au pôle. À proximité se tient le **Yak & Yeti** (località Solda 55), ferme du XVIIe siècle transformée en restaurant par Messner.

Pour une adresse facile d'accès à prix raisonnables, essayez l'**Hotel Post** (☎ 0473 61 30 14 ; Via Principale 24 ; d à partir de 80 € ; ⓟ ⓧ ⓡ), dans une auberge centenaire, agrandie pour inclure un équipement "bien-être" tout compris.

Les bus SAD relient Solda à Merano du lundi au vendredi, l'été uniquement ; vous devrez changer de bus à Spondigna.

Val Martello

Chaque vallée de l'Alto Adige a sa spécialité. À Martello, il s'agit des fraises ; une **fête des fraises** a même lieu ici chaque année en juin, inaugurée par la dégustation d'un gâteau géant.

Martello est une porte d'accès pratique pour le parc national du Stelvio, avec des promenades tranquilles et des randonnées plus difficiles. L'itinéraire n°20, accessible à tous, grimpe dans le Val di Peder. Il est ponctué de sites charmants où pique-niquer et permet parfois d'apercevoir des animaux sauvages, tels des chamois et des cerfs. Vous pourrez aussi organiser une excursion de 3 jours jusqu'au Val di Rabbia (et traverser la frontière linguistique germano-italienne) en prenant l'itinéraire n°4/n°142 vers le Lago Fontana Bianca et enfin le Paso di Rabbi. L'hébergement se fait dans les refuges Canziani et Stella.

Spécialisée dans le ski de fond en hiver, Martello jouit de paysages vierge de pistes de ski et de remontées mécaniques. Les alpinistes pourront s'attaquer aux cascades gelées de janvier à mars.

L'**Hotel Bergfrieden** (☎ 0473 74 45 16 ; Meiern 84, Martell ; d 70-90 € ; ⓟ ⓧ ⓡ) est décoré dans un style particulier autour du thème des fraises.

La route qui mène à la vallée est ouverte toute l'année et le bus SAD n°107 dessert le village de Martello au départ de Silandro.

VAL GARDENA

Bien que proche de Bolzano, le Val Gardena, isolé par les hauteurs du Gruppo del Sella et de Sassolungo, a su conserver nombre de ses traditions. C'est l'une des cinq vallées des Dolomites où le ladin est la langue majoritaire. Célèbres dans le monde entier, ses sculpteurs sur bois comptent parmi ses particularités culturelles. Dans les boutiques d'Ortisei ou de Santa Cristina, vous trouverez nombre de jouets en bois adroitement sculptés – souvenirs typiques du Gardena. Récemment, la vallée est devenue une station pour monsieur tout-le-monde, moins préoccupée par les célébrités que par les descentes et la poudreuse.

Ortisei (5 700 habitants ; altitude 1 236 m), **Santa Cristina** (1 840 habitants ; altitude 1 428 m) et **Selva** (2 580 habitants ; altitude 1 563 m), les principales localités, possèdent toutes trois de bonnes installations.

Renseignements

Le site www.valgardena.it rassemble toutes sortes d'informations sur la vallée.

Office du tourisme d'Ortisei (☎ 0471 77 76 00 ; Via Rezia 1 ; ☺ 8h30-12h30 et 14h30-18h30 lun-sam, 8h30 ou 10h-12h et 17h-18h30 dim)

Office du tourisme de Santa Cristina (☎ 0471 77 78 00 ; Via Chemun 9 ; ☺ 8h-12h et 14h30-18h30 lun-sam, 8h30 ou 9h30-12h dim)

Office du tourisme de Selva (☎ 0471 77 79 00 ; Via Mëisules 213 ; ☺ 8h-12h et 15h-18h30 lun-sam, 8h30 ou 9h-12h et 16h30 ou 17h-18h30 dim)

Service médical touristique Ortisei (☎ 0471 79 77 85) ; Selva (☎ 0471 79 42 66)

À faire

La vallée fait partie de la Sella Ronda (p. 330), dont l'accès nécessite un forfait Dolomiti Superski. Les forfaits couvrant le Val Gardena et l'Alpe di Siusi sont moins chers : 36/102/180 € pour 1/3/6 jours (haute saison 40/113/198 €).

On peut aussi faire du ski de fond dans la Vallunga, près de Selva, ou sur les pistes autour de Forcella Pordoi et du Val Lasties, dans le Gruppo del Sella et sur le Sassolungo.

La vallée est aussi un véritable paradis pour les randonneurs, qui ne sauront plus où donner de la tête : des *alte vie* assez ardues du Gruppo del Sella au magnifique Parco Naturale Puez-Odle, en passant par les jolies promenades pour marcheurs de tous niveaux sur des sites tel celui de Vallunga. Si vous recherchez un guide, contactez la **Scuola di Alpinismo Catores** (☎ 0471 79 82 23 ; www.catores.com ; Piazza Stettenect 1, Ortisei ; ☺ 17h30-19h) ou le **centre culturel** (☎ 0471 78 41 33 ; Selva ; ☺ 17h30-19h). Les guides alpins de ces 2 écoles accompagnent des randonnées botaniques, des escalades, des excursions sur glacier et des trekkings.

En été, les téléphériques partent des trois villes de la vallée. Au départ d'Ortisei, un téléphérique rejoint Seceda à 2 518 m d'altitude, d'où l'on voit les pics acérés du Gruppo di Odle. Depuis Seceda, le chemin de randonnée n°2a traverse un environnement typiquement alpin : des pâturages verdoyants et vallonnés, parsemés de *malghe* en bois, sortes de huttes qui servent d'abri aux bergers en été.

Où se loger et se restaurer

Les offices du tourisme disposent de listes complètes d'adresses où dormir ou manger dans la vallée ; Ortisei ravira particulièrement tous ceux qui voudraient un peu de luxe.

Hotel am Stetteneck (☎ 0471 79 65 63 ; www.stetteneck.com ; Via Rezia 14, Ortisei ; d à partir de 78 € ; P ▯ ▣). À proximité des deux téléphériques, cet hôtel date de 1913. Des troupes italiennes y élurent domicile durant la Première Guerre mondiale et il servit d'hôpital militaire. Aujourd'hui il présente un visage plus avenant, avec ses chambres sympathiques, ses grandes baies vitrées et son restaurant mêlant influences tyroliennes et méditerranéennes.

Hotel Posta Al Cervo (☎ 0471 79 51 74 ; www. hotelpostaalcervo.com ; Via Meisules 116, Selva ; d demi-pension 80-100 € ; P ▣). Petite adresse du centre pratiquant des tarifs raisonnables. Chambres douillettes et bon restaurant de cuisine ladine et italienne. Supplément (11 €/pers) pour la pension complète.

Charme Hotel Uridl (☎ 0471 79 32 15 ; www.uridl.it Via Chemun 43, Santa Cristina ; d demi-pension 98-190 € ; P) Cet hôtel de Santa Cristina prend des allures de carte postale les nuits d'hiver, lorsqu'il est couvert de neige et que les lumières scintillent à l'intérieur. Une navette gratuite part de l'hôtel et dépose les clients au pied des pistes. En été le jardin gorgé de soleil se prête agréablement au farniente. Dîner aux chandelles dans le joli petit restaurant.

Ristorante Concordia (☎ 0471 79 62 76 ; Via Roma 41 Ortisei ; repas 20-24 €). Dans la salle lambrissée du Concordia, toutes les pâtes servies sont faites main, de même que les différents pains (aux olives, aux légumes, aux noix). Le jambon est fumé sur place et les vins proviennent des vignobles alentour.

Comment s'y rendre et circuler

Le Val Gardena est accessible toute l'année en bus SAD depuis Bolzano et Bressonone. En été, un service est assuré à partir des vallées environnantes. Toujours en été, une navette effectue le circuit de la Sella Ronda. Pour 10/5 (adulte/enfant), on peut faire autant de halte que l'on veut et poursuivre ensuite son chemin à pied. La carte Val Gardena (64 €) permet de circuler à volonté pendant une semaine. Des lignes de bus relient les villes de la vallée et vous pouvez rejoindre l'Alpe di Siusi par bus ou téléphérique. Les offices du tourisme communiquent les horaires.

En hiver, la navette Val Gardena Ski Express dessert les villages et télésièges de la vallée ; un coupon à 5 € permet de circuler de façon illimitée pendant une semaine.

ALPE DI SIUSI ET PARCO NATURALE DELLO SCILLIAR

Rares sont, en Europe continentale, les juxta positions de paysages aussi magnifiques que celle formée par les pâtures vallonnées des Alpe di Siusi – le plus grand plateau du continent

TRENTIN ET HAUT-ADIGE

qui s'arrêtent de façon spectaculaire au pied des pics vertigineux du Sciliar. Au sud-est se dresse le massif déchiré du Catinaccio, appelé *Rosengarten* ("roseraie") en allemand en raison de la couleur rose que prend la roche des Dolomites au coucher du soleil. Les deux zones sont protégées par le **Parco Naturale Sciliar-Catinaccio**, fondé en 1974. Parmi les autres particularités de la région figurent des églises à dôme en oignon et les bains curatifs au foin (voir l'encadré, p. 341).

Les **offices du tourisme** (⏰ 8h-12h et 14h-18h lun-ven, 8h-12h sam) Compaccio (☎ 0471 72 79 04) ; Castelrotto (☎ 0471 70 63 33 ; Piazza Kraus 1) ; Fiè allo Sciliar (☎ 0471 72 50 27 ; Via Bolzano 4) ; Siusi (☎ 0471 70 70 24 ; Via Sciliar 16) donnent des renseignements sur toutes les activités praticables en hiver. Le secteur fait partie du réseau Superski Dolomiti.

La randonnée est ici un réel plaisir et il n'est nul besoin d'être un alpiniste pour atteindre de hautes altitudes. Les pentes douces des Alpe di Siusi sont idéales pour les familles avec enfants et, avec un peu de courage, vous rejoindrez le **Rifugio Bolzano** (☎ 0471 61 20 24 ; dort/d 18/30 €), l'un des plus anciens refuges des Alpes, à 2 457 m, juste sous le Monte Pez (2 564 m), point culminant du Sciliar. Prenez le **téléphérique panoramique** (aller/aller-retour 3,50/5 €) depuis Compaccio jusqu'à l'Alpenhotel, puis les itinéraires S, n°5 et n°1 jusqu'au *rifugio*, d'où il est assez facile de rejoindre Monte Pez (3 heures en tout). Les sommets plus déchiquetés du Catinaccio et du Sassolungo sont proches. Connus des alpinistes du monde entier, ces sommets abritent plusieurs *vie ferrate* (voir p. 342) et nombre de bonnes pistes pour les amateurs de VTT. On y a généralement accès depuis Vigo, dans le Val di Fiemme.

Les bus SAD desservent l'Alpe di Siusi au départ de Bolzano, du Val Gardena et de Bressanone. Le **téléphérique** (www.seiseralm bahn. it ; aller/aller-retour 9/12 € ; ⏰ 8h-19h mi-déc à mars et mi-mai à oct) le plus long du monde (4 300 m, 800 m de dénivelé) relie Siusi à Compaccio en 15 minutes étourdissantes. Quand il est en service, la route entre les deux localités est fermée à la circulation. Les voyageurs ayant réservé un hôtel dans la région peuvent obtenir un laissez-passer à l'office du tourisme de Compaccio, les autorisant à emprunter la route entre 16h et 10h. Prenez les dispositions nécessaires avant d'arriver sur place. Des bus de la compagnie **Silbernagl** (☎ 0471 70 74 00 ; www.silbernagl.it) desservent la région depuis Castelrotto et Siusi.

L'**Hotel Alla Torre/Gasthof Zum Turm** (☎ 0471 70 63 49 ; www.zumturm.com ; Kofelgasse 8, Castelrotto ; s/d 42/88 € ; P) a beau porter deux noms, il ne souffre pas pour autant d'une personnalité schizophrène. À portée de cloche de l'église de Castelrotto, cette adresse possède des chambres impeccables, un café où déguster de l'*apfelstrudel* et un bric-à-brac tyrolien tout à fait charmant.

 Hotel Heubad (☎ 0471 72 50 20 ; www.hotelheubad. com en italien ; Via Sciliar 12, Fiè allo Sciliar ; d demi-pension 122-190 € ; ⏰ fermé nov ; P ✗ ⊠ ▢ ▣). Cet hôtel joliment rénové ravira ceux qui veulent essayer le bain de foin (voir l'encadré p. 341). Bois clair et couleurs vives dans les chambres spacieuses, et balcon avec vue sur l'Alpe di Siusi. Tout de bois sculpté, le restaurant sert une généreuse cuisine tyrolienne.

VAL BADIA ET ALPE DI FANES

Le romancier britannique JRR Tolkien aurait été tellement séduit par le Val Badia et les Alpe di Fanes que ces paysages lui auraient inspiré le décor du *Seigneur des anneaux*. Mais ce n'était ni le seul ni le premier à trouver l'endroit magique. Depuis des siècles, de puissantes légendes ladines résonnent à travers ce territoire verdoyant qui, depuis 1980, est protégé par le **Parco Naturale di Fanes-Sennes-Braies**. Naturellement, la vallée et les hautes plaines adjacentes des Fanes sont souvent considérées comme l'un des endroits les plus évocateurs des Dolomites. Ces dernières sont accessibles soit à pied, soit en téléphérique au départ du Passo Falzarego.

Les villages de la vallée – Colfosco (1 645 m), Pedraces (1 324 m), La Villa (1 433 m), San Cassiano (1 537 m) et Corvara (1 568 m) – constituent le domaine skiable de l'Alta Badia, qui lui-même fait partie du réseau Dolomiti Superski. La mythique Gran Risa, à 4,5 km au nord de Corvara, à La Villa, est sans conteste la plus renommée des pistes de l'Alta Badia (130 km au total).

Renseignements

Chaque village possède un office du tourisme. Les plus importants sont à Corvara et à La Villa. Hôpital public à Brunico.

Associazione Guide Alpine Val Badia (☎ 0471 83 68 98 ; guide.valbadia@rolmail.net ; Via Burje, Corvara). Renseignements sur le ski, l'héliski, l'escalade sur glace et les chemins de randonnée. Permanence tél de 18h à 19h.

Office du tourisme de Corvara (☎ 0471 83 61 76 ; www.altabadia.org ; Via Col Alt 36 ; ⏰ 8h-12h et 15h-18h lun-ven, 9h-12h et 15h-18h sam, 10h30-12h30 dim).

Office du tourisme de La Villa (☎ 0471 84 70 37 ; www.altabadia.org ; Via Colz 75 ; ☺ 8h-12h et 15h-19h lun-sam, 10h-12h et 16h-18h dim déc-mars et mi-juin à mi-sept, horaires réduits le reste de l'année).
Sauvetage en hélicoptère (☎ 0471 79 71 71)

À faire

L'Alta Badia se trouve sur le circuit de la Sella Ronda (p. 330), accessible en particulier à partir de Corvara, et fait partie du réseau Dolomiti Superski (voir p. 315). Le forfait Alta Badia est le moins onéreux : 36/104/160 € pour 1/3/5 jours. Il est disponible au **guichet des forfaits** (☎ 0471 83 63 66 ; Via Col Alt 88c). Les écoles de ski sont recensées sur le site Internet www.altabadiaski.com.

Au départ du col de Passo Falzarego (2 105 m), à 20 km de Corvara, un **téléphérique** monte jusqu'au Parco Naturale di Fanes-Sennes-Braies. Le chemin n°12 près de La Villa et le n°11, qui rejoint l'*alta via* n°1 à la Capanna Alpina, à quelques kilomètres de la route principale entre Passo Valparola et San Cassiano, mènent à l'Alpe di Fanes et aux deux refuges de Lavarella et Fanes.

Depuis Corvara, un téléphérique et un télésiège rallient Vallon (2 550 m) dans le Gruppo del Sella, où vous aurez une vue spectaculaire sur le glacier de la Marmolada.

L'équitation, le VTT et le deltaplane sont très pratiqués dans la vallée. À partir de 65 €, vous pourrez vous offrir un vol en tandem à l'école de parapente **Centro Volo Libero Alta Badia** (☎ 0471 84 75 92 ; www.cvl-altabadia.com ; Via Bosc da Plan 46, La Villa). Les offices du tourisme vous indiqueront où louer des VTT, mais sachez que les hôtels mettent souvent des vélos à disposition de leurs clients.

Où se loger et se restaurer

La plupart des hôtels et des restaurants sont ouverts de début décembre à début avril puis

---

TRADITIONS LADINES

Aujourd'hui, seules cinq vallées reculées – le Val Gardena et le Val Badia dans le Haut-Adige, le Val di Fassa dans le Trentin, ainsi que les environs d'Arabba et d'Ampezzo, près de Cortina, en Vénétie – ont conservé la culture traditionnelle ladine, qui s'étendait jadis sur l'ensemble du Tyrol.

La langue et la culture ladines remontent aux environs de l'an 15 av. J.-C., à l'époque où les peuples des Alpes centrales furent unifiés de force sous la bannière de la province romaine de Rhaetia. Les habitants de la région modifièrent la langue latine à un point tel qu'au Ve siècle elle était devenue une langue romane à part entière, le rhéto-roman.

Paradoxalement, c'est l'existence d'une double communauté linguistique (italienne et allemande) dans la région qui a permis au ladin de survivre. Quelque 20 000 personnes le pratiquent couramment de nos jours, parmi lesquelles 9 000 vivent dans le Val Gardena. La protection de l'identité culturelle et linguistique ladine est inscrite dans la loi et, dans les écoles de la vallée, la moitié des cours sont dispensés en ladin. D'où un fort sentiment d'appartenance à cette culture.

Malgré son nombre restreint de locuteurs, le ladin, qui se décline en différents dialectes dans ses cinq bastions, reste une langue dynamique. Il existe un journal en ladin, **La Usc di Ladins** (La Voix des Ladins ; www.lauscdiladins.com en ladin et en italien), un bulletin d'information de cinq minutes diffusé tous les jours par la **RAI** (dans un dialecte différent chaque jour) et la **Radio Gherdëina** (94.2 FM), qui émet à partir du Val Gardena. N'hésitez pas à l'écouter lors de votre séjour, ne serait-ce que pour sa programmation musicale, généralement meilleure que celle de ses consœurs italiennes.

Les lieux répertoriés ci-dessous vous permettront de découvrir toute la richesse de la poésie et des légendes ladines, peuplées de fées, d'elfes, de géants et de héros.

Istitut Cultural Ladin (☎ 0462 76 42 67 ; www.istladin.net ; Via della Chiesa 6, Vigo di Fassa, Val di Fassa). Bibliothèque très fournie et archives cinématographiques ; propose aussi des cours de ladin.

Museo Ladin di Fascia (☎ 0462 76 01 82 ; museo@istladin.net ; Via Milano 5, Pozza di Fassa, Val di Fassa ; entrée libre ; ☺ 10h-12h et 15h-19h juil-août, 15h-19h mar-sam sept-juin).

Museo Ladin (Ortisei) (☎ 0471 79 75 54 ; Piazza San Antonio, Ortisei, Val Gardena ; entrée libre ; ☺ 10h-12h et 15h-19h mar-dim juil-août, 15h-18h30 mar-ven juin et sept-oct, 15h-18h30 mar et ven nov-avril). Renseignez-vous auprès du musée ou de l'office du tourisme sur les cours de sculpture sur bois donnés en juillet et août.

Museo Ladin (San Martino) (☎ 0474 52 40 20 ; www.museumladin.it ; Via Tor 72, San Martino, Val Badia ; adulte/enfant 6/4,50 € ; ☺ 10h-18h mar-sam, 14h-18h dim mi-mars à oct, 14h-18h mer-ven fin déc à mi-mars). Dans un joli château à 15 km au sud de Brunico.

COUCHÉ DANS LE FOIN...

Les fermiers ont toujours eu l'habitude d'effectuer une courte sieste réparatrice dans leurs champs fraîchement fauchés. De là est née la pratique du bain de foin. Les alpages de moyenne montagne de l'Alpe di Siusi fournissent le foin le plus riche : un odorant cocktail d'herbes et de plantes médicinales telles que la lavande ou le thym. L'herbe est fauchée encore humide, puis laissée sur place plusieurs jours afin de fermenter.

À l'heure du bain, on se déshabille et on s'allonge sur un matelas suspendu au-dessus d'une baignoire remplie de foin tiède et humide. Le corps est alors entièrement recouvert (sauf le visage) de foin chaud, et le matelas descendu dans la baignoire. Immergé dans le foin qui monte en température, on commence alors à transpirer abondamment. Au bout de 15 minutes de traitement on se débarrasse du foin avant de s'allonger sur un lit normal, enveloppé dans des couvertures pour continuer à transpirer. Afin que ce soin agisse au mieux, il est conseillé de ne pas prendre tout de suite une douche – et ce, malgré les brins d'herbe qui restent collés au corps. On dit que le bain de foin (ou mieux encore, une cure de 7 bains) guérit de toutes sortes de maux, mais ce moment de relaxation suffit à justifier l'expérience. La plupart des centres de remise en forme de la province proposent des bains de foin. Mais question prix et atmosphère, l'**Hotel Heubad** (p. 339), le plus ancien centre de bains de foin, reste imbattable. Il est tenu par les descendants de celui qui inventa le bain de foin, en 1903. Même si vous ne séjournez pas à l'hôtel, vous pouvez, à condition d'avoir réservé, vous offrir un bain de foin dans l'établissement (30 €, 45 min environ).

de mi-juin à début octobre. Plus d'information aux offices du tourisme.

Hotel La Villa (☎ 0471 84 70 35 ; www.hotel-lavilla.it ; Boscdaplan 176, La Villa ; d 70-130 €, demi-pension d 86-152 € ; P 🖳 🐾). Entièrement rénové en 2006, cet hôtel est doté de grands meubles en mélèze et jouit d'une agréable ambiance ladine. On y trouve un centre de bien-être, un espace de jeux pour enfants et un restaurant proposant de la cuisine ladine traditionnelle. Dans l'ensemble, un excellent rapport qualité/prix.

Posta Zirm Hotel (☎ 0471 83 61 75 ; www.postazirm.com ; Via Col Alt 95, Corvara ; s demi-pension 99-145 €, d demi-pension 178-270 € ; P 🐾). Situé en haut de la rue du centre commercial Sport Kostner, ce bel hôtel datant de 1808 possède un restaurant très coté. Sa taverne est un bon point de ralliement après une journée de ski.

St Hubertus (☎ 0471 84 95 00 ; www.rosalpina.it ; Strada Micura de Ru 20, San Cassiano ; menu à partir de 80 €, plats 27-35 € ; 🕒 dîner mer-lun). Installé dans le très onéreux Rosa Alpina Hotel & Spa (mieux vaut ne pas regarder les prix), ce restaurant, deux-étoiles au Michelin, permet d'expérimenter un "dîner événement" digne de ce nom, à condition d'avoir économisé durant tout son voyage. Essayez le bœuf local au foin des montagnes.

Depuis/vers le Val Badia

En été et en hiver, des **bus SAD** (☎ 800 846047 ; www.sad.it) relient toutes les heures les villages de l'Alta Badia à Bolzano (2 heures 30) et à Brunico (1 heure 15). Les liaisons sont plus rares au printemps et à l'automne. Des bus moins fréquents quittent Corvara en direction de Val Gardena, Passo Sella, Passo Pordoi, Canazei et Passo Falzarego. Les itinéraires sont modifiés en hiver pour éviter les cols.

VAL PUSTERIA

Également connu sous le nom de "vallée verte", le verdoyant et étroit Val Pusteria semble plus champêtre et moins peuplé que ses collègues du sud. Allant de Bressanone (Brixen) à l'est de San Candido (Innichen), la région est profondément germanophone et certains noms de localités sont très différents en allemand et en italien. L'attraction principale de la région est le **Parco Naturale delle Dolomiti di Sesto**, qui abrite certains des plus célèbres sommets des Dolomites, dont le très photographié Tre Cime di Lavaredo.

Principal centre de la vallée, **Brunico** (*Bruneck* en allemand ; 13 700 habitants ; altitude 835 m), est une "ville-marché" animée mais quelconque, reliée par téléphérique à la station de ski du **Plan de Corones**, à 4 km au sud, idéale pour les débutants avec ses grandes pistes verte et bleue. Le forfait Dolomiti Superski est valable ici et du matériel de ski est proposé à la location dans ces deux localités. Incontournable, l'**office du tourisme de Brunico** (☎ 0474 55 57 22 ; www.bruneck.com ; Piazza Municipio 7 ; 🕒 9h-12h30 et 15h-18h lun-ven, 9h-12h sam) vous renseignera sur les hébergements et les restaurants sur place ou dans les environs. Vous pouvez essayer,

VIE FERRATE

Durant la Première Guerre mondiale, alors que Britanniques et Français pataugeaient dans la boue, leurs alliés italiens étaient engagés dans une bataille tout aussi ardue contre les Autrichiens sur le front traversant les Dolomites, du Passo di Monte Croce, à l'est, à Marmolada, à l'ouest. Mais le brouillard d'altitude dissimulait deux ennemis encore plus dangereux : le froid glacial de l'hiver et le terrain escarpé.

Aujourd'hui, les stigmates de ce long affrontement sont toujours visibles dans les Dolomites, gravés à tout jamais dans la montagne, criblée de tunnels, de tranchées et de fortifications. Mais ce sont les sentiers de haute altitude qui ont conservé l'héritage le plus durable.

Afin de faciliter les déplacements dans cette zone au relief escarpé, les deux armées ont fixé des cordages et des échelles sur des parois abruptes pour créer des voies d'escalade sécurisées appelées *vie ferrate* ("voies de fer"). Refaites avec des barreaux, des ponts et des cordages en acier après la guerre, les *vie ferrate* sont des parcours à mi-chemin entre les sentiers de randonnée traditionnels et les véritables voies d'escalade, permettant aux alpinistes amateurs d'accéder à des sites hors d'atteinte.

Avant de vous attaquer à l'une de ces voies, vous devrez vous munir du matériel d'escalade de base (casque, protections et gants) et porter un harnais en Y doté de deux mousquetons. En raison des difficultés techniques et des risques encourus sur de nombreuses *vie ferrate*, les randonneurs doivent avant toute chose s'accrocher aux supports métalliques avec les mousquetons afin d'éviter les chutes et augmenter le niveau de sécurité.

On trouve des *vie ferrate* dans toutes les Dolomites et il n'est pas besoin d'être très expérimenté pour en profiter (les voies sont classées de 1 à 5 selon leur niveau de difficulté). Madonna di Campiglio et Cortina d'Ampezzo sont les points de départ de certains des chemins les plus spectaculaires. Non seulement elles assurent une poussée d'adrénaline, mais elles revêtent aussi une dimension historique, demeurant fortement associées à la Première Guerre mondiale. Visitez les grands musées en plein air de Lagazuoi et de Cinque Torri (en Vénétie et sur l'Alta Via 1), qui présentent différents tunnels, constructions militaires et forts restaurés.

dans le centre, l'**Hotel Blitzburg** (☎ 0474 55 57 23 ; www.blitzburg.it en italien ; Via Europa 10 ; d demi-pension 90-148 € ; P)), un établissement ancien et plein de charme possédant des chambres claires et spacieuses ainsi qu'un sauna.

Aisément accessible depuis le Val Pusteria, le Lago di Braies offre un cadre idéal pour une balade en bord de lac. Les marcheurs plus expérimentés pourront s'attaquer à l'*alta via* n°1, dont c'est le point de départ. On atteint le Parco Naturale di Fanes-Sennes-Braies plus facilement depuis le Val Badia ou le Passo Falzarego.

DOLOMITES DE SESTO

À l'autre bout de la vallée, en direction de l'Autriche, les Dolomites de Sesto réservent de beaux chemins de randonnée. Les sentiers et pistes de ski de fond sont innombrables dans le Valle Campo di Dentro, près de San Candido, et le Val Fiscalina, près de Sesto. Au départ du Val Fiscalina, le sentier n°102, long mais facile, grimpe jusqu'au Rifugio Locatelli (2 405 m), d'où l'on découvre une vue magnifique sur les Tre Cime di Lavaredo. La plupart des chemins autour des Tre Cime conviennent aux novices et aux familles, mais sont littéralement envahis de marcheurs en juillet et en août. À la belle saison, on peut aussi pratiquer le rafting et le VTT.

Depuis/vers le Val Pusteria et les Dolomites de Sesto

Les bus SAD desservent Brunico (45 min, ttes les heures) et Cortina (1 heure, 4/jour), au départ de San Candido. Des bus assurent la liaison entre Bolzano et Merano, Val Badia, San Vigilio di Marebbe et Val Gardena (bus pour Innsbruck). Quelques bus et trains relient San Candido et Bolzano à Dobbiaco où vous pourrez prendre un bus pour le lac de Braies.

Le Val Pusteria est accessible en train depuis Bolzano, avec un changement à Fortezza (40 min à partir de Fortezza).

Vénétie

L'apparente coquetterie de Venise, blottie entre les prestigieux palais gothiques du Grand Canal et les resplendissantes mosaïques de la cathédrale Saint-Marc capturant les rayons du soleil, dissimule une prodigieuse créativité culturelle. À l'apogée de sa puissance maritime, son empire commercial s'étendait de Constantinople à la Croatie et, dans la péninsule italienne, jusqu'en Lombardie. Des villas fluviales de Brenta aux villes fortifiées perchées sur des collines aux quatre coins de la Vénétie, la marque de Venise, symbolisée par le lion ailé de saint Marc posant sur un livre ouvert, est omniprésente.

Pourtant, malgré son prestige et son influence, la Vénétie ne se dévoile pas si facilement. La région recèle en effet tant de chefs-d'œuvre qu'on ne cesse d'en mettre au jour de nouveaux au gré des restaurations : des Palladio à Vicence, des Giotto à Padoue ou encore des Mantegna à Vérone. Des villas et des palais particuliers ouvrent désormais leurs portes au public, révélant des plafonds de Tiepolo et des fresques de Véronèse autour de Vicence et de Venise.

Les amateurs de cuisine et de vins italiens trouveront en Vénétie des délices inédits. Plusieurs crus parmi les plus prisés d'Italie sont distribués par de petits domaines des régions de Valpolicella et Soave. Et pour savoir enfin qui prépare les meilleurs fruits de mer, canards sauvages, *bigoli* (pâtes au blé complet) ou *risi e bisi* (risotto aux petits pois), il vous faudra arpenter méthodiquement la campagne de Vénétie – au risque de tomber définitivement sous le charme de la région et de vouloir y revenir. Vous voilà prévenu…

À NE PAS MANQUER

- Les somptueux dômes couverts de mosaïques dorées de la **basilique Saint-Marc** (p. 355), à Venise

- Les "Brava !" rappelant les divas dans les **arènes romaines** (p. 393) de Vérone et à **La Fenice** (p. 357), à Venise

- Les fresques bouleversantes de Giotto dans la **chapelle des Scrovegni** (p. 383)

- La variété des rouges et des blancs dans la légendaire **région vinicole** (p. 397) de Vérone

- Le contraste entre la palette lumineuse de Titien et le coup de pinceau énergique du Tintoret à **I Frari** (p. 360) et dans la **Scuola Grande di San Rocco** (p. 361)

- Un voyage dans les années 1600, dans les villas de la **Riviera du Brenta** (p. 381)

- Une randonnée dans les alpages fleuris et les sommets hérissés des **Dolomites** (p. 398)

★ Dolomites

Vérone ★   Padoue ★   Venise ★ ★
Riviera du Brenta

VÉNÉTIE

▪ POPULATION : 4,83 MILLIONS	▪ SUPERFICIE : 18 378 KM²

ITINÉRAIRE RÉGIONAL
VILLAS ET VINS

Trois jours / Riviera du Brenta / Venise

Parcourez la **Riviera du Brenta** (p. 390) en vélo ou en *burchiello* (bateau à fond plat), et explorez les prestigieuses villas de Vénétie, à la manière d'un mondain des années 1600. Ne manquez pas **"La Malcontenta"** de Palladio (Villa Foscari ; p. 381), les fresques de Tiepolo dans la **Villa Pisani Nazionale** (p. 382) et le musée des Cordonniers dans la **Villa Foscarini Rossi** (p. 382) du XVIIIe siècle.

Vous quitterez le bateau à **Padoue** (p. 383), où vous pourrez passer la nuit dans un **hôtel** (p. 386) dominant le sanctuaire de **saint Antoine** (Sant'Antonio ; p. 385), saint patron des miraculés et des objets perdus. À deux pas, admirez saint Georges dans les fresques de l'**Oratorio di San Giorgio** (p. 386) et les Titien de la **Scoletta del Santo** (p. 386). En réservant, vous verrez le trésor de Padoue : les fresques de Giotto dans la **Cappella degli Scrovegni** (p. 383), à moins de paresser dans les cafés du centre historique, ou encore de découvrir, dans sa stupéfiante **université** (p. 385), la salle de conférences de Galilée et l'amphithéâtre anatomique à six étages.

Un trajet de 15 à 30 minutes en train vous mène à **Vicence** (p. 387), où vous passerez l'après-midi à contempler les façades des *palazzi de* Palladio chauffées par le soleil. La **Villa Valmarana "ai Nani"** (p. 389), couverte de fresques de Giambattista et Giandomenico Tiepolo, vaut le détour. Sans quitter le cadre palladien, prenez l'apéritif à l'**Antica Casa della Malvasia** (p. 391), bar à vin du XIIe siècle, et rentrez dormir dans le palais au décor chic contemporain du **Relais Santa Corona** (p. 391).

Le lendemain, direction **Vérone** (p. 392). Au programme : Mantegna à la **Basilica di San Zeno Maggiore** (p. 395) le matin, lèche-vitrines sur la Via Mazzini et pause café sur la **Piazza delle Erbe** (p. 393) l'après-midi, puis opéra dans les **arènes romaines** (p. 397) les soirs d'été. Les scènes de *Roméo et Juliette* étaient situées dans les romantiques ruelles de Vérone – ne quittez pas la ville sans goûter le filtre d'amour local, l'Amarone, dans un **bar** (p. 397). Les amateurs d'opéra iront passer la nuit à l'**Anfitheatro** (p. 396), les autres voyageurs rentreront à **Venise** en train.

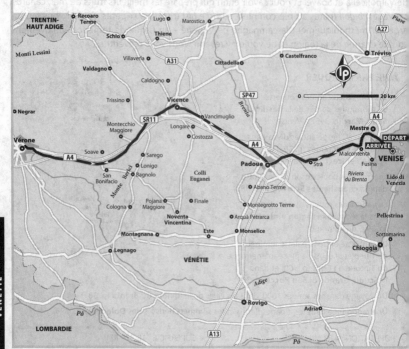

VENISE (VENEZIA)

1 500 habitants (ville),
68 700 habitants (partie continentale comprise)

Il faut se figurer l'audace de ce peuple qui a choisi une lagune pour bâtir une ville de palais de marbre. De plus raisonnables qu'eux auraient reculé devant l'*acqua alta* (hautes eaux) – au lieu de cela les Vénitiens ont donné au monde des toiles d'un rouge éclatant, la musique baroque et l'opéra moderne, des plats relevés d'épices orientales, sans oublier le *spritz*, cocktail de Prosecco et d'Aperol.

En s'éloignant des grands axes menant à Saint-Marc, on trouve encore, au détour des *calli* (allées), des artisans façonnant des chaussures en forme d'oiseaux, d'un rouge éclatant, la plats raffinés sur de simples fourneaux et des musiciens armés de violoncelles du XVIIIᵉ siècle allant donner un concert baroque. Le long du Grand Canal, sous la houlette d'architectes visionnaires et de mécènes milliardaires, les *palazzi* se transforment en vitrines de l'art contemporain. Vous ne sauriez choisir un meilleur moment pour visiter Venise, car la ville connaît une seconde jeunesse.

HISTOIRE

Un marais infesté par le paludisme : drôle d'endroit pour fonder un empire… Mais les circonstances l'expliquent : du Vᵉ au VIIIᵉ siècle, les villes romaines de Vénétie, sur la côte adriatique, étaient régulièrement la cible des Huns, Goths et autres barbares. Quelques habitants eurent l'idée de poser une terre semi-ferme sur les pylônes de bois plantés dans 30 m de vase. Les îles de la lagune formaient une fédération aux liens lâches, chaque communauté élisant ses représentants auprès de l'autorité centrale incarnée par les souverains byzantins de Ravenne. Plus tard, lorsque la domination byzantine s'affaiblit, les habitants de Venise s'émancipèrent en élisant en 726 leur premier *doge* (duc) dont les successeurs dirigeront la ville pendant plus de mille ans.

Venise s'employa ensuite à asseoir sa puissance commerciale. La cité accepta 84 000 marcs d'argent des Francs pour soutenir les croisades, sans pour autant interrompre ses échanges avec les dirigeants musulmans, qu'ils soient de Syrie ou d'Espagne. Puis, lorsque le vent tourna pour les Francs, elle revendiqua la prise de Constantinople "au nom de la chrétienté"… mais renvoya ses navires aux cales chargées de trésors chez elle plutôt qu'à Jérusalem. En 1380, bien que décimés par la peste, les Vénitiens repoussèrent l'attaque des Génois, qui tentaient de s'emparer de leur cité, et s'arrogèrent le contrôle de l'Adriatique et d'un territoire s'étendant de Dalmatie à Bergame.

À l'instar de son monument le plus célèbre, la basilique Saint-Marc, l'Empire vénitien se démarquait par son cosmopolitisme. Arméniens, Turcs, Grecs et Allemands se côtoyaient autour du Grand Canal, et des communautés comme les Juifs, persécutés ailleurs en Europe, trouvaient refuge et travaillaient dans la cité. Au milieu du XVᵉ siècle, Venise croulait sous les mosaïques d'or et les soies d'importation, tout en camouflant sous des nuages d'encens les relents putrides dégagés par la lagune.

La roue tourna cependant. Avec la chute de Constantinople en 1453 et du territoire vénitien de Morée (en Grèce) en 1499, les Turcs purent contrôler l'accès à la mer Adriatique. Gênes s'assura de plus la mainmise sur les échanges avec les Amériques après leur découverte en 1492 par Christophe Colomb. En franchissant le cap de Bonne-Espérance en 1498, l'explorateur portugais Vasco de Gama ouvrit de nouvelles routes commerciales, contournant la Méditerranée et échappant ainsi aux taxes et douanes vénitiennes.

À mesure qu'elle perdait sa domination sur les mers, Venise changea son fusil d'épaule et entreprit de séduire l'Europe. Plein d'audace, l'art vénitien alliait des couleurs sensuelles et une critique sociale voilée qui n'épargnait pas même la religion. Tout le gotha européen se pressa dans la cité, où les nonnes organisaient des soirées dignes des *ridotti* (casinos) et où le carnaval durait trois mois. Placées dans des *ospedaletti* (orphelinats), les filles illégitimes des nobles vénitiens étaient formées à la musique par Vivaldi et ses pairs, tandis que les courtisanes dictaient la mode avec un goût admiré de tous. À la fin du XVIᵉ siècle, Venise était aussi connue en Europe pour sa musique que pour ses 12 000 prostituées agréées.

À l'arrivée de Napoléon en 1797, la population de Venise, réduite par la peste et les aléas de l'histoire, ne dépassait pas 100 000 habitants, et la réputation de fêtards que traînaient les Vénitiens ne les aida pas à empêcher les Français et les Autrichiens de s'arracher leur cité comme un vulgaire trophée. En 1817, un quart des Vénitiens vivait dans la misère. Lorsque Venise se souleva contre les Autrichiens en 1848-1849, l'embargo affama la ville en proie au choléra. Ce n'est qu'en rejoignant le royaume indépendant d'Italie en 1866 que la cité releva la tête.

Le faste de l'empire laissa place à des préoccupations plus terre à terre. La Giudecca se couvrit d'usines, et Mussolini fit construire une route reliant la cité à la terre ferme. Des partisans italiens rejoignirent les soldats alliés pour arracher la Vénétie aux mains des fascistes, mais au lendemain de la guerre, fuyant une ville ravagée et le souvenir de la déportation des Juifs de Venise en 1943-1944, de nombreux habitants s'installèrent à Milan ou dans d'autres nouveaux centres industriels.

Le 4 novembre 1966, des inondations historiques frappèrent la cité, noyant 16 000 foyers et menaçant 1 400 ans de civilisation. Une fois encore, Venise fut sauvée par son cosmopolitisme : ses admirateurs, millionnaires ou retraités, se mobilisèrent, du Mexique en Australie, et l'Unesco coordonna le travail de 27 organisations privées pour effacer les ravages provoqués par l'eau.

Aujourd'hui, les 60 000 résidents ne déplorent plus d'autre marée que celle des touristes. Défiant les prédictions les plus pessimistes, la ville a réussi à ne pas devenir une parodie d'elle-même ou une Atlantide perdue. Moderne et tournée vers l'avenir, donnant toujours naissance à des musiciens et à des artisans tout en cherchant des réponses durables à la montée des eaux, Venise s'appuie plus que jamais sur ses piliers les plus solides : ses habitants.

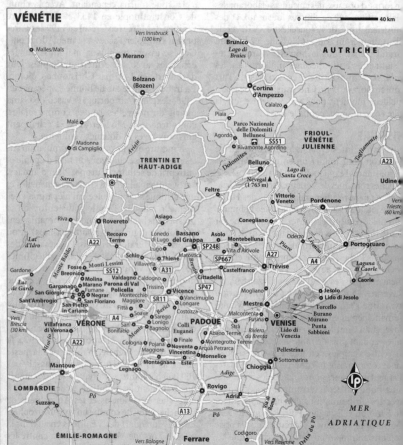

VENISE EN...

Deux jours

Adoptez un rythme vénitien et faites une **visite à pied** (p. 368) de la ville en deux journées au lieu d'une. Cela vous laissera plus de temps pour dîner et faire quelques découvertes. Le premier jour, arrêtez la visite après la Punta della Dogana pour lézarder au soleil aux **Zattere** (p. 360). Sautez ensuite dans un *vaporetto* (petit ferry), direction la Giudecca pour un dîner romantique devant Saint-Marc à **I Figli delle Stelle** (p. 375). Le lendemain, commencez à San Sebastiano et offrez-vous un café sur le **Campo Santa Margarita** (p. 360). Après tant de chefs-d'œuvre de Titien et du Tintoret, prenez le temps d'explorer les studios des artisans de **Santa Croce** (p. 360) avant l'apéritif. Le soir, descendez le Grand Canal, scintillant du reflet des lumières de la cité, en *vaporetto*.

Quatre jours

Quittez les sentiers battus, et consacrez le 3e jour au **Cannaregio** (p. 362) et au **Castello** (p. 363) : visitez les synagogues du ghetto, puis déambulez sur les *fondamente* (berges) jusqu'à la **Chiesa della Madonna dell'Orto** (p. 363), église du Tintoret, puis la **Chiesa di Santa Maria dei Miracoli** (p. 363), joyau de style Renaissance, **Zanipolo** (p. 363) et la paisible **San Francesco della Vigna** (p. 364). Déjeunez dans une authentique *osteria* (bistrot ; p. 374) du Cannaregio, et savourez un *ombra* (verre de vin) au **Palazzo Querini Stampalia** (p. 364), dans un jardin de Carlo Scarpa, avant le concert d'Interpreti Veneziani. Passez le 4e jour sur les îles : achat d'objets en verre soufflé à **Murano** (p. 366), déjeuner à **Burano** (p. 367) et découverte des mosaïques de **Torcello** (p. 367) la bucolique.

Une semaine

Maintenant que l'on commence à vous reconnaître dans les cafés et *osterie*, visitez le **marché du Rialto** (p. 351) et bavardez avec les Vénitiens au détour des *campi* (places). Suivez un **cours** (p. 367), choisissez un thème pour la journée (plafonds de Tiepolo, plages du Lido, *cicheti*, opéra...) ou fermez votre guide et perdez-vous dans le lacis de *calli* (ruelles). Prévoyez une excursion dans la **campagne de Vénétie** (p. 380), admirable pour ses villas et ses vins.

ORIENTATION

Aussi étonnant que cela puisse paraître, Venise est construite sur pas moins de 117 îlots reliés entre eux par 400 ponts enjambant 150 canaux. Des eaux peu profondes de la Laguna Veneta émergent Murano, Burano et Torcello au nord. Jouant le rôle de brise-lames, le Lido di Venezia se déploie à l'est sur 10 km, tandis qu'au sud, les édifices de marbre blanc de Palladio se dressent sur San Giorgio Maggiore et la Giudecca, la plus grande île de la lagune de Venise.

Depuis 1171, Venise est divisée en six *sestieri* (quartiers) : Cannaregio, Castello, San Marco, San Polo, Dorsoduro et Santa Croce. Des trains et des bus desservent Venise, et un ferry transbordant des voitures va jusqu'au Lido, mais mieux vaut visiter la ville à pied et en bateau (voir p. 379). Ignorez les panneaux jaunes qui indiquent la place Saint-Marc, le Rialto et l'Accademia et flânez à la place dans les ruelles : c'est ainsi que vous ferez vos plus belles découvertes.

RENSEIGNEMENTS

Accès Internet

NetGate (carte p. 352 ; ☎ 041 244 02 13 ; Crosera S Pantalon ; 6 €/h ; ☽ 9h30-19h lun-sam). Tarif attractif, personnel serviable et cartes SIM pour portables.
World House (carte p. 352 ; ☎ 041 528 48 71 ; www.world-house.org ; Calle della Chiesa, Castello 4502 ; 8 €/h ; ☽ 10h-23h). À quelques pas de Saint-Marc ; ouvre tard.

Argent

Vous trouverez des banques avec DAB près du Rialto et de la place Saint-Marc, et plusieurs bureaux de change autour de la place et de la gare ferroviaire.
American Express (carte p. 352 ; ☎ 041 520 08 44 ; Salizada San Moisè, San Marco 1471 ; ☽ 9h-17h30 lun-ven, jusqu'à 12h30 sam). DAB pour cartes American Express.
Travelex Piazza San Marco (carte p. 352 ; ☎ 041 528 73 58 ; Piazza San Marco 142 ; ☽ 9h-18h lun-sam, 9h30-17h dim) ; Rialto (carte p. 352 ; Riva del Ferro 5126). Pour le remboursement de la TVA sur les achats supérieurs à 200 €, présentez-vous ici avec les formulaires et vos reçus.

VÉNÉTIE

VENISE (VENEZIA)

A   B   C   D

1

Canale delle Sacche

Canale delle Navi

Parco Villa Groggia

Vers Mestre (6 km) et l'aéroport Marco Polo (10 km)

Ponte della Libertà

Vers Ferrovia e...

Sacca della Misericordia

2

Vers les parkings de Tronchetto (300 m)

Isola del Tronchetto

Campo di Ghetto Nuovo

Cannaregio

C.Larga

Parco Savorgnan

Fondamenta di Santa Chiara

Stazione di Santa Lucia (Ferrovia)

Riva de Biasio

Voir la carte Cannaregio (p. 362)

3

Former Stazione Marittima

Stazione Merci

Santa Croce

Fondamenta Rio Marin o Garzotti

Rialto

23

Grand Canal

34
46
30
2
29
32
1

Piazzale Roma

San Polo

Ponte di Rialto

Canale Scomenzera

Grand Canal

4

Santa Marta

Fond.Fascarini

Rio Terà dei Secchi

Santa Marta

Dorsoduro

Ponte dell'Accademia

Piazza San Marco

San Marco

Banchina di San Basegio

Old Stazione Marittima

Voir la carte San Marco, San Polo et Santa Croce (p. 352)

5

Sacca Fisola

40

Canal di Fusina

44
17
20

Fond.della Convertite

28

Fond.San Biagio

Canale della Giudecca

45
16

Campo della Rotonda

Calle del Tintoli
Calle della Croce

C.d Erbe

Fondamenta di San Giacomo

39

Zitelle

25
22

19

6

Campazzo di Dentro

C.San Giacomo

12

Isola della Giudecca

21

Giudecca

C.Junghans
6

0 ⊏══════ 500 m

RENSEIGNEMENTS
helloVenezia **1** B3
Police **2** B3
Police **3** E4
Office du tourisme **4** B3

À VOIR ET À FAIRE
Arsenale **5** F4
Associazione Canottieri
    Giudecca **6** C6
Chiesa di San Francesco
    della Vigna **7** F3
Chiesa di San Giorgio
    Maggiore **8** E5
Chiesa di San Michele in
    Isola **9** F1
Fondazione Giorgio Cini **10** E5
Fortuny Tessuti Artistici ...... (voir 28)
Giardini Pubblici **11** G5
Il Redentore **12** D6
Museo Storico Navale **13** F4
Padiglione delle Navi **14** F4
Scuola di San Giorgio degli
    Schiavoni **15** F4

OÙ SE LOGER 🏠
Bauer Palladio et Spa **16** D5
La Calcina **17** C5
La Residenza **18** F4
Ostello Venezia **19** D6
Pensione Seguso **20** C5
Residenza Junghans **21** C6

OÙ SE RESTAURER 🍴
Ai Tre Scaini **22** D6
Coop **23** B3
Corte Sconta **24** F4
I Figli delle Stelle **25** D6
Paradiso **26** G5

ACHATS 🛍
Banco 10 .... **27** F4
Fortuny Tessuti Artistici **28** B5

TRANSPORTS
Bureau de vente
    des bus ACTV **29** B3
Billets ATVO et autres bus **30** B3
Avis .... (voir 34)
Arrêt du vaporetto Biennale **31** G5
Gare routière **32** B3
Arrêt du vaporetto Celestia **33** F3
Europcar **34** B3
Expressway .... (voir 34)
Arrêt du ferry Fondamente
    Nuove (vers Murano,
    Burano et Treporti) **35** E2
Arrêt du vaporetto
    Fondamente Nuove **36** E2
Arrêt du vaporetto Giardini **37** G5
Hertz .... (voir 34)
Arrêt du vaporetto Ospedale ... **38** E3
Arrêt du vaporetto Redentore .. **39** D6
Arrêt du vaporetto
    Sacca Fisola **40** A5
Arrêt du vaporetto San Pietro . **41** H4
Arrêt du vaporetto Sant'Elena .. **42** G6
Arrêt du vaporetto Tre Archi **43** B2
Arrêt du vaporetto Zattere **44** C5
Arrêt du vaporetto Zitelle **45** D5

E · F · G · H
1 · 2 · 3 · 4 · 5 · 6

Vers Murano
Murano
Vers Burano et Torcello
Canale delle Navi
Isola di San Michele
Cimitero
Piazzale Roma
Vers Sant'Erasmo et Treporti
Oratorio dei Crociferi
I Gesuiti
Canale delle Fondamente Nuove
Fondamente Nuove
Vers le Lido et San Lazzaro
C.d Cappuccine
C dei Furlani
Salizada Sant'Antonio
Castello
Salizada San Provolo
Riva degli Schiavoni
Bacino di San Marco
Canale della Galeazze
Darsena Grande
La Tana
C Magno
Calle dei Forni
Fondamenta della Tana
Via Giuseppe Garibaldi
Riva dei Sette Martiri
Canale di San Marco
Seco Marina
Canale di San Pietro
Cattedrale di San Pietro di Castello
Isola de San Pietro
Isola La Certosa
Darsena di Sant'Elena
Viale Piemonte
Parco delle Rimembranze
Isola di Sant'Elena
Sant'Elena
Fond San Giorgio Maggiore
Isola di San Giorgio Maggiore
Canale della Grazia
Laguna Veneta

VÉNÉTIE

Laveries
Orange Laundry (carte p. 352 ; Calle Chioverette, Santa Croce 665b ; lavage 8 kg 4 € ; séchage 12 kg 4 € ; ✪ 7h30-22h30)

Speedy Wash (carte p. 362 ; Rio Terà San Leonardo, Cannaregio 1520 ; lavage 8 kg 5 €, séchage 15 min 3 € ; ✪ 8h-22h)

Librairies
Giunti al Punto (carte p. 362 ; ☎ 041 275 01 52 ; Campo San Geremia, Cannaregio 282 ; ✪ 9h-20h lun-mer, jusqu'à 22h jeu, jusqu'à 24h ven et sam, 10h-22h dim). Guides et quelques romans en anglais, ainsi que des best-sellers en italien.

Mondadori (carte p. 352 ; ☎ 041 522 21 93 ; Salizada San Moisè 1345 ; ✪ 10h-22h lun-sam, 15h-20h dim). Grande surface dédiée aux livres, CD, magazines, DVD et manifestations littéraires.

Studium (carte p. 352 ; ☎ 041 522 23 82 ; Calle della Canonica 337a ; ✪ 9h-19h30 lun-sam, 9h30-13h30 dim). Les bibliophiles qui composent le personnel vous indiqueront de bonnes lectures de vacances, des histoires captivantes et des guides en anglais ou en italien.

Offices du tourisme
Procurez-vous *La Rivista di Venezia*, mensuel bilingue comprenant un supplément sorties.

Azienda di Promozione Turistica (APT ; ☎ renseignements 041 529 87 11 ; www.turismovenezia. it). Infopoint Giardini (carte p. 352 ; Venice Pavilion ; ✪ 10h-18h) ; Lido (Gran Viale Santa Maria Elisabetta 6a ; ✪ 9h-12h30 et 15h30-18h juin-sept) ; aéroport Marco Polo (hall des arrivées ; ✪ 9h30-19h30) ; Piazzale Roma (carte p. 348 ; ✪ 9h30-13h et 13h30-16h30 nov-mars, 9h30-18h30 avr-oct) ; place Saint-Marc (carte p. 352 ; Piazza San Marco 71f ; ✪ 9h-15h30 lun-sam) ; Stazione di Santa Lucia (carte p. 352 ; ✪ 8h-18h30). L'organisation possède plusieurs agences renseignant sur les excursions, les transports et les manifestations, expositions et spectacles.

Poste
Poste principale (carte p. 352 ; Salizada del Fondaco dei Tedeschi, près du Rialto ; ✪ 8h30-18h30 lun-sam). Le cadre de cette ancienne maison de commerce donne une saveur particulière aux transactions postales : autrefois, les négociants allemands échangeaient leurs biens au rez-de-chaussée et concluaient leurs affaires dans leurs appartements à l'étage.

Services médicaux
Les pharmacies de garde ouvertes tard le soir sont indiquées dans la vitrine des enseignes et dans *Un Ospite di Venezia,* journal gratuit à retirer à l'office du tourisme (voir ci-dessus).
Ospedale Civile (carte p. 352 ; ☎ 041 529 41 11 ; Campo SS Giovanni e Paolo 6777). Hôpital principal.

En cas d'urgence médicale ou dentaire, consultez directement le service *pronto soccorso* (urgences).
Ospedale Umberto I (☎ 041 260 71 11 ; Via Circonvallazione 50, Mestre). Vaste hôpital moderne sur le continent.

Urgences
Ambulance (☎ 041 118)
Police (☎ 041 112/113). Castello (carte p. 348, Fondamenta di San Lorenzo, Castello 5053) ; place Saint-Marc (carte p. 352 ; place Saint-Marc 67)

À VOIR
Grand Canal
Aucun transport public au monde n'est aussi romantique que le *vaporetto* n°1 qui emprunte le Grand Canal sur 3,5 km, du Piazzale Roma (carte p. 348) à la place Saint-Marc. Pendant ce trajet de 45 minutes, vous verrez défiler 50 *palazzi*, six églises, quatre ponts, deux marchés en plein air et d'autres monuments apparus dans quatre films de James Bond.

Le Grand Canal commence sur une controverse : conçu par l'architecte espagnol Santiago Calatrava, le **Ponte di Calatrava** (carte p. 352), brillant ouvrage de verre et d'acier, est le premier pont construit sur le Grand Canal depuis 75 ans. Avec ses lignes résolument effilées et sa forme en aileron de poisson, il constitue l'élément visuel le plus agréable de l'austère gare routière de Piazzale Roma. Mais, malgré sa beauté, l'édifice a causé la grogne des Vénitiens en raison de son budget, trois fois plus élevé que les 4 millions d'euros initialement annoncés, ainsi que des travaux en cours visant à réduire la tolérance de 4 cm et des difficultés d'accès pour les fauteuils roulants.

Moins controversé (mais moins beau), le **Ponte dei Scalzi** (carte p. 352), construit en 1934 apparaît après la gare ferroviaire. Après l'arrêt Riva di Biasio à droite se dresse le **Fondaco dei Turchi**. Cet ancien centre de transactions commerciales réservé autrefois aux Turcs se reconnaît à sa magnifique double colonnade en marbre polychromé, ses chapiteaux byzantins du XIIIᵉ siècle et ses tours de garde.

Après le Rio di San Marcuola, à gauche, le **Palazzo Vendramin-Calergi** (carte p. 352) est un élégant palais de style Renaissance qui abrite aujourd'hui le casino (voir p. 378). Plus loin, sur la droite, juste après l'arrêt San Stae, vous verrez la **Ca' Pesaro** (1623), un *palazzo* doté d'une profonde arcade double surmontant une base en marbre, qui héberge la Galleria d'Arte Moderna et le Museo d'Arte Orientale (p. 361). Sur la

CARTES DE RÉDUCTION

Les forfaits suivants permettent de faire des économies sur les billets d'entrée des principales attractions touristiques :

- **HelloVenezia** (☎ 041 24 24 ; www.hellovenezia.com ; ⏰ centre d'appels 8h-19h30) propose un forfait transports et culture : la VeniceCard (enfant/senior 66/73 €/3 jours, 87/96 €/7 jours), qui offre pendant une période fixe un accès illimité aux *vaporetti* et bus APTV, une entrée gratuite dans 11 musées municipaux (sauf l'Accademia, le Guggenheim, Grassi et la Punta della Dogana) et 16 églises, ainsi que des réductions sur les billets de spectacles et les expositions.

- La **carte Rolling Venice** permet aux 14 à 29 ans d'acheter un forfait transports de 72 heures (18 €) et assure des réductions sur l'entrée des monuments et des manifestations culturelles (4 €). La carte s'achète à l'office du tourisme de Saint-Marc, aux points de vente helloVenezia sur la Piazzale Roma, aux arrêts de *vaporetto* de Ferrovia, ou en ligne (remise de 15%).

- Le **Chorus Pass** (☎ 041 275 04 62 ; www.chorusvenezia.org ; adulte/enfant/famille 9/6/18 € ; ⏰ 10h-17h lun-ven) couvre l'entrée dans 16 églises pendant 1 an. En vente aux guichets des églises.

- Le **forfait Musei civici** (www.museiciviciveneziani.it ; adulte/enfant 18/12 €) est valable dans 11 musées municipaux pendant 6 mois, ou pour les 4 musées de la place Saint-Marc et un autre en supplément (adulte/enfant 13/7 €). En vente à l'office du tourisme.

gauche se dresse la **Ca' d'Oro** (maison d'Or ; p. 363), chef-d'œuvre du gothique vénitien de 1430 coiffé d'une tiare de délicats créneaux.

Toujours sur la gauche, vous apercevrez ensuite une des fiertés de Venise : la **Pescaria** (halle au poisson ; carte p. 352 ; ⏰ 7h-14h), construite en 1907 sur la place où les poissonniers vénitiens déchargent depuis 600 ans les crabes pêchés dans la lagune. Non loin de là, au **marché du Rialto** (carte p. 352 ; ⏰ 7h-15h30), les vendeurs vantent bruyamment leurs *castraure* (artichauts nouveaux), *radicchio di Treviso* (chicorée rouge), *asparagi di Bassano* (asperges blanches) et autres délices locaux de saison.

Penchés comme des gargouilles sur le **pont du Rialto** (carte p. 352), les touristes se pressent pour photographier le reflet de cette merveille d'ingénierie (qui date de 1592) dans l'eau du Grand Canal. Ayant remporté le concours d'attribution du chantier devant Palladio, Antonio da Ponte imagina une belle et élégante arche de marbre.

Avertissement aux amateurs d'architecture : gare au torticolis dans les deux coudes suivants du Grand Canal ! À votre gauche se trouvent deux merveilles de style Renaissance : le **Palazzo Grimani**, œuvre de Sanmicheli, et le **Palazzo Corner-Spinelli**, de Mauro Cordussi. À droite, alors que le canal oblique sur la gauche, s'élève la **Ca' Foscari**, de style gothique tardif : c'est le siège de l'université Foscari, réputée (cela va de soi) pour ses cours d'architecture. Sur la gauche au tournant suivant, ne manquez pas les installations audacieuses exposées sur l'embarcadère du Palazzo Grassi

(p. 358), palais du XVIIIe siècle transformé par l'homme d'affaires français François Pinault en musée d'art contemporain d'avant-garde. Juste en face, l'imposante Ca' Rezzonico (p. 360), édifice baroque conçu par Baldassare Longhena, abrite des œuvres d'art du XVIIIe siècle et des plafonds de Tiepolo.

Le **Ponte dell'Accademia**, en bois, prévu en 1930 pour remplacer temporairement une structure métallique du XIXe siècle, est devenu un monument emblématique de Venise. Après l'Accademia, à droite, notez les lions en pierre qui flanquent le **Palazzo Venier dei Leoni**, demeure de l'héritière américaine Peggy Guggenheim, collectionneuse d'idées, d'amants et d'œuvres d'art. Sa collection (p. 359) y est encore exposée. Deux bâtiments plus loin, le **Palazzo Dario**, érigé en 1487, est reconnaissable à sa façade incrustée de marbres multicolores. La légende selon laquelle tous ses occupants seraient voués à une mort terrible aurait, dit-on, dissuadé Woody Allen d'acquérir le palais.

À votre droite, la Chiesa di Santa Maria della Salute (p. 359), de Baldassare Longhena, se distingue par son dôme spectaculaire et son plan octogonal. Ancien hangar des douanes remanié par l'architecte Tadao Ando, la **Punta della Dogana** (p. 360), à droite, sert de vitrine publique à la collection d'art contemporain de François Pinault.

Le bouquet final vous attend ensuite, sur la gauche, avec la silhouette rose du palais des Doges (p. 356) et le **pont des Soupirs**. Si l'implantation de grandes marques commerciales

SAN MARCO, SAN POLO ET SANTA CROCE

Voir la carte Cannaregio (p. 362)

A **B** **C** **D**

C Priuli detta dei Cavalletti
Fondamenta del Scalin
Palazzo Calbo-Crotta
C del Forno
Riva di Biasio
C Pugliese
C Zen
Campo San Giovanni Decollato
Fond del Magio
C del Megio

157
61
56
40

Stazione di Santa Lucia (Ferrovia)
15
153
154

Lista del Bari
Lista di Spagna
100
Ramo Cazza
C Gallion
C del Savio
118
106
113
54

Stazione Merci
Palazzo Gradenigo
8
C di Ruga Vec
129
Campiello del Pravato
Colombo

Ponte di Calatrava
64
Santa Croce
Ruga Bella
Campo San Giacomo dell'Orio
98
Clio Sant'Agostin
127

Giardini Papadopoli
Campo della Lana
Rio di San Zuane
Campo San Stin
93
San Polo
Palazzo Bernardo
Campiello Albrizzi
Palazzi Soranzo

151
156
Fondamenta Cossetti
Campazzo Tre Ponti
Corte di Amai
Campo Tolentini
Campo San Polo
32
119
80

Campo San Rocco
43
73
Campo dei Frari
84
Campiello S Tomà
126
125
Palazzo Bernardo

117
79
Campiello Mosca
115
Fond d'Fornei
28
Palazzo Pisani-Moretto
Palazzo Tiepolo

Ponte Rosso
Rio Novo
Campo S Pantalon
San Tomà
Traghetto
Sant'Angelo
48

136
120
Campo Santa Margherita
44
Campiello dei Squellini
Cappeller
Palazzo Contarini dalle Figure
23
Palazzo Mocenigo
88

71
95
Campo del Carmini
24
26 San Samuele
52
Campiello Nuovo
89
38
Campo Santo Stefano

Rio di San Barnaba
144
124
123
147
Campo S Barnaba
Rio Malpaga
Palazzo Loredan dell'Ambasciatore
140
92

70
Campo San Sebastiano
110
Rio della Toletta
Palazzo Contarini degli Scrigni
63
51
Campo di S Vidal

Dorsoduro
41
86
Campo della Carità

Stazionne Marittima
Campo San Basegio
134
Campa San Vio
57
148
81
Fond Venier dei Leoni

Canal di Fusina
78
Ponte Lungo
108
42
Campo di S Agnese

VÉNÉTIE

0 _____ 500 m

E **F** **G** **H**

Canale delle
Fondamente
Nuove

C. Larga dei Botteri

C Venier

Rio di Ca' Dolce

Rio Terà di Barba Fruttarol

Cannaregio

116 🏛 Campo San
Felice

13 102 94

Corte dei Pali

22 🏛

Palazzo
Sagredo

Palazzo
Fontana-
Rezzonico

25 Ca' Pesaro

Grand Canal

Campo
Santa
Sofia

Strada Nuova

Campo
dei SS
Apostoli

Campiello
della Cason

Campo San
Canciano

Palazzo
Widman

97

9

72

Campo SS
Giovanni e Paolo

77

Ruga
due Mori

90

Corte
Leon
Bianco

Campiello
del Remer

Campo
Cesare
Battisti

Campo
del Miracoli

35

107

99

Statue du
Condottiere
Colleoni

58

122

121

96

137

109

133

31

129

145

103

101

Rialto

65

Marché de
produits frais

Campo San
Bartolomeo

39

5

114

146

138

Campo San
Lio

Campo
Santa
Marina

Chiesa de
Santa Maria
Formosa

82

112

Ponte
Storto

155

17

14

Riva del
Ferro

Palazzo
Bemba

Palazzo
Grimani

Palazzo
Papadopoli

San
Silvestro

33

Marzaria

Castello

55

91

Rio del Vin

Marzarie

105

Ca'
Farsetti

111

142

12

139

San Marco

Campo S
Beneto

46

104 128

Rio Terà della
Mandola

83

76

21

11

Campo
SS Filippo e
Giacomo

150

34

Campo San
Zaccaria

Corte
Zorzi

Campo
S Gallo

18

20

Piazzetta
dei Leoni

**Place
Saint-Marc**

59

27

130

132

50

62

66

152

San
Zaccaria

143

Clio
Drio la
Chiesa
Campo S
Maurizio

36

Fondamenta Duodo
o Barbarigo

85

91

135

149

Campo di
Santa Maria
del Giglio

Palazzo
Contarini-
Fasan

68

10

67

16

131

**Giardini Ex
Reali**

60

75 74

Ponte
della
Paglia

3

141

Palazzo
arbarigo-
Minotto

Campo
Traghetto

49 Palazzo
Salviati

Abbazia di
San Gregorio

Fond Dogana alla Salute

Campo
della
Salute

69

37

Punta
della
Dogana

Grand Canal

Bacino di
San Marco

Isola di
San Giorgio
Maggiore

VÉNÉTIE

sur le Grand Canal est interdite par la législation sur la protection du patrimoine, la ville a récemment autorisé les entreprises mécènes à arborer leurs couleurs sur les édifices en restauration. La décision a été violemment critiquée par les habitants et le Comité britannique pour la préservation de Venise, si bien que, à l'heure où vous lirez ces pages, le pont des Soupirs et le palais des Doges auront peut-être été débarrassés des publicités Lancia et Swatch qui les défiguraient.

Place Saint-Marc

Pourtant peu connu pour son sens de la litote, Napoléon voyait dans la place Saint-Marc (Piazza San Marco ; carte p. 352) "le plus élégant salon d'Europe". Vous y arrivez au son des orchestres qui jouent autour des cafés du XVIIIᵉ siècle, sous les arcades napoléoniennes bordant la place, mais aucune fanfare, aucune pompe, bref, rien de rien, ne saurait vous préparer au spectacle surnaturel de la **basilique Saint-Marc** (Basilica di San Marco ; carte p. 352 ; ☎ 041 522 56 97 ; www.basilicasanmarco.it ; place Saint-Marc ; entrée libre, Pala d'Oro/Loggia dei Cavalli et Galleria/Tesoro 2/4/3 € ; ⊙ 9h45-17h lun-sam, 14h-16h dim et jours fériés).

Au-dessus des vastes portails, les trompettes des anges représentés par les mosaïques flamboyantes semblent sonner à votre arrivée. À l'intérieur, l'immense structure de pierre n'a rien perdu de son éclat, de la géométrie complexe des sols de marbre polychrome du XIIᵉ siècle aux dômes érigés du XIᵉ au XVᵉ siècle et couverts de millions de *tesserae* (carreaux).

C'est grâce à l'habileté des artisans méditerranéens, 800 ans de travail et bien des pillages que ce chef-d'œuvre a vu le jour. Selon la légende, des marchands volèrent la dépouille de saint Marc en Égypte vers 828 et la rapportèrent à Venise. Son arrivée est dépeinte dans les mosaïques datant de 1270,

à gauche de la façade. Les révoltes et le feu détruisirent trois fois les mosaïques extérieures et fragilisèrent la structure de la basilique, si bien que Jacopo Sansovino et d'autres architectes d'églises la renforcèrent et y ajoutèrent tout le marbre qu'ils purent trouver, soit en l'achetant, soit en le pillant. Les travaux eurent parfois des conséquences allant à l'encontre du but recherché, et les os de saint Marc furent ainsi perdus à deux reprises. L'Église de Rome voyait par ailleurs d'un mauvais œil de chanter en même temps ses propres louanges et celles de Dieu. Malgré tout, la basilique fut achevée et le résultat est un extraordinaire mélange d'Occident et d'Orient : dômes orientaux en forme de bulbes, plan en croix grecque, arches gothiques, murs en marbre d'Égypte…

La visite de l'église se fait en suivant un itinéraire délimité par des cordes ; il est gratuit et prend environ 15 minutes. Autour de la porte centrale, quand on entre dans le narthex (atrium), des niches ornées de mosaïques illustrent la **Vierge et les Apôtres** – qui n'a pas pris une ride. Vieilles de plus de 950 ans, ce sont pourtant les plus vieilles de la basilique. Autre chef-d'œuvre médiéval, le **dôme de la Genèse**, représentant les anges et la séparation du ciel et de l'eau, recourt à des motifs abstraits qui préfigurent l'art moderne avec 650 ans d'avance. La **coupole de l'Ascension**, le dôme central couvert d'or, date du XIIIᵉ siècle. Remarquez le tourbillon d'anges et, sur le pendentif (portant le dôme), un saint Marc au regard mélancolique.

Les calices d'albâtre, icônes et autres butins des croisades composant le **Trésor** (Tesoro ; 3 € ; ⊙ 9h45-17h lun-sam avr-oct, jusqu'à 16h lun-sam nov-mars, 14h-16h dim et jours fériés) font pâle figure par rapport à la sublime **Pala d'Oro** (2 € ; ⊙ 9h45-17h lun-sam avr-oct). Ce retable, caché derrière l'autel qui domine le sarcophage de saint Marc, se compose d'au moins 2 000 émeraudes, améthystes, saphirs, rubis, perles et autres pierres précieuses. Mais les portraits miniatures des saints et les scènes bibliques illustrées en brillants émaux sont encore plus impressionnants. Commencée à Constantinople en 976, l'œuvre fut agrandie par les orfèvres vénitiens en 1209.

Saint-Marc fut jusqu'en 1807 la chapelle officielle du doge, dont l'influence est soulignée par les chevaux de bronze doré exposés à l'étage, dans la **Galleria** (Museo di San Marco ; 4 € ; ⊙ 9h45-17h lun-sam, 14h-16h dim et jours fériés). Celle-ci mène à la **Loggia dei Cavalli**, où des reproductions des chevaux caracolent au-dessus de la place Saint-Marc.

FRISSONS SUR LE GRAND CANAL : LES TRAGHETTI

En l'absence de pont, le *traghetto* (gondole) propose la traversée du Grand Canal moyennant 1 €, mais mieux vaut avoir le sens de l'équilibre car tous les passagers doivent rester debout pendant le trajet. Les *traghetti* sont généralement en service de 9h à 18h, mais parfois jusqu'à 12h. Les cartes p. 352 et p. 362 indiquent les principaux points de traversée en *traghetto*.

Une tenue correcte est exigée pour la visite (épaules et genoux couverts) et les gros sacs doivent être laissés à la **consigne** (carte p. 352 ; 9h30-17h30) – elle est gratuite pour une heure et se trouve près de la Piazzetta San dei Leoni, à l'Ateneo di San Basso.

S'élevant à 99 m, le **campanile** (carte p. 352 ; ☎ 041 522 52 05 ; www.basilicasanmarco.it ; 8 € ; 9h-21h juil-sept, jusqu'à 19h avr-juin et oct, 9h30-15h45 nov-mars) de la basilique a été reconstruit deux fois depuis son édification en 888. Bien que jugée trop massive par certains, la tour fut rebâtie à l'identique brique par brique après son soudain effondrement en 1902. Le campanile sera peut-être fermé pour des travaux de stabilisation au moment de votre visite.

Voisin de la basilique, le **palais des Doges** (Palazzo Ducale ; carte p. 352 ; ☎ 041 271 59 11 ; www.museicivicivenezianiit ; Piazzetta di San Marco 52 ; adulte/enfant avec le Museo Correr et un Museo civico au choix 13/8 € ; 9h-19h avr-oct, jusqu'à 17h nov-mars) incarne la splendeur et les intrigues de la république de Venise. Tout en élégance gothique, l'édifice était pourtant dédié aux affaires, comme l'illustrent les chapiteaux médiévaux en pierre sculptée figurant les principales guildes vénitiennes qui bordent les arcades jusqu'à la **Porta della Carta** (porte du Papier), édifiée au XVe siècle par Giovanni et Bartolomeo Bon. C'est sur cette dernière que les décrets du gouvernement étaient apposés. Ravagé par un incendie en 1577, l'édifice fut restauré par Antonio da Ponte (l'architecte du pont du Rialto).

Partant de la cour à colonnades, la **Scala dei Giganti** (escalier des Géants) d'Antonio Rizzo, ainsi désignée à cause des **statues de Mars et Neptune** qui l'encadrent, offrait une entrée prestigieuse aux dignitaires vénitiens. L'escalier est actuellement en cours de restauration. Gravissez la **Scala dei Censori** (escalier des Censeurs) et la **Scala d'Oro** (escalier d'Or) de Sansovino, œuvre opulente de stuc doré, pour émerger dans les salles du 3e étage, où le même thème revient constamment : glorification de Venise ou du doge en compagnie de dieux antiques ou de saints chrétiens.

Dans la **Sala delle Quattro Porte** (salle aux Quatre Portes), les ambassadeurs patientaient avant l'audience ducale sous un plafond dessiné par Palladio et orné d'une fresque du Tintoret qui montre la Justice offrant le glaive et la balance au doge Girolamo Priuli. *Le doge Antonio Grimani agenouillé devant la Foi* de Titien (1576) et *Venise recevant de Neptune les dons de la mer* (1740), où Tiepolo peint Venise sous les traits d'une ravissante jeune fille blonde appuyée sur un lion, étaient également destinés à souligner la supériorité vénitienne. Les délégations spéciales attendaient dans l'**Anticollegio** (Antichambre du collège), où le Tintoret effectua des parallèles flagrants entre les dieux romains et le gouvernement vénitien : *Vulcain et les cyclopes forgeant des armes pour Venise*, *Mercure et les trois Grâces* offrant la beauté à Venise en récompense de sa diligence, et *Minerve congédiant Mars*, symbole très vénitien de la sagesse triomphant de la force brute. La pièce renferme aussi l'*Enlèvement d'Europe*, leçon de diplomatie par Véronèse.

Rares étaient ceux qui obtenaient une audience dans le **Collegio** (salle du Conseil), conçu par Palladio, et dont le plafond s'orne de panneaux de Véronèse, *Vertus de la République* (1578-1582), vision rosée de Venise par l'artiste. Au plafond du **Senato** (salle du Sénat) adjacent, le Tintoret se livra à une flatterie similaire avec son *Triomphe de Venise*, mais sa palette plus sombre laisse deviner la part obscure de la politique vénitienne. Le plafond de la **salle de jugement du Conseil des Dix** arbore un panneau

---

ITINÉRAIRES SECRETS (ITINERARI SEGRETI)

Pour tout savoir des sombres secrets du palais des Doges, enfoncez-vous dans un mystérieux passage dissimulé derrière un cabinet de rangement de la **Sala del Consiglio dei Dieci** (salle du Conseil des Dix), ornée de joyeux chérubins et du *Triomphe de la Vertu sur le Vice*, de Véronèse. Fascinante visite guidée de 1 heure 30, **Itinerari Segreti** (itinéraires secrets ; ☎ 041 520 90 70 ; adulte/ étudiant/moins de 6 ans 16/7 €/gratuit ; visites guidées en anglais 9h55, 10h45 et 11h35, en italien 9h30 et 11h10, en français 10h20, 12h et 12h25) explore les salles étroites et dépouillées où opérait le Conseil des Dix, une salle de jugement où étaient conservés les dossiers secrets, et une pièce aveugle munie d'une corde, utilisée pour arracher des renseignements aux prisonniers. Cette salle était presque abandonnée au XVIIe siècle, contrairement aux cellules sous les toits des **Piombi**, célèbre prison de Venise. En 1756, Casanova y fut condamné à 5 ans d'emprisonnement pour corruption de nonnes – mais il était surtout soupçonné de franc-maçonnerie. Il s'en échappa quelques mois plus tard.

le Véronèse brillant de tous ses feux, *Junon accordant ses dons à Venise*, tandis que dans un obscur coin lambrissé se trouve la fente où les Vénitiens glissaient leurs dénonciations à l'intention des services secrets tant redoutés.

Au 2ᵉ étage, l'impressionnante **Sala del Maggior Consiglio** (salle du Grand Conseil), qui date de 1419, abrite le trône du doge devant le *Paradis*, tableau de 22 m sur 7 m peint par le Tintoret – moins beau que politiquement correct : dans le ciel figurent 500 notables vénitiens, dont plusieurs mécènes de l'artiste. Les personnages politiques de Véronèse sont plus élégants dans son plafond *L'Apothéose de Venise*, où les dieux s'émerveillent du couronnement de Venise par des anges, sous le regard de dignitaires étrangers et de blondes Vénitiennes penchées au balcon. Sur la frise murale représentant les 76 premiers doges de Venise, vous remarquerez un espace vide : c'est celui qu'aurait dû occuper le doge Marin Falier, décapité en 1355 pour trahison.

L'accès au siège du Conseil des Dix et aux Piombi (voir l'encadré ci-contre), dans les combles, est réservé aux Itinerari Segreti, mais les visiteurs peuvent passer par la Sala del Maggior Consiglio. Arrêtez-vous devant les sinistres scènes peintes par Jérôme Bosch, maître des visions apocalyptiques, puis suivez le chemin des condamnés en traversant le **pont des soupirs** (carte p. 352). Ce dernier rejoignait les **nouvelles prisons** (Priggione Nove), remontant au XVIᵉ siècle, dont les cellules froides et humides ont conservé les graffitis des prisonniers protestant de leur innocence. En sortant par l'arcade, vous trouverez au bord de l'eau deux colonnes surmontées de **statues** du Lion de saint Marc et de saint Théodore : les exécutions publiques y avaient lieu jadis.

Déterminé à apporter une touche de légèreté à la place Saint-Marc, Napoléon fit raser l'église de San Geminiano, à l'extrémité ouest de la piazza, pour aménager une salle de bal. Il voulut également faire agrandir son palais royal en intégrant les **Procuratie Nuove** (carte p. 352), édifices construits au sud de la piazza par Jacopo Sansovino et complétés par Vincenzo Scamozzi et Baldassare Longhena, mais les travaux ne furent achevés qu'au XIXᵉ siècle, juste à temps pour accueillir les Habsbourg.

Le **Museo Correr** (carte p. 352 ; ☎ 041 240 52 11 ; www. museicivicivenezziani.it ; place Saint-Marc 52 ; adulte/enfant avec le palais des Doges et un Museo civico au choix 13/8 € ; ☺ 10h-19h avr-oct, 9h-17h nov-mars) a investi les quartiers royaux avec ses trophées, ses cartes anciennes, ses statues gréco-romaines et ses magnifiques peintures médiévales. Parcourez les salons en direction du palais des Doges pour accéder à la spectaculaire **Libreria Nazionale Marciana**, édifiée au XVIᵉ siècle par Jacopo Sansovino, où figurent des représentations de la Sagesse par Véronèse et Titien. La **salle de bal néoclassique** accueille des expositions temporaires de qualité variable sur le futurisme ou l'architecture italienne, mais elle abrite aussi les fameuses statues d'*Orphée et Euridice*, amants malheureux, par Antonio Canova (1777). Le billet d'entrée donne accès au **Caffè dell'Art** du musée Correr, où, sous le regard des monstres magnifiques ornant les fresques, vous pourrez siroter un verre de Merlot AOC de Vénétie pour 5 € tout en profitant d'une vue magistrale sur la basilique Saint-Marc.

Ancienne demeure des procurateurs de Saint-Marc, les **Procuratie Vecchie** (carte p. 352), conçues par Mauro Codussi, occupent la partie nord de la place. L'imposante **Torre dell'Orologio** (tour de l'horloge ; ☎ 041 520 90 70 ; www.museicivicivenezziani.it ; place Saint-Marc ; adulte/VeniceCard 12/7 € ; enfant à partir de 6 ans ; ☺ visite sur réservation uniquement, en anglais 10h, 11h et 13h lun-mer, 13h, 14h et 15h tlj, en italien 12h et 16h tlj, en français 13h, 14h et 15h lun-mer), érigée en 1497, a récemment été rénovée. Selon la légende, cette merveille d'ingénierie, ornée de feuilles d'or, qui indique les phases de la lune et les signes du zodiaque, était d'une telle beauté que ses inventeurs furent assassinés afin qu'ils ne puissent pas la reproduire dans une autre ville. Un étroit escalier en colimaçon (à déconseiller aux claustrophobes) débouche sur la terrasse située au sommet, où **deux statues de Maures** sonnent l'heure en frappant une cloche. Les Rois mages et un ange défilent lors de l'Épiphanie et de l'Ascension (p. 772).

Environs de Saint-Marc

Si les visiteurs à la journée se contentent de mitrailler la place Saint-Marc, ceux qui passent la nuit sur place pourront assister à un spectacle au **Teatro La Fenice**, d'où ils sortiront éblouis (carte p. 352 ; ☎ 041 528 37 80, réservations 041 24 24 ; www.teatrolafenice.it ; Campo San Fantin 1965 ; visites guidées adulte/étudiant et senior 7/5 € ; ☺ variables). L'opéra prit son essor à Venise au XVIIᵉ siècle, avec la nomination de Claudio Monteverdi, père de l'opéra moderne, au poste de maître de chapelle à Saint-Marc, et l'ouverture en grande pompe de La Fenice ("le phénix") en 1792. Rossini et Bellini montèrent des opéras dans cette salle, qui suscita une grande émotion en Europe lorsqu'elle disparut dans les flammes en 1836.

VÉNÉTIE

Venise ne pouvait se concevoir sans opéra : un an plus tard, un nouveau théâtre était inauguré. C'est à La Fenice que Verdi monta pour la première fois *Rigoletto* et *La Traviata*, suivi par d'autres grands noms internationaux : Stravinsky, Prokofiev, Britten… Mais l'édifice fut de nouveau réduit en cendres en 1996 – les deux électriciens coupables de l'incendie étaient apparemment en retard dans les travaux de réparation. Une réplique de l'Opéra du XIXᵉ siècle (pour un budget de 90 millions d'euros) ouvrit ses portes fin 2003. Si certains critiques regrettèrent le classicisme de l'architecture, la reprise de *La Traviata* fit sensation. Durant la saison, la salle est invariablement prise d'assaut : réservez pour les spectacles et les visites guidées. Voir aussi p. 378.

Les amateurs d'architecture d'avant-garde préféreront le **Palazzo Grassi** (carte p. 352 ; ☎ 041 523 16 80 ; www.palazzograssi.it ; Campo San Samuele 3231 ; adulte/étudiant 15/6 € ; ☾ 10h-19h), palais baroque qui présente depuis 2005 la riche collection d'art contemporain de l'homme d'affaires français François Pinault. Tadao Ando a été chargé de la rénovation du palais néoclassique de Giorgio Massari (1749). L'architecte minimaliste, jouant habilement de panneaux mobiles et répartissant les sources de lumière de façon stratégique, a mis en valeur les œuvres modernes sans éclipser les plafonds couverts de fresques ni les arcades en marbre. Les expositions sont de premier ordre : des artistes de l'envergure de Jeff Koons occupent ainsi l'embarcadère. En 2009, le palais accueillait François-Henri Pinault, qui dirige dorénavant l'entreprise fondée par son père, et l'actrice mexicaine Salma Hayek, à l'occasion de leur mariage.

Saint-Marc n'est pas la seule église remarquable du quartier. La **Chiesa di Santo Stefano** (carte p. 352 ; ☾ 10h-17h lun-sam, 13h-17h dim) possède un clocher bizarrement penché et un vaste plafond en *carena di nave* (carène de bateau) qui évoquerait presque une arche de Noé renversée. Dans le cloître du **musée** (3 € ou billet Chorus), on découvre une superbe stèle de Canova (1808), sur laquelle des femmes se tamponnent les yeux avec leurs manteaux, un saint aux yeux écarquillés datant de 1505 et signé Tullio Lombardo, dont serait inspirée la *Vierge des Pisaro*, de Titien, et trois sombres toiles du Tintoret : *La Cène*, où un chien fantomatique mendie du pain ; *La Prière au jardin des Oliviers* et *Le Lavement des pieds*, œuvre abstraite et presque noire.

Tout aussi digne d'intérêt, la **Chiesa di Santa Maria del Giglio** (carte p. 352 ; Campo di Santa Maria de Giglio ; 3 € ou billet Chorus ; ☾ 10h-17h lun-sam, 13h-17h dim) du Xᵉ siècle, construite selon un plan byzantin arbore une façade baroque reproduisant des plans de villes européennes telles qu'elles étaient en 1678 ainsi que trois étranges chefs-d'œuvre. Derrière l'autel se trouve la *Madone à l'enfant* de Véronèse, tandis que les quatre évangélistes du Tintoret jouxtent l'orgue. Une petite peinture de Marie avec saint Jean et un Jésus délicieusement poupin, exposée dans la chapelle Molin, est signée de Pierre-Paul Rubens, maître de la Renaissance du nord de l'Europe.

Au coucher du soleil, la place Saint-Marc voit affluer les amoureux. Les plus pressés préféreront le **Palazzo Contarini del Bovolo** (carte p. 352 ; ☎ 041 532 29 20 ; Calle Contarini del Bovolo 4299 accès gratuit dans la cour ; ☾ 10h-18h). Ce *palazzo* du XVᵉ siècle est un bijou méconnu de l'architecture Renaissance. Son escalier extérieur er *bovolo* (colimaçon) est fermé pour rénovation mais la cour ombragée permet d'admirer les lieux en toute intimité.

Les fashionatas se perdront avec bonheur dans les **Marzarie** (carte p. 352), un dédale de ruelles bordées de boutiques qui relie la place Saint-Marc au Rialto, et concluron leur virée shopping en beauté avec la visite du **Museo Fortuny** (carte p. 352 ; ☎ 041 520 90 70 www.museicivicivenezıani.it ; Campo San Beneto 3958 ; adulte VeniceCard 8/5 € ; ☾ 10h-18h mer-lun), du nom de Mariano Fortuny et Madrazo, excentrique styliste hispano-vénitien spécialisé dans l'Ar nouveau. Croulant sous les étoffes imprimée de Fortuny, les salons accueillent les œuvres d'artisans modernes, inévitablement éclipsées par les croquis de 1910 de l'artiste, dont les modèles bohèmes n'ont pas pris une ride.

Dorsoduro

Les esprits chamboulés par la découverte de la place Saint-Marc auront besoin d'un expresso d'une bonne glace et peut-être d'un Ave Mari avant d'attaquer les **Gallerie dell'Accademia** (carte p. 352 ; ☎ 041 522 22 47, réservations 041 520 03 45 ; www gallerieaccademia.org ; Campo della Carità 1050 ; adulte ressortissants UE 18-25 ans/moins de 12 ans et ressortissant U moins de 18 ans ou plus de 65 ans 6,50/3,25 €/gratuit, vidéo audioguide 6/4 € ; ☾ 8h15-14h lun, jusqu'à 19h15 mar-dim dernière admission 45 min avant la fermeture). Dans le cadr paisible de l'ancien couvent de Santa Maria dell Carità, agrandi par Palladio, ces galeries recèlen leur lot de complots criminels, de passion interdites et d'intrigues politiques.

Afin d'ordonner la visite, les œuvres sont plus ou moins présentées par style, thème et artiste du XIVe au XVIIIe siècle, en commençant par le *Couronnement de Marie*, de Paolo Veneziano (vers 1350), où l'on voit Jésus remettre affectueusement une couronne à sa mère, sous le regard d'un orchestre angélique. Remarquable par sa violence sanguinolente, *Les Dix Mille Martyrs du mont Ararat*, de Carpaccio, est accroché dans la salle 2.

Le *Saint Georges* d'Andrea Mantegna (1466), d'une beauté rayonnante, et la *Madone à l'Enfant* de Giovanni Bellini, dont les visages sont encadrés par des chérubins écarlates, illustrent les deux tendances de l'art vénitien, tantôt poignant tantôt éclatant de couleurs. Les salles n°6 à 10 exposent des chefs-d'œuvre de la Renaissance comme la *Création des animaux*, fantastique bestiaire où le Tintoret suggère que Dieu a mis toute sa créativité au service des fruits de mer vénitiens (comment le nier…). Vous verrez aussi les dernières touches que Titien apporta à mains nues à son émouvante *Pietà* (1576), peut-être achevée après sa mort par Palma il Giovane.

Dans la salle n°10, une œuvre controversée de Paolo Véronèse, le *Repas chez Lévi*, attire l'attention. L'artiste dut changer le nom qu'il avait originellement donné à son tableau, *La Cène*, car l'Inquisition s'opposa à ce que des ivrognes, des nains, des chiens et des protestants allemands figurent parmi les apôtres. Soutenu par Venise contre les autorités romaines, Véronèse refusa d'apporter le moindre changement à sa toile si ce n'est son titre. En examinant les échanges, les gestes et les regards des personnages, vous conviendrez que chaque marchand maure, chaque domestique titubant, chaque joueur et chaque caniche a sa place dans cette fresque vénitienne.

Vous n'êtes qu'à la moitié de votre visite, mais ne manquez pas les salles n°16 à 18, où sont accrochées des vues panoramiques de la cité par Canaletto, et *L'Orage* de Giorgione (1508), scène chargée d'émotion où une mère donne le sein à son bébé tandis qu'un soldat passe et qu'un éclair déchire le ciel d'été. La *Vieille Femme* de Giorgione, le *Portrait d'un jeune homme* de Lorenzo Lotto (1525), l'autoportrait de Rosalba Carriera, désarmant de sincérité (vers 1730), et la mondaine effrontée de *La Diseuse de bonne aventure* de Giambattista Piazzetta (1740) forment une galerie de portraits plus vrais que nature des habitants de la Sérénissime. Dans la salle n°20, on retrouve Gentile Bellini

et Vittore Carpaccio, qui représentent des foules cosmopolites de marchands vénitiens sur des toiles consacrées aux miracles de la Vraie Croix. La *Présentation de la Vierge* (1534-1539), de Titien, avec sa jeune Vierge qui gravit un escalier d'un air consciencieux sous le regard des passants, clôt magistralement la visite.

Une Venise plus moderne vous attend à la **collection Peggy Guggenheim** (carte p. 352 ; ☎ 041 240 54 11 ; www.guggenheim-venice.it ; Palazzo Venier dei Leoni 701 ; adulte/senior plus de 65 ans/étudiant sur justificatif jusqu'à 26 ans/moins de 10 ans 10/8/5 €/gratuit ; ☉ 10h-18h mer-lun). Après la disparition tragique de son père sur le *Titanic*, l'héritière Peggy Guggenheim se rapprocha des dadaïstes, fuit les nazis et collectionna les œuvres avant-gardistes de plus de 200 artistes modernes dans sa demeure palatiale sur le Grand Canal. Son Palazzo Venier dei Leoni devint le lieu modèle retraçant l'histoire du surréalisme, du futurisme italien et de l'expressionnisme abstrait, avec en sujet sous-jacent les liaisons amoureuses de Peggy : dans la collection figurent en effet les grandes œuvres de Max Ernst, son ancien époux, et de Jackson Pollock, l'un de ses nombreux amants présumés. Ignorant les diktats du style ou du prestige, guidée par sa seule intuition, Peggy constitua une collection où artistes folkloriques et inconnus locaux côtoyaient Kandinsky, Picasso, Brancusi, Mondrian et Dali. Dans le **jardin des sculptures** sont exposées des œuvres de Moore, Giacometti et Ernst – et c'est aussi là que la cité autorisa à titre exceptionnel l'inhumation de Peggy avec ses chiens bien-aimés en 1979.

Dominant l'entrée du Grand Canal, la magnifique **Chiesa di Santa Maria della Salute** (carte p. 352 ; ☎ 041 522 55 58 ; www.marcianum.it en italien ; Campo della Salute 1b ; sacristie 1,50 € ; ☉ 9h-12h et 15h-17h30) fut édifiée sur 100 000 piliers en signe de reconnaissance par les Vénitiens ayant survécu à la peste 1630. Le plan octogonal insolite et très inspiré de Baldassare Longhena a été comparé par les spécialistes aux temples gréco-romains et aux diagrammes de la kabbale juive. Des Vénitiens s'y rendent chaque année afin d'y prier pour leur santé (voir p. 370). À l'intérieur, vous verrez les *Noces de Cana* très enjouées du Tintoret avant d'arriver à la **sacristie**, où figurent 12 toiles de Titien, notamment un vibrant autoportrait de l'artiste sous les traits de saint Mathieu, ainsi que sa première œuvre connue, *Saint Marc en trône*, aux tons vermillon (1510).

À l'extrémité de Dorsoduro, les anciens entrepôts de douane sortent de trois années de travaux et ont été transformés par l'architecte

Tadao Ando en espace dédié à l'art contemporain : la **Punta della Dogana** (☎ 199 13 91 39 ; www.palazzograssi.it ; adulte/12-18 ans, senior ou handicapé/moins de 11 ans 15/10 €/gratuit, ou avec le billet de la collection Peggy Guggenheim dans les 3 jours suivant la visite/billet couplé avec le Palazzo Grassi 12/20 € ; ⏰ 10h-19h mer-lun). **Fortuna**, la girouette qui surmonte la Punta Dogana, a sans doute frémi lorsque François Pinault, homme d'affaires et collectionneur d'art, agacé par les obstructions de la bureaucratie française, décida d'installer sa prestigieuse collection au Palazzo Grassi (p. 358) et de créer une annexe dans la Punta della Dogana. La première exposition suivait le processus créatif de Takashi Murakami, Jeff Koons, Cindy Sherman et d'autres artistes contemporains, depuis les croquis jusqu'à l'œuvre finale, en les présentant dans les entrepôts réaménagés et baignés de lumière grâce à l'emploi de béton poli et aux ouverture donnant sur l'eau – autant d'hommages aux travaux de Carlo Scarpa pour le Palazzo Querini Stampalia (p. 364).

Les **Zattere** (carte p. 352), promenade ensoleillée bordant le Canale della Giudecca, de la Punta della Dogana à la vieille Stazione Marittima (terminal des ferries), offre l'occasion de déguster une glace et d'admirer **Gesuati** (carte p. 352 ; ☎ 041 523 06 25 ; Fondamenta delle Zattere 918 ; 3 € ou billet Chorus ; ⏰ 10h-17h lun-sam). Église de l'époque du haut baroque conçue par Giorgio Massari, elle fut dotée par Tiepolo d'un plafond peint (1737-1739) où figure saint Dominique au milieu d'un ciel ensoleillé au réalisme stupéfiant. À droite de la nef, *Saint Pierre et saint Thomas avec le pape Pie V* (1730-1733), de Sebastiano Ricci, virtuose de la lumière, tranche avec la *Crucifixion* (1565) du Tintoret, dont les rouges et les verts se détachent sur un fond lugubre.

Au bout des Zattere vous attend un bijou de l'art vénitien : l'église **San Sebastiano** (carte p. 352 ; ☎ 041 528 24 87 ; Campo San Sebastiano 687 ; 3 € ou billet Chorus ; ⏰ 10h-17h lun-sam), remplie du sol au plafond de chefs-d'œuvre que Paolo Véronèse réalisa pendant trois décennies. Sa patte y est omniprésente : dans les chevaux ruant sur les plafonds à caissons, sur les portes de l'orgue et dans le *Martyr de saint Sébastien*, près de l'autel, où le saint attaché contemple ses bourreaux, entouré de mondains vénitiens, de marchands enturbannés et d'un épagneul qui est la signature de l'artiste.

Deux merveilles baroques se jouxtent près du **Campo Santa Margarita**, où se pressent les riverains à l'heure de l'apéritif. Conçu par Baldassare Longhena, le palais **Ca' Rezzonico** (musée du XVIIIᵉ siècle ; carte p. 352 ; ☎ 041 241 01 00 ; www.museiciviciveneziani.it ; Fondamenta Rezzonico 3136 ; adulte/étudiant et enfant 6,50/4,50 € ; ⏰ 10h-18h mer-lun avr-oct, jusqu'à 17h mer-lun nov-mars) présente l'art du XVIIIᵉ siècle dans de luxueux salons de musique, de somptueux boudoirs, et une **pharmacie** où sont exposés des scorpions médicinaux. Beauté sensuelle et flatterie sont de mise sur le plafond de la **salle du trône**, réalisé par Tiepolo : une somptueuse allégorie du Mérite monte au temple de la Gloire en serrant le livre d'or de l'aristocratie vénitienne – où figurait la famille Rezzonico, cliente de Tiepolo. Ne manquez pas le **salon Pietro Longhi** et ses caricatures de mondains, les portraits satiriques de Rosalba Carriera et les mornes vues du canal par Emma Ciardi. En descendant, consultez le calendrier des concerts du Venice Chamber Music Orchestra dans la **salle de bal**. Les dernières admissions se font une heure avant la fermeture.

Tiepolo et Longhena ont également fait la preuve de leur génie dans la **Scuola Grande dei Carmini** (carte p. 352 ; ☎ 041 528 94 20 ; Campo Santa Margherita 2617 ; adulte/senior et étudiant 5/4 € ; ⏰ 9h-15h lun-sam, jusqu'à 16h dim avr-oct, jusqu'à 16h nov-mars), un refuge dirigé par des carmélites. On doit l'escalier monumental à Longhena et le plafond en neuf panneaux montrant la Vierge en gloire à Tiepolo. Le **Venice Opera** (www.venice-opera.com) s'y produit parfois : renseignez-vous au rez-de-chaussée.

San Polo et Santa Croce

À Venise, le cœur des historiens de l'art balance entre les couleurs de Titien et la théâtralité du Tintoret, et l'on comprend mieux pourquoi à San Polo, où sont exposés quelques-uns des chefs-d'œuvre de ces deux génies de la Renaissance vénitienne. I **Frari** (carte p. 352 ; Campo dei Frari, San Polo 3004 ; 3 € ou billet Chorus ; ⏰ 9h-18h lun-sam, 13h-18h dim) est une imposante église gothique en brique sombre. Ignorant les **stalles** tout en marqueterie, le **mausolée pyramidal** de Canova dans la nef et le touchant triptyque *Madone à l'Enfant* de Bellini dans la **sacristie**, les visiteurs se dirigent toujours vers le petit retable, l'*Assomption* (1518), comme des papillons attirés par la lumière. Titien y saisit l'instant où la Vierge atteint les cieux, pose le pied sur un nuage et abandonne son enveloppe charnelle tandis que les plis de son manteau tourbillonnent autour d'elle. De même que les spectateurs sur la toile, les touristes semblent sidérés par cette vision. Titien succomba à la peste en 1576, à l'âge de 90 ans, mais la légende affirme que les règles de quarantaine furent levées pour permettre son inhumation ici, en reconnaissance de son apport éternel aux I Frari.

À l'angle de la rue, une cinquantaine de Tintoret peints entre 1575 et 1587, dont la peinture semble encore fraîche, sont exposés dans la **Scuola Grande di San Rocco** (carte p. 352 ; ☎ 041 523 48 64 ; www.scuolagrandesanrocco.it ; Campo San Rocco, San Polo 3052 ; adulte/18-26 ans/moins de 18 ans 7/5 €/gratuit ; ☼ 9h-17h30 Pâques-oct, 10h-17h nov-Pâques). Les peintures de cet édifice consacré au saint patron des pestiférés firent l'objet d'une commande très convoitée que remporta finalement le Tintoret au prix d'une feinte : au lieu de produire des croquis comme son concurrent Véronèse, il réalisa un splendide panneau qu'il dédia au saint. L'artiste savait que son don ne pourrait être refusé, ni égalé par les autres artistes. À l'étage, dans la **Sala Grande Superiore**, il couvrit les plafonds de scènes de l'Ancien Testament. Les mouvements sont d'un réalisme stupéfiant : on croirait entendre les battements d'ailes des anges plongeant pour secourir Élie souffrant. Contrairement aux coloristes vénitiens, le Tintoret privilégie les lignes dynamiques pour ses peintures murales illustrant le Nouveau Testament et, dans le contexte de la Peste noire, il entoure ses sujets de traits d'espoir lumineux. À l'étage inférieur, la salle de réunion évoque l'histoire de la Vierge, depuis l'*Annonciation*, sur le mur de gauche, jusqu'à l'*Assomption* en face – image sombre et funeste qui tranche avec la version plus chatoyante de Titien à I Frari.

Entre I Frari et le Rialto se dresse une église byzantine de brique du IXᵉ siècle, méconnue des hordes de touristes. Dans la **Chiesa di San Polo** (Campo San Polo 2118 ; 3 € ou billet Chorus ; ☼ 10h-17h lun-sam), la *Cène* du Tintoret dépeint la détresse des apôtres lorsque Jésus leur annonce la trahison prochaine de l'un d'entre eux. Giandominico Tiepolo (fils de Giambattista, maître baroque des plafonds) montre Jésus dans les *Stations de la Croix*. À l'extérieur, une vue moins sombre de l'humanité prévaut dans le vaste **Campo San Polo**, où les enfants jouent à chat perché et où les amoureux se bécotent. En été, on peut y assister à des pièces de théâtre et à des séances de cinéma en plein air.

À l'ouest de Campo San Polo, le **Campo San Giacomo dell'Orio** est envahi par des grands-parents vénitiens qui sirotent un apéritif tandis que des enfants pédalent sur leurs tricycles. Au centre, la **Chiesa di San Giacomo dell'Orio** (carte p. 352 ; Campo San Giacomo dell'Orio, Santa Croce 1457 ; 2,50 € ; ☼ 10h-17h lun-sam, 13-17h dim), édifice roman du

XIIIᵉ siècle, se distingue par plusieurs curiosités artistiques : un crucifix en bois de Véronèse et une œuvre rare de Lorenzo Lotto, la *Madone à l'Enfant et aux saints*.

Le dédale de ruelles bordées d'ateliers d'artisans, au nord du Campo San Polo, mène à un édifice de la Renaissance, la **Ca' Pesaro** (carte p. 352 ; ☎ 041 72 11 27 ; www.museiciviciveneziani.it ; Fondamenta de Ca' Pesaro, Santa Croce 2076 ; adulte/senior, étudiant et enfant 5,50/3 € ; ☼ 10h-18h mar-dim avr-oct, jusqu'à 17h mar-dim nov-mars). Ce musée excentrique consacré à l'art moderne et aux antiquités asiatiques est situé dans un *palazzo* de 1710 conçu par Longhena. La **Galleria d'Arte Moderna**, où l'on perçoit d'abord le chauvinisme qui régnait sur la Biennale à ses débuts, met en avant des paysages vénitiens, des peintres vénitiens (notamment Giacomo Favretto) et des mondains vénitiens incarnant des vertus mythologiques. Mais les conservateurs se tournèrent ensuite vers des œuvres comme *Judith II (Salomé)* (1909) de Gustav Klimt ou le *Rabbin de Vitebsk* (1914-1922) de Marc Chagall. Grâce au legs De Lisi, Kandinsky et Morandi vinrent rejoindre en 1961 Chirico, Miró, Moore et les autres modernistes présents dans la collection. À l'étage, le curieux **Museo d'Arte Orientale** est une plongée à l'époque des samouraïs : les souvenirs rapportés d'Asie en 1887-1889 par le prince Enricodi Borbone y sont conservés. Lorsqu'il arriva au Japon, l'art de la période Edo laissait place au modernisme de l'ère Meiji : sabres, netsuke et palanquins de laque figurent ainsi en bonne place dans sa collection de 30 000 objets.

Non loin de là, un sujet plus frivole est à l'honneur dans le **Palazzo Mocenigo** (☎ 041 72 17 98 ; www.museiciviciveneziani.it ; Salizada di San Stae 1992 ; 2,50-4 € ; ☼ 10h-17h mar-dim avr-oct, jusqu'à 16h mar-dim nov-mars), élégant palais du Grand Canal où sont exposés des costumes baroques d'origine : décolletés dans le **salon rouge**, corsets provocants dans la **chambre de la comtesse** et robes rouges aux poches profondes des procurateurs dans la **salle à manger**.

Pour les gourmands, San Polo vaut surtout pour le marché du Rialto et la Pescaria (p. 351), mais le Grand Canal est également bordé de bars et de boutiques à l'approche du pont du Rialto (carte p. 352).

Acteurs, auteurs et amateurs de théâtre feront un détour par la **Casa di Goldoni** (carte p. 352 ; ☎ 041 275 93 25 ; www.museiciviciveneziani.it ; Calle dei Nomboli, San Polo 2794 ; adulte/senior, étudiant et enfant 2,50/1,50 € ; ☼ 10h-17h lun-sam avr-oct, jusqu'à 16h lun-sam nov-mars), demeure du XVᵉ siècle où

Carlo Goldoni, auteur de délicieuses satires sociales et plus grand dramaturge de Venise, naquit en 1707. Vous y verrez des marionnettes du XVIIIe siècle et saurez tout de la carrière de Goldoni, qui fut assistant médecin puis juriste avant de devenir comédien. Des concerts de musique de chambre y ont lieu (consultez le site pour connaître le programme).

Cannaregio

Il est parfois difficile de se frayer un chemin entre le Piazzale Roma et la place Saint-Marc en passant par le Ponte di Calatrava (p. 350) vers 9h30 ou 18h30… Pour goûter à la vie quotidienne de Venise, mieux vaut obliquer dans les étroites ruelles alentour. Les rues commerçantes de Cannaregio dissimulent des *fondamente*

(berges de canal) ensoleillées, d'authentiques *osterie* (bistrots) et le cœur de l'empire maritime vénitien : le **Ghetto** (carte p. 362). Le nom de ce quartier de Venise, à l'origine un *getto* (fonderie), prit un tout autre sens lorsqu'il fut choisi pour héberger la population juive de la ville, du XVIe au XVIIIe siècle.

Conformément au décret de 1516 de la république de Venise, les artisans et prêteurs juifs qui, le jour, finançaient et approvisionnaient les entreprises de la cité, étaient cantonnés la nuit et durant les fêtes chrétiennes à l'île du **Ghetto Novo**. À l'arrivée des marchands juifs fuyant l'Inquisition espagnole en 1541, le Ghetto dut s'agrandir autour du **Campo del Ghetto Nuovo** (carte p. 362), et les immeubles gagnèrent des étages pour loger les nouveaux

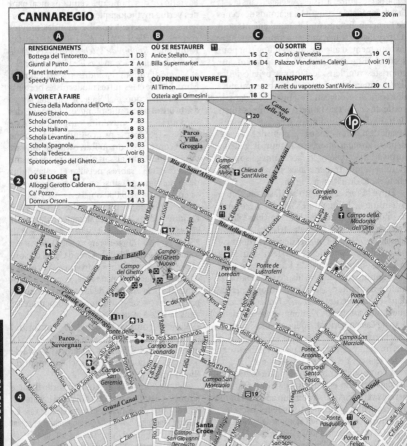

CANNAREGIO

0 — 200 m

RENSEIGNEMENTS
Bottega del Tintoretto 1 D3
Giunti al Punto 2 A4
Planet Internet 3 B3
Speedy Wash 4 B3

À VOIR ET À FAIRE
Chiesa della Madonna dell'Orto 5 D2
Museo Ebraico 6 B3
Schola Canton 7 B3
Schola Italiana 8 B3
Schola Levantina 9 B3
Schola Spagnola 10 B3
Schola Tedesca .... (voir 6)
Spotoportego del Ghetto 11 B3

OÙ SE LOGER
Alloggi Gerotto Calderan 12 A4
Ca' Pozzo 13 B3
Domus Orsoni 14 A3

OÙ SE RESTAURER
Anice Stellato 15 C2
Billa Supermarket 16 D4

OÙ PRENDRE UN VERRE
Al Timon 17 B2
Osteria agli Ormesini 18 C3

OÙ SORTIR
Casinò di Venezia 19 C4
Palazzo Vendramin-Calergi .... (voir 19)

TRANSPORTS
Arrêt du vaporetto Sant'Alvise 20 C1

venus, mais également accueillir des synagogues et des maisons d'édition. Après la levée des restrictions par Napoléon en 1797, les habitants du Ghetto devinrent des citoyens vénitiens de plein droit. Mussolini et ses lois raciales de 1938 ranimèrent néanmoins l'obscurantisme du XVIᵉ siècle. En 1943, la majorité des 1 670 juifs de Venise furent raflés et déportés. Seuls 37 revinrent. Aujourd'hui, la communauté juive de Venise compte environ 400 membres, dont quelques familles vivant dans le Ghetto.

Pour découvrir l'histoire des Juifs de Venise, dont l'influence s'est exercée sur les arts, l'architecture, le commerce et l'histoire de la cité, commencez par faire une halte au **Museo Ebraico** (carte p. 362 ; ☎ 041 71 53 59 ; www.museoebraico.it ; Campo del Ghetto Nuovo, Cannaregio 2902b ; adulte/étudiant 3/2 €, entrée et visite guidée 8,50/7 € ; ☽ 10h-19h dim-ven sauf fêtes juives juin-sept, jusqu'à 18h dim-ven oct-mai). Des visites guidées en anglais démarrent toutes les 30 minutes à partir de 10h30 et vous emmènent dans trois des sept minuscules synagogues du Ghetto : la **Schola Canton** (carte p. 362), la **Schola Italiana** (carte p. 362), et la **Schola Levantina** (carte p. 362) en été ou la **Schola Spagnola** (carte p. 362) en hiver.

Un pont métallique sépare le Campo del Ghetto Nuovo de la **Fondamenta degli Ormesini**, assoupie en journée, mais que d'authentiques *osterie* réveillent le soir venu. À quelques pas se trouve l'un des secrets les mieux gardés de Venise : la **Chiesa della Madonna dell'Orto** (carte p. 362 ; Campo della Madonna dell'Orto 3520 ; 3 € ou billet Chorus ; ☽ 10h-17h lun-sam, 13h-17h dim), élégante cathédrale gothique en brique de 1365, était l'église paroissiale du Tintoret. Le maître repose dans la chapelle, et certains de ses chefs-d'œuvre sont exposés dans l'abside : la *Présentation de la Vierge au Temple*, qui montre la Madone entourée d'un essaim d'anges et de mortels se poussant pour l'apercevoir, et un *Jugement dernier* (1546), où l'on voit un raz-de-marée bleu-vert engloutir les âmes damnées tandis qu'un ange sauve une dernière personne de cette ultime *acqua alta*.

Tout aussi magnifique est la **Chiesa di Santa Maria dei Miracoli** (carte p. 352 ; Campo dei Miracoli 6074 ; 2,50 € ; ☽ 10h-17h lun-sam, 13h-17h dim), construite en marbre multicolore par le voisinage pour abriter la Madone de Niccolò di Pietro, qui versa des larmes miraculeuses vers 1480. En ce début de Renaissance, Pietro Lombardo opta pour un plan novateur, abandonnant la grandiloquence gothique au profit d'une architecture plus intimiste. Rendant

hommage à la cité et à ses habitants, Pier Maria Pennacchi disposa au plafond 50 panneaux de bois représentant des saints et des prophètes vêtus à la mode vénitienne.

Au bord du Grand Canal se dresse la **Ca' d'Oro** (maison d'Or ; carte p. 352 ; ☎ 041 522 23 49 ; www.cadoro.org, Calle di Ca' d'Oro 3932 ; adulte/étudiant UE moins de 26 ans/ressortissant UE moins de 18 ans ou plus de 65 ans 5/2,50 €/gratuit ; ☽ 8h15-14h lun, jusqu'à 19h15 mar-dim), demeure gothique du XVᵉ siècle dont la façade dentelée demeure magnifique bien qu'elle ait perdu les feuilles d'or auxquelles elle devait son nom. La Ca' d'Oro fut donnée à la ville pour accueillir la **Galleria Franchetti** (carte p. 352), collection d'art du baron Franchetti, ainsi que divers bronzes, tapisseries et peintures pillées dans les églises de Vénétie par Napoléon et récupérées par Venise. Parmi les œuvres phares de la collection, citons le retable d'Andrea Mantegna montrant un saint Sébastien percé de flèches, la tendre *Madone à l'Enfant* de Pietro Lombardo en marbre brillant de Carrare, les morceaux de fresques de Titien provenant de la Fondaco dei Tedeschi (qui abrite aujourd'hui le principal bureau de poste ; voir p. 350) et une partie d'un nu, délavé mais toujours sensuel, de Giorgione.

Castello

Vous saurez que vous quittez Cannaregio pour Castello en voyant Bartolomeo Colleoni galoper vers vous. La statue équestre de bronze rend hommage au plus loyal des commandants mercenaires de Venise, et marque l'entrée de l'immense **Zanipolo** (Chiesa dei SS Giovanni e Paolo ; carte p. 352 ; ☎ 041 523 59 13 ; Campo SS Giovanni e Paolo ; 2,50 € ; ☽ 9h30-18h lun-sam, 13h-18h dim), église gothique édifiée par les Dominicains entre 1333 et 1430 pour rivaliser avec l'I Frari (p. 360) des Franciscains. Si I Frari l'emporte par son élégance, Zanipolo fait la différence avec sa taille et la variété de ses chefs-d'œuvre. Dans la **Cappella del Rosario**, près du bras nord du transept, le plafond de Paolo Véronèse dépeint une Vierge gravissant un escalier vertigineux pour être couronnée par des chérubins, sous les joyeux battements d'ailes des anges. Sous le dôme de la chapelle, à l'extrémité sud-ouest de la nef, le *Jésus Navigateur* de Giambattista Lorenzetti scrute le ciel comme un capitaine vénitien. À proximité le *San Giuseppe* baroque de Guido Reni montre Joseph en train d'échanger de tendres regards adorateurs avec Jésus bébé. Zanipolo abrite 25 **tombes de doges** exécutées par des sculpteurs comme Nicolo Pisano ou Tullio Lombardo, et le vaste **vitrail**

VENISE EN COMPAGNIE DE ROSANNA CORRÓ

La sérénité de Cannaregio Je trouve l'inspiration devant ma porte : les vieux murs au plâtre écaillé, la lumière qui se reflète dans l'eau, la Madonna dell'Orto (p. 363). On compte 5 habitants pour 3 touristes – ce qui est peu pour Venise ! –, et les *fondamente* (berges) sont des lieux calmes.

Papiers lointains La tradition des *carta marmorizzata* (marbrage du papier) nous vient du Japon, via la Turquie et Florence. À mes débuts, en tant que restauratrice de livres, j'avais accès à des collections privées de livres anciens dans lesquelles je découvrais de splendides pages de garde en papier marbré. En étudiant les anciennes méthodes de fabrication, j'ai entrevu ce que mes origines brésilienne et vénitienne et ma sensibilité pouvaient apporter à cette tradition.

L'esprit de Venise Chaque feuille est différente. Tout dépend de la température de l'eau, de l'humidité dans l'air… et de mon humeur du jour. Lorsque j'arrive à saisir l'essence de cet instant, je suis contente.

Rosanna Corró est fabricante de papier artisanal chez Cartè (p. 380)

---

de Murano du XVe siècle, en cours de rénovation, inonde de lumière les œuvres de Bartolomeo Vivarini et Girolamo Mocetto.

L'austère façade en brique de Zanipolo est presque éclipsée par celle de style Renaissance réalisée en marbre par Pietro Lombardo. Autrefois façade de la **Scuola Grande di San Marco** (carte p. 352), confrérie du saint patron de Venise, elle marque aujourd'hui l'entrée de l'hôpital de Venise. Le **Campo SS Giovanni e Paolo** est un cadre idéal pour prendre un café ou faire un *giro d'ombra* (tournée des bars).

D'un verre de Prosecco à l'autre, on arrive bientôt au **Campo Santa Maria Formosa**, presque immédiatement au sud via d'étroites ruelles. Les initiés dégustent leurs verres dans le cadre moderniste du jardin dessiné par Carlo Scarpa ou dans le café signé de l'architecte Mario Botta au **Palazzo Querini Stampalia**, palais datant du XVIe siècle (carte p. 352). Entrez par la librairie, elle aussi conçue par Botta, pour accéder gratuitement au café, ou prenez un billet pour visiter le **Museo della Fondazione Querini Stampalia** (☎ 041 271 14 11 ; www.querinistampalia.it ; Campiello Querini Stampalia 5252 ; adulte/étudiant et senior 8/6 € ; ◷ 10h-20h mar-jeu, jusqu'à 22h ven et sam, jusqu'à 19h dim). Les installations d'art contemporain exposées là détonnent entre les soies des salons, conservés en l'état depuis 1868. Les vendredis et samedis, les jeunes branchés et les anciens se pressent aux concerts et aux conférences organisés dans le salon de musique baroque.

À l'est du Campo SS Giovanni e Paolo s'élève le clocher de la **Chiesa di San Francesco della Vigna** (carte p. 348 ; ☎ 041 520 61 02 ; Campo San Francesco della Vigna 2787 ; ◷ 8h-12h30 et 15h-19h). Conçue et bâtie par Jacopo Sansovino, avec une façade de Palladio, cette superbe église franciscaine est l'une des curiosités les plus sous-estimées de Venise. Nichée dans la Capella Santa, près du cloître, la Vierge de la *Madone et les saints*, de Bellini (1507) est resplendissante. Les anges et la ronde d'oiseaux volent la vedette à la *Vierge en trône* (vers 1460-1470) d'Antonio da Negroponte. D'un réalisme confondant, les lions de Pietro Lombardo semblent prêts à sortir des reliefs en marbre du XVe siècle de la Capella Giustiniani, à gauche de l'autel.

L'**arsenal** (carte p. 348), établi en 1104, n'allait pas tarder à devenir le plus grand chantier naval d'Europe au Moyen Âge en accueillant 300 compagnies maritimes et en employant jusqu'à 16 000 personnes, capables de fabriquer une galère en une journée. Demeurée invicible durant des siècles, la marine vénitienne a aujourd'hui laissé place au milieu de l'art, qui investit les quais lors des **Biennales** (p. 370) d'art et d'architecture. **Giardini Pubblici** (carte p. 348) est le site principal de la Biennale d'art, où conservateurs et curieux viennent admirer les pavillons : citons, de Carlo Scarpa, l'audacieux **pavillon vénézuélien** (1954), alliant verre et béton et le **pavillon australien** (1988) grossier édifice de verre de Peter Cox souvent pris pour une caravane de chantier. Les années impaires séparant les Biennales d'art, les jardins sont ouverts aux promeneurs qui peuvent ainsi déambuler entre le **pavillon austro-hongrois**, de style sécessionniste et chatoyant de mosaïques, le **pavillon canadien**, aux allures de chalet en bois des années 1970, et le **pavillon coréen**, construction postmoderniste installée dans une usine électrique habilement convertie.

Le **Museo Storico Navale** (carte p. 348 ; ☎ 041 520 02 76 ; Riva San Biagio 2148 ; 3 € ; ◷ 8h45-13h30 lun-ven, jusqu'à 13h sam), haut de quatre étages et divisé en 42 salles, est un hommage à l'histoire maritime de Venise. Il permet de découvrir des navires grandeur nature, dont la barge ducale et l'extravagante gondole de Peggy Guggenheim.

des paquebots et des bâtiments de guerre de la Seconde Guerre mondiale. Le billet du musée donne accès au **Padiglione delle Navi** (Pavillon des navires ; carte p. 348) sur la Fondamenta della Madonna, près de l'entrée de l'arsenal.

Les jeunes filles du XVe siècle qui montraient plus d'intérêt pour les marins que pour les saints étaient parfois envoyées quelque temps au couvent jouxtant la **Chiesa di San Zaccaria** (carte p. 348 ; ☎ 041 522 12 57 ; Campo San Zaccaria 4693 ; ☀ 10h-12h et 16h-18h lun-sam, 16h-18h dim). Les filles dévoyées de Venise y passaient leurs journées en prières, mais faisaient des pauses pour aller écouter des concerts et participer à des bals masqués scabreux. L'église ne cache pas son opulence : remarquez le polyptyque doré dans la chapelle d'Or, à l'étage inférieur, et la façade gothique d'Antonio Gambello, à laquelle Codussi ajouta des détails de style Renaissance. Les grands artistes ne manquent pas : Bellini, avec sa mélancolique *Vierge à l'Enfant entourée d'un ange musicien et de saints*, Tiepolo et sa représentation de la fuite en Égypte en bateau vénitien, et Antonio Vivarini et sa sainte Sabine (1443), impassible malgré la nuée d'anges voletant autour de sa tête.

La tolérance religieuse et le cosmopolitisme de Venise sont visibles à Castello, où marchands turcs, religieux arméniens et divers habitants slaves ou originaires des Balkans vivaient et participaient activement au commerce et à la société de la ville. C'est ainsi que la **Scuola di San Giorgio degli Schiavoni** (carte p. 348 ; ☎ 041 522 88 28 ; Calle dei Furlani 3259a ; 3 € ; ☀ 14h45-18h lun ; 9h-13h et 14h45-18h mar-sam, 9h-13h dim), du XVe siècle, est dédiée aux saints patrons Georges, Tryphon et Jérôme de Dalmatie. La confrérie slave exerçait une telle influence que Vittore Carpaccio représentait la vie de ces trois saints au rez-de-chaussée.

Giudecca

Appelée à l'origine *spina longa* (longue arête ; de *spina*, arête de poisson) en raison de sa forme courbée et allongée, la Giudecca a su conserver son cachet malgré une histoire mouvementée. C'est ici que vivait la communauté juive de Venise avant la création du Ghetto. Le nom de Giudecca n'a aucun lien avec le mot juif (*hebrei* en italien) : il dériverait de *Zudega* (de *giudicato*, "jugé"), terme désignant les nobles vénitiens rebelles que la cité exilait sur la Giudecca.

Leur bannissement n'eut pas l'effet escompté, au contraire : la Giudecca devint à la mode, et les Vénitiens se mirent à bâtir sur l'île des propriétés avec jardin où ils venaient de temps à autre. Abandonnées durant les périodes de peste ou de guerre, elles cédèrent le pas aux industries au XIXe siècle. La Giudecca ne perdit pourtant jamais son sens de la mode, et on y trouve encore le **Fortuny Tessuti Artistici** (carte p. 348 ; ☎ 041 522 40 78 ; www.fortuny.com ; Fondamenta San Biagio 805 ; ☀ 9h-13h et 14h-18h lun-ven, 9h-11h et 14h-18h sam et dim), où Marcel Proust s'extasia sur les cotons soyeux aux motifs chics et bohèmes d'inspiration Art nouveau. Les visiteurs peuvent admirer 260 modèles dans la salle d'exposition, mais les secrets de fabrication sont jalousement conservés dans le studio depuis un siècle.

Aujourd'hui, la Giudecca connaît un renouveau : les usines en brique sont converties en lofts d'artistes, les galeries s'installent sur la **Fondamenta San Biagio**, et l'orphelinat-couvent de Palladio, près de l'église de marbre blanc de **Zitelle**, est devenue l'hôtel de luxe Bauer Palladio (p. 373). Les restaurants de la Giudecca comptent parmi les plus abordables de Venise. Les *vaporetti* nos 41, 42, 82 et N (nocturne) desservent l'île entre Saint-Marc et Dorsoduro.

Créé par Palladio en 1577, **Il Redentore** (Chiesa del SS Redentore ; carte p. 348 ; Campo del SS Redentore 194 ; 3 € ou billet Chorus ; ☀ 10h-17h lun-sam, 13h-17h dim) ne passe pas inaperçu : cette montagne de marbre blanc surplombant le Grand Canal fut construite pour célébrer la fin de la Peste noire. À l'intérieur, après le porche, la *Gratitude de Venise libérée de la peste* (1619), de Paolo Piazza, œuvre d'une étonnante modernité, montre la ville soutenue par des anges dans de sobres teintes grises. Les Vénitiens savent toutefois que le malheur peut encore frapper, et le jour de la **Festa del Redentore** (fête du Rédempteur ; p. 370), ils traversent le canal de la Giudecca depuis les Zattere sur un ponton branlant pour rendre grâce à Dieu.

San Giorgio Maggiore

Œuvre majestueuse bâtie par Palladio en marbre d'Istrie, la **Chiesa di San Giorgio Maggiore** (carte p. 348 ; ☎ 041 522 78 27 ; Isola di San Giorgio Maggiore ; ☀ 9h30-12h30 et 14h30-18h30 lun-sam mai-sept, 9h30-12h30 et 14h30-16h30 oct-avr) (1565-1580), d'une blancheur éblouissante, offre un spectacle extraordinaire depuis le *vaporetto* n°82. Sa façade classique est resplendissante, avec des colonnes massives soutenant un tympan triangulaire plus proche des anciens temples romains que du style baroque grandiloquent en vogue à l'époque de Palladio. À l'intérieur, les plafonds s'élèvent en tourbillons au-dessus d'une vaste nef

VÉNÉTIE

doucement illuminée par de hautes fenêtres. Sur le sol, des pierres noires, blanches et rouges guident le regard vers l'autel, encadré de deux chefs-d'œuvre du Tintoret : *La Récolte de la manne* et *La Cène*. Prenez l'ascenseur (3 €) jusqu'au sommet du campanile, haut de 60 m, pour admirer une vue extraordinaire sur la Giudecca, Saint-Marc et la lagune au-delà.

Derrière l'église, sur la marina, une ancienne école navale a été convertie en galerie pour la **Fondazione Giorgio Cini** (carte p. 348 ; ☎ 041 271 02 80 ; www.cini.it ; Isola di San Giorgio Maggiore ; adulte/senior et étudiant/7-12 ans/moins de 7 ans 12/10/8 €/gratuit ; ✆ 10h-18h30 lun-sam). Ayant réchappé au camp de concentration de Dachau avec son fils Giorgio, Vittorio Cini rentra à Venise déterminé à sauver San Giorgio Maggiore, qui n'était plus que ruines en 1949. La fondation de Cini acheta l'île et la transforma en centre culturel. La galerie accueille aujourd'hui diverses expositions intéressantes, des vidéos de Peter Greenaway inspirées par Véronèse à la typographie japonaise d'avant-garde.

Le Lido

Pour Karl Lagerfeld, le défilé Chanel croisière 2009 ne pouvait se produire qu'au Lido. À seulement 15 minutes en *vaporetti* n°s 1, 51, 52, 61, 62, 82 et N depuis Saint-Marc, l'île est synonyme de glamour balnéaire depuis la fin du XIXe siècle, lorsque les Vénitiens les plus fortunés, fuyant l'atmosphère étouffante de la cité, prenaient leurs quartiers d'été dans les **villas Liberty** de l'île. Thomas Mann situe son roman *La Mort à Venise* au Lido, au tournant du XXe siècle, et des balcons en fer forgé et des stations balnéaires d'époque témoignent encore aujourd'hui de l'élégante décadence qui régnait alors.

Les **plages du Lido** (dépôt de garantie/chaise longue/parasol et chaise longue/cabine 5/6/11/17 € ; ✆ en général 9h30-19h mai-sept) n'ont rien perdu de leur attrait, surtout sur la côte adriatique, où l'eau plus propre attire les foules par beau temps. Les adeptes du bronzage se raréfient et les tarifs baissent après 14h, mais pour éviter l'affluence et limiter les frais de location, louez un vélo à l'arrêt du *vaporetto*, chez **Lido on Bike** (☎ 041 526 80 19 ; www.lidoonbike.it ; Gran Viale 21b ; simple/double/tarif familial 3/7/14 €/h, tandem 6-18 €, simple/tandem 9/8 €/jour ; ✆ 9h-19h, sauf mauvais temps) et prenez la route du sud, jusqu'à **Alberoni** ou d'autres plages désertes battues par les vents. Roulez prudemment : après quelques jours à Venise, les voitures amenées ici par ferry depuis Tronchetto risquent de vous surprendre…

L'événement phare du Lido a lieu chaque mois de septembre, lorsque les starlettes et les mondains se disputent l'attention des paparazzi à grands renforts de haute couture italienne au **Festival international du film de Venise** (voir p. 370). Les projections ont lieu dans l'enceinte du **Palazzo del Cinema**, construit dans les années 1930, aux allures d'aéroport fasciste. Débarrassée de son tapis rouge, l'entrée conçue par C+S Associates en 2003 est une invitation à faire du skate.

San Michele

En se rendant à Murano depuis Fondamente Nuove, les *vaporetti* n°s 41 et 42 s'arrêtent au **cimetière municipal** de Venise, établi sur l'Isola di San Michele sous Napoléon. Les Vénitiens enterraient auparavant leurs morts dans les caveaux paroissiaux de la ville, une solution fort peu hygiénique, comme le remarquèrent les inspecteurs napoléoniens. Les gothiques, les néoromantiques et les mélomanes viennent aujourd'hui se recueillir sur les tombes d'Ezra Pound, de Serge de Diaghilev et d'Igor Stravinsky. Les amateurs d'architecture remarqueront la **Chiesa di San Michele in Isola** (carte p. 348), de style Renaissance, commencée par Codussi en 1469, et l'extension du cimetière, encore en travaux, prévue par David Chipperfield Architects. Le plan reprend les lignes de la **cour des Quatre Évangélistes**, du même cabinet, un bunker doté d'une colonnade en béton et de murs recouverts de basalte portant des inscriptions des Évangiles.

Murano

Les Vénitiens travaillent le cristal et le verre depuis le Xe siècle, mais les ateliers furent transférés sur l'île de Murano (hors carte p. 348) dès le XIIIe siècle à cause du risque d'incendie inhérent aux fours des verriers. Malheur au souffleur rêvant de voyages : les secrets de fabrication étaient si jalousement conservés qu'un artisan quittant la ville était considéré comme un traître et risquait d'être assassiné. De nos jours, les ateliers se succèdent le long de la **Fondamenta dei Vetrai**, à Murano, surmontés de panneaux "Fornace" (fours), sans craindre la concurrence. Un sceau en forme de cœur garantit que votre achat est confectionné à la main à Murano, et non ailleurs, en usine.

Depuis 1861, un **musée du Verre** (Museo del Vetro ☎ 041 73 95 86 ; www.museiciviciveneziani.it ; Fondamenta Giustinian 8 ; adulte/senior, étudiant de 15 à 29 et enfant de 6-14 ans EU/forfait Musei civici ou VeniceCard et moins de 6 ans

VENEXIANÁRSE (DEVENIR VÉNITIEN)

Les Vénitiens louent généralement les efforts des étrangers pour s'intégrer. Une tournée générale et un peu d'apprentissage vous vaudront la sympathie de tous. Finalement, ce n'est pas si compliqué…

■ Préparez un festin avec les merveilles rapportées de la Pescaria (p. 351) sous la houlette du sommelier Sara Sossiga, qui vous apprendra aussi à assortir poissons et vins, chez **Venice Table** (www.venicevenetogourmet.com ; 130 €/2-8 pers, repas et vin compris).

■ Apprenez l'italien et quelques mots de vénitien à l'**Istituto Venezia** (carte p. 352 ; ☎ 041 522 43 31 ; www.istitutovenezia.com ; Campo Santa Margherita, Dorsoduro 3116a ; 1 sem, 4 heures/jour 160 €).

■ Suivez des cours de peinture, gravure et sculpture dans le studio du Tintoret à **Bottega del Tintoretto** (☎ 041 72 20 81 ; www.tintorettovenezia.it ; Fondamenta dei Mori 3400 ; 30 heures de cours sur 5 jours, repas et matériel compris 360 €).

■ Devenez une diva ou participez à un concert caritatif avec les **Friends of Venice** (✆ 079 7696 9804 ; www.friendsofveniceclub.com ; cours 7 jours 250 £).

■ Debout sur votre gondole, traversez le canal de la Giudecca avec l'**Associazione Canottieri Giudecca** (www.canottierigiudecca.com ; Fondamente del Ponte Lungo, Giudecca 259 ; 10 €/heure).

■ Réalisez un masque de carnaval : un atelier de 2 heures 30 est organisé par **Ca' Macana** (carte p. 352 ; ☎ 041 522 97 49 ; www.camacana.com ; Calle delle Botteghe, Dorsoduro 3172 ; selon le nombre de participants ; environ 60 €/atelier ; ✆ 15h mer et ven).

5,50/3 €/gratuit ; ✆ 10h-18h jeu-mar avr-oct, jusqu'à 16h jeu-mar nov-mars) est dédié à la virtuosité des artisans de Murano. Au rez-de-chaussée, des verres romains iridescents du IIIᵉ siècle côtoient une délicate bouteille de détergent postmoderne en verre soufflé (1992) de Maria Grazia Rosin. À l'étage, les mosaïques et les perles de verre vénitiennes utilisées pour le commerce font l'objet d'explications techniques. Divers objets sont présentés, des gobelets ailés du XVIIᵉ siècle à un poulpe de 1930 de Carlo Scarpa.

Les verres de Murano ornent également la **Chiesa dei SS Maria e Donato** (☎ 041 73 90 56 ; Campo San Donato ; ✆ 9h-12h et 15h30-19h lun-sam, 15h30-19h dim) : repérez, dans l'abside, la mosaïque de la Vierge (XIIᵉ siècle). L'église fut dédiée à saint Donat après que ses os et quatre autres appartenant au dragon qu'il aurait tué près de l'autel furent rapportés de Céphalonie. Visitez l'église après la fermeture du musée et des magasins, de 17h à 18h, avant qu'un *vaporetto* n°41 ou 42 ne vous ramène à Venise. Le soir, Murano est désertée.

Burano

Tranchant avec la débauche gothique de Venise, Burano (hors carte p. 348) est un festival de couleurs. Le ferry LN qui fait le trajet de 40 minutes depuis Fondamente Nuove est pris d'assaut par les photographes qui se disperseront dans les ruelles de Burano en quête de quelque collant vert mis à sécher devant les façades roses et orange. Un décret municipal ignoré contraint-il les habitants à assortir leurs sous-vêtements aux teintes de leurs maisons ? En tout cas, la sensibilité artistique de ce village de pêcheurs en fait sans conteste l'un des plus jolis du bassin méditerranéen.

Burano est renommé pour ses dentelles, mais au moment où nous écrivions ces lignes, le **Museo del Merletto** (musée de la Dentelle ; ☎ 041 73 00 34 ; www.museiciviciveneziani.it ; Piazza Galuppi 187) était fermé pour rénovation et la plupart des articles vendus sur l'île était importés. Exigez un certificat d'authenticité.

Torcello

L'île bucolique de Torcello (hors carte p. 348), à trois minutes en ferry T depuis Burano, compte plus de moutons que d'habitants (une vingtaine au total). Difficile de croire qu'elle fut jadis une métropole byzantine de 20 000 habitants, même si les étonnantes mosaïques de la **Santa Maria Assunta** (☎ 041 296 06 30 ; Piazza Torcello ; cathédrale/clocher 4/2 €, les deux avec le musée 6 € ; ✆ 10h30-18h mars-oct, 10h-17h nov-fév), fondée au VIIᵉ siècle et reconstruite au XIᵉ, témoignent encore de ce passé. Dans l'abside côté est, resplendissante de carreaux dorés, la Vierge s'élève comme un soleil. Sur le mur ouest, une mosaïque décrit le Jugement dernier : l'Adriatique, sous les traits d'une nymphe marine, accompagne les âmes perdues en mer vers saint Pierre, qui tient avec autorité les clefs du paradis. Du **clocher**, la vue

VÉNÉTIE

sur la lagune et la campagne où venait chasser Ernest Hemingway est superbe. Dernier billet pour l'église et le clocher vendu 30 minutes avant la fermeture.

Si l'heure du dernier ferry T vous le permet, traversez la piazza pour examiner les bronzes et reliques de pierre du **musée de Torcello**, qui évoque l'heure de gloire de l'île.

À FAIRE

Une promenade en gondole offre une vision de Venise fort différente de celle des piétons, ainsi qu'un aperçu des cours des *palazzi* par les porches. Le prix officiel (80 € les 40 min ou 100 € de 19h à 8h) ne comprend ni la chanson (à marchander séparément) ni le pourboire. Au-delà, on règle par tranche de 20 minutes (jour/nuit 40/50 €). Il est possible de négocier un tarif plus avantageux par temps couvert ou vers midi, lorsque les autres voyageurs ont trop chaud ou faim. Pour éviter les suppléments, convenez à l'avance du prix, de la durée de la promenade et des chansons.

Les gondoles stationnent aux *stazi* (arrêts) sur le Grand Canal, à la gare ferroviaire (☎ 041 71 85 43), au Rialto (☎ 041 522 49 04) et près des principaux monuments (I Frari, Ponte Sospiri ou l'Accademia), à moins de prendre rendez-vous au canal le plus proche (☎ 041 528 50 75).

PROMENADE À PIED

La *bea vita* (belle vie) vénitienne commence en sirotant un cappuccino devant la place Saint-Marc en compagnie des griffons du café du **Museo Correr** (**1** ; p. 357). Admirez Orphée et Eurydice, amants maudits de Canova, dans la salle de bal de Napoléon avant de traverser la place pour rejoindre les foules contemplant les dômes d'or de la **basilique Saint-Marc** (**2** ; p. 355). De la place, affrontez les boutiques qui bordent le chemin menant

---

PROMENADE À PIED DANS VENISE

Départ Museo Correr
Arrivée I Rusteghi (Rialto)
Distance 7 km
Durée Plus de 6 heures, sans compter le déjeuner, les boissons et les pauses artistiques

---

PROMENADE À PIED DANS VENISE

en un quart d'heure au **Ponte dell'Accademia** (3 ; p. 351), clairement indiqué par des panneaux jaunes. Le pont mène à la **Gallerie dell'Accademia** (4 ; p. 358). À moins d'y passer des journées entières, mieux choisir un thème : le rouge de Titien, les autoportraits, les épagneuls de Véronèse… C'est l'art contemporain qui vous attend ensuite à la nouvelle **Punta della Dogana** (5 ; p. 360). Flânez dans les **Zattere** (6 ; p. 360) et dégustez un *gelato* chez **Da Nico** (7 ; p. 376), avant de faire le plein de Véronèse à **San Sebastiano** (8 ; p. 360). Empruntez la Calle Lunga San Barnaba pour savourer des fruits de mer vénitiens au **Ristorante Oniga** (9 ; p. 373), puis traversez le **Campo Santa Margarita** (10 ; p. 360), où se côtoient artistes, poissonniers et étudiants débattant une question de philosophie. Dirigez-vous vers Crosera San Pantalon et suivez les panneaux jusqu'à la **Scuola Grande di San Rocco** (11 ; p. 361). À l'étage, le tumulte des toiles du Tintoret achèvera de vous réveiller. Un peu plus bas dans la rue, à **I Frari** (12 ; p. 360), le rouge profond du retable de la Vierge par Titien a de quoi affoler les sens. Après toutes ces émotions artistiques, un apéritif s'impose : prenez la direction du Rialto pour déguster un Prosecco et des *crostini* aux artichauts et au *proscuitto* sur le Grand Canal, chez **Al Mercà** (13 ; p. 377). Au coucher du soleil, traversez le **Rialto** (14 ; p. 351) pour déguster du salami de sanglier et un solide verre de rouge chez **I Rusteghi** (15 ; p. 373). *Sanacapána !* (Santé !)

VENISE AVEC DES ENFANTS

Venise n'est pas réservée aux adultes, loin s'en faut. Dans cette ville de conte de fées, les prisons aménagées dans les combles des palais (p. 356), les os de dragons enchâssés dans les murs des églises (p. 367), les monstres de mer nés de la bouche des souffleurs de verre (p. 380), et les fascinants poissons de la Pescaria (p. 351) feront oublier Harry Potter à vos bambins.

Les enfants les plus déterminés traîneront leurs parents au sommet de la **Torre dell'Orologio** (p. 357) ou du **clocher de la Chiesa di San Giorgio Maggiore** (p. 365), avant de les récompenser avec un **gelato** (p. 376), un passage par les balançoires des **Giardini Pubblici** (p. 364), ou une sieste sur la **plage du Lido** (p. 366). Les parents les plus sages auront peut-être droit à un Prosecco au **Campo San Giacomo dell'Orio** ou **Campo San Polo** (p. 361), où ils pourront apprendre à jouer à chat perché en imitant les petits Vénitiens.

CIRCUITS ORGANISÉS

Les offices du tourisme APT (voir p. 350) proposent plusieurs types de circuits, de la visite classique en gondole (39 €/pers) à des excursions plus grivoises, évoquant les conquêtes de Casanova et les scandales mondains de l'ancien quartier rouge du Rialto (20 €/pers).

Laguna Eco Adventures (☎ 329 722 62 89 ; www.lagunaecoadventures.com ; circuit 2 heures 30-8 heures 40-150 €/pers). Voguez sur les eaux bleues de la lagune à bord d'un *sampierota* vénitien, fine embarcation à deux voiles, jusqu'aux plages du Lido, une île déserte, ou les canaux de Venise au coucher du soleil. Réservez et gardez l'œil sur la météo : l'excursion peut être annulée par mauvais temps.

Terra e Acqua (☎ 347 420 50 04 ; www.terraeacqua.com ; circuit 4 heures-9 heures 70-120 €/pers déj compris). Le capitaine, Cristina della Toffola, vous réserve un circuit inédit sur la lagune. Au programme : animaux rares, trésors architecturaux de Burano et Torcello, et savoureux ragoût de poisson arrosé de généreux cocktails pour le déjeuner. Possibilité de voyage sur mesure (jusqu'à 10 pers) à bord d'un solide *bragosso* (barque vénitienne) qui rassurera les marins d'eau douce.

Venicescapes (www.venicescapes.org) ; circuits 4 heures-6 heures 2 adultes/adulte supp/moins de 18 ans 110-200/36/18 €). Inclus : un livre sur le thème de la visite). Visites à pied insolites organisées par une association à but non-lucratif (les bénéfices vont à la recherche historique sur Venise) : "Une cité des nations" retrace le passé multiethnique de Venise et "Une République sérénissime" lève le voile sur les manœuvres politiques et d'espionnage grâce auxquelles Venise a maintenu la paix.

FÊTES ET FESTIVALS

Carnevale (www.carnevale.venezia.it). Dix jours et dix nuits de folie masquée en février, avant le carême… à condition que votre estomac résiste aux agapes. Ne manquez pas la flottille du Grand Canal, les *fritelle* (beignets rhum-raisins) ni le match de football déguisé de Calcio Storico sur la place Saint-Marc. Mêlez-vous aux défilés déguisés ou au bal masqué de La Fenice (billets à partir de 200 €).

Festa di San Marco (www.comune.venezia.it). Le saint patron de Venise est à l'honneur le 25 avril. Une procession d'hommes portant des roses rejoint la place Saint-Marc avant de remettre les fleurs à leur bien-aimée.

Vogalonga (www.turismovenezia.it). Cette épreuve d'endurance a lieu chaque année en mai : 1 000 bateaux se bousculent devant le palais des Doges, ligne de départ de ce marathon fluvial de 32 km. Les rameurs passent par Burano et Murano avant de finir, pantelants et les mains couvertes d'ampoules, sous les ovations du public à Punta della Dogana.

Venezia Suona (www.veneziasuona.it). Les *campi* (places) médiévaux et les palais baroques retentissent de musiques du monde entier durant un mémorable week-end de juin.

La Biennale de Venise (www.labiennale.org). Cette exposition internationale d'art et d'architecture crée l'événement depuis un siècle. Les années impaires, généralement de juin à novembre, sont réservées à la Biennale d'art, et les années paires à la Biennale d'architecture en septembre. Chaque été, la Biennale accueille aussi des spectacles de danse, des pièces, des concerts et des projections de films d'avant-garde.

Festa del Redentore (www.turismovenezia.it). Le troisième week-end de juillet, parcourez le ponton précaire posé sur l'eau entre la Giudecca et Il Redentore, et admirez les feux d'artifice tirés depuis les Zattere.

Festival international du film de Venise (www.labiennale.org/en/cinema). L'événement le plus glamour de l'année. Le tapis rouge est généralement déroulé du dernier week-end d'août à la première semaine de septembre.

Regata Storica (www.comune.venezia.it). Le vainqueur importe moins que le spectacle : vêtus de costumes du XVIe siècle, des rameurs (huit par gondole) et des barques de cérémonie reconstituent la procession historique entourant l'arrivée de la reine de Chypre.

Festa della Madonna della Salute (www.turismovenezia.it). Lorsque l'on a survécu à la peste, aux inondations et aux envahisseurs autrichiens, une fête s'impose : le 21 novembre, depuis le XVIIe siècle, les Vénitiens franchissent un pont flottant posé sur le Grand Canal pour rendre grâce à la Chiesa di Santa Maria della Salute… avant de se goinfrer de confiseries.

OÙ SE LOGER

Se réveiller dans un *palazzo* au son des "Oohééé !" lancés par un gondolier au détour d'un canal est une expérience inoubliable, et moins prohibitive qu'on ne le pense. De nombreuses demeures vénitiennes se reconvertissent en pensions, et l'**office du tourisme APT** (www.turismovenezia.it) propose près de 230 B&B, 275 *affittacamere* (chambres à louer) et 280 appartements à Venise même. Vous trouverez d'autres adresses sur www.guestinitaly.com, www.veniceapartment.com et **Craigslist Venice** (http://venice.it.craigslist.it) ; voir aussi p. 770. Si vous espérez un petit déjeuner continental, vous serez néanmoins déçu : limités par une réglementation très restrictive, les B&B ne peuvent guère servir que des croissants industriels.

La basse saison vous garantit les meilleurs tarifs, généralement en novembre, début décembre, janvier, les semaines entre le carnaval et Pâques, mais on trouve parfois aussi de bonnes affaires en juillet-août. Consultez www.lonelyplanet.com, www.veniceby.com ou le site de l'association des hôtels de Venise, www.veneziasi.it.

Camping

Marina di Venezia (☎ 041 530 25 11 ; www.marinadivenezia.it ; Via Montello 6, Punta Sabbioni ; camping 2 pers, véhicule et tente 31,50 €, bungalow 6 pers 56-149 € ; ⊗ fin avr-sept ; P ⬛). Située sur le Litorale del Cavallino, cette marina compte une plage privée, des boutiques, un cinéma, un minigolf, une aire de jeux, des piscines, une école de plongée et des bungalows climatisés. Accessible en *vaporetto* depuis Fondamente Nuove (Cannaregio).

Campeggio Fusina (☎ 041 547 00 55 ; www.campingfusina.com ; Via Moranzani 79, Località Fusina ; pers/tente/véhicule 8-9,50/8,50/5 € ; P ⬛ 🛜). Camping bien équipé : laverie, épiceries, location de vélos, literie gratuite et douches chaudes, salle de gym peu fréquentée et café en plein air. Le *vaporetto* de la Linea Fusina rejoint Venise (arrêt Zattere).

Saint-Marc

Hotel Locanda Fiorita (carte p. 352 ; ☎ 041 523 47 54 ; www.camorosini.com ; Campiello Nuovo 3457a ; avec petit-déj s/d 50-160/50-170 €, sans sdb 40-90/50-140 € ; ⬛ 🖥). Depuis le charmant *campo* où est servi le petit déjeuner, difficile d'imaginer que quelques pas vous séparent de l'animation du Campo Santo Stefano. Chambres traditionnelles avec poutres au plafond et dessus-de-lit damassés. La grande chambre n°1 donne sur le *campo* et la n°10 dispose d'une terrasse privative.

Locanda Antico Fiore (carte p. 352 ; ☎ 041 522 79 41 ; www.anticofiore.com ; Corte Lucatello 3486 ; d 70-140 € ; ⬛ 🖥 🛜). B&B donnant sur une paisible cour et proposant sur deux étages huit chambres douillettes et décorées avec goût aux couleurs vénitiennes par les propriétaires, mère et fille. Demandez la chambre verte au dernier étage, avec vue sur le canal, ou la jolie chambre jaune aménagée dans les combles.

Hotel Ai Do Mori (carte p. 352 ; ☎ 041 528 92 93 ; www.hotelaidomori.com ; Calle Larga San Marco 658 ; d 75-150 €, d sans sdb 50-105 €). Mansardes d'artistes idéalement situées et à prix doux. Pour obtenir l'une des chambres à l'étage, avec poutres au plafond, parquet et vue sur la basilique, réservez longtemps à l'avance. Les chambres avec vue sont au même tarif : demandez la n°11 pour sa terrasse donnant sur Saint-Marc.

Locanda Art Deco (carte p. 352 ; ☎ 041 277 05 58 ; www.locandaartdeco.com ; Calle delle Botteghe 2966 ; d avec petit-déj 80-180 € ; ⬛). Hôtel coquet, chambres couleur crème, lits confortables en fer forgé, parquet, et poutres apparentes dans la salle de petit déjeuner. Le personnel serviable vous organisera un massage dans votre chambre ou une promenade privée en gondole. Le Campo Santo Stefano voisin est un cadre agréable pour siroter un *spritz*.

Hotel Flora (carte p. 352 ; ☎ 041 522 53 44 ; www.hotelflora.it ; Calle Bergamaschi 2283a ; d 130-340 € ; ☒ ▢). Dans une ruelle proche de la très chic Calle Larga XXII Marzo, cet établissement sans prétention surpasse tous ses voisins. De vieux lits sculptés dotés de matelas douillets et de couettes moelleuses meublent les chambres. Nous recommandons les nᵒˢ 3 et 32, richement décorées et donnant sur le jardin.

Novecento (carte p. 352 ; ☎ 041 241 37 65 ; www.novecento.biz ; Calle del Dose 2683/84 ; d 140-260 € ; ☒ ▢). Neuf chambres à l'élégance bohème, avec coussins turcs en kilim, tapisseries Fortuny et lits du XIXᵉ siècle aux boiseries sculptées en forme de coques. L'hôtel propose des cours de cuisine. Les résidents s'attardent dans le jardin, sous un parasol indien, au petit déjeuner ou au bar en libre service.

Dorsoduro

Pensione Seguso (carte p. 348 ; ☎ 041 528 68 58 ; www.pensioneseguso.it ; Fondamenta Zattere ai Gesuati 779 ; avec petit-déj s/d 50-160/70-190 €, sans sdb 40-122/65-180 €). Authentique *pensione* dans une demeure de 1500. Avec ses vieux porte-chapeaux, ses sinistres miroirs, ses fenêtres en vitraux, et les tabliers de bonnes arborés par le personnel, l'établissement semble sorti d'un polar de Donna Leon. Les 34 chambres donnent presque toutes sur le canal, et 24 ont une sdb. Restaurant réservé aux clients ou pique-nique préparé à la demande.

Hotel Galleria (carte p. 352 ; ☎ 041 523 24 89 ; www.hotelgalleria.it ; Campo della Carità 878a ; avec petit-déj d à partir de 60-195 €, s/d sans sdb 40-85/50-135 €). Situées dans une demeure du XVIIᵉ siècle donnant sur le Grand Canal, à deux pas du Ponte dell'Accademia, les chambres rénovées de cet hôtel familial sont une bonne affaire. Les nᵒˢ 7 et 9, petites doubles, et la nᵒ 8, meublée Liberty, ont vue sur le Grand Canal, tout comme la nᵒ 10, qui loge 5 personne et comprend un plafond peint d'origine.

Palazzo Zenobio (carte p. 352 ; ☎ 041 522 87 70 ; www.collegioarmeno.com ; Palazzo Zenobio ; s/d/tr/q 65/100/120/140 €, sans sdb 30/56/80/100 €). Ce luxueux palais de 1690 qui abritait autrefois l'école des Arméniens de Venise a récemment ouvert ses portes à des universitaires ou résidents pour un prix symbolique. L'hébergement est austère,

mais les fresques en trompe l'œil des plafonds et le jardin luxuriant comptent parmi les plus grands et les plus beaux de la cité.

La Calcina (carte p. 348 ; ☎ 041 520 64 66 ; www.lacalcina.com ; Fondamenta Zattere ai Gesuati 780 ; s/d 90-120/110-250 € ; ☒). Lieu idyllique avec terrasse sur le toit, restaurant au rez-de-chaussée et plusieurs chambres remplies d'antiquités face à la Giudecca et à l'église Redentore dessinée par Palladio. John Ruskin occupait la chambre nᵒ 2 lorsqu'il écrivit *Les Pierres de Venise* en 1876.

Charming House DD.724 (carte p. 352 ; ☎ 041 277 02 62 ; www.thecharminghouse.com ; Ramo de Mula 724 ; avec petit-déj d 220-500 € ; ☒ ▢ 🛜). Œuvres d'art et chic moderniste caractérisent cet établissement, qui propose de généreux buffets dans la bibliothèque au petit déjeuner et bénéficie d'une salle de projection vidéo. Chambres design confortables. La double supérieure avec baignoire et balcon donne sur le jardin Peggy Guggenheim.

San Polo et Santa Croce

Pensione Guerrato (carte p. 352 ; ☎ 041 528 59 27 ; www.pensioneguerrato.it ; Ruga due Mori, San Polo 240a ; avec petit-déj d 45-160 €, sans sdb 40-95 € ; ☒). Jadis, les chevaliers en route pour la troisième croisade logeaient ici. Les chambres rénovées ont conservé leur cachet historique. Demandez-en une ornée de fresques ou dotée d'une vue sur le Grand Canal.

Albergo Casa Peron (carte p. 352 ; ☎ 041 71 00 21 ; www.casaperon.com ; Salizada San Pantalon 84 ; avec petit-déj s/d 50-100/60-100 €, sans sdb 30-50/50-85 €). Le dédale de couloirs et d'escaliers menant aux chambres, les peintures couvrant les murs, et le perroquet Pierino qui vous accueille sont typiquement vénitiens. Chambres sommaires mais agréables ; la terrasse de la nᵒ 5 domine I Frari.

Hotel Alex (carte p. 352 ; ☎ 041 523 13 41 ; www.hotelalexinvenice.com ; Rio Terà, San Polo 2606 ; d 60-112 €, tr 80-150 €, q 100-190 €, sans sdb s 35-54 €, d 40-84 €, tr 60-114 €, q 80-144 €, ttes avec petit-déj). Un raccourci secret entre I Frari et le Campo San Polo dissimule cet hôtel aux chambres simples et claires, agrémentées de meubles laqués et de sdb rénovées, réparties sur 3 étages. Certaines ont un balcon ou une terrasse surplombant deux canaux.

Ca' Angeli (carte p. 352 ; ☎ 041 523 24 80 ; www.caangeli.it ; Calle del Traghetto de la Madonnetta, San Polo 1343 ; d 80-250 € ; ☒). Ayant hérité de cette demeure sur le Grand Canal, les frères Giorgio et Matteo l'ont convertie en hôtel truffé d'objets anciens : chandeliers en verre de Murano, anges du XVIᵉ siècle et un canapé Louis XIV dans la salle de lecture, côté canal. La vaste chambre nᵒ 1 a un Jacuzzi et vue sur le Grand Canal,

VÉNÉTIE

et la n°5 une magnifique terrasse. Petit déjeuner à base de produits bio servi dans la salle à manger dans des assiettes d'époque.

Oltre il Giardino (carte p. 352 ; ☎ 041 275 00 15 ; www.oltreilgiardino-venezia.com ; Fondamenta Contarini, San Polo 2542 ; d 150-420 € ; ✖ 🖳). Un rêve d'amateur de design : les chambres se distinguent par leur charme historique et leur confort moderne : bureaux en marqueterie et écrans TV plats, candélabres, minibars pittoresques, chaises de poker du XIXe siècle et service de baby-sitting. Les 6 chambres hautes de plafond sont lumineuses : la turquoise est vaste, la verte jouit d'une partie privative du jardin enclos, et la grise comporte un beau lit en fer forgé sous un plafond vertigineux.

Cannaregio

Alloggi Gerotto Calderan (carte p. 362 ; ☎ 041 71 55 62 ; www.casagerottocalderan.com ; Campo San Geremia 283 ; dort/s/d/tr/q 25/50/90/105/120 € ; 🖳). Établissement simple et bon marché, situé au-dessus d'une librairie près de la gare, au Campo San Geremia. Chambres petites avec sdb propres, accès Internet, dessus-de-lit kitsch et, parfois, tête de lit peinte des traditionnels boutons de roses vénitiens et table de nuit aux pieds arqués.

Residenza Ca' Riccio (carte p. 352 ; ☎ 041 528 23 34 ; www.cariccio.com ; Rio Terà dei Birri 5394a ; avec petit-déj s 70-90 €, d 95-130 € ; ✖ 🖳). Située dans la rue où vivait Casanova, à un emplacement discret et pratique, la résidence XIVe siècle de la famille Riccio a été rénovée avec soin. Les 7 chambres du dernier étage – lits en fer forgé, poutres au plafond, carrelage en terracota et murs blanchis à la chaux – ouvrent sur la cour.

Locanda Leon Bianco (carte p. 352 ; ☎ 041 523 35 72 ; www.leonbianco.it ; Corte Leon Bianco 5629 ; d à partir de 100 €). Les sols en *terrazzo alla Veneziana* (marbres vénitiens), les lourdes portes en bois et les meubles anciens qui avaient séduit Turner font l'attrait de ces chambres, dont trois donnent sur le Grand Canal. La n°4, qui occupe l'angle, jouit d'une vue panoramique. Seul bémol : le marché du Rialto, qui ouvre à 4h, est très bruyant.

Domus Orsoni (carte p. 362 ; ☎ 041 275 95 38 ; www.domusorsoni.it ; Corte Vedei 1045 ; avec petit-déj s 80-150 €, d 100-250 € ; ✖ 🖳). Cinq chambres raffinées occupent cette maison vénitienne dans une paisible ruelle. Le petit déjeuner se prend dans le jardin, près des mosaïques d'Orsoni présentes depuis 1885, et que l'on retrouve dans les sdb, aux murs et sur les lits.

Ca' Pozzo (carte p. 362 ; ☎ 041 524 05 04 ; www.capozzovenice.com ; Sotoportego Ca' Pozzo 1279 ; s/d 155/300 € ; ✖ 🖳). Les visiteurs de la Biennale seront accueillis dans un décor design près du Ghetto historique. Plusieurs chambres ont des balcons, deux peuvent accueillir des personnes handicapées, et la n°208 est immense.

Palazzo Abadessa (carte p. 352 ; ☎ 041 241 37 84 ; www.abadessa.com ; Calle Priuli 4011 ; d 145-325 € ; ✖ 🖳 📶). Cet opulent *palazzo* vénitien de 1540 offre un cadre enchanteur. La propriétaire, Maria Luisa, dorlote ses hôtes : oreillers moelleux, gâteaux entre les repas… Les lits douillets, les murs en soie damassée artisanale et les antiquités du XVIIIe siècle agrémentent les chambres somptueuses. Demandez-en une avec un plafond peint d'origine et sirotez un cocktail dans le jardin jusqu'à ce que le bateau de l'hôtel vous emmène à l'opéra.

Castello

Foresteria Valdese (carte p. 352 ; ☎ 041 528 67 97 ; www.foresteriavenezia.it ; Palazzo Cavagnis, Castello 5170 ; avec petit-déj dort 22 €, d à partir de 78 €). Ce vaste palais, propriété de l'Église évangélique vaudoise, loue des chambres décorées de fresques du XVIIIe siècle signées Bevilacqua (au 1er étage) et avec vue sur le canal (au-dessus). Dortoirs réservés aux familles et groupes. Réservez.

Locanda Silva (carte p. 352 ; ☎ 041 522 76 43 ; www.locandasilva.it ; Fondamenta del Rimedio 4423 ; avec petit-déj s 45-80 €, d 60-130 €). Sur un paisible canal à 5 minutes de marche de la place Saint-Marc, cet hôtel tenu par une famille compte 23 chambres coquettes et impeccables au mobilier en bois blond. Nous conseillons les chambres ensoleillées sur le canal et la terrasse perchée sur le toit, d'où l'on aperçoit le campanile.

La Residenza (carte p. 348 ; ☎ 041 528 53 15 ; www.venicelaresidenza.com ; Campo Bandiera e Moro 3608 ; s/d 50-100/80-180 € ; ✖). Grandiose demeure du XVe siècle dominant un *campo* où les condamnés étaient autrefois exécutés publiquement. Les grandes chambres sont décorées dans le plus pur style vénitien, avec des armoires laquées et des couvre-lits rayés. À l'étage, le salon éclairé par un lustre arbore des stucs du XVIIIe siècle et un piano où les résidents jouent parfois à l'apéritif.

Giudecca

Ostello Venezia (carte p. 348 ; ☎ 041 523 82 11 ; www.ostellionline.org ; Fondamenta della Croce 86 ; dort avec petit-déj 21-26 € ; 🕑 arrivée 13h30-23h30, départ 9h30). La vue du canal est si sereine que l'on se sent à mille lieues de l'effervescence et des tarifs prohibitifs de Saint-Marc. La place n'est pourtant qu'à quelques arrêts de *vaporetto*… Draps, couverture et oreiller sont compris dans le prix du dortoir, mais mieux vaut arriver dès 13h30 (l'heure d'ouverture) pour obtenir un lit près de la fenêtre. Les deux chambres privatives, sans vue, partent vite : pensez à réserver.

Residenza Junghans (carte p. 348 ; 🕑 041 521 08 01 ; www.residenzajunghans.com/home.htm ; Terzo Ramo della Palada 394 ; s/d 40/70 €). Ambiance scolaire, mobilier Ikea, et prix doux pour les dortoirs de cette résidence moderne. Le règlement intérieur est à l'avenant : paiement en espèces, silence imposé après 23h et fermeture des portes à 1h30. Possibilité de rabais à la semaine.

Bauer Palladio et Spa (carte p. X348 ; 🕑 041 520 70 22 ; www.palladiohotelspa.com ; Fondamenta della Croce 33 ; d 210-490 €). Un séjour de luxe dans un ancien cloître dessiné par Palladio avec vue sur Saint-Marc, service de bateau privatif à énergie solaire et superbe spa. Autrefois occupé par des nonnes et des orphelins, l'endroit abrite maintenant 37 chambres sobres et divinement confortables, souvent avec terrasses sur le jardin ou vue sur le canal de la Giudecca. Le buffet bio du petit déjeuner et les soins écologiques comme le bain au lait, miel et rose (90 €) sont disponibles à l'étage inférieur, ainsi que le sauna, le Jacuzzi et le hammam gratuits.

OÙ SE RESTAURER
Restaurants et osterie
SAINT-MARC
Enoteca al Volto (carte p. 352 ; 🕑 041 522 89 45 ; Calle Cavalli 4081 ; cicheti 2-3 € ; 🕑 11h-14h et 17h-21h mar-sam). Faites votre choix parmi tous les vins et *cicheti* proposés au bar. En arrivant tôt, vous pourrez peut-être vous attabler dans la salle douillette aux poutres apparentes et déguster des pâtes aux palourdes ou un steak généreux et un verre d'Amarone.

🅞 I Rusteghi (carte p. 352 ; 🕑 041 523 22 05 ; Corte del Tentor 5513 ; petit panini 2-5 € ; 🕑 10h30-15h et 18-21h lun-sam). Mention spéciale pour la sélection de vins et les viandes des *cicheti* : salami de sanglier, pancetta et *lardo di Colonnata* séché. L'établissement appartient à la même famille depuis 4 générations : Giovanni, propriétaire et sommelier, vous servira un Tocai sensuel ou un Refosco capiteux, introuvables ailleurs.

Cavatappi (carte p. 352 ; 🕑 041 296 02 52 ; Campo della Guerra 525/526 ; cicheti 2-4 €, repas 8-15 € ; 🕑 11h15-16h mar-sam et 19h-22h ven et sam). Cadre élégant où goûter

des *cicheti* de saison, des fromages artisanaux et des vins au verre. Sans doute la seule table de San Marco proposant un repas pour moins de 10 €. À conseiller : les pâtes ou le risotto du jour et le fromage de brebis au miel en dessert.

Vini da Arturo (carte p. 352 ; 🕑 041 528 69 74 ; Calle dei Assassini 3656 ; repas 85 € ; 🕑 19h-23h lun-sam). On vient dans ce minuscule restaurant pour le steak, tendre comme du beurre, garni de poivre vert, d'une sauce au cognac et à la moutarde. L'addition est salée mais la qualité remarquable.

DORSODURO
Impronta Café (carte p. 352 ; 🕑 041 275 03 86 ; Calle Crosera 3815 ; repas 8-15 € ; 🕑 11h-23h lun-sam). Envie d'un cadre branché sans vous ruiner ? Vous apprécierez ici le Prosecco, l'expresso et les assiettes composées polenta-salami à petit prix. Le bouddha qui trône sur le bar ajoute une pointe d'humour au décor chic.

Enoteca ai Artisti (carte p. 352 ; 🕑 041 523 89 44 ; www. enotecaartisti.com ; Fondamenta della Toletta 1169a ; repas 10-20 € ; 🕑 12h-16h et 18h30-22h lun-sam). Des pâtes généreuses aux *bruschette* de saison et à la belle sélection de fromages, chaque assiette peut être accompagnée de crus servis au verre et conseillés par votre hôte, grand amateur de vins. La façade vitrée permet d'observer la foule des passants, mais la salle est petite. Mieux vaut réserver si vous êtes plus de deux.

Ristorante Oniga (carte p. 352 ; 🕑 041 522 44 10 ; www.oniga.it ; Campo San Barnaba 2852 ; repas 30-35 € ; 🕑 12h-15h et 19h-22h mer-lun). Dans ce paradis des puristes de la cuisine vénitienne, le chef Annika concocte de savoureux plats à base de fruits de mer. Les inventions de saison, comme les raviolis à la ricotta, aux brocolis et aux graines de pavot, raviront les plus aventureux.

Ristorante La Bitta (carte p. 352 ; 🕑 041 523 05 31 ; Calle Lunga San Barnaba 2753a ; repas 35-40 € ; 🕑 19h-22h lun-sam). La petite carte du jour, présentée sur un chevalet de peintre miniature, comprend des plats simples qui mettront vos yeux et vos papilles en émoi. Les gnocchis au potiron et aux herbes et les blancs de pintade fondants au mascarpone sont un régal. Le restaurant ne propose pas de vin au verre, mais vous pouvez vous rabattre sur une demi-bouteille.

SAN POLO ET SANTA CROCE
🅞 All'Arco (carte p. 352 ; 🕑 041 520 56 66 ; Calle dell'Arco, San Polo 436 ; cicheti 1,50-4 € ; 🕑 7h-17h lun-sam). Maestro Francesco et son fils Matteo mitonnent chaque jour les meilleurs *cicheti* de

Venise avec les délices dénichés au marché du Rialto, et peuvent même vous préparer un plat spécial à la demande (mais soyez patient). Au menu : artichauts nouveaux à la *bottarga* (poutargue), tartare de thon à la menthe, aux fraises et au vinaigre balsamique réduit. Même avec un bon Prosecco, difficile de dépasser 20 € pour une cuisine de premier ordre.

Pronto Pesce Pronto (carte p. 352 ; ☎ 041 822 02 98 ; Rialto Pescheria, San Polo 319 ; cicheti 3-8 € ; ☻ 11h-19h30 lun-sam). Proche de la Pescheria, ce traiteur design élabore des *crudi* ("sushi vénitiens") et des salades de fruits de mer délicatement assaisonnées. Prenez un tabouret pour savourez un Prosecco, une salade acidulée de *folpetti* (petits poulpes) et des *crudi* de crevettes, ou dégustez-les sur les berges du Grand Canal.

Osteria La Zucca (carte p. 352 ; ☎ 041 524 15 70 ; www.lazucca.it ; Calle del Tentor, Santa Croce 1762 ; petites assiettes 5-10 € ; ☻ 12h30-14h30 et 19h-22h30 lun-sam). Petites assiettes de légumes de saison harmonieusement épicés : *zucchini* (courgettes) au gingembre, carottes au yaourt et curry, et gâteau de riz aux fraises de San Erasmo. Le rôti d'agneau est correct, mais les légumes sont de premier plan.

Ae Oche (carte p. 352 ; ☎ 041 524 11 61 ; www.aeoche.com ; Calle del Tintor 1552a ; pizzas 7-13 € ; ☻ 12h-14h30 et 19h-22h30 lun-ven, 12h-14h30 et 19h-23h30 sam et dim). Étudiants en architecture et gourmands à petit budget affluent pour les pizzas au feu de bois et la bière à prix doux. Les estomacs bien accrochés choisiront le *mangiafuoco* ("cracheur de feu") au salami épicé, piments de Calabre et Tabasco. Les autres préféreront l'*estiva* blanche, avec roquette, Grana Padano et tomates cerises.

Osteria Ae Cravate (carte p. 352 ; ☎ 041 528 79 12 ; Salizada San Pantalon, Santa Croce 36 ; repas 15-30 € ; ☻ 9h30-16h et 18h-23h mar-dim). Le clou de la collection de cravates rassemblée par Bruno est un spécimen à motifs de moustiques offert par un entomologiste

britannique affamé. Pendues au plafond, toutes les cravates ont été cédées en signe de gratitude par des clients amateurs de pâtes fraîches. Optez pour les raviolis campagnards et gardez un peu de place pour les desserts maison.

Trattoria da Ignazio (carte p. 352 ; ☎ 041 523 48 52 ; Calle Saoneri 2749, San Polo 36 ; repas 30-50 € ; ☻ 12h-15h et 19h-23h lun-sam). Le personnel à la mise soignée sert avec fierté des plats simples à base de poissons grillés et de pâtes maison ("évidemment") sur des tables ornées de nappes jaunes et d'orchidées. Les beaux jours, tout le quartier afflue sous la treille du jardin.

Vecio Fritolin (carte p. 352 ; ☎ 041 522 28 81 ; www.veciofritolin.it ; Calle della Regina, Santa Croce 2262 ; repas 40-60 € ; ☻ 12h-14h30 et 19h-22h30 mar-dim). Prisés des amateurs de Slow Food, les spaghettis aux langoustes et courgettes et les suggestions du jour sont des valeurs sûres : les ingrédients sont sélectionnés tous les jours aux marchés du Rialto et les desserts faits maison. Les petits budgets opteront pour le poisson frit à emporter (10 €).

CANNAREGIO

Al Ponte (carte p. 352 ; ☎ 041 528 61 57 ; Calle Larga Gallina 6378 ; cicheti 1,50-4 € ; ☻ 11h-15h et 19h-23h mer-dim). En arrivant tôt et avec un peu de chance et un piston sur place, vous pousserez peut-être la porte rouge de ce pub *"al ponte"* (sur le pont). Sinon, les paninis au salami délicieusement marbré, *la* salade de petits calmars et les autres préparations saisonnières valent également la peine de s'installer au bar.

La Cantina (carte p. 352 ; ☎ 041 522 82 58 ; Campo San Felice 3689 ; cicheti 2-6 € ; ☻ 11h-21h30 mar-sam). Le royaume du Slow Food. Tout ici est fait à la demande, même les *cicheti*. Savourez une bière Morgana maison en attendant vos *bruschette* de saison et votre copieuse soupe de haricots.

LES CICHETI : LE MEILLEUR DE LA GASTRONOMIE VÉNITIENNE À PETIT PRIX

Même dans les plus modestes *osterie* (bistrot) vénitiennes, tout coûte quelques euros de plus qu'ailleurs en Italie – un supplément que l'on acquitte volontiers pour la fraîcheur des fruits de mer et des produits apportés par bateau. Les *cicheti*, sortes de tapas vénitiennes comptant parmi les meilleures spécialités du pays, sont servis au déjeuner et vers 18h-20h avec un verre de vin. Il en existe une grande variété. Ils sont souvent simples (boulettes de viande épicées, *bruschette* de tomate et basilic), mais certains cuisiniers laissent libre cours à leur inventivité : asperges blanches de Basano et crevettes de la lagune enveloppées de pancetta à All'Arco (p. 373), *crostini* au doux salami local et pecorino à la truffe chez I Rusteghi (p. 373)… Comptez 1 € pour des boulettes et 3 à 6 € pour des recettes plus élaborées, à déguster debout ou perché sur un tabouret, au bar. Les *osterie* des ruelles et des canaux de Cannaregio, Castello, San Polo et Saint-Marc préparent des *cicheti* à base de produits très frais et à prix corrects.

Da Alberto (carte p. 352 ; ☎ 041 523 81 53 ; Calle Larga Gallina 5401 ; repas 15-25 € ; ⏱ 12h-15h et 18h-23h lun-sam). Cette adresse a tout d'une authentique *osteria* vénitienne (adresse introuvable, fûts de vin, chandeliers aux allures d'instruments de torture médiévaux), avec en prime des prix doux, une sélection de *cicheti* de saison, des fritures de poisson croustillantes et une *panna cotta* veloutée aux fraises.

Alla Vedova (carte p. 352 ; ☎ 041 528 53 24 ; Calle del Pistor 3912 ; cicheti 1-3,50 €, repas 15-40 € ; ⏱ 12h-14h30 et 19h-22h30 lun-mer, 19-22h30 ven-dim). Les convictions culinaires sont bien ancrées dans cette vénérable *osteria* : inutile de chercher du *spritz* ou du café sur la carte, mais vous ne paierez pas plus de 1 € pour grignoter des boulettes de viande au bar. Réservez par téléphone l'une des tables en bois usées par les coudes de tous ces clients qui ont savouré ici un bon plat de pâtes.

♥ Anice Stellato (carte p. 362 ; ☎ 041 72 07 44 ; Fondamenta della Sensa 3272 ; repas 25-40 € ; ⏱ 11h-15h et 19h-23h mer-dim). Goûtez au succulent filet d'agneau en croûte de pistache, au bar sauvage aux herbes et aux *moeche* (crabes à carapace molle) frits à la perfection. Des lampes en fer et des sets en papier recyclable sont disposés sur les tables communes. L'assiette – et la compagnie locale – sont mémorables.

CASTELLO

Enoteca Mascareta (carte p. 352 ; ☎ 041 523 07 44 ; Calle Lunga Santa Maria Formosa 5138 ; repas 30-45 € ; ⏱ 19h-2h ven-mar). Commandez des *cicheti* et un verre de vin bio pour moins de 10 € dans ce bar en terrasse, ou allez à l'intérieur prendre une assiette d'amuse-gueules à base de viandes et fromages qui pourra faire office de repas.

Corte Sconta (carte p. 348 ; ☎ 041 522 70 24 ; Calle del Pestrin 3886 ; repas 35-55 € ; ⏱ 11h30-15h30 et 18h-22h30 mar-sam). Couverte de vigne, cette *corte sconta* (cour cachée) prépare d'originales pâtes maison et d'étonnants assortiments de fruits de mer : crustacés disposés comme les touches de couleur sur la palette d'un peintre, pâtes à l'encre de seiche garnies de courges orange et de tendres Saint-Jacques, anguille rôtie...

GIUDECCA

Ai Tre Scaini (carte p. 348 ; ☎ 041 522 47 90 ; Calle Michelangelo 53c ; repas 15-25 € ; ⏱ 12h-15h ven-mer, 19h-22h mar, mer, sam et dim). L'ambiance conviviale, les portions copieuses de pâtes et de fruits de mer et le vin au fût incitent les habitants du quartier et les amoureux à s'attarder dans le jardin de ce restaurant.

♥ I Figli delle Stelle (carte p. 348 ; ☎ 041 523 00 04 ; www.ifiglidellestelle.it ; Zitelle 70 ; repas 15-35 € ; ⏱ 12h-15h30 et 19h-24h mar-sam, 12h-14h30 dim). Le restaurant le plus romantique de Venise, la vue sur Saint-Marc et les créations du chef Luigi vous feront fondre. La soupe crémeuse de fèves aux endives et tomates fraîches est succulente, et l'assiette de grillades pour deux avec langoustine, sole et sardines fraîches est imbattable. Très bon rapport qualité/prix.

LE LIDO

Trattoria La Favorita (☎ 041 526 16 26 ; via Francesco Duodo 33 ; repas 20-35 € ; ⏱ 12h-15h30 et 19h30-23h mer-dim, 18h-22h mar, fermé jan à mi-fév). *Gnochetti* à l'araignée de mer, risotto au poisson et *crudi* à prix corrects : La Favorita porte bien son nom. Réservez une table dans le jardin envahi de glycines, où le pépiement des oiseaux couvre les sonneries de téléphone des stars présentes à la Mostra de Venise.

BURANO

♥ Al Gatto Nero (☎ 041 73 01 20 ; www.gattonero.com ; via Giudecca 88 ; ⏱ 12h-15h30 et 19h30-22h mar-dim). Les *tagliolini* à l'araignée de mer, les grillades de poissons entiers, le risotto aux langoustines et les biscuits de Burano attirent ici dignitaires et chefs étoilés. Pensez à réserver – en suppliant pour avoir une table près du canal.

Cafés

Le prix à payer pour un expresso dans les quartiers touristiques est prohibitif : mieux vaut s'éloigner et le prendre debout, au bar. Autre option : s'offrir une table sur un *campo*, ou dans les fabuleux cafés du Museo Correr (p. 357) ou du Palazzo Querini Stampalia (p. 364). Place Saint-Marc, un supplément de 6 € pour la musique apparaît souvent sur la note.

Caffè Florian (carte p. 352 ; ☎ 041 520 56 41 ; www. caffeflorian.com ; place Saint-Marc 56/59 ; boissons 8-12 € ; ⏱ 10h-24h jeu-mar avr-oct, jusqu'à 23h jeu-mar nov-mars). Le Florian est fidèle à des rituels institués en 1720 (petit déjeuner assis sur des banquettes, chocolat épais apporté par des serveurs en uniforme sur des plateaux d'argent, soleil couchant embrasant les mosaïques de la basilique Saint-Marc tandis que l'orchestre entonne une danse...).

Paradiso (carte p. 348 ; ☎ 335 622 30 79 ; Giardini della Biennale 1260, Castello ; ⏱ 9h-19h). Les conservateurs courtisent les artistes timides sur des canapés branchés pendant que des architectes tiennent salon sous les parasols ; tous savourent des boissons, des cafés et des cocktails moins chers qu'on ne pourrait le croire. Durant la Biennale, le Paradisio est un café prisé.

♥ **Pasticceria Rizzardini** (carte p. 352 ; ☎ 041 522 38 35 ; Campiello dei Meloni 1415, San Polo ; 🕑 7h30-20h mer-lun). La modeste enseigne indique "depuis 1742", et l'on comprend vite le secret de la longévité de cette petite boulangerie : de succulents *krapfen* (beignets), des *lingue di suocere* ("langues de belles-mères"), les *pallone di Casanova* ("boules de Casanova"). Mieux vaut vous dépêcher si vous voulez goûter le tiramisu avant qu'il n'y en ait plus.

Gelaterie (glaciers)

♥ **Alaska** (carte p. 352 ; ☎ 041 71 52 11 ; Calle Larga dei Bari, Santa Croce 1159 ; gelato 1-1,60 € ; 🕑 9h-13h et 15h-20h). Entre les *gelati* aux pistaches grillées et ceux aux *carciofi* (artichauts), au citron et au subtil goût de menthe, laissez-vous surprendre par les parfums bio créés par Alaska.

Gelateria San Stae (carte p. 352 ; ☎ 041 71 06 89 ; Salizada San Stae, Santa Croce 1910 ; gelato 1-2 € ; 🕑 11h-21h mar-dim). Les glaces de San Stae, à la fois simples et raffinées, sont à base d'ingrédients locaux et exotiques : noisette du Piémont ou vanille de Madagascar.

Da Nico (carte p. 352 ; ☎ 041 522 52 93 ; Zattere, Dorsoduro 922 ; gelato 2,50-8 € ; 🕑 7h-22h ven-mer). Par beau temps, difficile de résister au *gianduiotto* (une boule de glace à la noisette sous une montagne de *panna* ou crème fouettée) ou à la *panna in ghiaccio* (crème fouettée glacée entre deux biscuits). Le *gelato* à emporter est à moitié prix.

Sur le pouce

Fuyez les tristes tranches de pizza décongelées de la place Saint-Marc et du Rialto et optez pour des *cicheti* aux *osterie*, un panini dans un café ou un bar, ou les pizzas chaudes vendues tard au Campo Santa Margherita.

♥ **Snack Bar Ai Nomboli** (carte p. 352 ; ☎ 041 523 09 95 ; Rio Terá dei Nomboli, San Polo 271c ; panini 2-3 € ; 🕑 8h-20h lun-sam). Deux *panini* suffisent à remplir l'estomac, trois composent un festin, à arroser d'un verre de Bardolino. Les petits pains croustillants sont généreusement garnis de fromages locaux, salami, rôti de bœuf, de légumes grillés et de verdure, et assaisonnés de moutarde épicée ou de sauce à l'ortie sauvage.

Pizza al Volo (carte p. 352 ; ☎ 041 522 54 30 ; Campo Santa Margherita 2944 ; tranche de pizza 2-4 € ; 🕑 12h-1h). Après 22h, lorsque les restaurants ferment, les noctambules trouveront leur salut dans ces pizzas à pâte fine, délicieuses et bon marché.

Caffé Mandola (carte p. 352 ; ☎ 041 523 76 24 ; Calle della Mandola, Saint-Marc 3630 ; panini 3-7 € ; 🕑 9h-19h lun-sam). Prenez des forces avant l'opéra ou entre deux musées avec une *foccacia* fraîche garnie d'ingrédients savoureux : thon et câpres, tranches maigres de *bresaola*, roquette et Grana Padano. Les tabourets sont pris d'assaut au déjeuner et au *happy hour*.

Faire ses courses

Le marché du Rialto (carte p. 352) rassemble d'excellents produits locaux non loin de la légendaire Pescaria (carte p. 352), marché au poisson installé à Venise depuis 600 ans. Les ruelles adjacentes abritent des boulangeries, des épiceries et deux boutiques gourmandes : **Aliani** (carte p. 352 ; ☎ 041 522 49 13 ; Ruga Vecchia di San Giovanni, San Polo 654), à noter pour ses fromages, viandes séchées et spécialités (vinaigre balsamique conservé depuis 40 ans, *bottarga*…), et l'immense **Drogheria Mascari** (carte p. 352 ; ☎ 041 522 97 62 ; Ruga degli Spezieri 381 ; 🕑 8h-13h et 16h-19h30 lun-mar et jeu-sam, 8h-13h mer), caverne d'Ali Baba remplie de bocaux, épices, truffes et vins italiens (une pièce entière leur est dédiée).

Vous trouverez des ingrédients de base chez **Billa Supermarket** (carte p. 362 ; Strada Nova, Cannaregio 3660 ; 🕑 8h30-20h lun-sam, 9h-20h dim), mais **Coop** (☎ 041 296 06 21 ; 🕑 9h-13h et 16h-19h30 lun-sam), sur le Campo San Giacomo dell'Orio 1492 (carte p. 352) ou le Piazzale Roma (carte p. 348), a un meilleur rayon traiteur.

OÙ PRENDRE UN VERRE

Pour prendre un verre, les meilleurs endroits sont le quartier du marché du Rialto, le Campo Santa Margherita à Dorsoduro, le Campo Zanipolo et le Campo Maria Formosa à Castello, et la Fondamenta degli Ormesini à Cannaregio. Profitez dès 18h du *happy hour* pour succomber à un *ombra* (verre de vin) ou un *spritz* (Prosecco relevé d'Aperol). Pour tirer le meilleur parti du *giro di ombra* (tournée des bars), picorez des *cicheti* au bar en découvrant les vins de Vénétie (à partir de 1,50 €).

Aurora (carte p. 352 ; ☎ 041 528 64 05 ; www.aurora. st ; place Saint-Marc 48-50 ; 🕑 12h-3h mer-dim, cocktails à partir de 18h15). Café historique le jour, l'Aurora se transforme le soir en bar décontracté accueillant des DJ locaux et vernissages. Concerts et cocktails à 2 € animent les lieux le dimanche soir, tandis que les manifestations artistiques qui se tiennent certains jeudis tirent les artistes timides hors de leur tanière.

Harry's Bar (carte p. 352 ; ☎ 041 528 57 77 ; www. cipriano.com ; Calle Vallaresso, Saint-Marc 1323 ; ⏱ 12h-23h). Ernest Hemingway, Charlie Chaplin, Truman Capote et Orson Welles ont précédé les auteurs en herbe qui viennent déguster un Bellini à 18 € (jus de pêches fraîches et Prosecco). Malgré la simplicité du décor, c'est l'un des restaurants les plus chers d'Italie – mieux vaut se contenter d'un verre au bar.

Cantinone 'Gia Schiavi' (carte p. 352 ; ☎ 041 523 00 34 ; Fondamenta Nani 992 ; ⏱ 8h30-20h30 lun-sam). Au *happy hour*, une voix de stentor sera nécessaire pour commander des *cicheti* et des *ombre* ou *pallottoline* (petites bières). Il faudra ensuite réussir à vous frayer un chemin sans rien renverser entre les étudiants, les constructeurs de gondoles et les historiens de l'Accademia, pour savourer le tout près du canal.

Il Caffè Rosso (carte p. 352 ; ☎ 041 528 79 98 ; Campo Santa Margherita, Dorsoduro 2963 ; ⏱ 7h-1h lun-sam). La piazza baignée de soleil invite à la paresse dès le matin. Vers 18h, les cocktails au *spritz* réunissent une foule estudiantine compacte.

Muro Vino e Cucina (carte p. 352 ; ☎ 041 523 74 95 ; Campo Bella Vienna, San Polo 222 ; ⏱ 16h-2h lun-sam). Dégustez les vins au verre à partir de 2 € et les cocktails à partir de 5 € au bar (très classe et tout en aluminium), derrière les grandes baies vitrées permettant de voir et d'être vu, ou aux tables basses du *campo*.

Al Mercà (carte p. 352 ; ☎ 393 992 47 81 ; Campo Bella Vienna, San Polo 213 ; ⏱ 9-15h et 16h-21h lun-sam). Les amateurs de bon vin se bousculent pour les Prosecco et les vins AOC servis au verre de 2 € à 3,50 €. Les *cicheti* commencent à 1 € pour les boulettes de viande et les petits paninis. Venez dès 18h30 pour avoir le meilleur choix et accéder au bar, ou vous mêler aux passants sur les quais du Grand Canal.

Al Timon (carte p. 362 ; ☎ 346 320 99 78 ; Fondamenta degli Ormesini, Cannaregio 2754 ; ⏱ 12h-15h et 18h-2h mar-dim). Installez votre chaise près du canal et observez la foule disparate des buveurs et des rêveurs qui viennent ici profiter de l'immense choix de *crostini* (tartines) et des bons crus jusqu'à une heure avancée.

Cantina do Mori (carte p. 352 ; ☎ 041 522 54 01 ; Sotoportego dei do Mori, San Polo 429 ; ⏱ 8h30-20h lun-sam). Bar du XVᵉ siècle décoré d'énormes casseroles de cuivre et servant des petits sandwichs appelés *francobolli* (timbres-poste). Arrivez tôt pour saisir les meilleurs *cicheti* (3 à 4 €) et les potins locaux.

Osteria agli Ormesini (carte p. 352 ; ☎ 041 71 58 34 ; Fondamenta degli Ormesini, Cannaregio 2710 ; ⏱ 18h30-2h lun-sam). Alors que le reste de la ville ne jure que par le vin, la bière est ici à l'honneur : 120 marques, essentiellement étrangères, coulent à flots jusque dans la rue pour accompagner les paninis au *happy hour*… au grand dam des voisins du quartier, que le bruit excède parfois.

Bacaro (carte p. 352 ; ☎ 041 296 06 87 ; Salizada San Moisé, Saint-Marc 1345 ; ⏱ 9h-2h). Aussi beau que bien fréquenté, ce bar est la propriété de la famille Benetton. La mosaïque du bar ovale est du meilleur effet, et la clientèle ne manque pas de conversation, en particulier lorsque le public afflue après les soirées dédicaces organisées à l'étage par la maison d'édition Mondadori.

Torino@Night (carte p. 352 ; ☎ 041 522 39 14 ; Campo San Luca, Saint-Marc 4592 ; ⏱ 20h-1h mar-sam). Éclectique, tapageur et funky, le Torino bouscule l'atmosphère rangée de Saint-Marc, avec ses verres de 2 € à 4 €, ses musiciens occasionnels, ses concerts spontanés ou ses sessions DJ marathon sur le thème du reggae.

Taverna L'Olandese Volante (carte p. 352 ; ☎ 041 528 93 49 ; San Lio, Saint-Marc 5658 ; ⏱ 10h-14h et 17h-0h30 lun-sam, 10h-14h dim). L'équipage de ce Hollandais volant se compose d'étudiants étrangers et de Vénitiens excentriques, appréciant la bière à petit prix – gare à l'extinction de voix.

OÙ SORTIR

La plupart des billets pour les spectacles à Venise s'achètent dans les **billetteries HelloVenezia** (☎ 041 24 24 ; www.hellovenezia.com), près des principaux arrêts de *vaporetto* (voir l'encadré p. 351). Les grandes manifestations, comme la Biennale ou les opéras de La Fenice, disposent de leur propre site de réservation. Consultez aussi www.vivaticket.it et, en croisant les doigts, les offres à tarif réduit de dernière minute de **Weekend a Venezia** (http://en.venezia.waf.it).

Pour connaître le calendrier des sorties, retirez la brochure mensuelle *Eventi* aux offices du tourisme APT (p. 350) ou cliquez sur "Calendar" sur la page www.comune.venezia. D'autres sites de spectacles :

- **A Guest in Venice** (www.aguestinvenice.com). Des informations sur les expositions, spectacles et conférences à venir.
- **Venezia da Vivere** (www.veneziadavivere.com). Guide branché de l'actualité culturelle : concerts, expositions, nouveaux créateurs, etc.
- **Venice Explorer** (http://venicexplorer.net). Pour un calendrier et cartes des salles, bars et sites de Venise.

Casinos

Le **Casinò di Venezia** (carte p. 362 ; ☎ 041 529 71 11 ; www.casinovenezia.it ; Palazzo Vendramin-Calergi, Cannaregio 2040 ; entrée 5 € ; 🕑 15h-2h30 dim-jeu, 15h-3h ven et sam), édifice du XVIᵉ siècle, dégage une atmosphère théâtrale. Richard Wagner termina, au terme de 20 ans de travail, son cycle de *L'Anneau* et mourut ici en 1883. La veste est de rigueur et des nerfs d'acier conseillés pour s'installer aux tables de jeu.

Cinémas

Summer Arena (Campo San Polo ; 🕑 juil-août). En juillet/août, des concerts, films et pièces de théâtre en plein air investissent le Campo San Polo, et laissent place le reste de l'année à des manèges, des rassemblements politiques et des rave sessions impromptues et silencieuses au rythme de playlists MP3 concoctées par des DJ.

Multisala Astra (☎ 041 526 57 36 ; Via Corfu 12, Lido 30126 ; adulte/senior/étudiant 7/6/5 € ; 🕑 séances 17h30-22h). Après la plage, profitez de la climatisation de ce cinéma récemment rénové. Films indépendants sous-titrés et superproductions doublées en italien se partagent l'affiche.

Théâtre, opéra et musique classique

💚 **Teatro La Fenice** (carte p. 352 ; ☎ 041 78 66 11 ; www.teatrolafenice.it ; Campo San Fantin, Saint-Marc 1965 ; billets 20-1 000 €). Des visites guidées sont proposées sur réservation (☎ 041 24 24), mais le meilleur moyen de découvrir La Fenice est avec les *loggione*, ces mordus d'opéra occupant les sièges les moins chers du poulailler et jugeant de la qualité du spectacle. Hors saison, des symphonies et des concerts de musique de chambre occupent la scène.

Interpreti Veneziani (☎ 041 277 05 61 ; www.interpretiveneziani.com ; Chiesa San Vidal, Saint-Marc 2862 ; adulte/étudiant et senior 24/19 € ; 🕑 ouverture des portes 20h30). Si Vivaldi vous évoque surtout les musiques d'ascenseur et les sonneries de téléphone portable, les concerts d'Interpreti Veneziani, joués sur des instruments du XVIIIᵉ siècle, vous feront redécouvrir une œuvre typiquement vénitienne. Vous n'entendrez jamais plus les *Quatre Saisons* sans imaginer des orages d'été sur la lagune et des pas résonnant mystérieusement dans les *calle*.

Teatro Goldoni (carte p. 352 ; ☎ 041 240 20 14 ; www.teatrostabileveneto.it ; Calle Teatro Goldoni, Saint-Marc 4650b ; billets 7-30 € ; 🕑 billetterie en saison 10h-13h et 15h-19h lun-mer, ven et sam, 10h-13h jeu). Le plus célèbre auteur dramatique vénitien a donné son nom à ce théâtre, qui offre une programmation variée, des comédies de Goldoni aux drames shakespeariens (généralement en italien), à la danse classique et aux concerts.

Musica a Palazzo (carte p. 352 ; ☎ 340 971 72 72 ; www.musicapalazzo.com ; Palazzo Barbarigo-Minotto, Fondamenta Barbarigo o Duodo, Saint-Marc 2504 ; billets 45 € ; 🕑 ouverture des portes 20h). Les salons dominant le Grand Canal, surmontés de superbes plafonds de Tiepolo, vibrent des airs d'arias (de Verdi à Rossini) : pendant 1 heure 30, les 70 spectateurs suivent les solistes en costumes contemporains, de l'ouverture dans la salle de réception au final déchirant dans la chambre à coucher.

Musique live

Venice Jazz Club (carte p. 352 ; ☎ 041 523 20 56 ; www.venicejazzclub.com ; Ponte dei Pugni, Dorsoduro 3102 ; entrée comprenant une boisson 20 € ; 🕑 ouverture des portes 19h). Dorsoduro bat sur des rythmes jazzy : la salle du Venice Jazz Club Quartet sert de cadre aux improvisations du groupe en hommage à des maîtres comme Miles Davis et Charles Mingus, et résonne de classiques du jazz italien. Les boissons sont chères : mieux vaut boire un verre avant, et profiter dès 20h des assiettes gratuites de viandes froides.

Aurora Beach Club (carte p. 352 ; ☎ 041 526 80 13 ; www.aurora.st ; Piazzale Bucintoro Lungomare D'Annunzio, Lido 20x ; 🕑 9h-2h mai-sept). Quatre lits de plage à baldaquin, une bibliothèque gratuite, des activités sportives et des espaces de détente font l'attrait de ce lieu en journée. Le soir, concerts, bars à cocktails, cinéma en plein air et DJ sont au programme.

ACHATS

À Venise, le shopping confine à la religion. Vous pouvez revenir d'une simple visite à Murano les bras chargés d'objets fragiles en verre, tandis qu'il sera difficile pour les gastronomes de se rendre au marché du Rialto ou dans les boutiques gourmandes des environs, comme Drogheria Mascari (p. 376), sans charger leurs bagages de bouteilles de vin et de bocaux de miel de montagne. Mais c'est quand on déniche un souvenir étonnamment bon marché dans un atelier d'artisan, au détour d'une ruelle (voir l'encadré p. 380), que le shopping vénitien prend toute sa saveur.

DEPUIS/VERS VENISE
Avion

La plupart des départs et arrivées se font à l'**aéroport Marco Polo** (VCE ; hors carte p. 348 ; ☎ 041 260 92 60 ; www.veniceairport.it), à 12 km de Venise, à l'est de Mestre. Les vols low cost de Ryanair depuis/

vers Paris desservent l'**aéroport San Giuseppe** (TSF ; ☎ 0422 31 51 11 ; www.trevisoairport.it), à environ 5 km au sud-ouest de Trévise et à 30 km de Venise (1 heure de route). Les compagnies aériennes nuisent à l'environnement et à la qualité de l'air à Venise. N'hésitez pas à adhérer à un programme de compensation (voir p. 21).

Une navette relie les deux aéroports au Piazzale Roma (Venise), et à Mestre. Le ferry Alilaguna circule depuis l'aéroport Marco Polo. L'Eurobus d'ATVO relie l'aéroport San Giuseppe à Trévise. Pour en savoir plus, voir p. 380.

Bateau

Minoan Lines (www.minoan.gr) et **Anek** (www.anekitalia. com) assurent des liaisons régulières en ferry entre Venise et la Grèce. Les vedettes de **Venezia Lines** (www.venezialines.com) circulent entre Venise, la Croatie et la Slovénie en été. Sachez néanmoins que les long-courriers et les navires de croisières détériorent le fragile écosystème de Venise et la délicate aquaculture de la lagune, exposant les anciennes fondations de la cité aux *motoschiaffi* (sillages) des moteurs, sans parler des rejets d'eau de cale, de ballast et d'eaux usées des navires. Pour préserver Venise, préférez le train.

Bus

Les bus de l'**Azienda del Consorzio Trasporti Veneziano** (**ACTV** ; ☎ 041 24 24 ; www.actv.it) partent de la **gare routière** (carte p. 348), sur le Piazzale Roma, à destination de Mestre et des villes alentour.

Les bus **ATVO** (Azienda Trasporti Veneto Orientale ; ☎ 041 520 55 30) desservent l'est de la Vénétie. Les billets et horaires sont disponibles dans le bureau de vente du Piazzale Roma.

Train

Ponctuel, abordable et respectueux de l'environnement, le train permet en outre d'admirer le paysage : c'est le meilleur moyen de transport pour gagner Venise. De la Stazione Santa Lucia (panneaux "Ferrovia") à Venise, des liaisons régulières desservent l'Italie et les grandes villes européennes ; les *vaporetti* (ferries municipaux) s'arrêtent devant la gare. Les billets de train s'achètent aux distributeurs dans la gare, en ligne sur www.trenitalia.it.

Depuis Venise, on peut se rendre à Padoue (2,90 à 15,70 €, 30 à 50 min, 3 ou 4 trains/heure) et Vérone (6,15 à 25,20 €, 1 heure 15 à 2 heures 30, 2 trains/heure). Milan (14,50 à 38,50 €, 2 heures 30 à 3 heures 15), Bologne (8,90 à 35,20 €, 1 heure 45 à 2 heures 45), Florence (21,50 à 54,50 €, 2 heures 45 à 3 heures 45) et d'autres grandes destinations en France, Allemagne, Autriche, Suisse, Slovénie et Croatie sont également desservies.

Voiture et moto

L'A4 relie Trieste à Turin en passant par Mestre (sachez toutefois qu'elle est souvent encombrée). Prenez la sortie en direction de Venise et suivez les panneaux. En venant du sud (Bologne), prenez l'A13 qui croise l'A4 à Padoue.

Après avoir traversé le Ponte della Libertà en venant de Mestre, vous devrez laisser votre véhicule au parking du Piazzale Roma ou de Tronchetto ; vous paierez au moins 20 €/24 heures. Les parkings de Mestre sont moins coûteux. Le ferry n°17 transporte des véhicules de Tronchetto au Lido.

Les agences de location de véhicules répertoriées ici possèdent toutes une enseigne sur le Piazzale Roma et à l'aéroport Marco Polo. On trouve aussi plusieurs agences dans ou à proximité de la gare ferroviaire de Mestre.

Avis (carte p. 348 ; ☎ 041 523 73 77)
Europcar (carte p. 348 ; ☎ 041 523 86 16)
Expressway (carte p. 348 ; ☎ 041 522 30 00)
Hertz (carte p. 348 ; ☎ 041 528 40 91)

COMMENT CIRCULER
Bateau-taxi

Une course en **bateau-taxi** (☎ 041 522 23 03, 041 240 67 11) entre l'aéroport Marco Polo et Venise revient à 60-90 € (4 pers maximum). Votre hôtel ou B&B peut vous mettre en contact avec d'autres voyageurs pour partager la course. Le tarif fixe officiel commence à 8,90 €, auquel s'ajoute 1,80 €/minute ; un supplément de 6 € est demandé en cas de réservation par téléphone, et d'autres pour les bagages, les groupes et les courses de nuit. Le prix peut être calculé au compteur ou négocié à l'avance.

Desserte de l'aéroport

Le trajet en ferry Orange Line d'**Alilaguna** (☎ 041 240 17 01 ; www.alilaguna.com) coûte 13 € depuis l'embarcadère de l'aéroport (8 min de marche depuis le terminal) et dessert Fondamente Nuove, les abords de la place Saint-Marc et les Zattere pendant son parcours de 70 à 80 minutes. Plus rapide, la Gold Line depuis/vers San Zaccaria (près de Saint-Marc) prend

VÉNÉTIE

CINQ ARTISANS PARMI LES PLUS CRÉATIFS DE VENISE

■ **Verres** – bijoux en verre soufflés à la main, nés de l'inspiration de **Marina & Susanna Sent** (carte p. 352 ; ☎ 041 520 81 36 ; www.marinaesusannasent.com ; Campo San Vio, Dorsoduro 669 ; ☽ 10h-13h et 15h-18h30 mar-sam, 15h-18h30 lun), colliers formés de deux rangées de "bulles de savon" en verre, ou bien en cuir noir asymétrique parsemé de gouttes de verre orange et rouge vif, vous distingueront de la foule.

■ **Mode** – les vestes élégantes, les sacs en tapisserie et les robes de stars de **BANCO 10** (carte p. 348 ; ☎ 041 522 14 39 ; Salizada Sant'Antonio, Castello 3478a ; ☽ 10h-13h et 15h-18h30 mar-sam), une boutique à but non-lucratif, sont confectionnés dans le cadre d'un programme d'insertion, à la prison des femmes de la Giudecca, grâce aux chutes de somptueux tissus données par Fortuny et d'autres ateliers locaux.

■ **Vaisselle** – poêles évoquant des horloges, cuillères semblables à des langues et saladiers en forme de vagues… Francesca Meratti, la propriétaire, et d'autres créateurs vénitiens et européens exposent chez **Madera** (carte p. 352 ; ☎ 041 522 41 81 ; www.maderavenezia.it ; Campo San Barnaba 2762 ; ☽ 10h-13h et 15h-18h mar-sam) des objets familiers aux formes déroutantes.

■ **Papier marbré** – Rosanna Corró (p. 364), de chez **Cartè** (carte p. 352 ; ☎ 320 024 87 76 ; 1731 Calle di Cristi ; ☽ 9h-13h et 15h-19h30 lun- sam), renouvelle l'art ancestral de la *carta marmorizzata* (papier marbré) : colliers psychédéliques en papier, albums photos reliés à la main en papier texturé, et porte-monnaie en papier.

■ **Chaussures** – tissées, sculptées et parées de crêtes d'oiseaux : **Giovanna Zanella** (carte p. 352 ; ☎ 041 523 55 00 ; Calle Carminati, Castello 5641 ; ☽ 9h30-13h et 15h-19h) crée des escarpins sur mesure fabuleux, autant adaptés aux pavés de Venise qu'aux tapis rouges des festivals.

35 minutes, coûte 25 € et circule 7 fois/jour, à la demie de chaque heure.

Les bus **ATVO** (☎ 041 38 36 72 ; www.atvo.it) desservent l'aéroport au départ du Piazzale Roma (3 €, 20 min) toutes les 30 minutes environ. Le trajet depuis/vers le Piazzale Roma dure 65 minutes et coûte 5 €.

Vaporetto

Le principal mode de transport local est le *vaporetto*. Les billets s'achètent aux **points de vente helloVenezia** (www.hellovenezia.com) sur la plupart des embarcadères, ou à bord. Le tarif double parfois si vous avez des bagages.

Au lieu de payer 6,50 € par aller simple, songez à la VeniceCard (p. 351) et aux forfaits illimités, valables pour une certaine durée à partir du compostage à la machine jaune, sur l'embarcadère. Les forfaits de 12/24/36/48/72 heures coûtent 16/18/23/28/33 €, ou 50 € pour 7 jours.

Les arrêts de *vaporetto* sont parfois déconcertants. Vérifiez votre ligne et votre direction à l'embarcadère. Aux principaux arrêts, comme Ferrovia, les embarcadères diffèrent souvent selon le numéro de la ligne *et* la direction. Certains bateaux ne desservent qu'une partie des arrêts : consultez l'affichage à bord.

ENVIRONS DE VENISE

Comme si Venise ne suffisait pas, la campagne de Vénétie (Veneto) est parsemée de villes médiévales fortifiées, de vieux restaurants fermiers et de sites classés au patrimoine mondial de l'Unesco. Des excursions d'une journée permettent de visiter quantité de villas sur la Riviera du Brenta. Au programme : les émouvantes fresques de Giotto, du début de la Renaissance, à Padoue, les lignes élégantes des édifices de Palladio à Vicence, et un verre d'Amarone à la santé de Roméo et Juliette, à Vérone. Les dégustations de vins et les pistes de ski des Dolomites valent aussi le détour et méritent de s'arracher aux innombrables tentations de Venise pour passer une nuit sur place.

RIVIERA DU BRENTA

Durant 300 ans, tous les 13 juin, l'été démarrait officiellement par un épouvantable embouteillage le long du Grand Canal, lorsqu'une armée de riches Vénitiens prenait la direction de Brenta. Chaque robe de bal, chaque chaise de poker était emportée par barge à Brenta, où séduction et divertissements étaient de mise

VÉNÉTIE

jusqu'en novembre. Des liaisons se nouaient, des fortunes étaient englouties, les vendettas se perpétuaient.

Les réjouissances cessèrent lorsque Napoléon s'empara de la région en 1797, mais 80 villas bordent encore le canal de la Brenta. Des haies dissimulent la plupart des propriétés, mais quatre villas historiques sont devenues des musées. D'autres ouvrent parfois leurs portes dans le cadre de circuits en bateau ou en vélo (voir p. 382), et certaines des somptueuses demeures autour de Vicence (voir p. 389) se visitent aussi.

À voir

La villa la plus romantique de la Riviera, conçue par Palladio en 1555-1560, est la **Villa Foscari** (☎ 041 520 39 66 ; www.lamalcontenta. com ; Via dei Turisti 9, Malcontenta ; adulte/étudiant 10/8 € ; ☉ 9h-12h mar et sam, fermé 15 nov-31 mars), surnommée "La Malcontenta" après qu'une dame du clan Foscari fut, dit-on, exilée ici pour avoir trompé son mari. Jolie prison que ces salons lumineux… La villa resta des années à l'abandon, mais les fresques de Giovanni Zelotti, rénovées, ont récemment retrouvé leur splendeur d'origine. Le bureau comprend ainsi une représentation de la Gloire, et, la chambre voit Bacchus et Cupidon figurer parmi les vignes en trompe l'œil. Des artistes et architectes modernes ont été inspirés par les lieux : récemment, une installation de Zaha Hadid reprenait les plans de Palladio dans une sculpture en fibre de verre figurant un espace liquide en 3 dimensions. Les groupes de 10 personnes ou plus peuvent réserver entre avril et le 14 novembre (8 €/pers).

Un bel exemple de jardin vous attend à la **Villa Widmann Rezzonico Foscari** (☎ 041 560 06 90 ; www.riviera-brenta.it ; Via Nazionale 420, Mira ; adulte/étudiant 6/5 € ; ☉ 10h-17h sam et dim nov-mars, jusqu'à 18h mar-dim mai-sept). Cette demeure du XVIIIᵉ siècle, jadis propriété d'une famille de nobles vénitiens d'origine perse, incarne les derniers jours de la décadence rococo qui régnait sur la Riviera du Brenta, des chandeliers de Murano en forme de monstres marins à l'imposant salon couvert de fresques et à la salle de jeux de ces dames, à l'étage. Fermez les yeux sur les salles de bains modernes, et rendez-vous au jardin, où un paon albinos pleure le lustre d'antan parmi les sculptures gagnées par la mousse.

ITINÉRAIRES DE VAPORETTI

Voici les lignes et les principaux arrêts de *vaporetti* (sujets à modifications selon la saison) :

N°1 Piazzale Roma-Ferrovia-Grand Canal (tous les arrêts)-Lido et retour.

N°2 Ligne circulaire : San Zaccaria-Redentore-Zattere-Tronchetto-Ferrovia-Rialto-Accademia-San Marco.

N°5 San Zaccaria-Murano et retour.

N°8 Sacca Fisola-Zattere-Redentore-Giardini-Lido.

N°13 Fondamente Nuove-Murano-Vignole-Sant'Erasmo-Treporti et retour.

N°17 Car-ferry : Tronchetto-Lido et retour.

N°18 Murano-Sant'Erasmo-Lido et retour (été).

N°20 San Zaccaria-San Lazzaro-Lido et retour.

N°41 Ligne circulaire : Murano-Fondamente Nuove-Ferrovia-Piazzale Roma-Redentore-San Zaccaria-Fondamente Nuove-San Michele-Murano.

N°42 Ligne circulaire, sens inverse de la ligne n° 41.

N°51 Ligne circulaire : Lido-Fondamente Nuove-Riva de Biasio-Ferrovia-Piazzale Roma-Zattere-San Zaccaria-Giardini-Lido.

N°52 Ligne circulaire, sens inverse de la ligne n° 51.

N°61 Ligne circulaire à arrêts limités, jours ouvrables seulement : Piazzale Roma-Santa Marta-San Basilio-Zattere-Giardini-Sant'Elena-Lido.

N°62 Ligne circulaire à arrêts limités, jours ouvrables seulement ; direction inverse de la ligne n° 61.

N Circuit de nuit, tous les arrêts : Lido-Giardini-San Zaccaria-Grand Canal (tous les arrêts)-Ferrovia-Piazzale Roma-Tronchetto-Zattere-Redentore-San Giorgio-San Zaccaria (23h30 à 5h environ).

N 2ᵉ ligne de nuit (NMU), de Fondamente Nuove à Murano (tous les arrêts) - 3 ou 4 navettes à partir de 24h.

N 3ᵉ ligne de nuit (NLN) : quelques liaisons entre Fondamente Nuove et Burano, Mazzorbo, Torcello et Treporti.

DM (Diretto Murano) Tronchetto-Piazzale Roma- Ferrovia-Murano et retour.

LN (Laguna Nord) San Zaccaria-Lido-Burano-Mazzorbo-Murano (Faro)-Fondamente Nuove et retour.

T Torcello-Burano (ttes les demi-heures) et retour (de 7h à 20h30).

VÉNÉTIE

La billetterie, à l'entrée, fait aussi office de **point d'information APTV** (☎ 041 42 49 73) et remet des brochures sur Brenta.

La construction en 1774 de la **Villa Pisani Nazionale** (☎ 041 271 90 19 ; www.villapisani.beniculturali. it ; Via Alvise Pisani 7, Strà ; adulte/ressortissant UE 18-25 ans/moins de 18 ans 10/7,50 €/gratuit, jardins uniquement 7,50/5 €/gratuit ; ⊙ 9h-18h mar-dim oct-mars, jusqu'à 20h mar-dim avr-sept) était pour le doge Alvise Pisani un moyen de rappeler à une noblesse débauchée qui détenait l'autorité. Le labyrinthe de haies et les bassins consacrent le prestige du doge. Les 114 pièces de la villa connurent bien des péripéties : voyez les salles de jeu où les Pisani se ruinèrent, ce qui les obligea à vendre la villa à Napoléon ; la grandiose salle de bains où se trouve le petit trône en bois de ce dernier ; le lit affaissé qui accueillit Victor-Emmanuel II à la tête de l'Italie indépendante, et la salle de réception qui fut le théâtre de la première rencontre entre Mussolini et Hitler en 1934, sous le plafond de Tiepolo représentant les *Génies de la Paix*. Ironie de l'histoire… De remarquables expositions temporaires sont montées ici. Les figures assoupies du sculpteur contemporain Mimmo Paladino se sont ainsi réfléchies dans les plans d'eau, et les visions mélancoliques de fêtards devant les villas de Vénétie, par le peintre Emma Ciardi (XIXᵉ siècle), ont également été présentées. Dernière entrée 1 heure avant la fermeture.

Pour les Vénitiens aisés, il était impensable de prendre ses quartiers à Brenta sans leurs chausseurs préférés – c'est ainsi que ce secteur haut de gamme se développa ici. Aujourd'hui, 950 sociétés de la région de Brenta produisent 20 millions de paires par an. Le savoir-faire des chausseurs de Brenta est célébré au **musée des Cordonniers**, dans la **Villa Foscarini Rossi** (☎ 049 980 10 91 ; www.villafoscarini.it ; Via Doge Pisani 1/2, Stra ; adulte/12 à 18 ans et plus de 65 ans 5/2,50 € ; ⊙ 9h-13h nov-mars, jusqu'à 12h30 lun, jusqu'à 12h30 et 14h30-18h mar-ven, 14h-18h sam, 14h30-18h dim avr-oct). Cet édifice du XVIIIᵉ siècle rassemble une stupéfiante collection de pantoufles de la même époque, d'articles portés par Marlene Dietrich et Katherine Hepburn, et d'escarpins confectionnés à Brenta pour Yves Saint Laurent et Pucci.

Circuits organisés
BATEAU
En descendant le canal de la Brenta en bateau, vous pourrez admirer une merveille d'ingénierie : conçu au XVᵉ siècle, un astucieux système d'écluses limitait le déversement de limon dans la lagune, protégeant Venise de l'enlisement.

La plupart des embarcations suivent lentement le cours de l'eau et, les villas étant tournées vers ce dernier, vous les verrez telles que Palladio et ses contemporains l'avaient voulu.

Il Burchiello (☎ 049 820 69 10 ; www.ilburchiello.it ; journée complète adulte 66-79 €, 12-17 ans 52 €, 6-11 an 37 €, moins de 6 ans gratuit, demi-journée adulte et 12-17 ans 44-48 €, 6-11 ans 36-37 €, moins de 6 ans gratuit ; ⊙ croisière demi-journée mar-ven, croisière journée entière mar-dim mars-oct) est une luxueuse péniche moderne d'où l'on peut observer une cinquantaine de villas confortablement installé sur des banquettes en velours en sirotant un Prosecco. Les croisières d'une journée s'arrêtent à Malcontenta Widmann et Pisani (deux villas pour la demi-journée) et partent de Venise (mar, jeu et sam) ou Padoue (mer, ven et dim), avec une navette jusqu'à la gare ferroviaire.

I Batelli del Brenta (☎ 049 876 02 33 ; www.battel lidelbrenta.it ; visites guidées demi-journée 44-48 €, journée complète 66-85 € ; ⊙ sur réservation mar-dim mars-nov) organise des excursions d'une journée comprenant les trois villas, neuf ponts tournants et cinq écluses sur la Brenta. Certains circuits se font à bord de *burci* (péniches) en bois restaurées. Le déjeuner et le transfert depuis, vers Venise ou Padoue peuvent être inclus dans les formules d'une demi-journée.

VÉLO
Quelque 150 km de pistes cyclables sillonnent les plaines autour de Brenta. **Rental Bike Venice** (☎ 346 847 114 ; www.rentalbikevenice.blogspot.com ; Via Gramsci 85, Mira ; bicyclette et VTT/vélo pliable 10/14 €/jour ⊙ 8h-20h) est accessible en bus depuis Venise Mestre ou Padoue (consulter le site Internet et loue des bicyclettes avec panier, des VTT et des vélos pliables très commodes pour voyager en bus. Fournit aussi un service de dépannage et des itinéraires en anglais.

Fêtes et festivals
Dolo Mercatino dell'Antiquariato (marché d'antiquités ; Isola Bassa, Dolo). Redécorez votre intérieur à la mode de Brenta. Le plus important marché d'antiquités de la région a lieu par beau temps le 4ᵉ dimanche du mois, d'avril à octobre.

StraOrganic (www.comune.stra.ve.it). Produits bio et artisanat de Brenta sont à l'honneur à Stra le dernier week-end d'avril.

Riviera Fiorita (www.turismovenezia.it). Les fêtes costumées organisées à la Villa Pisani et à la Villa Widmann le deuxième week-end de septembre sont d'authentiques foires campagnardes qui vous ramènent en 1527. Par souci d'authenticité, même les *gelati* ont des parfums baroques.

Marathon de Venise (www.venicemarathon.it). La course part de la Villa Pisani et suit la Brenta jusqu'à Venise. Le dernier tronçon emprunte des ponts flottants. Les fonds récoltés financent des projets d'assainissement d'eau en Afrique. Généralement en octobre.

Où se restaurer

Face à la La Malcontenta, le **Ristorante da Bepi el Ciosato** (☎ 041 69 89 97 ; www.hotelgallimberti.it ; Via Malcanton 33, Malcontenta ; repas 26 € ; ☺ déj et dîner) est un bistrot de campagne qui mitonne ses poissons au *pasticcio di pesce* (tourte) ou en croûte d'artichaut. Après avoir arpenté la magnifique Villa Pisani, essayez l'une des spécialités de la Vénétie, la viande de cheval, au menu de la **Trattoria Prandin** (☎ 049 50 23 70 ; Via Pertile 124, San Pietro di Stra ; repas 15-20 € ; ☺ déj et dîner), qui sert aussi d'excellents steaks aux pommes de terre rôties.

Comment s'y rendre et circuler

Le **bus n°53 Venezia-Padova Extraurbane** d'ACTV part de la Piazzale Roma (p. 379), à Venise, toutes les 30 minutes environ, et s'arrête dans les principaux villages sur la route de Padoue. Depuis Venise, le train fait halte à Dolo (2,35 à 3,55 €, 30 min) puis à Padoue. En voiture, prendre la SS11 de Mestre-Venezia vers Padoue (Padova), puis l'Autostrada A4 vers Dolo/Padova.

PADOUE (PADOVA)
212 500 habitants

Bien qu'à seulement 37 km à l'ouest de Venise, Padoue rappelle davantage Milan avec ses places médiévales de formes étranges, sa population estudiantine et ses larges avenues où se succèdent d'élégants édifices Liberty, de sinistres façades d'immeubles fascistes et les mornes silhouettes des bâtiments d'après-guerre. Si Milan possède *La Cène* de Vinci, l'œuvre maîtresse d'un artiste révéré par de Vinci se trouve à Padoue : la chapelle des Scrovegni de Giotto.

Depuis sa fondation à la fin du XIIe siècle av. J.-C., Padoue a connu bien des vicissitudes, mais s'est toujours relevée. Les Romains prirent la ville aux tribus vénètes et la rebaptisèrent Patavium. Elle fut assiégée par les Goths, rayée de la carte par les envahisseurs lombards en 602 et détruite par un incendie en 1164, mais la cité se rétablit pour s'emparer de Vicence et créer en 1222 la troisième université d'Italie, attirant penseurs et artistes. Rivale de Vérone, la ville contesta aussi l'autorité de Venise, qui mit fin à la situation en occupant Padoue et ses environs en 1405.

Centre stratégique militaro-industriel, Padoue fut choisie comme vitrine par Mussolini, qui y prononça plusieurs discours, et comme cible des bombardements alliés. La Résistance italienne fut aussi très active à l'université. Un an seulement après que la ville eut été libérée des fascistes en 1945, une zone industrielle voyait le jour à l'est de la ville, la rentrée universitaire avait lieu, et la vie reprenait son cours.

Renseignements
Dépannage d'urgence (☎ 116)
Feltrinelli International (☎ 049 875 07 92 ; Via San Francesco 7 ; ☺ 9h-19h30 lun-ven, jusqu'à 20h sam, 10h-13h et 15h30-19h30 dim). Libraire et éditeur proposant des livres en plusieurs langues et une remarquable section histoire.
Offices du tourisme (www.turismopadova.it).
Galleria Pedrocchi (☎ 049 876 79 27 ; ☺ 9h-13h30 et 15h-19h lun-sam) ; Piazza del Santo (☎ 049 875 30 87 ; ☺ mars-oct) ; gare ferroviaire (☎ 049 875 20 77 ; ☺ 9h-13h30 et 15h-19h lun-sam)
Ospedaliera Padova (☎ 049 821 11 11 ; Via Giustiniani 1). Principal hôpital public.
Police (☎ 049 820 51 00 ; Piazzetta Palatucci 5)
Poste (Corso Garibaldi 33 ; ☺ 8h15-19h30 lun-sam)

À voir
CHAPELLE DES SCROVEGNI
Près de 200 ans avant la chapelle Sixtine de Michel-Ange, ou *La Cène* de Léonard de Vinci, Padoue possédait déjà son chef-d'œuvre de la Renaissance : les touchantes fresques de Giotto (1303-1305) dans la **capella degli Scrovegni** (chapelle des Scrovegni ; ☎ 049 201 00 20 ; www.cappelladegliscrovegni. it ; Giardini dell'Arena ; entrée gratuite avec la PadovaCard, adulte/6 à 17 ans et senior/moins de 6 ans 12/8/1 €, nocturne 8/6/1 € ; ☺ visite tlj sur réservation seulement, minimum 3 jours à l'avance, accueil téléphonique 9h-19h lun-ven et 9h-18h sam). Tranchant avec les saints placides sur leurs trônes gothiques qui ornent habituellement les églises médiévales, Giotto plaça ses personnages et ses scènes bibliques dans un cadre familier. Ainsi, c'est entourée de commères qu'une sainte Anne d'âge mûr embrasse tendrement Joachim et donne miraculeusement naissance à Marie. Ailleurs, Joseph épuisé s'assoupit dans l'auge tandis que les moutons et les anges veillent sur l'Enfant Jésus, et plus loin, le Christ toise Judas au moment où celui-ci tend les lèvres pour l'embrasser.

La nouvelle galerie multimédia propose des projections vidéo et une reproduction grandeur nature permet d'explorer chaque scène. La rupture qu'opère Giotto en recourant à des

PADOUE (PADOVA)

0 — 400 m

Vers l'A4 (5 km)

A **B** **C** **D**

RENSEIGNEMENTS
Feltrinelli International..............1 C4
Police.............................2 C5
Poste.............................3 C3
Informations touristiques..........4 C5
Office du tourisme.................5 C1
Office du tourisme.................6 C4

À VOIR ET À FAIRE
Basilica del Santo.................7 D5
Cappella degli Scrovegni...........8 C3
Cathédrale et baptistère...........9 B4
Chiesa agli Eremitani.............10 C3
Gattamelata Statue................11 C5
Musei Civici agli Eremitani.......12 C3
Oratorio di San Giorgio.......(voir 17)
Orto Botanico....................13 D6
Palazzo della Ragione.............14 C4
Palazzo Zuckermann...............15 C3
Scoletta del Santo................16 C5
Université (Palazzo del Bò)........17 C4

OÙ SE LOGER
Belludi37.........................18 C5
Hotel Sant'Antonio................19 B3
Ostello Città di Padova...........20 B5

OÙ SE RESTAURER
Caffè Cavour......................21 C4
Enoteca Angelo Rasi...............22 A5
Trattoria Le Sette Teste..........23 C4
Trattoria San Pietro..............24 B3

OÙ PRENDRE UN VERRE
Bibulus...........................25 D3
Café El Pilar.....................26 B4
Caffè Pedrocchi...................27 C4
Enoteca Santa Lucia...............28 C4

TRANSPORTS
Gare routière.....................29 D3

Via Jacopo Avanzo

Gare ferroviaire

Piazza di Stazione

Via Tommaseo

Via Gozzi

Via Volturno

Corso del Popolo

Piazzale Mazzini

Piazza del Carmine

Piazza Petrarca

Giardini dell'Arena

Piazzale Boschetti

Via Trieste

Vers l'A4 (5 km) et l'A13 (5 km)

Via Savonarola

Corso Milano

Via San Pietro

Via San Polo

Via Dante

Piazza Eremitani

Corso Garibaldi

Via Porciglia

Via Jappelli

Canale Piovego

Via Livello

Via S Nicolò

Piazza Insurrezione

Piazza Garibaldi

Via Santa Lucia

Piazza del Capitaniato

Palazzo del Capitaniato

Piazza dei Signori

Piazza della Frutta

Piazza Cavour

Riviera Ponti Romani

Via Altinate

Vers le Camping Sporting Center (15 km)

Via San Prosdocimo

Via Dondi dell'Orologio

Piazza del Duomo

Piazza delle Erbe

Via VIII Febbraio

Via C Battisti

Via San Sofia

Via Euganea

Riviera Mussato

Riviera Paleocapa

Via del Vescovado

Via San Martino

Via Roma

Riviera Tito Livio

Via San Francesco

Via del Santo

Vers l'Ospedaliero Padova (hôpital de Padoue ; 300 m)

Via Milazzo

Via Speroni

Via Barbarigo

Via San Rosa

Via Marsala

Via San Tomaso

Via Santa Chiara

Via Moro

Via XX Settembre

Via Rogati

Via Campo Sampiero

Via dei Alicorni

Via Memmo

Via Rudena

Piazza del Santo

Piazzale Pontecorvo

Riviera Ruzante

Via Belludi

Via Dimesse

Via A Cavaletto

Via Marin

Via Umberto

Piazzale Pontecorvo

Orto Botanico

Via Marconi

Via San Pio X

Via Goito

Via Cadorna

Prato della Valle

Vers l'A13 (5 km), les Colli Euganei (15 km) et Montagnana (42 km)

VÉNÉTIE

couleurs vives y est très bien expliquée : son approche humaniste se prêtait particulièrement à la chapelle qu'Enrico Scrovegni commanda en mémoire de son père, qui, en tant qu'usurier, ne pouvait prétendre à un enterrement chrétien.

La chapelle est à 5 minutes à pied de la gare, mais la réservation en ligne ou par téléphone est obligatoire. Compter trois jours au moins, voire plusieurs semaines d'attente entre avril et octobre. La visite est limitée à 15 minutes. Le billet nocturne (adulte/enfant 7 à 17 ans et senior/moins de 7 ans 12/6/1 € ; 19h à 21h20) permet de rester dans la chapelle pendant 30 minutes et dans la salle multimédia entre 30 et 90 minutes.

Le **Musei Civici agli Eremitani** (☎ 049 820 45 50 ; Piazza Eremitani 8 ; gratuit avec la PadovaCard ou la Capella degli Scrovegni, musée seulement adulte/enfant 7 à 17 ans/moins de 7 ans 10/8 €/gratuit ; 9h-19h mar-dim) qui la jouxte occupe un monastère. Il expose des objets de la période préromaine au rez-de-chaussée, et des œuvres d'artistes de Vénétie du XIVe au XVIIIe siècle, de Bellini à Canova, à l'étage. Le clou de la collection est un crucifix de Giotto où Marie se tord les mains de désespoir, tandis que le sang de Jésus tombe dans les orbites d'un crâne à terre. L'entrée autorise aussi la visite du **Palazzo Zuckermann** (Corso di Garibaldi 33 ; 10h-19h mar-dim), non loin, un musée d'arts décoratifs conservant des pièces, armes et médailles anciennes finement ciselées.

CHIESA DEGLI EREMITANI

La destruction par un bombardement, en 1944, des extraordinaires fresques (1448-1457) d'Andrea Mantegna dans la Capella Overtari de l'**église des Eremitani** (☎ 049 875 64 10 ; Piazza Eremitani ; 7h30-12h et 15h30-19h lun-ven, 10h-12h30 et 16h-19h sam et dim) fut une perte considérable pour l'histoire de l'art. Un demi-siècle de laborieuse reconstitution et de lutte contre l'humidité ont sauvé l'œuvre, révélant un saint Jacques et un saint Christophe aux allures de superhéros grâce aux perspectives de Mantegna.

CENTRE HISTORIQUE

La Via VIII Febbraio conduit au Palazzo del Bò, siège de l'**université de Padoue** (☎ 049 827 30 47 ; Via VIII Febbraio ; adulte/étudiant et enfant 5/2 € ; visites guidées 9h15, 10h15 et 12h15 mar, jeu et sam, 14h15, 16h15 et 17h15 lun, mer et ven). Fondée par des universitaires rebelles venus de Bologne en quête d'une plus grande liberté intellectuelle, elle accueillit certains des plus brillants (et des plus controversés) penseurs d'Italie : Copernic, Galilée, Casanova et Elena

Cornaro Piscopia, première femme à obtenir le titre de docteur en philosophie (sa statue orne l'escalier) y ont enseigné. La visite guidée passe par la salle de conférences de Galilée et le premier amphithéâtre d'autopsie au monde, construit à des fins scientifiques en 1594, à une époque où les précautions sanitaires étaient inconnues : les corps disséqués étaient ensuite jetés dans une rivière souterraine.

La **Piazza delle Erbe** et la **Piazza della Frutta** laissent entrevoir l'ancienne Padoue. Ces places jumelles bordées d'arcades sont séparées par le **Palazzo della Ragione** (☎ 049 820 50 06 ; Piazza delle Erbe ; adulte/enfant 4/2 €, durant les expositions temporaires 8/5 € ; 9h-19h mar-dim), édifice gothique à trois niveaux, tribunal de la ville depuis 1218.

Au sud se dresse la **cathédrale** (☎ 049 66 28 14 ; Piazza del Duomo ; 7h30-12h et 15h30-19h30 lun-sam, 8h-13h et 15h30-20h45 dim et jours fériés), bâtie d'après un plan fortement remanié de Michel-Ange mais éclipsée par le **baptistère** (☎ 049 65 69 14 ; Piazza del Duomo ; gratuit avec la PadovaCard, adulte/enfant 2,80/1 € ; 10h-18h) voisin, du XIIIe siècle. Cette merveille de style roman est couverte de fresques de Giusto de' Menabuoi décrivant des scènes bibliques. Remarquez, dans la coupole, les centaines de saints des deux sexes, échangeant des regards et regardant la Vierge avec émotion.

PIAZZA DEL SANTO

Âme de Padoue, la **Basilica di Sant'Antonio** (Basilica del Santo ; www.basilicadelsanto.org ; 6h30-19h nov-fév, jusqu'à 19h45 mars-oct) marque la tombe du saint patron de la ville, saint Antoine de Padoue (1193-1231). Dans le bras gauche du transept, sa tombe est couverte d'ex-voto de fidèles reconnaissants : guérison miraculeuse, objets perdus puis retrouvés… Les plafonds voûtés de style gothique, ornés de ciels étoilés, surplombent des œuvres comme le crucifix réalisé dans les années 1360 par Altichiero da Zevio, maître de Véronèse, dans la **chapelle de saint Jacques**, et les fresques de 1528, dans la **sacristie**, représentant saint Antoine devant des poissons envoûtés et signées d'un disciple de Girolamo Tessari. Demandez aux gardiens l'accès aux **reliefs de maître-autel** (1444-1450), de Donatello, maître florentin de la Renaissance. Sur la **Piazza del Santo**, la statue équestre (1453) de Donatello rend hommage à un mercenaire vénitien du XVe siècle surnommé **Gattamelata** ("chat-miel"). L'œuvre est considérée comme le premier grand bronze italien de la Renaissance.

De l'autre côté de la place se dresse l'**Oratorio di San Giorgio** (☎ 049 875 52 35 ; entrée comprenant la Scoletta del Santo 2 € ; ⌚ 9h-12h30 et 14h30-19h avr-sept, 9h-12h30 et 14h30-17h oct-mars), dont les fresques aux couleurs somptueuses (1378) sont dues à Altichiero da Zevio et Jacopo Avanzi, et qui fit brièvement office de prison sous Napoléon – ce dernier ignora sans doute la métaphore illustrée par la fresque : saint Georges délivré du supplice de la roue par des anges vengeurs. Votre billet vous donne aussi accès, non loin, à la **Scoletta del Santo** (à l'étage), où l'on peut voir des tableaux de Titien, parmi lesquels saint Antoine rattachant tranquillement son pied (1511), ainsi qu'une parabole attribuée au frère de Titien, Francesco Vecellio, représentant le cœur d'un avare découvert dans un coffre au trésor.

Au sud de la Piazza del Santo se trouve un site du patrimoine mondial de l'Unesco, l'**Orto Botanico** (☎ 049 827 21 19 ; adulte/étudiant et enfant 4/1 € ; ⌚ 9h-13h et 15h-18h avr-oct, 9h-13h lun-sam nov-mars), créé en 1545 par la faculté médicale de l'université de Padoue pour étudier les vertus médicinales de plantes rares, et qui servit de siège à la Résistance pendant la Seconde Guerre mondiale.

Circuits organisés

Quatre promenades insolites dans Padoue sont possibles grâce à iPadova : téléchargez le commentaire sur votre lecteur mp3, et consultez des cartes en format PDF. Giscover Padova vous guide également dans la ville grâce au téléchargement d'un itinéraire GPS. Retrouvez les deux sur www.turismopadova.it ; cliquer sur "Soundtouring".

Où se loger

Le site de l'**office du tourisme** (www.turismopadova.it) publie des listes d'hébergements et indique 90 B&B et 60 hôtels.

Camping Sporting Center (☎ 049 79 34 00 ; www.sportingcenter.it ; Via Roma 123, Montegrotto Terme ; pers/tente 8,30/12 € ; ⌚ mars à mi-nov ; P). Seul camping des environs, ce vaste complexe situé à 15 km du centre-ville inclut une piscine, un spa, des boutiques, etc. Accès en bus M depuis la gare ferroviaire.

Ostello Città di Padova (☎ 049 875 22 19 ; www.ostellopadova.it ; Via dei A Aleardi 30 ; dort avec petit-déj 19 €, f avec/sans sdb 56-88/46-76 € ; ⌚ 7h15-9h30 et 16h30-24h). Les plus rapides pourront faire leur choix parmi les 16 lits superposés, ou les chambres familiales avec 4 lits superposés. L'extinction des feux à 24h, le petit déjeuner à 7h15 et l'obligation de libérer la chambre à 9h30 rebuteront sans doute les couche-tard. Prenez le bus n°3, 8 ou 12 à la gare ferroviaire en direction de Prato della Valle et demandez votre chemin.

Koko Nor Association (www.bbkokonor.it ; d 60-80 €). Les globe-trotteurs apprécieront ces appartements, chambres avec terrasses et mansardes d'artistes situés dans le cœur historique de Padoue et décorés dans un esprit tibétain par d'accueillantes familles italiennes. Renseignez-vous sur les cours informels d'italien. D'autres B&B hors de Padoue sont aussi suggérés sur www.bedandbreakfastpadova.it.

Hotel Sant'Antonio (☎ 049 875 13 93 ; www.hotelsantantonio.it ; Via San Fermo 118 ; s 63-69 €, d 82-94 €). Paisible établissement près du canal, à l'ombre de l'ancienne porte de la ville. Les chambres sont sobres et spacieuses, et il y a un café à l'étage inférieur (petit déjeuner 7 €). Les simples sans sdb, dans le couloir, sont meilleur marché.

♥ **Belludi37** (☎ 049 66 56 33 ; www.belludi37.it ; Via Luca Belludi 37 ; s/d avec petit-déj 55-80/120-150 € ;). Élégant hôtel de charme. Chambres avec grands lits et vue sur la Basilica di Sant'Antonio. Adresses de magasins bon marché, boissons gratuites, itinéraires de cyclotourisme et circuits gastronomiques sont gentiment offerts par le personnel affable.

Où se restaurer

Caffè Cavour (☎ 049 875 12 24 ; www.caffecavour.com ; Piazza Cavour 10 ; pâtisseries 1,50-3 € ; ⌚ 7h30-24h mer-lun). Accoudé au bar en granit, vous vous régalerez de macarons à la pistache, tartes aux baies sauvages et autres délices à côté des agents de la circulation sirotant leurs expressos.

Trattoria Le Sette Teste (☎ 049 66 47 53 ; Via C Battisti 44 ; repas 9-15 € ; ☺ 18h30-24h lun-sam). Les assiettes de pâtes (9 €) sont si copieuses que l'on en vient difficilement à bout. Si vous pensiez visiter le Palazzo della Raggione, les viandes et les desserts au chocolat auront peut-être raison de vos projets.

Osteria Dal Capo (☎ 049 66 31 05 ; Via degli Obizzi 2 ; repas 25 € ; ☺ déj et dîner mar-sam et dîner lun). Au coude à coude avec une clientèle locale, vous dégusterez fruits de mer, vin au verre et de savoureuses inventions, comme les *caviale di melanzane con bufala* (caviar d'aubergine à la mozzarella *di bufala* sur une fine tartine craquante). Réservation conseillée.

♥ **Enoteca Angelo Rasi** (☎ 049 871 97 97 ; www. angelorasi.it ; Riviera Paleocapa 7 ; repas 30 € ; ☺ dîner mar-dim). L'endroit idéal pour prendre un verre de vin et des *cicheti* près du canal, et dîner ensuite à l'ombre des tilleuls. Le chef réinvente les plats campagnards : la crème de morue s'accompagne de beignets salés de polenta à l'encre de sèche, les gnocchi à la ricotta d'une onctueuse sauce aux courgettes, et les fromages se présentent en forme d'horloge.

Trattoria San Pietro (☎ 0498760330 ; Via San Pietro 95 ; repas 30 € ; ☺ lun-sam, fermé juil). Influences véni-tiennes et milanaises sont harmonieusement conciliées : veau à la milanaise accompagné d'artichauts vénitiens ou risotto au safran et fruits de mer. Réservation conseillée.

Où prendre un verre

Impossible de finir la journée sans l'indispen-sable verre de *spritz* sur la Piazza delle Erbe ou la Piazza dei Signori.

Café El Pilar (☎ 049 65 75 65 ; Piazza dei Signori 8 ; ☺ 8h30-1h lun-sam). Après vous être frayé un chemin jusqu'au bar, commandez et dégustez l'un des cocktails de la maison. Vous ne verrez pas passer la soirée.

Caffè Pedrocchi (☎ 049 878 12 31 ; www.caffepedrocchi. t ; Via VIII Febbraio 15 ; ☺ 9h-22h dim-mer, jusqu'à 1h jeu-sam). Fréquenté assidûment par Stendhal, ce monu-ment néoclassique de 1831 est toujours un lieu de pèlerinage pour son café à l'arôme puissant et son *caffè correto* (café à la liqueur).

Enoteca Santa Lucia (☎ 049 875 94 83 ; Piazza Cavour 15 ; ☺ 19h-24h lun-sam). D'inspiration mila-naise, Santa Lucia sert des vins haut de gamme au verre (5 à 10 €) avec un buffet gratuit de spécialités et fromages régionaux, entre 19h et 22h tous les jours. Vous pouvez élire domicile au bar vitré pour profiter du buffet, ou explorer la liste des vins dans la taverne.

Bibulus (☎ 049 65 41 17 ; Via Porciglia 32 ; ☺ 7h-20h lun-ven, jusqu'à 21h30 sam). Surnommée "la biblio-thèque" à cause de sa clientèle estudiantine, cette adresse près de la Piazza Eremitani sert 15 vins au verre dans un décor psyché-délique orange. Buffet *happy hour* et prix raisonnables.

Depuis/vers Padoue
BUS

Les **bus SITA** (☎ 049 820 68 11 ; www.sitabus.it) circulent entre le Piazzale Roma (3,50 €, 45 à 60 min), à Venise, et le Piazzale Boschetti, à 500 m au sud de la gare. Certains bus desservent les villes des Colli Euganei (monts Euganéens, voir l'encadré p. 388) – consultez le site.

MOTO ET VOITURE

L'A4 (Turin-Milan-Venise-Trieste) passe au nord de Padoue, alors que l'A13 pour Bologne part du sud de la ville.

TRAIN

Le moyen le plus pratique pour aller de Venise à Padoue est le train (2,90 à 15,70 €, 30 à 50 min, 3 ou 4/heure). La gare est à environ 500 m au nord de la Cappella degli Scrovegni.

VICENCE (VICENZA)
113 500 habitants

Palladio a marqué Vicence de son empreinte : sa griffe y est omniprésente. Rien d'étonnant à ce que l'Unesco ait inscrit son œuvre, en ville et dans l'arrière-pays, sur la liste du patrimoine mondial.

Bien avant l'intervention de Palladio, Vicence était une ville romaine du nom de Vicentia. Les résidences gothiques et le lion, emblème de saint Marc, apparurent aux quatre coins de la ville après son absorption par la république de Venise en 1404. Par la suite, les lignes pures chères à Palladio ont conféré à Vicence un style propre que la ville a conservé, malgré ses revers de fortune. Bien que le textile et l'informatique aient fait sa prospérité après la Seconde Guerre mondiale, la ville demeure sans prétention et ne renie pas ses spécialités locales : les *salumi* (viandes salées), le gibier et les pâtes artisanales.

Orientation

En partant de la gare, dans les jardins du Campo Marzo, la Viale Roma mène au Piazzale de Gasperi. De là, le Corso Andrea Palladio conduit directement au centre historique.

Renseignements

Office du tourisme (www.vicenzae.org) ; Piazza dei Signori (☎ 0444 54 41 22 ; Piazza dei Signori 8 ; 🕑 10h-14h et 14h30-18h30) ; Piazza Matteotti (☎ 0444 32 08 54 ; Piazza Matteotti 12 ; 🕑 9h-13h et 14h-18h)

Ospedale Civile (☎ 0444 99 31 11 ; Viale F. Rodolfi 37). Hôpital.

Police (☎ 0444 54 33 33 ; Viale G. Mazzini 213)

Poste (Contrà Garibaldi 1 ; 🕑 8h30-18h30 lun-sam)

À voir

PIAZZA DEI SIGNORI

Le cœur de la ville historique est la Piazza dei Signori, dont l'austérité administrative est adoucie par un jeu d'ombres et de lumières dû à Palladio. D'une blancheur éclatante, des arches en pierre de Piovene encadrent les doubles arcades de la **Basilica Palladiana** (☎ 0444 32 36 81 ; 🕑 expositions temporaires seulement), conçue en 1549.

À l'extrémité nord-ouest de la place, pierre blanche et stuc mettent en valeur les colonnes en brique de la **Loggia del Capitaniato** (1571).

CONTRÁ PORTI

Au nord du Corso Andrea Palladio, la Contrà Porti est bordée de trois chefs-d'œuvre de Palladio. Récemment restauré, le **Palazzo Barbaran** (☎ 0444 32 30 14 ; Contrá Porti 11 ; www. cisapalladio.org ; gratuit avec la PalladioCard, adulte/étudiant 5 € ; 🕑 10h-18h mer-dim), construit par Palladio vers 1569-1570, présente une double rangée de colonnes en façade et une ravissante cour avec une loggia sur deux niveaux où filtrent les rayons du soleil. Les décorations en stuc et les fresques de Giambattista Zelotti dépeignant les cabrioles des dieux semblent soulever le plafond des vastes galeries du rez-de-chaussée. Dans la salle de bains, observez à la fenêtre l'astucieuse utilisation des voûtes d'arêtes par Palladio.

À VOIR : LES MONTS EUGANÉENS

Au sud-ouest de Padoue, le paysage féérique et vallonné des **Colli Euganei** (collines ou monts Euganéens) est parsemé de bourgades, de vignobles enveloppés par la brume, de quelques châteaux et de sources chaudes. Le site de l'**office du tourisme de Padoue** (www.turismotermeeuganee.it) fournit des cartes et des renseignements sur les hébergements, les sentiers de randonnée et les transports. Depuis Padoue, voici quelques haltes possibles :

Terme (sources chaudes)

L'eau provenant des Préalpes italiennes jaillit au nord de Padoue à 85°C et enrichie en sels minéraux. Une centaine d'hôtels thermaux sont répertoriés dans le guide *Terme* (www.turismotermeeuganee.it) et indiqués par les offices du tourisme d'**Abano Terme** (☎ 049 866 90 55 ; Via Pietro d'Abano 18) et de **Montegrotto Terme** (☎ 049 79 33 84 ; Viale Stazione 60).

Maison de Pétrarque

Pétrarque (Petrarca), le grand poète italien, passa les cinq dernières années de sa vie dans le village médiéval d'**Arquà Petrarca**, où vous pourrez visiter sa **maison** (☎ 0429 71 82 94 ; Via Valleselle 4 ; gratuit avec la PadovaCard ou adulte 3 € ; 🕑 9h-12h et 15h-18h30 mar-dim mars-oct, 9h-12h et 14h30-17h mar-dim nov-fév), une demeure en pierre, signer le livre d'or, et saluer le chat embaumé du poète. Jusqu'à 3 bus par jour, en provenance de Padoue (2,70 €, 55 min) et en direction d'Este, passent par le village.

Forteresses médiévales

Aujourd'hui accessibles en bus SITA ou par le train Padoue-Montagnana (3,40 €, ttes les 1 à 3 heures, 20 à 60 min), les bourgades accueillantes de Monselice, Este et Montagnana étaient au Moyen Âge retranchées derrière de hautes fortifications censées décourager les vagabonds, les Français et les marchands ambulants. **Monselice** est protégée par plusieurs murailles, érigées successivement du XIᵉ au XVᵉ siècle et dominées par le **château** (☎ 0429 7 29 31 ; adulte/enfant 6-14 ans/moins de 6 ans 5,50/3 €/gratuit ; Via del Santuario ; 🕑 visites guidées 1 heure 9h-12h et 15h-18h mar-dim avr-nov). À l'ouest de Monselice, sur la route de Mantoue, se trouve **Este**, d'où un sentier part vers le nord près des ruines romantiques du château jusqu'à la **Villa Kunkler**, demeure privée où résidèrent Byron et Shelley (une balise l'indique à l'entrée). À environ 12 km à l'ouest d'Este s'élèvent les imposantes fortifications de **Montagnana**, qui s'étendent sur 2 km et comptent 24 bastions et quatre portes.

Au n°12, une banque occupe le **Palazzo Thiene**, débuté sous la houlette de Palladio vers 1556-1558. De rustiques arches de pierre surmontées de fenêtres à pignons et d'élégants pilastres corinthiens guident le regard vers le ciel. Dans la même rue, au n°21, Palladio est aussi à l'origine d'un édifice blanc, le **Palazzo Isoppo da Porto** (1549-1553). Huit colonnes ioniques gravées ornent l'étage et des sculptures et des pilastres encadrent le sommet de l'édifice inachevé.

CONTRÀ DI SANTA CORONA

Deux rues à l'est de la Contrà Porti, la Contrà di Santa Corona, nommée d'après la **Chiesa di Santa Corona** (8h30-12h et 15h-18h mar-dim, 16h-18h lun) est tout aussi remarquable. Bâtie par les Dominicains en 1261 pour abriter une relique de la couronne d'épines du Christ, l'église romane en brique contient aussi trois chefs-d'œuvre : la chapelle Valmarana, dans la crypte, de Palladio (1576), l'*Adoration des mages* de Paolo Véronèse, admirée par Goethe, et le magistral *Baptême du Christ, de* Giovanni Bellini, où trois beautés de Vénétie et un étrange oiseau rouge assistent à la cérémonie.

Malgré les apparences, les **Gallerie di Palazzo Leoni Montanari** (800 578875 ; www.palazzomontanari.com ; Contrà di Santa Corona 25 ; adulte/étudiant 4/3 € ; 10h-18h mar-dim) ne sont pas qu'une banque. Gravissez l'extravagant escalier décoré de stucs et encadré par des nymphes et allez jusqu'aux salons. Les lagunes brumeuses de Canaletto et les satires sociales de Pietro Longhi ornent les murs : dans *Les Tuteurs de la maison Venier,* des précepteurs exaspérés sont effondrés sur leurs chaises, épuisés par l'impudence de leur élève. À l'étage est exposée une superbe collection de 400 icônes russes rassemblées par la Banca Intesa et magnifiquement mises en valeur par l'éclairage, sur fond de chants grégoriens. La visite vous laissera sans voix : saints auréolés d'argent sur les portes du XVIe siècle, miniatures de 99 saints représentés avec un luxe de détails, d'après le Ménologe du XIXe siècle, fabuleuses icônes de Vierges parées de bijoux… Tant de richesses explique pourquoi il faut laisser son sac dans les casiers du rez-de-chaussée.

PIAZZA MATTEOTTI

Le Corso Palladio est coupé par deux édifices emblématiques de Palladio. Un charmant jardin clos dissimule le **Teatro Olimpico** (0444 22 28 00 ; www.olimpico.vicenza.it ; billet couplé avec le Museo Civico adulte/étudiant/moins de 15 ans 8/6 €/gratuit, avec la PalladioCard adulte 6 € ; 9h-17h mar-dim), merveille de style Renaissance, que Palladio commença en 1580 en s'inspirant des structures romaines. Vincenzo Scamozzi acheva le théâtre après la mort de Palladio en ajoutant une scène qui imitait la cité antique de Thèbes et en accentuant la perspective des rues pour donner une impression de profondeur. Depuis sa restauration en 1934, cette salle est le rêve de tout acteur. Consultez le site Internet pour connaître la programmation d'opéra et de musique classique ; en mai, ne manquez pas les concerts de jazz.

Conservez votre billet d'entrée pour accéder au **Museo Civico** (0444 32 13 48 ; www.museicivicivicenza.it ; Palazzo Chiericati, Piazza Matteotti 37/39 ; billet couplé avec le Teatro Olimpico adulte/étudiant/moins de 15 ans 8/6 €/gratuit, avec la PalladioCard adulte 6 € ; 9h-17h mar-dim), qui occupe l'une des plus belles créations de Palladio (1550), avec un rez-de-chaussée à colonnades et une loggia à deux niveaux encadrée de grandes terrasses. Le rez-de-chaussée, couvert de fresques, réunit la Sala dal Firmamento (Salon des cieux), avec un plafond de Domenico Brusasorci sur lequel Diane, déesse de la Lune, traverse au galop le ciel pour rejoindre le soleil. À l'étage, les œuvres d'artistes de Vicence sont mises en parallèle avec celles de maîtres vénitiens (Véronèse, Tiepolo, le Tintoret). Un crucifix de Hans Memling, d'étourdissantes scènes de Jacopo Bassanos, des natures mortes d'Elisabetta Marchioni et l'*Extase de saint François* (1729), chef-d'œuvre de Giambattista Piazzetta, complètent la collection.

SUD DE VICENCE

Descendez le Viale X Giugno, puis suivez la Via San Sebastiano vers l'est pendant une vingtaine de minutes pour arriver à la **Villa Valmarana 'ai Nani'** (0444 32 18 03 ; www.villavalmarana.com ; Via dei Nani 8 ; adulte/étudiant/moins de 12 ans 8/4 €/gratuit ; 10h-12h et 15h-18h mar-dim mars-oct, 10h-12h et 14h-16h30 sam et dim nov-fév), qui expose de splendides fresques peintes en 1757 par Giambattista Tiepolo et son fils Giandomenico. Giambattista décora l'aile Palazzina de ses fameuses scènes mythologiques, tandis que Giandomenico poursuivait un travail thématique dans la Foresteria : pièces tantôt bucoliques, tantôt carnavalesques, chinoises, etc. L'appellation "ai Nani" (nains) fait référence aux 17 statues érigées autour du jardin. Le domaine accueille des concerts pendant l'été : consultez les dates en ligne.

VÉNÉTIE

VICENCE (VICENZA)

0 ――――― 400 m

RENSEIGNEMENTS		
Ospedale Civile	1	B2
Police	2	A3
Poste	3	B4
Office du tourisme	4	C3
Office du tourisme	5	C4
À VOIR ET À FAIRE		
Basilica Palladiana	6	B4
Chiesa di Santa Corona	7	C3
Gallerie di Palazzo Leoni Montanari	8	B3
Loggia del Capitaniato	9	B4
Museo Civico	10	C3
Palazzo Barbaran	11	B3
Palazzo Isoppo da Porto	12	B3
Palazzo Thiene	13	B3
Villa Valmarana 'ai Nani'	14	D6

OÙ SE LOGER		
Albergo Due Mori	15	B4
Ostello Olimpico	16	C3
Relais Santa Corona	17	C3
OÙ SE RESTAURER		
Antico Guelfo	18	B3
Dai Nodari	19	B4
Gastronomia Il Ceppo	20	C3
Pitanta	21	C3

OÙ PRENDRE UN VERRE		
Antica Casa della Malvasia	22	B4
Sorarú	23	B4
OÙ SORTIR		
Teatro Olimpico	24	C3
TRANSPORTS		
Bus n°8 vers La Rotonda	25	B4
Gare routière	26	A5

Vers l'A31 (8 km)
et Trévise (66 km)

Vers Trente
(144 km)

Parco
Querini

Piazza
Araceli

V Araceli

Piazza
Matteotti

Piazza
dei Signori

Cathédrale

Piazza
del
Duomo

Giardino
Salvi

Piazzale de
Gasperi

Piazza
Castello

SR11

Vers
Vérone
(51 km)

Campo
Marzo

Piazza
Stazione

Gare
ferroviaire

Retrone

Viale Venezia

Viale Risorgimento

Piazza
Fraccon

Piazzale
della
Vittoria

Basilica
di Monte
Berico

Vers Padoue
(32 km)

Vers La Rotonda (500 m),
l'Agriturismo San Michele (2,5 km)

VÉNÉTIE

Un chemin conduit de la Villa 'ai Nani', à la Villa Capra, plus communément appelée **La Rotonda** (☎ 0444 32 17 93 ; Via Rotonda 29 ; villa/jardin 6/3 € ; ⏱ villa 10h-12h et 15h-18h mer mars-nov, jardin 10h-12h et 15h-18h mar-dim mars-nov). Impossible de ne pas être saisi par l'architecture de Palladio : le nom de la villa lui vient de la rotonde, ou dôme, qui couronne sa structure carrée aux façades à colonnades. Il s'agit de l'une de ses créations les plus admirées – et les plus imitées, en Europe comme aux États-Unis. Monticello (en Virginie), la demeure de l'ancien président américain Thomas Jefferson, en est un exemple. À l'intérieur, le hall circulaire est couvert de fresques en trompe l'œil. Le bus n°8 (1,50 €) pour Vicence passe devant.

Où se loger

Le site de l'office du tourisme indique quelque 50 hôtels dans Vicence ou à proximité (www.vicenzae.org). Une dizaine de B&B sont proposés sur www.vitourism.it.

Ostello Olimpico (☎ 0444 54 02 22 ; www.ostellovicenza.com ; Viale Antonio Giuriolo 9 ; dort 20 € ; ⏱ 7h30-9h30 et 15h30-23h30 mi-mars à mi-nov). Auberge de jeunesse affiliée HI installée dans un joli bâtiment à côté du Teatro Olimpico.

Albergo Due Mori (☎ 0444 32 18 86 ; www.hotelduemori.com ; Contrà do Rode 26 ; d 80 € , s/d sans sdb 48/55 € ; 🖥 📶). Proche de la Piazza dei Signori dans une rue pavée bordée de boutiques, cet édifice historique (1854) a récemment retrouvé son charme d'époque. Têtes de lits Liberty et armoires anciennes agrémentent les chambres sans clim ni TV, mais avec ventil, accès handicapés et W-Fi.

Agriturismo San Michele (☎ 0444 53 37 54 ; www.agrismichele.it ; Strada della Pergoletta 118, près de Viale Riviera Berica ; d avec petit-déj 88-145 € ; Ⓟ). Aux abords de la ville, au sud de La Rotonda (ci-dessus), ce domaine de 1700 a été revu dans un style palladien minimaliste. Ses suites où domine le blanc surplombent les vignes, les oliveraies et des vergers bio. On aime le Jacuzzi dans le jardin paysager, les repas au restaurant du rez-de-chaussée et les promenades à cheval dans la propriété.

Relais Santa Corona (☎ 0444 32 46 78 ; www.relaissantacorona.it ; Contrà Santa Corona 19 ; s/d avec petit-déj 87/104 € ; Ⓟ 🍴 🖥 📶). Le confort et la classe à petit prix dans un palais du XVIIIᵉ siècle, idéalement situé dans une rue bordée d'édifices emblématiques de la ville. Ambiance apaisante, élégance sobre, chambres insonorisées, matelas excellents et Wi-Fi comptent parmi ses atouts.

Où se restaurer

Gastronomia Il Ceppo (☎ 0444 54 44 14 ; 196 Corso Palladio ; plats préparés 3-5 €/100 g ; ⏱ 8h-13h et 15h30-19h45 lun-mar et jeu-sam, 15h30-19h45 mer). Un chapelet de jambons San Daniele est suspendu au-dessus du comptoir de 10 m couvert de salades de fruits de mer, pâtes fraîches et fromages. Manger debout au bar vous ennuie ? Demandez au personnel une bouteille de vin local pour accompagner votre choix et allez vous installer de l'autre côté de la rue, au Teatro Olimpico, pour un pique-nique de rêve.

Dai Nodari (☎ 0444 54 40 85 ; Contrà do Rode 20 ; repas moins de 10 € ; ⏱ 12h-15h30 et 19h-23h lun-sam). Dans le Vicence historique, les déjeuners à 7 € et les dîners à 9 € attirent une clientèle locale et revisitent des recettes rustiques : poulets aux champignons sauvages locaux, *Sachertorte* ou assiette de fromages locaux… Réclamez par exemple le "Bastardo di Grappa", assaisonné comme son nom l'indique à la grappa.

Pitanta (☎ 0444 51 35 10 ; Contrà San Lucia 8 ; repas 7-15 € ; ⏱ 7h30-1h lun-sam, 12h30-14h30 dim). Tout dans cette *osteria* fleure bon l'authenticité : les souvenirs footballistiques de Vicence aux murs, les généreuses portions de pâtes *bigoli* à la sauce au canard pour 6 € et l'honnête vin maison à 0,80 € le verre.

Antico Guelfo (☎ 0444 54 78 97 ; Contrà Pedemuro San Biagio 92 ; repas 35-40 € ; ⏱ déj et dîner lun-ven, dîner sam). Cette table séduira les adeptes du Slow Food avec son recours créatif aux spécialités locales, comme le risotto à l'Amarone ou les crêpes de sarrasin au fromage Bastardo di Grappa. Le chef est spécialiste de la cuisine sans gluten et adapte ses plats à toutes les préférences diététiques.

Où prendre un verre

Sorarú (☎ 0444 32 09 15 ; Piazzetta Palladio ; ⏱ 8h-20h lun-sam). Excellente adresse pour un expresso ou un cocktail à siroter au bar en marbre, entre les pâtisseries maison et les bocaux de bonbons qui remplissent les étagères en bois.

Antica Casa della Malvasia (☎ 0444 54 37 04 ; Contrà delle Morette 5 ; repas 35 € ; ⏱ mar-dim). Fournisseur en vins depuis 1200, quand les marchands vénitiens importaient du Malvoisie de Grèce. La carte comprend aujourd'hui 80 vins, notamment le Malvoisie italien, et 100 grappas.

Depuis/vers Vicence

BUS

Les bus **FTV** (☎ 0444 22 31 15 ; www.ftv.vi.it) partent de la gare routière, près de la gare ferroviaire, pour les environs de Vicence.

ÉPICURISME ET CHEFS-D'ŒUVRE IMMORTELS : DE VICENCE À LA VILLA MASER

Les routes qui partent de Vicence mènent à certains des paysages les plus raffinés d'Italie et croisent des exemples emblématiques de l'architecture et de l'art moderne italiens, tout en permettant des haltes gastronomiques et la visite de la plus somptueuse villa d'Europe. La promenade en voiture dure 1 heure 15 dans chaque sens, ou une journée entière si l'on s'arrête pour déjeuner.

Empruntez la SP248 vers le nord jusqu'à **Bassano del Grappa**, d'où sont originaires les célèbres asperges blanches et la grappa. De la Piazza Libertà, au centre, suivez la Via Matteotti jusqu'au **Ponte degli Alpini** (ou Ponte Vecchio), pont couvert conçu par Palladio, et le **Poli Museo della Grappa** (☎ 0424 52 44 26 ; www.poligrappa.com ; Via Gamba 6, Ponte Vecchio ; entrée libre ; ⏰ 9h-19h30), où vous découvrirez la fameuse eau-de-vie, produite à Bassano depuis quatre siècles.

Sur la SP248, parcourez 17 km jusqu'à **Asolo**, à l'est. La "ville aux 1 000 panoramas" se distingue par ses points de vue sur les paysages environnants. La jolie Piazza Garibaldi, où se trouve l'**office du tourisme** (☎ 0423 52 90 46 ; Piazza Garibaldi 73 ; ⏰ 9h-12h30 lun-ven, 15h-18h mar, jeu et ven, 9h30-12h30 et 15h-18h sam et dim), est encadrée de rangées serrées de maisons aux nuances mordorées. Offrez-vous un cochon de lait aux pommes de terre rôties ou des tagliatelles aux perdrix arrosées de sauce chez **Ca' Derton da Nino** (☎ 423 52 96 48 ; Piazza d'Annunzio 11 ; repas 20-30 € ; ⏰ déj et dîner mar-sam). Une boucle de 11 km par la SP6, au nord, mène à **Possagno**, lieu de naissance et dernière demeure du maître italien de la sculpture néoclassique, Antonio Canova. Nombre de ses modèles en plâtre sont exposés à la **Gipsoteca** (☎ 0423 54 43 23 ; www.museocanova.it ; Possagno ; adulte/étudiant/moins de 6 ans 7/4 €/gratuit ; ⏰ 9h-12h30 et 15h-18h mar-dim), réalisée par l'artiste moderniste Carlo Scarpa en 1957.

Pour observer la dernière œuvre de Scarpa, retournez à Asolo et parcourez 5 km vers l'est jusqu'au cimetière municipal de **San Vita d'Altivole**. Il ne faut pas manquer le **caveau des Brion** (Via del Cimitero ; ⏰ 9h-19h), d'où un pont de béton brut émerge d'un jardin d'inspiration zen. Des pierres posées dans l'eau mènent à la chapelle surmontée d'un dôme renfermant les sarcophages. Selon ses vœux, Scarpa fut enterré debout auprès de ses clients, contre un mur de délimitation.

Palladio et Paolo Véronèse contribuent à faire de la **Villa Maser** (Villa Barbaro ; ☎ 423 92 30 04 ; www.villadimaser.it ; avec/sans la PalladioCard 3/6 € ; ⏰ 10h-18h mar-sam et 11h-18h dim avr-juin, sept et oct, 10h-18h mar, jeu, sam et 11h-18h dim mars, juil et août, 14h30-17h sam et dim nov et déc, 10h-17h sam et 11h-17h dim jan et fév) un vibrant hommage à *la bella vita*. Palladio a niché la villa jaune contre une colline verdoyante, comportant une grotte à l'arrière, tandis que Paolo Véronèse couvrait l'intérieur de l'édifice de trompe-l'œil fantaisistes. Après avoir chaussé les indispensables pantoufles fournies à l'entrée, vous pourrez admirer les vignes couvrant les murs de la Stanza di Baccho, un chien de garde surveillant la porte de la Stanza di Canuccio (pièce du petit chien), et, dans le grand salon, des chaussures maculées de taches et un balai, comme oubliés dans un coin par le peintre. Puis surgit une touchante vision après une succession de salons : un autoportrait de Véronèse jetant un regard attendri au portrait de sa nièce. Avant de regagner Vicence (ou Venise, par la SP667 jusqu'à Castelfranco puis SR245 jusqu'à Mestre), passez par la salle de dégustation près du parking et goûtez au Prosecco AOC cultivé sur place.

TRAIN
Des trains arrivent régulièrement de Venise (4,25 à 11,90 €, 45 min à 1 heure 15) et Padoue (2,90 à 10,90 €, 15 à 30 min).

VOITURE ET MOTO
La ville est sur le trajet de l'A4 qui relie Milan à Venise, tandis que la SR11 relie Vicence à Vérone et Padoue. Vous trouverez de grands parkings près de la Piazza Castello et de la gare ferroviaire.

VÉRONE (VERONA)
264 200 habitants

Renonçant à Sienne, son premier choix, c'est à Vérone que Shakespeare choisit de situer le tragique récit des amours contrariées de Roméo Montague et de Juliette Capulet. Le Barde ne s'y trompait pas : romantisme, drame et vendetta font depuis des siècles partie intégrante de l'histoire de Vérone.

Centre de commerce romain dès 300 av. J.-C., comme en témoignent ses portes

VÉNÉTIE

et son imposant amphithéâtre, Vérone fut annexée par le roi lombard Alboïn en 569, avant que celui-ci ne soit assassiné par son épouse 3 ans plus tard. Sa réélection ayant été rejetée à la commune de Vérone en 1262, Mastino della Scala (Scaligeri) rassembla ses soldats et prit le contrôle de la cité jusqu'à son assassinat par un groupe de nobles. Sous le règne de son fils, Cangrande Ier (1308-1328), Vérone étendit son influence jusqu'à Padoue et Vicence. Dante, Pétrarque et Giotto y trouvèrent protection et clients. Mais l'arrière-petit-fils de Mastino, Cangrande II (1351-1359) était un tyran qui laissa peu de regrets lorsqu'il fut assassiné par son frère – mais après un fratricide de trop, les Scaligeri furent chassés en 1387.

Vérone fut annexée par Milan, puis Venise en 1404. Cette dernière résista aux soulèvements attisés par les Scaligeri jusqu'à l'arrivée de Napoléon en 1797. Comme un trophée, la ville passa à l'Autriche, puis à l'Italie en 1866 avant de devenir un centre fasciste en 1938-1945, lieu d'interrogation des résistants et de transit pour l'envoi de Juifs italiens dans les camps de concentration nazis. La ville est aujourd'hui classée au patrimoine mondial de l'Unesco et retrouve son cosmopolitisme.

Orientation

Les bus desservent le centre historique au départ de la gare ferroviaire, au sud de la ville. À pied, dirigez-vous vers le nord, passez la gare routière puis suivez le Corso Porta Nuova jusqu'à la Piazza Brà, 1,5 km plus loin, et empruntez la Via G Mazzini vers le nord-est jusqu'à la Via Cappello. La Piazza delle Erbe est à gauche.

Renseignements

Internet Etc (☎ 045 800 02 22 ; Via Quattro Spade 8b ; 5,50 €/h ; ⏲ 14h30-20h lun, 10h30-20h mar-sam, 15h30-20h dim)

Office du tourisme (www.tourism.verona.it) ; gare ferroviaire (☎ 045 800 08 61 ; ⏲ 8h-19h lun-sam, 9h-17h dim) ; aéroport de Vérone-Villafranca (☎ 045 861 91 63 ; ⏲ 9h-18h lun-sam, jusqu'à 15h dim avr-nov, jusqu'à 16h lun-sam, jusqu'à 15h dim déc-mars) ; Via degli Alpini (☎ 045 806 86 80 ; Via degli Alpini 9 ; ⏲ 8h30h-19h lun-sam, 9h-17h dim)

Ospedale di Verona (☎ 045 807 11 11 ; Piazza A. Stefani). Hôpital au nord-ouest du Ponte Vittoria.

Police (☎ 113 ; Lungadige Galtarossa 11). Près du Ponte Navi.

Poste (Piazza Viviani 7 ; ⏲ 8h30-18h30 lun-sam)

Urgences médicales (☎ 118)

À voir

ARÈNES ROMAINES

L'**amphithéâtre** (Roman Arena ; ☎ 045 800 51 51 ; www.arena.it ; Piazza Brà ; billetterie Ente Lirico Arena di Verona, Via Dietro Anfiteatro 6b ; visites guidées adulte/étudiant/enfant 4/3/1 € ; ⏲ visites guidées 13h45-19h30 lun et 8h30-19h30 mar-dim oct-mai, 8h-15h30 juin-août), monument romain en marbre rose édifié au Ier siècle, résista à un séisme au XIIe siècle. Aujourd'hui encore, cette enceinte légendaire peut contenir 30 000 personnes. Renseignements sur les spectacles p. 397.

LA VÉRONE DE SHAKESPEARE

En retrait de la Via G Mazzini, principale artère commerçante de Vérone, se dresse la célèbre **Casa di Giulietta** (maison de Juliette ; ☎ 045 803 43 03 ; Via Cappello 23 ; adulte/étudiant/enfant 4/3/1 € ; ⏲ 8h30-19h30 mar-dim, 13h45-19h30 lun). Même si Roméo et Juliette n'ont jamais existé et que l'étroit balcon de pierre est à peine assez grand pour deux, la demeure du XIVe siècle attire des romantiques du monde entier. Les amants éplorés ajoutent leurs propres graffitis à ceux qui recouvrent les murs de la voie d'accès à la cour et touchent le sein droit d'une statue en bronze de Juliette pour avoir plus de chance la prochaine fois. Les mordus se rendront sur la **Tomba di Giulietta** (tombe de Juliette ; ☎ 045 800 03 61 ; Via del Pontiere 35 ; adulte/étudiant/enfant 3/2/1 € ; ⏲ 8h30-18h30 mar-dim, 13h45-19h30 lun), dans un cloître dont les fresques présentent peu d'intérêt.

PIAZZA DELLE ERBE

Fondée sur l'emplacement d'un ancien forum romain et bourdonnant de l'animation des cafés, la place est bordée de certains des plus somptueux édifices de Vérone, notamment le baroque **Palazzo Maffei**, du côté nord, et la **Torre del Gardello** (XIVe siècle), juste à côté. À l'est s'élève la **Casa Mazzanti**, décorée de fresques. C'est l'ancienne résidence du clan Scaligeri.

La Piazza delle Erbe et la Piazza dei Signori sont reliées par l'**Arco della Costa**, où est suspendue une énorme côte de baleine. La légende affirme qu'elle tombera sous la première personne "juste" qui passera en dessous. En plusieurs siècles, elle n'est jamais tombée, malgré le passage de plusieurs papes ! À proximité, la silhouette rayée de la **Torre dei Lamberti** (☎ 045 803 27 26 ; montée en ascenseur/à pied 3/2 € ; ⏲ 9h-19h30 mar-dim, 13h30-19h30 lun), est une tour de garde du XIIe siècle qui ne fut achevée qu'en 1463 – trop tard pour voir arriver les Vénitiens... La vue est néanmoins magnifique. Le **Palazzo Forti** (Palazzo della Ragione ; ☎ 199 19 91 11 ; www.palazzoforti.it

VÉRONE (VERONA)

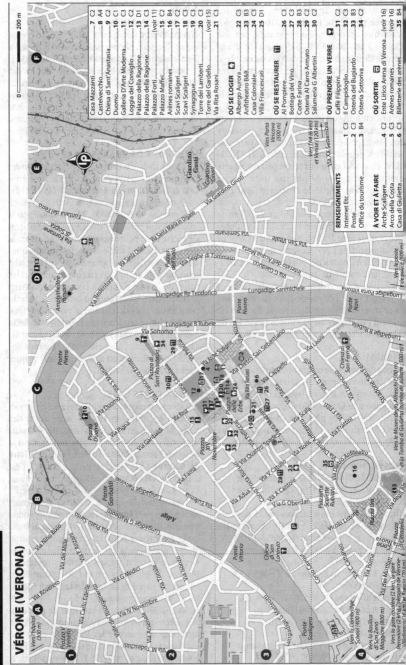

Casa Mazzanti	7	C2
Castelvecchio	8	A4
Chiesa di Sant'Anastasia	9	C1
Duomo	10	C1
Galleria D'Arte Moderna	11	D1
Loggia del Consiglio	12	C2
Palazzo della Ragione	13	D1
Palazzo della Ragione	14	B4
Palazzo Forti	(voir 11)	
Palazzo Maffei	15	C2
Arènes romaines	16	B4
Scavi Scaligeri	17	C2
Scavi Scaligeri	18	C3
Synagogue	19	C3
Torre dei Lamberti	20	C2
Torre del Gardello	(voir 15)	
Via Rita Rosani	21	C3

OÙ SE LOGER

Albergo Aurora	22	C3
Antiheatro B&B	23	B3
Casa Coloniale	24	C2
Villa Francescati	25	D1

OÙ SE RESTAURER

Al Pompiere	26	C3
Bottega del Vino	27	C3
Corte Farina	28	B3
Osteria Al Carro Armato	29	C2
Salumeria G Albertini	30	C2

OÙ PRENDRE UN VERRE

Caffè Filippini	31	C2
Il Campidoglio	32	C3
Osteria del Bugiardo	33	B3
Osteria Sottoriva	34	C2

OÙ SORTIR

Ente Lirico Arena di Verona	(voir 16)
Arènes romaines	(voir 16)
Billetterie des arènes	35	B4

RENSEIGNEMENTS

Internet Etc	1	C3
Poste	2	C3
Office du tourisme	3	B4

À VOIR ET À FAIRE

Arche Scaligere	4	C2
Arco della Costa	5	C2
Casa di Giulietta	6	C3

it ; adulte/étudiant 6/5 € ; ⏱ 10h30-19h mar-dim) abrite la nouvelle **Galleria d'Arte Moderna**, où sont exposées 90 œuvres d'art des années 1970 à nos jours. Des expositions ambitieuses y sont montées, par exemple autour des œuvres d'Escher ou de Sol LeWitt, tandis que les **Scavi Scaligeri** voisins se consacrent à la photographie.

PIAZZA DEI SIGNORI

La **Loggia del Consiglio**, ancien siège du conseil municipal datant du XVᵉ siècle, est située dans la partie nord de la place ; c'est l'une des structures véronaises emblématiques du début de la Renaissance. Elle est attenante au **Palazzo degli Scaligeri**, ancienne résidence principale du clan Scaligeri, qui disposait là d'un endroit bien situé pour garder un œil sur les conseillers de la ville. En passant sous les arcades, à l'extrémité de la place, vous découvrirez les **Arche Scaligere** (Via Arche Scaligere ; entrée combinée avec la Torre dei Lamberti ascenseur/à pied 4/3 € ; ⏱ 9h30-19h30 mar-dim, 13h45-19h30 lun juin-sept), les tombeaux très ouvragés de la famille Scaligeri, où les assassins sont enterrés non loin de leurs victimes.

ÉGLISES ET SYNAGOGUES

Chef-d'œuvre de l'architecture romane avec ses rayures de brique et de tuffeau, la **Basilica di San Zeno Maggiore** (www.chieseverona.it ; Piazza San Zeno ; billet couplé avec une église de Vérone/basilique seulement 5/2,50 € ; ⏱ 8h30-18h lun-sam et 13h-18h dim mars-oct, 10h-13h et 13h30-16h mar-sam et 13h-17h dim nov-fév) fut dédiée au saint patron de la ville entre le XIIᵉ et le XIVᵉ siècle. On entre par un cloître fleuri dans la vaste nef, décorée de fresques du XIIᵉ au XIVᵉ siècle représentant Jésus, Marie-Madeleine pudiquement couverte du rideau de ses cheveux blonds et saint Georges à cheval tuant son dragon comme si de rien n'était. Sous la rosace représentant la roue de la fortune, le portail de bronze du XIIᵉ siècle arbore des scènes extraordinairement détaillées, notamment l'exorcisme d'une possédée à qui on arrache un démon de la bouche. Au terme d'une laborieuse restauration, la *Majesté de la Vierge* (1457-1479) de Mantegna connaît une seconde jeunesse. Les perspectives et les matières de ce retable sont d'un remarquable réalisme – admirez par exemple les guirlandes de fruits parant le trône de la Vierge. Au niveau inférieur, une sinistre crypte, ornée de chapiteaux médiévaux d'où émergent des visages, abrite le gisant de saint Zénon.

La **cathédrale** (Duomo ; Piazza del Duomo ; billet couplé église de Vérone/cathédrale uniquement 5/2,50 € ; ⏱ 10h-17h30 lun-sam,

13h30-17h30 dim mars-oct, 10h-13h et 13h30-16h mar-sam, 13h-17h dim nov-fév) du XIIᵉ siècle et de style roman, frappe par ses reliefs polychromes et les statues de Roland et Olivier, paladins de Charlemagne, réalisées sur le porche ouest par Nicoló, artiste médiéval. La sobriété de la façade tranche avec l'extravagance de l'intérieur, couvert de fresques d'anges en trompe l'œil au cours des XVIᵉ et XVIIᵉ siècles. À gauche de la nef, la chapelle Cartolari-Nichesola, conçue par Jacopo Sansovino et illustrée d'une *Ascension* de Titien, montre une foule stupéfaite par l'envol de la Vierge.

Au nord des Arche Scaligere se dresse la **Chiesa di Sant'Anastasia** (Piazza di Sant'Anastasia ; ⏱ 9h-18h lun-sam, 13h-18h dim mars-oct, 10h-13h et 13h30-16h mar-sam, 13h-17h dim nov-fév), la plus imposante église de Vérone. Construite entre le XIIIᵉ et le XVᵉ siècle dans un style gothique, elle abrite de nombreuses œuvres de Véronèse. Ne manquez pas celle de Pisanello, *Saint Georges délivrant la princesse du dragon*, dans la chapelle Pisanelli, ni l'heureux bossu représenté sur un bénitier (1495) par Gabriele Caliari, père de Paolo Véronèse.

Près de la Piazza delle Erbe, au sud-ouest, se trouve le site de l'ancien **Ghetto** juif de Vérone. De hauts édifices encadrent l'étroite **Via Rita Rosani**, du nom de l'héroïque résistante qui dirigea une troupe de partisans. Arrêtée, elle fut exécutée en 1944, à l'âge de 24 ans. Au sud-est de la Via Rosani se dresse la **synagogue** de Vérone, récemment restaurée. Les visiteurs juifs et les personnes intéressées seront accueillis par Signor Willis, gardien de la synagogue et historien local.

CASTELVECCHIO

Au sud-ouest de la Piazza delle Erbe, sur les rives de l'Adige, s'élève la forteresse (1354-1356) du terrible Cangrande II. La construction fut gravement endommagée par l'armée de Napoléon et les bombardements de la Seconde Guerre mondiale, mais elle a été "réinventée" dans les années 1960 par Carlo

Scarpa qui, au lieu d'effacer les traces de ces ravages, bâtit des passerelles au-dessus des fondations mises à nu, utilisa des panneaux de verre pour boucher les trous béants et fixa une statue de Cangrande Ier au-dessus de la cour sur un pont de béton. Ainsi mis en valeur, Castelvecchio fait un cadre magnifique pour le **musée** (☎ 045 806 26 11 ; Corso Castelvecchio 2 ; adulte/ étudiant/enfant 8/7/1 € ; ⏰ 8h30-19h30 mar-dim et 13h45-19h30 lun) de Vérone. Fresques, bijoux, objets médiévaux et peintures de Pisanello, Giovanni Bellini, Tiepolo, Carpaccio et Véronèse y sont exposés. Le musée accueille aussi de passionnantes expositions temporaires. On a pu ainsi voir une rétrospective Andrea Mantegna et des œuvres en verre modernistes.

Où se loger
Si vous voulez un plus grand choix de chambres, la **Cooperativa Albergatori Veronesi** (☎ 045 800 98 44 ; www.veronapass.com) réserve gratuitement des hôtels deux étoiles. Pour une pension hors du centre-ville, consultez **Verona Bed & Breakfast** (www.bedandbreakfastverona.com).

Camping Castel San Pietro (☎ 045 59 20 37 ; www.campingcastelsanpietro.com ; Via Castel San Pietro 2 ; adulte/enfant/tente 7/5/7 € ; ⏰ mai-sept). Emplacements verdoyants et deux terrasses où se détendre, loin de l'agitation de la ville. Sur place : supérette, machines à laver et autres installations. Prenez le bus n°41 ou 95 à la gare ferroviaire.

Villa Francescati (☎ 045 59 03 60 ; www.ostellionline.org ; Salita Fontana del Ferro 15 ; avec petit-déj dort/s en ch familiale 18/20 € ; ⏰ 7h-23h30). Auberge de jeunesse (affiliée HI) occupant une villa du XVIe siècle entourée de superbes jardins. Le personnel vous aidera à réserver des billets de spectacles et recommandera des bars. Il n'y a pas de cuisine et le repas est à 10 €. Prenez le bus n°73 (semaine) ou le n°90 (dimanche et jours fériés) depuis la gare.

Casa Coloniale (☎ 337 47 27 37 ; www.casa-coloniale.com ; Via Cairoli 6 ; avec petit-déj s/d 50-70/80-110 € ; 🐾). Proche de la Piazza Erbe, ce nouveau B&B huppé compte trois chambres peintes d'une bande de couleur vive affichant leur numéro comme une boule de billard.

🏠 **Anfiteatro B&B** (☎ 347 24 84 62 ; www.anfiteatro-bedandbreakfast.com ; Via Alberto Mario 5 ; avec petit-déj s/d/ tr ou q 60-90/80-130/100-150 €). Apprécié des chanteurs d'opéra et des fashionistas, cet hôtel particulier récemment restauré est à quelques pas de l'Arena, dans la Via Mazzini bordée de boutiques. Les chambres spacieuses, les hauts plafonds aux poutres apparentes, les armoires anciennes et les divans font son charme.

Albergo Aurora (☎ 045 59 47 17 ; www.hotelaurora.biz Piazza XIV Novembre 2 ; avec petit-déj s/d 90-130/100-150 €, s sans sdb 58-70 € ; 🐾). Tout proche de la Piazza Erbe, mais baignant dans un calme bienvenu, cet hôtel récemment rénové loue des chambres douillettes et spacieuses. Le décor est sans chichis. Profitez de la terrasse ensoleillée pour boire un verre devant la piazza.

Où se restaurer
Salumeria G Albertini (☎ 045 803 10 74 ; Via Sant'Anastasia 39 ; ⏰ 8h-14h et 15h-20h lun-sam). Épicerie de carte postale remplie de pâtes, viandes salées, Asiago local (fromage de brebis) et vins. L'étape indispensable avant d'aller pique-niquer au bord de la rivière ou dans les arènes.

Corte Farina (☎ 045 800 04 40 ; Corte Farina 3 ; pizzas 7-12 € ; ⏰ déj et dîner mar-jeu). À mi-chemin entre l'Argentine et Vérone, cette pizzeria prépare aussi des *empanadas* (chaussons salés à la viande). Attablez-vous, assis sur les belles banquettes ou dégustez votre pizza dehors, à deux rues des arènes.

Osteria Al Carro Armato (☎ 045 803 01 75 ; Vicolo Gatto 2a ; repas 20-30 € ; ⏰ mar-dim). *Osteria* véronaise typique, haute de plafond et pourvue de longs bancs en bois brut. Avec votre verre de vin, dégustez de copieux plats locaux, comme les tagliatelles *di manzo* (fines tranches de bœuf et roquette) ou les *pastissada di cavallo*, célèbre ragoût de cheval de Vérone.

🏠 **Al Pompiere** (☎ 045 803 05 37 ; www.alpompiere.com ; Vicolo Regina d'Ungheria 5 ; repas 25-40 € ; ⏰ mar-sam et dîner lun). Le casque de pompier (*pompiere*) est toujours accroché au mur, mais les clients viennent surtout pour la belle sélection de fromages et l'assiette de *salumi* salé maison. Les entrées peuvent faire office de repas avec un verre de vin, à moins de goûter les *bigoli con le sarde* (gros spaghettis aux sardines) ou les raviolis aux oignons caramélisés. Pensez à réserver.

Bottega del Vino (☎ 045 800 45 35 ; www.bottegavini.it ; Vicolo Scudo di Francia 3a ; repas 60-70 € ; ⏰ mer-lun). Le vin est à l'honneur dans cette *enoteca* au bar décoré de bouteilles illuminées. Le sommelier sélectionnera un bon cru pour accompagner votre salade de homard *crudo*, le risotto à l'Amarone ou le cochon de lait. Certains des meilleurs vins servis ici sont exclusivement mis en bouteilles pour cet établissement.

Où prendre un verre
Il Campidoglio (☎ 045 59 10 59 ; Piazzetta Tirabosco 4 ; ⏰ 11h-2h mar-dim). Îlot de fraîcheur situé sur une

petite place séparée de la Piazza delle Erbe par un escalier, ce bar sert des cocktails toniques pendant le *happy hour*, de 18h à 21h.

Osteria Sottoriva (☎ 045 801 43 23 ; Via Sottoriva 9a ; ☼ 11h-22h30 jeu-mar). Dernière des nombreuses *osterie* qui occupaient naguère cette allée près de la rivière, Sottoriva sert encore des vins au verre à prix correct (1,50 à 3,50 €) à une foule de clients qui se pressent autour des tables de bois brut sous les arcades. Saucisses de porc et boulettes de cheval accompagnent le vin.

Caffè Filippini (☎ 045 800 45 49 ; Piazza delle Erbe 26 ; ☼ 8h-2h jeu-mar). L'adresse la plus branchée de la ville concocte depuis 1901 sa spécialité, le Filippini (vermouth, gin, citron et glace), mais ouvre aussi le matin pour le café.

Osteria del Bugiardo (☎ 045 59 18 69 ; Corso Portoni Borsari 17a ; ☼ 11h-22h mar-dim). Dans le Corso Portoni Borsari, artère animée, cette *osteria* sert un remarquable Valpolicella spécialement mis en bouteille pour elle. Une polenta et sa *sopressa* (salami frais, une spécialité) accompagnent à merveille un capiteux Amarone.

Où sortir

Arènes romaines (☎ 045 800 51 51 ; www.arena.it ; Piazza Brà, billetterie Ente Lirico Arena di Verona, Via Dietro Anfiteatro 6b ; billets 15-150 € ; ☼ opéras juin-août). La scène où Placido Domingo a fait ses débuts accueille chaque année, de juin à août, 50 spectacles rassemblant les plus grands noms de l'opéra. En hiver, des concerts classiques ont lieu en face, dans l'**Ente Lirico Arena di Verona** (XVIIIᵉ siècle).

Depuis/vers Vérone

AVION

L'**aéroport de Vérone-Villafranca** (VRN ; ☎ 045 809 56 66 ; www.aeroportoverona.it), à 12 km de la ville, est accessible avec les Aerobus d'APTV depuis/vers la gare ferroviaire (4,50 €, 15 min, 3/heure de 6h30 à 23h30). Il accueille des vols intérieurs ainsi que quelques vols internationaux.

BUS

La gare routière fait face à la gare ferroviaire, dans le quartier de la Porta Nuova.

TRAIN

Depuis/vers Venise, le train est le moyen de transport le plus commode (à partir de 6,15 €, 2 heures, 2/heure). Vérone est reliée à Padoue, Vicence, Milan, Mantoue, Modène, Florence et Rome, ainsi qu'à l'Autriche, la Suisse et l'Allemagne (10/jour depuis/vers Münich).

VOITURE ET MOTO

Vérone se trouve à l'intersection des autoroutes A4 (Turin-Trieste) et A22.

Comment circuler

Les bus municipaux **AMT** (www.amt.it) n°11, 12, 13 et 14 (bus n°91 ou 92 les dimanches et fêtes) vont de la gare ferroviaire à la Piazza Brà. Achetez votre billet dans un kiosque à journaux ou un bureau de tabac avant de monter (billet 1 heure/1 jour 1/3,50 €). Vous pouvez aussi rejoindre le centre historique à pied en 20 minutes en longeant Corso Porta Nuova.

LES VIGNOBLES DE VÉRONE

L'arrière-pays viticole de Vérone recèle de beaux crus. Au nord et au nord-ouest, le Valpolicella remonte à l'époque romaine, tandis qu'à l'est de la route de Vicence dominent les blancs de Soave. Les amateurs apprécieront les deux itinéraires suivants.

Région de vin rouge : le Valpolicella

Le paysage de vignobles s'étend à perte de vue, émaillé de quelques églises romanes, demeures du XVIᵉ siècle ou minuscules villages, mais sachez que les domaines viticoles ferment le dimanche. En voiture, empruntez la SS12 direction nord-ouest depuis Vérone, puis la SP4 vers le nord et enfin la route vers **San Pietro in Cariano**, à l'ouest, où est installé l'**office du tourisme** de Pro Loco Valpolicella (☎ 045 770 19 20 ; www.valpolicellaweb. it ; Via Ingelheim 7 ; ☼ 9h30-13h et 13h30-17h30 lun-ven, 9h-13h sam). Le bus n°3 au départ de Porta Nuova, à Vérone, dessert San Pietro toutes les 30 minutes (www.apt.vr.it ; 2,30 €, 40 min). L'office du tourisme vous remettra des cartes pour vous rendre à pied, en vélo ou en bus jusqu'à des points de vue panoramiques où vous pourrez faire des dégustations. Sur rendez-vous, il est possible de visiter les **caves de Montecariano** (☎ 045 683 83 35 ; Via Valena 3, San Pietro ; ☼ sur RV lun-sam) près de la Piazza San Giuseppe, pour goûter l'Amarone, le plus prestigieux des Valpolicella rouges, protégé par une AOC.

Les gastronomes feront un détour par Fumane, minuscule bourgade au nord de San Pietro, pour déjeuner dans une grange reconvertie des années 1400 : ❤ **Enoteca Valpolicella** (☎ 045 683 91 46 ; Via Osan 45 ; repas 25-35 € ; ☼ déj et dîner mar-sam et déj dim), où les saveurs simples (risotto aux herbes sauvages, gibier à la polenta…) mettent en valeur les 700 vins italiens figurant au menu, dont 70 crus locaux. **La Meridiana B&B** (☎ 045 683 91 46 ; www.lameridiana-valpolicella.it ; Via Osan 16c, Fumane ; avec petit-déj s/d 70/90 € ; 🏊), ravissante pension installée dans une étable des années 1600, appartient aux mêmes propriétaires. Une jolie chambre au plafond en pierre donne sur le jardin, mais toutes ont été rénovées. Piscine à 1 km. Petit déjeuner servi à l'*enoteca*.

À quelques kilomètres à l'ouest de San Pietro, **Gargagnano** est renommé pour son Amarone, que vous pourriez déguster en appelant à l'avance, ainsi que des rouges Valpolicella AOC au **domaine Corte Leardi** (☎ 045 770 13 79 ; www.cortealeardi.com ; Via Giare 15 ; 🕐 sur RV 8h30-19h lun-ven, 9h-12h sam et dim), près de Gargagnano. À quelques minutes de route à l'ouest (ou deux heures à pied par une route bien indiquée de 5 km) se trouvent la ville de **Sant'Ambrogio di Valpolicella** et le village pittoresque de **San Giorgio**, à voir pour la superbe **Pieve di San Giorgio** (☎ 045 770 15 30 ; 🕐 7h-18h), une église romane couverte de fresques avec un cloître du VIIIe siècle. Entre Sant'Ambrogio et San Giorgio, le **domaine Boscaini Carlo** (☎ 045 773 14 12 ; www.boscainicarlo.it ; Via Sengia 15 ; 🕐 10h-12h et 13h30-19h lun-sam) est réputé pour ses Amarone et Valpolicella AOC primés, ainsi qu'un Ripasso particulièrement voluptueux, seulement vendu sur place. À San Giorgio, la **Trattoria Dalla Rosa Alda** (☎ 045 770 10 18 ; www.dallarosalda.it ; repas 30-35 € ; 🕐 déj et dîner mar-sam et déj dim) sert une cuisine correcte. Nous vous conseillons les gnocchis maison et le bœuf braisé à l'Amarone.

Région de vin blanc : Soave

Le vin blanc abonde en Vénétie, mais **Soave**, au sud-est de Vérone, permet de déguster son cru éponyme dans un cadre enchanteur. La ville médiévale, capitale du consortium vinicole de Vénétie, voit également transiter les Amarone et les Valpolicella. Prenez le train Milan-Venise de Vérone à San Bonifacio (2,35 à 3,55 €, 20 min), puis le bus APTV (n°30), ou sortez de l'*autostrada* A4 à San Bonifacio et parcourez 2 km sur le Viale della Vittoria vers le nord.

Les fortifications de Soave et les 24 tours de guet furent bâties sur un site médiéval par la sanglante famille Scaligeri – dont les membres avaient pourtant plus à craindre les uns des autres que des envahisseurs. Le **Castello** (☎ 045 68 00 36 ; adulte/enfant 4,50/3 € ; 🕐 9h-12h et 15h-18h30 mar-dim avr à mi-oct, 9h-12h et 15h-17h mi-oct à mars) est facilement accessible à pied (il est indiqué) en traversant des jardins et des vignes. Franchissez le pont-levis sur le côté nord du château, puis traversez deux cours avant de grimper les marches menant au Mastio, la tour défensive. Au vu du monticule d'os humains haut de 2 m découvert pendant la restauration, on pense qu'il servait de donjon.

Au pied du château se trouve la **Cantina del Castello** (☎ 045 768 00 93 ; www.cantinacastello.it ; Corte Pittora 5 ; visite et dégustation 8 € ; 🕐 9h-12h30 et 14h30-18h30 lun-sam sur RV), géant de la production qui ouvre ses caves souterraines à la visite et fait déguster ses Soave, du Brut Soave pétillant au Recioto di Soave, excellent cru de dessert. Dans la vieille ville, face à l'église, **Azienda Agricola Coffele** (☎ 045 768 00 07 ; www.coffele.it ; Via Roma 5 ; 🕐 9h-12h30 et 14h-19h lun-sam sur RV) sert un Soave Classico AOC acidulé et un Recioto di Soave DOCG (AOC qualité garantie) légèrement pétillant au goût de noix. **Suavia** (☎ 045 767 50 89 ; Frazione Fittá, Via Centro 14 ; 🕐 9h-13h et 14h-18h lun-ven et 9h-13h sam sur RV), à 8 km de Soave via la SP39, dans la petite agglomération de Fitta, s'emploie à redorer le blason des blancs de Soave, réputés peu complexes. Son Monte Carbonare Soave Classico DOC, alliant minéralité et parfums tropicaux, est une surprise.

Pour se régaler de plats locaux et de vins dans une *osteria* vieille de 140 ans, direction **Al Gambero** (☎ 045 768 00 10 ; Corso Vittorio Emanuele 5 ; repas 20-30 € ; 🕐 mar-dim) pour ses *sopressa* au Soave et polenta ou ses tortellinis en nœuds d'amour à la Valeggio. Situé dans un ancien couvent du XVIe siècle, **Lo Scudo** (☎ 045 768 07 66 ; Via San Matteo 46 ; repas 30-40 € ; 🕐 mar-dim), sert une cuisine plus recherchée. Mieux vaut arriver et commander tôt, avant que les poissons du jour et le risotto au fromage Monte Veronese DOP ne disparaissent.

DOLOMITES

Que vous soyez porté sur le ski, la randonnée ou la dégustation de Prosecco, les montagnes qui séparent la Vénétie du Trentin-Haut-Adige sont une magnifique destination. Pour en savoir plus, voir p. 342.

Conegliano
37 500 habitants

Si vous vous rendez en train ou en voiture dans les Dolomites par l'A27, Conegliano, au nord de Trévise, se prête à une halte agréable pour goûter au Prosecco – avis aux amateurs ! L'une des plus anciennes écoles d'œnologie d'Italie est installée à Conegliano, et c'est ici qu'est produite la boisson emblématique de

Vénétie, le Prosecco, vin blanc sec à base de cépage Prosecco qui existe en trois variétés : *pumante* (mousseux), *frizzante* (pétillant) ou plate. Le Prosecco de Conegliano a reçu une DOCG (AOC qualité garantie) en 2009, la plus haute distinction œnologique italienne.

Pour goûter à ce vin, prévoyez un détour par la Strada di Prosecco (route du Prosecco), de Conegliano aux Valdobbiadene (www.conelianovaldobbiadene.it) ou consultez l'**office du tourisme APT** (☎ 0438 2 12 30 ; Via XX Settembre 61 ; ☉ 9h-12h30 mar-mer, jusqu'à 12h30 et 15h-18h jeu-dim).

Sur la Via XX Settembre, dans le centre, vous ne pourrez manquer la **Scuola dei Battuti**, décorée de fresques du XVIe siècle de Ludovico Pozzoserrato à l'intérieur et à l'extérieur. L'édifice abritait jadis l'ordre des *Battuti* (flagellants) dont les adeptes pratiquaient l'autoflagellation. Le **Duomo**, dans lequel on pénètre par la Scuola, renferme un autel peint entre 1492 et 1493 par Cima da Conegliano, originaire de la région, et d'autres œuvres d'artistes de Vénétie.

Belluno
35 600 habitants

Dominé par les sommets enneigés des Dolomites, Belluno offre un bon point de départ pour explorer les montagnes. La vieille ville historique avec ses édifices Renaissance vaut en soi le détour.

ORIENTATION ET RENSEIGNEMENTS

Les bus arrivent sur la Piazzale della Stazione, devant la gare. De là, empruntez la Via Dante qui devient la Via Loreto), puis tournez à gauche dans la Via Matteotti jusqu'à la Piazza dei Martiri. L'**office du tourisme** (☎ 0437 94 00 83 ; www.infodolomiti.it ; Piazza del Duomo 2 ; ☉ 9h-12h30 et 15h30-18h30 lun-sam, 9h-12h30 dim) et son site Internet vous renseignent sur le ski, la marche et les autres activités sportives, ainsi que sur les prévisions météo. Pour en savoir plus sur la randonnée dans les Dolomites, rendez-vous sur www.webdolomiti.net et p. 315.

À VOIR ET À FAIRE

La place principale de Belluno, réservée aux piétons, la **Piazza dei Martiri** (place des Martyrs), doit son nom aux quatre résistants qui y furent pendus à la fin de la dernière guerre. Au cœur de la vieille ville, la **Piazza del Duomo** est encadrée par la **Cattedrale di San Martino**, édifice de style Renaissance du début du XVIe siècle, du **Palazzo Rosso**, de la même époque, et du **Palazzo dei Vescovi**, doté d'un étonnant campanile du XIIe siècle.

Au nord-ouest de Belluno, le **Parco Nazionale delle Dolomiti Bellunesi** (www.dolomitipark.it) est un magnifique parc national parcouru de sentiers, idéaux pour admirer les fleurs sauvages et s'oxygéner. Entre fin juin et début septembre, les randonneurs qui empruntent les six **Alte Vie delle Dolomiti** (sentiers de randonnée de haute altitude dans les Dolomites) passent par Belluno avant de rejoindre les refuges de montagne. L'itinéraire n°1 commence à Belluno et couvre 150 km de paysages somptueux jusqu'au lac de Braies, au nord, dans le Val Pusteria (compter 13 jours).

OÙ SE LOGER ET SE RESTAURER

Pour connaître les hôtels, B&B, campings et *agriturismo* de Belluno, du Parco Nazionale et autour, consultez www.infodolomiti.it et www.dolomitipark.it.

Ostello Imperina (☎ 0437 6 24 51 ; www.parks.it/ost/imperina ; Località Le Miniere ; dort avec petit-déj/demi-pension/pension complète 20/35/47 € ; ☉ avr à mi-oct). L'auberge de jeunesse la plus proche se trouve dans le Parco Nazionale delle Dolomiti Bellunesi, à 35 km au nord-ouest de Belluno à Rivamonte Agordino, dans un ancien centre d'extraction du cuivre remontant à 1400, entouré de 50 km de sentiers. Pensez à réserver pour avril et mai. On la rejoint en prenant le bus pour Agordo (50 min) depuis Belluno.

♥ **Azienda Agrituristica Sant'Anna** (☎ 0437 2 74 91 ; www.aziendasantanna.it ; Via Pedecastello 27, Castion ; ch et app 80-120 €). Cette charmante ferme ancienne en pierre, à 4 km de Belluno, sur la berge orientale du Piave près de Ponte nelle Alpi, est un havre de paix. Les chambres rénovées allient charme rustique et confort moderne : lits métalliques, parquet et poutres au plafond. Découvrez la culture locale grâce aux cours d'italien, en participant aux travaux de la laiterie ou en suivant les excursions nature.

Albergo Cappello e Cadore (☎ 0437 94 02 46 ; www.albergocappello.com ; Via Ricci 8 ; s/d 45-75/90-103 € ; P ⊠). Auberge confortable du XIXe siècle, toute proche de la Piazza dei Martiri, où domine le rose. Chambres monacales au mobilier en pin - mais les doubles ont un Jacuzzi.

La Taverna (☎ 0437 2 51 92 ; Via Cipro 7 ; repas 20-30 € ; ☉ lun-sam). L'excellente *bruschetta* s'accompagne de Prosecco au bar de la Taverna, proche de la Piazza dei Martiri. Le restaurant adjacent sert de copieux *tagliolini* aux cèpes frais et de belles spécialités de saison : anguille aux escargots en hiver, lapin aux fleurs de courgettes au printemps.

DEPUIS/VERS BELLUNO

Les trains Belluno-Venise (5,70 à 6,15 €, 2 heures à 2 heures 30) passent par Trévise et/ou Conegliano et circulent environ 5 fois par jour. Une correspondance est souvent nécessaire – ce qui ajoute une heure ou plus à la durée de votre déplacement.

Devant la gare, à la lisière ouest de la ville, les **Dolomiti Bus** (☎ 0437 94 12 37 ; www.dolomitibus. it) partent régulièrement pour Cortina d'Ampezzo, Conegliano et d'autres localités plus petites dans les montagnes.

En voiture, prenez l'A27 depuis Venise (Mestre). À défaut de beaux panoramas, elle vous fera éviter les embouteillages autour de Trévise.

Cortina d'Ampezzo

6 600 habitants / altitude 1 224 m
Comptant parmi les stations de ski les plus chics d'Italie, Cortina d'Ampezzo est branchée et coûteuse, mais a un indéniable cachet. La jolie église en pierre et les petites places sont cernées par les superbes sommets alpins.

ORIENTATION ET RENSEIGNEMENTS

Les monts qui entourent Cortina sont (dans le sens des aiguilles d'une montre) le Cristallo, le Gruppo di Sorapiss-Marmole, l'Antelao, le Becco di Mezzodi-Croda da Lago, les Nuolau-Averau-Cinque Torre et les Tofane. Plus au sud, on aperçoit Pelmo et la Civetta.
Croce Bianca (☎ 0436 86 20 75). Service médical d'urgence.
Office du tourisme (☎ 0436 32 31 ; www.infodolomiti. it ; Piazzetta San Francesco 8 ; ⏱ 9h-12h30 et 15h30-18h30 en haute saison)

À FAIRE

Entre décembre et avril, les pistes de qualité et la possibilité de pratiquer le ski de fond attirent des foules de vacanciers. De juin à octobre, l'escalade et la randonnée sont les principales activités. Les deux téléphériques du centre-ville emmènent les skieurs et les randonneurs en altitude, où ils accèdent à un réseau de sentiers et de remontées mécaniques fonctionnant généralement de 9h à 17h tous les jours de mi-décembre à avril, puis de juin à septembre ou octobre.

Le domaine convient à tous les skieurs et adeptes du snowboard, des pistes vertes à la mythique piste noire de Staunies, débutant à 3 000 m et réservée aux plus expérimentés. Le forfait Dolomiti Superski (p. 315) couvre la sta-

tion ; les forfaits pour Cortina sont vendus a **bureau des forfaits** (☎ 0436 86 21 71 ; Via G Marconi 15 forfait 1/2/3 jours 36/72/104 € ; ⏱ variables).

Il est aussi possible de faire du traîneau chiens, d'escalader des cascades gelées et d patiner au **Stade olympique des sports de glac** (☎ 0436 88 18 11 ; Via dello Stadio ; adulte/enfant locatio de patins comprise 10/9 €), construit pour les Jeu olympiques d'hiver de 1956.

Le **Gruppo Guide Alpine Cortina** (☎ 0436 86 8 05 ; www.guidecortina.com ; Corso Italia 69a) organise de stages d'escalade (stage de 3 jours comprenan l'équipement 270 €) et des randonnées guidée (tarif variable). En été, les pics des **Tre Clim di Lavoredo**, proches de Cortina, attirent de hordes de randonneurs et d'alpinistes.

OÙ SE LOGER ET SE RESTAURER

Le centre piétonnier de Cortina compte d nombreux cafés et pizzerias affichant de tarifs corrects. Pour trouver d'autres hôtel B&B, campings, *agriturismo* et *affittacamere* Cortina, consultez www.infodolomiti.it.
International Camping Olympia (☎ 0436 5 57 ; www.campingolympiacortina.it ; adulte 4,50-8 €, ten et voiture 7-9 € ; Ⓟ). Accessible en bus depui Cortina, ce camping s'étend au pied de haut pins, à 4 km au nord de Cortina, à Fiames, e il dispose d'une pizzeria.
Hotel Montana (☎ 0436 86 04 98 ; www.cortina hotel.com ; 40-80 €/pers ; 🖳 📶). En plein cœu de Cortina, cet hôtel occupant un bâtimen des années 1920 loge skieurs et patineurs d tout crin. En hiver, les chambres sont louée pour un minimum de 7 nuits (samedi-samed ou dimanche-dimanche), mais appelez pou connaître les disponibilités.
Oltres B&B (☎ 0346 520 31 75 ; www.oltres.com ; d ave petit-déj jan-nov 60-100 €, déc 100-140 € ; Ⓟ). Selon un légende locale, Titien serait né dans cette ferm du XVIIe siècle entourée de prairies fleuries, a sud-est de Cortina. Les chambres lambrissée sont confortables et un peu désuètes, mais le sdb modernes et impeccables.

DEPUIS/VERS CORTINA D'AMPEZZO

Depuis la gare routière de Cortina (Via Ⓒ Marconi), les **bus SAD** (☎ 0471 45 01 11 ; www.sad.i relient les villes environnantes, Bolzano et le Haut-Adige. Les **bus Dolomiti** (☎ 0437 94 12 37 ; www dolomitibus.it) desservent des petites villes de mon tagne, Belluno et d'autres lieux de Vénétie.

En voiture, prenez l'autoroute A27 depui Venise (Mestre), qui devient la SS51 ver Belluno et rejoint Cortina au nord-ouest.

Frioul-Vénétie Julienne

ur les vingt régions que compte l'Italie, le Frioul-Vénétie Julienne est sans doute la plus difficile cerner. À l'extrémité nord-est du pays, elle fait figure d'exception dans le paysage italien noderne. Loin d'être ennuyeuse, cette région soumise à de multiples influences extérieures su pourtant s'en dégager pour prendre une saveur bien particulière.

Le Frioul, avec sa cuisine complexe, son histoire pongiste et ses nombreuses traditions émoignent de la richesse culturelle de la région. Il possède sa propre langue romane, le frioulan, lérivé du ladin et parlé par environ 600 000 personnes dans trois dialectes différents.

Le Frioul-Vénétie Julienne possède un cœur spirituel à Udine et une capitale administrative Trieste. Rattachée en 1920, Trieste est relativement nouvelle dans ce creuset de cultures. Le ouvoir du Frioul fut d'abord concentré à Aquileia (sous domination romaine), à Cividale del riuli (sous les Lombards), et enfin à Udine (sous les Vénitiens).

Bordée par l'Autriche, la Slovénie et la Vénétie, cette région éclectique a une géographie rès variée, avec les Alpes juliennes et carniques protégeant les frontières nord, des lagunes aux airs vénitiens au sud, et une topographie karstique dominant à l'est, autour de Trieste.

Les voyageurs pourront faire de la randonnée dans les environs de Tarvisio, profiter de la lage sous le soleil de Grado, déguster un café Illy à Trieste et un verre de vin blanc sous les rches vénitiennes d'Udine.

À NE PAS MANQUER

- Une marche le long des remparts de **Palmanova** (p. 414), forteresse en forme d'étoile
- L'ambiance des cafés de style viennois de **Trieste** (p. 409), où flotte le souvenir de Sigmund Freud, de James Joyce et d'Italo Svevo
- Une randonnée dans les superbes **Alpes juliennes** (p. 423), massif montagneux cosmopolite
- La dégustation d'un des jambons les mieux affinés d'Italie à **San Daniele del Friuli** (p. 422)
- **Sacile** (p. 417), une version miniature de Venise loin de toute agitation
- La langue et la culture frioulanes à **Udine** (p. 418), ville aux multiples facettes

- POPULATION : 1,2 MILLION
- SUPERFICIE : 7 845 KM²

TRIESTE

206 000 habitants

Trieste est sans doute l'une des villes les plus énigmatiques d'Italie. Héritage nostalgique de la Mitteleuropa (Europe centrale), elle a été l'unique point d'accès à la mer de l'Empire austro-hongrois avant d'être rattachée à une Rome en pleine ascension après la Première Guerre mondiale. Étalée sur un étroit plateau karstique et pratiquement cernée par la Slovénie et l'Adriatique, la ville paraît isolée, en retrait du reste de la péninsule italienne. C'était un lieu qui a longtemps servi de repaire aux exilés, malfaiteurs et écrivains traversant une crise d'identité. James Joyce s'y est réfugié au début des années 1900 pour écrire les premiers chapitres d'*Ulysse*, tandis que 50 ans plus tôt, Maximilien Ier de Habsbourg, empereur du Mexique, y avait fait construire une maison fantaisiste au destin tragique, le Castello di Miramare situé à 7 km au nord sur la côte.

Avec son vent froid, la *bora scura*, et son curieux manque d'intimité, Trieste fait rarement une bonne première impression. Les voyageurs les plus inspirés cherchent les célèbres cafés "fin de siècle" et sombres bars à buffet, sur les traces de James Joyce et de ses semblables, en rêvant de Dublin, de New York ou d'ailleurs. Comme l'écrivit un jour Jan Morris, écrivaine-voyageuse, Trieste "ne constitue pas une étape inoubliable, n'offre pa[s] de mélodie familiale universelle ni de cuisin[e] inimitable, à peine un nom italien connu d[e] tous", et pourtant elle marque les mémoire[s]. Peut-être est-ce le grand air marin et cett[e] atmosphère d'isolement omniprésente, ou bie[n] l'idée que, pour le meilleur et pour le pire, n'existe pas d'endroit plus reculé en Italie.

Histoire

Selon certains, Trieste fut fondée par Japhet, fi[ls] de Noé. Une autre légende attribue sa créatio[n] à Tergeste, l'un des Argonautes qui accom[-] pagnaient Jason. De manière plus prosaïqu[e] la colonie romaine de Tergeste fut établie e[n] 178 av. J.-C. et devint rapidement un po[rt] de commerce prospère. Goths, Byzantins e[t] Lombards s'y succédèrent durant les siècles qu[i] suivirent ; en 1202, la ville tomba aux mains de[s] Vénitiens. Trieste regagna son indépendanc[e] avant d'accepter volontairement, en 1382, l[a] domination autrichienne.

Après la Première Guerre mondiale, Triest[e] (ainsi que la ville de Gorizia et de vastes territoire[s] aujourd'hui slovènes et croates) furent attribué[s] l'Italie, et la région de Vénétie Julienne fut cré[ée] avec celle du Frioul (dont les principales ville[s] sont Udine, Pordenone et Cividale). La défai[te] de 1945 vit la plus grande partie de la Vénét[ie] Julienne passer sous la coupe de la Yougoslav[ie] communiste, tandis que Trieste (sous contrô[le] allié jusqu'en 1954) devenait la capitale de l[a] région Frioul-Vénétie Julienne, au grand dam des habitants d'Udine et du Frioul.

Les XVIIIe et XIXe siècles constituèrent l'âg[e] d'or de ce port cosmopolite : Sigmund Freu[d] James Joyce et Italo Svevo, notamment, vinren[t] y chercher l'inspiration, et on y accueillit le[s] "premières" de deux des opéras de Verdi (*[Il] Corsaro* et *Stifelio*).

Orientation

Les gares routière et ferroviaire se trouver[nt] au nord de la ville. À l'ouest, le port et la me[r] Adriatique, et à l'est le plateau du Carso. L[e] quartier Borgo Teresiano s'organise autour d[u] Canal Grande. La Piazza dell'Unità d'Italia, a[u] cœur de la cité, est dominée à l'est par le Coll[e] di San Giusto et son château du XVe siècle.

Renseignements

Hôpital (☎ 040 399 25 27 ; Piazza dell'Ospedale 1)
Mail Boxes Etc (☎ 040 76 40 55 ; Via San Francesco d'Assisi 15a ; 2,50 €/20 min ; ☉ 9h-13h et 15h-19h lun-ven, 9h-12h sam). Cybercafé.

TOP 5 DES PETITES VILLES DE FRIOUL-VÉNÉTIE JULIENNE

- **Sacile** (p. 417), attirant mélange de rivières et de jardins qui constitue une agréable alternative à Venise pour les voyageurs en quête de tranquillité.
- **Tarvisio** (p. 423), petite bourgade incongrue nichée entre les Alpes carniques et juliennes, au carrefour de l'Italie, de l'Autriche et de la Slovénie.
- **San Daniele del Friuli** (p. 422), important centre de la culture frioulane et fier pourvoyeur de l'un des jambons les plus affinés d'Italie.
- **Muggia** (p. 411), charmant village de pêcheurs et seule commune italienne de la péninsule istrienne.
- **Aquileia** (p. 414), dont les vestiges et mosaïques mis au jour rappellent son ancien statut de pierre angulaire de l'Empire romain.

ITINÉRAIRE RÉGIONAL
UNE ITALIE AUX CULTURES DISPARATES

Deux semaines / Sacile / Trieste

Le Frioul-Vénétie Julienne est une sorte de région-miroir de l'Europe : ce mélange culturel complexe situé aux anciennes portes de la Mitteleuropa (Europe centrale), qui laisse toujours perplexe mais loin d'être triste pour autant, aiguise la curiosité comme une énigme difficile à déchiffrer.

Débutez vos deux semaines de bouillon de culture à **Sacile** (p. 417), Venise miniature aux berges jalonnées de saules et aux arches vénitiennes, avant de vous rendre à **Pordenone** (p. 416), ville plus imposante et dont l'esprit culturel se tourne davantage vers l'est. Continuez au nord pour admirer les mosaïques complexes de **Spilimbergo** (p. 417) et goûter au délicieux jambon de **San Daniele del Friuli** (p. 422) avant de rejoindre la région montagneuse de **Carnia** (p. 424), habitée à l'origine par les Carni, peuple d'origine celtique (dont elle tire son nom). Les Carni s'installèrent dans la région au IIe siècle av. J.-C. et enrichirent ses vallées grâce à leur habile travail du fer. Pour rester sur le thème de l'échange culturel, poursuivez jusqu'à la station de ski de **Tarvisio** (p. 423) où vous pourrez randonner entre trois pays et saluer les gens en allemand, en slovène ou en italien ! Puis direction le sud jusqu'à **Udine** (p. 418), ville typiquement frioulane, dont la splendide piazza aux allures classiques fait écho à celle de Venise ou de Rome. Autrefois grand centre régional, **Cividale del Friuli** (p. 422), à l'est, est encore marquée par quelques rares influences architecturales lombardes, tandis qu'**Aquileia** (p. 414), au sud, abrite les vestiges d'un site romain parmi les plus complets de la péninsule. **Gorizia** (p. 413), quant à elle, à cheval sur la frontière italo-slovène, resta en partie derrière le rideau de fer jusqu'aux années 1990. Parfaite illustration du melting-pot culturel frioulan, le **Castello di Miramare** (p. 411), à voir, est un château gothique édifié pour un archiduc autrichien qui le quitta finalement pour le trône de l'Empire mexicain, alors vacant. Si vous n'êtes toujours pas dérouté, alors terminez votre séjour dans la fantasque **Trieste** (ci-contre), une ville si complexe par son multiculturalisme que même James Joyce, qui y résida, s'abstint d'écrire à son propos.

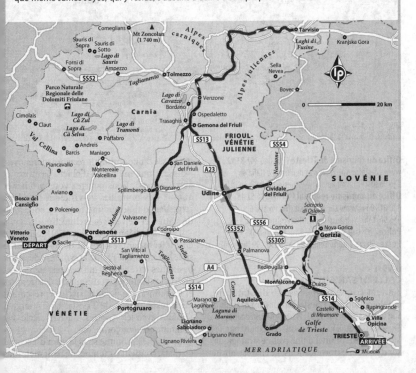

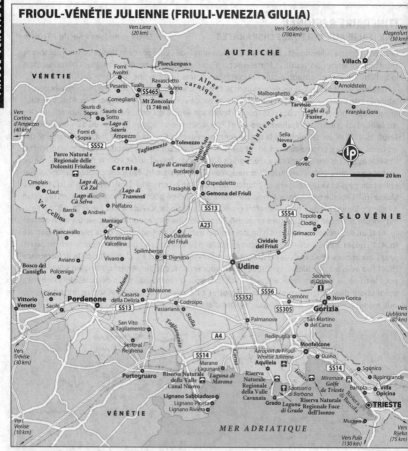

FRIOUL-VÉNÉTIE JULIENNE (FRIULI-VENEZIA GIULIA)

Office du tourisme de Trieste (☎ 040 347 83 12 ;
www.triestetourism.it ; Piazza dell'Unità d'Italia 4b ;
🕑 9h30-19h). Voir aussi www.triestecultura.it, en italien.
Office du tourisme régional (☎ 040 36 52 48,
800 016 044 ; www.turismo.fvg.it ; Via Rossini 6 ;
🕑 9h-13h). Voir aussi www.triestecultura.it.
Police (☎ 040 379 01 11 ; Via Tor Bandena 6)
Poste (Piazza Vittorio Veneto 1 ; 🕑 8h30-19h lun-sam)

À voir
COLLE DI SAN GIUSTO
Souvent éclipsé par le Castello di Miramare,
emblématique de Trieste, l'imposant **Castello di
San Giusto** (☎ 040 30 93 62 ; Piazza della Cattedrale 3 ; 5 € ;
🕑 9h-19h), du XVe siècle, fut construit par les
Vénitiens au sommet d'une colline stratégique,
sur d'anciennes fortifications. Le château abrite

un musée et une armurerie récemment rénovés,
exposant une multitude d'objets (armures et
autres armes). Vous pourrez vous promener
autour des murailles et visiter le **Lapidario
Tergestino**, qui abrite une modeste collection
de statues et de vestiges architecturaux.
   La **Basilica di San Giusto** (🕑 8h-17h) fut achevée
en 1400 ; mêlant le style dit de Ravenne et le
style byzantin, elle réalise la synthèse des deux
basiliques chrétiennes qui se dressaient à cet
endroit. À l'intérieur, on peut voir des fresques
et une mosaïque du XIIIe siècle représentant
saint Juste, patron de Trieste. Une Vierge à
l'Enfant avec les Apôtres, du XIIe siècle, est
magnifiquement conservée.
   La chapelle, connue sous le nom d'Escorial
Carlista, contient les tombes de neuf membres

de la famille royale espagnole. Après un conflit dynastique en Espagne dans les années 1830, Charles V installa à Trieste, jusqu'en 1874, une cour en sa faveur. Le dernier enterrement à Trieste d'un membre de la famille royale espagnole, Francisco José de Habsbourg, eut lieu en 1975.

Le **Civico Museo di Storia ed Arte ed Orto Lapidario** (musée d'art et d'histoire et jardin de pierres ; ☎ 040 31 05 00 ; Piazza della Cattedrale 1 ; adulte/enfant 3,50/2,50 € ; ☯ 9h-13h mar-dim) rassemble des antiquités romaines découvertes à Trieste et à Aquileia. Les objets romains, grecs, égyptiens et préhistoriques les plus précieux sont exposés à l'intérieur, tandis que l'Orto Lapidario (jardin de pierres) présente des pièces plus résistantes aux intempéries. Le musée est desservi par le bus n°24 depuis la gare ferroviaire.

BORGO TERESIANO

Au XVIIIe siècle, sur l'ordre de l'impératrice Marie-Thérèse, les urbanistes autrichiens conçurent la plus grande partie de cet élégant quartier du centre-ville, au nord du Corso Italia. L'imposant **Canal Grande** marque l'extrémité nord du port. Reflet de plusieurs siècles de tolérance religieuse, la **Chiesa di Santo Spiridione**, d'inspiration orthodoxe serbe (1868) et chargée de mosaïques, jouxte la **Chiesa di Sant'Antonio Taumaturgo** (1842), immense église catholique de style néoclassique. Le pont de la Via Roma comporte une **statue de James Joyce** grandeur nature.

À la limite ouest du Borgo, prévoyez un peu de temps pour visiter le **Civico Museo Teatrale Carlo Schmidl** (☎ 040 36 60 30 ; Via Rossini 4 ; adulte/enfant 3/2 € ; ☯ 9h-19h mar-dim), dans le Palazzo Gopcevich. Ce musée retrace l'histoire du théâtre et de la musique à Trieste jusqu'au XVIIIe siècle, avec une intéressante collection d'instruments anciens aux 1er et 2e étages. Les signatures de maîtres comme Rossini, Verdi et Puccini sont aussi présentées.

AUTOUR DE LA PIAZZA DELL'UNITÀ D'ITALIA

Face à l'Adriatique, l'immense **Piazza dell'Unità d'Italia** est un chef-d'œuvre élégant de l'urbanisme austro-hongrois. On dit que c'est la plus grande d'Italie donnant sur la mer.

Le **Museo d'Arte Orientale** (☎ 040 322 07 36 ; Via San Sebastiano 1 ; adulte/enfant 3/2 € ; ☯ 9h-13h mer et sam), dans une maison de ville du XVIIIe siècle, contient une collection éclectique de porcelaines de Chine, d'estampes japonaises, d'instruments de musique et d'armes.

Derrière la Piazza dell'Unità d'Italia s'étendent les vestiges du **théâtre romain** (Via del Teatro Romano), construit entre le Ier et le IIe siècle ; des concerts s'y déroulent parfois en été. L'**Arco di Riccardo** (Via del Trionfo) est l'une des anciennes portes de la ville (33 av. J.-C.). À proximité, la **Chiesa di Santa Maria Maggiore**, de style baroque, côtoie la **Basilica di San Silvestro**, une église romane que l'on visite pour la minuscule *Madonna della Salute*, peinte par Sassoferrato.

Le **Museo della Comunità Ebraica Carlo e Vera Wagner** (☎ 040 63 38 19 ; Via del Monte 5 ; adulte/enfant 5/3 € ; ☯ 16h-19h mar, 10h-13h lun, mer-dim) est consacré à l'héritage culturel juif de la ville. Au nord-est de la ville, la **synagogue** (☎ 040 37 14 66 ; Via San Francisco d'Assisi 19 ; 3,50 € ; ☯ 10h-11h lun-jeu, 10h-12h dim visite guidée), est l'une des plus grandes d'Italie.

AUTOUR DE LA PIAZZA VENEZIA

Le baron Pasquale Revoltella (1795-1869) a non seulement légué cette demeure néo-Renaissance de trois étages à la ville, mais aussi sa collection d'art privée. Ce don et un important legs financier ont permis l'ouverture du **Museo Revoltella** (☎ 040 675 43 50 ; www.museorevoltella.it ; Via Diaz 27 ; adulte/enfant 6/4 € ; ☯ 10h-18h mer-lun) en 1872. Depuis, le musée s'est étendu à deux immeubles voisins. La maison de Revoltella a conservé l'ambiance et les meubles de l'époque du baron. Ses goûts exubérants se reflètent dans les chandeliers, les soieries murales, les rideaux et les stucs dorés. Sa collection personnelle de peintures et de nus en marbre du XIXe siècle y est exposée. La partie moderne du musée (Palazzo Brunner) renferme un ensemble d'œuvres d'artistes de tous horizons de la fin du XIXe siècle et du début du XXe. Parmi les points forts de l'exposition figurent le saisissant groupe statuaire *Belisario*, d'Urbano Nono, et l'immense toile baptisée *Beethoven*, de Balestrieri Lionello.

TRIESTE

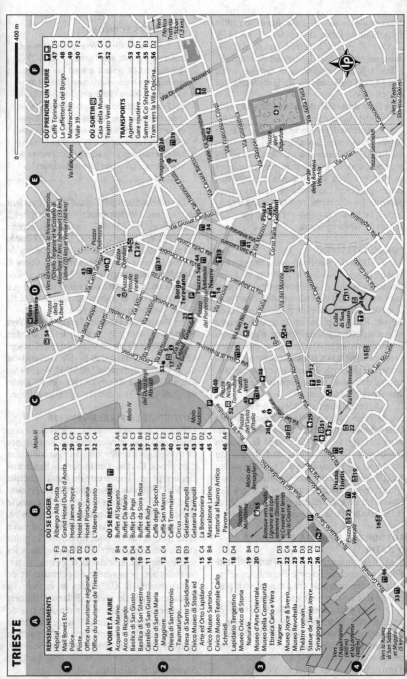

RENSEIGNEMENTS

Hôpital	1 F3
Mail Boxes Etc	2 E2
Police	3 D1
Poste	4 D2
Office du tourisme régional	5 D1
Office du tourisme de Trieste	6 C2

À VOIR ET À FAIRE

Acquario Marino	7 B4
Arco di Riccardo	8 C4
Basilica di San Giusto	9 C4
Basilica di San Silvestro	10 C4
Castello di San Giusto	11 D4
Chiesa di Santa Maria Maggiore	12 C4
Chiesa di Sant'Antonio Taumaturgo	13 C3
Chiesa di Santo Spiridione	14 C3
Civico Museo di Storia ed Arte ed Orto Lapidario	15 D4
Civico Museo Sartorio	16 B4
Civico Museo Teatrale Carlo Schmidl	17 C2
Lapidario Tergestino	18 D4
Museo Civico di Storia Naturale	19 B4
Museo d'Arte Orientale	20 C3
Museo della Communità Ebraica Carlo e Vera Wagner	21 D3
Museo Joyce & Svevo	22 C4
Museo Revoltella	23 B4
Théâtre romain	24 D3
Statue de James Joyce	25 D2
Synagogue	26 E2

OÙ SE LOGER

Albergo Alla Posta	27 D2
Grand Hotel Duchi d'Aosta	28 C3
Hotel James Joyce	29 C4
Hotel Milano	30 D1
Hotel Portacavana	31 C4
L'Albero Nascosto	32 C4

OÙ SE RESTAURER

Buffet Al Spaceo	33 A4
Buffet Da Mario	34 E2
Buffet Da Pepi	35 C3
Buffet di Siora Rosa	36 B4
Buffet Rudy	37 D2
Caffè degli Specchi	38 C4
Caffè San Marco	39 E2
Caffè Tommaseo	40 C3
Circus	41 D3
Gelateria Zampolli	42 E2
Gelateria Zampolli	43 D1
La Bomboniera	44 D2
Mascalzone Latino	45 C4
Trattoria al Nuovo Antico Pavone	46 A4

OÙ PRENDRE UN VERRE

Caffè Torinese	47 D3
La Caffetteria del Borgo	48 C3
Mandracchio	49 C3
Viale 39	50 F2

OÙ SORTIR

Casa della Musica	51 C4
Teatro Verdi	52 C3

TRANSPORTS

Agemar	53 C2
Gare routière	54 D1
Samer & Co Shipping	55 B3
Tram vers la Villa Opicina	56 D2

JAMES JOYCE ET TRIESTE

"On pense s'échapper, et on se heurte à soi-même. Le détour le plus long est le plus court chemin qui ramène chez soi.»

James Joyce, Ulysse

Oppressé par la vie morne de Dublin, James Joyce part pour Trieste en 1905 où il a décroché un contrat pour enseigner l'anglais dans l'école Berlitz locale. Âgé de 23 ans et accompagné de sa maîtresse (et future épouse) Nora Barncale, l'écrivain irlandais précoce mais jamais encore publié arrive dans une ville qui vit les dernières heures de la domination de l'Empire austro-hongrois.

Ce sont des jours heureux. Emplie d'aristocrates germanophones et d'intellectuels avant-gardistes tels que Sigmund Freud et Umberto Saba, Trieste est une cité cosmopolite et le jeune Joyce ne tarde pas à s'impliquer dans la fertile scène artistique. Éternellement pauvre et incapable de s'offrir un bureau à temps plein, le mélancolique Irlandais est contraint d'écrire installé dans les cafés et bars "fin de siècle", laissant l'animation de la rue stimuler son imagination.

Linguiste né, Joyce maîtrise rapidement le dialecte local, qu'il parle à la maison avec ses deux enfants et utilise dans de nombreux articles de journaux et essais. La journée, il enseigne l'anglais et monte divers projets d'affaires qui arrivent rarement à maturité, tandis que la nuit, il boit sans modération et avance lentement dans la rédaction de ses deux romans d'avant-garde, *Gens de Dublin* et *Portrait de l'artiste en jeune homme*.

L'écrivain se rend à quelques reprises à Dublin et à Rome (qu'il déteste), mais il reste à Trieste jusqu'en 1915, quand la Première Guerre mondiale le force à se retrancher à Zurich en terre neutre. Après la guerre, il retourne dans une ville transformée, sur le point d'être rattachée à l'Italie. Peu conquis par l'impétuosité du nouveau régime, il fait rapidement cap sur Paris.

Bien qu'il ait passé dix ans à Trieste, Joyce s'est toujours refusé à y planter le décor de ses romans. La ville fait plutôt office de prisme à travers lequel l'Irlandais exilé observe son Dublin natif et les nombreux revers de son enfance. Les personnages locaux et leurs caractéristiques sont habilement modelés et adaptés : Italo Svevo, ancien élève et écrivain habitant Trieste, a servi de modèle au personnage Leopold Bloom dans *Ulysse*, tandis que la musicalité et la couleur du dialecte de Trieste, aux influences vénitiennes, apparaît sous une forme bâtarde en 1939 dans *La Veillée de Finnegan* (où la ville s'appelle "Tarry-Easty").

Pour retrouver l'atmosphère particulière de Trieste au temps de Joyce, suivez le circuit piéton qui part à certaines dates de l'office du tourisme (p. 404) sur la Piazza dell'Unità d'Italia. Le circuit passe par l'école Berlitz, plusieurs anciennes résidences de l'auteur, le minuscule musée Joyce, quelques bars et cafés incontournables, et la statue emblématique de l'Irlandais qui surplombe désormais le Canal Grande. Cette promenade peut aussi se faire en solo avec une carte et un guide audio fournis par l'office du tourisme de Trieste.

Situé dans une autre maison de ville, le **Civico Museo Sartorio** (☎ 040 30 14 79 ; Largo Papa Giovanni XXIII 1 ; adulte/enfant 5/3 € ; ☽ 9h-13h mar-dim) offre une collection éclectique d'œuvres d'art et de bijoux. Les travaux de restauration ont permis de mettre au jour de belles fresques ornant les plafonds, certaines datant de la fin du XVIIIe siècle, ainsi que les vestiges du sol en mosaïque d'une maison romaine.

Le **Museo Civico di Storia Naturale** (☎ 040 675 86 58 ; 3e ét., Piazza Hortis 4 ; adulte/enfant 3/2 € ; ☽ 8h30-13h30 mar-dim) abrite un ensemble un peu poussiéreux d'animaux empaillés et d'ossements. Quant aux amateurs de littérature, ils pourront examiner des documents et autres souvenirs liés à deux grands romanciers du XXe siècle

dans le **Museo Joyce & Svevo** (☎ 040 359 36 06 ; 2e ét, Via Madonna del Mare 13 ; entrée libre ; ☽ 9h-13h lun-sam, et 15h-19h jeu).

FRONT DE MER

À 100 m à peine de la Piazza Venezia, en bord de mer, l'**Acquario Marino** (☎ 040 30 62 01 ; Riva Nazario Sauro 1 ; adulte/enfant 4,20/2,10 € ; ☽ 9h-19h mar-dim avr-oct, 9h-13h mar-dim nov-mars), est le domaine de créatures venues des profondeurs de l'Adriatique, ainsi que de poissons tropicaux. L'ancien **marché au poisson** (1913), dans la partie sud du bâtiment, est peu à peu transformé en salle d'expositions. La **Lanterna**, phare désaffecté du XIXe siècle, veille à l'extrémité du front de mer.

RISIERA DI SAN SABBA

En 1944, l'usine de décorticage de riz de San Sabba fut transformé en four crématoire. On estime que 20 000 personnes périrent ici, dont 5 000 des 6 000 juifs de Trieste. Vingt ans après la libération, le lieu fut réhabilité en monument national et on y installa un **musée** (☎ 040 82 62 02 ; Via Ratto della Pileria 43 ; entrée libre ; ☻ 9h-19h). Le bus n°8 permet de s'y rendre depuis la gare ferroviaire.

À faire

Près de la Lanterna, l'**Aquamarina** (☎ 040 30 11 00 ; www.2001team.com ; Molo Fratelli Bandiera 1 ; piscine adulte/enfant 6/4,70 € ; ☻ 7h40-22h20 lun, mer et ven, 10h20-18h20 mar et jeu, 7h40-19h40 sam, 7h40-13h dim) invite à venir piquer une tête. Ce complexe ultramoderne offre toute une gamme de soins et d'activités, notamment des cours d'aérobic, une salle de remise en forme, des saunas et des bains turcs.

Circuits organisés

Les circuits **Trieste by bus** (☎ 040 4 41 44 ; adulte/moins de 10 ans 5,20 €/gratuit) durent 2 heures 30. Ils sont organisés l'été, à Pâques et durant les fêtes de fin d'année (départ en face de la gare ferroviaire).

L'office du tourisme propose quelques promenades guidées ou indépendantes (avec guide audio), dont un "circuit James Joyce" (voir encadré p. 407). Demandez une carte gratuite.

Fêtes

Le 1er dimanche de mai, se déroule la **Maratona d'Europa** (www.bavisela.it). La grande régate **Barcolana** (www.barcolana.it), le 2e dimanche d'octobre, réunit des milliers d'embarcations dans le golfe de Trieste.

Où se loger

De nombreux établissements de catégorie moyenne et supérieure cassent leurs prix le week-end.

PETITS BUDGETS

Ostello Tergeste (☎ 040 22 41 02 ; www.ostellotergeste.it ; Viale Miramare 331 ; dort/d petit-déj compris 14/20 € ; ☻ réception 7h-23h30). Auberge de jeunesse en bord de mer, à 7 km au nord-ouest de la ville et à deux pas du Castello Miramare (voir p. 411). Des dortoirs de 4 à 20 lits avec vue sur la mer (entre les lits superposés). Accès par le bus n°36.

Hotel Portacavana (☎ 040 30 13 13 ; www.hotel portacavana.it ; Via Felice Venezian 14 ; s/d sans sdb 35/50 €, avec sdb 50/65 €). Un hôtel bien meublé, propre, aux sdb de marbre (dans certaines chambres). Le service n'est pas aussi irréprochable que dans les établissements étoilés, mais le prix est correct. Emplacement pratique, près de tout.

CATÉGORIE MOYENNE

Hotel James Joyce (☎ 040 31 10 23 ; www.hoteljamesjoyce.com ; Via dei Cavazzeni 7 ; s/d 85/130 € ; ✖ 🖳). Chambres modernes immaculées, emplacement central, service impeccable, le tout dans un immeuble du XVIIIe siècle : on est loin d'*Ulysse* !

Hotel Milano (☎ 040 36 96 80 ; www.hotel-milano.com ; Via Carlo Ghega 17 ; s 95-118 €, d 130 € ; 🅿 ✖ 🖳). Si la moquette sombre et les draps épais respirent un peu la mélancolie, le personnel accueillant, le petit déjeuner copieux et les sdb rutilantes égaient les lieux. À 400 m de la gare ferroviaire et tout proche du glacier Zampolli.

☺ Albergo Alla Posta (☎ 040 36 52 08 ; www.albergopostatrieste.it ; Piazza Oberdan 1 ; s 98-110 €, d 130-155 €, tr 155-175 € ; ✖ 🖳). Élégance patinée et confort moderne font ici bon ménage. Les tons neutres des chambres appellent au repos. Celles du 1er étage sont classiques et hors du temps, les autres sont plus modernes, avec des touches contemporaines (comme des lits Philippe Starck).

L'Albero Nascosto (☎ 040 30 01 88 ; www.albero-nascosto.it ; Via Felice Venezian 18 ; s/d 90/135 € ; ✖ 🖳). Difficile à trouver, mais à ne pas manquer ! Ce refuge inattendu situé dans un palais restauré de la vieille ville propose des appartements pour des séjours de longue durée ainsi que des chambres (murs blanchis à la chaux, fauteuils confortables et lits immenses). Le petit déjeuner est servi dans la "taverna" en bas. Simple mais efficace.

CATÉGORIE SUPÉRIEURE

Grand Hotel Duchi d'Aosta (☎ 040 760 00 11 ; www.grandhotelduchidaosta.com ; Piazza dell'Unità d'Italia 2 ; s/d lun-jeu à partir de 188/292 €, ven-dim à partir de 140/212 €, ste 460-660 € ; 🅿 ✖). Cet emplacement comporte un hébergement de cette classe depuis les temps romains. Plusieurs siècles plus tard, le "Duchi" demeure l'hôtel le plus somptueux de Trieste. D'illustres noms ont logé dans ses chambres remplies d'antiquités (l'amiral Nelson, Casanova, Bob Dylan ou Francis Ford Coppola), onéreuses à moins d'obtenir un rabais le week-end. L'Harry's Grill, attenant, est tout aussi raffiné.

Où se restaurer
RESTAURANTS

Circus (☎ 040 63 34 99 ; Via San Lazzaro 9b ; repas 10-15 € ; ⏰ 8h-22h30 lun-sam). Café-restaurant respirant la bonne humeur, au décor à mi-chemin du cirque et du cinéma à l'ancienne. Idéal pour déguster au déjeuner de copieux paninis (4-5 €), d'énormes salades (5 €) ainsi que des *primi* (entrées) bien marché. Atmosphère décontractée et qui n'a rien de snob.

Trattoria al Nuovo Antico Pavone (☎ 040 30 38 99 ; Riva Grumala 2 ; repas 25-30 € ; ⏰ lun-sam). Cette accueillante trattoria du port prépare diverses recettes de poisson frais et de pâtes.

Mascalzone Latino (☎ 040 31 33 32 ; Via Cavana 12 ; repas 30 € ; ⏰ déj et dîner mar-dim). Dans cette copie colorée d'un palais de la vieille ville tenue par d'authentiques Napolitains, on mange des pizzas, des pâtes et de généreuses frites dans des cornets en papier.

Antica Trattoria Suban (☎ 040 5 43 68 ; Via E Comici 2d ; repas 40-50 € ; ⏰ déj et dîner mer-dim, dîner lun, fermé août). Cette légende de Trieste, appartenant à la même famille depuis 1865, sert toutes sortes de spécialités régionales. Ne manquez pas la soupe *jota*, les succulentes viandes et les fabuleux desserts hongrois. Prix élevés et emplacement excentré, mais qu'importe !

BUFFETS

Les buffets sont à Trieste ce que les tapas sont à Séville : incontournables. Beaucoup de bacon bouilli, de saucisses et de bière, sans oublier le grand classique *cotto caldo con kren* (jambon bouilli au raifort).

Buffet Al Spaceto (☎ 338 3394447 ; Via Belpoggio 3a ; en-cas 1,80-3 € ; ⏰ 8h30-19h30 lun-ven, 8h30-15h sam). Les habitués dégustent ici quelques verres de vin local accompagnés de délicieux en-cas, notamment de minuscules *panini*.

☯ Buffet Da Pepi (☎ 040 36 68 58 ; Via Cassa di Risparmio 3 ; repas 15-18 € ; ⏰ lun-sam). Un buffet typique de Trieste proposant des plats traditionnels : différentes viandes bouillies, assiette anglaise et bière. Le porc rôti est servi ici accompagné de choucroute, de moutarde forte et de *kren* (raifort) depuis 1897.

Buffet Rudy (☎ 040 63 94 28 ; Via Valdirivo 32 ; repas 18-20 € ; ⏰ 10h-24h lun-sam). Venez goûter ici une énorme assiette de véritables gnocchis (de pommes de terre ou de pain) servis avec une sauce goulasch. Rien à voir avec les boulettes de pomme de terre recouvertes de pâte que l'on sert à Rome ou à Turin. Difficile d'envisager un deuxième plat…

Buffet Da Mario (☎ 040 63 93 24 ; Via Torrebianca 41 ; repas 18-22 € ; ⏰ lun-sam). Encornets frits et sardines. Après tout, on est au bord de la mer.

Buffet Da Siora Rosa (☎ 040 30 14 60 ; Piazza Hortis 3 ; repas 20-25 € ; ⏰ 7h-21h30 lun-ven). Fondé avant la Seconde Guerre mondiale par Mme Rosa Caltaruzza (son portrait est suspendu au mur), cet établissement familial demeure l'un des meilleurs et des plus traditionnels buffets de Trieste. Asseyez-vous au bar pour goûter les saucisses, la choucroute et d'autres plats allemands, ou bien encore des pâtes.

CAFÉS ET PÂTISSERIES

Caffè San Marco (☎ 040 36 35 38 ; Via Cesare Battisti 18 ; ⏰ 8h30-23h mar-dim). Les jeunes blogueurs côtoient les anciens enfants de l'Empire austro-hongrois dans cet établissement d'acajou où les serveurs portent les tasses de café sur des plateaux d'argent. Rien n'a véritablement changé depuis 1949, ou même 1909, à part l'atmosphère enfumée, dont on se passe bien.

☯ Caffè Tommaseo (☎ 040 36 26 66 ; www.caffe-tommaseo.com ; Riva III Novembre ; repas 22 € ; ⏰ 8h-8h30). On s'attend à y voir James Joyce griffonner sur son calepin, Sigmund Freud tressaillir derrière son journal, ou Umberto Saba terminer un panino au *prosciutto*. Pratiquement inchangé depuis 1830, ce café Belle Époque avec ses moulures aux plafonds et ses miroirs viennois est rempli de fantômes.

Caffè degli Specchi (☎ 040 36 57 77 ; Piazza dell'Unità d'Italia 7 ; ⏰ 7h-21h30). Le succès de cette véritable galerie des miroirs (*specchi*), inauguré en 1839, ne s'est jamais démenti depuis.

Caffè Torinese (☎ 040 63 60 46 ; Largo della Barriera Vecchia 12 ; ⏰ 7h-19h30 mar-dim). Nombre d'écrivains ont cherché ici l'inspiration dans l'incomparable Illy (voir l'encadré p. 410).

La Bomboniera (☎ 040 63 27 52 ; Via XXX Ottobre 3a ; ⏰ 9h-13h et 17h-20h mar-sam, 9h-14h dim). Une des nombreuses pâtisseries historiques de la ville.

Gelateria Zampolli (☎ 040 36 48 68 ; Via Carlo Ghega 10 ; ⏰ 9h30-24h jeu-mar). Les meilleurs *gelati* de la ville. Autre enseigne au Viale XX Settembre 25a.

Où prendre un verre

À Trieste, les soirées se passent au bar ou à l'opéra, ce dernier promettant une atmosphère plus raffinée. L'été, l'animation se concentre dans les bars du front de mer, qui s'étend de l'arrière de la gare ferroviaire jusqu'à Miramare. En outre, une poignée de pubs, de bars et de clubs sont éparpillés dans toute la ville.

LA TRADITION DU CAFÉ

En Europe centrale (y compris à Trieste), on voit souvent des habitants boire leur café tout en lisant leur journal. Cette tradition remonte en fait aux infidèles Turcs qui apparurent aux portes de Vienne en juillet 1683. Entre deux bombardements de la capitale, ils se préparaient un bon café. Lorsque la cavalerie polonaise les força à lever le siège en septembre, ils laissèrent derrière eux des sacs de la précieuse graine. Les Viennois trouvèrent le breuvage à leur goût, au point de ne bientôt plus pouvoir s'en passer. Contrôlée par les Autrichiens, Trieste devint un port libre en 1719, et tout naturellement assura le rôle de principale porte d'entrée pour les importations de café de tout l'Empire austro-hongrois.

Le café était donc partie prenante de la vie commerciale de Trieste lorsque la ville fut cédée à l'Italie après la Première Guerre mondiale. En 1933, Francesco Illy (ancien officier hongrois de l'armée austro-hongroise arrivé à Trieste pendant la Grande Guerre) lança son propre commerce de café. En 1935, il inventa le prototype des machines à expresso modernes et un système d'emballage sous vide qui permit à sa société naissante d'exporter dans toute l'Italie.

Le fils de Francesco, Ernesto, aujourd'hui président de l'entreprise, passa des accords de recherche avec de nombreuses universités et, en quelques années, fit de sa société une multinationale. Le deuxième de ses fils, Riccardo (né en 1955), a été maire de Trieste et, de 2003 à 2008, président de la région Frioul-Vénétie Julienne.

La Caffetteria del Borgo (☎ 040 77 45 12 ; Via Malcanton 6 ; ◷ 7h-2h mar-sam, 9h-20h dim, 7h-14h lun). Commencez la soirée dans ce lieu branché (ou venez y prendre un café dans la journée). Une ambiance accueillante, avec dalles de pierre au sol et meubles en bois.

Viale 39 (☎ 040 36 72 72 ; www.viale39.com ; Viale XX Settembre 39a ; ◷ 22h-3h mer-sam). Établissement lounge fréquenté par une jeunesse branchée. Sirotez votre verre sur un canapé ou dansez au rythme de la Noche Caliente latino américaine le lundi et des soirées Valentino le vendredi.

Mandracchio (☎ 393 9706005 ; Passo di Piazza 1 ; ◷ 23h-5h lun, mer, ven et sam). Si le Viale 39 ferme trop tôt à votre goût, venez danser ici jusqu'à l'aube, en écoutant des tubes italiens le vendredi et en profitant des DJ le samedi.

Où sortir

L'opéra de Trieste, le **Teatro Verdi** (☎ 040 672 21 11, 800 054525 ; www.teatroverdi-trieste.com ; Riva III Novembre 1), fut conçu par Matteo Pertsch, l'architecte de la Scala de Milan. Le caractère slovène de la cité s'exprime au **Teatro Sloveno** (☎ 040 63 26 64, 800 214302 ; www.teaterssg.it en italien et slovène ; Via Petronio 4), au sud-est du centre-ville **Casa della Musica** (☎ 040 30 73 09 ; www.casadellamusicatrieste.it ; Via Capitelli 3) propose une variété de spectacles, des quatuors de jazz à des solos de tous genres.

Depuis/vers Trieste

AVION

L'**aéroport de Friuli-Venezia Giulia** (TRS ; ☎ 0481 77 32 24 ; www.aeroporto.fvg.it ; Via Aquileia 46), également appelé Ronchi dei Legionari ou aéroport de Trieste, se situe à 33 km au nord-ouest de la ville, près de Monfalcone. Il assure des vols quotidiens directs depuis/vers Munich, Londres-Stansted et (moins régulièrement) Belgrade et Tirana.

BATEAU

Les ferries sont basés à la **Stazione Marittima** (terminal des ferries ; Molo dei Bersaglieri 3). **Agemar** (☎ 040 36 37 37 ; Piazza Duca degli Abruzzi 1a) vend des billets pour le car-ferry qui fait la navette deux fois par semaine depuis/vers Durres, en Albanie (aller simple passager basse/haute saison 60/80 €).

De mi-juin à fin septembre, **Samer & Co Shipping** (☎ 040 670 27 11 ; www.samer.com) vend des places pour le bateau qui dessert la côte depuis/vers Grado, Lignano et divers ports slovènes et croates de la côte istrienne.

BUS

Depuis la **gare routière** (☎ 040 42 50 20 ; Via Fabio Severo 24), des bus nationaux et internationaux desservent Udine (5,10 €, 1 heure 15, 1/heure) et différentes villes de Slovénie et de Croatie comme Ljubljana (11,60 €, 2 heures 45, 1/jour lun-sam), Zagreb (14 €, 5 heures, 1/jour lun-sam) et Dubrovnik (57,65 €, 15 heures,1/jour). Des bus pour Belgrade, en Serbie (55 €, 10 heures, 2/sem), et Sofia, en Bulgarie (64 €, 16 heures 30, 1/jour) de la compagnie **Florentia Bus** (☎ 040 42 50 20 ; www.florentiabus.it) partent de Florence.

TRAIN

La **gare ferroviaire** (Piazza della Libertà 8) dessert Gorizia (3,80 €, 50 min, 1/heure), Udine (6,70 €, 1 heure à 1 heure 30, 1/heure), Venise (9,20-13,50 €, 2 heures, au moins 1/heure) et Rome (69,80 €, 6 heures 30 à 7 heures 30 ; la plupart avec changement à Mestre).

Comment circuler

Le bus n°30 relie la gare ferroviaire à la Via Roma et au front de mer. Le bus n°24 dessert le Castello di San Giusto ; avec le n°36, vous pouvez aller de la gare routière de Trieste à Miramare, tandis que la Villa Opicina est desservie par le tramway n°2 ou le bus n°4. Un aller simple (valable 1 heure) coûte 1,05 € (pour un forfait à la journée, comptez 3,50 €).

Au départ de la gare routière, le bus n°51 dessert l'aéroport toutes les 30 minutes environ entre 4h30 et 22h35 (2,85 €, 1 heure). Cette ligne est exploitée par l'**APT** (Azienda Provinciale Trasporti Gorizia ; ☎ 800 955957 ; www.aptgorizia.it), dont le siège se trouve à Gorizia.

Des bateaux font toute l'année la navette entre la Stazione Marittima et Muggia (aller simple/aller-retour 3,40/6,35 €, 30 min, 6-10/jour), ainsi que Barcola (2,05 €, 20 min, 5-6/jour) et Grignano (3,45 €, 55 min, 5-6 /jour) de la mi-avril à la mi-octobre. Pour plus de renseignements, contactez **Trieste Trasporti** (☎ 800 016675 ; www.triestetrasporti.it).

ENVIRONS DE TRIESTE
Miramare et Duino

Le **Castello di Miramare** (☎ 040 22 41 43 ; www.castello-miramare.it ; adulte/ressortissant de l'UE 18-25 ans/enfant 4/2 €/gratuit, audioguide 3,50 € ; ◷ 9h-18h30) est un curieux château néogothique, sorti de l'imagination plus que fertile de l'archiduc Maximilien d'Autriche, qui quitta Trieste presqu'aussi vite qu'il s'y était installé pour se faire couronner au Mexique en 1864 (voir l'encadré p. 412).

L'un des principaux attraits du château réside dans son impressionnante authenticité. La majeure partie du rez-de-chaussée n'a pas changé depuis le bref séjour de Maximilien, notamment sa chambre, aux airs de cabine de bateau, et la paisible bibliothèque pleine d'ouvrages anciens et de bustes en marbre.

À l'étage, la salle du trône est ornée des portraits de la dynastie des Habsbourg. Les pièces qui accueillirent le duc Amédée d'Aoste et sa famille dans les années 1930 arborent un mobilier de style Art déco. Amédée fut nommé vice-roi d'Éthiopie par Mussolini en 1937, et mourut du paludisme cinq ans plus tard dans un camp de prisonniers britannique au Kenya.

Le château est entouré de 22 ha de **jardins** (entrée libre ; ☎ 8h-19h avr-sept, 8h-18h mars et oct, 9h-17h nov-fév), où se mêlent les couleurs et les senteurs d'arbres exotiques rares. Botaniste dans l'âme, Maximilien avait fait construire des serres chauffées qui accueillent aujourd'hui le **Parco Tropicale** (☎ 040 22 44 06 ; www.parcotropicale.it ; visite guidée adulte/étudiant/enfant 6,50/5/3,50 € ; ◷ 10h-18h mars-oct, 10h-16h nov-fév) où volent des papillons tropicaux, des colibris et des perroquets.

Le littoral autour du château fait partie de la Riserva Naturale Marina di Miramare, réserve naturelle où la baignade est interdite. Le **centre d'information des visiteurs** (☎ 040 22 41 47 ; www.riservamarinamiramare.it ; ◷ 9h-12h30 et 14h30-18h30 avr-sept, 9h-12h30 et 14h-17h mar-mer et ven-dim oct-mars), dans le Castelletto, en face du Parco Tropicale, entretient des bassins où évoluent des spécimens de la faune marine locale. Le Castelletto, version miniature du grand château, accueillit Maximilien le temps que la maison principale soit achevée.

À 14 km au nord-ouest de Miramare, sur la côte, se dresse le fier **Castello di Duino** (☎ 040 20 81 20 ; www.castellodiduino.it ; adulte/étudiant/enfant 6-16 ans/moins de 6 ans 7/4,50/3 €/gratuit ; ◷ 9h30-17h30 tlj mars-sept, 9h30-17h30 mer-lun oct, 9h30-16h sam-dim nov-fév), bastion des XIVe et XVe siècles, érigé au milieu d'un jardin verdoyant. Aujourd'hui, toutes sortes d'œuvres d'art et de curiosités y sont exposées. Le poète Rainer Maria Rilke y résida en 1911 et 1912. Le château est desservi par le bus n°41 depuis la Piazza Oberdan.

Muggia
13 300 habitants

À 5 km au sud de Trieste, le village de pêcheurs de Muggia est la seule ville italienne sur la péninsule d'Istrie. La Slovénie n'est qu'à 4 km au sud, et la Croatie (principale occupante de la péninsule), à peine plus loin. Le château du XIVe siècle et ses enceintes à moitié en ruine, donnent à Muggia un petit air vénitien. Des bateaux assurent la navette entre Muggia et Trieste (voir p. 408).

Muggia compte huit hôtels et quelques B&B, notamment le simple mais rutilant **La Bussola** (☎ 040 27 12 06 ; www.labussoladimuggia.it ; Via Manzoni 5 ; s/d 50/70 € ; ▨). Les chambres, dont certaines donnent directement sur le port, sont spacieuses, avec du parquet au sol.

MAXIMILIEN ET MIRAMARE

Cette histoire commence sur une fanfare de promesses autrichiennes, mais se termine en tragédie d'opéra italien. Né en 1832, Ferdinand Maximilien Joseph, archiduc d'Autriche et jeune frère de l'empereur d'Autriche François-Joseph, grandit à Vienne, capitale culturelle florissante et joyau de l'Empire austro-hongrois encore puissant. Il se fait tout d'abord un nom dans la marine autrichienne en accédant à l'âge de 22 ans au grade de commandant en chef, poste qui l'amena sur l'Adriatique, dans la cité en plein essor de Trieste. Port libre depuis 1719, Trieste connaissait à cette époque une relative renaissance économique et culturelle, et Maximilien joua un rôle non négligeable dans la rénovation de ses infrastructures navales.

Lorsqu'il s'installe à Trieste de façon permanente en 1850, l'archiduc décide de faire construire une demeure digne d'un Habsbourg. Il choisit un petit promontoire à 7 km au nord de Trieste, et confia à l'architecte autrichien Carl Junker la conception d'un château fantastique qu'il nommera Miramare.

Les travaux débutent en 1856 sur un terrain de 22 ha comprenant également de grands jardins paysagers (Maximilien était un botaniste passionné). L'année suivante, l'archiduc épouse sa seconde cousine, la princesse Charlotte de Belgique, et rêve d'une vie de famille heureuse dans sa nouvelle demeure éclectique. Mais le destin n'en a pas voulu ainsi.

En 1864, le château à peine terminé, Maximilien, à la demande de Napoléon III, accepte le trône de l'Empire du Mexique, qui traverse alors une guerre civile sanglante. Cette décision fut fatale. Les conservateurs mexicains, de connivence avec l'armée expansionniste française, avaient récemment détrôné le président républicain indigène, Benito Juárez, et institué un nouveau régime. Maximilien, plein de bonnes intentions mais crédule, ne fut qu'un pion qui servit leurs ambitions monarchistes réactionnaires.

Il quitte Miramare pour Mexico en 1864, et ne devait jamais revenir. Homme mesuré aux idées libérales, il ne put jamais satisfaire ni les monarchistes conservateurs, ni les républicains mexicains républicains (qui refusèrent le principe d'un empereur étranger). Lorsque Juárez, avec le soutien des États-Unis, repousse les troupes françaises en 1866, Maximilien est érigé en bouc émissaire.

Fait prisonnier en mai 1867 par les forces républicaines, le noble et naïf Maximilien refuse de se repentir et, malgré les appels à la clémence de nombreux chefs d'État européens, il est exécuté par le gouvernement de Juárez le mois suivant. Accablée par le chagrin, Charlotte rentre brièvement à Miramare avant de sombrer dans la folie. Elle passe le reste de sa vie en Belgique, convaincue que Maximilien est toujours en vie et qu'elle est l'impératrice légitime du Mexique. Le château de Miramare, ce rêve brisé par le cauchemar mexicain, est demeuré pratiquement tel que Charlotte et son époux mal inspiré l'ont laissé.

Il Carso

Autre bizarrerie de Trieste, **Il Carso** (*Karst* en allemand) est une bande de terre coincée entre la Slovénie et l'Adriatique, qui a donné son nom à une classification géologique formée de calcaire soluble ou de roches dolomitiques, le "karst". Comme d'autres régions karstiques, le plateau d'Il Carso est une formation géologique de calcaire blanc, truffée de grottes et de dolines (dépressions fermées qui se créent lors d'effondrements), appelée aussi *foibe*.

Le gouffre béant de la **Grotta Gigante** (☎ 040 32 73 12 ; www.grottagigante.it ; adulte/enfant 6-16 ans/moins de 6 ans 9/7 €/gratuit ; ☽ visites guidées de 50 min ttes les 30 min 10h-18h tlj juil-août, ttes les 30 min 10h-18h mar-dim avr-juin et sept, ttes les heures 10h-16h mar-dim mars et oct, ttes les heures 10h-12h et 14h-16h mar-dim nov-fév) près de la Villa Opicina, à 5 km au nord-est de Trieste, est une curiosité naturelle impressionnante.

Avec 107 m de hauteur, 280 m de longueu et 65 m de largeur, c'est la plus grande cavit accessible d'Europe ; la basilique Saint-Pierre de Rome pourrait d'ailleurs y loger. Près de 500 marches descendent dans une voût étrangement éclairée et bardée de stalagmites De la Piazza Oberdan de Trieste, prenez le bus n°42, ou le tram panoramique n°2, qu couvre les 5,2 km du trajet depuis 1902, jusqu'à la Villa Opicina ; de là, le bus n°42 mène à la grotte.

Pour découvrir la flore locale (particuliè rement belle au printemps), rendez-vous a **Carsiana Giardino Botanico** (☎ 040 22 95 73 ; adulte enfant 3/2 € ; ☽ 10h-13h mar-ven, 10h-13h et 15h-19 sam-dim fin avr à mi-oct) à Sgònico. Vous y verre toutes sortes de plantes, des chênes locaux au rhododendrons. Prenez le bus n°42 de Triest à Prosecco, puis le bus n°46.

Vous pourrez découvrir les traditions locales à la **Casa Carsico** (☎ 040 32 71 24 ; Rupingrande 31 ; entrée libre ; ☽ 11h-12h30 et 15h30-18h dim et jours fériés avr-nov) à Rupingrande, au nord de la Villa Opicina. Le festival folklorique le plus important du plateau, les **Nozze Carsiche** (noces karstiques), a lieu tous les deux ans, quatre jours durant à la fin août, 2 km au sud-est de Rupingrande, dans la forteresse de **Monrupino** (XVIe siècle).

GORIZIA

36 000 habitants

Difficile d'imaginer, au vu de cette ville frontalière moderne, le passé tourmenté de Gorizia. Elle s'est en effet trouvée à la frontière de deux idéologies mondiales antagonistes jusqu'en 1991, Gorizia était la principale porte de l'Italie sur le rideau de fer).

L'origine de son nom est slovène, bien que Gorizia ait été essentiellement sous occupation autrichienne depuis 1500. À l'aube de la Première Guerre mondiale, cinq langues se mélangent sur la place principale : l'allemand, le slovène, le frioulan, l'italien et le vénitien. Sous la juridiction de Rome depuis 1920, Gorizia est un lieu paisible dont les racines slovènes et frioulanes sont toujours visibles. Le passage de la frontière slovène, une formalité depuis l'entrée de la Slovénie dans l'espace Schengen en décembre 2007, coupe l'extrémité de la ville en deux.

Gorizia, avec ses quelques sites intéressants, constitue une excursion idéale pour la journée depuis Trieste ou Udine.

Renseignements

Office du tourisme (☎ 0481 53 57 64 ; www.gorizia-turismo.it ; Corso Italia 9 ; ☽ 9h30-18h30)

Poste (Corso Verdi 33 ; ☽ 8h30-19h lun-sam)

A voir

BORGO CASTELLO

Cœur historique de la ville, le **castello** (☎ 0481 53 51 46 ; Borgo Castello 36 ; château adulte/enfant 3 €/ entrée libre, expositions 4-9 €/entrée libre ; ☽ 9h30-13h et 15h-19h30 mar-dim avr-oct, 9h30-18h mar-dim nov-mars) perché sur un tertre comme celui de Trieste, fut restauré dans les années 1920 après avoir été endommagé durant la Grande Guerre.

Derrière la forteresse principale et dans l'enceinte du château, se nichent deux musées qui ne pourraient être plus dissemblables. Le **Museo della Grande Guerra** (☎ 0481 53 39 26 ; Borgo Castello 13-15 ; adulte/enfant 3,50 €/entrée libre ; ☽ 9h-19h mar-dim) raconte la tragique et sanglante histoire de la guerre des tranchées de 1914-1918 sur le front italo-autrichien.

Quant au **Museo della Moda e delle Arti Applicate** (musée de la mode et des arts appliqués ; ☎ 0481 53 39 26 ; Borgo Castello 13-15 ; entrée incluse dans celle du Museo della Grande Guerra ; ☽ 9h-19h mar-dim), il retrace la mode vestimentaire des plus aisés de la fin du XIXe au début du XXe siècle.

Près du château, jetez un œil à l'église romane du XIVe siècle, la **Chiesa di Santo Spirito**, construite en briques blanchies à la chaux.

PIAZZA TRANSALPINA

Ne vous attendez pas à une piazza grandiose à l'italienne. La Transalpina doit plutôt sa notoriété à la guerre froide : la clôture barbelée qui séparait jadis l'Italie de la Yougoslavie (Slovénie actuelle) passait au milieu de cette place plutôt fonctionnelle. Elle fut finalement démantelée en 2004, lorsque la Slovénie a rejoint l'UE. Schengen remplaçant désormais le rideau de fer, seuls une voiture de police somnolente et un hôtel bon marché (voir plus bas) occupent les lieux.

VIEILLE VILLE

Surmontée de dômes en forme de bulbes, la **Chiesa di Sant'Ignazio** (Piazza della Vittoria ; ☽ 8h-12h et 15h-19h) est la plus remarquable des églises de Gorizia. Sa construction débuta en 1654 et s'acheva en 1724.

La **synagogue** du XVIIIe siècle (☎ 0481 53 21 15 ; Via Ascoli 19 ; ☽ 18h-20h mar et jeu, 16h-19h lun, ven et sam, 10h-13h dim avr-sept, 17h-19h mar et jeu, 16h-19h lun, ven et sam, 10h-13h 2e dim du mois oct-mars) abrite une petite exposition consacrée à l'histoire des juifs à Gorizia.

Le **Palazzo Coronini Cronberg** (☎ 0481 53 34 85 ; www.coronini.it ; Viale XX Settembre 14 ; 4 € ; ☽ mar-dim) est une immense résidence du XVIe siècle remplie d'œuvres d'art et d'antiquités, dont on peut visiter gratuitement les jardins luxuriants. Le **Palazzo Attems** (☽ 0481 54 75 41 ; Piazza De Amicis 2 ; ☽ 9h-19h mar-dim) vaut le détour pour la demeure elle-même mais aussi pour les œuvres d'art régional du XXe siècle qu'elle abrite.

Où se loger et se restaurer

Albergo Alla Transalpina (☎ 0481 53 02 91 ; www.hotel-transalpina.com ; Via Caprin 30 ; s/d à partir de 50/70 € ; ℗). Établissement donnant sur la Piazza Transalpina et la frontière italo-slovène. Ses 30 chambres sont vastes, claires et dotées de parquet. Bon restaurant attenant. L'été, on peut prendre le petit déjeuner dans le jardin.

Al Falegname (☎ 0481 54 73 90 ; www.alfalegname. it ; Via Maniacco 2 ; repas 25 € ; ☺ fermé dim). Les carnivores trouveront leur bonheur ici, parmi les spécialités de bœuf, de saucisses locales et de *canderdeli* (gnocchis au pain, assez gras).

Trattoria Blanch (☎ 0481 8 00 20 ; Via Blanchis 35 ; repas 25-30 € ; ☺ déj et dîner jeu-lun, déj mar, fermé fin août-fin sept). Au beau milieu des champs, cette merveilleuse trattoria au jardin verdoyant se situe à 1 km au nord du centre de Mossa (un village à 5 km à l'ouest de Gorizia, célèbre pour ses asperges). Elle appartient à la même famille depuis 1904 et propose en saison du gibier et des champignons.

Les cafés abondent sur le Corso Italia, l'artère principale de la ville moderne. Quant aux meilleures trattorias, vous les trouverez dans les rues de la vieille ville en contrebas du château et autour du **marché alimentaire couvert** (Via Verdi 30).

Depuis/vers Gorizia

La **gare ferroviaire** (Piazzale Martiri Libertà d'Italia), 2 km au sud-ouest du centre, dessert régulièrement Udine (3,25 €, 25-40 min, au moins 1/heure) et Trieste (3,80 €, 50 min, 1/heure). Les bus **APT** (☎ 800 955 957 ; www.aptgorizia.it) relient la gare ferroviaire et la gare routière de Nova Gorica (1 €, 25 min).

PALMANOVA
5 500 habitants

Construite en forme d'étoile à neuf branches, Palmanova est une ville fortifiée érigée par les Vénitiens en 1593. Jadis répandus en Europe, ces monolithes urbains portent le nom de tracé à l'italienne. Ces défenses étaient à ce point imprenables que Napoléon les utilisa et les améliora durant la campagne d'Italie, tout comme les Autrichiens jusqu'à la fin de la Seconde Guerre mondiale. L'armée italienne y a toujours une garnison en poste.

De la Piazza Grande hexagonale, au centre de l'étoile, partent six axes qui traversent la vieille ville jusqu'aux murailles défensives. Un sentier herbeux relie les bastions et les trois portes principales : Udine, Cividale et Aquileia. Empruntez Borgo Udine pour découvrir l'histoire locale et les armes des ères vénitiennes et napoléoniennes au **Civico Museo Storico** (☎ 043292 91 06 ; Borgo Udine 4 ; adulte/enfant 2/1,50 € ; ☺ 9h30-12h30 mar-jeu), à l'intérieur du Palazzo Trevisan. Le musée fait également office de tourisme ; on vous y renseignera sur les souterrains qui serpentent sous les murailles.

Le **Museo Storico Militare** (☎ 0432 92 35 35 ; Borgo Cividale Dongione di Porta Cividale ; entrée libre ; ☺ 9h-12h et 14h-16h mar-sam, 9h-12h dim avr-sept ; 9h-12h et 14h-16h mar-sam, 9h-12h dim oct-mars) a investi l'intérieur de la Porta Cividale. Il retrace le quotidien des troupes en faction à Palmanova de 1593 jusqu'à la Seconde Guerre mondiale.

L'**Albergo Ristorante Roma** (☎ 0432 92 84 72 ; www.hotelromapalmanova.it ; Via Borgo Cividale 27 ; s/d/tr à partir de 40/60/70 € ; Ⓟ) est un hôtel familial simple, impeccable et confortable, proposant 34 chambres, salle TV, restaurant et parking. Bonne pizzeria en face.

La Piazza Grande compte plusieurs cafés dont le **Caffè al Municipio** (☎ 0432 92 83 42 ; Piazza Grande 1), établissement spacieux et clair rempli d'amateurs de vin et de reproductions de Monet. **La Campana d'Oro** (☎ 0432 92 87 19 ; Borgo Udine 25b ; repas 35 € ; ☺ déj et dîner mer-sam, déj lun) est célèbre pour ses plats raffinés, comme son goulasch ou son filet d'oie fumé.

Au départ de la via Rota, à l'intérieur de l'enceinte, des bus relient régulièrement Palmanova à Udine (2,20 €, 25-30 min) et à Aquileia (2,20 €, 30-40 min).

AQUILEIA
3 500 habitants

Il y a 2 000 ans, le Frioul n'avait rien d'excentré. Fondée en 181 av. J.-C., Aquileia fut l'une des villes les plus prospères de l'Empire romain, comptant 100 000 âmes à son apogée. Elle fut détruite par les Huns d'Attila en 452, et ses habitants fuirent vers le sud et l'ouest, où ils fondèrent Grado et Venise. C'est une ville diminuée qui prit sa place au début du Moyen Âge, avec la construction de sa basilique, et Aquileia joua un rôle important dans la diffusion du christianisme à travers l'Europe centrale. Inscrite au patrimoine mondial de l'humanité en 1998, la région possède toujours l'un des sites romains les plus complets (et non excavés) d'Europe.

Cette ville de taille modeste abrite l'une des plus grandes mosaïques paléochrétiennes d'Europe. L'**office du tourisme** (☎ 0431 91 94 91 ; www.aquileiaturismo.info ; ☺ 9h-17h) organise des visites guidées de ses magnifiques vestiges romains, que vous pouvez aussi parcourir par vous-même gratuitement.

À voir

Le site le plus célèbre d'Aquileia est sans conteste sa **basilique** (Piazza Capitolo ; ☺ 9h-19h) en forme de croix latine, reconstruite après le séisme de 1348. Le sol est recouvert par une mosaïque de l'époque romaine, comptant parmi les plus grandes et les plus spectaculaires du monde : datant du IVe siècle, ses 760 m² sont protégés par des passerelles en verre qui permettent d'admirer à loisir ces images demeurées longtemps cachées à la vue. On découve ainsi des épisodes de l'histoire de Jonas et de la baleine, du Bon Pasteur, des oiseaux, des créatures marines et des portraits (supposés) des riches Romains qui financèrent la construction de cette église des débuts de la chrétienté.

Les deux **cryptes** (adulte/enfant 3 €/gratuit) de la basilique renferment des trésors non moins remarquables : la **Cripta degli Affreschi** (crypte des fresques), du IXe siècle, est décorée de fresques aux teintes passées, représentant les épreuves et le martyre des saints (XIIe siècle) ; la **Cripta degli Scavi** (crypte des fouilles) laisse voir des sols en mosaïque plus ou moins bien conservés, figurant des oiseaux, des chèvres, des végétaux, ainsi que des scènes plus étranges comme ce combat entre une tortue et une poule. Ces mosaïques furent endommagées en 1030, lors de l'érection du **beffroi** (⏱ 9h30-13h30, 15h30-18h30) de la basilique, haut de 73 m, construit avec les pierres de l'amphithéâtre romain.

Parmi les restes épars de l'ancienne ville romaine figurent des vestiges de l'ancien **porto fluviale** (port fluvial ; Via Sacra ; entrée libre ; ⏱ 8h30-1 heure avant le coucher du soleil), qui reliait jadis la ville à la mer. La visite des vestiges partiellement restaurés de maisons, de la route et des colonnes encore debout de l'ancien **Forum** de la Via Giulia Augusta est également gratuite.

Formant l'une des collections les plus importantes d'Italie du Nord, les statues, les poteries, les verreries et les bijoux mis à jour dans les environs sont exposés au **Museo Archeologico Nazionale** (☎ 0431 9 10 16 ; Via Roma 1 ; adulte/ressortissant UE 18-25 ans/enfant 4/2 €/gratuit ; ⏱ 8h30-14h lun, 8h30-19h mar-dim). L'une des pièces les plus surprenantes est une tête d'empereur en bronze doré (IIIe siècle).

Le **Museo Paleocristiano** (☎ 0431 9 11 31 ; Piazza Pirano ; entrée libre ; ⏱ 8h30-13h45) expose des mosaïques et d'anciennes tombes chrétiennes, découvertes dans les vestiges environnants.

Où se loger et se restaurer
Ostello Domus Augusta (☎ 0431 9 10 24 ; www.ostelloaquileia.it ; Via Roma 25 ; dort/s/d petit-déj compris 5,50/23/38 € ; P ⏱). Cette auberge décontractée et sympathique propose 92 lits dans des chambres accueillant de 2 à 6 personnes. Une aubaine dans une si petite ville.

Hotel Restaurant Patriarchi (☎ 0431 91 95 95 ; www.hotelpatriarchi.it ; Via Giulia Augusta 12 ; s 52-58 €, d 88-96 € ; P). Grand établissement sur 3 niveaux, c'est la meilleure adresse de la ville. Les chambres, généralement grandes, donnent pour certaines sur la basilique. La cave du restaurant est bien approvisionnée et le chef maîtrise parfaitement les plats de poisson. Demi-pension possible.

Depuis/vers Aquileia
Les bus SAF relient régulièrement Aquileia à Grado (1,60 €, 15 min), Palmanova (2,20 €, 30 min, jusqu'à 8/jour) et Udine (3 €, 1 heure 15).

GRADO
8 900 habitants
À 14 km au sud d'Aquileia, la jolie station balnéaire de Grado s'étire le long d'une île étroite bordée de lagunes, et est reliée au continent par une chaussée. Un lacis de ruelles (*calli*) dans son centre médiéval conduit à la **Basilica di Sant'Eufemia** (Campo dei Patriarchi), de style roman, et aux vestiges de la **mosaïque** (Piazza Biagio Marin) d'une église des IVe et Ve siècles. Le front de mer est bordé de demeures Belle Époque, de cabines de plage et de thermes. D'octobre à avril, l'endroit est désert. À partir de mai, c'est une autre histoire.

Les îlots autour de Grado sont parsemés de *casoni*, des cabanes de roseau à l'usage des pêcheurs. Si certains îlots sont des réserves naturelles interdites d'accès, d'autres peuvent êtres visités l'été en bateau (2 heures 30, adulte/enfant 15/8 €) ; renseignez-vous à l'**office du tourisme** (☎ 0431 87 71 11 ; www.gradoturismo.info ; Viale Dante Alighieri 72 ; ⏱ 9h-13h et 15h-18h).

Le premier dimanche de juillet, une procession votive dédiée à la Vierge se rend en barque de Grado jusqu'au **Santuario di Barbana** (☎ 0431 80 04 53), une église du VIIIe siècle, édifiée sur une île. Les pêcheurs de Grado effectuent ce pèlerinage depuis 1237, date à laquelle leur village fut épargné de la peste grâce à l'intervention de la Madone de Barbana. Des bateaux assurent la liaison entre le sanctuaire et Grado (adulte/enfant aller-retour 4/2,50 €, 3-8/jour avr-oct, 2/jour dim nov-mars).

Où se loger et se restaurer
Grado Promhotels (☎ 0431 8 29 29 ; Riva Zaccaria Gregori 9 ; ⏱ 9h-12h30 et 15h-18h30) peut réserver pour vous appartements et chambres d'hôtel (dont les prix flambent en août).

♥**Albergo Alla Spiaggia** (☎ 0431 8 48 41 ; www. albergoallaspiaggia.it ; Via Mazzini 2 ; s/d à partir de 54/108 €, demi-pension/pension complète à partir de 63/68 €/pers ; 🌗 avr-oct ; P 🐾). Hôtel de front de mer typique datant de la fin des années 1920, arborant un air rétro en vogue ces derniers temps. Chambres blanc et bleu immaculées aux balcons donnant sur la mer, meublés de tables et de chaises colorées.

Ristorante Tre Corone (☎ 0431 8 56 39 ; Calle Toso 4 ; repas 25 € ; 🌗 6h30-22h30, fermé mar). Loin de la plage branchée, cet établissement entouré de géraniums constitue un havre de paix lové dans la vieille ville au cœur des petites piazzas. Optez pour les pizzas ou pâtes classiques, ou tentez un des plats du jour figurant sur le tableau noir.

Depuis/vers Grado

Des bus relient Grado à Udine (3,55 €, 1 heure 15, 12/jour) via Aquileia.

ENVIRONS DE GRADO

À l'est de la lagune, la **Riserva Naturale Regionale della Valle Cavanata** (☎ 0431 8 82 72 ; www.parks. it/riserva.valle.cavanata ; 🌗 9h-12h30 lun, mer et ven, 14h-18h sam, 10h-18h dim et jours fériés avr-sept, 9h-13h mar et jeu, 10h-16h dim et jours fériés oct-mars) s'étend sur une ancienne zone piscicole datant des années 1920. Plus de 230 espèces d'oiseaux ont été recensées, notamment des oies cendrées et de nombreux échassiers.

Plus à l'est, sur les quinze derniers kilomètres qui le séparent de la mer Adriatique, le fleuve Isonzo traverse la **Riserva Naturale Regionale Foce dell'Isonzo**, une réserve naturelle de 2 350 ha où l'on peut observer les oiseaux ou faire des balades à cheval, à vélo ou à pied autour des marais salants et des marécages. Les billets sont en vente dans la réserve elle-même, au **centre des visiteurs** (☎ 0432 99 81 33 ; www.riservanaturalefoceisonzo. it ; adulte/enfant 2/1 € ; 🌗 9h-17h ven-mer), à Isola della Cona.

LAGUNA DI MARANO

Face à l'Adriatique, entre les stations balnéaires de Grado et de Lignano, la nature (en particulier les oiseaux) reprend ses droits sur la Laguna di Marano. Ici, les cabanes de roseaux remplacent les palais de terre cuite, et l'endroit n'est accessible que par deux routes de gravier.

L'ancien port de pêche romain fortifié de **Marano Lagunare**, seul village installé sur les rives de la lagune, est totalement à l'abri des regards. La paix et la tranquillité des lieux son préservées par la présence de deux réserve naturelles : la **Riserva Naturale delle Foci della Stella**, de 1 377 ha, participe à la protection de l'embouchure marécageuse de la Stella, tandi que la **Riserva Naturale della Valle Canal Nuov** occupe, sur 121 ha, une ancienne vallée de pêche. Le **centre des visiteurs** (☎ 0431 6 75 51 ; Vi delle Valli 2 ; 🌗 9h-17h mar-dim), logé dans une hutt de pêcheur en roseaux, pourra vous renseigne sur ces deux réserves.

LIGNANO

Relativement moderne selon les critères italien Lignano est l'une des plus grandes station balnéaires du nord de l'Italie et constitue un retraite ensoleillée et animée pour ceux qu ont visité suffisamment d'églises Renaissance À l'extrémité de la péninsule, face à la Lagun di Marano, au nord, et à l'Adriatique, au sud **Lignano Sabbiadoro** (sables d'or) est la plu orientale des trois stations balnéaires. **Lignan Pineta**, 1 km plus au sud, acquit ses lettres de noblesse dans les années 1950, tandis qu **Lignano Riviera**, la plus récente des trois, situé à l'embouchure de la rivière Tagliamento revendique une étiquette écologiste.

La région compte deux offices du tourisme l'un à **Sabbiadoro** (☎ 0431 7 18 21 ; www.aptlignano.it Via Latisana 42) et l'autre à **Pineta** (☎ 0431 42 21 69 ; Vi dei Pini 53 ; 🌗 juin-sept). On y dénombre enviro 135 hôtels, une multitude d'appartements d vacances et trois campings. Consultez le sit www.lignano.it, où l'on peut tout réserver, d l'hôtel au parasol de plage, et même achete un bateau.

À Sabbiadoro, sur le port, l'**Hotel La Golett** (☎ 0431 7 12 74 ; www.hotelgoletta.it ; Viale Italia 44 s 33-43 €, d 66-86 € ; P) est un choix correct Certaines des chambres carrelées, à la déco ration neutre, donnent sur la marina.

Les soirs d'été, la jeunesse d'Udine descen sur Lignano.

Lignano Sabbiadoro est relié par bus à Udin (5,10 €, 1 heure 30, plusieurs/jour).

PORDENONE ET SES ENVIRONS
Pordenone
51 300 habitants

"Pordenone" : on aperçoit le panneau bleu ro à l'arrêt du train à mi-chemin entre Venise e Trieste, sans y prêter grande attention. Mai est-ce seulement une énième ville italienne, ave ses ruelles chaotiques emplies d'innombrable Fiat, comme on pourrait l'imaginer ?

Scenda (descendez) et adressez-vous au serviable **office du tourisme** (☎ 0434 52 03 81 ; Via Damiani 2c ; 9h-13h et 14h-18h lun-ven, 9h-13h am), 400 m plus loin, qui vous apprendra que Pordenone est en fait une ville chargée d'histoire qui a quelque chose d'imposant.

Artère piétonne, le Corso Vittorio Emanuele II, bordé de cafés et de *portici* (arcades) couvertes, décrit une courbe élégante entre la Piazza Cavour et le *duomo* (la cathédrale).

La façade romano-gothique dépouillée du **Duomo di San Marco** (Piazza San Marco ; 7h30-12h et 15h-19h) reflète différents styles architecturaux qui se sont succédé au fil des siècles. À l'intérieur, parmi les fresques et œuvres d'art se trouve la *Madonna della misericordia*, du maître de la Renaissance Il Pordenone (1483-1539). Le séculier est représenté par le **Palazzo del Comune** (hôtel de ville) en face du *duomo*. Cette construction en brique du XIIIᵉ siècle possède trois arches gothiques et quelques ajouts de la Renaissance, comme la loggia et le campanile (et son énorme horloge).

En face du Palazzo del Comune, le médiéval **Palazzo Ricchieri** abrite dans ses salles supérieures richement décorées un modeste **Museo d'Arte** (☎ 0434 39 23 11 ; Corso Vittorio Emanuele II 51 ; adulte/enfant 3/2 € ; 15h-19h mar-sam, 10h-13h et 15h-19h dim), dont les collections d'artistes frioulans et vénitiens vont du XVᵉ au XVIIIᵉ siècle. Son principal intérêt réside dans le bâtiment lui-même (plafonds ornés de poutres apparentes et fresques du XIVᵉ siècle).

La ville compte une dizaine d'hébergements, dont l'**Hotel Montereale** (☎ 0434 55 10 11 ; www.hotelmontereale.com ; Via Montereale 18 ; s/d 42/65 € ; 🅿 🍴 🖳), propre et central. **La Vecia Osteria del Moro** (☎ 0431 2 86 58 ; Via Castello 2 ; repas 35-40 € ; lun-sam), près du Corso et du Comune, propose dans sa salle voûtée des grillades, du *baccalà* (morue) et des en-cas.

Pordenone se trouve sur la ligne de chemin de fer Venise-Udine. Des trains desservent fréquemment Udine (3,80 €, 30-40 min). De Venise (plus exactement de Mestre), les trains circulent environ toutes les 30 min (4,95 €, 1 heure 15-1 heure 30). Les bus **ATAP** (☎ 800 101040 ; www.atap.pn.it) desservent les villes avoisinantes.

Sacile
19 400 habitants

Baptisée *Giardino della Serenissima* (jardin de la sérénissime), voici un autre adorable secret du Frioul : une Venise miniature, dont le centre est constitué de deux îles au milieu de la rivière Livenza, bordée de saules. En effet, Sacile s'est jadis largement inspirée de la république de Venise au niveau artistique et architectural, traits que l'on retrouve dans les maisons et palaces typiquement vénitiens qui, malgré plusieurs tremblements de terre et les bombardements de la Seconde Guerre mondiale, jalonnent toujours les canaux. Le **Palazzo Ragazzoni-Flangini-Billia** et ses fresques impressionnantes valent particulièrement le détour.

Le **Duomo di San Nicolò**, datant du XVᵉ siècle, domine la Piazza del Popolo centrale et arbore une fresque fanée du IXᵉ siècle. Le *campanile* attenant est surmonté d'un ange de bronze.

L'annuel **Sagra dei Osei** (fête des oiseaux), qui se tient en août depuis 1274, est l'une des plus anciennes fêtes d'Italie. Cherchez les expositions, le marché et le concours de chant (d'oiseaux).

Si vous passez la nuit sur place, l'**Hotel Due Leoni** (☎ 0434 78 81 11 ; www.hoteldueleoni.com ; Piazza Popolo 24 ; s/d 92/120 € ; 🍴 🖳) propose des chambres claires donnant sur la place principale ou sur la rivière dans une merveille vénitienne raffinée, gardée, comme son nom l'indique, par deux lions. Le plus : un généreux buffet au petit déjeuner et une petite salle de gym avec sauna.

Pedrocchino (☎ 0434 7 00 30 ; Piazza IV Novembre 4 ; déj et dîner mar-sam, déj dim) est une belle adresse où déjeuner ou dîner, comportant un jardin typique de Sacile et un menu où le poisson frais est à l'honneur. Les plats colorés ressemblent à des tableaux impressionnistes. Seul hic, les prix.

Sacile se situe sur la ligne ferroviaire principale entre Venise (4,60 €, 1 heure) et Udine (5,50 €, 45 min).

Spilimbergo
11 700 habitants

Tandis qu'Aquileia l'ancienne est la gardienne de quelques-unes des mosaïques romaines les mieux conservées du monde, Spilimbergo la moderne pratique toujours l'art avec passion dans son école de mosaïque de renommée mondiale. La **Scuola Mosaicisti** (☎ 0427 20 77 ; www.scuolamosaicistifriuli.it ; Via Corridoni 6 ; 8h-12h et 13h-16h lun-ven), fondée en 1922, possède une galerie publique retraçant l'histoire de cet art ancestral ainsi que ses manifestations dans le Frioul d'aujourd'hui. Profitez d'une visite guidée pour 5 €, ou gratuitement avec une carte FVG (voir encadré p. 405).

La rue pavée Corso di Roma est bordée de maisons à arcades et d'allées pittoresques. Le **Duomo di Santa Maria Maggiore** (Via Dante 3 ; ☽ 8h-12h et 14h30-19h) du XIVᵉ siècle est un hybride romano-gothique dont les sept fenêtres aux teintes roses de l'entrée ouest font penser à des hublots. Admirez les fresques des XIIIᵉ et XIVᵉ siècles dépeignant des scènes de la Bible, et le magnifique orgue du XVᵉ siècle décoré par le Pordenone.

Juste derrière le *duomo*, s'élèvent les vestiges romantiques du **Castello** (Piazza Castello ; ☽ 9h-12h30), forteresse médiévale dont les fresques du **Palazzo Dipinto** (palais peint) du XVᵉ siècle attirent tout particulièrement l'attention.

À deux pas se trouve l'excellent **Ristorante La Torre** (☎ 0427 5 05 55 ; Piazza Castello ; repas 40 € ; ☽ mar-sam, déj dim). La forteresse fut bâtie par le clan Spengenberg, une famille allemande arrivée au Frioul au XIᵉ siècle et qui donna son nom à la ville. À côté de la **tour orientale** de la vieille ville, vous pourrez faire une halte pour déguster quelques pâtes et siroter du vin à l'**Enoteca La Torre** (☎ 0427 29 98 ; Via di Mezzo 2 ; ☽ 10h30-14h30 et 17h-24h mer-lun).

Pour les hébergements et les restaurants, direction Vivaro, une ville agricole 10 km à l'ouest de Spilimbergo, où l'**Agriturismo Gelindo dei Magredi** (☎ 0427 9 70 37 ; www.gelindo. it ; Via Roma 16 ; d 70 € ; **P** **※** **⊕**) propose des chambres spacieuses et calmes (certaines avec cuisine) ainsi qu'une cuisine locale élégante à base de produits frais. On y apprécie les vergers, les appartements familiaux, la piscine, et plus encore.

UDINE

98 360 habitants / altitude 114 m
Peu de personnes connaissent Udine en dehors des Italiens. Cette opulente ville provinciale, située à l'extrémité nord-est du pays, une région peu visitée, se situe à 15 km de la frontière slovène.

Capitale spirituelle de la culture frioulane, Udine se distingue par son paysage urbain contrasté, avec des banlieues dortoirs d'un côté du périphérique et de l'autre, un grand centre médiéval abritant un impressionnant mélange d'arches vénitiennes, de statues grecques et de colonnes romaines.

Renseignements

Hôpital (☎ 0432 55 21 ; Piazza Santa Maria della Misericordia 15). Environ 2 km au nord du centre.
Internet (2,40 €/h ; ☽ 8h30-23h). Dans la gare routière.

Libreria Carducci (☎ 0432 50 27 86 ; Piazza XX Settembre 16 ; ☽ lun-sam). Guides et cartes ne manquent pas.
Office du tourisme (☎ 0432 29 59 72 ; www.udine-turismo.it ; Piazza I Maggio 7 ; ☽ 8h30-18h30 lun-sam, 10h-16h dim)
Police (☎ 0432 41 31 11 ; Viale Venezia 31)
Poste principale (Via Vittorio Veneto 42 ; ☽ 8h30-19h lun-sam)

À voir

PIAZZA DELLA LIBERTÀ ET SES ENVIRONS

Considérée comme la plus belle place vénitienne d'Italie continentale, la Piazza della Libertà apparait comme une véritable ode à la Renaissance depuis le dédale des rues environnantes. Le **Palazzo del Comune** (hôtel de ville) du XVᵉ siècle, également appelé Loggia de Lionello d'après le nom de son architecte (un orfèvre du nom de Nicolò Lionello), rappelle clairement l'influence vénitienne, tout comme la **Loggia di San Giovanni**, en face, un campanile imitant celui de la Piazza San Marco de Venise. Ici aussi, ce sont des Maures qui sonnent les heures.

L'**Arco Bollani**, à côté de la Loggia di San Giovanni, est une arche conçue par Andrea Palladio en 1556 qui mène au château autrefois occupé par les gouverneurs vénitiens. Le chemin est bordé par le Porticato del Lippomano portique de la fin du XVᵉ siècle qui s'élève le long d'un des anciens murs défensifs de la ville.

Le **château** fut bâti au milieu du XVIᵉ siècle sur le site d'un fort détruit en 1511 par un séisme. Il abrite aujourd'hui la **Galleria d'Arte Antica** (☎ 0432 27 15 91 ; adulte/enfant 3/1,50 €, entrée libre dim matin ; ☽ 9h30-12h30 et 15h-18h mar-dim), qui renferme des œuvres du Caravage (portrait de saint François, salle 7), de Carpaccio (un tableau représentant l'adoration du sang du Christ, salle 3) et de Tiepolo (plusieurs œuvres salle 10). Le gros de la collection est constitué de peintures frioulanes moins connues et de sculptures religieuses.

Le prix d'entrée comprend une visite au **Museo Archeologico**, également dans le château, où sont exposés des objets remontant jusqu'à l'âge du fer. Perchée sur la colline, la **Chiesa di Santa Maria del Castello**, du XIIᵉ siècle, se trouvait autrefois à l'intérieur de l'enceinte du château. On peut y admirer quelques fresques.

CATHÉDRALE ET SES ENVIRONS

De la Piazza della Libertà, en continuant vers le sud dans la Via Vittorio Veneto, on

SPÉCIALITÉS CULINAIRES DU FRIOUL

La cuisine frioulane a subi l'influence de nombreuses cultures, mais c'est avant tout une cuisine de gens pauvres. Ainsi, la *brovada*, un plat typique, est constitué de navets fermentés avec de la lie de raisin pressé (souvent servi avec du *muset*, une saucisse un peu relevée), tandis que le *brodetto* (ou *boreto*) est une soupe à base de divers poissons. Les *gnocchi* (de pommes de terre, de citrouille ou de pain) sont très appréciés, tout comme les *cialzons* (une sorte d'hybride raviolis-gnocchis avec toutes les farces possibles et imaginables, allant du fromage au chocolat) ou les saucisses et les *bolliti* (viandes bouillies), servies avec de la polenta et du *cren* (raifort). La *jota* (d'origine juive) est une soupe épaisse aux haricots et au chou.

Les "buffets" sont typiques de Trieste. L'ambiance de ces restaurants est plus hongroise qu'italienne, et vous pourrez très bien vous y retrouver attablé devant un goulasch. Dans certains villages de la Carnia, peuplés au Moyen Âge d'immigrants allemands, on prépare encore des plats typiquement autrichiens, comme le *klotznudl* (boulettes à la ricotta et aux poires).

Pour le dessert, essayez une *gubana*, pâtisserie fourrée aux noix, amandes, raisins secs, pignons, orange confite, beurre et liqueur. Une douceur hypercalorique qui provient de Cividale et des villages situés sur la rivière Natisone.

Les vins blancs des collines de l'est du Frioul sont considérés comme les plus savoureux du pays. L'idéal est de les déguster dans une *frasca* ou *locanda* (bar à vin familial et rustique). Goûtez le Pinot Grigio ou le Tocai Friulano (qui n'a rien à voir avec le Tokai doux de Hongrie, qui ne peut plus utiliser le nom de Tocai depuis 2007) des régions vinicoles de Colli Orientali et de Collio. Les rouges comme le Merlot et le Pinot Nero sont bons, sans atteindre l'excellence des blancs. Le Refosco est un rouge plus rare, produit uniquement à base de raisins de la région.

Le café, qui se doit de clôturer tout festin frioulan, se boit *à la resentin* (dans une tasse rincée à la grappa). À Trieste, les habitants donnent des noms particuliers à toutes les variantes italiennes du café. Ainsi, un *capo in b* est la version locale du *macchiato*, servie dans un verre.

---

atteint la Piazza del Duomo et la **cathédrale**, de style romano-gothique, datant du XIIIᵉ siècle. Plusieurs chapelles sont désormais occupées par le **Museo del Duomo** (☎ 0432 50 68 30 ; entrée libre ; ☉ 9h-12h et 14h-18h mar-sam, 16h-18h dim), où l'on remarquera les fresques de la Cappella di San Nicolò, qui datent du XIIIᵉ au XVIIᵉ siècle. De l'autre côté de la rue, l'**Oratorio della Purità** (Piazza del Duomo) arbore sur son plafond une peinture de l'Assomption de Giambattista Tiepolo, et sur ses murs huit scènes bibliques en clair-obscur peintes par Giandomenico Tiepolo. Érigé en 1680, l'édifice était à l'origine un théâtre, mais le patriarche d'Aquileia le fit transformer 80 ans plus tard, outré qu'un établissement si diabolique soit si proche de la cathédrale. L'oratoire est généralement fermé, mais vous pouvez en demander une visite guidée gratuite à la cathédrale.

Au sud de la Piazza del Duomo, la **Chiesa di San Francesco** (Largo Ospedale Vecchio ; adulte/enfant 5/3,50 € ; ☉ expositions temporaires 9h-12h et 15h30-19h mar-dim), du XIIIᵉ siècle, était l'une des églises les plus remarquables d'Udine. Elle fait désormais office de galerie d'art et n'ouvre que lors des expositions.

GALLERIA D'ARTE MODERNA

La **galerie d'Art moderne** (☎ 0432 29 58 91 ; Piazzale Paolo Diacono 22 ; adulte/enfant 3/1,50 €, entrée libre dim ; ☉ 9h30-12h30 et 15h-18h mar-sam, 9h30-12h30 dim) fut aménagée en 1885, après qu'un riche marchand eut légué tous ses biens à la ville. Depuis, elle s'est enrichie d'autres collections et présente des œuvres d'artistes italiens célèbres du XXᵉ siècle comme De Chirico, Severini et Morandi.

Où se loger

Pour un hébergement à la ferme dans les environs d'Udine, contactez l'**Agriturismo del Friuli Venezia Giulia** (☎ 0432 20 26 46 ; www.agriturismofvg. com ; Via Gorghi 27).

Hotel Europa (☎ 0432 50 87 31 ; www.hoteleuropa.ud.it ; Viale Europa Unita 17 ; s/d 58/92 € ; P ✗). Hôtel standard économique, et bien qu'un peu vieillot, idéal de par sa situation près de la gare. Les chambres sont grandes, le service est courtois et le centre-ville à 20 minutes de marche.

Astoria Hotel Italia (☎ 0432 50 50 91 ; www. hotelastoria.udine.it ; Piazza XX Settembre 24 ; s/d à partir de 76/131 € ; P ✗ ▢). Dans un charmant édifice historique donnant sur une place tranquille de la vieille ville, cet hôtel jaune

UDINE

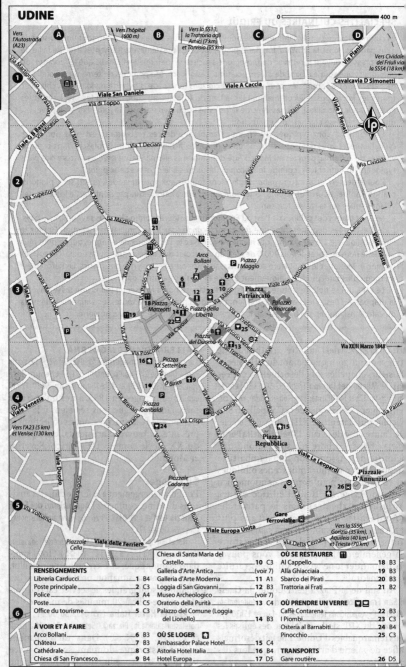

0   400 m

RENSEIGNEMENTS		
Libreria Carducci	1	B4
Poste principale	2	C3
Police	3	A4
Poste	4	C5
Office du tourisme	5	C3

À VOIR ET À FAIRE		
Arco Bollani	6	B3
Château	7	B3
Cathédrale	8	C3
Chiesa di San Francesco	9	B4
Chiesa di Santa Maria del Castello	10	C3
Galleria d'Arte Antica	(voir 7)	
Galleria d'Arte Moderna	11	A1
Loggia di San Giovanni	12	B3
Museo Archeologico	(voir 7)	
Oratorio della Purità	13	C4
Palazzo del Comune (Loggia del Lionello)	14	B3

OÙ SE LOGER		
Ambassador Palace Hotel	15	C4
Astoria Hotel Italia	16	B4
Hotel Europa	17	D5

OÙ SE RESTAURER		
Al Cappello	18	B3
Alla Ghiacciaia	19	B3
Sbarco dei Pirati	20	B3
Trattoria ai Frati	21	B2

OÙ PRENDRE UN VERRE		
Caffè Contarena	22	B3
I Piombi	23	B3
Osteria al Barnabiti	24	B4
Pinocchio	25	B3

TRANSPORTS		
Gare routière	26	D5

aux volets verts loue des chambres petites mais décorées avec goût.

Ambassador Palace Hotel (☎ 0432 50 37 77 ; www. ambassadorpalacehotel.it ; Via Carducci 46 ; s/d 118/148 € ; **P** **※**). Ce quatre-étoiles élégant est situé en plein centre-ville. Les chambres doubles, spacieuses, possèdent parquet et rideaux épais, mais les simples sont un peu exiguës.

Où se restaurer

La Piazza Matteotti et les rues piétonnes alentour sont prises d'assaut par les cafés et les restaurants en plein air. Dans la Via Paolo Sarpi et les rues adjacentes, restaurants et bars animés se succèdent également.

Sbarco dei Pirati (☎ 0432 2 13 30 ; Riva Bartolini 12 ; repas 20 €). Les murs et le plafond sont recouverts d'objets divers et variés (pots, marmites, scies, sabots…). Au menu : des plats de viande typiquement frioulans, très prisés des étudiants et des visiteurs au budget serré.

Trattoria ai Frati (☎ 0432 50 69 26 ; Piazzetta Antonini 5 ; repas 25 € ; ☽ lun-sam). Délicieux restaurant à l'ancienne dans une impasse pavée, avec de minuscules tables en bois sur lesquelles on déguste des spécialités locales comme le *frico* (succulente omelette au fromage et aux pommes de terre), ou des *tagliolini* au jambon de San Daniele.

Alla Ghiacciaia (☎ 0432 50 24 71 ; Via Zanon 13 ; repas 25-30 € ; ☽ mar-dim). Cette ancienne fabrique de glace est l'endroit idéal pour goûter aux plats de viande locaux, surtout si vous obtenez une table près du petit canal.

Al Cappello (☎ 0432 29 93 27 ; Via Paolo Sarpi 5 ; repas 30-35 € ; ☽ déj et dîner mar-sam, déj dim). Les amateurs de vins ne manqueront pas cet établissement installé de longue date, qui propose des centaines de crus sur un immense tableau noir. On y déguste surtout des en-cas, qui finissent néanmoins par rassasier.

Où prendre un verre

♥ **Caffè Contarena** (☎ 0432 51 27 41 ; www.caffecontarena.it ; Via Cavour 11 ; ☽ 9h-2h lun-sam). Cette fantaisie Art déco (hauts plafonds et bois poli à profusion) est l'adresse glamour d'Udine. Derrière les arcades du Palazzo d'Aronco, on sirote café ou cocktail, et surtout, on se montre.

I Piombi (☎ 0432 50 61 68 ; Via Manin 12 ; ☽ 10h-2h). Dans l'ancienne prison de la ville, un véritable dédale de salles voûtées en brique abrite de longs bancs et tables en bois qui craquent sous le poids des bières, du vin, de la nourriture et des joyeux convives.

Pinocchio (☎ 392 9958699 ; Via Lovaria 3a ; ☽ 19h-3h mar-dim). Établissement branché au vaste bar, aux lumières tamisées et à la musique très présente. Les habitués de Pinocchio s'observent en sirotant des cocktails, et sont parfois interrompus par des spectacles. Les cocktails à 5 € sont bradés durant la *happy hour* (à partir de 19h).

Osteria al Barnabiti (☎ 347 1747850 ; www.barnabiti. com ; Piazza Garibaldi 3a ; ☽ 10h-24h0h lun-jeu, 10h-1h ven-sam). Un bar original, meublé de grands pupitres en bois avec leurs encriers. On y déguste toutes sortes d'alcools et d'en-cas (viande froide et fromage).

Depuis/vers Udine

Depuis la **gare routière** (☎ 0432 50 69 41 ; Viale Europa Unita 31) d'Udine, la société **SAF** (☎ 800 915303, 0432 60 81 11 ; www.saf.ud.it) exploite des lignes depuis/vers Trieste (5,10 €, 1 heure 15, 1/heure), Aquileia (3 €, environ 1 heure 15, jusqu'à 8/jour), Lignano Sabbiadoro (5,10 €, 1 heure 30, 8-11/jour) et Grado (3,55 €, 1 heure 15, 12/jour). Des liaisons en bus sont également assurées avec Udine et l'aéroport de Friuli-Venezia Giulia (3,55 €, 1 heure, ttes les heures).

De la **gare ferroviaire** (Viale Europa Unita) d'Udine, on peut rallier Trieste (6 €, 1 heure à 1 heure 30), Venise (8 €, 1 heure 45 à 2 heures 30, plusieurs/jour) et Gorizia (3,25 €, 25 à 40 min, 1/heure).

VILLA MANIN

Les passionnés d'art contemporain apprécieront les expositions de la **Villa Manin** (☎ 0432 90 66 57 ; Piazza Manin 10 ; adulte/enfant 8/5 € ; ☽ musée 9h-12h30 et 14h30-18h mar-ven, 10h-18h30 sam-dim), située à **Passariano**, à 30 km au sud-ouest d'Udine. Cette demeure, entourée de 19 ha de jardins méticuleusement entretenus, a appartenu à la riche famille Manin des années 1600 jusqu'à la fin des années 1990, date à laquelle le dernier comte est mort sans laisser d'héritier. En 1797, Napoléon décida d'humilier le dernier doge de Venise, Ludovico Manin, en transformant sa résidence en quartier général. En octobre de la même année, il y signa le traité de Campo-Formio, qui faisait passer Venise sous l'autorité des Habsbourg d'Autriche. Pour vous rendre à la villa, empruntez le train de la ligne Venise-Udine, descendez à Codroipo et prenez un taxi (ou, si vous êtes patient, l'un des rares bus SAF) pour parcourir les 3 km restants (5 min).

CIVIDALE DEL FRIULI

11 600 habitants / altitude 138 m

Petite bourgade importante sur le plan historique, Cividale del Friuli (15 km à l'est d'Udine) fait partie intégrante de la culture régionale. Fondée par Jules César en 50 av J.-C. et baptisée Forum de Lulii (puis "Friuli"), la ville atteint son apogée sous le règne des Lombards qui s'y installent en 568 et s'approprient Aquileia au VIIIe siècle. Bien qu'en termes d'importance culturelle, le relais soit passé depuis fort longtemps à Udine, Cividale n'en demeure pas moins toujours aussi pittoresque et mérite d'être visitée.

Divisant la ville en deux, le symbolique **Ponte del Diavolo** (pont du diable) érigé au XVe siècle au-dessus de la Natisone, fut détruit pendant la Première Guerre mondiale par les troupes italiennes pour garantir leur retraite, puis reconstruit. D'après la légende, c'est le diable lui-même qui aurait bâti ce pont de pierres de 22 m de haut dont l'arche centrale est soutenue par un immense rocher.

Le principal édifice de la ville est le **Tempietto Longobardo** (☎ 0432 70 08 67 ; Borgo Brossano ; adulte/enfant 2,50/1,50 € ; ☼ 9h30-12h30 et 15h-18h30 lun-sam, 9h30-13h et 15h-19h30 dim avr-sept, 9h30-12h30 et 15h-17h lun-sam, 9h30-12h30 et 14h30-18h dim oct-mars). Également connue sous le nom d'Oratorio di Santa Maria in Valle, cette église est le dernier exemple intact d'art lombard en Europe. Datant du VIIIe siècle, elle est réputée pour ses ouvrages et fresques en stuc. Plus à l'ouest, la **cathédrale** (Piazza del Duomo), du XVIe siècle, abrite le **Museo Cristiano** (Musée chrétien ; fermé pour restauration lors de notre passage), dont l'autel de Ratchis, duc du Frioul (VIIIe siècle), orné de belles sculptures naïves, est le principal intérêt.

Non loin, le **Museo Archeologico** (☎ 0432 70 07 00 ; Piazza del Duomo 1 ; 2 € ; ☼ 9h-14h lun, 8h30-19h mar-dim) renferme des sculptures et des tombeaux romains et médiévaux.

Sur une jolie place de la vieille ville, l'**office du tourisme** (☎ 0432 71 04 60 ; www.cividale.net ; Piazza Paolo Diacono 10 ; ☼ 9h30-12h et 15h30-18h) vous renseignera en détail sur les promenades à faire dans le cœur médiéval de Cividale, dans les rues sinueuses bordées de vieilles maisons colorées et de boutiques.

L'hôtel de la ville que nous préférons sans l'ombre d'un doute est la paisible **Locanda Al Castello** (☎ 0432 73 32 42 ; www.alcastello.net ; Via del Castello 12 ; s/d 80/150 € ; ℗), à environ 1 km du centre historique, installée dans un ancien monastère jésuite, dans un cadre verdoyant et reposant, avec un restaurant sur place.

Ne manquez pas les *cialcions* (boulettes sucrées typiques de la région) d'**Al Monastero** (☎ 0432 70 08 08 ; Via Ristori 9 ; repas 25-30 € ; ☼ déj et dîner mar-sam, déj dim), situé dans la vieille ville et décoré de fresques originales et de meubles anciens. Le **Caffè Longobardo** (☎ 0432 73 01 60 ; Piazza Paolo Diacono 2), central, est doté de tables basses et d'une machine à cappuccino chantante. Le quotidien *Il Corriere della Sera* est à disposition.

Des trains privés gérés par le **Ferrovie Udine Cividale** (☎ 0432 58 18 44 ; www.ferrovieudinecividale.it) circulent entre Cividale et Udine (2,20 €, 20 min, au moins 1/heure).

SAN DANIELE DEL FRIULI

8 000 habitants

Deux types de jambons crus sont fabriqués en Italie : le jambon de Parme, très réputé, et l'unique *prosciutto di San Daniele*. Il est presque étonnant de découvrir que ce dernier, le plus grand trésor culinaire du Frioul-Vénétie Julienne, provienne d'une petite ville, qui abrite pas moins de 27 *prosciuttifici* (usines d'affinage) préservées par la législation européenne. L'**office du tourisme de San Daniele** (☎ 0432 94 07 65 ; www.infosandaniele.com ; Via Roma 3 ; ☼ 9h30-12h30 lun-sam) fournit la liste des usines qui accueillent les visiteurs (réservation indispensable). Le mieux est d'arriver en août pour l'**Aria di Festa**, fête annuelle de 4 jours en l'honneur du jambon, lors duquel le *prosciuttifici* ouvrent leurs portes au son des musiciens.

Les fresques sont l'autre point fort de San Daniele. Vous pourrez en admirer dans la **Chiesa di San Antonio Abate** (Via Garibaldi), église romane dont les fresques du XVe siècle aux couleurs éclatantes sont signées Pellegrino da San Daniele, également connu sous le nom de Martino da Urbino (1467-1547). Près de l'église, la **Biblioteca Guarneriana** (☎ 0432 95 79 30 ; Via Roma 1 ; ☼ 9h-13h, 14h30-18h15 mar-ven, 9h-13h sam), fondée en 1466, est l'une des bibliothèques les plus anciennes et les plus respectables du pays. Elle contient 12 000 livres anciens bien préservés, dont un précieux manuscrit de l'*Enfer* de Dante.

Hotel Alla Torre (☎ 0432 95 45 62 ; Via del Lago 1 ; s/d 62/94 € ; ℗). Établissement simple mais authentique situé au sommet de la colline qui divise le centre du village, et près des principaux sites d'intérêt. L'Alla Torre possède des chambres spacieuses et propres avec sdb privées.

Vous pouvez faire le plein de jambon à **La Casa del Prosciutto** (☎ 0432 95 74 22 ; Via Ciconi 22-24 ; ☺ fermé mar), où il est possible de s'asseoir pour un repas complet, ou au **Bar Municipio** (☎ 0432 95 50 12 ; Via Garibaldi 1 ; ☺ dim-ven), qui sert du *prosciutto* de San Daniele enroulé autour de *grissini* (gressins). À l'élégante **Da Scarpan** (☎ 0432 94 30 66 ; Via Garibaldi 41 ; repas 35 € ; ☺ déj et dîner jeu-lun, déj mar), le jambon vous est proposé dans des plats plus élaborés (le menu comprend aussi des plats sans *prosciutto*).

Trois itinéraires cyclistes de 22 km chacun sillonnent les collines autour du village ; renseignez-vous à l'office du tourisme. **Vacanze in Mountain Bike** (☎ 0432 94 10 44 ; www.bikelandia.it ; Via Osoppo 97) organise des circuits à vélo.

Des bus relient régulièrement San Daniele à Udine, 25 km au sud-est (2,50 €, 40 min).

NORD D'UDINE

L'extrême nord de la région la plus au nord-ouest d'Italie est cernée par les Alpes carniques et les Alpes juliennes. Des deux massifs, le premier est le plus accessible, avec des collines s'étendant jusqu'aux Dolomites à l'ouest et jusqu'à la frontière autrichienne au nord. Le second, plus imposant (nommé d'après Jules César), est constitué de pics déchiquetés se dressant jusqu'en Slovénie (le parc national du Triglav se situe de l'autre côté de la frontière).

Ces deux formations, qui possèdent une flore riche et des villages caractéristiques, constituent un formidable terrain de randonnée avec des sentiers de marche parmi les plus isolés et les plus pittoresques d'Italie. Situés au carrefour de trois cultures, ils requièrent quelques compétences linguistiques : les randonneurs devront être prêts à lancer des *salve* (en italien), *Grüss Gott* (en allemand) ou encore *Dober Dan* (en slovène) !

En direction du nord en venant d'Udine, faites une halte à **Bordano**, l'une des villes d'Europe où vous pourrez admirer le plus grand nombre de papillons, avec quelque 1 500 espèces (dont 500 nocturnes). La **Casa delle Farfalle** (☎ 0432 98 81 35 ; www.casaperlefarfalle. it ; Via Canada 1 ; adulte/enfant 6,50/4,50 € ; ☺ 9h30-12h30 et 14h-16h mars et oct, 9h30-12h et 14h-17h30 avr-sept) abrite notamment plus de 400 espèces tropicales.

Tarvisio et les Alpes juliennes

Les Alpes juliennes sont constituées d'imposants monolithes de calcaire ressemblant sans équivoque aux Dolomites voisines. Bien qu'ayant subi quelques aménagements récents (y compris un téléski transfrontalier), la région est encore relativement intacte et sauvage, ce qui est rarement le cas de ses voisines plus à l'ouest.

Tarvisio (5 020 habitants, altitude 754 m), niché dans le Val Canale entre les Alpes juliennes et les Alpes carniques orientales, constitue un point de chute idéal : cette station de ski, parfaite aussi pour les amateurs de randonnée, est située à 7 km de l'Autriche et à 11 km de la Slovénie. Elle est également réputée pour son marché du samedi qui attire les visiteurs d'une journée venus des pays voisins. Mais son premier atout reste le ski, car elle se situe dans la zone la plus enneigée et la plus froide de toute la région alpine. L'**office du tourisme** (☎ 0428 23 92 ; www.tarvisiano.org ; Via Roma 14) vous fournira des renseignements plus détaillés sur la ville et ses environs.

Les principales stations de sports d'hiver sont Tarvisio (qui compte 4 km de pistes) et **Sella Nevea** (où la piste rouge du Canin, longue de 2,6 km, est la plus intéressante). Lors de notre passage, de nouveaux téléphériques et télésièges reliant Sella Nevea à la station de ski de Bovec, côté slovène, étaient sur le point d'ouvrir. Pour plus d'informations, consultez le site www.sellanevea.net.

Les **lacs de Fusine** (Laghi di Fusine) s'étendent non loin de la frontière slovène et sont prisés depuis toujours des randonneurs en été, mais aussi des skieurs de fond et des amateurs de raquettes l'hiver. Les deux lacs, le Lago Superiore et le Lago Inferiore, situés au sein du **Parco Naturale di Fusine** sont entourés de sentiers. Pour les marcheurs téméraires, une randonnée de 11 km assez corsée rallie le **Rifugio Zacchi** (☎ 0428 6 11 95 ; dort 17-20 € ; ☺ juin-sept) par le Monte Mangart. Près des lacs, un parking et un petit bar proposant des rafraîchissements vous attendent. Les bus s'y rendent jusqu'à cinq fois par jour depuis Tarvisio (1,50 €, 15 min).

Tarvisio possède quelques hôtels corrects, dont l'**Hotel Haberl** (☎ 0428 23 12 ; www.hotelhaberl. com ; Via Kugy 1 ; s/d 50/70 € ; Ⓟ), situé en plein centre, avec chambres lumineuses, sauna, grand restaurant en extérieur et terrasse. Le **Ristorante Adriatico** (☎ 0428 26 37 ; Via Roma 59) fait partie des petits restaurants bon marché typiques de la ville, et propose un menu à deux plats avec viande ou poisson, vin compris, pour moins de 20 €.

Des trains relient Tarvisio et Udine (7,25 €, 1 heure 30, jusqu'à 7/jour).

Tolmezzo et la Carnia

La région de la Carnia est intrinsèquement frioulane (le frioulan y est très répandu). Elle tient son nom de ses premiers habitants celtiques, les Carni. Géographiquement, elle englobe les parties occidentale et centrale des Alpes carniques et abrite de magnifiques paysages sauvages ponctués de villages pittoresques et se prêtant parfaitement à la randonnée.

Dans la capitale de la région, **Tolmezzo** (10 600 habitants), visitez les quatre niveaux du **Museo Carnico delle Arti e Tradizioni Popolari** (☎ 0433 4 32 33 ; www.carniamusei.org ; Via della Vittoria 2 ; adulte/enfant 4/3 € ; ☺ 9h-13h et 15h-18h mar-dim), qui présente la vie et les traditions montagnardes. Des cinq hôtels de la ville, l'agréable et central **Albergo Roma** (☎ 0433 46 80 31 ; Piazza XX Settembre 14 ; s/d 50/100 € ; ℗ 🖵) constitue la meilleure option. Des bus SAF relient Tolmezzo à Udine environ toutes les heures (3,10 €, 50 min) depuis la Via Carnia Libera.

Tolmezzo permet également d'accéder à **Ampezzo**, un petit village 17 km à l'ouest où se blottissent des maisons séculaires ainsi que l'inattendu **Museo Geologico della Carnia** (☎ 0433 81 10 30 ; Piazza Zona Libera della Carnia ; ☺ 9h-12h sam et dim oct-mai, 9h-12h et 15h-16h mar-dim juin-sept), remarquable pour sa collection de roches et de fossiles. Au nord-ouest, une petite route longe la gorge abrupte de Lumiei pour émerger près des eaux bleues du **Lago di Sauris**, un lac artificiel environ 4 km à l'est de **Sauris di Sotto**. Il faut

parcourir encore 4 km de montagnes russes pour atteindre l'adorable **Sauris di Sopra**. Ce hameau est un curieux îlot de germanophones (qui l'appellent Zahre), dont la culture tyrolienne s'exprime aussi dans les maisons de bois. La région est célèbre pour ses jambons, ses saucisses et sa bière brassée localement (blonde, avec une pointe de saveur de Weizenbier, et brune). Les hôtels et les chemins de randonnée ne manquent pas. L'**Albergo Ristorante Riglarhaus** (☎ 0433 8 60 13 ; Fraz Lateis 3 ; s/d 44/66 € ; ℗) est un établissement cosy typiquement montagnard, proposant une cuisine rustique.

Près de la Vénétie, **Forni di Sopra** est une station de ski courue et très enneigée. L'endroit est également réputé pour ses étendues de fleurs sauvages et de plantes aromatiques en été, ces dernières étant utilisées dans la cuisine locale et célébrées lors de l'annuelle **Festa delle Erbe di Primavera** (fête des herbes printanières). La commune compte de nombreux établissements, dont l'**Hotel Edelweiss** (☎ 0433 8 8016 ; www.edelweiss-forni.it ; Via Nazionale 19 ; s/d 62/82 € ; ℗ 🖵). Cet hôtel, qui accueille volontiers les enfants et qui prête gratuitement des VTT, offre une superbe vue outre de nombreux autres avantages. Pour en savoir plus, renseignez-vous auprès de l'**office du tourisme** (☎ 0433 88 67 67 ; Via Cadore 1).

Depuis Tolmezzo, des bus SAF réguliers desservent la région et s'arrêtent à Ampezzo (2,10 €, 35 min) et Forni de Sopra (3,10 €, 1 heure 20).

Émilie-Romagne et Saint-Marin

Longtemps considérée comme une région de transit entre la Vénétie et la Toscane, l'Émilie-Romagne mérite qu'on prenne le temps de découvrir ses villes d'art, ses stations balnéaires cosmopolites et sa campagne paisible. En outre, elle fait la part belle à la gastronomie, avec de savoureuses spécialités culinaires et des vins corsés.

Son patrimoine architectural date de la Renaissance, période durant laquelle quelques grandes familles italiennes s'installèrent en Émilie-Romagne : les Farnèse à Parme et à Piacenza, les Este à Ferrare et à Modène, et les Bentivoglio à Bologne.

Bologne, la capitale régionale, dotée d'un remarquable centre historique, est aussi un haut lieu de la gastronomie. Modène s'enorgueillit d'une superbe cathédrale romane ; Parme, belle ville d'art, a offert au monde deux ingrédients incontournables : son fameux *prosciutto crudo* (jambon cru) et son *parmigiano reggiano* (parmesan). Dans le sud, la campagne aux reliefs montagneux formés par les Apennins est émaillée de châteaux et de citadelles. Ferrare et Ravenne, points d'orgue de la Romagne, sont rapidement accessibles au départ de Bologne : Ferrare pour son cœur historique datant de la Renaissance et Ravenne pour ses mosaïques byzantines exceptionnelles. Après ces étapes culturelles, vous pourrez vous détendre en rejoignant Rimini, aux plages très fréquentées et aux discothèques branchées ; ou bien la république de Saint-Marin, où de nombreux touristes viennent passer la journée et admirer un panorama unique. Enfin, l'Émilie-Romagne, avec ses plaines et ses vallées, se prête idéalement au cyclotourisme.

À NE PAS MANQUER

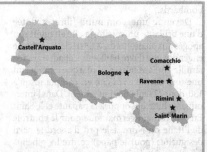

- Les concerts gratuits et les films en plein air, à Bologne durant tout l'été, pendant le **festival Bologna Estate** (p. 433)
- Les somptueuses mosaïques dans l'abside de la Basilica di Sant'Apollinare in Classe à **Ravenne** (p. 466)
- Le spectacle des champs s'étendant jusqu'à l'Adriatique depuis les murailles de **Saint-Marin** (p. 473)
- La promenade jusqu'à la plage en vélo (gratuit) à **Rimini** (p. 473)
- Tranchant avec la platitude du paysage, les abruptes rues pavées du pittoresque village médiéval de **Castell'Arquato** (p. 459)
- La cargaison d'une épave vieille de 2 000 ans et le magnifique pont de Trepponti à **Comacchio** (p. 464)

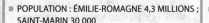
POPULATION : ÉMILIE-ROMAGNE 4,3 MILLIONS ; SAINT-MARIN 30 000

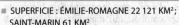
SUPERFICIE : ÉMILIE-ROMAGNE 22 121 KM² ; SAINT-MARIN 61 KM²

BOLOGNE (BOLOGNA)

372 000 habitants

Dans un cadre remarquable – *palazzi* médiévaux, tours Renaissance, arcades et portiques – ce haut lieu de la gastronomie italienne compte aussi une population estudiantine et une communauté gay active, qui confèrent à Bologne sa vitalité. Grâce à ses 40 km de galeries, dont les arcades protègent les piétons de la circulation, de la pluie et de la canicule estivale, la ville se parcourt aisément à pied.

On la surnomme Bologna la Rossa ("la Rouge"), en référence à la couleur de ses édifices, mais aussi à son passé de bastion communiste. Aujourd'hui, même si les passions se sont apaisées depuis l'intervention des chars blindés pour réprimer des mouvements étudiants en 1977, la ville demeure active sur le plan politique et son université, la plus vieille d'Europe, demeure un lieu de contestation étudiante.

HISTOIRE

Bologne s'affirma à partir du VIe siècle av. J.-C. sous le nom de Felsina, et resta pendant deux siècles la capitale des territoires étrusques de la plaine du Pô, avant que des tribus celtes s'en emparent et la rebaptisent Bononia. Deux siècles plus tard, les Celtes furent chassés par les Romains. Après l'effondrement de l'empire d'Occident, Bologne fut pillée et occupée par les Wisigoths, les Huns, les Goths et les Lombards.

Devenue une commune libre et dotée d'une brillante université, la cité atteignit son apogée aux alentours du XIIe siècle. Sa richesse engendra une fièvre bâtisseuse, chaque grande famille voulant laisser sa marque en érigeant une tour fortifiée : la cité en compta jusqu'à 180, dont 22 seulement subsistent. Dans l'interminable lutte qui opposa la papauté et le Saint Empire romain germanique pour le contrôle de l'Italie du Nord, elle prit d'abord le parti des guelfes (pour le pape) contre les gibelins (partisans de l'empereur), avant d'opter au XIVe siècle pour la neutralité.

À la suite d'un soulèvement populaire contre la famille régnante des Bentivoglio, les troupes du pape s'emparèrent de Bologne en 1506 ; la ville demeura sous le contrôle de la papauté jusqu'à l'arrivée de Bonaparte, en 1796. En 1860, elle rejoignit le royaume du Piémont.

Les combats qui marquèrent la fin de la Seconde Guerre mondiale réduisirent à néant près de 40% de ses bâtiments industriels. Le centre historique, à l'intérieur des remparts, a été restauré avec soin.

Aujourd'hui, Bologne est devenue un pôle des hautes technologies et organise régulièrement des foires internationales.

ORIENTATION

Bologne se visite facilement à pied. La Via dell'Indipendenza, la principale artère nord-sud, va du quartier des gares à la Piazza del Nettuno et à la Piazza Maggiore, cœur de la cité. À l'est, la Piazza di Porta Ravegnana marque la limite de la Via Zamboni et du quartier universitaire. La Via Ugo Bassi, qui débouche sur la Via Rizzoli, constitue la principale artère est-ouest.

RENSEIGNEMENTS

Accès Internet

Iperbole (☎ 051 20 31 84 ; www.comune.bologna.it/wireless ; Palazzo D'Accursio, Piazza Maggiore 6 ; Internet et Wi-Fi gratuits ; ☽ 9h30-18h30 lun-sam). Mis en place par la municipalité, ce service Internet comprend un forfait gratuit de 1 heure par jour depuis l'un des 6 postes publics ou de 3 heures en Wi-Fi. Inscription au guichet Iperbole dans le Palazzo D'Accursio.

Liong@te (☎ 051 407 01 61 ; Via Rizzoli 9 ; Internet 2,20 €/h ; ☽ 10h-24h). En haut de l'escalier en face de l'ascenseur de l'Albergo Garisenda.

Consigne

Gare ferroviaire (1er bagage 4 €/5 heures, bagages supp 0,60 €/heure ; ☽ 6h-22h)

Laverie

iWash (Via Petroni 38 ; 8 kg lavage et séchage 6,80 € ; ☽ 9h-21h lun-sam, 10h30-21h dim)

Librairies

Feltrinelli International (☎ 051 26 80 70 ; Via Zamboni 7b ; ☽ 9h-19h30 lun-sam)

Librerie Coop (☎ 051 22 01 31 ; Via Orefici 19 ; ☽ 9h-24h lun-sam, jusqu'à 20h dim). Librairie flambant neuve sur 3 niveaux comprenant un café, un restaurant et une *enoteca* (bar à vin).

Offices du tourisme

Centro Servizi per i Turisti (☎ 800 856065 ; www.cst.bo.it ; Piazza Maggiore 1 ; ☽ 10h-14h et 15h-19h lun-sam, 10h-14h dim). Réservation gratuite d'hôtels, à côté de l'office du tourisme.

Office du tourisme (www.bolognaturismo.info ; ☽ 9h-19h) ; aéroport (☎ 051 647 21 13) ; Piazza Maggiore (☎ 051 23 96 60 ; Piazza Maggiore 1e) ; gare ferroviaire (☎ 051 25 19 47)

ÉMILIE-ROMAGNE ET SAINT-MARIN

ITINÉRAIRE RÉGIONAL
BOLOGNE ET SES ENVIRONS

1 semaine / Bologne

Partez de **Bologne**, capitale culinaire italienne et l'une des villes les plus dynamiques de la région. Découvrez ses palais à créneaux et sa vingtaine de tours médiévales en rayonnant de la **Piazza Maggiore** (p. 428), puis gravissez l'escalier en colimaçon de 97,6 m de la **Torre degli Asinelli** (p. 431), d'où la vue est spectaculaire. Le soir, choisissez un restaurant ou dégustez un verre de vin dans une chapelle du XVIIᵉ siècle à **Le Stanze** (p. 436).

Quittez la ville vers l'Émilie, à l'ouest, berceau du parmesan, du *prosciutto* et du vinaigre balsamique. Après avoir visité une **fabrique** (p. 446), faites halte à la cathédrale de **Modène** (p. 446), monument du XIIᵉ siècle classé par l'Unesco, ou à la Galleria Ferrari, à **Maranello** (p. 449), avant de passer la soirée à l'opéra au Teatro Regio de **Parme** (p. 456). Le lendemain, flânez dans la forteresse de **Canossa** (p. 452) et à **Castell'Arquato** (p. 459) ou visitez la villa de Giuseppe Verdi, près de **Busseto** (p. 456).

Retournez en Romagne, vers l'est, et déambulez en vélo avec les habitants de **Ferrare** (p. 459), sans manquer le fastueux **Castello Estense** (p. 460) et d'autres édifices légués par les ducs d'Este. Offrez-vous des *cappellacci di zucca* (raviolis à la citrouille) avant de vaincre les 50 km de piste cyclables longeant la rivière jusqu'au **delta du Pô** (p. 464).

Ravenne (p. 464) enchantera les amateurs de mosaïques : ses églises recèlent une somptueuse collection d'œuvres paléochrétiennes vert vif et or. Après les émaux de Ravenne, les eaux turquoise de l'Adriatique vous attendent à une heure de là, à **Rimini** (p. 469) : faites trempette, comparez les clubs et discothèques de Riccione, non loin, ou quittez (provisoirement) le pays pour la république de **Saint-Marin** (p. 473), dont le sommet offre une vue splendide.

De retour à Bologne, passez votre dernière après-midi à flâner dans le **Quadrilatère** (p. 430), entre les emplettes gastronomiques et les incomparables créations de **La Sorbetteria Castiglione** (p. 435), meilleur glacier de Bologne.

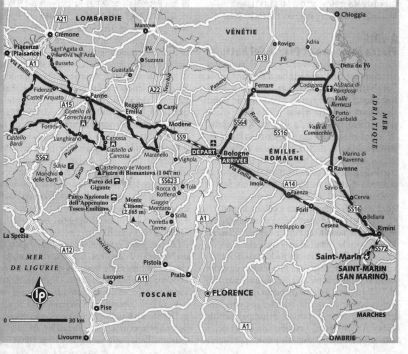

ÉMILIE-ROMAGNE
ET SAINT-MARIN

Poste
Poste (Piazza Minghetti 4)

Services médicaux
Ospedale Maggiore (☎ 051 647 81 11 ; Largo Nigrisoli 2). À l'ouest du centre ; bus 19 de la Via Bassi.

À VOIR
Piazza Maggiore et Piazza del Nettuno
Encadrée par l'une des plus grandes basiliques au monde et par un ensemble d'élégants palais Renaissance, la **Piazza Maggiore** constitue le cœur historique de Bologne et à coup sûr le point de départ de votre visite. Cette belle place piétonnière, très animée, date du XIIIe siècle.

Attenante à la Piazza Maggiore, la **Piazza del Nettuno** doit son nom à la **fontaine de Neptune**, imposante statue en bronze sculptée en 1566 par Jean Bologne (ou Giambologna). Sous le puissant dieu de la Mer, 4 chérubins représentent les vents, et 4 sirènes symbolisent les quatre continents connus à cette époque.

Formant le côté ouest de la Piazza Maggiore, le **Palazzo Comunale** (également appelé Palazzo d'Accursio car c'était à l'origine la résidence de Francesco d'Accursio) abrite le conseil municipal de Bologne depuis 1336. Mélange de styles architecturaux, le palais a été restauré aux XVe et XVIe siècles. La statue du pape Grégoire XIII, prélat bolognais qui fit adopter le calendrier grégorien, orne le portail principal depuis 1580. À l'intérieur, l'escalier du XVIe siècle attribué à Donato Bramante permettait l'accès aux voitures à cheval qui déposaient leurs passagers… au premier étage.

Au 2e étage du *palazzo* se trouvent deux **galeries d'art** (☎ 051 20 36 29 ; entrée libre ; ☒ 9h-18h30 mar-ven, 10h-18h30 sam et dim) : la **Collezioni Comunali d'Arte** et son intéressante collection de peintures, sculptures et meubles du XIIIe au XIXe siècle, et le **Museo Morandi**, consacré aux natures mortes qui ont fait la réputation de l'artiste bolognais Giorgio Morandi.

Devant le palais, trois grands panneaux exposent les photos des centaines de résistants tués par les nazis, souvent en ce lieu même.

En face, le **Palazzo del Re Enzo**, érigé au XIIIe siècle, doit son nom au roi Enzo de Sicile (fils illégitime du saint empereur romain Frédéric II), que le pape fit emprisonner de 1249 à 1272. Le palais voisin est de la même époque : le **Palazzo del Podestà** fut à l'origine la résidence du premier magistrat (le podestat) de Bologne. Sa **galerie** souterraine est dotée d'une particularité acoustique : deux personnes placées aux deux angles opposés s'entendent chuchoter. Ces deux palais ne sont ouverts au public que lors des expositions.

Dominant le flanc sud de la place, la **Basilica di San Petronio** (☎ 051 22 54 42 ; ☒ 7h45-12h30 et 15h30-18h en hiver, 7h45-12h30 et 15h30-18h en été), de style gothique et dédiée au saint patron de la ville, est la plus grande église de Bologne. Ses proportions majestueuses (132 m de longueur sur 66 m de largeur et une voûte culminant à 47 m) en font la cinquième basilique au monde. Sa construction ne fut jamais achevée. San Petronio devait, à l'origine, être plus grande que la basilique Saint-Pierre de Rome, mais en 1561, soit 169 années après le début de sa construction, le pape Pie IV décida qu'une partie des fonds servirait à édifier une université le futur Archiginnasio. La façade est demeurée inachevée, tandis que la partie est, que l'on peut voir en longeant la Via dell'Archiginnasio, comporte un rang de colonnes, laissées en l'état qui devaient à l'origine supporter une voûte.

Le portail central, sculpté par Jacopo della Quercia en 1425, illustre un superbe *Vierge à l'Enfant* ainsi que des scènes de l'Ancien et du Nouveau Testament. Les chapelles à l'intérieur sont ornées de fresques de Giovanni da Modena et de Jacopo di Paolo. Un gigantesque cadran solaire en cuivre s'étend sur le pavé du bas-côté est. Réalisé en 1656 par Gian Cassini et Domenico Guglielmi, il a permis de déceler certaines anomalies du calendrier julien et a entraîné l'adoption de l'année bissextile.

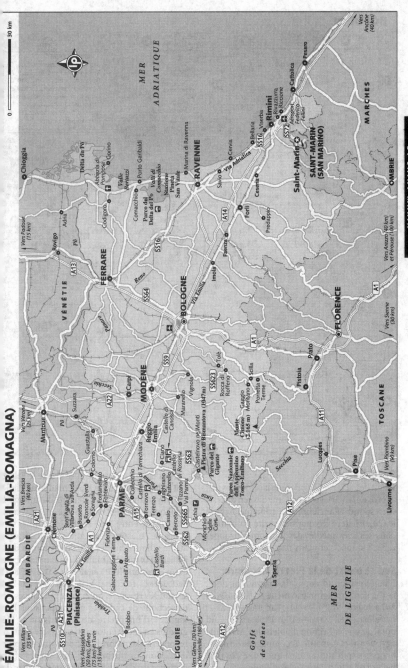

ÉMILIE-ROMAGNE (EMILIA-ROMAGNA)

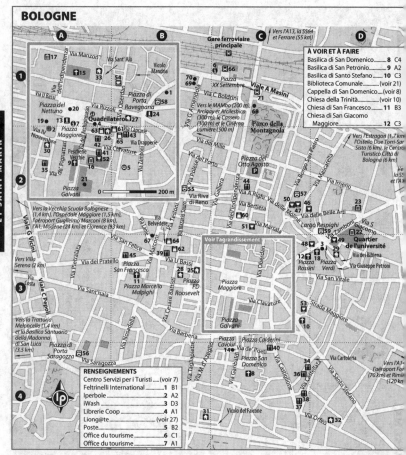

BOLOGNE

Quadrilatère

À l'est de la Piazza Maggiore, le lacis de rues aux abords de la Via Clavature ("rue des serruriers") correspond à l'ancienne ville romaine. Appelé le Quadrilatero, ce quartier abrite un marché dans ses rues médiévales, où sont regroupés cafés à la mode et petits restaurants.

Sud et ouest de la Piazza Maggiore

Filant vers le sud depuis la Piazza Maggiore, la Via dell'Archiginnasio mène au **Museo Civico Archeologico** (☎ 051 275 72 11 ; Via dell'Archiginnasio 2 ; entrée libre ; ☺ 9h-15h mar-ven, 10h-18h30 sam-dim), qui possède une collection d'objets de l'Antiquité égyptienne et romaine, accompagnée de nombreuses explications, ainsi que l'une des plus belles collections étrusques d'Italie.

À quelques mètres de là se dresse le **Palazz dell'Archiginnasio**, édifié à la demande de Pie I qui ne souhaitait pas étendre davantage basilique de San Petronio. Siège de l'universi de Bologne entre 1563 et 1805 (ses murs sor ornés des blasons des professeurs), ce pala abrite aujourd'hui les 700 000 volumes de **Biblioteca Comunale** (bibliothèque municipale et un étonnant **Teatro Anatomico** (☎ 051 27 68 1 Piazza Galvani 1 ; entrée libre ; ☺ 9h-18h45 lun-ven, 9h-13h4 sam) du XVIIe siècle, où étaient pratiquées de dissections de cadavres en public, sous l'œ vigilant d'un prêtre de l'Inquisition. De gradins en cèdre entourent une table central recouverte de marbre blanc, sous une sculptur d'Apollon au plafond. Le dais surplomban la chaire du conférencier est soutenu par de

ÉMILIE-ROMAGNE ET SAINT-MARIN

écorchés. Cette salle de médecine, à l'instar de nombreuses fresques du palais, fut entièrement restaurée après la Seconde Guerre mondiale.

En direction du sud, vous rejoindrez la **Basilica di San Domenico** (☎ 051 640 04 11 ; Piazza San Domenico 13 ; 🕑 9h30-12h30 et 15h30-18h30 lun-ven, jusqu'à 17h30 sam-dim), édifiée en 1238 en l'honneur de saint Dominique, fondateur de l'ordre des Dominicains, qui mourut en 1221. C'est dans la **Capella di San Domenico** que l'on peut voir le tombeau, sculpté par Nicola Pisano et parachevé par de nombreux artistes. Michel-Ange a exécuté l'ange à droite de l'autel alors qu'il avait tout juste 19 ans. Remarquez les admirables stalles en marqueterie du chœur. Mozart, qui passa un mois à l'académie de musique de Bologne, eut l'occasion de jouer sur l'orgue de l'église.

Plus à l'ouest, la **Chiesa di San Francesco** (☎ 051 22 17 62 ; Piazza San Francesco ; 🕑 6h30-12h et 15h-19h) constitue l'un des premiers exemples de l'influence du gothique français sur l'architecture italienne. L'église abrite le tombeau du pape Alexandre V et un très beau retable de marbre du XIVe siècle représentant des saints et des scènes tirées de la vie de saint François.

À 3,5 km du centre-ville, perchée sur une hauteur, la **Basilica Santuario della Madonna di San Luca** (☎ 051 614 23 39 ; Via di San Luca 36 ; 🕑 7h-12h30 et 14h30-19h avr-sept, jusqu'à 17h oct-fév, 18h mars) recèle une représentation de la Vierge Marie dont saint Luc serait l'auteur. L'œuvre fut transportée de Constantinople à Bologne au XIIe siècle. Ce sanctuaire du XVIIIe siècle est relié à la ville (accès par la Piazza di Porta Saragozza) par un portique long d'environ 4 km et composé de 666 arcades. Pour y accéder depuis le centre-ville, prenez le bus n°20 jusqu'à la Villa Spada, puis un minibus (le billet coûte 3,40 € aller-retour). Vous pouvez aussi descendre un arrêt plus loin, à l'arc de Meloncello, et faire à pied les 2 km restants sous les arcades.

Quartier de l'université

Dressant leurs silhouettes élancées sur la Piazza di Porta Ravegnana, les deux tours *(Due Torri)* penchées de Bologne constituent d'excellents repères. La plus haute (97,6 m), la **Torre degli Asinelli** (entrée 3 € ; 🕑 9h-18h, jusqu'à 17h oct-mai) est ouverte au public mais compte pas moins de 498 marches. D'après la légende locale, les étudiants qui montent jusqu'au sommet n'obtiennent jamais leur diplôme. Édifiée par la famille Asinelli entre 1109 et 1119, la tour présente aujourd'hui une inclinaison de 1,30 m. Sa voisine, la **Torre Garisenda** atteint 48 m, mais est fermée au public du fait de son inclinaison de 3,20 m.

Depuis les tours, prenez vers le sud-est la Via Santo Stefano en direction de la **Basilica di Santo Stefano** (☎ 051 22 32 56 ; Via Santo Stefano 24 ; 🕑 9h-12h30 et 15h30-18h30), qui ne regroupe plus que quatre édifices religieux de l'époque médiévale, sur les sept qu'elle comptait à l'origine (d'où son surnom *Sette Chiese* – les Sept Églises). On pénètre par la **Chiesa del Crocifisso**, église du XIe siècle qui renferme les ossements de San Petronio, avant d'atteindre la **Chiesa del San Sepolcro**, dont la forme octogonale austère laisse penser qu'il s'agissait à l'origine d'un baptistère. Juste à côté, le **Cortile di Pilato** doit son nom à son bassin central qui serait celui où Ponce

ÉMILIE-ROMAGNE ET SAINT-MARIN

Pilate se lava les mains après avoir condamné le Christ à mort – il s'agit en fait d'une œuvre lombarde du VIIIe siècle. De l'autre côté de la cour, la **Chiesa della Trinità** mène à un cloître modeste et à un petit **musée**. La quatrième église, **Santi Vitale e Agricola**, est la plus ancienne de la ville. Datant pour l'essentiel du XIe siècle, elle intègre des éléments et des sculptures de l'époque romaine. Deux tombeaux anciens servirent un temps d'autel.

Au nord de cet ensemble, on atteint par la Via Zamboni la **Chiesa di San Giacomo Maggiore** (☎ 051 22 59 70 ; Piazza Rossini ; ⏱ 8h30-13h et 15h30-18h30), construite au XIIIe siècle, qui renferme une belle collection de peintures et d'objets. Sa chapelle Bentivoglio, agrémentée d'un retable de Francesco Raibolini (appelé Il Francia), est ornée de fresques de Lorenzo Costa. Ces deux artistes sont également les principaux auteurs des remarquables fresques du XVIe siècle qu'on peut admirer juste à côté, dans l'**Oratorio di Santa Cecilia** (☎ 051 22 59 70 ; Via Zamboni 15 ; ⏱ 10h-13h et 14h-18h), l'un des joyaux méconnus de Bologne. Illustrant le martyre de sainte Cécile et de son époux Valérien, ces fresques aux couleurs vives et aux dessins naturalistes sont en excellent état.

Vous pouvez ensuite visiter les musées de l'université installés dans le **Palazzo Poggi** (☎ 051 209 93 98 ; www.museopalazzopoggi.unibo.it ; Via Zamboni 33 ; entrée libre ; ⏱ 10h-13h et 14h-16h mar-ven, 10h30-13h30 et 14h30-17h30 sam et dim), où on remarque des curiosités comme les moulages en cire du musée de l'Obstétrique et des carapaces de tortues géantes du Museum des sciences naturelles. Les bateaux, les cartes anciennes, l'architecture militaire et la physique ont chacun leur musée respectif.

La **Pinacoteca Nazionale** (☎ 051 420 94 11 ; Via delle Belle Arti 56 ; adulte/enfant 4/2 € ; ⏱ 9h-19h mar-dim) rassemble d'importantes collections de tableaux datant, pour les plus anciens, du XIVe siècle, pour la plupart de l'école de Bologne, ainsi que plusieurs grandes œuvres de la fin du XVIe siècle des cousins Carrache (Ludovic, Augustin et Annibal). Comptant parmi les pères du baroque italien, les Carrache (Carraccis) furent profondément influencés par la Contre-Réforme qui se répandit en Italie dans la seconde moitié du XVIe siècle. Leurs tableaux, souvent d'inspiration religieuse et empreints d'émotion, cherchaient à faire naître la piété. Parmi leurs œuvres illustres, ne manquez pas la *Madonna Bargellini* de Ludovic, la *Comunione di San Girolamo*

(Communion de saint Jérôme) d'Augusti et la *Madonna di San Ludovico* d'Anniba Vous découvrirez également des œuvres d Giotto, *Estasi di Santa Cecilia* (L'Extase d sainte Cécile) de Raphaël et quelques œuvr plus mineures du Greco et de Titien.

Nord de la Piazza Maggiore

Un peu au nord de la Piazza Maggiore, cathédrale de Bologne, la **Metropolitana di Sa Pietro** (☎ 051 22 21 12 ; Via dell'Indipendenza 9 ; ⏱ 8h3 12h et 16h-18h15) a été détruite et remaniée maintes reprises au cours des siècles. L'édific sert de point de repère, en face du **Museo Civic Medievale** (☎ 051 219 39 30 ; Via Manzoni 4 ; entré libre ; ⏱ 9h-15h mar-ven, 10h-18h30 sam-dim), aménag dans le Palazzo Ghilisardi-Fava (XVe siècle Le musée inclut de belles fresques de Jacop della Quercia.

Plus haut, au nord-ouest du centre histo rique, le **MAMbo** (Museo d'Arte Moderna di Bologna ☎ 051 649 66 11 ; Via Don Minzoni 14 ; entrée libr ⏱ 10h-18h mar-dim, jusqu'à 22h jeu) est le dernie né des musées de Bologne. Occupant l salle caverneuse de l'ancienne boulangeri municipale, ses expositions permanentes e provisoires présentent les œuvres des artiste les plus prometteurs de la péninsule.

À FAIRE

Offrez-vous un moment de détente et un exfoliation au **Hammam Bleu** (☎ 051 58 01 62 www.hammam.it ; Vicolo Barbazzi 4 ; ⏱ 12h-22h lun-ve 11h-19h sam et dim), dans le centre historique. Tar minimum de 50 € (30 min de massage).

Pour en savoir plus sur le cyclotourisme Bologne et sa région, voir l'encadré ci-contre

COURS

Réputée pour sa gastronomie, Bologne es aussi le lieu idéal pour prendre des cour de cuisine. Nous vous conseillons **La Vecchi Scuola Bolognese** (☎ 051 649 15 76 ; www.lavecchiascuol com ; Via Malvasia 49), entre autres établissement Comptez entre 80 € pour un cours de 4 heure et 250 € pour un stage d'une semaine.

CIRCUITS ORGANISÉS

Plusieurs organismes proposent des visites pied de la ville pendant 2 heures (13 €), ave des guides anglophones. Le point de départ s situe toujours devant l'office du tourisme su la Piazza Maggiore (pas de réservation).
La Chiocciola (☎ 051 22 09 64 ; www.lachiocciolasc com). Départ à 10h15 les mercredis, samedis et dimanches

UNE RÉGION À DÉCOUVRIR À VÉLO

En raison de la variété de ses paysages, où les plaines du delta du Pô alternent avec les sommets des Apennins, et grâce à d'excellentes infrastructures, l'Émilie-Romagne se prête à merveille au cyclotourisme. La région ne manque pas d'agences de location et on peut aisément transporter son vélo par le train. Les offices du tourisme vous indiquent des itinéraires et donnent des cartes, mais nous vous conseillons la carte *Emilia-Romagna* (1/200 000 ; 7 €) publiée par le Touring Club d'Italie.

Voici deux itinéraires (l'un plutôt plat, l'autre en descente) :

■ **Bologne-Ferrare** Un circuit de 45 km à travers les villes et villages de la plaine du Pô. De la gare ferroviaire de Bologne, mettez le cap vers le nord en empruntant la Via Giacomo Matteotti et la Via di Corticella, passez sous l'A14 Autostrada, puis prenez à gauche au niveau de l'A13 et suivez les indications Castel Maggiore. De là, poursuivez sur 13 km jusqu'à San Pietro in Casale puis jusqu'à Ferrare, distante de 21 km. Si vous ne souhaitez pas repartir vers Bologne, descendez jusqu'au delta du Pô, à environ 50 km vers l'est du littoral.

■ **Les Apennins** Une descente de 75 km de Porretta Terme, station thermale des Apennins, jusqu'à Bologne. Prenez un train régulier reliant Bologne à Porretta, puis prenez la route de Gaggio Montano Via Silla. À Gaggio, obliquez à droite pour rejoindre la SS623 que vous suivrez sur 20 km environ avant de prendre à droite en direction de Rocca di Roffeno et de Tolè. À partir de Tolè, il vous reste environ 36 km à parcourir pour regagner Bologne.

Le Guide d'Arte (☎ 051 275 02 54 ; www.guidedarte. com). Départ à 15h le samedi.

Prima Classe (☎ 347 8944094 ; infoprimaclasse@libero. it). Circuits en italien et en anglais les lundis et vendredis à 11h, et les mardis et jeudis à 15h (16h en été).

Prima Classe organise aussi des visites à vélo (2 heures, 20 €, location comprise). Réservez par téléphone ; le circuit ne commence qu'avec 3 participants au moins.

Trambus Open (☎ 051 35 08 53 ; www.trambusopen. com) assure un circuit découverte libre en bus qui vous permet de monter et de descendre à votre guise. Le départ se fait de la gare ferroviaire plusieurs fois par jour. Les billets (10 €) s'achètent à bord.

FÊTES ET FESTIVALS

Bologne accueille de nombreuses manifestations tout au long de l'année : processions religieuses, mais aussi soirées hip-hop, concerts de jazz et spectacles de ballets. L'été est la meilleure période pour assister à un festival. Voici quelques grandes manifestations :

Celebrazioni della Madonna di San Luca (samedi précédant le 5e dimanche avant Pâques et mercredi et dimanche suivants). Processions solennelles dans les rues de Bologne pour la plus grande fête religieuse de la ville.

Bologna Estate Trois mois (mi-juin à mi-sept) de concerts, de projections cinématographiques et de spectacles de danse. Se déroulent en plein air dans toute la ville, ces manifestations sont souvent gratuites. Plus d'informations auprès de l'office du tourisme.

Salotto del Jazz (juil-août). Petit festival de jazz organisé dans quatre sites des abords de la Via Mascarella, dans le quartier de l'université (au nord-ouest de la Via Zamboni).

OÙ SE LOGER

Il existe à Bologne quantité d'hôtels de catégories moyenne et supérieure, mais les établissements petits budgets sont rares. Au printemps et en automne, le calendrier des foires commerciales étant très chargé, les rares chambres d'hôtel disponibles affichent des tarifs prohibitifs ; il est indispensable de réserver. Hors de ces périodes, certains hôtels font des rabais jusqu'à 50% ainsi que des forfaits week-end intéressants.

Petits budgets

Centro Turistico Città di Bologna (☎ 051 32 50 16 ; www.hotelcamping.com ; Via Romita 12 ; empl adulte/enfant/ site 8,50/5/13 €, bungalow 2 pers 50-90 € ; ▣ ▨). Grand camping bien équipé au nord de la ville, à 6 km de la gare ferroviaire, avec bar, supérette et marchand de journaux. Bus 68 au départ de la gare routière principale.

Ostello Due Torri-San Sisto (☎ 051 50 18 10 ; bologna@aighostels.com ; Via Viadagola 5 et 14 ; dort/s/d 16/25/42 € ; ▣ ▨). À 6 km au nord du centre, les deux auberges de jeunesse de Bologne, modernes, fonctionnelles et bon marché, se trouvent à 100 m l'une de l'autre. Prenez le bus n°93 (du lundi au samedi jusqu'à 20h20) depuis la Via Irnerio, le bus n°301 (dimanche)

LA COMMUNAUTÉ GAY DE BOLOGNE

"Bologne est le centre névralgique de la vie sociale et politique gay en Italie", précise Maurizio Cecconi, militant gay qui travaille depuis plusieurs années pour Arcigay, la plus importante organisation italienne de défense des droits des homosexuels. "La ville compte de nombreuses organisations gays, dont les antennes d'Arcigay et d'Arcilesbica, qui dispensent des soins médicaux et apportent une aide psychologique et des conseils en matière de VIH. C'est aussi ici qu'est établi le Movimento Identità Transessuale (MIT ; Mouvement pour l'identité transsexuelle)."

Comme le souligne Maurizio, la vie de la communauté gay ne se résume pas à son action sociale ou politique. "Bologne possède une véritable scène culturelle gay. De nombreux clubs organisent des soirées gays et il existe quantité de manifestations culturelles. Très fréquenté, le Cassero (p. 436) programme des grandes soirées gays le mercredi, des soirées lesbiennes le jeudi, le vendredi étant réservé aux concerts d'artistes lesbiennes et gays du monde entier."

Pour plus d'informations, consultez le site Internet d'**Arcigay** (www.arcigay.it) ou connectez-vous sur www.cassero.it.

---

depuis la gare routière ou le bus n°21B (le soir, toutes les heures de 20h40 à 0h40) face à la gare ferroviaire.

Albergo Panorama (☎ 051 22 18 02 ; www.hotelpa noramabologna.it ; 4ᵉ ét, Via Livraghi 1 ; s/d/tr/qua sans sdb 50/70/80/90 €). *Pensione* familiale et chaleureuse aux chambres étonnamment vastes, dont certaines ont une vue ravissante sur les *palazzi*, les tours et les terrasses fleuries des environs. La seule chambre avec sdb coûte 10 € de plus. Accueil en français.

Catégorie moyenne

Albergo Rossini (☎ 051 23 77 16 ; www.albergorossini.com ; Via dei Bibiena 11 ; s 40-75 €, d 70-100 € ; ⚑ fermé mi-juil à mi-août ; ✖). Modeste et sympathique, cet hôtel est situé près de la Piazza Verdi, prisée des étudiants. Les chambres du rez-de-chaussée sont plus vétustes que celles aménagées dans les combles, climatisées et claires.

Albergo Centrale (☎ 051 22 51 14 ; www.albergo centralebologna.it ; Via della Zecca 2 ; avec petit-déj s 45-60 €, d 75-120 € ; ✖). Confortables et bien situées, dotées de parquets et de meubles modernes, les grandes chambres et le généreux buffet petit déjeuner offrent un bon rapport qualité/prix.

Albergo Garisenda (☎ 051 22 43 69 ; www.albergo garisenda.com ; 3ᵉ ét, Galleria del Leone, Via Rizzoli 9 ; s sans sdb 45-55 €, d sans sdb 65-85 €, d avec sdb 85-110 €). À côté des tours penchées, le Garisenda compte 7 chambres confortables mais chichement meublées. On entre par une galerie marchande couverte sur la Via Rizzoli.

Albergo delle Drapperie (☎ 051 22 39 55 ; www.albergo drapperie.com ; Via delle Drapperie 5 ; s 60-105 €, d 75-140 € supplément petit-déj 5 €/pers ; ✖). En plein cœur du quartier du Quadrilatère, ce trois-étoiles loue 21 belles chambres avec poutres apparentes, arches de briques et fresques aux murs.

Catégorie supérieure

Hotel Porta San Mamolo (☎ 051 58 30 56 ; www.hotel portasanmamolo.it ; Vicolo del Falcone 6-8 ; s 70-180 €, 100-350 € ; ✖ ▣). Dans une paisible rue résidentielle au sud du centre historique, ce trois-étoiles raffiné est bien équipé. Les chambres, dotées de fenêtres à volets et de jardinières, donnent sur un jardin tranquille orné de hauts arbres et d'un vieux puits en pierre.

Il Convento dei Fiori di Seta (☎ 051 27 20 39 ; www.silkflowersnunnery.com ; Via Orfeo 34 ; ch 130-270 € ste 280-440 € ; ✖). Hôtel de charme très design aménagé dans un couvent du XIVᵉ siècle. Des fresques d'inspiration religieuse côtoient d'immenses photos de fleurs et d'élégants jeux de lumière. Litterie en lin et sdb dotée de belles faïences.

Hotel Orologio (☎ 051 745 74 11 ; www.bologna hotels.it ; Via IV Novembre 10 ; s 103-327 €, d 169-357 € ▣ ✖ ▣ 🛜). L'un des quatre hôtels sélects du groupe Bologna Arts Hotels. À deux pas de la Piazza Maggiore, l'Orologio séduit par son service irréprochable, ses belles chambres meublées dans des tons or, bleu et bordeaux, ses sdb où domine le marbre gris et blanc et son emplacement, en plein centre.

⚑ Prendiparte B&B (☎ 051 58 90 23 ; www.pren diparte.it ; Via Sant'Alò 7 ; ch 300 €). Un B&B unique aménagé dans une tour vieille de 900 ans. Les chambres, la cuisine et le salon occupent trois étages, mais vous pourrez en découvrir neuf autres, où subsistent les murs d'une prison du XVIIᵉ siècle. La terrasse, au sommet, offre une vue imprenable. Une référence pour les couples en lune de miel ou fêtant leur anniversaire de mariage. Pensez à réserver.

OÙ SE RESTAURER

Bologne est réputée pour sa bonne chère. Les spaghettis *bolognese* sont originaires de la ville, où l'on appelle *ragù* la sauce à la viande servie de préférence avec les tagliatelles. Parmi les autres spécialités, citons la fameuse *mortadella* et les tortellinis. Les collines avoisinantes produisent un vin rouge légèrement pétillant, le Lambrusco, ainsi qu'un sauvignon sec.

Le quartier de l'université, au nord-est de la Via Rizzoli, abrite quantité de restaurants, de trattorias, de vendeurs de plats à emporter et de cafés qui ravissent les gastronomes comme les étudiants au budget serré. Si vous souhaitez rapporter une spécialité, essayez les délicieux traiteurs du Quadrilatère.

Restaurants
PETITS BUDGETS

Trattoria Fantoni (☎ 051 23 63 58 ; Via del Pratello 11a ; repas 15 € ; ☷ fermé dim et dîner lun). À l'ouest du centre, la Via del Pratello attire de longue date une foule hétéroclite avec ses innombrables bars, pubs et trattorias. Fantoni, l'une des meilleures adresses, sert des classiques de la cuisine italienne à des prix abordables. Ambiance joyeuse et cadre agréable mêlant bric-à-brac et art moderne.

♥ Trattoria del Rosso (☎ 051 23 67 30 ; Via A Righi 30 ; repas 16-18 € ; ☷ déj et dîner). Cette trattoria très courue serait la plus ancienne de Bologne. Le menu déjeuner et dîner à 10 € est une excellente affaire et les plats végétariens sont les bienvenus dans cette capitale de la charcuterie.

Tamburini (☎ 051 23 47 26 ; Via Caprarie 1 ; repas 20 € ; ☷ déj lun-sam). L'épicerie fine la plus réputée de la ville se double d'un élégant bistrot en self-service. Pour être sûr d'avoir une table, arrivez tôt ou prévoyez de l'attente.

CATÉGORIE MOYENNE

P122@s (☎ 051 22 45 89 ; Via dei Musei 2-4 ; pizzas 6-9 € ; repas 35-45 €). Cette table branchée, sous les portiques, près de la Piazza Maggiore, sert à une clientèle distinguée des pizzas cuites au feu de bois savoureuses (mais chères), et des pâtes, viandes ou poissons.

Osteria de' Poeti (☎ 051 23 61 66 ; Via de' Poeti 1b ; repas 30-40 € ; ☷ fermé lun oct-mai, dim juin-août). Aménagée dans la cave à vin d'un *palazzo* du XIVᵉ siècle, cette institution de la ville propose des spécialités locales dans un cadre charmant. Attablez-vous près de l'imposante cheminée en pierre et commandez des *taglioline con fiori*
di zucca, zucchini e prosciutto di Parma* (pâtes aux fleurs de citrouille, courgettes et jambon de Parme). Musique live le soir.

Drogheria della Rosa (☎ 051 22 25 29 ; Via Cartoleria 10 ; repas 35-40 € ; ☷ déj et dîner). Cette ancienne pharmacie présente encore des étagères en bois avec des pots et des flacons de préparations médicinales. Le propriétaire de cette charmante trattoria haut de gamme vous présentera le bref menu du jour. Mettant à l'honneur les produits frais, les classiques bolognais – tels les tortellinis ou le steak au vinaigre balsamique – sont très bien préparés.

Marco Fadiga Bistrot (☎ 051 22 01 18 ; Via Rialto 23 ; repas 35-40 € ; ☷ dîner mar-sam). Spécialisé dans les vins nobles et les fruits de mer, entre le bar à huîtres et le "grand plateau royal" (un somptueux plateau de fruits de mer), ce restaurant élégant et décontracté est le cadre idéal pour un dîner romantique.

Godot Wine Bar (☎ 051 22 63 15 ; Via Cartoleria 12 ; repas 40-50 € ; ☷ lun-sam). Avec sa longue carte des vins, ses plats du jour inscrits au tableau et l'accent mis sur les crus italiens, l'établissement s'est hissé parmi les meilleures tables de Bologne. Goûtez aux *rombo in crosta di patate, datterini semi-confit, olive nere e salsa al prezzemolo* (turbot en croûte de pommes de terre, dattes semi-confites, olives noires et persil) et aux autres surprenantes préparations.

Glaciers

♥ La Sorbetteria Castiglione (☎ 051 23 32 57 ; Via Castiglione 44 ; ☷ 8h30-23h). Les Bolognais se pressent jour et nuit devant cette *gelateria* primée pour déguster ses 18 parfums. Le *gianduia* (glace chocolat-noisette aux noisettes entières) vous fera craquer.

Gelateria Grom (☎ 051 27 34 37 ; Via d'Azeglio 13 ; ☷ 12h-24h). L'enseigne locale de cette chaîne de Turin crée des glaces très savoureuses à base d'ingrédients sélectionnés avec soin.

Faire son marché

Approvisionnez-vous en victuailles au **Mercato delle Erbe** (Via U Bassi 27 ; ☷ 7h-13h15 lun-sam et 17h-19h30 lun-mer et ven), principal marché couvert de Bologne. Le Quadrilatère accueille quotidiennement un **marché de produits frais** (Via Clavature ; ☷ 7h-13h lun-sam et 16h15-19h30 lun-mer et ven-sam) et abrite certaines des meilleures épiceries fines de la ville (voir p. 445).

OÙ PRENDRE UN VERRE

Bars et cafés ne manquent pas à Bologne : les étudiants assoiffés affluent dans les rues qui s'éloignent de la Piazza Verdi, tandis que le Quadrilatère réunit des bars plus chics.

Terzi (☎ 051 23 64 70 ; Via Oberdan 10 ; ☼ 8h-18h lun-ven, jusqu'à 0h30 sam). Un café raffiné proposant des cafés de toutes sortes, dont un *caffè con prugna e cannella* (expresso à la prune et à la cannelle).

La Scuderia (☎ 051 656 96 19 ; Piazza Verdi 2 ; ☼ 8h-1h lun-sam). Sur la Piazza Verdi, ce bar-café à la mode occupe les anciennes écuries de la famille Bentivoglio, d'où ses hautes colonnes et ses voûtes impressionnantes. Assidûment fréquenté par les étudiants branchés, il est décoré de photos et dispose du Wi-Fi gratuit.

English Empire (Via Zamboni 24a ; ☼ 19h-3h). Situé dans le quartier de l'université, ce pub où Guinness et Bass sont servies en pression à la faveur d'une clientèle jeune et trépidante qui investit les allées couvertes jusqu'au petit matin.

Osteria L'Infedele (☎ 051 23 94 56 ; Via Gerusalemme 5a ; ☼ 19h-3h). Un adresse agréable, aux murs ornés de vieilles publicités, où s'attarder devant un verre de vin. La musique éclectique, entre jazz et blues, cède la place au football les soirs de match.

Nu-Lounge Bar (☎ 051 22 25 32 ; Via de'Musei 6f). Comme d'autres bars chics du Quadrilatère, le Nu-Lounge est prisé d'une clientèle huppée, de l'heure des *aperitivi* aux cocktails de minuits servis sur la terrasse à portique.

Cantina Bentivoglio (☎ 051 26 54 16 ; www. cantinabentivoglio.it ; Via Mascarella 4b ; ☼ 20h-2h). La meilleure boîte de jazz de Bologne tient à la fois du bar à vin (plus de 500 crus), du restaurant (menu à 28 €) et du club de jazz (des musiciens s'y produisent chaque soir). Ses parquets anciens, ses plafonds voûtés et ses étagères pleines de bouteilles lui confèrent un charme douillet.

Bravo Caffè (☎ 051 26 61 12 ; Via Mascarella 1 ; ☼ 20h-tard). En face de la Cantina Bentivoglio, le Bravo est un bar à vin très tendance avec des murs rouges, un mobilier noir et un éclairage tamisé. Des concerts de jazz sont souvent programmés. L'établissement fait aussi restaurant.

Marsalino (☎ 051 23 86 75 ; Via Marsala 13d ; ☼ déj et dîner mar-sam, dîner dim, déj lun). Dans ce minuscule établissement à l'ambiance un peu bohème, le bar décontracté devient salon de thé à 16h et bar à vin après 18h, pour se transformer en restaurant sans prétention à 20h.

Le Stanze (☎ 051 22 87 67 ; Via Borgo San Pietro 1 11h-3h ; ☼ lun-sam). Quatre ambiances pour les quatre pièces de cette adresse en vogue : selon l'humeur, optez pour les banquettes de velours, les tables en terrasse ou le bar raffiné, installé dans l'ancienne chapelle privée des Bentivoglio, ornée de fresques, du XVIIe siècle.

OÙ SORTIR

Bologne offre une scène culturelle d'une grande richesse. Sa forte population estudiantine lui assure une vie nocturne cosmopolite et dynamique et une belle programmation théâtrale. Le guide trimestriel *A Guest of Bologna*, distribué gratuitement dans les offices du tourisme et certains hôtels, donne le programme des manifestations, tout comme le mensuel *2night Magazine* (www.2night.it). Le guide le plus complet est le *Bologna Spettacolo* (1,50 €), en vente dans les kiosques à journaux.

Clubs et discothèques

Quels que soient vos goûts musicaux, vous trouverez certainement votre bonheur à Bologne. Les discothèques sélectionnées ci-dessous programment toutes sortes de musique, de la pop des années 1970 au rock indépendant, de la house, du funk ou du disco. Prix d'entrée le week-end : environ 15 €.

Corto Maltese (☎ 051 22 97 46 ; Via Borgo San Pietro 9/2a ; ☼ 21h-3h). Repaire d'étudiants qui profitent de l'happy hour (21h à 22h30) quotidienne au son d'une programmation assez commerciale.

Kinki (☎ 051 26 60 28 ; www.kinkidisco.com ; Via Zamboni 1a ; ☼ 23h-tard sept-mai). Toujours innovant malgré ses 50 ans, le Kinki demeure à la pointe de la scène disco de Bologne et programme expositions d'art, projections vidéo, musique house et soirée gay le dimanche.

Cassero (☎ 051 649 44 16 ; www.cassero.it ; Via Don Minzoni 18 ; ☼ 21h30-5h sam, jusqu'à 2h mer-ven, jusqu'à 24h dim-mar). Le samedi et le mercredi sont les nuits phares de ce légendaire club gay et lesbien (ouvert à tous) qui a fondé l'organisation italienne Arcigay.

Estragon (☎ 051 32 34 90 ; www.estragon.it ; Via Stalingrado 83 ; ☼ 22h-tard ven et sam). Cette vaste discothèque à la sortie de la ville (bus n°25 depuis la gare ferroviaire) accueille régulièrement des concerts. Les soirs de week-end, les DJ sont aux commandes.

(Suite page 445)

Saveurs

Olives prêtes à déguster

Lait caillé chaud servant à la fabrication de la mozzarella

Avez-vous goûté notre fromage local ? Voici une question qui ressemble davantage à une invitation. Vous froisseriez votre hôte en refusant, au prétexte que vous n'avez plus faim ou que vous avez déjà goûté la spécialité de la ville voisine. "*Non è uguale !*" vous répondrait-on. Force est de constater que la saveur du *pecorino* (fromage au lait de brebis) diffère grandement d'un côté ou de l'autre de la vallée. Ces variations de goût tiennent autant à la teneur en matières grasses du lait utilisé qu'à la méthode de conservation. Alors, tâchez de ne pas oublier de garder une petite place pour le fromage.

Si les Italiens sont fiers de leur identité régionale (un sentiment d'appartenance désigné sous le nom de *campanilismo*), ils sont aussi fidèles à leurs spécialités fromagères locales et on pourrait presque parler de *formaggismo* ! De nombreuses villes organisent des compétitions gastronomiques ou des concours du meilleur vin. Certaines fêtes nationales peuvent passer inaperçues, mais, en été, à l'occasion des *sagre* (fêtes ou foires gastronomiques), des festivités durant parfois une semaine célèbrent un produit du terroir, l'aubergine ou la truffe, par exemple. Découvrir l'immense diversité des spécialités culinaires régionales constitue l'un des grands plaisirs d'un séjour en Italie. Voir aussi p. 73.

TOSCANE

En Toscane, la plus simple des soupes devient un vrai régal. L'*acquacotta* (eau cuite) est servie avec des œufs pochés, du *pecorino* et du pain grillé et relevée de quelques gouttes d'huile d'olive (la meilleure du pays). La cuisine toscane utilise communément les champignons (*funghi*), dont les cèpes (*porcini*). Au restaurant, vous goûterez peut-être la délicieuse truffe blanche de San Miniato ou des *chiodini*, un petit champignon des prés, toxique lorsqu'il n'est pas cuit.

Des salamis de *cinghiale* (sanglier) au goût pu

Les Toscans sont très doués pour accommoder les viandes à l'aide d'huile d'olive et d'épices. Savourez un cochon, un faisan ou un lapin à la broche arrosé de romarin. Goûtez le *spiedino toscano*, une grillade de bœuf élevé dans la Maremme au romarin, ou la *bistecca alla fiorentina*, un énorme bifteck.

ROME ET LATIUM

À Rome, l'éventail de choix en matière culinaire semble digne d'un pape ! Sirotez un expresso sans pareil au Caffè Tazza d'Oro (p. 167) et découvrez la finesse des pizzas de Rome, plus légères que leur version napolitaine. Les *antipasti* sont particulièrement savoureux ; citons par exemple la *bruschetta* (tranche de pain grillée et garnie), le *frito romano* (fritures accompagnées de *carciofi* – artichaut), le *baccalá* (morue) et les *supplì* (boulettes de riz). N'oublions pas les traditionnels plats de pâtes, comme les spaghettis *alla carbonara* ou les *bucatini all'amatriciana* (pâtes creuses avec tomate, fromage et *guanciale* – joue de porc).

Tomates siciliennes bien charnues

ALAN BENSON

Parmi les *secondi* ("plats de résistance"), les Romains apprécient la *trippa alla romana* (tripes à la tomate et à la menthe) et raffolent de la *saltimbocca* (escalope de veau au *prosciutto* et à la sauge). On peut terminer par le légendaire tiramisu (biscuit imbibé de liqueur de café, et crème au mascarpone).

OMBRIE

Les amateurs de bonne chère apprécieront l'Ombrie et ses délicieuses spécialités, comme le porcelet farci aux asperges, aux champignons ou aux fameuses truffes noires de Nursie. De simples tagliatelles saupoudrées de truffe noire de la région vous laisseront un souvenir mémorable. Moins répandues, les truffes blanches offrent une saveur que d'aucuns trouvent plus subtile encore.

Selon vos envies du moment, vous pourrez goûter aux saucisses et au *prosciutto* des légendaires *norcinerie* (charcuteries) d'Ombrie ou vous régaler d'une copieuse purée de lentilles vertes de Castelluccio,

Caffè corretto, expresso avec une larme de grappa

ALAN BENSON

Rubans de *tagliatelles fraîches*

qui ont reçu le label DOC. En fonction de votre choix, accompagnez votre mets d'un vin rouge de caractère comme le *Sagrantino di Montefalco,* ou d'un blanc gouleyant, légèrement acide, comme l'Orvieto. Les amoureux du chocolat ne manqueront pas un détour par Pérouse (notamment chez Sandri, p. 572), où se tient en octobre la foire annuelle Eurochocolate.

ÉMILIE-ROMAGNE

L'Émilie-Romagne est réputée pour sa charcuterie : *prosciutto di Parma* (jambon de Parme), salami, *salsiccia* (saucisse), mortadelle, *zamponi* (pieds de porc), *coppa*… La liste est longue ! Ici, la carte des restaurants propose souvent des tortellinis à la viande, des lasagnes accompagnées d'un *ragù* (sauce à la viande) et de la *pasta alla bolognese* (vin blanc, tomate, origan, bœuf et lard). La quantité de recettes généreuses de ce type explique sans doute pourquoi Bologne est gentiment surnommée *la grassa* ("la grasse").

La sacro-sainte truffe, version antipasto

L'Émilie-Romagne a offert au monde deux ingrédients qui assurent le succès de toutes les salades : le *parmigiano reggiano* (parmesan) et le vinaigre balsamique de Modène. Au rayon des vins, ne passez pas à côté du Lambrusco, un rouge pétillant.

NAPLES ET CAMPANIE

En Campanie, la richesse des saveurs provient des produits du terroir : poivrons, ciboule, agrumes et tomates poussent à profusion dans les mêmes sols que ceux sur lesquels se dresse le Vésuve. On se régale ici de fameuses spécialités italiennes : l'*insalata caprese*, salade de tomates *cuore di bue* (cœur de bœuf) à la mozzarella et au basilic, et la *pizza margherita*, à base de mozzarella, de basilic et de sauce tomate, qui était censée évoquer à l'origine le drapeau italien et insuffler du patriotisme aux anarchistes milanais.

Parmi d'autres ingrédients prisés de la Campanie, qui possède à la fois des zones côtières et des terres agricoles, figurent les fruits de mer et les pâtes. Goûtez les *spaghetti alle vongole* (palourdes) ou les pâtes *cacio e pepe* (au fromage relevé *caciocavallo* et au poivre). Vous pourrez vous régaler de la version napolitaine du baba au rhum (*rum baba*), d'inspiration française, enrichie d'une généreuse couche de crème.

PIÉMONT

Le Piémont est la patrie de l'irrésistible gorgonzola et des bleus comme le *castelmagno*, mais aussi du Barolo, un vin rouge généreux, et du Gavi, un blanc fin et légèrement acide qui se boit jeune (moins d'un an). C'est aussi ici que l'on trouve deux ingrédients souvent utilisés dans les boissons gazeuses : le vermouth et l'armoise, également réputée être l'ingrédient psychotrope de l'absinthe.

Outre les fromages et les alcools, le Piémont est renommé pour d'autres délices comme les truffes blanches d'Alba, ou les chocolats et le nougat de Turin. C'est aussi la région natale du Slow Food (p. 243), un mouvement qui œuvre à la promotion d'une cuisine de qualité à déguster… sans hâte. Parmi les autres spécialités, citons notamment un vinaigre blanc au parfum délicat, un risotto préparé avec du riz Carnaroli (variété locale très prisée), les cuisses de grenouille, le *tupalone* (ragoût à base de viande d'âne) et les escargots au vin.

La *pizza margherita,* ou la perfection dans la simplicité

JEAN-BERNARD CARILLET

Entretien de la vigne dans la région
de Barolo (p. 241)

ALAN BENSON

Asperges sauvages

ALAN BENSON

POUILLES

Les parrains de la Mafia de la Sacra Corona Unita se cachent encore dans les Pouilles, région où furent tournés les films de *Zorro*. Des années durant, même les boulangers se sont mis hors-la-loi en refusant de s'acquitter de leurs taxes et en ignorant les interdictions officielles sur les fours privés. Sur ces terres où les champs de blé desséchés s'étendent à perte de vue, la moindre étincelle émanant des fours à pain illégaux pouvait nuire à la production de pâtes fraîches de la région, mais les universités qui régissaient ces fours fermaient souvent les yeux.

Les miches de pain n'ont désormais plus rien d'illégal et on se régale de *focaccia ripiena* (fougasse) et de *calzone* (pizza fourrée). La cuisine des Pouilles a toutefois conservé des traces de ce passé et a intégré le pain à nombre de plats locaux, comme la sole *gratinata* (au fromage et à la chapelure), les *strascinati con la mollica* (pâtes à la chapelure et aux anchois) ou la *tiella di verdure* (gratin de légumes). Brindisi fournit la partie liquide des spécialités : une huile d'olive poivrée et fruitée et le Locorotondo, un vin blanc fruité à la robe vert pâle.

VENISE ET VÉNÉTIE

La découverte de Venise laisse souvent peu de répit au visiteur pour se restaurer autrement qu'avec un *panini* (sandwich) ou un simple *risi e bisi* (riz et petits pois). La Sérénissime possède pourtant une gastronomie authentique. Tôt le matin, vous apercevrez les habitants s'approvisionner au marché et acheter le *radicchio di Treviso* (salade rouge) ou les fameuses asperges de Bassano del Grappa sur des barques chargées de produits. Vous pourrez ensuite vous joindre aux files d'attente qui se forment devant les marchands de *fritole* (beignets qu'on appelle aussi *krapfen*) ou, sur la place Saint-Marc, pour obtenir une table bien située au Caffè Florian (p. 375), où vous siroterez un chocolat chaud divin.

Le déjeuner vous fournira un bon prétexte pour découvrir le *prosecco,* un vin blanc pétillant dont raffolent les Vénitiens, et étudier les différentes spécialités de fruits de mer figurant au menu : salade de poulpe, risotto noir au calmar et à l'encre, et *granseola* (araignée de mer). À l'intérieur des terres, la Vénétie propose aussi des spécialités comme les saucisses, la citrouille rôtie et le foie de veau aux épices, qui rappelle que Venise a par le passé joué un rôle important dans le commerce des épices.

LIGURIE

La Ligurie tire une grande fierté de ses délicieuses spécialités comme le *pesto*, une sauce préparée à partir d'un savant mélange de basilic, d'ail, d'huile d'olive locale, de *pecorino* et de *parmigiano reggiano,* et utilisée pour relever de nombreux plats comme les pâtes *trofie* (tournées à la main) ou le *minestrone* (soupe avec des pâtes). Demandez à un Génois si vous pouvez ajouter des pommes de terre au *pesto* et vous réveillerez une polémique presque aussi ancienne que l'arrivée du féculent en Italie !

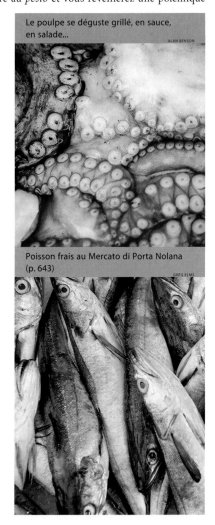

Le poulpe se déguste grillé, en sauce, en salade...

ALAN BENSON

Cette région de 350 km de côtes, balayée par les vents, fait bon emploi des herbes fraîches et des produits de la mer. La *burrida* est un plat de fruits de mer qui ont mijoté dans du vin blanc avec du persil, de l'ail, des oignons et de l'origan – une version locale de la bouillabaisse française. Les hivers en Ligurie se prêtent à la dégustation de la *mesciua,* une épaisse soupe de pois chiches, tandis que les étés caniculaires sont l'occasion de siroter les vins blancs provenant des vignobles aménagés en terrasses sur la côte des Cinque Terre.

LOMBARDIE

La cohabitation de bars à lait et des restaurants de sushis peut sembler étrange mais, tout comme pour les collections des défilés haute couture de Milan, la Lombardie s'en tire avec élégance. Dernière création en matière culinaire, les *latterie* ("bars à lait") servent une cuisine légère et réconfortante, à base de fromages, de légumes, et de pâtes fraîches maison, à la place de plats plus riches comme le *risotto milanese con ossobucco* (jarret de veau aux courgettes et au riz safrané). Les expériences de cuisine fusion ne sont pas toujours probantes – comme les cocktails de margarita au Campari bitter par exemple –, mais la cuisine inventive de Lombardie possède quelques bonnes trouvailles. Les *crudi*, la version italienne

Poisson frais au Mercato di Porta Nolana (p. 643)

GREG ELMS

des sushis, incluent du corégone (poisson d'eau douce) et des *scampi* (crevettes) sucrées, servis *crudi* (crus), comme il se doit, et agrémentés d'huile d'olive, de vinaigre balsamique ancien, de poivre noir frais et, en option, de *salsa di soia* (sauce de soja).

N'hésitez pas à pénétrer dans les *salumerie* artisanales, qui proposent des charcuteries faites sur place comme la *bresaola* et le salami. Parmi les recettes à base de polenta, une spécialité locale, goûtez le gras *pistá* de Mantoue préparé avec du lard et la *polenta e osei* de Bergame, avec des cailles arrosées au beurre.

SICILE ET SARDAIGNE

Rappelons que la cuisine de ces deux grandes îles, (consultez les guides Lonely Planet *Sicile* et *Sardaigne* qui leur sont consacrés) participent largement à la réputation de la gastronomie italienne. Parmi les ingrédients préférés des Siciliens, citons le thon et la sardine, les tomates, charnues et parfumées, et non moins de cinq variétés d'oranges sanguines. La cuisine sicilienne s'est enrichie de l'influence arabe, comme le prouvent ses recettes élaborées de pâtes onctueuses. Parmi les *dolci* (sucreries), goûtez les *cannoli* (cornets en pâte feuilletée fourrés à la ricotta) ou les *gelati* aux fruits. L'île propose des spécialités comme le thon en croûte de sel et le *farsumagru* (terrine à base de cinq viandes auxquelles sont ajoutés du vin et du fromage). Les cannellonis dodus sont originaires de Sicile et figurent parmi les *primi* ("premiers plats"). La friture est élevée au rang d'art : goûtez au *fiori di zucca ripieni* (beignets de fleurs de courgette farcies au fromage) et aux *arancini siciliani* (boulettes de riz). Vous pourrez accompagner ces mets généreux d'un Nero d'Avola, un excellent vin rouge.

La Sardaigne est réputée aussi bien pour ses fromages de brebis corsés que pour la langouste pêchée au large de ses côtes. En s'enfonçant davantage dans les terres, on se régale de mets moins coûteux mais néanmoins savoureux, comme le cochon de lait rôti ou le *casumarzu* (fromage de brebis vieilli) pour accompagner la *carta da musica* (pain sarde, fine et croquante feuille de pâte ronde). Gardez une place pour l'un des multiples desserts, comme la *torta di mandorle* (gâteau aux amandes), le *gattó* (pâtisserie en forme de cathédrale) et les *pastissus* (biscuits fourrés aux amandes en forme de poisson ou d'oiseau).

Assortiment de biscuits sardes particulièrement croquants

DALLAS STRIBLEY

Les vins sardes ne sont pas très nombreux et les meilleurs crus sont surtout réservés aux occasions spéciales, mais vous aurez peut-être la chance de goûter le Vermentino, un blanc gouleyant, le Cannonau, un vin corsé, ou le Malvasia, un rouge qui a lui aussi du caractère.

(Suite de la page 436)

Villa Serena (☎ 051 615 44 47 ; www.vserena.it ; Via della Barca 1 ; ☾ 21h30-3h ven et sam). Trois étages avec musique (live et enregistrée) et projections de films, ainsi qu'un jardin délicieusement frais.

Les amateurs de jazz se rendront à la Cantina Bentivoglio (voir p. 436) ou au **Chez Baker Jazz Club** (☎ 051 22 37 95 ; www.chez-baker.it ; Via Polese 7a), où se produisent des musiciens et qui programme son propre festival d'été, le Porto del Jazz.

Cinémas

Cinéma Chaplin (☎ 051 58 52 53 ; www.cinemachaplin. t ; 5 €). Projection de films en anglais chaque lundi, de septembre à mai.

Cinéma Lumière (☎ 051 219 53 11 ; www.cineteca-dibologna.it ; Via Gardino 65b ; 7 €). Au nord-ouest du centre-ville, cette salle projette des films d'art et d'essai en VO.

Théâtre et opéra

Bologne monte toute l'année de nombreux spectacles culturels. Le **Teatro Comunale** (☎ 051 52 99 58 ; www.tcbo.it ; Largo Respighi 1), premier théâtre en Italie où furent jouées les œuvres de Wagner, est sa principale salle d'opéra et de concert.

ACHATS

Les principales artères commerçantes sont la Via Ugo Bassi, la Via Rizzoli, la Via Marconi, la Via dell' Indipendenza, la Via Massimo d'Azeglio, la Via Farini et la Via San Felice. Le jeudi après-midi, presque toutes les boutiques sont fermées.

Les gourmets arpenteront les épiceries fines et les boutiques de spécialités du Quadrilatère. Nous vous conseillons **Tamburini** (☎ 051 23 47 26 ; Via Caprarie 1 ; ☾ 8h30-19h), **Paolo Atti** (☎ 051 23 33 49 ; Via Drapperie 6 ; ☾ 7h30-13h30 et 16h-19h15 lun-sam), **La Baita** (☎ 051 22 39 40 ; Via Pescheria Vecchie 3 ; ☾ 8h-20h, fermé dim juin-août) et **Gilberto** (☎ 051 22 39 25 ; Via Drapperie 5 ; ☾ 8h30-19h30 lun-sam).

Dans d'autres secteurs de la ville, **Le Sfogline** (☎ 051 22 05 58 ; Via Belvedere 7b) vend de bonnes pâtes artisanales, **I Campetti** (☎ 051 26 60 43 ; Via Belvedere 2) est spécialisé dans le vin et l'huile d'olive de Toscane, tandis qu'**Enoteca Italiana** (☎ 051 23 59 89 ; Via Marsala 2b) propose une large sélection de vins régionaux.

Un marché aux puces et aux antiquités se tient les vendredis et samedis au Parco della Montagnola et s'étend jusqu'à la Piazza VIII Agosto.

DEPUIS/VERS BOLOGNE
Avion
L'**aéroport Guglielmo Marconi** (BLQ ; ☎ 051 647 96 15 ; www.bologna-airport.it) est à 8 km au nord-ouest de la ville. Des vols directs depuis Pari-Beauvais sont assurés par Ryanair (voir p. 779).

Bus
Les bus vers d'autres villes partent de la **gare routière principale** (☎ 051 24 54 00 ; www.auto stazionebo.it), à côté de la Piazza XX Settembre, au sud-est de la gare ferroviaire. Le train est néanmoins préférable pour presque toutes les destinations.

Train
Grâce à l'Eurostar, ligne à grande vitesse, Bologne n'est qu'à 1 heure de Florence, et fait un point d'entrée commode pour explorer la Toscane.

Bologne, nœud ferroviaire important pour tout le nord de l'Italie, est reliée toutes les 30 minutes à Florence (train régional 5,40 €, 1 heure 30 ; Eurostar 18,10 €, 1 heure), Rome (régional 23,20 €, 5 heures ; Eurostar 50,40 €, 3 heures) et Milan (régional 13,50 €, 2 heures 15 ; Eurostar 37,10 €, 1 heure).

Des trains desservent régulièrement des villes d'Émilie-Romagne au départ de Bologne. Pour en savoir plus, consultez les différentes rubriques *Depuis/vers* des villes de ce chapitre.

Voiture et moto
L'Autostrada del Sole A1 relie Bologne à Milan, Florence et Rome. L'A13 mène directement à Ferrare, Padoue et Venise, l'A14 à Rimini et Ravenne. La Via Emilia (SS9), qui relie Milan à la côte adriatique, passe également par Bologne. La SS64 relie Bologne à Ferrare.

La plupart des grands loueurs de voitures sont représentés à l'aéroport Guglielmo Marconi et près de la gare ferroviaire. Vous trouverez notamment **Budget** (☎ 051 24 71 01 ; Via G Amendola 12f) et **Hertz** (☎ 051 25 48 30 ; Via G Amendola 16a).

COMMENT CIRCULER
Desserte de l'aéroport
Au départ de la gare ferroviaire, des **navettes Aerobus** (☎ 051 29 02 90 ; www.atc.bo.it) desservent l'aéroport Guglielmo Marconi toutes les 15 à 30 minutes de 5h30 à 23h10. Comptez 5 € pour ce trajet de 20 minutes (billets en vente à bord).

Taxi

Pour réserver un taxi, appeler **Cotabo** (☎ 051 37 27 27) ou **CAT Radio Taxi** (☎ 051 53 41 41).

Transports publics

Géré par **ATC** (☎ 051 29 02 90 ; www.atc.bo.it), le réseau de bus de la ville de Bologne est très efficace. Des guichets d'information sont à votre disposition à la principale gare ferroviaire, la gare routière et sur la Via Marconi. Certaines lignes, comme la 25, la 30 et la A relient la gare ferroviaire au centre-ville.

Voiture et moto

Le centre-ville est en grande partie interdit à la circulation. Si vous logez en centre-ville, votre hôtel vous fournira un billet (7 €/jour) vous autorisant à pénétrer dans la ZTL (Zona a Traffico Limitato), à vous garer à certains emplacements et à utiliser librement les bus municipaux pendant 24 heures.

Vous trouverez des vélos en location auprès d'**Autorimessa Pincio** (☎ 051 24 90 81 ; Via dell'Indipendenza 71z ; location 12/24h 13/18 € ; ⏱ 7h-24h lun-sam), à proximité de la gare routière.

OUEST DE BOLOGNE

MODÈNE (MODENA)

179 900 habitants

Une fois dépassées les usines disgracieuses qui entourent cette agglomération opulente, on découvre un charmant centre historique doté de places animées, de beaux palais et de marchés colorés. La cathédrale, inscrite au patrimoine mondial de l'Unesco, mérite à elle seule une visite.

Située à 40 km au nord-ouest de Bologne, Modène était l'une des villes de garnison établies par les Romains le long de la Via Emilia au IIe siècle av. J.-C. Elle sortit de l'ombre quand elle devint une commune libre, au XIIe siècle. Passée aux mains de la maison d'Este à la fin du siècle suivant, elle connut la prospérité lorsque le duché d'Este, ayant perdu son fief de Ferrare au profit des États pontificaux, en fit en 1598 sa capitale – et son dernier refuge. Hormis un bref interlude napoléonien, les Este y régnèrent jusqu'à l'unité italienne, au XIXe siècle.

Modène est la patrie de l'illustre ténor Luciano Pavarotti (décédé en 2007). Cette ville est l'une des plus riches de la région : dans ses environs les usines des automobiles Ferrari, Maserati et De Tomaso contribuent largement à sa prospérité.

Orientation

La Via Emilia coupe le centre de Modène d'ouest en est. Les deux grandes places se tiennent de part et d'autre de cette artère principale : la Piazza Grande côté sud, la Piazza Mazzini côté nord.

Renseignements

ModenaTur (☎ 059 22 00 22 ; www.modenatur.it ; Via Scudari 8 ; ⏱ 14h30-18h30 lun, 9h-13h et 14h30-18h30 mar-sam). Cette agence de voyages organise des visites de producteurs de vinaigre balsamique ou de *parmigiano reggiano*.

Office du tourisme (☎ 059 203 26 60 ; http://turismo.comune.modena.it ; Piazza Grande 14 ; ⏱ 15h-18h lun, 9h-13h et 15h-18h mar-sam, 9h30-12h30 dim). Plans de la ville et brochures.

Poste (Via Emilia 86)

Ufficio Relazioni con il Pubblico (☎ 059 2 03 12 ; Piazza Grande 17 ; 2,50 €/h ; ⏱ 9h-13h et 15h-18h lun, mar et jeu, 9h-13h mer et ven). Service Internet municipal. Inscription 2 €, puis tarification à l'heure.

WashingPoint (Via Piave 31 ; 7 kg lavage/séchage 3,50/3 € ; ⏱ 10h-20h lun-sam)

À voir

CATHÉDRALE

Édifié en 1099, le **Duomo** (la cathédrale ; ☎ 059 21 60 78 ; Corso Duomo ; ⏱ 7h-12h30 et 15h30-19h) de Modène est un pur chef-d'œuvre de l'architecture romane en Italie et figure à juste titre au patrimoine mondial de l'Unesco. Dédiée au saint patron de la ville, San Geminiano, elle fut consacrée en 1184, 85 ans après le début de sa construction. Sa façade présente une immense rosace de style gothique, ajoutée au XIIIe siècle, et de superbes bas-reliefs illustrant des épisodes de la Genèse, exécutés au XIIe siècle par le sculpteur Wiligelmo ; celui-ci signa son œuvre sur une pierre à gauche du portail. L'architecte Lanfranco fit de même dans l'abside principale. Parmi les nombreuses sculptures de Wiligelmo, on remarquera celles monumentales et expressives, qui reprennent les thèmes classiques au Moyen Âge, les saisons et les travaux des champs. À l'intérieur vous admirerez les *Scènes de la Passion*, un remarquable jubé réalisé par Anselmo da Campione (auteur de la rosace) et, dans la crypte, la *Madonna della pappa* de Guido Mazzoni, un groupe de cinq personnages en terre cuite peinte.

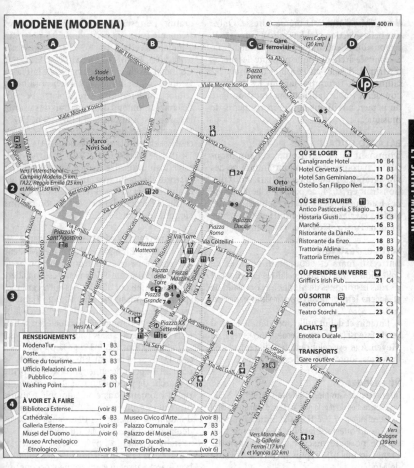

MODÈNE (MODENA)

0 —— 400 m

ÉMILIE-ROMAGNE
ET SAINT-MARIN

OÙ SE LOGER 🏠

Canalgrande Hotel	**10**	B4
Hotel Cervetta 5	**11**	B3
Hotel San Geminiano	**12**	D4
Ostello San Filippo Neri	**13**	C1

OÙ SE RESTAURER 🍴

Antico Pasticceria S Biagio	**14**	C3
Hostaria Giusti	**15**	C3
Marché	**16**	B3
Ristorante da Danilo	**17**	B3
Ristorante da Enzo	**18**	B3
Trattoria Aldina	**19**	B3
Trattoria Ermes	**20**	B2

OÙ PRENDRE UN VERRE 🍷

Griffin's Irish Pub	**21**	C4

OÙ SORTIR 🎭

Teatro Comunale	**22**	C3
Teatro Storchi	**23**	C4

ACHATS 🛍

Enoteca Ducale	**24**	C2

TRANSPORTS

Gare routière	**25**	A2

RENSEIGNEMENTS

ModenaTur	**1**	B3
Poste	**2**	C3
Office du tourisme	**3**	B3
Ufficio Relazioni con il		
Pubblico	**4**	B3
Washing Point	**5**	D1

À VOIR ET À FAIRE

Biblioteca Estense		(voir 8)
Cathédrale	**6**	B3
Galleria Estense		(voir 8)
Musei del Duomo		(voir 6)
Museo Archeologico		
Etnologico		(voir 8)
Museo Civico d'Arte		(voir 8)
Palazzo Comunale	**7**	B3
Palazzo dei Musei	**8**	A3
Palazzo Ducale	**9**	C2
Torre Ghirlandina		(voir 6)

Face à l'entrée, les **Musei del Duomo** (☎ 059 439 69 69 ; Via Lanfranco 6 ; adulte/enfant 3/2 €, audioguide 1 € ; ⏱ 9h30-12h30 et 15h30-18h30 mar-dim) renferment d'autres superbes sculptures de Wiligelmo.

Dominant la cathédrale, la **Torre Ghirlandina** (fermée pour rénovation à l'époque de notre passage), érigée au début du XIIIe siècle, culmine à 87 m par une fine flèche gothique, mais elle n'est pas loin de pencher autant que la tour de Pise ! En face se dresse la façade élégante du **Palazzo Comunale**.

PALAZZO DEI MUSEI

À la limite ouest du centre historique, le **Palazzo dei Musei** (Piazzale Sant'Agostino 337) réunit les principaux musées et collections d'art de la ville.

La **Galleria Estense** (☎ 059 439 57 11 ; 4 € ; ⏱ 8h30-19h30 mar-dim) accueille l'essentiel des œuvres réunies par la famille d'Este : une riche collection qui reflète l'évolution de l'art pictural dans le nord de l'Italie depuis la fin de l'époque médiévale jusqu'au XVIIIe siècle. On y voit aussi de belles œuvres flamandes et une ou deux toiles de Vélasquez, du Corrège et du Greco.

Au rez-de-chaussée, la **Biblioteca Estense** (☎ 059 22 22 48 ; entrée libre ; ⏱ 9h-13h lun-sam) possède l'une des collections de livres, de lettres et de manuscrits les plus précieuses du pays, dont la fameuse *Bibbia di Borso d'Este* aux enluminures exceptionnelles.

Le billet groupé (4 €) donne accès au **Museo Archeologico Etnologico** (☎ 059 203 31 00 ; Viale Vittorio Veneto 5 ; ⏱ 9h-12h mar-ven, 10h-19h sam-dim) et au

Museo Civico d'Arte, à la même adresse. Outre une belle sélection d'objets mis au jour dans la région – du paléolithique à l'époque médiévale –, le musée archéologique présente des pièces d'Afrique, d'Asie, du Pérou et de Nouvelle-Guinée. On retiendra surtout les sections consacrées à la fabrication traditionnelle du papier, aux tissus et aux instruments de musique.

PALAZZO DUCALE
Dominant la Piazza Roma, cet imposant édifice baroque abrite aujourd'hui l'une des plus grandes académies militaires d'Italie. Construit en 1634, ce palais fut la résidence des Este durant deux siècles. Seules les **visites guidées** (6 € ; ⊘ dim) sont admises. Contactez ModenaTur (p. 446) pour réserver.

Fêtes et festivals
Entre fin mars et début mai, voitures de collection et Ferrari étincelantes envahissent les rues historiques de Modène à l'occasion de la **Modena Terra di Motori** (www.modenaterradimotori.com).

Fin juin et début juillet, pendant le festival **Serate Estensi** (www.comune.modena.it/serateestensi), le Moyen Âge est célébré à grands renforts de banquets, joutes et parades costumées.

Où se loger
International Camping Modena (☎ 059 33 22 52 ; www.internationalcamping.org ; Via Cave di Ramo 111 ; empl adulte/enfant/tente 7,50/6/12 € ; 🅿). Situé à Bruciata, à 5 km à l'ouest de la ville, ce camping bien équipé possède piscine, bar et supérette. Prenez le bus n°9 depuis la gare ferroviaire de Modène.

Ostello San Filippo Neri (☎ 059 23 45 98 ; modena@aighostels.com ; Via Santa Orsola 48-52 ; dort/s/d 16/20/35 € ; 🖳). Sans fioriture, cette auberge de jeunesse affiliée HI compte 80 lits dans des dortoirs non mixtes et des chambres familiales. L'accès pour les personnes à mobilité réduite, les larges casiers, les chambres spacieuses (3 lits maximum par dortoir) et le garage à vélos sont appréciables, mais les portes ferment de 10h à 14h et aucun petit déjeuner n'est servi (vous pouvez néanmoins grignoter vos provisions dans la salle à manger).

Hotel San Geminiano (☎ 059 21 03 03 ; www.hotelsangeminiano.it ; Viale Moreali 41 ; s/d/tr/qua 48/80/100/125 €, d/tr sans sdb 60/80 € ; 🅿 🖳). Voici un hôtel géré en famille, à 1 km du centre historique. Chambres ordinaires, calmes et confortables, et parking gratuit. Le restaurant qui le jouxte est très fréquenté (pizzas à partir de 4,50 €).

Hotel Cervetta 5 (☎ 059 23 84 47 ; www.hotelcervetta5.com ; Via Cervetta 5 ; s/d/tr 80/110/145 € ; 🎍 🛜). Cet hôtel de charme, à deux pas de la Piazza Grande allie ambiance contemporaine et confort moderne (TV écrans plats). Le petit déjeuner comprend des fruits frais de saison et le garage est à disposition moyennant 12 €.

Canalgrande Hotel (☎ 059 21 71 60 ; www.canalgrandehotel.it ; Corso Canalgrande 6 ; s 114-132 €, d 154-180 €, ste junior 190-220 € ; 🎍 🖳 🛜). Une vénérable institution. L'élégance à l'ancienne, les marbres, les peintures aux cadres dorés, les chandeliers et la vaste terrasse dominant le jardin, à l'arrière, participent de son charme suranné. Parking : 12 €.

Où se restaurer et prendre un verre
À l'instar de Bologne et de Parme, Modène est réputée pour sa gastronomie. Son *aceto balsamico* (vinaigre balsamique) est considéré comme le meilleur d'Italie. Ses autres grandes spécialités sont le *prosciutto crudo* (jambon cru) et les *zampone* (pieds de porc farcis). Le Lambrusco, vin rouge pétillant et léger, se boit frais et accompagne les plats les plus variés.

Trattoria Aldina (☎ 059 23 61 06 ; Via Albinelli 40 ; repas 17 € ; ⊘ déj lun-sam). Où les habitants se rendent-ils pour déjeuner après avoir arpenté le marché de produits frais ? Ils traversent la rue et montent dans cette adorable trattoria où sont servis à prix abordables des plats de *mamma* italienne. En l'absence de carte, demandez quel est le plat du jour.

Trattoria Ermes (☎ 059 23 80 65 ; Via Ganaceto 89 ; repas 20 € ; ⊘ déj lun-sam). Tout aussi succulent et bon marché, ce petit établissement occupe une unique pièce lambrissée, au nord du centre-ville. Il est tenu par un vieux couple, la dame aux fourneaux, son époux, bavard, en salle. Le menu, renouvelé chaque jour, dépend de l'arrivage du marché.

Ristorante da Danilo (☎ 059 22 54 98 ; Via Coltellini 29-31 ; repas 25-30 € ; ⊘ lun-sam). Cuisine traditionnelle servie dans une salle chaleureuse au cadre un peu démodé. Goûtez un *antipasto* de salami, de *pecorino* et de confiture de figues avant le *bollito misto* (pot-au-feu), spécialité maison. Le risotto *al radicchio trevigiano* (à la chicorée rouge) ou *ai funghi* (aux champignons) consoleront les végétariens.

Ristorante da Enzo (☎ 059 22 51 77 ; Via Coltellini 17 ; repas 25-30 € ; ⊘ fermé dim dîner et lun). Autre valeur sûre, cet excellent restaurant est apprécié pour ses spécialités régionales, comme la *scaloppina all'aceto balsamico* (escalope au vinaigre balsamique) et les *tortelli di zucca al burro e salvia* (tortellis de citrouille au beurre et à la sauge).

Hostaria Giusti (☎ 059 22 25 33 ; Vicolo Squallore 46 ; repas 50-60 € ; ⏰ 12h30-14h mar-sam). Nichée au bout d'un ruelle, une épicerie remontant aux années 1600 mène à cette *hostaria* qui, malgré son apparence modeste, est l'une des plus appréciées de Modène. Réservée aux groupes le soir, elle ouvre son patio au déjeuner et régale ses clients de spécialités régionales comme le *cotechino fritto con zabaglione al lambrusco* (saucisse de Modène et émulsion aux œufs parfumée au vin).

Antica Pasticceria S Biagio (☎ 059 21 72 84 ; Via Emilia 77 ; ⏰ fermé dim après-midi). Une abondance de gâteaux pour les amateurs de sucreries.

L'entrée principale du **marché** (⏰ 6h30-14h30 lun-sam toute l'année, 16h30-19h sam oct-mai) se situe dans la Via Albinelli.

Une clientèle jeune et enjouée afflue dans la Via dei Gallucci autour du **Griffin's Irish Pub** (☎ 059 22 36 06 ; Largo Hannover 65-67 ; ⏰ 18h-tard) et autres bars, ou dans la Via Emilia, près de la cathédrale.

Où sortir

En juillet et août, la Piazza Grande accueille concerts et ballets en plein air. Les spectacles d'opéra ont lieu au **Teatro Comunale** (☎ 059 203 30 20 ; www.teatrocomunalemodena.it ; Via del Teatro 8), tandis que le **Teatro Storchi** (☎ 059 213 60 21 ; Largo Garibaldi 15) se consacre surtout au théâtre.

Achats

Faites le plein de vins locaux, grappa et vinaigre de Modène (de 3 à 100 ans d'âge !) chez **Enoteca Ducale** (☎ 059 427 92 28 ; Corso Vittorio Emanuele 15 ; ⏰ 9h-19h mar-dim).

Le quatrième week-end de chaque mois, sauf en juillet et décembre, une foire aux antiquaires se tient dans le Parco Novi Sad.

Depuis/vers Modène

La gare routière se situe Via Molza, au nord-ouest du centre. Les bus **ATCM** (☎ 800 111101 ; www.atcm.mo.it) relient Modène aux principales villes de la région.

Pour rallier Modène en voiture depuis Rome ou Milan, empruntez l'A1 (Autostrada del Sole) ou l'A22 si vous partez de Mantoue ou de Vérone.

La gare ferroviaire se trouve à l'extrémité nord de la zone d'activités, face à la Piazza Dante. Elle dessert notamment Bologne (3,10 €, 30 min, ttes les 30 min), Parme (4,30 €, 30 min, ttes les 30 min) et Milan (train régional/express 10,55/20,40 €, 2 heures, ttes les heures).

Le bus 7 d'ATCM relie la gare ferroviaire à la gare routière et au centre-ville.

Pour appeler un taxi, contactez **Radio Taxi Modena** au (☎ 059 37 42 42).

ENVIRONS DE MODÈNE
Maranello
16 600 habitants

Siège de l'écurie Ferrari, Maranello est chaque année le lieu de pèlerinage de milliers d'amateurs de grosses cylindrées. La plupart visitent la **Galleria Ferrari** (☎ 0536 94 32 04 ; www.galleria.ferrari.com ; Via Ferrari 43 ; adulte/enfant 13/9 € ; ⏰ 9h30-19h mai-sept, jusqu'à 18h oct-avr) pour rêver devant la plus grande collection de Ferrari au monde. Implantée à deux pas, l'entrée de l'usine de la célèbre marque est réservée aux propriétaires de Ferrari.

Maranello se trouve à 17 km au sud de Modène. Prenez le bus 800 (2,30 €, 30 min) de la gare routière de Modène.

LES MOTEURS FERRARI À TRAVERS LES ÂGES

Élue en 2007 par le *Financial Times* comme le meilleur lieu de travail d'Europe, l'usine de Maranello a été fondée par Enzo Ferrari en 1943, 14 ans après la création de la société qui porte son nom. La toute première Ferrari, la 125S, est sortie de l'atelier de fabrication en 1947.

Plus de 60 années se sont écoulées et Ferrari est aujourd'hui un symbole de luxe dans le monde entier. Son cheval noir cabré (emprunté à l'emblème d'un pilote de chasse italien de la Seconde Guerre mondiale, Francesco Baracca) est désormais une icône. Ferrari est aussi l'écurie qui a remporté le plus grand nombre de championnats : en 2009, elle avait gagné 14 championnats des Constructeurs, 14 championnats des Pilotes, 9 24 Heures du Mans et 8 Mille milles (Mille Miglia).

Les dimanches d'avril et de mai, les derniers modèles Ferrari sont exposés autour de la Piazza Grande de Modène. En mai, des véhicules plus anciens sont visibles lors de la **Mille Miglia** (www.millemiglia.it), une course se déroulant dans les rues de Ferrare et de Modène, puis à Brescia. Le même mois, la course **Modena Cento Ore** (les Cent Heures de Modène) met en scène des engins rétro durant 4 jours.

Carpi
65 800 habitants
Ancienne seigneurie de la famille Pio, l'adorable Carpi, aisément accessible depuis Modène, mérite une visite. Renseignez-vous à l'**office de tourisme** (☎ 059 64 92 55 ; www.turismo.carpidiem.it ; Via Berengario 2 ; ⏰ 9h30-13h et 15h-18h mar-sam, 9h30-12h30 dim, 14h30-18h lun) situé sur un côté de la **Piazza dei Martiri**. De proportion impressionnante (270 m sur 60 m), cette place est la troisième du pays après les places Saint-Pierre de Rome et Saint-Marc de Venise.

Bordant tout le côté est de la place, le **Palazzo Pio** abrite le **Museo lunumento al Deportato Politico e Razziale** (☎ 059 68 82 72 ; adulte/enfant 3/2 € ; ⏰ 10h-13h et 16h-20h ven-dim avr-oct, 10h-13h et 15h-19h ven-dim nov-mars), qui évoque la vie des détenus dans le **camp de concentration de Fossoli** (entrée libre ; ⏰ 10h-12h30 et 15h-19h dim avr-oct, 10h-12h30 et 14h30-17h30 dim nov-mars), situé dans les environs. Une brochure multilingue distribuée à l'entrée traduit les bouleversantes citations qui couvrent les murs du musée, extraites des lettres de prisonniers.

REGGIO EMILIA
162 300 habitants
Ses jolies places, ses imposants édifices publics et son parc verdoyant font de Reggio Emilia l'une des bourgades les plus harmonieuses de la région. Vous en ferez vite le tour, mais la ville constitue un bon point de départ pour rayonner dans les Apennins, au sud.

Également appelée Reggio nell'Emilia, cette ville s'affirma à partir du IIe siècle en tant que colonie romaine sur la Via Emilia. La plupart de ses monuments furent édifiés par la maison d'Este, qui y régna à partir de 1406, quatre siècles durant.

Renseignements
Office du tourisme (☎ 0522 45 11 52 ; www.municipio.re.it/turismo ; Via Farini 1a ; ⏰ 8h30-13h et 14h30-18h lun-sam, 9h-12h dim)
Poste (Via Sessi 3)
URP Comune Informa (☎ 0522 45 66 60 ; Via Farini 2 ; ⏰ 8h30-13h lun et mar, jeu-sam et 15h-18h mar, jeu et ven, 9h30-13h mer). Accès Internet gratuit.

À voir
On déambule avec plaisir dans le centre historique piétonnier de Reggio, dont les principaux centres d'intérêt se concentrent autour de la Piazza C Prampolini et de sa voisine, la Piazza San Prospero.

Sur la Piazza Prampolini, le **Duomo** (☎ 0522 43 37 83 ; ⏰ 8h-12h et 16h-19h) a été édifié au IXe siècle dans le style roman avant d'être remanié trois siècles plus tard. La moitié supérieure de sa façade et la crypte sont les seuls vestiges du monument d'origine.

Bordant le côté sud de la place, le **Palazzo del Comune** du XIVe siècle abrite la **Sala del Tricolore**, la salle où fut adopté pour la première fois le drapeau italien, lors de la conférence de 1797 au cours de laquelle Bonaparte constitua la République cisalpine (de courte durée).

Donnant sur la Piazza San Prospero, la **Basilica di San Prospero** (☎ 0522 43 46 67 ; ⏰ 8h30-11h30), consacrée en l'an 997, fut totalement reconstruite au XVe siècle. Son entrée est gardée par une paire de lions royaux en marbre rouge accompagnés de leurs quatre petits. Son étonnant campanile octogonal fut construit dans un deuxième temps, en 1537.

Au nord, les **Musei Civici** (musées municipaux ; ☎ 0522 45 64 77 ; www.musei.re.it ; entrée libre ; ⏰ 9h-12h mar-ven, 10h-13h et 16h-19h sam et dim sept-juin, 9h-12h et 21h-24h mar-sam, 21h-24h dim juil et août) regroupent le **Palazzo San Francesco** (Via Spallanzani 1), et sa collection éclectique d'art et de découvertes archéologiques du XVIIIe siècle, et la **Galleria Parmeggiani** (Corso Cairoli 1), qui possède des œuvres italiennes, flamandes et espagnoles ainsi qu'une collection hétérogène de costumes, armes, bijoux et couverts.

Où se loger
Ostello Basilica della Ghiara (☎ 0522 45 23 23 ; fax 0522 45 47 95 ; Via Guasco 6 ; dort/s/d 15/20/36 €). Occupant un ancien couvent, cette auberge de jeunesse dispose des chambres de 2 à 6 lits bordant de longs couloirs. Petit déjeuner servi en été sous les portiques du jardin intérieur. L'établissement est accessible aux personnes à mobilité réduite et prévoit le Wi-Fi courant 2010.

Albergo Morandi (☎ 0522 45 43 97 ; www.albergomorandi.com ; Via Emilia San Pietro 64 ; s 65-80 €, d 85-120 € ; P ⛽ 🛜). À mi-chemin entre la gare ferroviaire et le cœur historique, cet hôtel loue des chambres pimpantes avec de grands lits, des sdb impeccables et la TV sat. Parking gratuit et service courtois.

Aussi beau dehors qu'élégant dedans, le prestigieux **Hotel Posta** (☎ 0522 43 29 44 ; www.hotelposta.re.it ; Piazza del Monte 2 ; s/d/ste 140/190/280 € ; ⛽ 🖥). occupe le Palazzo del Capitano del Popolo, palais du XIIIe siècle qui fut la résidence du gouverneur de Reggio. Ce quatre-étoiles propose des chambres aux décorations différentes

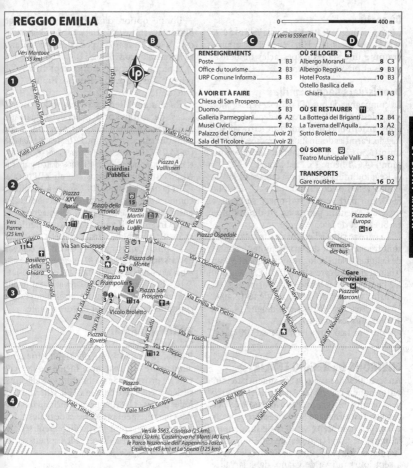

REGGIE EMILIA

RENSEIGNEMENTS
Poste 1 B3
Office du tourisme 2 B3
URP Comune Informa 3 B3

À VOIR ET À FAIRE
Chiesa di San Prospero 4 B3
Duomo 5 B3
Galleria Parmeggiani 6 A2
Musei Civici 7 B2
Palazzo del Comune .... (voir 2)
Sala del Tricolore .... (voir 2)

OÙ SE LOGER
Albergo Morandi 8 C3
Albergo Reggio 9 B3
Hotel Posta 10 B3
Ostello Basilica della
Ghiara 11 A3

OÙ SE RESTAURER
La Bottega dei Briganti 12 B4
La Taverna dell'Aquila 13 A2
Sotto Broletto 14 B3

OÙ SORTIR
Teatro Municipale Valli 15 B2

TRANSPORTS
Gare routière 16 D2

avec de lourdes tentures fleuries, des miroirs à cadre doré et des meubles anciens. Parking : 12 €. À l'angle, une annexe de 16 chambres, l'**Albergo Reggio** (☎ 0522 45 15 33 ; www.albergoreggio. it ; Via San Giuseppe 7 ; s/d 75/105 €) affiche des tarifs moins élevés.

Où se restaurer

La Taverna dell'Aquila (☎ 0522 45 29 56 ; Via dell'Aquila 6a ; repas 20-25 € ; ☽ mar-sam). Avec son ambiance joyeuse, sa musique jazzy et ses savoureux plats maison, ce restaurant vous changera des trattorias classiques. Les menus du déjeuner (6 à 12 €) sont d'un excellent rapport qualité/prix.

Sotto Broletto (☎ 0522 45 22 76 ; Vicolo Broletto 1n ; pizzas à partir de 5 € ; repas 20-30 € ; ☽ ven-mer). Située dans une venelle entre la Piazza Prampolini et la Piazza San Prospero, cette pizzeria très animée installe ses clients dehors pour déguster l'énorme *pizza tirata*, pour seulement 2 € de plus que sa version plus petite.

La Bottega dei Briganti (☎ 0522 43 66 43 ; Via San Carlo 14b ; repas 25-35 € ; ☽ dîner lun-sam). On dîne sous les arcades dans cette charmante *osteria* à l'ambiance intimiste et dotée d'une jolie cour verdoyante. Cuisine succulente (pâtes et risottos valent le détour).

La place centrale de Reggio accueille un **marché de produits frais** (☽ 7h-13h mar et ven). Pour grignoter quelques spécialités, essayez l'*erbazzone* (tourte aux herbes et au fromage/lard) ou le *gnocco fritto* (beignet salé) et goûtez le parmesan, fabriqué dans la région.

Où sortir

Chaque année le **Teatro Municipale Valli** (☎ 0522 45 88 11 ; www.iteatri.re.it ; Piazza Martiri VII Luglio) programme une série de spectacles de danse, opéras et pièces de théâtre.

Depuis/vers Reggio Emilia

La compagnie de bus **ACT** (☎ 0522 44 22 00 ; www. actre.it) dessert la ville et la région depuis son tout nouveau terminus, derrière la gare ferroviaire de Reggio. Parmi les destinations proposées figurent Carpi (3,30 €, 1 heure, 10/jour) et Castelnovo ne' Monti (4 €, 1 heure 15, 7 à 14/jour).

Reggio Emilia se situe à la croisée de la Via Emilia (SS9) et de l'Autostrada A1. La jolie SS63, qui part vers le sud-ouest, serpente à travers l'Apennin parmesan en direction de La Spezia et de la côte ligure.

La gare se situe à l'est du centre-ville. De là sont fréquemment desservies toutes les gares de la ligne Milan-Bologne, notamment Milan (train régional/express 9,20/18,10 €, 1 heure 30 à 2 heures 30, ttes les heures), Parme (2,40 €, 15 min, ttes les 30 min), Modène (2,40 €, 15 min, ttes les 30 min) et Bologne (4,80 €, 45 min, ttes les 30 min).

Pour un taxi, appeler **Radiotaxi** (☎ 0522 45 25 45).

ENVIRONS DE REGGIO EMILIA

Au sud-ouest de la ville, la S63 suit un parcours pittoresque à travers les Apennins et le Parco del Gigante, intégré au **Parco Nazionale dell'Appennino Tosco-Emiliano** (www.appenninoreggiano.it). Parmi les nombreux sentiers de randonnée, jalonnés de *rifugi* (refuges), le plus long est le "sentier de Matilde", une randonnée de quatre à sept jours qui va de Ciano, dans la vallée d'Enza près de Canossa, jusqu'à San Pellegrino in Alpe, à la frontière de la Toscane.

À environ 40 km de Reggio par la jolie SS63, la minuscule cité de **Castelnovo ne' Monti** constitue une bonne étape pour découvrir la région, notamment la **Pietra di Bismantova** (1 047 m), roche calcaire visible depuis des kilomètres qui fait la joie des amateurs d'escalade et des randonneurs. À Castelnovo, l'**office du tourisme** (☎ 0522 81 04 30 ; www.reappennino.com ; Via Roma 15b ; ◷ 9h-13h lun-sam tte l'année, ainsi que 15h-18h lun, mer et ven mars-juin, sept et oct, ainsi que 15h-18h lun-sam et 9h30-12h30 dim juil et août) apporte quantité d'informations et vend une carte de randonnée à pied, en vélo ou à cheval. Il délivre aussi des permis pour ramasser des champignons sauvages entre mai et octobre.

Bonne option d'hébergement, l'**Albergo Bismantova** (☎ 0522 81 22 18 ; www.albergobismantova. com ; Via Roma 73 ; s/d 47/75 €) possède un restaurant, **Le Mormoraie** (repas environ 25 €).

Chaque jour, au moins sept bus ACT relient Castelnovo à Reggio Emilia (4 €, 1 heure 15).

En rentrant à Reggio, à quelques kilomètres à l'est de la route principale, deux châteaux médiévaux méritent le détour, tant pour la vue que pour leur architecture. Le **château de Canossa** (☎ 0522 87 71 04 ; Via del Castello ; entrée libre ; ◷ 9h-12h30 et 15h-19h mar-dim avr-sept, 9h-16h30 mar-dim oct-mars) fut édifié en 940 puis reconstruit au XIIIe siècle. C'est là qu'eut lieu en 1077, grâce à Mathilde, comtesse de Canossa, la fameuse réconciliation entre Henri IV, empereur d'Allemagne, et le pape Grégoire VII, qui l'avait excommunié. Le château, très abîmé, abrite un petit musée.

Depuis Canossa, on aperçoit le **château de Rossena** (☎ 0522 24 20 09 ; www.castellorossena.it ; entrée sur visite guidée adulte/enfant/famille 4,50/3,50/10 € ; ◷ 11h-19h dim avr-oct, 14h30-17h30 dim nov-mars), mieux conservé mais dont les horaires d'ouverture sont plus restreints. À 4 km de la route.

PARME (PARMA)
178 700 habitants

Parme, qui doit sa prospérité à l'industrie agro-alimentaire, est l'exemple même de la riche ville de province. Ses habitants, fort élégants, se déplacent à vélo dans la vieille ville, dont les jolies places et les rues pavées abritent des édifices parfaitement préservés et des cafés chics. Les visiteurs seront particulièrement séduits par le calendrier culturel et les appétissantes vitrines des épiceries de la ville.

Histoire

Fondée par les Étrusques, Parme se développa en tant que colonie romaine sur ce qui allait devenir la Via Emilia. Après avoir connu la domination des Goths, elle passa sous celle des Lombards et des Francs.

Au XIe siècle, elle se rangea aux côtés du Saint Empire romain germanique contre la papauté ; en furent même issus deux antipapes. Au cours des siècles suivants, victime de rivalités, elle connut un sort agité, passant successivement aux mains des Visconti, des Sforza, des Français et finalement de la papauté.

La dynastie Farnèse régna sur Parme, sous la protection du pape, de 1545 à 1731, date à laquelle les Bourbons en prirent le contrôle, entamant une période de paix et de frénésie culturelle marquée par la forte influence de la France. Les guerres napoléoniennes entraînèrent au début du XIXe siècle une période plus troublée, qui ne s'achèvera qu'avec l'unité italienne. Quelque 60 ans plus tard, Parme fut la seule ville d'Émilie à monter aux barricades pour s'opposer à la marche sur Rome, en 1922, des Chemises noires de Mussolini.

Orientation

La Via Verdi mène de la gare ferroviaire à la verdoyante Piazza della Pace, au sud. En continuant toujours dans la même direction, par la Via Garibaldi, vous arriverez à la Piazza Garibaldi, la place principale. De là, vous serez à une courte distance de la plupart des sites d'intérêt.

Renseignements

Office du tourisme (☎ 0521 21 88 89 ; http://turismo. comune.parma.it/turismo ; Via Melloni 1a ; ◔ 9h-13 et 15h-19h lun, 9h-19h mar-sam, 9h-13h dim).

Police (☎ 0521 21 94 ; Borgo della Posta 16a)

Poste (Via Melloni)

WashingPoint (Via M d'Azeglio 108 ; 7 kg lavage/séchage 4/5 € ; ◔ 8h-22h)

Web 'n' Wine (☎ 0521 03 08 93 ; Via M d'Azeglio 72d ; /h 4 € ; ◔ 9h-20h lun-ven, 9h30-20h sam). Surfez sur la Toile en dégustant de bons crus et en écoutant de la musique.

À voir

PIAZZA DEL DUOMO ET SES ENVIRONS

Consacré en 1106, le **Duomo** (cathédrale ; ☎ 0521 23 58 86 ; ◔ 9h-12h30 et 15h-19h) présente un aspect extérieur de style romano-lombard qui contraste avec l'exubérance baroque de l'intérieur. Levez les yeux pour admirer les magnifiques fresques du Corrège qui recouvrent la coupole et représentent l'*Assomption de la Vierge* au milieu d'un tourbillon d'anges, d'élus et de nuées. Dans le transept central, la remarquable *Descente de croix*, sculptée en 1178 par Benedetto Antelami, est considérée comme un chef-d'œuvre du genre.

C'est également à Antelami que l'on doit le magnifique **battistero** (baptistère ; ☎ 0521 23 58 86 ; 4 € ; ◔ 9h-12h30 et 15h-18h45), en marbre de Vérone rose et blanc, qui se dresse au sud de la place. Associant styles roman et gothique, il renferme quelques-unes des plus belles œuvres d'Antelami, dont un remarquable ensemble de sculptures représentant les mois, les saisons et les signes du zodiaque. La construction du baptistère, commencée en 1196, ne fut achevée

qu'en 1307 après plusieurs interruptions (dues notamment à l'épuisement des carrières de marbre rose de Vérone).

De l'autre côté de la place, installé dans les caves de l'ancien palais de l'évêché, le **Museo Diocesano** (☎ 0521 20 86 99 ; Vicolo del Vescovado 3a ; entrée 4 € ; ◔ 9h-12h30 et 15h-18h30) expose en particulier une sculpture d'une grande finesse représentant Salomon et la reine de Saba, et une mosaïque paléochrétienne du Ve siècle, découverte sous la Piazza del Duomo.

Le billet groupé (6 €) donne accès au baptistère et au Museo Diocesano.

À l'est de la Piazza del Duomo, la **Chiesa di San Giovanni Evangelista** (☎ 0521 23 53 11 ; Piazzale San Giovanni ; ◔ 9h-12h et 15h-18h), édifiée au XVIe siècle, est réputée pour sa coupole tapissée de fresques du Corrège, ainsi que pour l'ensemble de fresques peintes par Francesco Parmigianino. Le **monastère** (◔ 8h30-12h et 15h-18h) attenant abrite des cloîtres de la Renaissance ; on y vend toutes sortes d'huiles et d'onguents distillés par les moines. À l'angle, l'**Antica Spezieria di San Giovanni** (☎ 0521 23 33 09 ; Borgo Pipa 1 ; adulte/enfant 2 €/gratuit ; ◔ 8h30-13h30 mar-dim) est l'ancienne pharmacie monastique, dont l'aménagement intérieur n'a pas été modifié.

PIAZZA DELLA PACE ET SES ENVIRONS

Impossible de manquer le monumental **Palazzo della Pilotta**, qui surplombe les jardins soignés et les fontaines modernes de la Piazza della Pace. Son nom proviendrait des parties de pelote basque (*pelota*) que l'on y jouait dans ses cours, mais le palais fut à l'origine édifié pour la famille Farnèse entre 1583 et 1622. Endommagé pendant la Seconde Guerre mondiale, il a été restauré et abrite aujourd'hui plusieurs musées.

Le plus important, la **Galleria Nazionale** (☎ 0521 23 33 09 ; entrée au Teatro Farnese incl adulte/enfant 6 €/gratuit ; ◔ 8h30-13h30 mar-dim) contient la plus belle collection d'œuvres d'art de Parme. Outre les réalisations des deux grands maîtres locaux, le Corrège et Parmigianino, on découvre des tableaux de Fra Angelico, de Canaletto et du Greco. Avant d'accéder à la galerie, vous découvrirez le **Teatro Farnese**, réplique en bois du Teatro Olimpico de Vicence, d'Andrea Palladio. Il fut reconstruit à l'identique après avoir été dévasté par les bombes en 1944.

Évoquant une autre période de l'histoire italienne, le **Museo Archeologico Nazionale** (☎ 0521 23 37 18 ; 2 € ; ◔ 9h-14h mar-dim) présente à la fois des vestiges romains retrouvés autour de Parme et des objets étrusques provenant de la plaine du Pô.

ÉMILIE-ROMAGNE ET SAINT-MARIN

De l'autre côté de la place se tient le **Museo di Glauco Lombardi** (☎ 0521 23 37 27 ; Via Garibaldi 15 ; adulte/enfant 4 €/gratuit ; ☉ 9h30-15h30 mar-sam, 9h-18h30 dim), qui abrite une collection éclectique de vêtements, de peintures, de mobilier et de pièces historiques. Ces biens appartenaient, pour certains, à Marie-Louise d'Autriche, qui régna sur Parme après l'exil de Napoléon Ier, son époux.

Non loin, la **Camera di San Paolo** (☎ 0521 53 32 21 ; Via Melloni 3 ; adulte/enfant 2 €/gratuit ; ☉ 8h30-13h30 mar-dim), dans le couvent éponyme, contient d'autres fresques du prolifique Corrège.

PIAZZA GARIBALDI

Occupant l'emplacement de l'ancien forum romain, la Piazza Garibaldi constitue le centre

PARME (PARMA)

0 — 400 m

Vers l'Ostello di Parma (1 km),
Milan (112 km) et l'A1

Gare ferroviaire

Vers la Rocca Sanvitale di
Fontanellato (19 km),
Soragna (28 km),
Roncole Verdi (33 km),
Busseto (44 km),
Piacenza (50 km)
et Milan (110 km)

Parco Ducale

Parking souterrain

Piazza della Pace

Piazza del Duomo

Voir l'agrandissement

Piazza Ghiaia

Piazza Garibaldi

Strada della Repubblica

Vers Bologne (85 km)

Vers le Cimitero della Villetta (1,2 km)

Vers le Castello di
Torrechiara (18 km),
Langhirano (23 km),
Tizzano Val Parma (39 km),
Schia (49 km), Bardi (74 km),
La Spezia (100 km) et l'A15

Cittadella

0 — 200 m

Piazza della Pace

Via Melloni

Piazza del Duomo

Via Mazza

Piazza Garibaldi

Via Mazzini

Borgo Palmia

Strada della Repubblica

névralgique de la ville, traversé par la principale artère est-ouest, la Via Mazzini, qui prend ensuite le nom de Strada della Repubblica. Côté nord se dresse le **Palazzo del Governatore**, aujourd'hui occupé par l'office municipal des sports (XVIIe siècle), dont la façade se vit rajouter en 1829 une gigantesque tour de l'horloge. Derrière le palais, la **Chiesa di Santa Maria della Steccata** (Piazza Steccata 9 ; 9h-12h et 15h-18h) renferme des œuvres parmi les plus belles de Parmigianino, comme les fresques extraordinaires ornant l'arc du maître-autel. De nombreux membres des Bourbons et des Farnèse, ducs de Parme, furent enterrés dans cette église.

RIVE OCCIDENTALE
Sur la rive ouest du Parma s'étendent les agréables jardins du **Parco Ducale** (6h-24h avr-oct, 7h-20h nov-mars). Lors de leur création en 1560, ils entouraient le **Palazzo Ducale**, qui appartenait à la maison Farnèse et abrite de nos jours le quartier général des *carabinieri* (gendarmes).

À l'angle sud-est du parc se dresse la **Casa Natale di Toscanini** (0521 28 54 99 ; www.museotoscanini.it ; Borgo R Tanzi 13 ; 2 € ; 9h-13h et 14h-18h mar-sam, 14h-18h dim), maison natale du chef d'orchestre italien, Arturo Toscanini (1867-1957). La tombe de Niccolò Paganini est à 2 km plus au sud, dans le Cimitero della Villetta.

Où se loger
Ostello di Parma (0521 191 75 47 ; www.ostelloparma.it ; Via San Leonardo 86 ; dort/d 18,50/41 € ;). Près de l'autoroute, à la lisière nord de la ville, cette auberge de jeunesse moderne dispose du Wi-Fi gratuit, d'une laverie bon marché et d'un espace de restauration (sans cuisine). Le petit déjeuner coûte 2,50 €. L'auberge est desservie par une bonne piste cyclable et par les bus 13 ou 2N (1 €, 5 min) depuis la gare ferroviaire (descendre à l'arrêt Centro Torri).

Albergo Ristorante Leon d'Oro (0521 77 31 82 ; www.leondoroparma.com ; Viale Fratti 4a ; s/d 55/70 €, sans sdb 37/60 €). Option économique dans une ville réputée onéreuse, le Leon d'Oro loue des chambres avec ventil, hauts plafonds et mobilier un peu vieillot. Le restaurant adjacent et la proximité de la gare ferroviaire sont des atouts, même si les chambres peuvent s'avérer bruyantes.

Hotel Button (0521 20 80 39 ; www.hotelbutton.it ; Borgo Salina 7 ; s 70-84 €, d 90-118 € ;). Le décor vert un peu stérile est compensé par les vastes chambres et sdb, le Wi-Fi gratuit et la commodité de l'emplacement, dans le cœur historique de Parme. Parking : 10 €.

Century Hotel (0521 03 98 00 ; www.centuryhotel.it ; Piazza dalla Chiesa 5a ; s/d/ste 80/120/200 € ;). Jouxtant directement la gare ferroviaire, cet hôtel élégamment rénové (anciennement Albergo Moderno) propose un vrai confort quatre-étoiles (seul manque un restaurant). Parking : 6 €. Accès Internet sans fil 24h/24 : 5 €.

Hotel Torino (0521 28 10 46 ; www.hotel-torino.it ; Via Mazza 7 ; s/d 90/130 € ;). N'en déplaise aux acteurs du Teatro Regio qui fréquentent assidûment l'établissement, les chambres du Torino n'ont rien de remarquable. L'endroit est néanmoins correct et situé près du centre, et propose des remises saisonnières en ligne. Parking : 12 €.

Où se restaurer
Les spécialités de Parme, son fameux *prosciutto di Parma* (jambon de Parme) et son *parmigiano reggiano* (parmesan) sont servis partout.

Da Walter Clinica del Panino (0521 20 63 09 ; Borgo Palmia 2 ; panini à partir de 3 € ; 9h-21h lun-mer, jusqu'à 15h jeu, jusqu'à 24h ven et sam). L'éclairage au néon, la dextérité des cuisiniers, le choix de plus de 100 en-cas et sandwichs à très bon prix et le service d'une redoutable efficacité font de cet établissement un fast-food version locale.

Dal Teo (0521 23 54 00 ; Piazzale Corridoni 15e ; pizza 5-9 €, repas 15-25 € ; fermé sam déj et dim). Lassé de son travail, Teo a convaincu sa mère de l'aider à ouvrir une pizzeria. Maman est debout dès 4h pour préparer la pâte et Teo s'occupe du reste. Les clients traversent le pont depuis le cœur historique de Parme pour venir y bavarder au-dessus d'une bière en dégustant les succulentes pizzas, épaisses, légères et croustillantes à la fois.

Gallo d'Oro (0521 20 88 46 ; Borgo Salina 3 ; repas 25 € ; fermé dîner dim). Les couvertures de vieux magazines et les bouteilles de vin savamment disposées confèrent au Gallo d'Oro un sympathique cadre de bistrot. La cuisine n'est pas en reste : l'une des meilleures trattorias de Parme sert de bons plats émiliens. Goûtez les délicieux *tortelli di erbetta* (pâtes fourrées à la ricotta et aux herbes). Réservation conseillée.

Trattoria Corrieri (0521 23 44 26 ; Via Conservatorio 1 ; repas 25 € ; déj et dîner). Attablez-vous sur le patio, sous le treillis de verdure, ou dans le dédale de salles d'inspiration rustique dans cette accueillante trattoria, appartenant au même propriétaire que le Gallo d'Oro. Tout y est excellent, que ce soient les *tris di tortelli* (raviolis aux trois garnitures) ou bien la *torta di cioccolato e pere* (gâteau poire-chocolat) en dessert.

Osteria dei Mascalzoni (☎ 0521 28 18 09 ; Vicolo delle Cinque Piaghe 1 ; repas 25-35 € ; ☺ fermé sam déj et dim). Que vous optiez pour la salle à manger à poutres apparentes ou les tables installées dans la ruelle en été, les viandes grillées et l'excellente sélection de fromages de Parme et de charcuterie (*culatello, fiocchetto* et bien entendu *prosciutto*) vous raviront.

Où prendre un verre
Les bars de la ville se concentrent dans la Strada Farini. Entre autres bars à vin, le **Tabarro** (☎ 0521 20 02 23 ; Strada Farini 5b ; ☺ mar-dim) sert de bons crus sur des fûts transformés en tables, et l'**Enoteca Fontana** (☎ 0521 28 60 37 ; Strada Farini 24a ; vin au verre à partir de 1,20 €, sandwichs à partir de 2,80 € ; ☺ 17h-22h mar-sam) est apprécié d'une clientèle jeune et branchée.

De l'autre côté de la Piazza Garibaldi, le **Cavour Gran Caffè** (☎ 0521 20 62 23 ; Strada Cavour 30b ; ☺ 7h-20h) est un lieu agréable pour prendre un verre en terrasse ou en salle, sous des fresques colorées.

Où sortir
La saison théâtrale et musicale va d'octobre à avril. Le **Teatro Regio** (☎ 0521 03 93 93 ; www. teatroregioparma.org ; Via Garibaldi 16a) offre une belle programmation de concerts et d'opéras, tandis que le **Teatro Due** (☎ 0521 23 02 42 ; www.teatrodue. org ; Via Salnitrara 10) se consacre au théâtre.

L'été, la ville subventionne plusieurs spectacles de musique en plein air.

Achats
Faites le plein de victuailles chez **Salumeria Garibaldi** (☎ 0521 23 56 06 ; Via Garibaldi 42 ; ☺ 8h-20h lun-sam) et **Salumeria Verdi** (☎ 0521 20 81 00 ; Via Garibaldi 69a ; ☺ 8h-13h15 et 16h-19h45 lun-mer, ven et sam, 8h-13h15 jeu) qui vous mettront en appétit avec leurs saucisses, leurs rangées de Lambrusco, leurs jambons de Parme et leurs meules de *parmigiano reggiano*.

Depuis/vers Parme
Sur la Piazzale dalla Chiesa, devant la gare ferroviaire, les bus **TEP** (☎ 800 977 966 ; www.tep.pr.it) rayonnent dans toute la région, avec 6 départs par jour (1 seul le dim) pour Busseto (3,40 €, 1 heure) via Soragna (2,85 €, 45 min).

Parme se trouve sur l'A1 qui relie Bologne et Milan, et à l'est de l'A15 pour La Spezia. La Via Emilia (SS9) traverse la ville.

Des trains rejoignent fréquemment Milan (train régional/express 8/16,20 €, 1 heure 15 à 1 heure 45, ttes les heures), Bologne (5,80 €,

1 heure, ttes les 30 min), Modène (4,30 €, 30 min, ttes les 30 min) et Piacenza (4,30 €, 40 min, ttes les 30 min).

Comment circuler
La circulation des véhicules à moteur étant interdite dans le centre historique, laissez votre voiture dans le parking souterrain du Viale Toschi, ou garez-vous à côté d'un parcmètre proche de la gare.

Des vélos sont proposés en location chez **Parma Punto Bici** (☎ 0521 28 19 79 ; www.parmapuntobici.pr.it ; Viale Toschi 2a ; vélo 0,70/10 € par heure/jour, vélo électrique 0,90/20 € ; ☺ 9h-13h et 15h-19h lun-sam, 10h-13h et 14h30-19h30 dim).

Pour appeler un taxi, composez le ☎ 0521 25 25 62.

ENVIRONS DE PARME
Pays de Verdi
Vous passerez une agréable journée à vous balader au nord-ouest de Parme, à découvrir quelques châteaux, sur la vingtaine que compte cette province, ou à suivre les pas de Giuseppe Verdi (1813-1901), créateur de *Nabucco*, de *La Traviata* et d'*Aïda*, entre autres opéras.

Entourée de douves aux eaux stagnantes, à 19 km au nord-ouest de Parme dans la ville de Fontanellato, la superbe **Rocca Sanvitale** (☎ 0521 82 90 55 ; adulte/enfant 7/2,50 € ; ☺ 9h30-12h30 et 15h-19h tlj avr-oct, 9h30-12h30 et 15h-18h mar-dim nov-mars) est l'un des châteaux les mieux préservés de la région. Édifié au XIVe siècle sur le site d'une ancienne forteresse par la famille Sanvitale, il renferme de belles fresques de Parmigianino, dont les plus remarquables ornent la Sala di Diana e Atteone.

À Soragna, à 9 km au nord-ouest, la **Rocca Meli Lupi** (☎ 0524 59 79 64 ; adulte/enfant 7,50/4 € ; ☺ 9h-11h et 15h-18h mar-dim avr-oct, 9h-11h et 14h30-17h30 mar-dim nov-mars) constitue un bel exemple architectural du début de l'époque baroque. Ce château a conservé une grande partie de son mobilier d'origine, ajouté au XVIe siècle par la famille Meli Lupi.

Les deux châteaux ne se visitent qu'avec un guide (en italien).

Sur la route de **Busseto**, prenez garde de ne pas passer à côté de la modeste demeure où naquit Giuseppe Verdi en 1813. Transformée en petit musée, la **Casa Natale di Giuseppe Verdi** (☎ 0524 9 74 50 ; adulte/enfant 4/3 € ; ☺ 9h30-12h30 et 14h30-18h30 mar-dim mars-nov, 9h30-13h et 14h30-18h30 sam-dim déc-fév) se situe dans le hameau de Roncole Verdi, à 5 km après Soragna.

Busseto compte plusieurs centres d'intérêt en lien avec le grand compositeur, dont le splendide **Teatro Verdi** (☎ 0524 92 48 7 ; adulte/enfant 4/3 € visite guidée uniquement ; ☼ 9h30-13h et 15h-18h30 mar-dim mars-oct, 9h30-13h et 14h30-17h mar-dim nov-fév) sur la bien nommée Piazza Verdi.

Face à la place se tient aussi la **Casa Barezzi** (☎ 0524 93 11 17 ; Via Roma 119 ; adulte/enfant 4/3 € ; ☼ 10h-12h30 et 15h-18h30 mar-dim), où résida le mécène de Verdi, qui y donna son premier concert. Un musée à la mémoire du compositeur y est aujourd'hui installé.

La villa de Verdi, **Sant'Agata** (☎ 0523 83 00 00 ; Via Verdi 22 ; entrée 8 € ; ☼ 9h30-11h45 et 14h30-18h45 mar-dim mars-sept, 9h30-11h30 et 14h30-16h30 mar-dim oct-nov, 9h30-11h30 et 14h30-16h30 sam-dim jan), où il composa la majeure partie de son œuvre, se trouve à Sant'Agata di Villanova sull'Arda, à 5 km au nord-ouest de Busseto.

Le billet groupé pour les trois premiers sites consacrés à Verdi coûte 8,50 €. Pour plus d'information, adressez-vous à l'**office du tourisme de Busseto** (☎ 0524 924 87 ; www.bussetolive. com ; Piazza Verdi 10 ; ☼ 9h30-13h et 15h-18h30 mar-oct, 9h30-12h30 et 14h-16h30 sam-dim nov-fév).

Jusqu'à 6 bus TEP/jour en provenance de Parme suivent cet itinéraire (lun-sam) et 1 seul bus/jour le dimanche.

Vers le Sud et les Apennins

Voici une région à découvrir idéalement en voiture. Peu fréquentée par les visiteurs, la campagne aux reliefs montagneux qui s'étend au sud de Parme est émaillée de châteaux médiévaux, de belles églises et de petits villages isolés.

La première étape est **Langhirano**, à 23 km au sud de Parme sur la SS665. Si la ville est elle-même sans attrait, son musée est consacré à l'histoire de la production de jambon (voir l'encadré, p. 458).

Au nord de Langhirano, le majestueux **Castello di Torrechiara** (☎ 0521 35 52 55), endommagé par un séisme, était fermé pour restauration lors de notre passage, mais devait rouvrir au cours de l'année 2010. C'est l'un des nombreux châteaux construits ou reconstruits par Pier Maria Rossi au XVe siècle. Il dévoile une vue spectaculaire sur les Apennins et sa Camera d'Oro (chambre d'Or) recèle de ravissantes fresques. Élégant restaurant et maison d'hôtes, la **Taverna del Castello** (☎ 0521 35 50 15 ; www.tavernadelcastello.it ; Strada del Castello 25 ; s/d 55/90 €), sert des repas à environ 30 €.

Au sud de Langhirano, empruntez la route qui suit la rive ouest du Parma avant de le franchir à Pastorello pour rejoindre **Tizzano Val Parma**, joli village des Apennins. Les alentours se prêtent aux promenades à pied et, en hiver, à la pratique du ski à **Schia**, à 10 km de là.

Encore plus au sud, depuis les hauteurs qui entourent **Monchio delle Corti**, la vue s'étend – par beau temps – jusqu'à La Spezia. C'est un bon point de départ pour explorer la vingtaine de lacs glaciaires qui embellissent cette pointe méridionale de la province.

Les montagnes sont sillonnées de chemins de **randonnées pédestres** et **cyclistes** et jalonnées de *rifugi* (refuges). Un intéressant itinéraire de trek suit une partie de la Romea, ou Via Francigena – une ancienne route de pèlerinage qui va jusqu'à Rome en passant par les villages de Collecchio, Fornovo, Bardone, Terenzo, Cassio et Berceto, tous dotés d'une église romane. L'office du tourisme de Parme (p. 453) saura vous conseiller en matière de cartes et d'hébergement.

Castello Bardi (☎ 0525 71 3 68 ; adulte/enfant 5,50/3 € ; ☼ 10h-19h juil-août, 14h-19h lun-sam et 10h-19h dim juin et sept, 14h-18h sam et 10h-18h dim mars-mai et oct, 14h-17h sam et 10h-17h dim nov), à environ 65 km au sud-ouest de Parme, vaut bien un détour : dominant le bourg, ce château fut fondé en 898 et fut presque entièrement rebâti au XVe siècle.

PIACENZA (PLAISANCE)
99 200 habitants

Située juste à la limite de la Lombardie, Piacenza mérite une brève halte si vous vous trouvez dans la région. Son centre pittoresque s'enorgueillit d'un beau palais communal de style gothique et de plusieurs églises imposantes.

La gare ferroviaire, à la lisière orientale de la ville, est à 15 minutes à pied de la place centrale, la Piazza dei Cavalli, où se tient l'**office du tourisme** (☎ 0523 32 93 24 ; www.comune.piacenza. it ; Piazza dei Cavalli 7 ; ☼ 9h-13h et 15h-18h mar-sam toute l'année, ainsi que 9h30-12h30 dim et lun avr-sept).

À voir

Dominée par le **Palazzo Gotico**, imposant palais communal du XIIIe siècle, la **Piazza dei Cavalli** (place des Chevaux) doit son nom à ses deux statues équestres baroques, exécutées entre 1612 et 1625 par le sculpteur toscan Francesco Mochi et représentant les ducs Alessandro et Ranuccio Farnese.

Au sud-est de la place, édifiée au XIIe siècle dans le style roman-lombard, la **cathédrale** (☎ 0523 33 51 54 ; Piazza del Duomo 33 ; ☼ 7h-12h et 16h-19h) associe harmonieusement le rose et le blanc du marbre, la douce couleur du grès et

JAMBON DE PARME, PARMESAN ET VINAIGRE BALSAMIQUE

La gastronomie d'Émilie-Romagne met l'accent sur la charcuterie, le fromage, les viandes rouges et les crus corsés. Les spécialités régionales sont légion – tortellinis, tagliatelles, mortadelle et *zampone*, pour n'en citer que quelques-unes –, mais les trois principales sont le *prosciutto* et le *parmigiano reggiano* de Parme ainsi que le vinaigre balsamique de Modène. Tous sont fabriqués selon des techniques traditionnelles et leur qualité fait l'objet de contrôles rigoureux par des consortiums locaux.

Fabriqué dans la région de Parme depuis plus de 700 ans, le parmesan est fait à la fois du lait écrémé de la traite du soir et du lait du matin, riche en crème. Versé dans des chaudrons de cuivre, ce mélange coagule avant d'être chauffé, puis brassé à l'aide d'une spatule géante. Le fromager recueille ensuite une pâte granuleuse dans une étamine. Il donne à chaque boule obtenue sa forme de meule puis la laisse immerger pendant plus d'un mois dans de l'eau salée. L'affinage dure un à deux ans, voire davantage.

Le jambon de Parme suit un procédé de fabrication aussi méticuleux. Il est concocté à partir du jambon de porcs nés et élevés dans l'une des 11 régions d'Italie du Nord et du Centre et mis à sécher dans une région au sud de Parme réputée pour ses conditions climatiques adaptées. Après 10 à 12 mois de séchage, de découpage et de salage, le jambon doit subir un dernier contrôle : un expert le transperce à l'aide d'une aiguille en os de cheval afin d'en vérifier l'odeur. Si le test est concluant, le jambon est prêt.

Pour en savoir plus, visitez le **Museo del Parmigiano Reggiano** (☎ 0524 59 61 29 ; Via Volta 5 ; entrée et dégustation 5 € ; 🕑 9h30-12h30 et 15h-18h sam-dim mars-oct) à Soragna, et le **Museo del Prosciutto di Parma** (☎ 0521 35 50 09 ; Via Bocchialini 7 ; 3 € ; 🕑 10h-18h sam-dim mars-déc) de Langhirano.

Le véritable *aceto balsamico* de Modène a une saveur unique, sans grand rapport avec celle du vinaigre balsamique vendu ailleurs dans le monde. Il est élaboré en faisant cuire lentement le moût (jus de raisin non fermenté) provenant de cépages Trebbiano (blancs) et Lambrusco (rouges) cultivés dans une région délimitée autour de Modène. Le moût est ensuite filtré puis mis à fermenter durant plusieurs années dans de grands fûts en chêne. Après quoi, il est décanté, puis transvasé dans des barriques plus petites, composées de plusieurs bois différents et entreposées dans des greniers. La température, qui peut atteindre 50°C l'été dans ces greniers, entraîne une importante évaporation du moût et le reste devient de plus en plus foncé et visqueux. L'appellation *aceto balsamico tradizionale di Modena* est réservée à un vinaigre d'au moins 12 ans d'âge, tandis que l'*aceto balsamico tradizionale di Modena extravecchio* doit avoir au moins 25 ans d'âge.

ModenaTur (voir p. 446) peut organiser des visites de vinaigreries locales.

le rouge de la brique. Certaines des fresques de la coupole ont été peintes au XVIIᵉ siècle par Il Morazzone et le Guerchin.

Remarquable par sa tour octogonale, la plus ancienne de ce type en Italie, la **Basilica di Sant'Antonino** (☎ 0523 32 06 53 ; Piazza Sant'Antonino 6 ; 🕑 8h-12h et 16h-18h30 lun-sam, 8h-12h30 et 20h-21h30 dim) fut reconstruite au XIᵉ siècle sur le site d'une église plus ancienne.

À quelques rues au sud de la Piazza dei Cavalli, la **Galleria Ricci Oddi** (☎ 0523 32 07 42 ; www.riccioddi.it ; Via San Siro 13 ; adulte/enfant 4/3 € ; 🕑 10h-12h et 15h-18h mar-dim) présente une honorable collection de toiles et de sculptures du XVIIIᵉ siècle à nos jours.

Dans la partie nord du centre historique, l'immense **Palazzo Farnese** (☎ 0523 49 26 58 ; www.musei.piacenza.it ; Piazza Citadella ; billet groupé 6 € ; 🕑 8h45-13h mar-jeu, 8h45-13h et 15h-18h ven-sam, 9h30-13h et 15h-18h dim) est un édifice de taille impressionnante, entamé en 1558 et demeuré inachevé. Il abrite désormais la Pinacoteca, une galerie d'art et des petits musées. Le **Museo Civico**, le plus important, présente une pièce étrusque unique en son genre, le *Fegato di Piacenza*, un bronze qui représente un foie de mouton et servait sans doute pour la divination. Une entrée au musée de l'Archéologie s'élève à 3 €, à 2,50 € pour les musées de l'Attelage et de l'Unité italienne, et à 5 € pour la Pinacoteca et le Museo Civico.

Où se loger et se restaurer

Ostello Don Zermani (☎ 0523 71 23 19 ; www.ostellodipiacenza.it ; Via Zoni 38-40 ; dort/s/d 17/25/40 € ; 🅿). Située dans un paisible quartier résidentiel à 20 minutes de marche au sud-ouest du centre-ville, cette auberge de jeunesse privée bien tenue propose des chambres lumineuses et impeccables. Service de blanchisserie, location de bicyclettes et accès aux personnes à mobilité réduite. Prenez le bus n°1, 16 ou 17 depuis la gare ferroviaire.

Hotel Astor (☎ 0523 32 92 96 ; fax 0523 31 35 84 ; Via Tibini 29-31 ; s/d/tr 52/68/78 € ; [P]). Trois-étoiles un peu fatigué situé à proximité de la gare ferroviaire, l'Astor loue à prix raisonnables des chambres simples et propres, mais sans cachet.

Antica Trattoria Dell'Angelo (☎ 0523 32 67 39 ; Via Tibini 14 ; repas 20-25 € ; [☾] jeu-mar). Avec ses poutres apparentes, son poêle à bois et ses nappes à carreaux rouges, voici une trattoria typique à l'ambiance détendue. Sa généreuse cuisine maison (*tortelloni* aux épinards et ricotta) s'accompagne de vin rouge pétillant du cru. Les menus déjeuner en semaine, pour 4/5 € avec des pâtes/un plat, sont une bonne affaire.

Antica Osteria del Teatro (☎ 0523 32 37 77 ; Via Verdi 16 ; menu dégustation 70-90 € ; [☾] mar-sam). Dans une toute autre gamme de prix, ce restaurant aménagé dans un palais du XVe siècle restauré se range parmi les meilleures tables d'Émilie-Romagne. La carte évolue selon la saison, ce qui permet de déguster des produits frais locaux. Très belle cave à vins.

Depuis/vers Piacenza

La gare routière se trouve Piazza Citadella ; sachez néanmoins que le train se révèle généralement plus pratique. Des trains circulent régulièrement vers/depuis Milan (normal/ Eurostar 5,10/10,90 €, 1 heure, ttes les heures), Parme (4,30 €, 40 min, ttes les 30 min) et Bologne (normal/Eurostar 8,80/17,10 €, 1 heure 30, ttes les heures).

Piacenza se situe près de l'intersection entre l'A1 Milan-Bologne et l'A21 Brescia-Turin. La Via Emilia (SS9) passe à Piacenza et continue sur Rimini et l'Adriatique.

Le bus n°2 (1 €) relie la gare ferroviaire à la Piazza dei Cavalli.

ENVIRONS DE PIACENZA

Juché sur une hauteur, le *borgo* (village) de **Castell'Arquato** s'élève au-dessus de la campagne verdoyante du val d'Arda, à 33 km au sud-est de Piacenza. Dominée par un centre médiéval très préservé, la **Rocca Viscontea** (☎ 0523 80 32 15 ; iatcastellarquato@gmail.com ; adulte/enfant 3,50/2,50 € ; [☾] 9h30-12h30 et 15h-17h30 sam et dim, sur demande à l'office du tourisme mar-ven) est un château à créneaux édifié au XIVe siècle par Luchino Visconti.

Outre son château, Castell'Arquato est un village pittoresque où il fait bon s'arrêter. Des dégustations de vins locaux sont organisées à l'**Enoteca Comunale** (☎ 0523 80 61 57 ; Piazza del Municipio ; [☾] 10h-22h mar-dim). La **Ca' di Cima** (☎ 0523 80 52 86 ; www.cadicima.it ; Vicolo degli Spalti 4 ; s/d/tr 35/60/75 €) est une maison d'hôtes de 2 chambres au confort sommaire, à 5 minutes du château. La propriétaire, Clara (qui vous indiquera de nombreuses curiosités locales), et son chien Vito, vous réservent un accueil chaleureux.

Vous glanerez des informations sur la région à l'**office du tourisme** (☎ 0523 80 32 15 ; www.castellarquato.net ; Piazza del Municipio ; [☾] 9h30-12h30 et 14h30-17h30 mar-dim), sur la place principale face au château.

Tempi (☎ 800 211173 ; www.tempi.piacenza.it) assure des liaisons régulières en bus entre Piacenza et Castell'Arquato (3,10 €, 55 min).

EST DE BOLOGNE

FERRARE (FERRARA)
133 600 habitants

Moins pimpante que certaines autres villes d'Émilie-Romagne, Ferrare a conservé une grande part de l'austère splendeur qui fit ses heures de gloire à la Renaissance, lorsque la famille d'Este régnait sur la ville et lui assurait sa puissance.

Cette dynastie régna sur Ferrare de 1260 à 1598, sa puissance militaire et politique n'ayant d'égales que la vigueur et la singularité de sa vie intellectuelle et artistique. Nombre d'écrivains et de poètes brillants vécurent à la cour de Ferrare, en particulier Boiardo (Matteo Maria Boiardo) et l'Arioste (Ludovico Arioisto).

De nombreux maîtres de la peinture bénéficièrent du mécénat des Este, tels Titien, Pisanello, Jacopo Bellini, Piero della Francesca ou le Flamand Rogier Van der Weyden. À partir des années 1440 se développa même l'important "atelier de Ferrare, raffiné jusqu'au bizarre", que dominait la forte personnalité de Cosme Tura.

Après Alfonso II d'Este, mort en 1598 sans héritier, le pape Clément VIII se rendit à nouveau maître de la ville, mais il ne fit que présider à son déclin. Ferrare reprit de l'importance à partir de la période napoléonienne, devenant alors la principale ville de la basse plaine du Pô. Très éprouvé par la Seconde Guerre mondiale, son centre a été soigneusement restauré.

Ferrare est aussi le berceau de Girolamo Savonarola (Jérôme Savonarole), ce moine dominicain fanatique dont la statue se dresse

ÉMILIE-ROMAGNE ET SAINT-MARIN

sur la place qui porte son nom. Elle accueillit également des Français illustres, comme Montaigne, Stendhal et Chateaubriand.

Orientation

Partant de la Porta Po, près de la gare ferroviaire, le Viale Cavour file vers le sud-est jusqu'au château de Ferrare. Immédiatement à l'est du château, le Corso Martiri della Libertà mène à la cathédrale et à la Piazza Trento Trieste, la place attenante qui se trouve juste au nord du centre historique.

Renseignements

Denali (☎ 0532 76 23 22 ; Via Ragno 14 ; 4 €/h ; ☽ 9h-19h lun-ven). Internet.

Office du tourisme (☎ 0532 20 93 70 ; www.ferrara info.com ; ☽ 9h-13h et 14h-18h lun-sam, 9h30-13h et 14h-17h dim). Dans la cour du Castello Estense.

Police (☎ 0532 29 43 11 ; Corso Ercole I d'Este 26)

Poste (Viale Cavour 27)

URP Informacittà (☎ 0532 41 97 70 ; Via Spadari 2/2 ; ☽ 8h30-13h et 14h-17h30 lun-jeu, 8h30-13h ven, 9h-12h sam). Wi-Fi gratuit et poste d'ordinateur mis à disposition par la municipalité.

À voir

CASTELLO ESTENSE

C'est en 1385 que Nicolò II d'Este fit édifier l'imposant **château de Ferrare** (☎ 0532299233 ; Viale Cavour ; adulte/enfant 7 €/gratuit, 1 € supp pour le donjon ; ☽ 9h30-17h30 mar-dim), pour protéger les siens lors des soulèvements populaires déclenchés en particulier par la hausse des taxes. Cette forteresse massive, qui possède encore ses douves et son pont-levis, devint ensuite la résidence princière de sa dynastie.

Une partie de l'édifice est affectée à l'administration gouvernementale mais nombre de ses salles se visitent, en particulier les appartements royaux : signalons en particulier la Sala dei Giganti (salle des Géants) et le Salone dei Giochi (salle des Jeux), ornés de fresques de Camillo et de Sebastiano Filippi, la Cappella di Renée de France, ainsi que les oubliettes. C'est là que Nicolò III d'Este, en 1425, fit enfermer sa deuxième épouse, Parisina Malatesta, et son fils Ugo dont il avait surpris les amours coupables, avant de les faire décapiter.

PALAZZO MUNICIPALE

Relié au château par un passage surélevé, le **Palazzo Municipale** (entrée libre ; ☽ 9h-14h lun-ven) à créneaux du XIIIe siècle abrité les appartements

de la famille d'Este jusqu'à ce que la cour s'installe au château à la fin du XVe siècle.

Il est aujourd'hui occupé par des bureaux, mais on peut pénétrer dans ses deux cours jumelles. Des statues en cuivre de Nicolò III et de son fils Borso veillent sur l'entrée : ce sont des copies du XXe siècle, mais elles n'en sont pas moins imposantes.

CATHÉDRALE

Prenez le temps d'admirer la superbe façade en marbre rose et blanc du **Duomo** (☎ 0532 20 74 49 ; Piazza Cattedrale ; ☽ 7h30-12h et 15h-18h30 lun-sam, 7h30-12h30 et 15h30-19h30 dim), érigé au XIIe siècle dans un mélange de styles. Sa partie inférieure est de facture romane tandis que le gothique caractérise sa moitié supérieure. Le *Jugement dernier* du tympan est une œuvre grandiose, avec son décor représentant le Ciel et l'Enfer. Sur le flanc sud se trouve une galerie médiévale à colonnades.

En face, le **Museo della Cattedrale** (☎ 0532 24 49 49 ; Via San Romano ; adulte/enfant 5 €/gratuit ; ☽ 9h-13h et 15h-18h mar-dim) renferme la célèbre *Madonna del Melograno* (Vierge à la grenade), empreinte de sérénité, réalisée par Jacopo della Quercia, ainsi que deux vigoureuses peintures de Cosme Tura (le plus grand artiste de Ferrare), représentant, l'une, *Saint Georges*, et l'autre, l'*Annonciation* ; sur la porte des Mois, des bas-reliefs traités avec une étonnante vivacité.

MUSÉES ET GALERIES D'ART

Si vous prévoyez de visiter les multiples musées de la ville, préférez un billet groupé (8 €), qui donne accès au Museo della Cattedrale, à la Palazzina di Marfisa d'Este, au Palazzo Schifanoia et au Museo Lapidario.

Le **Palazzo dei Diamanti** (palais des Diamants), qui doit son nom aux pierres de sa façade taillées en facettes, fut édifié pour Sigismondo d'Este à la fin du XVe siècle. Considéré comme le plus beau palais de la famille, il abrite désormais la **Pinacoteca Nazionale** (☎ 0532 20 58 44 ; Corso Ercole I d'Este 21 ; adulte/enfant 4 €/gratuit ; ☽ 9h-14h mar, mer, ven, sam, 9h-13h jeu, 9h-13h dim), laquelle réunit de belles œuvres des écoles de Ferrare et de Bologne.

Juste à côté, le modeste **Museo del Risorgimento e della Resistenza** (☎ 0532 24 49 49 ; Corso Ercole I d'Este 19 ; adulte/enfant 3 €/gratuit ; ☽ 9h-13h et 15h-18h mar-dim) expose une collection de documents et d'affiches datant du mouvement de l'unité italienne et de la Seconde Guerre mondiale, ainsi que quantité d'uniformes et d'armes.

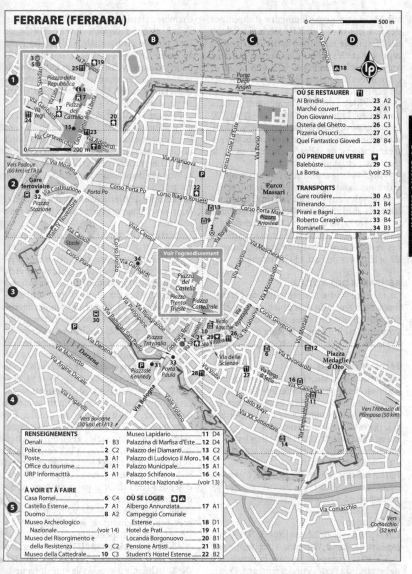

FERRARE (FERRARA)

0 — 500 m

0 — 200 m

OÙ SE RESTAURER 🍴
Al Brindisi	**23** A2
Marché couvert	**24** A1
Don Giovanni	**25** A1
Osteria del Ghetto	**26** C3
Pizzeria Orsucci	**27** C4
Quel Fantastico Giovedi	**28** B4

OÙ PRENDRE UN VERRE 🍷
Balebùste	**29** C3
La Borsa	(voir 25)

TRANSPORTS
Gare routière	**30** A3
Itinerando	**31** B4
Pirani e Bagni	**32** A2
Roberto Ceragioli	**33** B4
Romanelli	**34** B3

Vers Padoue
(60 km) et l'A13

Vers Bologne
(30 km) et l'A13

Voir l'agrandissement

Vers l'Abbazia di
Pomposa (50 km)

Vers
Comacchio
(52 km)

RENSEIGNEMENTS
Denali	**1** B3
Police	**2** C2
Poste	**3** A1
Office du tourisme	**4** A1
URP Informacittà	**5** A1

À VOIR ET À FAIRE
Casa Romei	**6** C4
Castello Estense	**7** A1
Duomo	**8** A2
Museo Archeologico Nazionale	(voir 14)
Museo del Risorgimento e della Resistenza	**9** C2
Museo della Cattedrale	**10** C3

Museo Lapidario	**11** D4
Palazzina di Marfisa d'Este	**12** D4
Palazzo dei Diamanti	**13** C2
Palazzo di Ludovico il Moro	**14** C4
Palazzo Municipale	**15** A1
Palazzo Schifanoia	**16** C4
Pinacoteca Nazionale	(voir 13)

OÙ SE LOGER 🛏️⛺
Albergo Annunziata	**17** A1
Campeggio Comunale Estense	**18** D1
Hotel de Prati	**19** A1
Locanda Borgonuovo	**20** B1
Pensione Artisti	**21** B3
Student's Hostel Estense	**22** B2

À l'est de la Piazza Trento Trieste, la **Casa Romei** (☎ 0532 23 41 30 ; Via Savonarola 30 ; adulte/enfant 3 €/gratuit ; 🕑 8h30-19h30 mar-dim) est une demeure de la Renaissance où Lucrèce Borgia passa une bonne partie de sa vie. Derrière sa façade austère de brique se cache un paisible patio intérieur et, au 1er étage, des appartements du XVIe siècle conservés tels quels.

Dans un style similaire, la **Palazzina di Marfisa d'Este** (☎ 0532 24 49 49 ; Corso Giovecca 170 ; adulte/enfant 3 €/gratuit ; 🕑 9h-13h et 15h-18h mar-dim) possède un décor du XVIe siècle raffiné et un jardin ombragé.

Les plus belles fresques de Ferrare sont exposées au **Palazzo Schifanoia** (☎ 0532 24 49 49 ; Via Scandiana 23 ; adulte/enfant 5 €/gratuit ; 🕑 9h-18h mar-dim), somptueuse demeure d'agrément des Este construite au XIVe siècle. Le Salone dei Mesi (salle des Mois) abrite des fresques représentant les mois et les saisons réalisées au XVe siècle par Francesco del Cossa et considérées comme un des meilleurs exemples du genre en Italie.

Le billet donne également accès au **Museo Lapidario** (☎ 0532 24 49 49 ; Via Camposabbionario ; 🕑 9h-18h mar-dim), situé non loin, qui recèle une petite collection, sans beaucoup d'explications, de stèles, d'inscriptions et de tombeaux étrusques et romains.

Vous pourrez admirer d'autres objets étrusques, ainsi qu'une remarquable sélection de vases attiques, au **Palazzo di Ludovico il Moro** qui abrite le **Museo Archeologico Nazionale** (☎ 0532 6 62 99 ; Via XX Settembre 124 ; adulte/enfant 4 €/gratuit ; 🕑 9h-14h mar-dim). Une grande partie de ces vestiges proviennent de la ville étrusque de Spina, près de l'actuel Comacchio.

REMPARTS DE LA VILLE

La majeure partie des remparts de Ferrare, longs de 9 km, sont assez bien conservés et permettent sur certaines sections de belles promenades, à moins que vous ne préfériez louer un vélo et en faire le tour.

Fêtes et festivals

Il Palio (www.paliodiferrara.it). Le dernier dimanche de mai, les cavaliers des huit *contrade* (quartiers) de Ferrare s'affrontent à la course sur la Piazza Ariostea transformée en foire médiévale. Considérée comme la plus vieille course de ce type en Italie, elle remonterait à 1279.

Buskers' Festival (☎ 0532 24 93 37 ; www.ferrarabuskers.com). Des musiciens investissent les rues de Ferrare à la fin du mois d'août.

Ferrara Balloons Festival (☎ 0532 29 93 03 ; www.ferraraballoonsfestival.it). Le plus grand rassemblement de montgolfières d'Italie se produit fin septembre.

Où se loger

Campeggio Comunale Estense (☎ 0532 75 23 96 ; campeggio.estense@libero.it ; Via Gramicia 76 ; empl adulte/enfant/site 5/3,50/8 € ; 🕑 mars-déc). Le camping municipal de Ferrare est à l'extérieur des remparts. Prenez le bus 1 ou 5 de la gare ferroviaire à la Piazzale San Giovanni puis suivez le fléchage. Prévoyez un antimoustique.

Student's Hostel Estense (☎ 0532 20 11 58 ; www.ostelloferrara.it ; Corso Biagio Rossetti 24 ; avec petit-déj dort/s/d/tr 16/35/40/45 € ; 📶). Reprise et complètement rénovée par de jeunes propriétaires, l'auberge de jeunesse de Ferrare conserve des chambres classiques de 3 à 8 lits, auxquelles s'ajoutent une réception ouverte 24h/24, de l'eau chaude géothermale, un bar, un patio à l'arrière, le Wi-Fi gratuit et tout le matériel nécessaire aux cyclistes (pompes, eau potable pour remplir les gourdes, espace d'entretien et parking à vélos). Des repas sont également servis (5 à 10 €).

Pensione Artisti (☎ 0532 76 10 38 ; Via Vittoria 66 ; d 60 €, s/d sans sdb 28/50 €). Le meilleur choix dans la catégorie petits prix, avec des chambres désuètes mais impeccables, des vélos gratuits, une petite terrasse couverte de vigne et une cuisine à la disposition des clients. La maison est très bien située et les propriétaires très accueillants. Pensez à réserver si vous voulez l'une des 3 chambres avec sdb. Pas de petit déjeuner.

Hotel de Prati (☎ 0532 24 19 05 ; www.hoteldeprati.com ; Via Padiglioni 5 ; s 49-85 €, d 75-120 €, ste 110-150 € ; ❄). Un cran au-dessus du trois-étoiles classique, cet établissement proche du centre et du château et magnifiquement décoré ne manque pas d'atouts. Les chambres à l'étage sont agrémentées de lits en fer forgé, de mobilier ancien, tandis que des œuvres contemporaines ornent les pièces lumineuses destinées aux clients. Le sympathique propriétaire loue un appartement avec cuisine dans le *palazzo* voisin.

♥ Locanda Borgonuovo (☎ 0532 21 11 00 ; www.borgonuovo.com ; Via Cairoli 29 ; s 60-70 €, d 90-100 € ; ❄ 💻 📶). À deux pas du château, cette ravissante maison d'hôte, la plus ancienne de Ferrare, est une pure merveille. Les 4 chambres et 3 appartements très soignés sont décorés de meubles anciens et de boiseries. Minibars, coffres, TV à écran plat et Wi-Fi équipent toutes les chambres. Prenez votre petit déjeuner dans l'élégant salon et détendez-vous dans le patio en compagnie de Ferrari, la tortue mascotte. Le parking coûte 8 € et des vélos flambant neufs sont mis gracieusement à votre disposition. Réservation indispensable.

Albergo Annunziata (☎ 0532 20 11 11 ; www.annunziata.it ; Piazza della Repubblica 5 ; s 94-120 €, d 105-240 € ; ❄ 💻). Casanova y passa la nuit lorsque ce n'était qu'une simple *locanda* (auberge) : aujourd'hui, cet hôtel de luxe tout confort loue des chambres très soignées, quoique dénuées de charme compte tenu de l'illustre passé de l'établissement. Idéalement situé, en face du Castello Estense, ce dernier comprend aussi 6 appartements modernes (125-300 €), à 150 m de l'hôtel. Parking : 3 €.

Où se restaurer et prendre un verre

Parmi les spécialités culinaires figurent les *cappellacci di zucca* (raviolis farcis à la citrouille), et la *salama da sugo* (saucisse de porc). Le pain de Ferrare est réputé pour son croustillant et sa forme en spirale.

۞ Pizzeria Orsucci (☎ 0532 76 00 00 ; Via Saraceno 116 ; pizzas 2,50-3,50 € ; ☽ 17h30-1h ven-mer). C'est une tranche d'histoire culinaire qui vous attend dans cette pizzeria d'apparence modeste, tenue par la même famille depuis 1936. Choisissez la taille de votre *pizza margherita*, avec ou sans anchois – et c'est tout ! Outre la bière pression, le menu n'affiche que des *padella di ceci* (crêpes à la farine de poix chiches cuites au four à bois). Giulio, le sympathique propriétaire, vous éclairera sur les articles de journaux et les photos affichés aux murs, évoquant les prix remportés par Orsucci et les films qui y ont été tournés.

Balebùste (☎ 0532 76 35 57 ; Via Vittoria 44 ; repas 20-25 € ; ☽ ven-mer). Que vous vous installiez dans le confort des salles voûtées ou vous mêliez à la foule sur les pavés de la Via Vittoria, ce bar animé met l'accent sur le vin et sert diverses spécialités traditionnelles de Ferrare ainsi que des plats du jour.

Osteria del Ghetto (☎ 0532 76 49 36 ; Via Vittoria 26 ; repas 25-30 € ; ☽ mer-lun). Ce ravissant restaurant au cœur de l'ancien quartier juif de Ferrare concocte d'excellents classiques, comme les *cappellacci di zucca* ou la *salama da sugo con purea di patate* (saucisse de porc et purée).

Al Brindisi (☎ 0532 47 12 25 ; Via Adelardi 11 ; repas 25-30 €). La plus vieille *osteria* au monde (selon le Guinness) était déjà une taverne en 1435, lorsque Titien, Benvenuto Cellini et Copernic venaient y prendre un verre ou étudier. Aujourd'hui, c'est un bar à vin plein de cachet. Outre la généreuse carte des vins, on trouve un large choix de grappas et de whiskies, mais aussi des pâtes, des plats et des en-cas. Le midi, menu à partir de 13 €.

La Borsa (☎ 0532 24 33 63 ; Corso Ercole I d'Este 1 ; repas 27-33 € ; ☽ déj lun-ven, dîner lun-sam). Installé dans la vaste salle centrale d'un *palazzo* historique, ce bar à vin prépare des en-cas et des repas plus simples que son voisin Don Giovanni. Plus économiques, les plats sont cependant d'une qualité égale.

Quel Fantastico Giovedì (☎ 0532 76 05 70 ; Via Castelnuovo 9 ; repas 30-40 € ; ☽ jeu-mar). Une cuisine contemporaine dans un cadre raffiné de bistrot : les fruits de mer sont à l'honneur avec

la *baccalà mantecato con crema di peperoni dolci e polenta* (morue à la vénitienne et polenta crémeuse aux poivrons), suivis de succulents desserts. Nous vous conseillons le *sorbetto di mela verde profumato al moscato* (sorbet à la pomme verte parfumé au vin).

Don Giovanni (☎ 0532 24 33 63 ; Corso Ercole I d'Este 1 ; repas 45-75 € ; ☽ dîner lun-sam). Ouvert uniquement le soir, ce restaurant très prisé sert des poissons fraîchement pêchés dans l'Adriatique, des légumes cultivés sur place, huit pains différents cuits chaque jour et plus de 600 vins italiens et internationaux. Le menu allie avec créativité des ingrédients inattendus : *tortelli con faraona allo zabaione di parmigiano e prosciutto croccante* (raviolis garnis de pintade, émulsion au parmesan et croustillant de jambon) ou *anguilla arrostita con finferli e emulsione all'alloro* (anguille grillée aux chanterelles et sa mousse de laurier).

Pour vos courses, rendez-vous au **marché couvert** (Via Vegri ; ☽ 7h-13h30 lun-sam).

Depuis/vers Ferrare

Les bus **ACFT** (☎ 0532 59 94 90 ; www.acft.it) circulent dans le centre et desservent les villes alentour comme Comacchio (4,10 €, 1 heure, 11/jour), ainsi que les plages de l'Adriatique. Des bus longue distance partent de la gare routière dans la Via Rampari San Paolo et passent par la gare ferroviaire avant de quitter la ville. Le train est préférable pour se rendre à Bologne, (3,80 €, 30 à 50 min, ttes les 30 min) et Ravenne (5,30 €, 1 heure 15, 14/jour).

Le centre est en majeure partie interdit à la circulation. Vous trouverez un grand parking (3 €/24 heures) dans la Via Darsena (juste en dehors du centre historique).

Les bus ACFT n°1 et 9 relient directement la gare ferroviaire au centre-ville.

Pour trouver un taxi, appelez **Radiotaxi** (☎ 0532 90 09 00).

Sinon, suivez l'exemple des habitants : Ferrare se prête merveilleusement à la circulation en vélo. Voici quelques adresses où en louer un (7-10 €/jour) :

Itinerando (☎ 0532 20 20 03 ; Piazzale Kennedy 6-8 ; ☽ 9h30-13h et 15h-18h30 ven-dim)

Pirani e Bagni (☎ 0532 77 21 90 ; Piazza Stazione 2 ; ☽ 4h45-20h lun-ven)

Roberto Ceragioli (☎ 339 4056853 ; Piazza Travaglio 4 ; ☽ 7h30-12h30 et 15h-19h30)

Romanelli (☎ 0532 20 60 17 ; Via Aldighieri 28a ; ☽ 9h30-12h30 et 15h15-19h)

ÉMILIE-ROMAGNE ET SAINT-MARIN

DELTA DU PÔ

Le delta du Pô (Foci del Po), là où le fleuve se jette dans l'Adriatique, est à cheval sur l'Émilie-Romagne et la Vénétie. Sa visite constitue une agréable excursion d'une journée au départ de Ferrare ou de Ravenne. Le delta dégage un charme authentique, en particulier en hiver lorsque le brouillard enveloppe ses vastes pinèdes et ses marais dans un silence mystérieux.

Le principal centre d'intérêt de la région est le **Parco del Delta del Po** (www.parcodeltapo.it), une vaste zone de marais qui englobe deux lagunes, les Valli di Comacchio et la Valle Bertuzzi. Plus de 300 espèces d'oiseaux, locaux ou migrateurs, y trouvent refuge. Fin avril et début mai, un rassemblement **dédié à l'ornithologie** (☎ 0533 5 76 93 ; www.podeltabirdfair.it) a lieu à Comacchio. C'est l'une des plus grandes manifestations de ce genre en Europe.

Un chapelet de *lidi* (petites stations balnéaires), souvent très fréquentées, bordent la côte.

En été, prévoyez un produit antimoustique, voire une moustiquaire.

Abbazia di Pomposa

À 50 km à l'est de Ferrare, cette **abbaye bénédictine** (☎ 0533 71 91 10 ; iatpomposa@libero.it ; Codigoro ; entrée 5 € lun-sam, monastère/église 3 € /gratuit dim ; ☼ 8h30-19h) est l'une des plus anciennes d'Italie. C'est là que le moine Guido d'Arezzo (vers 990-1033) aurait réformé la gamme musicale et donné leur nom aux notes. Après avoir été l'un des plus brillants foyers culturels d'Italie, l'abbaye entama son déclin au XIVᵉ siècle ; elle fut définitivement fermée en 1652. La nef de son église est ornée de mosaïques très élaborées, de fresques du XIVᵉ siècle, de l'école de Bologne, et d'œuvres de Vitale di Bologna. La salle attenante est un petit musée.

Chaque année, en juillet, l'abbaye accueille un festival de musique classique, la **Rassegna di Musica Classica**.

Comacchio

Principal bourg du delta, Comacchio est un charmant petit village de pêcheurs sillonné de canaux et de ponts de brique, dont le fameux **pont** Trepponti, édifié en 1635, qui enjambe un groupe de canaux.

Son utile **office du tourisme** (☎ 0533 31 41 54 ; www.turismocomacchio.it ; Corso Mazzini 4 ; ☼ 9h30-12h30 et 15h30-18h30 avr-oct, 9h30-12h30 et 15h-18h ven-dim nov-mars) vous renseignera sur les itinéraires de cyclotourisme, les randonnées, les promenades à cheval, les excursions en bateau et les sorties consacrées à l'ornithologie. Vous pourrez vous procurer sa précieuse brochure *Destra Po*, du nom du parcours de cyclotourisme de 132 km qui va de l'ouest de Ferrare jusqu'à la mer, ou sa brochure sur les possibilités d'observations ornithologiques dans la région (avec cartes et itinéraires).

Le village possède deux musées intéressants. Le **Museo della Nave Romana** (☎ 0533 31 13 16 ; www.comune.comacchio.fe.it ; Via della Pescheria 2 ; adulte/enfant 4,50/2,30 € ; ☼ 10h-13h et 15h-19h juin-août, 9h30-13h et 15h-18h30 sept-mai) expose (à l'aide de documents en anglais) la fascinante cargaison d'un navire romain dont l'épave a été découverte à proximité. La **Manifattura dei Marinati** (☎ 0533 8 17 42 ; Corso G Mazzini 200 ; adulte/enfant 2/1 € ; ☼ 9h30-12h30 et 15h-19h mars-oct, 9h30-13h et 14h30-18h nov-fév) est consacrée à la pêche à l'anguille, activité traditionnelle de la ville.

Onze bus relient quotidiennement Ferrare à Comacchio (4,10 €, 1 heure).

RAVENNE (RAVENNA)

153 400 habitants

Les éclatantes mosaïques paléochrétiennes et byzantines de Ravenne sont un des joyaux de la région. Décrites par Dante dans *La Divine Comédie* comme une symphonie de couleurs, elles datent de l'époque où Ravenne était la capitale occidentale de l'Empire byzantin.

Cité provinciale ordinaire, Ravenne devint la capitale de l'Empire romain d'Occident en 402, lorsque l'empereur Honorius s'y installa, après avoir quitté Milan, pensant que les marécages le protégeraient contre les envahisseurs nordiques. Une stratégie qui s'avéra payante jusqu'en 476, date à laquelle la ville tomba aux mains des Goths. Ce changement de régime ne ralentit pas l'épanouissement de Ravenne qui, sous Théodoric Iᵉʳ, fut l'une des cités les plus captivantes de Méditerranée.

Elle devait encore connaître un nouvel âge d'or. En près de 200 ans, de la conquête par les Byzantins en 540 à la prise de la ville par les Lombards en 752, Ravenne devint le berceau de la culture et de l'art byzantin.

Ravenne demeure aujourd'hui une ville attrayante et raffinée, à l'inverse des nombreuses stations balnéaires qui ont envahi certaines plages de l'Adriatique.

Orientation

Depuis la gare ferroviaire, située Piazzale Farini, à l'extrémité est de la ville, on poursuit, sur 600 m, le long du Viale Farini, puis le long de la Via Diaz, son prolongement, et on aboutit à la Piazza del Popolo. De là, la plupart des sites à voir sont facilement accessibles à pied.

Renseignements

Cooperativa Sociale la Formica (☎ 0544 3 70 31 ; Piazza Farini ; bagage 2,50-5 € ; 🕑 7h-19h lun-ven). Service de consigne à la sortie de la gare ferroviaire.
Fast Clean (Via Candiano 16 ; 6 kg lavage 3,50 € ; 🕑 7h-22h)
Multimediateca (☎ 0544 48 20 56 ; Via Guido da Polenta 4 ; 2 €/h ; 🕑 15h-19h lun-ven, 9h-13h et 15h-18h sam). Accès Internet au 1er étage du Palazzo Farini.
Offices du tourisme (www.turismo.ravenna.it) ; Via delle Industrie (☎ 0544 45 15 39 ; Via delle Industrie 14 ; 🕑 9h30-12h30 et 15h-18h) ; Via Salara (☎ 0544 3 57 55 ; Via Salara 8-12 ; 🕑 8h30-18h lun-sam, 10h-16h dim oct-mars, 8h30-19h lun-sam, 10h-18h dim avr-sept). Le bureau principal est dans le centre, dans la Via Salara.
Police (☎ 0544 48 29 99 ; Piazza Mameli)
Poste (Piazza Garibaldi 1)

À voir

Le site Internet www.ravennamosaici.it informe sur les aspects historiques et pratiques des principaux sites de l'Unesco à Ravenne.

Pour admirer les mosaïques sous un jour différent, suivez la visite de nuit, entre 21h et 23h, du mardi au vendredi (début juillet à début septembre).

BASILICA DI SAN VITALE, MAUSOLEO DI GALLA PLACIDIA ET MUSEO NAZIONALE

Consacrée en 547 par l'archevêque Maximien, la **basilique** (☎ 0544 54 16 88 ; Via Fiandrini, entrée sur Via San Vitale ; 🕑 9h-19h avr-sept, jusqu'à 17h30 mars et oct, 9h30-17h nov-fév) cache derrière sa façade un peu austère un éblouissant trésor de couleurs lorsque le peu de lumière qui filtre fait étinceler ses mosaïques aux tons vert, or et bleu. Les mosaïques des murs latéraux et en avant du chœur illustrent des épisodes de l'Ancien Testament : sur la gauche, Abraham s'apprête à sacrifier Isaac en présence de trois anges ; sur la droite figure le sacrifice d'Abel et de Melchisédech ; dans le chœur, deux mosaïques célèbres pour leur style solennel et expressif représentent l'empereur Justinien avec San Massimiano (à gauche) et l'impératrice Théodora, son épouse (à droite).

Appartenant au même ensemble, le **mausolée di Galla Placidia** (☎ 0544 54 16 88 ; Via Fiandrini ; 🕑 9h-19h avr-sept, jusqu'à 17h30 mars et oct, 9h30-17h nov-fév) fut édifié pour Galla Placidia, demi-sœur de l'empereur Honorius à qui l'on

doit certains des édifices les plus grandioses de Ravenne. De couleur un peu moins intense que celles de la basilique, ces mosaïques sont les plus anciennes de la ville.

Jouxtant la basilique et aménagé dans le cloître d'un ancien monastère de Bénédictins, le **Musée national** (☎ 0544 54 37 39 ; Via Fiandrini ; 4 € ; 🕑 8h30-19h30 mar-dim) renferme des poteries, de bronzes, des icônes, et surtout des portraits (de qualité inégale) de Vierge à l'Enfant.

MUSEO ARCIVESCOVILE ET BAPTISTÈRE

Près de la **cathédrale** (Via Gioacchino Rasponi ; 🕑 7h-12h et 14h30-17h), édifice assez quelconque du XVIIIe siècle, le petit **Museo Arcivescovile** (musée de l'Archevêché ; ☎ 0544 54 16 88 ; Piazza Arcivescovado ; 🕑 9h-19h avr-sept, 9h30-17h30 mars et oct, 10h-17h nov-fév) était fermé à l'époque où nous écrivions ces lignes, mais devait rouvrir courant 2010. Ne manquez pas la belle collection de mosaïques et le remarquable trône d'ivoire du VIe siècle.

Le toit arrondi du **Battistero Neoniano** (☎ 0544 54 16 88 ; Piazza del Duomo ; 🕑 9h-19h avr-sept, 9h30-17h30 mars et oct, 10h-17h nov-fév) qui le jouxte renferme également une série de mosaïques décrivant les Apôtres et le baptême du Christ. Cet édifice qui, à l'origine, a pu être un bain romain, fut converti en baptistère au Ve siècle (le baptême se faisait alors par immersion totale dans l'eau).

BASILICA DI SANT'APOLLINARE NUOVO

Édifiée au VIe siècle par les Goths, la **basilique** (☎ 0544 54 16 88 ; Via di Roma ; 🕑 9h-19h avr-sept, 9h30-17h30 mars et oct, 10h-17h nov-fév) abrite les plus grandes et certaines des plus belles mosaïques de Ravenne. Sur le mur de droite, 26 martyrs vêtus de blanc se dirigent vers le Christ entouré des apôtres, tandis que sur le mur de gauche, des mosaïques tout aussi expressives représentent le cortège des vierges apportant des offrandes à la Vierge à l'Enfant. Les deux murs arborent des panneaux plus petits illustrant des épisodes de la vie du Christ.

TOMBA DI DANTE

Dante passa les 19 dernières années de sa vie à Ravenne, où il écrivit une grande partie de sa *Divine Comédie*, après avoir été banni de Florence en 1302. En signe de repentir, Florence continue de fournir l'huile de la lampe qui brûle en permanence dans son **tombeau** (Via D Alighieri 9 ; entrée libre ; 🕑 9h30-18h30).

Le poète anglais Lord Byron vécut brièvement dans une maison non loin, sur la Piazza di San Francesco.

EMILIE-ROMAGNE ET SAINT-MARIN

ÉMILIE-ROMAGNE ET SAINT-MARIN

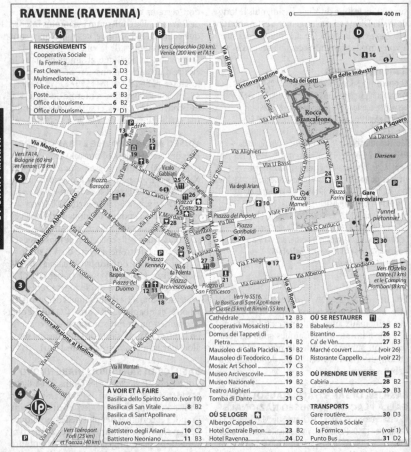

RAVENNE (RAVENNA)

0 ———— 400 m

RENSEIGNEMENTS

Cooperativa Sociale la Formica	1	D2
Fast Clean	2	D3
Multimediateca	3	C3
Police	4	C2
Poste	5	B3
Office du tourisme	6	B2
Office du tourisme	7	D1

À VOIR ET À FAIRE

Basilica dello Spirito Santo	(voir 10)	
Basilica di San Vitale	8	B2
Basilica di Sant'Apollinare Nuovo	9	C3
Battistero degli Ariani	10	C2
Battistero Neoniano	11	B3
Cathédrale	12	B3
Cooperativa Mosaicisti	13	B2
Domus dei Tappeti di Pietra	14	B2
Mausoleo di Galla Placidia	15	B2
Mausoleo di Teodorico	16	D1
Mosaic Art School	17	C3
Museo Arcivescovile	18	B3
Museo Nazionale	19	B2
Teatro Alighieri	20	C3
Tomba di Dante	21	C3

OÙ SE LOGER

Albergo Cappello	22	B2
Hotel Centrale Byron	23	B2
Hotel Ravenna	24	D2

OÙ SE RESTAURER

Babaleus	25	B2
Bizantino	26	B2
Ca' de Vèn	27	B3
Marché couvert	(voir 26)	
Ristorante Cappello	(voir 22)	

OÙ PRENDRE UN VERRE

Cabiria	28	B2
Locanda del Melarancio	29	B3

TRANSPORTS

Gare routière	30	D3
Cooperativa Sociale la Formica	(voir 1)	
Punto Bus	31	D2

MAUSOLEO DI TEODORICO

La construction en 520 de ce **mausolée** (☎ 0544 68 40 20 ; Via delle Industrie 14 ; 3 € ; ☼ 8h30-19h) relève de l'exploit : il est constitué de 2 étages en pierres sèches (assemblées sans mortier) et d'une large coupole monolithe mesurant 11 m de diamètre et pesant près de 300 tonnes. À l'intérieur, une vasque romaine de porphyre a été utilisée comme sarcophage. Pour vous y rendre, prenez le bus n°2 ou n°5 depuis le centre-ville.

BASILICA DI SANT'APOLLINARE IN CLASSE

La splendide mosaïque aux couleurs chatoyantes et ciel d'or qui orne l'abside de cette **basilique** (☎ 0544 47 35 69 ; Via Romea Sud, Classe ; 3 €, gratuit dim matin ; ☼ 8h30-19h30) mérite le détour.

Située dans la campagne, à 5 km au sud-est du centre-ville, la Basilica di Sant'Apollinare in Classe, consacrée en 549, fut érigée sur le site où fut enterré le saint patron de Ravenne, Apollinaire, lequel convertit la ville au christianisme au IIe siècle. Pour y accéder, prenez le bus n°4 ou n°44 jusqu'à Classe.

AUTRES MONUMENTS

Derrière la **Basilica dello Spirito Santo** (église du Saint-Esprit), à côté de la Via Diaz, le **Battistero degli Ariani** (☎ 0544 54 37 11 ; Via degli Ariani ; entrée libre ; ☼ 8h30-16h30 oct-mars, 8h30-19h30 avr-sept) date également du VIe siècle, époque de Théodoric. Tout comme le baptistère Neoniano, son dôme s'orne d'extraordinaires mosaïques illustrant le baptême du Christ.

Vers l'ouest, non loin de la Basilica di San Vitale, des sols en mosaïque du VIᵉ siècle découverts au **Domus dei Tappeti di Pietra** (☎ 0544 3 25 12 ; Via B Gianbattista ; 4 € ; ☺ 10h-17h mar-ven, jusqu'à 18h sam et dim nov-mars ; 10h-18h30 tlj avr-oct) ont été mis au jour au début des années 1990. Ces véritables chefs-d'œuvre présentent des motifs floraux et géométriques.

Cours

Voici des organismes proposant des cours de mosaïque pour tous niveaux, débutants ou artistes :

Gruppo Mosaicisti (☎ 0544 3 47 99 ; www.gruppo mosaicisti.com ; Via Fiandrini ; stages 1/2 semaines 750/950 €)

Mosaic Art School (☎ 349 601 45 66 ; www.mosaic school.com ; Via Francesco Negri 14 ; stage 1 semaine 660-760 €)

Fêtes et festivals

Ravenne accueille l'un des premiers festivals italiens de musique classique, mais les fans de jazz ne sont pas en reste.

Crossroads (☎ 0544 40 56 56 ; www.crossroads-it.com). Des concerts de jazz ont lieu dans la ville entre fin février et fin mai dans le cadre d'un festival régional.

Ravenna Festival (www.ravennafestival.org). Riccardo Muti, chef d'orchestre réputé, entretient des liens étroits avec Ravenne et participe activement à l'organisation annuelle de ce festival. Les concerts ont lieu de juin à fin juillet dans toute la ville, notamment au Teatro Alighieri (☎ 0544 24 92 44 ; www.teatroalighieri.org ; Via Mariani 2). Billets à partir de 15 € environ.

Ravenna Jazz (☎ 0544 40 56 66). Fin octobre, des stars du jazz s'installent en ville.

Où se loger

Camping Piomboni (☎ 0544 53 02 30 ; www.camping piomboni.it ; Viale della Pace 421, Marina di Ravenna ; empl 8,20/12,40 €, supp par pers 4,40-8 € ; ☺ Pâques à mi-sept). Situé au cœur d'une pinède à 8 km de Ravenne (bus n°7), ce vaste camping indépendant est proche de la plage du Lido di Ravenna.

Ostello Dante (☎ 0544 42 11 64 ; www.hostelravenna. com ; Via Nicolodi 12 ; dort/s/d 15/23/44 € ; ▣). Cette auberge de jeunesse dynamique occupe un bâtiment moderne à 1 km à l'est de la gare ferroviaire. Les portes ferment à 23h30, mais il est possible de disposer de sa propre clé (1 €) pour aller et venir en toute liberté. Bus n°80 ou "Metrobus" rouge depuis la gare.

Hotel Ravenna (☎ 0544 21 22 04 ; www.hotelravenna. ra.it ; Via Maroncelli 12 ; s/d 55/90 €, sans sdb 45/70 € ; Ⓟ ▦ ☞). À deux pas de la gare, le Ravenna

s'avère un bon choix. Le décor beige et or est un peu défraîchi et le mobilier sans intérêt, mais les chambres sont vastes et confortables. Parking gratuit, Wi-Fi 4 €/heure.

Hotel Centrale Byron (☎ 0544 21 22 25 ; www. hotelbyron.com ; Via IV Novembre 14 ; s 50-65 €, d 70-110 € ; ▦ ▣ ☞). La proximité de la Piazza del Popolo, très centrale, est le principal atout de cet hôtel : les chambres vieillottes ont perdu leur cachet avec leur rénovation, mais ce trois-étoiles offre le confort de sa catégorie (TV sat, minibar et Wi-Fi gratuit).

Albergo Cappello (☎ 0544 21 98 13 ; www.albergo-cappello.it ; Via IV Novembre 41 ; s 110-130 €, d 130-160 € ; ▦ ▣). Alliant avec goût ancien et moderne, ce trois-étoiles est central et attrayant. Chandeliers en verre de Murano, fresques originales du XVᵉ siècle et plafonds à caissons sont complétés par des détails contemporains et des TV à écran plat. Le petit déjeuner copieux comprend les meilleures *pasticceria* de Ravenne. Parking : 13 €.

Où se restaurer

Bizantino (Piazza A Costa ; menu 7-7,70 € ; ☺ 11h45-14h45 lun-ven). Self-service très populaire, dans le marché couvert au niveau de l'entrée principale, idéal pour déjeuner sur le pouce sans se ruiner.

Babaleus (☎ 0544 21 64 64 ; V Gabbiani 7 ; pizzas à partir de 4 €, repas 20-25 € ; ☺ dîner jeu-mar, déj lun, mar, jeu et ven). Les étudiants viennent pour la formule à 11 € "pizza, boisson et ciné" (valable au Cinema Astoria, tout proche), mais cette enseigne sans chichis sert aussi un choix de pâtes, de viandes et de poissons.

Ca' de Vèn (☎ 0544 30 1 63 ; Via Corrado Ricci 24 ; repas 25-35 € ; ☿ mar-dim). Très prisé des touristes, ce restaurant (*enoteca*) occupant un *palazzo* du XVe siècle vaut le détour pour son ambiance. Les plafonds voûtés en brique, couverts de fresques, et les sols en marbre en damier sont superbes. Les spécialités régionales s'accompagnent d'une liste encyclopédique de vins.

Ristorante Cappello (☎ 0544 21 98 76 ; Via IV Novembre 41 ; menu dégustation 35 €, repas 35-40 € ; ☿ fermé dim dîner et lun). Au sous-sol de l'hôtel éponyme, ce restaurant raffiné prend la cuisine très au sérieux. La carte, qui met le poisson à l'honneur, change toutes les semaines. Pami les spécialités, citons les *strozzapreti con calamaretti, zucchine*, les *fiori di zucca e zafferano* (pâtes aux couteaux, courgettes, fleurs de potiron et safran).

Pour faire vos courses, trouver un sandwich, allez au **marché couvert** (Piazza Andrea Costa).

Où prendre un verre

Cabiria (☎ 0544 3 50 60 ; Via Mordani 8 ; ☿ 18h-3h lun-sam). Ce bar à vin est une véritable institution de la ville, prise d'assaut par une clientèle trentenaire.

Locanda del Melarancio (☎ 0544 21 52 58 ; Via Mentana 33). Un charmant édifice en pierre et brique du XVIe siècle et des murs rouges constituent le décor de ce bar policé où chacun est tiré à quatre épingles.

Comment s'y rendre et circuler

Les bus locaux **ATM** (www.atm.ra.it) attendent au Piazza Farini. Ceux qui desservent Ferrare et les villes de la côte partent de la gare routière, à l'est des voies de chemin de fer (emprunter le passage souterrain). Pour l'achat de billet ou une information sur les lignes ATM, allez au **Punto Bus** (☎ 0544 68 99 00, ☿ 6h30-19h30 lun-sam), sur la place.

Ravenne se situe sur une section (A14 dir) de l'Autostrada A14 Bologne-Rimini. La SS16 (Via Adriatica) part au sud vers Rimini et continue le long du littoral. Les principaux parkings se trouvent à l'est de la gare ferroviaire et au nord de la Basilica di San Vitale.

Ravenne est reliée par des trains fréquents à Bologne (5,80 €, 1 heure 15, ttes les heures), Ferrare (5,30 €, 1 heure 15, 14/jour), Rimini (3,80 €, 1 heure, ttes les heures) et au sud du littoral.

En ville, le vélo est un moyen de transport très apprécié. Le principal bureau (Via Salara)

de l'office du tourisme met gracieusement des bicyclettes à la disposition des visiteurs. Il suffit de s'inscrire avec une pièce d'identité et d'emprunter un vélo aux emplacements aménagés dehors, et de le ramener au même endroit pendant les heures d'ouverture.

En sortant de la gare de Ravenne, la **Cooperativa Sociale la Formica** (☎ 0544 3 70 31 ; Piazza Farini ; vélos 1,10/8,50 € par heure/jour ; ☿ 7h-19h lun-ven) loue aussi des deux-roues.

FAENZA
56 100 habitants

D'accès facile en train depuis Ravenne, Faenza est réputée pour ses belles céramiques, produites depuis la Renaissance et qui font encore vivre la ville. Admirez les réalisations locales au vaste **Museo Internazionale delle Ceramiche** (☎ 0546 69 73 11 ; www.micfaenza. org ; Viale Baccarini 19 ; adulte/enfant 6/3 € ; ☿ 9h30-19h mar-dim avr-oct, 9h30-13h30 mar-jeu et 9h30-17h30 ven-dim nov-mars).

Vous obtiendrez des renseignements sur la ravissante cité médiévale de Faenza auprès de l'**office du tourisme** (☎ 0546 25 231 ; www.prolocofaenza. it ; Voltone Molinella 2 ; ☿ 9h30-12h30 et 15h30-18h30 lun-sam et 9h30-12h30 dim mai-sept, 9h-12h30 et 15h30-17h30 mar-mer, 9h-12h30 jeu et ven oct-avr), sous les beaux balcons à double niveau de la Piazza del Popolo.

Juste à l'extérieur de la ville, au milieu des vignes, l'**Agriturismo La Curbastra** (☎ 0546 3 20 89 ; www.agriturismolacurbastra.it ; Via Cesarolo 157 ; s/d/tr/qua 55/60/75/85 € ; ☿) dispose de chambres sommaires et d'une jolie piscine.

IMOLA
67 300 habitants

Les amateurs de Formule 1 associent encore le circuit d'Imola au Grand Prix de Saint-Marin. La course, qui n'a plus lieu depuis 2007, a connu un épisode tragique, en 1994, quand Ayrton Senna y perdit la vie.

La ville possède un joli centre médiéval et un château du XIIIe siècle, la **Rocca Sforzesca** (☎ 0542 60 26 09 ; Piazza Giovanni dalle Bande Nere ; entrée 3 € ; ☿ 15h-19h sam, 10h-13h et 15h-19h dim).

L'**office du tourisme** (☎ 0542 60 22 07 ; iat@comune. imola.bo.it ; Via Emilia 135 ; ☿ 8h30-13h lun-ven, 15h-18h mar, 8h30-12h30 sam) informe les visiteurs sur les hébergements disponibles et les manifestations liées au circuit automobile.

Imola se trouve sur la Via Emilia (SS9) et est reliée toutes les 30 minutes à Bologne (3,10 €, 30 min) par des trains fréquents.

RIMINI

138 500 habitants

Figurant parmi les stations balnéaires les plus fréquentées d'Italie, Rimini ne fait pas que des adeptes. À moins d'aimer partager son coin de plage avec des milliers d'autres vacanciers, mieux vaut éviter le mois d'août. La ville est également réputée pour ses nombreux clubs et discothèques.

Patrie de l'exubérant Federico Fellini, Rimini présente aussi d'autres facettes, plus authentiques. Le centre-ville ancien, en grande partie reconstruit après avoir été gravement éprouvé par quelque 400 bombardements durant la Seconde Guerre mondiale, mérite un coup d'œil rapide. Il abrite quantité de bars et de restaurants sympathiques.

Histoire

À l'origine ombrienne, puis étrusque, Rimini devint sous les Romains une importante colonie sous le nom d'Ariminum. Elle forme le centre de la Riviera del Sole. Elle passa au Moyen Âge sous la domination successive des Byzantins, des Lombards puis du pape, avant d'échouer au XIIIe siècle dans le giron de la famille Malatesta. Au début du XVIe siècle, Cesare Borgia l'ajouta à la liste de ses brèves conquêtes ; elle retomba peu après sous l'emprise de Venise, puis de la papauté. Rimini rejoignit finalement le royaume d'Italie en 1860.

Orientation

À mi-chemin du littoral et du centre historique, la gare ferroviaire constitue un bon point de repère. Pour rejoindre le centre depuis la gare, descendez le Corso Giovanni XXIII jusqu'au Corso d'Augusto, prenez à gauche et poursuivez jusqu'à la Piazza Cavour et la Piazza Tre Martiri, les deux grandes places du vieux Rimini. Pour atteindre la plage, empruntez le passage souterrain situé sur la droite du Piazzale Cesare Battisti, en face de la gare, et suivez le Viale Principe Amedeo jusqu'au bout.

Renseignements

Hôpital (☎ 0541 70 51 11 ; Viale L Settembrini 2). À 1,2 km au sud-est du centre-ville.

Offices du tourisme (www.riminiturismo.it) ; Parco Federico Fellini (☎ 0541 5 69 02 ; Parco Federico Fellini 3 ; ☼ 8h30-19h lun-sam, jusqu'à 14h dim mai-sept, 9h-13h et 15h-18h30 lun-sam oct-avr) ; gare ferroviaire (☎ 0541 13 31 ; Piazzale Cesare Battisti ; ☼ 8h30-19h lun-sam,

jusqu'à 13h30 dim mai-sept, jusqu'à 18h lun-sam oct-avr). Le personnel polyglotte de la gare ferroviaire est très serviable. Trois guichets ouvrent aussi sur le front de mer en été.

Police (☎ 0541 35 31 11 ; Corso d'Augusto 192)

Poste (Via Gambalunga 40)

Ufficio Relazioni con il Pubblico (☎ 0541 70 47 04 ; Corso d'Augusto 158 ; ☼ 9h-13h et 14h30-18h lun-mer et ven, 9h-18h jeu, jusqu'à 13h sam). Internet gratuit offert par le conseil municipal de Rimini.

À voir et à faire

TEMPIO MALATESTIANO ET CASTEL SISMONDO

Cette **cathédrale** (Tempio Malatestiano ; ☎ 051 5 11 30 ; Via IV Novembre 35 ; ☼ 8h30-12h30 et 15h30-18h30 lun-sam, 9h-13h et 15h30-19h dim) est le plus beau monument de Rimini. Dédiée à saint François, elle fut transformée au XVe siècle, à la demande de Sigismondo Malatesta, pour abriter le tombeau de sa famille, dont celui d'Isotta degli Atti, sa troisième épouse. Sigismondo, membre de la famille Malatesta – des seigneurs de Rimini – était réputé pour ses trahisons et commit tant de crimes qu'il fut voué à l'enfer par le pape Pie II.

La façade, inachevée, est due au Florentin Leon Battista Alberti, l'un des grands architectes de l'époque. Les chapelles latérales sont séparées de la nef par des piliers en marbre ornés de chérubins. La chapelle la plus proche de l'autel, côté sud, est recouverte d'une fresque de Piero della Francesca.

À l'angle sud-ouest de la vieille ville, le **château** (Castel Sismondo ; ☎ 0541 78 76 73 ; Piazza Malatesta ; ☼ pendant les expositions), également appelé Rocca Malatestiana, fut construit par Sigismondo Malatesta.

PIAZZA CAVOUR

Cette place centrale est entourée des plus beaux palais de la ville (interdits au public). Au nord, le **Palazzo del Municipio**, érigé en 1562, reconstruit après la Seconde Guerre mondiale, jouxte le **Palazzo del Podestà**, édifice gothique du XIVe siècle. De l'autre côté de la place, la Via Pescheria accueille le vieux marché au poisson. Le **Teatro Amintore Galli** fut érigé en 1857, dans les années de fièvre qui menèrent à l'unité du pays.

MUSÉES

Le **Museo della Città** (☎ 0541 2 14 82 ; Via Tonini 1 ; adulte/enfant avec le Domus del Chirurgo 5/3 €, entrée libre dim ; ☼ 10h-12h30 et 16h30-19h30 mar-sam, 16h30-19h30 dim mi-juin à mi-sept, 8h30-12h30 et 17h-19h mar-sam,

ÉMILIE-ROMAGNE
ET SAINT-MARIN

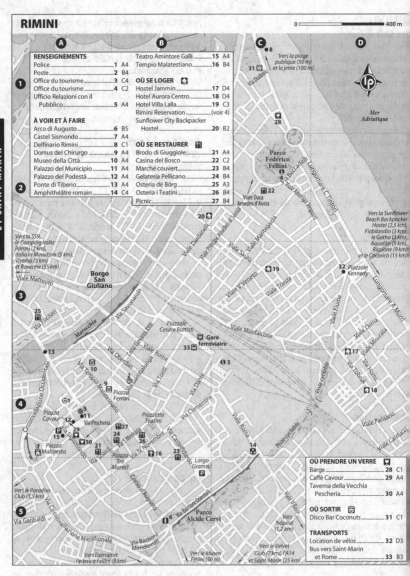

RIMINI

0 ⸻ 400 m

RENSEIGNEMENTS
Police..................................1 A4
Poste..................................2 B4
Office du tourisme.............3 C4
Office du tourisme.............4 C2
Ufficio Relazioni con il
    Pubblico........................5 A4

À VOIR ET À FAIRE
Arco di Augusto.................6 B5
Castel Sismondo................7 A4
Delfinario Rimini...............8 C1
Domus del Chirurgo..........9 A4
Museo della Città............10 A4
Palazzo del Municipio......11 A4
Palazzo del Podestà.........12 A4
Ponte di Tiberio..............13 A4
Amphithéâtre romain.......14 C4

Teatro Amintore Galli......15 A4
Tempio Malatestiano........16 B4

OÙ SE LOGER
Hostel Jammin..................17 D4
Hotel Aurora Centro.........18 D4
Hotel Villa Lalla...............19 C3
Rimini Reservation......(voir 4)
Sunflower City Backpacker
    Hostel..........................20 B2

OÙ SE RESTAURER
Brodo di Giuggiole...........21 A4
Casina del Bosco..............22 C2
Marché couvert................23 B4
Gelateria Pellicano..........24 B4
Osteria de Börg................25 A3
Osteria i Teatini...............26 B4
Picnic...............................27 B4

Mer
Adriatique

Vers la plage
publique (50 m)
et la jetée (100 m)

Vers la Sunflower
Beach Backpacker
Hostel (2,5 km),
Fiabilandia (3 km),
le Gotha (3 km),
Aquafan (9 km),
Riccione (9 km)
et le Cocoricò (15 km)

Parco
Federico
Fellini

Piazzale
Kennedy

Vers la SS9,
le Camping Italia
Rimini (2 km),
Italia in Miniatura (5 km),
Viserba (5 km)
et Ravenne (55 km)

Borgo
San
Giuliano

Piazzale
Cesare Battisti

Gare
ferroviaire

Piazza
Ferrari

Piazza
Cavour

Piazzetta
Teatini

Piazza
Malatesta

Piazza
Tre
Martiri

Largo
Gramsci

Vers le Paradiso
Club (3,5 km)

Vers l'aéroport
Federico Fellini (8 km)

Parco
Alcide Cervi

Vers le Museo
Fellini (50 m)

Vers
l'hôpital
(1,2 km)

Vers le Velvet
Club (7 km), l'A14
et Saint-Marin (25 km)

OÙ PRENDRE UN VERRE
Barge...............................28 C1
Caffè Cavour....................29 A4
Taverna della Vecchia
    Pescheria.....................30 A4

OÙ SORTIR
Disco Bar Coconuts..........31 C1

TRANSPORTS
Location de vélos.............32 D3
Bus vers Saint-Marin
    et Rome.......................33 B3

10h-12h30 et 15h-19h dim mi-sept à mi-juin) expose des peintures à l'étage. Vous y verrez ainsi la fascinante *Pietà* de Giovanni Bellini et un retable de Domenico Ghirlandaio. Néanmoins, le musée vaut surtout pour sa section archéologique, au rez-de-chaussée. Plusieurs salles y présentent les pièces et les splendides mosaïques découvertes dans deux

villas romaines, accompagnées d'excellentes indications en italien et en anglais. Repérez le ravissant poisson en verre coloré. Le musée possède aussi la plus importante collection d'instruments chirurgicaux romains au monde – des salles chirurgicales sont ainsi reproduites en taille réelle. De l'autre côté de la rue, vous pouvez visiter le site de fouille le **Domus del Chirurgo**, récemment ouvert, où certaines mosaïques sont encore intactes.

Les cinéphiles se régaleront au petit **Museo Fellini** (☎ 0541 5 00 85 ; www.federicofellini.it ; Via Nigra 6 ; entrée libre ; ✆ 17h30-19h30 mar-ven et dim, 10h-12h et 16h30-19h30 sam), qui rassemble des souvenirs du réalisateur.

VESTIGES ROMAINS

L'**Arco di Augusto** (arc d'Auguste) fut édifié en 27 av. J.-C. à l'extrémité sud-est du Corso d'Augusto. À l'extrémité ouest du Corso, le **Ponte di Tiberio** (pont de Tibère) fut construit au ^{er} siècle au-dessus du fleuve afin de marquer l'importance de la ville pour l'Empire. Pour voir les vestiges de l'**amphithéâtre romain** (angle Viale Roma et Via Bastioni Orientali), contacter les **Musei Comunali** (☎ 0541 70 44 22).

BORGO SAN GIULIANO

Ce vieux quartier de pêcheurs au nord du Ponte di Tiberio s'est converti, après sa rénovation, en un lieu branché : le long de ses ruelles pavées, souvent égayées de peintures murales, alternent désormais *trattorie* à la mode, bars à vin et maisons coquettes.

PLAGES

Quarante kilomètres de plages, généralement de sable fin et atteignant jusqu'à 200 m de large, entourent Rimini, mais ce sont le plus souvent des plages payantes qui font l'objet de concessions ou dépendent d'un hôtel. Il n'existe qu'un tout petit bout de plage publique (gratuite), près de la jetée, au nord du centre-ville.

Pour un parasol et deux transats, il faut compter en moyenne 15 €/jour. Les plages privées disposent de bars et la plupart organisent des activités variées, tels des cours (aérobic, jeux de plage, etc.) et des locations de bateau.

Toutes les plages de Rimini arborent le drapeau bleu européen, indice de propreté ; leur niveau de pollution est contrôlé quotidiennement.

PARCS DE LOISIRS

Rimini est aussi réputée pour ses multiples parcs d'attractions. Pour les inconditionnels, la carte Fantasticket (voir www.larivieradeiparchi.it/fantasticket.php) permet de bénéficier d'une remise dans de nombreux parcs dont l'office du tourisme vous donnera la liste. Les principaux parcs sont :

Aquafàn (☎ 0541 60 30 50 ; www.aquafan.it ; Via Ascoli Piceno 6, Riccione ; adulte/enfant 24/18 € ; ✆ 10h-18h30

juin à mi-sept). À Riccione, le plus grand parc aquatique de la région. Bus n°42 ou n°45 de la gare de Riccione.

Delfinario Rimini (☎ 0541 5 02 98 ; www.delfinariorimini.it ; Lungomare Tintori 2 ; adulte/enfant 12/9 € ; ✆ Pâques-sept). Delphinarium jouxtant la plage publique de Rimini.

Fiabilandia (☎ 0541 37 20 64 ; www.fiabilandia.it ; Via Cardano 15, Rivazzurra ; adulte/enfant 22/15 €). L'un des plus vieux parcs de Rimini, destiné aux plus petits.

Italia in Miniatura (☎ 0541 73 67 36 ; www.italiainminiatura.com ; Via Popilia 239, Viserba ; adulte/enfant 19/14 € ; ✆ 9h-23h juil-août, 9h30-coucher du soleil sept-juin). Les grands monuments italiens en modèles réduits. Bus n°8 de la gare de Rimini.

Fêtes et festivals

Paganello (www.paganello.com). Début avril, Rimini accueille la Coupe du monde de Frisbee.

Championnat de Cheecoting (www.bigliedaspiaggia.it). Plus tard en avril, cette rencontre oppose des athlètes très entraînés autour d'un jeu de billes sur un circuit tout en sable.

Gradisca Le 21 juin est célébré par des danses, feux d'artifice et repas festifs. Deux tonnes de sardines grillées et 12 000 litres de Sangiovese seraient consommés en une nuit.

Rimini Jazz Festival (☎ 0541 5 22 06 ; www.riminijazz.it). L'été, ce festival a lieu près de Marina Centro, principale zone de plage.

Sagra Musicale Malatestiana (☎ 0541 70 42 94 ; www.sagramusicalemalatestiana.it). Rassemble des chefs d'orchestre et des musiciens de premier plan. En septembre.

Où se loger

Paradoxalement, trouver un logement dans cette ville qui compte plus de 1 200 hôtels relève parfois du parcours du combattant. En juillet-août, les chambres sont rares et chères, car les hôteliers ne pratiquent souvent que la pension complète. L'hiver, bon nombre d'établissements ferment boutique. Si vous arrivez sans avoir réservé, **Rimini Reservation** (☎ 0541 5 33 99 ; www.riminireservation.it ; Parco Federico Fellini 3) vous aidera dans vos démarches.

Camping Italia Rimini (☎ 0541 73 28 82 ; www.campingitaliarimini.it ; Via Toscanelli 112, Viserba ; empl adulte/enfant/tente/voiture 10/5,50/11/5 € ; ✆ juin-sept). Parmi les nombreux terrains du littoral, celui-ci (à 2 km au nord-ouest du centre-ville) se distingue par son espace boisé et son équipement. Prenez le bus n°4 depuis la gare et descendez à l'arrêt 14.

Sunflower City Backpacker Hostel (☎ 0541 2 51 80 ; Via Dardanelli 102 ; www.sunflowerhostel.com ; dort 18-27 € ; s 26-49 €, d 46-79 € ; 🖵). Tenue par trois anciens voyageurs, cette auberge de jeunesse décontractée, à la décoration rétro, possède une laverie et une cuisine, de vastes casiers, des tables de billard, un bar et des vélos à emprunter.

Sunflower Beach Backpacker Hostel (☎ 0541373432; Viale Siracusa 25 ; ☻ mars-oct). La même équipe tient cette auberge saisonnière, identique en équipement et en tarifs. Prenez le bus n°11 de la gare ferroviaire jusqu'à l'arrêt 24.

Hostel Jammin (☎ 0541390800; www.hosteljammin. com ; Viale Derna 22 ; dort 15-27 €, s 27-42 €, d 46-76 € ; ☻ mars-oct; 🖳 🛜). Une auberge de jeunesse comme on les aime, bon marché, sympathique et internationale. Chambres spacieuses et propres, terrasse sur le toit, vélos à disposition et Wi-Fi gratuit. La plage est à courte distance.

Hotel Aurora Centro (☎ 0541391002 ; fax 0541391682 ; Via Tobruk 6 ; s/d 35/60 € ; 🅿). Un désordre fantasque règne dans cette chaleureuse *pensione*. Sans prétention, les chambres sont simples et l'accueil bourru mais sympathique. Tout proche de la plage.

Hotel Villa Lalla (☎ 0541 5 51 55 ; www.villalalla.com ; Viale V Veneto 22 ; s 36-56 €, d 56-96 € ; 🅿 🞨 🛜). L'un des meilleurs hôtels du quartier résidentiel, entre la plage et la gare ferroviaire. Chambres blanches soignées et fraîches. Les tarifs sont plus raisonnables en hiver. De mi-juin à mi-septembre, lorsque le restaurant est ouvert, optez pour la demi-pension ou la pension complète (8 €/repas). Prêt de vélos.

Où se restaurer

♥ **Casina del Bosco** (☎ 0541 5 62 95 ; Via Beccadelli 15 ; piadine 4-6,20 € ; ☻ 12h-tard). Rien de tel qu'une *piadina* (demi-cercle de pain sans levain garni d'ingrédients salés) pour satisfaire un petit creux. Depuis 30 ans, le succès de cette adresse tient à la simplicité des plats : *piadine*, salades, bière, vin et desserts glacés. Patientez sur le patio en sirotant une *hefeweizen* (bière blanche).

Osteria Dë Börg (☎ 0541 5 60 74 ; Via Forzieri 12 ; repas 25-35 € ; ☻ déj et dîner). Une *osteria* accueillante du vieux quartier des pêcheurs où l'on se régale de plats simples à base d'ingrédients locaux dans un cadre sans prétention. Les viandes, du lapin farci aux grillades de bœuf, sont assaisonnées au romarin et au sel de mer.

Picnic (☎ 0541 2 19 16 ; Via Tempio Malatestiano 30 ; repas 30 € ; ☻ fermé lun sept-mai). En activité depuis un demi-siècle, Picnic sert un vaste choix de classiques comme la *salsiccia fagioli con polenta* (saucisse aux haricots et polenta), et de

trouvailles du marché : grillade de poisson du jour ou fraises locales à la crème fouettée.

Osteria i Teatini (☎ 0541 28 008 ; Piazza Teatini 3 ; repa 30-35 €). Présenté par son propriétaire comm "l'adresse des gens libres", cet établissemen bohème fait tantôt restaurant, tantôt bar tantôt boîte de nuit alternative où divers D jazz-classique mixent le vendredi soir, laissan la place à la musique live le samedi. Choisissez entre la superbe cave voûtée et la terrasse verdoyante.

Brodo di Giuggiole (☎ 0541 2 67 78 ; Via Soardi 11 repas 35 € ; ☻ dîner mar-dim). Niché dans une ruelle près de la Piazza Tre Martiri, ce lie intimiste et huppé réunit une salle à mange lambrissée et une terrasse aux chandelles. L menu change régulièrement et propose le poissons les plus frais et les mieux préparé de la ville. Réservation conseillée, surtout l mardi soir, consacré au jazz live.

Gelateria Pellicano (Via S Mentana 10 ; ☻ 7h30-19h3 lun-sam). Cette chaîne de 5 enseignes, créée Rimini, concocte des glaces succulentes. Nou vous conseillons la *pinoli* (pignons de pin) parsemée de pignons grillés.

Faites vos provisions au **marché couvert** (Vi Castelfidardo ; ☻ 7h30-19h30 lun-sam).

Où prendre un verre

Rimini ne manque pas de bars ni de cafés Empruntez la triple arcade depuis la Piazz Cavour et pénétrez dans la *pescheria* (march au poisson), dont la cour abonde en pubs e bars à vin branchés. Ils se concentrent auss sur le front de mer.

Barge (☎ 0541 70 98 45 ; Lungomare C Tintori 13 ☻ fermé lun en hiver). Rendez-vous d'une jeuness branchée, ce pub en front de mer a tout pou plaire : Guinness pression, DJ et concert réguliers.

Caffè Cavour (☎ 0541 78 51 23 ; Piazza Cavour 12 ☻ 7h-24h). Café chic sur la place principale d Rimini. L'hiver, prenez votre *aperitivo* dan les fauteuils en cuir ; les soirs d'été, profite de la vue sur la Piazza Cavour.

Taverna della Vecchia Pescheria (Via Pisacane 10 ☻ 18h-2h). Dans le marché historique a poisson, un pub rustique composé de petite tables où la bière pression s'accompagn d'en-cas gratuits.

Où sortir

Rimini et Riccione, ville voisine, sont réputée pour leurs clubs et discothèques, qui attiren des milliers de noctambules tous les week-end et davantage encore pendant la frénésie de l'été. L'office du tourisme pourra vous informer sur les navettes de bus qui desservent les discothèques (voir plus bas). Comptez de 15 à 30 € pour une soirée dans un club prisé.

Cocoricò (☎ 0541 60 51 83 ; www.cocorico.it ; Viale Chieti 44, Riccione ; ✆ 23h-5h30). Dans ce club très renommé de Riccione, à 12 km au sud de Rimini, on danse sous une pyramide en verre sur des musiques underground, techno et house.

Gotha (☎ 0541 47 87 39 ; www.gotha-rimini.com ; Viale Regina Margherita 52 ; ✆ 21h-5h). Lounge bar intimiste pouvant accueillir 1 000 personnes, à mi-chemin entre Rimini et Riccione sur le front de mer, le Gotha vibre sur des rythmes latins en hiver et sur des tubes plus commerciaux l'été.

Velvet Club (☎ 0541 75 61 11 ; www.velvet.it ; Via Sant'Aquilina 21 ; ✆ 21h-tard). Le Velvet, à 8 km au sud-ouest du centre, met à l'affiche des DJ, des concerts de stars et des soirées danse jusqu'au matin. Le Velvet Factory voisin est un espace dédié aux arts visuels et du spectacle de tous les pays.

Disco Bar Coconuts (☎ 0541 2 44 22 ; www.coconuts.it ; Lungomare C Tintori 5 ; ✆ 23h30-4h). Magnifiquement situé au bord de l'eau, la boîte la plus centrale de Rimini dégage une ambiance résolument estivale, à laquelle contribuent les palmiers et la décapotable aux couleurs baba cool.

Depuis/vers Rimini

Des bus réguliers partent de la gare ferroviaire de Rimini pour Saint-Marin (aller-retour 7,40 €, 45 min, 11/jour).

En voiture, vous avez le choix entre l'A14 qui va vers le sud et les Marches ou vers Bologne et Milan) ou l'Autostrada SS16, sans péage mais souvent encombrée.

Des trains longent toutes les heures le littoral jusqu'aux ports d'Ancône (train régional/ Eurostar 4,90/11,90 €, 1 heure à 1 heure 15) et Bari (26,50/48,90 €, 5 à 6 heures), d'où partent les ferries. Plus haut, la ligne dessert Ravenne (3,80 €, 1 heure, ttes les heures) et Bologne (régional/Eurostar 7,80/15,20 €, 1 heure à 1 heure 30, ttes les 30 min).

Comment circuler

Les bus **TRAMServizi** (☎ 0541 30 08 11 ; www. tramservizi.it) circulent en ville. Le bus n°9 relie la gare ferroviaire de Rimini et l'aéroport (1 €, 25 min). Pour se rendre à Riccione (1,50 €, 30 min), prenez le bus local n°11 à la gare ou

sur le *lungomare* (front de mer) : il passe toutes les 8 à 15 minutes entre 6h et 2h. En été, la Blue Line (www.bluelinebus.com) assure un service nocturne musical entre les clubs hors de la ville et le centre, la gare et les campings. On peut monter et descendre des bus à volonté entre 2h et 6h du matin moyennant 4 €.

Pour un taxi, composez le ☎ 0541 5 00 20.

Vous pourrez louer des vélos et des scooters auprès de divers stands sur le Piazzale Kennedy. Des vélos sont gracieusement mis à disposition aux bureaux municipaux de Rimini (Corso d'Augusto 158).

SAINT-MARIN (SAN MARINO)

Perchée au sommet d'un promontoire rocheux de 657 m, la Repubblica di San Marino (61 km²) est le troisième plus petit État d'Europe après le Vatican et Monaco. Inscrite sur la liste du patrimoine mondial de l'Unesco en juillet 2008, Saint-Marin se prête bien à une excursion d'une journée. Plus de deux millions de visiteurs

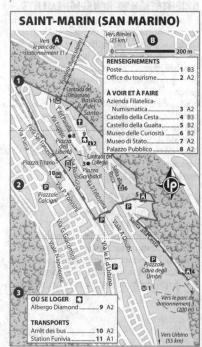

SAINT-MARIN (SAN MARINO)

RENSEIGNEMENTS		
Poste	**1**	B3
Office du tourisme	**2**	A2

À VOIR ET À FAIRE		
Azienda Filatelica-Numismatica	**3**	A2
Castello della Cesta	**4**	B3
Castello della Guaita	**5**	B2
Museo delle Curiosità	**6**	B2
Museo di Stato	**7**	A2
Palazzo Pubblico	**8**	A2

OÙ SE LOGER		
Albergo Diamond	**9**	A2

TRANSPORTS		
Arrêt des bus	**10**	A2
Station Funivia	**11**	A1

gravissent chaque année le centre historique, très touristique. D'innombrables vendeurs de souvenirs bordent ses rues pittoresques, proposant notamment des timbres ou des pièces de monnaie de Saint-Marin. Les restaurants qui doivent sustenter les centaines de touristes font de belles affaires. Toutefois, en période creuse (en semaine l'hiver), la vieille ville est plutôt agréable et dévoile un superbe panorama.

Parmi les légendes qui courent sur la fondation de ce petit État figure la suivante : au IVe siècle, un tailleur de pierre du nom de Marino aurait reçu le domaine d'une riche Romaine, qui souhaitait le remercier d'avoir guéri son fils. Saint-Marin a connu un passé plutôt paisible qui l'a laissée à l'abri des guerres et des invasions. Cesare Borgia en prit possession au début du XVIe siècle, mais son règne fut de courte durée, car il mourut peu après. En 1739, le cardinal Giulio Alberoni s'en empara, mais le pape le chassa et rendit son indépendance au territoire. Restée neutre durant la Seconde Guerre mondiale, la République accueillit 100 000 réfugiés, qui y trouvèrent asile jusqu'à l'arrivée des Alliés en 1944.

ORIENTATION ET RENSEIGNEMENTS

La partie ancienne de Saint-Marin (la seule réellement intéressante) se concentre autour de la rue principale. Entrez par la Porta San Francesco, montez la Via Basilicius jusqu'à la Piazza Titano et continuez à grimper encore 50 m jusqu'à la Piazza Garibaldi ; montez à gauche la Contrada del Collegio, puis allez au bout de la Contrada dell' Omagnano ou de sa parallèle, la Contrada del Pianello. Au-delà se trouve la falaise. Vous avez fait le tour de la capitale de cet État-nation.

Office du tourisme (☎ 0549 88 29 14 ; www.visit sanmarino.com ; Contrada del Collegio 40 ; ⏱ 10h-17h)
Poste (Viale A Onofri 87)

À VOIR ET À FAIRE

Il n'y a en réalité pas grand-chose à faire à Saint-Marin, hormis se promener dans le centre historique, observer la relève de la garde (ttes les 30 min) sur la Piazza della Libertà, admirer le paysage ou découvrir un ou deux de ses curieux musées, consacrés aux vampires, aux instruments de torture, aux mannequins

de cire ou encore aux événements insolites (le **Museo delle Curiosità**). Moins surprenants les objets archéologiques et peintures du petit **Museo di Stato** (☎ 0549 88 38 35 ; www.museidistato.sm Piazza Titano 1 ; entrée libre ; ⏱ 8h-20h mi-juin à mi-sept 9h-17h mi-sept à mi-juin) comptent quelques toiles de Guercino. De style néogothique, le **Palazzo Pubblico** (3 €) domine la Piazza della Libertà.

Tout en haut de la ville, deux forteresses, le **Castello della Guaita** du XIIIe siècle et le **Castello della Cesta** (⏱ 8h-20h mi-juin à mi-sept, 9h-17h mi-sept à mi-juin) du XIVe siècle dominent l'horizon et offrent une vue superbe sur Rimini et la côte. Le Castello della Cesta abrite un petit musée d'armes anciennes.

Les collectionneurs pourront se procurer des timbres et des pièces de Saint-Marin auprès de l'**Azienda Filatelica-Numismatica** (☎ 0549 88 2 65 ; www.aasfn.sm ; Piazza Garibaldi 5 ; ⏱ 8h15-18h lun e jeu, jusqu'à 14h15 mar, mer et ven). Pour ajouter un tampon de Saint-Marin à votre passeport, il vous en coûtera 5 € (adressez-vous à l'office du tourisme).

OÙ SE LOGER ET SE RESTAURER

Passer une nuit à Saint-Marin ne paraît pas indispensable, mais si vous y êtes décidé, quelques hôtels ont pignon sur rue dans le centre historique, dont l'**Albergo Diamond** (☎ fax 0549 99 10 03 ; Contrada del Collegio 50 ; s/d 40/65 €) a aménagé 6 chambres modestes au-dessus de son grand restaurant très fréquenté.

La nourriture n'est pas le point fort de Saint-Marin, dont les cafés brillent moins par leur qualité que par leur point de vue. Les nombreux restaurants du centre-ville proposent des menus à partir de 15 €.

DEPUIS/VERS SAINT-MARIN

Des bus réguliers partent de Rimini (7,40 € aller-retour ; 45 min ; 11/jour) et rejoignent la Piazzale Calcigni, à Saint-Marin. La SS72 va de Rimini jusqu'à la petite république.

Si vous arrivez en voiture, laissez votre véhicule dans l'un des nombreux parcs de stationnement (parkings) et continuez à pied jusqu'au centre historique. Ainsi, vous pouvez vous garer au parc de stationnement 11 et prendre la **Funivia** (funiculaire ; aller-retour 4,50 € ⏱ 7h50-coucher du soleil sept-juin, jusqu'à 1h juil et août)

Toscane

Terre d'exception dont la beauté et le charme ont été tant de fois vantés, la Toscane est une introduction idéale à la *dolce vita* italienne. Tout est là : œuvres d'art et architecture hors du commun, fêtes hautes en couleur, cuisine de saison enviée par le monde entier et, surtout, ces paysages infinis, beaux comme dans des livres d'images, que dessinent oliveraies, vignobles cyprès et pins.

Dans cette région d'Italie où la culture remonte à l'époque étrusque, le visiteur n'a que l'embarras du choix. Vous pourrez, le même jour, visiter un site classé au patrimoine mondial de l'humanité (la région en compte six) ainsi qu'un parc national (il y en a trois), avant de goûter au repos dans une confortable chambre d'hôte – le choix des fameux *affittacamere* est vaste – au milieu des vignobles.

Que vous soyez amateur de statuaire médiévale, de peinture Renaissance, de cathédrales gothiques, ou encore de randonnée dans des sites extraordinaires ou de cuisine Slow Food de haute volée, vos vœux seront exaucés. Les collines sont en outre tapissées de vignes et d'oliveraies antiques… Vous voyez le tableau ? Alors, il ne vous reste plus qu'à vous laisser porter par la magie des lieux.

TOSCANE

À NE PAS MANQUER

- Un retour à la période de la Renaissance devant les chefs-d'œuvres conservés aux **Offices** (p. 487) de Florence
- L'emblème de Pise, sur la **Piazza dei Miracoli** (p. 523), un ensemble d'édifices formant une image de rêve
- Les arias de Puccini s'élevant vers le ciel dans l'**église et le baptistère de San Giovanni et Santa Reparata** (p. 515)
- Une balade à vélo dans un cadre enchanteur le long de la **Strada del Vino Costa degli Etruschi** (voir l'encadré p. 530), entre Livourne et Elbe
- Un séjour dans une enclave sybarite dénommée **Chianti** (p. 533) où profiter des plaisirs épicuriens avec style
- Un festin d'architecture gothique et de *panforte* épicé à **Sienne** (p. 536)

Lucques ★
Pise ★   Florence ★
                    ★ Chianti
Côte étrusque ★
                    ★ Sienne

POPULATION : 3,5 MILLIONS   SUPERFICIE : 22 990 KM²

FLORENCE (FIRENZE)

364 710 habitants

On peut revenir maintes fois à Florence sans pour autant en épuiser les charmes. Il suffit d'emprunter à divers moments de la journée les ponts qui enjambent l'Arno pour découvrir une lumière et une ambiance toujours différentes. Berceau de la Renaissance, patrie de Machiavel, terre d'élection des Médicis, Florence la singulière est, malgré sa taille relativement modeste, une cité envoûtante, romantique et, avant tout, pleine d'animation. Les rues du centre historique sont envahies de touristes qui viennent, tout au long de l'année, se repaître de ses chefs-d'œuvre.

Le charme de cette ville ne se limite pas à ses chefs-d'œuvres. Les rues, où tours et palais vous parlent de son histoire médiévale, sont peuplées de boutiques de créateurs, d'ateliers d'artisanat, de cafés et de bars animés. Au moment de la chaleur estivale, les collines recouvertes de vignobles et les restaurants avec terrasse ne sont qu'à quelques minutes en voiture.

HISTOIRE

La naissance de Florence fait encore débat aujourd'hui. Jules César aurait fondé la garnison de Florentia vers 59 av. J.-C., au point de passage le plus étroit de l'Arno, afin de contrôler depuis cet emplacement stratégique la Via Flaminia qui reliait alors Rome à l'Italie du Nord et à la Gaule. Des fouilles archéologiques ont néanmoins prouvé l'existence d'un village antérieur, fondé par les Étrusques vers 200 av. J.-C., à Fiesole.

Au XIIᵉ siècle, Florence devient un *comune* (cité-État, libre). Elle est alors dirigée par douze *priori* (consuls), assistés par le Consiglio dei Cento (Conseil des Cent), composé pour l'essentiel de marchands. Pour limiter les tensions entre les différentes factions, un magistrat étranger à la ville, le *podestà*, est nommé en 1207 afin de la gouverner.

Les premiers conflits éclatent au milieu du XIIIᵉ siècle et opposent les guelfes (Guelfi), partisans du pape, aux gibelins (Ghibellini), favorables à l'empereur. Pendant près d'un siècle, le pouvoir ne cessera de passer de l'un à l'autre de ces partis rivaux.

Dans les années 1290, les guelfes se divisent en deux camps : les noirs (Neri) et les blancs (Bianchi). Lorsque les blancs sont vaincus, en 1302, Dante fait partie des exilés contraints de quitter sa ville natale. La classe marchande guelfe prend alors le pouvoir aux dépens de l'aristocratie, mais les tensions persistent. La peste de 1348 emporte près de la moitié de la population de la ville, et l'agitation des classes populaires ébranle le gouvernement.

Au XIVᵉ siècle, Florence est dirigée par la famille Albizzi (guelfe). Au nombre de leurs opposants, on compte la famille des Médicis. Devenus les banquiers du pape, ces derniers voient leur influence s'affirmer.

Au XVᵉ siècle, Cosimo de' Medici, dit Cosme l'Ancien (Il Vecchio, 1389-1464) prend la tête des opposants aux Albizzi et finit par diriger Florence, à force de clientélisme et en s'appuyant sur le peuple. Passionné par les arts, il s'entoure d'artistes comme Alberti, Brunelleschi, Lorenzo Ghiberti, Donatello, Fra Angelico et Fra Filippo Lippi.

Le règne de Laurent le Magnifique (Lorenzo de' Medici, 1469-1492), petit-fils de Cosme, marque la période la plus faste de la civilisation florentine et de la Renaissance italienne. Peu de temps avant sa mort cependant, la banque des Médicis fait faillite, et la famille est chassée de Florence. La ville passe alors sous le contrôle de Jérôme Savonarole, un moine dominicain qui instaure une "république puritaine" et brûle, sur un "bûcher des vanités", les œuvres d'artistes, jugées immorales. Son règne sera de courte durée : tombé en disgrâce, il sera condamné au bûcher pour hérésie en 1498.

Le XVIᵉ siècle voit le retour au pouvoir des Médicis. Après la victoire remportée par les Espagnols sur Florence en 1512, l'empereur Charles Quint donne sa fille en mariage à Alexandre de Médicis (Alessandro de' Medici) arrière-petit-fils de Laurent le Magnifique qu'il nomme duc de Florence en 1530. Sept ans plus tard, Cosme Iᵉʳ, l'un des derniers grands dirigeants de la famille Médicis, prend le pouvoir et devient grand-duc de Toscane après la conquête de Sienne en 1569. Pendant encore plus de 150 ans, les Médicis dominent l'ensemble de la Toscane.

En 1737, le grand-duché de Toscane passe aux mains de la maison de Lorraine et, hormis un bref intermède napoléonien, le reste jusqu'en 1860, date à laquelle il est intégré au royaume d'Italie. Florence devient un temps capitale du royaume, avant d'être définitivement supplantée par Rome en 1870.

Florence fut gravement touchée au cours de la Seconde Guerre mondiale, lors de la retraite de l'armée allemande, qui fit sauter tous les ponts sauf le Ponte Vecchio. En 1966, des

ITINÉRAIRE RÉGIONAL
TRÉSORS TOSCANS
1 semaine / Florence / Cortona

Toute visite de la Toscane passe nécessairement par **Florence**, la sublime. Consacrez une journée à ses principaux sites avant de gagner la ravissante **Lucques** (p. 514), moins riche en musées prestigieux mais pourvues d'églises remarquables, de cafés pittoresques et de grands restaurants. Prenez le temps d'enfourcher un vélo pour faire le tour de ses **remparts** (p. 515) et de rendre hommage à Giacomo Puccini, enfant du pays, en allant écouter un concert lyrique à l'**église San Giovanni et Santa Reparata** (p. 515), où ce grand compositeur fut organiste.

Passez le quatrième jour à **Pise** (p. 521). Admirez la **Piazza dei Miracoli** (p. 515), montez dans la célèbre **Tour penchée** (p. 523), contemplez les œuvres de l'école toscane du XIIᵉ au XIVᵉ siècle qui forment le cœur de la collection du **Museo Nazionale di San Matteo** (p. 525). Au restaurant, régalez-vous de spécialités régionales à base de produits de la mer. Le lendemain, rejoignez **San Miniato**, perchée sur une colline, pour vous lancer dans une chasse à la truffe ou faire le tour des épiceries fines de la ville.

Passez les deux nuits suivantes dans un *agriturismo* (hébergement à la ferme) du **Chianti** (p. 533). La plupart sont situés dans le cadre enchanteur de domaines vinicoles centenaires. Consacrez une journée à déguster le Chianti et le Chianti Classico à **Greve in Chianti** (p. 533) et alentour, ou à visiter la cité fortifiée de **San Gimignano** (p. 544) et ses célèbres tours.

Le sixième jour, transportez-vous jusqu'à **Sienne** (p. 536), riche en œuvres d'art et en édifices extraordinaires, mais aussi réputée pour ses restaurants. Le dernier jour, aventurez-vous dans le charmant paysage de **Le Crete** (p. 550) et arrêtez-vous pour visiter **Pienza** (p. 551), inscrite au patrimoine mondial, et admirer la Place Pie II, avant de gagner **Montepulciano** (p. 551), terre du Vino Nobile, l'un des plus fameux vins toscans. Terminez votre circuit par **Cortona** (p. 558), fascinante ville étrusque à la lisière de l'Ombrie.

TOSCANE

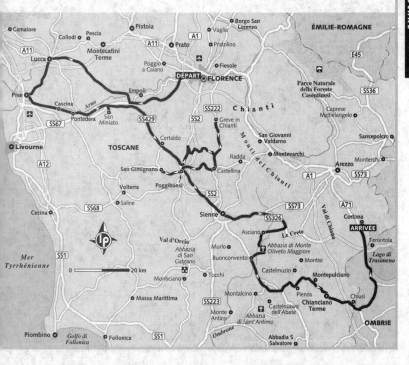

inondations dévastèrent la ville. Et en 1993, la Mafia fit exploser une bombe dans une voiture, provoquant la mort de cinq personnes, en blessant trente-sept autres et détruisant une partie de la galerie des Offices (Galleria degli Uffizi). Celle-ci fait actuellement l'objet d'importants travaux d'extension.

ORIENTATION

Les hôtels bon marché se concentrent à l'est de la gare ferroviaire du centre, la Stazione di Santa Maria Novella, dans le secteur de la Via Nazionale et autour de la Piazza di Santa Maria Novella, au sud. Pour rejoindre le centre, prenez la Via de' Panzani puis la Via de' Cerretani. Quand vous voyez le Duomo, vous êtes arrivé.

La plupart des sites sont accessibles à pied. De la Piazza di San Giovanni, près du baptistère, la Via Roma mène à la Piazza della Repubblica, puis au Ponte Vecchio. De la Piazza del Duomo, la Via de' Calzaiuoli conduit à la Piazza della Signoria, siège historique du gouvernement florentin. Les Offices sont sur le côté sud de la place, près de l'Arno. Le quartier d'Oltrarno, moins touristique, est situé au sud du fleuve.

RENSEIGNEMENTS
Accès Internet

Cyberlink (carte p. 488 ; www.cyberlinkplus.com ; Via Del Giglio 29r ; adulte/étudiant 4/3 € l'heure ; 🕐 9h30-00h30 ; 🛜).Consigne pour bagages (5 €/24 heures), envois par FedEx et location de téléphones portables.

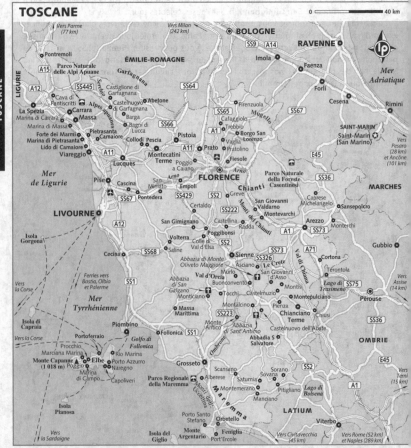

FLORENCE EN...

Deux jours

Partez d'un bon pied en prenant un petit noir dans l'un des **cafés** historiques de la Piazza della Repubblica (encadré p. 506) avant de visiter les **Offices** (p. 487). Après le déjeuner, rejoignez la **Piazza del Duomo** (p. 481) pour visiter la cathédrale, le baptistère et le Museo dell'Opera del Duomo. Terminez la journée par un *aperitivo* et un dîner bien mérités dans l'un des **bars** (p. 505) et **restaurants** (p. 501) chics appréciés des Florentins. Le lendemain, suivez l'itinéraire entre le Duomo et le Palazzo Strozzi indiqué p. 482, gagnez le quartier de San Marco pour visiter la **Galleria dell'Accademia** (p. 493) et le **Museo di San Marco** (p. 492). À l'heure de l'*aperitivo*, traversez l'Arno pour gagner l'Oltrarno, et restez-y pour dîner. Admirez au passage le coucher du soleil depuis le **Ponte Vecchio** (p. 494) ou le **Piazzale Michelangelo** (p. 496).

Quatre jours

Le troisième jour, explorez le Palazzo Pitti, le Giardino di Boboli et le Giardino di Bardini. Vous préférerez peut-être visiter les grandes basiliques de la ville : **San Lorenzo** (p. 492), **Santa Croce** (p. 493) et **Santa Maria Novella** (p. 491). Le soir, allez dîner et savourer un spectacle au Teatro del Sale (voir l'encadré p. 508). Le quatrième jour, offrez-vous la visite guidée du **Palazzo Vecchio** (p. 486) le matin, et faites les **boutiques** (p. 508) l'après-midi.

Une semaine

Avec trois jours supplémentaires, vous pourrez aussi découvrir des petits bijoux comme la **Cappella Brancacci** (p. 497), la Cappella di Benozzo du **Palazzo Medici-Riccardi** (p. 492) et le **Museo del Bargello** (p. 490). Vous pouvez aussi envisager une excursion d'une journée à **Fiesole** (p. 510).

nternet Train (www.internettrain.it ; adulte/étudiant ,30/3,20 € l'heure ; 🕙 9h30-24h lun-sam, 10h-24h dim) ; ia Porta Rossa 38 (**carte p. 488**) ; Via dell'Oriuolo 40r (**carte** . 488) ; Via Guelfa 24a (**carte p. 484**) ; Borgo San Jacopo 30r **carte p. 488** ; ☎ 055 265 79 35). Ces horaires sont alables pour l'enseigne de la Via Porta Rossa ; s peuvent être différents aux autres adresses.

Agence de voyages

TS (**carte p. 484** ; ☎ 055 28 95 70 ; www.cts.it ; Borgo La roce 42r ; 🕙 9h30-13h et 14h30-18h lun-ven, 9h30-12h30 am). Antenne florentine de l'organisme international de oyages pour la jeunesse. Voyages, vols, hôtels, etc.

Consigne

tazione di Santa Maria Novella (**carte p. 484** ; 4 €/ aagage pour 5 heures, 0,60 €/heure supp ; 🕙 6h-23h30). rès du quai n°16.

Laveries

Wash & Dry (lavage et séchage 3,50 €/8 kg, lessive 1 € ; 🕙 8h-22h) Via de' Serragli 87r (**carte p. 484**) ; Via dei Servi 105r **carte p. 484**) ; Via del Sole 29r (**carte p. 488**) ; Via della cala 52-54r (**carte p. 484**) ; Via Nazionale 129r (**carte p. 484**)

Offices du tourisme

APT Florence (www.firenzeturismo.it) ; Piazza Beccaria **carte p. 484** ; ☎ 055 2 33 20 ; Via Manzoni 16 ;

🕙 9h-13h lun-ven) ; San Lorenzo (**carte p. 488** ; ☎ 055 29 08 32 ; Via Cavour 1r ; 🕙 8h30-18h30 lun-sam, 8h30-13h30 dim) ; aéroport A Vespucci (**carte p. 480** ; ☎ 055 31 58 74 ; 🕙 8h30-20h30)
Office du tourisme du Comune di Firenze (**carte p. 488** ; ☎ 055 234 04 44 ; www.comune.fi.it ; Borgo Santa Croce 29r ; 🕙 9h-19h lun-sam, 9h-14h dim). Renseignements sur la ville. Géré par la municipalité.
SOS Turista phoneline (☎ 055 276 03 82). Géré par l'office du tourisme de la Provincia di Firenze, s'adresse aux touristes en difficulté (litige sur la note d'hôtel, etc.).

Poste

Poste centrale (**carte p. 488** ; Via Pellicceria)

Services médicaux

Pharmacie 24h/24 (**carte p. 484** ; ☎ 055 21 67 61 ; Stazione di Santa Maria Novella). Dans la gare ferroviaire principale.
Urgences dentaire 24h/24 (☎ (☎ 055 24 12 08)
Dr Stephen Kerr (**carte p. 488** ; ☎ 055 28 80 55 ; www.dr-kerr.com ; Piazza Mercato Nuovo 1 ; 🕙 15h-17h lun-ven ou sur rdv). Médecin britannique.

Sites Internet

APT Firenze (www.firenzeturismo.it). Site officiel du tourisme florentin.

FLORENCE (FIRENZE)

RENSEIGNEMENTS
Police..1 D2
Consulat des États-Unis..............................2 C4

À VOIR ET À FAIRE
Chiesa di San Miniato al
   Monte..3 E5
Museo delle Porcellane...............................4 D5
Piazzale Michelangelo................................5 E5

OÙ SE LOGER
Campeggio Michelangelo............................6 E5
Johanna I...7 D2
Johanna II..8 C2
Johlea I, Johlea II et Antica
   Firenze...9 D2
Ostello Gallo d'Oro...................................10 D2
Ostello Villa Camerata..............................11 G1

OÙ PRENDRE UN VERRE
Plasma...12 F5

OÙ SORTIR
Central Park..13 B3
Meccanò Club..14 B3

Voir la carte Environs de la cathédrale (Duomo) (p. 488)

Voir la carte Centre de Florence (p. 484)

Firenze Musei (www.firenzemusei.it).
Billetterie en ligne pour réserver des billets dans les musées de Florence.
Firenze Spettacolo (www.firenzespettacolo.it).
Version numérique de la revue florentine de référence consacrée aux spectacles.
Studentsville (www.studentsville.it).
La vie à Florence version étudiante.

Urgences
Police (Questura ; carte p. 480 ; ☎ 055 4 97 71 ;
Via Zara 2 ; ⏰ 24h/24)
Police touristique (Polizia Assistenza Turistica ;
carte p. 484 ; ☎ 055 20 39 11 ; Via Pietrapiana 50r,
Piazza dei Ciompi ; ⏰ 8h30-18h30 lun-ven,
8h30-13h sam). Service de police où vous pourrez déclarer
les vols, etc.

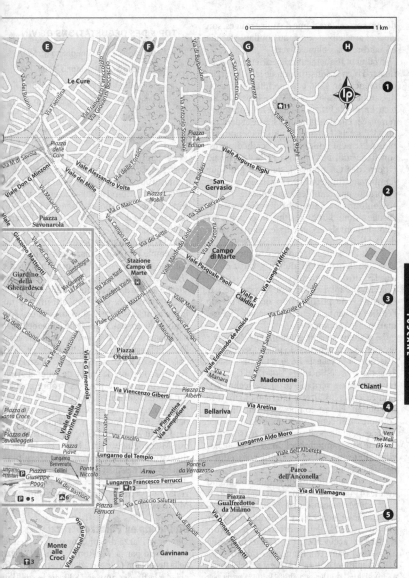

TOSCANE

À VOIR

Les sites à voir à Florence sont innombrables, et l'on peut passer souvent de l'un à l'autre sans avoir à marcher très longtemps. Selon l'usage en Italie, les musées et les monuments nationaux (notamment les Offices et la Galleria dell'Accademia) sont fermés le lundi.

Piazza del Duomo

Non content d'être le monument emblématique de la ville, le **Duomo** (cathédrale ; carte p. 488 ; ☎ 055 21 53 80 ; www.duomofirenze.it ; ⏰ 10h-17h lun-mer et ven, 10h-15h30 jeu, 10h-16h45 sam, 10h-15h30 1er sam du mois, 13h30-16h45 dim) de Florence est aussi l'un des plus célèbres d'Italie (avec la tour de Pise et le Colisée de Rome). On ne tarit pas d'éloges devant son célèbre dôme de tuiles rouges, son clocher gracieux et son époustouflante façade en marbre rose, blanc et vert.

Il fallut pratiquement un siècle et demi pour mener à bien la construction de la cathédrale, commencée en 1296 par l'architecte Arnolfo di Cambio. Dessinée au XIXe siècle par l'architecte Emilio de Fabris, sa façade néogothique a remplacé celle d'origine, inachevée et démolie au XVIe siècle. La partie la plus ancienne et la plus nettement gothique de la cathédrale est son flanc sud, percé par la **Porta dei Canonici** ("porte des Chanoines"), de style gothique flamboyant (milieu du XIVe siècle), que l'on emprunte pour monter à la coupole.

Contournez les trois absides, disposées en corolle autour d'une tige symbolisée par la nef (d'où le nom de la cathédrale, Sainte-Marie-de-la-Fleur).

Après l'éclat de la façade, on est surpris par le dépouillement de l'intérieur, qui s'étend sur 155 m de longueur et 90 m de largeur. Il se révèle aussi curieusement profane par endroits, une portion non négligeable de l'édifice n'ayant pas été financée par l'Église, mais par le *comune*.

Le visiteur se doit évidemment de gravir les 463 hautes marches de pierre permettant d'accéder à la **coupole** (adulte/enfant moins de 6 ans 8 €/gratuit ; ☺ 8h30-19h lun-ven, 8h30-17h40 sam), qui représente une véritable prouesse technique. Édifiée entre 1420 et 1436, sans armature de soutien, elle se compose en fait de deux coupoles concentriques en brique rouge conçues par Filippo Brunelleschi. Au sommet, une vue panoramique sur l'une des plus belles villes d'Europe vous fera oublier les efforts de l'ascension.

Une nouvelle épreuve physique vous attend avec les 414 marches menant au **campanile** (carte p. 488 ; adulte/enfant moins de 6 ans 6,50 €/gratuit ; ☺ 8h30-18h50), le joli clocher haut de 82 m, conçu par Giotto en 1334. Il mourut avant de l'avoir terminé et l'achèvement des travaux fut confié à Andrea Pisano et à Francesco Talenti.

Le **baptistère** (carte p. 488 ; Piazza di San Giovanni ; 4 € ; ☺ 12h15-18h30 lun-sam, 8h30-13h30 1er sam du mois et dim) est un édifice octogonal de style roman (XIe siècle), rayé de bandes en marbre gris et blanc. C'est Lorenzo Ghiberti qui conçut les célèbres bas-reliefs dorés ornant les portes orientales. L'un des plus anciens de Florence, cet édifice est consacré à saint Jean-Baptiste. Dante figure parmi ceux qui ont été immergés dans ses fonts baptismaux.

TOP 5 DES DÉGUSTATIONS DE VIN

- Le Vernaccia à San Gimignano (p. 544)
- Le Brunello à Montalcino (p. 550)
- Le Chianti… dans le Chianti (p. 533)
- Le Vino Nobile à Montepulciano (p. 551)
- Le *Vin Santo* partout dans la région

Le baptistère comprend trois double portes en bronze, constituées d'une série de panneaux décrivant l'histoire de l'humanité e de la rédemption. La plus ancienne, la porte sud, réalisée par Andrea Pisano (1330-1336) illustre la vie de saint Jean-Baptiste. Lorenzo Ghiberti remporta, en 1401, le concours publié pour la conception des portes nord. Mais c'es l'ensemble en bronze marquant l'entrée est connue sous le nom de "porte du Paradis" (*Porta del Paradiso*), que ce dernier réalisa, qu suscite aujourd'hui le plus d'admiration.

Les panneaux que l'on admire de no jours sont des copies. Les originaux, son exposés au rez-de-chaussée du **Museo dell'Oper del Duomo** (carte p. 488 ; www.operaduomo.firenze.it Piazza del Duomo 9 ; 6 € ; ☺ 9h-18h50 lun-sam, 9h-13 dim), dans la cour vitrée. Sur la mezzanine vous découvrirez la *Pietà* de Michel-Ange que l'artiste réalisa pour sa propre chapell funéraire. Dans son ouvrage intitulé *Vies de plus illustres architectes, peintres et sculpteurs…* paru en 1550 à Florence (voir l'encadré p. 54) l'érudit du XVIe siècle Giorgio Vasari racont que Michel-Ange, déçu à la fois par la qualité du marbre et par son travail, brisa la sculpture inachevée et détruisit le bras et la jambe gauch du Christ. Par la suite, un des élèves du maître restaura le bras et ajouta le personnage de Marie Madeleine.

Du Duomo au Palazzo Strozzi

Depuis la Piazza di San Giovanni, descende vers le sud par la Via Roma jusqu'à la **Piazz della Repubblica** (carte p. 488). Cette place fu créée à la fin des années 1880 sur le site d'un ancien forum romain, au cœur de la Florence médiévale. Cet aménagement faisait parti d'un programme de réhabilitation controvers impliquant la démolition de l'ancien marché du ghetto juif, des bas-quartiers environnants et le relogement de près de 6 000 habitants. L belle Loggia del Pesce (marché au poisson) d Giorgio Vasari fut heureusement préservée e déplacée sur la Via Pietrapiana (carte p. 484). Cette place brille aujourd'hui par sa concentration de cafés historiques (voir p. 506).

Une rue plus au sud, tournez à gauche (vers l'est) dans la Via Orsanmichele, où vous découvrirez la **Chiesa di Orsanmichele** (carte p. 488 ; ☎ 055 23 88 5 ; Via Arte della Lana ; entrée libre ; ◷ 10h-17h mar-dim), aménagée au XIVᵉ siècle dans une halle au grain dont on obtura les arches. Les statues des saints patrons des guildes de la ville qui ornent l'extérieur sont dues à des maîtres de la Renaissance comme Pisano, Ghiberti et Donatello. Il s'agit toutefois de copies, les originaux étant exposés dans divers musées de la ville. À l'intérieur, l'ornement principal est le splendide tabernacle gothique d'Andrea Orcagna.

Revenez sur la Via Roma et continuez à descendre vers le sud jusqu'à une vaste loggia. C'est le **Mercato Nuovo** (nouveau marché), construit au XVIᵉ siècle à la demande de Cosme Iᵉʳ. Son nom le distingue du Mercato Vecchio (vieux marché) qui occupait le site depuis le XIᵉ siècle. À l'époque de Cosme, on y vendait surtout de la laine, de la soie et de l'or. Les objets bon marché qu'on y vend aujourd'hui ne rendent pas honneur à sa grandeur. Les Florentins appellent ce marché "Il Porcellino" (le Porcelet) à cause du sanglier en bronze qui en orne la façade sud. Une légende locale veut que quiconque lui caresse le groin est assuré de revenir à Florence.

Après le marché, prenez à l'ouest par la Via Porta Rossa jusqu'au **Museo di Palazzo Davanzati** (☎ 055 277 64 61 ; www.polomuseale.firenze.it/davanzati ; Via Porta Rossa 13 ; entrée libre ; ◷ 8h15-13h50, fermé les 2ᵉ et 4ᵉ dim et les 1ᵉʳ, 3ᵉ et 5ᵉ lun du mois). Cet entrepôt et résidence construit au milieu du XIVᵉ siècle fut dès 1578 occupé par les Davanzati, de riches marchands. La place qui précède le bâtiment était autrefois bordée d'autres hautes demeures massivement fortifiées dont beaucoup furent abattues lors des travaux d'amélioration urbaine des années 1880. À l'intérieur du palais, admirez les colonnes de la cour intérieure où sont sculptés les portraits des premiers propriétaires, la salle de réception du 1ᵉʳ étage, ornée d'un plafond en bois peint, et la somptueuse décoration de la *sala dei pappagalli* (salle aux Perroquets) et de la *camera dei pavoni* (chambre aux Paons).

Poursuivez sur la Via Porta Rossa jusqu'à la **Via de' Tornabuoni**, légendaire rue de la mode souvent surnommée "Salotto di Firenze" (salon de Florence). Tournez à droite (vers le nord)

pour arriver au **Palazzo Strozzi** (carte p. 488 ; angle Via de' Tornabuoni et Via degli Strozzi ; tarifs et horaires selon les expositions temporaires). Édifié pour le riche marchand Filippo Strozzi, l'un des principaux rivaux politiques et économiques des Médicis, cet imposant palais du XVᵉ siècle récemment réaménagé programme aujourd'hui de très intéressantes expositions. Mi-palais, mi-forteresse, comme l'exigeaient l'époque et l'histoire des Strozzi (la famille de Filippo fut bannie de Florence en 1434 et ne revint qu'en 1466), c'est un édifice de trois étages en gros blocs de pierre. Sa conception – à laquelle Strozzi aurait lui-même amplement participé – est restée inachevée, car son propriétaire mourut deux ans après le début des travaux, que son fils n'eut pas les moyens de poursuivre. Aujourd'hui les étages accueillent des expositions grand public tandis que des expositions d'art contemporain ont lieu au rez-de-chaussée et dans la vaste cour intérieure. C'est un lieu très animé : le café installé dans la cour, tout comme les bancs qui ornent la façade orientale, face à la Piazza Strozzi, sont le rendez-vous de la jeunesse florentine.

Piazza della Signoria

Centre de la vie politique florentine, cette jolie place bordée de cafés, ornée en son centre d'une statue équestre de Cosme Iᵉʳ par Jean Bologne, a été témoin de bien des vicissitudes historiques. C'est là que le moine dominicain Savonarole brûla sur son "bûcher des vanités", en 1497, tout ce que la ville comptait d'œuvres d'art, avant de périr à son tour dans les flammes, condamné pour hérésie. Une plaque en bronze marque l'emplacement du bûcher, devant la **fontaine de Neptune**, œuvre monumentale mais inesthétique de Bartolomeo Ammannati.

Les œuvres les plus impressionnantes demeurent la statue équestre de **Cosme Iᵉʳ** par Giambologna, au centre de la place, la copie archiphotographiée du **David** de Michel-Ange qui garde l'entrée ouest du Palazzo Vecchio depuis 1910 (l'original, en place jusqu'en 1873, se trouve aujourd'hui à la Galleria dell'Accademia ; carte p. 484) et les répliques de deux œuvres importantes de Donatello, **Marzocco**, le lion des armes de Florence (l'original est au Museo del Bargello ; p. 490) et **Judith et Holopherne** (v. 1455 ; l'original se trouve au Palazzo Vecchio). Face à cet escadron de choc, la **Loggia dei Lanzi** (carte p. 488), édifiée au XIVᵉ siècle, renferme des œuvres comme *Le Viol des Sabines* de Giambologna (v. 1583),

TOSCANE

TOSCANE

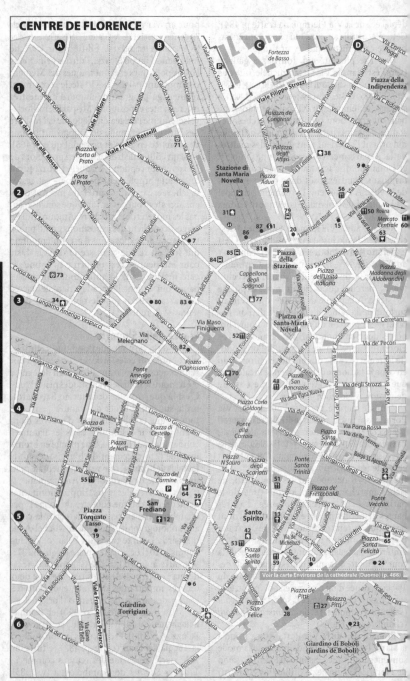

CENTRE DE FLORENCE

Fortezza de Basso

Via delle Porte Nuove
Viale Belfiore
Via Guido Monaco
Via della Chiaviche
Viale Filippo Strozzi
Via del Pratello
Via Enrica Poggi
Via G Dolfi
Piazza della Indipendenza
Via C Ridolfi
Via della Fortezza
Via delle Porte Nuove
Via del Ponte alle Mosse
Piazzale Porta al Prato
Viale Fratelli Rosselli
Viale Filippo Strozzi
Palazzo dei Congressi
Piazza del Crocifisso
Palazzo degli Affari
Via B Cennini
Via della Guelfa
Via Faenza
Via Nazionale
Porta al Prato
Via Jacopo da Diacceto
Via delle Cascine
Via Allamani
Stazione di Santa Maria Novella
Piazza Adua
Via Fiume
Largo Fratelli Alinari
Via Panicale
Via Rosina
Mercato Centrale
Via dell'Ariento
Via della Scala
Via Il Prato
Via Montebello
Via Bernardo Rucellai
Via degli Orti Oricellari
Via della Scala
Piazza Santa Maria Novella
Piazza della Stazione
Via Sant'Antonino
Via Nazionale
Piazza Madonna degli Aldobrandini
Corso Italia
Via G Garibaldi
Via Palestro
Via Curtatone
Via del Ruote
Via Palazzuolo
Via del Porcellana
Cappellone degli Spagnoli
Via degli Avelli
Piazza dell'Unità Italiana
Via del Giglio
Via dei Banchi
Via de' Cerretani
Lungarno Amerigo Vespucci
Borgo Ognissanti
Via Maso Finiguerra
Via Melegnano
Via Montebello
Piazza di Santa Maria Novella
Via de' Fossi
Via de' Pecori
Piazza d'Ognissanti
Borgo Ognissanti
Ponte Amerigo Vespucci
Piazza Carlo Goldoni
Piazza San Pancrazio
Via della Spada
Via della Vigna Nuova
Via de' Tornabuoni
Via degli Strozzi
Via de' Brunelleschi
Lungarno di Santa Rosa
Via dell'Inferno
Via del Parione
Lungarno Corsini
Piazza Santa Trinita
Via di Porta Rossa
Via delle Terme
Via Pisana
Via L Bartolini
Via Sant'Onofrio
Piazza di Verzaia
Via del Drago d'Oro
Piazza di Cestello
Lungarno Guicciardini
Ponte alla Carraia
Ponte Santa Trinita
Piazza de' Frescobaldi
Borgo SS Apostoli
Lungarno degli Acciaiuoli
Piazza Santa Trinita
Via Lodovico Ariosto
Via dell'Orto
Piazza de' Nerli
Borgo San Frediano
Piazza N'Sauro
Piazza degli Scarlatti
Via di Santo Spirito
Borgo San Jacopo
Ponte Vecchio
Piazza del Carmine
Borgo della Stella
Via Santa Monaca
Via Maffia
Santo Spirito
Via de' Coverelli
Via de' Michelozzi
Via Maggio
Via de' Velluti
Via Guicciardini
Piazza Santa Felicità
Via de' Bardi
San Frediano
Piazza Torquato Tasso
Via del Leone
Via dell'Orto
Via dell'Ardiglione
Via Sant'Agostino
Via de' Serragli
Piazza Santo Spirito
Sdr de' Pitti
Via Domenico Burchiello
Via di Camaldoli
Via di Battisgiuardo
Via Minima
Via della Chiesa
Via del Campuccio
Via delle Caldaie
Borgo Tegolaio
Via Mazzetta
Piazza de' Pitti
Palazzo Pitti
Giardino Torrigiani
Via del Casone
Viale Francesco Petrarca
Via Sant'Anna
Piazza San Felice
Via della Meridiana
Via Romana
Giardino di Boboli (jardins de Boboli)
Vicolo della Cava

Voir la carte Environs de la cathédrale (Duomo) (p. 468)

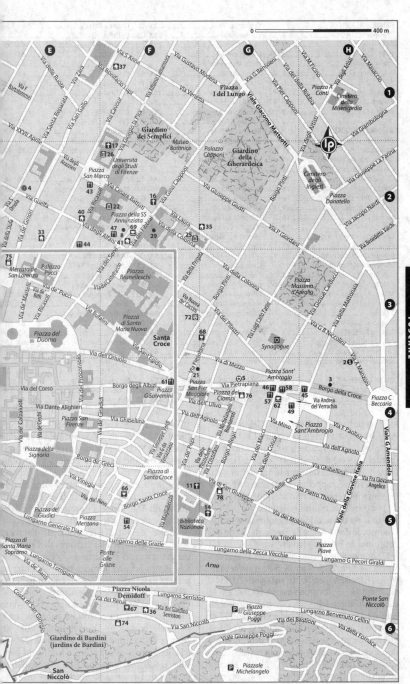

le *Persée* de bronze de Benvenuto Cellini (1554) et les *Sept Vertus* d'Agnolo Gaddi (1384-1389). Cette loggia doit son nom aux *Lanzichenecchi* (gardes suisses) de Cosme 1er, qui y étaient en faction. Des agents de sécurité ont aujourd'hui pris leur relève, rappellent sévèrement à l'ordre les visiteurs, repoussant quiconque entre avec de la nourriture ou des boissons.

Aussi emblématique de Florence que son Duomo, la **Torre d'Arnolfo** haute de 94 m qui couronne le **Palazzo Vecchio** (carte p. 488 ; ☎ 055 276 82 24 ; www.palazzovecchio-museoragazzi.it ; Piazza della Signoria ; adulte/enfant 3-17 ans/18-25 ans et plus de 65 ans 6/2/4,50 €, famille 4/5 pers 14/16 €, visite guidée 8/3/6,50 €, circuit supp 1 € ; ☾ 9h-19h ven-mer, 9h-14h jeu), est le siège traditionnel du gouvernement florentin. Édifié par Arnolfo di Cambio entre 1298 et 1314 pour être le siège de la Signoria, le niveau gouvernemental plus élevé de la république de Florence, le palais devint la résidence de Cosme 1er au XVIe siècle. Il abrite encore aujourd'hui l'hôtel de ville.

Les somptueux appartements des Médicis méritent le détour. Le **Salone dei Cinquecento** (Salon du XVIe siècle), aménagé dans le bâtiment d'origine dans les années 1490 pour loger le Consiglio dei Cinquecento (Conseil des Cinq Cents) gouvernant Florence à la fin du XVe siècle, fut agrandi et décoré au milieu du XVIe siècle. Les murs de cette salle gigantesque sont décorés, du sol au plafond, de scènes de bataille réalisées par Vasari et ses élèves, glorifiant les victoires de Cosme 1er sur ses ennemis héréditaires, Sienne et Pise. Les Pisans, contrairement aux Siennois, ne portent pas d'armure. Et, pour couronner cette célébration décomplexée de sa toute-puissance, Cosme 1er se fit représenter sous les traits d'un dieu, au centre du plafond à caissons, qu'il fit surélever de 7 m. Dans la même salle, on peut aussi admirer le *Génie de la victoire* de Michel-Ange, sculpté pour la tombe du pape Jules II à Rome, mais demeuré inachevé dans l'atelier de l'artiste à sa mort.

La meilleur moyen de découvrir le palais est de suivre la **visite guidée** (☷ 9h30, 12h30, 15h30 et 18h30 lun-mer et ven, 9h30 et 12h30 jeu, 10h, 13h30, 15h et 18h30 sam-dim), d'une heure environ, qui permet de découvrir des secteurs inaccessibles sans guide. Le circuit "passage secret" permet aux adultes de s'aventurer, par groupes de 12, dans l'escalier secret percé en 1342 dans les murs extrêmement épais du palais, pour permettre à Gautier de Brienne, duc d'Athènes, de s'échapper. Ce Français, qui était emparé du palais en s'autoproclamant seigneur de Florence, fut chassé par les Florentins une année seulement après son arrivée. Le circuit permet de visiter le *tesoretto* (petit trésor) de Cosme Ier – pièce aux dimensions d'un placard renfermant une collection d'objet précieux, où l'on entre et d'où l'on sort par des portes dérobées – et le *studiolo* (cabinet) de son fils, François de Médicis, introverti et épris d'alchimie. Vasari et une équipe de grands artistes maniéristes florentins furent chargés de la décoration de ce cabinet. François est représenté sur l'une des 34 toiles qui ornent les murs, sous les traits non d'un prince, mais d'un banal savant expérimentant la poudre à canon. Les toiles inférieures dissimulent 20 placards dans lesquels le jeune prince cachait ses coquillages, pierres, cristaux et autres curiosités. La visite se termine par les combles, au-dessus du salone del Cinquecento, où l'on peut admirer l'énorme charpente qui retenait les plafonds décorés par Vasari.

Pour des renseignements sur les visites destinées aux enfants, reportez-vous p. 497. Il est vivement recommandé de réserver toute visite guidée, en se rendant la veille au guichet situé derrière la billetterie, ou en appelant le ☎ 055 276 82 24.

es Offices (Uffizi)

Conçu par Giorgio Vasari dans la seconde moitié du XVIe siècle à la demande de Cosme Ier, le Palazzo degli Uffizi (palais des Offices) devait accueillir à l'origine l'administration, la justice et les guildes de la ville (*uffizi* signifiant "bureaux").

François Ier de Médicis, successeur de Cosme Ier, chargea l'architecte Bernardo Buontalenti de modifier l'étage supérieur du palais des Offices pour y installer la collection d'œuvres d'art sans cesse croissante des Médicis, faisant ainsi le premier pas vers sa future transformation en musée.

Pour savoir comment éviter les files d'attente à l'entrée, consultez l'encadré p. 491.

LA GALERIE
Située à l'intérieur du vaste *palazzo* en U, la **Galleria degli Uffizi** (galerie des Offices ; carte p. 484 ; Piazza degli Uffizi 6 ; ☎ 055 238 86 51 ; adulte/ressortissant UE moins de 18 ans/ressortissant UE 18-25 ans 6,50/gratuit/3,25 €, 85 min audioguide pour 1/2 pers 5,50/8 € ; ☷ 8h15-18h35 mar-dim, 8h15-21h mar juil-sept) renferme la collection privée des Médicis, léguée à la ville en 1743 par Anna Maria Ludovica, dernière représentante de la famille, sous réserve que la collection ne quitte jamais Florence.

Cette collection comprend 1 555 chefs-d'œuvre répartis dans une cinquantaine de pièces. Comptez au moins 4 heures pour la visiter – beaucoup y passent la journée. L'agréable café situé sur le toit n'est accessible que de l'intérieur. On peut y prendre des repas sur le pouce (pizza/*panino* 4,50/6,50 €, bière 6 €, cappuccino debout/assis 1,60/4,50 €) tout en admirant la vue exceptionnelle. À la grande époque des ducs de Florence, c'est dans ce jardin suspendu que le clan des Médicis se réunissait pour écouter les concerts donnés sur la place en contrebas.

LA COLLECTION
Organisée par ordre chronologique et par école, la collection couvre toute l'histoire de l'art, de la statuaire grecque antique à la peinture vénitienne du XVIIIe siècle. Le cœur en est constitué par des chefs-d'œuvre de la Renaissance, dont les plus remarquables sont signalés ci-après.

Les œuvres sont exposées au 3e étage dans des salles numérotées desservies par deux couloirs interminables, le premier (*primo corridoio*) et le troisième (*terzo corridoio*). Tous deux sont reliés à leur extrémité par une loggia (*secondo corridoio*), d'où l'on jouit d'une vue exceptionnelle sur le Ponte Vecchio noir de monde et sur le mystérieux Corridoio Vasariano (voir p. 495).

Les maîtres toscans : du XIIe au XIVe siècle
Dans la salle 2, consacrée à Giotto et au Duecento, trois grands retables de maîtres toscans tiennent la vedette : la *Vierge de la Sainte Trinité* de Cimabue, la *Vierge Rucellai* de Duccio di Buoninsegna et la *Vierge d'Ognissanti* de Giotto. Ces œuvres illustrent clairement le passage de l'art gothique aux prémices de la Renaissance. Notez la touche réaliste de la Madone parmi les anges et les saints, peinte par Giotto quelque 25 années après les autres.

TOSCANE

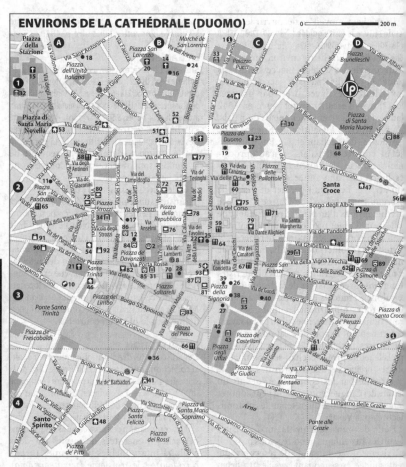

ENVIRONS DE LA CATHÉDRALE (DUOMO)

0 ———— 200 m

La salle 3 met à l'honneur l'école siennoise du XIVe siècle, avec l'éclatante *Annonciation entourée de deux saints* (1333) sur fond d'or de Simone Martini, considérée comme un chef-d'œuvre du genre. Remarquable, le triptyque d'Ambrogio Lorenzetti, *Autel de Beata Ultimà*, dans lequel le peintre fait preuve d'autant de réalisme que Giotto. Ambrogio Lorenzetti et son frère Pietro furent malheureusement emportés par la peste à Sienne en 1348.

Les maîtres florentins du XIVe siècle travaillèrent le détail autant que leurs homologues siennois. Admirez, salle 4, le réalisme et le travail à la feuille d'or de la *Pietà* (1360-1365) de Giottino (de son nom Giotto di Stefano), talentueux élève de Giotto, exposée aux Offices depuis 1851.

Premiers peintres de la Renaissance

La salle 7 donne à voir des œuvres de l'école florentine du début du XVe siècle, marquée par un souci de la perspective qui annonce la Renaissance. Admirez le panneau central (le deux autres sont conservés au Louvre et à la National Gallery de Londres) du saisissant triptyque de Paolo Uccello, *La Bataille de San Romano*, qui célèbre la victoire de Florence sur Sienne. Dans sa recherche de la perspective, l'artiste fait converger lances, chevaux et soldat vers un point de fuite central.

On y voit aussi les célèbres portraits de profil du duc et de la duchesse d'Urbino, de Piero della Francesca (1465). Le premier fait immortalise son profil gauche car il avait perdu un œil lors d'un tournoi de joute, tandis que la seconde

TOSCANE

apparaît d'une pâleur mortelle, reflétant le caractère posthume du diptyque.

Le moine carmélite Fra Filippo Lippi ne sut résister aux plaisirs de ce monde et épousa une nonne de Prato (voir l'encadré p. 51). Son *Couronnement de la Vierge* (1439-1447) contient son autoportrait en moine grassouillet. Admirez aussi sa *Vierge à l'Enfant avec deux anges* (1460-1465), tableau admirable ayant certainement inspiré Sandro Botticelli, son élève.

La salle 9 est en majeure partie consacrée au travail des frères Antonio et Piero del Pollaiolo, dont les sept vertus cardinales et théologales de la Florence du XVe siècle, réalisées pour le tribunal des négociants de la Piazza della Signoria, dégagent une formidable énergie.

Salle Botticelli

La spectaculaire Sala del Botticelli, numérotée de 10 à 14, forme une seule et même salle. Elle est toujours bondée. *La Naissance de Vénus*

(vers 1484), *Le Printemps* (vers 1478), la profonde *Annonciation de Cestello* (1489-1490), *L'Adoration des Mages* (1475, avec un autoportrait de l'artiste à l'extrême droite) et la *Vierge du Magnificat* (1483) sont les plus connues des 15 œuvres du maître de la Renaissance exposées ici. Mais les vrais aficionados admirent tout autant les deux miniatures représentant l'une Judith armée d'une épée, de retour du camp d'Holopherne, et l'autre la découverte d'Holopherne décapité sous sa tente (1495-1500).

Salle Leonardo

La salle 15 contient deux œuvres de jeunesse de Léonard de Vinci : *L'Adoration des Mages* (1481-1482), œuvre inachevée peinte à l'ocre rouge, et *L'Annonciation* (v. 1472).

La Tribuna

C'est dans cette salle du trésor octogonale et raffinée (salle 18) créée par François Ier de

Médicis, que le clan Médicis conservait ses plus beaux trésors. Aujourd'hui, leurs portraits de famille ornent les murs de cette salle tendue de rouge dont on fait le tour en suivant un circuit. Les œuvres les plus prisées sont les portraits de la famille de Cosme Ier peints par Bronzino, ceux d'Eléonore de Tolède, son épouse (auxquels collabora Jean de Médicis, fils de cette dernière), du duc, du jeune Jean tenant un oiseau, de sa sœur Bia et de son frère François.

Haute Renaissance et maniérisme

Dans le troisième couloir, vous ne pourrez manquer l'éblouissant *Tondo Doni* (v. 1504) de Michel-Ange, qui éclipse les autres chefs-d'œuvre de la haute Renaissance qui y sont exposés. Il représente la Sainte Famille dans une composition originale, Joseph tenant un exubérant Enfant Jésus sur l'épaule de sa mère, alors que celle-ci se retourne pour le regarder. Les couleurs sont aussi vives qu'à l'origine.

Raphaël (1483-1520) et Andrea del Sarto (1486-1530) se partagent la salle 26, où la charmante *Vierge au chardonneret* (1505-1506) de Raphaël attire tous les regards.

On pourra mettre en regard le travail des peintres toscans qui précèdent avec le naturalisme marqué des œuvres de leurs homologues vénitiens exposées dans la salle 28, dont 11 dues à Titien. Parmi ses chefs-d'œuvre, on peut admirer *La Vénus d'Urbino* (1538), la séduisante *Flore* (1515) et le portrait d'*Éléonore Gonzague, duchesse d'Urbino* (1536-1537).

La salle 29 se distingue par l'étrange *Vierge au long cou* (1534-1540) du Parmigianino. Les salles suivantes renferment des œuvres de Véronèse, Tintoret, Rubens et Rembrandt. Ne manquez pas la salle 42, surnommée salle de Niobé, conçue pour abriter une série de statues représentant Niobé et ses enfants. Ces œuvres, découvertes dans des vignes romaines en 1583 et transférées à Florence en 1775, sont des copies d'originaux grecs sculptés au IVe siècle av. J.-C.

Baroque et néoclassicisme

Plus bas, au 1er étage (qui ressemble à un chantier depuis que les Offices sont en rénovation), est exposé un ensemble spectaculaire d'œuvres du Caravage (1573-1610) et de ses émules. On reconnaît notamment le *Bacchus* (1595-1597) et la *Méduse* (1595-1598) peints par le maître, mais aussi l'effrayant *Judith décapitant Holopherne* (1620-1621) d'Artemisia Gentileschi. L'une des premières femmes peintres reconnues en Italie, Gentileschi (1593-

1653), victime d'un viol suivi d'un long procès humiliant, mit en scène des femmes énergiques se vengeant d'hommes infâmes. À l'instar du Caravage, elle employa le clair-obscur pour un effet des plus dramatiques.

Palazzo del Bargello

C'est derrière l'austère façade du Palazzo del Bargello, le plus ancien édifice public de la ville, que le *podestà* rendit la justice de la fin du XIIe siècle jusqu'en 1502. Aujourd'hui, ce bâtiment situé au nord-est des Offices abrite le **Museo del Bargello** (carte p. 488 ; ☎ 055 238 86 06 ; Via del Proconsolo 4 ; 7 € ; ☉ 8h15-17h mar-dim et 1er et 3e lun du mois), la plus vaste collection de sculptures de la Renaissance toscane visible en Italie.

Les foules se pressent pour admirer le *David* dans la Galleria dell'Accademia. Mais rares sont ceux qui se bousculent pour voir les œuvres de jeunesse du sculpteur, dont beaucoup sont exposées dans la Sala di Michelangelo, au rez-de-chaussée. L'artiste n'avait que 21 ans quand un cardinal lui commanda le *Bacchus* (1496-1497) ivre et couvert de raisins, exposé ici. Le buste en marbre de *Brutus* (vers 1539-1540), le *David/Apollon* de 1530-1532 et la *Vierge à l'Enfant avec saint Jean-Baptiste enfant* (1503-1505 ; surnommé *Tondo Pitti*), toile inachevée, font partie des autres œuvres de Michel-Ange à ne pas manquer.

Au premier étage, à gauche de l'escalier la Sala di Donatello occupe le majestueux Salone del Consiglio Generale, où se réunissait le conseil de la ville. On peut y admirer des œuvres de Donatello et d'autres sculpteurs du début du XVe siècle. Autrefois posé sur la façade de la Chiesa di Orsanmichele (p. 483) et aujourd'hui visible dans une niche au bout du couloir, l'extraordinaire *Saint Georges* (1416-1417) de Donatello marque un tournant dans l'histoire de la perspective et du mouvement dans la sculpture italienne.

Ses deux versions de *David*, sujet de prédilection des sculpteurs, restent les œuvres les plus fascinantes. C'est en 1408 que Donatello sculpta dans le marbre son interprétation élancée, jeune et habillée du personnage. La fameuse version en bronze vit le jour entre 1440 et 1450. C'est une œuvre extraordinaire d'autant qu'il s'agit du premier nu en pied sculpté depuis l'Antiquité.

Quartier de Santa Maria Novella

Depuis les Offices, prenez vers l'ouest le long du Lungarno, traversez le Ponte Vecchio (p. 494)

COMMENT ÉVITER LES FILES D'ATTENTE À FLORENCE

L'été et durant les périodes d'affluence comme Pâques, des files d'attente monstrueuses s'allongent à l'entrée des musées florentins. Qui n'a pas réservé a peut attendre ainsi jusqu'à quatre heures.

Moyennant 3 € par billet (4 € pour les Offices et la Galleria dell'Accademia), on peut réserver ses billets pour les 13 *musei statali* (musées nationaux), notamment les Offices, la Galleria dell'Accademia (où est exposé le *David*), le Palazzo Pitti, le Museo del Bargello et les chapelles Médicis (Cappelle Medicee). En fait, les seuls musées où la réservation s'impose sont les Offices et l'Accademia. Pour réserver, appelez **Firenze Musei** (☎ 055 29 48 83, 055 265 43 21 ; ✆ réservations par téléphone 8h30-18h30 lun-ven, 8h30-12h30 sam) ou réservez en ligne sur www.firenzemusei.it.

Aux Offices, des panneaux orientent les visiteurs ayant réservé vers le bâtiment situé en face du musée, où ils peuvent retirer leurs billets. Ils doivent ensuite regagner la porte 1 du musée et faire la queue. C'est peut-être agaçant, mais on peut gagner ainsi des heures d'attente.

À Florence, vous pouvez facilement réserver vos billets un jour ou deux à l'avance aux **guichets d'information Firenze Musei** (billetteries ; ✆ 8h30-19h mar-dim) aux Offices (p. 487), au Palazzo Pitti (p. 495) ou au guichet situé à l'arrière de la Chiesa di Orsanmichele (p. 483) – pensez-y si vous êtes à Florence pour quelques jours.

De nombreux hôtels et B&B peuvent réserver des entrées dans les musées pour leurs clients.

et poussez jusqu'au **Ponte Santa Trìnita** (carte p. 488), reconstruit après sa destruction pendant la Seconde Guerre mondiale. C'est Michel-Ange qui en aurait dessiné le plan original, exécuté par Ammannati.

Tournez à droite (vers le nord) dans la Via de' Tornabuoni, pour rejoindre la **Chiesa della Santa Trìnita** (carte p. 488 ; Piazza Santa Trìnita), église du XIVe siècle reconstruite dans le style gothique avant d'être dotée d'une façade maniériste. On peut y admirer de belles fresques évoquant la vie de saint François d'Assise, réalisées par Domenico Ghirlandaio dans la Cappella Sassetti (transept sud). C'est à Lorenzo Monaco, maître de Fra Angelico, que l'on doit le retable situé dans la quatrième chapelle du bas-côté sud, ainsi que les fresques qui en ornent les murs.

La construction de la **Basilica di Santa Maria Novella** (carte p. 488 ; ☎ 055 21 59 18 ; Piazza di Santa Maria Novella ; 2,50 € ; ✆ 9h-17h lun-jeu, 13h-17h ven), située plus au nord encore, fut entamée au XIIIe siècle pour accueillir l'ordre des Dominicains à Florence. La partie inférieure de la façade de marbre vert et blanc marque la transition du roman au gothique, tandis que la partie supérieure et le portail principal furent dessinés par Alberti et achevés vers 1470. La pièce maîtresse de l'intérieur, gothique, au milieu du bas-côté nord, est la superbe fresque de *La Trinité* (1424-1425), réalisée par Masaccio peu avant sa mort (à 27 ans). Il s'agit de l'une des premières œuvres d'art à utiliser la perspective et la proportion. Tout près, dans la nef, admirez le lumineux *Crucifix* de Giotto (v. 1290).

La première chapelle à droite de l'autel, la **Cappella di Filippo Strozzi**, est décorée de fresques très vivantes de Filippo Lippi relatant les vies de saint Jean l'Évangéliste et de saint Philippe. Derrière le maître-autel, la série de fresques de Domenico Ghirlandaio a été exécutée avec l'aide d'autres artistes, parmi lesquels figurait peut-être le jeune Michel-Ange. Ces fresques sur la vie de la Vierge et de saint Jean-Baptiste notamment témoignent de la vie à l'époque de la Renaissance.

Pour rejoindre le **Museo di Santa Maria Novella** (carte p. 488 ; ☎ 055 28 21 87 ; adulte/enfant /tarif réduit 2,70/1/2 € ; ✆ 9h-17h lun-jeu et sam), sortez de l'église et suivez les panneaux *museo*. Ce dernier est disposé autour du tranquille **Chiostro Verde** (cloître vert ; 1332-1362) du monastère, qui doit son nom à la terre verte utilisée dans les fresques ornant trois des quatre murs du cloître. Point d'orgue du musée, le spectaculaire **Cappellone degli Spagnoli** (chapelle des Espagnols), situé sur le côté nord du cloître, est orné de superbes fresques (v. 1365-1367) d'Andrea di Bonaiuto. La voûte représente la *Résurrection*, l'*Ascension* et la *Pentecôte* et le mur de l'autel des scènes de la *Via Dolorosa*, de la *Crucifixion* et de la *Descente du Christ dans les Limbes*. Sur le mur de droite, une immense fresque représentant l'*Église militante et triomphante* contient les portraits – au premier plan à droite – de Cimabue, Giotto, Boccacce, Pétrarque et Dante. D'autres fresques de cette chapelle illustrent *Le Triomphe de la doctrine chrétienne*, 14 personnages symbolisant les Arts et les Sciences, et la *Vie de saint Pierre*.

Terminez votre promenade dans le quartier de Santa Maria Novella par une visite à l'**Officina Profumo-Farmaceutica di Santa Maria Novella** (carte p. 484 ; ☎ 055 21 62 76 ; Via della Scala 16 ; 🕑 9h30-19h30 lun-sam, 10h30-20h30 dim), parfumerie-pharmacie en activité depuis 1612. Elle est réputée pour ses remèdes maison. Après une journée de queue aux Offices ou à la Galleria dell'Accademia, l'envie vous prendra peut-être de faire provision de sa célèbre Acqua di Santa Maria Novella, réputée soigner les nerfs. Vous en saurez davantage en visitant le **musée** (🕑 10h-17h30 lun-ven) gratuit contigu à la boutique.

Quartier de San Lorenzo

La **Basilica di San Lorenzo** (carte p. 488 ; Piazza San Lorenzo ; 3,50 €, billet groupé basilique et bibliothèque 6 € ; 🕑 10h-17h lun-sam, 13h30-17h dim) fut reconstruite en 1425 par Brunelleschi, à la demande des Médicis qui souhaitaient en faire leur église paroissiale et funéraire, sur le site d'une ancienne basilique du IVᵉ siècle. Considérée comme l'un des exemples les plus harmonieux de l'architecture de la Renaissance, elle présente toutefois un aspect inachevé de l'extérieur, le projet de façade en marbre blanc de Carrare commandé à Michel-Ange en 1518 n'ayant jamais été exécuté.

À l'intérieur, la nef est séparée des bas-côtés par des colonnes de *pietra serena* (pierre grise tendre) couronnées de chapiteaux corinthiens. Les deux chaires de bronze, ornées de panneaux de la Crucifixion, sont l'œuvre de Donatello, qui mourut avant de les achever. L'artiste est enterré dans la chapelle où Fra Filippo Lippi a peint son *Annonciation* (v. 1450). À gauche de l'autel, on accède à la **Sagrestia Vecchia** (ancienne sacristie), dessinée par Brunelleschi et décorée pour l'essentiel par Donatello.

À gauche de l'entrée de la basilique, vous découvrirez un cloître paisible d'où un extra-ordinaire escalier dessiné par Michel-Ange monte à la **Biblioteca Medicea Laurenziana** (carte p. 488 ; ☎ 055 21 15 90 ; www.bml.firenze.sbn.it ; Piazza San Lorenzo 9 ; 3 € ; billet groupé basilique et bibliothèque 6 € ; 🕑 9h30-13h dim-ven). Cette bibliothèque fut commandée par Jules de Médicis (le pape Clément VII) en 1524 pour abriter l'immense bibliothèque des Médicis, créée par Cosme l'Ancien et considérablement enrichie par Laurent le Magnifique.

Expression suprême de l'orgueil des Médicis, les **Cappelle Medicee** (chapelles Médicis ; ☎ 055 238 86 02 ; Piazza Madonna degli Aldobrandini ; adulte/tarif réduit 6/3 € ; 🕑 8h15-16h50 mar-sam, 1ᵉʳ et 3ᵉ dim, 2ᵉ et 4ᵉ lun du mois), principal lieu de sépulture de la famille qui régna sur Florence, offrent une débauche de granit, de marbre et de pierres semi-précieuses, et abritent certaines des plus belles sculptures de Michel-Ange. François Iᵉʳ de Médicis repose dans la **Cappella dei Principi** (chapelle des Princes) aux côtés des deux Ferdinand et des trois Cosme. Un couloir rejoint l'élégante **Sagrestia Nuova** (Nouvelle Sacristie), qui fut la première œuvre architecturale de Michel-Ange et abrite ses sculptures *L'Aurore et le Crépuscule*, *Le Jour et la Nuit* et *La Vierge à l'Enfant*.

Juste à côté de la Piazza San Lorenzo, vous découvrirez le **Palazzo Medici-Riccardi** (carte p. 488 ; ☎ 055 276 03 40 ; www.palazzo-medici.it ; Via Cavour 3 ; adulte/tarif réduit 7/4 € ; 🕑 9h-19h jeu-mar), principale résidence des Médicis jusqu'en 1540 et prototype d'autres *palazzi* de Florence. La **Capella di Benozzo** (chapelle des Mages) située à l'intérieur est un lieu incontournable pour les amateurs d'art : elle renferme plusieurs sommets de la peinture Renaissance. Cet espace confiné contient des fresques (v. 1459-1463) très détaillées et récemment restaurées de Benozzo Gozzoli, élève de Fra Angelico. Le thème du *Cortège des Rois mages* est prétexte à portraiturer de manière flatteuse les membres du clan Médicis. Vous repérerez peut-être Laurent le Magnifique et Cosme l'Ancien dans la foule. Les visiteurs sont admis par groupe de 10 pour une visite de 5 minutes seulement. Réservez votre tour à la billetterie du palais.

Quartier de San Marco

Au cœur du quartier universitaire de Florence se tient la **Chiesa di San Marco** (carte p. 484 ; Piazza San Marco). le couvent dominicain adjacent abrite le **Museo di San Marco** (carte p. 484 ; ☎ 055 238 86 08 ; Piazza San Marco 1 ; adulte/tarif réduit 4/2 € ; 🕑 8h15-13h50 mar-ven, 8h15-16h50 sam, 2ᵉ et 4ᵉ dim et 1ᵉʳ, 3ᵉ et 5ᵉ lun du mois), qui sert d'écrin aux œuvres de Fra Angelico. C'est un des musées florentins les plus propices à l'élévation spirituelle.

Entrez dans le musée par le **cloître de Saint-Antonin** (1440) conçu par Michelozzo. Tournez immédiatement à droite pour pénétrer dans la **Sala dell'Ospizio** (hôpital des Pèlerins), où l'intérêt de Fra Angelico pour la perspective et une représentation réaliste de la nature se traduit dans plusieurs œuvres importantes, notamment la *Déposition de Croix* (1432). Au premier étage, l'*Annonciation* (v. 1440), son tableau le plus célèbre, attire tous les regards. Une balade dans les quartiers des moines permet d'admirer des bribes d'œuvres religieuses laissée par ce frère né en Toscane qui décora les cellules de ses pairs entre 1440-1441 de fresques exprimant une profonde dévotion, afin de guider leur méditation. La plupart de ces fresques sont de sa main, d'autres furent exécutées par des collaborateurs sous sa direction, notamment Benozzo Gozzoli. *L'Adoration des Mages* ornant la cellule de Cosme l'Ancien, venu faire retraite pour méditer (n°38-39), est un des chefs-d'œuvre. Certaines de ces fresques sont particulièrement sinistres. Dans la cellule de San Antonino Arcivescovo, par exemple, on voit Jésus repoussant la porte de son sépulcre, écrasant ce faisant un démon repoussant.

Depuis la Piazza San Marco, prenez la Via Cesare Battisti vers l'est jusqu'à la belle **Piazza della Santissima Annunziata**, dominée par la statue équestre du grand-duc Ferdinand Ier de Médicis, œuvre de Giambologna. Cette place accueille pendant l'été le festival Jazz & Co (voir p. 498).

Édifiée en 1250 et reconstruite, notamment, par Michelozzo au milieu du XVe siècle, la **Chiesa della Santissima Annunziata** (carte p. 484 ; Piazza della SS Annunziata ; ☉ 7h30-12h30 et 16h-18h30) est dédiée à Marie. On peut y admirer plusieurs fresques d'Andrea del Castagno, du Pérugin, d'Andrea del Sarto et de Jacopo Pontormo.

Au sud-est de la place, le **Spedale degli Innocenti** (hôpital des Innocents ; carte p. 484 ; Piazza della SS Annunziata 12), fondé en 1421, fut le premier orphelinat d'Europe. Brunelleschi en dessina le portique, qu'Andrea della Robbia (1435-1525) décora ensuite de médaillons de terre cuite représentant des nourrissons emmaillotés. À l'extrémité nord du portique, la fausse porte entourée de grilles était autrefois la porte tournante où l'on déposait les enfants non désirés. Nombre des Florentins portant les noms de famille comme Degli Innocenti, Innocenti et Nocentini peuvent faire remonter leur arbre généalogique jusqu'à cet orphelinat. À l'intérieur, le **Museo dello Spedale degli Innocenti** (☎ 055 203 73 08 ; www.istitutodeglinnocenti.it ; adulte/tarif réduit 4/2,50 € ; ☉ 8h30-19h lun-sam, 8h30-14h dim), situé au 2e étage, abrite des œuvres d'artiste florentins, notamment Marco della Robbia, Sandro Botticelli et Domenico Ghirlandaio.

À 200 m au sud-est de la place, le **Museo Archeologico** (carte p. 484 ; ☎ 055 23 57 50 ; Via della Colonna 38 ; adulte/tarif réduit 4/2 € ; ☉ 14h-19h lun, 8h30-19h mar et jeu, 8h30-14h mer et ven-dim) rassemble des antiquités, dont un grand nombre appartenait aux Médicis, et offre une bonne alternative à toutes les splendeurs de la Renaissance florentine en plongeant dans un passé plus ancien.

Au 1er étage, vous pouvez choisir entre l'Égypte ancienne, à gauche, et le petit département étrusque et gréco-romain, à droite.

La **Galleria dell'Accademia** (carte p. 484 ; ☎ 055 29 48 83 ; Via Ricasoli 60 ; adulte/tarif réduit 6,50/3,25 € ; ☉ 8h15-18h50 mar-dim) conserve nombre d'œuvres d'artistes florentins du XIIIe au XVIe siècle. La plus belle pièce en est, sans conteste, le célèbre et colossal *David* de Michel-Ange, taillé dans un seul bloc de marbre par l'artiste alors âgé de 29 ans. Réservez votre billet (encadré p. 491) si vous ne voulez pas faire une longue queue.

Quartier de Santa Croce

Lorsque Lucy Honeychurch, l'héroïne de *Chambre avec vue* (E. M. Forster), se retrouve dans la Santa Croce sans son guide Baedeker, elle commence par paniquer. Puis, regardant autour d'elle, elle se demande pourquoi on fait si grand cas de cette basilique. Après tout, ne ressemble-t-elle pas plutôt à une grange ?

De nombreux visiteurs ont une réaction similaire en pénétrant dans la **Basilica di Santa Croce** (carte p. 484 ; ☎ 055 246 61 05 ; adulte/tarif réduit avec le Museo dell'Opera 5/3 € ; ☉ 9h30-17h30 lun-sam, 13h-17h30 dim). L'intérieur austère de cette massive basilique franciscaine peut causer un choc par contraste avec sa magnifique façade néogothique, rehaussée de marbres de diverses couleurs (la façade et le *campanile* ont été ajoutés au XIXe siècle). L'église elle-même fut conçue par Arnolfo di Cambio entre 1294 et 1385, et doit son nom à un fragment de la Croix offert par Saint Louis en 1258.

Si la plupart des visiteurs viennent pour les tombes des Florentins célèbres inhumés ici – notamment Michel-Ange, Galilée, Ghiberti et Machiavel – les pièces maîtresses de la basilique sont les fresques de Giotto et de ses disciples, situées dans les chapelles à droite de l'autel. Certaines sont nettement mieux conservées que d'autres. Dans la **Capella Peruzzi,** celles de Giotto sont dans un état particulièrement affligeant. Mais dans la **Capella Bardi,** celles qui représentent des scènes de la vie de saint François (1315-1320) ont connu un sort meilleur. Assistant et plus fidèle élève de Giotto, Taddeo Gaddi, a orné la **chapelle Majeure** et la **Capella Baroncelli**, cette dernière sur le thème de la vie de la Vierge (1332-1338).

Agnolo, fils de Taddeo, a peint dans la **Cappella Castellani** (1385) de merveilleuses fresques sur la vie de saint Nicolas. Il est aussi l'auteur des fresques situées au-dessus de l'autel.

TOSCANE

Depuis les chapelles du transept, une porte dessinée par Michelozzo conduit dans un corridor donnant accès à la **Sagrestia** (sacristie) du XIVe siècle, sur la gauche de laquelle trône la *Crucifixion* de Taddeo Gaddi. On peut aussi y admirer quelques reliques de saint François, son capuchon et sa ceinture notamment. Par la pièce voisine, la librairie, on accède à la **Scuola del Cuoio** (☎ 055 24 45 33 ; www.scuoladelcuoio.com ; Via San Giuseppe 5r ; ⊗ 10h-18h), école de bourrellerie et boutique où l'on peut voir les objets en cours de fabrication ou les acheter terminés. Au bout du corridor, une chapelle des Médicis renferme un bel autel bicolore en terre cuite vernissée créé par Andrea della Robbia.

Le deuxième **cloître** de Santa Croce a été conçu par Brunelleschi peu avant sa mort en 1446. À l'extrémité du premier cloître, sa **Cappella de' Pazzi**, inachevée, est un chef-d'œuvre de l'architecture de la Renaissance, avec ses lignes harmonieuses, et ses médaillons des apôtres en terre cuite de Luca Della Robbia.

Le **Museo dell'Opera di Santa Croce** (carte p. 484 ; entrée comprenant la basilique adulte/tarif réduit 5/3 € ; ⊗ 9h30-17h30 lun-sam, 13h-17h30 dim), situé dans le premier cloître, possède un *Crucifix* de Cimabue, restauré du mieux possible après avoir été gravement endommagé lors des inondations de 1966. Le quartier de Santa Croce avait alors disparu sous 4 m d'eau. Ne manquez pas non plus le *Saint Louis de Toulouse* (1424) en bronze doré de Donatello (autrefois placé dans une niche sur la façade de la Chiesa Orsanmichele, le beau buste en terre cuite de saint François recevant les stigmates (sorti de l'atelier de della Robbia) et les fresques de Taddeo Gaddi, notamment *La Cène* (1333).

Oltrarno
Signifiant littéralement "au-delà de l'Arno", ce quartier élégant englobe toute la partie de la ville située au sud du fleuve.

PONTE VECCHIO
Ce célèbre **pont** (carte p. 484) accueille les boutiques scintillantes des orfèvres depuis le XVIe siècle, époque où Ferdinand Ier de Médicis ordonna à ceux-ci de remplacer les échoppes

---

MICHELE GIUTTARI, AUTEUR DE ROMANS POLICIERS

Pourquoi vos romans policiers se déroulent-ils à Florence ? Florence est une ville qui a deux visages. Elle a une face magnifique, mais aussi une face sombre. Je le sais pour avoir travaillé dans ce côté sombre pendant des années… J'ai vu ce que les touristes ne voient pas.

Comment cette face sombre vous est-elle devenue familière ? J'ai passé huit ans à la tête de la Squadra Mobile (unité d'enquête d'élite) de Florence et quatre ans à la tête d'une unité spéciale qui enquêtait sur le "Monstre" de Florence.

C'est-à-dire ? Entre 1974 et 1985, sept couples ont été assassinés dans les collines aux alentours de Florence, alors qu'ils faisaient l'amour dans leur voiture. Malgré tous nos efforts, nous n'avons jamais pu retrouver le tueur ; l'affaire est aujourd'hui classée.

Michele Ferrara, le héros de vos romans, est lui aussi chef de la Squadra Mobile. S'agit-il de votre double ? Nous nous ressemblons beaucoup en termes de caractère. Mais lui fait des choses que moi je ne pourrais pas faire… il arrive à réunir ses preuves et à résoudre ses affaires rapidement. Ce qui est plus facile à faire dans les romans que dans la vie !

"Souviens-toi que tu dois mourir" tourne autour d'un tueur en série en cavale dans Florence, "La Loge des innocents" met en scène une conspiration à haut niveau autour du meurtre d'une jeune fille aux portes de la ville. Avez-vous été inspiré par l'affaire du Monstre ? J'ai commencé à écrire pour relâcher un peu la pression à l'époque où je travaillais sur cette affaire, donc, cela a dû m'influencer.

Avez-vous travaillé sur d'autres affaires célèbres ? Je dirigeais l'unité anti-Mafia quand Cosa Nostra a commis un attentat à la bombe contre les Offices en 1993. Cette affaire est encore fraîche dans ma mémoire et j'en parle dans mon dernier livre, *La Donna della 'ndrangheta*.

Et le beau côté de Florence ? J'aime traverser le Ponte Vecchio (voir ci-dessus), me promener le long du Lungarno, remonter jusqu'au Piazzale Michelangelo (p. 496), m'asseoir à la terrasse de La Loggia et admirer la vue. Je ne me lasse jamais de la beauté de cette ville. Mais, çà et là, je reconnais un endroit où a été commis un crime et cela me rappelle le côté sombre…

Michele Giuttari est l'auteur des romans à succès Scarabeo (Souviens-toi que tu dois mourir), La Loggia degli Innocenti (La Loge des innocents) et La Donna della 'ndrangheta.

malodorantes des bouchers, qui avaient pour fâcheuse habitude de jeter leurs déchets directement dans les eaux du fleuve.

Construit en 1345, c'est le seul pont de Florence à n'avoir pas été détruit par les Allemands lors de leur retraite en 1944. Au-dessus des boutiques, sur la rive orientale, on aperçoit le **Corridoio Vasariano**, passage couvert en hauteur reliant le Palazzo Vecchio, les Offices et le Palazzo Pitti. Conçu par Vasari pour Cosme Ier en 1565, il comportait à l'origine de petites fenêtres, afin que les Médicis puissent l'emprunter en toute discrétion. Mais, lorsqu'Hitler visita Florence en 1941, Mussolini, son ami dictateur, y fit installer de grandes fenêtres afin que son invité puisse jouir de la vue sur l'Arno. Ce passage est actuellement fermé pour restauration.

À l'extrémité sud du pont, la **Torre dei Mannelli** (carte p. 488) paraît quelque peu insolite car le Corridoio Vasariano a été construit autour, au lieu de la traverser, comme l'auraient voulu les Médicis.

PALAZZO PITTI

Commencé en 1458 pour la famille Pitti, rivale des Médicis, le noyau originel du **palais Pitti** (carte p. 484 ; ☎ 055 94 88 83 ; Piazza de' Pitti 1) correspondait alors à la partie comprenant les sept fenêtres centrales des 1er et 2e étages. Ironie de l'histoire, ce furent Cosme Ier de Médicis et son épouse Éléonore de Tolède qui rachetèrent le palais en 1549. Après l'extinction de la dynastie des Médicis, le palais resta la résidence des maîtres de Florence jusqu'en 1919, date à laquelle les Savoie en firent don à l'État.

Au rez-de-chaussée, le **Museo degli Argenti** (musée de l'Argenterie ; ☾ 8h15-19h30 juin-août, 8h15-18h30 mars-mai et sept, 8h15-17h30 oct, 8h15-16h30 nov-fév, fermé 1er et dernier lun du mois) n'expose bien souvent aucune argenterie. Mais on peut y venir pour les fresques des salles d'audience, qui accueillent les expositions temporaires.

Au premier étage, les Raphaël et les Rubens se disputent les meilleures places dans la **Galleria Palatina** (☾ 8h15-18h30 mar-dim). l'escalier situé dans la cour centrale du palais permet d'accéder à cette impressionnante collection d'œuvres allant du XVIe au XVIIIe siècle, amassée par les Médicis et les ducs de Lorraine. Les tableaux y ont gardé leur disposition d'époque (serrés les uns contre les autres, se chevauchant quelquefois) ce qui rend la visite un peu fatigante pour les yeux. Il est donc conseillé de prendre son temps pour admirer une œuvre à la fois.

BILLETS GROUPÉS POUR LE PALAZZO PITTI

Différents billets groupés sont en vente au bureau situé sur la droite après l'entrée principale. Celui à 6/3 € adulte/tarif réduit donne accès à la galerie du Costume, aux jardins de Boboli, au musée de l'Argenterie, au musée de la Porcelaine et aux jardins Bardini. Celui à 8,50/4,25 € comprend aussi les appartements royaux, la galerie Palatine et la galerie d'Art moderne. Sachez toutefois que les prix sont plus élevés en période d'expositions temporaires. En dehors de ces périodes, vous pouvez acheter un billet groupé à 11,50 €, valable 3 jours, qui vous permet de tout voir. Dans ce cas, prévoyez une journée complète.

Les plus importantes sont la *Vierge à l'Enfant et scène de la vie de sainte Anne* (ou *Tondo Bartolini*, 1452-1453) de Filippo Lippi et la *Vierge à l'Enfant avec le jeune saint Jean Baptiste* (v. 1490-1495), de Botticelli, dans la Sala di Prometeo, la *Madone de l'impannata* (1513-1514), de Raphaël, dans la Sala di Ulisse et l'*Amour endormi* (1608) du Caravage dans la Sala dell'Educazione di Giove. Ne manquez pas la Sala di Saturno, qui contient de magnifiques toiles de Raphaël, notamment la *Vierge à la chaise* (1511) et des portraits d'Agnolo Doni et de Maddalena Strozzi (v. 1506). Tout près, dans la Sala di Giove, et du même artiste, un *portrait de femme* (*La Velata*, v. 1516), vous reçoit près des *Trois Âges de l'homme* (v. 1500) de Giorgione. Apprécié des plus sentimentaux, le charmant portrait du jeune prince Léopold de Médicis par Tiberio Titi se trouve dans la Sala di Apollo, tandis que la Sala di Venere s'enorgueillit du *Portrait d'une femme* (*La Bella*, v. 1536) de Titien.

Après la Sala di Venere, les **Appartamenti Reali** (appartements royaux, ☾ 8h15-18h50 mar-dim fév-déc) sont une série de salles conservées telles qu'elles étaient vers 1880-1891, quand les membres de la maison de Savoie y logeaient. Le style et l'attribution d'une tâche à chacune des pièces rappellent les palais royaux espagnols, le tout lourdement orné de lustres, draperies et soieries.

N'espérez pas trouver des œuvres de Marini, Mertz ou Clemente dans la **Galleria d'Arte Moderna** (☾ 8h15-18h50 mar-dim) au 2e étage. L'école florentine Macchiaioli de la fin du XIXe siècle (l'équivalent de l'impressionnisme) y domine, avec des noms comme Telemaco Signorini (1835-1901) ou Giovanni Fattori (1825-1908).

Rares sont ceux qui poussent la visite jusqu'à la **Galleria del Costume** (☼ 8h15-19h30 juin-août, 8h15-18h30 mars-mai et sept, 8h15-17h30 oct, 8h15-17h30 nov-fév, fermé les 1er et dernier lun du mois). Ils se privent du spectacle fascinant, quoiqu'un peu macabre, qu'offrent les atours funèbres à moitié décomposés de Cosme Ier, son épouse Éléonore de Tolède et leur fils Don Garzia. Étant donné leur âge et le fait qu'ils ont passé des siècles dans une tombe, la robe et les bas de soie d'Éléonore, le pourpoint de satin et les braies de lainage de Cosme, le pourpoint, le béret et la courte cape en soie de Don Garzia sont plutôt bien conservés.

GIARDINO DI BOBOLI

Les vastes **jardins de Boboli** (carte p. 484 ; ☼ 8h15-19h30 juin-août, 8h15-18h30 mars-mai et sept, 8h15-17h30 oct, 8h15-16h30 nov-fév, fermé les 1er et dernier lun du mois), dessinés par l'architecte Niccolò Pericoli, dit "Il Tribolo", sont venus agrémenter le palais au milieu du XVIe siècle.

Ils sont un exemple de jardins formels à la toscane, très amusants à explorer. Gambadez dans l'**allée des cyprès**, faites des rêves galants dans le **Giardino del Cavaliere** (jardin du Chevalier), tournez autour des quelque 170 statues, méditez près de l'**Isoletto**, somptueuse pièce d'eau, partez à la découverte des espèces d'oiseaux et de leurs chants dans le **sentier de nature**, ou admirez la pulpeuse *Venere* (Vénus) de Giambologna, qui sort des eaux de la **Grotta del Buontalenti** (carte p. 484 ; ☼ visites à 11h,13h, 15h, 16h et 17h).

En haut du parc (extrémité sud), on bénéficie d'une magnifique vue sur le palais et la campagne florentine qui s'étend au-delà de la **roseraie** entourée d'une haie de buis que domine le **Museo delle Porcellane** (musée de la Porcelaine ; carte p. 480). Ce dernier contient une collection de Sèvres, de Vincennes, de Meissen, de Wedgwood et d'autres pièces réunies par les riches hôtes du Palazzo Pitti.

Au sommet de la colline s'élèvent les remparts du **Forte di Belvedere** (fermé au public), forteresse que fit ériger le grand-duc Ferdinand Ier afin de protéger le Palazzo Pitti.

GIARDINO DI BARDINI

Plus petits, moins connus, mais mieux entretenus que les précédents, les **jardins de Bardini** (carte p. 480 ; ☎ 055 29 48 83 ; Costa San Giorgio 4-6, entrée par les jardins de Boboli et Via de' Bardi 1r ; adulte/tarif réduit avec les jardins de Boboli et le musée de la Porcelaine 5/2,50 € ; ☼ 8h15 au coucher du soleil) portent le nom

du collectionneur d'art Stefano Bardini (1836-1922), qui fit l'acquisition de la villa et de son parc en 1913. Accessibles par les jardins de Boboli ou par la route qui monte de l'Arno, ils ont toutes les caractéristiques des jardins toscans – grottes artificielles, orangerie, statues de marbre, fontaines, loggia, amphithéâtre et escalier baroque monumental gravissant les différentes terrasses –, mais sans la foule.

Le charmant **Belvedere Caffé** (café 3 €, thé avec biscotti 5 €, panino 3 €), installé sous une loggia avec vue sur le ciel florentin, est idéal pour prendre un déjeuner léger ou un thé.

La villa abrite le **Museo Bardini** (☎ 055 263 85 99 ; www.bardinipeyron.it ; adulte/tarif réduit 6/4 € ; ☼ 10h-18h mer-dim avr-sept, 10h-16h mer-ven, 10h-18h sam-dim oct-mars), où l'on peut admirer une collection haute couture de Roberto Capucci et des expositions temporaires.

On peut ensuite visiter les jardins de Boboli avec le même billet ou sortir Via de' Bardi.

PIAZZALE MICHELANGELO

Il suffit de tourner le dos aux étals de souvenirs pour découvrir, du **Piazzale Michelangelo** (carte p. 480), où se dresse l'une des copies florentines du *David* de Michel-Ange, un superbe panorama urbain. Des rives de l'Arno (Piazza Giuseppe Poggi), comptez 10 minutes de montée par la route sinueuse et des escaliers.

Le bus n°13 relie la Stazione di Santa Maria Novella au Piazzale Michelangelo.

ÉGLISES

Trois églises de l'Oltrarno en particulier méritent une visite.

Une fois au Piazzale Michelangelo, continuez à grimper (5 min) pour arriver à la merveilleuse **Chiesa di San Miniato al Monte** (carte p. 480 ; Via Monte alle Croce ; entrée libre ; ☼ 8h-19h mai-oct, 8h-12h et 15h-18h nov-avr). Cette église romane est dédiée à saint Minias, martyr de Florence des débuts de la chrétienté qui aurait rejoint la colline à tire-d'aile après sa mort, intervenue dans la ville (une autre version veut que, décapité à Florence, il ait pris sa tête sous le bras pour gagner les hauteurs).

L'édification de l'église commença au début du XIe siècle et sa façade de marbre polychrome, typiquement toscane, fut ajoutée deux siècles plus tard. À l'intérieur, des fresques réalisées entre le XIIIe et le XVe siècle décorent le mur sud. Des incrustations de marbre aux motifs complexes courent tout le long de la nef jusqu'à une belle crypte romane. Dans l'angle sud-est, la **sacristie** (contribution demandée 1 €) est décorée de fresques aux couleurs éclatantes, réalisées par Spinello Arentino, évoquant la vie de saint Benoît. La très belle **Capella del Crocefisso**, dont on doit la décoration à Michelozzo, Agnolo Gaddi et Luca Della Robbia, se trouve au milieu de la nef.

La **Basilica di Santa Maria del Carmine** (carte p. 484 ; Piazza del Carmine), du XIIIᵉ siècle, fut presque entièrement détruite par un incendie à la fin du XVIIIᵉ siècle. Les flammes épargnèrent les remarquables fresques de Masaccio qui ornent la **Cappella Brancacci** (sur réservation ☎ 055 276 82 24, 055 76 85 58 ; 4 € ; ⏱ 10h-16h30 mer-sam et lun, 13h-16h30 dim), à laquelle on accède par une entrée séparée, à côté de la basilique. Seules 30 personnes sont admises à la fois dans la chapelle, dans le cadre d'une visite guidée. Réservation obligatoire. Malheureusement, la visite est souvent gâchée par l'autoritarisme des gardiens, qui font respecter à la seconde près les 15 malheureuses minutes de visite réglementaires.

Ces fresques aux couleurs vibrantes eurent une influence considérable sur l'art florentin du XVᵉ siècle. Masaccio les peignit alors qu'il avait à peine 20 ans ; il dut interrompre sa tâche pour se rendre à Rome, où il mourut prématurément à l'âge de 27 ans. Filippo Lippi acheva le cycle près de 60 ans plus tard. On doit notamment à Masaccio, *Adam et Ève chassés du Paradis* et *Le Paiement du tribut* sur le mur supérieur gauche de la chapelle.

La **Basilica di Santo Spirito** (carte p. 484 ; Piazza Santo Spirito ; ⏱ 9h30-12h30 et 16h-17h30 jeu-mar) est l'une des dernières commandes de Brunelleschi. À l'intérieur, une série de chapelles semi-circulaires bordent l'église sur toute sa longueur et les 35 colonnes corinthiennes confèrent à l'édifice une grandeur monumentale. Elle abrite notamment une *Vierge entourée de saints* (1493-1494) de Filippo Lippi mal éclairée dans la Cappella Nerli du transept droit. Demandez à un gardien de vous montrer la **sacristie**, ornée d'un poignant crucifix en bois attribué à Michel-Ange par certains critiques.

COURS

Florence compte des dizaines d'écoles proposant des cours de langue et de culture italiennes. D'autres encore assurent des formations artistiques, d'histoire de l'art, de cinéma, de danse, de cuisine, etc. Voici quelques bonnes adresses.

Accademia Italiana (carte p. 484 ; ☎ 055 28 46 16 ; www.accademiaitaliana.com ; Piazza de' Pitti 15). Cours de langue et de culture, ainsi que toute une gamme de stages (en italien) dans le domaine de la création (notamment arts graphiques, textiles et mode).

Accademia Europea di Firenze (☎ 055 2115 99 ; www.accademiaeuropeafirenze.it ; Via Roma 4). Cette institution propose, au centre de Florence, des cours de langue, d'histoire de l'art, de cuisine, de musique, etc.

Centro Lorenzo de' Medici (carte p. 484 ; ☎ 055 28 31 42 ; www.lorenzodemedici.it ; Via Faenza 43). Cours d'italien et nombreux autres cours, dont la restauration d'œuvres d'art, l'histoire de l'art et la création de bijoux.

Divina Cucina (www.divinacucina.com). La chef américaine Judy Francini, installée à Florence, propose aux gastronomes une visite à pied du Mercato Centrale ou un circuit de 3 jours comprenant cette visite, une journée dans le Chianti et une autre consacrée à des cours de cuisine.

Lessons in Lunch (www.faithwillinger.com). La critique gastronomique américaine Faith Willinger, installée elle aussi à Florence, propose un repas de 8 plats limité à 8 participants, avec dégustations, démonstrations et invités du monde gastronomique ou culturel. Également, des sessions sur le terrain, du marché à la table.

Scuola del Cuoio (carte p. 484 ; ☎ 055 24 45 33 ; www.leatherschool.com ; Via San Giuseppe 5r). Stages de bourrellerie, d'une demi-journée à 6 mois.

FLORENCE AVEC DES ENFANTS

La librairie du Palazzo Vecchio (p. 486) propose une très bonne sélection de livres et de jeux permettant aux enfants de découvrir Florence à leur manière.

Le **Palazzo Vecchio** (p. 486) propose de passionnantes visites guidées pour les enfants. Des acteurs en costumes Renaissance impliquent le jeune public dans leur jeu tout en leur faisant partager une foule d'informations historiques et en les emmenant dans les recoins secrets du palais. Éléonore de Tolède, somptueusement vêtue et choquée par la mise des jeunes d'aujourd'hui, donne parfois aux demoiselles des conseils sur leur toilette. Quant à Cosme Iᵉʳ, il se fait une joie d'expliquer l'âge auquel un Médicis pouvait devenir cardinal (son fils Ferdinand accéda à ces fonctions à l'âge de 14 ans).

Il est conseillé de réserver les visites du Palazzo Vecchio, en passant au bureau situé derrière la billetterie la veille de votre visite, par e-mail à info@museoragazzi@comune.fi.it, ou par téléphone au ☎ 055 276 82 24.

Les meilleures **aires de jeux** (carte p. 484) pour les moins de 6 ans se trouvent dans l'Oltrarno : le long de la rivière sur le Lungarno di Santa Rosa (traversez l'Arno sur le Ponte Amerigo Vespucci et tournez à droite) et sur la Piazza Torquato Tasso. Pour permettre à vos enfants de s'ébattre un peu, visitez le **Giardino di Boboli** (voir p. 496).

Une pause *gelato* vous garantira des enfants sages ; consultez l'encadré p. 504 pour savoir où trouver les meilleurs *gelati* de Florence. Si vous voulez offrir un petit cadeau, visitez le minuscule atelier de **Letizia Fiorini** (carte p. 488 ; ☎ 055 21 65 04 ; Via del Parione 60r ; ☺ mar-sam 10h30-19h30), qui vend des jouets faits main vraiment adorables à prix raisonnables.

CIRCUITS ORGANISÉS
À pied
Accidental Tourist (☎ 055 69 93 76 ; www. accidentaltourist.com). Devenez membre d'Accidental Tourist (adhésion adulte/moins de 16 ans ou plus de 70 ans 20/10 €) avant de vous offrir la balade au coucher du soleil (250 €/couple), un cours de cuisine (de 70 à 100 €), un sentier découverte (75 €), un pique-nique (70 €), une visite à pied (90 €) ou une tournée des vignobles (50 €).

Artviva (carte p. 488 ; ☎ 055 264 50 33, 329 6132730 ; www.italy.artviva.com ; Via de' Sassetti 1). Ces circuits à pied consistent en des visites de 1 à 3 heures (25-39 €), conduites par des historiens ou des diplômés en histoire de l'art. Choisissez la balade classique (25 €, 3 heures) ou la balade du soir/circuit meurtre mystérieux (30 €, 2 heures).

Freya's Florence (☎ 349 0748907 ; freyasflorence@ yahoo.com). Circuits chaudement recommandés qui vous feront découvrir l'art, l'histoire et la magie de cette ville. Les visites privées (en anglais) coûtent entre 50 et 60 € l'heure pour 1 à 20 personnes. L'offre comprend notamment un circuit de 2 heures "Florence secrète au crépuscule" et des visites des Offices (billet d'entrée en supplément).

À vélo
Florence by Bike (carte p. 484 ; ☎ 055 48 89 92 ; www. florencebybike.it ; Via San Zanobi 120-122r). Location de vélos 1 heure/5 heures/journée/3 jours 3/8/14,50/36 € avec itinéraires autoguidés dans la ville. Aussi, un circuit d'une journée dans le Chianti (32 km, 76 € avec déj).

I Bike Florence (☎ 055 012 39 94 ; www.ibikeflorence. com ; Via de' Lamberti 1). Visite guidée de la ville en 2 heures (adulte/étudiant 29/25 €) ou excursion d'une journée avec guide dans le Chianti (70 € avec déj).

En bus
CAF Tours (carte p. 488 ; ☎ 055 21 06 12 ; www. caftours.com ; Via Sant'Antonino 6r). Circuits en bus d'une demi-journée ou d'une journée (45-100 €), dont un circuit shopping mode (28 €, 6 heures).

City Sightseeing Firenze (carte p. 484 ; ☎ 055 29 04 51 ; www.firenze.city-sightseeing.it ; Piazza Stazione 1 ; avec audioguide adulte/enfant 5-15 ans/famille 22/11/66 €). Les personnes handicapées ou peu enclines à la marche pourront visiter Florence dans un bus rouge à impériale, qui marque 15 arrêts dans la ville. Le billet reste valable 24 heures. Un autre circuit vous emmène à Fiesole (mêmes tarifs).

FÊTES ET FESTIVALS
Festa di Anna Maria Medici. La mort en 1743 de la dernière des Médicis est commémorée par un défilé costumé du Palazzo Vecchio jusqu'aux chapelles des Médicis ; le 18 février.

Scoppio del Carro (Explosion du char). On fait exploser un char bourré de feux d'artifice devant la cathédrale à 11h le dimanche de Pâques. Venez au moins 2 heures à l'avance pour être bien placé.

Maggio Musicale Fiorentino (Mai musical florentin, www.maggiofiorentino.com). Ce festival qui s'étale sur un mois prend ses quartiers au Teatro del Maggio Musicale Fiorentino (voir p. 508) de Florence. C'est le plus vieux d'Italie. Il accueille des spectacles de théâtre de classe internationale, des concerts de musique classique, de jazz et de danse, entre fin avril et juin.

Festa di San Giovanni (Fête de Saint-Jean). Florence fête son saint patron avec une partie de *calcio storico* sur la Piazza di Santa Croce et des feux d'artifice sur le Piazzale Michelangelo ; le 24 juin.

Sant'Ambrogio Summer Festival (www.firenzejazz. it). Les rues situées entre le Borgo La Croce et la Piazza Beccaria se transforment en scène tous les soirs pour accueillir des spectacle de danse, de théâtre ou des concerts de jazz. En juin et juillet.

Jazz & Co (www.santissima.it). Les soirs d'été, la Piazza Santissima Annunziata se couvre de tablées où l'on savoure un *aperitivo* ou un dîner Slow Food, tout en écoutant du jazz live joué par des musiciens venus d'Italie ou d'outre-Atlantique. De fin juin à septembre.

Festival Firenze Classica. Au mois de juillet, le très réputé Orchestra da Camera Toscana (www.orcafi.it) de Florence se produit dans le cadre superbe de l'Oratorio di San Michele a Castello et du Palazzo Strozzi. Entre avril et octobre, l'orchestre joue dans la Chiesa di Orsanmichele et dans la cour du Museo del Bargello.

Festa delle Rificolone (Fête des Lampions). Accompagnés par des joueurs de tambour, des *sbandieratori* (jongleurs de drapeaux), des musiciens et d'autres artistes en costume médiéval, les enfants défilent avec des lampions de la Piazza di Santa Croce jusqu'à la Piazza SS Annunziata pour célébrer l'anniversaire de la Vierge ; le 7 septembre.

OÙ SE LOGER
Il existe à Florence des centaines d'hôtels, quelques très bonnes auberges de jeunesse et de plus en plus de B&B. L'affluence touristique est cependant synonyme de forte demande presque toute l'année, d'où des tarifs élevés. Les établissements mentionnés dans cette rubrique ont été retenus pour leur bon rapport qualité/prix. Vous trouverez d'autres adresses sur le site www.lonelyplanet.com.

TOSCANE

Les offices du tourisme ne recommandent pas d'hôtels et n'effectuent pas de réservation, mais peuvent vous fournir une liste d'établissements, notamment d'*affittacamere* (chambres chez l'habitant).

CENTRALES DE RÉSERVATION

Les agences suivantes – dont deux possèdent des bureaux dans la principale gare ferroviaire – peuvent vous trouver ou vous réserver une chambre d'hôtel à Florence, soit gratuitement, soit moyennant une somme modique.

Agenzie 365 Hotel Reservation (carte p. 484 ; ☎ 055 28 42 01 ; firenze1.gb@agenzie365.it ; quai n°5, Stazione di Santa Maria Novella ; ◷ 8h-22h lun-sam, 10h-19h dim). Travaille avec hostelsclub.com. Frais de réservation : 10 €.

Associazione Bed & Breakfast Affittacamere (www.abba-firenze.it). Tous les B&B. Excellente adresse.

Consorzio ITA (Informazione Turistiche Alberghiere ; carte p. 484 ; ☎ 055 28 28 93 ; ◷ 8h-19h30). Dans le hall principal de la Stazione di Santa Maria Novella, près de la pharmacie. Frais de réservation : 3 €.

Florence Promhotels (☎ 055 55 39 41, 800 866022 ; www.promhotels.it). Réservations en ligne et par téléphone pour les hôtels de un à cinq-étoiles.

Duomo et Piazza della Signoria
PETITS BUDGETS

Hotel Cestelli (carte p. 488 ; ☎ 055 21 42 13 ; www.hotelcestelli.com ; Borgo SS Apostoli 25 ; s 40-60 €, d 50-80 €, d avec sdb 70-100 € ; ◷ fermé 2 sem en jan, 3 sem en août). Hôtel de 8 chambres installé au 1er étage d'un palais du XIIe siècle, très bien situé près de Via de' Tornabuoni. Le parfum de l'encens et les veilleuses scintillantes lui donnent un air zen, et les chambres, quoique sombres, sont joliment meublées, calmes et agréables.

Hotel Dalí (carte p. 488 ; ☎ 055 234 07 06 ; www.hoteldali.com ; Via dell'Oriuolo 17 ; s 34-40 €, d 56-65 €, d avec sdb 68-80 € ; ◷ fermé 3 sem en jan ; P). Cet hôtel simple et propret de la "rue de l'Horloge" vibre de l'inépuisable énergie et des sourires de Marco et Samanta. Les chambres donnant sur la cour intérieure ombragée sont paisibles, celles qui donnent sur la rue parfois bruyantes. Les chambres doubles sont spacieuses et l'on y dort facilement à 4 ou 5 (lit supp 25 €). Les clients motorisés disposent d'un parking gratuit, une rareté à Florence.

Hotel Orchidea (carte p. 488 ; ☎ 055 248 03 46 ; www.hotelorchideaflorence.it ; Borgo degli Albizi 11 ; s 30-60 €, d 50-80 €). *Pensione* à l'ancienne installée dans la demeure qu'occupaient les Donati au XIIIe siècle (Gemma, épouse de Dante, serait née dans la tour de cette demeure). Les 7 chambres, avec lavabo et sdb commune, sont sans fioritures. Les n°s5, 6 et 7 possèdent de grandes fenêtres donnant sur un jardin magnifique. La n°4 donne sur une terrasse. Cartes bancaires non acceptées.

Hotel San Giovanni (carte p. 488 ; ☎ 055 28 83 85 ; www.hotelsangiovanni.com ; Via de' Cerretani 2 ; s avec sdb commune 30-58 €, d avec sdb commune 40-75 €, d avec sdb 65-95 € ; ◫). Il faut sonner pour entrer, puis monter dans le vieil ascenseur (gare aux bagages trop encombrants !) jusqu'aux anciens appartements privés de l'évêque aménagés dans ce palazzo du XIVe siècle. Les 9 chambres spacieuses sont dotées de hauts plafonds, 2 disposent d'une sdb privative. Les n°s6, 7 et 8 donnent sur la cathédrale. Petit déjeuner 5 € en plus.

CATÉGORIE MOYENNE

Borghese Palace Art Hotel (carte p. 488 ; ☎ 055 28 43 63 ; www.borghesepalace.it ; Via Ghibellina 174r ; s 120 €, d 140-190 €, ste 230-240 € ; P ◫ W). Dans cet établissement chic recommandé aux amateurs d'art, avec cour intérieure couverte d'une verrière, des sculptures veillent sur la réception et des œuvres d'art allant du XVIIe siècle à nos jours sont exposées. On ne peut rêver situation plus centrale. Le petit déjeuner est servi en terrasse et un spa vous attend sur place.

Hotel Perseo (carte p. 488 ; ☎ 055 21 25 04 ; www.hotelperseo.it ; Via de' Cerretani 1 ; s 68-125 €, d 88-165 € ; ◫ ▣). Hôtel trois-étoiles réaménagé en 2006 et tenu par un trio italo-australo-néo-zélandais. Décoration épurée et moderne – TV à écran plat, douches de plain-pied, couleur douces et naturelles. Grâce à des lits superposés, les chambres doubles se transforment astucieusement en quadruples, bien commodes pour les familles.

Relais del Duomo (carte p. 488 ; ☎ 055 21 01 47 ; www.relaisdelduomo.it ; Piazza dell'Olio 2 ; s 50-70 €, d 80-100 € ; ◫ ▣). B&B merveilleusement situé dans une rue calme et sans circulation à deux pas du Duomo. Les 4 chambres élégantes, décorées dans des tons pastel, sont simples et confortables.

CATÉGORIE SUPÉRIEURE

Continentale (carte p. 484 ; ☎ 055 2 72 62 ; www.lungarnohotels.com ; Vicolo dell'Oro 6r ; d 300-390 €, ste 1 250-1 550 € ; P ◫ ▣ ▨). Propriété de la maison de couture Ferragamo et décoré par Michel Bonan, l'architecte florentin à la mode, cet hôtel glamour et archibranché renoue avec les couleurs éclatantes de l'Italie des années 1950.

TOSCANE

Quartier de Santa Maria Novella
PETITS BUDGETS

Ostello Archi Rossi (carte p. 484 ; ☎ 055 29 08 04 ; www.hostelarchirossi.com ; Via Faenza 94r ; dort 18-26 € ; ⊙ fermé 2 sem en déc ; 🖳 🛜). Dans cette auberge de jeunesse toujours animée et proche de la Stazione di Santa Maria Novella, des fresques et des graffitis réalisés par les clients ornent les murs. Les dortoirs lumineux comptent entre 3 et 9 lits ; certains ne sont pas mixtes et tous ont une sdb. Machines à laver (lavage et séchage 6 €), casiers fermés à clef et accès gratuit Internet et Wi-Fi. Il n'y a pas de couvre-feu (frappez à la porte pour entrer après 2h).

Ostello Gallo d'Oro (carte p. 480 ; ☎ 055 552 29 64 ; www.ostellogallodoro.com ; 1er ét, Via Cavour 104 ; dort 27-32 €, d 70 € ; 🖳 🛜). Auberge de jeunesse très appréciée. Les dortoirs possèdent 5 lits maximum, une sdb et une TV. Trois d'entre eux ont un balcon. Accès Internet et Wi-Fi gratuit, buffet au petit déjeuner, dîner avec vin et bière offert deux soirs par semaine. Pas de couvre-feu.

CATÉGORIE MOYENNE

Hotel Consigli (carte p. 484 ; ☎ 055 21 41 72 ; www.hotelconsigli.com ; Lungarno Amerigo Vespucci 50 ; s 60-120 €, d 60-150 € ; 🅿 🛜). À une courte distance à pied de la ville, ce palais Renaissance au bord de la rivière est idéal pour les voyageurs motorisés (accès facile et parking privé). La terrasse fleurie avec chaises longues est un rêve pour observer le ciel étoilé.

Hotel Paris (carte p. 488 ; ☎ 055 280 281 ; www.parishotel.it ; Via dei Banchi 2 ; s 80-125 €, d 90-180 € ; 🅿 ⊠ 🖳 🛜). Ces deux palais du XVe siècle sont reliés au 2e étage par un passage vitré. Les chambres trois-étoiles sont dotées de hauts plafonds, les cantonnières et les têtes de lits arborent de riches tapisseries. Le petit déjeuner est servi dans une salle ornée d'un étonnant plafond peint.

♥ Hotel Santa Maria Novella (carte p. 488 ; ☎ 055 27 18 40 ; www.hotelsantamarianovella.it ; Piazza di Santa Maria Novella 1 ; d 135-200 €, ste 180-235 € ; 🅿 ⊠ 🖳 🛜). La façade neutre de cet hôtel quatre-étoiles ne laisse rien deviner des chambres spacieuses et élégantes cachées derrière. Toutes sont magnifiquement décorées, avec sdb en marbre, lits confortables, produits de toilette de l'Officina Profumo-Farmaceutica di Santa Maria Novella (p. 491) toute proche. Le petit déjeuner est somptueux et les réservations en ligne (p. 499) bénéficient de tarifs intéressants.

Hotel Scoti (carte p. 488 ; ☎ 055 29 21 28 ; www.hotelscoti.com ; Via de' Tornabuoni 7 ; s 40-75 €, d 65-125 €). Cette *pensione* coincée entre Dior, Prada et McQueen offre à la fois un bon rapport qualité/prix et un charme d'antan. Tenue avec aplomb et sourire par Doreen l'Australienne et Carmello l'Italien, elle occupe un *palazzo* du XVIe siècle situé dans la rue commerçante la plus chic de Florence. Les 11 chambres sont propres et confortables, mais le clou du spectacle est le salon orné de fresques (1780) du sol au plafond. Supplément de 5 € pour le petit déjeuner.

Quartier de San Lorenzo
PETITS BUDGETS ET CATÉGORIE MOYENNE

Academy Hostel & Lodge House (carte p. 484 ; ☎ 055 239865 ; www.academyhostel.eu ; Via Ricasoli 9 ; dort 35-42 €, lits jum avec sdb 72-86 € ; ⊠ 🖳 🛜). Des lecteurs se sont enthousiasmés pour cette petite auberge de jeunesse relativement récente, située au 1er étage d'un palais du XVIIe siècle, qui tient à prouver qu'un hébergement à prix modique n'est pas synonyme d'inconfort : les dortoirs (de 3 à 6 pers) sont lumineux et bien aménagés, avec casiers fermés et de vrais lits d'une personne. Accès Internet et Wi-Fi gratuit.

Johanna & Johlea (carte p. 484 ; ☎ 055 463 32 92 ; www.johanna.it ; s 70-120 €, d 80-170 € ; ⊠ 🛜). Ce B&B parmi les mieux établis de la ville comporte plus de 12 chambres décorées avec goût, chacune dans un style différent, et réparties dans cinq demeures historiques. Certaines sont équipées du Wi-Fi. Les suites sont d'un grand luxe.

Hotel Casci (carte p. 484 ; ☎ 055 21 16 86 ; www.hotelcasci.com ; Via Cavour 13 ; s 50-110 €, d 80-150 € ; ⊙ fermé 2 sem en jan ; 🅿 ⊠ 🖳 🛜). Établissement tenu en famille. Chambres impeccables avec TV sat à écran plat, sdb exiguës mais très propres. Le buffet du petit déjeuner est un festin et les cappuccinos énormes. Le règlement en espèces donne généralement droit à une remise de 10 à 15%.

Quartier de San Marco
CATÉGORIE MOYENNE

Hotel Morandi alla Crocetta (carte p. 484 ; ☎ 055 234 47 47 ; www.hotelmorandi.it ; Via Laura 50 ; s 70-90 €, d 90-170 € ; 🅿 ⊠ 🛜). Superbe couvent médiéval transformé en hôtel, loin de la foule. Chambres raffinées, décorées avec goût, remplies de toiles et mobilier d'époque. Quelques-unes sont agrémentées d'un jardinet, mais la plus incroyable est la n°29, une ancienne chapelle décorée de fresques.

Palazzo Alfani (carte p. 484 ; ☎ 055 29 15 74, 346 0339931 ; www.palazzoalfani.it ; Via Ricasoli 49 ; app 4 pers 120-300 €, 8 pers 240-500 € ; ⊠ 🖳). Proches de la Galleria dell'Accademia, ces 5 beaux appartements situés dans un couvent transformé en palais sont décorés de gravures originales et de sièges richement tapissés. Certains donnent sur un joli jardin intérieur.

CATÉGORIE SUPÉRIEURE

Residence Hilda (carte p. 484 ; ☎ 055 28 80 29 ; www.residencehilda.it ; Via dei Servi ; app 2 pers 200-400 €, 4 pers 300-400 ; 🛇 🖵 🛜). Le hall d'entrée ultrachic de cette résidence qui a rouvert récemment donne une idée de ce qui vous attend dans les 12 suites de l'étage. Le ménage est fait chaque jour dans ces appartements équipés de kitchenettes, de belles sdb et de lits particulièrement confortables. Les suites familiales sont parfaites si vous voyagez avec des enfants. Consultez le site pour connaître les tarifs promotionnels. On n'y sert pas de petit déjeuner.

Oltrarno
PETITS BUDGETS

Campeggio Michelangelo (carte p. 480 ; ☎ 055 681 19 77 ; www.ecvacanze.it ; Viale Michelangelo 80 ; adulte 9,30-10,60 €, voiture et tente 11,40-13 € ; 🅿 🖵). Situé près du Piazzale Michelangelo, au sud de l'Arno, c'est le camping le plus proche du centre. Vaste et plutôt bien arboré, il offre une belle vue sur la ville, comporte un café-bar et se trouve à proximité des quartiers historiques, même s'il faut grimper pour y accéder. Un randonneur peut y planter sa tente pour toute l'année (10,80 €). On peut aussi dormir dans une tente dortoir (15,50 €). Prendre le bus n°13 à la Stazione di Santa Maria Novella.

Ostello Santa Monaca (carte p. 484 ; ☎ 055 26 83 38 ; www.ostello.it ; Via Santa Monaca 6 ; dort 15-20 €, d 40-48 € ; 🖵 🛜). Proche de la Basilica di San Spirito, cet ancien couvent transformé en vaste auberge de jeunesse fonctionne en coopérative depuis les années 1960. Cuisine, laverie, coffres et accès Internet et Wi-Fi gratuit. Les dortoirs, mixtes ou non, comprennent entre 4 et 20 places et sont fermés de 10h à 14h. Couvre-feu à 2h.

Althea (carte p. 484 ; ☎ 055 233 53 41 ; www.florencealthea.it ; Via delle Caldaie 25 ; s 39-65 €, d 65-90 € ; 🛇 🖵 🛜). Les chambres de cet établissement, impeccables, offrent un bon rapport qualité/prix, mais il faut aimer le décor années 1970 très chintz et *flower power*. Sdb, réfrigérateur et ordinateur dans toutes les chambres.

CATÉGORIE MOYENNE

Hotel La Scaletta (carte p. 488 ; ☎ 055 28 30 28 ; www.hotellascaletta.it ; Via Guicciardini 13 ; s 79-94 €, d 84-109 € ; 🛇 🖵 🛜). Cet hôtel labyrinthique caché dans un palais du XVᵉ siècle près du Palazzo Pitti,

affiche un air austère. Mais les chambres sont spacieuses et l'on a la chance de prendre le petit déjeuner ou l'*aperitivo* sur le toit-terrasse donnant sur Boboli. Les chambres avec vue sur le jardin sont environ 20% plus chères.

Hotel Silla (carte p. 484 ; ☎ 055 234 28 88 ; www.hotelsilla.it ; Via dei Renai 5 ; s 90-128 €, d 75-180 € ; 🅿 🛇 🛜). Après avoir brièvement abrité le quartier général des forces alliées en 1944, cet hôtel qui fonctionne comme *pensione* depuis 1964, est installé dans un palais loin des quartiers très fréquentés, dans un des secteurs les plus verdoyants de Florence. Lorsque les arbres se dénudent en automne, certaines chambres ainsi que la terrasse jouissent d'une vue enchanteresse sur l'autre rive de l'Arno. Le reste du temps, on ne voit que du vert.

Residenza Santo Spirito (carte p. 484 ; ☎ 055 265 83 76 ; www.residenzassspirito.com ; Piazza Santo Spirito 9 ; d 90-120 € ; 🛇). Situées dans le Palazzo Guadagni (1505), sur la place la plus animée de la ville en été, ces 3 chambres sous hauts plafonds sont remarquables. La "chambre dorée", ornée de fresques, est la plus belle. La "chambre verte", qui communique avec 2 chambres doubles adjacentes, est la préférée des familles. Le petit déjeuner étant un peu cher, mieux vaut le prendre dans les cafés du quartier.

Environs de Florence
PETITS BUDGETS

Ostello Villa Camerata (carte p. 480 ; ☎ 055 60 14 51 ; firenzeaighostels@com ; Viale Augusto Righi 2-4 ; dort 20 €, d/tr/qua avec sdb 65/75/88 € ; 🅿 🖵). À 30 minutes en bus de Florence, dans une villa du XVIIIᵉ siècle entourée d'un vaste parc, cette auberge de jeunesse affiliée à HI est l'une des plus belles d'Italie. Le bus n°17 qui part de la Stazione di Santa Maria Novella s'arrête à 400 m. Les voyageurs non-membres de HI paient un supplément de 3 € par nuit. Les chambres sont fermées entre 10h et 14h.

OÙ SE RESTAURER

Ingrédients de qualité et simplicité d'exécution caractérisent la cuisine florentine. Le plat local le plus connu est la *bistecca alla fiorentina*, steak juteux dans l'aloyau enduit d'huile d'olive, passé au grill, salé, poivré et servi *al sangue* (saignant). Les *crostini* (pain grillé au pâté de foie de volaille), la *ribollita* (épaisse soupe aux légumes, au pain et aux haricots), la *pappa al pomodoro* (soupe au pain et à la tomate) et la *trippa alla fiorentina* (tripes cuisinées dans une riche sauce tomate) sont parmi les plats figurant les plus couramment au menu.

Duomo et Piazza della Signoria
PETITS BUDGETS
Oil Shoppe (carte p. 488 ; ☎ 055 200 10 92 ; www.oleum.it ; Via Sant'Egidio 22r). Faites la queue avec les étudiants devant cette échoppe où l'on vend de l'huile d'olive et des sandwichs aussi énormes que délicieux. Vous pouvez choisir votre garniture ou laisser le chef Alberto Scorzon choisir pour vous entre 10 succulentes garnitures. On fait la queue à l'arrière de la boutique pour les mets chauds et devant pour les mets froids.

'Ino (☎ 055 21 92 08 ; Via dei Georgofili 3r-7r ; panino 5-8 € ; ☺ 11h-20h lun-sam, 12h-17h dim). Ce panino en abrégé est une enseigne chic proche des Offices, où l'on vend des sandwichs. Les ingrédients d'origine locale sont cuisinés avec inventivité. Composez votre sandwich sur mesure ou choisissez une des délicieuses formules maison. On peut manger sur place en prenant un verre de vin (inclus dans le prix du sandwich), où aller pique-niquer sur les bords de l'Arno.

Cantinetta dei Verrazzano (carte p. 488 ; ☎ 055 26 85 90 ; Via dei Tavolini 18-20 ; assiette 4,50-12 €, focaccia 3-3,50 €, panino 1,70-3,90 € ; ☺ 12h-21h lun-sam). Union parfaite d'un *forno* (four de boulanger) et d'une *cantinetta* (petite cave). On y déguste des *focaccie* tout juste sorties du four, parfois à la chicorée ou aux cèpes caramélisés, qu'on marie avec un verre de Chianti (2,50-8 €) du domaine Verrazzano (p. 534). Il y a aussi des assiettes de fromage et de viande, des *panini* à la truffe ou au jambon, des salades et des *bruschette*.

I Due Fratellini (carte p. 488 ; ☎ 055 239 60 96 ; www.iduefratellini.com ; Via dei Cimatori 38r ; panino 2,50 € ; ☺ 9h-20h lun-sam, fermé ven et sam, 2ᵉ moitié juin et août). Véritable légende depuis 1875, cette petite gargote propose des *panini* – à la tomate séchée et au fromage de chèvre sauvage, au salami de sanglier, au *pecorino* (fromage de brebis) truffé et à la roquette, etc. – à la demande. Accompagnés d'un verre de vin, c'est le repas sur le pouce idéal.

La Canova di Gustavino (carte p. 488 ; ☎ 055 239 98 06 ; Via della Condotta 29r ; repas 24 € ; ☺ 12h-24h). La salle à manger située à l'arrière de cette pittoresque *enoteca* (bar à vin) est décorée de bouteilles de vins toscans, parfaits pour accompagner un bol de soupe, un plat de pâtes ou un plat roboratif. On y pratique surtout une cuisine toscane classique – *ribollita, trippa alla fiorentina, baccalà alla livornese* (morue à la sauce tomate), mais vous pouvez aussi commander une simple assiette de fromage et de viande ou une *bruschetta*.

Coquinarius (carte p. 488 ; ☎ 055 230 21 53 ; www. coquinarius.com ; Via delle Oche 15r ; repas 32 € ; ☺ 12h-22h30). Niché à l'ombre du Duomo, ce bar à vin est très prisé des touristes, qui aiment son décor au chic décontracté et son atmosphère accueillante. La carte comprend aussi bien des salades et des *crostini* (avec un large choix pour les deux) qu'une impressionnante gamme de pâtes – goûtez les raviolis au fromage et à la poire, qui méritent bien leur célébrité. Réservation indispensable.

Santa Maria Novella
CATÉGORIE MOYENNE
Osteria dei Centopoveri (carte p. 484 ; ☎ 055 21 88 46 ; Via Palazzuolo 31r ; repas 32 €, menu 28 € ; ☺ déj et dîner). L'"Auberge des Cent Pauvres" n'a rien d'une soupe populaire. Au contraire, c'est un restaurant moderne qui revisite avec créativité la cuisine toscane traditionnelle. Les pizzas sont bonnes, les pâtes excellentes (les *lasagnette* aux cèpes frais sont délicieuses) et les plats du jour variés.

Il Latini (carte p. 488 ; ☎ 055 21 09 16 ; www.illatini. com ; Via dei Palchetti 6r ; repas 42 € ; ☺ déj et dîner mar-dim) Dans ce restaurant fréquenté par les Florentins, vous pouvez soit demander la carte (on ne la propose pas forcément aux touristes), soit vous en remettre aux serveurs volubiles pour déguster un assortiment d'*antipasti* composé de *crostini* fondants et de viandes toscanes, suivi d'une assiette de pâtes avec une belle portion de viande rôtie – lapin, agneau, poulet ou veau accompagné de haricots blancs (le lapin est particulièrement bon). Avec un peu de chance, vous aurez peut-être droit à des *cantuccini* (biscuits) et un verre de *moscato* (vin doux) au moment de l'addition. Il y a deux services le soir (19h30 et 21h), on prend place autour de grandes tables et il est impératif de réserver.

❑ L'Osteria di Giovanni (carte p. 488 ; ☎ 055 28 48 97 ; Via del Moro 22 ; repas 49 € ; ☺ déj et dîner mer-lun) Un épatant restaurant de quartier où tout est délicieux et accessible à presque toutes les bourses. La plupart des clients choisissent l'*antipasto* maison (assiette garnie de salami, *ricotta* fraîche et *crostini* au pâté de foie), le *lardo* (lard mariné), suivi d'un plat de pâtes maison (parfois aux cèpes et à la truffe noire), d'une côte de veau de lait aux tomates cerises rôties ou d'une sensationnelle *bistecca alla fiorentina*. Prenez les suggestions du jour, surtout au dessert.

CATÉGORIE SUPÉRIEURE
Cantinetta Antinori (carte p. 488 ; ☎ 055 29 22 34 ; Via de' Tornabuoni 7 ; repas 60 € ; ☺ déj et dîner lun-ven)

Ce bar à vin a été créé dans les années 1960 par la plus célèbre dynastie vinicole de la ville (www.antinori.it). Aménagé dans un palais datant de 1502, c'est un endroit *molto simpatico* pour déguster des vins fins sur des spécialités culinaires toscanes. On peut prendre un verre de vin au bar (les Solaia et Marchese Antinori Chianti Classico DOCG Riserva, où domine le Cabernet Sauvignon, sont très réputés) avec un plat de pâtes, ou s'installer à une table pour manger à la carte, limitée mais alléchante.

San Lorenzo
PETITS BUDGETS

Nerbone (carte p. 484 ; ☎ 055 21 99 49 ; Mercato Centrale, Piazza del Mercato Centrale ; primi/secondi 4/7 € ; ⏱ 7h-14h lun-sam). Cet étal de marché sans prétention vend ses plats rustiques à des files d'affamés depuis 1872. L'endroit idéal pour goûter des spécialités roboratives locales comme la *trippa alla fiorentina* ou les *panini con bollito* (garnis de bœuf bouilli).

Trattoria Mario (carte p. 484 ; ☎ 055 21 85 50 ; www.trattoriamario.com ; Via Rosina 2 ; repas 22 € ; ⏱ 12h-15h30 lun-sam, fermé 3 sem en août). Bien qu'il figure dans tous les guides, ce restaurant bondé n'a pas perdu son âme locale. Tenu en famille depuis son ouverture en 1953, il s'approvisionne au Mercato Centrale tout proche et propose des plats savoureux et bon marché concoctés avec adresse et en un rien de temps. Arrivez à midi pile pour avoir un tabouret (les tables sont communes). N'accepte pas les cartes bancaires.

CATÉGORIE MOYENNE

Ristorante Le Fonticine (carte p. 484 ; ☎ 055 28 21 06 ; www.lefonticine.com ; Via Nazionale 79r ; repas 37 € ; ⏱ déj et dîner mar-sam). Ce restaurant porte le nom de la fontaine créée au XVIe siècle par Luca della Robbia qui se trouve juste à droite de l'entrée. Les nappes à carreaux, les tableaux accrochés aux murs, les chariots à dessert et même les serveurs n'ont pas changé depuis son ouverture en 1959. La carte, immense, propose d'excellentes pâtes maison et la meilleure *crema di mascarpone* de Florence.

San Marco
PETITS BUDGETS

La Mescita (carte p. 484 ; Via degli Alfani 70r ; assiette 4-7 €, panini 1,60-3,50 € ; ⏱ 10h30-16h lun-sam, fermé août). Mi-bar à vin, mi-*fiaschetteria* (débit de vin), cet établissement (ouvert depuis 1927) sert

des spécialités toscanes comme les *maccheroni* à la saucisse et l'*insalata di farro* (salade d'épeautre). Les buveurs s'accoudent à toute heure au vieux bar recouvert de marbre, où l'on déguste de délicieux *panini* et *crostini* avec un verre de Chianti.

CATÉGORIE MOYENNE

Accademia Ristorante (carte p. 484 ; ☎ 055 21 73 43 ; www.ristoranteaccademia.it ; Piazza San Marco 7r ; repas 32 € ; ⏱ déj et dîner). Il n'y a guère de bons restaurants dans ce secteur. C'est pourquoi cette adresse tenue en famille est toujours bondée, d'autant que le personnel est accueillant, le décor pimpant et la cuisine toujours savoureuse. Le menu comprenant un *antipasto toscano*, un *raviolo* aux cèpes ou aux truffes, des spaghettis à la sauce épicée et une *bistecca alla fiorentina* avec des pommes rissolées au four (30 €) offre un excellent rapport qualité/prix.

Santa Croce
PETITS BUDGETS

Il Pizzaiuolo (carte p. 484 ; ☎ 055 24 11 71 ; Via dei Macci 113r ; pizzas 5-10 €, pâtes 6,50-12 € ; ⏱ déj et dîner lun-sam, fermé août). La jeunesse florentine, qui aime à prendre un verre sur la Piazza Sant'Ambrogio toute proche, pousse souvent jusqu'à cette pizzeria pour croquer dans une napolitaine tout juste sortie du four. La simplicité est le maître mot de la spécialité maison (tout comme celui de l'enseigne), la pizza *Margherita* (tomate, mozzarella, origan). Il est impératif de réserver le soir (et souvent, il faut quand même faire la queue).

TOP 5 DES GELATERIE

Les Florentins prennent le *gelato* très au sérieux. Une saine rivalité anime les *gelaterie artigianale* (fabricants de *gelati* artisanaux). C'est à qui créera le plus parfumé et le plus frais, les arômes variant en fonction des fruits de saison. Un petit/moyen/grand/maxi *gelato* coûte environ 2/3/4/5 €. Après des recherches approfondies sur le terrain, voici notre sélection :

- **Carabé** (carte p. 484 ; www.gelatocarabe.com ; Via Ricasoli 60r ; 🕑 10h-24h, fermé mi-déc à mi-jan). *Gelato* traditionnel, *granita* (sorbet) et *brioche* (sandwich à la glace sicilien).

- **Gelateria dei Neri** (carte p. 488 ; Via de' Neri 22r ; 🕑 9h-24h). Le *gelato semifreddo* est moins cher que chez les concurrents. Réputé pour ses parfums noix de coco, gorgonzola, ricotta et figue.

- **Gelateria Vivoli** (carte p. 488 ; Via Isola delle Stinche 7 ; 🕑 9h-1h mar-sam). Choisissez parmi de très nombreux parfums (pistache et chocolat-orange sont largement plebiscités) et allez déguster sur la place en face. Glace en pot uniquement.

- **Grom** (carte p. 488 ; www.grom.it ; angle Via del Campanile et Via delle Oche ; 🕑 10h30-11h, 10h30-24h avr-sept). Nouvelle étoile dans le firmament florentin. Parfums exquis et nombreux ingrédients bio.

- **Vestri** (carte p. 484 ; www.vestri.it ; Borgo degli Albizi 11r ; 🕑 10h30-20h lun-sam). Spécialisé dans le chocolat (chocolat blanc, chocolat poivré…) ou essayez la glace aux fraises des bois.

CATÉGORIE MOYENNE

Ristorante del Fagioli (carte p. 484 ; ☎ 055 24 42 85 ; Corso Tintori 47r ; repas 25 € ; 🕑 déj et dîner lun-ven). Ce restaurant Slow Food très apprécié et proche de la Basilica di Santa Croce est l'archétype de la trattoria toscane. On y sert depuis 1966 des haricots, des soupes et des viandes rôties à une clientèle de quartier reconnaissante. Goûtez le porc rôti au four, une des soupes ou les *involtini di Gigi* (tranches de bœuf panées fourrées au fromage, au jambon et aux artichauts). N'accepte pas les cartes bancaires.

Antico Noè (carte p. 484 ; ☎ 055 234 08 38 ; Volta di San Piero 6r ; repas 26 € ; 🕑 12h-24h lun-sam). Ne soyez pas rebuté par la ruelle froide, humide et fruste où se trouve cet établissement légendaire (une ancienne boucherie aux murs tapissés de marbre et de crochets en métal). Les ivrognes qui traînent dehors sont généralement inoffensifs et la cuisine toscane toute simple servie dans cette *osteria* (bar à vin où l'on mange) est un régal. Pour un repas sur le pouce, choisissez parmi les 18 sortes de *panini* (2,50-5 €) originaux servis dans la *fiaschetteria* adjacente. Cartes bancaires non acceptées.

Caffè Italiano Sud (carte p. 484 ; ☎ 055 28 93 68 ; Via della Vigna Vecchia ; repas 30 € ; 🕑 7h30-11h mar-dim). Le chef Umberto Montano, inspiré par le sud de l'Italie, insuffle une bouffée d'air frais sur une cuisine locale un peu introvertie. Ses pâtes maison – notamment d'originales spécialités des Pouilles, sa région natale – et autres plats typiques du Sud sont à déguster sur place ou à emporter. Nombreux plats végétariens également (chose rare dans cette région carnivore) et des pizzas provenant de la pizzeria Osteria del Caffè Italiano.

Trattoria Cibrèo (carte p. 484 ; Via dei Macci 122r ; repas 30 € ; 🕑 12h50-14h30 et 18h50-23h15 mar-sam sept-juil). Allez y dîner, et vous comprendrez pourquoi on fait la queue devant tous les soirs avant l'ouverture. La cuisine toscane y est de premier ordre et le service stylé. Il faut arriver avant 19h pour s'approprier une des 8 tables. Attention, l'établissement ne prend pas de réservation, n'accepte pas les cartes bancaires et ne sert ni pâtes, ni café.

Ristorante Cibrèo (☎ 055 234 11 00 ; Via del Verrocchio 8r ; repas 85 € ; 🕑 13h-14h30 et 19h-24h mar-sam sept-juil). Voisin immédiat de la Trattoria Cibrèo, c'est une des meilleures tables de Florence et les prix sont à l'avenant.

Osteria del Caffè Italiano (carte p. 488 ; ☎ 055 28 90 20 ; www.caffeitaliano.it ; Via dell'Isola delle Stinche 11-13r ; repas 42 €, menu 5 plats 50 € ; 🕑 déj et dîner mar-dim). Le menu est sans surprise : rien que des classiques tout simples comme la mozzarella au jambon de Parme, les raviolis à la ricotta et au *cavolo nero* (chou rouge) et de succulentes brochettes de viande. Lors de nos dernières visites, le service était particulièrement déplorable. Il reste toutefois agréable de dîner dans cette *osteria* à l'ancienne, située au rez-de-chaussée du Palazzo Salviati (XIVe siècle). C'est une bonne adresse pour goûter la fameuse *bistecca alla fiorentina* (50 € le kg).

Située juste à côté, la Pizzeria del Caffè Italiano possède une salle toute simple et un choix de 3 pizzas : Margherita, Napoli et Marinara.

Oltrarno

Pour goûter un autre côté de Florence, traversez l'Arno et foncez vers le secteur animé de la Piazza Santo Spirito. Quelques bonnes adresses vous attendent aussi dans le quartier voisin de San Frediano.

PETITS BUDGETS

Pop Café (carte p. 484 ; ☎ 055 21 38 52 ; www.popcafe.net ; Piazza Santo Spirito 18r ; repas 28 € ; ✆ 12h30-2h sept-juil). Ce restaurant de poche est le repaire des étudiants florentins. Choisissez entre le petit déjeuner survitaminé, le buffet végétarien du déjeuner (6-8 €) ou le brunch dominical (8 €, de 12h30 à 15h). Le Pop propose aussi un *aperitivo* buffet entièrement végétarien entre 19h30 et 21h30.

Trattoria La Casalinga (carte p. 484 ; ☎ 055 21 86 24 ; Via de' Michelozzi 9r ; repas 20 € ; ✆ déj et dîner lun-sam). Tenu en famille et apprécié de la clientèle locale, cet établissement sans prétention est toujours plein et c'est une des trattorias les moins chères de la ville. Après avoir fait la queue comme tout le monde, vous aurez le plaisir de déguster un bon plat du terroir comme le *bollito misto con salsa verde* (mélange de viandes bouillies à la sauce verte).

CATÉGORIE MOYENNE

Olio & Convivium (carte p. 484 ; ☎ 055 265 81 98 ; www.conviviumfirenze.it ; Via di Santo Spirito 4 ; repas 37 € ; ✆ 10h-15h lun, 10h-15h et 17h30-22h30 mar-sam). Une adresse incontournable lors de tout séjour gastronomique. Vos papilles se réjouiront à la vue des jambons, conserves de truffes, meules de fromage, pains artisanaux et autres produits fins vendus dans cette boutique. On peut acheter des sandwichs à emporter ou commander l'intéressant menu du déjeuner à 15 € (assiette froide, eau, vin, dessert). Un menu plus sophistiqué est proposé le soir.

Ristorante Il Guscio (carte p. 484 ; ☎ 055 22 44 21 ; Via dell'Orto 49 ; repas 39 € ; ✆ déj et dîner lun-ven, dîner sam). Cette excellente table tenue en famille dans le quartier de San Frediano était autrefois connue des seuls initiés, mais la réputation de sa cuisine exceptionnelle s'est répandue. Viandes et poissons se partagent la tête d'affiche, avec des morceaux de bravoure comme la soupe de haricots blancs aux crevettes et au poisson, et le superbe filet de pintade au vinaigre balsamique. La formule déjeuner (plat du jour, eau, vin et café) coûte seulement 12 €.

Faire son marché

Voici quelques adresses pour ceux qui désirent préparer eux-mêmes leurs repas.

Mercato Centrale (carte p. 484 ; Piazza del Mercato Centrale ; ✆ 7h-14h lun-ven, 7h-17h sam). Marché central installé sous une verrière datant de 1874.

Mercato di Sant'Ambrogio (carte p. 484 ; Piazza Sant'Ambrogio ; ✆ 7h-14h lun-sam). Marché en plein air intime et très couleur locale.

Enoteca Vitae (carte p. 484 ; ☎ 055 246 65 03 ; vitae@email.it ; Borgo la Croce 75r ; ✆ 9h-13h et 16h-20h30 lun-sam). Remplissez vos bouteilles à partir de 2 € le litre de vin dans cette boutique proche du Mercato di Sant'Ambrogio.

OÙ PRENDRE UN VERRE
Cafés

Caffè Cibrèo (carte p. 484 ; ☎ 055 234 58 53 ; Via del Verrochio 5r ; ✆ 8h-1h mar-sam sept-juil). Idéal pour prendre un café et une *ciambella* (beignet en couronne) dans la matinée après avoir fait ses courses au Mercato di Sant'Ambrogio. On y sert à déjeuner (entre 13h et 14h30) des repas légers qui méritent amplement leur succès.

Caffè Giacosa (carte p. 488 ; ☎ 055 21 16 56 ; Via della Spada 10r). Propriété du couturier florentin Roberto Cavalli, dont la boutique principale se trouve juste à côté, ce café très chic propose du bon café, des *panini* et des pâtisseries. Attendez-vous à ce que l'élégante clientèle détaille votre tenue.

Chiaroscuro (carte p. 488 ; ☎ 055 21 42 47 ; www.chiaroscuro.it ; Via del Corso 36r ; ✆ 7h30-21h30). Adresse décontractée et cosmopolite où l'on sert un excellent café.

La Terrazza (carte p. 488 ; Piazza della Repubblica 1 ; ✆ 10h-21h lun-sam, 10h30-20h dim). Vue plongeante sur le Duomo et la Piazza della Repubblica depuis ce café situé au dernier étage du grand magasin Rinascente.

Robiglio (carte p. 484 ; ☎ 055 21 45 01 ; www.robiglio.it ; Via de' Servi 112r ; ✆ 7h30-19h30 lun-sam, fermé 3 sem en août). Bien situé près de la Galleria dell'Accademia et la Piazza della Santissima Annunziata, ce café est réputé pour son élégance désuète et ses délicieuses pâtisseries.

Bars

Comme la plupart des grandes villes italiennes, Florence a embrassé la mode de l'*aperitivo*. Aussi la plupart des bars ci-après proposent-ils un buffet ou une assiette pour le prix d'une boisson entre 19h et 21h.

Casa del Vino (carte p. 484 ; ☎ 055 21 56 09 ; www.casadelvino.it ; Via dell'Ariento 16r ; ✆ 9h30-16h lun-sam, fermé août). Cette *enoteca* proche du marché San Lorenzo propose une belle gamme de vins au verre ainsi que des *panini* et *crostini* rustiques

TOSCANE

TOP 5 DES CAFÉS HISTORIQUES

La Piazza della Signoria et la Piazza della Repubblica sont les bastions de l'esprit café à Florence. Détail important : dans ces cafés, les tarifs sont nettement moins élevés au bar. Si vous prenez une table, le prix de la consommation est multiplié par trois au quatre (seule exception, le Procacci, où tout le monde commande au bar et où les tables sont rares).

- **Caffè Concerto Paszkowski** (carte p. 488 ; ☎ 055 21 02 36 ; www.paszkowski.com ; Piazza della Repubblica 31-35r ; ☽ 7h-2h mar-dim). Fondée en 1846, cette ancienne brasserie donnant sur le marché aux poissons est une institution. Longtemps fréquenté par le milieu littéraire, elle attire aujourd'hui les clients grâce à ses excellentes pâtisseries et à son ambiance piano live.

- **Giubbe Rosse** (carte p. 488 ; ☎ 055 21 22 80 ; Piazza della Repubblica 3-14r ; plat 15 € ; ☽ 8h-2h tlj). Au début du XXᵉ siècle, les purs et durs du mouvement artistique futuriste s'y réunissaient pour débattre autour d'un verre. Le café est bon, mais les pâtisseries décevantes.

- **Caffè Gilli** (carte p. 488 ; ☎ 055 21 38 96 ; Piazza della Repubblica 3r ; ☽ 8h-1h mer-lun). Avec ses exquises pâtisseries, son excellent café et son décor Art nouveau, ce café est le meilleur de la Piazza della Repubblica. Les *millefoglie* (mille-feuilles) et les tartelettes aux fruits sont incomparables.

- **Rivoire** (carte p. 488 ; ☎ 055 21 44 12 ; Piazza della Signoria 4r ; ☽ 8h-24h mar-dim). On peut observer les passants depuis la terrasse face au Palazzo Vecchio. Touristes et habitants occupent les lieux depuis 1872, année où Enrico Rivoire quitta le service des ducs de Savoie pour séduire les Florentins par ses délicieuses créations chocolatées. Allez-y à l'heure du café ou de l'*aperitivo*.

- **Procacci** (carte p. 488 ; ☎ 055 21 16 56 ; Via de' Tornabuoni 64r ; ☽ 10h-20h lun-sam). C'est le dernier bastion de la Florence raffinée d'autrefois sur la Via de' Tornabuoni. Ce petit café fondé en 1885 en face de la pharmacie anglaise sert également à manger, notamment des spécialités à la truffe. Les *panini tartufati* (petits pâtés en croûte à la truffe, 1,80 €), pas plus grands qu'une bouchée, s'imposent, idéalement accompagnés d'un verre de *prosecco* (4,50 €).

pour accompagner votre dégustation. On peut manger debout où tenter de se glisser sur un coin de banc.

Colle Bereto (carte p. 488 ; ☎ 055 28 31 56 ; Piazza Strozzi 5r ; ☽ 8h-24h lun-sam été, 8h-21h hiver). Les grosses lunettes noires sont de rigueur dans ce bar branché où les fashionistas prennent la pose sur la belle terrasse en bois. À l'intérieur, les néons vert pomme et les chaises Kartell transparentes fleurent bon le design. Ce bar appartient à un viticulteur du Chianti, le vin est la boisson qui s'impose.

JJ Cathedral Pub (carte p. 488 ; ☎ 055 265 68 92 ; www. jjcathedral.com ; Piazza San Giovanni 4r ; ☽ 10h-2h30 ; ☏). Le JJ attire comme un aimant les étudiants en vacances, qui viennent prendre une bière en admirant la vue sur le Duomo. Essayez d'obtenir la table située sur le balcon à l'étage.

La Dolce Vita (carte p. 484 ; ☎ 055 28 45 95 ; www. dolcevitaflorence.com ; Piazza del Carmine 6r ; ☽ 17h-2h mar-dim, fermé 2 sem en août). Jazz ou musique brésilienne live mettent l'ambiance pendant les *aperitivi* les mercredis et jeudis, sur la terrasse de ce bar fréquenté. À l'intérieur, l'atmosphère est plus intime et le décor design, avec des expositions temporaires.

☉ **Le Volpe e L'uva** (carte p. 484 ; ☎ 055 239 81 32 ; Piazza dei Rossi 1 ; ☽ 11h-21h lun-sam). Le meilleur bar à vin de Florence. Situé juste au bout du Ponte Vecchio, cet endroit intime propose une impressionnante carte de vins au verre et une délicieuse gamme d'*antipasti* à déguster, avec notamment un succulent *prosciutto di Parma*, des *crostini* au lard mariné et des fromages toscans raffinés. Il y a une toute petite terrasse et quelques tabourets de bar.

Moyo (carte p. 484 ; ☎ 055 247 97 38 ; www.moyo.it ; Via de' Benci 23r ; ☽ 18h-2h ; ☏). Ce bar connaît un grand succès auprès des étudiants fêtards. Outre les boissons, on y sert aussi des petits déjeuners à l'américaine et des repas légers au déjeuner. À l'heure de l'*aperitivo*, la terrasse est souvent pleine. Accès Wi-Fi gratuit.

Negroni (carte p. 484 ; ☎ 055 243 64 47 ; www.negronibar. com ; Via dei Renai 17r ; ☽ 8h-2h lun-sam, 18h30-2h dim). On y boit de fameux cocktails, notamment celui qui porte le nom de l'enseigne, à base de gin, vermouth doux et Campari, qui aurait été inventé ici. L'*ethnic aperimundo* (apéritif buffet avec des mets des quatre coins du monde) attire une nombreuse clientèle locale.

Plasma (carte p. 480 ; ☎ 055 051 69 26 ; www. virtualplasma.it ; Piazza Ferrucci 1r ; ⏱ 19h-2h mer-dim). Dans ce bar minimaliste éclairé par des fibres optiques, des branchés sirotent des cocktails au niveau 0 et regardent des vidéos artistiques projetées sur un écran plasma 42 pouces au niveau 1. Les DJ officient tard dans la nuit. Une adresse qui vaut la marche le long du Lungarno.

Mayday Club (carte p. 488 ; ☎ 055 238 12 90 ; www. maydayclub.it ; Via Dante Alighieri 16r ; ⏱ 20h-2h lun-sam, fermé août). Plus qu'un bar, ce lieu alternatif se vante d'être "un laboratoire et un lieu de rencontre où il devient possible de communiquer et d'entrer en interaction avec des gens à l'esprit ouvert venus d'autres horizons" – nous nous demandons si tout le monde vient de la même planète. Il y a des expositions, de bons cocktails et un décor éclectique.

Rex Caffè (carte p. 484 ; ☎ 055 248 03 31 ; Via Fiesolana 23r ; ⏱ 18h-2h30 sept-mai). Décor tape-à-l'œil, musique funky et cocktails préparés avec maestria font de ce bar à l'américaine une adresse prisée depuis longtemps.

Sei Divino (carte p. 484 ; ☎ 055 21 77 91 ; Borgo Ognissanti 42r ; ⏱ 8h-2h ; 🛜). Ce bar est réputé à la fois pour son excellent vin, son ambiance, sa musique, ses DJ, ses projections vidéo, son accès Wi-Fi, ses déjeuners sans chichis et son buffet à l'apéritif. C'est dans la rue qu'il y a le plus d'animation.

Slowly Café (carte p. 488 ; ☎ 055 264 53 54 ; slowlycafe.com ; Via Porta Rossa 63r ; ⏱ 21h-3h lun-sam, fermé août). Endroit chic qui tantinet prétentieux, réputé pour ses cocktails décorés de fruits et ses séducteurs florentins. La musique d'ambiance façon Ibiza domine le fond sonore.

OÙ SORTIR

Le mensuel *Firenze Spettacolo* (1,80 € ; www.firenzespettacolo.it), en vente dans les kiosques, est la référence. Plusieurs publications gratuites, dont *The Florentine* (www. theflorentine.net), *Informacittà Toscana 24ore* et *Florence Tuscany News* (www.in formacittafirenze.it), répertorient aussi les spectacles et autres manifestations. Vous pouvez également consulter les programmes de l'édition florentine de *La Repubblica*.

Les places pour de nombreux spectacles s'achètent à **Box Office** (carte p. 484 ; ☎ 055 21 08 04 ; www.boxol.it ; Via Luigi Alamanni 39 ; ⏱ 10h-19h30 mar-ven, 15h30-19h30 lun), dans le centre, ou chez **Ticket One** (www.ticketone.it).

Musique live

La plupart des salles de concerts sont excentrées et beaucoup font relâche en juillet et/ou en août.

Loonees (carte p. 488 ; ☎ 333 1335330 ; www.loonees. it ; Via Porta Rossa 15 ; entrée libre ; ⏱ 21h-3h lun-sam, fermé août). Très fréquenté par les étudiants étrangers de Florence, ce club en sous-sol programme des groupes live et diffuse du reggae, du blues et du rock.

Caruso Jazz Café (carte p. 488 ; ☎ 055 267 02 07 ; www. carusojazzcafe.com ; Via Lambertesca 14-16r ; ⏱ 9h30-15h30 et 18h-24h lun-sam). Bar très fréquenté avec jazz live les jeudis et vendredis soir.

Jazz Club (carte p. 484 ; ☎ 055 247 97 00 ; www.jazzclub firenze.com ; Via Nuovo de' Caccini 3 ; adhésion 8,50 € ; ⏱ 21h-2h lun-ven, 21h-3h sam, fermé juil-août). Des groupes de jazz s'y produisent du mardi au samedi. Le lundi, jam-session ouverte à tous.

Tenax (hors carte p. 480 ; ☎ 055 30 81 60 ; www.tenax. org ; Via Pratese 46 ; tarifs variables ; ⏱ 22h-4h mar-dim oct-avr). Situé au nord-ouest de Florence, c'est à la fois la plus grande scène pour les groupes et une discothèque de house music ; consulter le site pour plus de détails. Prendre les bus n°29 ou 30 à la Stazione di Santa Maria Novella.

Clubs et discothèques

La sage Florence s'arrête de danser l'été : à l'exception du Central Park et du Meccano, qui disposent de pistes en plein air, la plupart des discothèques ferment de juin à septembre. Le prix de l'entrée est souvent plus élevé pour les hommes que pour les femmes, et l'entrée est parfois gratuite si vous arrivez tôt (entre 21h30 et 23h).

Central Park (carte p. 480 ; ☎ 380 344 49 56 ; Via Fosso Macinante 1 ; tarifs variables ; 23h-4h mar-sam). Cinq pistes dans le Parco delle Cascine pour s'agiter sur toutes sortes de musiques (latino, pop, house, drum'n' bass). De célèbres DJ d'Ibiza se sont déjà produits ici. On danse dehors à partir du mois de mai.

Disco Club YAB (plan p. 488 ; ☎ 055 215160 ; www. yab.it ; Via de' Sassetti 5r ; entrée libre lun, mar et jeu, 15 € avec 1 boisson ven-sam ; ⏱ 21h-4h, fermé juin-sept). Le "You Are Beautiful" fonctionne depuis les années 1970 et remporte toujours le même succès auprès des étudiants florentins ou étrangers. Le lundi est la soirée hip-hop/R&B la plus chaude de la ville, et l'établissement est toujours bondé le samedi.

Meccanò Club (carte p. 480 ; ☎ 380 344 49 56 ; Viale degli Olmi 1 ; tarifs variables ; ⏱ 23h-5h mar-sam). L'autre grande boîte de Florence, également dans le parc municipal, attire une clientèle jeune sur ses trois pistes, ciblées house, funk et tubes du moment.

Tabasco Disco Gay (carte p. 488 ; ☎ 055 21 30 00 ; www.tabascogay.it ; Piazza Santa Cecilia 3 ; ☺ 22h30-tard mar-dim). le club gay le plus couru de la ville. Toujours en vogue après plusieurs décennies, il accepte les clients des deux sexes.

Cinémas
Rares sont les cinémas à présenter des films sous-titrés (*versione originale*). L'**Odeon Cinehall** (carte p. 488 ; ☎ 055 29 50 51 ; www.cinehall.it ; Piazza Strozzi 2), dans le centre-ville, fait exception à la règle.

Théâtre, musique classique et danse
Au mois de juillet se déroule le festival Firenze Classica, lors duquel le très réputé **Orchestra da Camera Toscana** (www.orcafi.it) de Florence joue dans le beau cadre de l'Oratorio di San Michele a Castello et du Palazzo Strozzi (p. 483). D'avril à octobre, il se produit à la Chiesa di Orsanmichele (p. 482) et dans la cour du Museo del Bargello (p. 490).

Teatro del Maggio Musicale Fiorentino (carte p. 484 ; renseignements et réservations par carte bancaire ☎ 055 27 93 50, réservations ☎ 055 28 72 22 ; www.maggiofiorentino. com ; Corso Italia 16). Ce joli théâtre, qui accueille entre fin avril et juin le festival international de musique **Maggio Musicale Fiorentino** (www. maggiofiorentino.com), programme des opéras, des concerts classiques et des ballets.

Teatro Verdi (carte p. 488 ; ☎ 055 21 23 20 ; www. teatroverdifirenze.it ; Via Ghibellina 99). Théâtre, opéra, concerts et danse.

Teatro della Pergola (carte p. 488 ; ☎ 055 2 26 41 ; www.teatrodellapergola.com ; Via della Pergola 18). Le beau théâtre municipal, doté d'une entrée

magnifique, accueille d'octobre à avril des concerts classiques organisés par les **Amici della Musica** (☎ 055 60 74 40 ; www.amicimusica.fi.it).

ACHATS
Si les souvenirs kitsch fabriqués en série sont omniprésents, les acheteurs sérieux n'auront aucun mal à trouver les articles de maroquinerie de bonne qualité, les bijoux, le linge de maison brodé main, les vêtements de marque, les produits phytopharmarceutiques naturels, le papier fabriqué à la main, les vins et produits d'épicerie fine qui font la réputation de Florence.

Vous trouverez sur le site www.florenceart-fashion.com (en italien et en anglais) un guide utile et bien renseigné des ateliers de couture élaboré par le Service du tourisme et de la mode de la ville de Florence. Il répertorie boutiques de mode (homme, femme et enfant), bijouteries, chausseurs, boutiques de vêtements en cuir, de textile et fabricants de parfum ; on peut se situer sur une carte et trouver dans la rubrique "news" les références des visites guidées gratuites.

Mode
Les boutiques de créateurs sont regroupées Via de' Tornabuoni, Via della Vigna Nuova et Via Strozzi. Vous trouverez aussi de nombreuses adresses où sortir de votre portefeuille espèces ou carte bancaire Via Roma, Via de' Calzaiuoli, Via Porta Rossa et Via Por Santa Maria.

L'office du tourisme fournit la liste des boutiques de créateurs vendant les collections de l'année précédente à prix réduits, comme **The Mall** (☎ 055 865 77 75 ; www.themall.it ; Via Europa 8, Leccio ; ☺ 10h-19h), à 35 km de Florence, ou le **Barberino Designer Outlet** (☎ 055 84 21 61 ; www.barberino.mcarthur-

---

BRAVO, BRAVISSIMO !

Créé dans un ancien théâtre par le fameux chef florentin Fabio Picchi et sa non moins célèbre épouse, l'actrice comique Maria Cassi, le **Teatro del Sale** (carte p. 484 ; ☎ 055 200 14 92 ; www.teatrodelsale.com ; Via dei Macci 111r ; petit-déj/déj/dîner 7/20/30 € ; ☺ 9h-11h, 12h30-14h15 et 19h-23h mar-sam sept-juil) mérite tous nos applaudissements. À la fois restaurant et salle de théâtre, cet établissement réserve des moments fabuleux à un prix défiant toute concurrence. Commencez par adhérer au club (cotisation annuelle 5 €), puis installez-vous dans un fauteuil en cuir au milieu des rayonnages et des boiseries de la bibliothèque, à moins que vous ne préfériez un siège de metteur en scène et une table pliante dans le vaste espace scénographique. Servez-vous en eau, vin et *antipasti*, puis attendez que le chef vous crie à travers le passe-plats le nom de ce qui mijote en cuisine. Faites alors la queue pour les *primi* et *secondi*. Les *dolce* (douceurs) et le café sont également servis sous forme de buffet. Le déjeuner est tout simple. Le dîner, lui, se poursuit par un spectacle (réservation nécessaire) à 21h30 : débarrassez votre table, installez votre chaise et ne perdez pas une miette de ce qui se passe sur la scène.

TOSCANE

glen.it ; A1 Florence-Bologna ; 🕐 10h-20h mar-ven, 10h-21h sam-dim, 14h-20h lun jan, juin-sept et déc), à Barberino di Mugello, à 40 km au nord de Florence.

Des bus à destination du Mall (3,10 €, 4/jour en semaine, 2/jour le week-end) partent de la gare routière SITA. Consultez l'horaire pour vous renseigner sur les horaires de retour (12h45 et 19h05 tlj, plus 16h du lundi au samedi). Pour se rendre à Barberino, une navette de la boutique (aller-retour 12 €) part de la Fortezza da Basso et de la Piazza Stazione à Florence tous les jours à 10h, et quitte Barberino à 13h30 au retour.

Marchés

Un marché à la brocante/aux puces se tient sur la Piazza Santo Spirito de 8h à 18h le 2e dimanche du mois. Il est remplacé par un marché de produits gastronomique, vins et cadeaux de fabrication locale le troisième dimanche du mois.

Mercato de San Lorenzo (plan p. 484 ; Piazza San Lorenzo ; 🕐 9h-19h lun-sam). Cuir, vêtements, bijoux de qualité variable, sur et autour de la Piazza San Lorenzo.

Mercato dei Pulci (plan p. 484 ; Piazza dei Ciompi ; 🕐 9h-19h lun-sam). Marché aux puces.

Mercato Nuovo (plan p. 488 ; Loggia Mercato Nuovo ; 🕐 8h30-19h lun-sam). Produits kitsch pour touristes et articles en cuir.

Boutiques spécialisées

Pour la maroquinerie, les vêtements en cuir et les chaussures, rien ne vaut la Via de' Gondi et le Borgo de' Greci, ainsi que les marchés, ou encore la **Scuola del Cuoio**, qui jouxte la Basilica di Santa Croce (voir p. 484).

Pour les articles en papier, allez chez **Pineider** (carte p. 488 ; 🕿 055 28 46 55 ; www.pineirder.com ; Piazza della Signoria 13-14r) ou **Alberto Cozzi** (carte p. 488 ; 🕿 055 29 49 68 ; Via del Parione 35r ; 🕐 lun-ven).

Pour les bijoux, faites un tour chez **Alessandro Dari** (carte p. 484 ; 🕿 055 24 47 47 ; www.alessandrodari.com ; Via San Niccolò 115r), et pour les produits phytopharmaceutiques et parfums naturels rendez-vous à l'Officina Profumo-Farmaceutica di Santa Maria Novella (p. 491) ou à l'**Officina de' Tornabuoni** (carte p. 488 ; 🕿 055 21 00 06 ; www.officinadetornabuoni.com ; Via de' Tornabuoni 19, 🕐 lun après-midi-dim).

DEPUIS/VERS FLORENCE

Avion

L'**aéroport Amerigo Vespucci** (FLR ; 🕿 055 306 13 00 ; www.aeroporto.firenze.it), à 5 km au nord-ouest du centre-ville, dessert l'Italie et quelques pays européens. Beaucoup plus grand, l'**aéroport**

international de Pise Galileo Galilei (🕿 050 84 93 00 ; www.pisa-airport.com) est l'un des principaux aéroports d'Italie du Nord pour les vols intérieurs et internationaux. Il est plus proche de Pise (p. 527), mais bien relié à Florence par les transports en commun (voir p. 510).

Bus

Depuis le **terminal SITA** (carte p. 484 ; 🕿 800 3737 60 ; www.sitabus.it ; Via Santa Caterina da Siena 17r ; 🕐 bureau de renseignements 8h30-12h30 et 15h-18h lun-ven, 8h30-12h30 sam), à l'ouest de la Piazza della Stazione, il y a des *corse rapide* (liaisons express) vers/depuis Sienne (6,80 €, 1 heure 15, au moins ttes les heures entre 6h10 et 21h15). Pour San Gimignano (6 €), il faut se rendre à Poggibonsi (50 min, ttes les heures au moins de 6h10 à 19h50) et prendre une correspondance (30 min, ttes les heures au moins de 6h05 à 20h35). Des bus directs desservent aussi Castellina in Chianti, Greve in Chianti et d'autres petites villes de Toscane.

Vaibus (carte p. 484 ; 🕿 055 21 51 55 ; www.vaibus.it ; Piazza della Stazione) et les compagnies associées assurent des liaisons avec Pistoia (3 €, 50 min, 4/jour), Lucques (5,10 €, 1 heure 30, fréquents) et Pise (6,10 €, 2 heures, ttes les heures).

Train

La gare ferroviaire centrale de Florence est la **Stazione di Santa Maria Novella** (carte p. 484 ; Piazza della Stazione). Le **comptoir d'information** (🕐 7h-19h) se trouve en face des voies dans le hall principal, tout comme Consorzio ITA (Informazioni Turistiche Alberghiere), où l'on prend ses billets pour la navette de l'aéroport de Pise et pour les visites guidées.

Florence se trouve sur la ligne Rome-Milan. Des trains réguliers la desservent vers/depuis Rome (16-40 €, 1 heure 45 à 3 heures 45), Bologne (5,40-24,70 €, 1 heure à 1 heure 45), Milan (22,50-44,70 €, 2 heures 15 à 3 heures 30) et Venise (19-53,20 €, 2 heures 45 à 4 heures 30).

Des trains régionaux fréquents relient Pistoia (3 €, 50 min à 1 heure, 4/jour), Pise (5,60-11,40 €, de 1 heure à 1 heure 30, services fréquents) et Lucques (Lucca ; 5 €, de 1 heure 30 à 1 heure 45, ttes les 30 min).

Voiture et moto

L'A1 relie Florence à Bologne et à Milan, au nord, et à Rome et à Naples, au sud. L'Autostrada del Mare (A11) permet de rejoindre Prato, Lucques (Lucca), Pise et la côte ; les habitués utilisent la FI-PI-LI (Firenze-

Pisa-Livorno), une *superstrada* (voie express) sans péage, signalée par des panneaux bleus indiquant "FI-PI-LI". Une route à 2 voies, la S2, relie Florence à Sienne.

COMMENT CIRCULER
Desserte de l'aéroport

Une **navette Volainbus** (aller simple/aller-retour 5/8 €, 25 min) relie l'aéroport Amerigo Vespucci et la gare ferroviaire de Santa Maria Novella/gare ferroviaire SITA à Florence toutes les 30 min de 6 h à 23h30.

Terravision (carte p. 484 ; www.terravision.eu) assure les liaisons (adulte aller simple/aller-retour 10/16 €, enfant 5/9 €, 70 min, jusqu'à 13/jour) entre l'arrêt de bus proche de la gare de Stazione di Santa Maria Novella (Via Alamanni) à Florence et l'aéroport international Galileo Galilei de Pise. À Florence, on peut prendre son billet au Consorzio ITA, dans la gare, ou au **bureau Terravision** (carte p. 484 ; Via Alamanni 9r ; 6h-19h), situé dans le Deanna Bar, en face de l'arrêt de bus Terravision. À l'aéroport de Pise, le guichet Terravision se trouve dans le hall d'arrivée.

Des trains réguliers circulent entre la Stazione di Santa Maria Novella à Florence et l'aéroport international Galileo Galilei de Pise (5,60 €, 1 heure 30, au moins 1/heure de 4h30 à 22h25).

Un taxi entre l'aéroport Amerigo Vespucci et le centre de Florence coûte le prix fixe de 20 €, avec supplément de 2 € les dimanches et jours fériés, de 3,30 € entre 22h et 6h, et de 1 € par bagage. La station de taxis se trouve à droite en sortant du terminal.

Taxi

Pour obtenir un taxi, appelez le ☎ 055 42 42 ou le ☎ 055 43 90.

Transports publics

Les **bus** et les *bussini* (minibus électriques) de l'**ATAF** (Azienda Trasporti Area Fiorentina ; carte p. 484 ; ☎ 800 42 4500 ; www.ataf.net) circulent dans la ville et à sa périphérie. La plupart – y compris le n°7, qui rallie Fiesole, et le n°13, qui dessert la Piazzale Michelangelo – ont leur terminus aux arrêts ATAF situés en face de la sortie sud-est de la Stazione di Santa Maria Novella.

Les tickets (1,20 € à l'unité, 2 € à bord) sont en vente au **guichet et bureau d'information ATAF** (carte p. 484 ; Piazza Adua ; 7h30-19h30 lun-ven, 7h30-13h30 sam), près de l'arrêt de bus situé à l'extérieur de la gare ferroviaire. Le carnet de 10/21 tickets coûte 10/20 €, un *biglietto multiplo* (ticket valable pour 4 trajets) revient à 4,50 €, et un forfait valable 1/3 jours 5/12 €. Les passagers voyageant sans ticket composté risquent une amende de 40 €.

Vélo

Florence by Bike (carte p. 484 ; ☎ 055 48 89 92 ; www.florencebybike ; Via San Zanobi 120r ; 9h-19h30) loue des deux-roues (vélo 14,50 €/jour, scooter 68 €/jour), tout comme **Biciclette a Noleggio** (carte p. 484 ; Piazza della Stazione ; heure/journée 1,50/8 € ; 7h30-19h lun-sam, 9h-19h dim mai-sept, horaires restreints oct-avr), situé en plein air en face de la Stazione di Santa Maria Novella.

Voiture et moto

La circulation est presque entièrement interdite dans le centre historique. Voir l'encadré p. 511 pour plus de détails.

On peut stationner gratuitement dans les rues proches du Piazzale Michelangelo (uniquement dans les emplacements délimités en bleu, les lignes blanches étant réservées aux résidents). Des parkings souterrains coûteux (18 €/jour) existent près de la Fortezza da Basso (carte p. 484) et, dans l'Oltrarno, sous le Piazzale di Porta Romana (carte p. 484). De nombreux hôtels fournissent des places de stationnement à leur clientèle.

Il existe plusieurs agences de location de voitures, dont :

Avis (carte p. 484 ; ☎ 199 10 01 33 ; Borgo Ognissanti 128r)
Europcar (carte p. 484 ; ☎ 055 29 04 38 ; Borgo Ognissanti 53r)
Hertz (carte p. 484 ; ☎ 199 11 22 11 ; Via Maso Finiguerra 33r)

ENVIRONS DE FLORENCE

FIESOLE

14 119 habitants

C'est dans ce village ravissant perché dans les collines à 9 km au nord-est de Florence que les Florentins viennent traditionnellement se ressourcer. Son air plus frais, ses oliveraies, ses villas de style Renaissance et sa vue spectaculaire sur la plaine exercent la même séduction depuis des siècles (Boccacce, Marcel Proust, Gertrude Stein et Frank Lloyd Wright, entre autres, tombèrent sous le charme).

L'**office du tourisme** (☎ 055 597 83 73 ; www.comune.fiesole.fi.it ; Via Portigiani 3 ; 9h30-18h30 lun-ven, 10h-13h et 14h-18h sam-dim mars-oct, 9h30-18h lun-sam, 10h-16h dim nov-fév) se trouve sur la place principale, à deux pas du site archéologique. On y trouve des plans et des renseignements sur les promenades dans les environs.

À voir et à faire

Visitez en priorité l'**Area Archeologica** (☎ 055 5 94 77 ; www.fiesolemusei.it ; Via Portigiani 1 ; adulte/moins de 6 ans/ tarif réduit 12 /gratuit/8 € ; ☯ 10h-19h mer-lun avr-sept, 10h-18h mer-lun oct et mars, 10h-16h jeu-lun nov-fév). Tout en vous promenant dans un site agréable, vous admirerez un temple étrusque (Fiesole fut fondé au VIIe siècle av. J.-C. par les Étrusques), des thermes romains, un musée archéologique présentant des pièces allant de l'âge du bronze à l'époque romaine, et un théâtre romain du Ier siècle av. J.-C., qui sert de cadre au festival **Estate Fiesolana** (de juin à août) et au **Vivere Jazz Festival** (www.viverejazz.it ; ☯ mi-juil).

Le billet d'entrée sur le site archéologique permet aussi de visiter le minuscule **Museo Bandini** (☎ 055 5 94 77 ; Via Dupré ; ☯ 9h30-19h avr-sept, 9h30-18h oct et mars, 10h-17h mer-lun nov-déc, 11h-17h jeu-lun jan-fév) juste à côté. Sa collection d'œuvres du début de la Renaissance toscane comprend notamment de beaux médaillons de Giovanni della Robbia (v. 1505-1520) et la lumineuse *Annonciation* de Taddeo Gaddi (1340-1345).

À 300 m du musée, sur la Via Dupré, vous trouverez le **Museo Primo Conti** (☎ 055 59 70 95 ; www.fondazioneprimoconti.org ; Via Dupré 18 ; 3 € ; ☯ 9h30-13h30 lun-sam), qui fut au XXe siècle la demeure et l'atelier de l'artiste éponyme d'avant-garde. Les jardins offrent une belle vue et le musée abrite plus de 60 tableaux de l'artiste. Sonnez à l'entrée.

Revenez ensuite jusqu'à la Piazza Mino de Fiesole, où trône la **Cattedrale di San Romolo** (Piazza della Cattedrale 1 ; ☯ 7h30-12h et 15h-17h), puis partez à l'ascension de la Via San Francesco. Vous serez récompensé par une vue époustouflante sur Florence depuis la terrasse jouxtant la **Basilica di Sant'Alessandro** (XVe siècle). Cette basilique accueille des expositions temporaires et ouvre à des heures irrégulières. Un peu plus haut sur la colline, on peut aussi visiter la **Chiesa di San Francesco** (☯ 9h-12h et 15h-18h), du XIVe siècle.

Où se loger et se restaurer

Campeggio Panoramico (☎ 055 59 90 69 ; www.florencecamping.com ; Via Peramonda 1 ; 9-10 €/pers plus empl 12-15 € ; ☐ ☙). Plus spacieux et plus frais que ceux de Florence, ce camping offre une vue panoramique sur la ville. Équipé pour la blanchisserie et la cuisine, il possède une supérette, un café et un restaurant ouverts d'avril à octobre.

Villa Aurora (☎ 055 5 93 63 ; www.villaurora.net ; Piazza Mino da Fiesole 39 ; s 135-185 €, d 120-245 € ; P ☙ ☙). Cette villa construite en 1860 sur

la place principale possède des chambres assez ordinaires et des chambres "deluxe" décorées d'impressionnantes fresques d'époque, dont une avec une vue panoramique sur Florence depuis le balcon. On jouit de la même vue sur la terrasse couverte d'une pagode, où les clients dînent avec classe en été.

Ristorante La Reggia degli Etruschi (☎ 055 5 93 85 ; www.lareggia.org ; Via San Francesco ; repas 37 € ; ☯ 11h-15h et 18h-23h). La vue que l'on a depuis la terrasse de ce restaurant juché dans un vieux rempart, vole la vedette à la cuisine, qui propose notamment des *tagliatelle* maison agrémentées d'une sauce à la pintade, ou du risotto aux cèpes et au *pecorino* local. Les petits appétits peuvent se rabattre sur une assiette de fromage ou de salami (10-12 €). Réservation indispensable le week-end.

Trattoria Le Cave di Maiano (☎ 055 5 91 33 ; www.trattoriacavedimaiano.it ; Via Cave di Maiano 16, Maiano ; repas 36 € ; ☯ déj et dîner, fermé lun en hiver). Les Florentins adorent ce restaurant avec terrasse situé à Maiano, un village à 5 minutes de Fiesole en voiture. Ils y affluent le week-end quand le temps permet de manger dehors. La cuisine vaut certes le détour : l'abondance est la règle et tout est fait maison. Les plats de pâtes et de légumes sont particulièrement impressionnants. On peut y venir en taxi depuis Fiesole moyennant 9 € environ. Le retour coûte le double, le taxi venant de Fiesole.

TOSCANE

Depuis/vers Fiesole

Prenez le bus ATAF n°7 (1,20 €, 30 min) depuis Florence. Si vous tenez à voyager assis, il vaut mieux le prendre Piazza dell'Unità Italiana, un arrêt à l'est de la Stazione di Santa Maria Novella. Le bus passe par la gare et par la Piazza San Marco avant de prendre la route qui grimpe en lacets jusqu'à Fiesole et la Piazza Mino da Fiesole. Si vous êtes motorisé, la direction Fiesole est indiquée depuis la Piazza della Libertà à Florence, au nord de la cathédrale.

NORD ET OUEST DE LA TOSCANE

Voyager dans cette partie de la Toscane, c'est comprendre le vrai sens du terme "slow travel". On prend vite l'habitude de s'attarder à table devant des spécialités rustiques, de visiter tranquillement les villages médiévaux perchés sur des collines, de se balader à vélo sur la route côtière des vignobles aux paysages spectaculaires, ou à pied sur l'île où fut exilé Napoléon. Même les cités importantes de la région, comme Pise, ville universitaire, ou Lucques – coup de foudre garanti – ont un air tranquille et un parfum de tradition qui enjoint le voyageur à y séjourner pour s'accorder quelques jours de loisir culturel.

PISTOIA

89 418 habitants

Nichée au pied des Apennins, à 45 minutes de train de Florence, Pistoia est une ville plaisante qui mérite plus d'intérêt qu'elle n'en suscite généralement. Elle s'étend aujourd'hui largement au-delà de ses remparts, mais a su préserver son centre historique et le rendre particulièrement agréable à parcourir à pied.

Le mercredi et le samedi matin, le quartier de la Piazza del Duomo est envahi par les auvents bleus des étals de son **marché** animé. Le **marché des producteurs** (☿ lun-sam) occupe la Piazza della Sala, à l'ouest de la cathédrale.

Tous les 25 juillet, la **Giostra dell'Orso** (Joute de l'ours), fête équestre avec joutes, est organisée sur la Piazza del Duomo en l'honneur de San Giacomo, patron de la ville.

L'**office du tourisme** (☎ 0573 2 16 22 ; www.pistoia. turismo.toscana.it ; angle Piazza del Duomo et Via della Torre ; ☿ 9h-13h et 15h-18h), efficace, vous fournira plans, brochures et conseils.

À voir

La Piazza del Duomo, qui rassemble l'essentiel des richesses architecturales de la ville, constitue à elle seule une bonne raison de faire étape à Pistoia. La façade romano-pisane de la **Cattedrale di San Zeno** (☎ 0573 2 50 95 ; Piazza del Duomo ; ☿ 8h30-12h30 et 15h30-19h) arbore un tympan décoré d'une *Vierge à l'Enfant et deux anges*, réalisée par Andrea Della Robbia. À l'intérieur, un magnifique autel en argent, le **Dossale di San Giacomo** (autel de saint Jacques ; adulte/enfant 4/2 €), commencé en 1287 et terminé deux siècles plus tard par Brunelleschi, est installé dans la **Cappella di San Jacopo**, une chapelle sombre située dans le bas-côté nord.

À côté de la cathédrale, le **Museo Rospigliosi e Museo Diocesano** (adulte/tarif réduit 4/2 € ; ☿ visite guidée 10h, 11h30 et 15h lun, mer, ven) renferme un trésor d'objets découverts pendant la restauration de cet ancien palais épiscopal. Le musée rassemble des trésors provenant de la cathédrale, comme un reliquaire du XVe siècle, de Lorenzo Ghiberti, censé protéger un os de saint Jacques, des restes de sa mère et le bassin de la Vierge. Visites guidées uniquement (1 heure 15).

De l'autre côté de la Via Roma, le **baptistère** (Piazza del Duomo ; entrée libre ; ☿ se renseigner à l'office du tourisme) octogonal, élégamment rayé de marbre vert et blanc, fut dessiné au XIVe siècle par Andrea Pisano. Des fonts carrés en marbre sculpté et un dôme élancé sont les seuls ornements de son intérieur en brique rouge.

Sur le côté est de la place, le **Palazzo Comunale**, de style gothique, abrite le **Museo Civico** (☎ 0573 37 12 96 ; www.comune.pistoia.it/museocivico ; Piazza del Duomo 1 ; adulte/tarif réduit 3,50/2 € ; ☿ 10h-17h ou 18h mar et jeu-sam, 15h-18h ou 19h mer, 11h-17h ou 18h dim) et ses œuvres d'artistes toscans du XIIIe au XXe siècle. Ne manquez pas la *Madonna della Pergola* (1498) de Bernardino di Antonio Detti : le traitement de saint Jacques, de la Vierge et de l'Enfant Jésus y est extraordinairement moderne – remarquez le moustique sur le bras de l'Enfant.

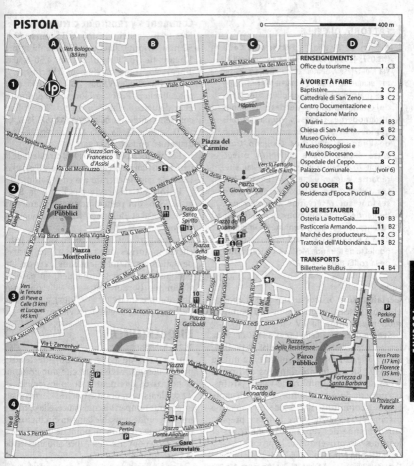

PISTOIA

0 — 400 m

TOSCANE

Non loin de là, le porche de l'**Ospedale del Ceppo** (Piazza Giovanni XXIII), avec sa frise du XVIᵉ siècle en terracotta polychrome de Giovanni della Robbia, arrêtera les plus blasés. Elle retrace les *Sette Opere di Misericordia* (Sept Actes de miséricorde), tandis que les cinq médaillons sont consacrés au *Virtù Teologali* (Vertus théologiques), avec une magnifique Annonciation.

La **Chiesa di San Andrea** (☎ 0573 2 19 12 ; Via San Andrea ; ⏱ 8h30-12h30 et 15h-18h) fut édifiée au XIIᵉ siècle à l'extérieur des remparts, ce qui explique l'absence de fenêtres (elle devait être fortifiée). Sa façade est décorée d'un relief représentant *Le Voyage et l'Adoration des Mages* (1166), tandis que l'intérieur recèle une magnifique chaire en marbre sculptée par Giovanni Pisano entre 1298-1301.

Non loin de là, le **Centro Documentazione e Fondazione Marino Marini** (☎ 0573 3 02 85 ; www.fondazionemarinomarini.it ; Corso Silvano Fedi ; adulte/tarif réduit 3,50/2 € ; ⏱ 10h-17h lun-sam) est une galerie consacrée au plus célèbre enfant de Pistoia des temps modernes, le sculpteur et peintre Marino Marini (1901-1980).

Où se loger et se restaurer

Si vous cherchez à vous restaurer ou à prendre un verre, la Via del Lastrone est idéal.

Residenza d'Epoca Puccini (☎ 0573 2 67 07 ; www.puccini.tv ; Vicolo Malconsiglio 4 ; s/d/tr 80/120/140 € ; P ⊠ 🖳). Cet hôtel récemment rénové, installé dans un vieux *palazzo* près de la cathédrale, propose 10 chambres spacieuses décorées dans un style moderne et élégant.

FATTORIA DI CELLE

À 5 km de Pistoia, la **Fattoria di Celle**
(☎ 0573 47 94 86, 0573 47 99 07 ; www.goricoll.it ;
Via Montalese 7, Santomato di Pistoia ; ☺ sur
rdv uniquement lun-ven mai-sept) regroupe
une maison de thé, une volière, des folies
de l'époque romantique et des installations
ultramodernes créées in situ par les plus
grands artistes contemporains. Passion
de l'homme d'affaires Giuliano Gori, cette
extraordinaire collection privée réunit 70 installations spécifiques au site,
réparties sur un vaste domaine familial.
Les visites, réservées aux vrais passionnés,
se font sur réservation (envoyez une
demande écrite au moins 5 semaines à
l'avance) et consistent en une promenade
de 3 à 4 heures dans la propriété, sous la
houlette de Miranda McPhail, conservatrice
de la collection.

Certaines sont ornées de fresques d'époque
et toutes sont pourvues d'équipements
modernes comme la TV sat.

Tenuta di Pieve a Celle (☎ 0573 91 30 87 ; www.
tenutadipieveacelle.it ; Via di Pieve a Celle 158 ; ch 110-130 € ;
P ☺ ☎). Un manoir tranquille du milieu
du XIXᵉ siècle, planté dans les collines à
3 km de Pistoia. Entouré de vastes jardins,
il contient 5 jolies chambres et d'élégants
espaces communs. Il possède une superbe
piscine et Fiorenza, votre hôtesse, prépare
sur demande des repas à base de fruits et
légumes bio provenant de la propriété.

Pasticceria Armando (☎ 0573 2 31 28 ; Via Curtatone
Montanara 38 ; ☺ 6h30-13h et 15h-20h30 mar-ven, 15h-20h
sam-dim). depuis 1947, ce café-bar, le meilleur de
Pistoia, est apprécié des gens du coin pour ses
gâteaux, ses cocktails et ses cafés délicieux.

Trattoria dell'Abbondanza (☎ 0573 36 80 37 ;
Via dell'Abbondanza 10 ; repas 22 € ; ☺ déj et dîner
ven-mar, dîner jeu). Adresse discrète derrière
la cathédrale. Spécialités toscanes sans
fioritures, toutes délicieuses, à des prix très
étudiés. On peut s'installer à l'intérieur ou
à l'extérieur.

Osteria La BotteGaia (☎ 0573 36 56 02 ;
www.labottegaia.it ; Via del Lastrone 17 ; repas 27 € ;
☺ déj et dîner mar-sam, dîner dim-lun). Auberge
tendance Slow Food où le choix va des
spécialités traditionnelles aux plats expéri-
mentaux. Réputée pour ses viandes séchées et
sa carte des vins.

Comment s'y rendre et circuler

Des trains relient Pistoia à Florence (3 €,
50 min, 4/jour), Lucques (3,50 €, 45 min à
1 heure, ttes les 30 min) et Pise (4,50-6,50 €,
1 heure 45, 1/jour ou changer à Lucques).

Les bus **BluBus/Vaibus** (☎ 800 570530, www.
blubus.it) relient Pistoia à Florence (3 €, 4/jour)
et à d'autres localités proches. Les billets
sont en vente à la **billetterie** (☎ 0573 36 32 43 ;
Via XX Settembre 71 ; ☺ 6h15-20h15 lun-sam, 7h-20h10
dim) située en face de la gare.

Les bus locaux nᵒˢ1 et 10 (1 €) circulent de la
gare ferroviaire à la cathédrale, mais il est plus
facile de faire le chemin à pied (15 min).

Pistoia est desservie par l'A11, la SS64
et la SS66, qui partent respectivement vers
le nord-est et Bologne et le nord-ouest et
Parme.

La plupart des hôtels fournissent à leurs
clients motorisés une carte qui leur permet
de stationner gratuitement dans le centre. On
peut aussi se garer gratuitement au parking
Cellini, en bordure est de la ville ou, pour
une somme modique (1 €/jour) au parking
Pertini, près de la gare ferroviaire.

LUCQUES (LUCCA)
83 228 habitants

On ne peut qu'avoir un coup de foudre
pour Lucques, ravissante cité ancienne au
riche passé, agrémentée de jolies églises et
d'excellents restaurants. Cachée derrière ses
imposants remparts Renaissance, elle se révèle
une étape indispensable dans un circuit toscan
et constitue en outre un point de départ idéal
pour la découverte des Alpes apuanes et de
la Garfagnana.

Fondée par les Étrusques, Lucques devint une
colonie romaine en 180 av. J.-C., puis un comune
(cité-État) libre au XIIᵉ siècle, époque à laquelle
elle connut la prospérité grâce au commerce de
la soie. En 1314, elle tomba brièvement aux mains
de la cité-État de Pise. Grâce à la poigne d'un
aventurier local, Castruccio Castracani degli
Antelminelli, la ville retrouva rapidement sa
liberté et demeura une république indépendante
durant près de cinq siècles.

En 1805, Napoléon Iᵉʳ créa la principauté
de Lucques et installa à sa tête sa sœur Élisa.
Douze ans plus tard, la ville fut léguée aux
Bourbons, qui en firent un duché, avant d'être
intégrée au royaume d'Italie. La ville ayant
miraculeusement échappé aux bombardements
de la Seconde Guerre mondiale, son centre historique est resté le même depuis des siècles.

Renseignements

APT Lucca (www.luccatourist.it) ; Piazza Napoleone
(☎ 0583 91 99 41 ; ⊗ 10h-13h et 14h-18h lun-sam) ;
Piazza Santa Maria (☎ 0583 91 99 31 ; ⊗ 9h-20h avr-oct,
9h- 12h30 et 15h-18h30 mi-nov à mi-déc, 9h-12h30 et
15h-18h30 lun-sam mi-déc à mars). Le bureau de la Piazza
Santa Maria propose un accès à Internet (5 €/30 min).
Città di Lucca (☎ 0583 58 31 50 ; www.luccaitinera.it ;
Piazzale Verdi ; ⊗ 9h-19h). Point d'information, location
de vélos (2,50 €/heure) ou d'excellents audioguides
en anglais (1/2 pers 9/12 €), vente de places de concerts
et consigne à bagages (1,50 € /heure).
Lavanderia Niagara (Via Michele Rosi 26 ; machine 4 € ;
⊗ 8h-22h)
Poste (Via Vallisneri 2)

À voir

Lucques est fort célèbre pour ses remparts de
12 m de hauteur, édifiés autour de la vieille
ville aux XVIe et XVIIe siècles. Défendus par
126 canons, ils sont surmontés d'un agréable
chemin de ronde ombragé, la **Passeggiata della
Mura**. Qu'on les parcoure à pied, à vélo, à rollers
ou en faisant un jogging, ces 4 km réservent de
beaux instantanés de la vie lucquoise.

CATHÉDRALE

Dédiée à saint Martin, la **Cattedrale di San Martino**
(☎ 0583 95 70 68 ; www.museocattedralelucca.it ; Piazza San
Martino ; ⊗ 9h30-17h45 lun-ven, 9h30-18h45 sam, 9h30-
10h45 et 12h-18h dim mi-mars à oct, 9h30-16h45 lun-ven,
9h30-18h45 sam, 9h30-10h45 et 12h-17h dim nov à mi-mars),
essentiellement romane, date du XIe siècle.
Son élégante façade de style luccano-pisan
a été conçue de façon à s'harmoniser avec
le campanile, plus ancien, et chacune des
colonnes qui composent sa partie supérieure
est différente. Les reliefs surmontant le portail
gauche du narthex sont attribués à Nicola
Pisano.

L'intérieur a été transformé dans le style
gothique au cours des XIVe et XVe siècles.
Sculpteur et architecte né à Lucques, Matteo
Civitali a réalisé la chaire et, dans le bas-côté
nord, le *tempietto* (petit temple) du XVe siècle
contenant le **Volto Santo**. Selon la légende,
cette sobre représentation du Christ en
croix, à taille humaine, aurait été sculptée
par Nicodème, témoin de la Crucifixion. En
fait, il a récemment été daté du XIIIe siècle.
Attirant de nombreux pèlerins, il est porté
en procession solennelle dans la ville tous les
ans le 13 septembre au crépuscule, durant la
Luminaria di Santa Croce, afin de rappeler
son arrivée miraculeuse à Lucques.

FAITES DES ÉCONOMIES

Si vous visitez à la fois la sacristie de la
cathédrale, le musée de la cathédrale et
le baptistère de San Giovanni et Santa
Reparata, achetez un **billet groupé** (adulte/
enfant 6/4 €) sur l'un de ces sites.

Parmi les nombreuses autres œuvres que
compte la cathédrale, citons la magnifique *Cène*
du Tintoret, au-dessus du troisième autel du
transept sud, et le tombeau en marbre d'Ilaria
del Carretto, chef-d'œuvre de la sculpture
funéraire, dans la **sacristie** (adulte/tarif réduit
2/1,50 €). De nombreux autres trésors des XVe
et XVIe siècles sont exposés dans le **Museo della
Cattedrale** (☎ 0583 49 05 30 ; Piazza Antelminelli ; adulte/
tarif réduit 4/2,50 € ; ⊗ 10h-18h mi-mars à oct, 10h-14h
lun-ven, 10h-17h sam-dim nov à mi-mars) adjacent.

ÉGLISE ET BAPTISTÈRE SAN GIOVANNI ET SANTA REPARATA

L'intérieur de la **Chiesa e Battistero dei San
Giovanni e Santa Reparata**, édifice déconsacré
du XIIe siècle, offre un cadre exceptionnel
aux récitals d'opéra organisés par **Puccini e la
sua Lucca** (☎ 340 8106042 ; www.puccinielasualucca.com ;
adulte/tarif réduit 15/10 €) à 19h tous les soirs de
mi-mars à octobre, et tous les soirs sauf le
jeudi de novembre à mi-mars. Des chanteurs
professionnels présentent une heure d'arias et
de duos faisant la part belle à Puccini. Les billets
sont en vente à l'église de 10h à 18h.

Dans le transept nord de l'église, le **baptistère** (☎ 0583 49 05 30 ; Piazza San Giovanni ; adulte/
tarif réduit 2,50/1,50 € ; ⊗ 10h-18h mi-mars à oct, 10h-17h
sam, dim et fêtes religieuses nov à mi-mars) se trouve
sur un site archéologique comprenant cinq
niveaux de construction remontant à la
période romaine.

CHIESA DI SAN MICHELE IN FORO

Aussi éblouissante que la cathédrale, cette **église
romane** (☎ 0583 4 84 59 ; Piazza San Michele ; ⊗ 7h40-12h
et 15h-18h avr-oct, 9h-12h et 15h-17h nov-mars) occupe
le site d'une ancienne église du VIIIe siècle.
Commencée au XIe siècle, sa construction
s'est étalée sur près de trois siècles. Sa superbe
façade en pièce montée est couronnée par une
statue de l'archange saint Michel terrassant le
dragon. À l'intérieur, ne manquez pas le tableau
représentant sainte Hélène, saint Jérôme, saint
Sébastien et saint Roch malades de la peste de
Filipo Lippi (1479), dans le transept sud.

TOSCANE

TOSCANE

LUCQUES (LUCCA)

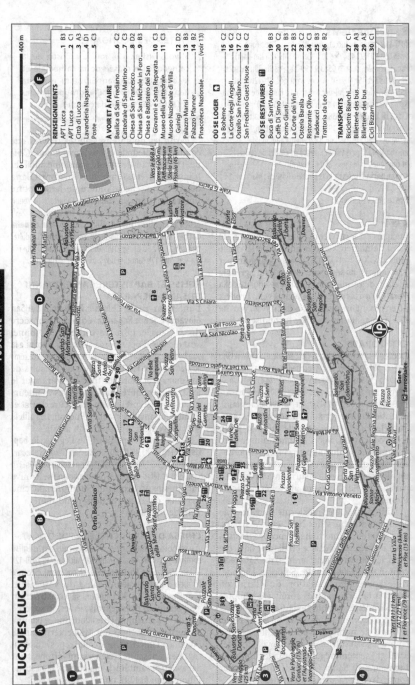

0   400 m

À L'EST DE LA VIA FILLUNGO

La Via Fillungo est la rue la plus animée de Lucques. Elle traverse la vieille ville médiévale, bordée de boutiques chics et modernes installées dans des immeubles anciens pleins de charme. Pensez à lever souvent les yeux afin d'admirer les auvents et les détails architecturaux. Immédiatement à l'est s'étend la **Piazza Anfiteatro**, qui doit sa forme ovale et son nom à l'amphithéâtre qui se dressait là à l'époque de la Rome antique.

Un peu plus loin vers l'est, le visiteur découvre la **Piazza San Francesco** et la jolie **Chiesa di San Francesco**, du XIIIe siècle. Non loin, le **Museo Nazionale di Villa Guinigi** (☎ 0583 49 60 33 ; Via della Quarquonia ; adulte/tarif réduit 4/2 € ; ☾ 8h30-19h30 mar-sam, 8h30-13h30 dim) présente la collection d'œuvres d'art de la municipalité et des vestiges archéologiques de l'époque romaine.

À L'OUEST DE LA VIA FILLUNGO

La façade de la **Basilica di San Frediano** (☎ 0583 49 46 27 ; Piazza San Frediano ; ☾ 8h30-12h et 15h-17h30 lun-ven, 9h-11h30 et 15h-17h sam-dim) arbore une splendide (et très restaurée) mosaïque du XIIIe siècle, de style nettement byzantin. À l'intérieur de cette belle basilique, on peut admirer, à droite, la **Fontana Lustrale**, fonts baptismaux du XIIe siècle décorés de reliefs sculptés. Remarquez aussi les élégants chapiteaux, provenant de l'amphithéâtre romain.

Le **Palazzo Pfanner** (☎ 0583 95 40 29 ; Via degli Asili 33 ; palais ou jardin adulte/tarif réduit 3/2,50 €, les deux 4,50/3,50 € ; ☾ 10h-18h avr-oct) est une demeure privée du XVIIe siècle où furent tournées des scènes de *Portrait de femme* (1996) avec Nicole Kidman et John Malkovich. L'escalier extérieur conduit au *piano nobile* (étage où l'on recevait), décoré de fresques et de meubles d'époque. Les jardins du XVIIIe siècle sont les seuls jardins importants de la ville. (Émigré autrichien et ancien propriétaire du palais, Felix Pfanner importa la bière en Italie. Il la brassait dans les caves du palais).

Également du XVIIe siècle, le **Palazzo Mansi** (Via Galli Tassi 43), magnifique témoin des débordements du rococo, abrite la petite **Pinacoteca Nazionale** (☎ 0583 5 55 70 ; adulte/tarif réduit 4/2 € ; ☾ 8h30-19h30 mar-sam, 8h30-13h30 dim), et ses peintures de la même époque, auxquelles s'ajoutent de très belles fresques.

Fêtes et festivals

Ville de naissance de Puccini et de Boccherini, Lucques a des goûts très classiques en matière de musique. Depuis plus d'un demi-siècle, le village de Torre del Lago accueille le **Puccini Festival** (www.puccinifestival.it) en juillet et août. En juillet, le **Summer Festival** (www.summer-festival.com) de Lucques attire les plus grands noms internationaux de la musique en tout genre.

Où se loger

Pour dénicher un B&B à Lucques ou dans les environs, consultez **Lucca: B&B 'n' Guesthouses** (www.welcomeinlucca.it). Les adresses haut de gamme sont sur www.villelucchesi.net.

PETITS BUDGETS

Ostello San Frediano (☎ 0583 46 99 57 ; www.ostellolucca.it ; Via della Cavallerizza 12 ; dort avec/sans sdb 20/18 € d/tr/qua avec sdb 55/75/100 € ; ⓟ ▣). Les murs historiques, et superbes, de cet édifice abritent une auberge de jeunesse. Affiliée à HI, elle offre un confort et un service impeccables, 141 lits répartis dans des chambres spacieuses, un bar et une salle à manger magnifique (petit-déj/déj/dîner 2 plats 3/11/11 €). Les non-membres de HI peuvent acheter un timbre à 3 € pour la nuit.

Affittacamere Stella (☎ 0583 31 10 22 ; ww.affittacamerestella.com ; Via Pisana Traversa 2 ; s 45-55 €, d 60-70 € ; ⓟ ▣ 🕾). Tout près de la Porta Sant'Anna, cette adresse réputée installée dans un immeuble du début du XXe siècle propose de belles chambres d'hôtes confortables avec plafonds lambrissés, cuisine et parking privé. Pas de petit-déjeuner.

B&B Ai Cipressi (☎ 0583 49 65 71 ; www.aicipressi.it ; Via di Tiglio 126 ; s 55-79 €, d 69-99 € ; ⓟ ▣ ▣ 🕾). près de la Porta Elisa, en face du sanctuaire de Santa Gemma Galgani, ce B&B récent de style motel est idéal pour les voyageurs motorisés qui disposent d'un parking gratuit. Chambres modernes claires, confortables et bien aménagées, avec bonne literie et TV sat.

San Frediano Guest House (☎ 0583 46 96 30 ; www.sanfrediano.com ; Via degli Angeli 19 ; s/d avec sdb commune 38-65/48-80 €, s/d avec sdb 50-90/65-110 € ; ▣ ▣ 🕾). Confortable demeure du XVIIe siècle, proche de la Via Fillungo, en plein cœur de Lucques. Les poutres de la réception sont encore ornées des crochets de boucher où l'on pendait les jambons. Les chambres les moins chères ont des sdb communes. Si la maison affiche complet, renseignez-vous sur l'annexe.

CATÉGORIE MOYENNE

La Bohème (☎ 0583 46 24 04 ; www.boheme.it ; Via del Moro 2 ; d 90-140 € ; ☒). Dans une petite rue tranquille, une lourde porte en bois sombre marque l'entrée de ce B&B de 5 chambres géré avec charme et style par Ranieri, un ancien architecte. Les chambres sont équipées de mobilier toscan d'époque, certaines ont des plafonds à la hauteur impressionnante, toutes possèdent des sdb de taille correcte. Le petit déjeuner est généreux.

Villa Principessa (☎ 0583 37 00 37 ; www.hotel principessa.com ; Via Nuova per Pisa 1616 ; d 99-129 € , ste 320-450 € ; P ⚇ 🖳 🖳). On se sent vraiment comme une *principessa* (princesse) dans cette gentilhommière où vécut le duc Castruccio Castracani à la fin du XIIIe et au début du XIVe siècle. La verdure envahit l'extérieur, et l'intérieur regorge de lustres magnifiques, de mobilier d'époque et de belles tapisseries aux murs. Une adresse hors du commun, à 3 km au sud de Lucques.

La Corte degli Angeli (☎ 0583 46 92 04 ; www.allacorte degliangeli.com ; Via degli Angeli 23 ; d 139-180 € ; P ⚇ 🖳 📶). Installé sur 3 étages dans une demeure du XVe siècle, cet hôtel de luxe quatre-étoiles a un charme rare. Les chambres ornées de fresques portent des noms de fleurs.

Où se restaurer et prendre un verre
PETITS BUDGETS

☻ **Forno Giusti** (Via Santa Lucia 20 ; pizza et focaccia garnie 7-16 € /kg ; ⏱ 7h-13h et 16h-19h30, fermé mer après-midi et dim). On fait la queue devant cette excellente boulangerie pour acheter des pizzas et *focaccie* sortant du four, avec des garnitures variées. L'endroit idéal pour faire ses courses avant un pique-nique.

Caffè Di Simo (☎ 0583 49 62 34 ; Via Fillungo 58 ; ⏱ 9h-20h et 20h30-1h). café-bar-restaurant Art nouveau, autrefois fréquenté par Puccini et ses amis (le maestro taquinait le piano situé à l'entrée de la salle à manger). Aujourd'hui, la clientèle locale vient prendre un café ou un apéritif au bar, ou encore faire honneur au buffet à l'heure du déjeuner (10 €).

Taddeucci (☎ 0583 49 49 33 ; www.taddeucci.com ; Piazza San Michele 34 ; ⏱ 8h30-19h45, fermé jeu hiver). C'est dans cette *pasticceria* (pâtisserie) que fut créé le *buccellato*, spécialité de Lucques, en 1881. Cette couronne sucrée aux raisins secs et à l'anis accompagne parfaitement un *espresso* (café et part de *buccellato*, 3,50 €).

Trattoria da Leo (☎ 0583 49 22 36 ; Via Tegrimi 1 ; repas 17 € ; ⏱ lun-sam). Touristes, étudiants, employés ou Lucquoise faisant une pause dans sa journée de shopping, tous les clients apprécient les prix étudiés et l'ambiance chaleureuse de cette trattoria. Parmi les plats, tantôt moyens, tantôt

délicieux, citons le *vitello tonnato* (veau froid accompagné d'une sauce au thon et aux câpres) et la *torta di fichi e noci* (tarte aux figues et aux noix). Cartes bancaires pas acceptées.

La Corte dei Vini (☎ 0583 58 44 60 ; Corte Campana 6 ; repas 24 € , assiettes 7-12 € ; ⏱ déj et dîner lun-sam). Située à un emplacement stratégique entre la Piazza Napoleone et la Piazza San Michele, cette agréable *enoteca e picola cucina* (bar à vin et petite cuisine) se prête bien aux apéritifs ou repas décontractés. On y sert des spécialités rustiques comme les *tortelli Lucchesi* (ravioles à la viande) et la *minestra di farro della Garbagnana* (soupe à l'épeautre). Arrivez de bonne heure pour avoir une table en terrasse.

CATÉGORIE MOYENNE

Osteria Baralla (☎ 0583 44 02 40 ; www.osteriabaralla.it ; Via Anfiteatro 5 ; repas 34 € ; ⏱ lun-sam). On mange sous de magnifiques voûtes en brique rouge dans cette salle toujours bondée à partir de 12h. Riche en tradition (l'établissement existe depuis 1860) et en spécialités locales, la carte affiche une soupe à l'huile d'olive nouvelle, de la morue aux pois chiches, du *bollito misto* le jeudi et du porc rôti le samedi.

Buca di Sant'Antonio (☎ 0583 5 58 81 ; www.bucadi santantonio.com ; Via della Cervia 3 ; repas 40 € ; ⏱ mar-sam, déj dim). Ce restaurant plein de cachet, qui a ouvert en 1782, est une excellente adresse pour goûter de bons vins italiens. Son éclairage flatteur et ses banquettes en font aussi un classique des dîners romantiques. Meilleur service de la ville. Réservation indispensable.

Ristorante Olivo (☎ 0583 49 62 64 ; www.ristorant olivo.it ; Piazza San Quirico 1 ; repas 47 € ; ⏱ déj et dîner t avr-nov, jeu-mar déc-mars). Réputé pour son poisson frais acheminé quotidiennement de Viareggio, l'Olivo est l'archétype de la restauration lucquoise à l'ancienne. La carte des vins est excellente (les crus toscans dominent) et la carte offre un bel équilibre entre spécialités toscanes et produits de la mer.

Depuis/vers Lucques

Depuis les arrêts de bus situés autour de Piazzale Verdi, des bus Vaibus desservent toute la région, même les communes de la Garfagnana comme Castelnuovo di Garfagnana (4 € , 1 heure 30, 8/jour). Des liaisons sont également assurées depuis/vers Florence (5,10 € , 1 heure 30, fréquentes), Pise et l'aéroport de Pise (2,80 € , 1 heure, 30/jour) et Viareggio (3,20 € , 50 min, 5/jour) via Torre del Lago (2,80 € , 30 min, 6/jour).

La gare ferroviaire se trouve au sud des remparts, à une courte distance à pied. Prenez le chemin qui traverse les douves, puis le tunnel sous le Baluardo San Colombano. Un service ferroviaire régional relie Lucques aux villes environnantes, notamment Florence (5 €, 1 heure 30 à 1 heure 45, fréquent), Pise (2,40 €, 30 min, ttes les 30 min) et Viareggio (2,40 €, 25 min, ttes les heures).

L'A11 part vers l'ouest pour rejoindre Pise et Viareggio, et vers l'est pour rejoindre Florence. Pour vous rendre dans la Garfagnana, prenez la SS12 puis la SS445.

Comment circuler

La plupart des parkings situés à l'intérieur des remparts sont réservés aux résidents. Ils sont délimités par des lignes jaunes. Les lignes bleues signalent les emplacements payants (1-1,50 €/heure) ouverts à tous, mais ils sont plutôt rares. Si vous séjournez à l'intérieur des remparts, prévenez votre hôtel de votre arrivée et demandez à obtenir un permis de stationnement temporaire. À l'extérieur des remparts, le stationnement est limité à 1 ou 2 heures et est bien surveillé. Le plus facile est de se garer au Parcheggio Carducci, juste à l'extérieur de la Porta Sant'Anna.

Deux magasins proposent des locations de vélos : Cicli Bizzarri and Biciclette Bianchi, situés de part et d'autre de l'office du tourisme sur la Piazza Santa Maria. Tous les deux sont ouverts tous les jours de 9h à 19h et leur tarif est de 2,50 € l'heure.

LA GARFAGNANA

Trois superbes vallées, formées par le Serchio et ses affluents, se nichent entre les Alpes apuanes et les Appenins : les vallées basses du Lima et du Serchio et la vallée de la Garfagnana, plus élevée. Souvent désignées sous le nom générique de Garfagnana, elles sont faciles d'accès depuis Lucques.

Beaucoup de visiteurs viennent dans cette région à la beauté sauvage et relativement peu fréquentée pour s'adonner aux joies de la randonnée et du VTT. D'autres sont attirés par sa cuisine rustique, qui fait appel à des produits de la forêt, comme les châtaignes (souvent sous forme de farine), les cèpes et le miel. Les amateurs d'histoire militaire viennent dans le secteur de Borgo a Mozzano pour admirer les restes de la *Linea Gotica*, dernière grande ligne de fortification édifiée par les Allemands lors de leur retraite vers la fin de la Seconde Guerre mondiale.

Castelnuovo di Garfagnana, principale ville de la vallée, est le meilleur endroit de la région pour en apprendre davantage sur les Alpes apuanes. Très instructif, le **Centro Visite Parco Alpi Apuane** (☎ 0583 65 169 ; www.turismo.garfagnana.eu ; Piazza delle Erbe 1 ; ☺ 9h30-13h et 15h-19h juin-sept, 15h-17h30 oct-mai) est une mine d'information sur les randonnées à pied, à VTT ou à cheval, les activités diverses et les guides locaux. On peut aussi s'y renseigner sur les *agriturismi* et *rifugi* hors des sentiers battus et y acheter des cartes de randonnée. Pour rencontrer des marcheurs endurcis, faites un saut au **Club Alpin Italiano** (☎ 0583 65 577 ; www.garfagnanacai.it ; Via Vittorio Emanuele 3 ; ☺ 21h-22h jeu, 18h-19h sam).

À Castelnuovo di Garfagnana, la pittoresque **Osteria Vecchio Mulino** (☎ 0583 62 192 ; www.ilvecchio mulino.com ; Via Vittorio Emanuele 12 ; ☺ 7h30-20h30 mar-dim ; menu dégustation 15-20 € vin inclus), spécialisée dans les plats régionaux, est une bonne adresse pour le déjeuner.

La ville perchée de **Barga**, couronnée par une magnifique **cathédrale** romane, est l'autre destination touristique majeure de la Garfagnana. Si vous décidez d'y passer la nuit, la **Casa Cordati** (☎ 0583 72 34 50 ; www.casacordati.it ; Via di Mezzo 17, Barga Vecchia ; d 40 €, app 2 pers 60 € ; ☺ mars-oct), dirigée par le galeriste Giordano Martinelli, a des chambres décorées avec simplicité (belles sdb, communes pour certaines) et offrent une jolie vue. L'appartement est sombre mais de dimensions agréables. Pas de petit déjeuner.

ALPES APUANES

Insérée entre la Versilia cotière et la vaste vallée intérieure de la Garfagnana, cette chaîne montagneuse est protégée par le **Parco Regionale delle Alpi Apuane** (www.parcapuane.it).

Un bon réseau de chemins balisés et de *rifugi* émaille le parc. Pour vous guider, munissez-vous de la carte *Alpi Apuane Settentrionali* (1/25 000) éditée par Massa Carrara APT, ou des cartes *Parco delle Alpi Apuane* (1/25 000, 7 €) ou *Versilia : Parco delle Alpi Apuane* (1/50 000, 7 €) des Edizione Multigraphic Firenze. Si vous lisez l'anglais, *The Alps of Tuscany* de Francesco Greco, propose d'agréables itinéraires de plusieurs jours.

Les principales entrées vers le Parco Regionale delle Alpi Apuane sont Seravezza et Castelnuovo di Garfagnana. À Seravezza, le **centre d'information** (☎ 0584 7 58 21 ; Via Corrado del Greco 11 ; ☺ 9h-13h et 15h30-19h30 juin-sept, 9h30-12h30 et 15h-18h mer-lun oct-mai) peut vous fournir des renseignements.

Carrare
65 443 habitants

Beaucoup de ceux qui viennent pour la première fois pensent que les sommets immaculés qui entourent Carrare sont couverts de neige. Il s'agit en fait d'une illusion : cette blancheur provient des 2 000 ha de marbre blanc exploités sous forme de carrières dans les Alpes apuanes depuis l'époque romaine.

La texture et la pureté du marbre blanc de Carrare (du grec *marmaros,* qui signifie "pierre étincelante") est sans égale. C'est là que Michel-Ange venait choisir le marbre d'où naquirent des chefs-d'œuvre comme son *David* (sculpté dans un bloc veiné). C'est aujourd'hui une industrie qui rapporte des milliards d'euros.

Situées à 5 km au nord des villes de Colonnata et Fantiscritti, les carrières sont depuis longtemps les plus grands employeurs de la région. Le métier est dur et dangereux. Sur la Piazza XXVII Aprile, dans le centre de Carrare, un monument est élevé à la mémoire de ceux qui ont laissé leur vie dans la montagne. Ces hommes rudes formaient l'épine dorsale d'une forte tradition de gauche et anarchiste à Carrare, qui leur valut l'hostilité des fascistes et, plus tard, de l'occupant allemand.

En dehors de l'émerveillement que suscitent ses pavements en mosaïque de marbre, ses bancs en marbre, ses *putti* (chérubins) et autres réalisations en marbre, le vieux centre de Carrare n'offre pas grand-chose au visiteur. Seule exception à la règle, une biennale de sculpture s'y tient de juillet à septembre les années paires.

Face au stade, à mi-chemin entre Carrare et Marina di Carrara, l'**office du tourisme** (☎ 0585 84 41 36 ; Viale XX Settembre ; ☽ 8h30-17h30 juin-août, 9h-16h sept-mai) propose plans et dépliants sur les attractions locales. Le **Museo del Marmo** (musée du Marbre ; ☎ 0585 84 57 46 ; Viale XX Settembre ; adulte/enfant/tarif réduit 4,50 /gratuit/2,50 € ; ☽ 9h30-13h et 15h30-18h lun-sam mai-sept, 9h-12h30 et 14h30-17h lun-sam oct-avr) fait face à l'office du tourisme. Il en retrace l'extraction, de l'époque du ciseau aux techniques du XXI⁰ siècle. Un document audiovisuel passionnant évoque la vie des ouvriers de la carrière au XX⁰ siècle à travers des témoignages oraux.

Si vous voulez savoir comment les artisans transforment des blocs de marbre en œuvres d'art, prenez rendez-vous pour visiter le **Studi di Scultura Carlo Nicoli** (☎ 0585 7 00 79 ; www. nicoli-sculptures.com ; Piazza XXVII Aprile 8), rempli de poussière. C'est le plus pittoresque des cinq ateliers de marbriers que compte Carrare. Ici, des artistes de renommée internationale comme Louise Bourgeois ou Anish Kapoor viennent donner leurs instructions pour la taille de leur marbre, profitant d'une tradition millénaire transmise de génération en génération. Les artistes expérimentés peuvent aussi demander à être accueillis pendant plusieurs mois d'affilée pour s'initier aux techniques *in situ.* Après la visite, allez faire un tour du côté de la cathédrale romane pour prendre un café au **Café Pasticceria Luzio Caflisch** (☎ 058 7 16 76 ; Via Roma 2 ; ☽ 7h-19h30 lun-mar et jeu-sam 14h-19h30 dim).

Après votre visite au Museo del Marmo et au Studi di Scultura Carlo Nicoli, allez dans la montagne voir l'une des trois grandes carrières. Les **Cave di Colonnata**, les **Cave di Torano** et les **Cave di Fantiscritti** sont situées à environ 5 km au nord de Carrare. Suivez la flèche "*cave de marmo*" ("carrières de marbre"). Les carrières Fantiscritti sont les plus orientées vers le tourisme. Ici, les grosses extractions se font le matin pour permettre l'après midi les **visites** (☎ 339 765 7470 ; www.marmotour. com ; visite guidée 35 min adulte/moins de 10 ans 7/3 € ; ☽ 12h-17h lun-ven mars-avr et sept-oct, 11h-18h30 lun-ven mai-août, 11h-18h30 sam mars-oct) de cette carrière creusée à flanc de montagne qui évoque une cathédrale.

La côte de Carrare et ses stations balnéaires agréables et peu chères (**Marina di Carrara** et **Marina di Massa**) sont particulièrement prisées des Italiens en vacances. L'**Ostello Apuano** (☎ 0585 78 00 34 ; ostelloapuano@hotmail.com Viale delle Pinete, Partaccia 237 ; dort 12 € ; ☽ mi-mars mi-oct ; ▯), une auberge de jeunesse affiliée à HI, est installée au bord même de la plage dans une belle demeure des années 1920. Les dortoirs ne sont pas mixtes. Vous la trouverez à Partaccia, un peu au nord de Marina di Massa. Depuis la gare ferroviaire de Carrare, prenez le bus n°53 à destination de Via Avenza Mare.

Pietrasanta
24 609 habitants

Cette ville charmante est une base parfaite pour partir à la découverte des Alpes apuanes. Fondée par Guiscardo da Pietrasanta, *podestà* de Lucques en 1255, elle fut convoitée par Gênes, Lucques, Pise et Florence, qui se disputaient ses carrières de marbre et ses fonderies de bronze. Comme souvent, c'est

'lorence qui l'emporta et Léon X (Giovanni
le' Medici) en prit le contrôle en 1513. Il
nit les fameuses carrières de marbre à la
lisposition de Michel-Ange, qui vint y
hercher en 1518 le marbre de la façade de
a basilique San Lorenzo de Florence (p. 492).
.es penchants artistiques de Pietrasanta datent
le cette époque. Aujourd'hui, la ville abrite de
iombreux artistes et artisans, notamment le
culpteur colombien Fernando Botero.

Le centre de cette ancienne ville fortifiée
st aujourd'hui zone à circulation restreinte.
i vous venez en voiture, garez-vous devant
'hôtel de ville sur la Piazza Matteotti. Vous
rouverez un **point d'information touristique**
☎ 0584 28 32 84 ; info@pietrasantamarina.it ; ☟ 9h-13h
t 16h30-19h lun-mer, ven et sam, 16h30-19h jeu, 9h-13h,
 i-13h et 16h-19h30 dim) sur la Piazza Statuto toute
roche. De là, descendez la Via Mazzini,
principale artère commerçante bordée de
culptures de rue contemporaines. Vous y
lécouvrirez la **Chiesa della Misericordia**, ornée
les fresques *La Porte du Paradis* et *La Porte
'e l'Enfer* de Botero (l'artiste s'est peint dans
a seconde). Non loin de là, la **Pasticceria Dazzi**
☎ 0584 7 01 74 ; Via Mazzini 64) est réputée pour son
afé et ses douceurs.

En arrivant sur la Piazza del Duomo,
ouverte de sculptures, vous pouvez continuer
out droit sur la Via Garibaldi, où sont instal-
ées des galeries d'art ainsi qu'un **baptistère** du
XVIIe siècle dont les fonts en marbre datent
un de 1389 et l'autre de 1509-1612. C'est aussi
ans cette rue que se trouve le bar à vin phare
le la ville, **L'Enoteca Marcucci** (☎ 0584 79 19 62 ; Via
aribaldi 40 ; ☟ 10h-13h et 17h-1h mar-dim).

De l'autre côté du beau **Duomo di San Martino**,
onstruit en 1256 et orné de belles sculptures
ur marbre à l'intérieur, la **Chiesa di Sant'Agostino**
☟ 16h-19h mar-dim), église désacralisée du
XIIIe siècle, sert de cadre à des expositions.
'ancien couvent adjacent (1515-1579)
brite un centre culturel ainsi que le **Museo
ei Bozzetti** (☎ 0584 79 55 00 ; www.museodeibozzetti.it ;
a S Agostino 1 ; entrée libre ; ☟ 14h-19h mar-sam, 16h-19h
m), où sont exposés des moulages ou sculp-
ures célèbres réalisés à Pietrasanta.

L'**Albergo Pietrasanta** (☎ 0584 79 37 26 ; www.alber-
opietrasanta.com ; Via Garibaldi 35 ; d 295-375 €, ste 375-420 €
P 🍴 🖥) est un élégant *palazzo* proche
e la Piazza del Duomo et décoré d'œuvres
'art. Après une journée de marche en ville
u dans les Alpes apuanes, vous pourrez vous
étendre dans son somptueux jardin ou dans
ne chambre superbement décorée.

PISE (PISA)
87 461 habitants

Ancien port maritime rival de Gênes et de
Venise, Pise tire aujourd'hui sa renommée
d'un projet architectural qui a mal tourné.
Mais la fameuse Tour penchée n'est pas le seul
centre d'intérêt de cette ville. L'enseignement
est le moteur de l'économie locale depuis le
XVe siècle, et des étudiants venus de toute
l'Italie se disputent toujours les places dans son
université d'élite et ses écoles de chercheurs.
Ainsi, le centre-ville est doté de cafés animés et
peu chers et l'on croise dans les rues, bordées
de beaux édifices romans, d'églises gothiques
et de places Renaissance, davantage de Pisans
que de touristes.

Histoire

Cité vraisemblablement hellénique à l'origine,
Pise fut une importante base navale sous l'Empire romain et demeura un port actif pendant
de nombreux siècles. On peut dater le début
de son âge d'or à la fin du Xe siècle, lorsqu'elle
devint une république maritime indépendante.
Cette période bénie se prolongea jusqu'au
XIIIe siècle, époque à laquelle Pise contrôlait
la Corse, la Sardaigne et la plus grande partie
de la côte toscane, jusqu'à Civitavecchia, au
sud. Les plus beaux édifices pisans datent en
majorité de cette période, tout comme le style
architectural romano-pisan, bien particulier.

À l'époque des querelles entre le Saint
Empire romain germanique et la papauté,
le soutien des Pisans aux gibelins entraîna la
ville dans un conflit avec ses voisines toscanes
– majoritairement guelfes – Sienne, Florence et
Lucques. L'épreuve la plus dure fut néanmoins
la défaite écrasante que la flotte de Gênes
infligea à Pise lors de la bataille de la Meloria
en 1284 (suite à laquelle la Corse devint, pour
longtemps, génoise). Quand la ville tomba
aux mains de Florence en 1406, les Médicis
encouragèrent les projets artistiques, littéraires
et scientifiques et rétablirent l'université de
Pise. C'est là qu'enseigna plus tard le plus
célèbre natif de la ville, Galilée.

Renseignements

APT Pisa (www.pisaturismo.it) ; aéroport (☎ 050 50 25
18 ; ☟ 11h-23h) ; Piazza dei Miracoli (☎ 050 4 22 91 ;
hall d'entrée, Museo dell'Opera del Duomo ; ☟ 10h-19h) ;
Piazza Vittorio Emanuele II (☎ 050 4 22 91 ; ☟ 9h-19h
lun-ven, 9h-13h30 sam). Offices du tourisme.
Internet Planet (☎ 050 83 07 02 ; Piazza Cavallotti
3-4 ; 4 €/heure ; ☎ 9h-24h lun-ven, 10h-22h sam-dim)

TOSCANE

PISE (PISA)

0 — 400 m

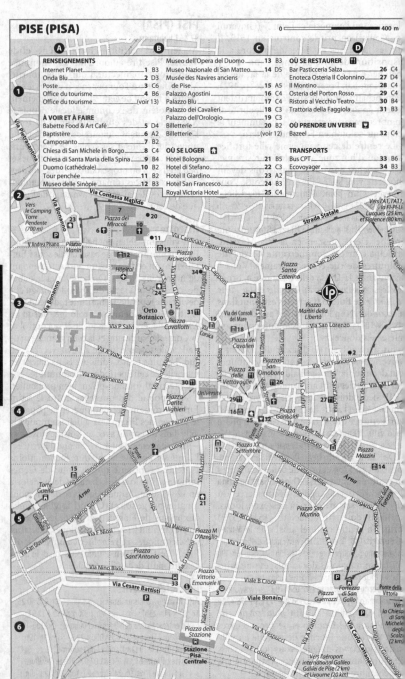

RENSEIGNEMENTS
Internet Planet.................................1 B3
Onda Blu...2 D3
Poste...3 C6
Office du tourisme..........................4 B6
Office du tourisme.....................(voir 13)

À VOIR ET À FAIRE
Babette Food & Art Café..................5 D4
Baptistère..6 A2
Camposanto....................................7 B2
Chiesa di San Michele in Borgo......8 C4
Chiesa di Santa Maria della Spina...9 B4
Duomo (cathédrale).....................10 B2
Tour penchée................................11 B2
Museo delle Sinôpie.....................12 B3

Museo dell'Opera del Duomo........13 B3
Museo Nazionale di San Matteo....14 D5
Musée des Navires anciens
de Pise.......................................15 A5
Palazzo Agostini............................16 C4
Palazzo Blu...................................17 C4
Palazzo dei Cavalieri....................18 C3
Palazzo dell'Orologio...................19 C3
Billetterie......................................20 B2
Billetterie................................(voir 12)

OÙ SE LOGER
Hotel Bologna..............................21 B5
Hotel di Stefano...........................22 B3
Hotel Il Giardino..........................23 A2
Hotel San Francesco....................24 B3
Royal Victoria Hotel.....................25 C4

OÙ SE RESTAURER
Bar Pasticceria Salza....................26 C4
Enoteca Osteria Il Colonnino......27 D4
Il Montino....................................28 C4
Osteria del Porton Rosso.............29 B4
Ristoro al Vecchio Teatro............30 B4
Trattoria della Faggiola...............31 B3

OÙ PRENDRE UN VERRE
Bazeel..32 C4

TRANSPORTS
Bus CPT..33 B6
Ecovoyager...................................34 B3

Onda Blu (☎ 800 861346 ; Via San Francesco 8a ; 🕐 8h-22h). Laverie.

Poste (Piazza Vittorio Emanuele II)

À voir

Si beaucoup de visiteurs se limitent aux monuments de la Piazza dei Miracoli, les mieux informés prolongent leur séjour pour explorer le centre historique. Cette tendance devrait se confirmer avec l'ouverture, début 2010, du **musée des Navires anciens de Pise** (Museo Navi Antiche Romane di Pisa ; www.cantierenavipisa.it) sur le Lungarno Simonelli. On pourra y admirer neuf navires marchands de l'époque romaine, mis au jour lors du dragage du port de Pise en 1998 et restaurés.

PIAZZA DEI MIRACOLI

Aucun monument toscan n'a été plus souvent immortalisé sur les souvenirs kitsch que la fameuse tour qui penche au-dessus de cette place, également connue sous les noms de Campo dei Miracoli ou Piazza del Duomo. Les vastes pelouses de la place servent d'écrin à d'extraordinaires édifices romans : la cathédrale, le baptistère et la tour. Deux millions de curieux s'y pressent chaque année, souvent venus pour la journée en bus depuis Florence.

Tour penchée

Aucun doute, la **Torre Pendente** (réservations ☎ 050 387 22 10 ; www.opapisa.it/boxoffice/index ; 🕐 8h30-20h30 avr à mi-juin et 2 dernières sem de sept, 8h30-23h mi-juin à mi-sept, 9h-19h oct, 10h-17h nov-fév, 9h-18h ou 19h mars) penche réellement. Reportez-vous à l'encadré p. 525 pour en découvrir tous les détails.

En 1160, Pise comptait quelque 10 000 tours, mais sa cathédrale ne possédait aucun clocher. La Pisane Berta di Bernardo y mit bon ordre en 1172 en laissant par testament de quoi édifier un *campanile*. Les travaux débutèrent en 1173, mais furent interrompus dix ans plus tard, les trois premiers étages ayant commencé à pencher. En 1272, artisans et maçons tentèrent de stabiliser les fondations, mais en vain. Ils poursuivirent néanmoins la construction, redressant les nouveaux étages par rapport aux premiers et créant par le fait même une légère courbe.

Au cours des siècles suivants, la tour a penché de 1 mm supplémentaire chaque année. En 1993, elle formait un angle de plus de 5 degrés par rapport à la verticale. Récemment, des étais d'acier ont été placés autour du troisième étage de la tour et reliés à des câbles d'acier fixés aux édifices environnants. Ce dispositif a permis de maintenir la tour pendant qu'on creusait le sol sous les fondations nord. Après l'extraction de 70 tonnes de terre, la tour a retrouvé le niveau qui était le sien au XVIIIe siècle, rectifiant au passage son inclinaison de 43,8 cm. D'après les experts, ces travaux devraient assurer la survie de la tour – et l'affluence des touristes – pour les trois siècles à venir.

On accède à la tour par groupes de 40 personnes maximum et les enfants de moins de 8 ans ne sont pas admis. Pour éviter des heures d'attente, réservez en ligne ou par téléphone. Sinon, précipitez-vous au guichet dès votre arrivée sur la *piazza* et réservez une place dans le premier groupe incomplet.

La visite – une grimpette de 294 marches parfois glissantes – dure 30 minutes. Les visites en nocturne réservent une vue enchanteresse sur Pise la nuit. Tous les bagages, y compris les sacs à main, doivent être déposés à la consigne gratuite située à côté de la billetterie.

Duomo

La construction de la **cathédrale** (🕐 10h-20h avr-sept, 10h-19h oct, 10h-13h et 14h-17h 1er nov-24 déc et 8 jan-28 fév, 9h-18h 5 déc-7 jan, 10h-18h ou 19h mars) de Pise débuta en 1063 et s'acheva au XIIIe siècle avec l'ajout de la façade principale. Le dôme en

---

BILLETS GROUPÉS POUR LA PIAZZA DEI MIRACOLI

Les tarifs pour visiter les monuments de la Piazza dei Miracoli sont compliqués. Les billets pour la **Tour** (15 € au guichet, 17 € en ligne) et le **Duomo** (2 € mars-oct, entrée libre nov-fév) sont vendus séparément, mais un billet groupé existe pour les autres sites. Il coûte 5/6/8/10 € pour 1/2/3/4 monuments et concerne le baptistère, le Camposanto, le Museo dell'Opera del Duomo et le Museo delle Sinópie. Les enfants de moins de 10 ans peuvent visiter gratuitement tous ces sites sauf la Tour, à laquelle les moins de 8 ans n'ont pas accès. Tout billet donne également droit aux espaces multimédias et d'information du Museo dell'Opera del Duomo et du Museo delle Sinópie.

Ces billets sont disponibles dans deux **billetteries** (www.opapisa.it) sur la place : la billetterie centrale, derrière la Tour, et un autre guichet situé dans l'entrée du Museo delle Sinópie. Pour être sûr de pouvoir visiter la Tour, réservez vos billets sur le site Internet au moins 15 jours à l'avance.

ellipse, premier du genre en Europe, date de 1380. Les rayures formées par l'alternance de marbre vert et beige sont devenues la marque de fabrique des églises romanes de Toscane.

Cette cathédrale était à l'époque la plus grande d'Europe. Ses proportions impressionnantes avaient pour but de démontrer la domination de Pise en Méditerranée. La façade principale comporte quatre étages de colonnes qui diminuent au fur et à mesure que l'on monte. L'intérieur est soutenu par 68 robustes colonnes de granit. Le plafond en bois doré à l'or 24 carats date de l'époque où les Médicis régnaient sur la cité.

Ne manquez pas l'extraordinaire **chaire** octogonale du début du XIVe siècle dans le bas-côté nord, sculptée dans du marbre de Carrare par Giovanni Pisano. Ses nus et ses silhouettes de héros ont une profondeur de détails et une expressivité qui donnent une vie nouvelle à la statuaire gothique. L'œuvre de Pisano contraste violemment avec la chaire moderne et l'autel conçus par le sculpteur italien Giuliano Vangi, et installés non sans controverse en 2001.

Baptistère

De forme inhabituelle, ce **Battistero** (8h-20h avr-sept, 9h-18h ou 19h mars et oct, 10h-17h nov-fév) rond comporte deux dômes superposés, couverts pour moitié de plomb et pour moitié de tuiles. Sa construction débuta en 1152, mais fut modifiée et poursuivie par Nicola et Giovanni Pisano plus d'un siècle plus tard et achevée au XIVe siècle, d'où son style hybride.

À l'intérieur, la belle **chaire** sculptée par Nicola Pisano en 1259-1260 tient la vedette. S'inspirant des sarcophages romains du Camposanto (voir la rubrique qui suit), Pisano retrace des scènes bibliques à l'aide de personnages classiques et puissants. Son Daniel, qui soutient un des angles de la chaire sur ses épaules, est évidemment inspiré des Hercules antiques. C'est un des premiers nus héroïques de l'art italien, souvent cité comme étant à l'origine d'une tradition qui devait atteindre la perfection avec le *David* de Michel-Ange.

Toutes les 30 minutes, un gardien fait une démonstration de la remarquable acoustique et de l'écho dus au double dôme.

Camposanto et Museo delle Sinópie

On raconte que de la terre du Golgotha ramenée des croisades tapisse le sol du magnifique **Camposanto** (cimetière ; 8h-20h avr-sept, 9h-18h ou 19h mars et oct, 10h-17h nov-fév) où étaient autrefois inhumés les notables pisans. On y trouve des sarcophages d'origine gréco-romaine réutilisés au Moyen Âge.

Au cours de la Seconde Guerre mondiale, l'artillerie alliée a détruit nombre des fresques précieuses des XIVe et XVe siècles qui ornaient les murs de ce cloître. Le *Triomphe de la Mort*, remarquable évocation de l'enfer attribuée au peintre Buonamico Buffalmacco (XIVe siècle) est l'une des rares à avoir survécu. Un programme de restauration des fresques endommagées est actuellement en cours et les *sinópie* (esquisses préliminaires) dessinées par les artistes à l'ocre rouge sur les murs du Camposanto avant l'exécution des fresques sont exposées au **musée des Sinópie** (8h-20h avr-sept, 9h-18h ou 19h mars et oct, 10h-17h nov-fév), de l'autre côté de la place.

Museo dell'Opera del Duomo

Installé dans l'ancien chapitre de la cathédrale, le **musée de la Cathédrale** (8h-20h avr-sept, 9h-18h ou 19h mars et oct, 10h-17h nov-fév) contient les œuvres d'art autrefois exposées dans la cathédrale et le baptistère. Les pièces maîtresses sont notamment la *Vierge à l'Enfant* (1299) en ivoire, sculptée par Giovanni Pisano pour le maître-autel de la cathédrale, et sa *Madonna del Colloquio* (milieu du XIIIe siècle), qui ornait un portail du Duomo. Le musée compte aussi des œuvres d'art islamiques, comme le griffon qui surmontait autrefois la cathédrale et un hippogriffe mauresque du Xe siècle.

LA VILLE

Depuis la Piazza dei Miracoli, prenez au sud la Via Santa Maria et tournez à gauche sur la Piazza Cavallotti pour parvenir à la splendide **Piazza dei Cavalieri**, remaniée par Vasari au XVIe siècle. Le **Palazzo dell'Orologio** (palais de l'Horloge), installé côté nord de la place, occupe le site de la tour dans laquelle, en 1288, le comte Ugolino della Gherardesca, ses fils et ses petits-fils, soupçonnés d'avoir aidé l'ennemi génois lors de la bataille de la Meloria, furent condamnés à mourir de faim. L'épisode a été repris par Dante dans l'*Enfer*. Sur le côté nord-est de la place, le **Palazzo dei Cavalieri**, modifié par Vasari, est orné d'un remarquable *sgraffito* (surface enduite de plâtre que l'on sculpte ensuite afin de créer des reliefs imitant la pierre ou la brique sculptées). Il accueille aujourd'hui la Scuola Normale Superiore, généralement considérée comme la grande école la plus prestigieuse d'Italie.

LA VILLE PENCHÉE

Tout le monde sait que la tour de Pise penche. Mais sait-on que plusieurs autres monuments de la ville sont dans le même cas ? Le phénomène est dû à la composition du sol sur lequel repose la ville, situé 2 m à peine au-dessus du niveau de la mer, un mélange traître de sable et d'argile recouvrant un mille-feuille d'argile, d'eau et de sable de plus de 40 m d'épaisseur.

Les architectes du Moyen Âge l'ignoraient et n'ont pas pris soin de compenser ce handicap par des calculs permettant d'adapter la masse et la densité de leurs édifices à ce sol instable. Si l'architecte Bonanno Pisano avait donné une plus grande circonférence à sa tour, il est probable qu'elle ne pencherait pas à ce point.

Il ne fut pas le seul à se tromper dans ses calculs. Sur la Piazza dei Miracoli, le Duomo et le Baptistère penchent respectivement de 25 cm et de 51 cm vers le nord. Sur le Lungarno Mediceo, le Palazzo Agostini n'est pas droit lui non plus.

Le clocher octogonal de la Chiesa di San Nicola, sur la Via Santa Maria, et la tour de la Chiesa di San Michele degli Scalzi, sur la Via San Michele degli Scalzi, font aussi partie des tours penchées de Pise.

Le Borgo Stretto, plus au sud, est le cœur médiéval de la ville. Boutiques et cafés se ouvent sous des arcades monumentales ; des raffitis du XVe siècle, datant de l'élection d'un nouveau recteur, ornent encore la façade de la **hiesa di San Michele in Borgo**. Un marché a lieu quotidiennement juste à côté, sur la **Piazza delle ettovaglie**, entourée de portiques du XVe siècle. n soirée, les bars de cette place sont fréquentés par les amateurs d'*aperitivo*.

Depuis la Piazza Garibaldi, prenez le Lungarno vers l'est pour vous rendre au **Museo Nazionale di San Matteo** (☎ 050 54 18 65 ; iazza San Matteo in Soarta, Lungarno Mediceo ; adulte/tarif éduit 5/2,50 € ; ☉ 8h30-19h mar-sam, 8h30-13h30 dim), ncien couvent bénédictin du XIIIe siècle qui renferme des chefs-d'œuvre médiévaux. 'ous y verrez de belles sculptures pisanes des XIVe et XVe siècles, notamment des œuvres le Nicola et Giovanni Pisano, d'Andrea et de Nino Pisano, de Francesco di Valdambrino, Donatello, Michelozzo et d'Andrea della Robbia. Mais la collection de peintures de 'école toscane (XIIe-XIVe siècle) est encore plus admirable, qui compte des toiles de Berlinghiero, Lippo Memmi, Taddeo Gaddi, Gentile da Fabriano et Ghirlandaio. Ne manquez pas le *Saint Paul* de Masaccio, la *Vierge l'Humilité* de Fra Angelico et le *Polyptyque de sainte Catherine* de Simone Martini.

Pour revenir à notre époque, rendez-vous u **Babette Food and Art Café** (☎ 050 991 33 02 ; ungarno Mediceo 15 ; ☉ 9h-23h mar-dim ; ☞), antre le la bohème locale. Ses murs de brique ue accueillent des œuvres d'artistes locaux ans cesse renouvelées et son ambiance décontractée incite à la conversation autour d'un café.

DE L'AUTRE CÔTÉ DE L'ARNO

Traversez le Ponte di Mezzo pour gagner le **Corso Italia**, principale artère commerçante de Pise. À l'ouest du *corso*, face à l'Arno, le **Palazzo Blu** (☎ 050 2 85 15 ; www.palazzoblu.it ; Lungarno Gambacorti 9 ; visite gratuite 20 min en italien, visite sur réservation en français, 5 pers maxi 17 € ; ☉ 10h-18h mar-dim) est un palais du XIVe siècle très bien restauré, doté d'une splendide décoration intérieure du XIXe siècle. Il renferme la collection de la Fondation CariPisa, qui comprend principalement des œuvres pisanes du XIVe au XXe siècle, et accueille des expositions temporaires. Visites guidées uniquement (20 min ; 16h, 16h30 et 17h tous les jours, sauf réservation).

En continuant vers l'ouest, vous découvrirez la **Chiesa di Santa Maria della Spina** (Lungarno Gambacorti ; adulte/tarif réduit 2/1,50 € ; ☉ 10h-13h45 et 15h-17h45 mar-ven, 10h-13h45 et 15h-18h45 sam mars-oct, 10h-14h mar-dim nov-fév), un des bijoux architecturaux de la ville. Superbe exemple de style gothique pisan, cette église aujourd'hui déconsacrée fut édifiée entre 1223 et 1230 afin d'abriter un reliquaire contenant une épine de la couronne du Christ. L'extérieur orné de flèches est décoré de niches et de statues, mais la simplicité de l'intérieur est propice à la méditation. La *Madone à la rose* (1345-1348), d'Andrea et de Nino Pisano, chef-d'œuvre de la statuaire gothique qui porte encore des traces de couleur et de dorure, en est l'un des principaux ornements. À l'autre extrémité de l'église, on peut admirer une copie de la *Madonna del Latte* (Vierge allaitant, 1343-1347), de Nino ou d'Andrea Pisano, dont l'original trône au Museo Nazionale di San Matteo.

TOSCANE

Fêtes et festivals

Chaque année le 17 juin, l'Arno vibre au rythme de la **Regata Storica di San Ranieri**, course à la rame en l'honneur du patron de la ville. La nuit qui précède (le 16 juin), lors de la **Luminaria**, quelque 700 000 bougies illuminent les rues de Pise le long de l'Arno en l'honneur de San Ranieri.

Le dernier dimanche de juin se déroule le **Gioco del Ponte** (jeu du Pont), au cours duquel deux équipes revêtues de costumes médiévaux s'affrontent sur le Ponte di Mezzo.

Le **Palio delle Quattro Antiche Repubbliche Marinare** (Régate des quatre anciennes républiques maritimes) est l'occasion de voir s'affronter sur l'eau les quatre rivales de jadis : Pise, Venise, Amalfi et Gênes. Cette régate historique se déroule généralement en juin, tour à tour dans chacune des villes. Après Gênes en 2008 et Amalfi en 2009, elle aura lieu à Pise en 2010 et en 2014.

Où se loger
PETITS BUDGETS

Il n'existe pas d'hôtels ou auberges de jeunesse pour petits budgets intéressants à Pise.

Camping Torre Pendente (☎ 050 56 17 04 ; www. campingtorrependente.it ; Via delle Cascine 86 ; 2 pers, voiture et tente 20-71 € ; ☼ avr à mi-oct ; 🖾). Situé à environ 1 km au nord-ouest de la Piazza dei Miracoli, ce camping n'est pas le plus beau de Toscane, mais il possède un supermarché, un restaurant et une petite piscine.

CATÉGORIE MOYENNE

Hotel San Francesco (☎ 050 55 41 09 ; www.hotelfrancesco. com ; Via Santa Maria 129 ; ch 70-100 € ; 🖾 🖳 🛜). Cet hôtel dans une rue animée qui mène à la Tour penchée comporte 13 chambres impersonnelles mais propres. Malgré son calme et son bon niveau de confort, le prix des chambres ordinaires est un peu élevé. Les chambres du 1er étage (n°s 201 et 202) se partagent une terrasse.

Hotel Il Giardino (☎ 050 56 21 01 ; www.hotelilgiardino.pisa.it ; Piazza Manin 1 ; s/d 80/100 € ; 🅿 🖾 🛜). Cet hôtel installé dans un ancien relais de poste des Médicis, et séparé de la place de la cathédrale par le mur d'enceinte, a l'avantage de posséder un jardin tranquille en terrasse où prendre son petit déjeuner tout en admirant le dôme du baptistère. Décoration contemporaine avec des œuvres originales dans toutes les chambres.

Hotel di Stefano (☎ 050 55 35 59 ; www.hoteldistefano.pisa.it ; Via Sant'Apollonia 35-37 ; s/d avec sdb commune 45-65/ 65-80 €, s/d avec sdb 65-140/75-170 € ; 🖾). Trois bonnes raisons de descendre dans ce trois-étoiles : sa situation dans une petite rue tranquille du quartier médiéval, ses chambres simples et élégantes, et sa terrasse avec vue sur le haut de la tour penchée. Les chambres "deluxe" de la Casa Torre (v. 1045) récemment rénovée possèdent des poutres et des pierres apparentes.

Hotel Bologna (☎ 050 50 21 20 ; www.hotelbologna.pisa.it ; Via Mazzini 57 ; s 59-99 €, d 119-179 € 🅿 🖾 🖳 🛜). Cet hôtel quatre-étoiles sur la rive sud de l'Arno offre des chambres calmes et bien équipées, un service efficace et un généreux buffet au petit déjeuner. Il n'est qu'à 1 km de la Piazza dei Miracoli.

Royal Victoria Hotel (☎ 050 94 01 11 ; www.royalvictoria.it ; Lungarno Pacinotti 12 ; ch avec sdb commune/sdb 80/100-150 € ; 🅿 🖾). Ce doyen des hôtels pisans tenu avec amour par la famille Piegaja depuis cinq générations, offre le luxe d'antan et un service attentif et chaleureux. Il est idéalement situé au centre-ville, en bordure de l'Arno.

Où se restaurer

Ville universitaire, Pise dispose d'un vaste choix de restaurants, notamment près du Borgo Stretto, de l'université (Piazza Dante Alighieri) et sur la rive sud de l'Arno, dans le quartier branché de San Martino.

PETITS BUDGETS

Il Montino (Vicolo del Monte 1 ; part de pizza 1,20-1,50 € pizza entière 3,80-7,20 € ; ☼ 10h30-15h et 17h-22h lun-sam). Étudiants et gens chics, tous adorent la *cecina* (pizza aux pois chiches) et le *spuma* (boisson sucrée sans alcool), spécialités de cette fameuse pizzeria située dans une allée derrière la Caffetiera Ginostra. On peut aussi commander un *foccacine* (pain plat) au salami, à la pancetta ou à la *porchetta* (viande de porc). On peut manger en terrasse ou emporter.

Bar Pasticceria Salza (☎ 050 58 02 44 ; Borgo Stretto 44 ☼ 8h-20h30 avr-oct, horaires variables mar-dim nov-mars). Depuis les années 1920, les amateurs de douceurs passant sur le Borgo Stretto succombent à cette pâtisserie. Vous pouvez prendre une table sous la galerie ou déguster au bar : moindres frais, quoi qu'il en soit, l'excellent café et les chocolats et pâtisseries irrésistibles vous satisferont.

Trattoria della Faggiola (☎ 050 55 61 79 ; Via della Faggiola 1 ; primi 7-7,50 €, secondi 8-9,50 € ; ☼ dîner ven-sam, déj lun-jeu). Cette trattoria très fréquentée a récemment changé de propriétaire. Soulagés de constater que la cuisine ne baissait pas en qualité, les habitués continuent à choisir entre les 3 ou 4 plats du jour, à déguster à l'intérieur ou en terrasse. Cartes bancaires non acceptées.

CATÉGORIE MOYENNE

Enoteca Osteria Il Colonnino (☎ 050 313 84 30 ; Via S Andrea 37-41 ; repas 31 ; ⊗ déj et dîner mar-dim). Situé dans le dédale de petites rues médiévales séparant la Piazza San Francesco de l'Arno, Il Colonnino est un endroit très agréable aussi bien pour y déjeuner que pour y prendre l'*aperitivo* ou y dîner. Sa cuisine italienne aux accents modernes sait donner la réplique à une impressionnante carte des vins. En semaine, le plat du jour servi au déjeuner, avec eau et un verre de bon vin, est à 10 €.

Osteria del Porton Rosso (☎ 050 58 05 66 ; Vicolo del Porton Rosso 11 ; repas 32 € ; ⊗ déj et dîner lun-sam). Les menus – celui de la terre et celui de la mer – sont tous deux tentants dans cette excellente *osteria* à l'ancienne, située dans une ruelle derrière le Royal Victoria Hotel. Les spécialités pisanes telles que les raviolis frais à la morue et aux pois chiches côtoient des classiques toscans comme le filet de bœuf grillé.

☺ Ristoro al Vecchio Teatro (☎ 050 2 02 10 ; Piazza Dante Alighieri ; menu 35 € ; ⊗ déj lun-sam, dîner mar-sam). L'accueillant patron du Vecchio Teatro s'enorgueillit à juste titre de son menu. Les produits de la mer dominent les 4 plats qui le composent, parmi lesquels une *torta di ceci infranti con le arselle* (tarte aux pois chiches et aux moules) ou du risotto aux crevettes et à l'orange. À l'heure du dessert, le *castagnaccio* (gâteau sucré à la châtaigne) déclenche les applaudissements spontanés des clients.

Où prendre un verre

C'est surtout sur la Piazza delle Vettovaglie et la Piazza Dante, et alentour, que les étudiants viennent prendre un verre.

Bazeel (www.bazeel.it ; Lungarno Pacinotti 1 ; ⊗ 17h-2h). Dans le centre-ville, à l'angle de la Piazza Garibaldi, ce bar célèbre pour son *aperitivo* attire une clientèle variée. Arrivez un peu avant 18h si vous voulez une table à l'extérieur. Il y a généralement de la musique live ou un DJ après 21h.

Depuis/vers Pise

AVION

L'**aéroport international Galileo Galilei de Pise** (PSA ; ☎ 050 84 93 00 ; www.pisa-airport.com), à environ 2 km au sud du centre-ville, le plus grand aéroport international de Toscane, accueille les vols depuis/vers les principales villes européennes.

BUS

La compagnie pisane **CPT** (Compagnia Pisana Trasporti ; ☎ 800 012773 ; www.cpt.pisa.it) assure des liaisons depuis/vers Volterra (5 €, 2 heures, jusqu'à 10/jour) et Livourne (2,50 €, 55 min, ttes les 30 min). Pour vous rendre à Florence ou à Lucques, prenez le train.

TRAIN

Pise se trouve sur la ligne de Florence et la ligne Rome-La Spezia. Depuis Pise, on peut donc rejoindre Florence (5,60-11,40 €, 1 heure à 1 heure 30, services fréquents), Rome (17,65-37,10 €, de 2 heures 30 à 4 heures, 16/jour), Livourne (1,80 €, 15 min, services fréquents) et Lucques (2,40 €, 30 min, ttes les 30 min). Pour rejoindre Volterra, prenez le train pour Cecina (4,20-8,60 €, 40 à 70 min, 23/jour) puis prenez le bus CPT (3,50 €, liaisons fréquentes).

VOITURE ET MOTO

Pise est proche de l'A11 et de l'A12. La SCG FI-PI-LI est une route sans péage qui permet de gagner Florence ou Livourne. La SS1 nord-sud, ou Via Aurelia, relie Pise à La Spezia et à Rome.

Le stationnement coûte entre 0,50 € et 2 € l'heure. Prenez soin de ne pas vous garer dans la zone interdite (voir l'encadré ci-dessous). Il existe un parking gratuit en dehors de cette zone, sur le Lungarno Guadalongo près de la Fortezza di San Gallo, sur la rive sud de l'Arno. Vous trouverez des places payantes bien situées à l'ouest de la Piazza dei Miracoli juste à l'extérieur de la Porta di Manin, à la gare au

---

STATIONNEMENT RÉGLEMENTÉ

Il existe une zone de circulation limitée (ZTL) pour les non-résidents dans le centre historique de Pise, rigoureusement réglementée. Tout véhicule pénétrant dans cette zone est photographié et encoure une amende de 76 € hors frais administratifs (le cas échéant, l'amende est transmise à votre loueur de véhicule). Si vous séjournez dans cette zone, vous devez fournir les coordonnées de votre voiture à l'hôtel dès votre arrivée afin d'obtenir une autorisation de circuler dans la ZTL. Les personnes handicapées peuvent obtenir une autorisation gratuitement en appelant le ☎ 800 086540. Vous trouverez des plans de la ZTL, sur https://secure.comune.pisa.it/tzi/info.jsp.

nord de la Piazza dei Miracoli, sur la Piazza Santa Caterina (accès par la Porta San Zeno) et sur la Via Cesare Battisti, près de la gare ferroviaire, sur la rive sud de l'Arno.

Comment circuler
DESSERTE DE L'AÉROPORT
Pour vous rendre à l'aéroport de Pise, prenez un train depuis la Stazione Pisa Centrale (1,10 €, 5 min, 33/jour), ou la ligne (rouge) LAM Rossa (1 €, 10 min, ttes les 10 à 20 min), gérée par la CTP, qui passe par le centre-ville et la gare ferroviaire sur son trajet depuis/ vers l'aéroport.

Si vous achetez votre ticket à bord du bus plutôt qu'au bureau d'information de l'aéroport ou chez un marchand de journaux, vous paierez 0,50 € de plus. Un taxi entre l'aéroport et Pise coûte entre 8 et 10 €.

Des bus **Terravision** (www.terravision.eu) circulent entre l'aéroport de Pise et la Stazione di Santa Maria Novella (adulte 10/16 € aller simple/ aller-retour, enfant 5/9 €, 70 min, jusqu'à 13/ jour), à Florence. Les bus Vaibus/Lazzi relient l'aéroport à Lucques (2,80 €, 1 heure, 30/jour). **TRAIN S.p.A.** (☎ 0577 20 42 46 ; www.trainspa.it) assure 2 liaisons par jour entre l'aéroport et Sienne (14/26 € aller simple/aller-retour).

Le transporteur local **Ecovoyager** (☎ 050 56 18 39, 339 7607652 ; www.ecovoyager.it ; Via della Faggiola 41 ; ☢ 9h-24h lun-ven) loue des vélos (12 €/jour) et propose une visite en Segway du centre historique (65 €/pers).

Pour appeler un taxi, composez le ☎ 050 54 16 00 (aéroport), le ☎ 050 4 12 52 (gare ferroviaire de Pise) ou le ☎ 050 56 18 78 (Piazza dei Miracoli).

LIVOURNE (LIVORNO)
160 949 habitants
Durement touchée par les bombardements lors de la Seconde Guerre mondiale, deuxième agglomération de Toscane et ville portuaire par excellence, Livourne a été malheureusement reconstruite sans grand sens de l'esthétique.

Vous trouverez un **kiosque touristique** (☎ 0586 20 46 11 ; www.costadeglietruschi.it ; Piazza del Municipio ; ☢ 9h-17h avr-oct, 9h30-12h30 et 14h-17h lun-sam nov-mars) dans le centre-ville. L'**office du tourisme** (☎ 0586 89 53 20 ; ☢ juin-sept) est installé près du principal terminal des ferries à la Stazione Marittima.

À voir
Le **Mercato Centrale** (Via Buontalenti ; ☢ 6h-14h lun-sam), magnifique édifice de 95 m de longueur

datant de la fin du XIXe siècle, qui a survécu par miracle aux bombardements alliés de la Seconde Guerre mondiale, abrite un marché d'alimentation. Venez tôt le matin pour profiter de l'abondance qu'offre l'étonnant marché au poisson.

La **Fortezza Nuova** (entrée libre), édifiée pour les Médicis à la fin du XVIe siècle, est située dans un quartier surnommé *Piccola Venezia* (la petite Venise) en raison de ses petits canaux. À l'intérieur s'étend désormais un parc et il ne reste pas grand-chose du bâtiment d'origine, à l'exception des solides murailles extérieures.

Près du front de mer, la **Fortezza Vecchia** (vieux fort ; entrée libre), édifiée 60 ans plus tôt sur le site d'un bâtiment du XIe siècle, est en assez mauvais état. Ses profondes fissures verticales et l'effritement de ses murs donnent le sentiment qu'elle pourrait s'effondrer dans la mer à tout moment.

La visite de l'excellent **Museo di Storia Naturale del Mediterraneo** (☎ 0586 26 67 11 ; www.provincia livorno.it ; Via Roma 234 ; adulte/enfant 10/5 € ; ☢ 9h-13h mar-ven, 15h-19h mar, jeu et sam, 15h-19h dim) offre une plongée concrète dans le monde des sciences naturelles. Des expositions temporaires alternent continuellement.

Au cœur d'un joli parc à 1 km au sud de la ville, le **Museo Civico Giovanni Fattori** (☎ 0586 80 80 01 ; museofattori@comune.livorno.it ; Via San Jacopo in Acquaviva 65 ; 4 € ; ☢ 10h-13h et 16h-19h mar-dim) présente les œuvres de l'école impressionniste des Macchiaioli (XIXe siècle), basée à Livourne.

Où se loger
Camping Miramare (☎ 0586 58 04 02 ; www.campingmiramare.com ; Via del Littorale 220 ; 9-10 €/pers, emp 20-40 € ; ☢ tte l'année ; ☒). Camping ombragé avec restaurant et pizzeria, juste à côté de la plage d'Antignano, à environ 8 km au sud de la ville. Les emplacements sont classés selon 3 catégories, certains ayant vue sur la mer, chaises longues et parasol.

Pensione Dante (☎ 349 6260076 ; mihaela.b@hotmail.it ; 1er ét, Scali d'Azeglio 28 ; s/d 30/40 €). Le changement de gérance s'est traduit par une nouvelle literie, de grandes améliorations dans les sdb et l'apparition d'une cuisine. Les chambres sont spacieuses et dépouillées, certaines ont vue sur le canal, et tout est impeccable. La nouvelle salle du petit déjeuner, qui donne aussi sur le canal, est équipée d'une TV et d'une machine à café.

Hotel Al Teatro (☎ 0586 89 87 05 ; www.hotelalteatro it ; Via Enrico Mayer 42 ; s 95-110 €, d 130-150 € ; ☐ ☒ ☐). Cet hôtel de charme apprécié comporte

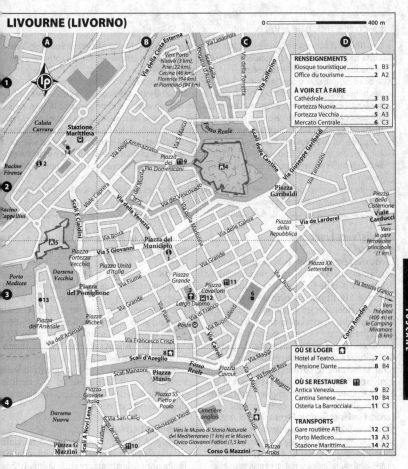

LIVOURNE (LIVORNO)

0 ————————— 400 m

RENSEIGNEMENTS
Kiosque touristique 1 B3
Office du tourisme 2 A2

À VOIR ET À FAIRE
Cathédrale 3 B3
Fortezza Nuova 4 C2
Fortezza Vecchia 5 A3
Mercato Centrale 6 C3

OÙ SE LOGER
Hotel al Teatro 7 C4
Pensione Dante 8 B4

OÙ SE RESTAURER
Antica Venezia 9 B2
Cantina Senese 10 B4
Osteria La Barrocciaia 11 C3

TRANSPORTS
Gare routière ATL 12 C3
Porto Mediceo 13 A3
Stazione Marittima 14 A2

TOSCANE

chambres plutôt petites, toutes de couleurs différentes, avec un mobilier classique et les dessus de lit en tapisserie. Quelques chambres ont vue sur le jardin où pousse un arbre bicentenaire. Accessible aux personnes handicapées.

Où se restaurer

Cantina Senese (☎ 0586 89 02 39 ; Borgo dei Cappuccini 95 ; repas à partir de 19 € ; ☾ lun-sam). Les employés du port sont les premiers à venir s'installer autour des grandes tables de bois de ce sympathique restaurant sans prétention, suivis par les familles du quartier. On s'en remet souvent à son serveur plutôt qu'à la carte pour commander. Les moules sont un délice, tout comme le *cacciucco di pesce* (marmite de poisson).

Antica Venezia (☎ 0586 88 73 53 ; Piazza dei Domenicani ; repas 23 € ; ☾ lun-sam). On pourra éventuellement vous fournir une carte écornée, rédigée à la main. Mais les serveurs préfèrent proposer d'emblée les prises du jour. Un *cacciucco* géant coûte 16 €.

Osteria La Barrocciaia (☎ 0586 88 26 37 ; Piazza Cavallotti 13 ; repas 22 € ; ☾ mar-sam). Cette adresse n'est plus un secret depuis longtemps, mais il faut ouvrir l'œil et le bon pour repérer ce restaurant à la façade anonyme et à l'enseigne presque invisible, sur la Piazza Cavallotti. On vend de gros sandwichs (5 €) dans la première salle, toute petite, mais avec un peu de chance et en arrivant à l'heure, vous pourrez obtenir une table et découvrir pourquoi les habitants ont tant de respect pour ce lieu.

TOSCANE

LA CÔTE ÉTRUSQUE À VÉLO

La partie de la côte est très prisée des cyclistes, en particulier certains tronçons de la Strada del Vino Costa degli Etruschi (www.lastradadelvino.com), route des vins longue de 150 km entre Livourne et Piombino, et jusqu'à l'île d'Elbe.

Si vous souhaitez visiter la région à vélo, consultez les excellents itinéraires – avec carte et liste des hébergements adaptés aux cyclistes – mis au point par le journaliste spécialisé Enrico Caracciolo sur le site www.costadegli etruschi.it. Enrico, qui vit à Donoratico, sur cette partie de la côte, vous donnera de bons conseils. "Ne vous pressez pas, regardez le paysage, attendez-vous à des côtes. Ne mettez pas au point votre itinéraire sur la foi des seules cartes. Renseignez-vous sur les routes – une carte ne peut pas vous dire si une route est adaptée aux cyclistes ou si le trafic routier y est intense. Par exemple, les routes Cecina-Volterra (SS68) et Siena-Grosseto (SS223) peuvent être dangereuses. Les samedis et dimanches, les camions ne circulent pas : ce sont les meilleurs jours pour faire du vélo."

Enrico recommande également les circuits à vélo organisés par Cinghiale Cycling Tours (www.cinghiale.com), dirigé par l'ex-coureur professionnel Andy Hampsten.

Depuis/vers Livourne
BATEAU
Livourne est un port très important. La Sardaigne et la Corse sont régulièrement desservies depuis Calata Carrara, près de la Stazione Marittima. Le prix de la traversée varie énormément en fonction de la date et de l'heure du départ. Les ferries à destination de Capraia et de Gorgona partent de Porto Mediceo, un terminal plus petit, proche de la Piazza dell'Arsenale. Certains ferries pour la Sardaigne partent de Porto Nuovo, à environ 3 km au nord de la ville, sur la Via Sant'Orlando. Les compagnies maritimes opérant depuis Livourne comprennent :

Corsica Ferries et Sardinia Ferries (☎ 019 21 55 11 ; www.corsicaferries.com, www.sardiniaferries.com ; Stazione Marittima). Ces 2 compagnies desservent Bastia (catégorie pont 28-36 €, 4 heures, 2 ou 3 départs/sem, tlj en été), ainsi que la Sardaigne (catégorie pont pour Golfo Aranci, près d'Olbia, 32-40 €, 6 heures en express, 9 heures en ferry régulier, 4 départs/sem, tlj en été).

Lloyd Sardegna (☎ 0565 22 23 00 ; www.lloydsardegna.it). Ferries quotidiens pour la Sardaigne (Olbia ; 15-45 €, 11 heures).

Moby (☎ 199 30 30 40 ; www.moby). Traversées pour Bastia (19-46 €, 3 à 4 heures) et Olbia, en Sardaigne (16-83 €, 8 à 12 heures).

Toremar (☎ 199 12 31 99 ; www.toremar.it). Dessert quotidiennement l'île de Capraia (14,20 €, 2 heures 30).

BUS
Des bus **ATL** (☎ 800 317700 ; www.atl.livorno.it) au départ de l'aéroport international Galileo Galilei de Pise rejoignent Livourne. Au retour, ils passent par la Stazione Centrale (2,90 €, 1 heure, ttes les heures) de Pise. Des bus CPT

rejoignent la Piazza Sant'Antonio (2,50 € 55 min, ttes les 30 min) à Pise.

TRAIN
Livourne se trouve sur la ligne Rome-La Spezi et est également reliée à Florence et à Pise Depuis la gare principale, sur la Piazza Grande on peut donc rejoindre Rome (16,65-30 € 3 à 4 heures, 12/jour), Florence (6,50 € 1 heure 30, 16/jour) et Pise (1,80 €, 15 min services fréquents).

Les trains sont moins fréquents depuis vers la Stazione Marittima, où accostent le bateaux, mais des bus réguliers la desserven depuis la gare principale.

Comment circuler
Le bus ATL n°1 relie la gare ferroviair principale au Porto Medicéo. Pour rejoindr la Stazione Marittima, prenez le bus n°7 ou les bus électriques nos PB1, PB2 ou PB3. Tou passent par la Piazza Grande.

ELBE (ELBA)
31 000 habitants
S'il était exilé aujourd'hui sur l'île d'Elbe Napoléon y réfléchirait sans doute à deux foi avant de s'en évader… Bien qu'elle soit plu fréquentée que lorsqu'il y débarqua en 1814 l'île offre toujours un cadre enchanteur ave de belles plages baignées par des eaux bleues des sentiers de randonnée en montagne e une vue superbe.

Plus d'un million de visiteurs effectuer chaque année la traversée d'une heure jusqu' Portoferraio, principal port d'arrivée. Elbe es la plus grande, la plus visitée et la plus peuplé des îles de l'archipel toscan, qui englobe le **Parco Nazionale Arcipelago Toscano** (www.islepark.it), une vaste zone maritime protégée. Et pourtant, cette bande de terre de 28 km de longueur et 19 km de largeur conserve des endroits tranquilles, surtout si vous venez en avril, mai ou septembre. Évitez le mois d'août.

À FAIRE

L'office du tourisme diffuse un prospectus en plusieurs langues, intitulé *Lo Sport emerge dal mare*. Il comporte une carte très pratique et une liste de balades à pied ou à vélo, ainsi que des indications sur la plongée, le windsurf et d'autres activités nautiques.

Le **Centro Trekking Isola d'Elba**, géré par Il Genio del Bosco (☎ 0565 93 08 37 ; www.geniodelbosco.it), organise treks, randonnées à vélo et sorties en kayak à Elbe, Capraia, Giglio et Pianosa.

Il Libraio (☎ 0565 91 71 35 ; Calata Mazzini 10, Portoferraio) vend des cartes de l'île comportant des itinéraires de randonnée à pied ou à vélo.

DEPUIS/VERS ELBE

On atteint l'île d'Elbe après une heure de ferry depuis Piombino. Si vous arrivez à Piombino en train, prenez une correspondance qui vous conduira au port. Les bateaux sont plus fréquents vers Portoferraio, mais certains font étape à Rio Marina, à Marina di Campo et à Porto Azzurro.

Les compagnies maritimes **Moby** et **Toremar** assurent le transport par bateau. Vous pouvez prendre les billets directement sur le port. Lors des week-ends d'été ou au milieu du mois d'août, cependant, vous risquez de faire la queue. Les tarifs (10-18 €/pers, 35-49 € pour une petite voiture) varient en fonction de la saison.

Toremar assure aussi toute l'année des traversées en hydroglisseur, pour passagers seulement (14-17 €, 40 min), ainsi qu'un service de transport rapide pour passagers et véhicule (2 pers avec voiture à partir de 69,20 € l'aller-retour) vers Portoferraio.

Portoferraio

Connu des Romains sous le nom de Fabricia puis de Ferraia (en raison de son activité d'exportation de minerai de fer), ce petit port fut acquis par Cosme I er de Médicis au milieu du XVI e siècle. Les fortifications datent de cette époque.

La ville peut être bondée, mais vous oublierez vite la foule en parcourant les rues (et les escaliers) du centre historique et en profitant d'exceptionnelles tables du cru.

RENSEIGNEMENTS

Associazione Albergatori Isola d'Elba (☎ 0565 91 55 55 ; www.elbapromotion.it ; Calata Italia 26). Association hôtelière de l'île, qui peut se charger des réservations d'hébergement.

Elba Link (www.elbalink.it). Informations sur l'île.

Info Park Are@ (☎ 0565 91 88 09 ; infoparkare@gmail. com ; angle Viale Elba et Calata Italia ; ☻ 9h30-13h30 et 15h30-19h30 tlj été, lun-sam reste de l'année). Bureau d'information du Parco Nazionale Arcipelago Toscano.

Office du tourisme (Agenzia per il Turismo dell'Archipelago Toscano ; ☎ 0565 91 46 71 ; www. aptelba.it ; Calata Italia 43 ; ☻ 9h-19h juin-sept, 9h-19h lun-ven, 9h-13h sam-dim avr-mai, 9h-13h lun, mer et ven, 9h-13h et 15h-17h mar et jeu fév-mars). Proche du port des ferries, ce bureau donne la liste des rares points Internet de l'île.

À VOIR

La vieille ville, entourée de remparts médiévaux et protégée par deux sombres forteresses, est à un peu moins de 1 km du terminal des ferries, le long de la grève. Là, la **Villa dei Mulini** (☎ 0565 91 58 46 ; Piazzale Napoleone ; adulte/enfant 3/1,50 € ; ☻ 9h-19h lun et mer-sam, 9h-13h dim), résidence de Napoléon pendant son bref séjour sur l'île, possède un splendide jardin en terrasse et une belle bibliothèque. On y apprend des choses, mais l'intérêt des objets ayant appartenu à Napoléon reste limité.

La **Villa Napoleonica di San Martino** (☎ 0565 91 46 88 ; adulte/enfant 3/1,50 € ; ☻ 9h-19h mer-sam, 9h-13h dim), dans les collines à 5 km au sud-ouest de la ville, accueillit également Napoléon à quelques reprises. Assez modeste, du moins à l'aune impériale, son attrait majeur réside dans la galerie, du milieu du XIX e siècle, où sont exposés des souvenirs napoléoniens. Le billet combiné pour les deux villas coûte 5 €.

OÙ SE LOGER ET SE RESTAURER

À la haute saison, la demi-pension est obligatoire dans de nombreux hôtels.

Camping Village Rosselba le Palme (☎ 0565 93 31 01 ; www.rosselbalepalme.it ; par pers/tente/chambre 16/21/23-90 €). Construit autour d'un authentique jardin botanique et réputé être l'un de meilleurs campings d'Europe, ce village propose des activités comme le tennis, le tir à l'arc, les cours de plongée dispensés par Jean-Jacques Mayol, fils du légendaire Jacques Mayol. Supérette, bar et pizzeria sur place.

TOSCANE

RANDONNÉE SUR L'ÎLE D'ELBE

De très nombreux sentiers de randonnée ou de VTT sillonnent l'île d'Elbe. Si certains partent de Portoferraio, d'autres sont faciles à rejoindre grâce au solide réseau de bus de l'île. Plusieurs balades vous sont suggérées sur www.elbalink.it, mais on trouve à l'office du tourisme, chez Info Park Are@ et Il Libraio, à Portoferraio, de bonnes cartes qui permettent de se tailler un itinéraire sur mesure.

Parmi les itinéraires recommandés, citons :

- **De San Lucia à San Martino** – Marche facile de 1 heure 30, au départ de l'église de San Lucia, à la sortie de Portoferraio, qui traverse des prairies et d'anciennes terres agricoles reconquises par la nature sur 2,2 km et s'achève à la villa de Napoléon, à San Martino.

- **De Marciana à Chiessi** – Randonnée de 12 km (6 heures) au départ de Marciana. L'itinéraire, à la descente, passe devant des églises très anciennes et des rochers de granit, découvrant de belles vues sur la mer. On rejoint le littoral à Chiessi.

- **La grande traversée de l'île** – Cette traversée de l'île d'est en ouest (60 km), de 3 à 4 jours, passe par son point culminant, le Monte Capanne (1 019 m). Le camping n'étant pas autorisé le long des sentiers, on loge la nuit sur la côte. Point d'orgue de la randonnée, les 19 km qui séparent Poggio de Pomonte, par le sanctuaire de la Madonna del Monte et les formations rocheuses du Masso dell'Aquila.

Albergo Ape Elbana (☎ 0565 91 42 45 ; www.apeelbana.it ; Salita de' Medici 2 ; s 45-80 € , d 60-110 € ; P ✽). Des invités de Napoléon auraient séjourné dans cette demeure jaune pâle, le plus vieil hôtel de l'île, situé dans la vieille ville et donnant sur la Piazza della Repubblica (où les clients peuvent se garer gratuitement). Sa situation est le principal atout de l'hôtel, les chambres, quoique spacieuses, manquant d'âme. Préférez les plus grandes donnant sur la place.

Villa Ombrosa (☎ 0565 91 43 63 ; www.villaombrosa. it ; Via De Gasperi 3 ; s 57-132 € , d 82-224 € ; P ⊙). Un des rares hôtels de l'île à ouvrir toute l'année. Situation exceptionnelle sur la mer et la Spiaggia delle Ghiaie, avec petite plage privée. La demi-pension, offrant une cuisine beaucoup plus créative que la plupart des buffets d'hôtels, est obligatoire en été.

Il Castagnacciao Pizzeria (☎ 0565 91 58 45 ; Via del Mercato Vecchio 5 ; pizza demi/entière 3/6 €). Cette institution se trouve dans une rue étroite partant de la Piazza Cavour, dans le centre historique. On peut emporter ou manger sur place de délicieuses pizzas au feu de bois – plus de 20 variétés sont proposées.

Cafescondido (☎ 340 3400881 ; Via del Carmine 65 ; repas 27 € ; ⊙ lun-sam). Là-haut sur la colline, vers la Fortezza Falcone, le café tapageur installé en façade ne laisse rien soupçonner de la cuisine délicieuse servie dans la salle située à l'arrière, décorée d'œuvres impressionnistes. Les serveurs vous éclaireront avec talent sur les spécialités locales qui se succèdent sur le tableau noir.

♥ **La Libertaria** (☎ 0565 91 49 78 ; Calata Matteotti 12 ; repas 30 € ; ⊙ avr-oct). Les places sont rares et le décor sans intérêt, mais la cuisine est un délice. Les *linguine sarde e finocchietto* (pâtes aux sardines et au fenouil) sont surprenantes, et la cuisson parfaite du *tonno in crosta di pistacchi* (filet de thon en croûte de pistache) pourrait bien vous retenir un jour de plus à Portoferraio, histoire de le goûter une seconde fois.

COMMENT CIRCULER

Vous pouvez explorer Elbe en vélo ou en scooter. Les tarifs en haute saison pour une location à la journée sont de 15 € pour un vélo de ville, 24 € pour un VTT, 28 € pour un cyclomoteur et 40 € pour un scooter (100 à 125 cm^3). Un conseil : évitez de venir en voiture car les routes sont très chargées en été.
Two Wheels Network (TWN ; ☎ 0565 91 46 66 ; www. twn-rent.it ; Viale Elba 32, Portoferraio) loue des vélos, des scooters et même des kayaks.

ATL assure un service de bus efficace sur l'île. Les horaires sont disponibles à la principale **gare routière** (Viale Elba, Portoferraio). Depuis Portoferraio (la gare routière se trouve presque en face de l'embarcadère Toremar), au moins 7 liaisons quotidiennes (2 €) desservent Marciana Marina, Marina di Campo, Capoliveri et Porto Azzurro. Le forfait pour 1 jour/6 jours coûte 7/19 €.

Marciana Marina

Marciana Marina, à 20 km à l'ouest de Portoferraio, offre un visage assez différent de celui des marinas modernes. Bordée

l'agréables plages de galets, elle constitue une
onne base pour partir à la découverte des plus
eaux sentiers de randonnée de l'île.

Hotel Marinella (☎ 0565 9 90 18 ; www.elbahotelma-
nella.it ; Viale Margherita 38 ; B&B 45-92 €/pers, demi-pension
3-100 €/pers ; ☺ Pâques à mi-oct ; P ⊠ ⊠). À
00 m de la plage, le Marinella propose 2
ourts de tennis, une piscine d'eau de mer,
n jardin, un restaurant et un bar.

Osteria del Piano (☎ 0565 90 72 92 ; Via Provinciale 24 ;
pas 29 € ; ☺ avr-oct). À la sortie de Procchio, à
ni-chemin entre Portoferraio et Marciana
Marina, cette *osteria* élabore d'étonnantes
réparations, dont des spaghettis noir et blanc
ccompagnés d'une sauce au crabe.

Il Ristorante Scaraboci (☎ 0565 99 68 68 ; Via
K Settembre 29 ; repas 40 € ; ☺ jeu-mar). Un restaurant
e poisson, où les pâtes et les desserts sont faits
naison. Essayez les *spaghetti al sugo d'astice*
spaghettis à la sauce au homard).

'orto Azzurro et Capoliveri

Dominé par le fort construit en 1603 par
Philippe III d'Espagne, aujourd'hui reconverti
n prison, Porto Azzurro est une plaisante sta-
ion balnéaire, proche de plusieurs belles plages.
Tous trouverez un **office du tourisme** (☺ 16h-22h
n-sam mi-juil à sept) sur la Via Vittorio Veneto.

L'**Hotel Belmare** (☎ 0565 9 50 12 ; www.elba-ho-
Ibelmare.it ; Banchina IV Novembre ; 40-75 €/pers ; ☺ tte
année ; ⊠) occupe un bel emplacement sur
a promenade principale. L'établissement
n'est pas luxueux mais les chambres sont
onfortables. Il y a un petit bar et un salon
e télévision pour le *farniente* après la plage.
eules quelques chambres sont climatisées.

L'**Osteria La Botte Gaia** (☎ 0565 9 56 07 ; www.
bottegaia.com ; Via Europa 5-7 ; repas 34-38 € ; ☺ dîner
niquement, fermé lun hiver) se réclame, à juste titre,
u mouvement Slow Food. Les pâtes maison
iennent s'ajouter à la carte toujours renou-
elée, qui déborde de poissons pêchés du jour
t affiche quelques recettes végétariennes.

De Porto Azzurro, faites une escapade jusqu'à
apoliveri, l'un des petits villages perchés de l'île.
Tous arpenterez avec plaisir ses ruelles étroites
t découvrirez des vues à couper le souffle. Vous
ourrez ensuite goûter aux joies de la baignade
ur la plage toute proche de Barabarca, accessible
eulement par un sentier pentu qui zigzague à
anc de falaise, ou sur celle de Zuccale, plus
acilement accessible et idéale pour une sortie en
amille. Pour plus de renseignements, consultez
office du tourisme (☎ 0565 96 70 29 ; Piazza Matteotti ;
☺ 9h-12h et 19h-22h lun-sam mi-juin à sept).

CENTRE DE LA TOSCANE

Cette partie de la Toscane produit des vins
célèbres et offre à la fois des paysages idylliques
et de joyaux culturels, tels que les édifices
gothiques de Sienne, les tours médiévales de
San Gimignano et le centre-ville Renaissance
de Pienza.

LE CHIANTI

Lorsque l'on songe à la campagne toscane, ce
sont souvent des images évoquant le Chianti
qui surgissent : collines aux courbes douces,
fermes baignées de soleil et vignobles à perte
de vue. La région comprise entre Florence et
Sienne produit des vins parmi les plus connus
d'Italie, le plus célèbre de tous étant le Chianti
Classico, un vin où domine le Sangiovese, vendu
sous le sceau du Gallo Nero (coq noir).

Cette zone se divise en deux provinces : celle
de Florence (Chianti Fiorentino) et celle de
Sienne (Chianti Senese). Les beaux Monti del
Chianti (monts du Chianti), aux contreforts
des Apennins, délimitent le secteur à l'est,
tandis que la pittoresque Strada Chiantigiana
(SS222) serpente entre Florence et Sienne.
Vignobles et oliveraies couvrent une bonne
partie du Chianti, région prospère ponctuée
d'églises romanes (les *pievi*) et de châteaux des
anciens seigneurs florentins et siennois.

On peut circuler en bus, mais c'est en voiture
ou à vélo que l'on découvrira vraiment la
région. Vous pourrez louer un deux-roues chez
Ramuzzi (☎ 055 85 30 37 ; www.ramuzzi.com ; Via Italo
Stecchi 23 ; vélo/scooter 50cm³ 20/30 € par jour ; ☺ 9h-13h
et 15h-19h lun-ven, 9h-13h sam) à Greve in Chianti.
Florence by Bike (carte p. 484 ; ☎ 055 48 89 92 ; www.
florencebybike.it ; Via San Zanobi 120-122r) propose un
circuit d'une journée (32 km) dans le nord
du Chianti (76 € avec déjeuner et dégustation
de vin) ; départ de Florence à 9h30, retour
pour 16h. D'autres enseignes comme **I Bike
Florence** (☎ 055 012 39 94 ; www.ibikeflorence.com),
I Bike Italy (☎ 055 234 23 71 ; www.ibikeitaly.com) et
I Bike Tuscany (☎ 335 812 07 69 ; www.ibiketuscany.
com) proposent également des visites guidées
de la région à vélo.

Greve in Chianti
14 087 habitants

Cette petite ville à 20 km au sud de Florence
par la SS222 est la seule du Chianti qui soit
facilement accessible depuis Florence par les
bus SITA (3,10 €, 1 heure, ttes les 30 min).

TOSCANE

Ses deux titres de gloire sont, d'une part, l'antique *macellerìa* (boucherie) **Antica Macellerìa Falorni** (☎ 055 85 30 29 ; www.falorni.it ; Piazza Matteotti 71 ; ☺ fermé mer après-midi et tlj 13h-16h), réputée pour ses fins morceaux depuis 1729 et, d'autre part, Giovanni da Verrazzano (1485-1528). Cet enfant du pays découvrit le port de New York, raison pour laquelle le pont Verrazano-Narrows reliant Staten Island à Brooklyn porte son nom (moins un "z" que le bon capitaine aura perdu en traversant l'Atlantique).

Durant la première ou la seconde semaine de septembre, la Piazza Matteotti, principale place de la ville, accueille la fête annuelle du vin. Le reste de l'année, il faut se rendre aux **Cantine di Greve in Chianti** (☎ 055 854 64 04 ; www.lecantine.it ; Piazza delle Cantine 2 ; ☺ 10h-19h), vaste *enoteca* riche de plus de 1 200 crus. Pour goûter l'un des 140 vins proposés à la dégustation (notamment les super-toscans, les meilleurs DOC et DOCG, le *Vin Santo* et la grappa), achetez une carte prépayée (de 10 à 25 €) au bar central, glissez-la dans une des fontaines et servez-vous. Tout crédit non bu est remboursé à la restitution de la carte. Une expérience enivrante, quoiqu'un peu stressante pour qui doit reprendre le volant. Pour vous y rendre, repérez le supermarché sur la route principale. L'établissement se trouve au bas d'un escalier, face à l'entrée d'un supermarché.

À 3 km au nord de la ville se trouve **Castello di Verrazzano** (☎ 055 85 42 43 ; www.verrazzano.com ; ☺ visite guidée 10h et 11h lun-ven), demeure ancestrale du capitaine pionner et plus proche demeure ancestrale du capitaine pionner et plus proche où l'on produit depuis des siècles Chianti Classico, *Vin Santo*, grappa, miel, huile d'olive et vinaigre balsamique. On peut visiter ces caves et jardins historiques et s'offrir une dégustation de vins (1 heure 30, 14 €, du lundi au vendredi), ou encore le menu de cinq plats à base de produits du domaine, accompagné de cinq crus différents (3 heures, 48 €, du lundi au vendredi). Le samedi, la formule "Chianti Tradition" (2 heures 30, 28 €) conjugue visite guidée, dégustation et repas léger.

Vous pourrez visiter un autre domaine viticole fameux à la **Badia di Passignano** toute proche. Les caves historiques de cette abbaye du XIe siècle contiennent les trésors de la famille Antinori (www.antinori.it), l'une des plus anciennes et prestigieuses familles de vignerons d'Italie. Une **visite guidée** (2 heures 25 € ; ☺ 15h30 lun-mer, ven-sam) des caves et du vignoble s'accompagne d'une dégustation de quatre vins. Réservez auprès de l'**Osteria di Passignano** (☎ 055 807 12 78 ; www.osteriadipassignano.com ; Via Passignano 31 ; ☺ boutique 10h-23h lun-sam), le cave-restaurant des Antinori installée sous l'abbaye. Inutile de réserver pour une simple **dégustation** (15 €, 20 € ou 30 € pour 3 vins selon les étiquettes) à l'*osteria*.

L'**office du tourisme** (☎ 055 854 62 87 ; Piazza Matteotti 11 ; ☺ 9h-13h et 14h-18h lun-ven, et sam mai-sep) fournit quantité d'informations électroniques sur les vignobles et les sentiers à parcourir à pied ou à vélo. Un itinéraire pédestre de 3 km (1 heure 30 à 2 heures), vers l'ouest, permet de rejoindre **Castello di Montefioralle**, village médiéval fortifié accroché sur une hauteur, abritant une église romane du Xe siècle et quelques restaurants où il est agréable de faire une pause déjeuner.

Un marché en plein air a lieu le samedi matin sur la Piazza Matteotti : ne laissez pas votre voiture la veille sur cette place sous peine de la voir enlever.

OÙ SE LOGER

Ostello del Chianti (☎ 055 805 02 65 ; www.ostellodelchianti.it ; Via Roma 137, Tavernelle Val Di Pesa ; dort 14,50 €, avec sdb commune/avec sdb 35 /45 € ; ☺ réception 8h30-11h et 14h-24h mi-mars à oct ; P 🖳). Cette auberge de jeunesse parmi les plus anciennes d'Italie (elle fonctionne depuis les années 1950), récemment rénovée, est en pleine forme. Les dortoirs comptent 6 lits maximum (ceux de l'aile d'origine ont même 2 sdb), on peut louer des vélos et l'agréable jardin est prêt parfaitement à l'*aperitivo*. Le petit déjeune coûte 1,70 €. Tavernelle se trouve à environ 14 km au sud-ouest de Greve.

Agrifuturismo (☎ 339 501 98 49 ; www.agrifuturismo.com ; Strada San Silvestro 11, Barberino Val d'Elsa ; app 2/4/lits 70/100/120 € ; 📶). Des bois de chênes, de genévriers, de cyprès et de pins bordent les anciennes terrasses des oliveraies dans ce domaine agricole situé à 13 km au sud-ouest de Greve. Les cultures sont sans pesticide, herbicide ni fertilisant. Côté développement durable, voyez plutôt les panneaux solaires, récupérateurs d'eau de pluie et le recyclage des déchets. Appartements de charme, avec un esprit design très marqué, tous pourvus d'une cuisine. Les cartes bancaires ne sont pas acceptées.

Fattoria di Rignana (☎ 055 85 20 65 ; www.rignana.it ; Val di Rignana 15, Rignana ; d dans la fattoria 95-105 €, d dans la villa 130-140 € ; P 🖳 🚘). Ce domaine et sa villa, à 3,8 km de Badia di Passignano, donnent l'impression d'entrer dans un livre

d'images : vue superbe, table et vins dans un
domaine vinicole confortable et tranquille.
Pour le logement, vous avez le choix entre
es superbes chambres ornées de fresques de
a villa du XVIIᵉ siècle et les chambres plus
ustique de la *fattoria* (ferme) adjacente.

Villa Vignamaggio (☎ 055 85 46 61 ; www.vigna-
maggio.it ; Via Petriolo 5 ; d 135-450 € ; P 🞨 🞨 🞨).
Kenneth Branagh y a tourné son film *Beaucoup
de bruit pour rien*. Dans ce vaste ensemble
du XVᵉ siècle à 5 km au sud de Greve, on
produit du vin et de la grappa, mais on loue
aussi des appartements en gestion libre et
des chalets. Depuis Greve, suivez la SS222
vers le sud sur 2 km, puis tournez à gauche
direction Lamole.

OÙ SE RESTAURER
l'Antica Macelleria Cecchini (☎ 055 85 20 20 ; http://
dariocecchini.blogspot.com, Via XX Luglio 11 ; 🞨 9h-14h
lun-mar, jeu et dim, 9h-18h ven-sam). La petite ville
de Panzano, au sud-ouest de Greve, est connue
dans toute l'Italie pour sa *macelleria*, propriété
de Dario Cecchini, boucher extraverti. Ce
Toscan célèbre s'est forgé une image originale
de poète de la *bistecca* et autres viandes fines.
Il a même ouvert un bistrot, le Mac Dario,
au-dessus de sa boutique (hamburger, pommes
de terre et légumes, 10 €).

Osteria Le Pazanelle (☎ 0577 73 35 11 ; Lucarelli ; repas
25 € ; 🞨 déj et dîner mar-dim). Parfait pour déjeuner
léger sous les arbres, ce restaurant en bord de
route est la halte idéale sur la route de Greve à
Sienne. Angelo, le chef suisse, vous propose
un choix d'environ six recettes différentes pour
chaque plat. Goûtez ses *crostini* au *lardo* et à
l'écorce d'orange, ou ses pâtes au *pecorino* et
à la poire. Vous trouverez l'*osteria* à 5 km au
sud de Panzano sur la SP2 direction Radda
in Chianti.

La Cantinetta di Rignana (☎ 055 85 26 01 ; www.
lacantinettadirignana.it ; Rignana ; repas 30 € ; 🞨 déj et dîner
mer-lun). Depuis la terrasse de ce restaurant niché
dans le cadre idyllique du moulin à huile du
domaine de Rignana (voir ci-contre), vous
embrasserez du regard l'archétype du paysage
toscan. Parmi les plats rustiques proposés, vous
aurez le choix entre le carpaccio de sanglier,
les raviolis à la truffe, le *tomino* (variété de
fromage) coulant sortant du four, accompagné
de champignons de la région, ou une simple
viande grillée. Le service est chaleureux, mais
la Cantinetta ne sert pas de vin au verre. À
5 minutes en voiture de Badia di Passignano,
entre Panzano et Mercatale Val di Pesa.

🞨 **Osteria di Passignano** (☎ 055 807 12 78 ; www.
osteriadipassignano.com ; Via di Passignano 33 ; repas 65 € ;
menus dégustation 60 € et 100 € ; 🞨 déj et dîner lun-sam).
Cette salle élégante du domaine Antinori est
l'un des restaurants les plus impressionnants
de Toscane. La cuisine, délicieuse, à base de
produits régionaux, est d'inspiration résolument toscane et tend plus vers le raffinement
que vers la rusticité.

Castellina
De fait, les énormes réservoirs cylindriques
qui se dressent à l'entrée de Castellina sont
remplis de *Chianti Classico*, le vin qui fait la
richesse de cette petite commune, autrefois
ville frontière entre les deux cités belligérantes
de Sienne et de Florence.

Après avoir garé votre véhicule sur le parking sud, empruntez la Via Ferruccio, puis
tournez presque immédiatement sur la droite
pour pénétrer dans la ville par la **Via delle Volte**.
Cette rue médiévale, autrefois à ciel ouvert, a
été recouverte par les boutiques et les maisons,
et se présente aujourd'hui comme un long
tunnel voûté, dont l'ombre rafraîchissante
est particulièrement agréable en été. Non loin
de là, le **Museo Archeologico del Chianti Sienese**
(☎ 055 74 20 90 ; www.museoarcheologicochianti.it ; Piazza
del Comune 18 ; adulte/tarif réduit 3/2 € ; 🞨 10h-13h et
15h30-18h30 jeu-mar) expose, dans des bâtiments
modernes, une collection essentiellement
consacrée au passé étrusque de la région.

L'**office du tourisme** (☎ 0577 74 13 92 ; www.
essenceoftuscany.it ; Via Ferruccio 26 ; 🞨 10h-13h et 14h-18h
tlj mars-nov, 10h-13h et 14h-16h lun-sam déc et fév), un
organisme privé, peut vous procurer des cartes,
des renseignements, et vous orienter vers des
visites guidées ou des hébergements.

Locanda La Capannuccia (☎ 0577 74 11
83 ; www.lacapannuccia.it ; Borgo di Pietrafitta ; d
95-125 € ; 🞨 mars-oct ; P 🞨). Nichée au fond
d'une vallée, au bout d'un chemin de terre
de 1,5 km, cette charmante auberge toscane,
des plus accueillantes, comprend 5 chambres
meublées à l'ancienne. Réservez le matin le
dîner gastronomique concocté par Daniela
(24-28 €, du lundi au samedi). De Castellina,
suivez la SS222 vers le nord et prenez à gauche
l'embranchement pour Pietrafitta.

Radda in Chianti
Boucliers et écussons confèrent un air dramatique à la façade XVIᵉ siècle du **Palazzo del
Podestà** (Piazza Ferrucci), face à l'église sur la place
principale de ce village touristique, à 11 km à

TOSCANE

l'est de Castellina. Les bénévoles de l'**Ufficio Pro Loco** (☎ 0577 73 84 94 ; Piazza Castello 6 ; ⏰ 10h-13h et 15h-19h lun-sam, 10h30-13h dim mi-avr à mi-oct, 10h30-12h30 et 15h30-18h30 lun-sam mi-oct à mi-avr) renseignent les touristes, notamment sur les balades à faire dans les environs, dont certaines belles marches d'une demi-journée. L'**Enoteca Toscana** (☎ 0577 73 88 45 ; Via Roma 29) est l'endroit idéal pour déguster et acheter du vin et de l'huile d'olive du pays.

On peut aussi se rendre 6 km au nord, à **Castello di Volpaia** (☎ 0577 73 80 66 ; www.volpaia.it ; Piazza della Cisterna 1, Volpaia), magnifique hameau de pierre à flanc de colline, où l'on élabore depuis toujours des vins, huiles d'olive et vinaigres particulièrement fins. Pensez à réserver pour visiter ou prendre des cours de cuisine. Vous pouvez acheter du vin à l'*enoteca*, dans la tour principale du château.

Vers le sud, en direction de Sienne, offrez-vous une balade artistique dans le **Parco Sculture del Chianti** (☎ 0577 35 71 51 ; www.chiantisculturepark. it ; adulte/enfant 7,50/5 € ; ⏰ 10h-coucher du soleil avr-oct, sur rdv nov-mars), vaste domaine boisé, parsemé de sculptures contemporaines et d'autres installations, à Pievasciata, à 20 km au sud de Gaiole et 13 km au nord de Sienne.

SIENNE (SIENA)
53 881 habitants

La rivalité historique entre Sienne et Florence semble se poursuivre de nos jours dans le cœur des voyageurs, très enclins à se ranger sous la bannière de l'une au détriment de l'autre. Il s'agit là souvent d'un choix esthétique : Florence a connu son heure de gloire pendant la Renaissance, tandis que Sienne s'est surtout épanouie durant la période gothique.

Le cœur médiéval de Sienne, l'une des plus belles villes d'Italie, est jalonné de somptueux édifices et foisonne d'églises et de petits musées renfermant d'innombrables richesses. Assurez-vous de vous donner tout le temps de flâner dans le dédale de ruelles du centre historique, inscrit sur la liste du patrimoine mondial.

Histoire

Selon la légende, Sienne fut fondée par Senius, le fils de Remus. Comme à Rome, l'emblème de la cité – la louve nourrissant Romulus et Rémus – est ici omniprésent. En réalité, la ville est probablement d'origine étrusque, bien qu'elle n'ait acquis les dimensions de ville qu'au Ier siècle av. J.-C., lorsque les Romains établirent une colonie militaire du nom de Sena Julia.

Au XIIe siècle, la ville vit sa richesse et sa puissance s'accroître avec la multiplication des échanges commerciaux. Sa rivalité avec Florence s'accentua en proportion et de nombreuses guerres éclatèrent entre les deux cités au cours de la première moitié du XIIIe siècle. Florence la guelfe fit en 1230 le siège de Sienne la gibeline, qui prit sa revanche en 1260 lors de la bataille de Montaperti. La victoire fut cependant de courte durée et, 10 ans plus tard, les gibelins (partisans de l'empereur toscans furent vaincus par Charles d'Anjou. Durant près d'un siècle, Sienne fut contrainte de s'aligner sur la politique de Florence et de rejoindre la ligue toscane des guelfes (partisans du pape).

La ville atteignit son apogée sous le régime républicain du Consiglio dei Nove (conseil des Neuf), gouvernement bourgeois en constante opposition avec l'aristocratie. C'est à ce Conseil que l'on doit l'édification de nombreux bâtiments gothiques au style si particulier qui caractérisent la ville : la cathédrale, le Palazzo Comunale et le Campo lui-même.

L'école de peinture siennoise vit le jour à cette époque et connut son âge d'or au début du XIVe siècle, avec des artistes comme Duccio di Buoninsegna et Ambrogio Lorenzetti.

La Grande Peste de 1348 décima les deux tiers des 100 000 habitants que comptait la cité et provoqua son déclin.

À la fin du XIVe siècle, Sienne tomba sous la domination de la famille milanaise des Visconti. Un siècle plus tard, elle fut soumise au tyrannique patricien Pandolfo Petrucci. Sous sa férule, la ville retrouva une certaine prospérité avant d'être conquise par Charles Quint en 1555, après deux années de siège qui firent des milliers de victimes. Sienne fut alors livrée à Cosme Ier de Médicis qui, pendant un temps, interdit à ses habitants d'exercer le métier de banquier, sonnant le glas de la puissante cité marchande.

La longue éclipse économique de Sienne consécutive à la prise de pouvoir des Médicis fut une chance dans la mesure où elle a donné à la ville son incomparable aspect actuel. En effet, les quartiers gothiques sont demeurés largement intacts, les Siennois de l'époque ne pouvant entreprendre ni financer démolitions et constructions. En outre, contrairement à beaucoup de villes voisines pilonnées pendant la Seconde Guerre mondiale, les Français ont pris Sienne sans rencontrer de résistance, lui épargnant ainsi de lourds dégâts.

SIENNE (SIENA)

0 — 400 m

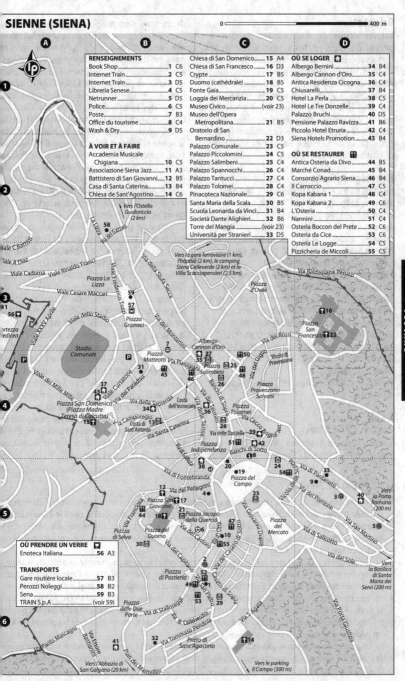

RENSEIGNEMENTS

Book Shop	**1** C6
Internet Train	**2** C5
Internet Train	**3** D5
Libreria Senese	**4** C5
Netrunner	**5** D5
Police	**6** C5
Poste	**7** B3
Office du tourisme	**8** C4
Wash & Dry	**9** D5

À VOIR ET À FAIRE

Accademia Musicale Chigiana	**10** C5
Associazione Siena Jazz	**11** A3
Battistero di San Giovanni	**12** B5
Casa di Santa Caterina	**13** B4
Chiesa de Sant'Agostino	**14** C6
Chiesa di San Domenico	**15** A4
Chiesa di San Francesco	**16** D3
Crypte	**17** B5
Duomo (cathédrale)	**18** B5
Fonte Gaia	**19** C5
Loggia dei Mercanzia	**20** C5
Museo Civico	(voir 23)
Museo dell'Opera Metropolitana	**21** B5
Oratorio di San Bernardino	**22** D3
Palazzo Comunale	**23** C5
Palazzo Piccolomini	**24** C5
Palazzo Salimbeni	**25** C4
Palazzo Spannocchi	**26** C4
Palazzo Tantucci	**27** C4
Palazzo Tolomei	**28** C4
Pinacoteca Nazionale	**29** C5
Santa Maria della Scala	**30** B5
Scuola Leonarda da Vinci	**31** B4
Società Dante Alighieri	**32** B6
Torre del Mangia	(voir 23)
Università per Stranieri	**33** D5

OÙ SE LOGER

Albergo Bernini	**34** B4
Albergo Cannon d'Oro	**35** C4
Antica Residenza Cicogna	**36** C4
Chiusarelli	**37** B4
Hotel La Perla	**38** C5
Hotel Le Tre Donzelle	**39** C4
Palazzo Bruchi	**40** D5
Pensione Palazzo Ravizza	**41** B6
Piccolo Hotel Etruria	**42** C4
Siena Hotels Promotion	**43** B4

OÙ SE RESTAURER

Antica Osteria da Divo	**44** B5
Marché Conad	**45** B4
Consorzio Agrario Siena	**46** B4
Il Carroccio	**47** C5
Kopa Kabana 1	**48** C4
Kopa Kabana 2	**49** C6
L'Osteria	**50** C4
Nannini	**51** C4
Osteria Boccon del Prete	**52** C6
Osteria da Cice	**53** C6
Osteria Le Logge	**54** C5
Pizzicheria de Miccoli	**55** C5

OÙ PRENDRE UN VERRE

Enoteca Italiana	**56** A3

TRANSPORTS

Gare routière locale	**57** B3
Perozzi Noleggi	**58** B2
Sena	**59** B3
TRAIN S.p.A	(voir 59)

TOSCANE

Orientation

Encore ceinte de ses remparts médiévaux percés des huit portes d'origine, la Sienne historique n'est pas très étendue et on peut aisément la découvrir à pied. Cependant, le dédale des rues en demi-cercle autour du cœur de la cité, la Piazza del Campo (également appelée "Il Campo"), peut mettre votre sens de l'orientation à rude épreuve. Autour de cette place en pente douce s'enroulent les rues principales de la ville : Banchi di Sopra, Via di Città et Banchi di Sotto.

Renseignements

Hôpital (☎ 0577 58 51 11 ; Viale Bracci). Au nord de Sienne, au lieu-dit "Le Scotte".

Internet Train (Via di Città 121 ; 4 €/h ; ☉ 10h-22h dim-ven). Café très fréquenté avec branchements pour ordinateurs portables. Succursale au Via di Pantaneto 57.

Libreria Senese (☎ 0577 28 08 45 ; Via di Città 62-6). Livres en français et presse internationale.

Netrunner (☎ 0577 4 49 46 ; www.netrunnersiena. net ; Via di Pantaneto 132 ; 6 €/h ; ☉ 10h-23h lun-sam, 15h-21h dim). Propose un abonnement sur carte prépayée.

Office du tourisme (☎ 0577 28 05 51 ; www. terresiena.it ; Piazza del Campo 56 ; ☉ 9h-19h). Réservation d'hébergement et vente de tickets de bus pour l'aéroport de Pise (aller simple /aller-retour 14/26 €).

Police (☎ 0577 20 11 11 ; Via del Castoro 23)

Poste (Piazza Matteotti 1)

Wash & Dry (Via di Pantaneto 38 ; ☉ 8h-22h). Laverie automatique.

À voir

PIAZZA DEL CAMPO

Cette place inclinée en forme d'éventail (également appelée Il Campo) est le centre du pouvoir temporel et de la vie sociale de Sienne depuis son aménagement par le Conseil des Neuf, au milieu du XIVe siècle. Son sol pavé est divisé en neuf secteurs, symbolisant les neuf membres du gouvernement. Dans sa partie supérieure, la **Fonte Gaia** (fontaine heureuse), date du XVe siècle, et les panneaux qui la décorent sont des reproductions des originaux sculptés par Jacopo della Quercia.

Au point le plus bas de la place se dresse le sobre et élégant **Palazzo Comunale**, l'hôtel de ville, également connu sous le nom de Palazzo Pubblico. L'accès à la cour centrale du rez-de-chaussée du palais est gratuit. Son gracieux campanile, la **Torre del Mangia** (7 € ; ☉ 10h-19h mi-mars à oct, 10h-16h nov à mi-mars), achevé en 1297, culmine à 102 m de hauteur.

La partie inférieure de la façade du palais présente des arcades typiques de l'art gothique siennois. À l'intérieur, le **Museo Civico** (☎ 0577 29 22 63 ; adulte/étudiant 7,50/4,50 €, musée et tour 12 € ; ☉ 10h-19h mi-mars à oct, 10h-17h30 ou 18h30 nov à mi-mars) occupe plusieurs salles richement décorées par des artistes de l'école de Sienne. Parmi les œuvres les plus remarquables, la célèbre *Maestà* (Vierge en majesté) de Simone Martini, est exposée dans la Sala del Mappamondo. Achevé en 1315, ce tableau serait la première toile connue de l'artiste et représente la Vierge sous un baldaquin, entourée par des saints et des anges. La Sala dei Nove est dominée par un ensemble de fresques d'Ambrogio Lorenzetti représentant les *Allégories du bon et du mauvais gouvernement*, qui mettent en opposition la vie harmonieuse résultant d'un gouvernement bon et sage et les épreuves et les privations qu'endurent ceux que dirigent de mauvais princes.

LE PALIO DE SIENNE

Manifestation spectaculaire remontant au Moyen Âge, le *palio* est une reconstitution historique doublée d'une course de chevaux effrénée autour de la Piazza del Campo. Elle a lieu le 2 juillet et le 16 août. Dix des dix-sept quartiers historiques de Sienne, les *contrade*, s'affrontent pour remporter le *palio*, un étendard de soie. Chaque *contrada* possède ses traditions, son emblème et ses couleurs, ainsi que son musée du Palio.

Les jours de *palio*, la Piazza del Campo se transforme en champ de courses : on répartit de la terre sur tout le périmètre où se déroule la cavalcade endiablée. À partir de 17h, les représentants des différentes *contrade* paradent en costume d'époque, sous la bannière de leur quartier. Au fil d'une minute de délire (pas davantage), les dix chevaux et leurs cavaliers, qui montent à cru, font trois fois le tour de la Piazza del Campo à une vitesse et avec une violence qui donnent froid dans le dos.

Rejoignez la foule sur la Piazza del Campo au moins 4 heures avant le départ de la course (19h45 en juillet et 19h en août) pour avoir une bonne place.

Un jour ou deux avant la course, vous verrez peut-être les jockeys et leurs chevaux s'entraîner sur la Piazza del Campo – le spectacle est presque aussi impressionnant que la course elle-même.

DUOMO

La **cathédrale** de Sienne (☎ 0577 4 73 21 ; www.
operaduomo.siena.it ; Piazza del Duomo ; 3 € ; ⏰ 10h30-
19h30 lun-sam, 13h30-18h30 dim mars-oct, 10h30-18h30
lun-sam, 13h30-17h30 dim nov-fév) est sans doute
l'une des plus belles églises gothiques d'Italie.
Entamée en 1196, sa construction s'acheva
vers 1215. Les travaux sur l'abside et le dôme
se poursuivirent toutefois pendant une bonne
partie du XIIIe siècle. La somptueuse façade
de marbre polychrome blanc, vert et rouge
fut entreprise par Giovanni Pisano (il ne
termina que la partie inférieure avant sa
mort) et achevée vers la fin du XIVe siècle.
Les mosaïques et les gâbles furent ajoutés
au XIXe siècle. Les statues de philosophes
et de prophètes de Giovanni Pisano ne sont
que des copies. Les originales sont à l'abri
dans le Museo dell'Opera Metropolitana
(voir la rubrique qui suit).

En 1339, les dirigeants de la cité décidèrent
d'agrandir la cathédrale et d'en faire l'un
des lieux de culte les plus vastes d'Italie.
Les vestiges de ce projet inabouti, appelé
Nuovo Duomo (nouvelle cathédrale), sont
visibles sur la Piazza Jacopo della Quercia,
à l'est de l'actuelle cathédrale. Il s'agissait de
construire une immense nef qui aurait intégré
la cathédrale actuelle comme transept, mais
la peste de 1348 donna un coup d'arrêt à ce
projet grandiose.

Le joyau le plus précieux de la cathédrale
est sans conteste son sol en marqueterie de
marbre, composé de 56 panneaux dépeignant
des scènes historiques ou bibliques. Les panneaux les plus anciens, des dessins gravés sur
du marbre noir et blanc, datent du milieu
du XIVe siècle, alors que les plus récents, en
marbre coloré, ont été réalisés au XVIe siècle.
Les plus précieux sont protégés et uniquement
visibles du 21 août au 27 octobre (entrée 6 €
à cette période).

À ne pas manquer non plus : la magnifique
chaire de marbre et de porphyre sculptée par
Nicola Pisano et son fils, Giovanni.

Accessible par une porte située dans le
bas-côté nord, la **Libreria Piccolomini** constitue
un autre joyau de la cathédrale. Elle fut
construite afin de conserver les ouvrages de
la bibliothèque d'Enea Silvio Piccolomini,
mieux connu sous le nom de Pie II. Les murs
de cette petite salle sont décorés de fresques
aux couleurs vives exécutées par Bernardino
Pinturicchio, dépeignant les épisodes de
la vie du pape.

MUSEO DELL'OPERA METROPOLITANA

Ce **musée** (☎ 0577 28 30 48 ; www.operaduomo.siena.
it ; Piazza del Duomo 8 ; 6 € ; ⏰ 9h30-19h mars-mai et
sept-nov, 9h30-20h juin-août, 10h-17h déc-fév), également
appelé Museo dell'Opera del Duomo, jouxte la
cathédrale. Il occupe en fait ce qui aurait été
le bas-côté sud du Nuovo Duomo.

À l'intérieur, parmi les superbes œuvres qui
ornaient autrefois la cathédrale, on découvre
les 12 statues de prophètes et de philosophes
réalisées par Giovanni Pisano pour la façade.
La plus belle pièce du musée est sans doute
la saisissante *Maestà* du début du XIVe siècle,
signée de Duccio di Buoninsegna. L'œuvre était
peinte recto verso pour le maître-autel de la
cathédrale. Aujourd'hui séparés, ces panneaux
de la *Passion* sont accrochés sur le mur opposé à
la *Maestà*. Le musée expose les œuvres d'autres
artistes comme Ambrogio Lorenzetti, Simone
Martini et Taddeo di Bartolo, et les collections
comprennent également des tapisseries et des
manuscrits.

Pour une vue panoramique de la ville,
gravissez les 131 marches de l'escalier en
colimaçon jusqu'au **Panorama del Facciatone**
(6 €), au sommet de ce qui aurait dû devenir le
Nuovo Duomo. Le billet groupé pour le musée
et le panorama (10 €) est valable 3 jours.

CRYPTE

Juste au nord de la cathédrale, un escalier mène
à la **crypte** (avec audioguide 6 € ; ⏰ 9h30-19h mars-mai,
9h30-20h juin-août, 9h30-19h sept-oct), découverte en
1999 sous la chaire du Duomo. Les 180 m²
de murs sont entièrement recouverts de
pintura a secco ("peinture à sec") du début
du XIIIe siècle représentant plusieurs scènes
de la Bible, notamment la passion du Christ
et la Crucifixion.

BATTISTERO DI SAN GIOVANNI

Le **Battistero di San Giovanni** (Piazza San Giovanni ;
3 € ; ⏰ 9h30-19h mars-mai, 9h30-20h juin-août, 9h30-19h
sept-oct) se dresse en face de la crypte. Sa façade
gothique n'est pas totalement achevée, mais
l'intérieur est richement décoré de fresques.
Toutefois, ce sont les fonts baptismaux en
marbre de Jacopo della Quercia qui en constituent la pièce maîtresse. Ils sont décorés de
panneaux de bronze relatant la vie de saint
Jean-Baptiste. Parmi les bas-reliefs réalisés
par des artistes de premier ordre, admirez *Le
Baptême du Christ* et *L'Arrestation de saint
Jean*, œuvres de Lorenzo Ghiberti, ainsi que
Le Banquet d'Hérode de Donatello.

TOSCANE

LES BONNES COMBINAISONS POUR VISITER LA VILLE DE SIENNE

Il y a de quoi être dérouté par la quantité de billets groupés proposés à Sienne. Voici les combinaisons qui étaient proposées au moment de notre dernier passage :

■ **Museo Civico** et **Torre del Mangia** (12 €)

■ **Museo Civico, Santa Maria della Scala** et **Palazzo delle Papesse** (11 €, valable 2 jours)

■ **Museo Civico, Palazzo delle Papesse, Santa Maria della Scala, Museo dell'Opera** et **Battistero di San Giovanni** (14 €, valable 7 jours, du 1er novembre au 14 mars ; 17 €, valable 7 jours, du 15 mars au 31 octobre)

■ **Museo dell'Opera Metropolitana, Battistero di San Giovanni, crypte, Oratorio di San Bernardino, Museo Diocesano** (10 €, valable 3 jours)

■ **Museo Civico, Santa Maria della Scala, SMS Contemporanea, Museo dell'Opera Metropolitana, Battistero di San Giovanni** (14 €, valable 7 jours)

■ **Museo Civico, Santa Maria della Scala, SMS Contemporanea, Museo dell'Opera Metropolitana, Battistero di San Giovanni, Museo Diocesano, Chiesa di Sant'Agostino** et **Oratorio di San Bernardino** – ce forfait très complet ne comprend toutefois pas la Torre del Mangia – (17 €, valable 7 jours)

■ "Itinéraire Renaissance siennoise" : **Museo Civico, Santa Maria della Scala, Pinacoteca Nazionale, Duomo** et archives de la ville à la **Libreria Piccolomini** (13,50 €)

SANTA MARIA DELLA SCALA

C'est au sous-sol de cet ancien **hôpital pour pèlerins** (☎ 0577 22 48 11 ; Piazza del Duomo 2 ; 6 € ; 10h30-18h30 avr-oct, 10h30-16h30 nov-mars) que l'on peut admirer la Sala del Pellegrinaio (salle des Pèlerins), décorée de fresques profanes saisissantes réalisées par Domenico di Bartolo dans les années 1440, qui illustrent les missions assurées par l'hôpital. Vous pourrez également y voir une collection de vestiges romains et étrusques.

PINACOTECA NAZIONALE

Installée dans le Palazzo Buonsignori, un bâtiment du XVe siècle, cette **galerie d'art** (☎ 0577 28 11 61 ; Via San Pietro 29 ; adulte/enfant 4 €/ gratuit ; 10h-18h mar-sam, 9h-13h dim, 8h30-13h30 lun) rassemble les œuvres des plus grands artistes siennois. Parmi les plus célèbres, citons la *Vierge à l'Enfant* de Simone Martini, ainsi qu'une série de représentations de la Vierge par Ambrogio Lorenzetti.

CHIESA DI SAN DOMENICO

C'est dans l'imposante **Cappella di Santa Caterina** (Piazza San Domenico ; 7h30-13h et 15h-18h30) que sainte Catherine de Sienne prononça ses vœux. L'église est ornée de fresques du Sodoma dépeignant des épisodes de la vie de la sainte, qui mourut à Rome, où repose sa dépouille. Toutefois, conformément à la coutume consistant à collecter des relique de saints, sa tête fut envoyée à Sienne où elle est conservée dans un reliquaire, sur l'aute de la Cappella di Santa Caterina.

Il est également possible de visiter l **Casa di Santa Caterina** (☎ 0577 22 15 62 ; Costa c Sant'Antonio 6 ; 9h-18h30 mars-nov, 10h-18h déc-fév) où naquit et vécut la sainte avec ses parent et, selon la légende, ses 24 frères et sœurs Au XVe siècle, les chambres furent convertie en chapelles. Elles sont ornées de fresque retraçant la vie de la sainte et de tableaux peint par des artistes siennois, dont Sodoma.

AUTRES ÉGLISES ET PALAIS

C'est sous les trois arcades de la **Loggia de Mercanzia**, juste au nord-ouest du Campo, qu se réunissaient les marchands au XVe siècle De là, empruntez le Banchi di Sotto vers l'es jusqu'au **Palazzo Piccolomini**, palais Renaissanc où sont entreposées les archives de la ville Plus à l'est se dresse la **Basilica di Santa Mari dei Servi** (Via dei Servi), du XIIIe siècle, dont l'un des chapelles du transept nord est ornée d fresques de Pietro Lorenzetti. La **Porta Roman** (XIVe siècle) est proche de l'église.

Revenez sur la Piazza del Campo et parte cette fois vers le nord sur le Banchi di Sopra Vous passerez devant la Piazza Tolomei dominée par le **Palazzo Tolomei**, du XIIIe siècle Plus loin, la Piazza Salimbeni est bordée au nord par le **Palazzo Tantucci**, un bâtiment gothique, à l'est par le **Palazzo Salimbeni** (siège de la banque Monte dei Paschi di Siena), et à l'ouest par le **Palazzo Spannocchi**, de style Renaissance, dont les 29 bustes finement sculptés semblent fixer le visiteur du haut des corniches.

Au nord-est, la Via dei Rossi permet de rejoindre la **Chiesa di San Francesco**, dotée d'une nef immense. Endommagée par un incendie au XVIIe siècle, cette église servit ensuite de caserne militaire. À côté, l'**Oratorio di San Bernardino** (☎ 0577 28 30 48 ; www.operaduomo.siena.it ; Piazza San Francesco 9 ; 3 € ; 10h30-13h30 et 15h-17h30 mi-mars à oct) abrite un petit musée d'art religieux.

Cours
LANGUE ET CIVILISATION
Scuola Leonardo da Vinci (☎ 0577 24 90 97 ; www.scuolaleonardo.com ; Via del Paradiso 16). École dispensant des cours d'italien ; cours de culture et de cuisine en option.

Società Dante Alighieri (☎ 0577 4 95 33 ; www.dantealighieri.com ; Via Tommaso Pendola 37). Cours de langue et de culture, au sud-ouest du centre-ville.

Università per Stranieri (Université pour étrangers ; ☎ 0577 24 01 15 ; www.unistrasi.it). Divers cours de langue et de culture. Près du Via di Pantaneto 45.

MUSIQUE
Accademia Musicale Chigiana (☎ 0577 2 20 91 ; www.chigiana.it ; Via di Città 89). Propose des stages de musique classique, ainsi que des séminaires et des concerts donnés par des musiciens invités, des professeurs et des étudiants dans le cadre de la Semaine musicale de Sienne.

Associazione Siena Jazz (☎ 0577 27 14 01 ; www.sienajazz.it ; Piazza Libertà). L'une des principales institutions de ce type en Europe à donner des cours de jazz.

Fêtes et festivals
L'Accademia Musicale Chigiana organise la **Semaine musicale de Sienne** en juillet et l'**Estate Musicale Chigiana** en juillet et août. Les concerts se déroulent dans le magnifique décor de l'abbaye de San Galgano (p. 543), à environ 20 km au sud-ouest de Sienne, et à l'abbaye de Sant'Antimo (p. 550), près de Montalcino ; renseignements au ☎ 0577 2 20 91).

La **Festa di Santa Cecilia**, en novembre, rend hommage à la sainte patronne des musiciens avec des concerts et des expositions.

Où se loger
Vacanze Senesi (☎ 0577 4 59 00 ; www.vacanzesenesi.it) : un représentant à l'office du tourisme qui peut organiser toute forme d'hébergement ; vous pouvez aussi réserver en ligne. **Siena Hotels**

Promotion (☎ 0577 28 80 84 ; www.hotelsiena.com ; Piazza Madre Teresa di Calcutta 5 ; 9h-20h lun-sam) vous propose de réserver en ligne ou sur place (frais 2 €).

PETITS BUDGETS
Siena Colleverde (☎ 0577 28 00 44 ; www.campingcolleverde.com ; Via Scacciapensieri 47 ; par pers/empl/mobile home lits jum 9,50/5,70/45 € ; mi-avr à mi-oct ;). Ce camping récemment rénové, à 2 km au nord du centre historique, loue des mobile homes pour 2 à 5 personnes (certains équipés de vraies cuisines) ou des emplacements classiques. Il compte un restaurant et une supérette. Pour s'y rendre, prendre le bus n°3 sur la Piazza Gramsci, direction Siena Due Ponti (dernier service 23h45) ou le n°8 sur la Piazza del Sale (jusqu'à 21h10).

Ostello Guidoriccio (☎ 0577 5 22 12 ; www.ostelloguidoriccio.com ; Via Fiorentina 89, Località Stellino ; 20 €/pers ;). Cette auberge de jeunesse membre de HI, située à environ 2 km au nord-ouest du centre de Sienne, ne compte que des chambres doubles. Prendre les bus n°10 ou n°15 sur la Piazza Gramsci, ou le n°77 à la gare ferroviaire.

Albergo Bernini (☎ 0577 28 90 47 ; www.albergobernini.com ; Via della Sapienza 15 ; s 50 €, s/d avec sdb commune/ sdb 30-65 €/45-85 € ;). Hôtel accueillant, tenu en famille. Vue sur la cathédrale et la Chiesa di San Domenico depuis la petite terrasse. Pour avoir de l'espace et une belle vue, demandez la chambre n°11.

Hotel Le Tre Donzelle (☎ 0577 28 03 58 ; www.tredonzelle.com ; Via delle Donzelle 5 ; s/d avec sdb commune 38/49 €, d avec sdb 60 €). Central et très apprécié, cet hôtel est une ancienne taverne du XIIIe siècle. Chambres simples et propres, sdb communes impeccables. Demandez une chambre qui ne donne pas sur la rue, bruyante.

Hotel La Perla (☎ 0577 22 62 80 ; www.hotellaperlasiena.com ; Piazza Indipendenza 25 ; s 40-60 €, d 70-85 € ;). Hôtel très accueillant et bien tenu. Les sdb sont petites et certaines chambres sentent le renfermé, mais ces inconvénients sont mineurs par rapport au fait que l'hôtel se trouve à deux pas de la Piazza del Campo.

CATÉGORIE MOYENNE
Albergo Cannon d'Oro (☎ 0577 4 43 21 ; www.cannondoro.com ; Via dei Montanini 28 ; s 45-85 €, d 66-105 € ;). Hôtel pimpant, agréable et présentant un excellent rapport qualité/prix. Ne vous laissez pas impressionner par le canon doré (d'où le nom de l'hôtel) pointé sur vous à la réception. Seules quelques chambres sont climatisées.

TOSCANE

Antica Residenza Cicogna (☎ 0577 28 56 13 ; www. anticaresidenzacicogna.it ; Via dei Termini 67 ; s 70-75 €, d 90 €, ste 130 € ; P 🏊 🛜). Lits moelleux, double vitrage, belles fresques, mobilier ancien et somptueux buffet au petit déjeuner : voilà qui justifie la bonne réputation de cet hôtel central. La réception n'étant pas ouverte toute la journée (8h-13h), prenez vos dispositions à l'avance.

Piccolo Hotel Etruria (☎ 0577 28 80 88 ; www. hoteletruria.com ; Via delle Donzelle 3 ; s sans/avec sdb 40-50 €/45-55 €, d avec sdb 80-110 € ; 🏊). Hôtel familial accueillant, tout près du Campo. Les chambres sont ordinaires et non insonorisées, mais l'hôtel possède un salon clair et spacieux et la situation est exceptionnelle. Couvre-feu à 1h. Petit déjeuner 6 €.

Chiusarelli (☎ 0577 28 05 62 ; www.chiusarelli.com ; Viale Curtatone 15 ; s 65-91 €, d 88-132 € ; P 🏊 🛜). Ouvert sans interruption depuis 1870, cet hôtel possède une vaste salle agréable pour le petit déjeuner et des chambres plaisantes, quoiqu'un peu sombres. Il faut jouer des coudes pour trouver une place au restaurant de la maison (repas 20 €), très apprécié des habitants.

Palazzo Bruchi (☎ 0577 28 73 42 ; www.palazzobruchi. it ; Via di Pantaneto 105 ; s 80-90 €, d 90-150 € ; 🖥 🛜). Les 6 chambres de l'antique et noble demeure des Landi-Bruchi sont peut-être les seules de Sienne où l'on se réveille au son des cloches et des oiseaux, et non à cause des bruits de la rue. Maria Cristina et sa fille Camilla font preuve d'un grand sens de l'hospitalité. Cuisine à disposition et paisible cour intérieure.

Villa Scacciapensieri (☎ 0577 4 14 41 ; www.villascacciapensieri.it ; Via Scacciapensieri 10 ; s 75-140 €, d 110-265 € ; P 🏊 🛜 🏊). Cette villa du XIXᵉ siècle avec plafond en bois sculpté, tableaux, mobilier ancien, jardins soignés, courts de tennis et chapelle familiale est située à 2,5 km au nord de Sienne. Accessible aux personnes handicapées.

Pensione Palazzo Ravizza (☎ 0577 28 04 62 ; www. palazzoravizza.com ; Pian dei Mantellini 34 ; s 95-150 €, d 115-200 € ; P 🏊 🖥). Le nom de *pensione* est trop modeste pour un établissement aussi somptueux et intime. Dans un charmant palais Renaissance, plafonds peints et mobilier ancien cohabitent avec les TV à écran plat et l'accès Wi-Fi. Service courtois et efficace et petit jardin ombragé.

Où se restaurer

Les Siennois affirment que la cuisine toscane puise ses origines ici. Parmi les nombreux plats traditionnels, citons la *panzanella* (salade de pain, oignons, tomates et basilic) et les *pappardelle con la lepre* (parpadelles au lièvre). Le *panforte* (gâteau très riche à base d'amandes de miel et de fruits confits) fut créé pour les croisés qui partaient en Terre sainte.

PETITS BUDGETS

Kopa Kabana (Via dei Rossi 54). Dédaignez les établissements mieux situés pour venir déguster ici des montagnes de *gelati*, les plus frais de Sienne, à partir de 1,70 €. Il existe une seconde adresse au Via San Pietro 20.

Nannini (Banchi di Sopra 22). Toujours bondé, Nannini est une sorte d'institution siennoise où l'on trouve les meilleurs gâteaux et du bon café, servis avec célérité et panache.

CATÉGORIE MOYENNE

L'Osteria (☎ 0577 28 75 92 ; Via dei Rossi 79-81 ; repas 27 €). On y mange des plats succulents à des prix que les Siennois aimeraient garder pour eux… mais que les touristes ont déjà découverts.

Osteria da Cice (☎ 0577 28 80 26 ; Via San Pietro 32 ; repas 28 € ; 🕙 mar-dim). Ce restaurant tenu par une équipe sympathique est le reflet de sa clientèle surtout composée de jeunes. C'est l'endroit idéal pour un repas décontracté. Nombreux plats végétariens en guise de *primi piatti*.

Osteria Boccon del Prete (☎ 0577 28 03 88 ; Via San Pietro 17 ; repas 30 €). Petit restaurant en effervescence, typiquement siennois, où la carte change tous les jours. Nombreux plats légers comme l'espadon fumé ou la salade de saumon. Ne soyez pas découragé si la salle est pleine : on peut aussi s'installer au niveau inférieur.

Il Carroccio (☎ 0577 4 11 65 ; Via del Casato di Sotto 32 ; repas 34 € ; 🕙 fermé mar soir et mer). Les pâtes y sont exceptionnelles, l'affluence aussi. Il est donc conseillé d'arriver de bonne heure pour déjeuner et de réserver le soir. Goûtez les *pici*, gros spaghetti siennois, suivis de *tegamata di maiale* (porc aux graines de fenouil). Ce restaurant adhère au mouvement Slow Food, ce qui est toujours de bon augure.

Osteria Le Logge (☎ 0577 4 80 13 ; www.osterialelogge.it ; Via del Porrione 33 ; repas 45 € ; 🕙 lun-sam). On y pratique une cuisine toscane créative et la carte change presque tous les jours. Dans la salle du bas, une ancienne pharmacie, les casiers de bouteilles s'empilent du sol au plafond. Il y en a encore plus de 18 000 à la cave, en cas de grosse soif. Le Logge possède aussi une vaste terrasse sur la rue.

❂ Antica Osteria da Divo (☎ 0577 28 43 81 ; www. osteriadadivo.it ; Via Franciosa 29 ; repas 50 €). La musique de jazz qui sert de fond sonore est aussi douce que les murs sont rêches. Au niveau inférieur, celui de la cave, on mange au milieu des tombes étrusques. La carte inventive propose notamment des cannellonis à la *ricotta*, aux poivrons grillés, à la tomate et au *pesto* toscan.

FAIRE SON MARCHÉ
Marché Conad (Galleria Metropolitan, Piazza Matteotti ; ☺ 8h30-20h30 lun-sam, 9h-13h et 16h-20h dim). Tout ce qu'il faut pour un pique-nique.

Consorzio Agrario Siena (Via Pianagini 13). Un grand magasin alléchant plein de mets et vins locaux.

Pizzicheria de Miccoli (☎ 0577 28 91 84 ; Via di Città 93-95). Saucisses, fromages empilés, montagnes de *porcini* en vitrine, tout ici est abondance et odeurs alléchantes.

Marché du mercredi (☺ 7h30-13h). Ce marché qui s'étend autour de la Fortezza Medicea et jusqu'au Stadio Comunale est l'un des plus importants de Toscane. On peut y trouver des aliments, des vêtements bon marché ou on peut simplement flâner au milieu des étals.

Où prendre un verre
Enoteca Italiana (☎ 0577 28 84 97 ; Fortezza Medicea ; ☺ 12h-1h mar-sam, jusqu'à 20h le dim). À l'abri des remparts, au nord-ouest du centre, ces anciens dépôts de munitions ont été aménagés en une très chic *enoteca*, qui propose plus de 1 500 vins.

Depuis/vers Sienne
BUS
TRAIN S.p.A. (☎ 0577 20 42 46 ; www.trainspa.it) assure 2 liaisons quotidiennes entre l'aéroport de Pise et Sienne (aller simple/aller-retour 14/26 €).

La gare routière se trouve sur la Piazza Gramsci. Vous trouverez sous la place des guichets TRAIN S.p.A. et SITA, ainsi qu'une consigne (5,50 €/jour). Des bus express desservent Florence (6,80 €, 1 heure 15, au moins ttes les heures). TRAIN S.p.A dessert aussi d'autres gares régionales comme San Gimignano (5,30 €, 1 heure à 1 heure 30, 10/jour, directs ou avec changement à Poggibonsi), Montalcino (3,30 €, 1 heure 30, 6/jour), Poggibonsi (3,80 €, 1 heure, jusqu'à 10/jour), Montepulciano (4,70 €, 1 heure 45) et Colle di Val d'Elsa (2,60 €, 30 min, ttes les heures), avec des correspondances pour Volterra. On peut également rejoindre Pienza (3,80 €) et Grosseto (6,60 €).

Les bus **Sena** (☎ 0577 28 32 03 ; www.sena.it) assurent la liaison depuis/vers Rome (20 €,

EXCURSION

À 20 km au sud-ouest de Sienne par la SS73 se trouve l'**Abbazia di San Galgano** (☎ 0577 75 67 00 ; entrée libre ; ☺ 8h-19h30), abbaye du XIIIᵉ siècle qui fut en son temps l'un des plus beaux édifices gothiques d'Italie.

Sur une colline surplombant l'abbaye, la Cappella di Monte Siepi, petite chapelle romane circulaire, renferme des fresques mal conservées d'Ambrogio Lorenzetti retraçant la vie de San Galgano, soldat du cru devenu saint, qui termina sa vie ici en ermite.

3 heures, 8/jour) et Milan (29 €, 4 heures 15, 3/jour). Arezzo (5,20 €, 1 heure 30) est desservie 7 fois par jour.

TRAIN
Sienne n'est pas située sur une grande ligne ferroviaire, mieux vaut donc envisager d'y aller en bus. Par le train, vous pouvez néanmoins changer à Chiusi pour rejoindre Rome, et à Empoli pour gagner Florence.

VOITURE ET MOTO
Empruntez la SS2, *superstrada* qui relie Sienne à Florence, ou la SS222, également appelée Strada Chiantigiana, plus jolie, qui serpente à travers les collines du Chianti.

Comment circuler
Des bus TRAIN S.p.A. circulent en ville (0,90 €). Pour aller de la gare ferroviaire à la Piazza Gramsci, prenez le n°8, 9 ou 10.

Perozzi Noleggi (☎ 0577 28 83 87 ; www.perozzi.it ; Via dei Gazzani 16-18 ; ☺ 8h30-12h30 et 15h-19h) loue des VTT (10/50 € jour/sem) et des scooters 125 cm³ (45/260 € jour/sem). S'il n'y a personne dans la boutique, allez voir Via del Romitorio 5.

La circulation est interdite aux voitures dans le centre-ville. Les visiteurs peuvent néanmoins y accéder pour déposer leurs bagages à l'hôtel, mais ils doivent en ressortir aussitôt (n'oubliez pas de faire signaler votre numéro d'immatriculation par l'hôtel, sans quoi vous risquez de recevoir une "amende souvenir"). Tout véhicule stationnant illégalement est aussitôt conduit à la fourrière. Vous trouverez de grands parkings au Stadio Comunale et autour de la Fortezza Medicea, au nord de la Piazza San Domenico, et un troisième à Il Campo, au sud du centre.

TOSCANE

TOSCANE

SAN GIMIGNANO
7 735 habitants

Lorsqu'on arrive au sommet de la colline en venant de l'est, apparaissent les 14 tours de cette cité fortifiée. Aisément accessible depuis Sienne et Florence, San Gimignano attire les touristes comme un aimant. Mais mieux vaut y venir en hiver ou au début du printemps si vous voulez pouvoir laisser vagabonder votre imagination. En été, vous devrez consacrer toute votre attention à vous frayer un chemin parmi la foule. Même à cette période, toutefois, vous découvrirez, une fois le dernier bus parti, une ville différente et presque paisible.

La beauté du lieu explique cette intense fréquentation. Autrefois au nombre de 72, les tours symbolisaient au Moyen Âge la puissance et la richesse des familles rivales. San Gimignano delle Belle Torri (des belles tours) est entourée de terres fertiles, qui ajoutent au caractère enchanteur du site.

Implantation étrusque à l'origine, la cité prit par la suite le nom de l'évêque de Modène, saint Gimignano, qui l'aurait sauvée, dit la légende, d'une attaque d'Attila. En 1199, elle acquit le statut de *comune* (cité-État) et affronta régulièrement sa voisine Volterra. Les luttes intestines opposèrent aussi la famille Ardinghelli (guelfe) à la famille Salvucci (gibeline) au cours des deux siècles suivants. La plupart des tours furent édifiées à cette époque et, au XIIIᵉ siècle, le *podestà* interdit la construction de tours plus hautes que celle du Palazzo del Podestà (51 m). La Grande Peste de 1348 décima la population et mit à mal la puissance des nobles ; affaiblie, la ville fut contrainte de se soumettre à Florence en 1353.

Orientation

Depuis la porte principale, la Porta San Giovanni, à l'extrémité sud de la ville, la Via San Giovanni rejoint la Piazza della Cisterna

---

FAITES DES ÉCONOMIES

Si vous êtes passionné de monuments, deux billets combinés permettent d'économiser sur le tarif des visites. Le premier (adulte/enfant 7,50/5,50 €) donne accès au Palazzo Comunale et à son Museo Civico, au Musée archéologique, à la Torre Grossa et à quelques sites secondaires. Le second (adulte/enfant 5,50/2,50 €) permet de visiter la cathédrale et le Museo d'Arte Sacra voisin.

---

au nord et sa voisine, la Piazza del Duomo, au cœur de la ville. Depuis cette dernière, l'autre artère importante, la Via San Matteo, gagne la principale porte nord, la Porta San Matteo.

L'**office du tourisme** (☎ 0577 94 00 08 ; www.sangimignano.com ; Piazza del Duomo 1 ; ☷ 9h-13h et 15h-19h mars-oct, 9h-13h et 14h-18h nov-fév) loue des audioguides pour visiter la ville (5 €) et organise des visites des vignobles de Vernaccia di San Gimignano (2 heures, les mar et jeu, de mai à oct, 20 €). Réservation indispensable.

À voir

COLLEGIATA

Le **Palazzo del Podestà** du XIIIᵉ siècle et sa tour, la **Torre della Rognosa**, font face à la **basilique** (adulte/enfant 3,50/1,50 € ; ☎ 9h30-19h30 lun-sam, 12h30-17h dim avr-oct, 9h30-17h lun-sam, 12h30-17h dim nov à mi-jan et mars), à laquelle on accède grâce à une volée de marches. La sobriété de sa façade, de style roman, ne laisse en rien deviner la richesse des remarquables fresques du XIVᵉ siècle qui se déroulent sur les murs intérieurs.

Sur le bas-côté nord, des fresques de Bartolo di Fredi illustrent l'Ancien Testament. Face à elles, couvrant les murs du bas-côté sud, l'école de Simone Martini a réalisé des scènes du Nouveau Testament. Sur le mur intérieur de la façade, des fresques de Taddeo di Bartolo figurent le Jugement dernier, avec un tel réalisme que plus d'un fidèle a dû trembler en les contemplant. Ces fresques se prolongent à l'intérieur. La **Cappella di Santa Fina** est ornée de fresques naïves et touchantes de Domenico Ghirlandaio relatant des épisodes de la vie de la sainte. Elle renferme également un superbe autel de marbre et d'albâtre rehaussé d'or.

De l'autre côté de la place, le **Museo d'Arte Sacra** (☎ 0577 94 03 16 ; Piazza Pecori 1 ; adulte/enfant 3/1,50 € ; ☷ 9h30-19h30 lun-sam, 9h30-17h sam, 12h30-17h dim avr-oct, 9h30-17h lun-sam, 12h30-17h dim nov à mi-jan et mars) recèle de belles œuvres d'art religieux provenant, pour la plupart, des églises de la ville.

PALAZZO COMUNALE

Accessible par un escalier depuis la cour intérieure, la **Pinacoteca** (☎ 0577 99 03 12 ; Piazza del Duomo ; adulte/enfant musée et tour 5/4 € ; ☷ 9h30-19h mars-oct, 10h-17h30 nov-fév) conserve des peintures des écoles siennoise et florentine du XIIᵉ au XVᵉ siècle. Dans la salle principale, Dante, le grand poète, s'adressa au Conseil de la ville pour l'inviter à soutenir la cause de la ligue guelfe. Le regard est tout de suite attiré par la *Maestà* (Vierge en majesté), fresque magistrale réalisée

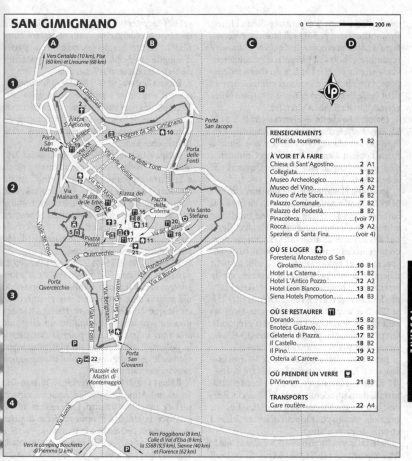

SAN GIMIGNANO

0 — 200 m

TOSCANE

par Lippo Memmi au début du XIVᵉ siècle.
Vous pourrez monter au sommet de la **Torre
Grossa** pour jouir d'une vue spectaculaire sur
la ville et la campagne alentour.

MUSÉES

Le **Museo del Vino** (musée du Vin ; ☎ 0577 94 12 67 ; Parco
della Rocca ; entrée libre ; ☺ 11h30-18h30 jeu-lun, 15h-18h30
mer mars-oct) est situé juste devant la forteresse
de la ville, dans une galerie sans enseigne.
Là, un sommelier pourra vous guider dans
une dégustation (payante) des excellents vins
blancs de la région.

Le **Museo Archeologico** et la **Speziera di Santa
Fina** (pharmacie du XVIᵉ siècle reconstituée
et jardin d'herbes médicinales) se visitent
conjointement (☎ 0577 94 03 48 ; Via Folgore da San
Gimignano 11 ; adulte/enfant 3,50/2,50 € ; ☺ 11h-17h45
mi-mars à déc). Il y a également une **galerie d'art
moderne**, qui mérite à elle seule la visite.

AUTRES CURIOSITÉS

Depuis la **Rocca**, vestige de l'antique forteresse
de la ville, une vue splendide s'étend sur les
paysages des alentours.

À l'extrémité nord de la ville, la **Chiesa di
Sant'Agostino** (Piazza Sant'Agostino ; ☺ 7h-12h et 15h-19h
avr-oct, 15h-18h nov-mars) se distingue par le cycle de
fresques de l'abside, peintes par Benozzo Gozzoli,
représentant la vie de saint Augustin.

Où se loger

Choisir un hébergement à San Gimignano
en plein été tient parfois de la quadrature du

cercle. Cela étant, l'organisme Siena Hotels Promotion (voir p. 541) effectue des réservations d'hôtels et propose quelques *affittacamere* (chambres d'hôtes ; 2 € sur place, gratuitement via le site Internet). L'office du tourisme dispose d'un choix plus vaste d'*affittacamere* et peut également réserver des *agriturismi* (gîtes ruraux), mais il faut s'y rendre.

Camping Boschetto di Piemma (☎ 0577 94 03 52 ; www.boschettodipiemma.it ; pers/tente/voiture 6,70-10,10/4,90-8,90/1,50-3 € ; ☽ Pâques-oct ; ☒). Situé à Santa Lucia, à 2 km au sud de San Giminiano, c'est le camping le plus proche. Desservi par le bus (0,50 €).

Foresteria Monastero di San Girolamo (☎ 0577 94 05 73 ; www.monasterosangirolamo.it ; Via Folgore da San Gimignano 26-32 ; 27 €/pers ; ℗). Une excellente adresse pour les voyageurs à petit budget. Tenu par des nonnes accueillantes, l'établissement comprend des chambres (2 à 5 pers), basiques, spacieuses et confortables, avec sdb. Le petit déjeuner coûte 3 €. Pensez à réserver car la *foresteria* est toujours pleine. Si vous ne l'avez pas fait, arrivez entre 9h et 12h30 ou entre 15h et 17h45 et sonnez la cloche du monastère (pas celle de la *foresteria*, car personne n'y répond). On peut utiliser la cuisine moyennant 3 €/jour. Accessible aux personnes handicapées.

Hotel Leon Bianco (☎ 0577 94 12 94 ; www.leonbianco.com ; Piazza della Cisterna 13 ; s 65-80 € ; d 85-135 € ; ☒ ☐ ☞). Hôtel bien tenu et accueillant, installé dans une demeure du XIVe siècle. Rez-de-chaussée envahi de plantes vertes, jolie cour intérieure, patio pour le petit déjeuner, billard et salle de musculation.

Hotel La Cisterna (☎ 0577 94 03 28 ; www.hotelcisterna.it ; Piazza della Cisterna 24 ; s 62-78 €, d 88-145 € ; ☒ ☐ ☞). Cet hôtel installé dans une belle bâtisse du XIVe siècle propose des chambres confortables, calmes et spacieuses, avec tout le confort moderne.

Hotel L'Antico Pozzo (☎ 0577 94 20 14 ; www.anticopozzo.com ; Via San Matteo 87 ; s 85-100 €, d 110-140 € ; ☽ fermé 2 premières sem nov et jan ; ☒ ☐ ☞). L'hôtel tient son nom du vieux puits (*pozzo*), éclairé près de l'entrée. Chaque chambre a sa propre personnalité, et la déco joue sur les épais murs de pierre, les tons ocre, les plafonds hauts, les lits en fer forgé, les fresques et les gravures anciennes.

Où se restaurer

Un **marché** se tient tous les jeudis matin (Piazza della Cisterna et Piazza del Duomo).

Gelateria di Piazza (Piazza della Cisterna 4 ; ☽ mars à mi-nov). Comme en témoignent les photos accrochées aux murs, bien des célébrités sont venues déguster des glaces ici ("Toute la famille les a trouvées délicieuses", aurait déclaré Tony Blair). Maître Sergio les fabrique à partir d'ingrédients de première qualité : pistaches de Sicile ou cacao du Venezuela.

Enoteca Gustavo (☎ 0577 94 00 57 ; Via San Matteo 29 ; en-cas et verre de vin à partir de 2,50 € ; ☽ 9h-20h). Exemple de repas sur le pouce : une assiette de *bruschetta* et de fromage au miel, accompagnée d'un verre de vin choisi à partir d'une carte impressionnante.

Osteria al Carcere (☎ 0577 94 19 05 ; Via del Castello 5 ; repas 35 € ; ☽ fermé jeu déj et mer). Bonne *osteria* à la carte atypique (Pas de "*primi*" ni de "*secondi*") et bien fournie. Elle propose une demi-douzaine de soupes différentes, comme la *zuppa di farro e fagioli* (soupe à l'épeautre et aux haricots), et des éclairs de génie créatif comme la *tacchina al pistacchi e arance* (dinde aux pistaches, sauce à l'orange).

Il Castello (☎ 0577 94 08 78 ; enotecailcastello@iol.it ; Via del Castello 20 ; repas 37 € ; ☽ mars à mi-jan). À la fois *enoteca* et restaurant, l'établissement possède un merveilleux patio avec vue et une cour en brique coiffée d'une verrière. Attaquez une *bistecca alla fiorentina* ou un *cinghiale alla sangimignanese con polenta* (sanglier à la polenta), ou préférez un plat plus léger, comme les *pennette* aux brocolis, champignons sauvages et safran.

Il Pino (☎ 0577 94 04 15 ; Via Cellolese 8-10 ; repas 40 € ; ☽ ven-mer). Atmosphère soignée, voûtes, espace, service aimable et attentif. Délicieux menu de saison comprenant d'énormes assiettes de pâtes et quelques spécialités à la truffe.

Dorando (☎ 0577 94 18 62 ; www.ristorantedorando.it ; Vicolo dell'Oro 2 ; repas 60 € ; ☽ tlj Pâques-oct, mar-dim oct-Pâques). Reconnu par le mouvement Slow Food, le Dorando propose un menu classique de 5 plats basé sur d'authentiques recettes étrusques. La carte reste concise (seulement 4 *primi* et 4 *secondi*). Atmosphère luxueuse mais décontractée, avec recoins intimes et œuvres d'art.

Où prendre un verre

DiVinorum (Piazza della Cisterna 30 ; ☽ 11h-20h mars-oct, 11h-16h nov-déc). Un agréable bar à vin aménagé dans d'anciennes écuries immenses. En été, on peut s'installer sur la minuscule terrasse avec vue imprenable sur la vallée.

Depuis/vers San Gimignano

La **gare routière** (Piazzale dei Martiri di Montemaggio) se trouve à côté de la Porta San Giovanni. Les bus à destination ou en provenance de Florence (6 €, 1 heure 15, plus de 30/jour) requièrent presque tous un changement à Poggibonsi. D'autres bus desservent Sienne (5,30 €, 1 heure à 1 heure 30, 10/jour).

Pour Volterra (4,30 €, 1 heure 30, 4/jour tlj sauf dim), il faut changer à Colle di Val d'Elsa, et parfois aussi à Poggibonsi.

Poggibonsi (1,80 € en bus, 30 min, services fréquents) est la gare ferroviaire la plus près.

En voiture, depuis Florence ou Sienne, prendre la SS2 jusqu'à Poggibonsi, puis la SS429 et enfin la SP63. Depuis Volterra, prendre la SS68 vers l'est et suivre les panneaux San Gimignano vers le nord. Vous trouverez des parkings (2 €/heure, 5-20 €/jour) à l'extérieur des remparts et près de la Porta San Giovanni.

VOLTERRA

11 206 habitants

Les remparts médiévaux bien préservés de Volterra confèrent à cette ville battue par les vents une allure belliqueuse, fière et intimidante – autrement dit, un cadre idéal pour les vampires de la saga *Twilight de* Stephanie Meyer. Si San Gimignano séduit par ses tours, Volterra a pour elle ses sites archéologiques, son vaste dédale de ruelles mystérieuses à explorer et ses escaliers de pierre pentus à gravir.

Orientation et renseignements

Quelle que soit la porte que vous empruntiez pour entrer dans Volterra (il y en a quatre), vous arriverez à la Piazza dei Priori. L'**office du tourisme** (☎ 0588 8 72 57 ; www.volterratur.it ; Piazza dei Priori 19-20 ; ☉ 10h-13h et 14h-18h) assure un service gratuit de réservation d'hôtel et loue des audioguides (5 €) pour découvrir la ville.

À voir

PIAZZA DEI PRIORI ET SES ENVIRONS

La Piazza dei Priori est bordée d'austères demeures médiévales. Érigé au XIIIe siècle, le **Palazzo dei Priori** (1 € ; ☉ 10h30-17h30 tlj mi-mars à oct, 10h-17h sam et dim nov à mi-mars) est le siège du gouvernement le plus ancien de Toscane. Il aurait servi de modèle au Palazzo Vecchio de Florence (p. 486). On y admirera notamment la *Crucifixion* due à Piero Francesco Fiorentino, sur le mur qui longe l'escalier. La magnifique salle du Conseil aux voûtes croisées et une petite antichambre au 1er étage offrent par ailleurs une belle vue sur l'ensemble de la place en contrebas.

Le **Palazzo Pretorio**, construit à la même époque, est dominé par la **Torre del Porcellino** (tour du Porcelet), qui tire son nom du marcassin sculpté dans sa partie supérieure.

La **cathédrale** (Piazza San Giovanni ; ☉ 8h-12h30 et 15h-18h) fut édifiée aux XIIe et XIIIe siècles. Parmi les œuvres d'art majeures qu'elle abrite, notez la petite fresque de Benozzo Gozzoli, *L'Adoration des Mages*, cachée derrière un groupe de personnages en terre cuite représentant la Nativité, dans l'oratoire du bas-côté nord. Le beau tabernacle du XVe siècle, sur le maître-autel, est l'œuvre de Mino da Fiesole. À l'ouest de la cathédrale, le **baptistère** du XIIIe siècle abrite des fonts baptismaux en marbre d'Andrea Sansovino.

Le **Museo Diocesano d'Arte Sacra** (☎ 0588 8 62 90 ; Via Roma 1 ; ☉ 9h-13h et 15h-18h mi-mars à oct, 9h-13h nov à mi-mars), tout proche, mérite une visite. Sa collection rassemble des vêtements ecclésiastiques, des reliquaires en or et des œuvres d'Andrea Della Robbia et de Rosso Fiorentino. La **Pinacoteca Comunale** (☎ 0588 8 75 80 ; Via dei Sarti 1 ; ☉ 9h-19h mi-mars à oct, 8h30-13h45 nov à mi-mars) renferme une modeste collection d'art régional. Reportez-vous à l'encadré ci-dessus pour connaître les tarifs d'entrée.

MUSEO ETRUSCO GUARNACCI

Ce **Musée étrusque** (☎ 0588 8 63 47 ; Via Don Minzoni 15 ; adulte/étudiant 8/5 € ; ☉ 9h-19h mi-mars à oct, 8h30-13h45 nov à mi-mars) possède l'une des plus intéressantes collections d'Italie en la matière. La majeure partie de celle-ci est présentée de manière didactique, à l'ancienne, mais certaines salles ont été ingénieusement enrichies dans les étages supérieurs. La visite mérite l'investissement dans un audioguide multilingue (3 €).

Toutes les pièces exposées ont été découvertes dans la ville et ses abords, y compris les quelque 600 urnes funéraires sculptées dans l'albâtre et le tuf, disposées chronologiquement et par thèmes. Privilégiez les plus beaux spécimens, à savoir ceux des périodes tardives, qui occupent les 2e et 3e étages.

FAITES DES ÉCONOMIES

Un billet au tarif de 8 € ouvre l'accès au Museo Etrusco Guarnacci, à la Pinacoteca Comunale et au Museo Diocesano di Arte Sacra. Un billet à 3 € permet de visiter le théâtre romain et la nécropole étrusque du Parco Archeologico, très endommagée.

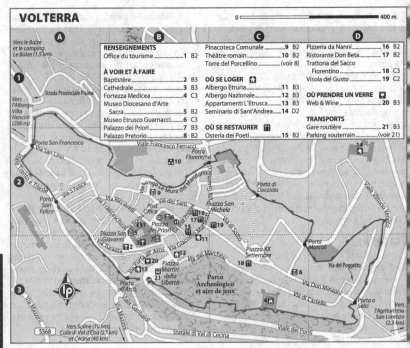

VOLTERRA

0 ————— 400 m

RENSEIGNEMENTS
Office du tourisme......................1 B2

À VOIR ET À FAIRE
Baptistère...................................2 B3
Cathédrale..................................3 B3
Fortezza Medicea........................4 C3
Museo Diocesano d'Arte
 Sacra.......................................5 B2
Museo Etrusco Guarnacci............6 C3
Palazzo dei Priori.......................7 B3
Palazzo Pretorio.........................8 B3

Pinacoteca Comunale.................9 B2
Théâtre romain.........................10 B2
Torre del Porcellino..............(voir 8)

OÙ SE LOGER 🏠
Albergo Etruria.........................11 B3
Albergo Nazionale.....................12 B3
Appartamenti L'Etrusca..............13 B3
Seminario di Sant'Andrea...........14 D2

OÙ SE RESTAURER 🍴
Osteria dei Poeti.......................15 B2

Pizzeria da Nanni......................16 B2
Ristorante Don Beta..................17 B2
Trattoria del Sacco
 Fiorentino...............................18 C3
Visola del Gusto........................19 C2

OÙ PRENDRE UN VERRE 🍷
Web & Wine..............................20 B3

TRANSPORTS
Gare routière............................21 B3
Parking souterrain...............(voir 21)

Les pièces maîtresses du musée sont cependant la longiligne et étrange statuette de bronze nue, *Ombra della sera*, et l'urne des *Sposi*, représentant un couple âgé. Leurs visages sont sculptés en portrait, et non stylisés comme le voulait la tradition.

AUTRES CURIOSITÉS

À l'extrémité nord de la ville, le **théâtre romain** (🕐 10h30-17h30 tlj mi-mars à oct, 10h-16h sam-dim nov à mi-mars) est un ensemble architectural antique bien préservé, qui comporte des thermes.

La **Fortezza Medicea**, édifiée au XIVᵉ siècle puis remaniée par Laurent le Magnifique, sert aujourd'hui de prison (et ne se visite pas). À l'ouest de celle-ci s'étend l'agréable **Parco Archeologico**. Il reste peu de vestiges archéologiques à découvrir, à l'exception de quelques tombes étrusques en mauvais état, mais l'endroit est parfait pour un pique-nique.

À 2 km au nord-ouest du centre-ville, le **Balze**, profond ravin créé par l'érosion, a englouti plusieurs églises dans ses profondeurs depuis le Moyen Âge. Un monastère du XIVᵉ siècle, perché en bordure du précipice, menace de subir le même sort.

Fêtes et festivals

Les troisième et quatrième dimanches d'août, les habitants de Volterra remontent quelque 600 ans en arrière et, parés de costumes médiévaux, investissent les rues de la ville pour célébrer **Volterra en 1398**, avec tous les fastes et l'ambiance d'une foire du Moyen Âge.

Où se loger

Camping Le Balze (☎ 0588 87 880 ; Via di Mandringa 15 ; pers/tente/voiture 8/7/3 € ; 🕐 Pâques-oct ; 🈳). Le camping le plus proche de la ville, aux Balze.

Seminario di Sant'Andrea (☎ 0588 86 028 ; semvescovile@diocesivolterra.it ; Viale Vittorio Veneto 2 ; ch avec sdb commune 14,28 €, d avec sdb 36 € ; 🅿). Établissement ecclésiastique toujours en activité, et retraite paisible, à quelque 600 m de la Piazza dei Priori. Le bâtiment aux plafonds voûtés a un peu vécu, mais les 60 chambres se révèlent spacieuses et propres.

Albergo Villa Nencini (☎ 0588 86 386 ; www.villanencini.it ; Borgo Santo Stefano 55 ; s 60-73 €, d 73-88 € ; 🅿 🈳). À l'écart de l'agitation du centre, à 200 m de la Porta San Francesco, un paisible hôtel familial agrémenté d'un parc ombragé donnant sur la vallée. On peut loger dans le bâtiment ancien (XVIIᵉ siècle) ou dans l'aile récente.

Appartamenti l'Etrusca (☎ 0588 8 40 73 ; letrusca@ libero.it ; Via Porta all'Arco 37-41 ; app 1/2/3 pers 55/80/90 € ; 🖥 📶). Ici, vous pouvez louer un appartement, même pour une seule nuit. L'extérieur date de la fin de la Renaissance, mais l'intérieur bénéficie de tout le confort moderne.

Albergo Nazionale (☎ 0588 8 62 84 ; www.hotel-nazionale-volterra.com ; Via dei Marchesi 11 ; s 65-75 €, d 78-88 € ; 🖥 📶). D. H. Lawrence séjourna autrefois dans cet hôtel de la fin du XIXᵉ siècle. Les chambres diffèrent en taille et en style, et certaines possèdent un balcon. La chambre 403 en a deux. L'été, on sert des repas simples, consistants et sans complication, à l'image de la réception.

Albergo Etruria (☎ 0588 87 37 ; www.albergoetruria.it ; Via Giacomo Matteotti 32 ; s 60-70 €, d 80-90 € ; 📅 fermé en jan ; 🖥 📶). Hôtel d'un bon rapport qualité/ prix tenu par deux femmes sympathiques. Admirez les vestiges d'un mur étrusque à l'étage et profitez de la vue superbe depuis le jardin sur le toit – un authentique coin de verdure, avec pelouse et buissons. Cuisine à disposition des hôtes.

🔘 **Agriturismo San Lorenzo** (☎ 0588 3 90 80 ; www.agriturismosanlorenzo.it ; B&B d 90 € , app sans petit-déj 95-110 € ; 🖥 📶). À 3 km de Volterra sur la route de Sienne, laissez-vous envoûter par ce mélange de tourisme durable, de paysage rustique, de confort moderne et de cuisine divine (dîner 28 €/pers), servie dans une chapelle franciscaine du XIIᵉ siècle. Une piscine écologique alimentée en eau de source s'étend devant le corps de ferme (v. 1400). Décoration de style champêtre chic pour les chambres et les appartements (équipés d'une cuisine moderne), avec une note individuelle et colorée pour chacun. On peut pratiquer la marche, le vélo, l'équitation, participer à la production d'huile d'olive (d'octobre à novembre) ou encore prendre des cours de cuisine (90 €/pers).

Où se restaurer

Visola del Gusto (Via Antonio Gramsci 3). Avis aux amateurs de glaces : celles-ci sont les plus fraîches de la ville. À partir de 1,50 € le petit cornet.

Pizzeria da Nanni (☎ 0588 8 40 47 ; Via delle Prigioni 40 ; pizzas 6,20-8,50 € ; 📅 lun-sam). Une toute petite échoppe où Nanni enfourne ses excellentes pizzas tout en bavardant perpétuellement avec son épouse. La pizzeria ferme souvent à l'improviste car le couple s'achemine vers la retraite.

Trattoria del Sacco Fiorentino (☎ 0588 8 85 37 ; Piazza XX Settembre 18 ; repas 32 €, menu dégustation 26-28 € ; 📅 jeu-mar). Petite trattoria au plafond voûté qui offre une cuisine imaginative et une joyeuse sélection de vins locaux. Goûtez le *piccione al vin santo e radicchio rosso* (pigeon au vin et au radis rouge) ou le tartare aux mille saveurs, accompagné d'artichauts et d'oignons frais.

Osteria dei Poeti (☎ 0588 8 60 29 ; Via Giacomo Matteotti 55 ; repas 35 €, menus touristiques 13-35 € ; 📅 ven-mer). Arrivez à midi pile, avant l'heure des repas d'affaires. Vous y savourerez une cuisine typiquement toscane, notamment l'*antipasto del poeta* (15 €), un goûteux assortiment de canapés, de fromage et de viande froide.

Ristorante Don Beta (☎ 0588 8 67 30 ; Via Giacomo Matteotti 39 ; repas 40 €, menus 12-21 € ; 📅 fermé lun oct-avr). Avec 4 *primi piatti* et 5 *secondi* à la truffe, c'est l'adresse idéale pour goûter ce fameux champignon, qui abonde – si tant est qu'il abonde quelque part – dans les bois autour de Volterra.

Où prendre un verre

Web & Wine (☎ 0588 8 15 31 ; Via Porta all'Arco 11-13 ; 📅 9h30-13h ven-mer). Il s'agit tout à la fois d'un point Internet (3 €/heure), d'une élégante *enoteca* (avec une bonne sélection d'alcools), d'un endroit où grignoter (ou prendre un vrai repas) et d'un café design branché, avec éclairages sous les vestiges étrusques.

Comment s'y rendre et circuler

Il est plus ou moins interdit de circuler et de se garer à l'intérieur de la ville close. Stationnez sur l'un des parkings indiqués, aménagés à l'extérieur (gratuits pour la plupart). Il existe également un parking souterrain à plusieurs niveaux sous la Piazza Martiri della Libertà, où se trouve aussi la gare routière.

L'office du tourisme dispose des horaires des bus et trains. Les bus CPT relient Volterra à Cecina (3,50 €, fréquents) et sa gare ferroviaire. De Cecina, on peut prendre le train pour Pise (4,20-8,60 €, 40 à 70 min, 23/jour).

Pour San Gimignano (4,30 €, 1 heure 30), Sienne (4,50 €, 1 heure 30) et Florence (7,40 €, 2 heures), changez à Colle di Val d'Elsa (2,50 €, 50 min), desservi 4 fois par jour par un bus au départ de Volterra, sauf le dimanche. Les bus directs pour Florence sont peu fréquents (7,10 €).

En voiture, prenez la SS68, qui relie Cecina à Colle di Val d'Elsa.

LE CRETE

Le Crete ("argile" en dialecte toscan) est une région vallonnée entrecoupée de ravins escarpés qui offre à tout instant l'image classique du paysage toscan : une crête déserte surmontée d'un cyprès solitaire, sur fond de collines serrées les unes contre les autres s'estompant dans le lointain. La plus belle de ces vallées, celle du Val d'Orcia, est la dernière d'Italie à avoir été inscrite au patrimoine mondial de l'Unesco.

L'**Abbazia di Monte Oliveto Maggiore** (☎ 0577 70 76 11 ; entrée libre ; ⏰ 9h15-12h et 15h15-18h avr-oct, jusqu'à 17h nov-mars) est un monastère du XIVᵉ siècle, où vivent toujours une quarantaine de moines. Les visiteurs viennent ici pour les magnifiques fresques de Signorelli et de Sodoma illustrant la vie de saint Benoît, qui décorent son grand cloître.

Montalcino
5 192 habitants

Cette petite ville tranquille n'est toutefois pas de tout repos quand il s'agit de grimper dans ses rues incroyablement escarpées. Mais son véritable point fort est le Brunello, vin de renommée internationale produit ici depuis le milieu du XIXᵉ siècle. On y déguste aussi le moins célèbre mais délicieux Rosso di Montalcino.

Si, de surcroît, vous êtes un œnophile passionné de jazz, vous vous régalerez lors du **festival Jazz & Wine**, qui se tient chaque année dans la ville les deuxième et troisième semaines de juillet.

L'**office du tourisme** (☎ 0577 84 93 31 ; www.prolocomontalcino.it ; Costa del Municipio 1 ; ⏰ 10h-13h et 14h-17h40 tlj avr-oct, fermé lun nov-mars) se trouve à deux pas de la place principale, la Piazza del Popolo.

À VOIR

Le **Museo Civico e Diocesano d'Arte Sacra** (☎ 0577 84 60 14 ; Via Ricasoli 31 ; adulte/enfant 4,50/3 € ; ⏰ 10h-13h et 14h-17h50 mar-dim), à côté de la Piazza Sant' Agostino, occupe un ancien monastère. Il conserve des tableaux de Giovanni di Paolo et Sano di Pietro, entre autres artistes, et une belle collection de sculptures en bois peint de l'école de Sienne.

La **forteresse** (☎ 0577 84 92 11 ; accès libre à la cour, remparts adulte/enfant 4/2 € ; ⏰ 9h-20h avr-oct, 10h-18h nov-mars), du XIVᵉ siècle, abrite une *enoteca* où l'on peut déguster et acheter des vins locaux. La vue depuis la cour est presque aussi belle que depuis les remparts.

Le billet combiné donnant accès au musée et à la forteresse coûte 6 €.

Tous les vendredis, un **marché** animé se tient sur la Via della Libertà et dans les rues environnantes.

OÙ SE LOGER ET SE RESTAURER

Il Giardino (☎ 0577 84 82 57 ; albergoilgiardino@virgilio.it ; Piazza Cavour 4 ; s 40-45 €, d 55-60 €). Deux-étoiles accueillant, tenu en famille, d'un excellent rapport qualité/prix. Installé dans un vénérable édifice donnant sur la Piazza Cavour, sa décoration fleure bon les années 1970.

Hotel Il Giglio (☎ 0577 84 81 67 ; www.gigliohotel.com ; Via Soccorso Saloni 5 ; s 82 €, d 122-135 €, annexe s/d/tr 60/92/115 €, app 2-4 pers 90-120 € ; P 🖙). Le plus vieil hôtel de la ville, récemment rénové, qui dispose d'une annexe (un peu plus haut dans la rue), ainsi que de 2 appartements. Chambres équipées de lits en fer forgé décorés d'un lys (*giglio*) peint. Toutes les doubles jouissent d'une belle vue, et la chambre n°1, dotée d'une vaste terrasse, est facturée au même prix que les autres.

Hotel Vecchia Oliviera (☎ 0577 84 60 28 ; www.vecchiaoliviera.com ; Via Landi 1 ; d 160-190 € ; P 🖀 🖷 🖙). Un ancien moulin à huile superbement restauré, où dominent les tons ocre et les carreaux en terre cuite, tout à côté de la Porta Cerbaia. Dans cet hôtel très calme, (situé à la périphérie de la ville), les chambres ont une décoration personnalisée. Vue époustouflante depuis le patio.

Al Baccanale (☎ 340 7810273 ; Via Matteoti 19 ; repas 32 €). Entreprise familiale appréciée des habitants, où l'on déguste de copieuses assiettes de pâtes en sauce, notamment les fameuses *maltagliati* ("pâtes mal coupées"), c'est-à-dire les chutes laissées lors du découpage des pâtes.

EXCURSION

La belle **Abbazia Di Sant'Antimo** (☎ 0577 83 56 59 ; Castelnuovo dell'Abate ; ⏰ 10h30-12h30 et 15h-18h30 lun-sam, 9h-10h30 et 15h-18h dim) se trouve dans une vallée isolée un peu en contrebas du village de Castelnuovo dell'Abate. L'extérieur de style roman, bâti en pâles blocs de travertin, est orné de sculptures au niveau du clocher et des chapelles absidiales.

Trois bus quotidiens (1,20 €, 15 min) relient Montalcino au village de Castelnuovo dell'Abate. Une marche facile permet ensuite de rejoindre l'église.

Re di Macchia (☎ 0577 84 61 16 ; Via Soccorso Saloni 21 ; repas 34 € ; menu 23 € ; ☽ ven-mer). Petit restaurant très agréable tenu par un couple. Roberta choisit des produits ultrafrais et la cave est impressionnante. Pour goûter plusieurs vins, la sélection de 4 crus d'Antonio (16 €) associe un vin à chaque plat.

DEPUIS/VERS MONTALCINO

Des bus TRAIN S.p.A. circulent régulièrement entre Sienne et Montalcino (3,30 €, 1 heure 30, 6/jour).

Pienza
2 172 habitants

Pienza, ville inscrite au patrimoine mondial, se trouve sur la route principale menant à Montepulciano. L'**office de tourisme** (☎ 0578 74 99 05 ; Corso Il Rossellino ; ☽ 10h-13h et 15h-19h mer-lun) est installé dans le Museo Diocesano.

Les principaux monuments de la ville entourent la **Piazza Pio II**. Tous sont des joyaux de la Renaissance et tous furent construits en l'espace de trois ans (entre 1459 et 1462). La place qu'ils dominent doit son nom au pape Pie II : premier à s'intéresser à l'aménagement urbain, c'est lui qui chargea l'architecte Bernardo Rossellino de transformer le village où il était né.

La **cathédrale** (☽ 8h30-13h et 14h15-19h), à la façade Renaissance, abrite un superbe tabernacle de marbre de Rossellino et cinq retables peints par des artistes siennois.

Le **Palazzo Piccolomini**, résidence de campagne du pape Pie II, passe pour le chef-d'œuvre de Rossellino. Depuis la loggia, on découvre le panorama splendide du Val d'Orcia en contrebas.

Le **Palazzo Borgia** (appelé aussi Palazzo Vescovile) héberge le petit **Museo Diocesano** (☎ 0578 74 99 05 ; adulte/enfant 4,10/2,60 € ; ☽ 10h-13h et 14h-19h mer-lun mi-mars à oct, sam et dim seulement nov à mi-mars) de Pienza, qui possède plusieurs tableaux de l'école siennoise et de remarquables tapisseries flamandes du XVIᵉ siècle.

La **Bottega del Naturalista** (Corso Rossellino 16) est, elle aussi, une institution en son genre, offrant un vaste choix de fromages appétissants, notamment le célèbre *pecorino di Pienza* au lait de brebis.

Il y a jusqu'à 4 bus par jour entre Sienne et Pienza en semaine (3,80 €, 1 heure 15) et 9 depuis/vers Montepulciano (1,80 €). La gare routière se trouve à côté de la Piazza Dante Alighieri. Les billets sont en vente au bar voisin.

Montepulciano
14 389 habitants

Après une journée passée à grimper dans les rues en pente raide de la belle cité de Montepulciano, vous pourrez y déguster certains des meilleurs crus de la région, notamment le très renommé et généreux *vino nobile*. Et aussi profiter des paysages enchanteurs de la Valdichiana.

ORIENTATION

De la Porta al Prato, l'artère principale grimpe vaillamment sur 750 m vers le sud pour atteindre la Piazza Grande, puis la forteresse. Il ne faut pas manquer de souffle, mais la balade au cœur des plus beaux édifices de la ville justifie l'effort.

RENSEIGNEMENTS

Bureau d'information de la Strada del Vino Nobile di Montepulciano (☎ 0578 71 74 84 ; www.stradavinonobile.it ; Piazza Grande 7 ; ☽ 10h-13h et 15h-18h lun-ven). Propose cours de cuisine, circuits Slow Food, dégustations de vin et balades faciles dans les environs se terminant par un déjeuner. Effectue aussi des réservations d'hébergement et loue des vélos.

Office du tourisme (☎ 0578 75 73 41 ; www.prolocomontepulciano.it ; Piazza Don Minzoni ; ☽ 9h30-12h30 et 15h-20h Pâques-juil et sept-oct, 9h30-20h août, 9h30-12h30 lun-sam et 15h-18h dim nov-Pâques). Réservation d'hébergement (sans frais), vente de billets de bus (trajets régionaux) et de train, location de vélos et de scooters.

À VOIR

Si la plupart des grands monuments se regroupent autour de la Piazza Grande, on découvre aussi, en déambulant dans les rues de la ville, quantité de palais, de belles demeures et d'églises.

Depuis la **Porta al Prato**, suivez la Via di Gracciano nel Corso vers le sud. En haut de la Piazza Savonarola se dresse la **Colonna del Marzocca**, érigée en 1511 pour marquer l'allégeance de Montepulciano à Florence.

De nombreuses résidences de la noblesse locale bordent la rue principale. On peut ainsi admirer, au n°73, le **Palazzo Bucelli**, dont les parties inférieures de la façade sont décorées de reliefs et d'urnes étrusques. Presque en face, au n°70, le **Palazzo Cocconi** a aussi été dessiné par l'architecte Antonio da Sangallo.

Continuez à gravir la Via di Gracciano nel Corso jusqu'à la **Chiesa di Sant'Agostino** (Piazza Michelozzo ; ☽ 9h-12h et 15h-18h). En face, la

Torre di Pulcinella, maison-tour médiévale, est surmontée de l'horloge de la ville et de la silhouette bossue de Pulcinella (Polichinelle), qui sonne l'heure.

Dominant la Piazza Grande, point culminant de la ville, le **Palazzo Comunale** (entrée libre ; ☉ 9h-18h lun-sam) fut édifié au XIIIᵉ siècle dans un style gothique, puis remanié au XVᵉ siècle par Michelozzo. Il remplit encore aujourd'hui le rôle d'hôtel de ville. Du haut de sa **tour** (accès par le 2ᵉ ét ; 1,60 € ; ☉ avr-oct), on aperçoit par temps clair les monts Sibyllins à l'est et le Gran Sasso au sud-est.

En face, le **Palazzo Contucci** possède une vaste cave à vin, la **Cantine Contucci** (☎ 0578 75 70 06 ; www.contucci.it ; ☉ 8h-12h30 et 14h30-18h30), où visite et dégustation sont possibles.

La façade de la **cathédrale** (Piazza Grande ; ☉ 9h-12h et 16h-18h) du XVIᵉ siècle est inachevée. À l'intérieur, un ravissant triptyque représentant l'*Assomption*, de Taddeo da Bartolo, orne l'autel.

OÙ SE LOGER ET SE RESTAURER

Bellavista (☎ 347 8232314 ; bellavista@bccmp.com ; Via Ricci 25 ; d 65-70 € ; Ⓟ). Une excellente adresse comptant 10 doubles (bonne literie) hautes de plafond, presque toutes avec vue. Certaines disposent d'un réfrigérateur, et la n°6 possède une terrasse. Il n'y a pas de réception, et il faut téléphoner à l'avance pour que l'on vous remette une clé (sinon, il y a un téléphone dans l'entrée).

Albergo Il Marzocco (☎ 0578 75 72 62 ; www.albergoilmarzocco.it ; Piazza Savonarola 18 ; s 60-75 €, d 90/95 € ; Ⓟ 🖵). Tenu par la même famille depuis plus d'un siècle, cet hôtel logé dans un splendide édifice du XVIᵉ siècle offre des chambres spacieuses, confortables et bien équipées. Celles avec balcon et vue ne coûtent pas plus cher.

Meublé Il Riccio (☎ 0578 75 77 13 ; www.ilriccio.net ; Via Talosa 21 ; s/d 80/100 € ; Ⓟ 🍴 🖵). Un ravissant petit hôtel dans un palais Renaissance, à deux pas de la Piazza Grande. Les 6 chambres de belles proportions sont agrémentées de meubles anciens. Solarium, cour entourée d'une galerie et bar-terrasse avec vue.

Osteria dell'Acquacheta (☎ 0578 75 84 43 ; www.acquacheta.eu ; Via del Teatro 22 ; repas 20 € ; ☉ mer-lun). Petite trattoria proposant d'excellentes spécialités, notamment de viandes et de charcuteries, comme le *misto di salami Toscani*, assortiment de saucisses et de salamis de Toscane.

Caffè Poliziano (☎ 0578 75 86 15 ; Via di Voltaia nel Corso 27 ; repas 26 €). Depuis son ouverture en 1868, ce café élégant a été restauré avec amour. Le balcon est équipé de petites tables avec vue.

Enoteca a Gambe di Gatto (☎ 0578 75 74 31 ; zelfdizekf@yahoo.it ; Via dell Opio nel Corso 34 ; repas 30 € ; ☉ fermé jan-Pâques et mar). Réputés dans toute la région, Emanuel et Laura forment un couple exigeant qui arpente la campagne tous les hivers pour trouver les meilleurs produits bio. Le menu du jour varie en fonction du marché.

COMMENT S'Y RENDRE ET CIRCULER

TRAIN S.p.A. (www.trainspa.it) assure 5 liaisons quotidiennes par bus entre Montepulciano et Sienne (4,70 €, 1 heure 45) via Pienza. Des bus **LFI** (www.lfi.it) desservent régulièrement Chiusi (2,30 €, 50 min, ttes les 30 min) et continuent jusqu'à la gare ferroviaire de Chiusi-Chianciano Terme, sur la ligne principale Rome-Florence. Il y a 3 trains par jour depuis/vers Florence (9,40 €) et 2 depuis/vers Arezzo (3,70 € ; changer à Bettolle).

En voiture, prenez sur l'A1 la sortie Chianciano Terme et suivez la SS146. La circulation est interdite au centre-ville, mais il est possible de stationner sur les parkings proches de la Porta al Prato, où des minibus assurent la navette jusqu'à la Piazza Grande.

SUD DE LA TOSCANE

Un paysage de vertes collines et de petits villages centenaires accrochés sur les hauteurs, avec des montagnes embrumées en toile de fond. Des sites étrusques, tels les énigmatiques *vie cave*, ces voies creusées dans la roche dont les archéologues n'ont pas encore percé le secret. Des sources chaudes (Saturnia), des marinas chics et de belles plages (Monte Argentario). Sans oublier les sentiers de randonnée à travers le paisible Parco Regionale della Maremma, qui englobe la partie la plus belle et la plus variée du littoral toscan.

PARCO REGIONALE DELLA MAREMMA

Ce spectaculaire **parc naturel** (entrée 6-9 €) est formé des Monti dell'Uccellina, qui descendent jusqu'à une magnifique bande de littoral encore préservé. Le principal **centre d'information des visiteurs** (☎ 0564 40 70 98 ; www.parco-maremma.it ; ☉ 8h-17h mi-mars à sept, 8h30-13h30 oct à mi-mars) se trouve à Alberese, à la lisière nord du parc. Il y a un petit **centre saisonnier** (☎ 0564 88 71 73 ; ☉ 8h-12h et 17h-20h juil-août, 8h-13h sept-juin) à l'extrémité sud du parc, au bout d'un chemin de terre long de 400 m, à environ 1 km avant Talamone. L'accès au parc est limité à 11 sentiers de randonnée balisés, allant de 2,5 à 12 km. Des minibus peuvent vous conduire jusqu'au point de départ de l'itinéraire que vous aurez choisi, moyennant un tarif d'entrée légèrement supérieur. Les billets s'achètent au centre d'information. En fonction du sentier que vous suivrez, vous aurez peut-être la chance d'apercevoir des chevreuils, des sangliers, des renards ou des faucons.

Le **Centro Turismo Il Rialto** (☎ 0564 40 71 02), à 600 m au nord du principal centre d'information des visiteurs, propose des sorties guidées en canoë (adulte/enfant 16/8 € ; 2 heures) et loue des VTT (3/8 € heure/jour). Les horaires d'ouverture étant variables, téléphonez au préalable pour ne pas trouver porte close.

Après une balade, vous pourrez vous restaurer à la **Trattoria e Pizzeria Mancini e Caduro** (☎ 0564 40 71 37 ; Via del Fante 24 ; repas 21 € ; ☼ mer-lun avr-sept), à Alberese. La carte, très abordable, comporte des spécialités toscanes, tels les *tortelli ricotta e spinace* (pâtes aux épinards et à la ricotta) et l'*aquacotta* (soupe aux oignons, tomates et céleri, avec du pain et un œuf).

SITES ÉTRUSQUES
Terme di Saturnia
Cet **établissement thermal** (☎ 0564 60 01 11 ; www. termedisaturnia.it ; journée 22 €, 17 € après 15h, parking 4 € ; ☼ 9h30-19h30 avr-sept, 9h30-17h30 oct-mars) se situe à environ 2,5 km au sud du village de Saturnia. Vous pouvez passer une journée à barboter dans les piscines d'eau chaude et à profiter des différents soins proposés en supplément, comme la "douche-massage à quatre mains" ou la moins rassurante "infiltration d'oxygène spécial amaigrissement".

Il est possible de se baigner gratuitement dans les eaux qui coulent sur quelques centaines de mètres, parallèlement à la route qui part au sud de l'embranchement pour Terme di Saturnia. Garez-vous au niveau des voitures arrêtées et cherchez un coin tranquille de la cascade.

Pitigliano
4 008 habitants
La très photogénique Pitigliano semble avoir poussé naturellement sur le haut piton rocheux qui surplombe la campagne environnante. Les monuments majeurs sont tous très proches de la Piazza Garibaldi, où est installé l'**office du tourisme** (☎ 0564 61 71 11 ; ☼ 10h20-13h et 15h-19h mar-dim avr-oct, 10h20-13h et 14h-18h mar-dim nov-mars).

À VOIR
À proximité de la Piazza Garibaldi, l'imposant **viaduc** a été construit au XVIᵉ siècle et le **Palazzo Orsini** (☎ 0564 61 44 19 ; adulte/enfant 2,50/1,50 € ; ☼ 10h-13h et 15h-19h mar-dim avr-sept, 15h-17h oct-mars) au XIIIᵉ siècle. Ce dernier accueille un modeste musée, qui contient une collection un peu désordonnée d'objets religieux.

En face, le **Museo Archeologico** (☎ 0564 61 40 67 ; Piazza della Fortezza ; adulte/enfant 2,50/1,50 € ; ☼ 10h-13h et 15h-19h mar-dim avr-sept, 10h-13h et 15h-18h mar-dim oct-mars) présente de nombreux vestiges étrusques bien mis en valeur (cartouches en italien uniquement).

C'est un véritable plaisir de flâner dans les allées médiévales et les ruelles pentues de la ville, notamment dans le petit **Ghetto**. Prenez la Via Zuccarelli et tournez à gauche pour rejoindre **La Piccola Gerusalemme** (☎ 0564 61 60 06 ; Vicolo Manin 30 ; adulte/enfant 3/2 € ; ☼ 10h-12h30 et 16h-19h dim-ven mai-oct, 10h-12h30 et 15h-18h dim-ven nov-avr). Le quartier s'est peu à peu délabré à la suite de la disparition de la communauté juive de Pitigliano, à la fin de la Seconde Guerre mondiale. Il a été presque entièrement reconstruit en 1995. Il est possible de visiter la minuscule synagogue, richement décorée, ainsi qu'un petit musée de la culture juive, dans lequel on a mis en scène une ancienne boulangerie, une boucherie kasher et des ateliers de teinturiers.

Les environs de Pitigliano se prêtent à de très belles promenades. Au pied du promontoire rocheux, quantité de grottes ont été creusées dans le tuf calcaire. Utilisées comme tombeaux par les Étrusques, nombre d'entre elles ont été transformées en caves. Un sentier balisé (6 km environ) rejoint Sovana.

OÙ SE LOGER ET SE RESTAURER
Albergo Guastini (☎ 0564 61 60 65 ; www.albergoguastini.it ; Piazza Petruccioli 16 ; s 35-40 €, d 58-66 €, petit-déj 8 € ; ☼ fermé mi-jan à mi-fév). Perché au bord de la falaise, l'unique hôtel de la ville, sympathique et accueillant. La plupart des chambres offrent une vue merveilleuse et le restaurant est très réputé.

Osteria Il Tufo Allegro (☎ 0564 61 61 92 ; Vico della Costituzione 2 ; repas 31 € ; ☼ fermé mer déj et mar). Les odeurs alléchantes émanant de la cuisine de cette *osteria* toute proche de la Via Zuccarelli devraient suffire à vous attirer dans la grande salle, creusée à même le tuf.

Il Forno (Via Roma 16). Achetez ici quelques bâtonnets de *sfratto*, une spécialité locale délicieusement collante à base de miel et de

LES VIE CAVE

Il existe quelque 15 passages creusés dans la roche, dans toutes les directions, dans les vallées en contrebas de Pitigliano. Ces *vie cave* (routes enfoncées) peuvent atteindre 20 m de profondeur et 3 m de largeur. Il s'agirait d'itinéraires sacrés menant à des nécropoles et à d'autres sites étrusques à caractère religieux. Selon une théorie moins communément acceptée et plus terre à terre, ces étranges couloirs mégalithiques auraient servi à déplacer le bétail ou à se rendre d'un village à un autre à l'abri des ennemis.

Autour de Pitigliano, de Sovana et de Sorano, la campagne est criblée de ces *vie cave*. On en trouve deux bons exemples à 500 m à l'ouest de Pitigliano, sur la route de Sovana : la Via Cava di Fratenuti, comportant de hautes parois verticales et des graffitis étrusques, et la Via Cava di San Giuseppe, qui passe devant la Fontana dell'Olmo, taillée dans le roc. Cette fontaine est ornée du visage de Bacchus, dieu de l'Abondance. Autre exemple caractéristique, la Via Cava San Rocco, près de Sorano, serpente dans les collines sur 2 km entre la ville et la Necropoli di San Rocco.

Une agréable **balade** entre Pitigliano et Sovana (8 km, 3 heures) permet de découvrir une partie de ces *vie cave*. Renseignez-vous à l'office du tourisme de Pitigliano pour connaître les itinéraires ainsi que les moyens de transport pour le retour.

noix. Ensuite, rafraîchissez-vous en dégustant un petit verre de Bianco di Pitigliano, un excellent blanc sec local.

DEPUIS/VERS PITIGLIANO

Des bus **Rama** (www.griforama.it) relient Pitigliano à la gare ferroviaire de Grosseto (6 €, 2 heures, 4/jour). Ils relient aussi Pitigliano à Sorano (1,20 €, 15 min, 7/jour) et Sovana (1,20 €, 20 min, 1/jour). Pour Saturnia, changer à Manciano.

Necropoli di Sovana

À 1,5 km du joli village de Sovana se trouvent les plus importantes **tombes étrusques** (5 € ; ⏰ 9h-19h mars-nov, 10h-17h ven-dim déc-fév). Un panneau jaune sur la gauche indique la **Tomba della Sirena**, où l'on peut suivre un sentier passant devant une rangée de tombeaux taillés dans le roc, ainsi qu'une *via cava*.

La **Tomba di Ildebranda**, est de loin le mausolée étrusque le plus imposant et c'est le seul tombeau sous forme de temple qui nous soit parvenu. Il a gardé des traces de colonnes et d'escaliers. La **Tomba del Tifone** se trouve à environ 300 m, sur un sentier passant devant une rangée de façades funéraires taillées dans le roc. On peut observer, là aussi, plusieurs tronçons de *via cava*.

Bien à l'est du village, près du hameau de San Quirico, d'où elles sont indiquées depuis la place principale, les **grottes de Vitozza** (☎ 0564 61 40 74 ; 2 € ; ⏰ 10h-18h mar-dim mars-oct, sur rdv nov-fév), forment plus de 200 orifices sur une crête rocheuse. Cet ensemble troglodyte, l'un des plus importants d'Italie, était habité dès la préhistoire.

Sorano

Accroché au sommet d'un piton rocheux, Sorano fait un peu figure de parent pauvre parmi ces bourgades arrimées à flanc de colline. Les maisons, souvent inoccupées ou à l'abandon, semblent se blottir les unes contre les autres afin de ne pas tomber de leur fragile perchoir. Le principal centre d'intérêt de la localité est la **Fortezza Orsini** (☎ 0564 63 37 67 ; Piazza Cairoli ; adulte/moins de 11 ans/plus de 11 ans 2 €/gratuit/1 € ; ⏰ 10h-13h et 15h-19h avr-oct, 10h-13h et 15h-17h30 ven-dim nov-mars), qui abrite un musée médiéval. Les souterrains se visitent à part, avec un guide (3 €, ttes les heures).

À quelques kilomètres de Sorano, sur la route qui mène à Sovana, on découvre de nouvelles sépultures étrusques, le **Necropoli di San Rocco** (☎ 0564 63 30 99 ; 2 € ; ⏰ 11h-18h mars-oct).

EST DE LA TOSCANE

Cette partie de la Toscane vous réserve de grands moments. Comme elle est relativement peu fréquentée par les touristes, vous aurez les coudées franches pour la visiter.

FAITES DES ÉCONOMIES

Si vous visitez Sovana et Sorano, choisissez d'investir dans un **billet groupé** (7 €). Celui-ci donne accès à la Tomba della Sirena, à la Tomba di Ildebranda, à la Fortezza Orsini, à la Necropoli di San Rocco et aux grottes de Vitozza. Billets en vente sur ces sites.

Les admirateurs de Piero della Francesca pourront suivre ses œuvres à la trace en commençant par celles de Sansepolcro, puis de Monterchi, avant de terminer par ses fresques de la Chiesa di San Francesco, à Arezzo.

AREZZO

94 7493 habitants

Arezzo n'est sans doute pas la plus jolie ville de Toscane, ayant beaucoup souffert des bombardements durant la Seconde Guerre mondiale. Mais ce qui a survécu de son centre historique peut rivaliser avec les autres cités de la région : sa place inclinée, la Piazza Grande, la Pieve di Santa Maria et, surtout, la Chiesa di San Francesco, célèbre pour ses splendides fresques de Piero della Francesca. La ville, qui a servi en grande partie de décor au film de Roberto Benigni, *La vie est belle*, mérite donc amplement une visite, par exemple à l'occasion d'une excursion à la journée depuis Florence.

Puissante cité étrusque, absorbée plus tard par l'Empire romain, Arezzo demeura un centre de commerce majeur et florissant. Devenue commune libre dès le Xe siècle, elle soutint la cause des gibelins lors des violents conflits qui opposèrent le pape et l'empereur du Saint Empire romain germanique, avant d'être finalement soumise par Florence, en 1384.

La ville a vu naître Pétrarque (Francesco Petrarca, 1304-1374), le poète dont les sonnets, écrits en italien et en latin, ont rendu ce genre populaire, ainsi que Giorgio Vasari (1511-1574), peintre et architecte prolifique à qui Florence doit un bon nombre de ses splendeurs Renaissance.

L'avant-dernier dimanche de juin et le premier dimanche de septembre, la ville accueille la fameuse **Giostra del Saracino**, une joute à cheval. Une immense **foire à la brocante** réunissant 500 exposants a lieu sur la Piazza Grande le premier week-end de chaque mois.

Orientation

De la gare ferroviaire, située au sud du cœur historique, on rejoint la Piazza Grande par le Corso Italia, la principale artère piétonne de la ville, bordée de boutiques.

Renseignements

Office du tourisme APT (☎ 0575 2 08 39 ; www.apt.arezzo.it ; Piazza della Repubblica 28 ; ☾ 9h-13h et 15h-19h avr-sept, 10h-13h et 15h-18h lun-sam, 10h-13h dim oct-mars). Un représentant de Colori Toscani présent sur place organise sans commission hébergements et visites.

Centro di Accoglienza Turistico (☎ 0575 40 35 74 ; Via Ricasoli ; ☾ 9h30-18h30 juin-oct, 10h-18h nov-mai). Location d'audioguides pour la visite d'Arezzo (adulte/enfant 2,50/2 € la journée) accompagnés d'un plan. Dans la "Salle 180", projection d'un film de 30 min sur Arezzo (adulte/enfant 2,50/2 €) en 6 langues sur un écran à 180 degrés.

Eutelia (Via Guido Monaco 61 ; 2 €/heure ; ☾ 9h-21h). Accès Internet et appels internationaux à faible coût.

Nuovo Ospedale San Donato (☎ 0575 25 50 01 ; Via A de Gasperi). Hôpital d'Arezzo, situé en dehors de la ville.

Police (☎ 0575 31 81 ; Via Fra Guittone 3)

Poste (Via Guido Monaco 34)

À voir

CHIESA DI SAN FRANCESCO

L'abside de cette **église** (Piazza San Francesco ; ☾ 9h-19h avr-oct, 9h-18h nov-mars) du XIVe siècle renferme l'un des chefs-d'œuvre de l'art toscan, la *Légende de la Vraie Croix*, cycle de fresques réalisé par Piero della Francesca (v. 1420-1492). Ces peintures aux couleurs magnifiques relatent, en dix épisodes, l'histoire de la découverte de la Croix, d'après un texte médiéval de *La Légende dorée*.

Vous aurez un aperçu de l'œuvre malgré le cordon interdisant l'accès à l'autel, mais ce n'est qu'en s'approchant que l'on en prend la réelle mesure : prévoyez pour cela une **visite audioguidée** (réservations ☎ 0575 35 27 27 ; www.piero-dellafrancesca.it ; 6 € ; ☾ 9h-19h avr-oct, 9h-18h nov-mars). Il est indispensable de réserver (par téléphone ou à l'un des sites inclus dans les billets groupés), car 25 personnes seulement sont admises, toutes les demi-heures. La billetterie se tient Piazza San Francesco 4, à droite de l'entrée principale de l'église.

PIEVE DI SANTA MARIA

La magnifique façade romane à arcature de cette **église** (Corso Italia 7 ; ☾ 8h-13h et 15h-19h mai-sept, 8h-12h et 15h-18h oct-avr) du XIIe siècle évoque celle de la cathédrale de Pise, sans le somptueux parement de marbre. Au-dessus du portail

---

FAITES DES ÉCONOMIES

Vous avez la possibilité d'acheter dans chacun des quatre sites suivants un billet groupé (12 €) donnant accès aux fresques de Piero della Francesca dans la Chiesa di San Francesco, ainsi qu'au Museo Archeologico, au Museo Statale d'Arte Medievale e Moderna et à la Casa di Vasari.

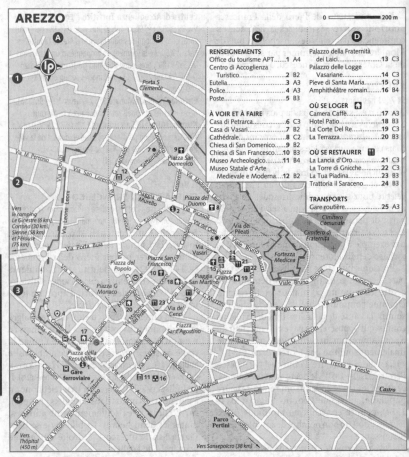

AREZZO

0 ——————— 200 m

central, des reliefs représentent les mois de l'année. Le campanile du XIVe siècle, avec ses 40 ouvertures, est en quelque sorte l'emblème de la ville. À l'intérieur, sous la demi-coupole de l'abside, le superbe polyptyque sur bois de Pietro Lorenzetti, *La Madone et les saints*, vient rompre la monochromie de l'édifice.

PIAZZA GRANDE ET SES ENVIRONS

Cette place pavée, inclinée, est dominée par les portiques du **Palazzo delle Logge Vasariane**, achevé en 1573. Dans l'angle ouest, la façade du **Palazzo della Fraternità dei Laici** rappelle celle d'une église. Sa construction, commencée en 1375 dans le style gothique, s'acheva après le début de la Renaissance. La Via dei Pileati mène à la **Casa de Petrarca**, où habitait le poète Pétrarque.

CATHÉDRALE

L'édification de la **cathédrale** (Piazza del Duomo ; 🕑 7h-12h30 et 15h-18h30) commença au XIIIe siècle mais ne se termina qu'au cours du XVe siècle. Dans la partie nord-ouest, à gauche du maître-autel, on peut admirer une ravissante petite fresque de Piero della Francesca représentant Marie Madeleine, et les bas-reliefs élaborés ornant la tombe en marbre de l'évêque Guido Tarlati.

CHIESA DI SAN DOMENICO ET SES ENVIRONS

La **Chiesa di San Domenico** (Piazza San Domenico 7 ; 🕑 8h30-18h) mérite le détour pour son insolite façade asymétrique. Au-dessus du maître-autel se dresse une impressionnante *Crucifixion* de Cimabue. Peinte vers 1265, c'est l'une des premières œuvres de l'artiste. À l'ouest, la **Casa di Vasari** (☎ 0575 40 90 40 ; Via XX Settembre 55 ; adulte/enfant 2/1 € ; ☺ 8h-19h30 lun et mer-sam, 8h-13h dim) a été dessinée et décorée (avec un luxe qui confine à l'excès dans la Sala del Camino, la salle de la Cheminée) par l'architecte en personne. N'hésitez pas à sonner si vous trouvez porte close.

En bas de la colline, le **Museo Statale d'Arte Medievale e Moderna** (☎ 0575 40 90 50 ; Via San Lorentino 8 ; adulte/étudiant 10/7 € ; ☺ 9h-18h mar-dim) conserve des œuvres d'artistes de la région, parmi lesquels Luca Signorelli et Vasari, réalisées entre le XIII° et le XVIII° siècle.

MUSEO ARCHEOLOGICO ET AMPHITHÉÂTRE ROMAIN

À l'est de la gare ferroviaire, le **Museo Archeologico** (☎ 0575 2 08 82 ; Via Margaritone 10 ; adulte/enfant 4/2 € ; ☺ 8h30-19h) occupe un ancien couvent dominant les vestiges d'un **amphithéâtre romain** (entrée libre ; ☺ 8h30-19h avr-oct, 8h30-18h nov-mars). Le musée renferme une importante collection d'objets étrusques et romains.

Où se loger

Camping Le Ginestre (☎ 0575 36 35 66 ; www.campingleginestre.it ; Via Ruscello 100 ; 7-8 €/pers 8-10 €/empl ; ☺ tte l'année). Depuis la gare ferroviaire d'Arezzo, prendre le bus LFI pour Ruscello et demander l'arrêt au camping.

Camera Caffè (☎ 347 0324405 ; www.cameracaffe.net ; Via Guido Monaco 92 ; s avec sdb commune 35 €, s/d avec sdb 40/55 € ; ☒). En face de la gare ferroviaire. La décoration de style dortoir est compensée par des lits confortables et des couettes épaisses. L'immense cuisine en self-service est dotée d'une terrasse où l'on peut manger. Certaines chambres sont climatisées.

La Terrazza (☎ 0575 2 83 87 ; laterrazza@lycos.it ; 5° ét, Via Guido Monaco 25 ; s/d sans sdb 40/50 , d avec sdb 60 €). Établissement accueillant aux tarifs étudiés, proposant 8 grandes chambres claires et une cuisine commune réparties sur deux étages. Empruntez le passage près du Blockbuster.

La Corte Del Re (☎ 0575 29 67 20 ; www.lacortedelre.com ; Via Borgunto 5 ; s 60-75 €, d 70-90 € ; ☒ ☐). Ces 6 appartements situés à quelques pas de la Piazza Grande conjuguent harmonieusement design contemporain et éléments anciens d'un immeuble historique. Certains sont dotés de kitchenettes et d'une vue sur la place. Trois nuitées minimum.

Hotel Patio (☎ 0575 40 19 62 ; www.hotelpatio.it ; Via Cavour 23 ; s 115-130 €, d 155-176 €, ste 190-230 € ; ☐ ☒ ☐ ☎). C'est l'hôtel d'Arezzo qui a le plus de personnalité. Ses 10 chambres sont toutes décorées en référence à un récit de voyage de Bruce Chatwin, chacune avec un mobilier originaire du pays évoqué, dont l'Australie, le Maroc et la Chine.

Où se restaurer

La Tua Piadina (☎ 0575 23 240 ; Via de' Cenci 18). Caché dans une petite rue, un traiteur réputé pour ses *piadine* chauds (pain plat garni, spécialité d'Émilie-Romagne) à emporter, à partir de 3,50 € environ.

La Torre di Gnicche (☎ 0575 35 20 35 ; Piaggia San Martino 8 ; repas 26 € ; ☺ jeu-mar). Une table traditionnelle, près de la Piazza Grande, offrant un vaste choix d'*antipasti*, de multiples variétés de *pecorino* et une belle carte des vins.

Trattoria Il Saraceno (☎ 0575 27 644 ; www.ilsaraceno.com ; Via Giuseppe Mazzini 3a ; repas 30 € ; ☺ jeu-mar). On y concocte, depuis 60 ans, une cuisine toscane de qualité. Les bouteilles de vin tapissent les murs, formant une cave impressionnante. Pizzas à partir de 5 €.

La Lancia d'Oro (☎ 0575 2 10 33 ; Piazza Grande 18-19 ; repas 47 € ; ☺ fermé dim dîner et lun). De délicieux amuse-bouches vous feront patienter dans ce restaurant. Serveur jovial. La déco de rayures vertes et blanches donne un peu l'impression de dîner sous une tente. Au déjeuner, excellents menus légers (15 €, 2 plats et verre de vin) servis sur la terrasse, sous la loggia surplombant la Piazza Grande.

Le **marché** met la Piazza Sant'Agostino en effervescence les mardis, jeudis et samedis.

EXCURSION

Au nord d'Arezzo s'étend le **Parco Nazionale delle Foreste Casentinesi** (www.parcoforestecasentinesi.it), un parc national boisé qui englobe plusieurs zones parmi les plus spectaculaires des Apennins. C'est au Monte Falterona (1 654 m), l'un des plus hauts sommets, que l'Arno prend sa source. Outre deux monastères, le parc abrite une faune très variée dont une centaine d'espèces d'oiseaux. Les épaisses forêts sont un havre de paix en été, idéales pour se promener et échapper aux foules.

TOSCANE

Depuis/vers Arezzo

Des bus partent de la Piazza della Repubblica pour Cortona (2,80 €, 1 heure, plus de 10/jour en semaine, 3 le samedi), Sansepolcro (3,30 €, 1 heure, 7/jour) et Sienne (5,20 €, 1 heure 30, 7/jour). Pour Florence, préférez le train.

Arezzo se trouve sur la ligne Florence-Rome. Des trains desservent fréquemment Rome (11,70 €, 2 heures) et Florence (5,60 €, 1 heure 30). Certains passent également par Cortona (2,20 €, 20 min, ttes les heures). L'A1 passe à quelques kilomètres à l'est d'Arezzo. La SS73 rejoint Sansepolcro, à l'est.

SANSEPOLCRO
16 161 habitants

Sansepolcro, ville natale de Piero della Francesca, est une étape importante dans tout itinéraire consacré à cet artiste. Avant de vous y rendre, arrêtez-vous brièvement à Monterchi pour admirer la célèbre fresque de l'artiste, la **Madonna del Parto** (Vierge enceinte ; ☎ 0575 7 07 13 ; Via della Reglia 1 ; adulte/enfant 3,50 €/gratuit ; ⏱ 9h-13h et 14h-19h mar-ven, 9h-19h sam et dim avr-sept, 9h-18h oct-mars). Initiative louable : les femmes enceintes bénéficient également de l'entrée gratuite.

L'**office du tourisme** (☎ 0575 74 05 36 ; infosansepolcro@apt.arezzo.it ; Via Matteotti 8 ; ⏱ 9h30-13h et 15h-18h avr-sept, 9h30-12h30 et 15h30-17h30 lun-sam, 9h30-12h30 dim oct-mars) met à disposition de multiples brochures dans plusieurs langues.

Le **Museo Civico** (☎ 0575 73 22 18 ; www.comune. sansepolcro.ar.it ; Via Aggiunti 65 ; adulte/enfant 6/4,50 € ; ⏱ 9h30-13h30 et 14h30-19h juin-sept, 9h30-13h et 14h30-18h oct-mai), à deux pas de l'office du tourisme, renferme deux œuvres majeures de Piero della Francesca, la *Résurrection* et le polyptyque de *La Vierge de la Miséricorde*, qui montre la Vierge étendant sa cape protectrice sur les commandataires de la toile.

La **Locanda Giglio & Ristorante Fiorentino** (☎ 0575 74 20 33 ; www.ristorantefiorentino.it ; Via Pacioli 60 ; s/d/ tr 55/80/110 € ; P ✕), est un hôtel-restaurant sympathique, tenu par la même famille depuis 4 générations. Alessia, la plus jeune, a aménagé les 4 chambres, superbes avec leur parquet en chêne, leurs meubles récupérés dans le grenier familial et leur éclairage au sol. Celle appelée La Torre a la meilleure vue. Alessio, le père, propose une excellente carte de saison au restaurant. Pâtes maison ; repas 30-34 €.

Des bus SITA relient Sansepolcro à Arezzo (3,30 €, 1 heure, 7/jour) et plusieurs trains desservent chaque jour Pérouse (4,15 €, 1 heure 45).

CORTONA
22 901 habitants

Bâtie à flanc de colline, Cortona offre un point de vue splendide sur la campagne toscane. À la fin du XIVe siècle, Fra Angelico vécut et travailla ici, et la ville a vu naître les artistes Luca Signorelli (1450-1523) et Pierre de Cortone (1596-1669).

En mai ou en juin (la date varie pour coïncider avec le jour de l'Ascension), une semaine entière de festivités a lieu à l'occasion de la **Giostra dell'Archidado**, une compétition de tir à l'arbalète dont les origines remontent au Moyen Âge.

Orientation

Les bus arrivent sur le Piazzale Garibaldi, juste au sud-est des remparts, d'où l'on a une vue exceptionnelle sur la plaine, jusqu'au lac Trasimène, en Ombrie. Depuis le Piazzale, remontez le long de la Via Nazionale – sans doute la seule rue sans déclivité de toute la ville – jusqu'à la Piazza della Repubblica, la place principale. L'**office du tourisme** (☎ 0575 63 03 52 ; Via Nazionale 42 ; ⏱ 9h-13h et 15h-19h lun-sam, 9h-13h dim mai-sept, 9h-13h et 15h-18h lun-ven, 9h-13h sam oct-avr) met à votre disposition cartes, brochures et horaires, vend des tickets de bus et de train, et peut vous réserver une chambre.

À voir

Veillant sur la Piazza della Repubblica aux contours asymétriques, le **Palazzo Comunale** fut construit au XIIIe siècle et rénové à deux reprises, aux XVIe et XIXe siècles. Au nord, la belle **Piazza Signorelli** est bordée par le **Palazzo Casali**, du XIIIe siècle, dont la façade assez massive fut rajoutée au XVIIe siècle. À l'intérieur, le **Museo dell'Accademia Etrusca** (☎ 0575 63 04 15 ; Piazza Signorelli 9 ; adulte/enfant 7/4 € ; ⏱ 10h-19h tlj avr-oct, 10h-17h mar-dim nov-mars) expose de nombreux vestiges archéologiques étrusques découverts dans la région, dont une lampe à huile du IIe siècle av. J.-C. très élaborée.

Il ne reste pas grand-chose de l'aspect roman d'origine de la **cathédrale**, au nord-ouest de la Piazza Signorelli. Elle fut en effet totalement reconstruite à la fin de la Renaissance, puis de nouveau au XVIIIe siècle. Sa véritable richesse réside dans le **Museo Diocesano** (☎ 0575 62 83 0 ; Piazza del Duomo 1 ; adulte/enfant 5/3 € ; ⏱ 10h-19h mar-dim avr-oct, 10h-17h mar-dim nov-mars), installé dans l'ancienne église du Gesù. La collection qu'il renferme contient quelques œuvres de Luca Signorelli, ainsi qu'une magnifique *Annonciation* et une *Vierge*, signées Fra Angelico.

Dans la partie est de la ville, sillonnée de petites rues pavées escarpées, la **Chiesa di Santa Margherita** (Piazza Santa Margherita ; ☼ 7h30-12h et 15h-19h avr-oct, 8h30-12h et 15h-18h oct-avr), du XIXe siècle, abrite le tombeau sculpté (XIVe siècle) de la patronne de Cortona, sainte Marguerite, dont la dépouille repose en réalité dans le cercueil aux parois en verre situé au-dessus du maître-autel. La montée jusqu'à l'église est rude mais en vaut la peine. Vous pouvez d'ailleurs continuer à grimper jusqu'à la **Fortezza Medicea** (☎ 0575 63 04 15 ; adulte/enfant 3/1,50 € ; ☼ 10h-13h30 et 14h30-18h avr, mai, juin et sept, jusqu'à 19h juil-août), point culminant de la ville, d'où le panorama de la campagne apparaît saisissant.

Où se loger

Santa Margherita (☎ 0575 63 03 36 ; comunitacortona@ smr.it ; Via Cesare Battisti 15 ; s/d 40/54 €, petit-déj 5 € ; ☼ tte l'année). Tenue par d'adorables nonnes de l'institut religieux, c'est une halte appréciée des groupes italiens. Il est donc conseillé de réserver (avec un guide de conversation italienne à portée de main). Les travaux de rénovation effectués en 2009 ont amené de nouvelles literies, des peintures fraîches et des sdb étincelantes. Accessible aux personnes à mobilité réduite.

Hotel Italia (☎ 0575 63 02 54 ; www.hotelitaliacortona. com ; Via Ghibellina 5/7 ; s 83-88 €, d 110-116 € ; ✎ ☎). Hôtel décontracté mais de caractère, dans un *palazzo* du XVIIe siècle tout près de la Piazza della Repubblica. Les chambres standards possèdent des plafonds à solives et arborent des tons orangés chaleureux. Les chambres de catégorie supérieure disposent d'une énorme baignoire. La vue depuis la salle du petit déjeuner, au dernier étage, est stupéfiante. Massage oriental, Wi-Fi et location de VTT à la demande.

Hotel San Michele (☎ 0575 60 43 48 ; www.hotel-sanmichele.net ; Via Guelfa 15 ; d 79-220 € ; ☼ fermé jan à mi-mars ; P ✎ ☎). C'est l'hôtel le plus raffiné de Cortona. Principalement d'époque Renaissance, il comporte des éléments du XIIe siècle et a subi des modifications au fil des siècles. Une sorte de reflet en résumé de l'histoire de Cortona. Les chambres sont aérées, spacieuses et meublées avec goût. Les tarifs varient beaucoup en fonction des promotions et des fêtes.

Où se restaurer

Snoopy's (Piazza Signorelli 29). On y sert de généreuses portions de *gelato*, à partir de 1,50 € le petit cornet.

Trattoria Dardano (☎ 0575 60 19 44 ; Via Dardano 24 ; repas 24 € ; ☼ jeu-mar). C'est une de ces *trattorie* sans prétention et néanmoins inoubliables, où l'on découvre des plats simples et étonnants. On y mange en compagnie des habitants et de touristes idéalistes emballés qui songent sérieusement à retaper une ferme toscane après pareil repas.

Osteria del Teatro (☎ 0575 63 05 56 ; www. osteria-del-teatro.it ; Via Maffei 2 ; repas 40 € ; ☼ jeu-mar). Service aimable, fleurs fraîches sur toutes les tables et généreux copeaux de truffes. Indiqué par presque tous les guides gastronomiques italiens, on y déguste des plats de saison comme les *raviole ai fiori di zucca* (raviolis aux fleurs de potiron) en été.

La Bucaccia (☎ 0575 60 60 39 ; www.labucaccia.it ; Via Ghibellina 17 ; repas 45 €). Restaurant visant une clientèle touristique, avec ambiance cave étrusque – casiers à bouteilles, petits tonneaux, meules de fromage et citerne étrusque visibles à travers le sol en verre. Le service est résolument chaleureux, la nourriture savoureuse et bien présentée, mais le prix des vins fait grimper l'addition.

Tous les samedis, un **marché** (Piazza Signorelli) vend des produits de la ferme.

Depuis/vers Cortona

Depuis le Piazzale Garibaldi, des bus LFI desservent Arezzo (2,80 €, 1 heure) en passant par Castiglion Fiorentino.

La gare ferroviaire la plus proche, sur la ligne Rome-Florence, est celle de Camucia-Cortona, à 6 km de Cortona. Des navettes (1 €, 15 min) partent toutes les heures au moins pour la gare. Les trains desservent Arezzo (2,40 €, 20 min, ttes les heures), Florence (7,0 €, 1 heure 30, ttes les heures), Rome (9,40 €, 2 heures 15, ttes les 2 heures) et Pérouse (3,15 €, 40 min, plus de 12/jour).

L'office du tourisme peut vous fournir les horaires précis et vend également des billets de bus et de train.

Si vous êtes motorisé, la ville est située sur l'axe nord-sud de la SS71 qui passe par Arezzo. Elle est également toute proche de la SS75, qui relie Pérouse à l'A1.

TOSCANE

Ombrie et Marches

L'Ombrie et les Marches, à dominante rurale, ne comptent qu'un petit nombre de villes et c'est aussi ce qui fait leur charme. Fières de leurs traditions agricoles, ces régions sont devenues le berceau du mouvement Slow Food. Et la cuisine y est une affaire sérieuse : on se retrouve volontiers en famille aux fourneaux, avant de passer deux à trois heures à table autour d'un bon repas.

La plupart des villes ont traversé plusieurs millénaires d'histoire. Pérouse, Ascoli Piceno et Orvieto, par exemple, témoignent encore de l'influence des civilisations étrusque, ombrienne et picénienne. Les Romains ont également laissé leur empreinte, avec des routes, des amphithéâtres, des remparts… Des cités médiévales comme Todi, Gubbio et Assise impressionnent par la majesté de leurs édifices, à l'ombre souvent d'une forteresse papale.

Outre ce remarquable patrimoine, l'Ombrie et les Marches attirent les visiteurs grâce à leurs manifestations culturelles – comme le festival artistique annuel de Spolète – ou leurs stations balnéaires, telle Pesaro sur la côte adriatique des Marches. D'autres préfèrent rejoindre Ancône avant de prendre un ferry vers une destination plus lointaine, ou encore se laisser envoûter par les sommets insaisissables des monts Sibyllins et le charme subtil de Monte Conero. Quel que soit l'objet de sa visite, le voyageur appréciera le rythme de vie, paisible, de ces terres ancestrales.

OMBRIE ET MARCHES

À NE PAS MANQUER

- La **Basilica di San Francesco** (p. 580), joyau architectural du XIIIe siècle, à Assise
- Les mystérieux **monts Sibyllins** (p. 593 et p. 616), aux sommets enneigés, côté Marches ou côté Ombrie
- Une visite gourmande à la **fabrique de chocolats Perugina** (p. 569), à Pérouse
- Un dîner dans l'un des excellents restaurants de poisson du **Parco del Conero** (p. 604)
- Une initiation au façonnage de majoliques au tour chez **Maioliche Nulli** (p. 575), à Deruta

POPULATION : OMBRIE 884 450 ; MARCHES 1 553 063

SUPERFICIE : OMBRIE 8 456 KM^2 ; MARCHES 9 694 KM^2

OMBRIE

Cette terre de tradition, où le paysage de collines et de petites routes qui serpentent a été façonné par l'homme depuis trois millénaires, l'une des rares régions d'Italie sans accès à la mer, l'Ombrie s'est vue surnommée *"il cuore verde dell'Italia"* (le cœur vert de l'Italie). Au printemps, la campagne se pare des couleurs chatoyantes des fleurs sauvages et, en été, elle irradie du jaune vibrant des tournesols que l'on récolte pour en faire de l'huile. Dans le nord et l'est de la province, les montagnes des Apennins s'adoucissent en collines surmontées de cités médiévales, pour déboucher sur des vallées luxuriantes le long du Tibre.

Une escapade en Ombrie réserve mille et un plaisirs, d'une virée nocturne dans sa capitale, Pérouse (Perugia), ville étudiante réputée pour son Università per Stranieri (université destinée aux étudiants étrangers), à des balades sans fin dans la campagne émaillée de vieux villages. Assise, ville perchée parmi les plus séduisantes de la région, avec ses remarquables édifices qui renvoient des reflets roses au coucher du soleil, doit aussi sa renommée au plus célèbre de ses enfants, saint François. Celui-ci prêcha son message à travers toute l'Ombrie et l'on peut y suivre sa trace à Gubbio, imposant bastion médiéval, ou encore à Todi, cité historique où il fait bon vivre.

Au sud-est, Spolète (Spoleto) accueille un festival des arts de renommée internationale et au sud-ouest, Orvieto attire des millions de visiteurs avec sa cathédrale.

Mais l'Ombrie se révèle aussi terre de goûts et de saveurs. La truffe (*tartufo*) figure à tous les menus ou presque, relevant les recettes de pâtes locales *strangozzi* ou *umbricelli*. Le porc de la région de Nursie (Norcia) est à l'origine du mot *norcineria*, synonyme de "charcuterie" dans toute l'Italie. Et les vins dorés d'Orvieto et le Sagrantino de Montefalco sont appréciés au-delà des frontières du pays.

Histoire

Les Osco-Ombriens, dont la présence en Ombrie remonte à quelque 1 000 ans av. J.-C., puis les Étrusques furent les deux premiers grands peuples à coloniser la région. La civilisation ombrienne s'épanouit rapidement à l'est du Tibre (*Tevere*), dans des villes comme Spolète, Gubbio, Città di Castello et Assise. Les Étrusques fondèrent quant à eux, à l'ouest,

Pérouse, Orvieto et Città della Pieve, pour finalement créer douze puissantes cités-États. Vous pourrez voir des vestiges de cette période au remarquable Museo Archeologico Nazionale dell'Umbria (p. 569) de Pérouse, et même en ressentir encore l'effet culturel : la majorité des Ombriens reconnaissent qu'il existe encore aujourd'hui une différence de culture palpable entre les villes fondées par les Étrusques et celles d'origine ombrienne.

Vers le IIIᵉ av. J.-C., les premiers contacts avec Rome modifièrent l'équilibre de la région. En 295 av. J.-C., les Romains renversèrent les Étrusques et s'emparèrent de leurs territoires, notamment de l'Ombrie, lançant de grands travaux. Ainsi, en 220 av. J.-C., l'empereur Gaius Flaminius fit construire la Via Flaminia, qui reliait Rome à Ancône et à la mer Adriatique, et traversait des villes comme Narni, Terni, Spolète et Foligno, où l'on peut encore observer des vestiges romains. Un tronçon de cette voie rejoignait Pérouse, capitale de l'Ombrie en plein essor. En 90 av. J.-C., les Ombriens se virent accorder la citoyenneté romaine et la région prospéra durant plusieurs siècles.

Après la chute de Rome, les invasions des Sarrasins, des Goths, des Lombards, des Byzantins précipitèrent le déclin économique et culturel de la région, durement frappée par les épidémies et les épisodes de famine. Les Ombriens se réfugièrent dans des cités fortifiées accrochées au sommet des collines, comme Gubbio et Todi, et la présence barbare

OMBRIE ET MARCHES

SITES INTERNET SUR L'OMBRIE

■ **Bella Umbria** (www.bellaumbria.net, en français). Le site le plus complet sur l'Ombrie, listant la plupart des hébergements. La page "Événements et manifestations" permet de rechercher les festivals soit par ville soit par date.

■ **TourinUmbria** (www.tourinumbria.org). Une liste des hébergements, restaurants et itinéraires accessibles aux voyageurs souffrant de handicaps physiques.

■ **Umbria2000** (www.regonumbria.it). Le site touristique officiel de l'Ombrie.

■ **Umbria Online** (www.umbriaonline.com). Hébergements, manifestations et itinéraires pour toutes les petites et grandes villes d'Ombrie.

ITINÉRAIRE RÉGIONAL
OMBRIE ET MARCHES
Trois jours / Pérouse / Parco del Conero

L'Ombrie et les Marches, deux des régions les plus méconnues d'Italie, possèdent une campagne aux paysages d'une incroyable diversité et de spectaculaires sites urbains. Par ailleurs, aucune d'elles n'est envahie par des cohortes de touristes et vous aurez la plupart des villes les moins connues – Ascoli Piceno, Macerata, Spello – pratiquement pour vous tout seul hors saison.

Pour découvrir ce que la région a de mieux à offrir, commencez votre itinéraire à **Pérouse** (p. 565), plus exactement au **Sandri** (p. 572), où vous pourrez apprécier un expresso et les célèbres chocolats locaux. Visitez les musées et la galerie du **Palazzo dei Priori** (p. 568) avant de déjeuner d'une pizza bio au branché **Al Mangiar Bene** (p. 571). Profitez de la *pausa* de l'après-midi, lorsque tout est fermé, pour gagner **Assise** (p. 579) et méditer sur la vie de saint François à l'**Eremo delle Carceri** (p. 583) ou au **Santuario di San Damiano** (p. 583), où vous pourrez marcher sur les traces du saint.

Le deuxième jour, levez-vous tôt pour rejoindre les nonnes et les moines à la **Basilica di San Francesco** (p. 580) puis suivez la **Valnerina** (p. 593) jusqu'à **Nursie** (p. 593), où vous savourerez un dîner à base de sanglier et de truffes.

Le troisième jour, ralliez **Ascoli Piceno** (p. 611) qui vous charmera par ses rues pittoresques et ses musées, comme la **Pinacoteca** (p. 613), dans le Palazzo Comunale. Ne manquez pas d'y goûter la succulente spécialité qu'est l'*olive all'ascolana* (olives farcies au veau, panées et frites). L'après-midi, terminez votre circuit sur les spectaculaires falaises du **Parco del Conero** (p. 604) et profitez des jolies plages qui s'étirent le long de cette partie, la plus belle, de la côte des Marches.

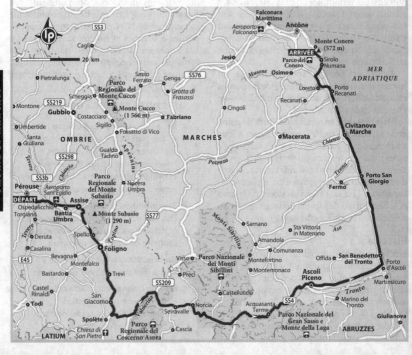

TOP 5 DES SPÉCIALITÉS CULINAIRES OMBRIENNES

Longtemps considérée comme une région secondaire, l'Ombrie attire maintenant les voyageurs séduits par son engagement en faveur d'une cuisine naturelle et son soutien au mouvement Slow Food. Pendant des siècles, les repas de 3 heures, les ingrédients naturels et les produits cultivés localement, entrant dans une cuisine rustique, ont fait la réputation culinaire de la province. Voici quelques-uns de nos ingrédients préférés que vous aurez l'occasion de goûter sur place :

- **Cinghiale** Le sanglier est omniprésent sur la carte des restaurants ombriens. Viande tendre au puissant goût de gibier, elle s'accompagne souvent de pâtes et est servie en ragoût.

- **Tartufi** En particulier les truffes noires ombriennes (préférez la *nero*, plus forte, à l'*estivo*) figurent dans tous les menus, surtout pendant les mois d'automne, en période de récolte. Elles sont particulièrement délicieuses servies en tranches sur des pâtes épaisses, comme les *strangozzi* ombriennes.

- **Lenticchie** Ces petites lentilles provenant de Castelluccio (ou de Colfiorito) sont en partie à l'origine de l'explosion florale du Piano Grande, chaque printemps et été. Elles vous régaleront préparées en une épaisse soupe agrémentée de *bruschetta* et d'huile d'olive vierge.

- **Piccione** Les Ombriens s'attablent dans les meilleurs restaurants pour commander du pigeon. Cette viande délicate était très répandue dans les villes en état de siège, au Moyen Âge, quand il était trop dangereux de chasser et de cultiver ses terres.

- **Farro** L'épeautre était autrefois un aliment de base, et aujourd'hui encore, elle fait partie de nombreux plats ombriens. La classique *zuppa di farro* est un plat riche au goût de noisette, idéale pour se réchauffer lors d'une journée froide et brumeuse dans les collines.

se révéla un terrain fertile au développement du christianisme. L'une des premières constructions religieuses, l'église Sant'Angelo (p. 569), fut édifiée à Pérouse entre le Ve et le VIe siècle, sur le site d'un ancien temple païen.

L'absence de cohésion politique fut rapidement exploitée par le duché lombard de Spolète, qui régna du VIe au XIIIe siècle sur l'Ombrie, jusqu'à ce qu'elle devienne un territoire pontifical. Les puissantes familles ombriennes prirent soit le parti de la papauté, soit celui du Saint Empire romain germanique, entraînant les rivalités entre guelfes et gibelins.

Spolète et Todi se rangèrent du côté des gibelins, tandis que Pérouse et Orvieto, qui avaient toutes deux été placées sous la souveraineté du pape, étaient acquises aux guelfes. Les citadelles pontificales *(rocce)* de Pérouse, d'Assise et de Narni témoignent aujourd'hui encore de cette période de conflits.

L'Ombrie a vu naître des grandes figures de l'histoire religieuse, dont Benoît, originaire de Nursie et considéré comme le père du monachisme occidental, et, surtout, au XIIIe siècle, saint François d'Assise, qui contribua à faire de la région un berceau de spiritualité. Et il n'est pas difficile de comprendre pourquoi pour de nombreuses personnes, l'Ombrie est l'une des régions les plus mystiques d'Italie.

Vers 1540, l'Ombrie se vit imposer la gabelle par la papauté, ce qui déclencha la guerre du sel et ralentit son développement culturel, en marge de l'histoire italienne. La Renaissance s'y serait donc moins épanouie que dans la Toscane voisine, ce qui expliquerait que les cités médiévales ombriennes soient si bien préservées. L'Ombrie possède ainsi un remarquable patrimoine qu'il faut prendre le temps de découvrir.

Parcs nationaux et réserves

À cheval sur l'Ombrie et les Marches, le Parco Nazionale dei Monti Sibillini (monts Sibyllins, voir l'encadré p. 616) comprend nombre de cascades, de sentiers de randonnée et de sites où il est possible de camper. On peut même y apercevoir des loups. Quel contraste avec le monde des cités médiévales et des vignobles du reste de l'Italie centrale ! Pour plus d'informations sur les possibilités d'activités et d'hébergements, consultez le site officiel du parc : www.sibillini.net.

Comment circuler

Il est utile de planifier avec soin vos déplacements si vous utilisez les transports en commun en Ombrie. Par ailleurs, si vous circulez avec votre propre véhicule, vous serez aux prises

OMBRIE ET MARCHES

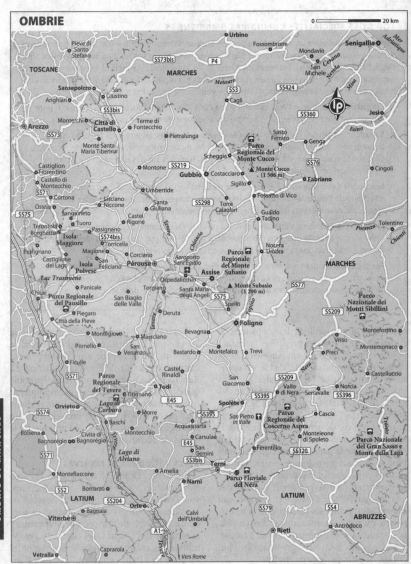

OMBRIE

0 ⟝———⟞ 20 km

avec les encombrements des villes. L'idéal est de prendre le train ou le bus pour rejoindre Assise, Spolète, Pérouse, Orvieto, Spello ou Gubbio, et de louer une voiture pendant une semaine pour se balader dans la campagne.

Au départ de Pérouse, des bus desservent toutes les villes présentées dans ce chapitre ; vérifiez les horaires et les tarifs auprès de l'office du tourisme ou de la gare routière. Le **réseau ferroviaire public** (Ferrovie dello Stato ; ☎ 892021 ; www.ferroviedellostato.it) dessert partiellement l'Ombrie, mais le réseau privé **Ferrovia Centrale Umbra** (FCU ; Compagnie ombrienne des chemins de fer ; ☎ 075 57 54 01 ; www.fcu.it) et plusieurs compagnies de bus permettent d'accéder à l'ensemble de la région.

PÉROUSE (PERUGIA)

163 287 habitants

Cité médiévale perchée parmi les mieux préservées d'Italie, riche en musées et en églises, Pérouse est aussi une ville estudiantine pleine de vie où se déroulent quantité de manifestations artistiques. À l'intérieur de ses murs, peu de choses ont changé architecturalement depuis plus de 400 ans, et quelques hôtels et restaurants datent de plusieurs siècles. Culturellement néanmoins, Pérouse est à la pointe. Deux grandes universités, un afflux constant de visiteurs et une scène artistique florissante assurent son dynamisme, entre tradition et modernité.

Histoire

Si la tribu des Osco-Ombriens avait colonisé la région, contrôlant la bande de terre qui s'étendait de l'actuelle Toscane aux Marches, ce furent les Étrusques qui fondèrent la ville. Celle-ci atteignit son apogée au VIe siècle av. J.-C., puis passa sous la férule des Romains en 310 av. J.-C., qui la baptisèrent Perusia.

Durant le Moyen Âge, la ville fut rongée par les querelles intestines des familles Baglioni et Oddi. En 1538, sous le pape Paul III, la ville intégra le domaine pontifical. Elle y resta près de trois siècles, cité guelfe en butte à l'hostilité de ses voisines.

Pérouse a une longue tradition artistique et culturelle. Au XVe siècle, elle accueillit de grands peintres, tels Bernardino Pinturicchio et son maître Pietro Vannucci, connu sous le nom d'Il Perugino (le Pérugin), dont Raphaël fut aussi l'élève. Une tradition qui perdure aujourd'hui grâce à l'université de Pérouse et à quelques autres, notamment la fameuse Università per Stranieri (université pour les étrangers), qui enseigne l'italien, l'art et la culture à des étudiants venus du monde entier.

Orientation

L'artère principale de Pérouse, le Corso Vannucci, part vers le nord du haut la Rocca Paolina, rejoint la Piazza Italia et se termine Piazza 4 Novembre, où se trouvent la Fontana Maggiore et la cathédrale. La plupart des adresses citées dans ce chapitre se situent à moins de 1 km de ce point.

Les bus *urbano* (municipaux) partent de la Piazza Italia, tandis que les bus *extraurbano* (interurbains) déposent leurs passagers à la Piazza dei Partigiani. De là, il faut emprunter les *scale mobili* (escalators) de la Rocca Paolina pour atteindre la Piazza Italia, de l'autre côté de la Rocca Paolina. Dans la montée, relativement escarpée, les escalators cèdent la place à des marches. Si vous êtes chargé, le trajet à pied depuis la gare ferroviaire peut se révéler pénible ; prenez le bus (1 €) ou un taxi (10 €) pour monter jusqu'à la Piazza Italia, à 1,5 km.

Renseignements

ACCÈS INTERNET

La ville compte plus d'une dizaine de cybercafés (environ 1,50 €/heure). Si vous séjournez un certain temps à Pérouse, mieux vaut acheter un *abbonamento* dans votre café habituel : vous économiserez 15% sur 10 heures de connexion. De nombreux cybercafés sont équipés du système Skype, avec écouteurs et webcam.

Tempo Reale (☎ 075 573 55 33 ; Via del Forno 17 ; 🕑 10h-23h30 lun-sam, 10h-20h dim). Cybercafé central et sympathique, avec connexions haut débit, horaires étendus et service de communications téléphoniques internationales bon marché.

AGENCE DE VOYAGES

Il Periscopio (☎ 075 573 08 08 ; Via del Sole 6). Excursions, visites guidées et circuits en Italie et à l'étranger. Le responsable parle français.

ARGENT

De nombreuses banques, équipées de DAB (*bancomats*), jalonnent le Corso Vannucci.

CONSIGNE

Stazione Fontivegge (3 €/bagage pour 12 heures, puis 2 € par tranche de 12 heures ; 🕑 6h30-19h30)

LAVERIE

67 Laundry (Via Pinturicchio ; lavage 3 €, séchage 3 €, dose de lessive 1 € ; 🕑 8h-22h)

LIBRAIRIES

Libreria Betti (☎ 075 573 16 67 ; Via del Sette 1 ; 🕑 9h-20h, lun-sam). Livres de cuisine, guides et dictionnaires.

Libreria Oberdan (☎ 075 573 50 57 ; Via Oberdan 52 ; 🕑 9h30-13h30 et 15h30-20h lun-ven, 11h-13h30 et 15h30-20h sam-dim). Notamment, cartes et guides.

MÉDIAS

Little Blue What-to-Do. Procurez-vous ce "petit livre bleu", comme il est surnommé, au CinemaTeatro del Pavone, à l'office du tourisme ou dans un kiosque à journaux. Il recense les restaurants, les hébergements, des itinéraires originaux et présente les figures locales.

Viva Perugia – What, Where, When. Mensuel de la commune de Pérouse (0,80 € dans les kiosques) indiquant les manifestations et les horaires des transports publics.

PÉROUSE (PERUGIA)

0 — 200 m

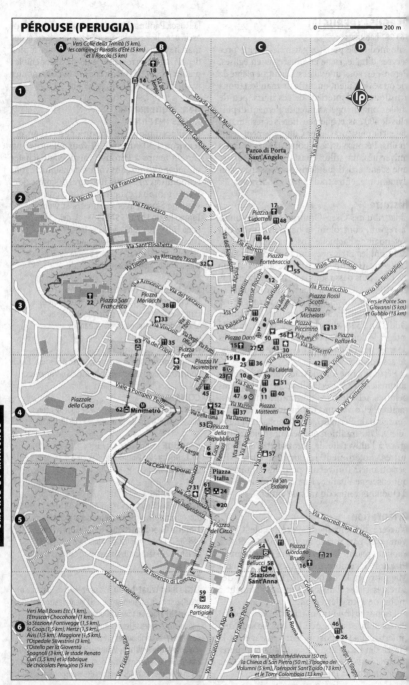

Vers Colle della Trinità (5 km),
les campings; Paradis d'Été (5 km)
et il Rocola (5 km)

Strada Fuori le Mura

Via Bulagaio

Parco di Porta
Sant'Angelo

Via Francesco Inna morati

Via Vecchi

Via Francesco

Via Sant'Elisabetta

Piazza
Lupattelli

Via Fabretti

Piazza
Fortebraccio

Viale San Antonio

Corso dei Bersaglieri

Via dell'Acquedotto

Via Eremita

Via Alessandro Pascoli

Via Appia

Via Pinturicchio

Vers le Ponte San
Giovanni (5 km)
et Gubbio (18 km)

Via Armonica

Via del Verzaro

Via Cesare Battisti

Via Bartolo

Via degli Ulisse Rocchi

Piazza Rossi
Scotti

Piazza San
Francesco

Piazza
Morlacchi

Piazza
Michelotti

Via Baldeschi

Via del Sole

Piazza
Piccinino

Via Fratti

Via Raffaello

Piazza
Raffaello

Via Vincioli

Piazza Danti

Via Bontempi

Via del Priori

Piazza
Ferri

Via Alessi

Via della Viola

Piazza IV
Novembre

Via Caldenni

Via Bonazzi

Via Fani

Via XIV Settembre

Viale Pompeo Pellini

Piazzale
della Cupa

Minimetrò

Piazza
Matteotti

Via Mazzini

Via Della Luna

Via Danzetta

Piazza
della
Repubblica

Via Larga

Minimetrò

Via Fiorenzo di Lorenzo

Via Cesare Caporali

Via Mura

Via Venezia

Via Baldo

Via Baglioni

Via Oberdan

Piazza
Italia

Via San
Ercolano

Via Bontazzi

Viale Indipendenza

Viale Indipendenza

Piazza
del Circo

Via Tancredi Ripa di Meana

Vers Mail Boxes Etc (1 km),
l'Etruscari Chocohotel (1 km),
la Stazione Fontivegge (1,5 km),
la Coop (1,5 km), Hertz (1,5 km),
Avis (1,5 km), Maggiore (1,5 km),
l'Ospedale Silvestrini (3 km),
l'Ostello per la Gioventù
Spagnoli (3 km), le stade Renato
Curi (3,5 km) et la fabrique
de chocolats Perugina (5 km)

Piazza
Bellucci

Piazza
Giordano
Bruno

Stazione
Sant'Anna

Via Maconi

Via Fratelli Pellas

Via Cacciatori delle Alpi

Via Roma

Corso Cavour

Via XX Settembre

Borgo XX Giugno

Piazza
Partigiani

Vers les jardins médiévaux (50 m),
la Chiesa di San Pietro (50 m), l'Ipogeo dei
Volumni (5 km), l'aéroport Sant'Egido (13 km)
et le Torre Colombaia (13 km)

OMBRIE ET MARCHES

OFFICES DU TOURISME

eGeneration (☎ 075 585 23 87 ; www.egeneration.pg.it ; Via Fabretti 48 ; 🕑 10h-13h et 15h30-18h). Le bureau et le site Internet disposent d'informations sur les concerts, les expositions et les fêtes étudiantes. Organise des excursions non marché vers différentes villes d'Italie.

InfoUmbria (☎ 075 57 57 ; www.infoumbria.com ; dans la gare des bus interurbains de la Piazza Partigiani, Largo Cacciatori delle Alpi 3 ; 🕑 9h-13h et 14h30-18h30 lun-ven, 9h-13h sam). Office du tourisme indépendant, également appelé Infotourist. Une mine d'informations sur toute l'Ombrie, notamment sur les *agroturismi* (séjour à la ferme), les hôtels, les festivals et les sites.

Marco Bellanca (☎ 075 573 68 53, 347 6002209 ; bellsista@yahoo.it ; tarifs sur demande, 100-150 €/3 heure, 200-300 €/6 heure). Ce spécialiste d'art et d'histoire rencontre ses clients dans toute la région.

Office du tourisme (☎ 075 573 64 58 ; info@iat. perugia.it ; Piazza Matteotti 18 ; 🕑 8h30-18h30). Peu efficace, mais on vous donnera quantité de brochures touristiques et les horaires actualisés des bus et des trains.

POSTE

Mail Boxes Etc (☎ 075 50 17 98 ; Via D'Andreotto 71). Dans une rue à sens unique qui monte de la gare ferroviaire, juste après la station-service Agip sur la gauche.
Poste (Piazza Matteotti ; 🕑 8h-18h30 lun-ven, 8h-12h sam)

SERVICES MÉDICAUX

Médecin d'urgence (☎ 075 3 65 84 ; 🕑 week-end et nuit)
Ospedale Silvestrini (☎ 075 57 81 ; Andrea delle Frate). Hôpital.

SITES INTERNET

Perugia Online (www.perugiaonline.com, en français). Informations sur les hébergements, les restaurants, l'histoire et les monuments et édifices à visiter.

TÉLÉPHONE

Centro Omnitel (☎ 075 572 37 78 ; Piazza Danti 17). Achetez ici votre *telefonino* (téléphone portable) ou, si vous avez un téléphone compatible GSM, procurez-vous une carte SIM italienne. Vous pouvez acheter des cartes *ricarica* (recharges) ici ou dans les *tabacchi* (bureaux de tabac).
Tempo Reale (☎ 075 573 55 33 ; Via del Forno 17 ; 🕑 10h-23h30, 10h-22h dim). Un appel téléphonique par Internet vers la plupart des grands pays revient à 0,03 €/h.

TOILETTES

En raison de la recrudescence des problèmes de drogue à Pérouse, mieux vaut utiliser les *bagni* des bars et des restaurants et éviter les toilettes publiques.

URGENCES

Police (☎ 075 572 32 32 ; Palazzo dei Priori)

OMBRIE ET MARCHES

À voir

CORSO VANNUCCI

Au centre de Pérouse, la **Piazza 4 Novembre** a été de tout temps le point de rencontre des civilisations étrusque et romaine, avant de devenir, à l'époque médiévale, le centre politique de Pérouse. Aujourd'hui, étudiants et touristes s'y retrouvent pour flâner en dégustant un *gelato*.

Au nord de la place, la **Cattedrale di San Lorenzo** (☎ 075 572 38 32 ; Piazza 4 Novembre ; ☉ 10h-13h et 14h30-17h30 mar-dim) fut édifiée entre 1345 et 1587, sur le site d'une ancienne église du Xe siècle, selon un projet conçu par Fra Bevignate en 1300. Le portail a été réalisé à la fin des années 1700 ; la façade, elle, n'a jamais été achevée. L'intérieur, à l'architecture gothique impressionnante, comporte un autel de Signorelli et des sculptures de Duccio. Les marches menant à la cathédrale sont un haut lieu de rendez-vous des Pérousie.

En plein centre de la place, la **Fontana Maggiore** (Grande Fontaine) fut construite entre 1275 et 1278 par Nicola et Giovanni Pisano, père et fils, selon les dessins de Fra Bevignate. Elle est ornée de bas-reliefs représentant des scènes de l'Ancien Testament, la fondation de Rome et les "arts libéraux". Y figurent aussi un griffon et un lion. Celui-ci était le symbole des guelfes, alliés de la papauté contre le Saint Empire romain germanique durant le Moyen Âge.

Certains des meilleurs musées de Pérouse se trouvent dans le **Palazzo dei Priori**. Abritant sans doute la plus riche collection d'œuvres d'art d'Ombrie, l'étonnante **Galleria Nazionale dell'Umbria** (Galerie nationale d'Ombrie ; ☎ /fax 800 69 76 16 ; Palazzo dei Priori, Corso Vannucci 19 ; adulte/tarif réduit 6,50/3,25 € ; ☉ 8h30-19h30), à laquelle on accède par le Corso Vannucci, est éblouissante. Ses 30 salles rassemblent de magnifiques œuvres, dont les plus anciennes remontent au XIIIe siècle ; certaines sont consacrées au Pinturicchio et au Pérugin.

Dans le même édifice, le superbe **Nobile Collegio del Cambio** (guilde du Change ; ☎ 075 572 85 99 ; Corso Vannucci 25 ; adulte/tarif réduit 4,50/2,60 € ; ☉ 9h-12h30 et 15h-19h lun-sam été, 14h30-17h30 hiver) regroupe 3 salles : la sala dei Legisti, avec des panneaux de bois sculptés par Zuccari au XVIIe siècle ; la sala dell'Udienza (salle d'audience) ornée de fresques du Pérugin ; et la chapelle de San Giovanni Battista, décorée par Giannicola di Paolo, un élève du Pérugin. Le **Nobile Collegio della Mercanzia** (guilde du Commerce ; ☎ 075 573 03 66 ; Corso Vannucci 15 ; 3,10 € ; ☉ 9h-12h30 et 14h30-17h30 mar-dim été, souvent fermé l'après-midi en hiver) mérite une visite pour sa salle d'audience du XIIIe siècle, aux élégantes boiseries sculptées par des artistes du Nord.

La **Sala dei Notari** (salle des Notaires ; ☎ 075 577 23 39 Piazza 4 Novembre, Palazzo dei Priori ; entrée libre ; ☉ 9h-13h et 15h-19h mar-dim) fut construite entre 1293 et 1297. C'est ici que se réunissait la noblesse. Les arches romanes supportant les voûtes sont ornées de fresques représentant des scènes bibliques et les fables d'Ésope. On y accède par une volée de marches à partir de la Piazza 4 Novembre.

À l'extrémité sud du Corso Vannucci, les petits **Giardini Carducci** offrent une vue exquise sur la campagne. Ces jardins sont perchés au sommet d'une forteresse du XVIe siècle (Palazzo della Provincia), aujourd'hui appelée **Rocca Paolina** (entrée principale Piazza Italia, autres accès Via Marzia, Via Masi et Viale Indipendenza ; entrée libre ; ☉ 8h-19h). Construite par le pape Paul III vers 1540, qui fit détruire pour l'édifier la majeure partie d'un opulent quartier de la ville, elle sert aujourd'hui de raccourci pour les *scale mobili*. On peut encore y apercevoir les murs des demeures médiévales, surplombées par le toit en brique de la forteresse papale. Ses ruines servent de cadre à des expositions artistiques et accueillent un marché aux antiquaires le dernier week-end du mois.

Pour accéder aux trois sites suivants, on peut acheter, dans l'un d'eux, un billet groupé appelé **circuit des musées de la ville de Pérouse** (adulte/senior/enfant 2,50/2/1 €) valable une semaine. Pour commencer, vous pouvez vous aventurer dans le **Pozzo Etrusco** (puits étrusque ; ☎ 075 573 36 69 Piazza Danti 18 ; ☉ 10h30-13h30 et 14h30-18h30 avr-oct, 10h30-13h30 et 14h30-17h nov-mars, mer-lun, sauf avr et août ouvert tlj), un puits de 36 m de profondeur datant du IIIe siècle av. J.-C. qui constituait le principal réservoir d'eau de la ville étrusque. Arrêtez-vous ensuite à la **Cappella di San Severo** (☎ 075 573 38 64 ; Piazza Raffaello, Porta Sole ; ☉ 10h-13h30 et 14h30-18h30 avr-oct, 10h30-13h30 et 14h30-17h nov-mars, mer-lun sauf avr et août ouvert tlj), décorée d'une fresque de Raphaël (beaucoup pensent que ce fut la première), *La Sainte Trinité avec des saints*, réalisée pendant le séjour de l'artiste à Pérouse (1505-1508), et de fresques (1521 de son élève, le Pérugin. Le troisième musée inclus dans le forfait est le **Cassero di Porta Sant'Angelo** (tour panoramique ; ☎ 075 4 16 70 ; Porta Sant'Angelo, Corso Garibaldi ; ☉ 11h-13h30 et 15h-18h30 avr-oct, 11h-13h30 et 15h-17h nov-mars, mer-lun, sauf avr et août ouvert tlj). L'endroit, d'où la vue embrasse tout Pérouse, retrace l'histoire des trois murs d'enceinte de la ville.

CORSO GIUSEPPE GARIBALDI

À l'extrémité de la Via Ulisse Rocchi, en face de la Piazza Fortebraccio et de l'Université per Stranieri, se dressent les anciennes portes de la ville, l'**Arco Etrusco** (arc étrusque), du IIIe siècle av. J.-C. La partie supérieure, romaine, porte l'inscription "Augusta Perusia". La loggia, tout en haut, date de la Renaissance.

En empruntant le Corso Giuseppe Garibaldi vers le nord, on arrive à la **Chiesa di Sant'Agostino** (Piazza Lupattelli ; 8h-12h et 16h-coucher du soleil), dont le beau chœur du XVIe siècle est dû au sculpteur et architecte Baccio d'Agnolo. Des petits panneaux marquent l'emplacement des œuvres emportées en France par Napoléon. En poursuivant vers le nord sur la même artère, on débouche sur la Via del Tempio qui mène à la **Chiesa di Sant'Angelo** (075 57 22 64 ; Via Sant'Angelo ; 10h-12h et 16h-18h), l'une des plus anciennes églises romanes d'Italie (V[e]-VIe siècles). Elle intègre des éléments encore plus anciens et aurait été construite sur un temple païen. Plusieurs de ses colonnes intérieures proviennent d'édifices romains.

LE LONG DU CORSO CAVOUR

La plus grande église de la ville, la **Chiesa di San Domenico** (075 573 15 68 ; Piazza Giordano Bruno ; 8h-12h et 16h-coucher du soleil), date du début du XIVe siècle. Son intérieur roman, éclairé par d'immenses vitraux, a été largement remanié dans le style gothique au XVIe siècle. Ici repose le pape Benoît XI, mort en 1304, empoisonné par des figues, dit-on.

Le couvent adjacent accueille le **Museo Archeologico Nazionale dell'Umbria** (075 572 71 41 ; Piazza Giordano Bruno 10 ; adulte/tarif réduit 4/2 € ; 8h30-19h30 mar-dim, 10h-19h30 lun), qui réunit une exceptionnelle collection d'objets étrusques et préhistoriques – urnes funéraires sculptées, pièces de monnaie, statues de l'âge du bronze. Le *Cippo Perugino* (pierre funéraire pérugine) porte l'une des plus longues inscriptions de l'épigraphie étrusque.

Juste après la Porta di San Pietro, la **Chiesa di San Pietro** (075 34 770 ; Borgo XX Giugno ; 8h-12h et 16h-coucher du soleil) date du Xe siècle. On pénètre dans cette église par un portail orné de fresques qui s'ouvre sur une première cour. L'intérieur de l'église présente un incroyable mélange de dorures et de marbre et conserve une *Pietà* du Pérugin, ainsi que diverses peintures représentant des personnages bibliques féminins.

On peut flâner dans les **jardins médiévaux** (075 585 64 32 ; Borgo XX Giugno 74 ; entrée libre ; 8h-

18h30 lun-ven), derrière la Chiesa di San Pietro. Au Moyen Âge, l'aménagement des jardins monastiques s'inspirait du jardin d'Éden ou d'épisodes bibliques, et les plantes y symbolisaient des mythes ou des récits sacrés.

Parmi les emplacements numérotés des jardins, citons le n°3, l'Arbre cosmique (ancêtre de tous les arbres) ; le n°6, l'Arbre de la lumière et de la connaissance ; le n°7, l'Arbre du bien et du mal ; les n°s11 et 12, des plantes médicinales et comestibles employées depuis des siècles ; le n°16, les vestiges d'un ancien bassin à poissons ; le n°20, la Source de l'ovulation cosmogonique (un bassin de nénuphars) ; et le n°24, la sortie des jardins médiévaux, symbole de l'élévation spirituelle des hommes.

Ne manquez pas le laboratoire d'alchimie installé dans un recoin près du n°20, l'Arbre-Monde Yggdrasil.

HORS LA VILLE

À 5 km au sud-est de la ville, l'**Ipogeo dei Volumni** (hypogée de la famille Volumnus ; 075 39 33 29 ; Via Assisana 53 ; adulte/tarif réduit 3/1,50 € ; 9h-13h et 15h30-18h30 sept-juin, 9h-12h30 et 16h30-19h juil-août), est une tombe étrusque du IIe siècle av. J.-C. La visite conduit de la lumière d'une villa étrusque à la semi obscurité d'une chambre souterraine contenant les urnes funéraires splendides d'une grande famille étrusque. La gigantesque nécropole environnante comporte d'autres chambres funéraires partiellement mises au jour. On y accède par le train ou par le bus APM n°3 qui va de la Piazza Italia au Ponte San Giovanni, après quoi il faut marcher un peu vers l'ouest. En voiture, prendre la E45 vers le sud et sortir à Bonanzano.

La **fabrique de chocolats Perugina** (075 527 67 96 ; Van San Sisto ; entrée libre ; 9h-13h et 14h-17h30 lun-ven tte l'année, 9h-13h sam oct-jan et mars-mai) organise des visites guidées de ses ateliers. Téléphoner pour réserver, ou joignez-vous à un groupe déjà constitué. Après la visite du modeste musée vous observerez, depuis une passerelle, le talentueux travail des ouvriers. Rejoignez l'usine en prenant le bus jusqu'à San Sisto. En voiture, franchissez les portes laconiquement marquées "Nestlé".

Cours

Adressez-vous à l'office du tourisme pour obtenir la liste de tous les cours dispensés à Pérouse et dans les environs.

Comitato Linguistico (☎ 075 572 14 71 ; www.comitatolinguistico.com ; Largo Cacciatori delle Alpi 5, 3e ét). Les cours sont ici un brin plus rigoureux qu'à l'Università per Stranieri. Sessions de 2 ou 4 semaines toute l'année, à partir de 150 €/sem. L'école peut vous trouver un hébergement indépendant ou en famille.

Università per Stranieri (☎ 075 5 74 61 ; www.unistrapg.it ; Palazzo Gallenga, Piazza Fortebraccio 4). Cette université pour les étrangers, la plus importante d'Italie, dispense des cours de langue, de littérature, d'histoire, d'art, de musique, d'opéra et d'architecture, pour n'en citer que quelques-uns. L'établissement organise des stages intensifs de langue de 1, 2 ou 3 mois (à partir de 300 €/mois), ainsi que des formations semestrielles.

Fêtes et festivals

Pérouse et l'Ombrie en général accueillent pas moins de 80 manifestations annuelles : festivals, concerts, séances de cinéma en plein air, *sagre* (fêtes traditionnelles), etc. Les sites www.bellaumbria.net ou www.umbria2000.it donnent de plus amples renseignements.

Eurochocolate (☎ 075 502 58 80 ; www.eurochocolate.com). Nombre de Pérousiens quittent la ville pendant cette manifestation qui attire jusqu'à 1 million de visiteurs durant la 3e semaine d'octobre. Les stands proposent du chocolat et du cacao sous toutes les formes. Réservez votre hébergement plusieurs mois à l'avance.

Sagra Musicale Umbra (festival de musique sacrée ; ☎ 075 572 22 71 ; www.perugiamusicaclassica.com ; billetterie Via Danzetti 7 ; billets 7-50 €). Depuis 1937, ce festival (2e quinzaine de sept) attire à Pérouse des musiciens et des chefs d'orchestre de renommée mondiale.

Umbria Jazz (☎ 800 462311, 075 500 11 07 ; www.umbriajazz.com). Ce festival réunit les grands noms du jazz pendant 10 jours autour du 15 juillet. Forfaits pour un concert (10-100 €), 1 semaine ou 1 week-end. Des concerts surprise sont organisés le jour dans les Giardini Carducci, ou dans les restaurants et les établissements de nuit.

Où se loger

Si Pérouse possède plusieurs hôtels et *pensioni*, peu sortent du lot. Carrefour routier et ferroviaire, c'est une bonne base pour qui prévoit des excursions d'une journée dans les environs. Les hébergements les plus mémorables d'Ombrie se trouve dans la campagne.

PETITS BUDGETS

Camping Il Rocolo (☎/fax 075 517 85 50 ; www.ilrocolo.it ; Str Fontana 1/n, Loc Colle della Trinità ; 6,50-8 €/pers, 3-4 € voiture, 5,50-6,50 €/empl ; ☼ Pâques-sept et pendant l'Eurochocolate ; ▢). Tenu par une équipe multilingue, ce camping doté de 100 emplacements possède de nombreux atouts : douches

chaudes 24h/24, restaurant, barbecue, salo TV, *bocce* (jeu de boules), petit supermarché presse internationale, connexion télépho nique Skype. Non loin d'un arrêt de bu qui dessert Pérouse.

Centro Internazionale per la Gioventù (☎ 075 57 28 80 ; www.ostello.perugia.it ; Via Bontempi 13 ; dort 15 € draps 2 € ; ☼ mi-jan à mi-déc ; ▢). Fermée de 10 à 16h, cette auberge de jeunesse jouit d'un belle vue sur la campagne et d'une terrass d'où les hôtes qui se réunissent après le dîne entendent les cloches de l'église. Belles fres ques du XVIe siècle aux plafonds et chambre impeccables de 4 à 6 personnes.

Ostello per la Gioventù Spagnoli (☎ 075 501 1 66 ; www.ostellionline.org ; Via Cortonese 4 ; dort/dort f/ petit-déj et draps inclus 16/18/22 € ; ℙ ▢). Auberge d jeunesse située à quelques kilomètres du centr qui n'a pas le charme du Centro Internazionale mais qui est vaste (80 lits), propre (serviette 1 € blanchisserie 3 €), n'applique pas de couvre-fe et ne ferme qu'entre 10h et 14h.

Albergo Anna (☎/fax 075 573 63 04 ; www.albe goanna.it ; Via dei Priori 48 ; s 30-50 €, d 50-80 €, tr 60-90 € petit-déj inclus). Une adresse calme et centrale (su 4 étages), remplie d'antiquités. On se croirai presque dans l'appartement de la grand-tant d'Anna (amatrice de poteries et de bibe lots, qui prépare un expresso sensationne le matin).

Hotel San Sebastiano (☎ 075 573 78 65 ; www.hote sansebastiano.it ; Via San Sebastiano 4 ; s/d 40-50/50-70 € petit-déj inclus, s sans sdb 25-40 €). Une *pensione* fami liale à l'ancienne, dans une petite rue paisible près de l'université de Pérouse. Chambre assez spartiates.

CATÉGORIE MOYENNE

Primavera Minihotel (☎ 075 572 16 57 ; www.primavera minihotel.it ; Via Vincioli 8 ; s 42-48 €, d 60-70 € ; ⬚ ▢ ⬚ Offrant une vue magnifique, un hôtel central tenu par une mère et sa fille qui parlent fran çais. Pièces communes et chambres claires e spacieuses – toutes équipées de sdb, téléphon et TV. Petit déjeuner : 3-6 €. Excellent rappor qualité/prix.

Etruscan Chocohotel (☎ 075 583 73 14 ; www. chocohotel.it ; Via Campo di Marte 134 ; s 54-73 €, d 88-140 € ℙ ⬚ ⬚ ⬚ ⬚). Sans doute le premier hôte dédié au chocolat, avec "chocomenu" a restaurant et un "chocostore". Piscine su le toit, parking (gratuit), accès Wi-Fi dan le hall et double vitrage pour compenser s situation (dans une rue passante près de l gare ferroviaire). Accès handicapés.

🏠 **Torre Colombaia** (☎ 075 878 73 41 ; www.torre-colombaia.it ; San Biagio delle Valle ; 40 €/pers avec petit-déj, app 80-135 € ; dîner ven-dim 25 € ; P). L'escalier en fer qui tourne autour de ce cottage entouré d'arbres va ravir tous les citadins. À 15 minutes du centre de Pérouse, cet ancien monastère bénédictin fut confisqué à l'époque napoléonienne. Il est dans la famille depuis 1860. C'est la première ferme bio d'Ombrie, et Alfredo (l'arrière-arrière-petit-fils du propriétaire d'origine) y cultive lentilles, épeautre et autres céréales dans un cadre rustique.

CATÉGORIE SUPÉRIEURE

Hotel Brufani Palace (☎ 075 573 25 41 ; www.sina-hotels.com ; Piazza Italia 12 ; s/d 215/320 €, ste 440-850 € ; P 🅿 🖥 🛜 🐾). Cette adresse exceptionnelle est l'un des deux hôtels cinq-étoiles d'Ombrie (le second étant Le Tre Vaselle, à Torgiano), avec des salons ornés de fresques, des chambres et suites à la décoration irréprochable, un jardin en terrasse pour les dîners d'été et un personnel trilingue serviable. Espace fitness en sous-sol, avec piscine aménagée sous des vestiges étrusques. Réduction de plus de 50% possible sur les sites de l'hôtel et d'agences de voyages. Accès handicapés.

Où se restaurer

Les possibilités ne manquent pas à Pérouse : il faut bien nourrir tous ces touristes et ces étudiants. Dès que la température remonte en peu, souvent vers mars, d'innombrables terrasses fleurissent le long du Corso Vannucci. Les deux meilleures adresses sont le Ristorante Il Bacio et le Caffe di Perugia (p. 572).

RESTAURANTS

Tuttotesto (☎ 075 573 66 66 ; Corso Garibaldi 15 ; repas 9 € ; mar-dim). Un établissement proche de l'université, où élèves et enseignants se retrouvent devant des crêpes, des salades ou une *torta al testo* (sandwichs plats ombriens).

Ristorante dal Mi'Cocco (☎ 075 573 25 11 ; Corso Garibaldi 12 ; menus 14 € ; mar-dim). Il n'y a pas de carte dans ce restaurant traditionnel mais un menu fixe. En mai, vous goûterez peut-être un risotto aux asperges ; en novembre, des tagliatelles aux pois et au jambon. Très prisé des étudiants : mieux vaut réserver.

Ristorante Il Bacio (☎ 075 572 09 09 ; Via Boncampi 6 ; repas 13 € ; jusqu'à 0h30 jeu-mar). Ce vaste restaurant/pizzeria propose de bons repas à prix honnête, et dispose d'un café en extérieur très correct sur le Corso Vannucci, mais c'est surtout le seul restaurant ouvert tard dans le centre historique.

Pizzeria Mediterranea (☎ 075 572 13 22 ; Piazza Piccinino 11/12 ; pizza 11 € ; mer-lun). Les Pérousiens viennent ici manger les meilleures pizzas de la ville, cuites dans un grand four en brique. Le choix est vaste, de la simple *margherita* à la version comptant 12 garnitures. Ajoutez de la véritable *mozzarella di bufala* (de bufflonne) pour 1,60 €. Attendez-vous à faire la queue, surtout le jeudi et le samedi soir.

Ristorante Nanà (☎ 075 573 35 71 ; Corso Cavour 206 ; repas 23,50 € ; lun-sam). Un restaurant de 15 tables, à la décoration simple, tenu en famille. La courte carte met à l'honneur une cuisine *nuovo italiano*, dont un pâté servi avec du pain sarde (7 €) et des *gnochetti* à la crème de poivron et de trévise (6,50 €). Carte des vins séduisante et abordable.

Al Mangiar Bene (☎ 075 573 10 47 ; Via della Luna 21 ; pizzas 5-8 €, repas 25 €). En avance sur son temps, cette pizzeria est le premier restaurant d'Ombrie presque entièrement bio. Les pizzas et les *calzones*, cuits dans four en brique, sont préparés avec des ingrédients bio, dont la farine de l'*agriturismo* Torre Colombaia (ci-contre). Même la bière et le vin local sont bio.

Wine Bartolo Hosteria (☎ 075 571 60 27 ; Via Bartolo 30 ; repas 32 € ; jeu-mar). En bas de l'escalier, une sorte de cave aux murs couverts de bouteilles de vin, et quelques tables cosy sous un plafond bas en brique. Côté cuisine, le chef fait des merveilles avec le bœuf de race chianina – mijoté au *sangiovese*, ou en carpaccio avec du citron et sur un lit de trévise.

Enone (☎ 075 572 19 50 ; www.enone.it ; Corso Cavour 61 ; repas 26 € ; 19h-1h mer-lun). L'adresse branchée de Pérouse pour dîner ou prendre un verre. À la fois *enoteca* (bar à vin), restaurant et discothèque, dans un cadre de murs voûtés en brique. S'y tiennent diverses manifestations, dont des concerts (généralement le lundi) et des soirées sushis, préparés par un chef japonais (souvent le jeudi). La carte affiche des plats originaux, tels les gnocchis à la carotte et à la truffe noire dans un panier de parmesan.

Il Gufo (☎ 075 573 41 26 ; Via della Viola 18 ; repas 29 € ; 20h-1h mar-sam). Le propriétaire/chef privilégie les produits du terroir et de saison. Goûtez le *cinghiale* (sanglier) au fenouil (12,50 €) ou le *riso nero* (riz noir) aux légumes grillés et au brie (12,50 €). Beau choix de salades (5 €). Attention : n'accepte pas les cartes de crédit.

CAFÉS

La plupart des restaurants le long du Corso Vannucci ouvrent des terrasses durant les mois d'été. On s'y précipite pour l'ambiance, plus que pour la cuisine.

Sandri (☎ 075 572 41 12 ; Corso Vannucci 32 ; ⏰ 10h-20h mar-dim). Quand on officie depuis trois siècles, c'est forcément pour une bonne raison. Et le Sandri est réputé pour ses gâteaux au chocolat, ses fruits confits, son expresso et ses pâtisseries. Le personnel enveloppe tous vos achats (choisis au comptoir, payés à la caisse), même les plus petits, dans du joli papier rouge enrubanné.

Caffè Morlacchi (☎ 075 572 17 60 ; Piazza Morlacchi 6/8 ; ⏰ 8h-1h lun-sam). Très branché et un brin baba cool, ce café réunit étudiants, professeurs et étrangers autour de recettes internationales, accompagnées de thé ou de chocolat chaud, ou de cocktails le soir.

Bar Centrale (Piazza 4 Novembre 35 ; ⏰ 7h-23h). Un lieu de rendez-vous apprécié des étudiants, où grignoter des *panini* dans le salon à l'intérieur ou en terrasse, sur la jolie *piazza*.

Caffè di Perugia (☎ 075 573 18 63 ; Via Mazzini 10 ; repas 29 € ; ⏰ 12h-15h et 19h-24h mer-lun). Le plus élégant de la ville. Les desserts, chers, méritent leur prix. Sert également un bon choix de plats de viande et de pâtes. Terrasse en été.

FAIRE SON MARCHÉ

Coop (Piazza Matteotti ; ⏰ 9h-20h lun-sam). La plus grande épicerie du centre historique vend tous les produits de base, des fruits et des légumes, ainsi que des fromages et des pâtes fraîches à son comptoir traiteur.

Marché couvert (⏰ 7h-13h30 lun-sam). Sous le Coop. Produits frais, pain, fromage et viande. Depuis la Piazza Matteotti, descendez l'escalier au niveau de l'arche numérotée 18A.

Coop (☎ 075 501 65 04 ; Piazza Vittorio Veneto ; ⏰ 9h-19h45 lun-sam). Un autre Coop, immense, avec son propre parking, juste en face de la gare ferroviaire (2 heures de stationnement gratuit sur présentation du ticket de caisse).

Bangladeshi Alimentari (☎ 075 572 36 41 ; Via dei Priori 71 ; ⏰ 11h-22h). Produits de base. Horaires d'ouverture à vérifier.

Où prendre un verre

Lunabar (☎ 075 572 29 66 ; Via Scura 1/6 ; ⏰ 8h-2h mar-dim). Ce bar lounge proche du Corso Vannucci associe fresques et stucs vénitiens à un comptoir en onyx et à des toilettes futuristes. Les fumeurs disposent d'une salle à part et les clients apprécient les savoureux en-cas proposé avec l'*aperitivo*.

Bottega del Vino (☎ /fax 075 571 61 81 ; Via del Sole 1 ; ⏰ 19h-1h lun-sam). Un feu ou des bougies pour l'ambiance sur la terrasse. À l'intérieur, la musique jazz live et les centaines de bouteilles tapissant les murs ajoutent au romantisme des lieux. On y déguste des vins ombriens que l'on peut aussi acheter, sur les conseils avisés de cavistes très compétents.

La Terrazza (Via Matteotti 18a ; ⏰ été seulement). Installé sur la terrasse arrière du bâtiment qui héberge le Coop et le marché couvert, ce bar est idéal pour l'apéritif du soir, où l'on profite du coucher du soleil sur les collines.

Où sortir

La vie nocturne de Pérouse se concentre principalement devant la cathédrale et autour de la Fontana Maggiore. Des dizaines d'étudiants s'y retrouvent presque tous les soirs pour discuter ou jouer de la guitare, et les touristes se mêlent volontiers à ce spectacle permanent. Certains clubs situés en banlieue envoient un bus vers le Palazzo Gallenga, à partir de 23h. Interrogez les étudiants qui distribuent les tracts des boîtes de nuit sur le Corso Vannucci ou renseignez-vous aux abords des marches. En général, rien ne bouge avant minuit dans les discothèques, et il faut prévoir un moyen de transport pour regagner la ville, car les *scale mobili* cessent de fonctionner vers 1h.

Cinema Teatro del Pavone (☎ 075 572 49 11 ; www teatrodelpavone.it ; Corso Vannucci 67). Ce magnifique théâtre qui date de 1717 projette non seulement des films, mais accueille des spectacles musicaux et des manifestations diverses. Si vous lisez l'anglais, prenez dans le hall un exemplaire du guide gratuit très complet sur Pérouse *Little Blue What-to-Do*.

Velvet (☎ 075 572 13 21 ; Viale Roma 20 ; ⏰ mar-dim) Ce bar-discothèque où se retrouve tout le beau monde ouvre vers 22h et l'on y fait la fête jusqu'à l'aube.

Équipe de football de Pérouse (☎ 075 500 66 41 www.perugiacalcio.it ; stade Renato Curi, Via Piccolpasso 48 billets 2-40 €). Le Perugia Calcio ne cesse de faire des allers-retours entre les trois divisions ce qui rend les billets pour les matchs pas toujours faciles à obtenir. Les bus n°9, 11 et 13 desservent le stade.

Achats

Si vous êtes en ville le dernier week-end du mois, allez fouiner au Mercato Mensile Antiquariato (marché aux antiquaires), installé autour de la Piazza Italia et dans les Giardini

Carducci. On peut y dénicher gravures anciennes, cadres, mobilier, cartes postales, timbres, etc. Ouvert de 9h à 18h ou 19h.

Guettez la banderole indiquant "Via Oberdan - Shopping Street", artère commerçante qui réunit boutiques, bijouteries, marchands de chaussures et magasins de musique.

Le premier dimanche du mois se tient l'**Umbria Terraviva** (marché biologique ; ☎ 075 835 50 52 ; Piazza Piccinino) sur le côté du Duomo en allant vers la Via Bonanzi. Vous trouverez toutes sortes de fruits et légumes bio, ainsi que des conserves et des spécialités gourmandes.

Giordano a travaillé pour la marque Perugina durant 25 ans avant d'ouvrir sa propre boutique en 2000, l'**Augusta Perusia Cioccolato e Gelateria** (☎ 075 573 45 77 ; www.cioccolatoaugustaperusia.it ; 10h30-23h lun-sam, 10h30-13h et 16h-20h dim). Il prépare des gourmandises traditionnelles, tels les *baci* ("baisers" aux noisettes enrobées de chocolat) selon une recette locale. Les boîtes de chocolats maison sont ornées de peintures anciennes de Pérouse et peuvent faire un joli cadeau. Vous pouvez aussi goûter ses merveilleux *gelati*.

Depuis/vers Pérouse

AVION

L'**aéroport Sant'Egidio** (PEG ; ☎ 075 59 21 41 ; www.airport.umbria.it) est situé à 13 km à l'est de la ville. Au moins 3 vols quotidiens **Alitalia** (www.alitalia.it) desservent Milan. Comptez 30 € (l'aller simple ou l'aller-retour) pour un taxi jusqu'à Sant'Egidio. Très pratiques, les navettes blanches (3,50 €) quittent la Piazza Italia 1 heure 10 environ avant l'heure de départ prévue, avec une halte de 15 minutes à la gare ferroviaire. Ces bus ne repartent de l'aéroport que lorsque tous les passagers sont descendus de l'avion et ont récupéré leurs bagages.

BUS

Plusieurs villes d'Ombrie ne disposent pas de gare ferroviaire, mais des compagnies de bus prennent le relais. Attention, le dimanche, les services sont rares. APM Perugia vient de renouveler sa flotte en s'équipant d'une vingtaine de bus écologiques.

Les bus interurbains partent de la Piazza Partigiani (prenez les escalators, qui traversent la Rocca Paolina depuis la Piazza Italia). Dans le nord de l'Ombrie, la plupart des itinéraires sont desservis par **APM** (☎ 800 512141 ; www.apmperugia.com), et dans le sud, par **SSIT** (☎ 0742 67 07 47 ; www.spoletina.com) ou **ATC**

Terni (☎ 0744 40 94 57 ; www.atcterni.it) dans le sud. **Sulga** (www.sulga.it) assure une liaison Pérouse-Florence (10,50 €, 2 heures 30) les lundis et vendredis, avec un départ de Pérouse à 7h30 et de Florence à 18h (devant Santa Maria Novella, Piazza Adua).

Les bus rallient Deruta (2,70 €, 25 min, 13/jour), Torgiano (1,80 €, 25 min, 9/jour) par *extraurbano* ou bus urbain, Assise (3,10 €, 50 min, 9/jour), Todi (5,40 €, 1 heure 10, 7/jour), Gubbio (4,50 €, 1 heure 10, 10/jour) et des localités du lac Trasimène comme Castiglione del Lago (4,90 €, 50 min-1 heure 10, 6 à 10/jour). Pour rejoindre Narni ou Amelia, prenez un bus ATC jusqu'à Terni de la Piazza Partigiani ou, mieux, le train FCU jusqu'à Terni puis une correspondance. Consultez les panneaux d'affichage au-dessus des terminaux. Il est préférable de prendre le train pour aller à Spello, à Foligno, à Spolète ou à Orvieto.

Les trajets en train ou en bus, les informations sur les différentes compagnies de transport et les horaires sont indiqués dans le mensuel *Viva Perugia* (1 €), disponible auprès de l'office du tourisme, de certains kiosques à journaux et dans les hôtels.

TRAIN

La gare principale de Pérouse s'appelle "Stazione Fontivegge", mais le panneau indique seulement "Perugia". Située sur la Piazza Vittorio Veneto, à quelques kilomètres à l'ouest du centre-ville, elle est facilement accessible grâce aux bus fréquents qui la relient à la Piazza Italia. Le centre-ville est accessible après une montée extrêmement

---

FIUMICINO-PÉROUSE EN BUS

Pour rejoindre Pérouse depuis l'aéroport Fiumicino (FCO) de Rome, rien n'est plus simple. Repérez l'un des bus bleus **Sulga** (☎ 800 09 96 61 ; www.sulga.it) stationnés de l'autre côté du terminal international C. Du lundi au samedi, 4 bus par jour rejoignent Pérouse (21 €, de 3 heures 30 à 4 heures), départs à 9h, 12h30, 14h30 et 17h ; le dimanche et les jours fériés, seuls deux circulent, à 12h30 et 16h30. Pour regagner Fiumicino, le bus part de la Piazza Partigiani à 6h, 8h et 9h du lundi au samedi, et à 7h30 et 8h30 les dimanches et jours fériés. Plusieurs bus s'arrêtent à Assise. Consultez le site Internet pour plus d'informations.

raide de 1,5 km. Aussi n'est-il pas envisageable de faire le trajet à pied avec des bagages. La billetterie est ouverte de 6h30 à 20h10 (fermeture de 12h50 à 13h20) ; on peut aussi acheter son billet à toute heure aux billetteries automatiques en payant en espèces ou avec une carte bancaire. Pour obtenir des renseignements sur les trains, contactez **TrenItalia** (☎ 892021 ; www.ferroviedellostato.it).

Pérouse se trouvant sur un embranchement, il faut presque toujours changer à Foligno direction sud-est ou à Terontola direction nord-ouest. Des lignes régulières desservent Rome (10,50-29,50 €, 2 heures 15-3 heures), Florence (9,20-15 €, 2 heures) et Arezzo (4,50-6,85 €, 1 heure 10, ttes les 2 heures). En Ombrie, on rejoint Assise (2,05 €, 25 min, ttes les heures), Gubbio (4,75 €, 1 heure 30, 7/jour), Spello (2,65 €, 30 min, ttes les heures) et Orvieto (6,15-9,60 €, 1 heure 15, au moins ttes les 2 heures).

Pour rejoindre la moitié des destinations touristiques d'Ombrie, il faut emprunter la **Ferrovia Central Umbra** (FCU ; ☎ 075 57 54 01 ; www. fcu.it ; Stazione Sant'Anna, Piazzale Bellucci). Ces trains à l'ancienne vont aussi à Rome (changement à Terni). Dans ces trains, la validation des billets s'effectue à bord.

Vers le sud, la FCU vous emmènera à Fratta Todina pour Monte Castello di Vibio (2,05 €, 40 min, 18/jour), Todi (2,55 €, 50 min, 18/jour) ou Terni (4,40 €, 1 heure 30, 17/jour). La ligne Sansepolcro part au nord, vers Umbertide (2,05 €, 45 min, 19/jour) et Città di Castello (3,05 €, 1 heure 10, 16/jour).

VOITURE ET MOTO
En provenance de Rome, quittez l'A1 à la sortie Orte et suivez le panneau Terni. À Terni, prenez la S3Bbis/E45 pour Pérouse. Si vous venez du nord, quittez l'A1 au niveau de Valdichiana et empruntez la SS75 pour Pérouse. En direction de l'est, cette autoroute continue vers Assise.

Trois agences de location sont installées à la gare principale. Leurs horaires : 8h30-13h et 15h30-19h, lun-ven, et 8h30-13h sam.
Avis (☎ /fax 075 500 03 95 ; alvalrent@hotmail.com). Demandez à Pino une réduction de 10%.
Hertz (☎ 075 500 24 39 ; hertzperugia@tiscali.it)
Maggiore (☎ 075 500 74 99 ; www.maggiore.it)
À l'aéroport Sant'Egidio, vous trouverez également une agence :
Europcar (☎ 075 692 06 15 ; www.europcar ; ⊗ 8h30-13h et 15h-19h lun-ven, 8h30-12h30 sam, sur rdv dim)

Comment circuler
Pour éviter la rude montée de 1,5 km depuis la gare, il est vivement recommandé de prendre le bus, surtout si vous avez des bagages. Les bus municipaux (1 €) vont jusqu'à la Piazza Italia, dans le centre historique. N'oubliez pas de composter votre billet en montant à bord, sous peine d'amende ; vous pouvez aussi l'acheter dans le bus moyennant 1,50 €. Les tickets s'achètent au petit kiosque vert, en face de la gare ferroviaire (ou Piazza Italia, ou encore dans l'un des nombreux *tabacchi* de la ville). Si vous devez rester un certain temps, il est plus avantageux d'acheter un carnet de 10 tickets pour 8,60 €.

MÉTRO
La pittoresque ligne automatique de métro est le dernier-né des moyens de transport de Pérouse. Toutes les minutes, une rame composée d'un seul wagon, circule entre la gare ferroviaire et le Pincetto (en contrebas de la Piazza Garibaldi). Les billets (1 €) sont valables dans les bus et dans le Minimetro. De la gare ferroviaire, face aux voies, remontez le long quai.

TAXI
Le service de taxis fonctionne de 6h à 2h (24h/24 juillet-août) – composez le ☎ 075 500 48 88 pour obtenir un taxi.

Pour vous rendre du centre-ville à la gare principale, Stazione Fontivegge, comptez 10-15 €, plus 1 € par bagage.

VOITURE ET MOTO
Il est difficile de circuler dans Pérouse et la grande partie du centre-ville n'est ouverte qu'à la circulation résidente et commerciale (les touristes peuvent rejoindre leur hôtel pour déposer leurs bagages). Si vous restez trop longtemps en stationnement interdit, votre véhicule risque d'être enlevé par la fourrière.

Pérouse compte 7 parkings payants : Piazza Partigiani et Mercato Coperto (centraux et pratiques), Viale Sant'Antonio, Viale Pellini, Briglie di Braccio, Pian di Massiano et Piazzale Europa. Le parking de la Piazza Cupa est gratuit. Des escalators ou des ascenseurs relient les parkings au centre-ville, mais ils s'arrêtent généralement entre minuit/1h et 6h/7h.

Les tarifs vont de 0,80 à 1,20 € l'heure (24h/24) dans les parkings du centre. Si vous avez l'intention d'utiliser souvent ces parkings, achetez un abonnement illimité (*abbonamento*) aux guichets. Si vous ne comptez pas rester longtemps, essayez le Coop (p. 572) près de la gare, où les clients peuvent se garer gratuitement pendant 2 heures. Des emplacements situés près de la gare coûtent un peu plus chers, mais ne sont payants que de 9h à 13h et de 16h à 19h, du lundi au vendredi, notamment un parking juste au nord de la gare.

Si votre voiture a été mise en fourrière ou pour obtenir des informations sur les parkings, appelez la **ligne d'informations** (☎ 075 577 53 75).

TORGIANO
6 227 habitants

Les amateurs de vin et d'huile d'olive apprécieront cette ville, très réputée pour ces deux produits de premier plan en Ombrie et en Italie. Torgiano, à seulement 25 minutes de bus de la Piazza Partigiani, à Pérouse, est célèbre dans le monde entier pour ses vins fins. Sorte de village d'entreprise, cette localité qui se visite facilement à pied appartient à la famille Lungarotti, une famille noble et influente d'Ombrie, qui possède de nombreux vignobles locaux, un excellent musée du vin et le second hôtel cinq-étoiles de la région.

À voir et à faire

Figurant en bonne place parmi les grands musées du vin, le **Museo del Vino** (☎ 075 988 02 00 ; Corso Vittorio Emanuele 31 ; adulte/tarif réduit 4,50/2,50 €, avec le Museo dell'Olivo e dell'Olio 7 €, audioguide 2 € ; ⊙ 9h-13h et 15h-19h été, 18h hiver) de Torgiano a été créé en 1974 par Maria Grazie Lungarotti. Les 20 salles de l'ancien palais retracent l'histoire de la production du vin dans la région depuis la période étrusque. Exposition d'ustensiles, illustrations, fûts et techniques de production côtoient une collection privée de photographies des années 1950.

Dans le même esprit, le **Museo dell'Olivo e dell'Olio** (☎ 075 988 03 00 ; Via Garibaldi 10 ; adulte/tarif réduit 4,50/2,50 € ; ⊙ 10h-13h et 15h-19h été, 18h hiver) a été ouvert en 2000 par la famille Lungarotti, aidée d'instituts de recherche italiens et étrangers. Installé dans plusieurs maisons médiévales, le musée présente le cycle de production de l'olive, explique sa composition biologique et décrit la culture et l'utilisation des olives. On comprend mieux ensuite les liens qui se sont tissés entre l'olive et l'économie, le paysage, la religion, la médecine, l'alimentation, les activités manuelles et les traditions.

Où se loger et se restaurer

Al Grappolo d'Oro (☎ 075 98 22 53 ; www.algrappolodoro. net ; Via Principe Umberto 22/24 ; s 50 €, d 90-105 €, petit-déj inclus ; P X ⊠). Un des hôtels d'Ombrie présentant le meilleur rapport qualité/prix, et la vue sur les vignes depuis la piscine mérite à elle seule le détour. Quelques détails évoquent le XIXe siècle, et les chambres élégantes bénéficient de tout le confort moderne : ADSL, TV sat et lecteur DVD.

Au **Ristorante Siro** (☎ 075 98 20 10 ; Via Giordano Bruno 16 ; repas 24,50 €), au charme désuet, clients et serveurs s'appellent par leurs prénoms. L'*antipastone al tagliere* (assiette d'*antipasti* pour deux à 15 €) est copieux, et les *gnochetti al rubesco e radicchio* (petits gnochis au vin rouge et à la trévise) se marient au vin local. Délicieux tiramisu maison.

Depuis/vers Torgiano

Les bus interurbains **APM Perugia** (☎ 800 51 21 41 ; www.apmperugia.it) desservent Pérouse (1,80 €, 25 min, 9/jour).

DERUTA
9 126 habitants

Au sud de Pérouse, Deruta doit sa renommée à sa faïence peinte de motifs richement colorés. Les Étrusques et les Romains travaillaient déjà l'argile dans la région, mais ce n'est que lorsque la technique de la majolique aux reflets bleu vif et jaune métallique fut importée de Majorque, au XVe siècle que cette industrie décolla.

Pour tout renseignement, y compris en matière d'hébergement, adressez-vous à l'**office du tourisme** (☎ 075 971 00 43 ; Piazza dei Consoli ; ⊙ 9h-12h et 14h30-17h, à partir de 12h lun).

Les prix des majoliques à Deruta peuvent être plus bas ou plus élevés que dans des villes comme Gubbio ou Assise, mais soyez attentif avant tout à la qualité : les articles faits main et vendus chez des détaillants sont plus chers que les articles produits en série dans les usines. Si vous cherchez une très belle qualité, allez dans les petits ateliers qui travaillent selon les traditions séculaires de Deruta.

Ainsi à **Maioliche Nulli** (☎ /fax 075 97 23 84 ; Via Tiberina 142 ; ⊙ tlj), où Rolando Nulli crée chaque pièce à la main, tandis que son frère Goffredo les décore de motifs subtils, dont des motifs médiévaux, sa grande spécialité. Si vous le leur demandez gentiment, ils vous montreront peut-être comment façonner un bol au tour. Expéditions dans le monde entier. Parking.

On peut admirer de magnifiques pièces au **Museo Regionale della Ceramica** (☎ /fax 075 971 10 00 ; Largo San Francesco ; adulte/tarif réduit/moins de 6 ans 7/5/2 € ; ☉ 10h30-13h et 15h-18h ou 19h tlj, fermé mar après-midi oct-mars), installé dans l'ancien couvent franciscain. Le musée présente l'histoire de la poterie de Deruta, du XIVe siècle au début du XXe siècle, et retrace l'évolution de cette technique spécifique d'émaillage.

Au sud de Deruta, dans le village de Casalina, le **Ristorante Country House L'Antico Forziere** (☎ 075 972 43 14 ; www.anticoforziere.com ; Via della Rocca 2, Loc Casalina di Deruta ; ch 65-150 €, repas 32 € ; [P] [X] [R]) est une charmante maison de campagne dotée de plusieurs jolies chambres. Le restaurant est un peu trop près de l'auto-route, mais il attire voyageurs et critiques gastronomiques. Trois frères cuisinent de véritables festins, notamment des pâtes de navet aux poireaux et aux graines de pavot, et un risotto au safran accompagné de porc à la cannelle. Excellents desserts.

Les bus APM relient Deruta à Pérouse (2,70 €, 25 min, 13/jour).

LAC TRASIMÈNE (LAGO DI TRASIMENO)

En été, le superbe lac Trasimène est envahi par une foule de vacanciers, à l'instar d'une grande partie du littoral des Marches. À l'exception de Passignano et des abords de San Feliciano, la région a cependant échappé aux constructions bétonnées si répandues dans les stations balnéaires de l'Adriatique. Le développement des *agriturismi* dans les collines et les hébergements offerts par la cité historique de Castiglione del Lago ont permis d'épargner l'équilibre écologique du lac.

En dehors du mois d'août, on peut s'adonner tranquillement aux sports nautiques, profiter d'interminables sentiers de randonnée, de la cuisine locale, ainsi que de la plus belle auberge de jeunesse d'Ombrie, installée sur une île presque privée.

Orientation

Deux routes nationales longent le lac. La SS71 relie Chiusi à Arezzo sur la rive ouest (en Toscane), et la SS75bis traverse l'extrémité nord du lac, depuis l'A1, en Toscane jusqu'à Pérouse. Les usagers des transports publics pourront rejoindre facilement en train Magione, Torricella et Castiglione del Lago, ou encore rallier le lac en bus depuis Pérouse.

Renseignements

Le principal **office du tourisme** (☎ 075 965 24 84 www.castglionedellago.it ; Piazza Mazzini 10, Castiglion del Lago ; ☉ 8h30-13h et 15h30-19h lun-sam, 9h-13h dim renseigne sur les *agriturismi* et les activité comme le cyclisme et les sports nautiques Grand choix de cartes.

À voir et à faire

Parmi les activités les plus prisées dan la région du lac, citons la randonnée, l dégustation de vin, le camping, les sport nautiques et le farniente, sans oublier le plaisirs de la table. La population est trè fière de la qualité de ses produits, en parti culier de ses vins DOC (Denominazione d Origine Controllata ; dénomination d'origin contrôlée) et de ses huiles DOP (dénomina tion d'origine protégée). Si vous êtes tent par les Strade del Vino (routes du vin) de Colli del Trasimeno (collines du Trasimène) l'**Associazione Strada del Vino Colli del Trasimeno** (www.stradadelvinotrasimeno.it/en) propose quelque itinéraires dans sa brochure, disponible aussi à l'office du tourisme de Castiglione del Lago, ou renseignez-vous sur son site Internet.

Le mercredi matin, allez flâner su le meilleur **marché** de la région du lac, à Castiglione del Lago.

Dans cette même ville, ne manquez pa de visiter l'ancien palais ducal, le **Palazzo della Corgna** (☎ 075 965 82 10 ; Piazza Gramsci ; entrée couplé avec la Rocca del Leone adulte/tarif réduit 3/2 € ; ☉ 10h-13h et 16h-19h30 été, 9h30-16h30 sam-dim hiver). Un passage couvert relie le palais à la **Rocca del Leone**, forte-resse du XIIIe siècle, bel exemple d'architecture militaire médiévale.

Principale île habitée du lac, l'**Isola Maggiore** près de Passignano, était, dit-on, la préférée de saint François. Au sommet, la **Chiesa di San Michele Arcangelo** conserve une *Crucifixion* peinte par Bartolomeo Caporali (v. 1460) On peut aussi faire une balade d'une journée sur l'Isola Polvese (voir *Fattoria Il Poggio* page suivante), la moins habitée et la mieux préservée des îles.

Procurez-vous dans un office du tourisme des environs du lac ou à Pérouse une brochure détaillant les sentiers de randonnée et les allées cavalières. Plusieurs centres équestres vous accueilleront, dont le **Poggio del Belvedute** (☎ 075 82 90 76 ; www.poggiodelbelveduto.it ; Via San Donato 65, Campori di Sopra à Passignano), qui organise aussi des cours de tir à l'arc.

Où se loger

La liste des logements en Ombrie est disponible sur les sites www.regioneumbria.eu et www.bellaumbria.net. Adressez-vous également aux offices du tourisme de la région de Pérouse.

Camping Badiaccia (☎ 075 965 90 97 ; www.badiaccia.com ; Via Trasimeno 191, Bivia Borghetto ; pers 5,50-7 €, tente 4,50-5,50 €, voiture 2-2,50 €, chien 2 €, bungalows 4-6 pers 38-98 € ; P ▯ 🖳). Jouez au tennis, au ping-pong ou au *bocce*, mangez au *ristorante/pizzeria* étonnamment bon ou nagez dans l'une des trois piscines (une avec hydromassage). Ce terrain de camping est idéal en famille, et on peut y louer kayak, vélo ou pédalo, utiliser la salle de fitness et profiter de la plage. Pour une somme modique, on vient vous chercher à la gare ferroviaire de Terontola.

Fattoria Il Poggio (☎ 075 965 95 50 ; www.fattoriailpoggiolapolvese.com ; Isola Polvese ; s 15-18 €, dort 22-28 €, app à partir de 70-110 €, repas à partir de 12 € ; 🕙 1er mars-30 oct, réception fermée 15h-19h ; ▯). Occupant une ancienne ferme aménagée dans un esprit écologique, installée sur une île privée, cette auberge de jeunesse (HI) impeccablement tenue loue des dortoirs, des doubles et des chambres familiales, toutes avec vue sur le lac. Des repas familiaux sont aussi proposés (10 €), en commandant à l'avance, à ceux qui souhaitent revenir par le dernier ferry (19h). Les hôtes ont à disposition kayaks, plages, jeux de société, TV avec DVD et buanderie. L'île abrite aussi des ruines du XIVe siècle et un laboratoire d'études environnementales.

La Casa sul Lago (☎ 075 840 00 42 ; www.lacasasullago.com ; Via del Lavoro, Torricella ; dort 16 €, ch 22-44 €/pers, petit-déj inclus ; ▯ 🛜). L'une des auberges de jeunesse les plus réputées du centre de l'Italie, et à raison. Les chambres individuelles sont dignes d'un trois-étoiles et les clients ont accès à de nombreux équipements : buanderie, prêt de vélos, accès Internet, Wi-Fi (gratuit), repas maison, bar, terrain de foot, baby-foot, pédalos et jardin, le tout à 50 m du lac. Facile d'accès à pied depuis la gare ferroviaire de Torricella.

Il Torrione (☎ 075 95 32 36 ; www.il-torrione.com ; Via delle Mura 4, Castiglione del Lago ; ch 65-70 € petit-déj inclus ; 🕙 1er mars-10 nov). Un havre de paix romantique tenu par des hôtes artistes. Chaque chambre est ornée d'œuvres réalisées par le propriétaire, et le jardin fleuri, qui donne sur le lac, est doté de chaises longues d'où vous pourrez admirer le coucher du soleil et une tour du XVIe siècle. Un studio indépendant charmant, avec kitchenette et une vue superbe, a été aménagé dans la tourelle.

La Torre (☎ 075 95 16 66 ; www.trasinet.com/latorre ; Via Vittoria Emanuele 50, Castiglione del Lago ; s 40-65/45-80 €, 🖳). Un prix intéressant pour un trois-étoiles central, dans un ancien palais. Chambres assez impersonnelles, équipées de TV, minibar et téléphone. Les propriétaires tiennent la boulangerie du rez-de-chaussée (le petit-déj, délicieux, coûte 6 €).

Où se restaurer

Les spécialités de la région de Trasimène sont les *fagiolini* (petits haricots blancs), l'huile d'olive et le vin. À quoi s'ajoutent de nombreux plats à base de poisson, telle la *carpa in porchetta* (cuite au feu de bois avec de l'ail, du fenouil et des herbes) et le *tegamaccio*, ragoût épais à base des meilleurs poissons de la région mitonnés à l'huile d'olive, au vin blanc et aux herbes.

La Cantina (☎ 075 965 24 32 ; Via Vittoria Emanuele 93, Castiglione del Lago ; repas 22 € ; 🕙 mar-dim). Prix modiques, intérieur élégant, jolie terrasse et boutique pour acheter vins, huiles d'olive et spécialités de la région. Nous recommandons la délicieuse truite aux *fagiolini* (8,20 €).

Da Settimio (☎ 075 847 60 00 ; Via Lungolago Alicata, San Feliciano ; repas 28 € ; 🕙 ven-mer jan-oct ; P 🖳). Si vous séjournez sur l'Isola Polvese, vous passerez sans doute devant ce restaurant, proche de l'embarcadère du ferry, à San Feliciano. Il ne paie pas de mine, mais on y déguste le meilleur poisson des environs. Essayez le *risotto alla pescatora* (risotto du pêcheur) ou la friture du lac en apéritif.

Il Lido Solitario (☎ 075 95 18 91 ; Via Lungolago 16, Castiglione del Lago ; repas 28 €). Nous recommandons rarement de restaurant installé sur le front de mer, bondé, mais rares sont ceux qui proposent une délicate terrine de poisson recouverte de lentilles de Castelluccio, un tendre bœuf Chianina mariné au vin Sagrantino. Pour un repas estival par excellence, installez-vous sous la véranda à l'avant qui donne sur le lac.

Où sortir

Hotel Faliero (Da Maria) (☎ 075 847 63 41 ; www.hotelfaliero.it ; Loc Montebuono di Magione ; repas 12 € ; 🕙 jusqu'à minuit tlj en saison). Véritable institution du lac Trasimène, cet établissement permet aux clients de dîner et de danser avant de rejoindre leur chambre. Pour les Ombriens, une excursion au lac ne serait pas complète sans une visite à ce temple de la danse folk et du fameux sandwich ombrien, la *torta al testo*. Appelé le "Da Maria", du nom de son propriétaire, Il Faliero est envahi par les danseurs la plupart des week-ends d'été, mais le service au comptoir du restaurant est tout aussi prisé. Les 13 chambres d'hôtel (environ 65 €) sont assez éloignées du bruit pour garantir une nuit réparatrice.

Comment s'y rendre et circuler

Les **bus APM** (☎ 800 512 141 ; www.apmperugia.it) relient Pérouse à Passignano (3 €, 1 heure 10, 9/jour) et Castiglione del Lago (4,60 €, 1 heure 15, 9/jour). Au départ de Pérouse, des trains desservent presque toutes les heures Torricella (2,05-3,55 €, 25 min), Passignano (2,65 €, 30 min) et Castiglione del Lago (4,90 €, 50 min).

APM assure également un service de ferries sur le lac (horaires dans les bureaux de la compagnie installés sur les quais des villes étapes). De Pâques à fin septembre, approximativement, des ferries relient presque toutes les heures San Feliciano à l'Isola Polvese (3,30 €, 20 min), Tuoro à l'Isola Maggiore (3,30 €, 20 min) et Castiglione del Lago ou Passignano à l'Isola Maggiore (3,90 €, 30 min). Les dernières traversées ont lieu à 19h.

On peut louer des vélos dans la plupart des campings, à la Fattoria Il Poggio, à la Casa sul Lago (p. 577) ou aux adresses suivantes :

Cicli Valentini (☎ /fax 075 95 16 63 ; Via Firenze 68b, Castiglione del Lago)

Marinelli Ferrettini Fabio (☎ /fax 075 95 31 26 ; Via Buozzi 26, Castiglione del Lago)

TODI

17 162 habitants

Todi est très représentative des villes perchées du centre de l'Italie. Des édifices anciens bordent des routes encore plus anciennes, et la vie s'écoule, paisible, à l'image des champs de fleurs sauvages alentour. Des artistes étrangers partagent aujourd'hui les rues pavées de la ville avec des familles qui vivent à l'intérieur des remparts depuis plusieurs générations.

Les pierres de cette vénérable cité ont en effet vu défiler des siècles d'histoire : l'enceinte intérieure révèle les influences osco-ombrienne et étrusque, les murailles centrales sont un bel exemple de savoir-faire romain, tandis que les remparts médiévaux témoignent de la stabilité économique et de la prospérité que la ville a connues au Moyen Âge.

Renseignements

Biblioteca Comunale Lorenzo Leonj (☎ 075 895 67 10 ; ☉ 8h30-14h lun-ven, 14h-18h mar et jeu). Deux ordinateurs avec accès Internet haut débit sont mis à la disposition des visiteurs (passeport nécessaire pour la 1re inscription).

Office du tourisme (☎ 075 894 54 18 ; Piazza del Popolo 37 ; ☉ 9h30-13h et 15h-18h lun-sam, 10h-13h di et jours fériés hiver, 9h30-13h et 15h30-18h30 lun-sam, 10h-13h30 dim et jours fériés été)

Poste (☎ 075 894 24 26 ; Piazza Garibaldi ; ☉ 8h-18h3 lun-ven, 8h-12h30 sam)

À voir

En traversant la **Piazza del Popolo**, vous aure sans doute envie de vous asseoir sur les marche d'un édifice médiéval. L'austère **Palazzo de Capitano**, du XIIIe siècle, est relié au Palazzo de Popolo pour former le **Museo Pinacoteca di Tod** (☎ 075 895 62 16 ; Piazza del Popolo ; 3,10 € ; ☉ 10h-13h30 e 15h-18h mars-oct, 10h30-13h et 14h30-17h mar-dim nov-fév à l'élégante triple fenêtre. Outre la *pinacotec* (galerie d'art), récemment restaurée, on y visit un musée archéologique.

La **cathédrale** (☎ 075 894 30 41 ; Piazza del Popolo ☉ 8h30-12h30 et 14h30-18h30), à l'extrémité nord ouest de la place, arbore une superbe rosac ainsi qu'un portail finement décoré. Todi compt deux autres églises remarquables qu'il ne faut pa manquer de visiter. Le vaste **Tempio di San Fortunat** (Piazza Umberto 1 ; entrée libre ; ☉ 9h-13h et 15h-19h mars-oc 10h-13h et 14h30-17h mer-lun nov-mars) abrite des fresque de Masolino da Panicale et la tombe de Beat Jacopone, le saint patron bien-aimé de Todi. A l'intérieur, grimpez dans le **campanile San Fortuna** (adulte/tarif réduit 1,50/1 € ; ☉ 10h-13h et 15h-18h30 mars-oc 10h30-13h et 14h30-17h nov-fév, fermé lun), d'où se déploi l'une des plus belles vues sur les collines et le châteaux des environs de Todi.

L'autre grand chef-d'œuvre de Todi, hor les murs, est la **Chiesa di Santa Maria dell Consolazione** (pas de ☎ ; Via della Consolazione sur Via della Circumvallazione; ☉ 9h30-12h30 et 14h30-18h3 mars-oct, 9h30-12h30 et 14h30-17h mer-lun nov-mars), d la fin de la Renaissance, célèbre pour son pla en croix grecque et son dôme, visible à de kilomètres à la ronde.

Fêtes et festivals

Le **Festival de Todi** accueille chaque année e septembre, pendant 10 jours, concerts de jaz et de musique classique, spectacles de théâtr et de danse, et projection de films. L'office d tourisme vous fournira des renseignements

Où se loger

Pensionato SS Annunziata (☎ 075 894 22 68 ; www monasterosmr.it ; Via San Biagio 2 ; s/d/tr 35/70/105 € petit-d inclus). Tranquille retraite, à l'intérieur de remparts, aux chambres avec sdb disposée autour d'un délicieux jardin, dotées parfoi d'un mobilier du XVᵉ siècle. Essayez de prendre un repas avec vos hôtes, les religieuses de l'ordre des Servantes de Marie.

San Lorenzo Tre (☎ 075 894 45 55 ; www.sanlorenzo3. t ; Via San Lorenzo 3 ; s/d 75/110 €, s/d sans sdb 55/75 €, petit-déj inclus ; ☽ mars-déc). Cinq générations d'une même famille se sont succédé dans cette demeure historique, et Marzia, l'actuelle propriétaire, a su conserver un décor ombrien typique à son B&B. Copieux petit déjeuner, vue éblouissante depuis les toits et chambres de caractère.

Todi Castle (☎ 0744 95 20 04 ; www.todicastle.com ; Vocabo Capecchio, Morre ; ch villa à partir de 120 €, ch château petit-déj inclus à partir de 160 €, tarifs à la semaine proposés ; P ☎ ⬙). Les hôtes auront le choix entre loger dans un superbe château ou dans l'une des 3 villas particulières (plus abordables). Avec ses piscines privées, ses ruines médiévales, son parc de cervidés et un personnel très à l'écoute, ce lieu réserve un séjour vraiment royal.

Où se restaurer

Antica Hosteria de la Valle (☎ 075 894 48 48 ; Via Ciuffelli ; repas 27 € ; ☽ mar-dim). Art et cuisine rivalisent dans ce restaurant des plus créatifs. Tous les 3 ou 4 mois, de nouveaux artistes exposent leurs œuvres et illustrent les cartes de saison. La *zuppa di farro* (7 €, meilleure en hiver) est une des spécialités, mais le chef propose également des raviolis aux épinards à la sauce aux noix ou des tagliatelles aux truffes.

Ristorante Umbria (☎ 075 894 27 37 ; Via Santa Bonaventura 13 ; repas 29 € ; ☽ jeu-mar). On apprécie tout autant la cuisine que la vue depuis le patio. Parmi les plats, citons le *palombaccio* (une variété de pigeon, 13 €), un risotto, ou encore la spécialité : des truffes, bien sûr.

Bar Pianegiani (☎ 075 894 23 76 ; Corso Cavour 40 ; ☽ 6h-24h mar-dim). Une façade anodine pour ce bar de quartier épatant. Les glaces sont fabriquées selon une tradition vieille de 50 ans. Goûtez les parfums griotte (*spagnola*) ou noisette (*nocciola*).

Depuis/vers Todi

Les bus **APM** (☎ 800 512141) quittent la Piazza Partigiani de Pérouse (5,40 €, 1 heure 30) toutes les heures, ou presque, mais ils ne rejoignent pas tous la Piazza Jacopone, dans le centre-ville. Certains s'arrêtent sur la Piazza Consolazione. De là, il est possible de prendre le bus municipal A ou B, à moins de marcher 1 km en montée. Il y a une liaison par jour vers Spolète (5,40 €, 1 heure 30) à 6h50.

Todi se trouve sur la ligne de chemin de fer **FCU** (☎ 075 57 54 01 ; www.fcu.it) qui rejoint Pérouse, via Deruta (2,55 €, 50 min, 18/jour). La gare se trouve à 3 km du centre, mais le bus municipal C fait le trajet (0,90 €, 8 min) en s'alignant sur les horaires d'arrivée des trains (il circule toutes les 2 heures le dimanche). Par la route, on rejoint Todi par la SS3bis-E45, reliant Pérouse à Terni, ou par l'A1 (autoroute Milan-Rome-Naples), en sortant à Orvieto.

ASSISE (ASSISI)
27 279 habitants

Assise est la capitale spirituelle de l'Ombrie et nul autre endroit au monde n'est plus empreint de la présence de son fils le plus célèbre. Saint François d'Assise est né ici en 1181 et a prêché son message à travers toute l'Ombrie jusqu'à sa mort, en 1226.

Visiter Assise de nos jours, c'est voir la ville à peu près comme saint François l'a connue. Des millions de pèlerins et de touristes s'y rendent aujourd'hui dans l'espoir de trouver, comme vous, un peu de tranquillité.

Orientation

La Piazza del Comune marque le centre d'Assise. Au nord-ouest de cette place, la Via San Paolo ou la Via Portica conduisent à la Basilica di San Francesco. La Via Portica mène

---

SÉJOUR À LA FERME

L'*agriturismo* (ou séjour à la ferme) est une forme d'hébergement touristique en plein essor. Ce label, qui s'adapte parfaitement aux traditions de l'Italie centrale, est accordé à différents types d'exploitations rurales. Qu'il s'agisse d'une simple demeure possédant quelques oliviers ou d'un grand domaine agricole, tous doivent produire au moins l'un des produits qu'ils commercialisent.

Procurez-vous la brochure *Agriturismi* (actualisée chaque année) auprès des offices du tourisme ou consultez ces sites :

▪ www.agritour.net

▪ www.agriturismo.net

▪ www.agriturismo.it

▪ www.bellaumbria.net

▪ www.wwoof.org (séjours en ferme biologique en échange d'une participation aux travaux agricoles)

également à la Porta San Pietro et à la Piazza Unita d'Italia, où s'arrêtent la plupart des bus municipaux. Les bus APM, en provenance des petites localités de la région, ont pour terminus la Piazza Matteotti. Si vous arrivez en train, un bus fait la navette entre la gare ferroviaire, à Santa Maria degli Angeli, et la Piazza Matteotti (1 €).

Renseignements

Acquazzura (☎ 075 804 09 27 ; Via San Bernardino Siena 6, Santa Maria degli Angeli). Laverie automatique entre la gare ferroviaire et la basilique de Santa Maria degli Angeli.

Bar Sabatini Sandro (☎ 075 81 62 46 ; Via Portica 29b ; 3 €/30 min ; ☽ 8h-20h). Accès Internet.

Office du tourisme (☎ 075 813 86 80 ; www.assisi. regione umbria.eu ; Piazza del Comune 22 ; ☽ 8h-14h et 15h-18h lun-sam, 10h-13h et 14h-17h dim été, 9h-13h dim hiver). Possède une annexe, ouverte de Pâques à oct, à l'extérieur de la Porta Nuova.

Ospedale di Assisi (☎ 075 8 13 91 ; Via Fuori Porta Nuova). Hôpital, à 1 km au sud-est de la Porta Nuova, à Fuori Porta.

Police (☎ 075 81 28 20 ; Piazza del Comune)

Poste Porta Nuova (☽ 8h-13h30 lun-ven, 8h-12h30 sam) ; Porta San Pietro (☽ 8h10-18h30 lun-ven, 8h-13h sam-dim)

À voir
BASILICA DI SAN FRANCESCO

La **basilique San Francesco** (☎ 075 81 90 01 ; Piazza di San Francesco) possède son propre **bureau d'information** (☎ 075 819 00 84 ; www.sanfrancescoassisi. org ; ☽ 9h-12h et 14h-17h lun-sam) face à l'entrée de l'église inférieure. Vous pouvez réserver une visite, en italien ou en anglais, menée par un franciscain.

L'édifice a été bâti sur la colline où avaient lieu les exécutions par pendaison jusqu'au XIII\ue siècle, et qu'on appelait alors le Colle d'Inferno (colline de l'Enfer). C'est là que saint François demanda à ses disciples de l'enterrer, en souvenir de Jésus mort sur la croix entre les deux larrons. Le lieu a depuis lors été rebaptisé colline du Paradis.

L'**église supérieure** (☽ 8h30-18h45 Pâques-oct, 8h30-18h oct-Pâques) fut édifiée juste après l'église inférieure, entre 1230 et 1253, mais elle reflète déjà une évolution dans le style, plus solennel. Elle renferme un exceptionnel cycle de 28 fresques représentant la *Vie de saint François*, longtemps attribuées à Giotto et à ses élèves, une hypothèse aujourd'hui remise en question par certains historiens d'art. La lecture des fresques débute sur le mur à droite de l'autel et se poursuit en tournant dans le

sens des aiguilles d'une montre autour de l'église. Au-dessus de chacune des 28 scènes de la vie du saint figure une fresque biblique avec 28 images correspondantes de l'Ancien et du Nouveau Testament (peintes par Giotto ou Pietro Cavallini). Ces fresques ont marqué une révolution dans l'art occidental : abandonnant la représentation statique et la feuille d'or des icônes des périodes byzantine et romane, elles montrent des personnages de toutes les classes sociales et évoquent l'humanité de Jésus souffrant, sur fond de paysage naturel.

Ces peintres de fresques étaient les conteurs de leur temps, faisant des passages bibliques les *Bibliae Pauperum* : des bibles à l'usage des pauvres, largement analphabètes. D'où la mise en relation de la vie du saint avec les récits de la Bible, qui était une manière de traduire cette dernière en images. Ainsi, la cinquième fresque représente saint François reniant son père alors que la fresque biblique correspondante montre Adam et Ève dans le jardin d'Éden désobéissant aux ordres divins.

L'**église inférieure** (☽ 6h-18h45 Pâques-oct, 6h-18h oct-Pâques) fut construite, quant à elle, entre 1228 et 1230. Les vitraux réalisés au XIII\ue siècle, représentant une prouesse architecturale à l'époque, sont l'œuvre de maîtres verriers venus d'Allemagne, d'Angleterre et des Flandres.

Les quatre fresques peintes au centre de l'église inférieure, au-dessus du maître-autel attribuées au Maestro delle Vele, élève de Giotto, illustrent ce que saint François appelait les "quatre principales allégories". La première étant la victoire de François sur le démon et les trois autres, les vertus cardinales de son ordre : la pauvreté, l'obéissance et la chasteté.

Le triptyque de Pietro Lorenzetti, dans le transept gauche, s'achève sur sa composition la plus célèbre et la plus controversée : la *Madone célébrant François*, où Marie, tenant l'Enfant Jésus, indique saint François du pouce, ce qui semble déprécier l'apôtre Jean situé de l'autre côté. En 1234, le pape Grégoire IX décida que l'image n'était pas hérétique, car si Jean avait écrit l'Évangile, François l'avait vécu.

Des différents peintres qui ont travaillé dans cette église, Cimabue est le plus important sur le plan historique, car il fut le seul à bénéficier de descriptions de François, faites par les deux neveux du saint. Ainsi, sa *Vierge en majesté avec saint François et des anges*, située dans le transept droit, a subi de nombreuses modifications, mais le portrait de François, resté intact, est considéré comme le plus ressemblant qui

ASSISE (ASSISI)

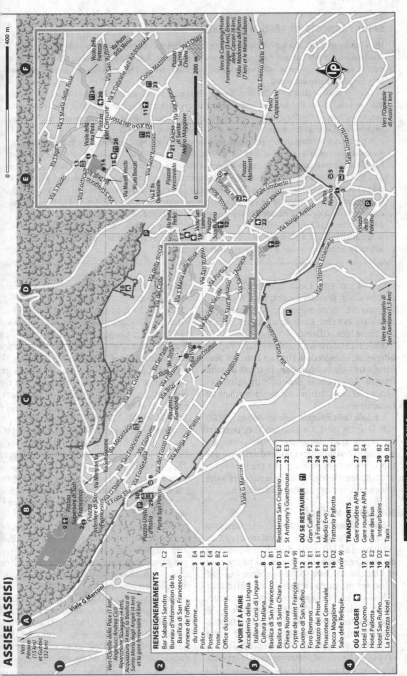

Vers Pérouse (15 km) et Gubbio (32 km)

Vers le Castello della Pace (1 km), Angelucci Andrea Ciol, Riparazione Noleggio (4 km), Acquazurra (4 km), la Basilica di Santa Maria degli Angeli (4 km) et la gare ferroviaire (4 km)

Vers le Camping/Hôtel Fontemaggio (3 km), Eremo delle Carceri (4 km), l'Alto Madonna del Piatto (7 km) et le Monte Subasio

Vers l'Ospedale di Assisi (1 km)

Vers le Santuario di San Damiano (1,5 km)

RENSEIGNEMENTS
Bar Sabatini Sandro	1 C2
Bureau d'information de la Basilica di San Francesco	2 B1
Annexe de l'office du tourisme	3 E4
Police	4 E3
Poste	5 E4
Poste	6 B2
Office du tourisme	7 E1

À VOIR ET À FAIRE
Accademia della Lingua e Cultura Italiana	8 C2
Basilica di San Francesco	9 B1
Basilica di Santa Chiara	10 D3
Chiesa Nuova	11 F2
Crypte de saint François	(voir 9)
Duomo di San Rufino	12 E3
Foro Romano	13 E1
Palazzo dei Priori	14 E1
Pinacoteca Comunale	15 C2
Rocca Maggiore	16 D2
Sala delle Reliquie	(voir 9)

OÙ SE LOGER
Hotel Il Duomo	17 D2
Hotel Pallotta	18 E2
Hotel San Rufino	19 D2
La Fortezza Hotel	20 F1

OÙ SE RESTAURER
Residenza San Crispino	21 E2
St Anthony's guesthouse	22 E3
Gran Caffè	23 F2
La Fortezza	24 F1
Medio Evo	25 E2
Trattoria Pallotta	26 E2

TRANSPORTS
Gare routière APM	27 E3
Gare routière APM	28 E4
Gare des bus interurbains	29 B2
Taxis	30 B2

OMBRIE ET MARCHES

SAINT FRANÇOIS, LE RÉVOLUTIONNAIRE

Né à Assise en 1181, François (Francesco), le fils de Pietro di Bernardone, un riche drapier, vécut une jeunesse dorée, rêvant de devenir un preux chevalier. Âgé d'une vingtaine d'années, il prit part à une guerre contre la ville rivale de Pérouse, mais son éveil spirituel devait bientôt l'orienter vers une tout autre vocation.

Dans la vieille église Saint-Damien, il entendit la voix de Jésus sur le crucifix : "François, répare mon église." Il vendit du tissu appartenant à son père pour récolter l'argent nécessaire à la reconstruction de l'église. Lorsque son père le traîna devant l'évêque, François se dépouilla de ses vêtements et décida de renoncer à la vie qu'il avait menée jusque-là.

Il parcourut la campagne, vêtu d'une simple bure, en prêchant les vertus de la pauvreté et un même respect pour les papes et pour les lépreux. Il avait une affinité particulière avec les animaux et l'on dit qu'il prêcha un jour à une nuée d'oiseaux qui restèrent complètement immobiles jusqu'à ce qu'il leur dise de s'envoler. Son mode de vie fit beaucoup d'adeptes et, quelques années plus tard, il créait l'ordre des Frati Minori (Frères mineurs), qui prirent le nom de Franciscains après sa mort.

François vécut le reste de sa vie selon les vœux de pauvreté, de chasteté et d'obéissance qui allaient devenir ceux de l'ordre des Franciscains. En 1224, à l'âge de 43 ans, il reçut les stigmates de la passion du Christ – son rêve de partager la souffrance de Jésus s'était enfin réalisé. Deux ans plus tard, il mourut à même le sol d'une cabane en boue séchée, parmi les frères et les sœurs de son ordre et aux côtés de sa bien-aimée Dame Pauvreté.

nous soit parvenu. Celui-ci apparaît paisible et serein. Son premier biographe, Thomas de Celano, écrivit au milieu du XIIIe siècle que c'était un homme éloquent, d'allure joviale, à la mine bienveillante.

En descendant les escaliers dans l'église inférieure, on accède à l'un des lieux les plus émouvants de la basilique, la **crypte de saint François**, où repose la dépouille du saint. Les bancs placés autour du tombeau invitent au recueillement.

La **Sala delle Reliquie** (salle des Reliques ; ☎ 075 81 90 01 ; ☼ 9h-18h tlj, 13h-16h30 jours fériés) contient des objets ayant appartenu à saint François, notamment sa tunique et ses sandales, ainsi que son *Cantique des créatures*. La relique la plus importante est le parchemin de la règle de l'ordre franciscain, le *Livre de vie*, qu'il rédigea.

ÉGLISES ET MUSÉES

La **Basilica di Santa Chiara** (☎ 075 81 22 82 ; Piazza Santa Chiara ; ☼ 6h-12h et 14h-19h été, 18h hiver) est un édifice gothique du XIIIe siècle, doté d'arcs-boutants et d'une remarquable façade. La pierre rose et blanche utilisée (celle-là même qui fait étinceler au soleil beaucoup de bâtiments d'Assise) vient de la ville voisine de Subasio. Sainte Claire, issue d'une famille noble d'Assise, et contemporaine de saint François, fonda l'ordre des Sorelle Poverre di Santa Chiara (les Clarisses). Elle repose dans la crypte. La basilique renferme aussi le crucifix byzantin qui aurait parlé à saint François, lui intimant de restaurer les fondations morales de l'Église.

Depuis la basilique, prenez la Via Santa Chiara ou le Corso Mazzani pour revenir sur la Piazza del Comune, site de l'antique **Foro Romano** (forum romain ; ☎ 075 81 30 53 ; Via Portica adulte/enfant 3/2 € avec la Pinacoteca ; ☼ 10h-18h été, 17h hiver) partiellement mis au jour. Certains magasins sur la place ouvrent leurs sous-sols qui abritent des ruines romaines. La **Chiesa Nuova** (☎ 075 81 23 39 ; Piazza Chiesa Nuova ; ☼ 6h30-12h et 14h30-18h été, 6h30-12h et 14h-18h hiver) fut édifiée par Philippe III d'Espagne, dans les années 1600 sur ce qui a dû être la maison natale de saint François. On y célèbre la messe tous les jours à 7h. Deuxième messe à 10h les jours fériés.

Sur la colline, l'imposante **Rocca Maggiore** (☎ 075 81 52 92 ; Via della Rocca ; adulte/tarif réduit 5/3,50 € ; ☼ 10h-coucher du soleil), du XIVe siècle, domine la ville. Cette forteresse, qui fut souvent agrandie pillée et reconstruite, offre une vue panoramique de Pérouse, au nord, et sur les vallées alentour. Gravissez les escaliers tortueux et les passages étroits pour atteindre les meurtrières d'où les Assisiens se défendirent contre les attaques de Pérouse au Moyen Âge.

Cathédrale romane du XIIIe siècle, remaniée au XVIe siècle par Galeazzo Alessi, le **Duomo di San Rufino** (☎ 075 81 60 16 ; Piazza San Rufino ; ☼ 7h-12h et 14h30-19h, 18h hiver) abrite les fonts où furent baptisés saint François et sainte Claire. Sa façade est festonnée de figures grotesques et d'animaux fantastiques.

SITES FRANCISCAINS

Longez l'allée de 1,5 km bordée d'oliviers qui mène au **Santuario di San Damiano** (☎ 075 81 22 73 ; entrée libre ; ◷ 10h-12h et 14h-18h été, 10h-12h et 14h-16h30 hiver, vêpres 19h été et 17h hiver), où saint François entendit pour la première fois la voix de Dieu et où il écrivit son *Cantique des créatures*. Ce lieu paisible est fréquenté par les pèlerins, car on peut presque sentir dans cette église toute simple l'esprit de saint François et de sainte Claire (qui y mourut en 1253).

Vous découvrirez pourquoi saint François choisit les grottes d'**Eremo delle Carceri** (☎ 075 81 23 01 ; entrée libre ; ◷ 6h30-19h Pâques-oct, 6h30-coucher du soleil oct-Pâques) comme ermitage. Les *carceri* (lieux isolés ou "prisons") qui émaillent les versants du Monte Subasio sont aussi tranquilles qu'à l'époque de saint François. Vous pourrez y faire une randonnée contemplative ou pique-niquer sous les chênes. Les grottes sont à 4 km (à effectuer en voiture ou à pied) à l'est, et les nombreux sentiers de randonnée qui passent à proximité sont bien balisés.

À quelques pas de la gare ferroviaire, l'imposante **Basilica di Santa Maria degli Angeli** (☎ 075 805 11 ; Santa Maria degli Angeli ; ◷ 6h15-12h50 et 14h30-19h30 en été), fut construite entre 1565 et 1685 autour du premier monastère franciscain et de la minuscule chapelle Porziuncola. Les amateurs du Pérugin admireront la *Crucifixion*, pratiquement intacte, peinte sur le mur du fond. C'est ici que saint François s'éteignit, dans la **Cappella del Transito**, le 3 octobre 1226.

À faire

Les fervents de saint François et les amoureux de la nature apprécieront sans aucun doute les randonnées d'une journée et les pèlerinages de deux jours aux alentours d'Assise. L'office du tourisme dispose de plusieurs cartes pour ceux qui effectuent à pied le chemin menant à l'Eremo delle Carceri ou au Sanctuario di San Damiano. Un itinéraire plus long va jusqu'à Gubbio (18 km), dans les pas de saint François. Le **Monte Subasio** est un lieu apprécié des marcheurs. Les librairies locales proposent toutes sortes de guides de randonnée et de circuits en VTT, ainsi que des plans des environs, et l'office du tourisme peut aussi fournir brochures et cartes.

Des vélos sont à louer chez **Angelucci Andrea Cicli Riparazione Noleggio** (☎ 075 804 25 50 ; www.angeluccicicli.it ; Via Risorgimento 54a) à Santa Maria degli Angeli et à l'Ostello della Pace (ci-contre).

Cours

L'**Accademia della Lingua Italiana Corsi di Lingua e Cultura Italiana** (☎ /fax 075 81 52 81 ; www.aliassisi.it ; Via San Paolo 36) propose toutes sortes de cours (langue, culture, chant, peinture et cuisine) pour s'immerger dans la culture transalpine. Elle assure aussi des cours gratuits de préparation au CILS (professeurs d'italien à l'étranger). Les cours ne comprennent pas plus de 12 élèves et les tarifs débutent à 300 € les 2 semaines.

Fêtes et festivals

La principale fête religieuse d'Assise, la **Festa di San Francesco**, se tient les 3 et 4 octobre. La *Settimana santa* (Semaine sainte, à Pâques) est l'occasion de nombreuses processions et célébrations. La **Festa di Calendimaggio** salue l'arrivée du printemps dans un style médiéval coloré et animé. La fête dure normalement plusieurs jours à partir du premier jeudi après le 1er mai. Depuis 1961, la **Marcia della Pace**, la marche pour la paix la plus importante d'Europe, attire plus de 150 000 pèlerins la première semaine d'octobre, sur un itinéraire de 24 km entre Pérouse et Assise.

Où se loger

L'offre d'hébergements à Assise est telle que les tarifs s'avèrent particulièrement avantageux. Néanmoins, en haute saison (Pâques, août-septembre et durant la Festa di San Francesco, début octobre), il faut réserver très tôt.

L'office du tourisme fournit la liste des chambres chez l'habitant, des 17 institutions religieuses, des appartements et des *agriturismi* d'Assise et de ses environs. Il peut aussi vous aider dans vos réservations. Sinon, restez à l'affût des pancartes *camere* (chambres) lors de vos déambulations dans les rues de la ville.

PETITS BUDGETS

Camping/Hotel Fontemaggio (☎ 075 81 23 17 ; www.fontemaggio.it ; Via Eremo delle Carceri 8 ; pers/empl/voiture 6/5/3 € , dort/s/d 20/35/52 € , bungalow 4-6 pers avec cuisine 32-110 €). Grand choix d'hébergements, dont des emplacements de camping, des bungalows, et des chambres d'hôtel. Sur la route d'Eremo delle Carceri, qui peut faire l'objet d'une belle balade à pied. Bon restaurant.

Ostello della Pace (☎ 075 81 67 67 ; www.assisihostel.com ; Via Valecchie 177 ; dort avec petit-déj 15-18 € , ch à partir de 32 € ; ◷ 1er mars-8 nov et 27 déc-6 jan ; ⓟ ▣ ▢). L'auberge de jeunesse (HI) d'Assise conviendra autant aux groupes d'étudiants et aux routards, qu'aux pèlerins et aux couples qui apprécieront les quelques chambres particulières. Superbe et calme, elle se trouve à proximité de la route venant de Santa Maria degli Angeli (1 min depuis l'arrêt de la navette). Les voyageurs au budget serré apprécieront les dîners (10 €), les randonneurs les paniers repas (6,50 €) et le cadre idyllique séduira tous les hôtes.

St Anthony's Guesthouse (☎ 075 81 25 42 ; atoneassisi@tiscali.it ; Via Galeazzo Alessi 10 ; s/d/tr avec petit-déj 40/60/80 € ; **P**). Cherchez la statue en fer de saint François nourrissant les oiseaux et vous aurez trouvé votre oasis à Assise. Chambres accueillantes bien qu'austères, dont 6 disposent d'un balcon avec vue. Jardin, grand parking, salon datant de 800 ans pour le petit déjeuner et superbe porte ancienne. À l'instar de nombreux établissements religieux, la pension impose un séjour de 2 nuitées minimum ; couvre-feu à 23h.

CATÉGORIE MOYENNE

Hotel San Rufino (☎ 075 81 28 03 ; www.hotelsanrufino.it ; Via Porta Perlici 7 ; s 38-45 €, d 48-55 €, petit-déj 4-5 €). Tenu par la même direction que l'Hotel Il Duomo (doté de chambres légèrement plus petites), très proche, cet hôtel central est tout aussi calme et confortable. L'escalier qui y mène est un peu dangereux, mais l'hôtel lui-même possède un ascenseur. Chambres douillettes avec sdb privatives et TV.

La Fortezza Hotel (☎ 075 81 24 18 ; www.lafortezzahotel.com ; Vicolo della Fortezza 2b ; d avec petit-déj 54-80 € ; **▯** **▯**). Les 7 chambres aménagées simplement sont confortables, mais c'est la terrasse sur le toit, idéale pour un verre de vin accompagné de fromage, qui fait le charme de l'endroit. Cet édifice en pierre, situé au calme, en haut d'un escalier également en pierre, est niché au-dessus de la Piazza del Comune. Le restaurant (voir ci-contre) est extrêmement populaire. Téléphonez ou envoyez un e-mail pour organiser votre prise en charge à la gare routière ou ferroviaire.

Hotel Pallotta (☎ 075 81 26 49 ; www.pallottaassisi.it ; Vicolo della Volta Pinta ; s/d/tr avec petit-déj 35/65/75 € ; **▯**). Un autre hôtel d'un bon rapport qualité/prix en plein cœur d'Assise, où les chambres marient l'ancien et le moderne : murs médiévaux et fenêtres à volets, télévisions fixées au mur et sdb impeccables en mosaïques. Vue superbe depuis le dernier étage.

Alla Madonna del Piatto (☎ 075 819 90 50 ; www.incampagna.com ; Pieve San Nicolo 18 ; d avec petit-déj 85-120 € ; **▯** mars à mi-nov ; **P**). Aussi splendide qu'il semble isolé, cet *agriturismo* se trouve

à moins de 15 min de la basilique. Chacun des 6 chambres au décor marocain ou indie offre une vue exceptionnelle. L'atout principa de l'établissement est le cours de cuisin donné par Letizia (en italien ou en anglais Commencez votre journée sur les marché et finissez-la en dégustant un festin prépar de vos mains. Séjour de 2 nuitées minimum

Residenza San Crispino (☎ 075 815 51 24 ; www sancrispinoresidence.com ; Via Sant'Agnese 11 ; ste ave petit-déj 170-240 € ; **▯**). Dans un cadre très ancien les chambres, équipées de kitchenettes et trans formées en magnifiques appartements, ont ét baptisées d'après le *Cantique des créatures* d saint François – Frère soleil, Sœur eau, etc. S la courte marche jusqu'à la Basilica di Sant Chiara ou le jardin au calme monastique n vous ont pas suffisamment détendu, prene la navette de l'établissement pour le Resor and Spa San Crispino.

Où se restaurer
RESTAURANTS

Si nous recommandons habituellement d'évite les restaurants d'hôtel, Assise fait exception, ca ce sont ici les meilleures tables (et les moin chères).

Trattoria Pallotta (☎ 075 81 26 49 ; Vicolo della Volt Pinta ; repas 25 € ; ☺ mer-lun). Il faut passer sou la Volta Pinta (voûte peinte de fresques du XVIe siècle), qui part de la Piazza del Comune pour pénétrer dans cette magnifique trattori dotée de murs voûtés et de poutres au plafond On cuisine là tous les classiques de l'Ombrie lapin, *strangozzi* maison et même du pigeon

Medio Evo (☎ 075 81 30 68 ; Via Arco dei Priori 4 ; repa 28 € ; ☺ jeu-mar). Plats ombriens typiques, comm le civet de lapin (12 €) ou les omelettes à l truffe (10 €), servis dans une fabuleuse sall voûtée du XIIIe siècle. L'ouverture dès 18h4! vise une clientèle non italienne.

La Fortezza (☎ 075 81 24 18 ; Vicolo della Fortezza 2b repas 22 € ; ☺ ven-mer). Restaurant familial, en retrai de la Piazza del Comune. Cuisine traditionnell du Trentin et d'Ombrie et viandes cuites au feu de bois. Belle sélection de vins locaux.

CAFÉS

Gran Caffè (☎ 075 815 51 44 ; Corso Mazzini 16 ; ☺ 8h-24h Élégant établissement, réputé pour ses *gelati* ses pâtisseries et son grand choix de boissons En été, rien ne vaut le *tè freddo alla pesc* (thé glacé à la pêche) et, en hiver, un caf ou un chocolat chaud revigorant. Prix plu intéressants si l'on ne s'attable pas.

Achats

Assise est une ville agréable pour faire des achats, d'autant que des magasins restent ouverts à l'heure de la sieste. Plus on s'approche de la basilique, plus les souvenirs sont kitsch. Pour trouver articles en cuir, céramiques ou vêtements, il faut fréquenter les petites rues à l'écart. Les marchés en plein air se tiennent Piazza Matteotti le samedi, et à Santa Maria degli Angeli le lundi.

Depuis/vers Assise

Assise est très bien desservie en bus et en train. Bien que la gare ferroviaire soit à 4 km à l'ouest, à Santa Maria degli Angeli, une navette (bus C ; 0,80 €) la relie à la gare routière APM, sur la Piazza Matteotti, toutes les 30 minutes (les billets s'achètent dans les *tabacchi*). Assise se trouve sur la ligne Foligno-Terontola et les trains vers Pérouse sont nombreux (2,05 €, 25 min, ttes les heures). Correspondance à Terontola pour Florence (9,40-15,20 €, 1 heure 45 à 2 heures 45, 10/jour) et à Foligno pour Rome (9,40-16 €, 2 heures à 2 heures 30, ttes les heures).

APM Perugia (☎ 800 512141 ; www.apmperugia.it) dessert Pérouse (3,10 €, 50 min, 9/jour) et Gubbio (5,20 €, 1 heure 10, 11/jour) depuis la Piazza Matteotti. Les bus **Sulga** (☎ 800 099661 ; www.sulga.it) partent de la Porta San Pietro vers Florence (11 €, 2 heures 30, tlj à 7h) et la Stazione Tiburtina de Rome (16,50 €, 8 heures 15, 3/jour).

Pour rejoindre Assise en voiture depuis Pérouse, prenez la SS75, sortie Ospedalicchio.

Comment circuler

Un bus (0,80 €) fait la navette toutes les 30 minutes entre la Piazza Matteotti et la gare ferroviaire. La circulation est restreinte dans le centre-ville et il est interdit de s'y garer durant la journée. Il existe 6 parkings à côté des murs d'enceinte (reliés au centre-ville par des navettes orange), et le stationnement est gratuit sur la Via della Rocca, d'où une courte marche (en pente raide) permet de rejoindre la cathédrale et la Piazza del Comune.

Pour appeler un taxi, composez le ☎ 075 81 31 00.

SPELLO

8 592 habitants

On croit parfois visiter la plus jolie ville d'Ombrie, et on imagine que la prochaine nous décevra forcément un peu. Et puis l'on découvre Spello, souvent négligée des touristes, qui vont directement à Assise ou à Pérouse, et l'on succombe au charme de ses passages voûtés, surtout au printemps, quand les fleurs embaument la ville tout entière.

Orientation et renseignements

Spello se prête aisément à l'exploration, et la gare ferroviaire n'est qu'à 500 m du centre-ville. Juste après la Chiesa di Sant'Andrea, à l'extrémité de la Piazza Matteotti, l'**office du tourisme** (Pro Loco ; ☎ /fax 0742 30 10 09 ; prospello@ libero.it, Piazza Matteotti 3 ; ☽ 9h30-12h30 et 15h30-17h30) fournit une liste des hébergements, des cartes de randonnée dans la région (dont une marche de 8 km jusqu'à Assise à travers les collines), et un plan de la ville (0,50 €). Site Internet de la ville : www.comune.spello.pg.it.

À voir

Spello n'est pas connue pour un site en particulier. Une promenade paisible est le meilleur moyen de découvrir la ville. La **Porta Consolare**, qui remonte à l'époque romaine, en marque l'entrée. Rejoignez la Piazza Matteotti, cœur de la ville, où se dresse l'impressionnante **Chiesa di Santa Maria Maggiore** (Piazza Matteotti ; ☽ 8h30-12h et 14h-19h mars-oct, 18h nov-fév), du XIIᵉ siècle. Sa **Cappella Baglioni** abrite le véritable trésor de la ville : l'angle à droite de l'entrée est orné de magnifiques fresques de Pinturicchio représentant la vie du Christ (l'éclairage est payant, ce qui permet de préserver au maximum l'œuvre). Jusqu'au pavement, datant de 1566, qui est un chef-d'œuvre. Sur la même place se dresse la plus austère **Chiesa di Sant'Andrea** (Piazza Matteotti ; ☽ 8h-19h), où l'on peut admirer la *Madone à l'Enfant avec les saints* de Pinturicchio. Pour profiter d'une vue inoubliable, passez devant l'**Arco Romano** jusqu'à la **Chiesa di San Severino**. Le monastère capucin, toujours en activité, est fermé au public, mais sa remarquable façade romane fait concurrence à la vue bucolique qui se déploie en contrebas.

Fêtes et festivals

Les habitants de Spello célèbrent la Fête-Dieu lors de l'odorante **Infiorata di Corpus Domini** en juin (le dimanche qui suit Pâques de 60 jours), en décorant l'artère principale de dessins réalisés avec des fleurs fraîches. Venez dès 20h30 le samedi précédant la procession pour admirer la préparation de ces créations florales et vous mêler à l'ambiance festive. Le lendemain, la procession démarre à 11h.

Où se loger

Del Prato Paolucci (☎ 0742 30 10 18 ; www.hoteldelpratopaolucci.it ; Via Brodolini 4 ; s/d/tr avec petit-déj 40/60/80 € ; **P ☏**). La piscine et la récente réfection ont rehaussé le niveau de confort de ce modeste hôtel familial. Les chambres disposent toutes de sdb correctes, de la TV, du tél, et pour certaines, d'une vue agréable. Si vous les prévenez, les propriétaires viendront vous chercher à la gare ferroviaire.

Residence San Jacopo (☎ 0742 30 12 60, 333 2232899 ; www.residencesanjacopo.it ; Via Borgo di Via Giulia 1 ; app 2/3 pers 62/93 €). Cette résidence de vacances était, en 1296, l'hospice de San Jacopo, étape pour les pèlerins en route vers Compostelle, en Galice. Les 7 mini-appartements possèdent kitchenette, sdb et TV, et un mobilier rustique ancien. Vanya, le propriétaire, tient aussi une *enoteca* (bar à vin), non loin, et connaît tout des vins et des délices locaux.

Hotel Ristorante La Bastiglia (☎ 0742 65 12 77 ; www.labastiglia.com ; Via dei Molini 7 ; s 80-155 €, d 110-185 €, tr 210-300 €, petit-déj inclus ; **P ☒ ☏ ☏**). Cet hôtel accueille des pèlerins, des cyclistes et des voyageurs fortunés en circuit organisé depuis de nombreuses années. Trois types de chambres permettent aujourd'hui à un plus large public d'avoir accès à cette superbe propriété et de profiter d'un petit déjeuner de saison (de style italien) sur la terrasse. Le restaurant est l'un des meilleurs d'Ombrie. Accès handicapés.

Où se restaurer et prendre un verre

Il Giardino di Spello (☎ 0742 30 14 45 ; Via Centrale Umbra 36 ; tapas 4,50 € ; ☽ 7h-24h mar-dim). Près de la gare ferroviaire et de l'arrêt des bus. Parfait pour un en-cas : on se régale de tapas, avant de s'offrir une excellente glace maison.

Enoteca Properzio (☎ 0742 30 15 21 ; www.enoteche.it ; Palazzo dei Canonici, Piazza Matteotti 8/10 ; ☽ 9h-23h avr-oct, 9h-20h nov-mars). Un arrêt dans cette *enoteca* (bar à vin), la meilleure de la région, permet de déguster les crus d'Ombrie sans se ruiner. Pour 30 €, vous goûtez une demi-douzaine de vins tout en grignotant fromage, *prosciutto* et *bruschetta*. Possibilité de se faire expédier 12 bouteilles à l'étranger (144 €).

Depuis/vers Spello

Spello se trouve sur la ligne ferroviaire Pérouse-Foligno, et au moins un train par heure dessert Pérouse (2,65 €, 30 min) et Assise (2,05 €, 10 min). S'il n'y a personne au guichet de la gare, vous pourrez acheter votre billet à la billetterie automatique ou au kiosque à journaux **Rivendita Giornali** (Piazza della Pace 1). La SS75 reliant Pérouse à Foligno passe par Spello.

GUBBIO
32 804 habitants

Si les paysages ombriens ont été globalement adoucis et arrondis par le temps, au fil de siècles, Gubbio a conservé un aspect anguleux, austère et imposant. Construits sur les versants escarpés du Monte Ingino, ses édifices gothiques, apparaissant au fur et à mesure que l'on grimpe la colline dans un funiculaire à ciel ouvert, ont quelque chose de saisissant. Pendant les vacances de Noël, le versant de la montagne scintille de mille lumières électriques, tel un grand sapin de Noël.

La ville est facile à rejoindre, en bus ou en voiture, et à visiter à pied. Elle compte quantité d'hébergements à bas prix. Les amateurs d'architecture gothique ne la manqueront sous aucun prétexte.

Gubbio est célèbre pour ses tables Eugubines, des plaques gravées entre 300 et 100 av. J.-C. qui constituent la plus belle trace épigraphique d'ombrien ancien à ce jour. Grande alliée de l'Empire romain et halte obligée sur la Via Flaminia, la ville déclina durant les invasions sarrasines. Au XIVe siècle, elle tomba aux mains de la famille Montefeltro d'Urbino (p. 605), avant d'être réintégrée dans les États pontificaux à la fin des années 1500.

Orientation

La petite ville perchée de Gubbio se visite aisément. C'est au gigantesque rond-point de la Piazza Quaranta Martiri, au pied de la colline qu'arrivent les bus. Un grand parking y est installé. Cette place fut ainsi appelée en souvenir des 40 personnes de la région tuées par les nazis en 1944, en représailles des actions menées par les partisans. De là, une petite marche, courte mais raide, par la Via della Repubblica mène à la place principale, la Piazza Grande (aussi connue sous le nom de Piazza della Signoria). Sinon, on peut emprunter un ascenseur depuis le Palazzo del Podestà pour rejoindre le Palazzo Ducale et la cathédrale. Le Corso Garibaldi et la Piazza Oderisi sont à droite de la Via della Repubblica en montant.

Renseignements

Hôpital (☎ 075 927 08 01 ; Località Branca). À 2 km environ du centre-ville.

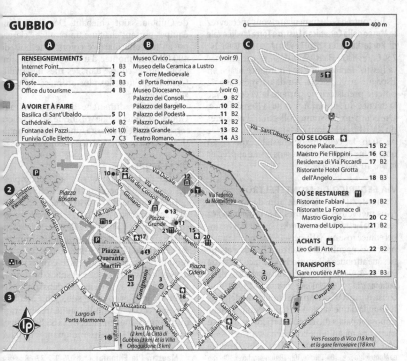

GUBBIO

Internet Point (☎ 075 927 74 30 ; Via Perugina 32 ; 3 €/h ; ⏰ 9h-13h30 et 15h30-19h30 mar-sam, 15h30-20h dim). Communications téléphoniques internationales 0,15 €/min en moyenne.

Office du tourisme (☎ 075 922 06 93 ; info@iat. gubbio.pg.it ; www.gubbio-altochiascio.umbria2000.it ; Via Repubblica 2 ; ⏰ 8h-14h et 15h-18h lun-ven, 9h-13h et 15h-18h sam, 9h30-12h30 et 15h-18h dim et jours fériés)

Police (☎ 075 927 37 70 ; Via Mazzatinti)

Poste (☎ 075 927 39 25 ; Via Cairoli 11 ; ⏰ 8h-18h30 lun-ven, 8h-12h30 sam)

À voir
PIAZZA GRANDE

Les bâtiments les plus impressionnants de Gubbio donnent sur la **Piazza Grande**, où se déroulent les festivités de la Corsa dei Ceri. Ainsi, le **Palazzo dei Consoli**, du XIVe siècle, attribué à Gattapone, arbore une façade crénelée et une tour visibles où que l'on se trouve dans la ville. L'édifice accueille le **Museo Civico** (☎ ☎ 075 927 42 98 ; Piazza Grande ; adulte/tarif réduit galerie comprise 4/2,50 € ; ⏰ 10h-13h et 15h-18h avr-sept, 10h-13h et 14h-17h oct-mars), où l'on peut admirer les tables Eugubines découvertes en 1444. Ces sept tablettes en bronze constituent

la source principale de recherche sur la langue ombrienne ancienne. À l'étage, la galerie de peinture rassemble des œuvres de l'école de Gubbio. De l'autre côté de la place, le **Palazzo del Podestà**, ou Palazzo Pretorio, bâti sur le même plan mais à une échelle moins grandiose que son vis-à-vis, accueille l'hôtel de ville. Demandez gentiment à jeter un coup d'œil à l'impressionnant plafond voûté.

FUNIVIA COLLE ELETTO

Si la **Basilica di Sant'Ubaldo** (où repose sant' Ubaldo, alias saint Thiébaut), évêque de Gubbio au XIIe siècle, est une église tout à fait charmante, l'aventure consiste surtout à y accéder par la **Funivia Colle Eletto** (funiculaire ; ☎ 075 922 11 99 ; aller-retour adulte/enfant 5/4 € ; ⏰ 9h-20h juil-août, 9h30 ou 10h-13h15 et 14h30-17h30 ou 19h mars-juin, sept et oct, 10h-13h15 et 14h30-17h nov-fév, fermé mer en hiver). La cage en fer, qui se balance à plusieurs dizaines de mètres au-dessus d'une colline rocheuse, rend la montée aussi inquiétante que belle à couper le souffle ! Outre l'église, vous trouverez en haut un restaurant, mais il est aussi agréable de pique-niquer et de se balader.

En contrebas du funiculaire, vous apercevrez le **Museo della Ceramica a Lustro e Torre Medioevale di Porta Romana** (☎ 075 922 11 99 ; Via Dante 24 ; 2,50 € ; ☺ 10h30-13h et 15h30-19h). Les céramiques "a lustro" témoignent de l'influence arabe en Espagne au XIe siècle. Au deuxième étage, la poterie préhistorique partage la vedette avec la faïence du Moyen Âge et de la Renaissance. On peut voir aussi une collection d'arbalètes du XVIIIe siècle, dont certaines ont une portée de 50 m. La ceinture de chasteté exposée au quatrième étage vous fera sans doute apprécier la vie au XXIe siècle.

VIA FEDERICO DA MONTEFELTRO

Remontez la Via Ducale afin de découvrir trois merveilles anciennes. La **cathédrale** (Via Federico da Montefeltro ; dons appréciés ; ☺ 10h-17h) est un bel édifice rose du XIIIe siècle, remarquable aussi pour son magnifique vitrail du XIIe siècle et une fresque attribuée à Pinturicchio. En face, le **Palazzo Ducale** (☎ 075 927 58 72 ; Via Federico da Montefeltro ; adulte/tarif réduit 2/1 € ; ☺ 9h-19h30 mar-ven et dim, 9h-22h30 sam) fut construit au XVe siècle par la famille Montefeltro. Il s'agit là d'une version en taille réduite de leur imposant palais d'Urbino. Derrière les murs se cache une magnifique cour Renaissance. Juste à côté, le **Museo Diocesano** (☎ 075 922 09 04 ; Via Federico da Montefeltro ; ☺ 10h-19h été, 10h-18h lun-sam hiver, 10h-18h dim et jours fériés tte l'année) rend un vibrant hommage au passé médiéval de Gubbio.

FONTAINE DES FOUS

Dans la partie ouest du quartier médiéval de la ville, le **Palazzo del Bargello** (XIIIe siècle) abritait le poste de police et la prison de l'époque. En face, la **Fontana dei Pazzi** (fontaine des Fous) tire son nom d'une croyance selon laquelle on perd la raison si l'on en fait trois fois le tour.

THÉÂTRE ROMAIN

Au sud-ouest de la Piazza Quaranta Martiri, en retrait du Viale del Teatro Romano, les ruines du **Teatro Romano** (théâtre romain ; ☎ ☎ 075 922 09 22 ; entrée libre ; ☺ 8h30-19h30 avr-sept, 8h-13h30 oct-mars), du Ier siècle, sont envahies par la végétation. Les vestiges ont fait l'objet d'importants travaux de restauration. En été, des concerts en plein air y sont donnés –renseignements auprès de l'office du tourisme.

Fêtes et festivals

Fête datant de plusieurs siècles, la **Corsa dei Ceri** (Course des cierges), qui se tient le 15 mai de chaque année, commémore le saint patron de Gubbio, saint Thiébaut. Dès 5h30, trois équipes portant chacune un *cero* (ce "cierge" est en fait une massive colonne de bois de 400 kilos, surmontée d'une statue d'un saint rival) font la course dans les rues de la ville. Cette fête, l'une des plus animées du pays, vaut le détour.

Le dernier dimanche du mois de mai, Gubbio affronte la ville voisine de San Sepolcro lors du **Palio della Balestra**, une compétition de tir à l'arbalète en costumes médiévaux.

Où se loger

L'office du tourisme fournit la liste complète des options d'hébergement de la région.

Città di Gubbio et Villa Ortoguidone (☎ 075 922 20 37 ; www.gubbiocamping.com ; Loc Ortoguidone 49 6,50-9,50 €/pers, 7-9,50 €/tente, 3 €/voiture, 36-100 €/ app 2-4 pers ; ☺ Pâques-sept ; ⊗). À quelques minutes du centre de Gubbio. Offre toutes les commodités d'un camping quatre-étoiles (court de tennis, Jacuzzi, piscine et snack-bar), ainsi que de beaux appartements dans un vieux manoir en pierre, avec sdb, jolis meubles en bois et TV. En juillet-août, réservation minimum d'une semaine. De la SS298, suivez sur 3 km les panneaux indiquant "Agriclub Villa Ortoguidone".

Maestro Pie Filippini (☎ 075 927 37 68 ; Corso Garibaldi 100 ; 20 €/pers). Un établissement religieux abritant 6 chambres basiques (simples à quadruples) qui peuvent accueillir jusqu'à 16 personnes. Prix et situation imbattables. Deux nuitées au minimum, et couvre-feu à 22h30. Pensez à réserver.

♥ Residenza di Via Piccardi (☎ 075 927 61 08 ; www.agriturismocolledelsole.it ; Via Piccardi 12 ; s/d/app avec petit-déj 30/55/60 € ; ☺ fermé jan-fév). Pension familiale aménagée dans une bâtisse en pierre de l'époque médiévale offrant des chambres douillettes tout confort et décorées de motifs floraux. Une porte voûtée ouvre sur son jardin romantique, où prendre le petit déjeuner en amoureux. Les mini-appartements sont équipés d'une kitchenette. Probablement le meilleur rapport qualité/prix d'Ombrie.

Ristorante Hotel Grotta dell'Angelo (☎ 075 927 17 47 ; www.grottadellangelo.it ; Via Gioia 47 ; s 38-42 € d 55-60 € ; ☺ fermé 2-3 sem en jan). Surtout fréquentée pour ses multiples mets à base de truffes et son joli jardin, la Grotta dell'Angelo loue aussi quelques chambres basiques.

Bosone Palace (☎ 075 922 06 88 ; www.mencarelligroup.com ; Via XX Settembre 22 ; ch 160-190 €, ste 184-230 €, petit-déj inclus ; Ⓟ ⊗). Le palais des Bosone famille patricienne, accueillit Dante Alighieri à plusieurs reprises. Toutes les chambres sont équipées de minibar, TV sat et tél dans la sdb. La plupart jouissent d'une vue fabuleuse sur la vallée.

Où se restaurer

Ristorante La Fornace di Mastro Giorgio (☎ 075 922 18 36 ; Via Mastro Giorgio 2 ; repas 46 € ; 🕑 mer-lun). Portant le nom du plus célèbre céramiste médiéval de Gubbio (dont le four orne encore l'un des murs), Mastro Giorgio est notre adresse préférée pour célébrer une occasion spéciale. Les plats de saison incluent des recettes traditionnelles revisitées : carpaccio de gibier aux asperges et *stinco* (jarret de veau). Belle carte des vins répertoriant plus de 500 crus.

Ristorante Fabiani (☎ 075 927 46 39 ; Piazza Quaranta Martiri 26 ; repas 28 € ; 🕑 mer-lun). Endroit superbe avec un patio à l'arrière, donnant sur le jardin. Bon choix de plats, menu touristique (15 €) ou gastronomique (20 €), variant selon la saison. Poisson à l'honneur le jeudi et le vendredi.

Taverna del Lupo (☎ 075 927 43 68 ; Via Ansidei 21 ; repas 42 € ; 🕑 mar-dim). Saint François domestiqua un loup qui, selon la légende, revint dîner dans ce restaurant. Un loup, donc, qui avait du goût. L'ambiance est huppée, voire un brin guindée, et mieux vaut s'habiller élégamment. La plupart des mets sont préparés avec des produits provenant des Apennins voisins, comme le fromage, les truffes et l'huile d'olive. Prévoyez au moins 2 heures pour un repas.

Achats

Leo Grilli Arte (☎ 075 922 22 72 ; Via dei Consoli 78). Au Moyen Âge, la céramique constituait l'une des principales sources de revenus de Gubbio et ce vieil édifice du XVe siècle en présente à la vente de superbes exemplaires contemporains.

Comment s'y rendre et circuler

Les bus **APM** (☎ 800 51 21 41 ; www.apmperugia.it) desservent Pérouse (4,50 €, 1 heure 10, 10/jour), Gualdo Tadino (2,80 €, 50 min, 10/jour) et Umbertide (3 €, 50 min, 3/jour). Ils partent de la Piazza Quaranta Martiri.

La gare ferroviaire la plus proche se trouve à Fossato di Vico, à 18 km au sud-est de la ville. Un bus APM la relie toutes les heures à Gubbio (2,60 €, 30 min). De Fossato di Vico, des trains circulent toutes les heures vers Foligno (2,55 €, 30 min), où prendre une correspondance vers d'autres villes, notamment Pérouse (4,75 €, 1 heure 30, 7/jour).

En voiture ou à moto, prenez la SS298 depuis Pérouse ou la SS76 depuis Ancône et suivez les panneaux. Garez-vous dans le grand parking de la Piazza Quaranta Martiri (0,80 € l'heure).

En ville, le plus simple reste de vous déplacer à pied. Des bus ASP relient cependant la Piazza Quaranta Martiri à la station du funiculaire et à la plupart des sites touristiques.

SPOLÈTE (SPOLETO)

38 909 habitants

Spolète était une de ces villes perchées assoupies jusqu'à ce qu'en 1958, le compositeur américano-italien Gian Carlo Menotti crée le Festival dei Due Mondi (Festival des Deux Mondes), désormais connu dans le monde entier sous le nom de Festival international de Spolète. Présentant pièces de théâtre, ballets, concerts, opéras et autres manifestations artistiques, le festival s'est forgé une belle réputation qui a sorti de l'anonymat cette ancienne cité romaine d'importance. Le reste du temps, Spolète s'enorgueillit de ses nombreux musées, ruines romaines, restaurants et rues plaisantes, dont l'exploration prend une bonne journée ou même deux.

L'Ombrie était, à l'origine, divisée entre Étrusques et Ombriens. Après la chute de Rome, la région fut de nouveau divisée, cette fois entre les Byzantins, à l'est du Tibre, et les Lombards, à l'ouest. Spolète, qui se trouvait à l'ouest du Tibre, devint la capitale du duché de Lombardie vers 570. En 889, les ducs de Spolète Guy III et son fils Lambert se lancent avec succès à la conquête de la couronne impériale. Bien qu'une grande partie des œuvres d'art les plus anciennes aient disparu, la région compte encore de nombreux édifices religieux et ermitages caractéristiques.

Orientation

La vieille ville se situe à environ 1 km au sud de la principale gare ferroviaire. Pour s'y rendre, il faut emprunter les navettes orange A, B ou C (0,80 €, toutes les 20 min) jusqu'à la Piazza della Libertà en plein centre, où se tiennent l'office du tourisme et le théâtre romain. La Piazza del Mercato, toute proche, au nord-est de la Piazza della Libertà, constitue le cœur attachant du vieux Spoleto. Entre cette place et la Piazza del Duomo, vous trouverez les principaux monuments de la cité et quelques boutiques intéressantes.

SPOLÈTE (SPOLETO)

0 ————— 300 m

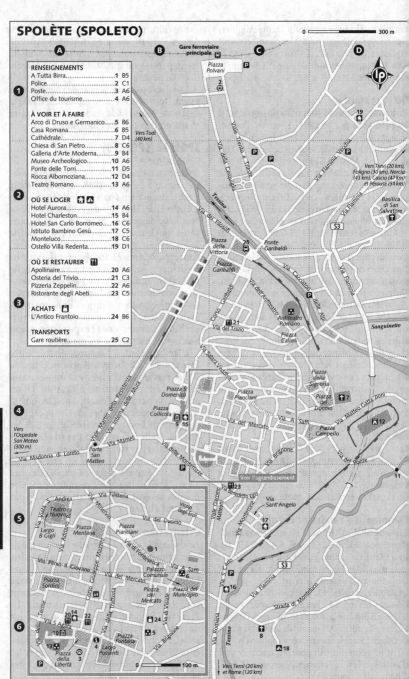

RENSEIGNEMENTS
A Tutta Birra.........................1 B5
Police...................................2 C1
Poste...................................3 A6
Office du tourisme..............4 A6

À VOIR ET À FAIRE
Arco di Druso e Germanico.....5 B6
Casa Romana.......................6 B5
Cathédrale...........................7 D4
Chiesa di San Pietro............8 C6
Galleria d'Arte Moderna.......9 B4
Museo Archeologico............10 A6
Ponte delle Torri.................11 D5
Rocca Albornoziana.............12 D4
Teatro Romano...................13 A6

OÙ SE LOGER
Hotel Aurora.......................14 A6
Hotel Charleston.................15 B4
Hotel San Carlo Borromeo....16 C6
Istituto Bambino Gesù.........17 C5
Monteluco..........................18 C6
Ostello Villa Redenta...........19 D1

OÙ SE RESTAURER
Apollinaire...........................20 A6
Osteria del Trivio.................21 C3
Pizzeria Zeppelin.................22 A6
Ristorante degli Abeti..........23 C5

ACHATS
L'Antico Frantoio.................24 B6

TRANSPORTS
Gare routière......................25 C2

Gare ferroviaire principale

Piazza Polvani

Vers Todi (40 km)

Vers Trevi (20 km), Foligno (30 km), Norcia (43 km), Cascia (47 km) et Pérouse (54 km)

Basilica di San Salvatore

Piazza della Vittoria

Ponte Garibaldi

Piazza Garibaldi

Sanguinetto

Anfiteatro Romano

Piazza Cairoli

Piazza della Signoria

Piazza del Duomo

Piazza Domenico

Piazza Pianciani

Piazza Collicola

Piazza Campello

Vers l'Ospedale San Mateo (300 m)

Porta San Matteo

Voir l'agrandissement

Sant'Angelo

Teatro Nuovo

Largo B Gigli

Piazza Mentana

Piazza Pianciani

Vicolo degli Eroli

Palazzo Comunale

Piazza Sordini

Piazza del Mercato

Piazza del Municipio

Piazza Fontana

Largo Possenti

Piazza della Libertà

0 ————— 100 m

Vers Terni (20 km) et Rome (120 km)

OMBRIE ET MARCHES

Renseignements

A Tutta Birra (☎ 348 2411840 ; Via di Fontesecca 7 ; ☻ 12h-23h mer-lun). Accès Internet.

Office du tourisme (☎ 0743 23 89 20/1 ; www. visitspoleto.it ; Piazza della Libertà 7 ; ☻ 8h30-13h30 et 16h-19h lun-ven, 9h30-12h30 sam-dim avr-oct, 8h30-13h30 et 15h30-18h30 lun-sam, 9h30-12h30 dim nov-mars)

Ospedale San Mateo (☎ 0743 21 01 ; Via Madonna di Loreto). Hôpital.

Police (☎ 0743 2 32 41 ; 191 Via Marconi)

Poste (☎ 0743 20 15 20 ; Piazza della Libertà 12 ; ☻ 8h-18h30 lun-ven, 8h-12h30 sam)

À voir
LA SPOLÈTE ANTIQUE

Arrêtez-vous tout d'abord au **Museo Archeologico** (☎ 0743 22 32 77 ; Via S Agata ; adulte/ tarif réduit/enfant 4/2 €/gratuit ; ☻ 8h30-19h30), côté ouest de la Piazza della Libertà, où vous verrez une belle collection d'objets d'art romains et étrusques de la région. À l'extérieur, le **Teatro Romano**, datant du Ier siècle et quasi intact, sert de lieu de spectacles durant l'été. Tenez-vous informé auprès du musée ou de l'office du tourisme.

Vous verrez d'autres vestiges de l'époque romaine autour de la Piazza Fontana, à l'est de la Piazza della Libertà, notamment l'**Arco di Druso e Germanico** (arc de Drusus et Germanicus, les fils de l'empereur Tibère), qui marque l'entrée de l'ancien forum. Découverte lors de fouilles, la **Casa Romana** (maison romaine ; ☎/fax 0743 23 42 50 ; Via di Visiale ; adulte/enfant 2,50/2 € ; ☻ 10h-18h 15 oct-31 mars, fermé mar, 10h-20h tlj 1er avr-14 oct) permet de découvrir à quoi ressemblait une maison romaine de la région au Ier siècle av. J.-C.

La **cathédrale** (☎ 0743 4 43 07 ; Piazza Duomo ; ☻ 7h30-12h30 et 15h-18h été, 7h30-12h30 et 15h-17h hiver) fut consacrée en 1198, mais remaniée et agrémentée d'un porche Renaissance au XVIIe siècle. Au XIe siècle, d'énormes blocs de pierre récupérés de bâtiments romains furent utilisés pour la construction de son clocher plutôt austère. Les fresques de l'abside ont été réalisées par Filippo Lippi et ses assistants. Lippi mourut avant d'avoir achevé cette œuvre et Laurent de Médicis fit le voyage de Florence à Spolète pour commander au fils de Lippi, Filippino, un mausolée en hommage à son père. Ce dernier se trouve aujourd'hui dans le transept droit de la cathédrale.

Le spectaculaire concert de clôture du festival de Spolète a lieu sur la place, juste devant la cathédrale.

AUTRES SITES

Dominant la ville, la **Rocca Albornoziana** (☎ /fax 0743 22 30 55 ; Piazza Campello ; adulte/enfant visite guidée incluse 4/3 € ; ☻ 10h-20h été et week-end, 10h-13h et 15h-18h fin mars-juin, sept et oct, 10h-11h45 et 14h-16h15 lun-ven, 10h-16h sam-dim nov-fév), ancienne forteresse papale, servit jusqu'en 1982 de prison de haute sécurité : l'auteur de la tentative d'assassinat du pape Jean-Paul II, Ali Agca, y a notamment séjourné. Seule la visite guidée est possible : n'oubliez pas de réserver.

Après une petite marche d'une heure le long de la Via del Ponte, vous arriverez au **Ponte delle Torri**, érigé au XIVe siècle sur les fondations d'un aqueduc romain. Traversez-le et descendez la strada di Monteluco jusqu'à la **Chiesa di San Pietro** (☎ 0743 448 82 ; Loc San Pietro ; entrée libre ; ☻ 9h30-11h et 15h30-18h30), dont la façade du XIIIe siècle est abondamment ornée de sculptures zoomorphes.

La **Galleria d'Arte Moderna** (☎ 0743 4 64 34 ; Palazzo Collicola ; adulte/enfant 4/3 € ; ☻ 10h30-13h et 15h-17h30 16 oct-14 mars, 10h30-13h et 15h30-19h mer-lun 15 mars-15 oct) réunit des œuvres d'art moderne, hommage au dynamisme artistique de Spolète. Une salle est consacrée au sculpteur italien Leoncillo.

Fêtes et festivals

Le compositeur italo-américain Gian Carlo Menotti a créé le **Festival dei Due Mondi** (Festival des Deux Mondes) en 1958, désormais connu sous le nom de festival international de Spolète, et auquel la ville doit sa renommée.

Les manifestations, qui durent 3 semaines de fin juin à mi-juillet, vont de l'opéra aux expositions d'art en passant par le ballet et le théâtre, et se déroulent dans divers endroits de la ville, en particulier à la Rocca Albornoziana, au Teatro Romano et dans la cathédrale. Côté tarifs, les tarifs varient de 5 à 200 €, mais la plupart se situent entre 20 et 30 €.

Les places pour les spectacles les plus fameux sont généralement toutes vendues dès mars ou avril, mais on peut encore trouver des billets durant la semaine du festival pour de nombreux autres spectacles. Des concerts gratuits ont aussi lieu dans diverses églises.

Pour plus de détails, appelez le ☎ 800 565600 ou consultez le site www.spoletofestival.it, qui permet de réserver ses billets en ligne.

Où se loger

La ville ne manque pas d'hôtels bon marché, d'*affittacamere* (chambres à louer), d'auberges de jeunesse et de campings, dont les prix s'envolent pendant le festival.

PETITS BUDGETS

Monteluco (☎/fax 0743 22 03 58 ; www.geocities.com/monteluco2002 ; Loc San Pietro ; 5-7 €/pers, 5-7 €/tente, 3 €/voiture ; ☺ avr-sept). Camping simple et ombragé, juste derrière la Chiesa di San Pietro, à 15-20 min à pied du centre-ville et à moins de 1 km de l'aqueduc et de sentiers de randonnée. Un bon restaurant attire les gens du cru.

Ostello Villa Redenta (☎ 0743 22 49 36 ; www.villaredenta.com ; Via di Villa Redenta 1 ; dort 18-23 €, s 25-35 €, d 52-60 €, petit-déj inclus ; P). Le pape Léon XII a passé une nuit dans cette demeure du XVIIe siècle entourée d'un parc paisible, proche du centre historique, et qui compte un bar. Chambres avec sdb privatives. Réception ouverte de 8h à 13h et de 15h30 à 20h.

Hotel San Carlo Borromeo (☎ 0743 22 53 20 ; www.geocities.com/sancarloborromeo ; Via San Carlo ; s 30-37 €, d 45-55 €, tr 65-75 €, petit-déj inclus ; P ✖ 🖳). Une option correcte, sans charme mais pratique, bon marché et avec un parking (gratuit). Chambres bien tenues, fonctionnelles et spacieuses. Celles à l'arrière, plus tranquilles, donnent sur la campagne qui entoure Monteluco.

Istituto Bambino Gesù (☎ 0743 4 02 32 ; Via Sant'Angelo 4, près de la Via Monterone ; s/d 43/75 € petit-déj inclus). Un B&B installé dans un couvent du XVIe siècle, et tenu par des nonnes. Ici, les hôtes sont en communion avec les lieux : cellules dépouillées meublées d'un lit et d'une armoire (sdb minuscule). Prix en rapport, vue superbe et tranquillité exceptionnelle.

CATÉGORIE MOYENNE

Hotel Aurora (☎ 0743 22 03 15 ; www.hotelauroraspoleto.it ; Via Apollinare 3 ; s/d/tr à partir de 40/55/70 € petit-déj inclus ; P 🖳). Très central, en retrait de la Piazza della Libertà, et offrant un excellent rapport qualité/prix. Le personnel vous conseillera dans votre visite de Spolète. Quelques chambres possèdent un balcon avec vue sur l'amphithéâtre romain en contrebas.

☺ **Hotel Charleston** (☎ 0743 22 00 52 ; www.hotel-charleston.it ; Piazza Collicola 10 ; s petit-déj inclus 40-75 €, d 52-135 € ; ✖ 🖳 📶). Sauna, cheminée et terrasse donnent au Charleston autant d'attrait en hiver qu'en été. Bâtiment du XVIIe siècle entièrement rénové, agrémenté d'œuvres d'art moderne. Dégustation de vin tous les soirs. Certaines chambres disposent de baignoires (et de magnétoscopes). Parking : 10 €.

Où se restaurer

Pizzeria Zeppelin (☎ 0743 4 77 67 ; Corso Giuseppe Mazzini 81 ; pizzas et en-cas 0,80-3 € ; ☺ 10h30-21h30).

Célèbre lieu de rendez-vous de la ville. La copieuse part de pizza coûte moins de 1 €. Accès Internet à 3 €/heure.

Osteria del Trivio (☎ 0743 4 43 49 ; Via del Trivio 16 ; repas 25 € ; ☺ mer-lun ; fermé jan). Des tresses d'ail et de poivrons séchés pendent aux murs de ce restaurant chaleureux. Les *strangozzi alla spoletina* sont une valeur sûre ; les *antipasti* et les artichauts farcis sont légendaires.

Ristorante degli Abeti (☎ 0743 22 00 25 ; Via Benedetto Egio 3/5 ; repas 27 € ; ☺ mer-lun). Pour les amateurs de viande rouge et de plats en sauce. Soit des mets riches et goûteux, tels que les *pappardelle con cinghiale e tartufo* (pâtes au sanglier et aux truffes) ou le *prosciutto di cinghiale* (jambon de sanglier).

Apollinaire (☎ 0743 22 32 56 ; Via S Agata 14 ; menus dégustation dont un végétarien 30-48 € ; ☺ mer-dim). La carte change en fonction des saisons et affiche des mets savoureux, comme les pâtes à l'encre de sèche au pesto et aux écrevisses, ou le lapin aux olives noires. Les desserts sont aussi fameux. Pour le cadre : plafond bas aux poutres apparentes et lueur des bougies sur fond de briques.

Achats

L'Antico Frantoio (☎ 0743 4 98 93 ; Via Arco di Druso 8). Sandra, qui concocte ses propres sauces depuis des décennies, les vend désormais dans cette épicerie fine, ainsi que des fromages, du salami, des pâtes, des *lenticchie* (lentilles) et toutes sortes de savoureux produits du terroir. L'épicier à côté propose du pain aux olives et des boissons, parfaits pour compléter un pique-nique.

Comment s'y rendre et circuler

Depuis la gare ferroviaire, prenez le bus municipal A, B ou C (0,80 €) en vérifiant qu'il est bien affiché "Centro". La compagnie de bus locale, la **Società Spoletina di Imprese Trasporti** (SSIT ; ☎ 0743 21 22 09 ; www.spoletina.com) a son terminus près de la gare ferroviaire. Les bus longue distance sont aussi rares que les trains sont pratiques, mais c'est quand même un bus qu'il faut prendre pour aller à Nursie (Norcia) et dans la Valnerina (4,80 €, 1 heure, 6/jour) ou à Cascia (4,80 €, 1 heure 10, 6/jour). Les bus pour Monteluco circulent seulement en été (0,80 €, 15 min, ttes les heures).

Les trains de la **gare** principale desservent Rome (7,10-11,60 €, 1 heure 30, 1/heure) et Pérouse (3,70 €, 1 heure, 9/jour) – le trajet en Eurostar grimpe à 9,10 €.

NURSIE (NORCIA), VALNERINA ET MONTS SIBYLLINS

Cette région splendide, peut-être la plus belle d'Ombrie, se prête aussi bien à des activités sportives (escalade, rafting, deltaplane…) qu'à un séjour de découverte gastronomique. Les visiteurs disposant d'un véhicule pourront aisément y consacrer une semaine complète. Les autres se contenteront des localités les plus importantes, car il est assez difficile de s'y rendre par les transports publics. Nursie produit le meilleur salami de tout le pays et le mot *norcinerie* désigne désormais les charcuteries. La région environnante est quant à elle connue pour être l'une des plus importantes productrices de la rare truffe noire.

Pour obtenir des renseignements touristiques, rendez-vous à la **Casa del Parco** (☎ 0743 81 70 90 ; Via Solferino 22 ; ☉ 9h30-12h30 et 15h-18h lun-ven, 9h30-12h30 et 15h30-18h30 sam-dim).

Fête

Les gastronomes feront coïncider leur séjour à Nursie avec la **Mostra Mercato del Tartufo Nero** (www.neronorcia.it), le marché de la truffe noire, qui se tient le dernier week-end de février et le premier week-end de mars. Des milliers de visiteurs s'arrêtent aux innombrables stands pour goûter, bien entendu, à tous les produits proposés à base de truffe de Nursie, mais aussi, entre autres délices, aux sucreries de Sicile et aux fromages de Toscane. L'entrée et la plupart des dégustations sont gratuites.

À faire

Perché au sommet d'une colline, **Castelluccio** est l'unique village du **Parco Nazionale dei Monti Sibillini** situé côté Ombrie. Si l'endroit est réputé pour ses *lenticchie*, son *pecorino* et sa ricotta, on y vient aussi pour profiter d'un décor enchanteur. Le bourg est encadré par le **Piano Grande**, vaste plateau noyé sous les fleurs au printemps et sous la neige en hiver. À Nursie, le personnel de la Casa del Parco vous renseignera sur les randonnées et autres activités proposées dans les environs.

Pour prendre des cours de deltaplane, contactez **Pro Delta** (☎ 0743 82 11 56 ; www.prodelta. it ; Via delle Fate 3) à Castelluccio, recommandé par nos lecteurs, ou encore **Fly Castelluccio** (☎ 0736 25 56 30 ; www.flycastelluccio.it ; Via Iannella 32, Ascoli Piceno, Marches). Un stage pour débutant (5 jours) revient à environ 400 €.

Où se loger et se restaurer

Nursie compte nombre de boutiques détaillant des spécialités locales, du fromage ou des charcuteries de toutes sortes.

Ostello Norcia (☎ 349 3002091 ; www.montepatino. com ; Via Ufente 1/b, Norcia ; dort 15 € petit-déj inclus). Auberge de jeunesse aménagée dans un ancien hospice, abritant 52 chambres proprettes de 2 à 10 lits. Ses murs sont couverts d'informations sur la Valnerina et les monts Sibyllins, où des excursions sont organisées. Téléphonez à l'avance, car le lieu est souvent réservé par les groupes scolaires ou les circuits touristiques. Établissement cogéré par la Casa del Parco.

Hotel Grotta Azzura (☎ 0743 81 65 13 ; www.bianconi. com ; Via Alfieri 12, Norcia ; s 37-88 €, d 47-135 €, petit-déj inclus ; ✖). Un *palazzo* du XVIIIe siècle, qui peut se révéler très avantageux en semaine et en basse saison. Avec leurs plafonds sculptés et leurs sdb refaites, les chambres à voûte croisée sont grandioses, bien qu'un peu sombres. Ouvert depuis 150 ans, le Ristorante Granaro del Monte reçoit une clientèle essentiellement touristique, mais la cuisine y est excellente. Plats à base de *porcini* (cèpes), truffes, saucisses, *prosciutto* et *cinghiale*. L'hiver, installez-vous près de la grande cheminée.

Palazzo Seneca (☎ 0743 81 74 34 ; www.palazzoseneca. com ; Via Cesare Battisti 12, Norcia ; ch 120-300 €, ste 270-800 € ; ✖). Vous réaliserez que vous séjournez dans un palais, ne serait-ce que pour une nuit ou deux, en jouant aux échecs dans un confortable fauteuil en cuir, devant la cheminée, ou pendant un massage thaïlandais, dans le spa souterrain. Lits à baldaquin et sdb en marbre se marient parfaitement avec les murs en pierre. Sur place, le Ristorante Vespasia (voir p. 594) frise la perfection.

Residenza San Pietro in Valle (☎ 0744 78 01 29 ; www.sanpietroinvalle.com ; SS209 Valnerina km 20 ; s 98-109 €, d 129-139 €, petit-déj inclus ; ☉ environ Pâques-oct ; Ⓟ). Près de la SS209, l'une des routes les plus pittoresques d'Ombrie, ce couvent séduit les voyageurs par son charme médiéval et sa délicieuse cuisine. Les chambres ont été quelque peu rénovées depuis l'époque où les nonnes y dormaient, mais les cheminées en pierre et la vue extraordinaire au-delà du cloître n'ont pas changé. Demandez des cartes de randonnée et des suggestions d'activités, ou débutez une matinée de détente en savourant du pain frais et des confitures maison dans le patio de l'abbaye. Il est possible de se contenter d'un déjeuner ou d'un dîner dans son restaurant réputé, **Il Cantico** (☎ 0744 78 00 05 ; repas 31 € ; ☉ mi-mars à oct), situé sous l'abbaye, dans

OMBRIE ET MARCHES

LA PASSEGGIATA

S'il est une activité agréable en Ombrie, c'est bien la *passeggiata* (promenade vespérale traditionnelle). Quelle que soit la taille de la ville, résidents et visiteurs de tous âges sortent dans la rue en famille ou entre amis – voire seuls avec leur téléphone portable. La plupart des villes d'Ombrie (et des Marches) suivent un plan concentrique et rayonnent autour d'une place principale, un forum romain à l'origine ou un lieu de rendez-vous au Moyen Âge. Cerise sur le gâteau, un *passeggio* est gratuit, ne nécessite aucune organisation préalable et constitue l'occasion rêvée de déguster une glace ! La *passeggiata* est une sorte de théâtre de rue improvisé. À Pérouse, observez les étudiants flirter. À Orvieto, asseyez-vous près de la cathédrale avec les résidents âgés, qui viennent donner des cours d'italien improvisés aux visiteurs. À Castelluccio, vous partagerez vraisemblablement votre *passeggiata* avec le troupeau de chèvres de la localité !

---

une vieille cave voûtée en pierre. Au menu, des plats de saison à base de produits frais locaux, comme les raviolis aux écrevisses avec une soupe de haricots de Trasimène, le flan de citrouille à la sauce au *pecorino* et aux truffes, et le blanc de pigeon à la sauce au vin Sagrantino. Aucun des 4 menus dégustation – végétarien (35 €), rivières et lacs (40 €), spécialités de Valnerina (38 €) ou charcuteries (40 €) – ne vous décevra.

Ristorante Vespasia (☎ 0743 81 65 13 ; Via Cesare Battisti 10 ; repas restaurant 55 €, repas lounge 32 € ; ⓨ ouvert tlj déj et dîner). Dans un palais du XVIᵉ siècle, le mobilier simple et élégant rehausse une cuisine gastronomique sans fioritures. Dégustez un œuf bio copieusement parsemé de truffes noires de Nursie, ou un risotto au porc local agrémenté de safran cultivé dans la région. Les herbes aromatiques proviennent du jardin des propriétaires. En été, dînez dans le jardin, bercé par du jazz ou du blues.

Albergo Sibilla (☎ /fax 0743 82 11 13 ; www.sibilla-castelluccio.com ; Via Pian Grande 2, Castelluccio ; s/d/tr/qu petit-déj inclus 50/65/80/85 € ; ⓨ avr-oct ; Ⓟ). L'unique hôtel de Castelluccio possède 11 chambres (certaines offrent une vue magique) et un bon restaurant au rez-de-chaussée. Ce bourg sans aucune animation nocturne a le mérite de garantir une nuit paisible.

ORVIETO
20 955 habitants

Orvieto est perchée au sommet d'une falaise à pic en tuf calcaire, pierre poreuse typique de la région, et elle semble sur le point de s'écrouler sous le poids de sa grandiose cathédrale gothique. À la sortie de la grande *autostrada* (autoroute) Florence-Rome, la ville est parfois bondée de cars de touristes en été, mais il faut admettre qu'ils ne sont pas là sans raison.

Orientation

Des trains desservent Orvieto Scalo et, de là, le bus n°1 monte à la vieille ville, de même que le funiculaire, qui grimpe jusqu'à la Piazza Cahen, tout en haut du rocher escarpé.

Ceux qui viennent en voiture ont intérêt à se rendre au parking gratuit derrière la gare ferroviaire (au rond-point en face de la gare, prendre la direction "Arezzo" puis tourner à gauche dans le vaste parc de stationnement). Les places de stationnement ne manquent pas sur la Piazza Cahen et dans plusieurs zones indiquées hors les murs des remparts. L'achat de l'Orvieto Unica Card (p. 598) donne droit à 5 heures de stationnement gratuit sur l'ancien Campo della Fiera, ainsi qu'à l'accès à l'*ascensore* menant au centre-ville.

Renseignements

Avis (☎ 0763 39 00 30, 389 5678910 ; orvieto.pk1@avis-autonoleggio.it ; Via I Maggio 57 ; ⓨ 9h-13h et 15h-19h lun-ven, 9h-13h sam). Location de voitures, à 100 m de la gare ferroviaire.

Caffè Montanucci (☎ 0763 34 12 61 ; Corso Cavour 21 ; 3,10 30/€ min ; ⓨ 6h30-24h lun-ven, jusqu'à1h sam-dim). Seul cybercafé de la ville. Cher.

Hôpital (☎ 0763 30 71). Dans le quartier de Ciconia, à l'est de la gare ferroviaire.

Libreria dei Sette (☎ 0763 34 44 36 ; Corso Cavour 85 ; ⓨ 9h-23h lun-ven, 10h-20h sam-dim). Une librairie où acheter toutes sortes de cartes et de livres.

Office du tourisme de Campo della Fiera (☎ 0763 30 23 78 ; au pied du funiculaire ; ⓨ 9h-16h). Vend des tickets de bus, de funiculaire et la Carta Unica.

Police (☎ 0763 39 21 1 ; Piazza Cahen)

Poste (☎ 0763 3 98 31 ; Via Largo M Ravelli ; ⓨ 8h10-18h lun-ven, 8h10-12h30 sam)

À voir
CATHÉDRALE

Vision à laquelle rien ou presque ne saurait vous préparer, le **Duomo** (☎ 0763 34 11 67 ; Piazza del Duomo ; ⓨ 7h30-12h45 tte l'année, 14h30-19h15 avr-sept, 14h30-18h15 mars et oct et 14h30-17h15 nov-févr est une véritable merveille. Commencé en 1290 dans le style roman, l'édifice intégra par la suite des éléments gothiques à mesure que les architectes se succédèrent. Avec son alternance de marbre noir et blanc, la nef principale rappelle d'autres grandes églises toscanes, comme celles de Sienne et de Pise. Mais elle est éclipsée par la splendide façade qui rassemble harmonieusement mosaïques et sculptures, pierre brute et polychromie en une sorte de gigantesque retable extérieur.

La conception de l'édifice prit 30 ans et sa construction trois siècles. Fra Bevignate, probablement, se chargea des premiers travaux, qui furent poursuivis par Lorenzo Maitani (auquel on doit la cathédrale de Florence), Andrea Pisano, son fils Nino Pisano, Andrea Orcagna et Michele Sanmicheli. Les grandes portes de bronze, modernes, ont été réalisées par Emilio Greco, dans les années 1960.

À droite de l'autel de la **Cappella di San Brizio** (3 € ; ⏱ fermée durant la messe), le magistral cycle de fresques de l'*Apocalypse*, de Luca Signorelli, resplendit de vie. Signorelli entama cette œuvre en 1499, dont Michel-Ange, dit-on, se serait inspiré 40 ans plus tard lorsqu'il entreprit la chapelle Sixtine. La **Cappella del Corporale** abrite le corporal taché de sang du miracle de Bolsena. Il est conservé dans un reliquaire en argent, décoré par des artistes de l'école de Sienne. Les murs sont ornés de fresques représentant le miracle, réalisées par Ugolino di Prete Ilario.

ENVIRONS DE LA CATHÉDRALE

Le **Museo dell'Opera del Duomo** (☎ 0763 34 24 77 ; Palazzo Soliano, Piazza del Duomo ; adulte/tarif réduit 5/4 € ; ⏱ 10h-13h et 15h-19h juil-août, 10h-18h avr-juin et sept-oct, 10h-17h nov-mars, fermé mar hiver) présente des reliques provenant de la cathédrale, des antiquités étrusques ainsi que des œuvres de Simone Martini et des trois Pisano – Andrea, Nino et Giovanni.

Non loin, le **Museo Archeologico Nazionale** (☎ / fax 0763 34 10 39 ; Palazzo Papale, Piazza del Duomo ; adulte/ tarif réduit 3/1,50 € ; ⏱ 8h30-19h30) présente des antiquités étrusques. Si certaines pièces ont plus de 2 500 ans, l'exposition n'en est pas moins un peu fouillis. Mieux vaut effectuer un premier repérage dans l'exceptionnel **Museo Claudio Faina e Civico** (☎ 0763 34 15 11 ; www.museofaina.it ; Piazza del Duomo 29 ; adulte/tarif réduit 4,50/3 € ; ⏱ 9h30-18h avr-sept, 10h-17h mar-dim oct-mars), qui fait face à la cathédrale. Il accueille l'une des plus importantes collections d'objets archéologiques étrusques

d'Italie, ainsi que quelques pièces grecques en céramique, découvertes pour la plupart près de la Piazza Cahen dans des tombes datées du VIe siècle av. J.-C. Visites guidées entre 11h et 16h (15h d'octobre à mars) et parcours interactif pour les enfants.

AUTRES CURIOSITÉS

Prenez au nord-ouest la Via del Duomo jusqu'au Corso Cavour pour découvrir la **Torre del Moro** (tour du Maure ; ☎ 0763 34 45 67 ; Corso Cavour 87 ; adulte/tarif réduit 2,80/2 € ; ⏱ 10h-20h mai-août, 10h-19h mars, avr, sept et oct, 10h30-13h et 14h30-19h nov-fév), qui offre un superbe panorama de la ville (après avoir gravi 250 marches). Une fois redescendu, continuez à l'ouest vers la Piazza della Repubblica et la **Chiesa di Sant'Andrea** (Piazza della Repubblica ; ⏱ 8h30-12h30 et 15h30-19h30), du XIIe siècle, au curieux clocher décagonal. La place, autrefois le forum romain d'Orvieto, se trouve au cœur de la cité médiévale.

Au nord du Corso Cavour, le **Palazzo del Popolo**, édifice romano-gothique du XIIe siècle, domine la Piazza du même nom. À l'extrémité nord-ouest de la ville, la **Chiesa di San Giovenale** (Piazza Giovenale ; ⏱ 8h-12h30 et 15h30-18h) fut construite en l'an 1000 et agrandie au XIIIe siècle. Son intérieur est rehaussé de fresques des XIIIe et XIVe siècles, qui contrastent étonnamment avec les œuvres d'art romano-gothiques de l'école médiévale d'Orvieto.

Le **Teatro Mancinelli** (☎ 0763 39 31 27 ; Corso Cavour 122 ; visite adulte/tarif réduit 2/1 €, billets 10-60 € ; ⏱ 10h-13h et 16h-19h lun-sam, 16h-20h dim) accueille le festival Umbria Jazz en hiver, mais propose toute l'année une programmation éclectique (ballets, opéras, musique folk, hommage aux Pink Floyd…). Même si vous n'assistez pas à une représentation, la salle, avec ses fresques allégoriques et ses murs en travertin, mérite la visite.

Dans la fraîcheur de l'**Orvieto souterrain** (☎ 0763 34 06 88, 339 7332764 ; Parco delle Grotte ; adulte/ tarif réduit 5,50/3,30 € ; ⏱ visites guidées 11h, 12h15, 16h et 17h15 tlj mars-jan, sam-dim fév), 440 grottes creusées dans le tuf ont été utilisées à diverses fins au cours des siècles. Elles servirent de puits aux Étrusques, de pigeonniers durant les nombreuses périodes où la ville fut assiégée par les Romains ou par les Barbares (le pigeon figure encore à la carte des restaurants locaux sous le nom de *palombo*) et, plus près de nous, durant la Seconde Guerre mondiale, d'abris antiaériens. La visite débute devant l'office du tourisme. Un conseil : en été, choisissez plutôt

ORVIETO

RENSEIGNEMENTS
Farmacia del Moro....................1 C2
Informations touristiques..........2 F1
Libreria dei Sette......................3 C2
Police....................................4 E1
Poste....................................5 C2
Office du tourisme...................6 C3

À VOIR ET À FAIRE
Duomo (cathédrale)................7 C3
Chiesa di San Giovenale.........8 A2

Chiesa di Sant'Andrea................9 B2
Museo Archeologico Nazionale..10 D3
Museo Claudio Faina e Civico....11 C3
Museo dell'Opera del Duomo....12 C3
Orvieto souterrain...................13 C3
Palazzo del Popolo..................14 C2
Palazzo Papale.....................(voir 10)
Torre del Moro......................15 C2

la visite de 12h15, pour profiter de la fraîcheur ambiante (la température à l'intérieur des grottes oscille entre 12° et 15°C toute l'année) et d'un moment où la plupart des musées et des magasins sont fermés.

Fêtes et festivals

Le festival **Umbria Jazz Winter** se tient fin décembre et début janvier, le point d'orgue étant la fête organisée pour le Nouvel An. Demandez le programme à l'office du tourisme. Voir p. 570 pour plus de détails sur le festival de jazz d'été.

La fête la plus célèbre d'Orvieto, la **Palombella**, a lieu chaque année le dimanche de la Pentecôte. Depuis 1404, la ville célèbre l'Esprit saint et la bonne fortune à grand renfort de processions et de foires artisanales. Cette fête donne aussi lieu à un rituel vieux de 600 ans dénoncé par les organisations de protection des animaux : une colombe est enfermée dans une cage autour de laquelle éclatent des feux d'artifice. Suspendue à un câble, la cage glisse 300 m plus bas jusqu'au-dessus des marches de la cathédrale. Si l'oiseau survit (et c'est généralement le cas), le dernier couple marié dans la cathédrale est chargé de le recueillir.

Où se loger

Orvieto ne manque pas d'hôtels et les visiteurs bénéficient de la vive concurrence sur les prix. Mieux vaut cependant réserver pour l'été, le week-end ou le Nouvel An, lorsque le festival Umbria Jazz Winter bat son plein.

PETITS BUDGETS

Porziuncola (☎ 0763 34 13 87 ; Loc Cappuccini 8 ; dort 12-16 € ; P). Huit lits répartis dans 2 chambres non mixtes, autrement dit, mieux vaut réserver. Prenez le bus n°5 sur la Piazza Cahen en direction de Cappuccini, un faubourg situé à quelques kilomètres.

Hotel Posta (☎ 0763 34 19 09 ; www.orvietohotels.it ; Via Luca Signorelli 18 ; d avec/sans sdb 56/43 € ; P). Malgré la rénovation complète, cet hôtel aménagé dans un ancien "palais", conserve des éléments historiques et… un peu de son humidité. Les chambres donnant sur le jardin, le petit déjeuner servi dans le patio pluricentenaire et l'ascenseur contribuent à le valoriser.

Villa Mercede (☎ 0763 34 17 66 ; www.argoweb.it/ casareligiosa_villamercede ; Via Soliana 2 ; s/d/tr petit-déj inclus 50/70/90 € ; P). Toute proche du Duomo, cette bâtisse du XVe siècle compte 23 chambres dont

plusieurs décorées de fresques. Hauts plafonds, jardin et parking. Les chambres doivent être libérées à 9h30.

B&B La Magnolia (☎ 0763 34 28 08, portable 338 9027400 ; www.bblamagnolia.it ; Via del Duomo 29 ; ch 65-75 €, app 2/3/4 pers 75 /90 /105 €). Dans le centre d'Orvieto, cette résidence historique lumineuse loue 6 chambres ravissantes et offre une vaste cuisine commune.

CATÉGORIE MOYENNE

Hotel Corso (☎ /fax 0763 34 20 20 ; www.hotelcorso. net ; Corso Cavour 343 ; s/d/tr 60-66/80-92/100-120 €, buffet petit-déj 6,50 € ; 🕸 🖳). Moins proche de la cathédrale que les autres hôtels, mais un excellent choix. Plusieurs chambres possèdent des poutres apparentes, des carreaux de terre cuite et des meubles en cerisier : elles en deviennent douillettes plutôt que petites. Le petit déjeuner est en plus, mais on le prend avec plaisir sur la terrasse. Réduction de 10% à partir de la troisième nuit.

Hotel Maitani (☎ 0763 34 20 11 ; www.hotelmaitani. com ; Via Lorenzo Maitani 5 ; s/d/ste 77/126/170 €, petit-déj 10€ ; 🅿 🛜). Chaque détail a été pensé, du kit brosse à dents aux chocolats déposés sur l'oreiller. Plusieurs chambres donnent sur la cathédrale ou la campagne. Toutes, équipées de fenêtres à double vitrage, offrent le calme.

Où se restaurer
RESTAURANTS

Sosta (☎ 0763 34 30 25 ; Corso Cavour 100a ; repas 6,50 €). Une cafétéria en self-service, très simple, qui prépare des pizzas, des pâtes, des plats de viande et de légumes corrects. Réductions pour les étudiants.

Ristorante La Pergola (☎ 0763 34 30 65 ; Via dei Magoni 9b ; repas 26 € ; 🕙 jeu-mar). Une cuisine typiquement ombrienne, copieuse et savoureuse, l'endroit parfait pour déguster du *cinghiale*. Beau jardin à l'arrière, noyé sous les fleurs.

Ristorante Zeppelin (☎ 0763 34 14 47 ; Via Garibaldi 28 ; repas 32 € ; 🕙 lun-sam, déj dim). Pimpant restaurant style années 1920, avec jazz en musique de fond et long bar en bois. Cuisine ombrienne créative. Menus dégustation végétarien (25 €), enfants (20 €), amoureux des truffes (40 €) et tradition (25 €), à prix corrects. Renseignez-vous sur le stage de cuisine d'une journée.

Ristorante I Sette Consoli (☎ 0763 34 39 11 ; Piazza Sant'Angelo 1/a ; repas 45 € ; 🕙 jeu-mar). Les gourmets de Rome et de Milan viennent jusqu'ici pour y déjeuner. Avec à la carte de délicieuses préparations comme les pigeons frits aux raisins caramélisés, rien d'étonnant à ce que l'établissement soit considéré comme un haut lieu de la nouvelle cuisine. Réservation vivement recommandée le soir.

CAFÉS

Cantina Foresi (☎ /fax 0763 34 16 11 ; Piazza Duomo 2 ; en-cas à partir de 4,50 € ; 🕙 9h30-19h30). *Enoteca* (bar à vin) et café familial servant des *panini* et des saucisses, à accompagner d'un vin de la région.

GELATERIE (GLACIERS)

Pasqualetti (☎ 0763 34 10 34 ; Piazza Duomo 14). Les tables dressées sur la place permettent de prendre tout son temps pour déguster les délicieux *gelati* de la maison, tout en contemplant la cathédrale.

Où prendre un verre

Palazzo del Gusto (☎ 0763 39 35 29 ; www.orvietowine.info ; Via Ripa Serancia I 16 ; dégustation de vin 5-11 € ; 🕙 11h-13h et 15h-17h hiver, 11h-13h et 17h-19h lun-ven été). Un souterrain étrusque aménagé en cave à vin, à l'atmosphère et aux odeurs enivrantes, où ont lieu dégustations et soirées. À travers des

Within the map image:

OÙ SE LOGER
B&B La Magnolia	16 C2
Hotel Corso	17 D2
Hotel Maitani	18 C3
Hotel Posta	19 C2
Villa Mercede	20 D3

OÙ SE RESTAURER
Cantina Foresi	21 C3
Pasqualetti	22 C2
Ristorante I Sette Consoli	23 D2
Ristorante La Pergola	24 C3
Ristorante Zeppelin	25 B2
Sosta	26 C2

OÙ PRENDRE UN VERRE
Palazzo del Gusto	27 B2
Vinosus	28 C3

OÙ SORTIR
Teatro Mancinelli	29 C2

TRANSPORTS
Gare routière	30 E1
Funiculaire	31 F1
Funiculaire	32 E1

FAITES DES ÉCONOMIES

L'**Orvieto Unica Card** (adulte/tarif réduit valable 1 an 18/15 €) permet à son possesseur d'entrer gratuitement dans les 9 principaux sites (dont la Cappella di San Brizio, dans la cathédrale, le Museo Claudio Faina e Civico, l'Orvieto Underground, la Torre del Moro, le Museo dell'Opera del Duomo et la nécropole du Crocifisso del Tufo) et donne droit à 5 heures de stationnement sur le parking du Campo della Fiera, près du funiculaire, ou à un aller-retour en funiculaire et dans les bus de ville. On l'achète sur le parking du Campo della Fiera, dans les sites, à l'office du tourisme et sur le parking du funiculaire.

---

portes en verre, on aperçoit des tunnels non aménagés. Renseignez-vous auprès de l'office du tourisme sur les manifestations ouvertes au public en ces lieux le week-end.

Vinosus (☎ 0763 34 19 07 ; Piazza Duomo 15 ; tapas 6-10 € ; ☻ mar-dim). À deux pas de la façade nord-ouest de la cathédrale, ce bar à vin et restaurant propose un plateau de fromages avec du miel local qui accompagne idéalement le vin. Ouvert tard.

Depuis/vers Orvieto

Orvieto, située sur la ligne de chemin de fer Rome-Florence, est aisément accessible depuis la côte ouest, mais beaucoup moins depuis l'est du pays. Les trains desservent Rome (7,10-15 €, 1 heure 15, ttes les heures), Florence (10,80-16,90 €, 1 heure 30 à 2 heures 30, ttes les heures) et Pérouse (6,15-14,20 €, 1 heure 15 à 2 heures 30, au moins ttes les 2 heures). Les bus partent de la gare routière, Piazza Cahen, et s'arrêtent à la gare ferroviaire. La compagnie de bus **Bargagli** (☎ 0577 78 62 23) assure une liaison quotidienne vers la gare Tiburtina, à Rome (8 €, 1 heure 20, 8h10 et 19h10 le dimanche). Orvieto est sur le trajet de l'A1. La SS71, au nord, mène au lac Trasimène (Lago Trasimeno).

Comment circuler

Un funiculaire centenaire relie la Piazza Cahen à la gare ferroviaire (départ toutes les 10 min de 7h20 à 20h30, du lundi au vendredi, et toutes les 15 min de 8h à 20h le week-end ; 1,80 € l'aller-retour, trajet en bus de la Piazza Cahen à la Piazza Duomo inclus). De la gare, vous pouvez également emprunter le bus n°1 pour rejoindre la vieille ville (0,95 €). Dans Orvieto, le meilleur

moyen de découvrir les merveilles de la ville est de circuler à pied. Sachez toutefois que le bus A de la compagnie ATC fait la navette entre la Piazza Cahen et la Piazza Duomo, et que le bus B va jusqu'à la Piazza della Repubblica.

Pour obtenir un taxi, composez le ☎ 0763 30 19 03 (gare ferroviaire) ou le ☎ 0763 34 26 13 (Piazza Repubblica).

MARCHES (MARCHE)

Bordée par l'Adriatique et ses multiples stations balnéaires, la région des Marches est ponctuée, en son centre, de bourgades perchées à flanc de collines, et s'achève par le massif montagneux aux pics déchiquetés des monts Sibyllins. La région s'avère toutefois d'attrait inégal. Si Monte Conero une paisible ville balnéaire et Pesaro une cité chargée d'histoire (envahie par les vacanciers de juin à septembre), une grande partie du littoral est défigurée par les hôtels et les résidences de vacances.

C'est de l'intérieur de ses terres que la région tire sa véritable fierté. Urbino, ville étudiante dynamique, éblouit par son remarquable patrimoine Renaissance ; Ascoli Piceno est une cité d'art et d'histoire tout aussi superbe, et la charmante Macerata accueille un festival d'opéra et de théâtre de renommée internationale. Le port d'Ancône, la capitale provinciale, remonte aux Grecs et connaît toujours un intense trafic.

Histoire

On sait peu de choses des premiers habitants des Marches, qui vivaient sur le littoral il y a quelque 23 000 ans. Les plus anciens témoignages archéologiques remontent à la tribu des Picéniens, dont on peut voir des vestiges, vieux de 3 000 ans, dans le Museo Archeologico (p. 613) d'Ascoli Piceno. Les Romains envahirent la région au début du IIIᵉ siècle av. J.-C. et la dominèrent durant près de 700 ans. À la chute de l'Empire romain, les Marches furent envahies par les Goths, les Vandales, les Ostrogoths puis les Lombards.

Au milieu du VIIIᵉ siècle, le pape Étienne II décida d'appeler à l'aide les rois chrétiens d'alors pour bouter les païens qu'étaient les Lombards. Le premier à répondre à l'appel fut le roi de France Pépin le Bref, mais c'est son fils Charlemagne qui réussit à les chasser. Le jour de Noël de l'an 800, le pape Léon III le couronna empereur du Saint Empire romain,

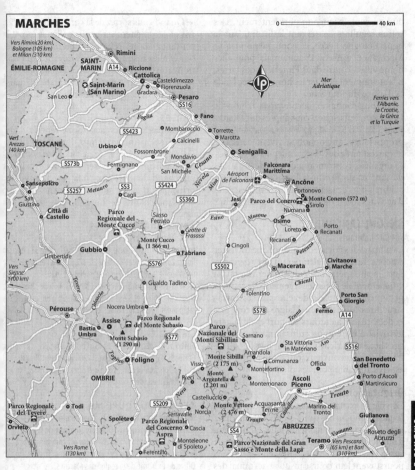

MARCHES

0 — 40 km

Vers Rimini (20 km),
Bologne (105 km)
et Milan (310 km)

ÉMILIE-ROMAGNE

SAINT-MARIN

A14 Riccione
Cattolica
Casteldimezzo
Fiorenzuola
Saint-Marin Gradara
(San Marino)
San Leo

Rimini

Mer
Adriatique

Ferries vers
l'Albanie,
la Croatie,
la Grèce
et la Turquie

Pesaro SS16
Fano

Foglia
Mombaroccio Torrette
Marotta
SS423 Calcinelli
Vers
Arezzo TOSCANE Urbino Fossombrone
(40 km) Mondavio Senigallia
SS73b Fermignano San Michele Falconara
Cesano Marittima
Sansepolcro SS257 Metauro SS3 SS424 Aéroport Ancône
San de Falconara Portonovo
Giustino Cagli SS360 Jesi Parco del Conero Monte Conero (572 m)
Città di Esino Sirolo
Castello Parco Sasso Musone Numana
Regionale del Ferrato Osimo
Monte Cucco Grotte di Loreto Porto
Frasassi Recanati
Monte Cucco Cingoli Recanati
(1 566 m) Potenza
Umbertide Gubbio Fabriano Civitanova
Vers SS576 SS502 Macerata Marche
Sienne
(100 km) Gualdo Tadino Chienti
Porto San
Pérouse Tolentino Giorgio
Nocera Umbra SS78 Fermo A14
Assise Parco Terni
Bastia Parco Regionale Nazionale dei Sarnano Sta Vittoria SS16
Umbra del Monte Subasio Monti Sibillini in Matenano Aso
Monte Subasio SS77 Amandola San Benedetto
(1 290 m) Monte Sibilla Comunanza del Tronto
Foligno (2 175 m) Montefortino Offida Porto d'Ascoli
Visso Monte Montemonaco Ascoli Martinsicuro
OMBRIE Argentella Piceno
Preci (2 201 m) Tronto
Castelluccio Acquasanta
Parco Regionale Todi SS209 Norcia Monte Vettore Terme Marino
del Tevere Serravalle (2 476 m) del Tronto
Orvieto Spolète Parco Regionale Cascia Tronto SS4 Giulianova
del Coscerno ABRUZZES Vomano
Aspra Roseto degli
Monteleone Teramo Vers Pescara Abruzzi
Vers Rome di Spoleto Parco Nazionale del Gran (65 km) et Bari
(130 km) Ferentillo Sasso e Monte della Laga (310 km)

OMBRIE ET MARCHES

titre que lui dénia toujours l'Empire byzantin, qui contrôlait à l'époque une partie du littoral adriatique des Marches.

Au XIIᵉ siècle, de nombreuses villes devinrent des *comuni* (cités-États) indépendantes. Elles participèrent à la lutte entre les guelfes et les gibelins. Alors que les familles influentes de la région se battaient pour étendre leurs possessions, l'Église de Rome revendiqua, en 1356, le contrôle de 75 villes et de leur territoire en leur conférant un statut qui resta en vigueur jusqu'en 1816.

En 1860, lors d'une des batailles décisives du Risorgimento, le général Cialdini triompha de l'armée pontificale à Castelfidardo. Un an plus tard, la région, reconnue sous le nom des Marches, rejoignit l'Italie unifiée.

Parcs nationaux et réserves

Dans les années 1980 et 1990, l'essor du tourisme de masse, principalement concentré sur le littoral, menaçait d'empiéter sur plusieurs zones naturelles. En réaction, les Marches créèrent pas moins de 10 parcs nationaux et régionaux ou réserves pour protéger entre autres les étonnants monts Sibyllins, à l'extrémité ouest des Apennins, et la beauté du littoral à la hauteur du Parco Naturale del Monte Conero, près d'Ancône.

Comment s'y rendre et circuler

Deux routes longent le littoral : l'*autostrada* (autoroute) A14 ou la *strada statale* (route nationale) SS16. Dans l'intérieur, il n'existe que des routes secondaires ou des vicinales, où l'on roule beaucoup plus lentement. Des trains réguliers desservent le littoral, sur la ligne Bologne-Lecce, et vont même jusqu'à Macerata et à Ascoli Piceno, mais, pour aller d'une ville à l'autre dans l'intérieur des terres, il faut vraiment étudier les horaires avec l'aide de l'office du tourisme.

Si vous souhaitez découvrir la région de l'intérieur, renseignez-vous auprès de **Le Marche Tours** (☎ 0733 63 85 88 ; www.lemarchetours.com). Les propriétaires, anglophones, vivent dans une ferme restaurée des Marches depuis des années. Ils organisent des randonnées, des dégustations de vins et de produits locaux, des circuits culturels hors des sentiers battus et toutes sortes d'activités, dont des ateliers de photographie.

ANCÔNE (ANCONA)
101 242 habitants
La plupart des voyageurs ne font que traverser Ancône, le temps d'attraper un ferry dans son port, le plus grand de l'Adriatique. Manquant cruellement de bons hébergements, la capitale provinciale tente de développer ses infrastructures touristiques. Malgré son côté gris et délabré aux alentours du port et de la gare ferroviaire, elle compte suffisamment de curiosités liées à son riche passé pour justifier qu'on lui consacre un ou deux jours. Son centre-ville est très agréable pour les piétons.

Orientation
La ville se partage en deux zones distinctes : la partie moderne, qui s'étend autour de la gare ferroviaire, et la vieille ville, en hauteur. Tous les trains arrivent à la gare principale sur la Piazza Nello e Carlo Rosselli, et certains poursuivent leur course jusqu'au terminal des ferries. La plupart des hôtels sont installés à proximité de la gare principale, quartier peu engageant mais suffisamment fréquenté pour ne présenter aucun risque en journée.

Quand vous sortez de la gare, les bus n°s1/2, 1/4 et 1/5 mènent au centre-ville, et le n°12 conduit au port. Dépassez la première voie de bus et allez jusqu'à l'abribus devant lequel se trouve un grand panneau "Porto/Centro". Vous pourrez vous procurer un ticket (1,10 €), dans n'importe quel *tabacchi* (bureau de tabac).

CARTES
Il n'est pas toujours facile de se repérer dans Ancône : munissez-vous d'un bon plan. De nombreux plans de la ville et des cartes des environs sont en vente chez l'excellent marchand de journaux de la gare ferroviaire principale, dans les hôtels, ou chez les libraires et les marchands de journaux en ville.

Renseignements
ACCÈS INTERNET
Internet Point/Phone Centre (☎ 071 5 42 33 ; Piazza Roma 26-27 ; Internet 15 min/1 h 1/2 €, tél. à l'étranger fixe/mobile 0,08/0,25 €/min ; ☼ 9h30-21h30)
New International Service (☎ 071 4 40 84 ; Piazza Roselli 5a ; Internet 3 €/h ; ☼ 9h-22h). On peut aussi téléphoner à l'étranger à bon prix. Face à la gare ferroviaire.

LIBRAIRIE
Feltrinelli (☎ 071 207 39 43 ; Corso Giuseppe Garibaldi 35 ; ☼ 10h-14h et 16h-20h lun-ven, 10h-13h et 17h-20h sam et dim). Vend des cartes et des livres, notamment en français.

OFFICES DU TOURISME
InfoPoint (☎ 320 0196321 ; Via Gramisci 2a ; ☼ 10h-13h et 16h-20h mai-oct). Office du tourisme de la ville.
Marche Info (☎ 071 35 89 91 ; www.comune.ancona.it ; Via della Loggia 50 ; ☼ 9h-14h et 15h-19h lun-sam). Office du tourisme de la région des Marches.

POSTE
Poste principale (Largo XXIV Maggio ; ☼ 8h-18h30 lun-ven, 8h-12h30 sam)

SERVICES MÉDICAUX
Farmacia Centrale (☎ 071 20 27 46 ; Corso Mazzini 1)
Ospedale Umberto I (☎ 071 59 61 ; Piazza Capelli 1).
Hôpital.

URGENCES
Police (☎ 071 2 28 81 ; Via Giovanni Gervasoni 19)

À voir
L'élégante Piazza del Plebiscito est la place principale de l'Ancône médiévale. Sur son côté est s'élève la baroque **Chiesa di San Domenico** (☎ 071 20 67 04 ; Piazza del Plebiscito ; ☻ 10h-12h et 17h-19h), qui renferme une superbe *Crucifixion* de Titien et l'*Annonciation* du Guerchin. En face se dresse la gigantesque statue du pape Clément XII, en hommage à celui qui accorda à la ville le statut

de port libre. La fontaine qui lui fait face est du XIXe siècle, mais suivez plutôt le Corso Mazzini pour aller voir la **Fontana del Calamo**, qui date, elle, du XVIe siècle. Ses treize mascarons de satyres et de faunes ont été réalisés en 1560 par l'architecte Pellegrino Tibaldi.

Édifié en 1826, le **Teatro delle Muse** (☎ 071 52 5 25 ; www.teatrodellemuse.org ; Via della Loggia) présente une façade néoclassique avec six colonnes ioniques et des frises d'inspiration grecque représentant Apollon et les muses.

Le **Museo Archeologico Nazionale delle Marche** (☎ 071 20 26 02 ; Via Ferretti 6 ; adulte/tarif réduit/enfant 4/2 €/gratuit ; ☻ 8h30-19h30 mar-dim, fermé lun sauf jours fériés) est installé dans le Palazzo Ferretti, du XVIe siècle, orné de fresques et de bas-reliefs d'époque. La présentation laisse un peu à

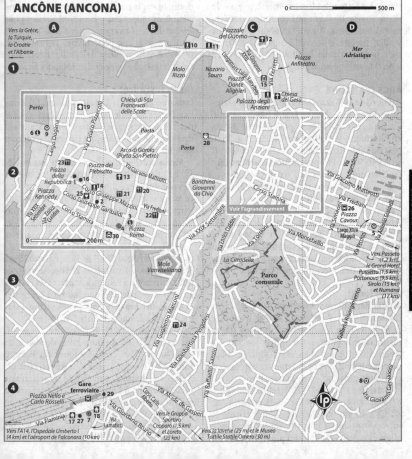

OMBRIE ET MARCHES

désirer, mais les collections vont des époques grecque et étrusque jusqu'à l'âge du bronze et au néolithique.

Le **Museo Tattile Statile Omero** (☎ 071 281 19 35 ; www.museoomero.it ; Via Tiziano 50 ; entrée libre ; 🕙 9h-13h et 15h-19h mar-sam) est le seul du genre en Italie, conçu pour que le visiteur touche les œuvres d'art. Destiné aux non-voyants, il regroupe des reproductions de statues romaines, celle du *David* de Michel-Ange ou des maquettes du Parthénon et de Saint-Pierre-de-Rome.

CATHÉDRALE SAN CIRIACO

La Via Giovanni XXIII conduit du Monte Guasco au Piazzale del Duomo, d'où l'on embrasse du regard la ville et le port. Là se dresse en toute majesté, à l'emplacement d'un ancien temple païen, la **Cattedrale di San Ciriaco** (☎ 071 5 26 88 ; Piazzale del Duomo ; entrée libre ; 🕙 8h-12h et 15h-19h l'été, 18h l'hiver) qui comporte des éléments byzantins, romans et gothiques. Pour y aller, prenez le bus n°11 à la Piazza Roma ou à la Piazza della Repubblica, ou grimpez à pied la colline escarpée.

ARCS D'ANCÔNE

Au nord de la Piazza Dante Alighieri, à l'extrémité du port, se dresse l'**Arco di Traiano** (arc de Trajan), érigé en 115 par Apollodore de Damas en l'honneur de l'empereur Trajan. Plus loin, près du Molo Rizzo, Luigi Vanvitelli a construit au XVIIIᵉ siècle l'imposant **Arco Clementino** (arc de Clément), inspiré de l'arc d'Apollodorus. Continuez tout droit pour arriver à l'énorme **Mole Vanvitelliana**, édifice imaginé par Luigi Vanvitelli en 1732 pour le pape Clément XII. Après le bâtiment pentagonal, dans la Via XXIX Settembre, se dresse la **Porta Pia**, de style baroque, qui fut construite à la fin du XVIIIᵉ siècle à la demande du pape Pie VI pour servir d'entrée monumentale de la ville.

Où se loger

Ostello della Gioventù (☎ /fax 071 4 22 57 ; Via Lamaticci 7 ; dort 18 € ; 🕙 6h30-12h et 16h-24h). L'auberge de jeunesse HI d'Ancône comporte deux étages distincts, non mixtes. Chambres logeant 4 à 6 personnes, impeccables, et sdb kitsch. Elles manquent peut-être de charme, mais elles sont pratiques car proches de la gare ferroviaire.

Hotel Gino (☎ /fax 071 4 21 79 ; hotel.gino@tiscalinet.it ; Via Flaminia 4 ; s 32 €, d 40-45 €, tr 60 €, petit-déj inclus ; 🍴 💻). Le moins cher des hôtels tristes et interchangeables situés aux abords de la gare aligne curieusement quelques machines à

sous au rez-de-chaussée. Trente minutes de connexion gratuite à Internet et le sèche-cheveux dans la chambre améliorent (un peu) la situation. Petit déjeuner frugal.

Residence Vanvitelli (☎ 071 20 60 23, 338 8974705 ; www.residencevanvitelli.it ; Piazza Saffi ; app studio/1 ch/2 ch 65/80/95 € la nuit, 375/475/575 € la semaine ; 🅿️). Résidence locative confortable, tranquille et moderne, sur une petite place, à 10 minutes à pied de la plupart des sites intéressants d'Ancône. Tous les appartements comportent kitchenette, TV (5/10/16 € jour/3 jours/sem) et connexion haut débit (2/10 € jour/sem). Draps changés chaque semaine.

Grand Hotel Passetto (☎ 071 3 13 07 ; www.hotelpassetto.it ; Via Thaon de Revel 1 ; s/d/tr/ste petit-déj inclus 120/195/205/215 € ; 🅿️ 🍴 ♿). Situé sur une plage privée. Chambres (certaines avec Jacuzzi) donnant sur la mer, ou avec terrasse. Plusieurs chambres reliées entre elles sont idéales pour les familles. L'*ascensore* mène à la plage, et on traverse la rue pour gagner le restaurant, réputé être le meilleur de la ville. Réductions substantielles le week-end et les jours fériés.

Où se restaurer

Cremeria Rosa (☎ 071 20 34 08 ; Corso Mazzini 61). Dans l'artère principale, ce bar-cafétéria-glacier permet de profiter de l'animation en dégustant une gigantesque glace. La pizzeria adjacente sert des tourtes (4,50-8 €).

Mercato delle Erbe (Corso Giuseppe Mazzini 130 ; 🕙 7h30-12h45 et 17h-20h été, 16h30-19h30 hiver, lun-sam). Les nombreuses échoppes qui s'alignent dans ce marché couvert, structure de métal et de verre, sont appréciés des pique-niqueurs : vous y trouverez pâtisseries, pain, charcuteries et fromages du terroir et tout le nécessaire, y compris des tasses en plastique.

Osteria del Pozzo (☎ 071 207 39 96 ; Via Bonda 2 ; repas 30 € ; 🕙 lun-sam). Institution d'Ancône réputée pour son risotto à l'encre de seiche et ses raviolis au loup accompagnés d'une sauce aux courgettes et aux clams. Les habitants y vont surtout pour les menus déjeuner et dîner (10,50-16 €).

Enopolis (☎ 071 207 15 05 ; Corso Mazzini 7 ; repas 36 € ; 🕙 mer-lun). Ce restaurant permet de visiter les étonnantes caves labyrinthiques du Palazzo Jona (XVIIIᵉ siècle) : elles s'étalent en effet sur 3 étages en dessous du niveau de la rue. La carte met le poisson à l'honneur. Installez-vous au milieu des œuvres d'art contemporaines ou à côté d'un ancien puits pour déguster l'un des menus (36-45 €), accompagné des vins recommandés pour chaque plat.

Sot'Ajarchi (☎ 071 20 24 41 ; Via Guglielmo Marconi 93 ; repas 44 € ; ☉ lun-sam). Petit restaurant de poisson installé sous les *portici* (arcades) en face du port. En *primo piatto*, vous devriez essayer la *pasta con frutti di mare* ou la *minestra di seppie* (soupe de seiches). Laissez-vous tenter, à la fin, par l'un des desserts maison : la *zuppa inglese* (crème à la vanille aux biscuits à la cuiller) ou quelques *biscottini* trempés dans du Vin Santo, remportent d'enthousiastes suffrages.

Où prendre un verre

Liberty Cocktail Lounge (☎ 071 20 34 84 ; Via Traffico 7-10 ; ☉ 11h30-2h jeu-mar, 17h-2h jours fériés). Le dernier lieu à la mode, à côté de la Piazza Kennedy : un café de style Art déco, à la clientèle bohème chic, où des lampes Tiffany côtoient des œuvres d'art d'inspiration asiatique.

Depuis/vers Ancône
AVION

L'**aéroport de Falconara** (Raffaello Sanzio Airport ; AOI ; ☎ 071 2 82 71 ; www.ancona-airport.it), agrandi il y a quelques années, est toujours pauvre en services (restaurants, par exemple). Il dessert Munich, Düsseldorf, Londres, Rome, Florence et Moscou, ainsi que certaines destinations moins importantes, comme Timisoara et Majorque. Parmi les compagnies qui assurent des vols, citons Lufthansa et Alitalia.

BATEAU

Les guichets des compagnies de ferries se situent dans le terminal, à moins que vous ne vous adressiez à l'une des agences, en ville. Des ferries permettent de rejoindre la Grèce, la Croatie, l'Albanie et la Turquie.

BUS

La plupart des bus partent de la Piazza Cavour ; quelques-uns, notamment pour Falconara et Portonovo, démarrent de la gare ferroviaire. Pour les destinations, voir le tableau qui suit.

Destination	Tarif (€)	Durée	Fréquence
Aéroport de Falconara	1,70	40 min	ttes les 45 min
Jesi	2,50	50 min	1/heure
Loreto	2,50	1 heure	1/heure
Macerata	3,75	1 heure 30	12/jour
Numana	1,95	40 min	1/heure
Portonovo	1,10	30 min	9/jour juin-août
Recanati	2,75	1 heure 20	1/heure
Senigallia	2,25	55 min	1/heure

TRAIN

Ancône se trouve sur le trajet de la ligne Bologne-Lecce. Les Eurostar reviennent nettement plus cher que les autres trains. Pour tout renseignement 24h/24, appelez le ☎ 848 888088. FS Informa, qui fournit ce service, a testé un service de renseignements envoyés sur les portables. Voir www.trenoproblem.it pour les dernières informations. Le tableau ci-dessous indique les destinations desservies.

Destination	Tarif (€)	Durée	Fréquence
Bari	41	4 heures	8/jour
Bologne	11,80-23	2-3 heures	1/heure
Florence	30-40	3 heures 30	ttes les 2 heures
Milan	34-41,50	3-4 heures	1/heure
Pesaro	3,25	30-50 min	1/heure
Rome	14-29	3-4 heures	ttes les 2 heures

VOITURE ET MOTO

L'A14, qui relie Bologne à Bari, passe par Ancône. La route côtière, la SS16 (gratuite), parallèle à l'*autostrada*, est plus agréable, pour peu que vous ayez le temps. Depuis Ancône, la SS76 rejoint Pérouse et Rome.

Comment circuler

Six lignes de bus Conero, dont les nos 1/3, 1/4 et 1/5, relient la gare ferroviaire principale au centre (Piazza Cavour), et le bus n°12 relie la gare ferroviaire principale au port des ferries (1,10 €). Cherchez l'arrêt avec le grand panneau "Centro and Porto". Vous pouvez vérifiez les horaires et les itinéraires sur le site Internet www.conerobus.it.

Pour un taxi, appelez le ☎ 071 4 33 21 à la gare ferroviaire ou le ☎ 071 20 28 95 dans le centre-ville.

Vous trouverez une agence **Europcar** (☎ 071 20 31 00) en face de la gare ferroviaire, une agence **Maggiore** (☎ 071 4 26 24) à 40 m sur la gauche en sortant, ainsi que des comptoirs **Avis** (☎ 071 5 22 22 ; www.avis.com) et **Hertz** (☎ 071 207 37 98 ; www.hertz.com) à l'aéroport.

DESSERTE DE L'AÉROPORT

Les bus de la ligne J de la compagnie Conero partent à peu près toutes les heures de la gare ferroviaire en direction de l'aéroport, de 6h05 à 20h15, du lundi au samedi, et la ligne S circule 5 fois par jour les dimanches et jours fériés. Le trajet coûte 1,70 € et dure de 25 à 45 min. En sens inverse, les bus de la ligne J circulent jusqu'à 23h30. À l'aéroport, le **consortium des taxis** (☎ 334 154 88 99) propose des courses depuis le centre d'Ancône (34-38 €), Monte Conero (57-62 €) et même Macerata (78-87 €) ou Pesaro (87-92 €).

PARCO DEL CONERO

Tout proche d'Ancône, le Monte Conero s'étend sur l'une des rares portions parfaitement préservées de la côte adriatique. D'une superficie de seulement 58 km², ce splendide parc naturel englobe Portonovo (à 9,5 km au sud d'Ancône), Sirolo (à 22 km d'Ancône) et Numana (encore 2 km plus au sud-est), qui jouxte plus au sud Porto Recanati, station balnéaire sans charme.

Abritant l'un des plus beaux hôtels du pays, la minuscule Portonovo constitue une sorte de refuge au cœur du parc. Plus chic, Sirolo est encerclée de remparts qui dominent l'océan, offrant un panorama remarquable, mais ne donne pas directement sur l'Adriatique. L'extrémité nord de Numana, plutôt attrayante, cède ensuite la place aux constructions disgracieuses si répandues sur le littoral des Marches.

Renseignements

Centre d'accueil des visiteurs (☎ /fax 071 933 11 61 ; www.parcodelconero.eu ; Via Peschiera 30, Sirolo ; ☽ 9h-13h et 16h-19h 15 juin-15 sept, 9h-13h lun-sam 16 sept-14 juin). Pour des renseignements sur le parc ou pour réserver des circuits organisés.

Où se loger

Camping Internazionale (☎ 071 933 08 84 ; www.campinginternazionale.com ; Via San Michele 10, Sirolo ; 5-11 €/pers, 10-16 €/empl, 2-6 €/voiture, bungalows et chalets 42-122 € ; ☽ Pâques-sept ; ▯ ⍾ ☎ ⌘). Camping ombragé à quelques mètres des belles plages s'étirant en contrebas de Sirolo. Bonnes infrastructures (douches chaudes, emplacements pour caravanes et aire de jeux pour les enfants).

Rocco Locanda & Ristorante (☎ 071 933 05 58 ; www.locandarocco.it ; Via Torrione 1, Sirolo ; d 125-200 €, tr 185-250 €, petit-déj inclus ; ⌘). Situé non pas en bord de mer mais en ville, cet hôtel raffiné compte 7 chambres, au-dessus du restaurant du même nom. Ambiance feutrée et cadre d'époque (pierres apparentes et lits en fer forgé). Adresse romantique à souhait.

Hotel Fortino Napoleonico (☎ 071 80 14 50 ; www.hotelfortino.it ; Via Poggio 166, Portonovo ; ch avec petit-déj 180-250 € ; ⍾ ▯ ⌘). Autre halte romantique, cet ancien fort de l'époque napoléonienne abrite l'un des plus beaux hôtels du littoral des Marches. Murs en pierre, mobilier ancien,

sompteux salons et terrasse donnant sur la mer. Son restaurant (déj et dîner tlj ; repas 39 €) à la décoration étincelante met à l'honneur le poisson et les spécialités locales.

Où se restaurer

Certaines des meilleures tables de la région des Marches sont installées dans le magnifique Parco Naturale del Monte Conero.

PORTONOVO

Il Molo (☎ 071 80 10 40 ; Spaggia di Portonovo ; repas 27 € ; ☽ tlj avr-oct). Sert poissons, fruits de mer, coquillages, bref, tout ce que l'on peut trouver à proximité du Monte Conero. Les pêcheurs viennent chaque matin apporter leurs prises du jour.

Giacchetti (☎ 071 80 13 84 ; Via Portonovo 171 ; repas 33 € ; ☽ mar-dim avr-oct). Une clientèle chic de la région fréquente cette adresse incontournable du front de mer, et ce depuis 1959. Dans une salle aux grandes baies vitrées donnant sur la petite plage privée du restaurant, tout ce beau monde se régale de soupe de fruits de mer ou de spaghettis aux moules de Conero en observant les véliplanchistes et les baigneurs.

Susci Bar al Clandestino (☎ 071 80 14 22 ; Via Portonovo, Loc Poggio ; repas 36 € ; ☽ mai à mi-sept). Une adresse chaudement recommandée par les critiques gastronomiques. Rien de formel ici : après un bain dans la jolie Baia di Portonovo, vous goûterez des sushis méditerranéens ou grignoterez quelques tapas dans un cadre bleu comme la mer des Caraïbes. Branché.

SIROLO

Rocco (☎ 071 933 05 58 ; Via Torrione 1 ; repas 35 € ; ☽ mer-lun Pâques à mi-oct). Un restaurant estampillé Slow Food, dirigé par de jeunes cuisiniers passionnés qui privilégient les poissons et les fruits de mer locaux pour concocter des plats délicieux. Véranda verdoyante en extérieur.

NUMANA

Il Saraghino (☎ /fax 071 739 15 96 ; Via Litoranea 209, Loc Martelli ; repas 55 € ; ☽ mar-dim mars à mi-déc). L'aire de jeux pour enfants juste à côté sera fermée à l'heure où vous viendrez dîner d'artichauts au gorgonzola ou de tagliatelles *con scampetti* (au homard). Le restaurant et son chef ont reçu de nombreuses récompenses ces dernières années, et la situation, en bord de plage, séduit autant que les recettes nouvelle cuisine.

La Torre (☎ 071 933 07 47 ; Via la Torre 1 ; repas 38 €). Tuyauterie apparente et mobilier sophistiqué en bois et métal décorent cet établissement qui fait face à la mer. On y vient pour le poisson et les desserts maison.

Depuis/vers le Parco del Conero

Au départ d'Ancône, des bus desservent le parc de manière irrégulière au fil de l'année, avec une fréquence maximale en juillet et août. Voir le tableau p. 603 pour plus de détails.

LORETO (LORETTE)

Des milliers de pèlerins se rendent à Loreto chaque année. Sans doute honorent-ils la croyance selon laquelle les anges y auraient transféré de Palestine la maison de la Vierge, vers la fin du XIIIe siècle, et peut-être parce que l'on ne trouve nulle part ailleurs de statues phosphorescentes de Jésus.

Si la basilique d'origine a été construite en 1468 dans un style gothique, elle a été agrandie dans le style Renaissance (avec, notamment, de savants ajouts de Bramante) pour devenir l'imposante **Basilica della Santa Casa** (☎ 071 97 01 04, 071 97 68 37 ; Piazza della Madonna ; ☺ 6h15-20h avr-sept, 6h45-12h30 et 14h30-19h oct-mars), chef-d'œuvre architectural. À l'intérieur, les auréoles peintes à la feuille d'or, les magnifiques fresques et les triptyques méritent que l'on brave les boutiques de bibelots. Plusieurs messes sont données chaque jour, et les visiteurs pourront se confesser, quelle que soit leur langue, toute la journée.

Tout aussi captivant, le **Museo Antico Tesoro della Santa Casa** (☎ 071 974 71 60 ; www.santuarioloreto. it ; Piazza della Madonna ; entrée libre ; ☺ 9h30-13h30 et 15h-19h mar-dim avr-oct) expose reliques et peintures de toutes époques provenant de la basilique.

Le 7 septembre, Loreto accueille la **Corsa del Drappo**, une course opposant les différents quartiers de la ville, mais qui était à l'origine une foire aux bestiaux et aux chevaux.

URBINO (URBIN)

15 459 habitants

Urbino, joyau des Marches, constitue souvent la première halte de tout visiteur dans la région. Au XVe siècle, le duc Federico da Montefeltro attira à sa cour les plus grands peintres, architectes et érudits de son époque, faisant d'Urbino l'un des brillants foyers de la Renaissance. L'université domine toujours la scène de la ville, dont la splendeur a été officiellement reconnue par l'Unesco, qui a inscrit l'ensemble du centre-ville sur la liste du patrimoine mondial.

Histoire

Au milieu du XVIe siècle, Urbino demeura autonome, alors même que le pape gouvernait le centre de l'Italie. Lorsque la famille Montefeltro disparut, faute d'héritier, la ville et ses domaines tombèrent dans l'escarcelle des Della Rovere, famille liée à la papauté. Deux de ses membres furent élus papes (Sixte IV et Jules II) et Francesco Maria I Della Rovere devint le commandant de l'armée pontificale.

Orientation

Armez-vous de patience car il est extrêmement difficile de se déplacer en ville, que ce soit en voiture, par les transports en commun ou même à pied. Les bus arrivent au Borgo Mercatale, à la périphérie ouest de la ville. C'est là que se trouve aussi le principal parking d'Urbino (en grande partie souterrain), mais il en existe d'autres à travers la ville (voir la carte p. 607). Pour accéder au centre-ville, il faut monter la Via Mazzini ou prendre l'*ascensore* (0,50 €) jusqu'au Teatro Sanzio. Attention à ne pas stationner sur le Piazzale Roma le vendredi soir, car votre voiture sera enlevée pour laisser place au marché du samedi matin.

Vous pouvez acheter l'*Urbino Mini-guide con Pianta* (2 €), bien fait, au point d'information de la Piazza Mercatale ou chez les marchands de journaux de la vieille ville. Cela dit, le plan tout simple destiné aux touristes, *Urbino: Piantina della Città,* disponible auprès de l'office du tourisme et de nombreux hôtels et sites, suffit à la plupart des visiteurs.

Renseignements

Assessorato Cultura e Turismo (www. urbinoculturaturismo.it). Site à destination des visiteurs, créé conjointement par la municipalité d'Urbino et l'Unesco. Il dresse la liste de tous les hébergements (dont les B&B et les *agriturismi*) et recense les grands sites d'intérêt historiques, artistiques et culturels de la ville.
Due Mila Net (☎ 0722 37 81 95 ; Via Mazzini 17 ; ☺ 10h-23h lun-ven, 12h-23h sam, 12h-22h dim ; 30 min/1 h 2,50/4 €). Accès Internet.
Informations touristiques (Piazza Mercatale ; ☺ 6h30-20h30). À l'entrée de l'ascenseur qui monte vers la ville.
Office du tourisme (☎ 0722 26 13 ; fax 0722 24 41 ; Via Puccinotti 3 ; ☺ 9h-13h lun-sam, également 15h-18h mar-ven). 10 min de connexion Internet gratuite.
Ospedale Civile (☎ 0722 30 11 ; Via Bonconte da Montefeltro). À environ 1,5 km au nord du centre-ville.
Police (☎ 0722 3 51 81 ; Piazza Mercatale)
Poste (☎ 0722 3 77 91 ; Via Bramante 18 ; ☺ 8h30-18h30 lun-ven, 8h30-12h30 sam)

À voir

PALAZZO DUCALE

Sorte de microcosme de l'architecture, de l'art et de l'histoire de la Renaissance, le **Palazzo Ducale** (☎ 0722 2 76 01 ; Piazza Duca Federico ; adulte/tarif réduit 8/4 € ; ⏱ 8h30-19h15 mar-dim, 8h30-14h lun) abrite trois fabuleux musées : la **Galleria Nazionale delle Marche**, le **Museo Archeologico** et le **Museo della Ceramica**. Mais ce palais, ancienne demeure de Federico da Montefeltro, est une œuvre d'art en soi, le duc ayant fait appel à quelques-uns des plus grands architectes et artistes de la Renaissance pour créer ce qui fut, à l'époque, un joyau moderne.

Un escalier monumental, l'un des tout premiers d'Italie, conduit au *piano nobile* (étage noble) et aux appartements ducaux. *La Flagellation*, chef-d'œuvre de Piero della Francesca, est conservée dans sa bibliothèque. La collection comprend également un grand nombre important de dessins de Federico Barocci, ainsi que des toiles de Raphaël, de Titien et de Signorelli.

Depuis le Corso Garibaldi, vous aurez une meilleure vue de l'ensemble, doté de son étrange **Facciata dei Torricini**, une loggia de trois étages en forme d'arc de triomphe flanquée de tours circulaires.

ÉGLISES

Reconstruit au XIXe siècle dans le style néoclassique, le **Duomo** (cathédrale ; Piazza Duca Federico ; ⏱ 7h30-13h et 14h-19h) offre davantage d'intérêt que ne le laisse supposer son austère façade. Il abrite notamment une mémorable *Cène* de Federico Barocci. Le **Museo Albani** (☎ 0722 65 00 24 ; 3 € ; ⏱ 9h30-13h et 14h30-18h30) de la cathédrale présente des objets religieux, des vêtements sacerdotaux et d'autres peintures encore, dont la *Madonna del Latte* (Vierge allaitant) d'Andrea da Bologna et un tableau de Giovanni Santi (le père de Raphaël).

Les fresques colorées de Lorenzo et Giacomo Salimbeni justifient la visite de l'**Oratorio di San Giovanni Battista** (☎ 0347 6711181 ; Via Barocci ; 2 € ; ⏱ 10h-12h30 et 15h-17h30 lun-sam, 10h-12h30 dim) , du XIVe siècle. À quelques pas de là, l'**Oratorio di San Giuseppe** (☎ 034767 111 81 ; Via Barocci ; 2 € ; ⏱ 10h-12h30 et 15h-17h30 lun-sam, 10h-12h30 dim) conserve une *Nativité* en stuc de Federico Brandani.

MAISON DE RAPHAËL

Au nord de la Piazza della Repubblica, la **Casa di Raffaello** (☎ 0722 32 01 05 ; Via Raffaello 57 ; adulte/étudiant 2/1 € ; ⏱ 9h-13h et 15h-18h tlj mars-oct, 9h-14h lun-sam, 10h-13h dim nov-fév), du XVe siècle, est la maison natale de Raphaël, où le peintre vécut ses seize premières années. Au 1er étage, une *Vierge à l'Enfant* pourrait être l'une de ses premières fresques.

Cours

L'**Università di Urbino** (☎ 800 462446 ; www.uniurb.it ; Via Saffi 2) propose aux étrangers un cours intensif de langue et de civilisation italiennes, en août, moyennant 500 €. L'université peut aussi vous trouver un hébergement en appartement, en *agriturismo* ou chez l'habitant, à partir de 200 € le séjour.

Fêtes et festivals

En mai, Urbino se pare de fleurs à l'occasion du festival **Urbino città fiorita**. L'**Urbino jazz festival** a lieu en juin, le **Festival international de musique ancienne** en juillet. La **Festa del Duca** se tient le second dimanche d'août. La ville accueille alors une procession costumée ainsi qu'une reconstitution d'un tournoi de chevalerie. La seule compétition de cerf-volant à l'échelle européenne a lieu ici le premier dimanche de septembre. Renseignez-vous auprès de l'office du tourisme pour obtenir plus de détails.

Où se loger

L'office du tourisme fournit la liste complète des chambres chez l'habitant et des autres solutions d'hébergement.

Campeggio Pineta (☎ 0722 47 10 ; campeggiopinetaurbino@email.it ; Via Ca' Mignone 5, San Donato ; pers/tente 7/12 € ; ⏱ Pâques-sept). À 2 km du centre-ville, un agréable camping dans un très beau cadre boisé. Douches chaudes, bar et supérette. Un bus assure la navette jusqu'en ville.

San Giovanni (☎ 0722 28 72, fax 0722 32 90 55 ; Via Barocci 13 ; s/d/tr 39/60/72 €, s/d sdb commune 28/44 € ; ⏱ fermé 10-30 juil et 20 déc-10 jan). Les chambres, de style dortoirs, offrent un bon rapport qualité/prix. Lits confortables, sdb communes propres.

Albergo Italia (☎ 0722 27 01 ; www.albitalia.it ; Corso Garibaldi 32 ; s 47-70 €, d 70-120 €, petit-déj inclus ;) Emplacement idéal, derrière le palais ducal. Hôtel sur plusieurs étages, moderne et bien conçu, offrant toutes les prestations d'un hôtel d'affaires, la tranquillité en plus. En été, prenez le petit déjeuner sur le balcon.

Albergo Raffaello (☎ 0722 4784 ; www.albergoraffaello. com ; Via Santa Margherita 40 ; s 45-65 €, d 70-115 €, petit-déj inclus ;). Un ancien séminaire à l'imposante entrée en marbre. Chambres confortables, sans

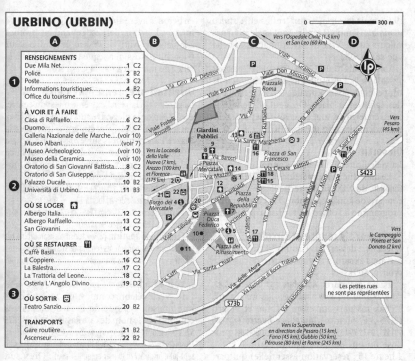

URBINO (URBIN)

0 ——— 300 m

RENSEIGNEMENTS
Due Mila Net.................................1 C2
Police..2 B2
Poste...3 C2
Informations touristiques............4 B2
Office du tourisme.......................5 C2

À VOIR ET À FAIRE
Casa di Raffaello..........................6 C2
Duomo..7 C2
Galleria Nazionale delle Marche....(voir 10)
Museo Albani..........................(voir 7)
Museo Archeologico...............(voir 10)
Museo della Ceramica............(voir 10)
Oratorio di San Giovanni Battista..8 C2
Oratorio di San Giuseppe.............9 C2
Palazzo Ducale...........................10 B2
Università di Urbino...................11 B3

OÙ SE LOGER
Albergo Italia..............................12 C2
Albergo Raffaello.......................13 C2
San Giovanni..............................14 C2

OÙ SE RESTAURER
Caffè Basili..................................15 C2
Il Coppiere..................................16 C2
La Balestra..................................17 C2
La Trattoria del Leone................18 C2
Osteria L'Angolo Divino.............19 D2

OÙ SORTIR
Teatro Sanzio.............................20 B2

TRANSPORTS
Gare routière..............................21 B2
Ascenseur...................................22 B2

Vers l'Ospedale Civile (1,5 km)
et San Leo (60 km)

Vers Pesaro (45 km)

Vers la Locanda
della Valle
Nuova (7 km),
Arezzo (100 km)
et Florence
(175 km)

Les petites rues
ne sont pas représentées

Vers
le Campeggio
Pineta et San
Donato (2 km)

Vers la Superstrada
en direction de Pesaro (15 km),
Fano (45 km), Gubbio (50 km),
Pérouse (80 km) et Rome (245 km)

---

luxe ostentatoire, équipées de TV, minibar et radio. Certaines jouissent d'une vue fabuleuse sur le palais. Les propriétaires assurent le transport de leurs hôtes entre les parkings ou la gare routière et la ville.

✿ Locanda della Valle Nuova (☎ /fax 0722 33 03 03 ; www.vallenuova.it ; La Cappella 14, Sagrata di Fermignano ; 55 €/pers petit-déj inclus, 680 €/sem ; ✽ mi-juin à mi-nov ; P ☐ ☎). Cet *agriturismo* de 6 chambres offre un parfait équilibre entre écologie et confort. Fruits, légumes et céréales, vin et truffes, sont produits sur le domaine. Le bétail et la volaille sont élevés avec des aliments naturels. Restaurant bio. Promenades à cheval. À 20 minutes d'Urbino, mais les propriétaires peuvent vous aider dans vos déplacements vers les localités de la région. Séjour de 3 nuitées au minimum.

Où se restaurer
Ne manquez pas de goûter aux *strozzapreti*, servis dans pratiquement tous les restaurants. La forme de ces pâtes était destinée, à en croire la légende, à "étouffer les prêtres", qui étaient alors nourris gratuitement dans les établissements de la ville.

La Trattoria del Leone (☎ 0722 32 98 94 ; Via Cesare Battisti 5 ; repas 24 € ; ✽ dîner tlj, déj sam et dim). Figurant parmi les quelques nouveaux restaurants d'Urbino, cette trattoria du centre-ville revisite la cuisine des Marches avec, notamment, les raviolis à la *casciotta*, un fromage d'Urbino.

Osteria L'Angolo Divino (☎ 0722 32 75 59 ; Via Sant'Andrea 14 ; repas 32 € ; ✽ déj et dîner mar-sam, et déj dim juin à mi-déc). *Enoteca* aménagée dans une cave voûtée en brique, dont les niches débordent de bouteilles offertes à la dégustation. Plats de pâtes simples mais merveilleusement préparés, dont les *pasta nel sacco* (pâtes en sac), des pâtes fraîches avec œufs et chapelure.

La Balestra (☎ 0722 29 42 ; Via Valerio 16 ; repas 20 € ; ✽ dîner-minuit). Étudiants et intellectuels prennent d'assaut ce restaurant au plafond voûté, décoré d'objets anciens. Recettes d'inspiration médiévale et spécialités, notamment les *pappardelle del duca* (larges rubans de pâtes) ou les fameux *strozzapreti*.

Il Coppiere (☎ 0722 32 23 26 ; Via Santa Margherita 1 ; repas 23 €). Montez l'escalier jusqu'à ce restaurant sans prétention qui fait la part belle aux truffes. La spécialité est le *cappelletti* aux champignons, crème, tomates et truffe

(9 €), mais la *caciotta* aux truffes et le *stinco di maiale* (jambon) tendre sont également des valeurs sûres. Prix très raisonnables et belle vue sur la ville.

Caffè Basili (☎ 0722 24 48 ; Piazza della Repubblica ; ☺ 6h30-2h tlj). Les étudiants et les enseignants l'appellent le "Bar Centrale", et c'est le meilleur des cafés de la place. On peut y prendre le soleil en terrasse, tout en savourant pâtisserie, sandwich, glace ou un apéritif.

Où sortir
La vie culturelle d'Urbino s'anime en été.

Le majestueux **Teatro Sanzio** (☎ 0722 22 81 ; Corso Garibaldi), du XIXᵉ siècle, accueille spectacles et concerts de juin à septembre. Procurez-vous le programme à l'office du tourisme principal.

Comment s'y rendre et circuler
Le train ne dessert pas Urbino : il faut prendre le train à Pesaro, à environ 35 km de distance (voir p. 609).

Basée à Pesaro, **Adriabus** (☎ 0800 66 43 32, ☎ 0722 37 67 38 ; www.adriabus.eu) assure jusqu'à 15 liaisons par jour entre Urbino et Pesaro (2,75-3 € , 55 min). **Autolinee Ruocco** (☎ 800 901591, 0975 790 33 ; www.viaggiruocco.eu/portale) propose un bus quotidien pour Pérouse (17 €, 1 heure 15 ; réservation essentielle) qui part d'Urbino à 12h45 et de Pérouse à 14h30. **Autolinee Bucci** (☎ 0721 3 24 01 ; www.autolineebucci. com) assure 2 liaisons par jour jusqu'à Rome (20,89 €, 4 heures 30). Les bus **Soget** (☎ 0721 54 96 20) relient Pesaro (2,75-3 € , 1 heure 15, 15/jour), où l'on peut prendre un train pour Bologne (8,80-16,60 €, 2 heures, ttes les heures).

Une *autostrada* et la S423 relient Urbino à Pesaro, tandis que la S73B assure la liaison entre la ville et la SS3 qui file vers Rome. La plupart des véhicules à moteur sont interdits dans la ville close. Des **taxis** (☎ 0722 25 50) et des autobus font la navette entre la Piazza della Repubblica et la Piazza Mercatale. Les parkings se trouvent à l'extérieur des remparts. Enfin, notez qu'il est impossible de se garer sur le Piazzale Roma le samedi matin en raison du marché.

PESARO
93 488 habitants
Pesaro occupe un site magnifique, entre plage et collines, mais souffre malheureusement de l'envahissement touristique durant cinq mois de l'année. Sa plage, adossée à une série d'hôtels

en béton, s'avère alors surpeuplée. Son centre médiéval, piétonnier, est cependant propice à la flânerie. Natif de Pesaro, le compositeur Gioachino Rossini a légué tous ses biens à la ville (ne manquez pas la Casa Rossini).

Orientation et renseignements
La gare ferroviaire, à l'extrême ouest du centre, est à 2 km de la plage. Depuis la gare, marchez dans le Viale del Risorgimento, traversez la Piazza Lazzarini, puis suivez la Via Branca, la Via Rossini et, enfin, le Viale della Repubblica qui rejoint le front de mer et l'office du tourisme, Piazza della Libertà.

Office du tourisme (☎ 0721 6 93 41 ; www.comune. pesaro.ps.it ; Piazzale della Libertà 11 ; ☺ 9h-13h et 15h-19h lun-sam, 9h-13h dim l'été, 9h-13h lun, mer, ven et sam, 15h-18h mar et jeu en hiver)

Pesaro Urbino Tourism (www.turismo.pesarourbino.it). D'excellents renseignements (en français) avec cartes, liste d'hôtels et sites à ne pas manquer.

À voir et à faire
En 1792, le célèbre compositeur naissait dans une maison typique de Pesaro, désormais connue sous le nom de **Casa Rossini** (☎ 0721 38 73 57 ; Via Rossini 34 ; adulte/moins de 25 ans 4/3 €, avec entrée au Musei Civici 7/4 € ; ☺ 9h30-12h30 mar-dim, 16h-19h jeu-dim sept-juin, jusqu'à 22h30 mar et jeu juil-août). On y suit l'histoire du Maestro et de l'opéra au début du XIXᵉ siècle, à travers une série de portraits, d'objets personnels et de gravures.

Inauguré en 1860, au lendemain de l'unité italienne, en tant que musée d'art, le **Musei Civici** (☎ 0721 38 75 41 ; Piazza Toschi Mosca 29 ; adulte/moins de 25 ans 4/2 €, avec entrée à la Casa Rossini 7/4 € ; ☺ 9h30-12h30 mar-dim, 16h-22h jeu, 16h-19h ven-dim juil-sept, 9h30-12h30 mar-dim, 16h-19h ven-dim sept-juin) retrace sept siècles de production de céramique à Pesaro, à travers une belle collection de céramiques majoliques. La Pinacothèque conserve un superbe retable de Giovanni Bellini, *Le Couronnement de la Vierge*.

Pesaro compte quatre grandes plages – **Levante**, **Ponente**, **Baia Flaminia** et la **plage publique**. S'étirant de part et d'autre de l'office du tourisme et jalonnées d'hôtels, Levante et Ponente sont prises d'assaut par les vacanciers. Mieux vaut opter pour la plage publique, au sud de la ville, au-delà de Monte Ardizio.

Fêtes et festivals
Chaque été se déroule le **Festival d'opéra Rossini** (☎ 0721 380 02 94 ; www.rossinioperafestival.it ; Via Rossini 24 ; ☺ billetterie 10h-13h et 15h-18h lun-ven ;

en l'honneur du plus célèbre des enfants du pays. Les prix des billets s'échelonnent de 10 à 125 € ; d'importantes réductions sont consenties aux étudiants, de même qu'à la dernière minute.

Où se loger et se restaurer
La majorité des hôtels ferment d'octobre aux environs de Pâques, et la plupart sont des immeubles en béton des années 1960, sans charme mais donnant sur la plage ou tout proches. Pour trouver une chambre, adressez-vous à l'**Associazione Pesarese di Albergatori** (☎ 0721 6 79 59 ; www.apahotel.it ; Viale Marconi 57) ou à l'office du tourisme.

   Marinella (☎ 0721 5 57 95 ; www.campingmarinella.it ; SS Adriatica Km 244, Loc Fossosejore ; pers/tente/voiture à partir de 5/5/3 €, bungalows d/tr/qua 60/70/103 € ; ☼ Pâques-sept.) Un terrain au bord de l'eau. Restaurant décontracté, petit supermarché, douches, volley de plage et quantité d'activités convenant aux enfants.

   Felici e Contenti (☎ 0721 3 20 60 ; Via Cattaneo 37 ; repas 26 € ; ☼ mar-sam, dîner dim). Dans une petite rue tranquille du centre médiéval, un restaurant qui porte bien son nom ("heureux et contents"). Spécialités de poisson, pâtes mémorables et ambiance raffinée plutôt citadine.

   C'Era Una Volta (☎ 0721 3 09 11 ; Via Cattaneo 26 ; pizzas à partir de 4 € ; ☼ mar-dim). L'ambiance pour le moins animée vaut autant que les pizzas garnies de petits pois, d'artichauts, de jambon cru, de *pancetta* ou même de *patate fritti* (frites). Vin au verre autour de 2,80 € et grand choix de pâtes à moins de 9 €.

Où sortir
Vieux de 400 ans, le **Teatro Rossini** (☎ 0721 3 24 82 ; www.enteconcerti.it ; Via Rossini) a été rebaptisé en l'honneur du grand compositeur. Cadre grandiose, plafond majestueux et loges superbement décorées, pour assister à un concert, en particulier pendant le Festival d'opéra Rossini.

Comment s'y rendre et circuler
La principale gare routière se trouve sur la Piazza Matteotti. **Bucci** (☎ 0721 3 24 01) dessert Ancône (3,10 €, 1 heure 20, 4/jour) et Rome (19,80 €, 4 heures 40). **Adriabus** (☎ 0800 66 43 32, 0722 37 67 38 ; www.adriabus.eu) affrète jusqu'à 15 bus par jour pour Urbino (2,75-3 €, 55 min).

   La ligne de chemin de fer Bologne-Lecce passe par Pesaro. Vous pouvez rallier Rome (16,10 à 26,15 €, 4 heures, 9/jour) en changeant de train à Falconara Marittima, juste avant

Ancône. Un train part toutes les heures pour Ancône (3,25 €, 30-50 min), Rimini (2,60-6 €, 20-40 min) et Bologne (7,70-15 €, 2 heures). En voiture, Pesaro est accessible par l'A14 et la SS16.

GROTTE DI FRASASSI
En septembre 1971, une équipe de spéléologues découvrit une ouverture dans la montagne aux environs de Genga. Ils ignoraient alors qu'ils venaient de découvrir les plus grandes grottes connues d'Europe, longues de 5 km et contenant des stalactites et des stalagmites datant, pour certaines, de 1,4 million d'années.

   Une visite guidée de 70 minutes vous entraîne à la découverte de cinq salles reliées par 1,5 km de galeries de la **grotte** (☎ 0732 9 00 80 ; www.frasassi.com ; adulte/tarif réduit/moins de 6 ans et handicapés 15 €/13 €/gratuit ; ☼ entrée 10h-18h mars-oct, 11h-16h lun-ven, 11h-18h week-end et jours fériés nov-fév, fermé 10 jan-30 jan).

   L'**Abisso Ancona** (abîme d'Ancône), la première salle, mesure presque 200 m de hauteur, 180 m de largeur et 120 m de longueur. La billetterie et le parking sont installés à l'extérieur de San Vittore Terme, et l'entrée aux grottes se situe 600 m plus loin. Les grottes et leurs environs méritent qu'on leur consacre une journée complète, surtout si l'on veut visiter le temple de style roman, non loin, et profiter de l'un des superbes chemins de randonnée.

   Moyennant 35 à 45 €, vous connaîtrez une expérience plus exaltante encore : durant 3 à 4 heures, vous franchirez des gouffres de 30 m et ramperez dans d'étroits passages et dans des tunnels. Pensez à réserver.

   Pour rejoindre les grottes à partir d'Ancône, prenez la SS76 au niveau de l'A14. La gare ferroviaire la plus proche se trouve à Genga, à 61 km d'Ancône ou de Gubbio, et à 2 km de la billetterie des grottes ; un bus fait la navette en été depuis la gare.

MACERATA
42 896 habitants
Fondée il y a 3 000 ans par la première tribu picénienne qui s'installa dans la région, Macerata est une charmante ville perchée en marge des circuits touristiques. On peut facilement y passer plusieurs jours, afin de découvrir toutes ses curiosités, en profitant d'infrastructures hôtelières de qualité. Son théâtre antique accueille un prestigieux festival d'opéra en juillet et août.

OMBRIE ET MARCHES

Orientation

À l'intérieur de remparts du XIVe siècle, qui dominent la ville moderne, la Piazza della Libertà représente le cœur de la cité médiévale. Les bus interurbains parviennent jusqu'aux vastes Giardini Diaz. Un passage souterrain conduit alors à l'*ascensore* (ascenseur), qui vous dépose à l'extrémité de la Via XX Settembre, dans la vieille ville. En suivant cette rue, traversez la Piazza Oberdan et remontez la Via Gramsci pour atteindre la Piazza della Libertà et l'office du tourisme. Si vous arrivez en train, le bus n°6 relie la gare ferroviaire, au sud du centre-ville, à la Piazza della Libertà. D'autres bus gravissent le Viale Leopardi.

Un parking payant (8h-20h) longe les remparts. Les plus chanceux arriveront à se garer sur l'une des places principales de la vieille ville. Pour stationner gratuitement, rendez-vous aux Giardini Diaz où arrivent les bus. Attention toutefois : le passage souterrain ferme à 21h.

Renseignements

Assessorato al Turismo (www.comune.macerata.it). Portail web de la ville.

Centre Internet (☎ 0733 26 44 04 ; Piazza Mazzini 52 ; 4 €/h ; ◷ 10h-13h et 17h-20h lun-sam)

Macerata Incoming – centre d'information des visiteurs (☎ 0733 23 43 33 ; www.macerataincoming. com ; Porta Picena 1 ; ◷ 10h-13h et 15h-18h hiver, 15h-19h mar-dim été). Renseignements sur la visite de l'Arena Sferisterio, et centre privé d'information des visiteurs.

Marche Voyager (www.le-marche.com/Marche/html/ macerata.htm). Portail du département du tourisme de la région des Marches.

Office du tourisme (☎ 0733 23 48 07 ; iat.macerata@ regione.marche.it ; Piazza della Libertà 9 ; ◷ 9h-13h et 15h-18h lun-ven, 9h-13h sam, 9h-18h lun-sam juil-août)

Poste (☎ 0733 27 30 53 ; Via Gramsci 44 ; ◷ 8h-18h30 lun-ven, 8h-13h sam)

À voir et à faire

La superbe **Arena Sferisterio** (☎ 0733 23 07 35 ; www. sferisterio.it ; Piazza Mazzini 10 ; adulte/étudiant et plus de 65 ans/moins de 14 ans 3 €/2 €/gratuit, spectacle 15-150 € ; ◷ visites guidées 12h et 17h été, 12h et 16h lun-sam hiver), construite en plein air à la manière des théâtres antiques, fut édifiée entre 1819 et 1829. Le Stagione Lirica, l'un des plus prestigieux événements lyriques d'Italie, attire chaque année, du 15 juillet au 15 août, les plus grands noms de l'opéra. Chaque année, fin juin, l'arène accueille la finale du concours

Musicultura des chanteurs/compositeurs talentueux de demain et invite un chanteur célèbre (billets 5-30 €).

Le centre-ville commence à la hauteur de la Loggia dei Mercanti, proche de l'office du tourisme de la Piazza della Libertà. Bâtie au XVIe siècle, cette loggia ouverte à tous vents abritait les marchands itinérants qui venaient vendre leurs articles aux villageois de la région. De l'autre côté de la place, l'élégant **Teatro Lauro Rossi** (☎ 0733 23 35 08 ; Piazza della Libertà 21 ; à partir de 19 € ; ◷ visites guidées 9h-13h et 17h-20h lun-ven) fut créé en 1774 pour les plaisirs musicaux de la noblesse. Il ouvre aujourd'hui ses portes à tout un chacun, à condition de porter une tenue correcte.

Sur la Piazza Vittorio Veneto, à l'extrémité du boulevard principal, le Corso della Repubblica, trois musées vous attendent dans le Palazzo Ricci : le **Museo Civico**, le **Museo delle Carrozze** et la **Pinacoteca** (☎ 0733 25 63 61 ; Piazza Vittorio Veneto 2 ; entrée libre ; ◷ 9h-13h et 16h-19h30 mar-sam, 9h-13h dim). Cette dernière, qui a récemment rouvert après des années de travaux, possède une belle collection d'œuvres d'art du début de la Renaissance, dont une *Madonna col Bambino* (Vierge à l'Enfant) du XVe siècle, de Carlo Crivelli. Le Museo delle Carrozze (musée des Attelages) abrite des voitures à chevaux du XVIIIe au XXe siècle. Quant au Museo Civico, ses vestiges archéologiques couvrent la préhistoire et l'Antiquité. Et, comme si tant de trésors ne suffisaient pas, la bibliothèque municipale se targue de conserver 300 000 textes, ainsi que nombre de cartes anciennes et de manuscrits médiévaux.

Le **Museo Palazzo Ricci** (☎ 0733 26 14 87 ; Via Ricci 1 ; entrée libre ; ◷ 9h-13h et 16h-20h sam, dim et jours fériés mars-déc, tlj juil-août), du XVIe siècle, expose des œuvres d'artistes italiens du XXe siècle représentatifs du pop art et du mouvement futuriste, comme Giorgio De Chirico, Giacomo Balla et Renato Guttoso, ainsi qu'une très belle collection de mobilier du XVIIIe siècle.

Fêtes et festivals

Durant la semaine qui précède le premier dimanche d'août, vous pouvez assister, à Treia, non loin de Macerata, à la **Disfida del Bracciale**. Cette fête annuelle fait revivre la tradition et le folklore d'un jeu du XIXe siècle évoquant un peu la pelote basque, dans lequel les joueurs frappent des balles de cuir, les mains recouvertes de protections en bois clouté.

Voir ci-contre pour des informations sur la saison d'opéra de l'Arena Sferisterio.

Où se loger

Ostello Asilo Ricci (☎ /fax 0733 23 25 15 ; ostelloasiloricci@
virgilio.it ; Via dell'Asilo 36 ; dort/s/d/tr/f petit-déj inclus
16/25/40/55/64 € ; ✖). Dans une ancienne école
proche du centre-ville, cette auberge de jeunesse tranquille dispose de chambres spacieuses
décorées de plâtre vénitien. L'endroit est très
propre (les draps sont même repassés !).

Albergo Arena (☎ 0733 23 60 59 ; www.albergoarena.
com ; Vicolo Sferisterio 16 ; s 45-65 €, d 65-95 €, petit-déj
inclus ; P ✖). Ce trois-étoiles sert d'excellents
petits-déjeuners : fruits frais, jus de fruits et
viennoiseries. Chambres confortables avec
sdb impeccable, séchoir à cheveux et chauffe-
serviettes.

Hotel Arcadia (☎ 0733 23 59 61 ; www.harcadia.it ;
Via Matteo Ricci 134 ; s 40-65 €, d 65-95 €, petit-déj inclus ;
P ✖). Hôtel tenu par la même équipe que
l'Albergo Arena, mais d'un cran supérieur. Cet
établissement pour hommes d'affaires, installé
dans une rue tranquille proche de la cathédrale,
offre tout le confort d'un trois-étoiles à prix
raisonnable. Chambres équipées d'un minibar,
certaines bénéficiant d'un petit balcon donnant
sur les rues pavées.

Hotel Claudiani (☎ 0733 26 14 00 ; www.hotel-
claudiani.it ; Via Ulissi 8 ; s/d petit-déj inclus 70/105 € ;
P 🛜). L'unique quatre-étoiles de Macerata
est niché dans une rue secondaire paisible, à
deux pas du centre historique. Aménagé dans
un style "hôtel pour hommes d'affaires", il
occupe l'ancien palais, restauré récemment,
de la famille Claudiani.

Où se restaurer

Trattoria Il Cortile (☎ 0733 23 50 51 ; Via T Lauri 15 ;
repas 19 € ; ⏲ tlj juin-sept, mar-dim oct-mai). Des plats
mitonnés par la *nonna* d'une joyeuse famille.
Gelati maison et gâteaux savoureux.

Da Secondo (☎ 0733 26 09 12 ; Via Pescheria
Vecchia 26/28 ; repas 30 € ; ⏲ mar-dim). Table de
qualité, qui met à l'honneur la cuisine locale
et les produits du terroir : *pecorino* (fromage
de brebis), *tartufo* (truffes) et osso-buco
aux *porcini* (cèpes). Son *torte* au chocolat
servi chaud conclut admirablement un dîner.
Les photos aux murs racontent l'histoire
de la ville. L'été, on dîne sur sa terrasse
romantique.

Osteria dei Fiori (☎ 0733 26 01 42 ; Via Lauro Rossi
61 ; repas 23 € ; ⏲ lun-sam). L'adresse idéale pour
déguster, dans une ambiance à la fois discrète
et chaleureuse, une cuisine typiquement *mace-
ratese*. Le patio est particulièrement agréable
par temps chaud.

Caffè Venanzetti (☎ 0733 23 60 55 ; Galleria Scipione,
Via Gramsci 21/23). Le meilleur café de la ville, selon
les habitants. Les hauts plafonds, les boiseries
rétro et les miroirs sont un régal pour les
yeux. Les pâtisseries et le cappuccino (l'un des
meilleurs des Marches) sont exquis.

Depuis/vers Macerata

Macerata ne se situe pas sur la principale ligne
de chemin de fer, ce qui garantit sa tranquillité
mais suppose de changer au moins une fois,
soit à Civitanova Marche pour la plupart des
destinations vers l'est (notamment Ancône et
certains trains pour Rome) ou, ce qui est plus
long, à Fabriano pour aller vers l'ouest (en particulier en Ombrie, en Toscane et à Rome, pour
la plupart des trains). La **gare ferroviaire** (☎ 0733
24 03 54) se trouve Piazza XXV Aprile 8/10. Les
destinations facilement desservies par le train
sont Ancône (4,20 €, 1 heure 20, ttes les heures)
et Rome (13,80-28,50 €, 4 heures-5 heures 30,
8/jour). Pour Ascoli Piceno (5,60 €, 2 heures,
10/jour), il faut changer à Civitanova Marche
et à San Benedetto del Tronto (il existe deux
trains directs par jour, dont le tarif est à peu
près le double).

Des bus rallient Rome (21 €, 4 heures, 3/jour,
4 dim) et Civitanova Marche (2,25 €, 1 heure,
1/heure). Horaires disponibles à la gare routière
située derrière **Giardini Diaz** (☎ 0733 26 15 94).

Les bus locaux orange APM partent soit de
la Rampa Zara soit de la Piazza della Libertà.
Les itinéraires changent en été (juillet-août),
ainsi que les numéros des bus. En été, prenez
le Circolare C ou les bus nos 7, 8 ou 11 entre
la gare et le centre-ville. Hors saison, il faut
prendre le Circolare C ou les bus nos 2, 6A,
6B, 7 ou 11.

Les **taxis** (☎ 0733 23 35 70) stationnent Piazza
della Libertà, à la **gare ferroviaire** (☎ 0733 24 03
53) et aux **Giardini Diaz** (☎ 0733 23 13 39).

La SS77 relie la ville à l'A14 vers l'est et
à plusieurs routes vers l'ouest en direction
de Rome.

ASCOLI PICENO

51 629 habitants

Fondée par la tribu des Sabins, qui s'installa dans
la région au IXe siècle av. J.-C., Ascoli – comme
on l'appelle – est en quelque sorte le fruit du
mariage de la Rome antique et d'un petit village
marchigiani, riche en histoire et en gastronomie.
Les voyageurs aux jambes fatiguées aimeront
son absence de pentes et tous apprécieront ses
richesses historiques, son excellente *pinacoteca*,

OMBRIE ET MARCHES

ASCOLI PICENO

0 —————— 200 m

RENSEIGNEMEMENTS	
Phone Point	**1** A3
Poste	**2** C2
Rinascita Libraria	**3** B3
Torre degli Ercolani	(voir 16)
Office du tourisme	**4** C3

À VOIR ET À FAIRE	
Baptistère	**5** C3
Chiesa di San Francesco	**6** B3
Chiesa di San Pietro Martire	**7** A2
Duomo	**8** C3
Loggia dei Mercanti	**9** B3
Museo Archeologico	**10** C3
Palazzo Comunale	(voir 13)
Palazzo dei Capitani del Popolo	**11** B3
Piazza del Popolo	**12** B3
Pinacoteca	**13** B3
Ponte Romano	**14** A1

OÙ SE LOGER	
La Cantina dell'Arte	**15** C2
Ostello dei Longobardi	**16** A2
Palazzo Guiderocchi	**17** A3

OÙ SE RESTAURER	
Café Lorenz	**18** B3
Gallo D'Oro	**19** D3
Rua dei Notari	(voir 17)
Tigre	**20** B2

OÙ PRENDRE UN VERRE	
Caffè Meletti	**21** B3

sa belle place et sa succulente *olive all'ascolana* (olives farcies au veau*).*

Orientation

La vieille ville s'étend au confluent du Tronto et du *torrente* Castellano. Le train et la plupart des bus s'arrêtent dans la partie moderne d'Ascoli, juste à l'est des deux cours d'eau. À pied de la gare, tournez à droite dans le Viale Indipendenza, qui devient ensuite le Corso Emanuele. De là, vous pourrez rejoindre la Piazza Arringo, l'office du tourisme, la cathédrale et la plupart des musées. Cette marche prend environ 15 minutes seulement.

Renseignements

Comune di Ascoli Piceno (www.comune.ascoli-piceno. it). Un consortium qui promeut la province. Informations sur les événements et les festivals.

Hôpital (☎ 0736 35 81 ; Monticelli). À 4 km à l'est de la ville.

Office du tourisme (☎ 0736 29 82 04 ; iat. ascolipiceno@regione.marche.it ; Piazza Arringo 7 ; ☺ 9h-18h30 lun-ven, 9h30-18h30 sam-dim)

Point Phone (☎ /fax 0736 25 23 70 ; Piazza Bonfine 6 ; Internet 2 €/h ; ☺ 9h-12h45 et 16h-21h lun-sam, 14h-21h

dim, fermé mar matin). Accès Internet et communications téléphoniques internationales (0,15 €/min).

Police (☎ 0736 35 51 11 ; Vialle della Republica 8)

Poste (☎ 0736 24 22 85 ; Via Crispi ; ☺ 8h-18h30 lun-ven, 8h-12h30 sam)

Rinascita Libreria (☎ 0736 25 96 53 ; www.rinascita. it ; Piazza Roma 7 ; ☺ 9h-20h mar-jeu, 9h-21h ven et sam, 10h-13h et 16h-20h dim, 16h-20h lun). Cette librairie équipée du Wi-Fi propose de nombreuses cartes, un café et un espace agréable pour consulter livres et journaux.

À voir

PIAZZA DEL POPOLO

Site du forum à l'époque romaine, l'imposante Piazza del Popolo, de forme rectangulaire, est flanquée à l'ouest du **Palazzo dei Capitani del Popolo**, du XIIIᵉ siècle. Bâti en blocs de travertin, pierre utilisée dans toute la région depuis des siècles, ce palais était le siège des dirigeants d'Ascoli. La statue de Paul III au-dessus de l'entrée principale a été érigée en reconnaissance des efforts déployés par ce pape pour ramener la paix dans la ville.

La belle **Chiesa di San Francesco** (☎ 0736 25 94 46 ; Piazza del Popolo ; ☺ 7h-12h30 et 15h30-20h) a été édifiée en 1262 en hommage à saint François, qui vint en personne ici. Dans la nef, on peut découvrir un crucifix en bois du XVᵉ siècle ayant miraculeusement échappé à l'incendie qui a ravagé le Palazzo dei Capitani en 1535, et d'où du sang se serait écoulé depuis à deux reprises. Pratiquement rattachée à l'église, la **Loggia dei Mercanti** fut construite au XVIᵉ siècle par la puissante guilde des marchands de laine pour abriter leurs boutiques artisanales.

PIAZZA ARRINGO

La deuxième galerie d'art des Marches a investi l'intérieur du **Palazzo Comunale** (XVIIᵉ siècle). La **Pinacoteca** (☎ 0736 29 82 13 ; Piazza Arringo ; adulte/tarif réduit 8/5 € ; ☺ 10h-19h mar-dim mars-sept, 10h30-17h oct-fév) conserve 400 œuvres d'art, dont des sculptures, des peintures (Van Dyck, Titien et Rembrandt) et des souvenirs religieux, telle une étonnante cape pontificale brodée du XIIIᵉ siècle portée par le pape Nicolas IV, natif de la ville. La galerie fut inaugurée en 1861 avec les objets confisqués aux églises et aux ordres religieux qui furent interdits au lendemain de l'unification italienne. Le **Museo Archeologico** (☎ 0736 25 35 62 ; Piazza Arringo ; adulte/tarif réduit 2/1 € ; ☺ 8h30-19h30 mar-dim) réunit une petite collection d'objets provenant des Picéniens et d'autres tribus de l'Antiquité.

Sur le côté est de la place, le **Duomo** (cathédrale ; ☎ 0736 25 97 74 ; Piazza Arringo ; 7h-18h), dédié à saint Emidio, saint patron de la ville, fut édifié au XVᵉ siècle à l'emplacement d'un bâtiment médiéval. Dans la **Cappella del Sacramento**, on peut admirer le *Polittico*, un polyptyque de 1473, considéré par les spécialistes comme l'une des plus belles réalisations de Carlo Crivelli. La **crypte de Saint-Emidio** abrite pour sa part de belles mosaïques, et l'on peut y apercevoir à travers les grilles des galeries datant de l'Antiquité.

Le **baptistère**, près de la cathédrale, est resté inchangé depuis sa construction au XIᵉ siècle.

VIEUX QUARTIER

Le *Vecchio Quartiere* s'étend du Corso Mazzini (principale artère de la ville romaine) jusqu'à la rivière Castellano. La pittoresque rue principale, la Via delle Torri, qui se transforme en Via Solestà, constitue l'endroit idéal pour flâner. Dans la Via delle Donne (rue des Femmes), la **Chiesa di San Pietro Martire** (☎ 0736 25 52 14 ; Piazza Ventidio Basso ; ☺ 7h30-12h30 et 15h30-19h), du XIVᵉ siècle, est consacrée au saint fondateur de la communauté dominicaine d'Ascoli.

L'énorme structure gothique conserve le **Reliquario della Santa Spina**, censé contenir une épine de la couronne du Christ.

Avec leurs 40 m de hauteur, les **Torri degli Ercolani**, édifiées sur la Via dei Soderini, à l'ouest de la Chiesa di San Pietro Martire, sont les plus grandes tours médiévales de la ville. Le **Palazzetto Longobardo** (XIIᵉ siècle) qui les jouxte, édifice défensif lombardo-roman, abrite désormais l'Ostello dei Longobardi, une auberge de jeunesse (voir plus loin *Où se loger*). Juste au nord, on peut admirer le **Ponte Romano**, pont romain à une arche bien conservé.

Fêtes et festivals

Étant donné le nombre de fêtes médiévales qui ont lieu en Italie, la qualification de meilleure reconstitution historique attribuée à la **Quintana** d'Ascoli en dit long sur sa qualité. Processions et compétitions se déroulent le deuxième samedi de juillet et le premier dimanche d'août, mais le point d'orgue en est la joute de la Quintana, le premier dimanche d'août. Des milliers d'habitants revêtent alors les tenues typiques des XIIᵉ et XIIIᵉ siècles, chevaliers en armure et dames en velours et dentelle, pour la grande joute qui voit s'affronter les six *sestieri* (quartiers) de la ville.

Où se loger

Pas très riche en hôtels, Ascoli offre néanmoins un bon choix d'hébergements. L'office du tourisme fournit la liste des différentes possibilités, notamment des chambres et appartements à louer, des *agriturismi* et des B&B dans les quartiers les plus éloignés.

Ostello dei Longobardi (☎ 0736 26 18 62 ; fax 0736 25 91 91 ; longoboardoascoli@libero.it ; Via dei Soderini 26 ; dort 16 €, en hiver 18 €). Un palais en pierre du XIᵉ siècle, transformé en auberge de jeunesse. Mais, au Moyen Âge, confort et chaleur étaient à inventer : n'espérez pas trop en matière d'eau chaude et demandez une couverture supplémentaire en hiver. Deux dortoirs, l'un pour les hommes, l'autre pour les femmes, comptant chacun 8 lits. ☎

La Cantina dell'Arte (☎ 0736 25 56 20, portable 328 7204823 ; www.cantinadellarte.it ; Rua della Lupa 8 ; s/d/tr/qua 30/50/60/65 €). Les chambres sont simples, toutes disposent d'une sdb, la quadruple dispose même d'un petit balcon. Également 2 appartements avec kitchenette. L'hôtel est situé dans une rue secondaire, mais mieux vaut prévoir des bouchons d'oreilles, car il date de 1748 et l'insonorisation laisse à désirer.

B&B Rainbow (☎ 0736 25 11 76, 320 8082705 ; incontridanza@libero.it ; Via Salvadori 2 ; s/d 30/50 €). Il enseigne le théâtre et le mime, elle est professeur de yoga et de danse. Ensemble, ils tiennent un B&B chaleureux et accueillant, décoré d'œuvres d'art de leur deux fils. Ici, tout se partage : petit déjeuner et conversations ! Les lecteurs de Lonely Planet sont les hôtes préférés de Mariangela, la maîtresse des lieux.

Palazzo Guiderocchi (☎ 0736 24 40 11 ; www.palazzoguiderocchi.com ; Via Cesare Battisti 3 ; ch 69-199 € petit-déj inclus ; **P** 😺). Ce palais du XVIᵉ siècle conjugue de façon rare histoire, caractère et confort. Entièrement rénové, il a conservé ses plafonds voûtés de 6 m de hauteur au 1ᵉʳ étage, ses plafonds bas en bois au 2ᵉ étage, ainsi que plusieurs portes d'époque et des fresques un peu partout. Hors saison, ces chambres superbes peuvent être l'affaire du siècle.

Où se restaurer

Café Lorenz (☎ 0736 25 99 59 ; Piazza del Popolo 5 ; en-cas et gelati 2-6 € ; 🕙 10h-14h). Montez les marches pour aller prendre une légère collation ou un verre (2-5 €) dans une ambiance conviviale. Mais la principale raison de venir et de revenir chez Lorenz ce sont les *olive all'ascolana* (vente à emporter, 3 €).

Gallo D'Oro (☎ 0736 25 35 20 ; Corso Vittorio Emanuele 54 ; repas 26 € ; 🕙 lun-sam). Légèrement éloigné du quartier touristique et très prisé des habitants, ce restaurant d'affaires décontracté prépare des recettes locales depuis plusieurs décennies. Essayez les fritures variées en entrée.

Rua dei Notari (☎ 0736 26 36 30 ; Via Cesare Battisti 3 ; repas 30 €). Élégant restaurant au cadre ancien et au décor moderne. Entrées telles que *olive all'ascolana* ou *pecorino* au miel local (8 €), plats de viande et de pâtes.

Tigre (☎ 0763 34 10 00 ; Viale Indipendenza ; 🕙 8h45-12h45 et 16h-20h, fermé dim. et lundi matin). Ce supermarché, le plus central d'Ascoli, possède un rayon traiteur et présente une bonne sélection de vins.

Où prendre un verre

Caffè Meletti (☎ 0736 25 96 26 ; Piazza del Popolo ; 🕙 8h-19h). À l'ombre du vieux *portico*, vous pourrez prendre un café ou la fameuse anisette en contemplant l'une des plus belles places d'Italie. À l'intérieur, on profite du magnifique escalier en bois sculpté et du bar, appréciés en leur temps par Ernest Hemingway et Jean-Paul Sartre. Fondé en 1907, ce café a renoué avec sa splendeur passée après une restauration complète.

Depuis/vers Ascoli Piceno

Les bus partent du Piazzale della Stazione, en face de la gare ferroviaire, dans la partie moderne de la ville, à l'est de la rivière Castellano. **Start** (☎ 800 218692 ; www.startspa.it) dessert Rome (14,50 €, 3 heures, 4/jour) et Civitanova Marche (4,95 €, 2 heures, 12/jour). À Rome, les bus Start partent du Viale Castro Pretorio 84, en face de la Biblioteca Nazionale di Roma. Les bus **Mazzuca** (☎ 0736 40 22 67 ; www.mazzuca.it) démarrent de la Piazza Simonetti (billets en vente à bord) et rallient Montemonaco (4,10 €, 1 heure 30, 4/jour), Amandola (3,70 €, 1 heure 10, 6/jour) et d'autres villes proches des monts Sibyllins. Chaque jour à 6h30, un bus **Amadio** (☎ 0736 34 23 40) quitte son terminal en face de la gare ferroviaire pour rejoindre Pérouse (17 €, arrivée à 11h) puis Sienne (25 €, arrivée à 12h30).

Un embranchement sur la ligne de train relie Ascoli Piceno à San Benedetto del Tronto, elle-même située sur la ligne Bologne-Lecce qui longe la côte adriatique. Des correspondances permettent de rallier Ancône (4,20 €, 1 heure 10), mais il faut changer une ou deux fois pour atteindre Macerata (5,60 €, 2 heures, 10/jour).

Depuis l'autoroute A14, sortez à San Benedetto del Tronto et suivez la *Superstrada* (voie rapide) vers Ascoli Piceno. De Rome, empruntez l'Antique Salaria ou l'autoroute A2, L'Aquila-Teramo. Suivez ensuite la route régionale Piceno-Aprutina vers Ascoli Piceno.

MONTS SIBYLLINS (MONTI SIBILLINI)

Le **Parco Nazionale dei Monti Sibillini** offre certains des plus beaux paysages montagneux du centre de l'Italie. La région englobe des vallées mystérieuses, d'anciens bourgs, de vastes étendues de fleurs sauvages et de hauts sommets (dix dépassent les 2 000 m).

Les monts Sibyllins sont à cheval sur l'Ombrie et les Marches. Paradis de ceux qui aiment les activités de plein air, le massif des Sibillini est sillonné de sentiers de randonnée et parsemé d'accueillants *rifugi* (refuges), à quelques kilomètres les uns des autres, avec chaque fois un restaurant et un lit (la plupart n'ouvrent qu'en été ; des cartes avec les numéros de téléphone et les heures d'ouverture sont disponibles dans tous les offices du tourisme locaux).

En voiture, au départ de Nursie (en Ombrie), Ascoli Piceno, Macerata ou Ancône, on peut effectuer un beau circuit à travers les montagnes. En venant du sud-ouest, partez de Nursie en prenant la direction de Castelluccio. Suivez les indications Montemonaco, Montefortino puis Amandola. Juste après Montefortino, prenez la route indiquée vers Madonna dell'Ambro, qui vous conduira à la **Gola dell'Infernaccio**, la plus belle cascade des Monti Sibillini. Revenez vers Montefortino pour continuer la boucle.

Bien qu'elle ne soit pas située à l'intérieur même du parc national des monts Sibyllins, la plus grande et la plus jolie ville des environs, Sarnano, se trouve sur la SS78, qui mène à Sasso Tetto, principale station de ski de la région. De là, la route redescend en pente raide jusqu'au Lago Fiastra. Pour poursuivre sur un itinéraire tout aussi panoramique, décrivez une boucle jusqu'à la SS209 à travers la Valnerina, en Ombrie.

Renseignements

Il existe 15 maisons du parc (Case del Parco), dont plusieurs ouvertes tous les jours, notamment celle d'**Amàndola** (☎ /fax 0736 84 85 98 ; Via Indipendenza 73 ; ☷ 9h30-12h30 et 14h-18h Pâques-sept). Chacune dispose d'une mine de livres, de cartes, de brochures et de guides répondant à tous les centres d'intérêt, naturels ou culturels, depuis les monastères jusqu'aux itinéraires de VTT.

Consultez aussi le site officiel de la région, www.sibillini.net (en italien et/ou en anglais), qui regroupe une foule d'informations sur le camping, les hôtels, les randonnées, les activités de plein air et les services.

Où se loger et se restaurer

Montespino (☎ /fax 0736 85 92 38 ; Montefortino Serrata ; pers/tente 4,15/6,20 €, bungalow 2/4/6 pers 26/39/47 € ; ☷ juin-sept, sam-dim uniquement mi-sept à déc ; 🅿 🈲). Avec sa vue sur le Monte Conero et la forêt qui l'entoure, ce camping semble au bout du monde, alors qu'il n'est qu'à quelques kilomètres de la SS78 entre Macerata et Ascoli Piceno. Restaurant, bar, marché, terrain de bocce (jeu de boules), piscine et jeux pour enfants.

Ristorante/B&B Osteria del Lago (☎ 0737 5 26 69 ; Via San Lorenzo al Lago 19, Lago di Fiastra ; ch 40-85 € ; repas 21 €). À l'intersaison, vous aurez un lac de montagne pour vous tout seul et pourrez savourer le meilleur *cinghiale* des Marches. Cette trattoria familiale toute simple loue quelques chambres accueillantes, aménagées à l'étage. De très nombreux chemins de randonnée sillonnent la région du Lago di Fiastra.

Casa Sibillini (☎ 0736 85 90 44 ; www.casasibillini.com ; Via dei Tiratori 11, Montefortino ; s/d/app petit-déj inclus 40/60/80 € ; ☷). Un beau B&B tenu par des Anglais, à la décoration soignée ; avec quatre intérieur en briques, salon confortable rempli de livres et petit déjeuner maison chaque matin. Véritables mines d'information sur la région, les propriétaires pourront vous aider à préparer votre voyage dans les montagnes.

Hotel Paradiso (☎ 0737 84 74 68 ; www.sibillinihotels.it ; Piazza Umberto I, Amandola ; s 40 €, d 62-100 € ; 🅿). Plutôt difficile à trouver ou à rejoindre, cette retraite privée vaut le détour ne serait-ce que pour la vue. Avec 40 chambres confortables (la plupart avec balcon), un restaurant impressionnant (petit-déj 5 €, déj et dîner 20 €) et le théâtre baroque ouvert toute l'année, les terrains de tennis et la promenade romantique des environs, cet hôtel pourtant sans prétention offre tout ce que l'on pourrait attendre de vacances dans les montagnes.

🌀 La Quercia della Memoria (☎ 0733 69 44 31 ; www.querciadellamemoria.it ; Contrada Vellato, San Ginesio ; 30-40 €/pers ; repas 25 € ; 🅿). Suivez les pandas jusqu'à cette véritable trouvaille, à 15 minutes environ de la route des Monti Sibillini, le jeu en vaut la chandelle. Le restaurant bio propose des produits maison, jusqu'au pain, à base de farine de blé moulue sur place. On loge dans des maisons de pierre restaurées, avec quantité de détails écolo, comme le chauffage radiant au sol fait à partir de bouteilles de vin, et l'électricité solaire.

Depuis/vers les monts Sibyllins

Pour rejoindre les monts Sibyllins, la meilleure option consiste à prendre un bus au départ d'Ascoli Piceno ou de Macerata. Les services sont plus fréquents durant l'année scolaire, ce qui peut s'avérer assez aléatoire pour les visiteurs. Renseignez-vous au préalable auprès des offices du tourisme d'Ascoli (p. 612) ou de Macerata (p. 610) ou directement auprès des compagnies de bus, notamment **Contram** (☎ 800 443040) à Ascoli Piceno, ou **Start** (☎ 800 037737) à Macerata. Aucune ligne ferroviaire ne dessert le massif montagneux ; les gares les plus proches sont celles d'Ascoli Piceno, au sud, et de Tolentino, au nord.

SARNANO

Si elle ne fait pas partie des monts Sibyllins, Sarnano est la plus grosse bourgade des environs, et la plus accueillante. Quiconque s'y rend tombe immédiatement sous le charme de ses façades rouge brique.

LES MONTS SIBYLLINS, MONTAGNES MAGIQUES

Sibyllin – le mot lui-même signifie énigmatique et mystérieux – vient rappeler que, des siècles durant, l'étendue accidentée et sauvage des monts Sibyllins a stimulé l'imagination des écrivains. Au Moyen Âge, on soupçonnait cette chaîne montagneuse aux vingt sommets d'abriter le royaume des démons, des nécromanciens et des fées. Son nom vient de la sibylle, une prophétesse consacrée au culte d'Apollon, censée avoir vécu dans une grotte sous l'un des trois sommets les plus élevés du massif : le Monte Sibilla.

Quand bien même ces légendes appartiennent au passé, vous n'échapperez pas à la magie de ces montagnes, à cheval entre l'Ombrie et les Marches. Au fur et à mesure de votre ascension, la végétation change – les chênes et les frênes cèdent progressivement le terrain aux hêtres. Plus haut encore, vous découvrirez les pâturages rocailleux et, si la chance vous sourit, des espèces rares de fleurs, dont les edelweiss des Apennins. En été, la partie la plus septentrionale du parc se couvre d'orchidées, de liliacées, de narcisses et d'asters alpins. Les créatures qui vivent dans ces montagnes sont tout aussi sauvages : loups, chats sauvages, chevreuils, porcs-épics et, les survolant, aigles royaux, vautours, éperviers et faucons pèlerins.

Les 70 000 ha, regroupés en 1993 en parc national, recèlent des vestiges d'époques disparues. Des abbayes et des cités médiévales se nichent au creux des montagnes. On peut encore voir des églises ornées de fresques de style gothique tardif, des châteaux et les tours de guet érigées par les habitants de la vallée pour contrer les incursions sarrasines. Dans la vallée du Lago di Fiastro, la Grotta dei Frati, impressionnant ravin creusé par l'eau de pluie, servit de refuge au XIe siècle aux moines de Clareno. Nursie (Norcia), le lieu de naissance de saint Benoît, fondateur de l'ordre des Bénédictins et vénéré comme père du monachisme occidental, constitue le point de départ de nombreuses excursions, dont celle qui mène à l'abbaye de Sant Eutizio, dans le *comune* de Preci. Fondé à la fin du Ve siècle, le lieu acquit sa renommée grâce à ses moines, passés maîtres dans l'art de soigner les maladies à l'aide de "simples", des remèdes à base de plantes cueillies dans les montagnes.

L'**office du tourisme de Sarnano** (☎ 0733 65 71 44 ; iat.sarnano@regione.marche.it ; Largo Ricciardi 1 ; ◷ 9h-13h lun-sam, 15h-18h mar-ven) fournit des renseignements sur les randonnées et l'escalade dans le parc, ainsi que sur les hébergements.

Le camping **Quattro Stagioni** (☎ 0733 65 11 47 ; www.camping4stagioni.it ; Loc Brilli ; 2 pers avec caravane 18-27 €, pers supp 5-6 €, bungalow 4 pers 40-80 € ; P ⛽) est merveilleusement situé, juste à la sortie de Sarnano. Deux piscines (l'une pour les adultes, l'autre pour les enfants), table de ping-pong, discothèque et terrains de jeux où pratiquer *bocce* (jeu de boules), tennis ou foot. Il y a aussi un restaurant, un supermarché et une pizzeria. En haute saison, cours de natation, d'équitation et d'aérobic. Les bungalows sont équipés d'une kitchenette et d'une vraie sdb. Ouvert toute l'année.

Albergo La Villa (☎ 0733 65 72 18 ; www.hrlavilla. com ; Viale della Rimembranza 46, Sarnano ; s 35-45 €, d 52-60 € ; P). Le banc dans le jardin fleuri pourrait à lui seul justifier un séjour ici, mais le calme des lieux à seulement 5 minutes de la ville, le prix (les chambres avec sdb commune sont moins chères), le restaurant attenant qui concocte de savoureuses recettes locales (lapin, truffes, agneau, etc.) et l'aire de jeux pour enfants font de cette adresse un excellent choix.

Sur la route de Sassotetto, l'ultramoderne **Novidra** (☎ 0733 65 71 97 ; www.novidra.com ; Via De Gaspe... 26 ; s 50 €, d 90-150 €, petit-déj inclus ; P ⬜ 🛜 ⛽) attire skieurs, amateurs de montagne et accros du spa. Chambres très confortables (linge douillet et nombreux articles de toilette).

Un escalier en pierre mène à la vaste salle du **Ristorante Il Vicolo** (☎ 0733 65 85 65 ; Vicolo Brunforte 191a ; repas 23 € ; ◷ jeu-mar), où vous aurez le choix entre lièvre, sanglier et cochon grillé. L'*antipasto della nonna* est un assortiment de spécialités des Marches et de saveurs internationales, comme les pois chiches au curry.

Abruzzes et Molise

Étonnante région montagneuse méconnue, les Abruzzes, à la beauté naturelle intacte, possèdent un charme d'arrière-pays rural. Bien qu'à une heure de Rome seulement, voici un monde à part avec les hauts sommets de ses Apennins, ses paisibles vallées et ses villes joliment perchées. Au sud, la Molise offre le même genre de paysages à une échelle réduite.

Le tourisme n'a pas oublié cette région mais il n'en a pas non plus gâché les attraits et, depuis le tremblement de terre dévastateur de 2009, le nombre de visiteurs a chuté. La plupart choisissent les stations balnéaires très développées de l'Adriatique, mais c'est à l'intérieur des terres que vous découvrirez le vrai cœur de ces deux régions.

Les Abruzzes et la Molise comptent trois parcs nationaux couvrant 3 350 km² de paysages de montagne. Le plus ancien et le plus populaire est le Parco Nazionale d'Abruzzo, Lazio e Molise, où loups et ours évoluent dans la vaste forêt de hêtres et sur les versants verdoyants. Paradis des adeptes des sports, il se prête merveilleusement à la randonnée, au ski et au VTT.

Pas aussi riches culturellement que leurs voisines plus illustres, ces deux régions renferment néanmoins plus d'un joyau. Le centre baroque de Pescocostanzo et les *palazzi* historiques de Sulmona témoignent de splendeurs passées, tandis que des découvertes préhistoriques d'Isernia révèlent la présence de peuplements humains parmi les plus anciens d'Europe. L'isolement a aussi favorisé la survie de coutumes anciennes comme la curieuse procession des charmeurs de serpents de Cocullo et les frénétiques courses de taureaux d'Ururi. Et à Scanno, vous verrez des dames portant encore le costume traditionnel.

À NE PAS MANQUER

- L'air frais des montagnes à **Pescocostanzo** (p. 622), l'un des joyaux bien gardés des Abruzzes
- Un voyage dans le temps dans la ville romaine de **Saepinum** (p. 629)
- Les loups de **Civitella Alfedena** (p. 624) au fin fond de la campagne des Abruzzes
- L'appel des hauteurs en gravissant le **Corno Grande** (p. 618), sommet du Gran Sasso et point culminant des Apennins
- La douceur de l'été à **Termoli** (p. 630), station balnéaire sur l'Adriatique, gaie et sans prétention

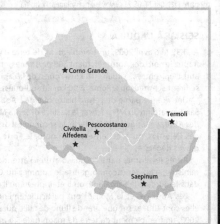

★ Corno Grande

Termoli ★

Civitella Pescocostanzo
Alfedena ★
★

Saepinum ★

- POPULATION : ABRUZZES 1,3 MILLION ; MOLISE 320 850
- SUPERFICIE : ABRUZZES 10 794 KM² ; MOLISE 4 438 KM²

ABRUZZES ET MOLISE

ABRUZZES (ABRUZZO)

Réputée pour ses paysages montagneux époustouflants, la région des Abruzzes présente cependant une topographie étonnamment variée : forêts anciennes du Parco Nazionale d'Abruzzo, Lazio e Molise, vaste plaine à l'est d'Avezzano, et littoral plat et sablonneux, idéal pour la baignade en été.

De nombreuses villes conservent une allure médiévale ; les collines sont hérissées de nombreux châteaux et de *borghi* (bourgs), parfois abandonnés, au charme quelque peu lugubre, rappelant que la région fut jadis celle des Marses, peuple de sorciers.

PARCO NAZIONALE DEL GRAN SASSO E MONTI DELLA LAGA

À environ 20 km au nord-est de L'Aquila, le massif du Gran Sasso est en quelque sorte la pièce maîtresse du Parco Nazionale del Gran Sasso e Monti della Laga. Ce parc de 1 500 km², l'un des plus grands d'Italie, se situe en grande partie dans les Abruzzes, mais il s'étend aussi dans les régions du Latium et des Marches. Le glacier le plus méridional d'Europe, le Calderone, traverse son paysage rocheux déchiqueté. C'est aussi un paradis pour les animaux sauvages, abritant quelque 40 loups, 350 chamois et 5 couples d'aigles royaux.

Pour plus de détails, adressez-vous au **bureau du parc** (☎ 0862 6 05 21 ; www.gransassolagapark.it ; Via del Convento 1 ; ☺ 10h30-13h lun-ven et 16h-18h mar e jeu) à Assergi.

Non loin, Fonte Cerreto constitue le prin cipal point d'accès au Gran Sasso et au Camp Imperatore (2 117 m), plaine montagneus déserte où Mussolini fut brièvement empri sonné en 1943. Un **funivia** (téléphérique ; ☎ 086 60 61 43 ; sam et dim 14 €, lun-ven 11 € ; ☺ 8h-17h lun-sam 8h-18h dim, fermé en mai) monte jusqu'au Camp depuis Fonte Cerreto. Au sommet, on pratiqu la randonnée en été et le ski en hiver (voi l'encadré p. 623).

La randonnée vers le sommet du **Corno Grand** (le pic le plus élevé des Apennins, 2 912 m) es très populaire. La *via normale* (voie normale 9 km), estimée de difficulté moyenne, part d parking principal de Campo Imperatore et sui un chemin impressionnant et étonnammen droit jusqu'au sommet. La neige ne devra pas trop encombrer le parcours de débu juin à fin septembre/début octobre. Si vou entamez cette ascension, ou partez à l'assau d'un itinéraire un peu difficile, assurez-vous d disposer de la carte *Gran Sasso d'Italia* du Clu Alpino Italiano (échelle : 1/25 000 ; 10 €).

Le parc compte un réseau de refuges pou les randonneurs. Sinon, vous pouvez plante votre tente au **Camping Funivia del Gran Sass** (☎ 0862 60 61 63 ; Fonte Cerreto ; 7/8/1,50 € par pers/tent voiture ; ☺ mi-mai à mi-sept), modeste camping d Fonte Cerreto ou, en haut du téléphérique, l'**Ostello Campo Imperatore** (☎ 0862 40 00 11 ; Camp Imperatore ; 30 € par pers, avec dîner 45 €), qui propos des chambres rudimentaires toute l'année.

SÉISME À L'AQUILA

À 3h32 le 6 avril 2009, un tremblement de terre d'une magnitude de 6,3 sur l'échelle de Richter frappa le nord des Abruzzes, tuant 308 personnes, en blessant 1 500 et faisant presque 65 000 sans-abri. L'épicentre se situait à 10 km à l'ouest de la capitale régionale, L'Aquila, mais les ondes de choc se firent sentir jusqu'à Rome, à 90 km au sud-ouest, et à Naples, à 185 km au sud.

Une grande partie du centre historique de L'Aquila fut endommagée, notamment la Basilica di San Bernardino du XVᵉ siècle et la Basilica di Santa Maria di Collemaggio, l'église la plus renommée des Abruzzes. Érigée au XIIIᵉ siècle, la seconde est associée au pape Célestin V, fondateur de l'ordre des Célestins, qui y est enseveli. Au nord, le Forte Spagnolo du XVIᵉ siècle a également subi de graves dégâts.

Après le séisme, dans l'espoir d'attirer l'attention sur le triste sort des Abruzzes, le Premier ministre Silvio Berlusconi organisa le sommet du G8 2009 à L'Aquila plutôt qu'à La Maddalena, dans le nord de la Sardaigne, où il était prévu qu'il se tienne.

Les Abruzzes et la Molise sont particulièrement vulnérables aux tremblements de terre, car elles sont situées sur une grande ligne de faille qui suit les Apennins de la Sicile jusqu'à Gênes. En 2002, un tremblement de terre de magnitude 5,4 frappa la Molise, faisant 29 morts dans la petite ville de San Giuliano di Puglia.

Lors de notre passage, le centre historique de L'Aquila était interdit aux visiteurs.

ABRUZZES ET MOLISE

ITINÉRAIRE RÉGIONAL
DROIT AU CŒUR   Une semaine / Sulmona / Riserva Naturale di Punta Aderci

Véritable oasis au cœur des montagnes qui couvrent le sud des Abruzzes, **Sulmona** (p. 620) est un excellent point de départ. Avec son centre historique attractif, son atmosphère chaleureuse et ses excellentes trattorias, c'est une ville italienne typique. Parcourez les étals des marchés de la Piazza Garibaldi et rejoignez les habitants lors de leur *passeggiata* vespérale sur le Corso Ovidio. Après une nuit à Sulmona, poussez au sud vers le haut **Scanno** (p. 623). C'est une lente traversée panoramique qui emprunte les Gole di Saggittario, gorge rocheuse à travers laquelle la route se faufile, et qui longe le magnifique Lago di Scanno. La beauté de Scanno en a fait une destination touristique mais, à condition d'éviter le plein été, vous y trouverez un coin tranquille.

Après Scanno, grimpez à 1 600 m puis redescendez jusqu'au magnifique **Parco Nazionale d'Abruzzo, Lazio e Molise** (p. 624), le plus populaire des 3 parcs nationaux des Abruzzes. Installez-vous à **Civitella Alfedena** (p. 624), ou à **Pescasseroli** (p. 624) si vous voulez plus d'animation, et passez quelques jours à explorer les montagnes avoisinantes. Une fois vos batteries rechargées, continuez jusqu'à **Isernia** (p. 629), où des fouilles ont révélé l'existence d'habitations paléolithiques. C'est difficile à imaginer, mais il y a plus de 700 000 ans, l'Homo Erectus chassait l'éléphant ici !

Le moment est venu de vous rendre sur la côte pour bronzer à **Vasto** (p. 627), station balnéaire populaire sur l'Adriatique. Si la foule devient trop dense, ce qui est possible en été, reprenez la route jusqu'à Spiaggia di Punta Penna, une adorable plage de la **Riserva Naturale di Punta Aderci** (p. 627).

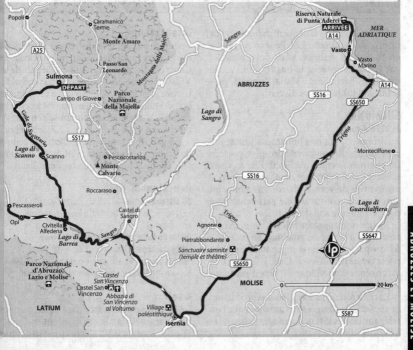

ABRUZZES (ABRUZZO)

Fonte Cerreto est clairement indiqué près de la sortie de l'autoroute A24. Pour vous y rendre en transports publics, vous devrez passer par L'Aquila : prenez le bus 76 de L'Aquila direction Piazza Santa Maria Paganica, puis le bus M6 jusqu'à Fonte Cerreto.

SULMONA
25 325 habitants

Environnée d'impressionnantes montagnes, cette bourgade provinciale prospère possède un charmant centre médiéval. Elle se visite aisément en une journée, mais vous pourriez avoir envie de vous y attarder, notamment parce qu'elle constitue une excellente base pour explorer le sud des Abruzzes.

Malgré son aspect médiéval, Sulmona est antérieure à l'époque romaine. Elle aurait été fondée par Solyme, un compagnon d'Énée. Le poète Ovide naquit ici en 43 av. J.-C. Sulmona fut un centre économique important au Moyen Âge.

La cité a bâti sa richesse grâce à la production de *confetti* – les dragées aux amandes que l'on offre aux invités lors des mariages italiens – et à la fabrication de bijoux.

Orientation

Les principaux centres d'intérêt se trouvent dans le périmètre immédiat de l'artère principale, le Corso Ovidio, qui part au sud-est du parc de la Villa Communale et rejoint la Piazza Garibaldi, la place principale de Sulmona. La promenade prend 5 minutes à pied et le *corso* est fermé à la circulation en dehors des horaires de bureau. À mi-chemin se trouve la Piazza XX Settembre.

La gare ferroviaire est à 2 km du centre historique, en direction du nord-ouest ; le bus A relie ces deux points toutes les demi-heures.

Renseignements

3D Sistemi (☎ 0864 21 20 47 ; Piazza Plebiscito 2 ; 5 €/1 h ; ⏱ 9h-13h et 16h-19h30 lun-mer, ven-sam). Accès Internet.

Office du tourisme (☎ 0864 5 32 76 ; www. abruzzoturismo.it ; Corso Ovidio 208 ; ⏱ 9h-13h et 16h-19h lun-sam, 9h-13h dim mi-mai à mi-sept, 9h-13h lun-sam et 15h-18h lun, mer et ven mi-sept à mi-mai)

À voir

Le **Palazzo dell'Annunziata** (Corso Ovidio), le plus imposant des palais qui bordent le Corso Ovidio, date du XVIe siècle et présente une architecture mêlant harmonieusement les styles gothique et Renaissance. À l'intérieur, le **Museo Civico** (☎ 0864 21 02 16) propose sa petite collection de mosaïques romaines et de sculptures de la Renaissance, tandis que le **Museo Archeologico** dévoile une villa romaine du Ier siècle. Lors de notre passage, les deux musées étaient fermés à cause des dommages subis lors du tremblement de terre de 2009.

Non loin, la **Piazza XX Settembre**, avec sa statue d'Ovide, est un lieu de rencontre populaire.

En poursuivant sur le Corso Ovidio, vous découvrirez les vestiges d'un **aqueduc** du XIIIe siècle et, au-dessous, la **Piazza Garibaldi**, qui accueille les marchés du mercredi et du samedi. La **Fontana del Vecchio** (fontaine du Vieillard) d'époque Renaissance qui se dresse en son centre représenterait Solyme, le fondateur de Sulmona. Au nord-est, la **Chiesa di San Filippo Neri** (Piazza Garibaldi), du XIVe siècle, arbore un impressionnant portail gothique.

Également sur la place, dans un ancien couvent, le **Polo Museale Santa Chiara** (☎ 0864 21 29 62 ; Piazza Garibaldi ; 3 € ; ☻ 9h-13h et 15h30-19h30 lj) est un petit musée arborant une collection éclectique d'art religieux et contemporain. Notez le fascinant *presepe* (crèche) reconstituant Sulmona au XIXe siècle.

À environ 1 km de la Porta Napoli, au sud de Corso Ovidio, la **Fabbrica Confetti Pelino** est la plus célèbre usine de *confetti* (dragées) de Sulmona. Découvrez leur fabrication au **Museo dell'Arte Confettiera** (☎ 0864 21 00 47 ; Via Stazione Introdacqua 55 ; entrée libre ; ☻ 9h-12h30 et 15h30-18h30 lun-sam).

Fêtes et festivals

La foule se rassemble sur la Piazza Garibaldi le dimanche de Pâques pour assister à la **Madonna che Scappa** (la Madone qui s'échappe), cérémonie traditionnelle de Sulmona.

L'été, les festivités se poursuivent avec deux tournois médiévaux. Le dernier week-end de juillet, des cavaliers de la région galopent autour de la Piazza Garibaldi à l'occasion de la **Giostra Cavalleresca di Sulmona**. Une semaine plus tard, la compétition s'ouvre à des cavaliers venus de toute l'Europe pendant la **Giostra Cavalleresca d'Europa**.

Où se loger

B&B Case Bonomini (☎ 0864 5 23 08 ; www.bedandbreakfastcasebonomini.com ; Via Quatrario 71 ; s 25-30 €, d 50-70 €, tr 65-90 €). Caché dans une ruelle du centre historique, ce mini-appartement est l'une des trois propriétés aménagées dans

la même rue. Décor agréable et modeste, lit grinçant, mais la lumière y entre à flots, les prix sont corrects et la cuisine équipée.

Albergo Ristorante Stella (☎ 0864 5 26 53 ; www.hasr.it ; Via Panfilo Mazara 18 ; s 40-50 €, d 70-80 €). Agréable petit trois-étoiles dans le centre historique, louant de vastes chambres, aérées et modernes. Il possède un restaurant-bar à vin (déjeuner 14 €). Des réductions d'environ 20% sont possibles pour des séjours de plus d'une nuit et l'on peut louer des vélos ou des voitures. Possibilité de venir vous chercher à l'aéroport.

Où se restaurer et prendre un verre

♥ **Hosteria dell'Arco** (☎ 0864 21 05 53 ; Via M D'Eramo 20 ; repas 20 € ; ☻ mar-dim). Vous vous souviendrez de cet endroit : la cuisine est excellente, le cadre rustique charmant, l'ambiance détendue et le service chaleureux, le tout pour 20 €. Le fabuleux buffet d'antipasti est élaboré tous les soirs, et suivi d'un délicieux agneau grillé et de savoureux desserts maison.

La Cantina di Biffi (☎ 0864 3 20 25 ; Via Barbato 1 ; repas 20 € ; ☻ fermé dim soir et lun). Près du Corso Ovidio, un charmant bistrot-bar à vin. Entre les murs de pierre apparente et sous les plafonds voûtés, on sert une excellente cuisine maison et un vin local, au verre, à partir de 4 €.

Pasticcerie Palazzone (☎ 0864 21 11 21 ; Piazza SS Annunziata 2 ; ☽ mer-lun). Asseyez-vous dehors et sirotez une boisson fraîche en regardant le défilé du soir sur le Corso Ovidio. Un petit creux ? Des glaces et des en-cas salés sont proposés.

Achats
Le sachet de *confetti* est le souvenir que l'on rapporte de Sulmona. Vous pourrez en acheter à la **Confetteria Maria Di Vito** (☎ 0864 5 59 08 ; Corso Ovidio 187) en même temps qu'une tablette de *torrone* (nougat tendre). Les *confetti* coûtent de 4 € le petit paquet à 10 € le sac de 2 kg.

Depuis/vers Sulmona
Les bus **ARPA** (☎ 199 166 952 ; www.arpaonline.it) desservent L'Aquila (5,50 €, 1 heure 30, 9/jour), Pescara (5,50 €, 1 heure, 9/jour), Scanno (2,90 €, 1 heure, 10/jour) et d'autres villes proches. **SATAM** (☎ 0871 34 49 69) propose 4 services quotidiens vers Naples (15 €, 2 heures 30).

Des bus partent d'un nombre déroutant d'arrêts, dont Villa Comunale, l'hôpital, la gare ferroviaire et sous le Ponte Capograssi. Cherchez où se trouve votre arrêt en achetant votre ticket à l'**Agenzia Fai** (☎ 0864 5 17 15 ; Via Circonvallazione Orientale 3 ; ☽ 9h-13h et 16h20-18h30 lun-sam) près de la Porta Napoli.

En voiture, Sulmona se trouve près de l'autoroute A25. Si vous venez de L'Aquila, empruntez la SS17 en direction du sud.

Des trains réguliers et fréquents desservent L'Aquila (3,90 €, 1 heure, 11/jour), Pescara (3,90 €, 1 heure 15, 17/jour) et Rome (8,80 €, 2 heures 30 à 3 heures, 7/jour). Pour vous rendre de la gare ferroviaire au centre, prenez le bus A.

PARCO NAZIONALE DELLA MAJELLA
Facile d'accès depuis Sulmona, ce parc national de 750 km^2 est une région de montagnes et de vallées désertes. Il se situe pour plus de la moitié à plus de 2 000 m d'altitude. Son point culminant, le Monte Amaro (2 793 m), est le deuxième plus haut sommet des Apennins. La zone est sillonnée de quelque 500 km de sentiers de randonnée pédestre et cycliste – de quoi satisfaire tous les amateurs d'activités de plein air.

De Sulmona, les deux points d'accès les plus pratiques sont **Campo di Giove** (1 064 m), petit village de ski, à 18 km tortueux au sud-est, et l'adorable ville de **Pescocostanzo**, à 33 km au sud de Sulmona sur la SS17.

À Pescocostanzo, vous trouverez un **office du tourisme** (☎ 0864 64 14 40 ; Vico delle Carceri ; ☽ 9h-13h et 15h-18h lun-ven sept-juin, 9h-13h et 16h-19h tlj juil et août), juste à côté de la Piazza del Municipio. D'autres informations sont disponibles sur le très complet site Internet du parc www.parcomajella.it.

Au milieu de hautes plaines verdoyantes, Pescocostanzo (1 400 m) est un véritable joyau, une ville dont le centre historique a peu changé en plus de 500 ans. La plus grande partie du centre pavé date des XVIe et XVIIe siècles, époque où c'était une ville importante de la "Via

---

LES SERPENTS DE COCULLO
Petit hameau perdu dans les collines situées à l'ouest de Sulmona, **Cocullo** est le cadre improbable de la plus étrange des fêtes italiennes. La **Processione dei Serpari** (procession des charmeurs de serpents) constitue en effet le temps fort des célébrations en l'honneur de saint Dominique (San Domenico), patron de Cocullo, qui protège aussi contre les morsures de serpent. La fête commence à midi le premier jeudi du mois de mai. Les villageois se rassemblent sur la place principale pour orner la statue du saint de bijoux, de billets de banque et de dizaines de serpents vivants. Ensuite, la statue est transportée dans les rues de la ville par des *serpari*. Selon le folklore local, si les serpents s'enroulent autour de la tête du saint, la nouvelle année s'annonce bien ; s'ils optent pour les bras, c'est de mauvais augure.

Malgré son caractère religieux, cette fête serait païenne à l'origine. Avant la chrétienté, les habitants du lieu célébraient le culte d'Angizia, une déesse qui avait le pouvoir de guérir les morsures de serpent. Avec l'établissement du christianisme, les saints catholiques se sont substitués aux anciennes divinités et saint Dominique a hérité des pouvoirs d'Angizia.

Les serpents qui participent à la fête sont d'inoffensifs *cervoni* et *saettoni*. On les capture dans la campagne environnante à la fin mars et on les relâche dans la nature dès la fin des festivités.

Cocullo est accessible grâce à un bus quotidien partant de Sulmona (1,40 €, 20 min ; service renforcé les jours de festival). Renseignez-vous à l'office du tourisme de Sulmona (p. 620) pour en savoir plus.

DIRECTION LES PISTES DE SKI

Les Abruzzes et la Molise n'ont peut-être pas le glamour des Alpes du Nord, mais le ski y attire de nombreux adeptes et la région est ponctuée de stations bien enneigées. Voici quelques exemples :

- **Campo Imperatore** 22 km de pistes, principalement de descente, dans le Parco Nazionale del Gran Sasso e Monti della Laga (p. 618).
- **Ovindoli** La plus grande station de ski des Abruzzes possède 30 km de pistes de ski alpin et 50 km de pistes de fond.
- **Campo Felice** Petite station à 40 km au sud de L'Aquila, offrant 40 km de pistes (30 alpines, 10 de fond).
- **Pescasseroli** Station populaire au fin fond du Parco Nazionale d'Abruzzo, Lazio e Molise (p. 624), avec 30 km de pistes de ski alpin.
- **Campo di Giove** Au pied de la Majella (ci-contre), pour skier à la plus haute altitude des Abruzzes, à 2 350 m.
- **Pescocostanzo** Outre le ski de fond ou alpin, découvrez aussi une architecture médiévale renommée à Pescocostanzo.
- **Campitello Matese** Aux Monti del Matese de la Molise (p. 629), Campitello propose ses 40 km de pistes, dont 15 km pour le ski de fond.

Comptez environ 35 € pour un forfait d'une journée.

degli Abruzzi," la principale route reliant Naples et Florence. Remarquez la **Collegiata di Santa Maria del Colle**, église singulière qui associe un superbe portail roman et un intérieur baroque exubérant. À côté, la **Piazza del Municipio** est flanquée de plusieurs impressionnants palais, notamment le **Palazzo Comunale** et son clocher, et le **Palazzo Fanzago** imaginé par l'architecte baroque Cosimo Fanzago en 1624.

Pescocostanzo permet aussi de skier sur le **Mont Calvario** et de marcher l'été dans le **Bosco di Sant'Antonio**.

Si vous désirez séjourner à Pescocostanzo, **Albergo La Rua** (☎ 0864 64 00 83 ; www.larua.it ; Via Rua Mozza 1 ; d 70-100 € ; 🛜) est un charmant petit hôtel dans le centre historique. Le décor y est agréable, avec ses poutres apparentes et une cheminée de pierre. Les adorables propriétaires sont des puits de science.

Des bus circulent tous les jours entre Sulmona et Pescocostanzo (3,60 €, 3 heures, 1/jour) via Castel di Sangro, et desservent Campo di Giove (1,90 €, 45 min, 3/jour).

SCANNO
2 035 habitants

Dédale de ruelles escarpées flanquées de solides bâtisses en pierre grise, Scanno est un village de montagne ravissant et une destination très prisée des touristes. Plutôt endormi l'hiver, il s'anime énormément l'été quand les visiteurs affluent pour profiter de son authentique atmosphère de *borgo* (bourg) médiéval isolé. Il serait dommage de le manquer, ne serait-ce que pour la route qui y grimpe en venant de Sulmona. Véritable régal pour les yeux, elle traverse les Gole di Sagittaro (gorges du Sagittaro) avant de longer les eaux calmes du Lago di Scanno.

Longtemps considéré comme un bastion du traditionalisme, Scanno fut des siècles durant un centre de production de laine. Aujourd'hui, c'est l'un des rares endroits en Italie où l'on voit encore des femmes en tenue traditionnelle.

Pour plus de détails, adressez-vous à l'**office du tourisme** (☎ 0864 7 43 17 ; Piazza Santa Maria della Valle 12 ; 🕙 9h-13h et 16h-19h lun-sam, 9h-13h dim mi-mai à sept, 9h-13h et 15h-18h lun-sam oct à mi-mai), dans le centre du village.

Où se loger et se restaurer

De nombreux hôtels ferment tout l'hiver et la plupart insistent pour vous loger au minimum en demi-pension en juillet et août. En été, n'oubliez pas de réserver.

Pensione Grotta dei Colombi (☎ 0864 7 43 93 ; www.grottadeicolombi.it ; Viale dei Caduti 64 ; s/d 35/50 €, demi-pension 42-50 €/pers ; 🕙 fermé nov). Deux-étoiles ensoleillé à la lisière du centre historique. Les chambres sans prétention, dont certaines donnent sur le défilé rocheux en face, sont fonctionnelles, avec leurs murs blancs et leurs meubles en pin.

Hotel Belvedere (☎ 0864 7 43 14 ; www.belvedere scanno.it ; Piazza Santa Maria della Valle 3 ; s 27,50-35 €, d 55-70 €). Malgré son extérieur fatigué, cet hôtel ouvert toute l'année loue des chambres modernes et pimpantes aux jolis détails en bois. Idéalement situé sur la principale place de Scanno.

Pizzeria Trattoria Vecchio Mulino (☎ 0864 74 72 19 ; Via Silla 50 ; pizza 6 €, repas 25 € ; 🕑 fermé mer en hiver). Ce restaurant vieille école est une bonne adresse pour déguster une pizza classique au feu de bois, des antipasti au fromage et des grillades. L'été, regardez passer les gens depuis la jolie terrasse de la rue en attendant votre commande.

Ristorante Gli Archetti (☎ 0864 7 46 45 ; Via Silla 8 ; repas 35 € ; 🕑 fermé dîner lun et mar). Dans la cave d'un palais Renaissance, ce restaurant chic est très estimé. Le menu est saisonnier, mais les plats les plus typiques sont le *prosciutto cotto con l'aceto di mela* (jambon fumé au vinaigre de pomme) et le *filetto al montepulciano* (filet au vin rouge).

Depuis/vers Scanno

Les bus **ARPA** (☎ 199 166 952 ; www.arpaonline.it) relient Scanno et Sulmona (2,90 €, 1 heure, 9/jour).

PARCO NAZIONALE D'ABRUZZO, LAZIO E MOLISE

Avec ses 1 100 km² de spectaculaires paysages montagneux, le Parco Nazionale d'Abruzzo, Lazio e Molise est le plus ancien et le plus populaire des parcs nationaux des Abruzzes. C'est aussi un important habitat naturel, abritant 60 espèces de mammifères, notamment l'ours marsicain des Abruzzes et le loup des Apennins, et jusqu'à 30 espèces d'oiseaux. On estime qu'une cinquantaine d'ours y vivent, entre 40 et 50 loups, 700 chamois et deux ou trois couples d'aigles royaux. Avec beaucoup de chance vous verrez l'un des très rares lynx sauvages.

Le parc permet de faire de superbes randonnées, du ski, du VTT et d'autres activités de plein air.

Orientation et renseignements

Le principal centre du parc est **Pescasseroli**, village attrayant à environ 80 km au sud-ouest de Sulmona. Plus discret, **Civitella Alfedena**, non loin, est moins fréquenté par les touristes.

À Pescasseroli (1 167 m), vous obtiendrez des informations utiles à l'**office du tourisme** (☎ 0863 91 04 61 ; Via Principe di Napoli ; 🕑 9h-13h et 15h-18h lun-ven

sept-juin, 9h-13h et 16h-19h tlj juil et août) ainsi qu'au **Centre di Visita** (☎ 0863 911 32 21 ; Viale Colli d'Oro ; adulte/enfant 6/4 € ; 🕑 10h-19h30 tlj avr-août, jusqu'à 17h30 tlj sept-mars), qui propose aussi un petit musée et un zoo.

À 17 km de Pescasseroli, Civitella Alfedena (1 121 m) s'étend à la lisière est du parc au-dessus du Lago di Barrea. Étudiez la flore et la faune locale au **Centro Lupo** (centre du loup ☎ 0864 89 01 41 ; 3 € ; 🕑 10h-14h et 14h30-17h30), et rencontrez quelques loups à l'**Area Faunistica del Lupo** (gratuit). Pour voir un lynx, suivez les indications de l'**Area Faunistica delle Lince**.

À faire

Les randonnées à faire seul ou en groupe ne manquent pas. De nombreuses agences proposent des excursions guidées, notamment **Ecotur** (☎ 0863 91 27 60 ; www.ecotur.org ; Via Piave 9), qui organise des randonnées, des balades à vélo et diverses autres excursions. Pour en savoir plus sur les randonnées, voir l'encadré ci-contre.

Le cheval est une merveilleuse manière de découvrir le parc. De mai à octobre, le **Centro Ippico Vallecupa** (☎ 0863 91 04 44 ; www agriturismomaneggiovallecupa.it ; Via della Difesa) organise des cours d'équitation et des promenades de divers niveaux de difficulté, de 15 € l'heure de promenade à 60 € la journée.

L'office du tourisme loue des vélos environ 4 € l'heure.

Des renseignements sur le ski sont indiqués dans l'encadré p. 623.

Où se loger

Campeggio Wolf (☎ 0864 89 03 60 ; Via Sotto i Cerri Civitella Alfedena ; 5/5/3 € par pers/tente/voiture ; 🕑 mai-sept). Camping accueillant à Civitella Alfedena. Pas de chichis, mais des douches chaudes, des jeux pour les enfants et un restaurant pour les parents.

🏠 **B&B La Sosta** (☎ 0863 91 60 57 ; Via Marsicana 17 Opi ; 25 €/pers). Un charmant B&B à Opi, à 7 km de Pescasseroli. Géré avec grand soin par un couple âgé, il propose 6 chambres élégantes. Terrasse ensoleillée et accès pratique aux montagnes. Gâteaux et confiture maison au petit déjeuner.

Albergo La Torre (☎ 0864 89 01 21 ; www.albergo latorre.com ; Via Castello 3, Civitella Alfedena ; s 30-40 €, d 40-55 € ; 🕑 toute l'année ; 🅿). Dans un palais du XVIIIᵉ siècle dans le centre médiéval de Civitella Alfedena. Un hôtel chaleureux et douillet louant 20 chambres fonctionnelles, et un petit restaurant servant une cuisine réconfortante.

Pensione Al Castello (☎ 0863 91 07 57 ; www. pensione castello.it ; Viale D'Annunzio 1, Pescasseroli

LA MEILLEURE FAÇON DE MARCHER

Avec près de 150 itinéraires clairement balisés, le Parco Nazionale d'Abruzzo, Lazio e Molise est La Mecque des randonneurs. Le niveau de difficulté va de la simple promenade de santé en famille à la randonnée de plusieurs jours à travers des sommets rocheux et hautes plaines battues par les vents. La meilleure saison court de juin à septembre, bien que l'accès aux itinéraires les plus fréquentés des environs de Pescasseroli soit souvent restreint en juillet et en août. Pour réserver l'entrée aux sentiers, adressez-vous au Centro di Visita (ci-contre) à Pescasseroli, ou au Centro Lupo (ci-contre également), à Civitella Alfedena.

Deux des randonnées les plus prisées de la région sont l'ascension du Monte Amaro (2 793 m ; route F1) et celle du Monte Tranquillo (1 841 m ; route C3). La première, qui dure 2 heures 15, part d'un parking situé à quelques kilomètres au sud-est de Pescasseroli (suivez la SS83 sur environ 2 km après Opi) et grimpe en pente raide jusqu'aux sommets d'où s'offre une vue sublime sur la Valle del Sangro. Vous avez de fortes chances d'apercevoir un chamois en chemin. L'itinéraire de Monte Tranquillo nécessite environ 2 heures 30, depuis un point de départ à 3 km au sud de Pescasseroli (suivez les panneaux indiquant l'Hotel Iris et le Centro Ippico Vallecupa). S'il vous reste du souffle une fois au sommet, vous pouvez continuer vers le nord le long de la crête de Rocca puis redescendre sur Pescasseroli. Superbe mais exigeant, ce circuit de 19,5 km prend 6 ou 7 heures.

h 45-60 €, demi-pension 40-60 €/pers ; ☺ toute l'année). Près de la grande place de Pescasseroli, une pension tenue en famille proposant de grandes chambres ensoleillées, ornées de sols carrelés de blanc et de jolis meubles en bois. Demi-pension obligatoire en pleine saison.

Voyez aussi :

Albergo Ai 4 Camosci (☎ 0864 89 02 62 ; www.ai4camosci.it ; Via Nazionale 25, Civitella Alfedena ; d 50-80 €, qua 70-108 € ; 🖳). Adresse accueillante à Civitella Alfedena, ouverte toute l'année, louant des chambres rudimentaires dans un hôtel de style chalet.

Où se restaurer

Pizzeria San Francisco (☎ 0863 91 06 50 ; Via Isonzo 1, Pescasseroli ; pizza 6,50 €). Si vous ne mangez pas à votre hôtel, cette pizzeria décontractée est une bonne adresse. Un établissement modeste aux tables de bois et à l'ambiance animée, servant de délicieuses pizzas au feu de bois.

Trattoria da Armando (☎ 0863 91 23 86 ; Piazza Vittorio Veneto 11 ; repas 15 € ; ☺ ven-mer). Idéal pour un déjeuner rapide et sans chichis. Paninis, pâtes et viande. Tout est simple, mais la cuisine y est aussi bonne que dans de nombreux autres restaurants plus chers.

Depuis/vers le Parco Nazionale d'Abruzzo

Six fois par jour, des bus relient Pescasseroli, Civitella Alfedena et les autres villages du parc à Avezzano (4,70 €, 1 heure 30 ; correspondance pour L'Aquila, Pescara et Rome) et à Castel di Sangro (3,50 €, 1 heure 15 ; correspondance pour Sulmona et Naples).

PESCARA
122 790 habitants

La plus grande ville des Abruzzes a accueilli les Jeux méditerranéens de 2009. C'est une station balnéaire très développée, et un important nœud de communication. Le front de mer y est très animé, mais à moins de venir pour profiter des 16 km de sable blanc, il n'y a pas vraiment de raison de s'y attarder.

Sur le plan culturel en revanche, Pescara possède un atout majeur : le **Festival international de jazz** (www.pescarajazz.com), qui a lieu à la mi-juillet au Teatro D'Annunzio.

Orientation et renseignements

En partant de la gare ferroviaire et de la gare routière (toutes les deux sur le Piazzale della Repubblica), la plage n'est qu'à quelques minutes du Corso Umberto I.

Dans un ancien silo de la Piazzale della Repubblica, l'**office du tourisme** (☎ 085 422 54 62 ; www.proloco.pescara.it ; ☺ 9h30-13h et 16h30-19h30 lun-sam juin-sept, 9h30-13h et 16h-19h lun-sam oct-mai) fournit de nombreuses informations utiles aux voyageurs. Un autre est ouvert à l'**aéroport** (☎ 085 432 21 20 ; ☺ juin-sept) en fonction des arrivées.

À voir

Pendant la Seconde Guerre mondiale, Pescara a subi de lourds bombardements, qui ont dévasté une grande partie du centre-ville. L'activité se concentre aujourd'hui dans trois zones : le principal quartier piétonnier autour du Corso Umberto, le front de mer et ce qu'il reste du centre historique. Vous y trouverez deux musées qui méritent d'être visités : le **Museo delle Genti d'Abruzzo** (☎ 085 451 00 26 ; www.gentidabruzzo.it ; Via delle Caserme 24 ; adulte/moins de 18 ans et plus de 65 ans 5/3 € ; ☺ 8h45-14h lun-sam, 15h30-18h30 dim), qui témoigne de la culture paysanne locale, et le **Museo Casa Natale Gabriele D'Annunzio** (☎ 0865 6 03 91 ; Corso Manthonè 116 ; 2 € ; ☺ 9h-14h tlj), où naquit le poète nationaliste Gabriele D'Annunzio.

Près du front de mer, le **Museo d'Arte Moderna Vittoria Colonna** (☎ 085 428 37 59 ; Via Gramsci 26 ; 2 € ; ☺ 9h-13h et 15h-21h mar-sam, 15h-21h lun) s'enorgueillit d'un Picasso et d'un Miró dans sa petite collection d'art moderne.

Où se loger et se restaurer

❂ **B&B Villa del Pavone** (☎ 085 421 17 70 ; www.villadelpavone.it ; Via Pizzoferrato 30 ; d 60-80 €). Dans une tranquille rue résidentielle située à 300 m derrière la gare ferroviaire, un charmant B&B où vous vous sentirez comme à la maison. C'est un établissement désuet rempli d'antiquités et de bric-à-brac recherché. Un paon trône dans le jardin.

Hotel Alba (☎ 085 38 91 45 ; www.hotelalba.pescara.it ; Via Michelangelo Forti 14 ; s 50-70 €, d 75-110 € ; **P**). Trois-étoiles de style hôtel d'affaires, jouissant d'un confort anonyme et d'une situation centrale. Toutes les chambres ne se valent pas : bois ciré, lit ferme et bel ensoleillement pour les meilleures. Notez que les prix baissent le week-end. Parking couvert à 10 €.

Caffè Letterario (☎ 085 450 33 21 ; Via delle Caserme 22 ; déj menus 5-9 €). Établissement populaire pour le déjeuner, doté d'immenses fenêtres et de murs de briques apparentes. Le menu inscrit sur l'ardoise comprend généralement des pâtes ou un plat principal accompagné de légumes.

Ristorante Marechiaro da Bruno (☎ 085 421 38 49 ; Lungomare Matteotti 70 ; pizza 6,50 , repas 30 € ; ☺ jeu-mar). Grand restaurant très animé, servant les meilleures pizzas du front de mer. L'impressionnant étalage de poisson laisse à penser que les produits de la mer y sont aussi délicieux.

❂ **Osteria La Lumaca** (☎ 085 451 08 80 ; Via delle Caserme 51 ; déj menus 8-15 €, repas 35 € ; ☺ fermé sam midi et dim). Ce chaleureux restaurant lambrissé ne plaisante pas avec la nourriture. Les viandes fumées et la ricotta sont remarquables, de même que l'agneau des Abruzzes. Pour le déjeuner, vous économiserez en choisissant un menu.

Depuis/vers Pescara
AVION
Aéroport de Pescara (PSR ; ☎ 899 130 310 ; www.abruzzo-airport.it). À 3 km de la ville, relié par le bus 38 (1 €, 20 min, ttes les 15 min) depuis le Corso Vittorio Emanuele II, en face de la gare ferroviaire. Air One figurent parmi les compagnies desservent Pescara.

BATEAU
En août, un hydroptère **SNAV** (☎ 071 207 61 16 ; www.snav.it) quotidien dessert l'île croate de Hvar puis Split (*Spalato* en italien). Comptez 4 heures 45 de trajet pour un aller simple qui vous coûtera 90 € le siège et 120 € pour la voiture. Pour tout renseignement, contactez l'**Agenzia Sanmar** (☎ 0854 451 08 73 ; www.sanmar.it ; Lungomare Giovanni XXIII Papa 1), sur le port.

BUS
Des bus **ARPA** (☎ 199 166 952 ; www.arpaonline.it) quittent le Piazzale della Repubblica en direction de L'Aquila (7,80 €, 2 heures 30, 10/jour), Sulmona (6 €, 1 heure, 4/jour) entre autres destinations des Abruzzes. Vous pourrez aussi rejoindre Naples (21 €, 4 heures 30, 4/jour) et la Stazione Tiburtina de Rome (15 €, 2 heures 45, 11/jour).

VOITURE ET MOTO
Sur la côte, vous avez le choix entre l'A14 et la SS16. L'A25 et la SS5 mènent toutes deux à Rome, à L'Aquila et à Sulmona.

TRAIN
Pescara se trouve sur la principale ligne est-ouest. Des trains se rendent directement à Ancône (de 7,10 € à 15,20 €, 1 heure 45, 20/jour), Bari (16,80 € et 28,50 €, 3 heures, 15/jour), Rome (11,70 €, 3 heures 30, 6/jour) et Sulmona (3,90 €, 1 heure 15, 17/jour).

CHIETI
54 900 habitants
L'une des quatre capitales provinciales des Abruzzes, Chieti est une ville vallonnée balayée par les vents, à 18 km au sud de Pescara. Ses origines sont antérieures à l'époque romaine : elle se nommait alors Teate Marrucinorum et était la capitale de la tribu des Marrucini. Elle fut conquise par les Romains au IVe siècle av. J.-C. et intégrée à la République romaine. Aujourd'hui, ses deux fascinants musées archéologiques constituent ses principaux attraits.

L'**office du tourisme** (☎ 0871 63 64 0 ; Via Spaventa 47 ; 🕙 8h-13h et 16h-19h lun-sam juil-sept, 8h-13h lun-sam et 15h-18h mar, jeu et ven oct et juin) de Chieti dispense des renseignements utiles, ainsi que la liste des hôtels de la ville et des environs.

Dans une villa néoclassique du parc de la Villa Comunale, le **Museo Archeologico Nazionale** (☎ 0871 33 16 68 ; Villa Frigerj ; adulte/enfant 4/2 € ; 🕙 9h-19h30 mar-dim) expose une impressionnante collection d'objets issus de fouilles menées dans la région, notamment le *Guerrier de Capestrano* du VI⁰ siècle av J.-C., découverte préromaine la plus importante de l'Italie centrale. L'identité du guerrier reste mystérieuse, même si certains avancent qu'il s'agit de Numa Pompilius, deuxième roi de Rome et successeur de Romulus.

Non loin, le **Complesso Archeologico la Civitella** (☎ 0871 63 137 ; adulte/enfant 4/2 € ; 🕙 9h-19h30 mar-dim) est un musée moderne construit autour d'un amphithéâtre romain. Les objets exposés – dont des armes et des poteries datant de l'âge du fer – retracent l'histoire de Chieti.

À 3 km du centre historique, **Agriturismo Il Quadrifoglio** (☎ 0871 63 4 00 ; www.agriturismoilquadrifoglio.com ; Strada Licini 22, Località Colle Marcone ; s/d 40/50 € ; 🅿) est une ferme pittoresque louant des chambres rustiques, qui offrent toutefois une vue panoramique et donnent sur un jardin luxuriant. Les repas coûtent 15 € et 20 €. Suivez les panneaux indiquant Colle Marcone.

Des bus réguliers (1 €, 40 min, ttes les 20 min) circulent entre Chieti et Pescara.

VASTO

38 795 habitants

Sur la côte sud des Abruzzes, cette ville animée, perchée sur une hauteur, comporte un quartier médiéval plein de cachet et offre une magnifique perspective sur la mer. À 2 km en contrebas, la station balnéaire détendue de **Vasto Marina**, très fréquentée, présente un chapelet d'hôtels, de restaurants et de campings le long d'une plage sablonneuse.

La majeure partie du *centro storico* (centre historique) de Vasto date du XVᵉ siècle, âge d'or de la cité qu'on surnommait alors l'"Athènes des Abruzzes".

Renseignements

L'**office du tourisme** (☎ 0873 36 73 12 ; Piazza del Popolo 18 ; 🕙 9h-13h lun-ven et 15h-18h mar, jeu et ven mi-sept à juin, 9h-13h tlj et 16h-19h lun-sam juil à mi-sept) vous renseigne, dans le centre historique.

À voir et à faire

Le cœur de la vieille ville abrite les principaux centres d'intérêt. Du Castello Caldoresco sur la Piazza Rossetti, le Corso de Parma conduit à la **Cattedrale di San Giuseppe** (☎ 0873 36 71 93 ; Via Buonconsiglio 12 ; 🕙 8h30-12h et 16h30-19h), du XIIIᵉ siècle, qui offre un bel exemple d'architecture romane. Le **Palazzo d'Avalos** voisin, de style Renaissance, accueille le **Museo Civico Archeologica** (☎ 0873 36 77 73 ; Piazza del Popolo ; 1,50 € ; 🕙 9h30-12h30 et 16h30-19h30 mar-dim) et sa collection éclectique de bronzes antiques, de verreries et de tableaux, ainsi que trois autres musées, la **Pinacoteca Comunale** (3,50 €), la **Galleria d'Arte Moderna** (gratuit) et le **Museo del Costume** (1,50 €).

L'été, l'animation se déplace vers la plage de Vasto Marina. Cette dernière est bondée en août mais, si vous avez une voiture, vous pourrez vous échapper vers le nord sur la SS16 jusqu'à la belle **Spiaggia di Punta Penna** et la **Riserva Naturale di Punta Aderci** (www.puntaderci.it), qui couvre 285 ha de littoral rocheux préservé.

Où se loger et se restaurer

Hotel San Marco (☎ 0873 60 53 7 ; www.hotelsanmarcovasto.com ; Via Madonna dell'Asilo 4 ; s 38-52 € ; d 66-86 € ; 🏤 🛜). Près du Corso Garibaldi dans le haut de la ville, ce petit deux-étoiles à l'excellent rapport qualité/prix propose des chambres design à des prix qui ne le sont pas. Wi-Fi gratuit.

Hostaria del Pavone (☎ 0873 60 22 7 ; Via Barbarotta ; repas 35 € ; 🕙 mer-lun). Très réputé, ce restaurant au plafond voûté en brique et au décor marin accommode les produits de la mer avec imagination. Parmi les incontournables au menu, le *brodetto alla vastese*, la soupe de poisson locale, se distingue particulièrement.

À Vasto Marina, faites vos provisions à **La Bottega del Gusto** (Viale Dalmazia 96 ; 🕙 8h-13h15 et 16h30-20h30, fermé lun après-midi), une supérette à quelques rues de la plage.

Depuis/vers Vasto

Vasto est sur le trajet de l'autoroute A14 et de la SS16, qui remontent toutes deux la côte adriatique.

La gare ferroviaire (Vasto-San Salvo) est située à environ 2 km au sud de Vasto Marina. Des trains régionaux desservent régulièrement Pescara (3,90 €, 1 heure, ttes les heures) et Termoli (2,20 €, 1 heure 15, 12/jour). De la gare, les bus nᵒˢ 1 et 4 conduisent à Vasto Marina et au centre-ville (0,90 €).

MOLISE

Région quelque peu oubliée de l'Italie, la Molise est l'un des rares endroits du pays où l'on peut encore sortir des sentiers battus. Bien sûr, elle n'a pas la majesté de sa voisine du nord, mais l'absence d'infrastructures touristiques sophistiquées et sa campagne préservée lui assurent une réelle authenticité, qui fait tant défaut aux sites plus connus.

Pour profiter pleinement de la Molise, vous devez disposer de votre propre moyen de transport.

CAMPOBASSO

51 320 habitants

La capitale régionale de la Molise, et son principal nœud de communication, est une grande ville sans charme. Si vous y passez, sachez que le petit centre historique vaut néanmoins le coup d'œil.

Bien que rarement ouvertes, les églises **San Bartolomeo** (Salita San Bartolomeo) et **San Giorgio** (Viale della Rimembranza) sont de beaux exemples de style roman. Plus haut, au sommet d'une

avenue bordée d'arbres, se dresse le **Castello Monforte** (☎ 339 601 44 80 ; entrée libre ; ☼ 10h-12h30 et 16h-19h mar-dim). La plus grande partie de la tour quadrangulaire trapue que l'on voit aujourd'hui date des XVe et XVIe siècles, soit après le tremblement de terre qui endommagea en 1456 le château normand d'origine. On peut admirer les céramiques trouvées dans le château dans le petit **Museo Samnitico** (Musée samnite ; ☎ 0874 41 22 65 ; Via Chiarizia 12 ; entrée libre ; ☼ 9h-13h, 14h-17h30), où sont également exposés des objets provenant de sites archéologiques locaux.

L'**office du tourisme** (☎ 0874 41 56 62 ; Piazza della Vittoria 14 ; ☼ 8h-17h lun et mer, 8h-13h30 mar et jeu-sam) fournit des renseignements sur la ville et la province alentour. On peut également trouver des informations (en italien) sur les curiosités de la ville à l'adresse Internet www.centrostoricocb.it.

Pour le déjeuner, **Trattoria La Grotta di Zi Concetta** (☎ 0874 31 13 78 ; Via Larino 7 ; repas 25 € ; ☼ lun-ven) sert de délicieuses pâtes maison et de très bons plats de viande dans un cadre à l'ancienne.

À moins de venir d'Isernia, Campobasso est plus facilement accessible en bus. Des

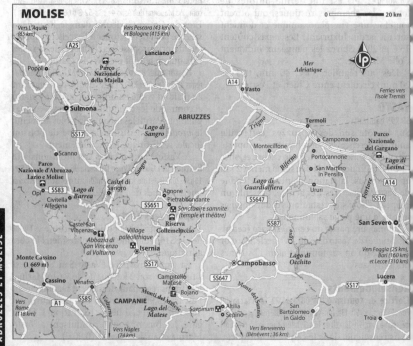

HOMO ERECTUS, LE PLUS VIEUX CITOYEN D'ISERNIA

En 1978, des travaux de terrassement sur une route reliant Naples à Vasto ont mis au jour des traces d'occupation humaine datant du paléolithique, il y a environ 730 000 ans.

Si aucun fossile d'hominidé n'a été trouvé, les chercheurs pensent que l'*Homo Erectus*, ancêtre de l'*Homo Sapiens*, habita ici. C'est l'exemple de la plus ancienne espèce humaine trouvée hors d'Afrique. Le site était sans doute idéal car un ruisseau (qui n'existe plus) assurait un approvisionnement en eau et les plaines voisines regorgeaient de gibier. Cet *Homo Erectus* était chasseur, comme l'attestent la forme des outils en calcite et silex, ainsi que la quantité d'os d'animaux découverts, dont certains présentent des traces de découpe. La plupart proviennent de bisons, d'ours, d'éléphants, de rhinocéros et d'hippopotames.

Les différents éléments trouvés permettent d'imaginer un petit village de 15 à 20 chasseurs semi-nomades, vivant dans un paysage de prairies, de marécages et de montagnes boisées.

Vous pouvez visiter les fouilles en cours en téléphonant au **bureau du site** (☎ 0865 41 35 26 ; Contrada Ramiera Vecchia 1, Località La Pineta).

services relient Termoli (3,20 €, 1 heure 15, 9/jour), Naples (9,60 €, 2 heures 45, 4/jour tlj en semaine), et Rome (11,60 €, 3 heures 30, 8/jour). Jusqu'à 14 trains circulent chaque jour vers/d'Isernia (2,80 €/jour).

ENVIRONS DE CAMPOBASSO

Des trésors cachés de la Molise, les ruines romaines de **Saepinum** (gratuit) figurent parmi les mieux préservées et les moins visitées du pays. Contrairement à Pompéi et à Ostia Antica, tous deux ports importants, Saepinum était une petite ville provinciale. Fondée par les Samnites, elle fut conquise par les Romains en 293 av J.-C., avant de connaître un essor économique aux Ier et IIe siècles de notre ère. Quelque 700 ans plus tard, elle fut pillée par les envahisseurs arabes. La ville fortifiée a conservé trois de ses quatre portes d'origine, ainsi que ses deux voies principales, le *cardus maximus* et le *decamanus*. Les principales curiosités sont le forum, la basilique et le théâtre, près duquel se dresse le **Museo Archeologico Vittoriano** (2 € ; 9h-13h et 15h-18h mar-dim) où sont exposés les objets mis au jour lors des fouilles.

Accéder à Saepinum en transport public n'est pas aisé, mais le bus **Larivera** (☎ 0874 6 47 44 ; www.lariverabus.it) de Campobasso à Sepinio (1,20 €, 6/jour en semaine) s'arrête en général près du site à Altilia, mais il est préférable de s'en assurer auprès du chauffeur.

Au-dessus des ruines se dresse les **Monti del Matese** (monts Matese). La petite ville de **Bojano** est le point de départ de nombreuses promenades dans les collines boisées, tandis que plus haut, **Campitello Matese** (1 430 m) est une station de ski populaire permettant de pratiquer de nombreuses activités été comme hiver.

Hors saison, la station est pratiquement fermée, mais vous trouverez toujours de quoi vous restaurer au **Ristorante 2000** (☎ 0874 78 42 03), un bar-trattoria sans prétention qui sert d'excellents *panini* pour 4 €.

De Campobasso, des bus rallient régulièrement Bojano (1,60 €, 30 min, 13/jour). De décembre à mars, **Autolinee Micone** (☎ 0874 78 01 20) gère 3 bus quotidiens desservent Campitello Matese (1 heure).

ISERNIA
21 775 habitants

Entourée de collines isolées et très peu peuplées, Isernia ne fait pas grande impression. Les tremblements de terre et un sévère bombardement pendant la Seconde Guerre mondiale ont peu épargné son centre historique. Et le centre moderne est terne et sans âme. Une raison de s'y attarder toutefois : les vestiges de l'une des plus anciennes occupations humaines d'Europe, un village vieux de 700 000 ans découvert par des terrassiers en 1978 (voir l'encadré ci-dessus).

Si vous n'allez pas sur le site, visitez le poussiéreux **Museo Santa Maria delle Monache** (☎ 0865 41 05 00 ; Corso Marcelli 48 ; 2 € ; 8h30-19h30) qui expose beaucoup d'objets issus des fouilles, dont des os d'éléphant et de rhinocéros, des fossiles et des outils de pierre.

L'**office du tourisme** (☎ 0865 39 92 ; 6e ét, Palazzo della Regione, Via Farinacci 9 ; 8h-14h lun-sam) fournit une liste d'hôtels mais n'en fait guère plus.

L'**Hotel Sayonara** (☎ 0865 50 992 ; www.sayonara.is.it ; Via G Berta 131 ; s/d 55/85 € ;) est le plus central. C'est un établissement d'affaires sans âme, mais les chambres y sont confortables et le restaurant pratique. Vous mangerez bien mieux cependant en descendant dans le *centro storico*. Commencez par un apéritif au bar **Alter Ego** (Piazza Celestino V 23, cocktails à partir de 5 €) sur la place, avant d'opter pour **O'Pizzaiuolo** (☎ 0865 41 27 76 ; Corso Marcelli 214 ; pizzas 6 €, repas 20-25 €), et de déguster une délicieuse pizza au feu de bois.

À la gare routière près de la gare ferroviaire de la Piazza della Repubblica, **Trasporti Molise** (☎ 0874 49 30 80 ; www.molisetrasporti.it) propose ses bus pour Campobasso (2,80 €, 50 min, 8/jour) et Termoli (6,40 €, 1 heure 45, 3/jour). Prenez vos tickets au Bar Ragno d'Oro sur la place.

Des trains relient Isernia et Sulmona (7,10 €, 2 heures 15, 2/jour), Campobasso (2,80 €, 1 heure, 14/jour), Naples (6 €, 1 heure 45, 6/jour) et Rome (10,50 €, 2 heures, 6/jour).

ENVIRONS D'ISERNIA

Les collines autour d'Isernia sont jalonnées de curiosités. À 30 km au nord-est de la ville, devant **Pietrabbondante**, les vestiges d'un **sanctuaire samnite** (☎ 0865 7 61 29 ; adulte/ réduit 2/1 € ; ☻ 10h-18h) comprenant un temple et un théâtre du IIe siècle av J.-C. valent une visite, notamment pour leur point de vue panoramique sur la verte campagne.

En route, les 350 ha de la **Riserva Collemeluccio** (☻ 9h30-19h juin-sept, 9h30-17h30 avr-mai, 9h30-16h30 oct-mars) sont parfaits pour un pique-nique. On peut aussi y faire de bonnes randonnées : beaucoup de sentiers partent du centre des visiteurs au bord de la route.

Plus au nord, **Agnone** est une ancienne ville en hauteur, renommée pour ses fabricants de cloches. Pendant plus de 1 000 ans, des artisans locaux ont réalisé des cloches pour les églises italiennes parmi les plus célèbres, notamment la basilique Saint-Pierre de Rome. Vous saurez tout à la **Marinelli Pontificia Fonderia di Campane** (☎ 0865 7 82 35 ; Via D'Onofrio 14 ; adulte/enfant 4,50/2,50 € ; ☻ visites guidées 11h, 12h, 16h et 18h lun-sam et 11h dim août, 12h et 16h lun-sam et 12h dim sept-juil).

Pour plus d'informations et de détails sur les hébergements dans la région, adressez-vous à l'**office du tourisme** (☎ 0865 7 72 49 ; www.prolo-coagnone.com ; Corso Vittorio Emanuele 78 ; ☻ 10h-12h30 et 16h-18h30 tlj).

D'Isernia, des bus **SATI** (☎ 0874 60 52 20) desservent Pietrabbondante (1,50 €, 35 min, 2/jour) et Agnone (2,05 €, 1 heure, 9/jour). Achetez vos tickets à bord.

À 30 km de route au nord-ouest d'Isernia, près de Castel San Vincenzo, l'**Abbazia di San Vincenzo al Volturno** (☎ 0865 95 52 46 ; ☻ uniquement sur rdv) est connue pour ses fresques du IXe siècle exécutées par Epifanio (824-842). Cette abbaye, l'un des plus grands centres monastiques et culturels de l'Europe du IXe siècle, abrite aujourd'hui une communauté de bénédictines.

Les bus **Larivera** (☎ 0874 6 47 44 ; www.lariverabus.it) circulent entre Isernia et Castel San Vincenzo (1,50 €, 45 min, 5/jour), à 1 km de marche de l'abbaye.

TERMOLI
31 975 habitants

Malgré ses trattorias touristiques et ses bars tapageurs, la station balnéaire la plus prisée de la Molise a gardé un charme discret. À l'extrémité est du front de mer, le ravissant *borgo antico* (vieille ville), construit sur une jetée naturelle, s'avance dans la mer, séparant la plage sablonneuse du petit port de Termoli. De là, des ferries partent toute l'année à destination des îles Tremiti.

Très pratique, l'**office du tourisme** (☎ 0875 70 39 13 ; www.termoli.net ; Piazza Bega 42, 1er ét ; ☻ 8h-14h lun-ven et 15h-18h lun et mer-ven) se trouve près d'un parking derrière une petite galerie marchande, à 100 m à l'est de la gare ferroviaire.

Le site le plus connu de la ville, le **Castello Svevo** (☎ 0875 71 23 54 ; ☻ sur demande) de Frédéric II, datant du XIIIe siècle, monte la garde devant le minuscule *borgo*, dédale de rues étroites, de maisons pastel et de boutiques de souvenirs. Du château, suivez la route qui monte pour arriver à la Piazza Duomo et à la majestueuse **Cattedrale di San Basso** (☎ 0875 70 63 59 ; Piazza Duomo ; ☻ messe 8h30 lun-sam, 9h, 11h et 18h30 dim) de Termoli, datant du XIIe siècle. Chef-d'œuvre d'architecture des Pouilles de style roman, la façade crème arbore un magnifique portail à l'arche arrondie.

Où se loger

Coppola Villaggio Camping Azzurra (☎ 0875 5 24 04 ; www.camping.it/molise/azzurra ; SS16 Europa 2 ; 9/15/3 € par pers/tente/voiture, bungalow 4 pers 65-130 € ; ☻ mi-mai à sept ; ℗). Le seul camping moderne de Termoli, en front de mer, à 2 km de la ville sur la route littorale SS16. Outre des emplacements ombragés et des bungalows, on y trouve une supérette et un restaurant.

Pensione Osteria San Giorgio (☎ 0875 70 43 84 ; www.pensionesangiorgio.it ; Corso Fratelli Brigida 20-22 ; d 55-85 €, tr 75-110 € ; ☻ toute l'année ; ☻). En pleine zone animée, cette modeste *pensione* loue 10 chambres propres et dépouillées au-dessus d'une *osteria* animée (repas 20 €) : des lits en fer forgé et des sdb carrelées rutilantes, une bonne affaire, parfois bruyante l'été.

Residenza Savoia (☎ 0875 70 68 03 ; www.residen-asveva.com ; Piazza Duomo 11 ; s 40-80 €, d 79-180 € ; 🔲). Discrétion est le maître mot dans cet élégant hôtel du centre historique. La réception est sur la Piazza Duomo, près de la cathédrale, mais les 13 chambres sont aménagées dans plusieurs *palazzi* du *borgo*. Le style est estival, rehaussé de carreaux bleus étincelants et de broderies traditionnelles.

Où se restaurer

La Sacrestia (☎ 0875 70 56 03 ; Via Ruffini 48-50 ; repas 15 €, pizza 6 € ; 🕒 tlj l'été, fermé mar en hiver). L'un des meilleurs restaurants de la zone animée entre le Corso Nazionale et Via Fratelli Brigida. Prenez place dehors ou sous la voûte, et dégustez une bonne pizza ou des produits de la mer fraîchement pêchés.

☺ Ristorante Da Nicolino (☎ 0875 70 68 04 ; Via Roma 3 ; repas 35 € ; 🕒 ven-mer). Très apprécié des habitants, ce restaurant discret sert les meilleurs fruits de mer de la ville. Tout y est exceptionnel, notamment le savoureux *brodetto di pesce* (soupe de poisson), servi dans une grande soupière en terre cuite.

Depuis/vers Termoli

BATEAU

Termoli est l'unique port d'où partent toute l'année des ferries pour les îles Tremiti (p. 700). Les 2 principales compagnies sont **Tirrenia Navigazione** (☎ 0875 70 53 43 ; www.tirrenia.it), qui gère un ferry annuel, et **Navigazione Libera del Golfo** (☎ 0875 70 48 59 ; www.navlib.it), qui propose un hydroptère plus rapide. Achetez les billets (15,80-17,70 € pour le ferry ; 15-19 € pour l'hydroptère) au port.

BUS

La gare routière Intercity de Termoli se situe près de la Via Martiri della Resistenza. De nombreuses compagnies de bus y proposent des services depuis/vers Campobasso (3,20 €, 1 heure 15, 9/jour), Isernia (6,40 €, 1 heure 45, 3/jour), Pescara (4,90 €, 1 heure 15, 4/jour), Naples (13 €, 3 heures 30, 4/jour) et Rome (15 €, 4 heures, 9/jour).

TRAIN

Des trains directs desservent Bologne (23,20-37,50 €, 5 heures 15, 10/jour), Lecce (23-32,50 €, 5 heures, 6/jour) et des gares de la côte adriatique.

VOITURE ET MOTO

Termoli se trouve sur l'A14 et la SS16, qui longent la côte vers le nord en direction de Pescara et vers le sud en direction de Bari. La SS87 relie Termoli à Campobasso.

VILLAGES ALBANAIS

Plusieurs villages au sud de Termoli forment une enclave albanaise installée ici au XVe siècle. Parmi ceux-ci, citons : **Campomarino**, **Portocannone**, **San Martino in Pensilis** et **Ururi**. Bien que les habitants aient tourné le dos à leur religion orthodoxe au XVIIIe siècle, ils utilisent toujours un dialecte albanais (l'arbërisht, un mélange de grec, d'italien et d'albanais ancien) qui leur est propre. Ces villages doivent leur renommée à leurs *carressi* (courses de chars). Chaque année, à Ururi (3 mai), à Portocannone (lundi de Pentecôte) et à San Martino in Pensilis (30 avril), vous pourrez assister à des **courses de chars** endiablées. Les chars – plutôt des charrettes – sont tirés par des taureaux qui dévalent les rues à toute allure, talonnés par des villageois à cheval.

Il est assez ardu d'accéder à ces villages sans disposer de votre propre moyen de transport, mais les bus de Larivera les desservent tous les quatre depuis Termoli.

Campanie

Perle du sud de l'Italie, la Campanie est un fascinant mélange de splendeurs architecturales, de merveilles naturelles et de délices culinaires. Des rues effervescentes de Naples à la beauté éthérée de la côte amalfitaine, la région est aussi variée que séduisante.

Cœur de la province, Naples borde une baie splendide au pied du Vésuve, le volcan responsable de la destruction de Pompéi et d'Herculanum il y a 2 000 ans. Plus loin sur la côte, les temples de Paestum témoignent de la colonisation grecque avant l'époque romaine.

La mythologie est omniprésente dans la Campanie. Icare plongea vers son funeste destin dans les Campi Flegri et Énée consulta la sibylle de Cumes avant de descendre aux Enfers par le lac d'Averne. Au sud, des sirènes trompaient les marins par leurs chants et provoquaient leur noyade dans les eaux scintillantes au large de Sorrente.

Capri, la plus renommée des trois îles de la baie de Naples, est un rendez-vous de célébrités et de badauds venus pour la journée. Plus au nord, Ischia doit sa renommée à ses établissements thermaux, et Procida séduit par son atmosphère authentique.

Pour beaucoup, la côte amalfitaine constitue le joyau de la Campanie, avec ses falaises qui plongent dans la mer, ses villages en équilibre précaire et ses vues splendides. Dans l'arrière-pays, les montagnes boisées offrent de superbes randonnées, loin de la foule estivale.

Pour sortir des sentiers battus, explorez les hauts plateaux du Parco Nazionale del Cilento e Vallo di Diano, l'une des merveilles les plus sauvages et méconnues de la région.

À NE PAS MANQUER

- Les chefs-d'œuvre artistiques du **Palazzo Reale di Capodimonte** (p. 646)
- Les ruines émouvantes de **Pompéi** (p. 670) et d'**Herculanum** (p. 667)
- Les couleurs ensorcelantes de la **Grotta Azzurra** (p. 660) à Capri
- Un déjeuner près des vagues à **Procida** (p. 667), couleur pastel
- Les somptueux jardins de **La Mortella** à Ischia (p. 664) et de la **Villa Rufolo** à Ravello (p. 684)
- Les produits frais du **Mercato di Porta Nolana** (p. 643)
- Une promenade dans les pas des dieux sur la **côte amalfitaine** (p. 677)
- L'ingéniosité hellénique des temples de **Paestum** (p. 687), inscrits au patrimoine mondial

Naples ★ ★ Herculanum
★ Pompéi
Procida ★
★
Ischia Capri ★ Côte amalfitaine ★ Ravello
★ Paestum

■ POPULATION : 5,8 MILLIONS   ■ SUPERFICIE : 13 595 KM²

CAMPANIE

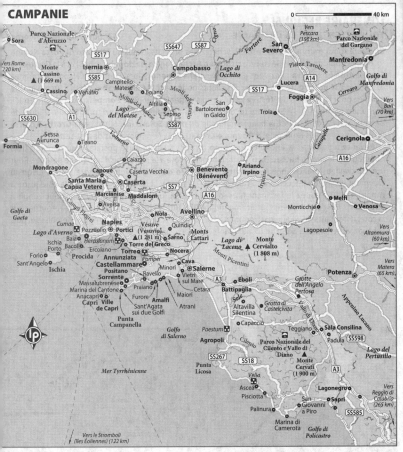

0 ————— 40 km

NAPLES (NAPOLI)

100 000 habitants

Ville italienne la plus incomprise, Naples est aussi l'une des plus jolies, dans un désordre jubilatoire d'églises baroques délabrées et de serveurs au verbe haut et d'animation débordante. La contradiction semble le mot d'ordre dans cette cité où l'anarchie, la pollution et le crime côtoient des palais somptueux, d'importants musées et d'élégantes boutiques.

Classé au patrimoine mondial de l'Unesco, le centre historique conserve tout son charme. Sous le linge suspendu aux fenêtres, la vie des rues demeure inchangée ; des gamins jouent au ballon sur les places bruyantes, des vespas surchargées

tressautent sur les pavés et des *casalinghe* (femmes au foyer) malmènent des marchands ambulants. Ancien cœur du Neapolis romain, ce labyrinthe de rues à la Dickens regorge de vieilles églises, de cloîtres plantés de citronniers et de pizzerias populaires.

Près de la mer, le paysage urbain s'élargit. De majestueux palais bordent des places prétentieuses où flânent des citadins aisés avant de déjeuner dans d'élégants cafés. C'est la Naples royale des Bourbons, qui impressionnait les voyageurs au XVIIIᵉ siècle.

Ville d'entreprises transmises de père en fils, de familles nombreuses et d'un conservatisme certain, Naples est aux antipodes de la culture uniformisée. Prenez le temps de la découvrir et vous en tomberez certainement amoureux.

CAMPANIE

ITINÉRAIRE RÉGIONAL
TOUR INTENSIF DE LA CAMPANIE

12 jours / Naples / Salerne

Consacrez deux jours à **Naples** (p. 633), achetez des produits locaux au **Mercato di Porta Nolana** (p. 643) et imprégnez-vous de culture au **Museo Archeologico Nazionale** (p. 643) et à la **Certosa di San Martino** (p. 644). Faufilez-vous dans les **anciens aqueducs** lors d'un circuit Napoli Sotterranea (p. 646) et bavardez toute la nuit avec les clients bohèmes d'**Il Caffè Arabo** (p. 651). Prévoyez une matinée pour l'ascension du **Vésuve** (p. 669), puis visitez les ruines de **Pompéi** (p. 670) l'après-midi. Continuez au sud jusqu'à **Sorrente** (p. 673) et prenez un ferry pour **Capri** (p. 658) pour 2 jours de détente et de luxe. Admirez la beauté naturelle du **mont Solaro** (p. 660) et de la **Grotta Azzurra** (p. 660) et celle, plus artificielle, d'**Anema e Cora** (p. 663), le rendez-vous des jet-setteurs.

Revenez à Sorrente et rejoignez **Positano** (p. 678), parfaite carte postale, pour deux ou trois nuits. En été, louez un **bateau** (p. 678) et sillonnez la côte à la recherche d'une plage parfaite. Pour une merveilleuse randonnée, empruntez le **Sentiero degli Dei** (voir l'encadré p. 679) jusqu'au charmant village de pêcheurs de **Praiano** (p. 81). Passez-y la nuit avant de longer la côte jusqu'à **Amalfi** (p. 681). Visitez le fascinant **Museo della Carta** (p. 682) avant de grimper pour la nuit à **Ravello** (p. 683) et découvrir l'ultraromantique **Villa Rufolo** (p. 684). Le lendemain, retournez sur la côte, faites halte au village gastronomique de **Cetara** (p. 685) pour vous régaler de poisson, puis achevez votre circuit à **Salerne** (p. 685), une ville portuaire animée.

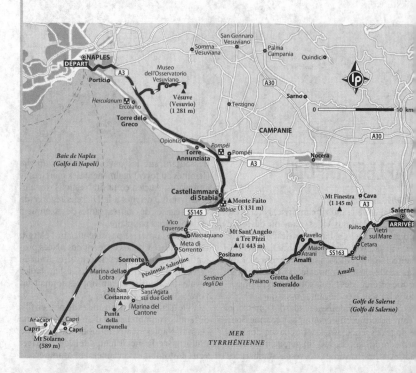

HISTOIRE

On ne sait pas grand-chose des premiers temps de Naples. Selon la légende, des marchands de Rhodes auraient établi une cité sur l'île de Megaris (où se tient aujourd'hui le Castel dell'Ovo, p. 645) vers 680 av. J.-C. D'abord appelée Parthenope, du nom de la sirène dont le corps s'échoua à cet endroit (n'ayant pas réussi à séduire Ulysse, elle se noya), elle fut ensuite incorporée dans la nouvelle ville de Neapolis, fondée par les Grecs de Cumes en 474 av. J.-C. Conquise par Rome 150 ans plus tard, elle devint la villégiature favorite des empereurs Pompée, César et Tibère.

Après la chute de l'Empire romain, Naples fut transformée en duché, d'abord sous domination byzantine puis indépendant, avant de tomber aux mains des Normands en 1139 et incorporée au royaume des Deux-Siciles. Les Normands furent à leur tour remplacés par la dynastie souabe des Hohenstaufen et Frédéric II, l'empereur charismatique, construisit de nouvelles institutions dans la ville, dont son université.

La période souabe s'acheva brutalement par la victoire de Charles Ier d'Anjou lors de la bataille de Benevento en 1266. Les Angevins firent beaucoup pour Naples ; ils soutinrent l'art et la culture, firent construire le Castel Nuovo (p. 644) et agrandirent le port. Ils ne purent empêcher les Espagnols aragonais de s'emparer de la ville en 1442. Naples continua cependant de prospérer, en particulier sous le règne d'Alfonso Ier d'Aragon qui favorisa les arts et les sciences et promulgua de nouvelles lois.

Intégrée à l'Empire espagnol en 1503 et gouvernée par des vice-rois à la poigne de fer, la ville connut toutefois une période florissante sur le plan artistique, à laquelle elle doit une grande partie de sa splendeur. Cet épanouissement perdura quand les Bourbons d'Espagne lui restituèrent son rang de capitale des Deux-Siciles en 1734. Hormis l'interlude napoléonien du règne de Joachim Murat (1806-1815), les Bourbons se maintinrent au pouvoir jusqu'à l'arrivée de Garibaldi et la création du royaume d'Italie en 1860.

La ville fut fortement bombardée durant la Seconde Guerre mondiale et nombre de ses monuments en conservent les traces. Depuis, Naples a continué à souffrir. Une corruption endémique et la réapparition de la Camorra ont compromis la résurrection de la cité après la guerre et ont atteint un paroxysme dans la décennie qui a suivi le violent tremblement de terre de 1980.

Des événements divers ont émaillé l'histoire récente. Au milieu des années 1990, le maire charismatique Antonio Bassolino a entrepris un nettoyage en profondeur de la ville. Surnommé "renaissance napolitaine", il a culminé par la tenue d'un sommet du G7 en 1994. Bassolino a depuis été remplacé par la première femme maire de Naples, Rosa Russo Jervolino, qui s'est efforcée de poursuivre la politique dynamique de son prédécesseur. Les guerres de la Mafia locale ont fait la une des journaux fin 2004 et début 2005, puis à nouveau en 2008 lors de la sortie du film *Gomorra* de Matteo Garrone, tiré du livre *Gomorra* de Roberto Saviano (Gallimard, 2007) sur la Camorra. Également en 2008, le problème récurrent du ramassage des ordures a poussé les habitants excédés à brûler dans les rues les déchets non collectés.

Parmi des épisodes plus prometteurs, citons la récente inauguration d'un festival de théâtre majeur, la construction d'une gare pour les trains à grande vitesse par l'architecte anglo-irakienne renommée Zaha Hadid, et un projet de rénovation de la gare ferroviaire de Pompéi par l'architecte américain Peter Eisenman.

TOP 5 DES SITES DE TOURNAGE EN CAMPANIE

▪ La vaste **Piazza del Gesù Nuovo** à Naples (p. 642), où Sergio Solli passe des appels téléphoniques dans *No Grazie, Il Caffè Mi Rende Nervoso* (1982).

▪ Le majestueux **Palazzo Reale** à Caserta (p. 656), qui sert de palais à la reine Amidala dans les deux premiers épisodes de *Star Wars* (2002).

▪ Le **Castello Aragonese** à Ischia (p. 664), toile de fond de la première rencontre de Ripley avec Dickie et Marge dans *Le Ralentueux Mr. Ripley* (1999).

▪ Le charmant village de pêcheurs de **Corricella** (p. 666) à Procida, où Massimo Troisi flirte sans vergogne avec la serveuse Béatrice dans *Le Facteur* (1994).

▪ La ville d'**Amalfi** (p. 681), cadre du scandale dans *La Séductrice* (2002), avec Scarlett Johansson

CAMPANIE

NAPLES EN...

Deux jours

Débutez par un expresso serré au **Caffè Mexico** (p. 651) avant de découvrir le centre historique, classé au patrimoine mondial de l'Unesco. Visitez la **Chiesa del Gesù Nuovo** (p. 642) et la **Basilica di Santa Chiara** (p. 642) avant d'apprécier l'animation de **Spaccanapoli** (p. 641) et de la **Via San Gregorio Armeno** (p. 643). Pour un repas napolitain authentique, essayez la **Pizzeria Gino Sorbillo** (p. 649) ou la **Trattoria Mangia e Bevi** (p. 649), et consacrez l'après-midi à la **Chiesa e Scavi di San Lorenzo Maggiore** (p. 643) et à la **Cappella Sansevero** (p. 642). Après le dîner, passez la soirée à l'**Intra Moenia** (p. 651). Le 2e jour, commencez par une promenade au marché de **La Pignasecca** (p. 644) avant d'explorer le **Museo Archeologico Nazionale** (p. 643). Ou bien, prenez le funiculaire jusqu'à Vomero et admirez les œuvres d'art et la vue de la **Certosa di San Martino** (p. 644). Descendez ensuite à Chiaia pour une promenade vespérale le long du **Lungomare** (p. 645) avant de dîner près du port à Borgo Marinaro.

Quatre jours

Si vous avez envie de tranquillité le 3e jour, plongez sous terre pour une visite de **Napoli Sotterranea** (p. 646), ou explorez les **Catacombe di San Gennaro** (p. 646). Des catacombes, une courte montée conduit au **Palazzo Reale di Capodimonte** (p. 646) et à sa splendide collection d'œuvres d'art. Descendez dîner au **Nennella** (p. 650) puis prenez un cocktail à Chiaia. Le lendemain, dirigez-vous à l'ouest pour explorer l'**Anfiteatro Flavio** (p. 655) à Pozzuoli, les ruines en dessous du **Rione Terra** (p. 655) et le **cratère Solfatara** (p. 655).

ORIENTATION

Divisée en *quartieri* (quartiers), Naples s'étire le long du front de mer. Point de repère pratique, la Stazione Centrale (la gare ferroviaire principale) forme le côté est de la Piazza Garibaldi, carrefour chaotique des transports. La place n'a rien de séduisant, de même que le quartier bruyant, délabré et louche alentour.

De la Piazza Garibaldi, le Corso Umberto I, une artère fréquentée, descend vers la Piazza Bovio en longeant la lisière sud du *centro storico*. Le cœur historique s'étend autour de deux rues parallèles (est-ouest) : la Via San Biagio dei Librai et son prolongement, la Via Benedetto Croce (qui forment toutes deux Spaccanapoli), et au nord la Via dei Tribunali. À l'extrémité ouest de cette dernière se situent la Piazza Dante et la Via Toledo, une artère nord-sud et la grande rue commerçante de Naples. De la piazza, remontez au nord la Via Enrico Pessina (prolongement de la Via Toledo) pour rejoindre le Parco di Capodimonte ; suivez-la vers le sud pour atteindre la belle Piazza del Plebiscito.

De la Piazza Trieste e Trento, adjacente à la Piazza del Plebiscito, la Via San Carlo mène au Castel Nuovo et à la Piazza del Municipio. Sur le front de mer à hauteur du château, Molo Beverello est le terminal des ferries pour Capri, Ischia et Procida ; à côté, la Stazione Marittima est le point de départ des ferries pour la Sicile et au-delà.

En suivant le front de mer vers l'ouest, on arrive aux quartiers de Santa Lucia, Chiaia, Mergellina et Posillipo. Au-dessus se tient le quartier résidentiel paisible de Vomero, un balcon naturel à la vue somptueuse.

RENSEIGNEMENTS
Accès Internet

Navig@ndo (carte p. 640 ; ☎ 081 193 60 030 ; Via Santa Anna di Lombardi 28 ; 2 €/heure ; ☽ 9h30-20h lun-ven, 10h-14h sam)

Zeudi Internet Point (carte p. 638 ; ☎ 081 251 22 50 ; Via Chiaia 199c ; 3 €/heure ; ☽ 10h-20h lun-sam)

Agence de voyages

CTS (carte p. 640 ; ☎ 081 552 79 60 ; Via Mezzocannone 25). Agence de voyages pour étudiants.

Laverie

Lavanderia Self-Service (carte p. 640 ; ☎ 328 6196341 ; Largo Donnaregina 5 ; 7 kg lavage et séchage 7 € ; ☽ 8h-19h20 lun-ven, 8h-13h30 sam, fermé août)

Librairie

Feltrinelli Chiaia (carte p. 638 ; ☎ 081 240 54 11 ; Piazza dei Martiri) ; Toledo (carte p. 638 ; ☎ 081 552 14 36 ; Via San Tommaso d'Aquino 15. Choix de cartes, romans.

Poste

Poste (carte p. 640 ; ☎ 081 428 95 85 ; Piazza Matteotti ; ☽ 8h-13h30 lun-ven, 8h-12h30 sam)

Offices du tourisme

Rendez-vous dans les offices du tourisme suivants pour des informations et pour l'utile brochure bilingue *Qui Napoli* :

Offices du tourisme Gare ferroviaire de Mergellina (carte p. 638 ; ☎ 081 761 21 02 ; ⊗ horaires variables) ; Piazza del Gesù Nuovo 7 (carte p. 640 ; ☎ 081 552 33 28 ; ⊗ 9h-19h lun-sam, 9h-14h dim) ; Stazione Centrale (carte p. 640 ; ☎ 081 26 87 79 ; ⊗ 9h-19h lun-sam) ; Via San Carlo 9 (carte p. 638 ; ☎ 081 40 23 94 ; ⊗ 9h30-13h30 et 14h30-18h lun-sam, 9h-13h30 dim)

Services médicaux

Ospedale Loreto-Mare (carte p. 640 ; ☎ 081 20 10 33 ; Via Amerigo Vespucci 26). Hôpital.
Pharmacie (carte p. 640 ; ☎ 081 549 93 36 ; Piazza Dante 71 ; ⊗ 24h/24)

Sites Internet

Naples et environs (www.napoli.com). Renseignements pratiques et informations locales.
Naples (www.inaples.it en français). Site officiel de l'office du tourisme.
Turismo Regione Campania (www.turismoregione campania.it). Programme des événements et itinéraires.

Urgences

Police (carte p. 638 ; ☎ 081 794 11 11 ; Via Medina 75). Pour déclarer le vol d'une voiture, appelez le ☎ 113.

DÉSAGRÉMENTS ET DANGERS

La petite délinquance constitue un problème. Méfiez-vous en particulier des pickpockets et des voleurs à scooter, qui ciblent souvent les touristes portant des montres de prix.

Les vols de voiture et de moto sont fréquents. Réfléchissez bien avant de venir avec un véhicule et ne laissez rien dans votre voiture.

Ignorez les rabatteurs qui proposent des taxis à la Stazione Centrale ; n'empruntez que des taxis signalés, enregistrés et assurez-vous que le compteur fonctionne.

N'achetez jamais de matériel électronique (appareils photo, téléphones portables) sur les marchés et évitez de vous promener seul la nuit, surtout aux abords de la Stazione Centrale. Plutôt sûr dans la journée, le quartier qui s'étend à l'ouest de la Via Toledo jusqu'à la Piazza Carità au nord peut être dangereux à la nuit tombée.

À VOIR

Centro storico

DUOMO ET SES ENVIRONS

Cœur spirituel de Naples, le **Duomo** (cathédrale ; carte p. 640 ; ☎ 081 44 90 97 ; Via Duomo ; ⊗ 8h-12h30 et 16h30-19h lun-sam, 8h30-13h et 17h-19h dim) se tient sur le site d'églises plus anciennes, elles-mêmes précédées par un temple dédié à Neptune. Entamé par Charles Ier d'Anjou en 1272 et consacré en 1315, le Duomo fut détruit par un séisme en 1456. Au fil des siècles, de nombreux remaniements, dont l'ajout d'une façade néogothique à la fin du XIXe siècle, expliquent le mélange de styles et d'influences.

Au-dessus de l'immense nef centrale, un plafond à caissons doré est orné de peintures maniéristes. Luca Giordano a décoré les sections supérieures de la nef et le transept.

De style baroque, la **Cappella di San Gennaro** (chapelle de Saint-Janvier, ou chapelle du Trésor), du XVIIe siècle, comporte une flamboyante peinture de Giuseppe Ribera et une profusion de statues en bronze et de bustes en argent. Au-desssus, des fresques de Giovanni Lanfranco composent un dôme céleste. Caché derrière l'autel, un buste en argent du XIVe siècle contient le crâne de San Gennaro, le saint patron de la ville martyrisé à Pozzuoli en 305, et deux ampoules contenant son sang. Selon la légende, le sang se serait liquéfié dans ces fioles lors du transfert de sa dépouille à Naples. Pour des informations sur la fête de San Gennaro, reportez-vous p. 646.

La prochaine chapelle à l'est renferme une urne avec des os du saint, des vitrines remplies d'ossements et d'autres reliques. En dessous du maître-autel, la **Cappella Carafa**, de style Renaissance, est également appelée crypte de San Gennaro.

CAMPANIA ARTECARD

Si vous avez l'intention de visiter de nombreux sites, la **Campania artecard** (☎ 800 600601 ; www.campaniartecard.it) constitue un excellent investissement. Ce billet combiné comprend entrées de musées et transports et se décline en diverses options. Le billet de 3 jours Naples et les Campi Flegrei (16/10 € pour adulte 18-25 ans) procure l'entrée libre aux 3 sites participants, une réduction de 50% dans d'autres et les transports gratuits à Naples et aux Campi Flegrei. D'autres forfaits, de 12 à 30 €, incluent des sites aussi éloignés que Pompéi et Paestum. Ces billets s'achètent dans les gares ferroviaires, chez les marchands de journaux, dans les musées associés, sur Internet ou auprès du centre d'appels.

NAPLES (NAPOLI)

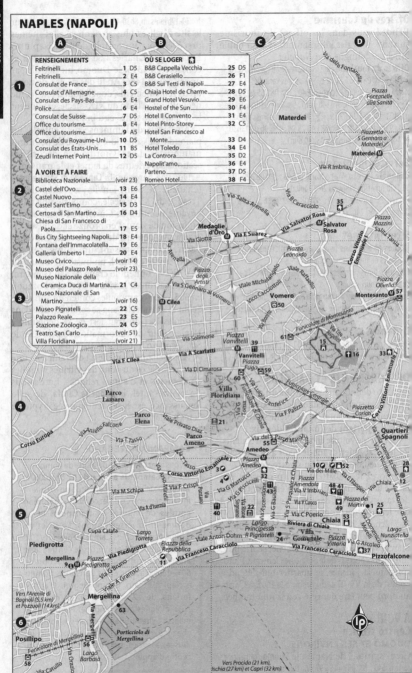

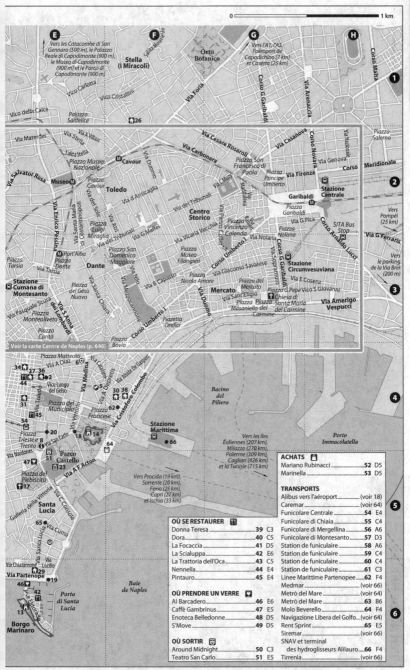

Voir la carte Centre de Naples (p. 640)

CAMPANIE

CENTRE DE NAPLES

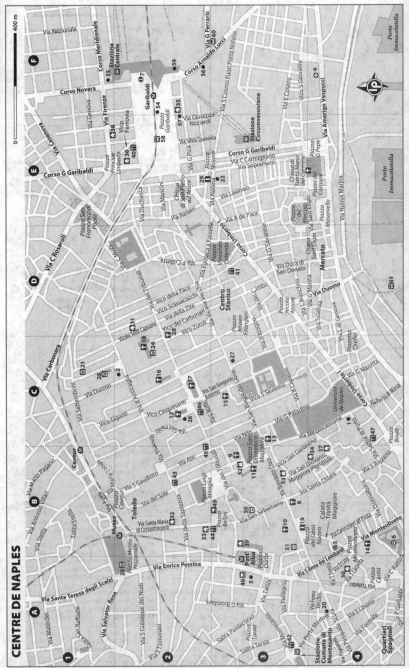

Au milieu de l'aile nord et derrière la Basilica di Santa Restituta du XVIIᵉ siècle se tient la fascinante **zone archéologique** (3 € ; ⊗ 9h-12h et 16h30-19h lun-sam, 9h-12h dim), où des tunnels mènent aux vestiges de la cité gréco-romaine d'origine. À cet endroit, le **baptistère**, le plus ancien d'Europe occidentale, est orné de mosaïques du IVᵉ siècle d'une remarquable fraîcheur.

Au sud du Duomo, le **Museo del Tesoro di San Gennaro** (carte p. 640 ; ☎ 081 29 49 80 ; Via Duomo 149 ; entrée avec audioguide multilingue 6 € ; ⊗ 9h30-17h mar-sam, 9h30-14h30 dim) présente de somptueux cadeaux offerts à saint Janvier au fil des siècles, des bustes en bronze et des tableaux aux ampoules en argent et à une chaise à porteurs dorée du XVIIIᵉ siècle.

En face de la cathédrale, la **Chiesa e Pinacoteca dei Girolamini** (carte p. 640 ; ☎ 081 44 91 39 ; ⊗ église horaires variables, galerie 9h30-12h30 lun-sam) est une belle église baroque à deux façades. Dans le couvent adjacent du XVIIᵉ siècle, une petite galerie expose de belles œuvres d'artistes locaux, dont Luca Giordano et Battista Caracciolo.

À quelques pas au nord, le **MADRE** (carte p. 640 ; Museo d'Arte Contemporanea Donnaregina ; ☎ 081 19 31 30 16 ; www.museomadre.it ; Via Settembrini 79 ; 7 €, lun gratuit ; ⊗ 10h-21h lun et mer-ven, 10h-24h sam-dim) possède la plus belle collection d'art contemporain de

la ville. Parmi les pièces maîtresses figurent le kitschissime *Wild Boy and Puppy* de Jeff Koons, le sinistre *Spirits* de Rebecca Horn et une installation défiant la perspective d'Anish Kapoor.

Non loin, la Chiesa di Donnaregina Nuova, de style baroque, abrite le **Museo Diocesano di Napoli** (carte p. 640 ; ☎ 081 557 13 65 ; www.museodiocesanonapoli.it ; Largo Donnaregina ; 5 € ; ⊗ 9h30-16h30 lun et mer-sam, 9h30-14h dim) et sa superbe collection d'art sacré, des triptyques Renaissance et des sculptures en bois du XIXᵉ siècle aux œuvres de grands artistes du baroque tels Fabrizio Santafede, Andrea Vaccaro et Luca Giordano.

SPACCANAPOLI

Suivant le tracé de l'ancienne *decumanus inferior* (route secondaire) romaine, la **Via San Biagio dei Librai** (qui devient la Via Benedetto Croce à l'ouest et la Via Vicaria Vecchia à l'est) est surnommée Spaccanapoli ("coupe Naples") car elle traverse le cœur de la vieille ville.

À son extrémité est, l'**Ospedale delle Bambole** (carte p. 640 ; Hôpital des poupées ; ☎ 339 5872274 ; Via San Biagio dei Librai 81), institution locale, est rempli de têtes de poupées et de mannequins poussiéreux. Plus loin, un quatuor de chérubins

CAMPANIE

MARIO SPADA

Ce photographe récompensé, qui a participé au film *Gomorra*, nous parle de sa ville natale.

Quels sont vos endroits préférés à Naples ? Il y en a plusieurs. J'aime grimper la Salita Moiariello (carte p. 638) dans le quartier de Miracoli. De là, le Vésuve forme une toile de fond aux gratte-ciel du Centro Direzionale. C'est pour moi une vision réaliste du Naples contemporain.

Où emmèneriez vous un visiteur qui découvrirait Naples ? Après un petit déjeuner dans une *pasticceria*, nous irions au Pio Monte della Misericordia (p. 643) pour voir *Les Sept Œuvres de miséricorde* du Caravage, puis à la Cappella Sansevero pour le *Cristo Velato* (ci-dessous). Nous irions nous promener en bord de mer à Mergellina, puis finir la soirée dans un bar du *centro storico*.

Qu'est-ce qui distingue les Napolitains des autres Italiens ? Au Maroc, je me retrouve souvent dans des situations qui me rappellent mon pays. Pour moi, les Napolitains sont à moitié maghrébins. Notre tempérament est tout aussi intense ; nos visages et nos gestes rappellent le clair-obscur du Caravage.

En 2009, la marche contre la Mafia a rassemblé 100 000 personnes. Cela vous donne-t-il de l'espoir ? Non, car si la population veut le changement, les étapes fondamentales ne sont pas entreprises. Trop de politiciens préfèrent laisser couver les problèmes… et ne faire que des gestes symboliques afin d'exploiter la crise à leur profit. L'urgence passe, et la racine du problème reste.

Qu'est-ce qui vous manque le plus quand vous êtes loin de Naples ? La cuisine, le café et l'énergie caractéristique de Naples.

dorés domine la **Chiesa di Sant'Angelo a Nilo** (carte p. 640 ; ☎ 081 420 12 22 ; Vico Donnaromita 15 ; ⏰ 9h-13h tlj et 16h-18h lun-sam), une modeste église du XIVe siècle qui contient le monumental tombeau Renaissance du cardinal Brancaccio, œuvre de Donatello et d'autres artistes.

Tournant le dos à l'effervescente Piazza San Domenico Maggiore, la **Chiesa di San Domenico Maggiore** (carte p. 640 ; ☎ 081 557 32 04 ; Piazza San Domenico Maggiore 8a ; ⏰ 8h30-12h et 16h30-19h), de style gothique, fut achevée en 1324. Église favorite de la noblesse angevine, sa décoration intérieure mêle baroque et néogothique du XIXe siècle, avec de belles fresques du XIVe siècle de Pietro Cavallini. La sacristie contient 45 tombes de princes et d'aristocrates aragonais.

La simple façade de la proche **Cappella Sansevero** (carte p. 640 ; ☎ 081 551 84 70 ; Via de Sanctis 19 ; 6 € ; ⏰ 10h-17h40 lun et mer-sam, 10h-13h10 dim) ne laisse pas deviner les somptueuses sculptures qui ornent l'intérieur. La pièce maîtresse, le *Cristo Velato* (Christ voilé) de Giuseppe Sanmartino, est une fantastique représentation du Christ couvert d'un voile, si réaliste qu'il semble possible de soulever le tissu. Autre sculpture étonnante, la *Pudicizia* (Pudeur), de Corradini, est plus érotique que son nom ne le suggère. Dans la crypte, deux squelettes aux systèmes veineux parfaitement conservés témoignent de la passion du prince Raimondo di Sangro pour l'anatomie ; celui-ci finança la restauration de la chapelle au XVIIIe siècle.

PIAZZA DEL GESÙ NUOVO ET SES ENVIRONS

Au bout de la Via Benedetto Croce, la **Piazza del Gesù Nuovo** est un rendez-vous prisé des étudiants. Au centre se dresse la **Guglia dell'Immacolata**, une flèche baroque du XVIIIe siècle ; au nord et à l'est de la place se tiennent deux des églises les plus connues de Naples.

Caractérisée par une façade à bossage pyramidal dont les sculptures seraient des symboles ésotériques, la **Chiesa del Gesù Nuovo** (carte p. 640 ; ☎ 081 551 86 13 ; Piazza del Gesù Nuovo ; ⏰ 7h-13h et 16h-19h30), du XVIe siècle, est l'un des plus beaux exemples d'architecture Renaissance de la ville. À l'intérieur, la voûte en berceau, restaurée au XVIIe siècle, présente des fresques de trois artistes baroques napolitains : Cosimo Fanzago, Luca Giordano et Francesco Solimena.

À l'est, la **Basilica di Santa Chiara** (carte p. 640 ; ☎ 081 195 759 15 ; Via Benedetto Croce ; ⏰ 9h-13h et 16h30-19h30 lun-sam, 8h-13h et 17h30-19h30 dim), de style gothique, est réputée pour son cloître en majolique. Édifiée à l'origine par les Angevins au XIVe siècle et détruite par les bombardements des Alliés en août 1943, elle a été superbement reconstruite. Dans le **cloître des nonnes** (5 € ; ⏰ 9h30-17h30 lun-sam, 9h30-13h30 dim), un long parapet entièrement couvert de carreaux de céramique dépeint des scènes de la vie rurale. Sur les quatre murs intérieurs, des fresques du XVIIe siècle aux couleurs douces décrivent l'histoire des franciscains. À côté du cloître, un beau **musée** d'art sacré comprend les ruines d'un établissement thermal du Ier siècle.

De la place, la Calata Trinità Maggiore descend vers la Piazza Monteoliveto où la **Chiesa di Sant'Anna dei Lombardi** (carte p. 640 ; ☎ 081 551 33 33 ; Piazza Monteoliveto ; ☺ 9h-12h mar-dim), du XVe siècle, mérite le coup d'œil pour ses belles sculptures Renaissance, dont une superbe *Pietà* (1492) en terre cuite de Guido Mazzoni.

VIA DEI TRIBUNALI ET SES ENVIRONS

À un pâté de maisons au nord de Spaccanapoli, la Via dei Tribunali est l'ancienne *decumanus maior* (rue principale) de l'antique Neapolis. Reliant les deux artères, la **Via San Gregorio Armeno** est bordée de boutiques de *presepi* (crèches). Elle abrite également la **Chiesa e Chiostro di San Gregorio Armeno** (carte p. 640 ; ☎ 081 420 63 85 ; Via San Gregorio Armeno 44 ; ☺ 9h30-12h lun-sam, 9h30-13h dim), un joyau baroque du XVIe siècle avec de somptueuses stalles en bois et papier mâché et des fresques splendides de Paolo de Matteis et Luca Giordano.

Chef-d'œuvre d'architecture gothique française, la **Chiesa e Scavi di San Lorenzo Maggiore** (carte p. 640 ; ☎ 081 211 08 60 ; Via dei Tribunali 316 ; église entrée libre, fouilles 5 € ; ☺ 9h30-17h30 lun-sam, 9h30-13h30 dim) date de la fin du XIIIe siècle. À l'intérieur, remarquez l'imposant tombeau couvert de mosaïques de Catherine d'Autriche (XIVe siècle). Vous pouvez aussi traverser le cloître du couvent voisin, où le poète Pétrarque séjourna en 1345.

Sous les bâtiments, de remarquables *scavi* (fouilles) de la cité gréco-romaine d'origine comprennent une longue voie bordée d'antiques boulangeries, celliers et lavoirs.

De l'autre côté de la Via dei Tribunali, un double escalier majestueux mène à la **Chiesa di San Paolo Maggiore** (carte p. 640 ; ☎ 081 45 40 48 ; Piazza San Gaetano 76 ; ☺ 9h-13h et 15h-18h lun-ven, 9h-13h sam, 9h-12h30 dim), dont l'immense intérieur en stuc doré comporte des peintures de Massimo Stanzione. Des fresques de Francesco Solimena ornent la ravissante sacristie.

À l'est, le **Pio Monte della Misericordia** (carte p. 640 ; ☎ 081 44 69 44 ; Via dei Tribunali ; 5 € ; ☺ 9h-14h jeu-mar), du XVIIe siècle, renferme un chef-d'œuvre du Caravage, *Les Sept Actes de Miséricorde*, considéré par beaucoup comme le tableau le plus important de Naples.

MERCATO DI PORTA NOLANA

Turbulent et bruyant, le **Mercato di Porta Nolana** (carte p. 640 ; ☺ 8h-18h lun-sam, 8h-14h dim) est un marché de rue où poissonniers et maraîchers côtoient traiteurs et boulangers, commerçants chinois et vendeurs de cigarettes de contrebande. On y trouve de tout, des tomates à la mozzarella aux en-cas frits et des bagages à petits prix aux CD piratés. Ornée d'un bas-relief équestre de Ferdinand Ier d'Aragon, la **Porta Nolana**, l'une des portes médiévales de Naples, dresse son arche au début de la Via Sopramuro.

Toledo et Quartieri Spagnoli

Le magnifique **Museo Archeologico Nazionale** (carte p. 640 ; ☎ 081 44 01 66 ; Piazza Museo Nazionale 19 ; 6,50 € ; ☺ 9h-19h30 mer-lun), installé dans d'anciennes écuries devenues par la suite le siège de l'université de la ville, possède l'une des plus belles collections au monde d'artefacts gréco-romains. Il fut fondé par Charles VII de Bourbon à la fin du XVIIIe siècle pour conserver la riche collection d'antiquités héritée de sa mère, Élisabeth Farnèse, ainsi que les trésors découverts à Pompéi et à Herculanum. Il contient aussi la collection Borgia de vestiges étrusques et égyptiens.

Pour ne pas vous perdre dans le dédale de galeries (numérotées en chiffres romains), achetez le guide *National Archaeological Museum of Naples* (7 €) ou louez un audioguide (4 €). Appelez à l'avance pour vous assurer que les galeries qui vous intéressent sont ouvertes, car une pénurie de personnel oblige à la fermeture de certaines sections une partie de la journée.

Tandis que le sous-sol renferme la collection Borgia de reliques et d'épigraphes égyptiennes, le rez-de-chaussée est consacré à la **collection Farnese** de sculptures grecques et romaines. Le colossal *Toro Farnese* (taureau Farnèse), dans la salle XVI, et le gigantesque *Ercole* (Hercule), dans la salle XI, sont les pièces maîtresses. Sculpté au début du IIIe siècle, le *Toro Farnese*, sans doute une copie romaine d'un original grec, représente le supplice de Dircé, la reine de Thèbes attachée à un taureau et déchiquetée sur des rochers. La sculpture, taillée dans un seul bloc, fut découverte à Rome en 1545 et restaurée par Michel-Ange avant d'être transportée par bateau à Naples en 1787. *Ercole* fut découvert sans jambes dans les mêmes fouilles romaines ; ses membres inférieurs furent trouvés ultérieurement et rajoutés à la statue par les Bourbon.

À l'entresol, une collection modeste de splendides **mosaïques** provient essentiellement de Pompéi. Parmi la série collectée dans la Casa del Fauno à Pompéi figure *La Bataille d'Alexandre contre Darius*, la représentation la plus connue du conquérant (20 m²).

Derrière la salle des mosaïques, le **Gabinetto Segreto** (cabinet secret) conserve d'antiques représentations friponnes, dont une statue de Pan copulant avec une chèvre naine, trouvée à Herculanum, et des peintures érotiques trouvées dans des maisons closes.

Au 1er étage, la vaste **Sala Meridiana** contient l'atlante Farnèse, une statue du titan Atlas portant le globe terrestre sur ses épaules. Le reste de l'étage est surtout dédié aux découvertes provenant de Pompéi, Herculanum, Stabies et Cumes : grandes peintures murales, fresques, casques de gladiateurs, ustensiles ménagers, céramique, verrerie, etc.

Au sud du musée, dans le vivant Quartieri Spagnoli, **La Pignasecca** (carte p. 640 ; Via Pignasecca ; 🕒 8h-13h) est le plus ancien marché de rue de Naples. Escapade des sens parmi les effluves des fruits de mer et de multiples délices, c'est un endroit idéal pour savourer l'ambiance napolitaine au milieu des *casalinghe* (femmes au foyer) et faire quelques emplettes.

Vomero

Visible de toute la ville, la Certosa di San Martino constitue la principale raison de grimper en funiculaire (p. 653) jusqu'à Vomero, un quartier aux vues spectaculaires et aux belles demeures.

CERTOSA DI SAN MARTINO

Point culminant du baroque napolitain, cette imposante chartreuse abrite le **Museo Nazionale di San Martino** (carte p. 638 ; 🕿 848 80 02 88 ; Largo San Martino 5 ; 6 € ; 🕒 8h30-19h30 jeu-mar). Fondée par les chartreux au XIVe siècle, la Certosa fut restaurée au XVIe et au XVIIe siècles et doit son aspect actuel au maître du baroque Cosimo Fanzago. L'église et les salles contiguës contiennent des fresques et des peintures réalisées par de grands artistes napolitains du XVIIe siècle – Francesco Solimena, Massimo Stanzione, Giuseppe de Ribera et Battista Caracciolo.

Adjacent à l'église, l'élégant **Chiostro dei Procuratori**, le plus petit des deux cloîtres du monastère, est relié par un beau couloir au **Chiostro Grande**, l'un des plus beaux du pays. Conçu par Giovanni Antonio Dosio à la fin du XVIe siècle et remanié par Fanzago, c'est un sublime ensemble de portiques blancs toscano-doriques, de jardin soigné et de statues en marbre. Les crânes qui ornent la balustrade rappelaient aux moines la brièveté de l'existence.

Près du Chiostro dei Procuratori, la **Sezione Navale** est consacrée à l'histoire de la marine

Bourbon de 1734 à 1860, et comprend une collection de superbes embarcations royales.

Au nord du Chiostro Grande, la **Sezione Presepiale** abrite une étonnante collection de rares *presepi (crèches)* napolitaines des XVIIIe et XIXe siècles.

Le **Quarto del Priore** (quartier du Prieuré), dans l'aile sud, renferme la majeure partie de la collection de peintures, dont *La Vierge à l'Enfant avec saint Jean-Baptiste* de Pietro Bernini, l'une des pièces maîtresses du musée.

CASTEL SANT'ELMO

Offrant une vue superbe sur la ville, le **château Saint-Elme** (carte p. 638 ; 🕿 081 578 40 30 ; Via Tito Angelini 22 ; 3 € ; 🕒 8h30-19h30 jeu-mar, 9h-18h30 dim), en forme d'étoile, fut construit par les Espagnols en 1538. Austère et imposant, il n'eut guère d'importance militaire, mais accueillit de nombreux prisonniers ; ses donjons servirent de prison militaire jusque dans les années 1970. Les horaires et les tarifs peuvent changer pendant les expositions temporaires.

VILLA FLORIDIANA

Agréable surprise dans une cité pauvre en espaces verts, ce **jardin public** (carte p. 638 ; Via Domenico Cimarosa ; 🕒 entrée libre ; 9h-1 heure avant crépuscule mar-dim) s'étage sur les pentes du Vomero jusqu'à Mergellina. Blottie au pied du jardin, la Villa Floridiana fut édifiée en 1817 par Ferdinand Ier pour son épouse, la duchesse de Floridia. Elle abrite aujourd'hui le **Museo Nazionale della Ceramica Duca di Martina** (carte p. 638 ; 🕿 081 578 84 18 ; 2,50 € ; 🕒 8h30-13h30 mer-lun) et sa collection de 6 000 pièces de porcelaines, d'ivoires et d'émaux européens, chinois et japonais, et de majoliques italiennes.

Santa Lucia et Chiaia

CASTEL NUOVO

Appelé Maschio Angioino (donjon angevin) par les Napolitains, le **Castel Nuovo** (nouveau château), aux tours crénelées, constitue un imposant point de repère. Élément de l'ambitieux programme de reconstruction de la ville lancé par Charles Ier d'Anjou à la fin du XIIIe siècle, son édification fut entamée en 1279 et achevée trois ans. Il fut alors baptisé Castrum Novum (nouveau château) pour le distinguer du Castel dell'Ovo.

De la structure d'origine, seule subsiste la Cappella Palatina. Les autres bâtiments ont été rénovés par les Aragonais deux siècles plus tard ou méticuleusement restaurés avant la Seconde Guerre mondiale. La Torre della Guardia, l'arc de triomphe Renaissance à deux niveaux qui marque l'entrée, commémore l'arrivée triomphale d'Alphonse Ier d'Aragon dans Naples en 1443.

Des fresques de Giotto ornaient autrefois les murs de la **Cappella Palatina** ; il n'en subsiste que des fragments sur les ébrasements des fenêtres gothiques. À gauche de la chapelle, le sol en verre de la **Sala dell'Armeria** (armurerie) dévoile des ruines romaines découvertes lors de la restauration de la **Sala dei Baroni** (salle des Barons), au-dessus.

Aujourd'hui, toutes font partie du **Museo Civico** (carte p. 638 ; ☎ 081 795 58 77 ; 5 € ; ⊙ 9h-19h lun-sam) qui occupe des salles sur 3 niveaux. Les fresques et les sculptures des XIVe et XVe siècles, au rez-de-chaussée, sont les plus intéressantes. Les deux autres étages présentent essentiellement des peintures d'artistes napolitains, ou représentant Naples ou la Campanie, du XVIIe au début du XXe siècle. Remarquez la porte en bronze du XVe siècle de Guglielmo Monaco, dans laquelle est fiché un boulet de canon.

PIAZZA DEL PLEBISCITO ET SES ENVIRONS
Vedette de la Piazza del Plebiscito, la plus grande place de la ville, la **Chiesa di San Francesco di Paola** (carte p. 638 ; ☎ 081 74 51 33 ; ⊙ 8h-12h et 15h30-18h lun-sam, 8h-13h dim) fut commandée par Ferdinand Ier en 1817 pour célébrer la restauration de son royaume après l'interlude napoléonien. Copie néoclassique du Panthéon de Rome, elle fut ajoutée à la colonnade en hémicyle qui constituait la pièce maîtresse de la place, construite par Murat en 1809.

En face de l'église, le Palazzo Reale (voir plus loin) compte 8 statues de rois. Au centre de la place, une statue équestre du roi Bourbon Charles VII, d'Antonio Canova, côtoie celle de son fils Ferdinand Ier, réalisée par Antonio Calí.

Jouxtant la Piazza del Plebiscito, la Piazza Trieste e Trento est bordée au nord-est par le plus grand opéra d'Italie, le somptueux **Teatro San Carlo** (carte p. 638 ; ☎ billetterie 081 797 23 31, visites guidées 081 553 45 65 ; www.teatrosancarlo.it ; Via San Carlo 98 ; visites 5 € ; ⊙ 9h-17h mer-lun), réputé pour son acoustique parfaite. À la grande fierté des Napolitains, il fut édifié en 1737, soit 41 ans avant la Scala de Milan, son rival du Nord. Inauguré le 4 décembre 1737 par Charles VII, il fut ravagé par un incendie en 1816 puis reconstruit par Antonio Niccolini, l'architecte qui avait réalisé la façade quelques

années auparavant. Lors de notre passage, il était question de supprimer la visite guidée de 40 minutes. Renseignez-vous au préalable.

De l'autre côté de la Via San Carlo se tient l'une des quatre entrées de la **Galleria Umberto I**, une superbe galerie marchande coiffée d'une verrière. Ouverte en 1900 en tant que réplique de la Galleria Vittorio Emanuele II à Milan (p. 265), elle mérite le coup d'œil pour son sol en marbre et son élégante structure.

PALAZZO REALE
Flanquant la Piazza del Plebiscito, le **Palazzo Reale** (carte p. 638 ; Palais royal ; ☎ 081 40 04 54 ; Piazza Trieste e Trento ; 4 € ; ⊙ 9h-19h jeu-mar) fut construit vers 1600. Entièrement rénové en 1841, cet édifice ocre rouge fut gravement endommagé durant la Seconde Guerre mondiale.

Dans la cour, un escalier monumental à double révolution mène aux appartements royaux, aujourd'hui occupés par le **Museo del Palazzo Reale di** et sa riche collection de meubles, porcelaines, tapisseries, statues et peintures baroques et néoclassiques. Le palais abrite aussi un somptueux théâtre privé, le Teatrino di Corte (1768), et une immense *presepe* (crèche) du XVIIIe siècle dans la chapelle royale.

Également dans le palais, la **Biblioteca Nazionale** (Bibliothèque nationale ; carte p. 638 ; ☎ 081 781 92 31 ; ⊙ 9h-19h lun-ven, 9h-13h sam) possède au moins 2 000 papyrus découverts à Herculanum et des fragments d'une bible copte du Ve siècle. Pièce d'identité demandée à l'entrée.

LUNGOMARE
À l'est du *lungomare* (front de mer), long de 2,5 km, le **Castel dell'Ovo** (carte p. 638 ; château de l'Œuf ; ☎ 081 240 00 55 ; Borgo Marinaro ; entrée libre ; ⊙ 9h-18h lun-ven, 9h-13h sam-dim) se dresse sur l'îlot rocheux de Borgo Marinaro. Plus ancien château de Naples, il fut construit par les Normands au XIIe siècle et devint une forteresse clé pour la défense de la Campanie. Selon la légende, il devrait son nom au poète romain Virgile, qui y aurait enterré un œuf et prédit la destruction du château (et de Naples) quand l'œuf casserait.

Non loin, la **Fontana dell'Immacolatella**, du XVIIe siècle, comprend statues de Bernini et de Naccherini.

À l'ouest de Santa Lucia, la Via Partenope débouche sur la Piazza Vittoria qui marque le début de la Riviera di Chiaia. Ce boulevard longe la **Villa Comunale**, un long parc verdoyant délimité côté mer par la Via Francesco Caracciolo. Fermée à la circulation dimanche matin, cette artère est alors prise d'assaut par les adeptes du jogging et du roller.

Dans le parc se tient le plus ancien aquarium d'Europe. Fondée en 1872, la **Stazione Zoologica** (aquarium ; carte p. 638 ; ☎ 081 583 32 63 ; Villa Comunale ; 1,50 € ; 🕐 9h-18h mar-sam, 9h-19h30 dim mars-oct, 9h-17h mar-sam, 9h-14h dim nov-fév) contient quelque 200 espèces marines originaires de la baie de Naples.

Plus loin le long de la Riviera di Chiaia, le **Museo Pignatelli** (carte p. 638 ; ☎ 081 761 23 56 ; Riviera di Chiaia 200 ; 2 € ; 🕐 8h30-13h30 mer-lun) occupe une villa néoclassique, ancienne propriété des Rothschild. Il présente essentiellement des meubles, des porcelaines et des bibelots du XIXᵉ siècle sans grand intérêt. Dans un pavillon du beau jardin, un musée de l'attelage est actuellement fermé.

Capodimonte
PALAZZO REALE DI CAPODIMONTE
La construction de cet immense palais, à la lisière nord de la ville, dura plus d'un siècle. Conçu à l'origine comme pavillon de chasse pour Charles VII de Bourbon, il fut entamé en 1738, mais les plans ne cessèrent d'évoluer vers une structure de plus en plus vaste. Depuis 1759, ce *palazzo* monumental abrite la collection d'art dont le roi avait hérité de sa mère, Élizabeth Farnèse.

Le **Museo di Capodimonte** (hors carte p. 638 ; ☎ 081 749 91 11 ; Parco di Capodimonte ; 7,50 € ; 🕐 8h30-19h30 jeu-mar, dernière entrée 90 min avant fermeture) comprend 160 salles réparties sur trois niveaux. S'il est impossible de le visiter entièrement en une journée, vous pourrez découvrir les pièces maîtresses en une demi-journée.

Le 1ᵉʳ étage contient des œuvres de Bellini, de Botticelli, du Caravage, de Masaccio et de Titien. La *Crucifixion* de Masaccio, la *Transfiguration* de Bellini et *Antée* de Parmigianino font partie des principaux trésors.

Également au 1ᵉʳ étage, Les **appartements royaux** illustrent les excès de la monarchie. Le Salottino di Porcellana (salle 51), aux murs et au plafond couverts de fantaisistes "stucs" en porcelaine, est un exemple exacerbé des chinoiseries du XVIIIᵉ siècle. Créé entre 1757 et 1759 pour le Palazzo Reale de Portici, il fut transféré à Capodimonte en 1867.

Les salles du 2ᵉ étage exposent des œuvres d'artistes napolitains du XIIIᵉ au XIXᵉ siècle, ainsi que d'extraordinaires tapisseries belges du XVIᵉ siècle. La célèbre *Flagellation* (1607-1610), du Caravage, trône seule dans la salle 78.

S'il vous reste de l'énergie, la petite **galerie d'art moderne**, au 3ᵉ étage, vaut le coup d'œil. Elle présente le *Mt Vesuvius* d'Andy Warhol.

Promenez-vous ensuite dans le **Parco di Capodimonte** (hors carte p. 638 ; 🕐 entrée libre ; 9h-1 heure avant crépuscule), un parc de 130 ha.

CATACOMBE DI SAN GENNARO
Les **Catacombe di San Gennaro** (hors carte p. 638 ; ☎ 081 741 10 71 ; Via di Capodimonte 13 ; 5 € ; 🕐 visite 1 heure à 9h, 10h, 11h, 12h, 14h, 15h mar-sam, 9h, 10h, 11h, 12h dim), les plus anciennes et les plus connues de Naples, datent du IIᵉ siècle. S'étendant sur deux niveaux et décorées de fresques paléochrétiennes, elles contiennent des tombes, des couloirs et de larges vestibules soutenus par des colonnes et des arches. Elles devinrent un important site de pèlerinage au Vᵉ siècle, quant y fut transféré le corps de San Gennaro.

CIRCUITS ORGANISÉS
Napoli Sotterranea (Naples souterraine ; carte p. 640 ; ☎ 081 29 69 44 ; www.napolisotterranea.org ; Piazza San Gaetano 68 ; 9,30 € ; 🕐 12h, 14h et 16h lun-ven, plus 10h et 18h sam-dim, 21h jeu) propose la visite guidée (1 heure 30) du réseau de galeries et de caves qui s'étire à 40 m sous la ville. Les galeries furent creusées par les Grecs pour extraire des pierres calcaires utilisées pour les constructions et pour canaliser l'eau du Vésuve. Agrandi par les Romains, il servit d'abris antiaérien pendant la Seconde Guerre mondiale. Une partie de l'exploration s'effectue à la lueur de bougies et comprend des passages très étroits.

City Sightseeing Napoli (carte p. 638 ; ☎ 081 551 72 79 ; www.napoli.city-sightseeing.it ; adulte/enfant 22/11 €) offre des bus qui suivent quatre itinéraires à travers la ville (montée et descente libres). Tous partent de la Piazza del Municipio Parco Castello. Les billets, disponibles à bord, sont valables 24 heures sur chaque parcours.

Torres Travel (☎ 081 856 78 02 ; www.torrestravel.it ; Viale Mazzini 7 bis, Pompéi) est l'une des diverses agences qui organisent des excursions à thème dans les îles de la baie de Naples, sur la côte amalfitaine, à Pompéi, Herculanum et au Vésuve. Les prix varient de 125 € pour la visite de Pompéi à 220 € pour un circuit à Pompéi, Sorrente et Capri. La découverte de Naples revient à 175 €.

FÊTES ET FESTIVALS
Fête majeure de Naples, la **Festa di San Gennaro** célèbre saint Janvier. Le premier dimanche de mai, puis le 19 septembre et le 16 décembre, des milliers de fidèles se rassemblent au Duomo

pour assister à la liquéfaction du sang du saint, un miracle censé protéger la cité d'éventuelles catastrophes. Le miracle n'a pas eu lieu en 1944, année d'une éruption du Vésuve, ni en 1980, quand un séisme a ébranlé la ville.

En mai, le **Maggio dei Monumenti**, principal événement culturel, marque le début d'un mois d'expositions, de concerts, de visites guidées, etc.

De nombreux festivals se déroulent en été. Le **Napoli Teatro Festival Italia** (www. teatrofestivalitalia.it) propose 3 semaines de représentations théâtrales, locales et internationales, dans diverses salles de la ville. La **Madonna del Carmine**, le 16 juillet, s'achève par un feu d'artifice sur la Piazza del Carmine (carte p. 638). Meilleur festival rock du sud de l'Italie, le **Neapolis Rock Festival** (www.neapolis.it) attire des vedettes internationales en juillet et août.

Durant la première quinzaine de septembre, la **Festa di Piedigrotta** (www.festadipiedi grotta.it) associe musique folklorique, défilés de chars et feux d'artifice autour de la Chiesa di Piedigrotta (carte p. 638), à Mergellina.

OÙ SE LOGER

Naples offre un choix complet d'hébergements, des luxueux hôtels en front de mer aux chaleureux B&B et auberges de jeunesse.

Des hôtels bon marché se regroupent autour de la Stazione Centrale, mais le quartier n'est guère plaisant le soir. Les adresses mentionnées sont toutes propres et sûres.

Pour profiter au mieux de l'ambiance napolitaine, choisissez le *centro storico*, où d'anciens *palazzi* ont été transformés en de charmants hôtels. La proximité de nombreux sites constitue un atout supplémentaire.

Santa Lucia, en bord de mer, abrite certains des plus prestigieux hôtels de la ville. Chiaia se distingue par son ambiance détendue et chic. Pour une vue panoramique et plus de tranquillité, préférez Vomero.

Les campings les plus proches se situent à Pozzuoli, à l'ouest, et à Pompéi, à l'est.

Stazione Centrale et Mercato
PETITS BUDGETS
Hotel Ideal (carte p. 640 ; ☎ 081 26 92 37 ; www. albergoideal.it ; Piazza Garibaldi 99 ; s 34-50 €, d 39-60 € ; 🗶 🛜). Proche de la gare ferroviaire et tenu par un personnel sympathique, il n'a rien d'exceptionnel, mais ses grandes chambres couleur saumon à l'étage, avec meubles en bois et lits en fer forgé, sont d'agréables refuges.

Hotel Zara (carte p. 640 ; ☎ 081 28 71 25 ; www. hotelzara.it ; 2ᵉ ét, Via Firenze 81 ; s 39-45 €, d 46-62 € ; 🗶 🖳). Propre, d'un bon rapport qualité/prix et accueillant, le Zara contraste avec les rues négligées alentour. Il offre des chambres simples, dotées de jolis meubles en bois et de fenêtres à double vitrage. Échange de livres et petit-déj à 4 €. Usage de l'ascenseur : 0,05 €.

Hostel of the Sun (carte p. 638 ; ☎ 081 420 63 93 ; www.hostelnapoli.com ; Via Melisurgo 15 ; s 45-50 €, d 60-70 €, dort/s/d sans sdb à partir de 16/40/50 € ; 🗶 🖳). Récemment rénovée et toujours très prisée, cette chaleureuse auberge de jeunesse se situe près du port. Dans un *palazzo* sans charme, elle possède des dortoirs colorés au 7ᵉ étage (préparez 0,05 € pour l'ascenseur), et des chambres d'hôtel standards au 2ᵉ étage.

CATÉGORIE MOYENNE
Hotel Nuovo Rebecchino (carte p. 640 ; ☎ 081 26 80 26 ; www.nuovorebecchino.it ; Corso G Garibaldi 356 ; s 60-105 €, d 70-160 € ; 🅿 🗶 🖳). Des meubles Regency raffinés et des gravures du XIXᵉ siècle ornent les chambres spacieuses. Certaines sdb, fraîches et rutilantes, sont équipées de Jacuzzi.

Centro storico
PETITS BUDGETS
6 Small Rooms (carte p. 640 ; ☎ 081 790 13 78 ; www.6smallrooms.com ; Via D Lioy 18 ; dort 18 €, s 35-40 €, d 45 € ; 🖳). Au dernier étage d'un vieux bâtiment poussiéreux, cette petite auberge de jeunesse accueillante comprend des dortoirs lumineux, de belles peintures murales, 2 chambres spartiates (avec clim) au rez-de-chaussée, une immense cuisine commune et un chat appelé Simon. Apportez un cadenas pour le casier.

B&B DiLetto a Napoli (carte p. 640 ; ☎ 081 033 09 77, 338 9264453 ; www.dilettoanapoli.it ; Vicolo Sedil Capuano 16 ; s 35-55 €, d 50-75 € ; 🅿 🗶 🛜). Aménagé dans un palais du XVᵉ siècle, ce B&B propose 4 chambres avec sol en tomettes, rideaux d'organza et décor artisanal. L'agréable salon commun comporte une kitchenette et une table pour des repas conviviaux.

B&B Cerasiello (carte p. 638 ; ☎ 081 033 09 77, 338 9264453 ; www.cerasiello.it ; Via Supportico Lopez 20 ; s 40-60 €, d 55-80 € ; 🗶 🛜). Dans le quartier de Sanità, à quelques pas du *centro storico*, ce superbe B&B ethno-chic possède 4 chambres, une charmante terrasse commune (avec barbecue) et une belle cuisine. Prévoyez 0,10 € pour l'ascenseur.

Hotel Pignatelli (carte p. 640 ; ☎ 081 658 49 50 ; www.hotelpignatellinapoli.com ; Via San Giovanni Maggiore

Pignatelli 16 ; s 45 €, d 75-80 €). Joyau caché au 2ᵉ étage d'un ancien palais, le Pignatelli offre des chambres rustiques de style Renaissance, avec lits en cuivre, murs crème, tomettes et, pour certaines, poutres du XVᵉ siècle au plafond. Lors de notre passage, 5 nouvelles chambres étaient en construction et l'hôtel prévoyait d'installer une terrasse panoramique sur le toit.

CATÉGORIE MOYENNE

Belle Arti Resort (carte p. 640 ; ☎ 081 557 10 62 ; www.belleartiresort.com ; Via Santa Maria di Costantinopoli 27 ; s 65-99 €, d 80-160 € ; ✖ 💻). Plus hôtel de charme que B&B, ce refuge urbain mêle décontraction contemporaine et détails d'époque. Quatre des chambres impeccables (dont certaines de la taille d'une petite suite) s'agrémentent de plafonds ornés de fresques ; toutes disposent d'une sdb en marbre et de têtes de lit peintes.

Portalba Relais (carte p. 640 ; ☎ 081 564 51 71 ; www.portalbarelais.com ; Via Port'Alba 33 ; s 65-99 €, d 80-160 € ; ✖ 💻). Dans une rue bordée de librairies, ce B&B comporte un foyer tapissé de bibliothèques et 6 chambres d'une élégance raffinée : nuances sourdes, éléments en acier, mosaïque dans les douches et même un Jacuzzi dans la chambre n°216. Les fenêtres, à double vitrage, donnent sur l'animation de la Piazza Dante.

Decumani Hotel de Charme (carte p. 640 ; ☎ 081 551 81 88 ; www.decumani.it ; Via San Giovanni Maggiore Pignatelli 15 ; s 90-105 €, d 105-130 €, deluxe d 130-150 € ; ✖ 💻 🛜). Ne vous laissez pas rebuter par l'escalier négligé. Aménagé dans l'ancien palais du cardinal Sisto Riario Sforza, le dernier évêque du royaume des Bourbon, cet hôtel chic et bien tenu propose des chambres élégantes, hautes de plafond, avec des meubles du XIXᵉ siècle et des sdb modernes. Les "deluxe" ont un Jacuzzi. Des soirées culturelles sont organisées dans le hall baroque.

CATÉGORIE SUPÉRIEURE

Costantinopoli 104 (carte p. 640 ; ☎ 081 557 10 35 ; www.costantinopoli104.it ; Via Santa Maria di Costantinopoli 104 ; s/d 170/220 € ; ✖ 💻 🛜 ✖). Sélect et tranquille, il est aménagé dans une villa néoclassique du quartier bohème de la ville. Bien qu'un peu défraîchies par endroits, les chambres restent séduisantes ; celles du 1ᵉʳ étage donnent sur une terrasse ensoleillée, et celles du rez-de-chaussée font face à la petite piscine bordée de palmiers. Des meubles anciens et un vitrail Liberty ajoutent une touche glamour.

Romeo Hotel (carte p. 638 ; ☎ 081 017 50 08 ; www.romeohotel.it ; Via Cristoforo Colombo 45 ; ch 165-330 € ; ✖ 💻 🛜). Ce nouvel hôtel design est une somptueuse combinaison d'ardoise et de tons ivoire, d'œuvres d'art et de meubles design. Luxueuses, les chambres "classiques" s'agrémentent d'une machine à expresso et d'une belle sdb. Plus spacieuses, les "deluxe" (225-450 €) offrent en plus la vue sur la baie. L'établissement comprend, entre autres, un bar à sushis, un restaurant sur le toit et un spa.

Toledo et Vomero
PETITS BUDGETS

La Controra (carte p. 638 ; ☎ 081 549 40 14 ; www.lacontrora.com ; Piazzetta Trinità alla Cesarea 231 ; dort 15-24 €, s 28-30 €, d 30-32 € ; ✖ 💻 🛜). Dans un couvent du XIIIᵉ siècle, cette joyeuse auberge de jeunesse possède un bar plaisant, des lits superposés en bois, des sdb couleur menthe et une amusante cuisine commune. Hamac dans la cour. Wi-Fi gratuit.

B&B Sui Tetti di Napoli (carte p. 638 ; ☎ 081 033 09 77, 338 9264453 ; www.suitettidinapoli.net ; Vico Figuerelle a Montecalvario 6 ; s 35-65 €, d 45-80 € ; ✖ 🛜). À un pâté de maisons de la Via Toledo, ce B&B se compose de 4 appartements au bout d'un escalier abrupt. Deux d'entre eux partagent une terrasse et celui sur le toit dispose de la sienne, avec une vue splendide. Les appartements ont une kitchenette (deux sont communes) et un ameublement simple et pratique.

CATÉGORIE MOYENNE

Napolit'amo (carte p. 638 ; ☎ 081 552 36 26 ; www.napolitamo.it ; Via Toledo 148 ; s 55-65 €, d 79-99 € ; ✖ 💻). Oubliez les foules dans ce refuge doré. L'escalier majestueux donne le ton de cet hôtel au 1ᵉʳ étage, doté d'immenses miroirs du XVIIIᵉ siècle, de hauts plafonds et de dorures.

Hotel Il Convento (carte p. 638 ; ☎ 081 40 39 77 ; www.hotelilconvento.com ; Via Speranzella 137a ; s 55-110 €, d 65-160 € ; ✖ 💻). Tirant son nom du couvent voisin, cet hôtel charmant séduit par ses antiques meubles toscans, sa collection de livres savants et ses escaliers éclairés aux chandelles. Les chambres, douillettes et élégantes, combinent tons crème, bois sombre et maçonnerie du XVIᵉ siècle. Pour 80 à 180 €, vous obtiendrez une chambre avec jardin privé sur le toit.

Hotel Toledo (carte p. 638 ; ☎ 081 40 68 71 ; www.hoteltoledo.com ; Via Montecalvario 15 ; s/d 85/130 € ; ✖ 💻). Aménagé dans un vieux bâtiment de 3 étages, le Toledo propose des petites chambres douillettes, un peu sombres, avec tomettes et confort moderne. Les suites sont équipées d'un poêle. En été, le petit déjeuner est servi sur le toit-terrasse.

CATÉGORIE SUPÉRIEURE

☻ Hotel San Francisco al Monte (carte p. 638 ; ☎ 081 423 91 11 ; www.hotelsanfrancesco.it ; Corso Vittorio Emanuele I 328 ; s 160-190 €, d 170-225 €; **P** 🕭 🖵 🛜 🖨). Les cellules de cet ancien monastère du XVIe siècle ont été transformées en chambres stylées, un bar en plein air est installé dans le cloître, les couloirs voûtés sont frais et charmants et une piscine est aménagée au 7e étage.

Santa Lucia et Chiaia
CATÉGORIE MOYENNE

B&B Cappella Vecchia (carte p. 638 ; ☎ 081 240 51 17 ; www.cappellavecchia11.it ; Vico Santa Maria a Cappella Vecchia 11 ; s 50-70 €, d 75-100 €; 🕭 🖵 🛜). Tenu par un jeune couple très serviable, ce B&B loue 6 chambres sans prétention aux agréables sdb, aux thèmes napolitains, du *mal'occhio* (mauvais œil) au *peperoncino* (piment). Le petit déjeuner est servi dans une grande salle commune. Accès Internet gratuit 24h/24. Consultez les offres du mois sur le site Internet.

Hotel Pinto-Storey (carte p. 638 ; ☎ 081 68 12 60 ; www.pintostorey.it ; 4e et 5e ét, Via Martucci 72 ; s 68-98 €, d 88-153 €; 🕭 🖵). Prenez l'ascenseur au fond de l'entrée et montez au 5e étage pour découvrir un hôtel décontracté avec des chambres spacieuses et un décor classique et une vue splendide sur la mer, jusqu'à Capri par temps clair.

Parteno (carte p. 638 ; ☎ 081 245 20 95 ; www.parteno. it ; Via Partenope 1 ; s 80-100 €, d 100-125 €; 🕭 🖵 🛜). Il comprend 6 chambres raffinées, chacune portant un nom de fleur, joliment décorées de meubles d'époque, de gravures napoléoniennes et de draps en soie. La chambre azalée (130-165 €) vole la vedette grâce à la vue sur la mer et Capri. TV sat et appels gratuits vers l'Europe et l'Amérique de Nord. Appelez pour vous renseigner sur les offres de dernière minute.

Chiaja Hotel de Charme (carte p. 638 ; ☎ 081 41 55 55 ; www.hotelchiaia.it ; Via Chiaia 216 ; s 95-105 €, d 99-145 €, supérieure d 140-165 €; 🕭 🖵 🛜). Aménagé dans une ancienne maison close et un hôtel particulier, cet hôtel raffiné est à la hauteur de son nom. Il ne manque pas d'allure avec ses portraits entourés d'un cadre doré sur des murs jaune pâle, des lampes somptueuses et de lourdes étoffes. Les chambres qui font face à la Via Chiaia disposent d'un Jacuzzi.

CATÉGORIE SUPÉRIEURE

Grand Hotel Vesuvio (carte p. 638 ; ☎ 081 764 00 44 ; www.vesuvio.it ; Via Partenope 45 ; s 230-370 €, d 290-450 €; 🕭 🖵 🛜). Des stars comme Rita Hayworth et Humphrey Bogart ont séjourné dans les chambres opulentes de ce somptueux cinq-étoiles, orné de lustres gigantesques et d'antiquités. Restaurant au dernier étage.

OÙ SE RESTAURER

La cuisine moléculaire ou fusion ne risque guère de séduire les Napolitains, qui apprécient avant tout les recettes simples, préparées avec des produits de saison. Les innombrables pizzerias, trattorias et *ristoranti* de la ville restent fidèles à ce type de cuisine.

Naples est le berceau de la pizza et vous n'en dégusterez de meilleure nulle part ailleurs. Les produits de la mer constituent une autre spécialité locale et de nombreux plats comptent des palourdes et des moules.

Les stands de rue proposent aussi de délicieux en-cas, tel le *misto di frittura*, des fleurs de courgette, des pommes de terre et des aubergines frites.

Les *sfogliatelle* (pâtisseries à la ricotta parfumée à la cannelle) napolitaines sont appréciées dans tout le pays, et même le café est meilleur à Naples.

Beaucoup de restaurants ferment de 2 à 4 semaines en août.

Stazione Centrale et Mercato

Attanasio (carte p. 640 ; ☎ 081 28 56 75 ; Vico Ferrovia 1-4 ; en-cas à partir de 1,20 € ; ☽ 6h30-19h30 mar-dim). Cette pâtisserie rétro confectionne de délicieuses *sfogliatelle*, de crémeux *cannolli siciliani* (pâtisseries farcies de ricotta) et de savoureux babas au rhum. Si vous préférez les en-cas salés, choisissez un *pasticcino rustico* (pain salé) fourré de *provola* (provolone), de ricotta et de salami.

Da Michele (carte p. 640 ; ☎ 081 553 92 04 ; Via Cesare Sersale 1 ; pizza à partir de 4 € ; ☽ lun-sam). La pizzeria la plus célèbre de Naples porte la simplicité à son extrême. Peu reluisante et désuète, elle ne propose que deux sortes de pizzas : *margherita* (tomate, basilic et mozzarella) et *marinara* (tomate, ail et origan), mais quel délice !

Centro storico

☻ Pizzeria Gino Sorbillo (carte p. 640 ; ☎ 081 44 66 43 ; Via dei Tribunali 32 ; pizza à partir de 3 € ; ☽ lun-sam). Gino Sorbillo est le roi de la pizza. Savourez une énorme pizza, cuite à la perfection au feu de bois, puis un *semifreddo*, divine association de chocolat et de *torroncino* (nougat).

Trattoria Mangia e Bevi (carte p. 640 ; ☎ 081 552 95 46 ; Via Sedile di Porto 92 ; repas 8 € ; ☽ déj lun-ven). Étudiants et professeurs se pressent autour de ces tables communes pour déguster une succulente cuisine maison à petits prix. Le menu change tous les jours, un exemple : la *salsiccia di maiale* (saucisse de porc) avec des *friarielli* (brocolis locaux) au *peperoncino*.

Trattoria da Carmine (carte p. 640 ; ☎ 081 29 43 83 ; Via dei Tribunali 330 ; repas 18 € ; ☾ mer-sam, déj mar et dim). Havre de paix dans le tumulte du *centro storico*, cette trattoria offre une carte limitée de spécialités régionales, comme les anchois marinés et les *penne alla sorrentina* (pâtes, mozzarella et tomates). Sous de vieilles photos, un serveur vous aidera à faire votre choix.

La Cantina della Sapienza (carte p. 640 ; ☎ 081 45 90 78 ; Via della Sapienza 40 ; repas 18 € ; ☾ déj lun-sam). Les plats classiques, confectionnés avec les ingrédients frais du marché, demeurent les meilleurs. Essayez la *parmigiana di melanzane* (aubergine en tranches entre des couches de sauce tomate et de mozzarella) et les *caprese con provola*. Gaetano, le patron, prépare un dessert différent chaque jour.

La Stanza del Gusto (carte p. 640 ; ☎ 081 40 15 78 ; Via Costantinopoli 100 ; menu déj 18 €, repas 45 € ; ☾ bar à fromages 19h30-24h lun, 11h-16h et 19h30-24h mar-sam, 11h-16h dim, restaurant 19h30-24h lun-sam). Éclectique, la "Salle du Goût" comprend un bar à fromages au rez-de-chaussée, pour savourer du vin en grignotant de fabuleux fromages, et une salle à l'étage pour des aventures plus modernes, comme le flan de *fegatini* (foie de volaille) avec une sauce aux fraises et diverses préparations de *baccalà* (morue). Au sous-sol, une boutique vend des plats à emporter et du vin.

Toledo et Vomero

Friggitoria Fiorenzano (carte p. 640 ; ☎ 081 551 27 88 ; Piazza Montesanto ; en-cas à partir de 1 € ; ☾ lun-sam). Aubergines et artichauts frits, croquettes farcies de *prosciutto* et de mozzarella, et bien d'autres en-cas sont servis dans des cornets en papier.

Pintauro (carte p. 638 ; ☎ 348 7781645 ; Via Toledo 275 ; sfogliatelle 1,50 € ; ☾ 8h-14h et 14h30-20h lun-sam, 9h-14h dim sept-mai). Autre institution locale, le Pintauro, parfumé à la cannelle, vend de succulentes *sfogliatelle*.

Nennella (carte p. 638 ; ☎ 081 41 43 38 ; Vico Lungo Teatro 103-105 ; repas 10 € ; ☾ lun-sam). Cuisine maison et exubérance napolitaine sont les caractérisques de ce restaurant chaleureux et bruyant. Donnez votre nom à Ciro et attendez que l'on vous appelle. À l'intérieur, des serveurs malicieux servent des plats simples comme des sardines frites, de délicieux *spaghetti con lupine* (spaghettis au lupin) ou l'*insalatona nennella* (salade de roquette, *bresaola* et radis).

Donna Teresa (carte p. 638 ; ☎ 081 556 70 70 ; Via Kerbaker 58 ; repas 14 € ; ☾ lun-sam). Les habitants apprécient la cuisine traditionnelle de cette petite trattoria de 8 tables, où la carte limitée change tous les jours. Essayez les *spezzatini al ragù* (ragoût de viande), les *polpette* (boulettes de viande) ou les *salsicce al sugo* (saucisses en sauce tomate).

Santa Lucia et Chiaia

La Focaccia (carte p. 638 ; ☎ 081 41 22 77 ; Vico Belledonne a Chiaia 31 ; focaccia à partir de 1,60 € ; ☾ 11h-tard lun-sam, 17h-tard dim). Choisissez cette gargote sans prétention pour déguster de grosses parts de focaccia aux artichauts et *provola*, ou à l'aubergine, au *pecorino* et au jambon fumé. Ici, les fours à micro-ondes n'ont pas droit de cité !

La Trattoria dell'Oca (carte p. 638 ; ☎ 081 41 48 65 ; Via Santa Teresa a Chiaia 11 ; repas 20 € ; ☾ fermé dîner dim oct-mai). Raffinée et détendue, cette trattoria à l'éclairage tamisé mitonne à la perfection des plats classiques, tels les *gnocchi al ragù* ou une succulente *baccalà* (morue) cuisinée avec des tomates cerises, des câpres et des olives.

La Scialuppa (carte p. 638 ; ☎ 081 764 53 33 ; Borgo Marinaro 4 ; repas 45 € ; ☾ mar-dim). Établie depuis presque 150 ans et prisée des Italiens aisés, La Scialuppa constitue un bon choix pour un repas romantique près du port. Naturellement, les produits de la mer sont à l'honneur, du savoureux *fritto misto* (assortiment de fritures) au *risotto alla scialuppa* (risotto aux fruits de mer et au vin). En été, réservez pour obtenir une table en plein air, près des yachts.

♥ **Dora** (carte p. 638 ; ☎ 081 68 05 19 ; Via Palasciano 30 ; repas 60 € ; ☾ déj mar-dim, dîner lun-sam). Ne vous laissez pas abuser par la façade modeste dans une rue triste : le Dora est l'un des meilleurs restaurants de poisson de la ville. Entre les murs couverts de carreaux bleu et blanc et de souvenirs marins, régalez-vous de gambas grillées et d'une *frittura di pesce* (poisson frit) alors que le propriétaire entonne une chanson. Réservation indispensable.

OÙ PRENDRE UN VERRE

Les bars alternatifs, fréquentés par les étudiants, se regroupent autour des places et dans les ruelles du *centro storico*. Pour une ambiance plus élégante, rejoignez les rues pavées de Chiaia. Si quelques bars ouvrent dès 8h, la plupart ouvrent vers 18h30 et ferment aux alentours de 2h.

Al Barcadero (carte p. 638 ; ☎ 333 2227023 ; Banchina Santa Lucia 2). Descendez les marches sur la gauche en allant vers Borgo Marinaro pour trouver ce bar sans prétention au bord de l'eau. Dégustez un verre en regardant les pêcheurs s'affairer autour de la marina.

Caffè Mexico (carte p. 640 ; ☎ 081 549 93 30 ; Piazza Dante 86 ; ☽ 7h-20h30 lun-sam). Bar à expresso le plus prisé de la ville, où des barmans de la vieille école servent le café le plus serré.

Enoteca Belledonne (carte p. 638 ; ☎ 081 40 31 62 ; Vico Belledonne a Chiaia 18). L'un des bars à vin les plus appréciés de Chiaia, avec des murs en briques apparentes et des étagères remplies de bouteilles, c'est une étape incontournable lors de l'*aperitivo*.

Il Caffè Arabo (carte p. 640 ; ☎ 081 442 06 07 ; Piazza Bellini). L'un des cafés qui bordent la Piazza Bellini, cet établissement aux airs canailles est agréable pour boire un verre de vin (le moins cher de la place) et grignoter des en-cas orientaux. À droite et plus haut de gamme, **Intra Moenia** (☎ 081 29 07 20, Piazza Bellini 70) comprend une librairie d'ouvrages savants.

S'Move (carte p. 638 ; ☎ 081 764 58 13 ; Vico dei Sospiri 10a). Autre adresse fréquentée pour l'*aperitivo* à Chiaia, ses lampes à bulbes et son décor futuriste évoquent Barbarella. Des DJ alternent nu-jazz, acid jazz, électro et funk du jeudi au dimanche.

Caffè Gambrinus (carte p. 638 ; ☎ 081 41 41 33 ; Via Chiaia 12). Des touristes et des visiteurs très chics sirotent un café ou des cocktails hors de prix dans le plus vénérable café de Naples. Oscar Wilde et Bill Clinton comptent parmi les célébrités qui ont fréquenté cette magnifique salle Art nouveau.

OÙ SORTIR

Naples offre un choix complet, des opéras de niveau international aux festivals de jazz ou de rock et d'immenses discothèques. Pour une liste des spectacles culturels, consultez le mensuel *Qui Napoli* (disponible dans les offices du tourisme) ou un quotidien local. *Zero*, un petit magazine gratuit (en italien) distribué dans de nombreux bars, recense les clubs et les discothèques.

La billetterie de **Feltrinelli** (carte p. 638 ; ☎ 081 764 21 11 ; Piazza dei Martiri ; ☽ 16h30-20h lun, 10h-13h30 et 16h30-20h mar-sam) vend des billets pour la plupart des événements culturels.

En mai, durant le festival Maggio dei Monumenti, des concerts et des événements culturels, souvent gratuits, sont organisés dans divers musées et sites de la ville. De mai à septembre, nombreux concerts en plein air ; renseignez-vous aux offices du tourisme.

Lors de nos recherches, seuls les habitants pouvaient assister aux matchs de football dans le Stadio San Paolo, une mesure visant à combattre le hooliganisme.

Discothèques et musique live

Les discothèques ouvrent généralement vers 22h30 ou 23h, mais ne se remplissent qu'après minuit. Beaucoup ferment en été (de juillet à septembre) et certaines s'installent temporairement près des plages. Les prix d'entrée varient de 5 à 25 €, avec ou sans boisson.

Rising South (carte p. 640 ; ☎ 335 8790428 ; Via San Sebastiano 19). Hip-hop, drum'n bass, latino et électronique séduisent une clientèle jeune en contrebas du *centro storico*. Des vidéos Art-house composent le support visuel.

Velvet Zone (carte p. 640 ; ☎ 328 9577115 ; Via Cisterna dell'Olio 11). Établi de longue date, le Velvet propose des rythmes différents selon les soirées, de la techno minimale à la house en passant par le rétro et le rock.

Around Midnight (carte p. 638 ; ☎ 081 742 32 78 ; Via Bonito 32A ; ☽ sept–début juil). L'un des clubs de jazz les plus anciens et renommés de Naples, ce minuscule établissement accueille principalement des musiciens locaux, et parfois un groupe de blues.

Arenile di Bagnoli (hors carte p. 638 ; ☎ 081 230 30 50 ; Via Nuova Bagnoli 10 ; ☽ avr-sept). Le plus grand club en bord de plage, il se situe à courte distance au sud de la gare de Bagnoli, sur la ligne ferroviaire Cumana. Commandez une pizza, écoutez un groupe ou lancez-vous sur la piste pour danser sous les étoiles.

Théâtre

Teatro San Carlo (carte p. 638 ; ☎ 081 797 23 31 ; www.teatrosancarlo.it ; Via San Carlo 98 ; ☽ billetterie 10h-19h mar-sam). L'un des principaux opéras d'Italie, il propose toute l'année opéras, ballets et concerts, mais il peut être très difficile d'obtenir des billets. Pour un opéra, comptez 50 € pour une place au 6e niveau et 100 € pour un fauteuil d'orchestre. Les moins de 30 ans (preuve à l'appui) peuvent bénéficier d'un billet de dernière minute à 15 € une heure avant le début du spectacle.

ACHATS

Marchés pittoresques, ateliers d'artisans, tailleurs…, faire des achats à Naples n'a rien de banal.

Pour des délices gastronomiques, rendez-vous à **Limonè** (carte p. 640 ; ☎ 081 29 94 29 ; Piazza San Gaetano 72), où vous pourrez goûter le *limoncello* bio (liqueur de citron) avant d'acheter une bouteille ; le magasin vend également des pâtes au citron. **Kiphy** (carte p. 640 ; ☎ 393 8703280 ; Piazza San Gaetano 72) offre des savons et des produits de beauté bio, faits main. **Mani Design** (carte p. 640 ; ☎ 347 9532930 ; Via San Giovanni Maggiore Pignatelli 1B) propose des œuvres d'art, des objets design et de l'artisanat originaux.

Les grands noms de la mode et les tailleurs légendaires de Naples sont installés à Chiaia ; chez **Mariano Rubinacci** (carte p. 638 ; ☎ 081 41 57 93 ; Via Filangeri 26), vous paierez environ 1 500 € pour une veste. Les cravates sur mesure de **Marinella** (carte p. 638 ; ☎ 081 245 11 82 ; Piazza Vittoria 287) ont séduit des clients comme Aristote Onassis et Gianni Agnelli.

Les boutiques d'artisans qui bordent la **Via San Gregorio Armeno** vendent des *prese*pi (crèches) napolitaines traditionnelles.

DEPUIS/VERS NAPLES
Avion
L'**aéroport de Capodichino** (NAP ; hors carte p. 638 ; ☎ 081 789 62 59 ; www.gesac.it), à 7 km au nord-est de la ville, est le principal aéroport du sud de l'Italie. Il relie Naples à la plupart des villes italiennes et à plusieurs grandes villes d'Europe. Desservi par de grandes compagnies aériennes, dont Alitalia et British Airways, il accueille aussi des transporteurs low cost. Parmi ces derniers, EasyJet relie Naples à plusieurs villes européennes, notamment Paris et Genève.

Bateau
De nombreux ferries et hydroglisseurs desservent Naples, les îles de la baie et la côte amalfitaine. À Naples, ils partent du Molo Beverello, en face du Castel Nuovo, pour Capri, Sorrente, Ischia, Procida et Forio ; des hydroglisseurs pour Capri, Ischia et Procida partent également de Mergellina. Les ferries longue distance qui rallient Palerme, Cagliari, Milazzo, les îles Éoliennes et la Tunisie partent de la Stazione Marittima.

Les billets pour les courts trajets peuvent s'achèter aux kiosques du Molo Beverello et de Mergellina. Pour les longs trajets, adressez-vous aux bureaux des compagnies ou à une agence de voyages.

Qui Napoli publie les horaires des services dans la baie de Naples. Ils sont beaucoup moins fréquents en hiver et peuvent être annulés en cas d'intempéries.

Voici une liste de compagnies maritimes et des destinations qu'elles desservent. Sauf mention contraire, les tarifs correspondent à un aller simple en classe pont, en haute saison.

Alilauro (carte p. 638 ; ☎ 081 497 22 67 ; www.alilauro.it ; Stazione Marittima). Des hydroglisseurs de Naples à Sorrente (9 €, 7/jour), Ischia (16 €, 10/jour) et Forio (15,50 €, 5/jour), ainsi que des ferries de Capri à Ischia (15,50 €, 1/jour) et Amalfi (13,50 €, 2/jour).

Caremar (carte p. 638 ; ☎ 081 551 38 82 ; www.caremar.it ; Molo Beverello). Des services de Naples à Capri (ferry/hydroglisseur 9,60/11 €, 5/jour), Ischia (9,10/16 €, 13/jour) et Procida (7/8,60 €, 12/jour), ainsi qu'entre Sorrente et Capri (7,50 €, 4/jour).

Linee Marittime Partenopee (carte p. 638 ; ☎ 081 704 19 11 ; www.consorziolmp.it ; Via Guglielmo Melisurgo 4). Des hydroglisseurs de Sorrente à Capri (13,50 €, 23/jour) et des hydroglisseurs/ferries entre Capri et Positano (16,50/14,50 €), Amalfi (17/15 €) et Salerne (16/17,50 €).

Medmar (carte p. 638 ; ☎ 081 551 33 52 ; www.medmargroup ; Stazione Marittima). Des services de Naples à Ischia (9,60 €, 7/jour) et un service quotidien pour Procida (4,50 €).

Metrò del Mare (carte p. 638 ; ☎ 199 446644 ; www.metrodelmare.com). Des services uniquement en été entre Naples et Sorrente (6,50 €, 3/jour), Positano (14 €, 4/jour), Amalfi (15 €, 6/jour) et Salerne (16 €, 2/jour), ainsi qu'entre les principales villes de la côte amalfitaine.

Navigazione Libera del Golfo (NLG ; carte p. 638 ; ☎ 081 552 07 63 ; www.navlib.it, Molo Beverello). De Naples, hydroglisseurs pour Capri (17 €, 4/jour) toute l'année.

Siremar (carte p. 638 ; ☎ 081 017 19 98 ; www.siremar.it ; Stazione Marittima). Des bateaux pour les îles Éoliennes et Milazzo (siège 62 €, 6/sem été, 3/sem hors saison).

SNAV (carte p. 638 ; ☎ 091 428 55 55 ; www.snav.it ; Stazione Marittima). Des hydroglisseurs pour Capri (16 €, 7/jour), Procida (13,60 €, 4/jour) et Ischia (16 €, 4/jour), ainsi que des ferries pour Palerme (30 €, 1/jour). En été, des services quotidiens pour les îles Éoliennes (60 € pour Lipari).

Tirrenia (carte p. 638 ; ☎ 081 720 11 11 ; www.tirrenia.it ; Stazione Marittima, Molo Angioino). De Naples, un bateau hebdomadaire depuis/vers Cagliari (classe pont 34,89 €) et Palerme (classe pont 43,83 €) ; deux services par semaine en été. De Palerme et de Cagliari, des correspondances rallient la Tunisie, directement ou via Trapani (Sicile).

Bus
La plupart des bus interurbains et internationaux partent de la Piazza Garibaldi.

Plusieurs compagnies, dont la **SITA** (☎ 199 730749 ; www.sitabus.it), desservent la région. De Naples, des bus Sita rallient Pompéi (2,40 €, 40 min, ttes les 30 min), Sorrente (3,30 €, 1 heure 20, 2/jour), Positano (3,30 €, 2 heures, 2/jour), Amalfi (3,30 €, 2 heures, 2/jour) et Salerne (3,30 €, 1 heure 10, ttes les 25 min). La SITA offre également un service de Salerne à Bari via Naples (22,50 €, 4 heures 30, 2/jour) et un bus pour l'Allemagne qui passe par Francfort (105 €), Düsseldorf (118 €) et Hambourg (124 €). Vous pouvez acheter des billets et prendre les bus SITA à Porto Immacolatella, près de la Stazione Marittima, ou dans la Via Galileo Ferraris (carte p. 638), près de la Stazione Centrale. Le **Bar Clizia** (carte p. 640 ; Corso Arnaldo Lucci 173) vend également des billets.

Marino (☎ 080 311 23 35) propose des bus pour Bari (22 €, 3 heures, jusqu'à 5/jour).

Miccolis (☎ 081 200 3 80) dessert Tarente (17,50 €, 4 heures, 3-4/jour), Brindisi (25,20 €, 5 heures) et Lecce (28,50 €, 5 heures 30). **CLP** (☎ 081 531 17 07) rejoint Foggia (11 €, 2 heures, départs fréquents), Pérouse (29,45 €, 3 heures 30) et Assise (32 €, 4 heures 30, 1/jour).

Train

Naples est le principal carrefour ferroviaire du sud de l'Italie. La plupart des trains nationaux arrivent et partent de la Stazione Centrale ou de la Stazione Garibaldi, au niveau inférieur. Jusqu'à 30 trains par jour rallient Rome (IC 19,50 €, 2 heures), certains avec une halte à la gare de Mergellina, et une vingtaine de trains se rendent à Salerne (IC 6,50 €, 35 min).

De la **Stazione Circumvesuviana** (carte p. 638 ; ☎ 081 772 24 44 ; www.vesuviana.it ; Corso Garibaldi), au sud-ouest de la Stazione Centrale (suivez les panneaux à partir du hall principal), des trains desservent Sorrente (3,30 €, 70 min) via Ercolano (1,80 €, 20 min), Pompéi (2,40 €, 40 min) et d'autres villes de la côte. Environ 40 trains circulent chaque jour entre 5h et 22h30 (service réduit le dimanche).

De la Stazione Cumana di Montesanto (carte p. 640), sur la Piazza Montesanto à 500 m au sud-ouest de la Piazza Dante, **Ferrovia Cumana** et **Circumflegrea** (☎ 800 001 616 ; www.sepsa.it) offrent des trains pour Pozzuoli (1,10 €, 20 min, ttes les 25 min).

Voiture et moto

Naples se situe sur le parcours de l'Autostrada del Sole, appelée A1 au nord (vers Rome et Milan) et A3 au sud (vers Salerne et Reggio di Calabria). L'A30 contourne Naples au nord-est, tandis que l'A16 traverse les Apennins et continue vers Bari.

Aux abords de la ville, les autoroutes rejoignent la Tangenziale di Napoli, un périphérique qui fait le tour de la ville. Il longe la lisière nord de la cité, croise l'A1 (pour Rome) à l'est, puis continue vers l'ouest en direction des Campi Flegrei et de Pozzuoli.

COMMENT CIRCULER
Depuis/vers l'aéroport

Pour rejoindre l'aéroport par les transports publics, vous pouvez prendre le bus n°3S **ANM** (☎ 800 639 525 ; www.anm.it) sur la Piazza Garibaldi (1,10 €, 45 min, ttes les 15 min), ou l'**Alibus** (☎ 800 531 1705), la navette de l'aéroport, sur la Piazza del Municipio ou la Piazza Garibaldi (3 €, 45 min, ttes les 30 min).

En taxi, les tarifs officiels sont : 21 € d'un hôtel du front de mer ou du terminal des hydroglisseurs de Mergellina, 18 € de la Piazza del Municipio, et 14,50 € de la Stazione Centrale.

Bus

ANM (☎ 800 639 525 ; www.anm.it) gère le réseau urbain. Il n'existe pas de gare routière centrale, mais la plupart des bus passent par la Piazza Garibaldi, le nœud des transports napolitains. Pour repérer l'arrêt de votre bus, renseignez-vous au kiosque, au centre de la place.

Lignes utiles :

140 De Santa Lucia au Posillipo en passant par Mergellina.

152 De la Piazza Garibaldi, longe Corso Garibaldi, la Via Nuova Marina, la Via Colombo jusqu'au Molo Beverello, la Via Santa Lucia, la Piazza Vittoria et la Via Partenope.

404D Bus de nuit qui circule de 23h20 à 4h (ttes les heures) de la Stazione Centrale à la Piazza del Municipio, puis jusqu'à Mergellina et Vomero, et retour à la Stazione Centrale.

C25 De la Piazza Amedeo à la Piazza Bovio en passant par le Castel dell'Ovo et la Piazza del Municipio.

C28 De la Piazza Vittoria, grimpe la Via dei Mille et rejoint la Piazza Vanvitelli à Vomero.

E1 De la Piazza del Gesù au Museo Archeologico Nazionale par la Via Costantinopoli, puis suit la Via dei Tribunali, la Via Duomo, traverse la Piazza Nicola Amore et longe le Corso Umberto I et la Via Mezzocannone.

R1 De la Piazza Medaglie D'Oro à la Piazza Carità, la Piazza Dante et la Piazza Bovio.

R2 De la Stazione Centrale à la Piazza Bovio en suivant le Corso Umberto I, puis vers la Piazza del Municipio et la Piazza Trieste e Trento.

R3 De Mergellina sur la Riviera di Chiaia à la Piazza del Municipio, la Piazza Bovio, la Piazza Dante et la Piazza Carità.

R4 De Capodimonte à la Piazza Municipio en passant par la Piazza Dante, et retour.

Funiculaire

Trois des quatre lignes de funiculaires napolitains relient le centre-ville et Vomero :

Funicolare Centrale De la Via Toledo à la Piazza Fuga.

Funicolare di Chiaia De la Via del Parco Margherita à la Via Domenico Cimarosa.

Funicolare di Montesanto De la Piazza Montesanto à la Via Raffaele Morghen.

Le quatrième, le Funicolare di Mergellina, relie le front de mer, dans la Via Mergellina, et la Via Manzoni.

Les billets Unico Napoli (voir l'encadré ci-contre) sont valables pour les funiculaires.

Métro

Le réseau du **Metropolitana** (☎ 800 56 88 66 ; www.metro.na.it), en cours d'agrandissement, est essentiellement aérien. Les billets Unico Napoli sont valables dans le métro (voir ci-contre).
Ligne 1 Court vers le nord de la Piazza Dante en s'arrêtant aux stations Museo (pour la Piazza Cavour et la ligne 2), Materdei, Salvator Rosa, Cilea, Piazza Vanvitelli, Piazza Medaglie d'Oro et à 7 stations au-delà.
Ligne 2 Part de Gianturco, à l'est de la Stazione Centrale, et passe par les stations Piazza Garibaldi (pour la Stazione Centrale), Piazza Cavour, Montesanto, Piazza Amedeo, Mergellina, Piazza Leopardi, Campi Flegrei, Cavaleggeri d'Aosta, Bagnoli et Pozzuoli.

Taxi

Les taxis officiels sont blancs et disposent d'un compteur. Des stations de taxis sont installées sur la plupart des places ; vous pouvez aussi appeler l'une des 5 coopératives locales : **Napoli** (☎ 081 556 44 44), **Consortaxi** (☎ 081 20 20 20), **Cotana** (☎ 081 570 70 70), **Free** (☎ 081 551 51 51) ou **Partenope** (☎ 081 556 02 02).

La prise en charge s'élève à 3,10 € et le prix minimum pour une course se monte à 4,75 €. À cela s'ajoutent de multiples suppléments : 0,95 € pour l'appel d'un radio-taxi, 2,10 € le dimanche et les jours fériés, 2,40 € entre 22h et 7h, 2,95 € pour rejoindre l'aéroport et 0,60 € par bagage dans le coffre. Les chiens d'aveugle et les fauteuils roulants sont transportés gratuitement.

Assurez-vous que le compteur est en marche. Voir p. 653 les tarifs pour l'aéroport.

Voiture et moto

Les vols de véhicules et une circulation anarchique font de la conduite à Naples une option déconseillée.

Les non-résidents ne peuvent circuler dans le centre-ville la majeure partie de la journée. Ces restrictions s'appliquent dans le *centro storico*, autour de la Piazza del Municipio et de la Via Toledo, ainsi que dans le quartier de Chiaia aux alentours de la Piazza dei Martiri. Les horaires varient, mais l'interdiction s'étend habituellement de 8h à 18h30, voire plus tard.

À l'est du centre-ville, un parking ouvert 24h/24 se situe dans la Via Brin (1,30 € les 4 premières heures, 7,24 € les 24 heures).

Comptez environ 60 € par jour pour la location d'une voiture de catégorie A, et 35 € pour un scooter. Les principales sociétés de location de voitures sont présentes à Naples :
Avis (carte p. 640 ; ☎ 081 28 40 41 ; www. avisautonoleggio.it ; Corso Novara 5). Également à l'aéroport de Capodichino.
Hertz (carte p. 640 ; ☎ 081 20 62 28 ; www.hertz. it ; Via Giuseppe Ricciardi 5). Également à l'aéroport de Capodichino et à Mergellina.
Maggiore (carte p. 640 ; ☎ 081 28 78 58 ; www.maggiore. it ; Stazione Centrale). Aussi à l'aéroport de Capodichino.
Rent Sprint (carte p. 638 ; ☎ 081 764 13 33 ; Via Santa Lucia 36). Location de scooters uniquement.

ENVIRONS DE NAPLES

CAMPI FLEGREI

S'étendant vers l'ouest du Posillipo jusqu'à la mer Tyrrhénienne, les Campi Flegrei (champs Phlégréens, du grec "brûler") sont constellés de cratères, de lacs et de fumerolles et constituent l'une des zones géologiques les plus instables au monde. Les vestiges archéologiques se dressent au milieu de vilaines constructions modernes, et l'histoire se fond dans la mythologie. C'est ici qu'Icare plongea vers la mort, qu'Énée consulta la sibylle, et que les Grecs établirent leur première colonie en Italie. Cumes date du VIIIe siècle av. J.-C., tandis que Pozzuoli, le centre principal, fut fondé vers 530 av. J.-C.

Avant d'explorer la région, arrêtez-vous à l'office du tourisme de Pozzuoli pour vous renseigner sur les sites et les heures d'ouverture. Achetez aussi le billet combiné valable deux jours (4 €) qui comprend les sites archéologiques de Baia et de Cumes.

Pozzuoli (Pouzzoles)

Première ville après les mornes faubourgs ouest de Naples, Pozzuoli ne semble guère attrayante au premier abord. La ville recèle néanmoins d'impressionnants vestiges romains ainsi qu'un fantastique cratère volcanique fumant. Elle fut fondée par les Grecs vers 530 av. J.-C., puis rebaptisée Puteoli (Petits Puits) par les Romains, qui en firent un port majeur. C'est ici que saint Paul aurait débarqué en 61 et que l'actrice Sophia Loren a passé son enfance.

L'**office du tourisme** (☎ 081 526 66 39 ; Piazza G Matteotti 1a ; ⏰ 9h-13h et 16h-19h30 tlj juin-sept, 9h-14h et 14h30-15h40 lun-ven oct-mai) jouxte la Porta Napoli, à 700 m en contrebas de la station de métro.

BILLETS S'IL VOUS PLAÎT

Unico Campania (www.unicocampania.it) gère les billets des transports publics à Naples et dans la région alentour. Divers forfaits dépendent des destinations prévues. Le billet Unico Napoli de 90 min (1,10 €) et celui de 24 heures (3,10 €, 2,60 € le week-end) permettent des trajets illimités en bus, tramway, funiculaire, métro, Ferrovia Cumana ou Circumflegrea. Parmi les divers forfaits, l'Unico 3T (72 heures, 20 €), couvre les trajets en train dans toute la Campanie, y compris l'Alibus et des transports à Ischia et à Procida ; l'Unico Ischia (1,20 €/90 min) permet d'emprunter les bus à Ischia ; l'Unico Capri offre un forfait de bus identique à Capri. Si vous envisagez de nombreux déplacements en bus SITA ou en trains Circumvesuviana dans la baie de Naples et sur la côte amalfitaine, achetez une carte Unico Costiera, valable d'avril à octobre pour 45 min (2 €), 90 min (3 €), 24 heures (6 €) ou 72 heures (15 €). Outre les bus SITA, les billets de 24 et de 72 heures permettent d'emprunter le bus touristique City Sightseeing qui circule entre Amalfi et Ravello, et Amalfi et Maiori. Tous les billet Unico Campania sont en vente dans les gares, les kiosques ANM et les bureaux de tabac.

À 33 m au-dessus de l'extrémité ouest du front de mer, le **Rione Terra** (☎ 848 800288 ; Largo Sedile di Porto ; 3 €) est le plus vieux quartier de Pozzuoli et l'ancienne acropole de Puteoli. La visite des souterrains du quartier, qui comprennent des voies, des boutiques et même une maison close de l'époque romaine, se fait obligatoirement avec un guide. Renseignez-vous à l'office de tourisme sur les heures d'ouverture ; elles varient et le site ferme de temps à autre.

Juste à l'est du port, sur une place ombragée, le **Tempio di Serapide** (temple de Sérapis) doit son nom à la statue du dieu égyptien trouvée à cet endroit en 1750. En réalité, il ne s'agissait pas d'un temple, mais d'un *macellum* (marché) ; ses toilettes, de part et d'autre de l'hémicycle est, sont considérées comme un exemple d'ingéniosité antique. Gravement endommagé par des siècles de bradyséisme, le temple est parfois inondé par la mer.

Suivez la Via Rossini vers le nord-est jusqu'aux ruines de l'**Anfiteatro Flavio** (☎ 081 526 60 07 ; Via Terracciano 75 ; 4 € ; ⏰ 9h-1 heure avant crépuscule mer-lun), du Ier siècle av. J.-C. Le troisième plus grand amphithéâtre romain d'Italie pouvait accueillir 20 000 spectateurs et on l'inondait à l'occasion pour des spectacles de combats navals. Sous l'arène principale, vous pouvez flâner parmi les colonnes renversées et découvrir le mécanisme ingénieux qui hissait les cages des fauves jusqu'à leurs victimes. En 305 av. J.-C., sept martyrs chrétiens, dont saint Gennaro, furent jetés en pâture à cet endroit. Ils survécurent, mais furent ensuite décapités.

Deux kilomètres plus loin, la Via Rossini devient la Via Solfatara et mène au **cratère de Solfatara** (☎ 081 526 23 41 ; www.solfatara.it ; Via Solfatara 161 ; 6 € ; ⏰ 8h30-1 heure avant crépuscule), appelé Forum Vulcani (maison de Vulcain, le dieu du Feu) par les Romains. De l'autre côté du cratère aux émanations malodorantes, le **Stufe** comprend deux grottes anciennes, creusées à la fin du XIXe siècle pour aménager deux *sudatoria* (sauna) en brique. Appelées Purgatoire et Enfer, elle peuvent chacune atteindre une température de 90°. Prenez n'importe quel bus urbain qui grimpe de la station de métro et demandez au chauffeur de vous déposer à Solfatara.

Pozzuoli possède plusieurs campings, qui sont les plus proches de Naples. Au-dessus de la Solfatara, de nombreux arbres ombragent le **Camping Vulcano Solfatara** (☎ 081 526 74 13 ; www.solfatara.it ; Via Solfatara 161 ; empl 2 pers, voiture et tente 26-32,60 € ; 🐾), bien équipé.

Diverses compagnies proposent de fréquents car-ferries entre Pozzuoli, Ischia et Procida. Comptez 6,60 € pour Procida, 7,60 € pour Ischia et plus en hydroglisseur.

La **Ferrovia Cumana** (☎ 800 001616 ; www.sepsa.it) et la ligne n°2 du métro napolitain desservent Pozzuoli.

À Naples, vous pouvez aussi prendre le bus n°152 AMN.

Si vous êtes motorisé, prenez le Tangenziale (périphérique) jusqu'à la sortie Pozzuoli. Un itinéraire moins rapide mais plus beau consiste à suivre la Via Francesco Caracciolo, qui longe le front de mer de Naples au Posillipo, puis continuer vers Pozzuoli.

Baia et Cumes

À 7 km au sud-ouest de Pozzuoli, Baia fut une villégiature romaine haut de gamme, réputée pour ses mœurs dissolues. Aujourd'hui, la majeure partie de la cité antique est engloutie, et des constructions modernes bordent une route côtière sans charme.

D'avril à octobre, CYMBA propose des circuits en bateau à fond de verre dans la **Baia Sommersa** (☎ 349 497 41 83 ; www.baiasommersa.it ; excursion 12 € ; ⌚ 10h, 12h et 15h sam-dim) pour découvrir les ruines englouties. Toute l'année, vous pourrez admirer le *nymphaeum* (sanctuaire dédié aux nymphes aquatiques), entièrement remonté avec des statues, des colonnes ornementales, des bijoux et des pièces de monnaie dans le **Museo Archeologico dei Campi Flegrei** (☎ 081 523 37 97 ; Via Castello ; 4 € ; ⌚ 9h-1 heure avant crépuscule mar-dim), récemment agrandi. Le château du XVe siècle qui abrite le musée fut construit par les Aragonais pour se défendre d'une éventuelle invasion française.

Cumes (Cuma, ou Cumae pour les Anciens) fut la première colonie grecque dans la péninsule italienne. L'**Acropoli di Cuma** (☎ 081 854 30 60 ; Via Montecuma ; 4 € ; ⌚ 9h-2 heures avant crépuscule) comprend l'**Antro della Sibilla Cumana** (antre de la sibylle de Cumes), le site majeur de la ville. Creusé dans la rive calcaire de la rive, un tunnel trapézoïdal de 130 m de long mène à la salle voûtée où la sibylle énonçait des messages, transmis par Apollon. Dans *L'Énéide*, Virgile relate qu'Énée vint rencontrer l'oracle, qui le conduisit aux Enfers en passant par le **Lago d'Averno** (lac d'Averne) voisin. Le lac, à 1 km de la gare ferroviaire de Lucrino, est aujourd'hui un plaisant lieu de pique-nique.

De la gare ferroviaire de Fusaro (Ferrovia Cumana), parcourez 150 m au nord jusqu'à Via Fusaro et prenez un bus **EAV** (www.eavbus.it) à destination de Cuma ; il passe environ toutes les 30 minutes du lundi au samedi et toutes les heures le dimanche. Pour Baia, prenez un bus EAV en direction de Miseno, de l'autre côté de la rue.

CASERTA

79 620 habitants

Le gigantesque Palazzo Reale (Palais royal) constitue la seule raison d'une étape dans cette ville sans grâce, à 22 km au nord de Naples. Surnommé le Versailles italien, ce palais compte parmi les plus belles, et les dernières, réalisations de l'architecture baroque italienne. George Lucas y a tourné les scènes dans la résidence de la reine Amidala des deux premiers épisodes de *La Guerre des étoiles*. Le palais a aussi servi de décor pour des scènes de *Mission Impossible III*, avec Tom Cruise.

Caserta fut fondée par les Lombards au VIIIe siècle, à l'emplacement d'un site romain perché sur le mont Tifata. La cité s'est ensuite étendue sur la plaine en contrebas à partir du XIIe siècle.

L'**office du tourisme** (☎ 0823 32 11 37 ; Piazza Dante ; ⌚ 9h-16h15 lun-ven) se situe près de l'entrée des jardins du palais.

À voir

Appelé le Reggia di Caserta par les Italiens, le **Palazzo Reale** (☎ 0823 44 80 84 ; Via Douhet 22 ; 10 € ; ⌚ 8h30-19h mer-lun), inscrit au patrimoine mondial de l'Unesco, est l'un des principaux sites touristiques du pays, avec quelque 460 000 visiteurs chaque année.

Les travaux commencèrent en 1752, quand Charles VII de Bourbon ordonna la construction d'un palais capable de rivaliser avec celui de Versailles. Il en confia la charge à l'architecte napolitain Luigi Vanvitelli, qui réalisa le plus grand édifice européen du XVIIIe siècle, avec 1 200 salles, 1 790 fenêtres, 34 escaliers et une façade longue de 250 m.

L'immense escalier d'honneur, chef-d'œuvre d'orgueil baroque, mène aux appartements royaux, somptueusement décorés de tapisseries, de meubles et de lustres en cristal. Après la bibliothèque, une salle contient une importante collection de *presepi* (crèches) composées de centaines de personnages sculptés à la main.

Promenez-vous ensuite dans le joli **parc** (⌚ 8h30-19h juin-août, 8h30-17h30 mai et sept, 8h30-18h avr, 8h30-16h30 oct, 8h30-16h mars, 8h30-15h30 nov-fév, dernière entrée 1 heure avant fermeture mer-lun) paysager. Il s'étend sur quelque 3 km jusqu'à la cascade et fontaine de Diane et le **Giardino Inglese** (Jardin anglais ; ⌚ visite guidée 9h30-13h mer-lun), sillonné de sentiers et parsemé de plantes exotiques, de bassins et de cascades.

On peut venir au parc en carriole à cheval (à partir de 5 €) ou en vélo (1 €). Le site est également idéal pour un pique-nique. Dans le palais, la **Mostra Terrea Motus** (entrée libre avec le billet du palais ; ⌚ 9h-18h mer-lun) décrit le séisme qui a dévasté la région en 1980.

Après la visite, reprenez des forces dans le restaurant-cafétéria du palais.

Depuis/vers Caserta

De la Piazza Garibaldi à Naples, des bus CTP partent pour Caserta (2,90 €) toutes les 35 min de 6h à 21h. Quelques bus pour Benevento font halte à Caserta.

Caserta se situe sur la principale ligne ferroviaire entre Rome (10,50 €, environ 2 heures 30) et Naples (2,90 €, 40 min). Les gares routière et ferroviaire se tiennent près de l'entrée du Palazzo Reale, signalé de l'une ou de l'autre. Si vous conduisez, suivez les panneaux indiquant le Reggia.

BENEVENTO (BÉNÉVENT)
62 950 habitants

À l'intérieur d'un cercle de mornes immeubles modernes, Benevento possède un centre charmant, parsemé de vestiges historiques. Nichée dans les verdoyantes montagnes des Apennins, elle fut à l'origine nommée Maleventum, puis appelée Beneventum après que les Romains eurent chassé les Samnites en 275 av. J.-C. Elle connut son âge d'or au VIIIe siècle, quand elle contrôlait la majeure partie du sud de l'Italie en tant que capitale d'un duché lombard. Passée sous la domination de la papauté au XIe siècle, elle ne se libéra de cette tutelle qu'en 1860.

L'**office du tourisme** (☎ 0824 31 99 11 ; www.ept benevento.it ; Via Nicola Sala 31 ; ☻ 8h15-13h45 et 15h-18h lun-ven, 9h30-12h30 sam) est à l'est du centre historique. Prenez le bus n°1 à la gare ferroviaire.

À voir
La ville fut fortement bombardée durant la Seconde Guerre mondiale et sa **cathédrale** romane, à la façade élaborée, a été largement reconstruite. Au sud-ouest de la cathédrale, un **théâtre romain**, également restauré, date de l'époque d'Hadrien. Superbement préservé, l'**Arco di Traiano** (arc de Trajan), construit en 114, commémore l'ouverture de la Via Traiano, tandis que l'**obélisque** (Piazza Matteotti) rappelle l'invasion napoléonienne de l'Italie.

À proximité, la **Chiesa di Santa Sofia**, du VIIIe siècle, jouxte une abbaye bénédictine. Cette dernière abrite aujourd'hui le **Museo Sannio** (☎ 0824 21 81 8 ; Piazza Santa Sofia ; 4 € ; ☻ 9h-19h mar-dim), dont la collection comprend les vestiges d'un temple du Ier siècle dédié à la déesse égyptienne Isis, ainsi que de fascinantes trouvailles archéologiques. Le billet inclut l'accès aux cloîtres de l'église.

Dans le beau Palazzo del Governo, en face du musée, l'**ARCOS** (Museo di Arte Contemporanea del Sannio ; ☎ 0824 312 465 ; www.museoarcos.it ; Corso Garibaldi 1 ; 4 € ; ☻ horaires variables), musée d'art contemporain, propose des expositions temporaires dans une superbe galerie voûtée.

Où se loger et se restaurer
Hotel President (☎ 0824 31 67 16 ; www.hotelpresident-benevento.it ; Via Giovanni Battista Perasso 1 ; s/d 78/115 € ; P ⊠ ⊜). Moderne et central, cet hôtel

pratique loue des chambres confortables et banales, avec des murs blancs, des boiseries cirées et des tissus rayés.

Osteria Nunzia (☎ 0824 294 31 ; Via Annunziata 152 ; repas 18 € ; ☻ lun-sam). Ce restaurant voûté sert de délicieuses spécialités régionales, comme les *linguine al nero di seppia* (pâtes à l'encre de seiche) et les excellents *polipi* (calamars) en sauce tomate.

Depuis/vers Benevento
Metrocampania Nord-Est (☎ 800 053939 ; www.metro campanianordest.it) propose des trains directs entre Benevento et Naples (4,20 €). La gare ferroviaire se situe à 30 min de marche du centre-ville et des sites. Le bus n°1 relie la gare et le centre-ville toutes les demi-heures. De Benevento, des bus desservent Rome (17,50 €, 3 heures, 4-5/jour) et Campobasso (3,60 €, 2 heures, 2/jour).

Benevento se trouve sur la SS7 (Via Appia) et près de l'A16.

AVELLINO ET SES ENVIRONS
Amplement reconstruite après le séisme de 1980, la ville d'Avellino n'offre guère d'intérêt aux visiteurs. Principal site de la région, le **Santuario di Montevergine** (☎ 0825 729 24 ; musée 1 € ; ☻ 7h30-18h30 toute l'année) se perche au sommet du vertigineux Monte Vergine (1 493 m), à 1 000 m au-dessus de la ville. L'église d'origine fut fondée au XIIe siècle par un jeune pèlerin, Guglielmo di Vercelli ; depuis, le sanctuaire a été restauré à de nombreuses reprises jusqu'au milieu du XXe siècle. On peut visiter l'abbaye (entrée libre) et le musée du sanctuaire qui recèle une petite collection de sculptures, de peintures et de trouvailles archéologiques.

Des vignobles réputés couvrent les pentes autour d'Avellino et produisent notamment le Fiano di Avellino, un blanc sec, le Greco di Tufo, un blanc sec et parfumé, et le Taurasi, le meilleur rouge de la région.

En hiver, le **Lago di Laceno**, à 30 km au sud-est d'Avellino, offre des possibilités de ski limitées.

Pour plus d'informations sur Avellino et ses environs, contactez l'**office du tourisme** (☎ 0825 747 32 ; www.eptavellino.it ; Via Due Principati 32a ; ☻ 8h30-14h30 lun-sam) de la ville.

Des bus relient Avellino et Naples (3,30 €, ttes les 20 min lundi-samedi, toutes les heures dimanche). En été, des bus partent d'Avellino pour le Monte Vergine et le sanctuaire.

BAIE DE NAPLES

CAPRI

13 100 habitants

Massif rocher calcaire qui surgit d'une eau d'un bleu fabuleux, Capri réunit tous les atouts de la Méditerranée – places séduisantes aux cafés détendus, ruines romaines et paysages accidentés. Destination prisée pour une excursion d'une journée, l'île est aussi un lieu de vacances pour une clientèle fortunée. Les deux principaux centres, la ville de Capri et Anacapri, voient leurs prix s'envoler. Toutefois, au-delà des boutiques de designers et des trattorias soi-disant traditionnelles, vous verrez un arrière-pays au charme rural préservé, parsemé de belles villas aux stucs écaillés, de luxuriants potagers et de rideaux de bougainvillées.

L'île a peu de sites incontournables, hormis la Grotta Azzurra. Malgré l'afflux de visiteurs, sa sublime lumière bleue translucide demeure un spectacle fascinant. À l'autre extrémité de l'île, les ruines de la Villa Jovis témoignent de la présence de l'empereur Tibère.

Histoire

Déjà habitée au paléolithique, Capri fut brièvement occupée par les Grecs avant que l'empereur Auguste en fasse son domaine privé et que Tibère s'y retire en 27. Sa vocation moderne de centre touristique date du début du XXe siècle, quand s'y établirent de nombreux artistes et écrivains européens, ainsi que des révolutionnaires russes.

Orientation

À environ 5 km du continent, Capri mesure à peine 6 km de long sur 2,7 km de large. Les hydroglisseurs et les ferries arrivent à Marina Grande, le carrefour des transports. Si le funiculaire constitue le moyen le plus rapide de rejoindre la ville de Capri, des bus et des taxis la desservent également. À pied, c'est une dure montée de 2,5 km le long de la Via Marina Grande. Au sommet, tournez à gauche (est) au croisement avec la Via Roma pour gagner le centre-ville ou à droite (ouest) pour prendre la Via Provinciale di Anacapri, qui devient la Via Orlandi et grimpe vers Anacapri.

La petite Piazza Umberto I forme le centre de la ville de Capri. À deux pas à l'est, la Via Vittorio Emanuele descend vers la Via Camerelle, la principale rue commerçante.

À Anacapri, les bus et les taxis vous déposent sur la Piazza Vittoria. De là, la Via Orlandi court vers le sud-ouest et la Via Capodimonte monte vers la Villa San Michele di Axel Munthe.

Renseignements

ACCÈS INTERNET

Capri Internet Point (carte p. 662 ; ☎ 081 837 32 83 ; Piazzetta Cimitero, Anacapri ; 2 €/heure ; ☼ 8h-21h lun-sam, 8h-14h30 dim mai-oct, horaires réduits nov-avr). Vend également des journaux internationaux.

OFFICES DU TOURISME

Offices du tourisme Marina Grande (carte p. 659 ; ☎ 081 837 06 34 ; ☼ 9h-13h et 15h30-18h45 juin-sept, 9h-15h lun-sam oct-mai) ; ville de Capri (carte p. 661 ; ☎ 081 837 06 86 ; Piazza Umberto I ; ☼ 8h30-20h30 juin-sept, 9h-13h et 15h30-18h45 lun-sam oct-mai) ; Anacapri (carte p. 662 ; ☎ 081 837 15 24 ; Via Orlandi 59 ; ☼ 8h30-20h30 juin-sept, 9h-15h lun-sam oct-déc et mars-mai). Chaque office du tourisme peut vous fournir une carte gratuite de l'île avec des plans de Capri et d'Anacapri, et vend une carte plus détaillée (1 €). La brochure gratuite *Capri* è comprend une liste d'hôtels et des informations pratiques.

POSTE

Poste ville de Capri (carte p. 661 ; ☎ 081 978 52 11 ; Via Roma 50) ; Anacapri (carte p. 662 ; ☎ 081 837 10 15 ; Via de Tommaso 8).

SERVICES MÉDICAUX

Farmacia Internazionale (carte p. 661 ; ☎ 081 837 04 85 ; Via Roma 45, ville de Capri)

Hôpital (carte p. 659 ; ☎ 081 838 12 05 ; Via Provinciale di Anacapri 5)

SITES INTERNET

Capri Island (www.capri.net). Excellent site avec des adresses, des itinéraires et les horaires des ferries.

Capri Tourism (www.capritourism.com). Site officiel de l'office du tourisme de Capri.

URGENCES

Police (carte p. 661 ; ☎ 081 837 42 11 ; Via Roma 70, ville de Capri)

À voir

VILLE DE CAPRI

Avec ses façades blanchies à la chaux et ses rues piétonnes, Capri ressemble à un décor de film. En été, des excursionnistes armés d'appareils photo et des vacanciers fortunés envahissent la petite cité. Au centre de l'animation, la **Piazza Umberto I** (ou Piazzetta) est

CAMPANIE

CAPRI

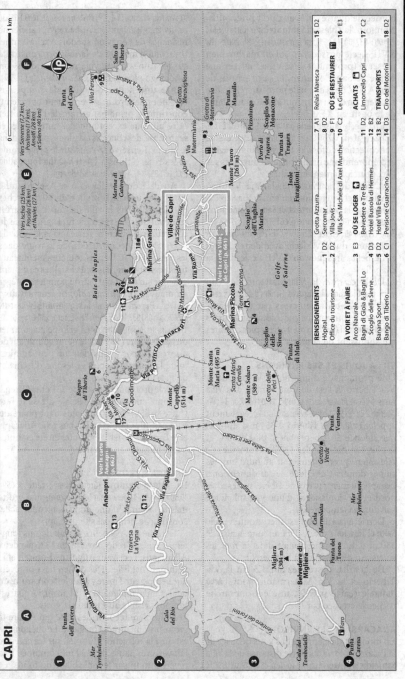

bordée de quatre cafés aux prix prohibitifs. Non loin, la **Chiesa di Santo Stefano** (carte p. 661 ; ☎ 081 837 00 72 ; Piazza Umberto I ; ☼ 8h-20h), du XVIIe siècle possède un sol en marbre bien préservé (provenant de la Villa Jovis) et une statue de San Costanzo, le saint patron de l'île. À côté de la chapelle nord, un reliquaire contient un os du saint, qui aurait sauvé Capri de la peste au XIXe siècle.

En face, le **Museo Cerio** (carte p. 661 ; ☎ 081 837 66 81 ; Piazzetta Cerio 5 ; 2,50 € ; ☼ 10h-13h mar-sam) présente une collection de fossiles trouvés dans la région et comprend une bibliothèque d'ouvrages sur l'île, principalement en italien.

À l'est de la Piazzetta, la Via Vittorio Emanuele et son prolongement, la Via Serena, mènent à la jolie **Certosa di San Giacomo** (chartreuse de San Giacomo ; carte p. 661 ; ☎ 081 837 62 18 ; Viale Certosa 40 ; entrée libre ; ☼ 9h-14h mar-dim), un monastère du XIVe siècle avec deux cloîtres et de belles fresques du XVIIe siècle dans la chapelle.

De la *certosa*, la Via Matteotti descend vers les **Giardini di Augusto** (jardins d'Auguste ; carte p. 661 ; ☼ aube-crépuscule), créés par l'empereur Auguste. Ils offrent une vue éblouissante sur les **Isole Faraglioni** (carte p. 659), trois pics calcaires qui surgissent de la mer.

VILLA JOVIS ET SES ENVIRONS

Une promenade d'une heure le long de la Via Tiberio, à l'est de Capri, mène à la **Villa Jovis** (villa de Jupiter ; carte p. 659 ; ☎ 081 837 06 34 ; Via Tiberio ; 2 € ; ☼ 9h-1 heure avant crépuscule), également appelée Palazzo di Tiberio. À 354 m d'altitude, la résidence de Tibère était la plus grande et la plus somptueuse des 12 villas romaines de l'île. Bien qu'en piteux état aujourd'hui, les ruines donnent une idée de ses dimensions. Les appartements privés de Tibère, sur les côtés nord et est, jouissaient d'une vue splendide sur Punta Campanella.

Derrière la villa, un escalier monte vers le **Salto di Tiberio** (saut de Tibère), une falaise de 330 m d'où l'on précipitait dans la mer les sujets qui déplaisaient à l'empereur.

De la villa, descendez sur 1,5 km la Via Tiberio et la Via Matermània pour l'**Arco Naturale** (carte p. 659), une énorme arche rocheuse creusée par la mer.

ANACAPRI ET SES ENVIRONS

En montant de Capri, le bus vous dépose sur la Piazza Vittoria, à courte distance de la **Villa San Michele di Axel Munthe** (carte p. 659 ; ☎ 081 837 14 01 ; Via Axel Munthe ; 5 € ; ☼ 9h-18h mai-sept, 10h30-15h30 nov-fév, 9h30-16h30 mars, 9h30-17h avr et oct), l'ancienne résidence de l'écrivain suédois Axel Munthe. Il raconte l'histoire de la maison, construite sur les ruines d'une villa romaine, dans son autobiographie, le *Livre de San Michele* (1929). Outre une belle collection de sculptures romaines, le jardin, superbement entretenu, constitue le principal attrait de l'endroit et offre une vue exceptionnelle. Entre juillet et septembre, des concerts classiques ont lieu dans le jardin. Renseignez-vous sur le programme et les réservations à l'**Axel Munthe Foundation** (☎ 081 837 14 01 ; www.sanmichele.org).

Au-delà de la villa, la Via Axel Munthe continue jusqu'à l'escalier de 800 marches qui descend vers la ville de Capri. Construit au début du XIXe siècle, ce fut la seule voie de communication entre Anacapri et le reste de l'île jusqu'à la construction de la route dans les années 1950. Depuis toujours à couteaux tirés, les habitants des deux localités comptent chacun sur leur saint patron pour les protéger du mauvais œil *(malocchio)* de leurs rivaux.

De la Piazza Vittoria, la **seggiovia** (télésiège ; carte p. 662 ; ☎ 081 837 14 28 ; aller/aller-retour 5/6,50 € ; ☼ 9h30-17h mars-oct, 10h30-15h nov-fév) grimpe au sommet du **Monte Solaro** (589 m), le point culminant de Capri d'où, par temps clair, on peut admirer toute la baie de Naples et les îles d'Ischia et de Procida.

Sur le promontoire escarpé de Punta Carena, la pointe sud-ouest de l'île, se dresse le **Faro** (carte p. 659), le second plus haut phare du pays et le plus puissant. Un bus relie Anacapri et le Faro toutes les 20 minutes en été et toutes les 40 minutes en hiver.

GROTTA AZZURRA

La **Grotta Azzurra** (Grotte bleue ; carte p. 659 ; 10,50 € ; ☼ 9h-1 heure avant le crépuscule), une grotte marine éclairée d'une lumière bleue irréelle, constitue le principal site de Capri.

Connue des pêcheurs locaux depuis longtemps, elle fut "redécouverte" en 1826 par deux Allemands, l'écrivain Augustus Kopisch et le peintre Ernst Fries. Des recherches ont révélé que l'empereur Tibère y avait fait construire un quai et un *nymphaeum* vers l'an 30. Le quai est toujours visible au fond de la grotte.

La lumière bleue iridescente qui éclaire la grotte produit un effet magique. Le phénomène est dû à la réfraction du soleil sur les côtés de l'ouverture, haute de 1,30 m, combinée à la réverbération sur le sable blanc du fond.

Le moyen le plus simple de la visiter consiste à effectuer un circuit en bateau de la Marina Grande. L'aller-retour (18,50 €) comprend le trajet jusqu'à la grotte en bateau à moteur, une promenade en canot à l'intérieur et le droit d'entrée ; comptez une bonne heure. La chansonnette poussée par les "capitaines" est incluse ; le pourboire n'est pas obligatoire.

La grotte est fermée quand la mer est agitée. Avant d'embarquer, renseignez-vous à l'office du tourisme de Marina Grande.

À faire

Marina Grande est le centre des sports nautiques. **Sercomar** (carte p. 659 ; ☎ 081 837 87 81 ; www.caprisub.com ; Via Colombo 64 ; ☻ fermé nov) offre des forfaits de plongée, de 100 € la plongée à 350 € le cours d'initiation (4 séances).

Dans un kiosque à l'ouest du port, **Banana Sport** (carte p. 659 ; ☎ 081 837 51 88 ; ☻ mi-avr à oct) loue des dinghies à moteur pouvant transporter 5 personnes (75 € les 2 heures, 175 € la journée). À cet endroit, vous pouvez aussi prendre un bateau pour le **Bagno di Tiberio** (carte p. 659), un lieu de baignade prisé à l'ouest de Marina Grande ; vous devrez payer 8,50 € pour accéder à la plage privée. Parmi les autres lieux de baignade, citons Punta Carena, près du phare, et la petite plage de galets de Marina Piccola. Sur cette dernière, **Bagni di Gioia** (carte p. 659 ; ☎ 081 837 77 02) et **Bagni Lo Scoglio delle Sirene** (carte p. 659 ; ☎ 081 837 02 21) louent des canoës simples/doubles pour 8/14 € l'heure.

L'île offre aussi de superbes randonnées. Les itinéraires les plus appréciés courent entre l'Arco Naturale et Punta di Tragara, et entre le Monte Solaro et Anacapri. Le long de la côte ouest, peu fréquentée, le Sentiero dei Fortini (sentier des Petits Forts) mène de Punta Carena à la Grotta Azzurra.

Où se loger

Capri compte de nombreux hôtels luxueux et peu d'établissements bon marché. Les *pensioni*, plus abordables, pratiquent des prix supérieurs à la norme. Si les B&B se multiplient, leurs tarifs restent souvent élevés. En règle générale, plus on s'éloigne de la ville de Capri, plus les prix baissent. Le camping est interdit.

Pensez à réserver. Les hôtels affichent souvent complet en été et beaucoup ferment en hiver, habituellement de novembre à mars.

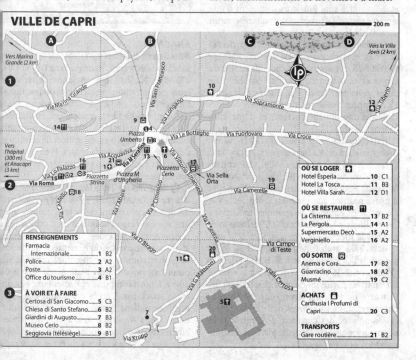

VILLE DE CAPRI

0 — 200 m

Vers Marina Grande (2 km)

Vers la Villa Jovis (2 km)

Vers l'hôpital (300 m) et Anacapri (3 km)

RENSEIGNEMENTS
Farmacia Internazionale 1 B2
Police 2 A2
Poste 3 A2
Office du tourisme 4 B1

À VOIR ET À FAIRE
Certosa di San Giacomo 5 C3
Chiesa di Santo Stefano 6 B2
Giardini di Augusto 7 B3
Museo Cerio 8 B2
Seggiovia (télésiège) 9 B1

OÙ SE LOGER ⌂
Hotel Esperia 10 C1
Hotel La Tosca 11 B3
Hotel Villa Sarah 12 D1

OÙ SE RESTAURER ⊞
La Cisterna 13 B2
La Pergola 14 A1
Supermercato Decò 15 A2
Verginiello 16 A2

OÙ SORTIR ⊡
Anema e Cora 17 B2
Guarracino 18 A2
Musmé 19 C2

ACHATS ⌂
Carthusia I Profumi di Capri 20 C3

TRANSPORTS
Gare routière 21 B2

MARINA GRANDE

Belvedere e Tre Re (carte p. 659 ; ☎ 081 837 03 45 ; www.belvedere-tre-re.com ; Via Marina Grande 238 ; s/d 100/120 € ; ☼ avr-nov ; ▨). À 5 minutes de marche du port, avec une vue superbe sur les bateaux, ce deux-étoiles plutôt modeste propose des chambres récemment modernisées, avec balcon couvert. Terrasse-solarium au dernier étage.

Relais Maresca (carte p. 659 ; ☎ 081 837 96 19 ; www.relaismaresca.it ; Via Marina Grande 284 ; ch avec petit-déj 130-220 € ; ☼ mars-déc ; ▨). Meilleure adresse de Marina Grande, ce charmant quatre-étoiles, camaïeu de céramiques bleues, turquoise et jaunes, offre un choix de chambres à prix divers, certaines avec balcon et vue sur la mer. Jolie terrasse fleurie au 4e étage. Séjour minimum de 2 jours les week-ends de juillet et août.

VILLE DE CAPRI

Hotel La Tosca (carte p. 661 ; ☎ 081 837 09 89 ; www.latoscahotel.com ; Via Birago 5 ; s 45-80 €, d 65-125 € ; ☼ avr-oct ; ▨). Cette délicieuse *pensione* se cache dans une rue tranquille qui surplombe la Certosa di San Giacomo et les montagnes alentour. Les chambres, classiques et confortables, s'agrémentent de meubles en pin, de tissus rayés et de grandes sdb. Plusieurs disposent d'une terrasse privée. Le propriétaire vous réserve un accueil chaleureux. Pensez à réserver.

Pensione Guarracino (carte p. 659 ; ☎ /fax 081 837 71 40 ; guarracino@capri.it ; Via Mulo 13 ; s 70-85 €, d 90-115 € ; ▨). À courte distance du centre de Capri et non loin de Marina Piccola, cette petite *pensione*, tenue par une famille, loue 13 chambres modestes, dotées de lits confortables, d'une douche correcte et d'une clim indépendante.

Hotel Esperia (carte p. 661 ; ☎ 081 837 02 62 ; www.esperiacapri.eu ; Via Sopramonte 41 ; ch 130-180 € ; ☼ avr-oct ; ▨). Du centre-ville, une courte montée mène à cette villa du XIXe siècle à la façade écaillée, ornée de belles colonnes et d'urnes géantes. Les chambres, spacieuses et claires, sont équipées de meubles modernes. Les meilleures bénéficient d'une terrasse avec vue sur la mer.

Hotel Villa Sarah (carte p. 661 ; ☎ 081 837 06 89 ; www.villasarah.it ; Via Tiberio 3a ; s 90-140 €, d 140-210 € ; ☼ Pâques-oct ; ▨ ▧). Le Villa Sarah conserve un charme rustique, devenu rare dans l'île. Entouré de vergers, il possède 19 grandes chambres, toutes décorées dans le style local classique avec des carreaux de céramique et des meubles désuets. La petite piscine constitue un atout non négligeable.

ANACAPRI

Hotel Bussola di Hermes (carte p. 659 ; ☎ 081 838 20 10 ; www.bussolahermes.com ; Traversa La Vigna 14 ; s 50-120 €, d 70-140 € ; ▨ ▦). Cette ancienne auberge de jeunesse a gravi plusieurs échelons pour se transformer en un hôtel élégant. De luxueux tissus décorent les chambres ensoleillées, aménagées dans les tons bleu et blanc. Les espaces communs évoquent Pompéi à grand renfort de colonnes, de statues et de plafonds voûtés. Prenez un bus jusqu'à la Piazza Vittoria et appelez l'hôtel pour que la navette vienne vous chercher.

Hotel Villa Eva (carte p. 659 ; ☎ 081 837 15 49 ; www.villaeva.com ; Via La Fabbrica 8 ; ch 100-120 € ; ☼ mars-oct ; ▦ ▧). Cachée parmi des arbres fruitiers avec une vue qui s'étend jusqu'à la mer, cette somptueuse retraite offre des chambres ravissantes et toutes différentes, agrémentées de détails originaux comme une cheminée carrelée, un puits en brique ou un plafond en forme de dôme. L'hôtel comporte également une piscine et un snack-bar. L'accès compliqué constitue un inconvénient : prenez le bus à destination de la Grotta Azzurra à Anacapri et demandez au chauffeur où descendre, ou prévoyez 24 € pour que l'on vienne vous chercher au port.

Où se restaurer

Les trattorias servent une cuisine traditionnelle. L'*insalata caprese*, une salade de tomates avec du basilic, de la mozzarella et de l'huile d'olive, est l'une des spécialités de l'île. Goûtez aussi le fromage *caprese*, à mi-chemin entre la mozzarella et la ricotta, et les *ravioli caprese*, farcis de ricotta et d'herbes.

Comme les hôtels, de nombreux restaurants ferment en hiver.

VILLE DE CAPRI

Supermercato Decò (carte p. 661 ; Via Roma ; ⏰ 8h-21h lun-sam, 8h-13h dim). Près du poste de police, une bonne adresse pour faire des courses pour un pique-nique.

Verginiello (carte p. 661 ; ☎ 081 837 09 44 ; Via Lo Palazzo 25 ; repas 20 € ; ⏰ fermé nov). Ce restaurant fréquenté offre une bonne cuisine à prix raisonnables et une vue superbe sur Marina Grande. Parmi les pâtes, essayez les *spaghetti alle cozze* (spaghettis aux moules).

La Cisterna (carte p. 661 ; ☎ 081 837 56 20 ; Via M. Serafina 5 ; repas 25 € ; ⏰ fermé fév). Installée dans une citerne romaine vieille de 2 000 ans, cette trattoria sans prétention demeure une adresse prisée pour des plats traditionnels comme les pâtes aux haricots, les côtelettes de veau et les pizzas cuites au feu de bois. La photo de Salvatore, le gigantesque propriétaire, orne les bouteilles de vin maison.

Le Grottelle (carte p. 659 ; ☎ 081 837 57 19 ; Via Arco Naturale 13 ; repas 28 € ; ⏰ avr-oct). À 150 m de l'Arco Naturale, le plus beau restaurant de Capri comprend une salle dans une grotte et une terrasse perchée au-dessus d'un versant boisé qui descend vers la mer. Cuisine traditionnelle : pâtes, poisson grillé, poulet ou lapin.

La Pergola (carte p. 661 ; ☎ 081 837 74 12 ; Via Traversa Lo Palazzo 2 ; repas 30 € ; ⏰ jeu-mar nov-sept). La terrasse ombragée d'une tonnelle et la vue sur la mer composent un cadre enchanteur pour savourer une cuisine délicieuse et créative. La carte comprend des plats classiques et des innovations, tels les *paccheri con cozze, patate e peperoncino* (pâtes larges avec des moules, des pommes de terre et du piment).

ANACAPRI

Trattoria Il Solitario (carte p. 662 ; ☎ 081 837 13 82 ; Via G Orlandi 96 ; pizzas à partir de 4,50 €, repas 20 € ; ⏰ avr-oct). L'une des meilleures trattorias du centre touristique d'Anacapri, elle sert de copieuses portions d'une savoureuse cuisine locale à des prix raisonnables. Cet établissement détendu comporte une aire de jeux pour les enfants et des tables installées dans une cour verdoyante. Réservez le week-end en été.

La Rondinella (carte p. 662 ; ☎ 081 837 12 23 ; Via G Orlandi 295 ; repas 28 €). Réputé pour une qualité constante, ce restaurant se distingue par son ambiance champêtre. Le chef Michele mitonne des plats inventifs, comme les *linguine alla ciammura*, de délicieuses pâtes avec une sauce blanche aux anchois, ail et persil.

Le Arcate (carte p. 662 ; ☎ 081 837 33 25 ; Via de Tommaso 24 ; repas 30 €). Recommandé par les habitants, ce restaurant sans prétention, orné de vieilles tomettes et de lierre débordant de paniers suspendus, se spécialise dans les succulents *primi* (hors-d'œuvre) et pizzas. Le *risotto con polpa di granchio, rughetta e scaglie di parmigiano* (risotto avec crabe, roquette et parmesan) vous laissera un grand souvenir.

Où sortir

En soirée, la principale activité consiste à se promener sur la Piazzetta, vêtu de ses plus beaux atours. L'île compte peu de discothèques et seulement quelques tavernes haut de gamme. La plupart des établissements ouvrent vers 20h et facturent l'entrée de 20 à 30 €. Beaucoup ferment de novembre à mars.

Dans Capri, les célébrités se retrouvent à l'**Anema e Cora** (carte p. 661 ; ☎ 081 837 64 61 ; Via Sella Orta 39e), la boîte de nuit la plus connue de l'île. Le **Guarracino** (carte p. 661 ; ☎ 081 837 05 14 ; Via Castello 7) est un peu plus détendu.

Pour une soirée plus animée, franchissez le barrage des videurs devant le **Musmé** (carte p. 661 ; ☎ 081 837 60 11 ; Via Camerelle 61b).

À Anacapri, le **Caffè Michelangelo** (carte p. 662 ; Via G. Orlandi 138) est un endroit plaisant pour regarder les passants.

Achats

Les céramiques et les produits à base de citron, notamment les parfums et le *limoncello*, sont des spécialités de Capri. Pour les parfums, essayez **Carthusia I Profumi di Capri** (carte p. 661 ; ☎ 081 837 03 68 ; Via F Serena 28) dans Capri. À Anacapri, **Limoncello Capri** (carte p. 659 ; ☎ 081 837 29 27 ; Via Capodimonte 27) est le berceau du *limoncello* ; la grand-mère de Vivica, l'actuelle propriétaire, l'offrait déjà en digestif aux clients de son hôtel il y a 100 ans.

Si vous souhaitez acheter des produits de luxe, explorez la Via Vittorio Emanuele et la Via Camerelle.

Depuis/vers Capri

Pour des informations sur les ferries et les hydroglisseurs à destination de Capri, reportez-vous aux rubriques *Naples* (p. 652) et *Sorrente* (p. 676).

En été, des hydroglisseurs vont à Positano (16,50 €, 30-40 min), Amalfi (17 €), Salerne (17,50 €) et Ischia (15,50 €, 1 heure).

Certaines compagnies demandent un supplément d'environ 1,50 € par bagage.

Comment circuler

Le bus constitue le meilleur moyen de transport dans Capri, qui ne compte aucune agence de location de voitures.

De la gare routière de la ville de Capri, **Sippic** (☎ 081 837 04 20) offre des bus réguliers depuis/vers Marina Grande, Anacapri et Marina Piccola, ainsi que des services de Marina Grande et de Marina Piccola à Anacapri.

De la gare routière d'Anacapri, des bus **Staiano Autotrasporti** (☎ 081 837 24 22 ; www.staiano-capri.com) rallient la Grotta Azzurra et le Faro.

Un billet coûte 1,40 € sur tous les itinéraires et pour le funiculaire qui relie Marina Grande et la ville de Capri.

Vous pouvez louer un scooter auprès de *Ciro dei Motorini* (carte p. 659 ; ☎ 081 837 80 18 ; Via Marina Grande 55), à Marina Grande. Comptez environ 15 € l'heure ou 65 € par jour.

De Marina Grande, la course en **taxi** (☎ ville de Capri 081 837 05 43, Anacapri 081 837 11 75) revient à 20 € jusqu'à Capri et 25 € jusqu'à Anacapri ; de Capri à Anacapri, prévoyez 15 €.

ISCHIA

61 640 habitants
S'étendant sur plus de 46 km², Ischia est la plus grande et la plus animée des îles la baie. Verdoyante, jalonnée de stations thermales et de vestiges antiques, elle possède quelques belles plages et des paysages spectaculaires.

La plupart des visiteurs séjournent sur la côte nord. Dans l'arrière-pays, vous découvrirez des forêts de châtaigniers, des fermes et d'authentiques bourgades rurales à flanc de colline. Sur la paisible côte sud, le port de Sant'Angelo, sillonné de ruelles tortueuses, est entouré de plages fréquentées.

Histoire

Ischia fut l'une des premières colonies grecques du VIIIᵉ siècle av. J.-C. Les Grecs l'appelèrent Pithekoussai, d'après les *pithoi* (poteries en argile) produites dans l'île. Étape importante sur la route commerciale entre la Grèce et l'Italie du Nord, elle fut baptisée Aenaria par les Romains. En 1301, une éruption du Monte Arso, un volcan aujourd'hui éteint, contraignit les habitants à se réfugier sur le continent, où nombre d'entre eux s'établirent.

Les Espagnols s'emparèrent d'Ischia en 1495 et la gouvernèrent jusqu'à une brève occupation française au début du XVIIIᵉ siècle. Les Britanniques l'attaquèrent en 1806 et bombardèrent le Castello Aragonese ; l'île porte encore les traces des violents combats. À l'instar de nombreuses îles, Ishia servit de prison politique au XIXᵉ siècle.

Orientation

Les ferries accostent à Ischia Porto, l'accès principal et le centre touristique. À deux pas à l'ouest de l'embarcadère, la gare routière offre des bus qui desservent toute l'île. À l'est, la Via Roma, une artère commerçante, devient le Corso Vittoria Colonna et rejoint Ischia Ponte, à 2 km au sud-est.

Renseignements

Ischia Online (www.ischiaonline.it). Informations sur les hôtels, les sites, les activités et les spectacles.
Office du tourisme (☎ 081 507 42 11 ; www.info ischiaprocida.it ; Via Sogliuzzo 72, Ischia Porto ; ☷ 9h-14h et 15h-20h lun-sam)

À voir et à faire

Site le plus connu d'Ischia, le **Castello Aragonese** (☎ 081 99 28 34 ; Rocca del Castello ; 10 € ; ☷ 9h-19h avr-oct, 10h-17h nov-mars) se tient sur un îlot rocheux près d'Ischia Ponte. Ce vaste complexe, qui comprend une cathédrale et plusieurs petites églises, date essentiellement du XIVᵉ siècle, quand le roi Alphonse d'Aragon fit remanier une forteresse angevine plus ancienne. À l'intérieur, le **Museo delle Armi** (musée des Armes) présente une collection d'instruments de torture et des armes médiévales.

Sur la côte ouest, **La Mortella** (☎ 081 98 62 20 ; www.lamortella.it ; Via F. Calese 39, Forio ; 10 € ; ☷ 9h-19h mar, jeu, sam-dim avr-nov) constitue un véritable jardin d'Éden. Plus d'un millier de plantes rares et exotiques s'épanouissent dans ce jardin, dessiné par Russell Page et inspiré des jardins de l'Alhambra à Grenade, en Espagne. Le jardin fut fondé par le compositeur britannique sir William Walton et son épouse, qui s'installèrent à La Mortella en 1949. Concerts de musique classique au printemps et en automne.

Également à Forio, les **Giardini Ravino** (☎ 081 99 77 83 ; www.ravino.it ; SS 270, Forio ; 8 € ; ☽ 9h-crépuscule, fermé mar et jeu), d'une superficie de 6 000 m², abritent une extraordinaire collection de cactées et d'autres plantes grasses, dont beaucoup ont des vertus homéopathiques reconnues. Des visites guidées ont lieu le samedi à 17h30.

Du village de Fontana, une rude grimpée conduit au sommet du **Monte Epomeo** (788 m), le point culminant de l'île qui offre une vue splendide sur la baie de Naples. Près du sommet, la petite **Cappella di San Nicola di Bari**, du XVᵉ siècle, a un beau sol en majolique.

Contrairement à Capri, Ischia compte quelques belles plages. De Sant'Angelo, sur la côte sud, des bateaux-taxis rejoignent la **Spiaggia dei Maronti** (5 € l'aller), couverte de sable, et la petite crique d'**Il Sorgeto** (7 € l'aller), dotée d'une source thermale. Du village de Panza, un sentier mal indiqué permet de rejoindre Il Sorgeto à pied.

Si vous souhaitez plonger, **Captain Cook** (☎ 335 6362630 ; www.captaincook.it ; Via Iasolino 106, Ischia Porto) loue des équipements et propose des cours. Comptez à partir de 40 € la plongée. **Westcoast Boat Hire** (☎ 081 90 86 04 ; www.west coastischia.it ; Porto di Forio) loue des bateaux et des dinghies à moteur pour la demi-journée ou la journée (à partir de 100 €).

Où se loger

La plupart des hôtels ferment en hiver ; ceux qui restent ouverts baissent considérablement leurs prix.

Camping Mirage (☎ 081 99 05 51 ; www.camping mirage. it ; Via Maronti 37, Spiaggia dei Maronti, Barano d'Ischia ; empl 2 pers et tente 29,50-35 € ; ℗). Sur la Spiaggia dei Maronti, ce camping ombragé d'eucalyptus comprend des douches, une laverie, un bar et un restaurant qui sert d'excellentes pâtes aux fruits de mer.

Albergo Macrì (☎/fax 081 99 26 03 ; Via Iasolino 96, Ischia Porto ; s 38-46 €, d 65-78 € ; ℗ ☒). Au bout d'une impasse près du port principal, cet établissement propose des chambres propres, claires et confortables, aux meubles sans prétention, en pin et en bambou. Celles du 1ᵉʳ étage disposent toutes d'une terrasse. Au rez-de-chaussée, le petit bar offre un excellent expresso.

Hotel Semiramis (☎ 081 90 75 11 ; www.hotel-semiramisischia.it ; Spiaggia di Citara, Forio ; ch 100-140 € ; ☽ avr-oct ; ℗ ☒ ☒). Lumineux et accueillant, le Semiramis évoque les tropiques avec sa piscine centrale entourée de palmiers. Les chambres sont vastes et carrelées de jaune et turquoise ; les meilleures ont vue sur la mer.

Hotel La Sirenella (☎ 081 99 47 43 ; www.lasirenella. net ; Corso Rizzoli 41, Lacco Ameno ; s/d 70/140 € ; ☽ avr-oct ; ☒). Tenu par une famille chaleureuse, cet hôtel en bord de plage possède des chambres ensoleillées, balayées par la brise marine et donnant sur la mer. Excellentes pizzas dans le restaurant du rez-de-chaussée.

Hotel Casa Celestino (☎ 081 99 92 13 ; www.casace-lestino.it ; Via Chiaia delle Rose, Sant'Angelo ; s 120-135 €, d 130-140 € ; ☽ jan-oct ; ☒ ▣). Ce petit hôtel chic conjugue meubles crème, murs blanchis à la chaux et art contemporain. Les chambres s'agrémentent d'un sol en majolique, d'une sdb moderne et d'un balcon qui surplombe la mer. Un bon restaurant lui fait face.

Où se restaurer

Outre les produits de la mer, Ischia est renommée pour ses lapins, élevés dans l'arrière-pays. Autre spécialité locale, le *rucolino* est une liqueur à l'arôme de réglisse, confectionnée avec des feuilles de *rucola* (roquette).

Zi Carmela (☎ 081 99 84 23 ; Via Schioppa 27, Forio ; repas 20 € ; ☽ avr-oct). Prisé des habitants, il sert de succulents plats de poisson comme la *fritturina e pezzogne* (poisson au four avec pommes de terre et herbes) ou le *tartare di palamito al profumo d'arancia* (tartare de poisson aux agrumes). Installez-vous dans la salle ensoleillée, ornée de chapelets d'ail, ou sur la terrasse qui domine le port.

Lo Scoglio (☎ 081 99 95 29 ; Via Cava Ruffano 58, Sant'Angelo ; repas 28 € ; ☽ fermé jan-mars et mi-nov à mi-déc). Surplombant la mer à côté d'une crique splendide, il propose de succulents plats de poisson élaborés avec les prises du jour. Choisissez la soupe de moules ou le bar grillé. Lo Scoglio fait le plein le dimanche midi.

La Baia el Clipper (☎ 081 333 42 09 ; Via Porto 116, Ischia Porto ; repas 40 €). Joliment situé à l'entrée du port, ce restaurant offre un service sympathique et attentif et présente la pêche du jour près de la porte. Les *linguine con gamberetti e rucola* (pâtes aux crevettes et roquette) comptent parmi ses spécialités. Soignez votre tenue pour dîner dans cet établissement chic.

Depuis/vers Ischia

Reportez-vous p. 652 pour des informations sur les hydroglisseurs et les ferries depuis/vers Naples. Des hydroglisseurs rallient directement Capri (15,50 €) et Procida (9 €).

CAMPANIE

Comment circuler

La gare routière principale se situe à Ischia Porto. La CS (Circo Sinistra ; circulaire gauche) et la CD (Circo Destra ; circulaire droite), les deux principales lignes de bus, font le tour de l'île dans des directions opposées en passant par toutes les localités, avec un départ toutes les 30 min. Les bus font halte près de tous les hôtels et campings. Un billet, valable 90 min, coûte 1,30 €, et un forfait d'une journée revient à 4,50 €. Des taxis et des microtaxis (triporteurs) sont également disponibles.

Évitez de venir sur l'île avec votre voiture. Si vous désirez louer une voiture ou un scooter, vous aurez l'embarras du choix. **Fratelli del Franco** (☎ 081 99 13 34 ; Via A. De Luca 127, Ischia Ponte) loue des voitures (à partir de 30 € par jour), des scooters (de 25 à 35 €) et des VTT (environ 10 € par jour). Vous ne pouvez pas quitter l'île avec un véhicule de location.

PROCIDA
10 700 habitants

La plus petite île de la baie de Naples (et son secret le mieux gardé) forme un beau tableau de plantations de citronniers et de villages de pêcheurs aux maisons couleurs pastel.

Sauf en août, quand les touristes du continent envahissent les plages, Procida reste le domaine des îliens et la vie s'écoule paisiblement dans ses rues étroites, brûlées par le soleil.

Orientation et renseignements

Marina Grande, le principal centre touristique, est le terminal des ferries et des hydroglisseurs. En ville, la **Graziella Travel Agency** (☎ 081 896 95 94 ; www.isoladiprocida.it ; Via Roma 117 ; 🕙9h-13h et 16h-20h lun-sam avr-oct, fermée sam après-midi nov-mars) peut vous trouver une chambre d'hôtel, organiser une promenade en bateau (environ 15 €/2 heures) et loue des vélos (demi-journée/journée 5/8 €). L'agence distribue également une carte gratuite de l'île.

À voir et à faire

La marche ou la bicyclette constituent les meilleurs moyens d'explorer Procida, qui fait 4 km². Les voitures engorgent parfois les routes étroites, l'un des rares inconvénients de l'île.

Perché sur le point culminant de Procida, le **Castello d'Avalos**, pavillon de chasse des Bourbons au XVIe siècle, servit un temps de prison. À côté, l'**Abbazia di San Michele Arcangelo** (☎ 081 896 76 12 ; Via Terra Murata 89 ; 2 € ; 🕙9h45-12h45 lun-sam toute l'année, plus 15h30-18h mai-oct), une

ancienne abbaye bénédictine, comprend une église, des catacombes et un petit musée qui renferme quelques peintures saisissantes.

De la Piazza dei Martiri, les maisons roses, jaunes et blanches du village de **Corricella** dévalent la pente jusqu'à la marina. Plus au sud, un escalier abrupt descend vers la plage de **Chiaia**, l'une des plus belles de l'île.

La petite **Marina di Chiaiolella**, dans les tons rose, blanc et bleu, possède un port de plaisance rempli de yachts, des trattorias traditionnelles et une ambiance détendue. À proximité, le **Lido** est une plage fréquentée.

Le **Procida Diving Centre** (☎ 081 896 83 85 ; www.vacanzeaprocida.it/framediving01-uk.htm ; Via Cristoforo Colombo 6, Marina di Chiaiolella) propose des cours de plongée et loue des équipements. Les prix varient de 45 € la plongée à 130 € le cours de snorkeling. Aussi, plongées open-water.

Blue Dream (☎ 081 896 05 79, 339 5720874 ; www.bluedreamcharter.com ; Via Ottimo 3) loue des yachts à partir de 70 € par personne et par jour.

Fêtes et festivals

La **procession des Misteri** a lieu le Vendredi saint. Une statue en bois du Christ et de la *Madonna Addolorata*, ainsi que des représentations grandeur nature en plâtre et papier mâché du chemin de Croix sont promenées à travers l'île, suivies d'hommes en tuniques bleues et capuchons blancs et de jeunes filles habillées en Madone.

Où se loger

Hotel Celeste (☎ 081 896 74 88 ; www.hotelceleste.it ; Via Rivoli 6, Marina di Chiaiolella ; s 30-60 €, d 40-100 € ; 🞮 💻). Bel hôtel soucieux de l'environnement, le Celeste surplombe des orangeraies et a été le premier à utiliser des panneaux solaires. Les chambres, blanches ou jaunes, sont impeccables, lumineuses et confortables. Un joli jardin complète l'ensemble.

Casa Giovanni da Procida (☎ 081 896 03 58 ; www.casagiovannidaprocida.it ; Via Giovanni da Procida 3 ; s 50-80 €, d 65-100 € ; 🕙fermé fév ; 🅿 🞮). Ce B&B chic, aménagé dans une ferme à l'ombre d'un magnolia centenaire, propose des chambres à deux niveaux, avec des lits bas et des meubles contemporains. Les petites sdb élégantes s'agrémentent d'un carrelage en mosaïque et de lavabos cubiques.

Hotel La Corricella (☎ 081 896 75 75 ; www.hotelcorricella.it ; Via Marina Corricella 88 ; s 70-100 €, d 90-120 € ; 🕙avr-oct). Impossible à manquer, cet hôtel couleur pêche et jaune, offre des chambres sans prétention aux meubles de type modulaire, avec ventil et TV. La grande terrasse ombragée donne sur le port, le restaurant sert de bons plats de poisson et un service de bateau dessert la plage voisine.

Des campings parsèment l'île et ouvrent d'avril/mai à septembre/octobre. Les prix s'élèvent en moyenne à 10 € pour l'emplacement plus 10 € par personne. **La Caravella** (☎ 081 810 18 38 ; Via IV Novembre) fait partie des adresses fiables.

Où se restaurer

Da Giorgio (☎ 081 896 79 10 ; Via Roma 36, Marina Grande ; repas 12 € ; ☸ mars-oct). Carte raisonnable, box accueillants et bière à petits prix, le Da Giogio a tout pour plaire. Si la cuisine réserve peu de surprises, les ingrédients sont frais et les plats savoureux, tels les *gnocchi alla sorrentina* (gnocchis en sauce tomate avec mozzarella).

Gorgona (☎ 081 810 10 60 ; Via Marina Corricella ; repas 20 € ; ☸ mars-oct). Le long de Marina Corricella, avec ses vieux bateaux de pêche, ses piles de filets et ses chats paresseux, chaque restaurant offre une expérience mémorable. Le Gorgona se distingue par ses plats de poisson fumé, dont des steaks d'espadon et de thon.

La Conchiglia (☎ 081 896 76 02 ; Via Pizzaco 10 ; repas 25 € ; ☸ mars-oct). Les vagues à vos pieds, les couleurs pastel de Corricella au loin – admirez le tableau en vous régalant de *spaghetti alla povera* (spaghettis avec des *peperoncini*, des poivrons verts, des tomates cerises et des anchois). Pour rejoindre le restaurant, descendez l'escalier raide de la Via Pizzaco ou prenez un bateau à Corricella.

Ristorante Scarabeo (☎ 081 896 99 18 ; Via Salette 10 ; repas 27 € ; ☸ tlj mars-oct, week-end seulement déc-fév, fermé nov). Derrière une véritable jungle de citronniers se tient la vénérable cuisine de la Signora Battinelli. Avec son mari Francesco, elle mitonne des plats classiques comme les *fritelle di basilico* (tranches de pain frites avec des œufs, du parmesan et du basilic) et des raviolis maison aux aubergines et *provola*. Ils élèvent des lapins, font leur *falanghina* (un vin blanc léger et fruité) et servent le tout sous une pergola de citronniers.

Comment s'y rendre et circuler

Procida est reliée par bateau et hydroglisseur à Ischia (9 €), Pozzuoli (9 €), et Naples (voir p. 652).

De Marina Grande, un service limité de bus (0,80 €) comprend 4 lignes. Le bus L1 circule entre le port et Marina di Chiaolella.

La location d'un microtaxi pour 2 ou 3 heures revient à 35 € environ, selon vos talents de négociation. La **Graziella Travel Agency** (☎ 081 896 95 94 ; www.isladiprocida.it ; Via Roma 117) loue des vélos pour 5/8 € la demi-journée/journée.

SUD DE NAPLES

ERCOLANO ET HERCULANUM

Ercolano, morne faubourg de Naples, abrite l'un des sites antiques les mieux préservés du pays, Herculanum. Cet ancien port de pêche romain superbement conservé, plus petit que Pompéi, se découvre plus rapidement.

Histoire

Contrairement à la ville moderne d'Ercolano, Herculanum était un port de pêche tranquille de quelque 4 000 habitants et une villégiature prisée des Romains fortunés.

Herculanum connut un sort similaire à celui de Pompéi. Détruite par un tremblement de terre en 63, la ville fut entièrement ensevelie lors de l'éruption du Vésuve en 79. Plus proche du volcan que Pompéi, elle fut noyée par une coulée de boue épaisse de 16 m, alors que Pompéi fut recouverte de lapilli (pierres ponces en fusion) et de cendres. Cette boue fossilisa la ville, préservant des objets fragiles comme les meubles et les vêtements.

Redécouverte en 1709, Herculanum fit l'objet de fouilles intermittentes jusqu'en 1874 ; de nombreuses trouvailles furent emportées à Naples pour décorer les maisons de citadins aisés ou atterrirent dans des musées. Le travail archéologique sérieux a repris en 1927 et se poursuit à ce jour ; il progresse lentement car la majeure partie du site est enfouie sous la ville moderne d'Ercolano.

Orientation et renseignements

De la gare Circumvesuviana Ercolano-Scavi, descendez l'artère principale, la Via IV Novembre, sur 500 m pour rejoindre les ruines ; suivez les panneaux indiquant *scavi* (fouilles archéologiques). En chemin, vous passerez devant l'**office du tourisme** (☎ 081 788 12 43 ; Via IV Novembre 82 ; ☸ 8h30-18h lun-sam avr-oct, 8h30-14h lun-sam nov-mars), sur votre droite.

À voir

S'étendant sur 4,5 ha, les **ruines** (☎ 081 732 43 38 ; Corso Resina 6 ; adulte/résidents UE 18-25 ans/résidents

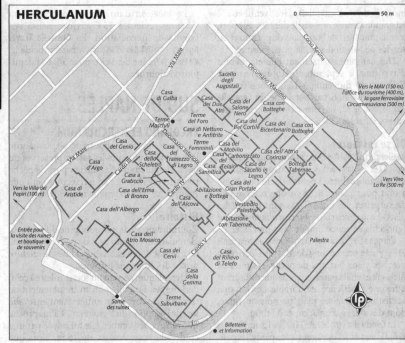

HERCULANUM

0 ⊏▭▭▭▭ 50 m

*Vers le MAV (150 m),
l'office du tourisme (400 m),
la gare ferroviaire
Circumvesuviana (500 m)*

*Vers Vino
Lo Re (500 m)*

*Vers la Villa dei
Papyri (100 m)*

Entrée pour
la visite des ruines
et boutique
de souvenirs

Sortie
des ruines

Billetterie
et Information

UE moins de 18 ans et plus de 65 ans 11/5,50 €/gratuit, billet combiné avec Pompéi, Oplontis, Stabiae et Boscoreale 20/10 €/gratuit ; ☉ 8h30-19h30 avr-oct, 8h30-17h nov-mars, dernière entrée 90 min avant fermeture) se visitent facilement en une matinée.

De l'entrée principale dans le Corso Resina, descendez le large boulevard où vous trouverez la nouvelle **billetterie** sur la gauche. Prenez la carte et le guide gratuits et continuez jusqu'à la véritable entrée des ruines, où vous pourrez louer un audioguide (6,50 €).

La douve que l'on traverse pour pénétrer dans l'antique cité est en fait l'ancienne rive. En 1980, des archéologues y ont découvert quelque 300 squelettes, les restes d'une foule qui s'était réfugiée sur la plage avant d'être tuée par des nuées ardentes provenant du Vésuve.

En commençant l'exploration au nord-est le long de Cardo III, vous passez devant la **Casa d'Argo** (maison d'Argus), une demeure patricienne préservée, avec un jardin à colonnades et un triclinium (salle à manger).

En face, la **Casa dello Scheletro** (maison du Squelette), de taille modeste, possède des sols en mosaïque de cinq styles différents et les vestiges d'une grille protégeant la lucarne.

De l'autre côté du Decumano Inferiore, l'une des rues principales, les **Terme Maschili** composaient la section réservée aux hommes des **Terme del Foro** (bains du Forum). Remarquez les anciennes latrines, à gauche de l'entrée, avant de pénétrer dans l'*apodyterium* (vestiaire). À gauche, se tient le *frigidarium* (bain froid), à droite le *tepadarium* (bain tiède), le *caldarium* (bain chaud) et une salle de gymnastique.

Au bout de Cardo III, **Decumano Massimo**, l'artère principale d'Herculanum, est bordée d'anciennes boutiques et réclames, comme celles qui ornent le mur à droite de la **Casa del Salone Nero**.

Plus à l'est dans Decumano Massimo, un crucifix trouvé au dernier étage de la **Casa del Bicentenario** (maison du Bicentenaire) témoigne d'une éventuelle présence chrétienne avant l'éruption du Vésuve.

Tournez dans Cardo IV pour découvrir la **Casa del Bel Cortile** (maison de la jolie cour), qui renferme 3 des 300 squelettes trouvés sur l'ancienne rive en 1980.

À côté, la **Casa di Nettuno e Anfitrite** (maison de Neptune et d'Amphitrite) doit son nom à l'extraordinaire mosaïque du *nymphaeum*.

De l'autre côté de la rue, les **Terme Femminili** étaient la partie réservée aux femmes des **Terme del Foro** ; remarquez la mosaïque représentant un Triton nu sur le sol de l'*apodyterium*.

Plus loin au sud-ouest dans Cardo IV, la **Casa dell'Atrio a Mosaico** (maison de l'Atrium en mosaïque ; fermée pour restauration) est une imposante demeure aux sols couverts de grandes mosaïques, dont un échiquier noir et blanc dans l'atrium.

Revenez sur vos pas dans Cardo IV et tournez à droite dans Decumano Inferiore pour trouver la **Casa del Gran Portale** (maison du Grand Portail). D'élégantes colonnes corinthiennes en brique flanquent l'entrée principale et quelques peintures murales bien préservées ornent l'intérieur.

Bordant Cardo V, la **Casa dei Cervi** (maison des Cerfs) est une majestueuse demeure patricienne. La villa de 2 étages, construite autour d'une cour centrale, contient des peintures murales et des natures mortes. Dans la cour, admirez le couple de cerfs en marbre attaqué par des chiens et la statue d'Hercule.

À la pointe sud du site, les **Terme Suburbane** (bains suburbains ; fermés pour restauration), du 1er siècle, comptent parmi les bains les mieux préservés, avec de profonds bassins, des frises de stuc et des bas-reliefs au-dessus des sièges et des sols en marbre.

Au nord-ouest des ruines, la **Villa dei Papiri**, un vaste complexe de 4 étages, long de 245 m, appartenait au beau-père de Jules César. Lors de nos recherches, la villa était fermée pour restauration. Consultez le site www.arethusa. net.

Dans la rue qui relie les ruines et la gare ferroviaire, le **MAV** (Museo Archeologico Virtuale ; ☎ 081 1980 6511 ; www.museomav.com ; Via IV Novembre ; 7 € ; ☼ 9h-17h mar-dim) est un nouveau musée archéologique, qui ressuscite virtuellement les ruines à l'aide d'hologrammes et de vidéos sur ordinateur ; la visite enchante les enfants.

Où se loger et se restaurer

Il n'y a guère de raison de passer la nuit à Ercolano, facilement accessible en train de Naples ou de Sorrente.

Vino Lo Re (☎ 081 739 02 07 ; Corso Resina 261 ; repas 30 € ; ☼ mar-sam, déj seulement dim, fermé août) sert de délicieux plats classiques revisités et propose une belle carte des vins. À l'étage, les propriétaires possèdent un élégant B&B contemporain avec clim et Wi-Fi (simples/doubles 50/70 €).

Depuis/vers Ercolano

La ligne ferroviaire *Circumvesuviana* constitue le meilleur moyen de rejoindre Ercolano (descendez à Ercolano-Scavi). Des trains partent régulièrement depuis/vers Naples (1,80 €), Pompéi (1,40 €) et Sorrente (1,90 €).

En voiture, prenez l'A3 à partir de Naples, sortez à Ercolano Portico et suivez les panneaux jusqu'aux parkings, près de l'entrée du site.

VÉSUVE (VESUVIO)

Dominant Naples et ses environs, le Vésuve (1 281 m) est le seul volcan en activité du continent européen. Depuis l'éruption de 79, qui a enseveli Pompéi et Herculanum et repoussé le littoral de plusieurs kilomètres, il est entré en éruption plus de 30 fois. Parmi ces dernières, la plus dévastatrice fut celle de 1631 et la plus récente a eu lieu en 1944. Si rien ne semble indiquer un réveil imminent, des observateurs s'inquiètent de cette actuelle accalmie, la plus longue depuis 500 ans.

Une éruption à grande échelle serait une catastrophe. Plus de 600 000 personnes vivent dans un rayon de 7 km autour du cratère et, malgré les mesures incitant à déménager, peu se laissent tenter.

Aujourd'hui, le Vésuve est mieux protégé que nombre des villes qui l'entourent. Le **Parco Nazionale del Vesuvio** (www.parconazionaledelvesuvio.it), fondé en 1995, attire plus de 400 000 visiteurs chaque année.

D'un parking au sommet, un chemin de 860 m grimpe au **cratère** (entrée avec visite guidée 6,50 € ; ☼ 9h-18h juil-août, 9h-17h avr-juin, 9h-16h mars et oct, 9h-15h nov-fév, billetterie fermée 1 heure avant fin visite). Si la montée n'a rien d'épuisant, mieux vaut porter des baskets que des sandales. Prévoyez aussi des lunettes de soleil, utiles pour se protéger des cendres, et un lainage car il peut faire frais au sommet, même en été.

À mi-chemin, le **Museo dell'Osservatorio Vesuviano** (musée de l'Observatoire du Vésuve ; ☎ 081 610 84 83 ; www.ov.ingv.it ; entrée libre ☼ 10h-14h sam-dim) retrace 2 000 ans d'observation du Vésuve.

Le moyen le plus facile de visiter le Vésuve consiste à prendre un bus de Pompéi jusqu'au parking du cratère. Les bus de **Vesuviana Mobilità** (☎ 081 963 44 20) partent de la Piazza Anfiteatro (aller-retour 8,90 €, 1 heure, 8-10/jour).

D'Ercolano, seuls deux bus partent à 8h25 et 12h45 de la Via Panoramica, à 50 m de la gare ferroviaire, et reviennent à 14h40 et 17h25. Les billets sont vendus à bord (aller-retour 7,80 €, 1 heure 30).

En voiture, quittez l'A3 à Ercolano Portico et suivez les panneaux indiquant le Parco Nazionale del Vesuvio.

Par mauvais temps, le chemin du sommet est fermé et les bus suspendus.

POMPÉI
25 723 habitants

Sombre rappel de la puissance dévastatrice du Vésuve, Pompéi est l'un des sites archéologiques les plus émouvants d'Europe. Quelque 2,5 millions de visiteurs viennent chaque année découvrir les vestiges fantomatiques de ce qui fut une ville marchande prospère.

Au-delà du tourisme, le site présente un intérêt archéologique inestimable. En effet, la cité ne fut pas détruite par l'éruption, mais ensevelie sous une couche de lapilli (pierres ponces incandescentes), comme Pline le Jeune le décrit dans son récit de la catastrophe.

Histoire

L'éruption du Vésuve ne fut pas la première catastrophe qui frappa la ville portuaire de Pompéi. En 63, un violent séisme avait dévasté la cité et entraîné l'évacuation de la plupart des 20 000 habitants. Beaucoup n'étaient pas revenus quand le Vésuve entra en éruption le 24 août 79, ensevelissant la ville sous une pluie de cendres et de lapilli et faisant 2 000 victimes.

Les origines de Pompéi restent incertaines ; il semble qu'elle fut fondée au VIIe siècle av. J.-C. par les Osques de Campanie. Au cours des siècles suivants, elle passa aux mains des Grecs et des Samnites, puis devint une colonie romaine en 80 av. J.-C.

Après la catastrophe de 79, Pompéi sombra dans l'oubli jusqu'en 1594, quand l'architecte Domenico Fontana buta sur les ruines en creusant un canal. Il ne poussa pas plus loin les recherches et ne rapporta pas la découverte.

Les fouilles proprement dites commencèrent en 1748 sous le règne de Charles VII de Bourbon et se poursuivirent au XIXe siècle. Au début, nombre des plus belles mosaïques furent emportées pour décorer le palais du roi à Portici. La plupart furent plus tard transférées à Naples et sont aujourd'hui exposées au Museo Archeologico Nazionale (p. 643).

Si les fouilles continuent et permettent de nouvelles découvertes – en 2000, des travaux de voirie ont mis au jour une aire de loisirs ornée de fresques –, on se préoccupe davantage de restaurer les ruines exhumées que de trouvailles supplémentaires.

Orientation

Le train Circumvesuviana vous dépose à la gare Pompéi-Scavi-Villa dei Misteri, à côté de la Porta Marina, l'entrée principale. En voiture, prenez l'A3 et suivez les panneaux indiquant les *scavi* (fouilles) et les parkings. La Pompéi moderne se situe à 1 km, par la Via Plinio.

Renseignements

Office du tourisme (🕐 8h-15h30 lun-ven, 8h-14h sam ; Porta Marina ☎ 081 536 32 93 ; www. pompeiturismo.it ; Piazza Porta Marina Inferiore 12 ; ville de Pompéi ☎ 081 850 72 55 ; Via Sacra 1)

Police (☎ 081 856 35 11 ; Piazza Porta Marina Inferiore)

Pompeii Sites (www.pompeiisites.org). Un site exhaustif sur Pompéi et Herculanum.

Poste (☎ 081 861 09 58 ; Piazza Esedra)

Poste de premiers secours (☎ 081 535 91 11 ; Via Colle San Bartolomeo 50)

À voir
SITE ARCHÉOLOGIQUE

Des 66 ha d'origine de Pompéi, 44 ont été mis au jour. Cela ne signifie pas que toutes les **ruines** (☎ 081 857 53 47 ; entrées Porta Marina et Piazza Anfiteatro ; adulte/résident UE 18-25 ans/résident UE moins de 18 ans et plus de 65 ans 11/5,50 €/gratuit ; billet combiné avec Herculanum, Oplontis, Stabiae et Boscoreale et 3 sites mineurs 20/10 €/gratuit ; 🕐 8h30-19h30 avr-oct, dernière entrée 18h, 8h30-17h nov-mars, dernière entrée 15h30), inscrites au patrimoine mondial de l'Unesco, soient accessibles ; certains secteurs sont interdits sans motif apparent et la signalisation laisse à désirer. Un audioguide (6,50 €) et un bon ouvrage sur Pompéi vous seront utiles.

Le site est peu ombragé ; en été, emportez un chapeau, une crème solaire et de l'eau.

Comptez au moins 3 ou 4 heures pour l'explorer, plus pour une visite approfondie.

La **Porta Marina**, l'entrée principale, est la plus imposante des 7 portes qui ponctuaient les anciens remparts. Passage fréquenté, elle reliait jadis la cité et le port voisin. À droite après la porte, le **Tempio di Venere** (temple de Vénus), du Ier siècle av. J.-C., était l'un des temples les plus opulents de la ville.

Continuez le long de la Via Marina pour arriver à la **basilica**, du IIe siècle av. J.-C., le siège des tribunaux et des affaires commerciales. En face, le **Tempio di Apollo**, le sanctuaire le plus ancien et le plus important, date du IIe siècle av. J.-C. À côté, le verdoyant **foro** (forum), la place principale interdite aux chars, est un immense rectangle bordé de colonnes en calcaire.

Au nord du forum se dressent le **Tempio di Giove** (temple de Jupiter), dont il ne subsiste qu'un des deux arcs de triomphe qui le flanquaient, et le **Granai del Foro** (grenier du Forum), aujourd'hui utilisé pour entreposer des centaines d'amphores et des moulages de corps. Certains furent réalisés à la fin du XIXᵉ siècle en coulant du plâtre dans les creux laissés par les corps désintégrés. Non loin, le **macellum** était le principal marché de viande et de poisson.

Suivez ensuite la Via degli Augustali jusqu'au Vicolo del Lupanare. À mi-chemin de cette rue étroite, le **Lupanare** est, comme son nom l'indique, une ancienne maison close. Ce petit bâtiment de 2 étages, avec 5 salles à chaque niveau, renferme certaines des fresques les plus friponnes de Pompéi.

Au bout de la Via dei Teatri, le **Foro Triangolare** surplombait autrefois la mer. Son monument principal, le **Teatro Grande**, un immense théâtre de 5 000 places, date du IIᵉ siècle av. J.-C. Derrière la scène, le **Quadriportico dei Teatri**, un quadruple portique, permettait aux spectateurs de se promener durant les entractes et servit plus tard de caserne pour les gladiateurs. À côté, le **Teatro Piccolo**, ou Odéon, était un petit théâtre couvert, tandis que le **Tempio di Iside** (temple d'Isis), un édifice préromain, était dédié au culte de la déesse égyptienne.

Dans la Via dell'Abbondanza, les **Terme Stabiane** sont des bains romains classiques du IIᵉ siècle av. J.-C. Après le vestibule, les clients se changeaient dans l'*apodyterium* (vestiaire) voûté, puis passaient par le *tepidarium* (bain tiède) et le *caldarium* (bain chaud).

Vers l'extrémité nord-est de la Via dell'Abbondanza, la **Casa della Venere in Conchiglia** (maison de Vénus sur sa conque) possède un charmant péristyle donnant sur un jardin soigné. La maison renferme une fresque splendide qui représente Vénus.

Non loin, l'**anfiteatro** est le plus ancien amphithéâtre romain qui subsiste. Construit en 70 av. J.-C., il pouvait accueillir jusqu'à 20 000 spectateurs. En chemin, la **Grande Palestra**, un terrain destiné aux athlètes, comporte un imposant portique et, au centre, les vestiges d'une piscine.

Revenez dans la Via dell'Abbondanza et prenez à droite la Via Stabiana pour voir certaines des plus belles maisons de Pompéi. Tournez à gauche dans la Via della Fortuna pour découvrir la **Casa del Fauno** (maison du Faune). Du nom de la petite statue en bronze

de l'*impluvium* (citerne d'eau de pluie), elle contenait les plus belles mosaïques trouvées lors des premières fouilles, aujourd'hui pour la plupart au Museo Archeologico Nazionale de Naples (p. 643). Deux rues plus loin, la **Casa del Poeta Tragico** (maison du Poète tragique) porte le fameux avertissement *Cave canem* (Attention au chien). Au nord, dans le Vicolo di Mercurio, la **Casa dei Vettii** recèle la représentation de Priape avec un énorme phallus.

De là, suivez la rue vers l'ouest et tournez à droite dans la Via Consolare, qui conduit en dehors de la ville par la **Porta Ercolano**. Dépassez la **Villa di Diomede**, puis tournez à droite pour arriver à la **Villa dei Misteri**, l'une des structures les plus complètes encore sur pied à Pompéi. La *Frise dionysiaque*, la plus importante fresque *in situ*, couvre les murs de la vaste salle à manger. L'une des plus grandes peintures antiques, elle décrit l'initiation d'une jeune épouse au culte de Dionysos, le dieu grec du Vin.

Le **Museo Vesuviano** (☎ 081 8 50 72 55 ; Via Bartolomeo 12 ; entrée libre ; ☾ 9h-13h lun-ven), au sud-est des fouilles, présente une belle collection d'artefacts.

Circuits organisés

Des guides vous proposeront sans doute leurs services devant la billetterie des *scavi*. Les guides autorisés portent un badge d'identification. **Casting** (☎ 081 850 07 49), **Gata** (☎ 081 861 56 61) et **Promo Touring** (☎ 081 850 88 55) font partie des tour-opérateurs fiables. Prévoyez de 100 à 120 € pour une visite de 2 heures, seul ou en groupe. **Torres Travel** (☎ 081 856 78 02 ; www.torrestravel.it ; Viale Mazzini 7 bis) propose également la visite de ruines, ainsi que des excursions à Naples, Capri, sur la côte amalfitaine et vers d'autres sites de la région.

Où se loger

Rien n'oblige à passer la nuit à Pompéi. Les ruines se visitent acilement dans la journée de Naples, Sorrente ou Salerne et, une fois le site fermé, les alentours manquent d'attrait. Si vous devez rester, nous recommandons les adresses suivantes :

Camping Spartacus (☎ 081 862 40 78 ; www.campingspartacus.it ; Via Plinio 117 ; empl 2 pers, tente et voiture 11-18 €, bungalows 30-35 € ; ☒ ☐ ☒). À 200 m de l'entrée des ruines, c'est le premier camping de Pompéi. Plantez votre tente à l'ombre des grands eucalyptus et des pins, ou choisissez l'un des bungalows sans prétention, tous avec clim et sdb.

VILLE ANTIQUE DE POMPÉI

0 ————— 400 m

RENSEIGNEMENTS
Poste de premiers secours	**1** D4
Police	**2** B4
Poste	**3** B4
Office du tourisme	**4** B4

À VOIR ET À FAIRE
Anfiteatro	**5** D3
Basilica	**6** B4
Casa dei Vettii	**7** B3
Casa del Fauno	**8** B3
Casa del Poeta Tragico	**9** B3
Casa della Venere in Conchiglia	**10** C3
Foro	**11** B4
Foro Triangolare	**12** C4
Granai del Foro	**13** B3

Grande Palestra	**14** D3
Lupanare	**15** B3
Macellum	**16** B3
Entrée Piazza Anfiteatro et billetterie	**17** D3
Porta Ercolano	**18** A3
Porta Marina	**19** B4
Entrée Porta Marina et billetterie	**20** A4
Quadriportico dei Teatri	**21** C4
Teatro Grande	**22** C4
Teatro Piccolo	**23** C4
Tempio di Apollo	**24** C4
Tempio di Giove	**25** B3
Tempio di Iside	**26** C4
Tempio di Venere	**27** B4
Terme Stabiane	**28** B3

Torres Travel	**29** C4
Villa dei Misteri	**30** A3
Villa di Diomede	**31** A3

OÙ SE LOGER 🏠
Camping Spartacus	**32** B4

OÙ SE RESTAURER 🍴
Canteen	**33** B3
Ristorante Lucullus	**34** B4

TRANSPORTS
Arrêt des bus pour le Vésuve	**35** B4
Arrêt des bus CSTP	**36** A4
Arrêt des bus Marozzi	**37** B4
Arrêt des bus SITA	**38** B4

Hotel Diana (☎ 081 863 12 64 ; www.pompeihotel.com ; Vicolo Sant'Abbondio 12 ; s €55-65, d 75-85 € ; 🅿 ❌ 🛜). À quelques pas de la gare Ferrovia dello Stato dans la Pompéi moderne, cet hôtel accueillant, tenu par une famille, offre 22 petites chambres propres et confortables, dont 9 flambant neuves. Le jardin planté d'agrumes est idéal pour se détendre.

Où se restaurer

La plupart des restaurants proches des ruines visent la clientèle des bus touristiques et n'ont guère de caractère. La ville moderne compte quelques restaurant plus plaisants, qui servent une excellente cuisine locale.

Ristorante Lucullus (☎ 081 861 30 55 ; Via Plinio 129 ; pizzas à partir de 6 €, repas 28 € ; 🕙 10h30-22h juin-sept,

10h30-16h mar-dim oct-mai). Près des ruines et en retrait de la grand-route, il se situe au bout d'une allée bordée de lauriers roses. Il offre de bonnes pizzas, des plats de viande classiques et de succulentes *penne Lucullus* (pâtes aux crevettes et au potiron).

President (☎ 081 850 72 45 ; Piazza Schettini 12 ; repas 35 € ; 🕙 fermé lun et dîner dim nov-fév, fermé 2 sem jan). Charmant restaurant dans la ville moderne, il propose une cuisine raffinée dans un cadre sélect. Les produits locaux entrent dans la composition de plats originaux, comme le mille-feuille d'aubergine avec des anchois de Cetara, de la mozzarella *filante* (fondue) et du *tarallo* (biscuit salé aux amandes) râpé. Les menus dégustation (de 40 à 70 €) sont un délice de gourmet.

Fermée lors de notre passage, la **cantine** (Via di Mercurio) dans les ruines devait rouvrir dans un proche avenir. Elle se tient près du Tempio di Giove.

Depuis/vers Pompéi

Des trains fréquents Circumvesuviana partent de la gare Pompeii-Scavi-Villa dei Misteri pour Naples (2,40 €, 40 min) et Sorrente (1,90 €, 30 min).

Des bus **SITA** (☎ 199730749 ; www.sitabus.it) circulent toutes les demi-heures depuis/vers Naples (2,40 €, 40 min). Le bus n°50 **CSTP** (☎ 800 016 659 ; www.cstp.it) rallie Salerne (1,90 €, 1 heure).

Chaque jour, deux bus **Marozzi** (☎ 080 579 01 11 ; www.marozzivt.it) partent pour Rome (16,50 €, 3 heures) de la Piazza Esedra.

Pour des informations sur le trajet depuis/vers le Vésuve, reportez-vous p. 669. Des bus à destination du Vésuve partent de la Piazza Anfiteatro et de la Piazza Porta Marina Inferiore.

En voiture, empruntez l'A3 à Naples jusqu'à la sortie Pompéi, puis suivez les panneaux indiquant Pompeii Scavi. Les parkings sont bien indiqués (environ 4 € l'heure).

SORRENTE (SORRENTO)

16 547 habitants

Destination pour les vacances au forfait, Sorrente compte peu de sites incontournables, ne possède pas de plage exceptionnelle et regorge de pubs à l'anglaise. Malgré cela, la ville reste étonnamment séduisante. Elle conserve une ambiance typique du sud de l'Italie, et son charme résiste à l'invasion des boutiques de souvenirs et aux constructions sans grâce.

Datant de l'époque grecque et appelée Surrentum par les Romains, Sorrente se distingue par son emplacement fabuleux. Perchée sur des falaises qui surplombent la baie de Naples et font face au Vésuve, elle constitue une base idéale pour explorer la région alentour : à l'ouest, une campagne étonnamment préservée et, au-delà, la côte amalfitaine ; au nord, Pompéi et les site archéologiques ; au large, Capri, l'île légendaire.

Selon la mythologie grecque, les sirènes vivaient dans les eaux au large de Sorrente. Les marins de l'antiquité ne pouvaient résister aux chants ensorcelants de ces créatures mi-femmes mi-poissons et se noyaient en tentant de les rejoindre. Selon Homère, Ulysse déjoua leurs maléfices en ordonnant à son équipage de se boucher les oreilles avec de la cire et en s'attachant au mât de son navire.

Orientation

Le Corso Italia, l'artère principale, coupe la Piazza Tasso, au centre de la ville. De la gare ferroviaire Circumvesuviana, parcourez 300 m vers le nord-ouest le long du Corso Italia pour rejoindre la place. De Marina Piccola, où accostent les ferries et les hydroglisseurs, empruntez la Via Marina Piccola vers le sud, puis grimpez environ 200 marches pour atteindre la place. Le Corso Italia devient la SS145 vers l'est en direction de Naples, et la Via Capo vers l'ouest.

Renseignements

Hôpital (☎ 081 533 11 11 ; Corso Italia 1)

Office du tourisme (☎ 081 807 40 33 ; Via Luigi De Maio 35 ; ☉ 8h45-18h15 lun-sam toute l'année, plus 8h45-12h45 dim août). Dans le Circolo dei Forestieri (club des Étrangers) ; de nombreuses brochures pratiques et un service de réservations hôtelières.

Police (☎ 081 807 53 11 ; Via Capasso 11)

Poste (☎ 081 877 08 34 ; Corso Italia 210)

Sorrento Info (☎ 081 807 40 00 ; Via Tasso 19 ; internet 4,50 €/heure ; ☉ 9h-13h et 17h-20h30 lun-sam mars-déc). Informations touristiques et accès Internet.

Sorrento Tour (www.sorrentotour.it). Site complet avec des informations sur le tourisme et les transports à Sorrente et dans les environs.

À voir et à faire

Le Corso Italia (fermé à la circulation de 10h à 13h et de 19h à 7h) part de la Piazza Tasso et traverse le *centro storico* dont les étroites ruelles sont bondées de touristes les soirs d'été. Ce quartier est rempli de boutiques de souvenirs, de cafés, d'églises et de restaurants.

Dans le Corso Italia, la blanche façade du **Duomo** (☎ 081 878 22 48 ; Corso Italia ; ☉ 8h-12h et 18h-20h) ne laisse pas soupçonner l'exubérance de l'intérieur. Remarquez le trône en marbre de l'évêque et les superbes stalles en bois du chœur. À l'extérieur, trois colonnes antiques sont intégrées dans l'arche qui soutient le clocher à trois niveaux.

Le cloître médiéval de la **Chiesa di San Francesco** (☎ 081 878 12 69 ; Via San Francesco ; ☉ 8h-13h et 14h-20h), l'un des plus beaux espaces de Sorrente, mérite le coup d'œil. Harmonieux mélange de styles architecturaux – deux côtés sont bordés d'arcades croisées du XIVᵉ siècle et les deux autres d'arches arrondies soutenues par des colonnes octogonales –, le cloître sert souvent utilisé pour des expositions et accueille des concerts en été. À côté, le **parc de la Villa Comunale** (☉ 8h-20h mi-oct à mi-avr, 8h-24h mi-avr à mi-oct), qui

SORRENTE (SORRENTO)

0 ———— 400 m

A	**B**	**C**	**D**

RENSEIGNEMENTS
Hôpital...................................1 A3
Police.....................................2 D3
Poste.....................................3 D3
Sorrento Info.........................4 B3
Office du tourisme.................5 C2

À VOIR ET À FAIRE
Chiesa di San Francesco.......6 B3
Duomo (cathédrale)..............7 B3
Gelateria David......................8 C3
Museo Bottega della Tarsia Lignea...9 B3
Museo Correale....................10 D2
Sic Sic.................................11 C2
Sorrento Diving Center.........12 C2
Parc de la Villa Comunale.....13 B2

OÙ SE LOGER
Casa Astarita........................14 B3
Hotel Linda..........................15 D3
Nube d'Argento....................16 A3

OÙ SE RESTAURER
Angelina Lauro.....................17 D3
Il Giardiniello.......................18 B3
In Bufalito...........................19 B3
Mondo Bio...........................20 D3
Ristorante Il Buco................21 C3

OÙ PRENDRE UN VERRE
Bollicine...............................22 B3
Café Latino..........................23 B3
Fauno Bar............................24 C3

OÙ SORTIR
Fauno Notte Club...........(voir 24)
Teatro Tasso........................25 C3

ACHATS
Gargiulo & Jannuzzi..............26 C3
Sapori e Colori......................27 C3

TRANSPORTS
Alilauro..........................(voir 30)
Gare routière des bus SITA....28 D3
Arrêt des bus touristiques...(voir 29)
Arrêt des bus Curreri et Marozzi...29 D3
Terminal des ferries
et des hydroglisseurs...........30 C2
Jolly Service & Rent..............31 D3
Linee Marittime Partenopee...(voir 30)
Metrò del Mare...............(voir 30)

jouxte le cloître, offre une vue splendide sur la mer jusqu'au Vésuve.

Vous admirerez une vue similaire du jardin du **Museo Correale** (☎ 081 878 18 46 ; www.museocorreale. com ; Via Correale 50 ; 8 € ; ☽ 9h-14h mer-lun), le principal musée de Sorrente. Il renferme une riche collection d'art napolitain des XVIIe et XIXe siècles, de céramiques japonaises, chinoises et européennes, de pendules, de meubles, ainsi que des artefacts grecs et romains.

Depuis le XVIIIe siècle, Sorrente est réputée pour ses meubles en marqueterie (*intarsio*), dont on peut admirer de magnifiques exemples au **Museo Bottega della Tarsia Lignea** (☎ 081 877 19 42 ; Via San Nicola 28 ; 8 € ; ☽ 10h-13h et 15h-18h lun-sam).

Vous pourrez apprendre à fabriquer des glaces à la **Gelateria David** (☎ 081 807 36 49 ; Via Marziale 19 ; cours 7 €), qui propose des cours de 1 heure. Les horaires varient selon la demande ; appelez ou renseignez-vous sur place.

Les plages de Sorrente n'ont rien d'extraordinaire. En ville, les deux principaux lieux de baignade sont **Marina Piccola** et, à l'est, **Marina Grande**. Plus séduisante, la plage rocheuse de **Bagni Regina Giovanna** se situe parmi les ruines de la villa romaine Pollio Felix. Vous pouvez

la rejoindre à pied en suivant la Via Capo vers l'ouest sur 2 km, ou prendre un bus Sita à destination de Massalubrense.

Pour trouver des endroits plus plaisants, vous aurez besoin d'un bateau. **Sic Sic** (☎ 081 807 22 83 ; www.nauticasicsic.com ; Marina Piccola ; ☽ mai-oct) loue diverses embarcations à partir de 32 € l'heure ou 95 € par jour (carburant en sus).

Le **Sorrento Diving Center** (☎ 081 877 48 12 ; www. sorrentodivingcenter.it ; Via Marina Piccola 63) propose des plongées (45 € la plongée) et un éventail de cours. Comptez 45 € pour une plongée et 95 € pour un cours d'une demi-journée.

Circuits organisés

City Sightseeing Sorrento (☎ 081 877 47 07 ; www. sorrento.city-sightseeing.it ; adulte/6-15 ans 15/7,50 €) propose un bus touristique dans Sorrente et aux alentours (montée et descente à volonté). Il part tous les jours à 9h30, 11h30, 13h30 et 15h30 de la Piazza De Curtis (gare Circumvesuviana). Billets en vente à bord, valables 6 heures.

Fêtes

La fête de Sant'Antonio, le saint patron de la ville, a lieu le 14 février et s'accompagne de processions et de gigantesques marchés. Le saint aurait sauvé Sorrente durant la Seconde Guerre mondiale, quand les bombardemnets dévastaient Salerne et Naples.

Les processions de la **Settimana Santa** (Semaine sainte) sont célèbres dans tout le pays. Les plus importantes se déroulent à minuit le Jeudi saint et durant le Vendredi saint.

Où se loger

La plupart des hébergements se regroupent dans le centre-ville ou le long de la Via Capo, la route côtière à l'ouest. En été, réservez longtemps à l'avance.

Nube d'Argento (☎ 081 878 13 44 ; www.nube-dargento.com ; Via Capo 21 ; empl 2 pers, tente et voiture 25-37 €, bungalow 2 pers 50-85 € ; ☾ mars-déc ; 🖳 🏊). Ce camping attrayant se situe à 1 km à l'ouest du centre-ville. Les emplacements et les bungalows en bois de style chalet sont disséminés sous les oliviers. Les équipements, dont une piscine en plein air, sont excellents.

Hotel Elios (☎ 081 878 18 12 ; Via Capo 33 ; s 40 €, d 60-70 € ; ☾ Pâques-nov). Tenue par un charmant propriétaire, cette *pensione* modeste et impeccable offre de grandes chambres lumineuses, dont quelques-unes avec balcon et vue splendide. Vous pourrez contempler le même panorama de la terrasse du rez-de chaussée.

Hotel Linda (☎ /fax 081 878 29 16 ; www.hotellinda.it ; Via degli Aranci 125 ; s/d 50/75 €). Dans un immeuble en béton quelconque, cette *pensione* accueillante propose des chambres un peu défraîchies, mais toutes dotées de l'essentiel et d'un balcon ; quelques-unes, plus grandes, s'agrémentent d'un canapé et d'un bureau. Des ventilateurs les rafraîchissent en été.

🏡 **Casa Astarita** (☎ 081 877 49 06 ; www.casastarita.com ; Corso Italia 67 ; ch 80-100 € ; 🍴 🖳). Central, ce ravissant B&B occupe un bâtiment du XVIᵉ siècle. Les 6 chambres, avec TV à écran plat, réfrigérateur et pression d'eau efficace, conservent des éléments de la structure d'origine et sont ornées d'œuvres d'art et d'antiquités. Elles entourent un salon central, où le petit-déj est servi sur une grande table rustique.

La Tonnarella (☎ 081 878 11 53 ; www.latonnarella.it ; Via Capo 31 ; d 150-190 €, ste 270-280 € ; ☾ avr-oct et Noël ; 🅿 🍴 🖳 📶). Splendide combinaison de carreaux en majolique bleue et jaune, d'antiquités, de lustres et de statues, cet hôtel possède une plage privée et un excellent restaurant en terrasse. La plupart des chambres, décorées selon des thèmes classiques, disposent d'un balcon ou d'une petite terrasse.

Où se restaurer

Ne manquez pas de goûter les *gnocchi alla sorrentina* (gnocchis en sauce tomate avec de la mozzarella), une spécialité locale.

Mondo Bio (☎ 081 807 56 94 ; Via degli Aranci 146 ; en-cas 3 €, pâtes 6,50 € ; ☾ 8h30-20h30 lun-sam). Promouvant les produits bio et végétariens, cette rutilante boutique et restaurant sert un nombre limité de plats. Le menu, écrit sur un tableau à l'extérieur, change tous les jours et peut comprendre une *zuppa di soia verde* (soupe de soja) et des *polpette di tofu* (boulettes de tofu).

Angelina Lauro (☎ 081 807 40 97 ; Piazza Angelina Lauro 39-40 ; repas self-service 12 € ; ☾ tlj juil-août, mer-lun sept-juin). S'il ressemble à un réfectoire, cet endroit est recommandé pour un déjeuner copieux et bon marché. Prenez un plateau et choisissez parmi les plats de pâtes, de viande et de légumes. Vous pouvez aussi commander à la carte, mais ce sera plus cher et moins bon.

Il Giardiniello (☎ 081 878 46 16 ; Via Accademia 7 ; pizza à partir de 3,50 €, repas 18 €). Des gravures religieuses, de vieilles photos de famille et quelques assiettes en céramique décorent la salle où l'on se régale de plats classiques comme les *pasta e fagioli* (pâtes et haricots blancs) et les *ravioli con spinaci e ricotta* (raviolis farcis d'épinards et de ricotta).

🏡 **In Bufalito** (☎ 338 1632921 ; Via Fuoro 21 ; repas 25 € ; ☾ fermé nov-fév). Dans ce superbe bar-restaurant Slow Food, vous savourerez les meilleurs produits locaux. Essayez la fondue sorrentine au fromage, le carpaccio de buffle ou la *salsiccia* (saucisse) avec des brocolis. Des dégustations de fromage ont lieu régulièrement, de même que des expositions d'art et de photos et parfois des concerts.

Ristorante Il Buco (☎ 081 878 23 54 ; Rampa Marina Piccola 5 ; repas 55 € ; ☾ jeu-mar fév-déc). Installé dans un ancien cellier de moines, ce restaurant, étoilé par le Michelin, sert une cuisine régionale créative. Attendez-vous à des préparations originales, comme des pâtes sauce rascasse ou du *treccia* (fromage de la région) avec des crevettes. Réservation recommandée.

Où prendre un verre

Des bars à vin lambrissés aux cafés qui servent des cocktails, vous n'aurez que l'embarras du choix.

Bollicine (☎ 081 878 46 16 ; Via dell'Accademia 9). Des caisses de bouteilles s'entassent dans les coins de ce bar à vin sans prétention, tapissé de bois sombre. L'aimable barman vous aidera à faire

CAMPANIE

votre choix parmi les grands crus italiens et les vins régionaux. Une carte réduite propose des *panini,* des *bruschette* et des plats de pâtes.

Café Latino (☎ 081 878 37 18 ; Vico I Fuoro 4a). Dans ce café très romantique, asseyez-vous parmi les orangers et les citronniers. Si vous ne parvenez pas à partir, vous pouvez dîner sur place (repas 30 €).

Fauno Bar (☎ 081 878 11 35 ; Piazza Tasso). Idéal pour regarder l'animation, cet élégant café occupe la moitié de la Piazza Tasso. Attendez-vous à des prix élevés – à partir de 8,50 € pour un cocktail et au moins 7 € pour un en-cas ou un sandwich.

Où sortir

En été, des concerts ont lieu dans le cloître de la Chiesa di San Francesco. Le **Teatro Tasso** (☎ 081 807 55 25 ; www.teatrotasso.com ; Piazza Sant'Antonino) propose Sorrento Musical (28 €), une revue de chansons napolitaines classiques, comme *O Sole Mio.* Le spectacle dure 75 min et commence à 21h30 du lundi au samedi, de mars à octobre.

Concurrent direct du Teatro Tasso, le **Fauno Notte Club** (☎ 081 878 10 21 ; www.faunonotte.it ; Piazza Tasso 1) offre "un fantastique voyage à travers l'histoire, les légendes et le folklore", cinq siècles d'histoire napolitaine en musique.

Achats

Les rues piétonnes du *centro storico* sont jalonnées de boutiques. Vous trouverez de nombreux objets en marqueterie chez **Gargiulo & Jannuzzi** (☎ 081 878 10 41 ; Viale Enrico Caruso 1), un ancien entrepôt et boutique près de la Piazza Tasso. **Sapori e Colori** (☎ 081 878 42 78 ; Via San Cesareo 57), dans le centre historique, vend du *limoncello* au litre.

Depuis/vers Sorrente

BATEAU

Principal point de départ pour Capri, Sorrente offre d'excellents services de ferry vers Naples, Ischia et les stations balnéaires de la côte amalfitaine. **Alilauro** (☎ 081 878 14 30 ; www.alilauro.it) propose jusqu'à 7 hydroglisseurs par jour entre Naples et Sorrente (9 €, 35 min). Plus lent, **Metrò del Mare** (☎ 199 600700 ; www. metrodelmare.com) effectue le même trajet (6,50 €, 1 heure, 4/jour). D'avril à novembre, **Linee Marittime Partenopee** (☎ 081 704 19 11 ; www.consorziolmp.it) offre des hydroglisseurs de Sorrente à Capri (13,50 €, 20 min, 23/jour).

Les ferries et hydroglisseurs partent du port de Marina Piccola, où l'on achète les billets.

BUS

Chaque jour, 6 bus **Curreri** (☎ 081 801 54 20 ; www. curreriviaggi.it) relient l'aéroport de Capodichino à Naples et Sorrente ; ils partent devant le hall des arrivées et arrivent sur la Piazza Angelina Lauro (10 €, 75 min). Achetez votre billet à bord.

Des bus **SITA** (☎ 199 730749 ; www.sitabus. it) desservent Naples (3,30 €, 1 heure 20), la côte amalfitaine et Sant'Agata sui due Golfi. Ils partent devant la gare ferroviaire Circumvesuviana. Achetez votre billet au bar de la gare ou dans les boutiques arborant le sigle bleu SITA. Chaque jour, au moins 11 bus circulent entre Sorrente et Amalfi (2,50 €, 1 heure 30), via Positano (1,50 €, 50 min). Changez à Amalfi pour Ravello.

Marozzi (☎ 080 579 01 11 ; www.marozzivt.it) offre en semaine 2 bus par jour depuis/vers Rome (17,50 €).

TRAIN

Des trains **Circumvesuviana** (☎ 080 579 01 11 ; www.marozzivt.it) relient toutes les demi-heures Sorrente et Naples (3,30 €) via Pompéi (1,90 €) et Ercolano (1,90 €).

Comment circuler

La ligne B des bus locaux relie la Piazza Tasso et le port de Marina Piccola (1,10 €).

Jolly Service & Rent (☎ 081 877 34 50 ; www.jollyrent. eu ; Via degli Aranci 180) loue des voitures à partir de 50 € par jour et des scooters 50 cm^3 à partir de 25 €.

Pour un taxi, appelez le ☎ 081 878 22 04.

OUEST DE SORRENTE

La campagne à l'ouest de Sorrente est l'essence même du sud de l'Italie. Des routes sinueuses serpentent parmi les collines couvertes d'oliviers et de citronniers, et traversent des villages somnolents et des petits ports de pêche. Des vues splendides se dévoilent à chaque tournant, notamment à Sant'Agara sui due Golfi et sur les hauteurs qui surplombent Punta Campanella, la pointe ouest de la péninsule sorrentine.

Sant'Agata sui due Golfi

Haut perché dans les collines au-dessus de Sorrente, Sant'Agata sui due Golfi offre une vue spectaculaire sur la baie de Naples d'un côté, et la baie de Salerne de l'autre, d'où son nom (Sainte-Agathe des deux Golfes). Le **Deserto** (☎ 081 878 01 99 ; Via Deserto ; ⏰ 8h30-12h30 t 16h-21h avr-sept, 8h30-12h30 et 14h30-16h30 oct-mars), un couvent carmélite à 1,5 km au-dessus du village, constitue le meilleur point de vue.

Du village, un court trajet en voiture (ou une longue marche) conduit à l'**Agriturismo Le Tore** (☎ 081 808 06 37 ; www.letore.com ; Via Pontone 43 ; 80-90 €, d 90-110 €, dîner 25-30 € ; ☺ Pâques à mi-nov ; ℗), une ferme bio en activité, entourée d'arbres fruitiers. Dans un cadre charmant, elle propose 8 grandes chambres, un appartement pouvant loger 5 personnes (de 700 à 1 000 € la semaine) et un accueil chaleureux.

De Sorrente, un joli chemin de 3 km (1 heure environ) grimpe vers Sant'Agata. Vous pouvez aussi prendre un bus SITA, qui part toutes les heures de la gare ferroviaire Circumvesuviana.

Marina del Cantone

De Sorrente, suivez la route côtière jusqu'à **Termini**. Arrêtez-vous un moment pour contempler la vue avant de continuer vers **Nerano**. De là, un superbe chemin de randonnée descend vers la **baie de Ieranto**, l'un des plus beaux lieux de baignade de la côte, et **Marina del Cantone**. Ce village, doté d'une petite plage de galets, est un endroit charmant et tranquille, réputé pour la plongée.

Nettuno Diving (☎ 081 808 10 51 ; www.sorrentodiving.com ; Via Vespucci 39) propose diverses activités sous-marines : snorkeling, excursions, cours d'initiation et plongée dans les grottes. Les tarifs débutent à 20 € (adulte) pour une sortie d'une journée dans la baie de Leranto.

Parmi les oliviers à l'entrée du village, le **Villaggio Residence Nettuno** (☎ 081 808 10 51 ; www.villaggionettuno.it, www.torreturbolo.com ; Via Vespucci 39 ; empl 2 pers, tente et voiture 22,50-31 €, bungalow à partir de 50 €, app à partir de 80 € ; ☺ mars-début nov ; ℗ ⌘ 🖥 🛜 🍴) propose des emplacements, des bungalows pour 2 à 8 personnes, des mobile homes pour 2 à 4 personnes, et des appartements dans une tour du XVIe siècle pour 2 à 5 personnes.

Le village est renommé pour sa cuisine gastronomique et des VIP viennent régulièrement de Capri y dîner. Très couru, **Lo Scoglio** ☎ 081 808 10 26 ; Marina del Cantone ; repas 50 €) sert de fabuleux plats de poisson, comme l'antipasto de poisson cru (24 €) et les sublimes *spaghetti al riccio* (spaghettis aux oursins).

Des bus SITA circulent régulièrement entre Sorrente et Marina del Cantone (indiqué Nerano Cantone sur les horaires ; 1,10 €, 1 heure).

CÔTE AMALFITAINE

S'étirant sur 50 km au sud de la péninsule sorrentine, la côte amalfitaine (Costiera amalfitana) est l'une des plus belles d'Europe. Les falaises en terrasses, plantées de citronniers, plongent dans une eau étincelante, des villas couleur de sorbet s'accrochent aux versants escarpés, tandis que la mer et le ciel se fondent dans un vaste horizon bleuté.

Toutefois, ce relief tourmenté n'a pas toujours été une bénédiction. Puissance maritime du du IXe au XIIe siècle, la région sombra dans la pauvreté au cours des siècles suivants et ses villages isolés furent régulièrement victimes d'incursions étrangères, de séismes et de glissements de terrain. Puis, cet isolement séduisit les visiteurs au début du XXe siècle, et le tourisme se développa durant la seconde moitié du siècle. Aujourd'hui, la côte amalfitaine est l'une des premières destinations touristiques du pays, prisée de la jet-set et des amoureux.

Le printemps ou le début de l'automne constituent les meilleures périodes pour la visiter. En été, l'unique route côtière (SS163) est encombrée et les prix s'envolent. En hiver, la plupart des établissements ferment.

Depuis/vers la côte amalfitaine
BATEAU
Entre avril et octobre, les liaisons maritimes avec les villes de la côte amalfitaine se raréfient. De Naples, **Metrò del Mare** (☎ 199 446644 ; www.metrodelmare.com) dessert Sorrente (6,50 €, 3/jour), Positano (14 €, 4/jour), Amalfi (15 €, 6/jour) et Salerne (16 €, 2/jour) uniquement en été. **TraVelMar** (☎ 089 87 29 50) relie Salerne à Amalfi (7 €) et à Positano (9 €).

BUS
Des bus réguliers circulent le long de la côte toute l'année. **SITA** (☎ 199 730749 ; www.sitabus.it) offre des services fréquents le long de la SS163 entre Sorrente et Salerne (3 €), via Amalfi. Des bus relient également Rome et la côte amalfitaine jusqu'à Salerne.

TRAIN
De Naples, vous pouvez prendre la Circumvesuviana jusqu'à Sorrente ou un train Trenitalia jusqu'à Salerne, et continuer le long de la côte amalfitaine avec les bus SITA à l'est ou à l'ouest.

CAMPANIE

VOITURE ET MOTO

Si vous arrivez du nord, quittez l'A3 à Vietri sul Mare et suivez la SS163 qui longe la côte. Si vous venez du sud, sortez de l'A3 à Salerne et rejoignez Vietri sul Mare et la SS163.

POSITANO
3 872 habitants

Joyau de la côte, Positano est la ville la plus photogénique et la plus chère. Ses maisons serrées, couleurs pêche, rose et ocre, s'étagent le long de rues quasi verticales (parfois remplacées par des escaliers), bordées de boutiques chics, de bijouteries, d'hôtels et de restaurants élégants. Un regard plus attentif permet de déceler les signes rassurants d'une réalité quotidienne : stucs écaillés, peintures défraîchies et même, à l'occasion, une vague odeur d'égouts.

John Steinbeck, l'un des premiers visiteurs, écrivait en 1953 : "Positano marque profondément. C'est un endroit de rêve qui ne semble pas réel quand vous y êtes, mais le devient bel et bien une fois que vous l'avez quitté." Ces mots restent d'actualité plus de 50 ans après.

Orientation

Positano est divisée par une falaise que coiffe la Torre Trasita (tour Trasita). À l'ouest se situent le quartier le moins cher et la Spiaggia del Fornillo, une petite plage moins bondée, et à l'est le centre-ville et la Spiaggia Grande.

Vous vous repérerez facilement : la Via Marconi prolonge la route côtière SS163 et forme un fer à cheval au-dessus et autour de la ville. Le Viale Pasitea, à sens unique, dessine une seconde boucle plus bas ; partant de la Via Marconi vers l'ouest en direction du centre-ville, il devient la Via Colombo quand il remonte vers la Via Marconi et la SS163. En bas du Viale Pasitea, la Via dei Mulini bifurque pour descendre vers la Spiaggia Grande.

Renseignements

La Brezza (☎ 089 87 58 11 ; Via del Brigantino 1 ; 3 €/15 min ; ⏰ 10h-22h mars-déc). Petite boutique de céramiques avec accès à Internet.
Office du tourisme (☎ 089 87 50 67 ; www. aziendaturismopositano.it ; Via del Saracino 4 ; ⏰ 8h-14h et 15h30-20h lun-sam avr-oct, 9h-15h lun-ven nov-mars)
Police (☎ 089 87 50 11 ; angle Via Marconi et Viale Pasitea)
Positano.com (www.positano.com). Un site qui comprend des listes d'hôtels et de restaurants, des itinéraires et des informations sur les transports.
Poste (☎ 089 87 51 42 ; Via Marconi 318)

À voir et à faire

Avec un dôme couvert de tuiles en céramique, la **Chiesa di Santa Maria Assunta** (Piazza Flavio Gioia ; ⏰ 8h-12h et 15h30-19h) est l'édifice le plus connu de la ville et son unique curiosité. À l'intérieur, des piliers surmontés de chapiteaux dorés rompent les lignes classiques, tandis que des chérubins veillent au sommet de chaque arcade. Au-dessus du maître-autel, une Vierge noire à l'Enfant, byzantine, date du XIIIe siècle.

À quelques pas de l'église, la **Spiaggia Grande**, couverte de sable gris, n'a rien d'exceptionnel, mais le cadre est splendide et l'eau limpide. Louer une chaise longue et un parasol dans les secteurs délimités revient à 18 € par jour. Cependant, les parties publiques, bondées, sont gratuites.

Installé dans un kiosque sur la Spiaggia Grande, **Blue Star** (☎ 089 81 18 89 ; www.bluestarpositano.it ; Spiaggia Grande ; ⏰ 9h-20h Pâques-nov) loue des petits bateaux à moteur pour environ 55 € l'heure et organise des excursions à Capri et à la Grotta dello Smeraldo (p. 682). **L'Uomo e il Mare** (☎ 089 81 16 13 ; www.gennaroesalvatore.it ⏰ 9h-20h Pâques-nov), dans un kiosque proche du terminal des ferries, propose divers circuits, dont une excursion d'une journée à Capri et Amalfi (80 €, déjeuner compris) et une croisière romantique au crépuscule, avec champagne, aux îles Li Galli (24 €).

Le **Centro Sub Costiera Amalfitana** (☎ 089 81 21 48 ; www.centrosub.it), sur la Spiaggia del Fornillo, offre des plongées (60 € les 2 heures) et des cours pour adultes et enfants.

Où se loger

La plupart des hôtels sont des trois-étoiles et plus, aux prix toujours élevés. Les hébergements meilleur marché sont moins nombreux et doivent se réserver longtemps à l'avance en été. À l'office du tourisme, renseignez-vous sur les chambres ou appartements chez l'habitant.

Hostel Brikette (☎ 089 87 58 57 ; www.brikette.com ; Via Marconi 358 ; dort 23-25 €, d 65-85 €, app 115-180 € ; ⏰ fin mars-nov ; 🖥 📶). Non loin de l'arrêt de bus Bar Internazionale sur la route côtière, cette auberge de jeunesse accueillante offre l'hébergement le moins cher de la ville. Elle propose des dortoirs de 6 à 8 lits (mixtes et non-mixtes), des chambres doubles et des appartements pour 2 à 5 personnes. Laverie, Wi-Fi gratuit et consigne à bagages.

💙 **Pensione Maria Luisa** (☎ 089 87 50 23 ; www.pensionemarialuisa.com ; Via Fornillo 42 ; s 50 €, d 70-80 € ; 🖥)

RANDONNÉES SUR LA CÔTE

S'élevant abruptement de la côte, les monts Lattari, couverts d'épaisses forêts, offrent de splendides randonnées. Un remarquable réseau de sentiers traverse cette région de pics vertigineux et grimpe vers des fermes isolées à travers de superbes vallées sauvages. Attendez-vous toutefois à des marches fatigantes et à de longues grimpées ponctuées d'interminables volées de marches.

Itinéraire le plus connu, le Sentiero degli Dei (sentier des Dieux ; 12 km, 5 heures 30-6 heures) suit des chemins escarpés, souvent rocailleux, entre Positano et Praiano. Spectaculaire, il passe par des secteurs parmi les moins développés de la région. Il est signalé par des bandes rouges et blanches peintes sur des arbres et des rochers ; par endroits, ces repères commencent à s'effacer et se discernent difficilement. Les offices du tourisme locaux distribuent trois excellentes brochures qui contiennent une carte de cet itinéraire et décrivent les randonnées les plus prisées de la région, dont la fameuse *Via degli Incanti* (chemin des Charmes), d'Amalfi à Positano.

À l'ouest, la pointe de la péninsule sorrentine constitue un autre site privilégié pour la randonnée. Quelque 110 km de sentiers sillonnent la région, reliant le littoral à l'arrière-pays. Les itinéraires s'échelonnent d'épuisantes marches d'une journée, comme l'Alta Via dei Monti Lattari des monts Fontanelle près de Positano jusqu'à Punta Campenella (14,1 km), aux courtes promenades à entreprendre en famille. Les offices du tourisme de la région fournissent des cartes détaillées des itinéraires, signalés par des couleurs. À l'exception de l'Alta Via dei Monti Lattari (marquée en rouge et blanc), les longs itinéraires sont indiqués en rouge sur la carte, les sentiers d'une côte à l'autre en bleu, ceux qui relient des villages en vert et les itinéraires circulaires en jaune.

Avant de vous lancer dans l'une des randonnées les plus difficiles, investissez dans une carte plus précise, comme celle du CAI (Club Alpino Italiano) *Monti Lattari, Peninsola Sorrentina, Costiera Amalfitana: Carta dei Sentieri* au 1/30 000 (8 €).

Meilleure adresse en ville pour les petits budgets, cette pension offre des chambres et des sdb récemment rénovées, avec de jolis carrelages bleus et de nouveaux équipements ; celles dotées d'une terrasse privée donnant sur la baie méritent les 10 € de plus. Un espace commun ensoleillé et un propriétaire chaleureux et serviable constituent des atouts supplémentaires.

Villa Nettuno (☎ 089 87 54 01 ; www.villanettunopositano.it ; Viale Pasitea 208 ; s/d 70/85 €). Cachée derrière des feuillages, la Villa Nettuno ne manque pas de charme. Les chambres aménagées dans l'aile ancienne, vieille de 300 ans, comportent de lourds meubles rustiques, des armoires peintes et partagent une terrasse commune ; celles de la partie rénovée, d'un bon rapport qualité/prix, sont moins intéressantes. Cependant, l'ameublement reste secondaire quand on contemple la mer de son lit !

Hotel Ristorante Pupetto (☎ 089 87 50 87 ; www.hotelpupetto.it ; Via Fornillo 37 ; s 90-100 €, d 130-170 € ; 🕐 avr à mi-nov; P 💻). Surplombant la Spiaggia del Fornillo, cet hôtel est le plus proche de la plage. Animé et chaleureux, il fait partie d'un vaste complexe balnéaire, avec des chambres rénovées et ensoleillées donnant sur la mer, un restaurant en terrasse fréquenté (repas 25 €) et un bar au décor nautique.

Hotel Palazzo Murat (☎ 089 87 51 77 ; www.palazzomurat.it ; Via dei Mulini 23 ; s 120-250 €, d 150-375 € ; 🌐 🛜). Cet hôtel haut de gamme occupe l'ancien *palazzo* de Murat, beau-frère de Napoléon et éphémère roi de Naples. Entouré d'un jardin luxuriant, il possède des chambres à l'élégance classique, ornées d'antiquités, de tableaux originaux et d'une profusion de marbre. Connexion Wi-Fi dans la cour centrale.

Où se restaurer

La plupart des restaurants, bars et trattorias ferment en hiver et rouvrent brièvement pour les fêtes de fin d'année. Presque tous visent essentiellement la clientèle touristique.

♥ Da Costantino (☎ 089 87 57 38 ; Via Montepertuso ; pizza à partir de 4 €, repas 20 € ; 🕐 jeu-mar). À 300 m au nord de l'Hostel Brikette, cette trattoria fréquentée est l'un des rares établissements authentiques de la ville. Elle sert une bonne cuisine simple, dont de délicieuses *scialatielli* (larges pâtes plates) avec aubergines, tomates et mozzarella, et d'excellentes pizzas.

Il Saraceno d'Oro (☎ 089 81 20 50 ; Viale Pasitea 254 ; pizza à partir de 5 €, repas 25 € ; 🕐 mars-oct). Animé et populaire, il doit son succès à un service sympathique, une cuisine classique et réussie et des prix raisonnables. Les pizzas et les pâtes sont savoureuses et les desserts, sucrés à souhait. Le

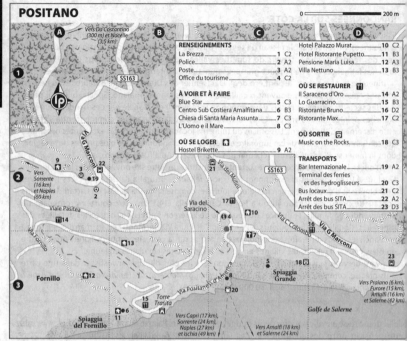

POSITANO

0 ——— 200 m

RENSEIGNEMENTS
La Brezza..**1** C2
Police..**2** A2
Poste...**3** A2
Office du tourisme.............................**4** C2

À VOIR ET À FAIRE
Blue Star..**5** C3
Centro Sub Costiera Amalfitana......**6** B3
Chiesa di Santa Maria Assunta.........**7** C3
L'Uomo e il Mare...............................**8** C3

OÙ SE LOGER
Hostel Brikette..................................**9** A2

Hotel Palazzo Murat.........................**10** C2
Hotel Ristorante Pupetto..................**11** B3
Pensione Maria Luisa.......................**12** A3
Villa Nettuno....................................**13** B3

OÙ SE RESTAURER
Il Saraceno d'Oro.............................**14** A2
Lo Guarracino...................................**15** B3
Ristorante Bruno..............................**16** D2
Ristorante Max..................................**17** C2

OÙ SORTIR
Music on the Rocks...........................**18** C3

TRANSPORTS
Bar Internazionale............................**19** A2
Terminal des ferries
   et des hydroglisseurs....................**20** C3
Bus locaux...**21** C2
Arrêt des bus SITA............................**22** A2
Arrêt des bus SITA............................**23** D3

Vers Da Costantino
(300 m) et Nocelle
(3,5 km)

SS163

Vers
Sorrente
(16 km)
et Naples
(60 km)

Viale Pasitea

Via G Marconi

Via dei Mulini

SS163

Via del
Saracino

Via C Colombo

Via G Marconi

Fornillo

Spiaggia
del Fornillo

Torre
Trasita

Via Positanesi d'America

Spiaggia
Grande

Golfe de Salerne

Vers Capri (17 km),
Sorrente (24 km),
Naples (27 km)
et Ischia (49 km)

Vers Amalfi (18 km)
et Salerne (24 km)

Vers Praiano (6 km),
Furore (15 km),
Amalfi (16 km)
et Salerne (42 km)

verre de *limoncello* offert en digestif ponctue agréablement le repas.

Ristorante Bruno (☎ 089 87 53 92 ; Via Colombo 157 ; repas 28 € ; ☺ fermé déj jeu et nov-jan). Ne vous laissez pas rebuter par le cadre quelconque : ce restaurant modeste offre de succulents plats de poisson. Installez-vous à une table de l'autre côté de la rue et admirez la vue sur Positano en vous régalant de spécialités maison, comme l'antipasto de poisson mariné avec des légumes, de l'orange et du parmesan, puis un poisson grillé au citron.

Lo Guarracino (☎ 089 87 57 94 ; Via Positanesi d'America ; pizza à partir de 8,50 €, repas 30 € ; ☺ mars-déc). Sur le joli chemin qui relie les deux plages, ce restaurant vous laissera un souvenir impérissable pour la vue plutôt que pour la cuisine, sans surprise. Sur la carte figurent des plats à base de poissons, comme les *tagliatelle verdi ai frutti di mare* (tagliatelles vertes aux fruits de mer), mais aussi des pizzas et des steaks. Réservation conseillée.

Ristorante Max (☎ 089 87 50 56 ; Via dei Mulini 22 ; repas 40 € ; ☺ mars-nov). Admirez les œuvres d'art en étudiant la carte de ce restaurant prisé des "dames qui déjeunent". Il propose des menus

et des plats du jour, comme les raviolis aux palourdes et asperges, ou les fleurs de courgette farcies de ricotta et de saumon. Des cours de cuisine sont organisés en été.

Où sortir

La vie nocturne est, en règle générale, respectable, sophistiquée et sûre.

Music on the Rocks (☎ 089 87 58 74 ; www.musicontherocks.it ; Via Grotte dell'Incanto 51 ; 10-25 € ; ☺ Pâques-oct). Installée dans une tour à l'est de la Spiaggia Grande, cette discothèque ultrachic séduit une clientèle élégante ; certains des meilleurs DJ de la région mixent house et disco.

Comment s'y rendre et circuler

SITA offre des bus fréquents depuis/vers Amalfi (1,40 €, 40-50 min) et Sorrente (1,40 €, 1 heure). Les bus vous déposent à l'un des deux principaux arrêts : en provenance de Sorrente et de l'ouest, en face du Bar Internazionale ; en arrivant d'Amalfi et de l'est, en haut de la Via Colombo. Achetez vos billets au Bar Internazionale ou, si vous allez vers l'est, au bureau de tabac en bas de la Via Colombo.

Entre avril et octobre, des ferries relient tous les jours Positano à Amalfi (6 €, 15 min, 6/jour), Sorrente (9 €, 5/jour), Salerne (8,50 €, 70 min, 5/jour), Naples (14 €, 4/jour) et Capri (15,50 €, 45 min, 5/jour).

On se déplace essentiellement à pied dans Positano. Des dizaines d'escaliers et de rues étroites, interdites à la circulation, rendent la promenade plaisante. Un bus orange parcourt la boucle inférieure toutes les demi-heures en passant par le Viale Pasitea, la Via Colombo et la Via Marconi ; il dessert les deux arrêts des bus SITA. Les billets (1,10 €) s'achètent à bord.

ENVIRONS DE POSITANO
Nocelle

Petit village de montagne toujours isolé, Nocelle (450 m) offre une vue spectaculaire sur la côte. À mille lieues de l'effervescence touristique de Positano, la vie s'y déroule paisiblement et les habitants chérissent cette tranquillité.

Pour le rejoindre, le plus simple consiste à prendre un bus local à Positano (1,10 €, 30 min, 17/jour). Les randonneurs qui empruntent le Sentiero degli Dei (voir p. 679) pourront en chemin déjeuner à la **Trattoria Santa Croce** (☎ 089 81 12 60 ; repas 25 € ; ◷ été).

Praiano et Furore

Ancien village de pêcheurs, **Praiano** possède l'une des plages les plus prisées de la côte, Marina di Praia. De la SS163 (près de l'Hotel Continentale), prenez le sentier abrupt qui descend le long des falaises vers une petite crique couverte de sable rugueux et baignée d'une eau d'un bleu profond.

Sur la route côtière à l'est de Praiano, l'**Hotel Pensione Continental** (☎ 089 87 40 84 ; www.continental.praiano.it ; Via Roma 21 ; empl 2 pers, tente et voiture 35-40 €, s 45-65 €, d 70-90 €, app 500-1 500 €/sem ; ◷ camping avr-oct, ch et app toute l'année) offre un choix complet d'hébergements : des chambres blanches donnant sur la mer, des appartements pouvant accueillir jusqu'à 6 personnes, et 12 emplacements de camping sur des terrasses herbeuses. De la dernière terrasse, un escalier privé descend vers une plate-forme rocheuse en bord de mer. Un arrêt de bus se situe devant l'hôtel.

Quelques kilomètres plus loin, **Marina di Furore** s'étend au fond de ce que l'on appelle le fjord de Furore, une fissure géante dans les monts Lattari. Le village principal se tient 300 m plus haut, dans les Vallone del Furore

supérieures. Peu fréquenté des touristes, il conserve une ambiance rurale malgré les peintures murales colorées et une improbable sculpture moderne.

Pour le rejoindre en voiture, suivez la SS163, puis la SS366 en direction d'Agerola ; le village se situe à 15 km de Positano. Des bus SITA partent régulièrement de la gare routière d'Amalfi (1,10 €, 30 min, 17/jour).

AMALFI
5 527 habitants

Jolie bourgade aux places ensoleillées, dotée d'une petite plage, Amalfi fut autrefois une superpuissance maritime avec une population de plus de 70 000 âmes. Vingt minutes suffisent pour traverser à pied cette ville, qui compte très peu de bâtiments historiques. L'explication est terrifiante : la majeure partie de la vieille ville et ses habitants furent précipités dans la mer lors d'un séisme en 1343.

Aujourd'hui, la population augmente significativement en été, quand des excursionnistes arrivent par bus entiers.

De l'autre côté du cap, Atrani est un pittoresque labyrinthe de ruelles et d'arcades blanchies à la chaux autour d'une place animée et d'une plage fréquentée.

Orientation

Bus et bateaux vous déposent sur la Piazza Flavio Gioia, le principal carrefour des transports. Traversez la rue pour rejoindre la Piazza del Duomo, le point central de la ville. La plupart des hôtels et des restaurants sont installés dans les ruelles de part et d'autre de l'artère principale, la Via d'Amalfi, et son prolongement, la Via Capuano, qui serpente au nord de la cathédrale. En bord de mer, le Corso delle Repubbliche Marinare suit la côte vers l'est et devient la Via Pantaleone Comite en se dirigeant vers la tour sarrasine et Atrani.

Renseignements

Amalfi Servizi Express (☎ 089 87 34 47 ; Piazza dei Dogi 8 ; 3 €/15 min ; ◷ 9h30-13h30 et 16h30-20h lun-sam, fermé jeu soir). Accès à Internet.

Office du tourisme (☎ 089 87 11 07 ; www.amalfitourist office.it ; Corso delle Repubbliche Marinare 33 ; ◷ 8h30-13h30 et 15h-17h15 lun-ven, 8h30-12h sam sept-juin, 8h30-13h30 et 15h-19h15 lun-ven, 8h30-12h sam juil.-août). Informations sur les horaires de bus et de ferries.

Poste (☎ 089 830 48 31 ; Corso delle Repubbliche Marinare 31). À côté de l'office du tourisme.

CAMPANIE

À voir et à faire

Dominant la Piazza del Duomo, l'emblématique **Cattedrale di Sant'Andrea** (☎ 089 87 10 59 ; Piazza del Duomo ; 🕑 9h-19h avr-juin, 9h-21h juil-sept, 9h30-17h15 oct et mars, 10h-13h et 14h30-16h30 nov-dév) se tient au sommet d'une longue volée de marches. Elle date en partie du début du Xᵉ siècle, mais sa façade rayée a été reconstruite deux fois, le plus récemment à la fin du XIXᵉ siècle. Mélange de styles architecturaux, sa maçonnerie à deux tons est largement arabo-normande sicilienne, tandis que l'intérieur, moins exceptionnel, est purement baroque. En haute saison, on entre de 10h à 17h par le Chiostro del Paradiso adjacent.

À gauche du porche de la cathédrale, le petit **Chiostro del Paradiso** (☎ 089 87 13 24 ; 2,50 € ; 🕑 9h-19h juin-oct, 9h-13h et 14h30-16h30 nov-mai) fut édifié en 1266 pour abriter les tombes d'illustres citoyens d'Amalfi.

Dans l'hôtel de ville, le **Museo Civico** (☎ 089 87 10 66 ; Piazza Municipio ; entrée libre ; 🕑 8h30-13h lun-ven) comporte une salle ; il présente les *Tavole Amalfitane* (Tables amalfitaines), un manuscrit du code maritime de la ville, et d'autres documents historiques.

Installé dans un moulin à papier du XIIIᵉ siècle (le plus ancien d'Europe), le fascinant **Museo della Carta** (musée du Papier ; ☎ 089 830 45 61 ; www.museodellacarta.it ; Via delle Cartiere ; 4 € ; 🕑 10h-18h30 avr à mi-nov, 10h-15h mar, mer et ven-dim mi-nov à mars) conserve les presses à papier d'origine toujours en état de marche, comme vous pourrez le constater au cours de la visite guidée de 15 minutes.

Souvenir de l'époque de la puissance maritime, l'immense **arsenal** (Via Matteo Camera) accueille aujourd'hui des expositions temporaires ; les horaires varient selon les expositions.

La plage n'a rien d'extraordinaire ; pour la baignade, mieux vaut louer un bateau auprès de l'un des opérateurs installés le long de Lungomare dei Cavalieri ; comptez environ 50 € les 2 heures.

À 4 km à l'ouest d'Amalfi, Conca dei Marini abrite la **Grotta dello Smeraldo** (6 € ; 🕑 9h-16h mars-oct, 9h-15h nov-fév), une grotte splendide baignée d'une eau couleur émeraude. Des bus SITA desservent régulièrement le parking au-dessus de l'entrée de la grotte (d'où un ascenseur et des marches descendent jusqu'aux canots). **Coop Sant'Andrea** (☎ 089 87 31 90 ; www.coopsantandrea.it ; Lungomare dei Cavalieri 1) propose deux fois par jour l'excursion en bateau d'Amalfi (aller-retour 14 €, 1 heure 30) à 9h et 15h30.

Fêtes et festivals

Chaque année, le 24 décembre et le 6 janvier des plongeurs venus de toute l'Italie se rendent en pèlerinage à la crèche en céramique immergée dans la Grotta dello Smeraldo.

Le premier dimanche de juin, la **régate des quatre anciennes Républiques maritimes** se déroule alternativement à Amalfi, Venise, Pise et Gênes. Elle aura lieu à Amalfi en 2013.

Où se loger

A'Scalinatella Hostel (☎ 089 87 14 92 ; www.hostelscalinatella.com ; Piazza Umberto I, Atrani ; dort 20-25 €, s 35-50 € d 70-90 €). De l'autre côté du cap à Atrani, cette adresse sans prétention propose des dortoirs, des chambres et des appartements dispersés dans le village. Le petit déjeuner est compris, une laverie est à disposition et les portes ferment à 2h.

Hotel Lidomare (☎ 089 87 13 32 ; www.lidomare.it ; Largo Duchi Piccolomini 9 ; s/d 50/110 € ; 🅿 🖳). Tenu par une famille, cet hôtel à l'ancienne ne manque pas de caractère. Les chambres spacieuses au décor éclectique s'agrémentent de carrelages désuets et de belles antiquités. Certaines disposent d'un Jacuzzi, d'autres donnent sur la mer.

Hotel Centrale (☎ 089 87 26 08 ; www.hotelcentraleamalfi.it ; Largo Duchi Piccolomini 1 ; s 60-120 €, d 70-140 €, 🅿 🖳 🖳). D'un excellent rapport qualité/prix, son entrée donne sur une petite place du centre historique, mais la plupart des chambres ouvrent sur la Piazza del Duomo (la n°24 est un bon choix). Le carrelage vert et bleu égaye l'ensemble et la vue du toit-terrasse est splendide.

Hotel Luna Convento (☎ 089 87 10 02 ; www.lunahotel.it ; Via Pantaleone Comite 33 ; s 220-280 €, d 240-300 € ; 🅿 🖳 🛜 🖳). Cet ancien couvent fut fondé par saint François en 1222. Les chambres du bâtiment d'origine, aménagées dans les anciennes cellules des nonnes, comportent des carrelages rutilants et un balcon avec vue sur la mer. L'aile récente est tout aussi séduisante, avec des fresques religieuses au-dessus des lits. La cour du cloître est superbe.

Où se restaurer

Supermercato Decò (Salita dei Curiali 6 ; 🕑 8h-13h30 et 17h-20h30 lun-mer et ven, 17h-20h30 jeu, 8h-13h30 et 17h-21h sam toute l'année, plus 8h-13h30 dim seulement mai-sept). Une bonne adresse pour faire des courses.

💟 **Dolceria dell'Antico Portico** (☎ 089 87 11 43 ; Supportico Rua 10 ; gâteau à partir de 3 €). Tenue par un pâtissier renommé, Tiziano Mita, elle propose des pâtisseries traditionnelles avec une touche moderne, comme les *sfogliatelle* en forme de *trullo* (édifice conique typique des Pouilles).

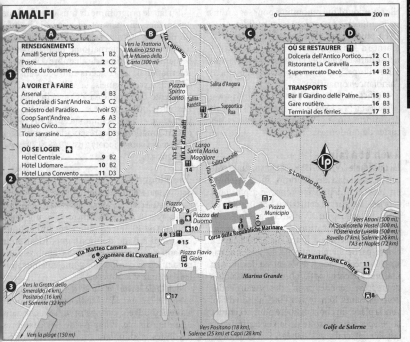

AMALFI

0 — 200 m

RENSEIGNEMENTS
Amalfi Servizi Express..................**1** B2
Poste......................................**2** C2
Office du tourisme..................**3** C2

À VOIR ET À FAIRE
Arsenal...................................**4** B3
Cattedrale di Sant'Andrea.........**5** C2
Chiostro del Paradiso.........(voir 5)
Coop Sant'Andrea..................**6** A3
Museo Civico...........................**7** C2
Tour sarrasine.........................**8** D3

OÙ SE LOGER 🏠
Hotel Centrale.........................**9** B2
Hotel Lidomare........................**10** B2
Hotel Luna Convento...............**11** D3

OÙ SE RESTAURER 🍴
Dolceria dell'Antico Portico........**12** C1
Ristorante La Caravella...............**13** B3
Supermercato Decò...................**14** B2

TRANSPORTS
Bar Il Giardino delle Palme.........**15** B3
Gare routière............................**16** B3
Terminal des ferries..................**17** B3

Vers la Trattoria
Il Mulino (250 m)
et le Museo della
Carta (300 m)

Via Capuino

Piazza
Spirito
Santo

Salita d'Angora

Salita
Rascica

Supportico
Rua

Via E. Marini
Via L. d'Amalfi

Largo
Santa Maria
Maggiore

Salita Castaldi

Via dei Prepositi

Piazza
dei Dogi
Piazza del
Duomo

Corso delle Repubbliche Marinare

Piazza
Municipio

S. Lorenzo del piano

Vers Atrani (500 m),
l'A'Scalinatella Hostel (500 m),
l'Osteria da Luisella (500 m),
Ravello (7 km), Salerne (26 km),
l'A3 et Naples (72 km)

Via Matteo Camera
6 Lungomare dei Cavalieri

Piazza Flavio
Gioia

Via Pantaleone Comite

Marina Grande

Vers la Grotta dello
Smeraldo (4 km),
Positano (16 km)
et Sorrente (32 km)

Vers la plage (150 m)

Vers Positano (18 km),
Salerne (25 km) et Capri (28 km)

Golfe de Salerne

Trattoria Il Mulino (☎ 089 87 22 23 ; Via delle Cartiere 36 ; pizza 6 €, repas 20 €). Une TV dans un coin, des enfants qui courent entre les tables, cette trattoria authentique sert les habituels poissons, pizzas et pâtes, bien préparés et à prix honnêtes. La *scialatiella alla pescatore* (pâtes avec crevettes, moules, tomates et persil) est fabuleuse.

Osteria da Luisella (☎ 089 87 10 87 ; Piazza Umberto I, Atrani ; repas 30 € ; 🕐 jeu-mar). Le cadre plaisant, l'emplacement privilégié et une excellente cuisine en font l'une des meilleures adresses. Choisissez une table sous les arcades pour vous régaler de poissons pêchés le jour même. S'ils figurent sur la carte, qui varie, régalez-vous d'une salade chaude de fruits de mer ou d'une *cassuola* (ragoût de poulpe). Les végétariens apprécieront la *caporalessa*, un gratin d'aubergines, de tomates et de fromage.

Ristorante La Caravella (☎ 089 87 10 29 ; Via Matteo Camera 12 ; repas 60 €, menu dégustation 75 € ; 🕐 mer-lun jan à mi-nov). L'un des rares restaurants où les prix reflètent la qualité de la cuisine plutôt que l'emplacement, cette adresse prisée offre des plats classiques et régionaux, revus avec

un zeste de modernité, tels les raviolis noirs à l'encre de seiche avec scampi et ricotta. La carte des vins compte 15 000 crus !

Depuis/vers Amalfi

Des bus SITA partent de la Piazza Flavio Gioia pour Sorrente (2,50 €, 1 heure 30, au moins 11/jour) via Positano (1,40 €, 40 min), ainsi que pour Ravello (1,10 €, 25 min, ttes les 30 min), Salerne (2,50 €, 1 heure 15, au moins ttes les heures) et Naples (3,30 €, 2-3 heures selon l'itinéraire, 2/jour). Achetez vos billets et vérifiez les horaires au **Bar Il Giardino delle Palme** (Piazza Flavio Gioia), en face de l'arrêt de bus.

Entre avril et octobre, des ferries desservent tous les jours Salerne (6,50 €), Naples (15 €), Positano (8 €) et Capri (15 €). Pour plus d'informations, reportez-vous p. 785.

RAVELLO
2 500 habitants

Perchée dans les collines au-dessus d'Amalfi, Ravello est une ville élégante et soignée, presque entièrement dédiée au tourisme. Jadis fréquentée par des artistes et des écrivains tels que Wagner, D. H. Lawrence et Virginia Woolf, elle est aujourd'hui renommée pour ses jardins ravissants et ses panoramas splendides.

La plupart des visiteurs viennent pour la journée d'Amalfi, à 7 km par une route vertigineuse dans la Valle del Dragone. Passer la nuit à Ravello permet d'en apprécier pleinement l'ambiance romantique.

L'**office du tourisme** (☎ 089 85 70 96 ; www. ravello time.it ; Via Roma 18 bis ; ☾ 10h-20h) fournit des informations générales sur la ville et des cartes de randonnée.

À voir et à faire

La **cathédrale** (☾ 8h30-13h et 16h30-20h), sur le côté est de la Piazza del Duomo, fut construite en 1086 et a depuis été rénovée à plusieurs reprises. Le portail central en bronze date de 1179, la façade, du XVIᵉ siècle, et l'intérieur est une reconstitution de l'aménagement d'origine effectuée à la fin du XXᵉ siècle. La chaire, particulièrement belle, est soutenue par six colonnes torsadées reposant sur des lions en marbre et décorée de flamboyantes mosaïques qui représentent des paons, des oiseaux et des lions dansants. Remarquez l'inclinaison du sol vers la place, un choix délibéré pour accentuer la perspective. À droite de la nef centrale, un escalier descend vers le **musée** (2 €) et sa modeste collection d'art sacré.

Au sud de la cathédrale, la **Villa Rufolo** est réputée pour ses fabuleux **jardins** (☎ 089 85 76 57 ; 6 € ; ☾ 9h-crépuscule) du XIXᵉ siècle. Dominant une vue époustouflante, ils sont artistement parsemés de tours croulantes et de fleurs aux couleurs exotiques. Lorsque Wagner les découvrit en 1880, il écrivit qu'il avait trouvé le jardin de Klingsor, le cadre du IIᵉ acte de son opéra *Parsifal*. Des concerts s'y déroulent lors du festival de musique de la ville.

À l'est de la Piazza del Duomo, la **Villa Cimbrone** (☎ 089 85 80 72 ; adulte/moins de 12 ans et plus de 65 ans 6/3 € ; ☾ 9h-crépuscule), du XXᵉ siècle, mérite la visite pour la vue panoramique de son vaste et charmant jardin. Le bélvédère de l'Infinité, une terrasse bordée de copies de bustes classiques, offre le meilleur point de vue.

Fêtes et festivals

De juin à mi-septembre, le **Festival de Ravello** (☎ 089 85 83 60 ; www.ravellofestival.com) transforme le centre-ville en une scène en plein air. Les événements varient des concerts symphoniques et de la musique de chambre aux ballets, aux projections de films et aux expositions, présentés dans divers endroits.

En fait, le programme de musique classique commence en mars et se poursuit jusqu'à fin octobre, culminant en juin et septembre avec le Festival international de piano et les Semaines de musique de chambre. De niveau international, les concerts ont lieu dans des endroits exceptionnels, la Villa Rufolo et le Convento di Santa Rosa à Conca dei Marini. Les billets, que l'on peut acheter par téléphone, par fax ou en ligne, commencent à 20 €. Pour des informations et les réservations, contactez la **Ravello Concert Society** (☎ 089 85 81 49 ; www ravelloarts.org).

Où se loger

Agriturismo Monte Brusara (☎ 089 85 74 67 ; www. montebrusara.com ; Via Monte Brusara 32 ; s/d 35/70 €, demi-pension 50/100 €). Du centre-ville, une rude grimpée de 30 min conduit à cet authentique gîte rural à flanc de montagne, idéal pour échapper à la foule. Il offre 3 chambres sans prétention et confortables, une cuisine fabuleuse et une vue superbe.

Hotel Villa Amore (☎ /fax 089 85 71 35 ; Via dei Fusco 5 ; s 50-60 €, d 75-100 € ; 🖵). Meilleure adresse pour les petits budgets, cette *pensione* se niche dans une rue paisible. Elle possède des chambres modestes et douillettes aux sdb rutilantes, dont certaines avec balcon (comme la n°3) et d'autres avec baignoire ; quelques-unes disposent des deux. Le restaurant dans le jardin (repas 20 €) constitue un atout supplémentaire.

Hotel Toro (☎ /fax 089 85 72 11 ; www.hoteltoro. it ; Via Roma 16 ; s/d 85/118 € ; ☾ Pâques-nov ; 🐾 🐾). Établi à la fin du XIXᵉ siècle, le Toro se tient près de la Piazza del Duomo et des cloches de la cathédrale. Les chambres sont aménagées dans le style traditionnel, avec des carrelages en terre cuite ou en marbre clair et des meubles crème. Le jardin clos est parfait pour un verre au coucher du soleil.

Où se restaurer

Take Away da Nino (☎ 089 858 62 49 ; Viale Parco della Rimembranza 41). Fast-food de style Ravello, il propose des fritures et des pizzas à emporter.

Da Salvatore (☎ 089 857 27 ; www.salvatoreravello.co ; Via della Republicca 2 ; repas 25 € ; ☾ mar-dim). Juste avant l'arrêt de bus et le Garden Hotel, ce restaurant d'allure banale jouit d'une vue exceptionnelle et offre des plats inventifs, comme les calamars sur une purée de pois chiches relevée de *peperoncino*. Le soir, venez vous régaler d'une pizza cuite au feu de bois.

Ristorante Pizzeria Vittoria (☎ 089 85 79 47 ; Via dei Rufolo 3 ; repas 30 € ; ☺ fermé nov à mi-mars). Outre des pizzas exceptionnelles, ce restaurant à l'élégance discrète sert une délicieuse salade verte avec des tranches de poulpe à l'huile d'olive et au citron, et un antipasto original de pois chiches et de morue.

Depuis/vers Ravello
Des bus SITA partent toutes les heures du côté est de la Piazza Flavio Gioia à Amalfi (1,10 €, 25 min). En voiture, tournez au nord à environ 2 km à l'est d'Amalfi. Les véhicules sont interdits dans le centre de Ravello ; de vastes parkings gardés sont installés en périphérie.

D'AMALFI À SALERNE
La route de 26 km jusqu'à Salerne, moins belle que celle de 16 km jusqu'à Positano à l'ouest, reste séduisante et traverse plusieurs bourgades ; chacune possède son propre caractère et mérite le coup d'œil.

À 3,5 km à l'est d'Amalfi, ou à 1 km de Ravello par un chemin escarpé, **Minori** est une petite ville ordinaire, prisée des estivants italiens. Un peu plus loin, **Maiori**, la plus grande station balnéaire de la côte, compte une myriade de restaurants, d'hôtels et de clubs de plage.

Juste après **Erchie** et sa plage splendide, **Cetara**, pittoresque village de pêcheurs, est une étape gastronomique. Thon et anchois, les spécialités locales, sont préparés de diverses manières à **Al Convento** (☎ 089 26 10 39 ; Piazza San Francesco 16 ; repas 20 € ; ☺ fermé mer oct à mi-mai), un excellent restaurant de poisson près du petit port. À ce prix vous ne mangerez sûrement pas mieux ailleurs sur la côte ; les *spaghetti con alici e finocchietto selavatrico* (spaghetti aux anchois et fenouil sauvage) enchantent les papilles.

Peu avant Salerne, la route passe par **Vietri sul Mare**, la capitale régionale de la céramique. Parmi les boutiques qui envahissent le centre historique, **Ceramica Artistica Solimene** (☎ 089 21 02 43 ; www.solimene.com ; Via Madonna degli Angeli 7 ; ☺ 8h-19h lun-ven, 8h-13h30 et 16h-19h sam), un grand magasin de fabrique, possède une extra-ordinaire devanture en verre et céramique.

SALERNE (SALERNO)
140 363 habitants
Après les jolies bourgades de carte postale de la côte amalfitaine, Salerne constitue une sorte de retour à la réalité. Carrefour de transports et port important, la ville ne donne guère envie de s'attarder. Cependant, si vous devez y faire étape sur la route de Paestum, vous découvrirez un *centro storico* animé, parsemé d'églises médiévales, de trattorias et de bars à vin, ainsi qu'un front de mer plaisant pour une promenade en soirée.

Étrusque avant de devenir romaine, Salerne prospéra lors de l'arrivée des Normands au XIe siècle. Robert Guiscard en fit la capitale de son duché en 1076 et, sous son règne, la Scuola Medica Salernitana devint l'une des écoles de médecine les plus réputées de l'Europe médiévale. En 1943, Salerne fut dévastée par les violents combats qui suivirent le débarquement de la 5e armée américaine, au sud de la cité.

Orientation
La gare ferroviaire se situe sur la Piazza Vittorio Veneto, à l'extrémité est de la ville. L'artère principale, le Corso Vittorio Emanuele II, interdit aux voitures, part de la place vers le *centro storico*, au nord-ouest. Parallèle, le Corso Garibaldi devient la Via Roma en sortant de la ville vers la côte amalfitaine.

Renseignements
Office du tourisme (☎ 089 23 14 32 ; Piazza Vittorio Veneto 1 ; ☺ 9h-14h et 15h-20h lun-sam toute l'année, plus 9h-12h30 et 17h-19h30 dim juil-août)
Ospedale Ruggi D'Aragona (☎ 089 67 11 11 ; Via San Leonardo). Hôpital.
Poste (☎ 089 257 20 49 ; Corso Garibaldi 203)

À voir
Principal monument du *centro storico*, l'imposante **cathédrale** (☎ 089 23 13 87 ; Piazza Alfano ; ☺ 10h-18h) fut construite par les Normands à l'époque de Robert Guiscard au XIe siècle, remaniée au XVIIIe siècle, puis gravement endommagée par le séisme de 1980. Elle est dédiée à San Matteo (saint Matthieu), dont les reliques auraient été apportées en 954 et reposent aujourd'hui dans la crypte, derrière le maître-autel. Dans l'abside de droite, la **Cappella delle Crociate** (chapelle des Croisades) fut ainsi nommée car on y bénissait les armes des croisés. Sous l'autel se tient le tombeau du pape Grégoire VII (XIe siècle).

Au sud de la cathédrale, le **Museo Archeologico Provinciale** (☎ 089 23 11 35 ; Via San Benedetto 28 ; entrée libre) contient des vestiges archéologiques trouvés dans la région, dont une tête en bronze d'Apollon du Ier siècle av. J.-C. Il était fermé pour restauration lors de notre passage.

SALERNE (SALERNO)

0 —————————— 400 m

RENSEIGNEMENTS	
Poste	1 C2
Office du tourisme	2 D3

À VOIR ET À FAIRE	
Cappella delle Crociate	(voir 4)
Castello di Arechi	3 A1
Cathédrale	4 B2
Museo Archeologico Provinciale	5 B2
Museo Pinacoteca Provinciale	6 B2

OÙ SE LOGER	
Hotel Montestella	7 C2
Hotel Plaza	8 D3
Ostello Ave Gratia Plena	9 A2

OÙ SE RESTAURER	
Pinocchio	10 C3
Pizza Margherita	11 C3
Ristorante Santa Lucia	12 A2

TRANSPORTS	
Bar Cioffi pour les bus SITA vers Naples	13 C3
Gare routière	14 C3
Arrêt des bus CSTP vers Paestum	15 C3
Europcar	16 C3
Porto Commerciale – Terminal des ferries et des hydroglisseurs	17 A3
Porto Turistico – Terminal des ferries et des hydroglisseurs	18 C3

Au cœur du quartier médiéval, le **Museo Pinacoteca Provinciale** (☎ 089 258 30 73 ; Via Mercanti 63 ; entrée libre ; ⏰ 9h-13h et 14h-15h15 mar-sam, 9h-13h dim) renferme une petite collection d'art intéressante, de la Renaissance à la première moitié du XIXe siècle.

Le **Castello di Arechi** (☎ 089 22 55 78 ; Via Benedetto Croce ; ⏰ 9h-15h30), perché à 263 m au-dessus de la ville, semble imprenable. Il fut construit au VIIIe siècle par Arechi II, duc lombard de Benevento, sur l'emplacement d'un fort byzantin, puis modifié par les Normands et les Aragonais. Aujourd'hui, il présente une collection de céramiques, d'armes et de monnaies. Prenez le bus n°19 sur la Piazza XXIV Maggio, dans le centre-ville.

Où se loger

Ostello Ave Gratia Plena (☎ 089 23 47 76 ; www.ostellodisalerno.it ; Via dei Canali ; dort/s/d 15/32/45 € ; 🖳 🛜). Installée dans un couvent du XVIe siècle, l'auberge de jeunesse HI de Salerne se situe au cœur du centre historique. Autour d'une jolie cour centrale, elle offre divers hébergements séduisants, des dortoirs aux chambres doubles avec sdb. Couvre-feu à 2h pour les dortoirs.

Hotel Montestella (☎ 089 22 51 22 ; www.hotelmontestella.it ; Corso Vittorio Emanuele 156 ; s/d/tr avec petit-déj 75/100/110 € ; 🟫 🛜). Dans la principale artère piétonne, à mi-chemin entre le centre historique et la gare ferroviaire, cet hôtel propose 45 chambres banales et propres, toutes avec clim, à des prix compétitifs.

Hotel Plaza (☎ 089 22 44 77 ; www.plazasalerno.it ; Piazza Vittorio Veneto 42 ; s/d 65/100 € ; 🟫 🖳). Pratique et accueillant, à deux pas de la gare ferroviaire, le Plaza possède des chambres confortables, dotées de sdb rutilantes, d'un bon rapport qualité/prix. Celles qui donnent sur l'arrière disposent d'une terrasse avec vue sur la ville et les montagnes.

Où se restaurer

Le long de la Via Roma, dans le centre médiéval animé, vous trouverez des trattorias traditionnelles, des restaurants élégants, des glaciers, des bars à vin jazzy et des pubs.

Pizza Margherita (☎ 089 22 88 80 ; Corso Garibaldi 201 ; pizzas/buffets à partir de 5/6,50 €, menu déj 8 €). Malgré son allure de cantine, c'est l'un des endroits les plus fréquentés pour le déjeuner. Tous les jours, l'excellent buffet propose toutes sortes de plats et de salades. Le menu du déjeuner (pâtes, plat, salade et 50 cl d'eau) est inscrit sur une ardoise et la carte comporte des pizzas, des pâtes et divers plats.

Ristorante Santa Lucia (☎ 089 22 56 96 ; Via Roma 182 ; repas 22 € ; ☺ fermé lun). L'un des meilleurs restaurants de l'élégante Via Roma, il sert de délicieux poissons et des pizzas cuites au feu de bois. Commandez des savoureux plats classiques, comme les *linguine ai frutti di mare* (pâtes aux fruits de mer) et les seiches grillées. L'ambiance détendue et le service sympathique ajoutent aux plaisirs de la table.

Pinocchio (☎ 089 22 99 64 ; Lungomare Trieste 56 ; repas 24 € ; ☺ sam-jeu). Prisé des habitants pour ses copieuses portions de cuisine régionale, le Pinocchio, spécialisé dans le poisson, sert également de bons plats de viande, dont des saucisses et une *scaloppine* (escalope de veau panée) avec une sauce aux champignons. En été, il installe des tables au dehors.

Depuis/vers Salerne
BATEAU

Metrò del Mare (☎ 199 600700 ; www.metrodelmare.com) propose des ferries réguliers depuis/vers Naples (16 €, 2/jour) et Sorrente (12 €, 7/jour). D'avril à octobre, **Linee Marittime Partenopee** (☎ 081 704 19 11 ; www.consorziolmp.it) et **TraVelMar** (☎ 089 87 29 50) offrent de fréquents hydroglisseurs/ferries de Salerne vers différentes îles et stations balnéaires. Les prix sont les suivants vers/depuis Capri (17,50/16 €), Positano (9/8,50 €, 10/jour) et Amalfi (7/6,50 €). Ils partent du Porto Turistico, à 200 m de la Piazza della Concordia le long de la jetée. Vous pouvez acheter vos billets aux kiosques proches de l'embarcadère.

Les bateaux pour Capri et Ischia partent du Molo Manfredi, au Porto Commerciale.

Lors de notre passage, un terminal de ferries conçu par Zaha Hadid était en construction. Renseignez-vous à l'office du tourisme sur les lieux d'embarquement et les horaires.

BUS

Les bus SITA à destination d'Amalfi (2,50 €, 1 heure 15, au moins ttes les heures) partent de la Piazza Vittorio Veneto, à côté de la gare ferroviaire, et s'arrêtent en chemin à Vietri sul Mare, Cetara, Maiori et Minori. Celui qui dessert Naples part devant le **Bar Cioffi** (Corso Garibaldi 134), qui vend les billets (3,20 €).

Le bus n°50 **CSTP** (☎ 800 016 659 ; www.cstp.it) part de la Piazza Vittorio Veneto pour Pompéi (2 €, 1 heure, 15/jour). Pour Paestum (3,10 €, 1 heure 20, ttes les heures) prenez le bus n°34 sur la Piazza della Concordia.

Buonotourist (☎ 089 79 50 68 ; www.buonotourist.it) propose des services quotidiens (sauf dimanche et jours fériés) de la gare ferroviaire à l'aéroport de Capodichino à Naples (7 €, 1 heure). Les billets s'achètent dans le bus.

TRAIN

Salerne constitue un arrêt majeur pour les lignes en direction du Sud vers la Calabre et les côtes ionienne et adriatique. De la gare sur la Piazza Vittorio Veneto, des trains partent régulièrement pour Naples (6,50 €, 50 min, ttes les 30 min), Rome (Eurostar 33 €, 2 heures 30, ttes les heures) et Reggio di Calabria (32 €, 4 heures 30, 15/jour).

VOITURE ET MOTO

Salerne se situe entre Naples et Reggio di Calabria sur l'A3, gratuite au sud de Salerne.

Comment circuler

La marche est le moyen le plus pratique pour se déplacer dans Salerne. La gare ferroviaire se situe à 1,2 km du centre historique, par le Corso Vittorio Emanuele II.

Si vous souhaitez louer une voiture, une agence **Europcar** (☎ 089 258 07 75 ; www.europcar. com ; Via Giacinto Vicinanza) est installée non loin de la gare ferroviaire.

SUD DE SALERNE

PAESTUM

Les temples de Paestum, inscrits au patrimoine mondial de l'Unesco, comptent parmi les monuments les mieux préservés de la Magna Græcia, la colonie grecque qui couvrait jadis la majeure partie de l'Italie méridionale. Ne manquez pas ce site incontournable, l'un des plus emblématiques de la région, qui peut facilement se visiter dans la journée de Salerne ou d'Agropoli.

L'antique Poseidonia (du nom du dieu grec de la Mer) fut fondée par les colons grecs au VIe siècle av. J.-C. et tomba sous la domination romaine en 273 av. J.-C. Elle devint un important port de commerce et le resta jusqu'à la chute de l'Empire romain, quand les épisodes de paludisme et les incursions des Sarrasins poussèrent les habitants à abandonner la ville.

Ses temples furent redécouverts à la fin du XVIIIe siècle, lors de la construction d'une route. L'assainissement de cette région marécageuse et le dégagement de la cité antique ne commencèrent vraiment qu'au XXe siècle.

L'**office du tourisme** (☎ 0828 81 10 16 ; www. info-paestum.it ; Via Magna Crecia 887 ; ☒ 9h-13h30 et 14h30-19h lun-sam juin-sept, horaires réduits oct-mai) fournit des informations pratiques sur Paestum et la côte du Cilento.

À voir
RUINES

Les billets pour les **ruines** (☎ 0828 81 10 23 ; 4 € ; avec musée 6,50 € ; ☒ 8h45-19h45, dernière entrée 19h) s'achètent à l'entrée principale, près de l'office du tourisme, ou en hiver au musée, qui loue des audioguides (4 €).

Après l'entrée principale, vous découvrez d'abord le **Tempio di Cerere** (temple de Cérès), du VIe siècle av. J.-C. Le plus petit des trois temples, il fut un temps converti en église chrétienne.

En vous dirigeant vers le sud, vous passez par l'**agora** (place) qui contient le monument le plus important de la cité, un sanctuaire dédié à Poséidon, le **hérôon**. À proximité, un secteur creusé marque l'emplacement d'une ancienne **piscine publique**, qui faisait partie d'un vaste gymnase.

Au sud de la piscine, un vaste rectangle herbeux constituait le **foro** (forum), cœur de la cité romaine. Parmi les bâtiments partiellement debout figurent un grand quartier de maisons privées, un temple italique, le Bouleuterion (où se réunissait le Sénat romain) et, plus au sud, l'amphithéâtre.

Le **Tempio di Nettuno** (temple de Neptune), construit vers 450 av. J.-C., est le plus grand et le mieux conservé des trois temples. Seules manquent des parties du toit et des murs intérieurs. À l'origine attribué à Neptune, des recherches récentes tendent à prouver qu'il était dédié à Apollon.

À côté, la **basilica** (en réalité un temple consacré à la déesse Héra) est le plus ancien monument encore debout de Paestum. Ce majestueux édifice, traversé de 9 colonnes et en comptant 18 sur les côtés, date du milieu du VIe siècle av. J.-C. À l'est, vous verrez les vestiges de l'autel sacrificiel du temple.

La cité était autrefois entourée d'imposants remparts longs de 4,7 km, construits et renforcés successivement par les Lucaniens et les Romains. La section la mieux préservée s'étend au sud des ruines.

MUSEO DI PAESTUM

À l'est des ruines, ce **musée** (☎ 0828 81 10 23 ; 4 €, avec les ruines 6,50 € ; ☒ 8h45-19h, fermé 1er et 3e lun du mois) possède une collection de métopes (frises de bas-reliefs) abîmées par le temps, notamment 33 sur les 36 qui ornaient le **Tempio di Argive Hera**, à 9 km au nord de Paestum, dont il ne reste quasiment rien. Pièce maîtresse du musée, la Tomba del Truffatore (tombe du Plongeur), du Ve siècle av. J.-C, représente un plongeur au milieu des airs, censé symboliser le passage de la vie à la mort.

Où se loger et se restaurer

Camping Villaggio dei Pini (☎ 0828 81 10 30 ; www. campingvillaggiodeipini.com ; Via Torre ; empl 2 pers, tente et voiture 28-38 €, bungalows 2 pers à partir de 300 €/sem). L'un des nombreux campings de la côte, celui-ci se situe à 1 km des ruines. Bien équipé, il comprend un terrain de volley-ball-football, une plage privée, une pizzeria, un snack-bar et organise de nombreuses animations.

Casale Giancesare (☎ 0828 72 80 61 ; www. casale-giancesare.it ; Via Giancesare 8 ; s 45-60 €, d 65-90 € ; P ☒ ☒ ☒). Installé dans une ancienne ferme du XIXe siècle à 2,5 km de Paestum, ce charmant B&B se niche parmi les vignes, les oliviers et les mûriers. De la piscine, on découvre une vue superbe. Anna, la sympathique propriétaire, travaille à l'office du tourisme d'Agropoli et vous renseignera volontiers sur la région.

Nonna Scepa (☎ 0828 85 10 64 ; Via Laura 53 ; repas 30 €). Bonne alternative aux restaurants médiocres et trop chers du site de Paestum, Nonna Scepa sert de copieux plats de saison et met l'accent, en été, sur les produits de la mer, comme le simple poisson grillé au citron. Le risotto aux courgettes et artichauts est excellent.

Depuis/vers Paestum

Pour rejoindre Paestum avec les transports publics, le mieux consiste à prendre le bus n°34 **CSTP** (☎ 800 016 659 ; www.cstp.it) sur la Piazza della Concordia à Salerne (3,10 €, 1 heure 20, 12/jour) ou, en venant du sud, le même bus à Agropoli (1,40 €, 15 min, 12/jour).

Si vous arrivez en voiture, vous pouvez prendre l'A3 depuis Salerne et sortir à Battipaglia pour emprunter la SS18. Mieux vaut cependant suivre la Litoranea, la petite route côtière. De l'A3, sortez à Pontecagnano et suivez les panneaux indiquant Agropoli et Paestum.

CÔTE DU CILENTO (COSTIERA CILENTANA)

Au sud-est du golfe de Salerne, la plaine côtière cède la place à des falaises déchiquetées et à un paysage préservé, avant-goût des montagnes austères de la Basilicate et des pics boisés de la Calabre. Dans l'arrière-pays, des montagnes sombres dominent les hauts plateaux isolés du Parco Nazionale del Cilento e Vallo di Diano, l'une des régions méconnues de Campanie.

Des bus CSTP relient Salerne et Sapri, à la frontière régionale entre la Campanie et la Basilicate.

La principale ligne ferroviaire entre Naples et Reggio di Calabria dessert plusieurs localités de la côte du Cilento. Consultez le **site de Trenitalia** (www.trenitalia.it) pour les tarifs et des renseignements. De Pisciotta, la gare ferroviaire la plus proche de Palinuro, des bus desservent régulièrement la station balnéaire.

En voiture, prenez la SS18, qui relie Agropoli et Velia par l'intérieur des terres, ou la SS267, qui longe la côte.

Agropoli
20 678 habitants

Ville principale du sud de la côte, Agropoli constitue une bonne base pour découvrir Paestum et les plages au nord-ouest. Prisée des estivants italiens, cette cité paisible possède un vaste centre médiéval sur un promontoire qui surplombe la mer.

L'**office du tourisme** (☎ 0974 82 74 71 ; Viale Europa 34 ; ☒ 9h30-14h) vous donnera une carte de la ville.

L'accueillante auberge de jeunesse, l'**Ostello La Lanterna** (☎ /fax 0974 83 83 64 ; lanterna@cilento. it ; Via Lanterna 8 ; dort 14-15 €, d 30 €, avec sdb 35-40 €, f 60-65 € ; ☒ mi-mars à oct) propose des dortoirs, des doubles et des chambres familiales à 4 lits, ainsi qu'un jardin et des dîners en option (10 €). Elle se situe à quelques pas de la plage.

En face de la grande plage sable d'Agropoli, **Anna** (☎ 0974 82 37 63 ; www.bbanna.it ; Via S Marco 28-30, Agropoli ; s 35-50 €, d 50-70 € ; Ⓟ ⚄) offre des chambres douillettes et lumineuses, avec de beaux tissus rayés et des balcons ; demandez la vue sur la mer. L'établissement loue des transats et des vélos à petits prix. Le restaurant au rez-de-chaussée est très prisé des habitants (pizzas à partir de 3 €, repas 15 €).

Aménagé dans un bâtiment du XVIIᵉ siècle sur le promontoire, **U'Sghiz** (☎ 0974 82 93 31 ; Piazza Umberto I ; pizzas à partir de 3 €, repas 15 €) se spécialise dans les plats de poisson, comme les *spaghetti a vongole* (aux palourdes), et propose une longue liste de pizzas. Évitez le pichet de rouge maison (2 €) et optez pour un vin un peu plus cher.

Velia

Sur la côte à 75 km au sud de Salerne, la colonie grecque d'Elea (aujourd'hui Velia) fut fondée au VIᵉ siècle av. J.-C. et devint par la suite une villégiature prisée des Romains fortunés. Les **ruines** (☎ 0974 97 23 96 ; Contrada Piana di Velia ; 2 € ; ☒ 9h-1 heure avant crépuscule lun-sam), dominées par une tour visible à des kilomètres, méritent un bref coup d'œil si vous passez par là.

Sud vers Sapri

Plus au sud, la route grimpe, descend et serpente à travers de vertes collines, parsemées de villages médiévaux. En contrebas, une eau cristalline baigne de longues plages de sable.

À 12 km au sud-est d'Ascea, **Pisciotta** est un joli village accroché au versant d'une montagne. Parmi les oliveraies et les vergers, l'**Agriturismo San Carlo** (☎ /fax 0974 97 61 77 ; Via Noce 8 ; ch demi-pension 40-50 €/pers, pension complète 45-55 €/pers) possède de jolies chambres rustiques et produit de l'huile d'olive, du vin et du *limoncello*.

À 25 km de là, **Palinuro** doit son nom à Palinurus, un capitaine de la flotte d'Énée qui fut tué après être tombé de son bateau, endormi par un maléfice. Ville animée, elle possède de splendides plages de sable et un fantastique paysage côtier, notamment autour du cap Palinuro.

Un peu plus loin, là où la route tourne vers l'arrière-pays pour rejoindre San Giovanni a Piro, **Marina di Camerota** conserve un petit centre médiéval. De là, il faut parcourir 25 km pour arriver à Sapri, une station balnéaire sans charme à la lisière de la Basilicate.

PARCO NAZIONALE DEL CILENTO E VALLO DI DIANO

S'étendant de la côte au Monte Cervati (1 898 m), le point culminant de la Campanie, puis jusqu'à la frontière de la Basilicate, le Parco Nazionale del Cilento e Vallo di Diano est le deuxième plus grand parc national du pays. Secteur peu exploré de sommets dénudés et de vallées désertes, il constitue le parfait antidote au tumulte estival du littoral. Pour en profiter pleinement, vous aurez besoin d'une voiture. Sinon, vous devrez vous armer de patience et jongler avec les horaires des bus.

Pour plus d'informations, rendez-vous à l'office du tourisme de Paestum (p. 688). Le **Gruppo Escursionistico Trekking** (☎ 0975 725 86 ; www.getvallodidiano.it ; Via Provinciale 29, Sassano) et l'**Associazione Trekking Cilento** (☎ 0974 84 33 45 ; www. trekkingcilento.it ; Via Cannetiello 6, Agropoli) proposent des randonnées guidées.

À 25 km au nord-est de Paestum, l'**Oasi Naturalistica di Persano** (☎ 0828 97 46 84 ; ☼ 9h-17h mer, sam-dim juin-sept, 10h-15h mer, sam-dim oct-mai) du WWF couvre 110 ha de marécages sur la Sele. Destination prisée des ornithologues, elle abrite une grande variété d'oiseaux, résidents et migrateurs. Des panneaux indiquent la réserve de la SS18. Les visites doivent se réserver la veille et les circuits guidés, trois jours à l'avance.

Deux réseaux de grottes méritent l'exploration. À 20 km au nord-est de Paestum, les **Grotte di Castelcivita** (☎ 0828 77 23 97 ; Castelcivita ; 8 € ; ☼ visites 10h, 11h, 12h, 13h30, 14h30, 15h30, 16h30, 17h30 et 18h30 mi-mars à sept, 10h, 11h30, 13h30, 15h et 16h30 oct à mi-mars) auraient servi de refuge à Spartacus après la révolte des esclaves en 71 av. J.-C. Des visites plus longues (3 heures, 20 €) sont proposées entre mai et septembre, quand le fond des grottes s'est asséché. Un casque et une bonne forme physique sont nécessaires.

Un bus **De Rosa** (☎ 0828 94 10 65) part de Capaccio (à 6 km à l'est de Paestum) à 9h20 et revient à 13h25 et 17h25 du lundi au samedi. En voiture, prenez la SS18 de Paestum en direction de Salerne et suivez les panneaux.

À la lisière est du parc, les **Grotte dell'Angelo Pertosa** (☎ 0975 39 70 37 ; www.grottedipertosa.it ; Pertosa ; visites 10 € ; ☼ 9h-19h mars-oct, 9h-16h nov-fév) constituent un réseau de 2,5 km de long, hérissé de stalactites et de stalagmites. Bien que des bus SITA relient Salerne et Pertosa (4,40 €) du lundi au samedi, leurs horaires ne permettent pas d'effectuer l'excursion dans la journée. En voiture, prenez l'A3 à Salerne en direction du sud, sortez à Petina et suivez la SS19 sur 9 km.

Plus au sud le long de l'A3, **Padula** recèle l'un des joyaux cachés de la région, la splendide **Certosa di San Lorenzo** (☎ 0975 7 77 45 ; Padula ; 4 € ; ☼ 9h-19h30). Également appelée Certosa di Padula, c'est l'un des plus grands monastères d'Europe, avec une immense cour centrale, une bibliothèque lambrissée et des chapelles décorées de fresques somptueuses. Construite au XIVe siècle et modifiée au fil du temps, la chartreuse fut abandonnée au XIXe siècle et subit des dégradations quand elle servit de maison de vacances pour enfants et plus tard de camp de concentration.

Des bus **Lamanna** (☎ 0975 52 04 26) circulent fréquemment entre Salerne et Padula.

Pouilles, Basilicate et Calabre

Isolé, le sud de l'Italie occupe le "pied" de la botte et se révèle plus chaud et plus rude que le Nord policé, sophistiqué, voire arrogant. Toutefois, le traditionnel clivage Nord-Sud commence à s'estomper. Après l'engouement pour la Toscane dans les années 1980, puis l'Ombrie dans les années 1990, le Sud, et les Pouilles en particulier, devient une destination à la mode.

La région n'est pas cependant synonyme de *dolce vita*. Elle conserve d'innombrables traces d'une implacable pauvreté et suscite de nombreuses déceptions, tels l'affreux développement urbain de Brindisi et les installations industrielles autour de Potenza et de Tarente.

La diversité des paysages, avec des plaines au sud, des montagnes au nord et un littoral spectaculaire, compense ces aspects négatifs. Des influences grecques, espagnoles et turques se reflètent dans la culture et la cuisine d'une population animée d'une fierté farouche.

La Basilicate est un ensemble de montagnes et de collines vallonnées, bordé d'une côte splendide. La Calabre, la région la plus sauvage du pays, possède de belles plages, une végétation subtropicale et un paysage montagneux aux pics souvent coiffés de châteaux en ruine. Quant aux Pouilles, elles se distinguent par un littoral de 800 km au pied de falaises calcaires, entrecoupées de forêts épaisses et d'oliveraies.

Dans cette contrée qui semble toujours recéler des endroits secrets, vous aurez souvent besoin d'un véhicule pour sortir des sentiers battus.

À NE PAS MANQUER

- Les étonnants *trulli* d'**Alberobello** (p. 717), dans les Pouilles, minuscules habitations semblant tout droit sorties d'un conte de fées
- Les superbes façades baroques de **Lecce** (p. 725)
- Le verdoyant **promontoire du Gargano** (p. 692) et sa nature sauvage
- **Tropea** (p. 757), l'une des plus jolies cités anciennes en bord de mer de la Calabre
- Les vastes collines de la **Sila** (p. 751), en Calabre, et le **Parco Nazionale del Pollino**, à cheval entre la Basilicate (p. 745) et la Calabre (p. 748)
- Un trek dans le **massif de l'Aspromonte** (p. 753), mystérieux et sauvage
- Les extraordinaires *sassi* (anciennes habitations troglodytiques) de **Matera** (p. 737), dans la Basilicate

---

- POPULATION : POUILLES 4,07 MILLIONS ; BASILICATE 596 500 ; CALABRE 2,01 MILLIONS
- SUPERFICIE : POUILLES 19 348 KM² ; BASILICATE 9 992 KM² ; CALABRE 15 080 KM²

POUILLES (PUGLIA)

Paysages baignés de soleil, mer étincelante, oliveraies argentées, villes côtières ou bourgades de montagne, usines et centrales électriques, *tarantella* (envoûtante musique traditionnelle), champs parsemés de fleurs sauvages, la contrebande sous toutes ses formes, vieux messieurs assis sur des bancs et vieilles dames balayant leur pas de porte, innombrables bicyclettes, carnavals d'été, dialectes différents d'une ville à l'autre… vous voici dans les Pouilles !

Le "talon" de la botte italienne possède le plus long littoral du pays, où deux mers se rejoignent : l'Adriatique à l'est et la mer Ionienne au sud. Dans ce pays de gastronomes, la région est réputée pour sa cuisine : huile d'olive, tomates, aubergines, artichauts, poivrons, salami, champignons, olives et produits de la mer figurent au menu. Ouverte sur la mer, elle conserve les traces de nombreux envahisseurs étrangers – Normands, Espagnols, Turcs, Souabes et Grecs – tout en préservant son authenticité ; dans certains endroits, il est rare d'entendre une langue étrangère. En juillet et août, l'ambiance devient festive quand des milliers de touristes italiens viennent passer les vacances sur la côte, l'une des plus belles d'Italie.

Du spectaculaire Promontorio del Gargano aux plages de sable blanc de la Penisola Salentina, le littoral est une alternance de falaises calcaires étincelantes et de longues plages baignées par des eaux passant du vert émeraude au bleu profond.

Si des fêtes ont lieu toute l'année, de fabuleux événements, concerts (souvent de *tarantella*) et *sagre* (fêtes traditionnelles, parfois des foires gastronomiques) sont organisés presque tous les soirs en juillet et août. Consultez le programme sur le site www.quisalento.it.

Histoire

Les Pouilles évoquent parfois la Grèce, un héritage qui date du VIIIe siècle av. J.-C., quand les Grecs établirent un chapelet de colonies le long de la côte ionienne. Le griko, une forme de dialecte grec, est toujours parlé dans des localités au sud-est de Lecce. Historiquement, leur cité majeure fut Taras (l'actuelle Tarente), fondée par des exilés de Sparte qui dominèrent la région jusqu'à l'arrivée des Romains en 272 av. J.-C.

La longueur du littoral favorisa les invasions. Les Normands laissèrent leurs belles églises romanes, les Souabes leurs fortifications et les Espagnols leurs flamboyants édifices baroques. Cependant, nul ne connaît l'origine précise des *trulli*, ces étranges maisons de pierre à toit conique du XVIe siècle, spécifiques aux Pouilles.

Outre les envahisseurs et les pirates, la malaria fut l'un des fléaux qui poussèrent les habitants à s'éloigner des côtes. Après la prise du pouvoir par Mussolini en 1922, le Sud devint le fer de lance de sa "bataille pour le blé". Cette initiative visait à assurer l'autosuffisance alimentaire du pays à la suite des sanctions imposées après la conquête de l'Éthiopie. Les Pouilles sont aujourd'hui couvertes de champs de blé, d'oliveraies et de vergers.

PROMONTOIRE DU GARGANO

Une lumière d'un rose nacré baigne en permanence la côte autour du promontoire, contrastant artistement avec le bleu intense de la mer, qui s'adoucit au crépuscule. L'un des plus beaux endroits du pays, il comprend de blanches falaises calcaires, des grottes féeriques, une mer scintillante, des forêts anciennes et des maquis parfumés. Jadis relié à l'actuelle Dalmatie, l'"éperon" de la botte italienne a plus de points communs avec le territoire de l'autre côté de la mer qu'avec le reste de l'Italie. L'urbanisation rampante a été stoppée en 1991 par la création du **Parco Nazionale del Gargano**. Outre une flore splendide et les forêts primaires de Quarto, Spigno et Umbra, le parc abrite San Giovanni Rotondo, la ville de Padre Pio (voir p. 699), et le Monte Sant'Angelo, un site historique de pèlerinage. Vieste et Peschici sont des stations balnéaires très fréquentées en été.

Le long de la côte, vous verrez des *trabucchi*, de curieuses structures en bois et en corde d'où les pêcheurs lancent leurs filets.

Le bureau principal du parc, l'**Ente Parco Nazionale del Gargano** (☎ 0884 56 89 11 ; www.parcogargano.it ; Via Abate 121 ; ☼ 9h-12h lun-ven, 15h45-18h30 lun-mer), se situe à Monte Sant'Angelo, à

TOP 5 DES CENTRES HISTORIQUES DES POUILLES

- **Locorotondo** (p. 718)
- **Martina Franca** (p. 719)
- **Ostuni** (p. 720)
- **Vieste** (p. 697)
- **Lecce** (p. 725)

ITINÉRAIRE RÉGIONAL
LE SUD AUTHENTIQUE DE L'ITALIE
Une semaine / Vieste / Maratea

Commencez en douceur par la charmante **Vieste** (p. 697), avec ses plages de sable blanc, ses ruelles médiévales, et le verdoyant **Parco Nazionale del Gargano** (ci-contre). Adoptez le rythme de l'Italie méridionale en faisant étape le lendemain à **Lucera** (p. 709), une ville couleur miel de *palazzi*, d'églises et de boutiques chics, à l'ambiance enjouée, notamment durant la *passeggiata* (promenade du soir). Consacrez le jour suivant aux *trulli* (habitations circulaires en pierre sèche), l'un des paysages urbains les plus singuliers du pays. En chemin, faites un saut à **Polignano a Mare** (p. 716), perchée au-dessus du ressac. Après un déjeuner à la **Boca Chica** (p. 717), effectuez le court trajet dans l'arrière-pays jusqu'à **Alberobello** (p. 717) et ses deux quartiers de surprenantes maisons au toit conique. Pour prolonger l'émerveillement, passez la nuit dans un *trullo*.

Explorez à pied ou à vélo l'un des centres historiques les plus pittoresques du sud de l'Italie à **Locorotondo** (p. 718). Rejoignez ensuite **Lecce** (p. 725), un véritable joyau, où vous pourrez facilement passer une journée à explorer les sites, les palais et les églises flamboyants, dont la magnifique **Basilica di Santa Croce** (p. 725), et les boutiques.

Le 5ᵉ jour vous laissera un souvenir impérissable : la découverte des *sassi* (anciennes habitations troglodytiques) de **Matera** (p. 737), dans la Basilicate, rappelle l'extrême pauvreté qui frappait la ville autrefois. Après des jours de pâtes, de fèves et de *cornetti* (croissants italiens), il est temps d'enfiler vos chaussures de randonnée pour arpenter le spectaculaire **Parco Nazionale del Pollino** (p. 745) et profiter des activités proposées. Terminez votre parcours par un plongeon dans la mer à **Maratea** (p. 743), une jolie station balnéaire avec des complexes hôteliers, un village médiéval et un port cosmopolite au pied d'un arrière-pays montagneux et boisé.

POUILLES, BASILICATE ET CALABRE

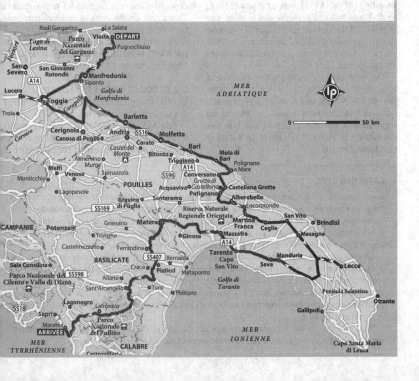

la lisière de la ville. Son site Internet comporte une longue liste de guides officiels.

La **Soc Cooperative Ecogargano** (☎ 0884 56 54 44), installée à Monte Sant'Angelo, propose des randonnées et des excursions. **Explora Gargano** (☎ 0884 70 22 37 ; www.exploragargano.it), à Vieste, organise des circuits en Jeep, en quad, à VTT ou à pied.

Foresta Umbra

Intérieur enchanté du Gargano, la "forêt des Ombres" se compose d'épais fourrés d'arbres majestueux, entrecoupés d'aires de pique-nique baignées de lumière. Il s'agit du dernier vestige des anciennes forêts des Pouilles : pins d'Alep, chênes, ifs et hêtres ombragent cet endroit montagneux, où l'on a recensé plus de 65 espèces d'orchidées. La faune comprend des chevreuils, des sangliers, des renards, des blaireaux et de rares chats sauvages. Bien signalés, de nombreux chemins de randonnée, à pied ou à VTT, sillonnent cette forêt de 5 790 km².

Au cœur de la forêt, un petit *centro visitatori* (centre des visiteurs) abrite un **musée et centre de nature** (☎ 0884 8 80 55 ; www.ecogargano.it ; 1,60 € ; 9h-19h avr-sept) qui présente des fossiles, des photos et des animaux naturalisés. Il organise des promenades guidées d'une demi-journée à partir de 10 € par personne et vend des cartes de randonnée (2,50 €).

Des tour-opérateurs spécialisés proposent également des excursions. À Vieste, l'**Agenzia Sol** (☎ 0884 70 15 58 ; www.solvieste.it ; Via Trepiccioni 5) offre des randonnées à pied, à vélo ou en jeep dans la Foresta Umbra, ainsi que des circuits en bateau aux alentours de Vieste et aux Isole Tremiti.

La Chiusa delle More (☎ 330 543766 ; www. lachiu sadellemore.it ; Vallo dello Schiaffo ; B&B 80-100 € pers ; mai-août ; P ⊠ 🐾) permet d'échappe au littoral surpeuplé. Ce bel *agriturismo* (gît rural) en pierre, niché dans une immens oliveraie à 1,5 km de Peschici, prépare des repa avec les produits de la ferme, prête des VT' et possède une piscine avec vue panoramique Séjour minimum de trois nuits.

Peschici

4 300 habitants

Au-dessus d'une mer turquoise et d'une plag séduisante, Peschici s'accroche à la côte escarpé et boisée. Cette jolie station balnéaire compren une vieille ville fortifiée aux maisons maure chaulées. Bondée en été, aussi vaut-il mieu réserver. Durant la haute saison, des bateau font la navette jusqu'aux Isole Tremiti.

ORIENTATION ET RENSEIGNEMENTS

La ville médiévale occupe le sommet de la falaise, tandis que les quartiers plus récent s'étendent dans les terres et autour de la baie La gare routière jouxte le terrain de sport, au dessus de l'artère principale, le Corso Garibaldi Tournez à droite dans le *corso* et continue tout droit pour rejoindre la vieille ville.

Peschici possède un petit **office du tourism** (☎ 0884 96 44 25 ; Corso Garibaldi 57 ; 10h30-12h30 € 17h30-19h30 lun-ven, 10h30-12h30 sam).

OÙ SE LOGER ET SE RESTAURER

La ville compte plusieurs hôtels et *pensioni* des campings bordent la côte.

Baia San Nicola (☎ 0884 96 42 31 ; www.baiasannicola.i empl 2 pers, voiture et tente 27,50 €, bungalow 2 pers 270-320 € sem ; mi-mai à mi-oct). Le meilleur camping de l

---

CAMPING CHIC

Si votre expérience du camping se limite aux tentes de boy-scout, aux nuits glaciales et aux haricots froids en conserve, vous serez enchanté par la qualité cinq-étoiles des campings du sud de l'Italie. Nombreux, notamment dans les parcs nationaux et aux alentours, ils atteignent la centaine dans la seule région du Gargano et surpassent de loin le nombre modeste de pensions et d'hôtels. Si vous n'aimez pas dormir sous la toile, vous pourrez louer un bungalow.

En principe, tous ces villages-campings (*villaggi*) comprennent des bungalows équipés où l'on peut cuisiner tout en profitant des infrastructures du camping, qui comprend souvent courts de tennis, piscine, terrain de jeu pour enfants et supérette. Pour un bungalow de 2 personnes ou un mobile-home (généralement loués à la semaine), comptez un minimum de 250 €. Les campeurs traditionnels doivent prévoir un tarif journalier d'environ 18 € comprenant l'emplacement, la tente et la place de parking.

Pour plus de renseignements et une liste des campings, consultez les sites www.camping.it, www.camping-italy.net et www.caravanandcampsites.eu.

POUILLES (PUGLIA)

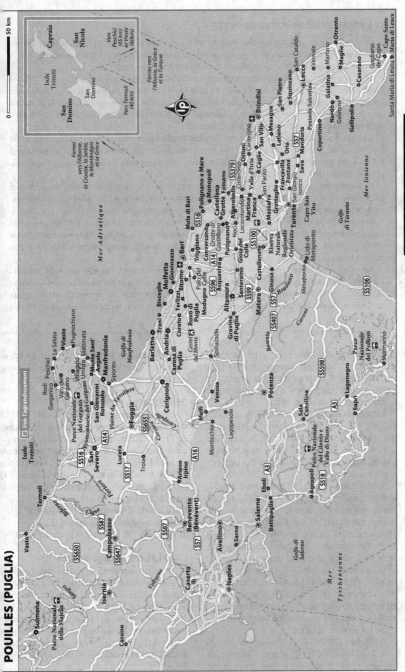

0 — 50 km

Voir l'agrandissement

Isole Tremiti

Capraia

San Nicola

Isole Tremiti

San Domino

San Domino

Vers Peschici (45 km) et Vieste (60 km)

Ferries vers l'Albanie, la Grèce et la Turquie

Vers Termoli (40 km)

Ferries vers l'Albanie, la Croatie, la Serbie, le Monténégro et la Grèce

Mer Adriatique

Mer Ionienne

Mer Tyrrhénienne

Vasto

Termoli

Biferno

Fortore

Sulmona

Parco Nazionale della Maiella

Sangro

Isernia

Cassino

Campobasso

SS650

SS647

SS87

Cigno

SS87

Caserta

Naples

Benevento (Bénévent)

Avellino

SS7

Volturno

Ariano Irpino

SS17

Troia

Lucera

San Severo

SS516

A14

Foggia

SS655

Candelaro

Plaine du Tavoliere

Cervaro

A16

Monticchio

Lagopesole

Melfi

Venosa

Ofanto

Potenza

Basento

A16

Parco Nazionale del Gargano

Promontoire del Gargano

Rodi Garganico

Peschici

La Salata

Vico del Gargano

Pugnochiuso

Vieste

Villaggio Umbra

Mattinata

Monte Sant'Angelo

San Giovanni Rotondo

Manfredonia

Siponto

Golfo di Manfredonia

Barletta

Trani

Bisceglie

Molfetta

Giovinazzo

Andria

Canosa di Puglia

Corato

Terlizzi

Bitonto

Bari

Ruvo di Puglia

Castel del Monte

Spinazzola

Gravina di Puglia

Altamura

Palo del Colle

Modugno

SS96

Acquaviva

Grotte di Castellana

Santeramo

SS99

Matera

Castellaneta

SS7

Ginosa

Bradano

SS407

Capo San Giorgio

Metaponto

Lido di Metaponto

Cavone

SS106

Golfo di Taranto

Agri

Eboli

A3

Salerne

Battipaglia

Sele

Golfo di Salerno

Agropoli

Parco Nazionale del Cilento e Vallo di Diano

SS18

Sala Consilina

Lagonegro

Sapri

Sinni

SS598

SS407

Parco Nazionale del Pollino

SS106

Golfo di Taranto

Triggiano

Mola di Bari

Polignano a Mare

Monopoli

Conversano

Putignano

Castellana

Gioia del Colle

Noci

Alberobello

SS100

Locorotondo

Martina Franca

Massafra

Tarente

SS100

Riserva Naturale Regionale Orientata

Grotte Fasano

Cisternino

Ostuni

Valle d'Itria

Ceglie

Francavilla Fontana

Grottaglie

Manduria

Sava

Oria

Latiano

Mesagne

Carovigno

San Vito

Brindisi

San Pietro

Squinzano

San Cataldo

Lecce

Vernole

Martano

Maglie

Otranto

Galatina

Nardo

Galatone

Copertino

Pensola Salentina

Gallipoli

Casarano

Gagliano del Capo

Santa Maria di Leuca

Capo Santa Maria di Leuca

SS379

SS16

SS57

A14

LES POUILLES DANS VOTRE ASSIETTE

Les Pouilles servent une cuisine régionale parmi les plus authentiques, les plus copieuses et les moins connues d'Italie. Issue de la *cucina povera* (la cuisine des pauvres ou des paysans), elle se compose de pâtes sans œuf ou de plats à base de légumes sauvages.

La plus grande partie du poisson consommé en Italie est pêché au large des Pouilles, 80% des pâtes européennes viennent des Pouilles et 80% de l'huile d'olive italienne sont produits dans les Pouilles et en Calabre. Tomates, brocolis, endives, fenouils, figues, melons, cerises et raisins abondent en saison et sont excellents. Les amandes, cultivées près de Ruvo di Puglia, entrent dans la composition de nombreux gâteaux traditionnels.

Comme leurs ancêtres grecs, les habitants des Pouilles mangent de l'*agnello* (agneau) et du *capretto* (cabri). Le *cavallo* (cheval) est arrivé plus récemment sur les tables, tandis que *trippa* (tripes) est un autre plat classique. Les viandes sont rôties ou grillées avec des herbes aromatiques ou accompagnées de sauce tomate.

Le poisson cru (anchois ou petits calamars) est mariné dans l'huile d'olive et le jus de citron. Les *cozze* (moules) sont préparées de multiples façons selon la région, avec de l'ail et de la chapelure, ou en *riso cozze patate,* cuites au four avec du riz et des pommes de terre.

Le pain et les pâtes constituent les bases de l'alimentation. On vous servira des *orecchiette* (petites pâtes en forme d'oreilles, souvent accompagnées d'une sorte plus allongée appelée *strascinati* ou *cavatelli*), servies avec des brocolis ou du *ragù* (sauce à la viande), souvent saupoudrées de *ricotta forte*, le fromage local.

Tenus autrefois en piètre estime, les vins s'améliorent rapidement. Les meilleurs sont produits sur la Penisola Salentina (le Salice Salentino est l'un des rouges les plus réputés), dans la région des *trulli* (habitations coniques) près de Locorotondo (réputée pour son vin blanc), aux alentours de Cisternino (son Primitivo, un rouge corsé, est apprécié) et dans les plaines autour de Foggia et de Lucera.

région, à 2 km au sud de Peschici en direction de Vieste, se tient sur une plage ombragée par des pins. Il dispose d'emplacements de camping, de bungalows, d'appartements et d'innombrables équipements.

Locanda al Castello (☎ 0884 96 40 38 ; Via Castello 29 ; s 35-70 € ; d 75-100 € ; **P** 🍴). Près des falaises et bénéficiant d'une vue splendide, la meilleure adresse de la vieille ville offre une ambiance chaleureuse. Le restaurant sert de copieux repas maison à 18 €.

Hotel Timiana (☎ /fax 0884 96 43 21 ; Viale Libeta 73 ; ch 80-90 €/pers ; 🕑 mai à mi-sept ; **P** 🍴 🐕). Dans un jardin soigné à 800 m de la mer, ce petit hôtel occupe un élégant bâtiment doté de persiennes. Il loue de fraîches chambres blanches et mitonne une délicieuse cuisine traditionnelle. Navette gratuite jusqu'à la plage.

La Collinetta (☎ 0884 96 41 51 ; Madonna di Loreto ; repas 25 € ; 🕑 avr-sept ; **P**). Sur la route côtière en provenance de Vieste, à 2,5 km avant Peschici, ce restaurant chic propose d'excellents poissons. La terrasse ensoleillée surplombe les pins, les oliviers et la mer.

Il Villaggio (☎ 0884 70 61 38 ; www.holidayvillage-vieste.it ; Loc Baia di Sfinale ; 🕑 avr-sept). Adresse de catégorie moyenne également recommandée,

Il Villagio se situe sur une belle plage à 4 km d Peschici. Il loue des emplacements de camping des bungalows et des mobile-homes.

DEPUIS/VERS PESCHICI

Des bus **Ferrovie del Gargano** (☎ 0881 58 72 11 www.ferroviedelgargano.com) circulent entre Peschic et Vieste (1,30 €, 35 min, 11/jour). D'avril à septembre, des bateaux desservent quotidienne ment les Isole Tremiti (adulte/12-25 ans/moin de 12 ans 30/20 €/gratuit, 1 heure-1 heure 30) Pour les billets et des informations, adressez vous aux compagnies suivantes :

MS&G Societá di Navigazione (☎ 0884 96 27 32 ; www.msgnavigazioni.it ; Corso Umberto I 20)

Navigare SRL (☎ 0884 96 42 34 ; Corso Umberto I)

Lago Lesina et Lago Varano

D'immenses lagunes longent la côte adriatiqu au nord de Peschici. Une dune large de 800 m sépare le Lago di Lesina, de 20 km de long de la mer. Le Lago Varano, long de 10 km est encore plus isolé. Les lagunes sont idéale pour observer les oiseaux, se promener à pie ou à vélo ; renseignez-vous auprès du **Centr des visiteurs de Lesina** (☎ 0882 99 27 27 ; Via Banchin Vollaro ; 🕑 9h-13h30 et 16h-20h).

Vieste

13 600 habitants

Petite bourgade escarpée au charmant *centro storico* pavé, Vieste s'étage à flanc de colline. Capitale du Gargano, elle domine la plus belle plage de la région, une large bande de sable étincelant au pied de falaises blanches que surplombe le Scoglio di Pizzomunno, un énorme monolithe blanc. Bondée en été, la ville retrouve calme et silence en hiver.

ORIENTATION ET RENSEIGNEMENTS

Du Piazzale Manzoni, terminus des bus inter-urbains, une marche de 10 minutes vers l'est le long du Viale XXIV Maggio (qui devient le Corso Fazzini) conduit à la vieille ville et à la jolie promenade de la Marina Piccola.

Office du tourisme (☎ 0884 70 88 06 ; Piazza Kennedy ; ☹ 8h-13h30 lun-ven et 16h-19h mar-jeu oct-avr, 8h-13h30 et 15h-19h lun-sam mai-sept)

Poste (Via 4 Novembre 1)

À VOIR ET À FAIRE

Plages, restaurants et bars et discothèques constituent les principales distractions de Vieste ; les deux derniers se regroupent principalement dans la Via Pola, en bord de mer. Parmi les quelques sites, le plus sinistre est la **Chianca Amara** (Pierre amère ; Via Cimaglia), où des milliers d'habitants furent décapités lors du sac de Vieste par les Turcs au XVIe siècle. À proximité, un **château** construit par Frédéric II est occupé par l'armée et fermé au public. Érigée par les Normands sur les ruines d'un temple dédié à Vesta, la **cathédrale** (Via Duomo), de style apulien-roman, comprend un curieux clocher en forme de mitre et fut reconstruite en 1800.

Le **Museo Malacologico** (☎ 0884 70 76 88 ; Via Pola 8 ; entrée libre ; ☹ 10h-13h30 et 16h-19h) compte trois salles dédiées aux fossiles et aux coquillages, dont certains gigantesques et tous avec de superbes formes et couleurs. Les prix commencent à 3 €.

Sur le port, le **Centro Ormeggi e Sub** (☎ 0884 70 79 83 ; ☹ mai-sept) propose des cours de plongée et loue des voiliers et des bateaux à moteur. **Leonarda Motobarche** (☎ 0884 70 13 17 ; www. motobarcheleonarda.it ; 13 €/pers ; ☹ avr-sept) propose la visite de grottes aux alentours.

De mai à septembre, des bateaux rapides font la navette vers les Isole Tremiti (p. 700).

POUILLES, BASILICATE ET CALABRE

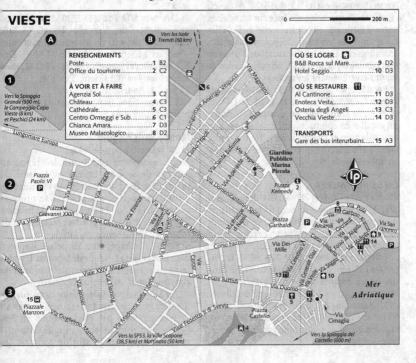

VIESTE

0 — 200 m

RENSEIGNEMENTS
Poste...................................**1** B2
Office du tourisme................**2** C2

À VOIR ET À FAIRE
Agenzia Sol.........................**3** C2
Château..............................**4** C3
Cathédrale...........................**5** C3
Centro Ormeggi e Sub...........**6** C1
Chianca Amara.....................**7** D3
Museo Malacologico..............**8** D2

OÙ SE LOGER 🏠
B&B Rocca sul Mare...............**9** D2
Hotel Seggio........................**10** D3

OÙ SE RESTAURER 🍽
Al Cantinone........................**11** D3
Enoteca Vesta......................**12** D3
Osteria degli Angeli...............**13** C3
Vecchia Vieste......................**14** D3

TRANSPORTS
Gare des bus interurbains......**15** A3

Vers les Isole Tremiti (60 km)

Vers la Spiaggia Grande (500 m), le Campeggio Capo Vieste (8 km) et Peschici (24 km)

Lungomare Europa

Piazza Paolo VI

Piazzale Giovanni XXIII

Via Verdi

Via Dante

Via Daunia

Via Forgia

Via Firenze

Via Papa Giovanni XXIII

Lungomare Amerigo Vespucci

Corso Tripoli

Via Santa Eufemia

Via Italia

Via Trepiccioni

Via Angelini

Via Domenicantonio Spina

Via Santa Maria di Merino

Via Vittorio Veneto

Via di Napoli

Giardino Pubblico Marina Piccola

Piazza Kennedy

Piazza Garibaldi

Via Pola

Via Gaetano A...

Via San Francesco

Via Arcaroli

Via Coccari

Corso Lorenzo Fazzini

Corso Fazzini

Via Dei Mille

Via Cavour

Corso Cesare Battisti

Via Celestino Dell...

Via Duomo

Via Madonna della Libertà

Viale XXIV Maggio

Via Kennedy

Via Flemming

Via Guglielmo Marconi

Piazzale Manzoni

Via Federico II di Svevia

Piazza Castello

Via Cimaglia

Mer Adriatique

Vers la SP53, la Villa Scapone (38,5 km) et Mattinata (50 km)

Vers la Spiaggia del Castello (600 m)

De superbes plages de sable entourent la ville : Spiagga del Castello, Cala San Felice et Cala Sanguinaria au sud, et le secteur appelé La Salata au nord.

L'**Agenzia SOL** (☎ 0884 70 15 58 ; www.solvieste.it ; Via Trepiccioni 5) organise des excursions à pied ou à vélo dans la Foresta Umbra.

OÙ SE LOGER

La plupart des hôtels et *pensioni* jalonnent les routes en front de mer, au nord et au sud de la ville. Des campings bordent la côte.

Campeggio Capo Vieste (☎ 0884 70 63 26 ; Litoranea Vieste-Peschici km 8 ; empl 2 pers, voiture et tente 33 € ; ⊙ mars-oct). Accessible par bus, ce camping boisé jouxte une plage de sable à La Salata, à 8 km de Vieste. Les activités vont du tennis aux cours de voile.

B&B Rocca sul Mare (☎ 0884 70 27 19 ; www.roccasul mare.it ; Via Mafrolla 32 ; ch avec petit-déj 50-120 €). Dans un ancien couvent de la vieille ville, cet endroit rempli de charme recèle des chambres hautes de plafond, des mosaïques et des escaliers raides. Des chambres ouvrent sur le cloître d'origine. Grand toit-terrasse. Repas proposés.

Villa Scapone (☎ 0884 55 92 84 ; www.villascapone.it ; Litoranea Mattinata-Vieste km 11,5 ; ch 55-110 € ; ⊙ avr-oct ; P ⊠ ⊠). Superbement située sur les falaises entre Mattinata et Vieste, cette belle villa comprend des terrasses, des solariums et des chambres élégantes bénéficiant tous d'une vue spectaculaire sur la mer. Une plage isolée se rejoint en traversant les rochers.

Hotel Seggio (☎ 0884 70 81 23 ; www.hotelseggio.it ; Via Veste 7 ; d 80-150 € ; ⊙ avr-oct ; P ⊠ ⊠). Dans ce *palazzo* jaune pâle du centre historique, un escalier en colimaçon mène à une piscine avec solarium et vue sur la mer. Tenu par une famille chaleureuse, il possède de classiques chambres modernes.

OÙ SE RESTAURER

Vecchia Vieste (☎ 0884 70 70 83 ; Via Mafrolla 32 ; repas 20 € ; ⊙ mars-oct). Dans une confortable salle en pierre voûtée, vous vous régalerez de spécialités locales, comme les *orecchiette, cozze e rucola* (pâtes aux moules et à la roquette).

Osteria degli Angeli (☎ 0884 70 11 12 ; Via Celestino V 50 ; repas 20 € ; ⊙ fin mai-sept). Niché dans une rue à arcades près de la cathédrale, ce restaurant sympathique offre une excellente cuisine dans une salle en pierre voûtée. Essayez les *troccoli degli angeli* (pâtes aux crevettes) ou la *parmigiana di melanzane* (gratin d'aubergines au parmesan).

☑ Al Cantinone (☎ 0884 70 77 53 ; Via Mafrolla 26 repas 20 €). Un charmant couple italo-espagnol passionné de cuisine, sert des plats exceptionnels, joliment présentés. Goûtez le risotto aux asperges, ou les *penne* avec des fèves, des pommes de terre et du *pecorino*. C'est l'un des rares restaurants qui ouvrent toute l'année.

Enoteca Vesta (☎ 0884 70 64 11 ; Via Duomo 14 repas 25 €). Installée dans une cave voûtée, elle propose une excellente sélection de vins des Pouilles, à accompagner de plats inventifs comme les anchois frits farcis au fromage et aux œufs, ou le mulet au fenouil sauvage.

DEPUIS/VERS VIESTE

Le port de Vieste se situe au nord de la ville, à 5 minutes de marche de l'office du tourisme. En été, diverses compagnies, dont **Navigazione Libera del Golfo** (☎ 0884 70 74 89 ; www. navlib.it), desservent les îles Tremiti. Plusieurs bateaux effectuent la traversée tous les jours ; les billets peuvent s'acheter au port (16,50 € 1 heure 30).

Des compagnies proposent également des excursions aux grottes qui criblent la côte du Gargano ; un circuit de 3 heures revient à 13 €.

Des bus **SITA** (☎ 0881 35 20 11 ; www.sitabus. it) circulent entre Vieste et Foggia (5,70 € 2 heures 45, 4/jour) via Manfredonia, et entre Vieste et Monte Sant' Angelo (4,40 €). Des bus **Ferrovie del Gargano** (☎ 0881 72 51 88 ; www. ferroviedelgargano.it) rallient Peschici (1,30 € 35 min, 11/jour).

L'Agenzia Sol (voir plus haut) vend des billets de bus et de bateaux.

Monte Sant'Angelo
13 800 habitants / altitude 796 m

Une atmosphère extraordinaire règne au sommet de ce mont isolé, l'un des sites de pèlerinage les plus importants d'Europe. Depuis des siècles, des pèlerins se pressent au Santuario di San Michele, attirant un flot de marchands de bibelots religieux et de toutes sortes de souvenirs kitsch.

En 490, l'archange saint Michel serait apparu dans une grotte à l'évêque de Siponto. Il aurait laissé son manteau écarlate et ordonné la construction d'un sanctuaire chrétien.

Au Moyen Âge, le sanctuaire constituait la dernière étape de la route de l'Ange, qui partait de Normandie et passait par Rome. En 999, l'empereur romain germanique Otton III effectua le pèlerinage afin de conjurer les prophéties qui annonçaient la fin du monde en l'an 1000. Ses prières furent exaucées, le monde fut sauvé et la renommée du sanctuaire s'accrut. Aujourd'hui, le nombre étonnant d'accès Wi-Fi dans la ville semble indiquer une popularité mondiale.

À VOIR

En descendant les marches vers le **Santuario di San Michele** (entrée libre ; ☽ 7h30-19h30 juil-sept, 7h30-12h30 et 14h30-19h avr-juin et oct, 7h30-12h30 et 14h30-17h nov-mars), remarquez les graffitis laissés par des pèlerins au XVIIe siècle. Saint Michel aurait laissé une empreinte de pied dans la pierre à l'intérieur de la grotte et les pèlerins prirent l'habitude de graver les contours de leurs pieds et de leurs mains.

Des portes byzantines ciselées en bronze et en argent, fondues à Constantinople en 1076, ouvrent sur la grotte. À l'intérieur, une statue de l'archange du XVIe siècle masque l'emplacement de son empreinte.

En face du sanctuaire, quelques marches descendent vers la **Tomba di Rotari** (0,60 € ; ☽ 10h-13h et 15h-19h avr-oct), qui n'est pas une tombe mais un baptistère du XIIe siècle avec un profond bassin pour une immersion totale. Devant le baptistère, la façade de la **Chiesa di San Pietro**, ornée d'une rosace complexe aux serpents entrelacés, est le seul vestige de l'église, détruite par un séisme au XIXe siècle. À côté, le portail roman de la **Chiesa di Santa Maria Maggiore** (XIe siècle) présente de beaux bas-reliefs.

Flânez dans les rues sinueuses de la ville et grimpez jusqu'au beau **château** (1,80 € ; ☽ 8h-19h juil-août, 9h-13h et 14h-18h sept-juin) normand, agrémenté d'ajouts souabes et aragonais. S'il offre une vue superbe, continuez jusqu'au **belvédère** pour un panorama encore plus époustouflant.

OÙ SE LOGER ET SE RESTAURER

Casa di Pellegrino (☎ 0884 56 23 96 ; Via Carlo d'Angio ; s/d 33/45 €). Cette auberge de pèlerins compte une cinquantaine de chambres au-dessus du sanctuaire, à côté du parking principal. Si l'ambiance rappelle un peu celle d'une clinique, les chambres sont confortables et beaucoup bénéficient d'une vue ; il faut les libérer à 9h30. Couvre-feu à 23h.

Hotel Michael (☎ 0884 56 55 19 ; www.hotelmichael. com ; Via Basilica 86 ; s 45-50 €, d 65-75 € ; ⊠). Dans l'artère principale, en face du sanctuaire, ce petit hôtel traditionnel offre des chambres spacieuses, agrémentées de persiennes et de couvre-lits rose bonbon. Demandez-en une avec vue.

La Jalantuúmene (☎ 0884 56 54 84 ; Piazza de Galganis 5 ; repas 40 € ; ☽ ⓟ déj seulement mer-lun fév-déc). Ce restaurant renommé sert une excellente cuisine et propose une longue carte des vins dans un cadre pittoresque. En été, il installe des tables sur la place.

ACHATS

Odori Sapori (☎ 0884 56 39 27 ; Largo Tomba di Rocari 3). Il vend la spécialité locale, les *ostie ripiene*

LES MIRACLES DE PADRE PIO

Le religieux souriant et barbu représenté partout sur les murs est le Padre Pio (1887-1968), un prêtre qui fut le 457e saint canonisé par le pape Jean Paul II le 16 juin 2002.

Les miracles sont indispensable pour une canonisation. Le premier fut la guérison d'une femme souffrant d'un épanchement lymphatique après avoir prié le Padre Pio. Puis un enfant de 7 ans guérit d'une méningite en 2000 après avoir eu une vision du prélat.

Le Padre Pio constata sur lui-même des stigmates vers 1911. Le prêtre capucin arriva souffrant à **San Giovanni Rotondo**, un hameau médiéval isolé, en 1916. À mesure que sa réputation grandissait, la localité se transformait miraculeusement. C'est aujourd'hui un ensemble d'hôtels et de restaurants qui accueillent environ 8 millions de pèlerins chaque année. Il est dominé par la Maison du Soulagement de la Souffrance, l'un des premiers hôpitaux d'Italie, fondé par le Padre Pio en 1947.

Le **couvent des frères capucins mineurs** (☎ 0882 41 71 ; www.conventopadrepio.com) abrite la **cellule du Padre Pio** (☽ 7h30-12h et 15h30-18h30 juin-août, 7h30-18h sept-mai), qui renferme plusieurs souvenirs du moine, telles ses chaussettes tachées de sang. L'**ancienne église**, où il disait la messe, date du XVIe siècle. La **nouvelle église** (☽ 5h30-19h15), conçue par l'architecte génois Renzo Piano (à qui l'on doit le Centre Pompidou à Paris), ressemble à un énorme coquillage futuriste. Le corps du Padre Pio repose dans la perfection géométrique de la crypte semi-circulaire.

De Monte Sant'Angelo (voir ci-contre), des bus SITA desservent San Giovanni Rotondo.

("hosties" farcies), des gauffres qui ressemblent à des hosties, remplies d'amandes caramélisées. Goûtez aussi l'*amaro al limon*, la délicieuse liqueur locale aux olives et aux citrons.

DEPUIS/VERS MONTE SANT'ANGELO

Des bus **SITA** (☎ 0881 35 20 11 ; www.sitabus.it) desservent Monte Sant'Angelo de Foggia (3,45 €, 1 heure 45, 3/jour) et de Vieste (4,40 €, 2 heures, 5/jour). Achetez vos billets au Bar Esperia, près du sanctuaire.

ÎLES TREMITI (ISOLE TREMITI)
400 habitants

Ce superbe archipel de trois îles, à 36 km au large, constitue une merveilleuse excursion. Une traversée de 1 heure conduit à un monde de falaises déchiquetées, de criques sablonneuses et de forêts de pins, entouré d'une mer d'un bleu profond.

Malheureusement, les îles sont maintenant très connues et, en été, les 100 000 vacanciers font oublier leur tranquillité. Hors saison, la plupart des infrastructures touristiques ferment et les rares résidents reprennent leur vie paisible et isolée dans un cadre magnifique.

Les services se regroupent essentiellement sur San Domino, l'île la plus grande et la plus verte, jadis cultivée. Sur le littoral alternent plages et falaises, tandis que l'intérieur est couvert d'un épais maquis, parsemé de romarin et de digitales. Au centre, un petit bourg compte plusieurs hôtels.

Facile à défendre, la petite île San Nicola est le centre administratif traditionnel ; un ensemble de bâtiments médiévaux aux allures de forteresse surplombe les rochers. La troisième île, Capraia, est inhabitée.

La plupart des bateaux accostent à San Domino. En haute saison, des petits bateaux font régulièrement la brève traversée jusqu'à San Nicola (6 € aller-retour) ; d'octobre à mars, un seul l'effectue après l'arrivée du bateau en provenance du continent.

À voir et à faire

Promenades, grottes et criques constituent les attraits de **San Domino**. Elle possède un littoral splendide et la seule plage de sable de l'archipel, **Cala delle Arene**. Le long de la plage, la **Grotta delle Arene** est une petite crique aux eaux calmes, idéale pour nager. Vous pouvez faire le tour de l'île en bateau pour explorer les grottes (12 € du port) ; la plus grande, la **Grotta del Bue Marino**, mesure 70 m de long. Un circuit

autour des trois îles revient à 17 €. Le **Tremiti Diving Center** (☎ 337 648917 ; www.tremitidivingcenter. com ; Via Federico 2, San Domino) propose des plongées dans la mer translucide.

Un chemin de randonnée, facile et enchanteur, fait le tour de l'île depuis la sortie du village. Vous pouvez également louer un deux-roues auprès de **Jimmy Bike** (☎ 338 8970909 ; www. jimmybike.com ; bicyclette/scooter 20/50 € par jour), sur la Piazzetta San Domino.

Des bâtiments médiévaux, couleur sable comme les falaises, se dressent sur les rives rocheuses de **San Nicola**. En 1010, des moines bénédictins fondèrent l'**Abbazia e Chiesa di Santa Maria** et, durant les sept siècles suivants, des abbés gouvernèrent les îles et accumulèrent de grandes richesses. Si l'église conserve un portail Renaissance, défraîchi par le temps, et un beau sol en mosaïque du XIe siècle, ses autres trésors ont été volés ou détruits au cours de son histoire mouvementée. Seuls restent un crucifix byzantin en bois peint, apporté sur l'île en 747, et une Vierge noire, probablement rapportée de Constantinople au Moyen Âge.

La troisième île, **Capraia**, doit son nom aux câpres sauvages. Inhabitée, elle abrite d'innombrables oiseaux, dont d'imposantes colonies de mouettes. À défaut de transports organisés, adressez-vous à un pêcheur local.

Où se loger et se restaurer

En été, réservez longtemps à l'avance. De nombreux hôtels insistent pour que l'on prenne la pension complète. Camping interdit.

Pensione Ristorante-Bar Belvedere (☎ 0882 46 32 82 ; Via Garibaldi 6, San Domino ; ch 50-140 €). Au-dessus d'un café animé, ouvert toute l'année, cette pension loue de jolies chambres sans prétention, avec sols carrelés et vue sur la mer.

Hotel Gabbiano (☎ 0882 46 34 10 ; www.hotel-gab-biano.com ; Piazza Belvedere, San Domino ; s/d avec petit-déj 45-85 €/70-120 € ; ❄). Tenu depuis plus de 30 ans par une famille napolitaine, cet hôtel chic propose des chambres aux tons pastel avec des balcons donnant sur San Nicola et la mer. En face de la Pensione Belvedere, il comprend une salle de jeux avec billards. Son restaurant en terrasse est réputé pour ses poissons frais.

Architiello (☎ 0882 46 30 54 ; San Nicola ; repas 25 € ; ❄ avr-oct). Cet élégant restaurant, spécialisé dans le poisson, possède une terrasse avec vue sur la mer.

(Suite page 709)

Plein air

Randonnée dans les spectaculaires vallées des Dolomites (p. 315)

Descente à ski dans le Parco Naturale delle Dolomiti di Sesto (p. 341)

WITOLD SKRYPCZAK

top 5
PROMENADES BUCOLIQUES

Balade sur la côte
Découvrez les Cinque Terre (p. 210) et leur célèbre littoral via la "promenade de l'amour" (Via dell'Amore)

Promenade en vélo bien arrosée
Enfourchez votre vélo pour découvrir le Chianti (p. 533), en Toscane, et son célèbre vin rouge

Exploration côtière
Grimpez en haut de deux petits villages de la Calabre (p. 749), pour une vue fantastique

Comme un cow-boy
Baladez-vous à cheval pour explorer les collines reculées du Parco Nazionale d'Abruzzo, Lazio e Molise (p. 624)

Observation des oiseaux
Plus de 300 espèces d'oiseaux ont élu domicile dans les marais du delta du Pô (p. 464), attirant des ornithologues de toute l'Europe

Véritable terrain de jeux, avec ses collines, ses montagnes, ses lacs et plus de 8 000 km de côtes, l'Italie satisfait autant le sportif invétéré que le passionné d'art Renaissance ou l'amateur de ruines romaines : VTT, alpinisme et ski dans les Alpes, randonnée dans les Dolomites, promenades à cheval dans les Apennins, descentes de rapides en Calabre ou cyclotourisme dans les vallons de la Toscane, la liste des activités de plein air est sans fin.

Même si la côte est très propice au farniente et aux bains de soleil (sur les plages souvent bondées), elle attire également les intrépides qui partent à l'assaut des rochers vertigineux de la côte amalfitaine et les plongeurs qui s'exerceront dans les multiples spots bordant la péninsule. Quant aux amateurs de planche à voile, un défi les attend sur les lacs du nord du pays balayés de vents puissants.

SKI

Les stations de ski les plus réputées se trouvent dans les Alpes du Nord : Sestrières, qui accueillit une partie des épreuves des Jeux olympiques d'hiver de Turin en 2006, Cortina d'Ampezzo, Madonna di Campiglio et Courmayeur. Plus au sud, les Apennins, le Latium, les Marches, les Abruzzes et la Calabre offrent aussi de très bonnes pistes.

Les principales stations sont très bien équipées et possèdent un domaine skiable de renommée internationale, adapté aux skieurs débutants comme aux plus chevronnés. En complément du ski de descente *(sci alpino)*, certaines proposent du ski de fond *(sci di fondo)* et du ski alpin *(alpinismo)*.

La saison dure généralement de décembre à fin mars, même si l'on peut skier toute l'année dans le Trentin et Haut-Adige, sur le mont Blanc et le mont Cervin (Matterhorn, dans le val d'Aoste). En règle générale, les conditions de ski sont maximales en janvier et en février, mais c'est aussi la période la plus chère et la plus fréquentée.

Skier en Italie n'est pas bon marché, notamment dans les stations les plus courues des Alpes. Pour ménager votre budget, préférez la formule *settimana bianca* ("semaine blanche"), où tout est compris (hébergement, restauration et remontées).

SNOWBOARD

Au grand dam des inconditionnels du ski, l'Italie a adopté le snowboard. Madonna di Campiglio (p. 325) dans le Trentin et Breuil-Cervinia (p. 256) dans le val d'Aoste sont très bien adaptées à ce sport. Avec son snowpark, ses pistes pour tous niveaux et son parcours boardercross réservé, Madonna possède l'un des meilleurs équipements du pays. À l'ombre du mont Cervin, Breuil-Cervinia (2 050 m) est plus approprié aux riders de niveau moyen ou confirmé.

RANDONNÉE

L'Italie est le paradis des randonneurs. Les milliers de kilomètres de *sentieri* (sentiers balisés) qui sillonnent la péninsule vont du chemin le plus escarpé à la simple promenade en bord de lac. Pendant la haute saison (de fin juin à septembre), le cadre spectaculaire des pics des Dolomites séduit les plus émérites. Vers l'est, les sentiers du Parco Nazionale del Gran Paradiso (val d'Aoste) traversent des cols de haute montagne et de superbes vallées.

Découverte à cheval des verdoyants Frioul et Vénétie Julienne (p. 401)

SIME/CARASSALE MATTEO

Une montée relativement aisée permet
d'approcher le cratère du Vésuve (p. 669)
MARTIN MOOS

RÉCIFS DE CORAIL DANS LES ALPES

Les pics des Dolomites, à l'origine des récifs de corail, couvraient une grande partie des Alpes orientales. Ces pics acérés doivent leur nom au géologue français Gratet de Dolomieu, qui identifia leur composition : du calcaire sédimentaire formé de carbonate de calcium et de magnésium.

Il y a 100 millions d'années, la région ne comptait qu'une vaste forêt tropicale et une mer chaude peu profonde. Après plusieurs millions d'années, la mer se retira, laissant place au plissement des Alpes. Les fonds marins s'étaient transformés en monts de 2 000 à 3 000 m. Pendant la glaciation, les récifs de corail et les roches furent érodés par les glaciers qui, aidés par l'érosion naturelle, sculptèrent les magnifiques paysages que l'on admire aujourd'hui dans les Dolomites. Ces "cathédrales de pierre" recèlent encore des fossiles marins.

Si vous souhaitez organiser seul ou avec un groupe une traversée du massif des Dolomites (inscrit au patrimoine mondial de l'Unesco), consultez les sites www.dolomitesworld.com et www.randozone.come. Voir aussi p. 315.

La Toscane, célèbre pour ses magnifiques paysages, permet aux randonneurs d'affronter les sommets des Alpes apuanes ou de découvrir la région d'origine du Chianti, ce qui est beaucoup moins éprouvant. Vers le nord, le Cinque Terre de Ligurie est l'une des destinations favorites des marcheurs.

Dans le centre du pays, les trois parcs nationaux des Abruzzes sont les moins fréquentés d'Italie. Le Corno Grande (p. 618), le point culminant des Apennins, domine de paisibles vallées. Arpenter les flancs des volcans, comme ceux du Vésuve près de Naples, procure également des sensations uniques.

Des sentiers séculaires parcourent les monts forestiers et les anciennes oliveraies de la côte amalfitaine et de la péninsule de Sorrente, dévoilant une vue spectaculaire sur la mer. Au nord du pays, les lacs s'inscrivent également dans de magnifiques paysages de montagnes et de vallées.

Les offices du tourisme sont en général une bonne source d'informations sur les randonnées et fournissent des cartes. Voir aussi p. 708, sous *Alpinisme*, pour les coordonnées du site Internet du CAI, l'excellent Club alpin italien.

CYCLOTOURISME

Des routes de campagne jalonnées de trattorias aux longues descentes de montagne sur des chemins cailloux, il y en a pour tous les goûts et tous les niveaux. Les offices du tourisme vous renseigneront sur les pistes cyclables et les circuits guidés.

Les célèbres collines de Toscane, notamment la région du Chianti, au sud de Florence, offrent des parcours très appréciés des cyclistes. En Ombrie, le Valnerina et le Piano Grande (p. 593), près de Monte Vettore, recèlent de très beaux sentiers et de paisibles routes de campagne.

Plus au nord, les plaines d'Émilie-Romagne constituent un terrain idéal pour les deux-roues. Le "Destra Po" est un circuit de 132 km sur route plate qui suit les rives du Pô de l'ouest de Ferrare (voir p. 464) jusqu'à son embouchure.

Si vous souhaitez agrémenter votre randonnée d'une dégustation de vins locaux, arrêtez-vous dans les villages de Barolo ou de Barbaresco, dans les collines piémontaises des Langhe (p. 241). Vous pouvez aussi sillonner les vergers du Haut-Adige et aider à la cueillette des fruits (à Val di Non ; p. 326).

En été, les stations de ski accueillent les cyclistes les plus chevronnés. Les vététistes auront l'embarras du choix, entre les sommets qui surplombent le lac de Garde et les Dolomites dans le Trentin et Haut-Adige.

Le printemps est sans doute la meilleure saison pour pratiquer le vélo, les températures sont modérées et la nature est à son meilleur. Consultez le guide *Cycling Italy* (en anglais) de Lonely Planet pour des informations complémentaires sur le cyclotourisme en Italie.

---

top 5
SENSATIONS FORTES

Ski spectaculaire au mont Cervin
Les pistes de ski vertigineuses du mont Cervin (Matterhorn) se prêtent à de mémorables excursions hors-piste (p. 256)

VTT autour des lacs
Éprouvez vos mollets sur les sentiers escarpés du mont Baldo (p. 309), près du lac de Garde

Snowboard de légende
Les frissons d'un half-pipe du Madonna di Campiglio en snowboard (p. 325)

Plongée dans des réserves marines
Une sortie de plongée parmi des épaves, des grottes souterraines et crevasses sur la côte de Ligurie (encadré p. 217)

Descente en eau vive
Radeau pneumatique, kayak, raft... il existe mille manières de descendre les rapides de la Sesia, dans le nord du Piémont (p. 258)

Plonger avec les barracudas au large de Capri (p. 661)

SIME / RINALDI ROBERTO

Descente en eau vive sur la rivière Sesia, à Alagna Valsesia (p. 258)

SIME / ERBETTA

PLONGÉE SOUS-MARINE

Avec plus de 8 000 km de côtes, d'impressionnantes formations volcaniques sous-marines et des eaux d'un bleu turquoise, l'Italie est une destination de choix pour les plongeurs. Des centaines d'écoles proposent des cours, des circuits guidés pour tous les niveaux ainsi que la location d'équipement.

Même si le pays tout entier est jalonné d'excellents sites de plongée, avec notamment la côte ligure sur la "Riviera italienne", les meilleurs spots se trouvent généralement dans le Sud.

Au large de la péninsule de Sorrente, la réserve naturelle marine de la Punta Campanella possède un écosystème protégé, avec une flore et une faune de toute beauté qui s'épanouissent dans des grottes sous-marines et des ruines antiques. Le départ des plongées se fait à partir du petit village de Marina del Cantone.

Sur l'Adriatique, ne manquez pas les trois minuscules îles Tremiti au large de la côte des Pouilles.

Les écoles de plongée sont généralement ouvertes de juin à octobre. Évitez, si possible, le mois d'août ; les côtes italiennes sont assiégées par les vacanciers et connaissent une véritable flambée des prix.

Pour tout renseignement sur la plongée, adressez-vous aux offices du tourisme locaux ou consultez le site Internet **Diveltaly** (www.diveitaly.com, en italien).

SPORTS D'EAU VIVE

La Sesia (p. 258), une rivière du nord du Piémont qui dévale les pentes du Monte Rosa dans le magnifique paysage de la Valsesia, attire les amateurs de sports d'eau vive, surtout entre avril et septembre. Dans la commune de Varallo, sont organisées toutes sortes de descentes de rapides : le canoë, le kayak, le rafting, le canyoning (descente d'un cours d'eau alliant la nage et l'escalade, voire la spéléologie), l'hydrospeed (descente sur un petit radeau) ou le tubing (descente rapide sur une grosse bouée).

Dans le Haut-Adige, le Val di Sole propose aussi de belles descentes, de même que les monts Sibyllins en Ombrie.

À l'autre bout de la péninsule, les rapides de la Lao, dans le Parco Nazionale del Pollino, en Calabre, sont aussi propices au rafting, au canoë et au canyoning.

PLANCHE À VOILE

Le lac de Garde, dans le nord de l'Italie, est plébiscité par les véliplanchistes de toute l'Europe. Par temps ensoleillé, il est balayé dès le lever du jour par le *peler,* un vent du nord. En début d'après-midi, le vent du sud, l'*ora,* prend la relève. Torbole, qui accueille le Championnat international de planche à voile (windsurf), et Malcesine, à 15 km au sud, sont les deux centres principaux du lac. Sur le lac de Côme, c'est Gravedona qui centralise cette activité.

L'île d'Elbe, au large de la côte toscane, est un spot apprécié pour la planche à voile.

Tous les lieux répertoriés proposent des équipements à la location.

VOILE

Quel que soit votre niveau en matière de voile, les eaux italiennes sont faites pour vous. Les skippers expérimentés loueront des voiliers pour naviguer d'île en île, tandis que les plaisanciers occasionnels exploreront les petites baies à bord de canots pneumatiques. Quant aux férus de vitesse, ils sillonneront les lacs sur des hors-bord ultrarapides.

La côte de Ligurie jouit d'une longue tradition de navigation. Ainsi, Santa Margherita se spécialise dans la location de bateaux. Au nord, les vents du lac de Garde sont idéaux pour la planche à voile et la plaisance.

Au sud, au large de la côte amalfitaine, là où nombre de baies ne sont accessibles que par bateau, les navigateurs s'en donnent à cœur joie. La Costiera Cilentana et les îles d'Elbe, de Capri et de Procida sont aussi très prisées.

Du parasurf sur le lac de Garde (p. 309)
DENNIS JONES

Le *Royal Clipper* en Méditerranée
HOLGER LEUE

Escalade des Dolomites de Brenta (p. 322)
GARETH MCCORMACK

Le Parco Nazionale del Gran Paradiso (p. 255)
ALAN BENSON

ÉQUITATION

Découvrir l'Italie à cheval est une formule de plus en plus appréciée. Pour tout renseignement sur les centres équestres, adressez-vous aux offices du tourisme locaux. Dans le Parco Nazionale d'Abruzzo, Lazio e Molise, vous traverserez les merveilleuses collines sauvages de Pescasseroli. Au nord, les balades à cheval dans le Piémont (p. 221), les Dolomites de Brenta (p. 322) et le Parco Nazionale del Gran Paradiso (p. 255) sont très recherchées en été.

ALPINISME

L'arrière-pays montagneux et la côte rocheuse italiennes font depuis longtemps le bonheur des grimpeurs. L'alpinisme conserve une place importante dans la culture italienne. L'Italien Reinhold Messner est d'ailleurs considéré comme une figure éminente de l'alpiniste moderne.

Les énormes parois rocheuses des Dolomites offrent un vrai défi aux varappeurs. La plupart des circuits d'escalade sont faciles d'accès depuis la route. À l'ouest, la Riviera di Ponente, sur la côte ligure, possède d'excellents sites. Pour allier escalade et randonnée de haut niveau, suivez les *vie ferrata* (itinéraires équipés de cordes en métal) dans les Dolomites de Brenta.

Les meilleurs alpinistes peuvent accéder aux plus hauts sommets d'Europe. Le mont Blanc (4 807 m), le mont Rose (4 633 m) et le mont Cervin (Matterhorn ; 4 478 m) s'élèvent à la frontière entre l'Italie, la France et la Suisse. Des expéditions partent de Courmayeur (p. 253) et de Cogne (p. 255 ; dans le parc du Gran Paradiso, également réputé pour ses sites d'escalade de glace). Vers le sud, le massif du Gran Sasso (p. 618) comprend trois sommets dont le Corno Grande (2 912 m) et le Corno Piccolo (2 655 m). Pour plus de renseignements sur l'alpinisme, consultez le site du **Club Alpino Italiano** (CAI ; www.cai.it).

(Suite de la page 700)

Depuis/vers les îles Tremiti

Les bateaux à destination des îles Tremiti partent de Manfredonia, Vieste et Peschici en été (voir p. 698), et de Termoli, dans la proche Molise, toute l'année (voir p. 631).

FOGGIA

155 000 habitants

Foggia tire son nom de ses fameux *fovea* (greniers à grains). Si vous arrivez du nord dans les Pouilles, vous descendez des verts pâturages de la Molise dans la plaine du Tavoliere, brûlée par le soleil et plantée de blé et de tomates, avant d'arriver à Foggia.

Frédéric II (1194-1250) aimait Foggia et son cœur y fut conservé dans un coffret jusqu'à ce que le terrible séisme de 1731 détruise la ville. Foggia fut de nouveau ravagée durant la Seconde Guerre mondiale, quand des bombardements visèrent les bases aériennes des alentours. De vilains bâtiments des années 1960 ont remplacé les édifices endommagés, mais le centre conserve quelques vestiges de la cité médiévale.

Hormis la cathédrale du XIIe siècle, la ville n'offre guère d'intérêt. Aux alentours, Troia et Lucera méritent la visite.

Orientation et renseignements

Les gares ferroviaire et routière font face à la Piazza Vittorio Veneto, à la lisière nord de la ville. Le Viale XXIV Maggio, bordé d'hôtels, de restaurants et de magasins, débouche au sud sur la Piazza Cavour. L'**office du tourisme** (☎ 0881 7231 41 ; 1er ét, Via Senatore Emilio Perrone 17 ; 8h-14h lun-ven, et 15h-18h mar et jeu) se tient près du Piazzale Puglia.

À voir

La **cathédrale** (7h-12h30 et 17h-20h, du XIIe siècle, se dresse près du Corso Vittorio Emanuele II. Si la moitié inférieure est romane, la partie supérieure fut reconstruite dans un style baroque exubérant après le séisme de 1731. La plupart de ses trésors furent perdus lors de la catastrophe ; cependant, une icône byzantine orne l'une des chapelles intérieures. Selon la légende, des bergers la découvrirent au XIe siècle dans un étang, sur lequel brûlaient trois flammes. Ces flammes sont aujourd'hui l'emblème de Foggia.

Installé dans un beau *palazzo* anciern, le **Museo Civico** (☎ 0881 72 62 45 ; Piazza Nigri ; entrée libre ; 9h-13h mar-dim et 16h-19h mar et jeu) présente

des trouvailles archéologiques de la région, des objets artisanaux et quelques peintures de Carlo Levi.

Où se loger et se restaurer

Hotel Cicolella (☎ 0881 56 61 11 ; www.accorhotels.com ; Viale XXIV Maggio 60 ; s/d avec petit-déj 100-135 €/130-160 € ;). Près de la gare ferroviaire, le plus bel hôtel de Foggia, couleur brique, fut fondé il y a plus de 100 ans et fait désormais partie de la chaîne Mercure. Les chambres, avec parquet ou moquette, offrent tout le confort moderne et le restaurant est l'un des meilleurs de la ville.

Ristorante Margutta (☎ 0881 70 80 60 ; Via Piave 33 ; repas 25 €). Tapissé de lierre, cet accueillant restaurant en plein air est renommé à juste titre. Spécialisé dans le poisson, il sert une excellente *grigliata mista di pesce* (assortiment de poissons grillés).

Depuis/vers Foggia

BUS

Des bus partent du Piazzale Vittorio Veneto, près de la gare ferroviaire, pour des villes de la province. Les services se raréfient le week-end.

SITA (☎ 0881 35 20 11 ; www.sitabus.it) et **Ferrovie del Gargano** (☎ 0881 58 72 11 ; www.ferroviedelgargano. com) proposent des services depuis/vers Vieste (5,70 €, 2 heures 45, au moins 5/jour), Monte Sant'Angelo (3,40 €, 1 heure 45, au moins 10/jour) et Lucera (1,65 €, 30 min, ttes les heures).

TRAIN

Des trains fréquents se rendent à Bari (à partir de 14 €, 1 heure 30) et continuent vers Brindisi (à partir de 13,70 €, 3 heures) et Lecce (à partir de 16 €, 3 heures 15). En direction du nord, des trains desservent Ancône (48 €, 3 heures 30) et Milan (68 €, 7-9 heures).

LUCERA

35 050 habitants / altitude 219 m

Hors des sentiers battus, Lucera possède l'un des plus imposants châteaux des Pouilles, une charmante vieille ville aux bâtiments en brique et pierre couleur sable et d'élégantes boutiques bordant de larges rues pavées.

Fondée par les Romains au IVe siècle av. J.-C., la cité était abandonnée au XIIIe siècle. Après son excommunication par le pape Grégoire IX, Frédéric II décida de renforcer son bastion dans les Pouilles en faisant venir quelque 20 000 Arabes siciliens.

Ce fut une décision audacieuse pour un monarque chrétien, d'autant plus que Frédéric II permit aux nouveaux habitants musulmans de Lucera de construire des mosquées et de pratiquer librement leur religion à 290 km à peine de Rome.

Par la suite, l'histoire se montra moins clémente : lors de la prise de la ville par la maison d'Anjou en 1269, tous les musulmans qui refusèrent de se convertir furent massacrés.

L'**office du tourisme** (☎ 0881 52 27 62 ; ☽ 9h-14h et 15h-20h mar-dim avr-sept, 9h-14h oct-mars) se situe près de la cathédrale.

À voir

L'énorme **château** (entrée libre ; ☽ 9h-14h toute l'année et 15h-19h avr-sept) de Frédéric II témoigne de l'importance passée de Lucera. Édifié en 1233, il se dresse à 14 km au nord-ouest de la ville, sur un promontoire rocheux ceinturé par des remparts qui forme un pentagone de 1 km, ponctué de 24 tours de guet.

La **cathédrale** (☽ 6h30-12h et 16h-19h mai-sept, 17h-20h oct-avr) fut érigée en 1301 par Charles II d'Anjou sur le site de la grande mosquée de Lucera. Seule cathédrale gothique des Pouilles, son autel est l'ancienne table de banquet du château.

Dotée d'une immense rosace, la **Chiesa di San Francesco** (☽ 8h-12h et 16h-19h), de style gothique, date de la même époque et comprend des matériaux provenant de l'**amphithéâtre romain** (entrée libre ; ☽ 8h-14h30 et 16h-20h mar-dim), du Ier siècle av. J.-C. En cours de restauration, l'amphithéâtre fut construit pour les combats de gladiateurs et pouvait accueillir jusqu'à 18 000 spectateurs. Demandez à l'office du tourisme s'il est ouvert.

Où se loger et se restaurer

B&B Elena degli Angeli (☎ 0881 53 04 46 ; Piazza Oberdan 3 ; ch 60-80 € ; ▢). L'établissement ne compte que 4 chambres séduisantes, ornées de fresques, de beaux lits en bois et de carrelages originaux. La petite terrasse offre la vue sur les toits. L'excellent restaurant (repas 25 €) du rez-de-chaussée est tenu par le fils du propriétaire.

☉ Le Foglie di Acanto (☎ 349 4514937 ; www.lefogliediacanto.it ; Via Frattarolo 3 ; s/d 70/100 €). Tenu par un frère et une sœur dynamiques, cet ancien *palazzo* du XVIe siècle possède des plafonds décorés de belles fresques, de somptueux sols carrelés, de belles antiquités et un charmant jardin ombragé. Au petit déjeuner, vous vous régalerez, entre autres, de confitures bio.

La Tavernetta (☎ 0881 52 00 55 ; Via Schiavone 7 ; pizzas à partir de 4 € ; ☽ mar-dim). Derrière la cathédrale, un personnel jeune et sympathique sert de croustillantes pizzas cuites au feu de bois dans une grande cave en briques apparentes.

Il Cortiletto (☎ 0881 54 25 54 ; Via de Nicastri 26). Ce superbe restaurant comprend une salle voûtée et une cour centrale. Sur la carte figurent des plats traditionnels comme les *orecchiette alle cime di rape* (pâtes aux pointes de raves) et les *cozze pelose* (palourdes des Pouilles).

Depuis/vers Lucera

Des bus SITA et Ferrovie del Gargano circulent régulièrement entre Foggia (p. 709) et Lucera (1,65 €, 30 min).

TRANI
53 520 habitants

Joyau des Pouilles, Trani scintille dans une lumière nacrée et se révèle particulièrement sophistiquée en été, quand des visiteurs fortunés remplissent les quelques bars de la marina. Sa cathédrale et sa piazza normandes, perchées au-dessus de la mer, laissent un souvenir impérissable, surtout après quelques verres de la liqueur locale, le Moscato di Trani.

Le centre historique, avec ses églises médiévales et ses rues aux pavés luisants, témoigne d'un passé prospère. Au Moyen Âge, Trani rivalisait en importance avec Bari et devint l'un des principaux ports pour les marchands qui se rendaient au Proche-Orient.

Orientation et renseignements

De la gare ferroviaire, la Via Cavour traverse la Piazza della Republica avant de rejoindre la Piazza Plebiscito et le jardin public. Tournez à gauche pour atteindre le port et la cathédrale.

L'**office du tourisme** (☎ 0883 58 88 30 ; www.traniweb.it ; 1er ét, Palazzo Palmieri, Piazza Trieste 10 ; ☽ 8h30-13h30 lun-ven, et 15h30-17h30 mar et jeu) se situe à 200 m au sud de la cathédrale.

À voir

Baignée d'une lumière exceptionnelle, la **cathédrale** (Piazza del Duomo ; ☽ 8h15-12h15 et 15h15-18h30 lun-ven, 9h-12h45 et 16h-19h sam-dim), face à la mer, est dédiée à saint Nicolas le Pèlerin, célèbre pour son excentricité. Ce chrétien grec errait à travers les Pouilles en criant "*Kyrie eleison*" ("Seigneur, ayez pitié" en grec). D'abord considéré comme un simple d'esprit, il fut révéré après sa mort (à l'âge de 19 ans), quand on lui attribua plusieurs miracles.

Édifiée à partir de 1097 sur le site d'une église byzantine, la cathédrale fut achevée au XIIIe siècle. Les splendides portes en bronze d'origine (aujourd'hui exposées à l'intérieur) furent réalisées par Barisano da Trani, un maître-artisan du XIIe siècle.

L'intérieur, bordé de colonnades, reflète la simplicité typique du style normand. Près du maître-autel, les vestiges d'un sol en mosaïque du XIIe siècle présentent un style similaire à celui d'Otrante. Dans la crypte, forêt de colonnes antiques, les ossements de saint Nicolas sont conservés sous l'autel.

À 200 m au nord de la cathédrale se dresse l'autre monument majeur de Trani, le **château** (☎ 0883 50 66 03 ; Piazza Manfredi 16 ; 2 € ; ☽ 8h30-19h30) souabe quasi moderniste, construit par Frédéric II en 1233. Charles V renforça plus tard les fortifications, et il servit de prison de 1844 à 1974.

Également dans le centre historique, l'**église Ognissanti** (Via Ognissanti ; ☽ horaires variables) fut construite par les Templiers au XIIe siècle. C'est ici que les chevaliers normands jurèrent allégeance à Bohémond Ier d'Antioche, leur chef, avant de partir pour la première croisade.

L'**église Scolanova** (☎ 0883 48 17 99 ; Via Scolanova 23 ; ☽ horaires variables) était l'une des quatre synagogues de l'ancien quartier juif. Toutes furent transformées en église au XIVe siècle. Elle renferme une magnifique peinture byzantine de la Madonna dei Martiri.

Où se loger

B&B Trani (☎ 0883 50 61 76 ; www.bbtrani.it ; Via Leopardi 29 ; s/d avec petit-déj 45/56-68 €). Plein de caractère, ce simple B&B désuet occupe un ancien monastère dans une petite rue. Tenu par un couple âgé, il comprend un toit-terrasse avec une vue fabuleuse et une jolie salle de petit déjeuner rose bonbon.

Albergo Lucy (☎ 0883 48 10 22 ; www.albergolucy.com ; Piazza Plebiscito 11 ; d/tr/qua 60/80/100 €). Près du port, ce palazzo restauré du XVIIe siècle donne sur une place verdoyante et offre d'immenses chambres hautes de plafond, pleines de charme et de lumière, ainsi qu'un accueil chaleureux.

Hotel Regia (☎ /fax 0883 58 44 44 ; www.hotelregia.it ; Piazza del Duomo 2 ; s/d 120-130/130-150 € ; ✲). D'une splendeur totale, le Palazzo Filisio, du XVIIIe siècle, fait face à la cathédrale et abrite un hôtel charmant. Les chambres sont sobres et élégantes et le restaurant excellent (repas 30 €).

Où se restaurer

Osteria Ferro e Fuoco (☎ 0883 58 73 87 ; Piazza Mazzini 8 ; repas 25 €). Ce nouvel établissement sert une bonne cuisine, avec des plats comme les antipasti de ricotta frite et le rôti de veau. Bien situé sur la place, il dispose d'une terrasse qui surplombe de vieilles maisons avec le linge séchant aux fenêtres.

La Darsena (☎ 0883 48 73 33 ; Via Statuti Marittimi 98 ; repas 30 € ; ☽ mar-dim). Réputé pour ses poissons, La Darsena est installée dans un *palazzo* en front de mer. Des arbres ombragent les tables en terrasse, tandis que de vieilles photos des Pouilles ornent la salle, sous un gigantesque lustre en fer forgé.

Corteinfiore (☎ 0883 50 84 02 ; Via Ognissanti 18 ; repas 30 € ; ☽ mar-dim). Une ambiance estivale égaye le cadre classique, avec parquet en bois, nappes jaune pâle et un essaim de serveurs sympathiques. Les vins sont tout aussi délicieux que la cuisine. Essayez les pâtes à la lotte et aux palourdes.

Depuis/vers Trani

Des bus **STP** (☎ 0883 49 18 00 ; www.stpspa.it) desservent la côte et l'arrière-pays, notamment Barletta (1,10 €, 30 min, ttes les 30 min) et Bari (2,95 €, 45 min, départs fréquents). Les bus partent du **Bar Stazione** (Piazza XX Settembre 23), qui fournit les horaires et les billets.

La SS16 passe par Trani et la relie à Bari et à Foggia. Vous pouvez aussi emprunter l'autoroute A14 Bologne-Bari.

Trani se situe sur la principale ligne ferroviaire entre Bari (3,50 €, 30-60 min, départs fréquents) et Foggia (6,50 €, 40 min, départs fréquents) et se rejoint facilement des autres villes côtières.

ENVIRONS DE TRANI
Barletta
92 100 habitants

Prospère ville moderne, aussi grande que Lecce, Barletta possède un colosse en bronze du IVe siècle et une superbe galerie d'art.

Les croisés embarquaient au port de Barletta pour rejoindre la Terre sainte et Richard Cœur de Lion participa à la construction de la cathédrale, siège de l'archevêché de Nazareth pendant six siècles (1291-1891).

Dans le centre, un monument étonnant (et incongru) se dresse sur le Corso Vittorio Emanuele : un **colosse** romain haut de 5 m, le plus grand bronze romain subsistant au monde, à l'expression peu engageante.

Les Vénitiens le volèrent en 1203 après le sac de Constantinople en 1203, mais leur navire sombra et le colosse fut rejeté sur la rive. Il y resta des années, les habitants de Barletta étant trop superstitieux pour s'en approcher, puis il fut finalement transporté en ville où l'on restaura ses membres abîmés. Il faillit être fondu en 1309 pour fabriquer une cloche.

La **Pinacoteca Giuseppe De Nittis** (☎ 0883 57 86 15 ; www.pinacotecadenittis.it ; Via Cialdini 75 ; adulte/tarif réduit 4/2 € ; ◷ 10h-20h mar-dim), installée dans un palais, possède une importante collection d'œuvres d'un artiste local, De Nittis (1846-1884), le seul impressionniste italien. Elle présente aussi d'excellentes expositions temporaires.

De la gare routière, **STP** (☎ 0883 49 18 00 ; www. stpspa.it) dessert Trani (1,10 €, 30 min, ttes les 30 min) et Bari (3,45 €, 1 heure 20).

Castel del Monte

Juché sur une colline, le **Castel del Monte** (☎ 0883 56 99 97 ; 3 € ; ◷ 9h-18h30 oct-fév, 15h-19h45 mars-sept) se voit à des kilomètres à la ronde. Mystérieux et parfaitement octogonal, c'est l'un des monuments les plus connus de l'Italie du Sud, inscrit au patrimoine mondial de l'Unesco.

Personne ne sait pourquoi Frédéric II le fit construire. Personne n'y vécut (remarquez l'absence de cuisine) et il se situe loin de toute ville ou carrefour stratégique. Ne comportant ni douves, ni pont-levis, ni meurtrières, ni mâchicoulis, il ne jouait aucun rôle défensif.

Si l'on se réfère aux croyances du milieu du XIIIe siècle sur le symbolisme géométrique, l'octogone représente l'union du cercle et du carré, de la perfection divine (l'infini) et de celle de l'homme (le fini). Le château symboliserait ainsi la relation entre l'homme et Dieu.

Le château comprend huit tours octogonales. Des colonnes décoratives et des cheminées en marbre ornent les salles communicantes et du corail entoure les portes et les fenêtres. La plupart des tours disposent de salles d'ablutions : Frédéric II, comme les Arabes qu'il admirait, était très à cheval sur la propreté.

Vous aurez besoin d'un véhicule pour rejoindre le château, à moins de recourir au service sporadique qui part tous les jours d'Andria, non loin.

BARI

328 500 habitants

"Se Parigi avesse il mare, sarebbe una piccola Bari" (Si Paris avait la mer, ce serait un petit Bari). Ce dicton populaire en dit plus sur le sens de l'humour des habitants que sur la ville, mais Bari ne manque pas de charme, en particulier Bari Vecchia, la vieille ville médiévale de plus en plus chic.

La construction de la ville nouvelle, au joli plan en damier, commença en 1813. Lors de l'indépendance, en 1861, elle comptait 34 000 habitants, mais depuis la ville s'est étendue au nord et au sud le long de la côte. Un nouveau quartier d'affaires de gratte-ciel en verre a également vu le jour.

Capitale des Pouilles, Bari est l'une des villes les plus prospères du Sud, comme en témoignent les boutiques de créateurs qui jalonnent la Via Sparano da Bari. Les restaurants et les boutiques s'efforcent de satisfaire une clientèle exigeante.

Aspect moins sympathique, Bari est aussi le fief de la Sacra Corona Unita, le quatrième plus important clan mafieux du pays et l'un des plus redoutés ; il opère depuis la banlieue de San Paolo.

Orientation

Repérez-vous de la Piazza Aldo Moro, en face de la gare ferroviaire principale. Toutes les rues qui courent au nord de cette place conduisent au Corso Vittorio Emanuele II, qui sépare la vieille ville de la ville nouvelle et, plus au nord, au terminal des ferries.

Renseignements

La ville compte d'innombrables banques et DAB.

CTS (☎ 080 555 99 16 ; Via Postiglione 27). Une bonne adresse pour les étudiants et les vols à prix réduits.

Hôpital (☎ 080 557 57 24 ; Piazza Cesare).

Morfimare Travel Agency (☎ 080 578 98 11 ; www. morfimare.it ; Corso de Tullio 36-40). Billets de ferries.

Netcafé (☎ 080 524 17 56 ; Via Andrea da Bari 11 ; 4 €/h ; ◷ 9h-22h30 lun-sam, 17h-22h dim). Accès Internet.

Office du tourisme (☎ 080 990 93 41 ; www. pugliaturismo.com ; 1er ét, Piazza Moro 33a ; ◷ 10h-13h et 15h-18h lun-ven, 10h-13h sam).

Police (☎ 080 529 11 11 ; Via Murat 4).

Poste (Piazza Battisti ; ◷ 8h-18h30 lun-ven, 8h-12h30 sam).

Désagréments et dangers

La petite délinquance peut poser problème, aussi prenez les précautions habituelles : ne laissez rien dans votre voiture, dissimulez l'argent et les objets de valeur et faites attention aux voleurs à l'arraché circulant en deux-roues. Le soir, évitez les rues sombres de Bari Vecchia.

POUILLES, BASILICATE ET CALABRE

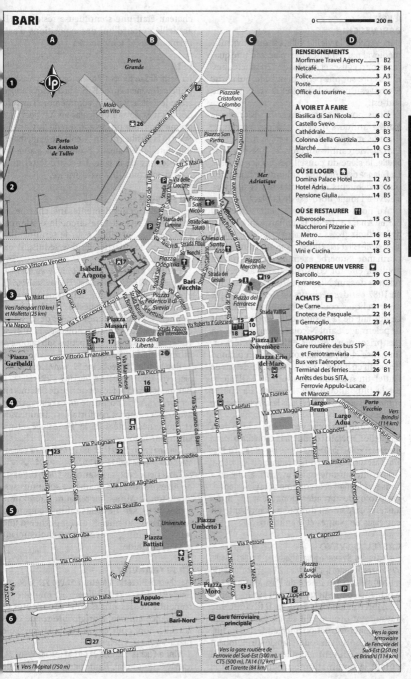

BARI

0 — 200 m

RENSEIGNEMENTS
Morfimare Travel Agency	1 B2
Netcafé	2 B4
Police	3 A3
Poste	4 B5
Office du tourisme	5 C6

À VOIR ET À FAIRE
Basilica di San Nicola	6 C2
Castello Svevo	7 B3
Cathédrale	8 C3
Colonna della Giustizia	9 C3
Marché	10 C3
Sedile	11 C3

OÙ SE LOGER
Domina Palace Hotel	12 A3
Hotel Adria	13 C6
Pensione Giulia	14 B5

OÙ SE RESTAURER
Alberosole	15 C3
Maccheroni Pizzerie a Metro	16 B4
Shodai	17 B3
Vini e Cucina	18 C3

OÙ PRENDRE UN VERRE
Barcollo	19 C3
Ferrarese	20 C3

ACHATS
De Carne	21 B4
Enoteca de Pasquale	22 B4
Il Germoglio	23 A4

TRANSPORTS
Gare routière des bus STP et Ferrotramviaria	24 C4
Bus vers l'aéroport	25 C4
Terminal des ferries	26 B1
Arrêts des bus SITA, Ferrovie Appulo-Lucane et Marozzi	27 A6

À voir

BARI VECCHIA

Bari Vecchia, la vieille ville, est un labyrinthe médiéval parsemé de jolies places, d'une quarantaine d'églises et de plus de 120 sanctuaires. Elle s'étire sur une petite péninsule, qui abrite le nouveau port à l'ouest et le vieux port au sud-est.

Vous pouvez commencer la visite par le **marché** animé sur la Piazza del Ferrarese. Ensuite, marchez au nord vers la magnifique Piazza Mercantile médiévale, que borde le **Sedile**, le siège du conseil des nobles de Bari. La **Colonna della Giustizia** (colonne de la justice), où les débiteurs étaient attachés et fouettés, s'élève à l'angle nord-est de la place.

Au nord-ouest, après la petite Chiesa di Santa Ana, se dresse la remarquable **Basilica di San Nicola** (Piazza San Nicola ; 7h-13h et 16h-19h lun-sam, 7h-13h et 16h-21h dim), une ancienne église normande. Superbe exemple du style roman apulien, elle fut construite pour abriter les reliques de saint Nicolas, dérobées en Turquie en 1087 par des pêcheurs de Bari. On dit que de ces reliques coule une manne miraculeuse, ce qui fait de la basilique un important lieu de pèlerinage. Saint Nicolas est aussi le patron des prisonniers et des enfants. L'intérieur, immense et dépouillé, comprend un plafond décoratif en bois du XVIIe siècle. Au-dessus de l'autel, un splendide ciborium du XIIIe siècle est le plus ancien des Pouilles. La châsse somptueuse est installée dans la crypte, éclairée par des lustres.

Une courte marche vers le sud le long de la Via delle Crociate conduit à la **cathédrale** (Piazza Odegitria ; 8h-12h30 et 16h-19h30 lun-ven, 8h-12h30 et 17h-20h30 sam-dim), un édifice roman du XIe siècle. Construite sur une église byzantine, elle en a conservé le plan et la coupole de style oriental. De profondes arcades ponctuent les murs austères et le vitrail du côté est représente un entrelacs de plantes et d'animaux.

CASTELLO SVEVO

Le **Castello Svevo** (château souabe ; ☎ 083 184 00 09 ; Piazza Federico II di Svevia ; 2 € ; 8h30-19h30 jeu-mar) s'élève à la lisière de Bari Vecchia. Les Normands bâtirent un château sur les ruines d'un fort romain, puis Frédéric II fit construire autour son propre édifice, conservant deux tours de la construction normande. Les fortifications, assorties de tours d'angle surplombant les douves, furent ajoutées au XVIe siècle durant la domination espagnole, quand le château était une somptueuse résidence. Il accueille aujourd'hui des expositions d'art, permanentes et temporaires.

Fête

La **Festa di San Nicola** (fête de saint Nicolas), le principal événement de Bari, a lieu chaque année entre le 7 et le 9 mai et commémore l'arrivée des reliques de saint Nicolas au XIe siècle. Le premier soir, une procession se rend du Castello Svevo à la Basilica di San Nicola. Le lendemain, une flottille de bateaux promène la statue du saint le long de la côte. La soirée se termine par un concours de feux d'artifice.

Où se loger

Les hôtels, généralement sans charme et trop chers, visent une clientèle d'affaires. Bari Vecchia, pratique pour le terminal des ferries, est le quartier le plus séduisant où séjourner.

Pensione Giulia (☎ 080 521 66 30 ; www.hotelpensionegiulia.it ; Via Crisanzio 12 ; s/d 60/75 €, sans sdb 50/65 €). Près de la gare ferroviaire, cette pension prisée, tenue par une famille, loue des chambres fonctionnelles, presque toutes ornées de fresques charmantes au plafond (choisissez la n°21 si vous aimez les anges). Les petites sdb rajoutées offrent peu d'intimité.

Hotel Adria (☎ 080 524 66 99 ; www.adriahotelbari.com ; Via Zuppetta 10 ; s/d 70/110 € ;). Bâtiment rose à la façade ourlée de balcons en fer forgé, l'Adria constitue un excellent choix avec des chambres confortables, lumineuses et modernes, dotées de la TV câblée, et un jardin sur le toit.

Domina Palace Hotel (☎ 080 521 65 51 ; www.domina-hotels.com ; Via Lombardi 13 ; s/d 195/260 € ;). Si l'extérieur évoque les années 1960, cet oasis de luxe propose des chambres somptueuses. Sur le toit, le Murat, un restaurant renommé (repas 30 €), sert des plats raffinés comme la dinde glacée au miel et accompagnée d'une sauce aux truffes, à savourer en contemplant la vue splendide.

Où se restaurer

Maccheroni Pizzerie a Metro (☎ 080 521 33 56 ; Via Gimma 90 ; pizzas 7-9 €). Si l'endroit manque de romantisme, les pizzas sont succulentes et l'ambiance animée. L'originalité réside dans la réalisation, pour chaque table, d'une seule pizza servie au mètre.

Vini e Cucina (☎ 338 212 03 91 ; Strada Vallisa 23 ; repas 10 € ; lun-sam). Tenue par la même famille depuis plus d'un siècle, cette *osteria* (bar à vin servant quelques plats) fréquentée propose des plats du jour et de copieuses spécialités des Pouilles. Installez-vous dans la salle en brique rouge aux allures de tunnel, et attendez patiemment l'unique et infatigable serveur.

Shodai (☎ 080 528 35 89 ; Piazza Massari 23 ; plats 25 €). Prisé à juste titre, le premier restaurant japonais de Bari offre des classiques de la cuisine nippone, comme les tempuras de légumes, les sashimis de saumon et les sushis de thon, dans un cadre zen avec meubles tubulaires en acier et décor noir et rouge minimaliste.

Alberosole (☎ 080 523 54 46 ; Corso Vittorio Emanuele II 13 ; repas 30 € ; ☺ mar-dim sept-juil). Côtoyez les hommes d'affaires dans cet élégant restaurant, doté d'un ancien sol en pierre et d'un plafond de cathédrale. Sur la carte contemporaine figurent des délices comme les *linguine con gamberi di Gallipoli, pesto di fave fresche e zenzero* (linguines aux crevettes, pesto de fèves et gingembre). Réservation indispensable.

Pour faire des courses, rendez-vous au **marché** (Piazza del Ferrarese) ou explorez les boutiques indiquées dans la rubrique *Achats*.

Où prendre un verre

Comme la plupart des villes universitaires, Bari bénéficie d'une vie nocturne animée. Commencez par un *aperitivo* au **Ferrarese** (☎ 392 0744474 ; Piazza Ferrarese 1), qui domine le port, puis rejoignez la Piazza Mercantile, rendez-vous de la jeunesse dorée. Au **Barcollo** (☎ 080 521 38 89 ; Piazza Mercantile 69/70 ; cocktails 6 € ; ☺ 8h-3h), vous pourrez vous prélasser sur les banquettes rouge vif ou vous asseoir sur la place illuminée pour siroter un cocktail et picorer des hors-d'œuvre.

Achats

Bari est un excellent endroit pour faire des achats. La Via Sparano da Bari regroupe des boutiques de créateurs et de grandes chaînes italiennes. Vous trouverez des épiceries de luxe et des traiteurs dans toute la ville.

De Carne (☎ 080 521 96 76 ; Via Calefati 128 ; ☺ 8h-14h et 17h-20h40 lun-mer et ven-sam, 8h-14h jeu). Humez les délicieux fumets et laissez-vous tenter par les délicieux produits régionaux de cette épicerie vénérable.

Il Germoglio (☎ 080 524 27 72 ; Via Putignani 204 ; ☺ 9h-13h30 et 16h30-20h30 lun-sam). Une adresse privilégiée pour les jambons et les fromages bio.

Enoteca de Pasquale (☎ 080 521 31 92 ; Via Marchese di Montrone 87 ; ☺ 8h-14h et 16h-20h30 lun-sam). Grand choix de vins des Pouilles.

Depuis/vers Bari

AVION

L'**aéroport de Palese** (BRI ; ☎ 080 580 02 00 ; www.seap-puglia.it) est desservi par plusieurs compagnies internationales et low cost, dont Alitalia, Hapag-Lloyd Express et Ryanair.

BATEAU

De Bari, des ferries rallient la Grèce, la Turquie, l'Albanie, la Croatie, la Serbie et le Monténégro. Toutes les compagnies maritimes disposent d'un bureau au terminal des ferries, que le bus n°20 relie à la gare ferroviaire principale. Les traversées vers la Grèce sont généralement plus chères de Bari que de Brindisi (p. 722). Les tarifs peuvent baisser d'un tiers en dehors de la haute saison (de mi-juillet à fin août). Le transport des vélos est habituellement gratuit.

Voici les principales compagnies et leurs itinéraires :

Blue Star Ferries (☎ 080 52 11 416 ; www.bluestarferries.com). Départs pour Patras et Igoumenitsa (Grèce) tous les jours à 20h.

Jadrolinija (☎ en Croatie 385-516 66 111 ; www.jadrolinija.hr). Dessert Dubrovnik, en Croatie.

Montenegro Lines (☎ 080 578 98 27 ; www.morfimare.it). Réservations via Morfimare Travel Agency (voir p. 712). Dessert Bar au Monténégro (22h dim-ven avr-sept), Céphalonie (18h30 juil-sept, tous les quelques jours), Igoumenitsa (18h30 tous les jours avr-sept) et Patras (18h30 tous les jours avr-sept) en Grèce.

Superfast (☎ 080 528 28 28 ; www.superfast.com). Départ quotidien à 20h pour Igoumenitsa, Patras et Corfou (Grèce). Accepte les forfaits Eurail, Eurodomino et Inter-Rail (taxes portuaires et supplément de haute saison en sus).

Ventouris Ferries (☎ pour la Grèce 080 521 76 99, pour l'Albanie 521 27 56 ; www.ventouris.gr). Départs réguliers pour Igoumenitsa et Corfou (Grèce) et départ quotidien pour Durrës (Albanie).

BUS

Les bus interurbains partent de divers endroits. De la Via Capruzzi, au sud de la gare ferroviaire principale, **SITA** (☎ 080 579 01 11 ; www.sitabus.it) rallie des localités proches, des bus **Ferrovie Appulo-Lucane** (☎ 080 572 52 29 ; www.fal-srl.it) partent pour Matera et des bus **Marozzi** (☎ 080 556 24 46 ; www.marozzivt.it) pour Rome (35 €, 8 heures, 8h35, 13h, 16h, 17h, 23h50 ; le bus de nuit part de la Piazza Moro) et d'autres destinations longue distance.

TRAVERSÉES EN FERRY DEPUIS BARI		
Destination	**Tarif (€) siège/cabine/voiture***	**Durée**
Bar, Monténégro	112/150/159	9 heures
Céphalonie, Grèce	140/208/130	15 heures 30
Corfou, Grèce	143/208/134	11 heures
Durrës, Albanie	52/93/91	8 heures
Igoumenitsa, Grèce	140/208/130	10-12 heures
Patras, Grèce	142/207/133	16 heures 30
* billet aller-retour en haute saison		

La Piazza Eroi del Mare est le terminus des bus **STP** (☎ 080 505 82 80 ; www.stpspa.it) pour Andria (3,45 €, 1 heure 30, 7/jour) et Trani (2,95 €, 45 min, départs fréquents). **Ferrotramviaria** (☎ 080 578 95 42 ; www.ferrovie nordbarese.it) propose des bus fréquents pour Andria (3,80 €, 1 heure) et Ruvo di Puglia (3 €, 40 min).

Des bus **Ferrovie del Sud-Est** (FSE ; ☎ 080 546 21 11 ; www.fseonline.it) partent du Largo Ciaia, au sud de la Piazza Moro, pour Brindisi (6,60 €, 2 heures 30, 4/jour lun-sam), Tarente (5,30 €, 1 heure 45-2 heures 15, départs fréquents), Alberobello (3,60 €, 1 heure 15) puis Locorotondo et Martina Franca, Grotte di Castellana (2,60 €, 1 heure) et d'Ostuni (4,90 €, 2 heures).

TRAIN
Un réseau de lignes ferroviaires part de Bari. Sachez que les services se raréfient le week-end.

De la **gare ferroviaire principale** (☎ 080 524 43 86), des trains Eurostar rallient Milan (à partir de 68 €, 8 heures-9 heures 30) et Rome (à partir de 36 €, 5 heures). Des trains fréquents desservent d'autres villes des Pouilles, dont Foggia (à partir de 14 €, 1 heure 30) et Brindisi (à partir de 6,80 €, 1 heure 15).

Ferrovia Bari-Nord (☎ 080 578 95 42 ; www.ferrovie-nordbarese.it) rejoint l'aéroport (1,10 €, 10 min, environ 20/jour) et continue vers Bitonto, Andria et Barletta.

Ferrovie Appulo-Lucane (☎ 080 572 52 29 ; www.fal-srl. it) se rend à Altamura (2,90 €, 1 heure, au moins ttes les heures), Matera (4,35 €, 1 heure 30, 12/jour) et Potenza (9,10 €, 4 heures, 4/jour).

Des **trains FSE** (☎ 080 546 21 11 ; www.fseonline.it) partent de la gare dans la Via Oberdan (passez sous les voies ferrées au sud de la Piazza Luigi di Savoia, puis suivez la Via Capruzzi vers l'est sur environ 500 m) pour Alberobello (4,10 €, 1 heure 30, ttes les heures), Martina Franca (4,90 €, 2 heures, ttes les heures) et Tarente (à partir de 7,40 €, 2 heures 30, 6/jour).

Comment circuler
Le centre de Bari est ramassé : une marche de 15 minutes conduit de la Piazza Moro à la vieille ville. Pour le terminal des ferries, prenez le bus n°20 sur la Piazza Moro (1,10 €).

Se garer dans la rue est quasiment impossible. Un grand parking gratuit est ménagé au sud de l'entrée principale du port. Un parking payant à plusieurs niveaux se tient entre la gare ferroviaire principale et celle de Molfetta Molfetta ud-Est, et un autre dans la Via Zuppetta, en face de l'Hotel Adria.

DEPUIS/VERS L'AÉROPORT
Le bus Cotrap part régulièrement de la gare ferroviaire principale pour l'aéroport (4,50 €). La course en taxi de l'aéroport au centre-ville revient à 24 € environ.

ENVIRONS DE BARI
Polignano a Mare
À 34 km au sud de Bari sur la route côtière S16, **Polignano a Mare** se perche au bord d'un ravin escarpé, constellé de grottes, et mérite le détour pour son emplacement spectaculaire.

Le dimanche, les *logge* (balcons) s'emplissent d'habitants de Bari venus contempler le ressac, visiter les grottes et envahir les *cornetterie* (boutiques de croissants) du charmant *centro storico*. La ville serait l'une des localités anciennes les plus importantes des Pouilles et fut habitée par une succession d'envahisseurs, des Huns aux Normands. Elle compte plusieurs églises baroques, un imposant monastère normand et la **Porta Grande** médiévale, le seul accès au centre historique jusqu'au XVIIIe siècle. Vous pouvez voir les ouvertures servant à activer le lourd pont-levis et les meurtrières d'où l'on déversait l'huile bouillante sur les visiteurs indésirables.

Parmi les quelques hôtels et B&B, le **Paluada** (☎ 328 2858658 ; www.paluada.it ; Via Martiri di Dogali 60 s 38-50 €, d 76-100 €), bien situé, offre d'agréables chambres modernes et un parking à proximité. **Boca Chica** (☎ 333 3388496 ; Piazza San Benedetto ; à partir de 2,50 €) propose de délicieux *pinchos* (en-cas) à l'espagnol, sur la jolie place où se retrouvent les habitants. Plusieurs tour-opérateurs, dont **Dorino** (☎ 3296465904), organisent des circuits en bateau aux grottes pour environ 20 € par personne.

Bien qu'un bus parte deux fois par jour de Bari, disposer d'une voiture est le meilleur moyen de se rendre à Polignano.

PLATEAU DE LA MURGIA ET PAYS DES TRULLI

Entre les côtes ionienne et adriatique s'élève le beau plateau calcaire de la Murgia (plateau des Murges ; 473 m) à l'étrange géologie karstique. Constellé de ravins et de crevasses dans lesquels s'écoulent des ruisseaux et des rivières, le plateau ressemble à une gigantesque éponge. Au cœur de la Murgia s'étend la merveilleuse Valle d'Itria, où l'on commence à voir des *trulli*, de curieuses maisons circulaires en pierre coiffées d'un toit conique, spécifiques aux Pouilles. Les origines de cette architecture rurale restent mystérieuses ; selon une rumeur populaire, ces constructions en pierre sèche pouvaient se démonter rapidement afin d'éviter de payer des taxes foncières.

Cette vallée verdoyante est sillonnée de murets en pierre sèche, de vignobles, d'amandaies, d'oliveraies et de routes sinueuses que ponctuent des villes charmantes : Alberobello, Locorotondo, Cisternino, Martina Franca et Ostuni. C'est le secteur le plus touristique des Pouilles et le mieux pourvu en hôtels, luxueuses *masserie* (manoirs ruraux) et villas de location. Pour trouver des adresses, consultez les sites www.villaamore.fr, www.properazzi.com, www.a-gites.com, www.villanao.fr ou www.bh-holidays.com.

Grotte di Castellana

À 40 km au sud-est de Bari, ne manquez pas ces spectaculaires **grottes** (☎ 800 23 19 76, 080 499 82 11 ; www.grottedicastellana.it ; Piazzale Anelli ; 8h30-19h avr-oct, 9h30-12h30 nov-mars) calcaires, qui forment le plus long réseau souterrain naturel du pays. Découvertes en 1938, ces galeries communicantes offrent de fabuleux paysages, parsemés d'extraordinaires stalactites et stalagmites. Dans la Grotta Bianca, la plus belle, d'une blancheur surréaliste, des stalactites fines comme des aiguilles descendent de la voûte.

Vous aurez le choix entre deux circuits guidés : celui de 50 minutes et 1 km (départ à la demie de chaque heure, 8 €) qui ne comprend pas la Grotta Bianca, et celui de 2 heures et 3 km (ttes les heures à l'heure pile, 13 €) avec la Grotta Bianca. La température moyenne s'élève à 15°C dans les grottes ; prévoyez une veste légère. Visitez également le **Museo Speleologico Franco Anelli** (☎ 080 499 82 30 ; entrée libre ; 9h30-13h et 15h30-18h30 mi-mars à oct, 10h-13h nov à mi-mars) ou l'**Osservatorio Astronomico Sirio** (☎ 080 499 82 11 ; 3 €), dont le télescope et les filtres solaires permettent une excellente visibilité du système solaire. Visites guidées uniquement sur rendez-vous.

De Bari, vous pouvez rejoindre les grottes par la ligne ferroviaire FSE Bari-Tarente. Descendez à Castellana Grotte (2,60 €, 1 heure, ttes les heures) et prenez un bus local pour les grottes, à 2 km (1,20 €).

Alberobello
10 930 habitants

Inscrite au patrimoine mondial de l'Unesco, Alberobello ressemble à une cité de gnomes. La Zona dei Trulli, sur la colline ouest de la ville, regroupe 1 500 maisons en forme de ruche, terminées par une pointe blanche semblable à de la neige. Ces habitations en pierre sèche, construites avec du calcaire de la région, remontent pour les plus anciennes au XIVᵉ siècle. Les habitants vendent toutes sortes de souvenirs, des *trulli* miniatures aux châles en laine.

La ville doit son nom à la forêt primaire de chênes, *Silva arboris belli* (forêt des beaux arbres), qui couvrait jadis la région. Cet endroit superbe est devenu un piège à touristes, envahi de bus d'excursions de mai à octobre.

ORIENTATION

Alberobello s'étend sur deux collines. La ville moderne est perchée sur la colline orientale, tandis que la Zona dei Trulli occupe la colline occidentale et comprend deux quartiers contigus, le Rione Monti et le Rione Aia Piccola.

Si vous vous garez dans Largo Martellotta, grimpez l'escalier jusqu'à la Piazza del Popolo, où le Belvedere Trulli offre une vue fabuleuse sur l'ensemble de ces curieuses demeures.

RENSEIGNEMENTS
Bureau d'information touristique

(☎ 080 432 28 22 ; www.prolocoalberobello.it ; Monte Nero 1 ; 9h-19h30). Office du tourisme local dans la Zona dei Trulli.

Office du tourisme (☎ 080 432 51 71 ; Piazza del Popolo ; ☼ 8h-13h lun-ven, plus 15h-18h mar et jeu). Dans la Casa d'Amore, près de la place principale.

À VOIR

La découverte d'Alberobello consiste essentiellement à flâner dans les rues pour apprécier son étrangeté. Dans le **Rione Monti**, à l'intérieur de la vieille ville, plus de 1 000 *trulli* s'étagent à flanc de colline ; la plupart sont aujourd'hui des boutiques de souvenirs. À l'est, de l'autre côté de la Via Indipendenza, le **Rione Aia Piccola**, bien moins commercial, compte 400 *trulli* qui, pour beaucoup, servent toujours d'habitations. Nombre de boutiques permettent aux visiteurs de monter sur le toit pour profiter de la vue et disposent souvent d'un panier pour les dons à un endroit stratégique.

Pour une expérience approfondie, vous pourrez loger dans un *trullo*, transformé en hôtel ou en maison de location (voir plus loin).

Dans la ville moderne, le **Trullo Sovrano** (☎ 080 432 60 30 ; www.trullosovrano.it ; Piazza Sacramento ; 1,50 € ; ☼ 10h-18h), le seul à deux étages, fut construit au XVIIIᵉ siècle par la famille aisée d'un prêtre. Ce petit musée donne un aperçu de la vie dans un *trullo*, avec ses charmantes pièces rondes dont une boulangerie, une chambre et une cuisine reconstituées. La boutique de souvenirs vend de nombreux ouvrages sur la ville et la région.

OÙ SE LOGER ET SE RESTAURER

Loger dans un *trullo* constitue une expérience unique, mais certains trouveront Alberobello trop touristique pour s'y attarder.

Camping dei Trulli (☎ 080 432 36 99 ; www.campingdeitrulli.com ; Via Castellana Grotte, km 1,5 ; empl 2 pers, voiture et tente 26,50 €, bungalows 22-30 €/pers, trulli 30-44 €/pers ; P 🅿 🖘 🖵). À 1,5 km de la ville, ce camping bien équipé comprend un restaurant, une supérette, 2 piscines, des courts de tennis et loue des vélos. On peut aussi loger dans des *trulli* ou des mini-appartements

Trullidea (☎ 080 432 38 60 ; www.trullidea.it ; Via Monte San Gabriele 1 ; trulli 2 pers à partir de 63-149 €). Dans la Zona dei Trulli, ces 20 *trulli* rénovés sont douillets mais un peu sombres, car très proches les uns des autres. Différentes formules sont possibles : location simple, B&B, demi-pension ou pension complète.

❂ **Trattoria Amatulli** (☎ 080 432 29 79 ; Via Garibaldi 13 ; repas 15 € ; ☼ mar-dim). Des photos de convives souriants couvrent les murs de cette excellente trattoria, où vous vous régalerez de plats simples comme les *orecchiette al ragù con carne* (pâtes en sauce tomate à la viande) et d'un bon vin maison (4 € le litre).

La Cantina (☎ 080 432 34 73 ; Vico Lippolis 8 ; repas 20 € ; ☼ mer-lun juil-sept). Bien que découverte par les touristes, La Cantina conserve ses standards de qualité, établis en 1958. Elle ne compte que 7 tables et un serveur zélé, qui vous proposera des *taglioline* (pâtes de type fettuccine) aux cèpes et aux châtaignes, des viandes grillées et de succulents légumes de saison.

Il Poeta Contadino (☎ 080 432 19 17 ; Via Indipendenza 21 ; repas 60 € ; ☼ mar-dim fév-déc). Le décor somptueux et les chandeliers évoquent une salle de banquet médiévale. Si le menu dégustation coûte la bagatelle de 1 000 €, vous pourrez dîner à moindres frais de pintade au jambon d'oie et truffe noire (23 €), ou de raviolis d'aubergines avec sauce aux fruits de mer et julienne de courgettes (15 €).

DEPUIS/VERS ALBEROBELLO

Facilement accessible de Bari (4,10 €, 1 heure 30, ttes les heures), Alberobello se situe sur la ligne ferroviaire FSE Bari-Tarente. De la gare, suivez la Via Mazzini, qui devient la Via Garibaldi, pour rejoindre la Piazza del Popolo.

Locorotondo
14 000 habitants

Locorotondo (lieu circulaire) possède un splendide et paisible *centro storico*, d'une blancheur éclatante que font ressortir les géraniums rouge vif suspendus aux fenêtres. Perchée sur une colline du plateau de la Murgie, la ville fait partie des *borghi più belli d'Italia* (les plus belles villes fortifiées d'Italie ; www.borghitalia.it). Des pierres lisses, couleur ivoire, pavent les rues qui entourent l'église **Santa Maria della Graecia**, brûlée par le soleil

De la **Villa Comunale**, un jardin public, une vue panoramique s'étend sur la vallée environnante. Traversez le jardin pour entrer dans le quartier historique.

L'**office du tourisme** (☎ 080 431 30 99 ; www.prolocolocorotondo.it ; Piazza Vittorio Emanuele 27 ; ☼ 10h-13h et 15h-18h lun-ven, 10h-13h sam), dans ce quartier, offre l'accès gratuit à Internet.

Au cœur du pays des *trulli*, Locorotondo est aussi le centre de la région viticole des Pouilles. Ne manquez pas de goûter le Spumante local, notamment à la **Cantina del Locorotondo** (☎ 080 431 16 44 ; www.locorotondodoc.com ; Via Madonna della Catena 16), tenue par le chaleureux Oronzo Mastro.

Truddhi (☎ 080 443 13 26 ; www.trulliresidence.it ; da Trito 292 ; 450-741 €/sem). Dirigé par Carole et Mino, ce petit ensemble de *trulli* équipés se situe dans le hameau de Trito, près de Locorotondo. Mino, expert en gastronomie, présente volontiers ses talents culinaires.

Bien indiquée dans le centre historique, la charmante trattoria **U'Curdunn** (☎ 080 431 70 70 ; Via Dura 19 ; repas 25 € ; ⏰ 9h-1h sept-mai, 9h-2h mer-lun juin-août) occupe une salle voûtée, sombre et fraîche. Tous les produits sont bio, le service efficace et l'ambiance animée.

Dans une rue étroite près d'un ancien tunnel, **La Taverna del Duca** (☎ 080 431 30 07 ; Via Papadotero 3 ; repas 35 €), un établissement paisible et réputé, sert des spécialités locales, comme les *orecchiette* accompagnées de divers légumes. Les *antipasto* sont particulièrement bons.

De Bari, des trains fréquents desservent Locorotondo (4 €, 1 heure 30-2 heures), sur la ligne ferroviaire FSE Bari-Tarente.

Cisternino
2 050 habitants

Jolie bourgade paisible aux maisons chaulées perchée sur une colline, Cisternino possède un charmant *centro storico* derrière des faubourgs modernes sans caractère. Outre la **Chiesa Matrice** et la **Torre Civica** du XIIIe siècle, un joli jardin municipal offre la vue sur la campagne environnante. Près de la tour, suivez la Via Basilioni pour une jolie promenade jusqu'à la Piazza Vittorio Emanuele, la place centrale.

À côté du centre historique, l'**office du tourisme** (☎ 080 444 77 38 ; www.prolococisternino.it ; Via San Quirico 18 ; ⏰ 10h-13h et 15h-18h lun-ven, 10h-13h sam) peut vous recommander des B&B dans le centre historique ; préparez-vous à porter vos bagages car le parking est un casse-tête.

Le *fornello pronto* (viande grillée ou rôtie à emporter) est une tradition locale. Dans de nombreuses boucheries et trattorias, vous pouvez choisir un morceau de viande, que l'on fera cuire sur le champ. La **Trattoria La Botte** (☎ 080 444 78 50 ; Via Santa Lucia 47 ; repas 20 € ; ⏰ 12h-15h et 19h-1h lun-mer et sam juin-sept, 12h-15h et 19h-23h oct-mai), un établissement rustique aux arcades chaulées, propose cette spécialité locale ainsi que des plats des Pouilles, telles les *fave e verdura* (haricots et légumes verts), parfaits pour les végétariens.

De Bari, des trains réguliers desservent Cisternino (5,10 €, 45 min, 3/jour), sur la ligne ferroviaire FSE Bari-Tarente.

Martina Franca
49 100 habitants

Le vieux quartier de la ville rappelle le sud de l'Espagne avec ses maisons d'un blanc étincelant, ses géraniums rouge vif et son animation. Martina Franca compte également de gracieux bâtiments baroques et rococo, des places charmantes et de larges balcons de fer forgé qui se touchent presque au-dessus des rues étroites. Cette ville, la plus haut perchée de la Murgie, fut fondée au Xe siècle par des réfugiés fuyant l'invasion arabe de Tarente. Elle ne commença à prospérer qu'au XIVe siècle, quand Philippe d'Anjou l'exonéra de taxes (*franchigie*, d'où son nom), et fut bientôt suffisamment riche pour construire un château et des remparts jalonnés de 24 bastions. Centre viticole florissant, la ville moderne se révèle aussi confortable et plaisante que la cité historique.

ORIENTATION ET RENSEIGNEMENTS
La gare ferroviaire FSE se situe en contrebas du centre historique. Prenez à droite le Viale della Stazione, continuez le long de la Via Alessandro Fighera, puis tournez à gauche dans le Corso Italia pour rejoindre la Piazza XX Settembre.

L'**office du tourisme** (☎ 080 480 57 02 ; Piazza Roma 37 ; ⏰ 9h-13h lun-sam, 16h30-19h mar et jeu, 9h-12h30 sam) se tient dans le Palazzo Ducale (qui fait partie de la Biblioteca Comunale).

À VOIR ET À FAIRE
À l'extrémité ouest de la Piazza XX Settembre, piétonne, passez sous l'**Arco di Sant'Antonio**, de style baroque, pour déboucher sur la Piazza Roma que domine l'élégant **Palazzo Ducale** ; construit au XVIIe siècle sur le site d'un château, le palais abrite l'administration municipale.

De la Piazza Roma, suivez le beau Corso Vittorio Emanuele, bordé de demeures de style baroque, jusqu'à la Piazza Plebiscito. Cœur baroque du centre, la place est dominée par la **Basilica di San Martino** (XVIIIe siècle), dont la pièce maîtresse est une représentation de saint Martin, le protecteur de la ville, brandissant une épée pour partager sa cape avec un mendiant.

L'office du tourisme distribue gratuitement la *Carta dei Sentieri del Bosco delle Pianelle*, qui décrit 10 randonnées de longueur et de niveau de difficulté variables dans le **Bosco delle Pianelle**, à 10 km à l'ouest de la ville. Ce bois luxuriant fait partie de la **Riserva Naturale Regionale Orientata**, qui couvre 1 206 ha. Outre des arbres imposants, dont des frênes et des

ADRESSES DE LUXE

Les *masserie* les plus luxueuses des Pouilles se regroupent autour de Fasano. Des routes discrètes mènent à ces adresses rustiques et raffinées.

La **Masseria Torre Coccaro** (☎ 080 482 93 10 ; www.masseriatorrecoccaro.com ; Contrada Coccaro 8, Savelletri di Fasano ; d 333-466 € ; ✵ 🔊 💻), à 10 km environ de Locorotondo, ressemble à une hacienda. Chic et rustique, elle occupe une ferme fortifiée et comprend un spa aménagé dans une grotte, une grande piscine et un restaurant (repas 90 €). À côté, la **Masseria Maizza** (www. masseriatorremaizza.com ; ✵ 🔊 💻), tenue par les mêmes propriétaires, est tout aussi luxueuse, mais plus contemporaine et glamour, idéale pour les couples. Les deux *masserie* partagent un club de plage (à 4 km), un parcours de golf voisin et proposent toutes deux des cours de cuisine. Plus près de la côte, la **Masseria San Domenico** (☎ 080 482 77 69 ; www.imasseria.com ; d 300-490 €, ste 430-650 € ; ✵ 🔊 💻), dans une ferme du XVIᵉ siècle, a des chambres somptueuses et un spa superbe.

ormes, la réserve abrite des orchidées sauvages et une riche avifaune, notamment des crécerelles, des chouettes, des buses, des huppes et des autours noirs).

FESTIVAL

De fin juillet à début août, le **Festival della Valle d'Itria** réunit des artistes internationaux d'opéra, de musique classique et de jazz. Renseignez-vous au **Centro Artistico Musicale Paolo Grassi** (☎ 080 480 51 00 ; www.festivaldellavalleditria. it ; ✹ 10h-13h lun-ven), dans le Palazzo Ducale.

OÙ SE LOGER ET SE RESTAURER

B&B San Martino (☎ 080 48 56 01 ; http://xoomer.virgilio.it/ bed-and-breakfast-sanmartino ; Via Abate Fighera 32 ; app 2 pers 90-160 €, semaine 300-700 € ; ✵ 🔊). Cet élégant B&B, installé dans un ancien palais, donne sur la Piazza XX Settembre. Les appartements possèdent des murs en pierre apparente, des parquets cirés, des lits en fer forgé et une petite cuisine. Les hôtes ont accès à une piscine, à 3 km.

Villaggio In (☎ 080 480 50 21 ; www.villaggioin. it ; Via Arco Grassi 8 ; app 2/3/4/5/6 pers 335-420/380-550/450-895/615-710/680-820 €/sem). Ces charmants appartements voûtés se situent dans les vieilles maisons du *centro storico*, aux murs chaulés. Les escaliers raides, les petites chambres et les antiquités renforcent le cachet traditionnel.

Ciacco (☎ 080 480 04 72 ; Via Conte Ugolino ; repas 20 € ; ✹ déj et dîner mar-sam, déj dim). Au cœur du centre historique, ce restaurant classique, avec nappes blanches et cheminée, sert une cuisine régionale, revue avec une touche moderne. Il se niche dans une étroite rue piétonne, à quelques rues de la Chiesa del Carmine.

Due Gnelli (☎ 080 430 28 27 ; Piazza Plemiscito 9 ; pizzas à partir de 4,50 €, repas 20 € ; ✹ jeu-mar). Entrez dans la rutilante salle noir et blanc de ce restaurant pour savourer des plats traditionnels comme

les *orecchiette alle cime di rape* (pâtes aux pointes de raves) et le *fritto misto* (friture de poisson). Les tables en terrasse donnent sur la place ravissante.

Il Ritrovo degli Amici (☎ 080 483 92 49 ; Corso Messapia 8 ; repas 35 € ; ✹ déj et dîner mar-sam, déj dim mars-jan). Dans une salle voûtée aux murs en pierre, cet excellent restaurant propose des plats traditionnels et des spécialités avec salamis et saucisses. Le Spumante de la région contribue à réchauffer l'ambiance.

COMMENT S'Y RENDRE ET CIRCULER

Prenez le train **FSE** (☎ 080 546 21 11) de Bari (4,90 €, 2 heures, ttes les heures) ou de Tarente (2,40 €, 40 min, 7/jour).

Des bus FSE desservent Alberobello (1,50 €, 30 min, 5/jour lun-sam) et Lecce (6 €, 2 heures, 7/jour).

Les bus nºIII et IV relient la gare ferroviaire FSE, dans la plaine, et la Piazza XX Settembre.

Ostuni
32 800 habitants

Telle une tiare nacrée dont la cathédrale constitue le joyau central, Ostuni s'étend sur trois collines au bout de la région des *trulli*, à la lisière de la chaude et sèche Penisola Salentina. Dotée d'excellents restaurants, de bars élégants et d'hôtels au luxe discret, cette ville chic est bondée en été.

ORIENTATION ET RENSEIGNEMENTS

De la Piazza della Libertà, carrefour des villes ancienne et nouvelle, la Via Cattedrale conduit à la cathédrale. Tournez à droite pour une vue sur les oliveraies et la mer Adriatique, ou à gauche pour vous perdre dans les ruelles blanchies à la chaux.

L'**office du tourisme** (☎ 0831 30 12 68 ; Corso Mazzini 8 ; ☺ 9h-13h et 17h-21h lun-ven, 17h30-20h30 am-dim), près de la Piazza della Libertà, organise des visites guidées de la ville et loue des vélos.

VOIR ET À FAIRE

Le **Museo di Civiltà Preclassiche della Murgia** (☎ 0831 3 63 83 ; Via Cattedrale 15 ; entrée libre ; ☺ 9h-13h et 15h-8h30 mar-jeu, 15h30-19h dim avr-oct, 15h30-19h mar et eu nov-mars), installé dans le Convento delle Monacelle, est surtout connu pour le squelette bien préservé de Delia, une femme enceinte morte il y a quelque 25 000 ans, découvert dans une grotte des environs. De nombreux objets proviennent du site funéraire paléolithique devenu le **Parco Archeologico e Naturale di Arignano**, qui se visite sur rendez-vous (adressez-vous au musée). Près du musée se dresse la spectaculaire **cathédrale** du XVe siècle et sa rosace intacte.

Entourée d'oliveraies, Ostuni est un endroit idéal pour acheter l'huile AOC "Collina di Brindisi", douce, moyenne ou corsée, directement auprès des producteurs ou à la **Cooperativa Agricola Sololio** (☎ 0831 33 29 52 ; www.ulivetibruno.it ; Corso Mazzini 7).

FÊTE

La **Cavalcata**, la fête annuelle d'Ostuni, a lieu le 26 août. Une procession de cavaliers en uniformes rouge et blanc suit la statue de Sant'Oronzo à travers la ville.

OÙ SE LOGER

Le Sole Blu (☎ 0831 30 38 56 ; Corso Vittorio Emanuele II 16 ; 30-40 €, d 60-80 €). Dans le quartier du XVIIIe siècle, il n'offre qu'une chambre charmante : grande et douillette, avec des meubles confortables, une entrée séparée et un chat blanc qui vient inspecter les nouveaux hôtes.

La Terra (☎ 0831 33 66 51 ; www.laterrahotel.it ; Via Petrarolo ; s 80-105 €, d 130-170 € Ⓟ ⊠). Dans cet ancien palais du XIIIe siècle, les chambres élégantes et pleines de caractère s'agrémentent de niches d'origine, de poutres et de meubles en bois sombre qui se détachent sur les murs en pierre claire ou chaulés. Le vaste bar est installé dans une grotte.

Il Frantoio (☎ 0832 33 02 76 ; www.trecolline.it ; SS16, Km 874 ; 88-108 €/pers ; Ⓟ). Pour un séjour à la campagne, rendez-vous dans cette jolie ferme chaulée, où les propriétaires vivent et travaillent, produisant une excellente huile d'olive bio. Vous pouvez aussi réserver une table pour le déjeuner dominical de 10 plats ; la cuisine est succulente. Il Frantoio se situe à 5 km d'Ostuni sur la SS16 en direction de Fasano. Repérez le panneau sur la gauche au niveau du km 874.

Borgo San Marco (☎ 080 439 57 57 ; www.borgosanmarco.it ; s 105-135 €, d 160-180 €). Autre ferme en activité qui produit une huile d'olive de qualité, cette demeure restaurée du XVe siècle est devenue un hôtel de 14 chambres, traditionnel et un peu bohème. Aux alentours, vous pourrez visiter des églises rupestres, ornées de fresques. Pour rejoindre le Borgo San Marco, à 8 km d'Ostuni, prenez la SS379 en direction de Bari et sortez au panneau indiquant SC San Marco – Zona industriale Sud Fasano, puis suivez les panneaux. Séjour minimum d'une semaine en août.

OÙ SE RESTAURER

Osteria Piazzetta Cattedrale (☎ 0831 33 50 26 ; Via Arcidiacono Trinchera 7 ; repas 25 € ; Ⓥ). Sous l'arcade qui fait face à la cathédrale, cette minuscule auberge mitonne une cuisine fabuleuse. La carte comprend de nombreux plats végétariens, comme les *frittelle di verdure miste profumate alla menta su salsa de yogurt* (légumes sautés avec une sauce au yaourt et à la menthe). Le service est attentif et l'ambiance très agréable.

Osteria del Tempo Perso (☎ 0831 30 33 20 ; Gaetano Tanzarella Vitale 47 ; repas 30 € ; ☺ dîner tlj, déj dim). Aménagé dans une ancienne boulangerie, cet élégant restaurant rustique sert une excellente cuisine des Pouilles et se spécialise dans les viandes rôties. Face au mur sud de la cathédrale, tournez à droite sous deux arcades pour rejoindre le Largo Giuseppe Spennati, puis suivez les panneaux jusqu'au restaurant.

Porta Nova (☎ 0831 33 89 83 ; Via G Petrarolo 38 ; repas 45 € ; ☺ jeu-mar). Merveilleusement situé dans les remparts de la vieille ville, il comprend une salle sélecte et une terrasse avec vue. Vous vous régalerez d'une succulente cuisine locale, qui met l'accent sur les poissons et les fruits de mer. Essayez les crevettes de Gallipoli.

COMMENT S'Y RENDRE ET CIRCULER

De la Piazza Italia, dans la partie récente d'Otsuni, des bus STP desservent Brindisi (2,90 €, 50 min, 6/jour) et Martina Franca (2 €, 45 min, 5/jour).

Des trains rallient fréquemment Brindisi (3 €, 30 min) et Bari (4,90 €, 2 heures). Toutes les demi-heures, un bus local circule entre la gare et la ville (2,5 km).

Oria

15 400 habitants

Visible à des kilomètres à la ronde, le dôme multicolore de la **cathédrale** d'Oria domine les rues étroites de cette jolie ville médiévale. Curieuse et morbide, la **Cripta delle Mummie** (crypte des momies), sous la cathédrale, renferme 11 corps momifiés d'anciens moines. Surplombant la cité, le **château** (☎ 0831 84 00 09 ; ☻ 9h30-12h30 mars-oct, 15h30-18h30 mars à mi-juin et mi-sept à oct, 17h-20h mi-juin à mi-sept, sur rendez-vous en hiver) de Frédéric II, construit selon un plan triangulaire, a été soigneusement restauré et possède un beau jardin.

Recommandé par des lecteurs, le **Borgo di Oria** (☎ 329 2307506 ; www.borgodioria.it ; ste 70-75 € ; ☒), tenu par le serviable Francesco Pipino, loue 10 suites équipées (avec kitchenette), pleines de caractère, dans le centre historique

Datant du règne de Frédéric II, **Il Torneo dei Rioni** a lieu tous les ans à la mi-août ; cet extraordinaire *palio* (course à cheval) médiéval oppose les différents quartiers de la ville.

Oria se situe sur la ligne principale Trenitalia et des trains fréquents la desservent de Brindisi et de Tarente. Vous pouvez aussi rejoindre Ostuni et changer à Francavilla Fontana pour Alberobello et Martina Franca.

BRINDISI

87 900 habitants

Comme tous les ports, Brindisi possède des quartiers interlopes, mais compte aussi des secteurs plaisants et détendus, tels le Corso Garibaldi ombragé de palmiers qui relie le port et la gare ferroviaire, et la promenade en front de mer.

La ville se situe au bout de la Via Appia, l'antique voie romaine qu'empruntaient légionnaires, pèlerins, croisés et négociants pour rallier la Grèce ou le Proche-Orient. Aujourd'hui, les visiteurs sont des touristes en quête de soleil.

Orientation

Le nouveau port se situe à l'est de la ville, de l'autre côté du Seno di Levante à Costa Morena, dans une lugubre zone industrielle.

Le vieux port se trouve à 1 km de la gare ferroviaire le long du Corso Umberto I. Ce dernier rejoint le Corso Garibaldi, bordé de cafés, de boutiques, de compagnies de ferries et d'agences de voyages.

Renseignements

D'innombrables bureaux de change et banque sont installés dans le Corso Umberto I et le Corso Garibaldi, où plusieurs cafés offren l'accès à Internet.

Ferries (www.ferries.gr). Renseignements sur les horaires et les tarifs des ferries pour la Grèce.

Hôpital (☎ 0831 53 71 11 ; SS7 direction Mesagne). Au sud-ouest du centre.

Office du tourisme (☎ 0831 52 30 72 ; Viale Regina Margherita 44 ; ☻ 9h-13h30 et 15h30-19h30 lun-ven toute l'année, 9h30-13h30 sam sept-juin, 15h30-21h sam et 17h-21h dim juil-août). De nombreuses informations et brochures sur la région. Si vous souhaitez explorer les alentours à vélo, prenez la carte *Le Vie Verdi* qui décrit 8 itinéraires de 6 à 30 km aux environs de Brindisi.

Police (☎ 0831 54 31 11 ; Via Bastioni S Giacomo).

Poste (☎ 0831 56 09 61 ; Piazza Vittoria).

À voir et à faire

Durant des siècles, deux superbes **colonnes romaines** marquèrent l'extrémité de la Via Appia à Brindisi. L'une fut offerte à la ville de Lecce (voir p. 725) en 1666 pour remercier Sant'Oronzo d'avoir délivré Brindisi de la peste. L'autre, restée sur place, est une belle colonne d'un blanc étincelant au sommet d'une volée de marches brûlées par le soleil. Selon la légende, le poète romain Virgile serait mort dans une maison proche à son retour de Grèce. Un peu plus loin à l'ouest, sur la promenade, une **fontaine** date de l'époque du Duce (Mussolini).

Dans le petit quartier historique, la **cathédrale** (Piazza del Duomo ; ☻ 8h-21h lun-ven et dim, 8h-12h sam), couleur sable, date du XIe siècle mais fut amplement remaniée quelque 700 ans

---

FUMEUR INVÉTÉRÉ

Les cheminées qui fument à l'entrée de Brindisi appartiennent à sa principale centrale électrique, que le Fonds mondial pour la nature (WWF) a classée neuvième en Europe pour sa forte production de CO_2, soit 22,8 millions de tonnes par an. Comme nous le savons tous, le CO_2 est l'une des principales causes du réchauffement climatique et les directives de l'Union européenne visent à réduire ces émissions de 30% d'ici 2020. Apparemment, la volonté de fer avec laquelle est appliquée l'interdiction de fumer dans les lieux publics en Italie ne semble pas affecter le plus grand fumeur du pays !

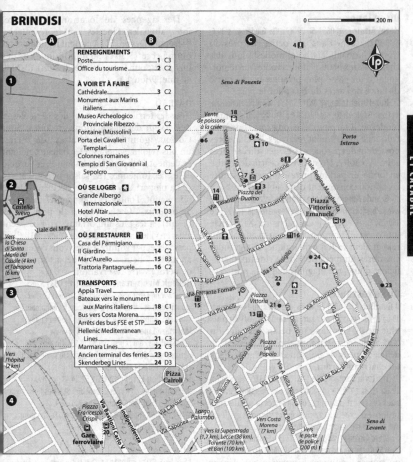

BRINDISI

RENSEIGNEMENTS
Poste...**1** C3
Office du tourisme.....................**2** C2

À VOIR ET À FAIRE
Cathédrale.....................................**3** C2
Monument aux Marins
 italiens......................................**4** C1
Museo Archeologico
 Provinciale Ribezzo...............**5** C2
Fontaine (Mussolini)..................**6** C2
Porta dei Cavalieri
 Templari...................................**7** C2
Colonnes romaines
Tempio di San Giovanni al
 Sepolcro...................................**9** C2

OÙ SE LOGER
Grande Albergo
 Internazionale........................**10** C2
Hotel Altair...................................**11** D3
Hotel Orientale............................**12** C3

OÙ SE RESTAURER
Casa del Parmigiano..................**13** C3
Il Giardino.....................................**14** C2
Marc'Aurelio.................................**15** B3
Trattoria Pantagruele................**16** C2

TRANSPORTS
Appia Travel.................................**17** D2
Bateaux vers le monument
 aux Marins italiens................**18** C1
Bus vers Costa Morena..............**19** D2
Arrêts des bus FSE et STP........**20** B4
Hellenic Mediterranean
 Lines..**21** C3
Marmara Lines.............................**22** C3
Ancien terminal des ferries......**23** D3
Skenderbeg Lines.......................**24** D3

plus tard. Vous aurez une idée de son aspect d'origine à la **Porta dei Cavalieri Templari**, un beau portique proche aux arcades pointues et le dernier vestige de l'église principale des Templiers. Leur autre église, le **Tempio di San Giovanni al Sepolcro** (Via San Giovanni), est une massive construction romane en pierre brune, au plan circulaire prisé des Templiers.

Jouxtant la face nord de la cathédrale, le superbe **Museo Archeologico Provinciale Ribezzo** (☎ 0831 56 55 08 ; Piazza del Duomo 8 ; entrée libre ; ☉ 9h30-13h30 mar-sam, plus 15h30-18h30 mar, jeu et sam, 10h-13h et 17h-20h dim) a été fortement agrandi en 2009 et occupe désormais plusieurs étages. Ses collections bien documentées (en anglais) comprennent quelque 3 000 sculptures et

fragments en bronze de style hellénistique, des figurines en terre cuite du VIIe siècle, des statues et des têtes romaines.

Autre site majeur, la **Chiesa di Santa Maria del Casale** (☉ 8h-20h), à 4 km au nord en direction de l'aéroport, fut édifiée par Philippe Ier de Tarente vers 1300. Elle mêle des styles roman apulien, gothique et byzantin, et renferme des fresques byzantines. Sur le mur d'entrée, l'immense *Jugement dernier*, plein de sang et de fureur, est l'œuvre de Rinaldo di Taranto.

Du Viale Regina Margherita, des bateaux traversent régulièrement le port (billet aller-retour acheté au port/à bord 1,80/1,75 €) jusqu'au **monument aux Marins italiens**, érigé par Mussolini en 1933. Il offre une vue splendide sur le front de mer de Brindisi.

Où se loger

Hotel Altair (☎ 0831 56 22 89 ; Via Giudea 4 ; s 30 €, d 40-50 €). Caché dans une petite rue près du Corso Garibaldi, cet hôtel modeste loue des chambres aux hauts plafonds voûtés qui témoignent d'un passé plus prestigieux. À courte distance de l'arrêt du bus pour le port.

Hotel Orientale (☎ 0831 56 84 51 ; www.hotelorientale.it ; Corso Garibaldi 40 ; s/d 98/130 € ; P ⊠). Élégant et moderne, il surplombe le long *corso* bordé de palmiers. Récemment rénovées, les chambres possèdent des parquets cirés, des sdb carrelées et la TV câblée. Un nouveau centre de remise en forme, un parking privé et un petit déjeuner en option constituent d'agréables extras.

Grande Albergo Internazionale (☎ 0831 52 34 73 ; www.albergointernazionale.it ; Viale Regina Margherita 23 ; s/d 160/250 € ; P ⊠ 🛜). Ce palais du XIXe siècle fut construit pour des négociants anglais qui rejoignaient le Raj britannique. Les grandes chambres, drapées de lourds rideaux, bénéficient d'une vue magnifique sur le port.

Où se restaurer

Il Giardino (☎ 0831 22 40 26 ; Via Tarantini 14-18 ; repas 30 € ; 🕒 déj et dîner mar-sam, déj dim). Établi depuis plus de 40 ans dans un palais restauré du XVe siècle, ce restaurant sophistiqué sert de délicieux plats de poisson et de viande dans un charmant jardin.

Trattoria Pantagruele (☎ 0831 56 06 05 ; Via Salita di Ripalta 1 ; repas 40 € ; 🕒 déj et dîner lun-ven, dîner sam). À trois rues du front de mer, cette trattoria séduisante propose d'excellents poissons et viandes grillées, ainsi que de succulents desserts maison.

Marc'Aurelio (☎ 0831 52 17 73 ; Via Ferrante Fornari 26 ; repas 55 € ; 🕒 déj et dîner mar-sam, déj dim). Installé dans un superbe bâtiment historique, cet élégant restaurant et bar à huîtres est l'endroit où se régaler de produits de la mer préparés simplement et cuisinés à la perfection. Terminez votre repas par un *spumone*, la spécialité locale (dessert avec glace à la noisette). L'endroit comporte une terrasse dans le jardin.

Casa del Parmigiano (Piazza Vittoria 11). Ce fromager vend un fabuleux *parmigiano* et d'autres fromages locaux et nationaux.

Depuis/vers Brindisi

AVION

De **Papola Casale** (BDS ; www.seap-puglia.it), le petit aéroport de Brindisi, des vols intérieurs rallient Rome, Naples et Milan. L'aéroport est essentiellement desservi par Alitalia, AirOne et Myair. Le trafic se raréfie en hiver.

Des agences de location de voiture, internationales et locales, sont représentées à l'aéroport. Des bus SITA partent régulièrement pour Lecce (5,30 €, 50 min, 8/jour) et des bus STP pour le centre de Brindisi (3,30 €, 40 min, 9/jour).

BATEAU

Tous les ferries transportent des véhicules et desservent des destinations grecques, dont Corfou, Igoumenitsa et Patras ; de Patras, un bus rejoint Athènes. Des bateaux rallient également l'Albanie (tous les jours), la Turquie et les îles Ioniennes (en saison).

La plupart des ferries ne circulent que de juin à août. Toutes les compagnies disposent de bureaux à Costa Morena (le port le plus récent), et les plus importantes en possèdent aussi en ville. La taxe portuaire s'élève à 10 € par passager et par voiture. Faites-vous enregistrer au moins 2 heures avant le départ sous peine de perdre votre réservation.

Hellenic Mediterranean Lines (☎ 0831 52 85 31 ; www.hml.it ; Corso Garibaldi 8). Dessert Corfou, Igoumenitsa et Patras (d'avril à octobre), Céphalonie (de juin à septembre) et les îles Ioniennes (juillet et août).

Marmara Lines (☎ 0831 56 86 33 ; www.marmaralines.com ; Corso Garibaldi 19). Un ferry 2 fois par semaine pour Cesmé (Turquie). Départs le samedi à 10h30 et le mercredi à 11h30.

Skenderbeg Lines (☎ 0831 52 54 48 ; www.skenderbeglines.com ; Corso Garibaldi 88). Des ferries quasi quotidiens pour Vlorë (Valona ; en Albanie).

SNAV (☎ 0831 52 54 92 ; www.snav.it). Ferries pour Corfou puis Paxos.

BUS

Des bus **STP** (☎ 0831 54 92 45) desservent Ostuni (2,90 €, 50 min, 6/jour) et Lecce (3,30 €, 45 min, 2/jour), ainsi que des villes de la Penisola Salentina. La plupart partent de la Via Bastioni Carlo V, en face de la gare ferroviaire. Du même point de départ, des bus **Ferrovie del Sud-Est** (FSE ; ☎ 800 07 90 90) rallient des localités de la région.

Marozzi (☎ 0831 52 16 84) rejoint la Stazione Tiburtina à Rome (36-40 €, 8 heures 30, 4/jour). **Appia Travel** (☎ 0831 52 16 84 ; Viale Regina Margherita 8-9) vend des billets de bus.

TRAIN

Brindisi se situe sur la ligne principale de Trenitalia (p. 786) et des trains partent régulièrement pour Bari (à partir de 6,80 €, 1 heure 15), Lecce (à partir de 8,10 €, 30 min) et Tarente (à partir de 5,10 €, 1 heure 15).

TRAVERSÉES EN FERRY DEPUIS BRINDISI

Destination	Tarif (€)* siège/ couchette**/voiture	Durée
Cesme, Turquie	88/122/159	19 heures
Corfou, Grèce	132/185/109	12 heures
Céphalonie, Grèce	146/226/113	12 heures
Igoumenitsa, Grèce	114/193/120	9-12 heures
Patras, Grèce	133/194/110	15-20 heures
Vlorë, Albanie	93/122/97	8 heures 30
* billet aller-retour en haute saison **en cabine de 4 personnes		

Milan (65-86 €, 9 heures 30) et Rome (47-67 €, 6 heures) comptent parmi les autres destinations.

Comment circuler

Un minibus gratuit relie la gare ferroviaire et l'ancien terminal des ferries à Costa Morena. Il part deux heures avant les départs des bateaux. Vous aurez besoin d'un ticket de ferry valide.

Pour rejoindre l'aéroport, prenez le bus Cotrap dans la Via Bastoni Carlo V (5 €, 15 min).

LECCE

91 600 habitants

Lecce possède un superbe centre historique, merveilleux ensemble d'architecture baroque avec des palais et des églises délicatement sculptées dans le grès tendre de la région. Dans cette ville pleine de surprises, on passe en un instant d'une élégante boutique de créateur milanais à une extravagante église ornée de colonnes en pointe d'asperge et de monstres. Thomas Ashe, un voyageur du XVIIIe siècle, estimait que Lecce était "la plus belle ville d'Italie". Moins enthousiaste, le marquis Grimaldi déclarait que la façade de Santa Croce ressemblait au cauchemar d'un fou.

Lecce est une jolie ville universitaire animée, remplie de boutiques haut de gamme, d'antiquaires et d'ébénistes. Elle compte aussi d'excellents restaurants. Tout aussi pratique pour rejoindre l'Adriatique ou la mer Ionienne, elle constitue une base idéale pour explorer la Penisola Salentina.

Orientation

La gare ferroviaire se situe à 1 km au sud-ouest du centre historique. La Piazza Sant'Oronzo et la Piazza del Duomo, reliées par le Corso Vittorio Emanuele II, piétonnier, sont les deux places principales du centre-ville.

Renseignements

Des banques sont installées sur la Piazza Sant'Oronzo et aux alentours.

Clio.com (Via Fazzi 11 ; 4 €/h ; ☉ 9h-13h et 16h-20h lun-ven, 9h-13h sam). Cybercafé central.

CTS (☎ 0832 30 18 62 ; Via Palmieri 89). Agence de voyages spécialisée dans les tarifs jeunes.

Hôpital (☎ 0832 66 11 11 ; Via San Cesario). À 2 km au sud du centre sur la route de Gallipoli.

Liberrima (☎ 0832 24 26 26 ; Corte del Cicala 1 ; ☉ 10h-24h mar-sam, 16h30-24h dim-lun). Librairie sélecte qui vend des guides et de la musique.

Office du tourisme (☎ 0832 24 80 92 ; Corso Vittorio Emanuele 24 ; ☉ 9h-13h et 16h30-21h lun-sam).

Police (☎ 0832 69 11 11 ; Viale Otranto 1).

Poste (Piazza Libertini).

Salento Time (☎ 0832 30 36 86 ; www.salentotime.it ; Via Revina Isabella 22 ; ☉ 9h-14h et 16h-19h lun-sam). Office du tourisme indépendant, qui peut vous aider à trouver un hébergement, loue des vélos (10 € par jour) et offre l'accès à Internet (3 € l'heure).

À voir

Lecce compte plus de 40 églises et au moins autant de palais, tous construits ou rénovés entre le XVIIe et le XVIIIe siècles, ce qui explique l'extraordinaire cohésion architecturale de la cité. Deux des principaux artisans du *barocco leccese* (baroque de Lecce, caractérisé par son extravagance) furent les frères Antonio et Giuseppe Zimbalo, qui participèrent au décor de la fantastique Basilica di Santa Croce.

BASILICA DI SANTA CROCE

Sur la façade de la **Basilica di Santa Croce** (☎ 0832 24 19 57 ; Via Umberto I ; ☉ 9h-12h30 et 17h-21h), une multitude de moutons, de dodos, de chérubins et de monstres divers crée un étourdissant festival allégorique. Durant les XVIe et XVIIe siècles, une équipe d'artistes, dirigée par Giuseppe Zimbalo, réalisa ces fabuleuses sculptures.

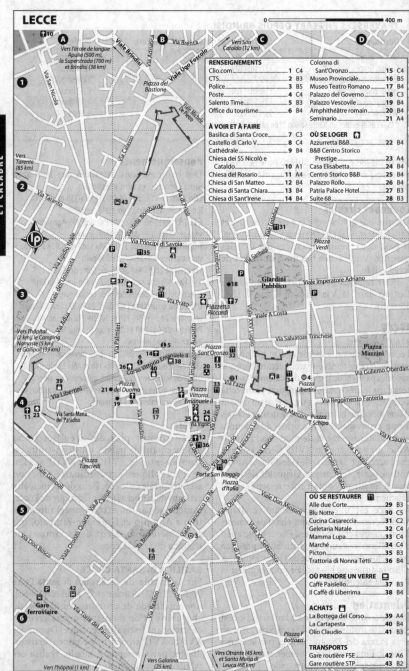

LECCE

0 _____ 400 m

RENSEIGNEMENTS
Clio.com.............................1 C4
CTS....................................2 B3
Police................................3 B5
Poste.................................4 C4
Salento Time....................5 B3
Office du tourisme...........6 B4

À VOIR ET À FAIRE
Basilica di Santa Croce.....7 C4
Castello di Carlo V............8 C4
Cathédrale........................9 B4
Chiesa dei SS Nicolò e
   Cataldo..........................10 A1
Chiesa del Rosario...........11 A4
Chiesa di San Matteo......12 B4
Chiesa di Santa Chiara....13 B4
Chiesa di Sant'Irene........14 B4

Colonna di
   Sant'Oronzo..................15 C4
Museo Provinciale...........16 B5
Museo Teatro Romano....17 B4
Palazzo del Governo........18 C3
Palazzo Vescovile............19 B4
Amphithéâtre romain......20 B4
Seminario.........................21 A4

OÙ SE LOGER
Azzurretta B&B................22 B4
B&B Centro Storico
   Prestige.........................23 A4
Casa Elisabetta.................24 B4
Centro Storico B&B..........25 B4
Palazzo Rollo....................26 B4
Patria Palace Hotel..........27 B3
Suite 68............................28 B3

OÙ SE RESTAURER
Alle due Corte..................29 B3
Blu Notte..........................30 C5
Cucina Casareccia............31 C2
Gelateria Natale...............32 C4
Mamma Lupa....................33 C4
Marché..............................34 C4
Picton...............................35 B4
Trattoria di Nonna Tetti...36 B4

OÙ PRENDRE UN VERRE
Caffè Paisiello..................37 B3
Il Caffè di Liberrima.........38 B4

ACHATS
La Bottega del Corso........39 A4
La Cartapesta....................40 B4
Olio Claudio.....................41 B3

TRANSPORTS
Gare routière FSE.............42 A6
Gare routière STP............43 B2

L'intérieur, de style Renaissance plus conventionnel, mérite aussi le coup d'œil. Giuseppe Zimbalo a également laissé son empreinte sur l'ancien Convento dei Celestini, au nord de la basilique, devenu aujourd'hui le **Palazzo del Governo**, le siège du gouvernement local.

PIAZZA DEL DUOMO
Merveille baroque, la Piazza del Duomo forme le point central de la cité et un espace dégagé parmi les ruelles environnantes ; lors des invasions, les habitants se barricadaient sur cette place aux entrées étroites. Datant du XIIᵉ siècle, la **cathédrale** (☎ 0832 30 85 57 ; Piazza del Duomo ; ☼ 6h30-12h et 16h-18h30) fut remaniée par Giuseppe Zimbalo et constitue l'un de ses chefs-d'œuvre ; on lui doit également le **campanile haut** de 68 m. La cathédrale comporte deux façades, l'une côté ouest et l'autre, plus ornementée, donnant sur la place. Elle est encadrée par le **Palazzo Vescovile** (palais épiscopal) du XVᵉ siècle et par le **Seminario** (☼ expositions seulement) du XVIIIᵉ siècle, conçu par Giuseppe Cino.

VESTIGES ROMAINS
En contrebas de la Piazza Sant'Oronzo, un **amphithéâtre romain** (2 € ; ☼ 10h-12h et 16h-18h) du IIᵉ siècle fut découvert en 1901 par des ouvriers du bâtiment, mis au jour dans les années 1930 et restauré. En forme de fer à cheval, il pouvait accueillir 25 000 spectateurs Non loin se dresse la **Colonna di Sant'Oronzo**, une statue du saint patron de Lecce, perchée en équilibre précaire sur la seconde colonne de la Via Appia qui reliait Rome à Brindisi.

À proximité, le théâtre romain, également mis au jour dans les années 1930, dessine un arc parfait entre des bâtiments. Il abrite le **Museo Teatro Romano** (☎ 0832 27 91 96 ; Via Ammirati ; 2,60 € ; ☼ 9h30-13h lun-sam), qui renferme des mosaïques et des fresques romaines bien conservées, dans les tons roux.

ÉGLISES
Sur le Corso Vittorio Emanuele, la **Chiesa di Sant'Irene** du XVIIᵉ siècle renferme deux magnifiques autels baroques identiques, qui se font face de part et d'autre du transept. Les horaires d'ouvertures varient en raison des travaux de restauration. Parmi les autres belles églises baroques figurent la **Chiesa di Santa Chiara** (Piazza Vittorio Emanuele ; ☼ 9h30-11h30 tlj, 16h30-18h30 lun-sam), dont chaque niche est un tourbillon de colonnes en spirale et de statues, la **Chiesa di San Matteo** (Via dei Perroni 29 ; ☼ 9h-12h30 mar-dim, 16h-19h30 tlj), à 200 m au sud, et la **Chiesa del Rosario** (Via Libertini), la dernière œuvre de Giuseppe Zimbalo ; au lieu du dôme initialement prévu, elle fut coiffée d'un toit en bois après la mort de Zimbalo, avant la fin des travaux. La **Chiesa dei SS Nicolò e Cataldo** (Via San Nicola ; ☼ 9h-12h sept-avr, 17h-19h juin-août), près de la Porta Napoli, fut érigée par les Normands en 1180. Prise dans la folie baroque de la cité, elle fut rénovée en 1716 par Cino, qui conserva la rosace et le portail de style roman.

AUTRES CURIOSITÉS
Le **Museo Provinciale** (☎ 0832 68 35 03 ; Via Gallipoli 28 ; entrée libre ; ☼ 9h-13h30 et 14h30-19h30 lun-sam, 9h-13h30 dim) de Lecce retrace 10 000 ans d'histoire – des fragments datant du paléolithique et du

---

LECCE EN...

Un jour
Admirez les somptueuses façades des palais, des églises et des vieux édifices de la Via Libertini avant de rejoindre l'amphithéâtre romain et de jeter un coup d'œil à l'intéressant **Museo Teatro Romano** (ci-dessus). Prenez un capuccino en terrasse sur la Piazza Sant'Oronzo, puis visitez l'extravagante **Basilica di Santa Croce** (p. 725), qui mérite au moins une heure.

La matinée étant bien avancée, sirotez un Campari dans le charmant bar Art déco du **Patria Palace Hotel** (p. 728), juste en face. Revigoré et détendu, flânez le long des boutiques du Corso Vittorio Emanuele, feuilletez les beaux livres à **Liberrima** (p. 725), puis savourez un plat traditionnel à l'**Alle due Corti** (p. 728).

Si vous aimez marcher, éliminez les calories en traversant la ville jusqu'à l'excellent **Museo Provinciale** (ci-dessus). Sinon, les rues bordées de palais baroques (telle la Via Palmieri), les **églises** (ci-dessus) et la **cathédrale** (ci-dessus) suffiront à vous occuper jusqu'à l'heure du dîner. Terminez la journée en beauté par un repas au **Picton** (p. 729), installé dans un splendide *palazzo* ancien. Retournez à votre hôtel en passant par la basilique, superbement éclairée la nuit tombée.

néolithique à la belle collection de bijoux, d'armes et d'ornements grecs et romains. Remarquez les jolies poteries des Messapiens, réalisées des siècles avant l'arrivée des Grecs. Le musée accueille aussi d'excellentes expositions temporaires.

Le **Castello di Carlo V** (entrée libre ; ☉ 9h-13h et 16h-20h30) fut construit au XVIe siècle autour d'une tour normande du XIIe siècle sur ordre de Charles V et comprend deux constructions concentriques en forme de trapèze. Par la suite, il servit de prison, de tribunal et de quartier général militaire. Aujourd'hui, on peut s'y promener à loisir et visiter les expositions d'art occasionnelles.

À faire
La campagne autour de Lecce est idéale pour le vélo. **Ciclovagando** (☎ 339 5967280 ; www.ciclovagando.com ; Via di Savoia 19, Mesagne ; 120 € vélo et casque compris) organise des excursions guidées d'une journée, avec un choix de 3 ou 4 itinéraires d'une vingtaine de kilomètres chacun. Elles partent tous les jours de Lecce, ainsi que de Matera, Trani et Castellana Grotte.

Cours
Scuola di Lingua e Cultura Italiana Apulia (☎ 0832 39 03 12 ; www.apuliadomus.com ; Via Adriatica 10-12). Cette école bien établie propose des cours d'italien particuliers ou en groupe pour les étrangers. Elle dispose de bons équipements et organise de nombreuses activités.

Awaiting Table (www.awaitingtable.com ; cours journée/semaine 350/2 145 €). La splendide école de cuisine et d'œnologie de Silvestro Silvestori offre des cours d'une journée ou d'une semaine, avec visites, dégustations et conférenciers réputés.

Où se loger
Les B&B se multiplient à Lecce et présentent le meilleur rapport qualité/prix.

Casa Elisabetta (☎ 0832 30 70 52 ; www.beb-lecce.com ; Via Vignes 15 ; s/d 30/55 €). Près de la Piazza Vittorio Emanuele et bien gérée, cette élégante demeure propose de belles et grandes chambres autour d'une jolie cour centrale.

Azzurretta B&B (☎ 0832 24 22 11 ; www.bblecce.it ; s 30-38 €, d 55-70 €). Tenue par le frère sympathique du propriétaire du Centro Storico (ci-dessous), l'Azzurretta en est une version moins pimpante dans le même bâtiment. Le parking (commun aux deux adresses) est un atout incontestable.

Centro Storico B&B (☎ 0832 24 27 27 ; www.bedandbreakfast.lecce.it ; Via Vignes 2b ; s 35-40 €, d 52-100 € ; P). Cette charmante retraite du XVIe siècle offre des chambres et des suites plaisantes et colorées, ainsi qu'un toit-terrasse avec chaises longues.

B&B Centro Storico Prestige (☎ 0832 24 33 53 ; www.bbprestige-lecce.it ; Via Santa Maria del Paradiso 4 ; s 60-70 €, d 70-90 € ; P 🖳). Dans le centre historique, ce B&B déborde de caractère. Les chambres claires et spacieuses, aux finitions superbes, s'agrémentent de meubles traditionnels et de petits balcons. Une belle terrasse commune ensoleillée donne sur l'église San Giovanni Battista.

Suite 68 (☎ 0832 30 35 06 ; www.kalekora.it ; Via Prato ; ch 80-120 € ; 🔀). Peintes dans les tons du désert et ornées de tapis aux couleurs vives, les grandes chambres lumineuses évoquent l'Afrique du Nord. La n°1 possède une somptueuse baignoire carrelée de mosaïques bleu roi. Vélos disponibles.

Palazzo Rollo (☎ 0832 30 71 52 ; www.palazzorollo.it ; Via Vittorio Emanuele 14 ; d 90-120 €, studio 4 pers 100 € ; P 🔀). Ce palais du XVIIe siècle appartient à la même famille depuis plus de 200 ans. Les trois suites luxueuses en B&B (avec kitchenette) possèdent de hauts plafonds voûtés et des lustres. Au rez-de-chaussée, d'élégants studios contemporains ouvrent sur une cour tapissée de lierre. Le jardin sur le toit offre une vue superbe.

Patria Palace Hotel (☎ 0832 24 51 11 ; www.patriapalacelecce.com ; Piazzetta Riccardi 13 ; s 106-210 €, d 165-350 € ; P 🔀 🖳 🛜). Merveilleusement situé, cet hôtel somptueux propose des chambres confortables avec moquette, grands miroirs, meubles en bois sombre et peintures murales nostalgiques. Un magnifique plafond sculpté orne le bar Art déco. Sur le toit, la terrasse ombragée surplombe la Basilica di Santa Croce.

Où se restaurer
RESTAURANTS
Trattoria di Nonna Tetti (☎ 0832 24 60 36 ; Piazzetta Regina Maria 28 ; repas 15-20 € ; ☉ déj mar-dim dîner tlj). Accueillante et populaire, cette trattoria propose un large choix de plats traditionnels qui conviennent à tous les budgets. Goûtez la plus emblématique spécialité des Pouilles, la chicorée sauvage braisée avec une purée de fèves et quelques *contorni* (accompagnements) comme les *patate casarecce* (fines frites maison).

Alle due Corti (☎ 0832 24 22 23 ; www.alleduecorti.com ; Corte dei Giugni 1 ; repas 15-20 €). Pour un avant-goût de la Salentina ensoleillée, entrez dans ce restaurant sans prétention, résolument traditionnel. La carte, écrite en dialecte, change selon la saison et laisse perplexes les Italiens du Nord. Essayez la *tajeddha* (couches de pommes de terre, de riz et de moules) ou les *ciceri e tria* (pâtes sautées croustillantes et pois chiches).

Mamma Lupa (☎ 340 7832765 ; Via Acaja 12 ; repas 15-20 € ; ☒ mar-dim). Cette *osteria* rustique sert une authentique cuisine campagnarde, comme des tomates, des pommes de terre et des artichauts cuits au four ou des boulettes de viande de cheval, dans une salle douillette aux murs ocre avec quelques tables seulement.

Blu Notte (☎ 0832 30 42 86 ; Via Brancaccio 3 ; repas 30 €). Chaudement recommandée par des habitants, ce restaurant est réputé pour ses succulents *antipasti* et ses délicieux poissons et fruits de mer. Plaisant et détendu, il se tient à côté de la Porta San Biaggio, à la lisière du quartier des bars, et possède des tables en terrasse.

Picton (☎ 0832 33 23 83 ; Via Idomeneo 14 ; repas 35 € ; ☒ mar-dim). Dans une petite rue, ce restaurant offre un cadre élégant pour un dîner. Installé dans un ancien palais aux voûtes en berceau, il possède un charmant jardin intérieur et donne une nouvelle jeunesse à la cuisine traditionnelle, telle la *saltimbocca* (litt. "saute dans la bouche" ; escalope de veau à la sauge et au jambon).

Cucina Casareccia (☎ 0832 24 51 78 ; Viale Costadura 19 ; repas 40 € ; ☒ déj mar-dim, dîner mar-sam). Sonnez pour entrer dans ce restaurant qui ressemble plutôt à une maison privée, avec des carreaux de ciment à motifs, un bureau disparaissant sous les papiers et une charmante hôtesse. Carmela Perrone vous aidera à choisir parmi les nombreux plats salentins de la *cucina povera* (cuisine des pauvres), comme la viande de cheval en *salsa piccante*. Réservation conseillée.

Pour faire les courses, rendez-vous au **marché** (Piazza Libertini ; ☒ matin lun-sam) de Lecce.

CAFÉS ET GLACIERS

Caffè Paisiello (☎ 0832 30 14 04 ; Via Palmieri 72 ; ☒ 7h-24h). Prisé des habitants, ce café haut de plafond, à la charmante ambiance désuète, rétro propose d'excellents en-cas et dispose de quelques tables en terrasse.

Il Caffè di Liberrima (☎ 0832 24 26 26 ; Corte dei Cicala ; ☒ 8h-1h). Les tables remplissent la petite place proche de la librairie et de l'*enoteca*

(bar à vin) dans la rue piétonne centrale. La lenteur du service laisse amplement le temps d'observer l'animation.

Gelateria Natale (☎ 0832 25 60 60 ; Via Trinchese 7a ; ☒ 8h-1h). Profitez de la longueur de la file d'attente pour faire votre choix chez le meilleur glacier de Lecce. C'est aussi un merveilleux pâtissier, qu propose des délices comme les truffes, la *panna cotta* et des gâteaux au chocolat noir.

Où prendre un verre

Des bars jalonnent la Via Imperatore Augusto qui, les soirs d'été, ressemble à une fête en plein air. Flânez pour trouver un endroit qui vous séduit, ou rejoignez Il Caffè di Liberrima (ci-dessus).

Achats

De jolies boutiques, des librairies bien fournies, d'alléchantes pâtisseries et épiceries fines bordent les rues de Lecce.

La Cartapesta (☎ 0832 24 34 10 ; Corso Vittorio Emanuele II 27). Lecce est renommée pour ses figurines en papier mâché. Cet atelier de Claudio Riso vend des personnages fabriqués à la main.

La Bottega del Corso (☎ 0832 24 98 66 ; Via Giuseppe Libertini 52 ; ☒ 8h30-13h15 tlj et 16h30-20h30 jeu-mar). Une épicerie fine qui vend toutes sortes de produits locaux et des pains frais.

Olio Claudio (☎ 0832 82 29 04 ; www.olioclaudio.com ; Via Principi di Savoia 43). Une excellente adresse pour l'huile d'olive, à partir de 4 € le litre.

Depuis/vers Lecce

BUS

De la gare routière **STP** (☎ 0832 35 91 42), des bus rallient Brindisi (3,30 €, 45 min, 2/jour) et sillonnent les Pouilles.

De la Via Torre del Parco, des bus **FSE** (☎ 0832 66 81 11) desservent Gallipoli (3,50 €, 1 heure, 4/jour), Otrante (2,90 €, 1 heure, 2/jour) et Brindisi (3,30 €, 45 min, 2/jour).

TRAIN

Des trains fréquents partent pour Bari (à partir de 13,80 €, 1 heure 30-2 heures), Brindisi (à partir de 8,10 €, 30 min), Rome (à partir de 62 €, 5 heures 30-9 heures) et Bologne (à partir de 66 €, 8 heures 30-9 heures 30). Pour Naples, (à partir de 44 €, 5 heures 30), changez à Caserta.

Des trains FSE se rendent à Otrante et Martina Franca.

PÉNINSULE SALENTINE (PENISOLA SALENTINA)

Chaude, sèche et isolée, la péninsule Salentine conserve des traces de son passé grec. Ici, la verdoyante Valle d'Itria cède la place à des champs ocre, parsemés de fleurs sauvages au printemps, et à d'immenses oliveraies. Les villes aux volets fermés, brûlées par le soleil et silencieuses, ne s'animent qu'en été.

Galatina
27 700 habitants

Pourvue d'un ravissant centre historique, Galatina, à 18 km au sud de Lecce, se situe au cœur du passé grec de la péninsule Salentine. C'est pratiquement le seul endroit où l'on pratique encore le *tarantismo* rituel, une danse frénétique censée éliminer le venin d'une piqûre de tarentule. De là provient la danse folklorique appelée tarentelle. Tous les ans, le jour de la fête de saint Pierre et saint Paul (29 juin), le rite se déroule dans l'église aujourd'hui désaffectée.

La plupart des visiteurs viennent pour l'extraordinaire **Basilica di Santa Caterina d'Alessandria** (☉ 8h-12h30 et 16h30-18h45 avr-sept, 8h-12h30 et 15h45-17h45 oct-mars) du XIVᵉ siècle, ornée d'innombrables fresques. Elle fut édifiée par les franciscains, sous le patronage de Marie d'Enghien de Brienne. Épouse du comte Raimondello Orsini del Balzo, un noble salentin fortuné, cette Française consacra de fortes sommes à la décoration intérieure. Selon la légende, Raimondello aurait gravi le mont Sinaï pour voir la dépouille de sainte Catherine. Embrassant la main de la sainte, il aurait arraché un doigt avec ses dents pour la rapporter en relique.

L'église est splendide, avec un autel d'un blanc étincelant qui se détache sur les fresques. Apportez une lampe électrique pour bien les voir. On ne connaît pas les artistes que Marie d'Enghien employa ; c'étaient peut-être des peintres itinérants venus d'Émilie et des Marches, ou des artistes du Sud qui avaient étudié les dernières innovations de la Renaissance lors de voyages au Nord.

Pour vous détendre, choisissez **Le Campine Eco-Resort** (☎ 0836 80 21 08 ; www.lecampineresort.com ; Via Stazione 116 ; ⊠ ▣) à 7 km à l'est de Galatina, dans le village de Zollino. Il propose des soins ayurvédiques, des cours de yoga et des repas préparés selon les préceptes macrobiotiques. Consultez le site Internet pour les prochains cours et retraites.

Des trains FSE circulent régulièrement entre Galatina et Lecce (1,30 €, 30 min, ttes les heures).

OTRANTE (OTRANTO)
5 500 habitants

Otrante surplombe un joli port rempli de bateaux aux couleurs vives dansant sur une eau cristalline. Dans le centre historique, de hauts remparts dorés protègent des ruelles étroites, interdites à la circulation, où d'innombrables boutiques vendent toutes sortes de souvenirs. En juillet et août, c'est l'une des villes les plus animées des Pouilles. La plupart des établissements ferment en basse saison.

Principal port du pays vers l'Orient pendant plus d'un millénaire, Otrante connut une histoire mouvementée. Selon des contes fantaisistes, le roi Minos y aurait vécu et saint Pierre y aurait célébré la première messe en Occident.

En 1480, le sac d'Otrante fut un épisode tragique : 18 000 Turcs assiégèrent la ville et massacrèrent 800 chrétiens qui refusaient de se convertir.

L'**office du tourisme** (☎ 0836 80 14 36 ; Piazza Castello ; ☉ 9h-13h et 15h-20h lun-ven juin-sept, 9h-13h lun-ven oct-mai) fait face au château.

À voir et à faire

Ne quittez pas Otrante sans visiter la splendide **cathédrale** (Piazza Basilica ; ☉ 8h-12h tlj, 15h-18h avr-sept, 15h-17h oct-mars) romane, construite par les Normands au XIᵉ siècle et remaniée à plusieurs reprises. Au sol, une grande mosaïque du XIIᵉ siècle représente un fabuleux arbre de vie posé sur le dos de deux éléphants. Elle fut conçue par un jeune moine appelé Pantaleone (qui n'avait jamais vu d'éléphant), dont la vision du paradis et de l'enfer témoigne d'un étrange syncrétisme entre les classiques, la religion et la simple superstition. On y voit Adam et Ève, la Diane chasseresse, Hercule, le roi Arthur, Alexandre le Grand et une ménagerie de singes, de serpents et de monstres marins. Levez les yeux pour admirer le superbe plafond en bois à caissons.

Étonnamment, la cathédrale a survécu à tous les outrages ; les Turcs la transformèrent en écurie quand ils décapitèrent les chrétiens sur une pierre, aujourd'hui conservée dans l'autel de la Cappella dei Martiri (chapelle des martyrs), à droite du maître-autel. Dans cette chappelle, des vitrines renferment les crânes et les ossements des martyrs, soigneusement disposés.

La petite **Chiesa di San Pietro** (⊗ 10h-12h30 et 15h-18h avr-sept, 10h-12h et 15h-18h oct-mars), indiquée depuis le *corso*, renferme d'autres fresques byzantines de couleurs vives. Si elle est fermée, demandez la clé à la cathédrale.

Bien restauré et central, le **château aragonais** (Piazza Castello ; adulte/enfant 2 €/gratuit ; ⊗ 10h30-13h et 15h30-19h sept-mai, 10h-13h et 16h-23h juin, 10h-13h et 16h-24h juil-août) est un fort massif aux murs épais, avec les armoiries de Charles V au-dessus de l'entrée. Il conserve quelques peintures murales défraîchies et des boulets de canon d'origine. Les remparts offrent une belle vue.

Quelques jolies plages s'étendent au nord d'Otrante. Quittez la ville par la route côtière jusqu'à la sortie Lido dei Pini (7,1 km). Suivez les panneaux indiquant la **Spiaggia Azzurra**, une somptueuse plage de sable fin. Vous pourrez louer des transats (4 € la journée) à Lido Sirena, à l'ouest. Quelques bars et restaurants jalonnent cette portion de côte.

L'eau cristalline et la rive rocheuse alentour sont idéales pour la plongée. **Scuba Diving Otranto** (☎ 0836 80 27 40 ; www.scubadiving.it ; Via Francesco di Paola 43) propose des plongées de jour ou de nuit, des cours d'initiation et de perfectionnement.

En été, **Otranto nel Mondo** (☎ 0836 80 20 03 ; www.otrantonelmondo.com) organise des cours d'italien qui s'accompagnent de diverses activités, comme l'équitation, la voile, la dégustation de vin.

Où se loger

Otrante et la côte jusqu'à Santa Maria di Leuca offrent de nombreux appartements et villas à louer (voir les sites Internet p. 717).

Balconcino d'Oriente (☎ 0836 80 15 29 ; www.balconcinodoriente.com ; Via San Francesco da Paola 71 ; s 55-55 €, d 50-100 € ; [P] [X]). Très bien situé, ce sympathique B&B se distingue par un décor qui évoque l'Afrique et le Proche Orient : draps colorés, tableaux africains, lampes marocaines et murs ocre. Le petit déjeuner sort également de l'ordinaire.

Palazzo de Mori (☎ 0836 80 10 88 ; www.palazzodemori.it ; Bastione dei Pelasgi ; s 85-100 €, d 100-150 € ; ⊗ jan-oct ; [X] [≋]). Dans le centre historique, ce ravissant hôtel de charme propose d'élégantes chambres blanches. Le petit déjeuner, avec fruits et yaourt, est servi sur la terrasse ensoleillée qui surplombe le port.

Palazzo Papaleo (☎ 0836 80 21 08 ; www.hotelpalazzopapaleo.com ; Via Rondachi 1 ; s 140-250 €, d 150-280 € ; [P] [X] [≋]). Près de la cathédrale, ce somptueux hôtel fut le premier à mériter l'Eco-label européen dans les Pouilles (consultez le site www.eco-label.com.) Outre des pratiques écologiques, il possède des chambres splendides aux murs gris, ocre et jaune pâles, ornées de fresques originales et de meubles anciens délicatement sculptés. Plongez dans le Jacuzzi sur le toit en contemplant la vue panoramique.

Où se restaurer et prendre un verre

La Botte (☎ 0836 80 42 93 ; Via del Porto ; pizzas à partir de 4 €). À côté de la zone piétonne touristique, dans la rue qui rejoint le port, La Botte propose de bonnes pizzas, à déguster sur la grande terrasse en bois.

Laltro Baffo (☎ 0836 60 16 36 ; Cenobllo Basiliano 23 ; repas 25 €). Recommandé par des lecteurs pour ses excellents produits de la mer, ce nouvel établissement ne manque pas d'élégance. Choisissez le plat du jour, composé de poisson et de pâtes.

Da Sergio (☎ 0836 80 14 08 ; Corso Garibaldi 9 ; repas 36 €). Chic et prisé des habitants, le restaurant de poisson le plus réputé d'Otrante occupe un emplacement privilégié, au milieu du *corso* touristique. Il ne possède pas de carte et offre les prises du jour, facturées au poids.

Le long des remparts de la ville, des bars surplombent la mer. **Il Covo dei Mori** (☎ 0836 80 20 33 ; Via Leon Dari), très fréquenté, sert des *aperitivi* et des en-cas.

Achats

Anima Mundi (☎ 0836 195 52 62 ; Vicolo Majorano 8). Ce magasin vend notamment de superbes livres de photos sur la région et de la musique locale. Massimiliano Morabito est une valeur sûre pour la *tarantella* traditionnelle (écoutez-le sur YouTube).

Depuis/vers Otrante

De Lecce, des trains (2,90 €, 1 heure) et des bus FSE (4 €, 1 heure 20) rallient Otrante.

Marozzi (☎ 0836 80 15 78) offre un bus quotidien pour Rome (46 €, 10 heures 30).

Pour des informations et des réservations, adressez-vous à **Ellade Viaggi** (☎ 0836 80 15 78 ; www.elladeviaggi.it ; Via del Porto), sur le port.

ENVIRONS D'OTRANTE

Au sud d'Otrante, la route longe une côte sauvage, rocheuse, où des falaises plongent dans la mer étincelante. Le vent qui la balaie explique la rareté des arbres. La plupart des villes qui la ponctuent sont d'anciennes colonies grecques, mais il reste peu de vestiges de cette époque. La station balnéaire de **Santa Maria di Leuca** se situe au bout du talon de la botte italienne, là où se rejoignent les mers Adriatique et Ionienne. De jolies plages jalonnent la côte ionienne de la Penisola Salentina, qui compte peu d'hôtels bon marché mais de nombreux campings et villas de location. Au sommet d'une falaise et ombragé d'oliviers, le **Camping Maggiano** (☎ 0832 34 06 86 ; www.campingportomiggiano.it ; empl 2 pers, voiture et tente 23 € ; ☺ juin-sept) se situe à 16 km au sud d'Otrante ; un escalier descend vers la plage.

GALLIPOLI
20 900 habitants

À 39 km au sud-ouest de Lecce, Gallipoli (du grec *kali poli*, "belle ville") est un important centre de pêche. Son centre médiéval occupe une île dans la mer Ionienne, reliée par un pont au continent et à la ville moderne. Depuis toujours animée d'un profond désir d'indépendance, ce fut la dernière cité salentine à capituler devant les Normands au XIe siècle. Contrairement aux stations balnéaires actives en saison, Gallipoli conserve une atmosphère authentique de ville ouvrière italienne. En été, les bars et les restaurants installés face à la mer sur les remparts de l'île font le plein.

Renseignements
L'**office du tourisme** (☎ 0833 26 25 29 ; Via Antonietta de Pace 86 ; ☺ 10h-14h et 15h-18h lun-sam) se situe près de la cathédrale, dans la vieille ville.

À voir
Un **château**, construit par les Angevins, garde l'entrée de la ville médiévale. En face, sous le pont menant à l'île, se tient un **marché au poisson** animé.

Dans le centre, sur le point culminant de l'île, la **Cattedrale di Sant'Agata** (Via Antonietta de Pace ; ☺ horaires variables), un édifice baroque du XVIIe siècle, renferme des peintures d'artistes locaux. Zimbalo, qui offrit à Lecce ses extravagances baroques (p. 727), travailla également à la façade. À proximité, en face de l'office du tourisme, la **Farmacia Provenzana** (Via Antonietta de Pace ; ☺ 8h30-13h et 16h30-20h30), superbement décorée, date de 1814. Plus à l'ouest, le petit **Museo Civico** (☎ 0833 26 42 24 ; Via Antonietta de Pace 108 ; adulte/enfant 1 €/gratuit ; ☺ 10h-13h et 18h-20h lun-ven, 10h-13h sam), fondé en 1878, présente des têtes de poisson, d'anciennes sculptures, un sarcophage du IIIe siècle av. J.-C. et d'autres curiosités.

De l'autre côté du pont, dans la ville moderne, la **Fontana Antica** fut reconstruite au XVIe siècle d'après le modèle grec d'origine. Ses sculptures rongées par le temps décrivent une histoire d'inceste et de bestialité.

Où se loger et se restaurer
La Casa del Mare (☎ 328 179136 ; www.lacasadelmare.com Piazza de Amicis 14 ; d 60-110 € ; 🖥). Dans le centre-ville, ce bâtiment jaune pâle du XVIe siècle se tient sur une petite place que domine une statue souriante du Padre Pio (p. 699). Ses chambres aux murs blancs, simples et lumineuses, constituent un bon choix. Réservez à l'avance ou arrivez entre 15h et 18h quand Laura et Federico, les propriétaires, sont présents.

🛏 Insula (☎ 0833 20 14 13 ; www.bbinsulagallipoli. it ; Via de Pace 56 ; d 70-130 € ; ✨). Cet excellent B&B occupe un splendide bâtiment du XVe siècle. Peintes de tons pastel et toutes différentes, les chambres ont une allure princière, avec de ravissantes antiquités et de hauts plafonds voûtés. D'anciens murs en pierre flanquent la terrasse paisible, qui évoque le passé.

Masseria Don Cirillo (☎ 0832 30 35 06 ; www.masseriadoncirillo.it ; Torre San Giovanni, Ugento ; ch 150-230 € ; ☺ avr-oct ; ✨ 🍴 🖥). À 15 km de Gallipoli, cette fabuleuse *masseria* possède des chambres voûtées, en pierre claire, entourées de verdure. Le mobilier est un élégant mélange de moderne et de rustique. Un *gozzo* (bateau en bois) traditionnel et des vélos sont à disposition.

Relais Corte Palmieri (☎ 0833 26 25 63 ; www. relaiscortepalmieri.it ; Corte Palmieri 3 ; s 90-170 €, d 120-200 € ; 🍴 🖥). Bien tenu, cet hôtel couleur crème est géré par les directeurs du Palazzo del Corso (en bordure de la vieille ville) et du Palazzo Mosco Inn, tout aussi séduisants. Chambres élégantes, avec des meubles peints traditionnels, des lits en fer forgé et des couvre-lits rouge et blanc.

Il Giardino Segreto (☎ 0833 26 44 30 ; Via de Pace 116 ; repas 15 €). "Le Jardin secret" porte bien son nom : des tables entourent un citronnier dans une cour fermée à l'arrière. Salades, bruschette, pâtes, viandes, poissons et un menu du jour à prix raisonnable (15 €) parviendront à satisfaire les plus difficiles.

La Puritate (☎ 0833 26 42 05 ; Via S Elia 18 ; repas 45 € ; ☺ jeu-mar). Dans la vieille ville, une adresse idéale pour se régaler de poisson en admirant la mer. Après d'excellents *antipasti*, savourez de délicieux *primi* (premiers plats), comme les spaghettis aux fruits de mer, puis une prise du jour ; l'espadon est habituellement un bon choix.

Depuis/vers Gallipoli

Des bus et des trains FSE desservent Lecce (3,50 €, 1 heure, 4/jour).

TARENTE (TARANTO)

199 000 habitants

Des marchands de poisson à tous les coins de rue, un quartier médiéval croulant et une horreur industrielle : cette description de Tarente fait l'impasse sur le centre pittoresque et l'excellence des produits de la mer, probablement les meilleurs du sud de l'Italie.

D'après la légende, la ville fut fondée par Taras, le fils de Poséidon qui arriva sur le dos d'un dauphin. En réalité, Tarente fut construite au VIIe siècle av. J.-C. par des exilés de Sparte, sous le nom de Taras, et devint l'une des colonies les plus importantes et prospères de la Magna Græcia, avec une population de 300 000 âmes. Le déclin s'amorça au IIIe siècle av. J.-C., quand les Romains s'emparèrent de la cité et changèrent son nom en Tarentum.

À l'instar de La Spezia, Tarente est une base navale majeure. La présence de jeunes marins est emblématique d'une ville depuis toujours tournée vers la mer.

Orientation et renseignements

Tarente se divise nettement en trois. La vieille ville se tient sur un îlot, entre le port et la gare ferroviaire au nord-ouest, et la ville nouvelle au sud-est. La plus grande aciérie du pays occupe toute la moitié ouest de la cité. Construite selon un plan en damier, la ville nouvelle

POUILLES, BASILICATE ET CALABRE

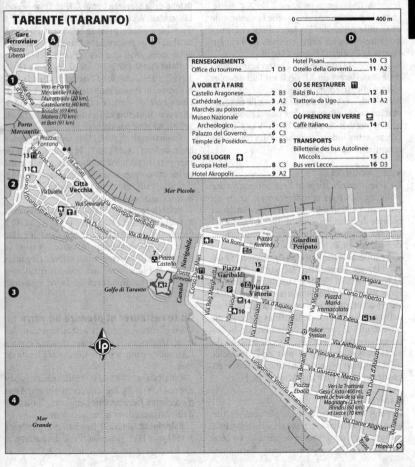

TARENTE (TARANTO)

0 — 400 m

RENSEIGNEMENTS
Office du tourisme...................... 1 D3

À VOIR ET À FAIRE
Castello Aragonese..................... 2 B3
Cathédrale.................................. 3 A2
Marchés au poisson.................... 4 A2
Museo Nazionale
Archeologico............................ 5 C3
Palazzo del Governo.................. 6 C3
Temple de Poséidon.................... 7 B3

OÙ SE LOGER
Europa Hotel.............................. 8 C3
Hotel Akropolis.......................... 9 A2

Hotel Pisani............................... 10 C3
Ostello della Gioventù................ 11 A2

OÙ SE RESTAURER
Balzi Blu.................................... 12 B3
Trattoria da Ugo......................... 13 A2

OÙ PRENDRE UN VERRE
Caffè Italiano............................. 14 C3

TRANSPORTS
Billetterie des bus Autolinee
Miccolis................................... 15 C3
Bus vers Lecce........................... 16 D3

abrite les banques, la plupart des hôtels et des restaurants et l'**office de tourisme** (☎ 099 453 23 97 ; Corso Umberto I 113 ; ☼ 9h-13h et 16h30-18h30 lun-ven, 9h-12h sam).

À voir

CITTÀ VECCHIA (VIEILLE VILLE)

Délabré mais progressivement rénové avec soin, le centre de la ville médiévale se distingue par son ambiance dynamique. La vieille ville occupe la petite île qui sépare le Mar Piccolo (Petite Mer : une lagune fermée) du Mar Grande (Grande Mer). Cette topographie particulière signifie que le bleu de la mer et du ciel vous entoure où que vous soyez. Actuellement occupé par la Marine italienne, l'imposant **Castello Aragonese** (☎ 099 775 34 38 ; ☼ 9h-12h lun-ven sur rendez-vous), du XVᵉ siècle, garde le pont tournant qui relie la vieille ville et la ville nouvelle. En face, deux colonnes doriques sont les seuls vestiges de l'ancien **temple de Poséidon** (Piazza Castello).

Au cœur de la vieille ville, l'extravagante **cathédrale** (Via del Duomo) du XIᵉ siècle est l'un des plus vieux édifices romans des Pouilles. Sa Cappella di San Cataldo est un festival baroque de fresques et d'incrustations en marbre polychrome.

Les **marchés au poisson** de la Via Cariati, aux senteurs iodées, font partie des traditions essentielles de Tarente.

VILLE NOUVELLE

La ville nouvelle surprend par son ambiance policée ; des rues commerçantes, tirées au cordeau, partent de la vaste Piazza Garibaldi plantée de palmiers, que domine le **Palazzo del Governo**, un gigantesque bâtiment rouge brique des années 1920.

Le superbe **Museo Nazionale Archeologico** (☎ 099 453 21 12 ; www.museotaranto.it ; Via Cavour 10 ; adulte/enfant 5 €/gratuit ; ☼ 8h30-19h30) est l'un des plus importants musées archéologiques du pays. Entre autres objets anciens, il possède la plus grande collection au monde de figurines grecques en terre cuite. Il présente également de belles collections de verreries du Iᵉʳ siècle av. J.-C., de vases classiques rouge et noir de l'Attique et de somptueux bijoux, dont une couronne en bronze et terre cuite du IVᵉ siècle av. J.-C.

À faire

La plage la plus proche, le Lido Bruno, se situe au sud-est de la ville. Les plages s'améliorent à mesure que l'on s'éloigne de Tarente. La côte entre Torre Ovo et Torretta est charmante,

avec des plages au pied de dunes basses et de nombreux parkings près de la route.

Fêtes

Tarente est renommée pour ses **Feste di Pasqua** (Semaine sainte), les plus importantes de la région, quand des pénitents en longue robe et coiffés d'une cagoule (comme à Séville) transportent des statues religieuses à travers la ville. Les festivités comportent trois processions : celle des *Perdoni*, des pèlerins en quête du pardon de Dieu, celle de l'*Addolorata* (la Mère des Douleurs), qui dure 12 heures et ne parcourt que 4 km, et celle des *Misteri*, encore plus lente (2 km en 14 heures).

Où se loger

Ostello della Gioventù (☎ 099 476 00 33 ; www.ostellolalocanda.it ; Vico Civitanova ; dort 20 €, s/d 30/50 € ; **P**). Très bien située près de la Piazza Fontana, cette auberge propose des chambres spartiates et propres, ainsi que des repas (12 €).

Hotel Pisani (☎ 099 453 40 87 ; Via Cavour 43 ; s/d 30/50 €). Près de la place Garibaldi dans la ville nouvelle, le Pisani loue des chambres défraîchies avec de petites sdb. Bien entretenues, elles sont toutefois suffisamment confortables si l'on ne rêve pas de luxe.

Europa Hotel (☎ 099 452 59 94 ; www.hoteleuropaonline.it ; Via Roma 2 ; s/d 80/105 € ; ✖). Sur le front de mer près du pont tournant, cet hôtel en forme de bateau domine la vieille ville. Établi en 1888, il possède une élégante façade du XIXᵉ siècle et des chambres modernes.

Hotel Akropolis (☎ 099 470 41 10 ; www.hotelakropolis.it ; Vico I Seminario 3 ; s 105-125 €, d 145-175 € ; ✖ 💻). Occupant un *palazzo* médiéval dans la vieille ville, cet établissement luxueux avoisine la cathédrale. Il compte 13 chambres élégantes crème et blanc, avec des sols en majolique d'origine. Le toit-terrasse offre une vue sublime.

Où se restaurer et prendre un verre

D'excellents restaurants se cachent dans les rues décrépites. Tarente est réputée depuis l'Antiquité pour ses poissons et ses fruits de mer.

Caffè Italiano (☎ 099 452 17 81 ; Via D'Aquino 86a ; salades et en-cas 4 € ; ☼ 5h-2h). Très chic, ce café branché sert d'excellents *foccacia*, cafés et glaces. Il dispose d'une terrasse dans la rue piétonne.

Balzi Blu (☎ 347 465 32 11 ; Corso Due Mari 22 ; pizza à partir de 4,50 €, repas 15 € ; ☼ mar-dim). Prisé des habitants, ce restaurant propose quelque 300 vins et

d'excellentes pizzas à la pâte exceptionnelle,
aite avec 13 différentes sortes de farine. En
*té, la terrasse offre une vue splendide sur
a vieille ville.

Trattoria da Ugo (☎ 329 1415850 ; angle Via Cataldo de
*ulio et Via Fontana ; repas 18-25 € ; ☺ déj et dîner lun-ven,
*éj sam). Seuls des poissons et des fruits de
*ner figurent sur la carte de cette trattoria
*raditionnelle. Régalez-vous de moules grillées,
*le poulpe au citron et à l'huile d'olive ou
*le crevettes et calamars sautés. Exceptionnel
*apport qualité/prix.

Trattoria Gesù Cristo (☎ 099 477 72 53 ; Via
*attisti 8 ; repas 30 € ; ☺ déj et dîner mar-sam, déj sam).
Au sud-est du centre-ville, cet établisse-
*nent sympathique accueille volontiers
*es familles. Les propriétaires tiennent la
*oissonnerie voisine et servent des prises
*lu jour. Choisissez le plat le plus simple :
*ın poisson grillé au citron.

Comment s'y rendre et circuler
BUS
Les bus en direction du nord et de l'ouest par-
*ent du Porto Mercantile ; ceux qui desservent
*e sud et l'est partent de la Via Magnaghi,
*lans la ville nouvelle. Les services se raréfient
*e dimanche.

Des bus **FSE** (☎ 800 07 90 80) rallient Bari
*5,30 €, 1 heure 45-2 heures 15, départs fré-
*quents). Du Porto Mercantile, un bus **SITA**
☎ 899 32 52 04 ; www.sitabus.it) rejoint chaque
*our Matera (4,60 €, 1 heure 45). Des bus **STP**
☎ 0832 22 44 11) et FSE se rendent à Lecce (7 €,
*2 heures, 5/jour).

Marozzi (☎ 080 579 90 111) propose des services
*xpress pour la Stazione Tiburtina à Rome
*41,50 €, 6 heures, 4/jour). **Autolinee Miccolis**
☎ 099 470 44 51) dessert Naples (18 €, 4 heures,
*3/jour), via Potenza (9,50 €, 2 heures).

La **billetterie** (☺ 7h-13h30 et 15h-21h30) des bus
*e trouve au Porto Mercantile.

TRAIN
Pour les longs trajets, mieux vaut prendre
*e train. **Trenitalia** (☎ 89 20 21) et **FSE** (☎ 099
*171 59 01) offrent des trains pour Brindisi
*5,10 €, 1 heure 15, fréquents) et Bari (7,40 €,
*2 heures 30, fréquents), ainsi que Rome (à
*artir de 41 €, 6 heures-7 heures 30, 5/jour).

Les bus **AMAT** (☎ 099 4 52 67 32) n°1, 2, 3 et
*3 circulent entre la gare ferroviaire et la ville
*nouvelle.

Le stationnement est payant sur la Piazza
*Garibaldi.

BASILICATE (BASILICATA)

La Basilicate offre un paysage irréel de hautes
montagnes, de vallées tapissées d'épaisses
forêts et de villages qui semblent se fondre
dans les parois rocheuses.

Depuis les années 1930, la région est
indissociable du nom de l'écrivain Carlo
Levi. Son magnifique roman *Le Christ s'est
arrêté à Eboli* décrit la dure vie des paysans
pauvres de la Basilicate qui, comme le suggère
le titre, semblent abandonnés de Dieu. Malgré
la découverte en 1996 du plus grand champ
pétrolier d'Europe occidentale à 30 km au
sud de Potenza, les stéréotypes demeurent et
la Basilicate est toujours considérée comme
une région pauvre et sauvage.

Toutefois, son isolement et ses paysages
époustouflants commencent à attirer des
voyageurs. Le film de Mel Gibson, *La Passion
du Christ*, a fait connaître au monde entier les
sassi (habitations troglodytiques) de Matera,
tandis que Maratea compte parmi les plus chics
stations balnéaires du pays. L'étendue infinie
des montagnes de l'arrière-pays, notamment
les hauts pics des Apennins lucaniens et le
Parco Nazionale del Pollino, constitue une
destination de choix pour les amoureux de
la nature.

Histoire
La Basilicate s'étend entre le talon et la pointe
de la botte italienne, avec des portions de côte
baignées par les mers Tyrrhénienne et Ionienne.
Les Grecs et les Romains l'appelaient Lucania
(Lucanie ; un nom toujours utilisé), d'après les
Lucaniens, un peuple qui vivait ici depuis le
Ve siècle av. J.-C. Les Grecs s'installèrent sur le
littoral et firent de Metaponto et d'Erakleia des
villes prospères. Puis la situation se dégrada
sous les Romains quand Hannibal, le terrible
général carthaginois, ravagea la région.

Au Xe siècle, l'empereur byzantin Basile II
(958-1025) chassa les Sarrasins du Sud et de la
Sicile, réintroduisit le christianisme et donna
son nom à l'ancienne Lucanie. Conquêtes et
défaites se succédèrent tout au long du Moyen
Âge, Normands, Hohenstaufen, Angevins
et Bourbons ne cessant de se disputer ce
site stratégique, et se poursuivirent jusqu'au
XIXe siècle. Quand le mouvement en faveur
de l'unité italienne commença à se développer,

POUILLES, BASILICATE ET CALABRE

les loyalistes, soutenus par les Bourbons, s'emparèrent des montagnes de la Basilicate pour s'opposer à tout changement. Ils devinrent les bandits redoutés de la tradition locale, qui hantent les écrits de la fin du XIXᵉ et du début du XXᵉ siècles. Dans les années 1930, la Basilicate servit de prison à ciel ouvert pour les dissidents politiques, tel Carlo Levi, exilés dans des villages reculés par le régime fasciste.

CÔTE IONIENNE

Contrairement à la spectaculaire côte tyrrhénienne, la côte ionienne est plate, assez quelconque et jalonnée de grands complexes touristiques. Les ruines grecques de Metaponto et de Policoro, et les musées associés, témoignent de l'énorme influence de la Magna Græcia sur le sud de l'Italie.

Metaponto

Les ruines grecques de Metaponto ont ceci d'exceptionnel que les archéologues ont réussi à entièrement redessiner l'ancien plan urbain. Fondée par des Grecs entre le VIIIᵉ et le VIIᵉ siècles av. J.-C., Metapontum était

probablement un avant-poste de Sibari (en Calabre) et servait de zone tampon entre cette ville et Tarente. Pythagore, son plus célèbre habitant, y fonda une école après avoir été banni de Crotone (également en Calabre) au VIᵉ siècle av. J.-C.

De la gare ferroviaire, marchez tout droit sur 500 m jusqu'à un rond-point : à 1,5 km sur votre droite se tient le **Parco Archeologico** (entrée libre) et, sur votre gauche, le **Museo Archeologico Nazionale** (☎ 0835 74 53 27 ; Via Aristea 21 ; 2,50 € ; ⏱ 9h-20h mar-dim, 14h-20h lun). Dans le parc, vous découvrirez les vestiges d'un **théâtre grec** et du **Tempio di Apollo Licio**, dorique. Le musée renferme des objets archéologiques de Metapontum et d'autres sites.

Après la mort de Pythagore, sa maison et son école furent incorporées dans le temple d'Héra. Les vestiges de ce dernier, 15 colonnes et des tronçons de chaussée, constituent le site le plus intéressant de Metaponto. Ils sont appelés **Tavole Palatine** (Tables palatines), car des chevaliers (ou paladins) s'y seraient réunis avant de partir pour les croisades. Ils se dressent au nord, près de la nationale ; empruntez la bretelle vers Tarente sur la SS106.

De Matera, des bus **SITA** (☎ 0835 38 50 07 ; www.sitabus.it) desservent Metaponto (3 €, 1 heure, jusqu'à 5/jour). La ville se situe sur la ligne Tarente-Reggio et des trains la relient à Potenza, Salerne et moins souvent à Naples.

Bernalda
12 100 habitants

Juchée sur une colline à 15 km de la mer, Bernalda domine la vallée du Basento. Son centre historique date du XVe siècle ; un château à deux tours fait face à l'église byzantine San Bernardino du XVIe siècle, coiffée d'un dôme. La ville moderne de Bernalda s'est développée en direction de la côte. En mai et août, une procession d'habitants en costumes de chevaliers transporte la statue de San Bernardino à travers la cité.

Enfant chéri de Bernalda (la ville de ses grands-parents), Francis Ford Coppola a recréé cette fête dans son film *Le Parrain 3*. Le réalisateur fait actuellement transformer le Palazzo Margherita du XIXe siècle en un somptueux hôtel de charme de 12 chambres. Avec son neveu Nicolas Cage, il installe un centre expérimental pour les arts musicaux et visuels à Metaponto (voir p. 736), toute proche.

Des bus SITA circulent entre Bernalda et Matera.

Policoro
15 450 habitants

De Metaponto, continuez jusqu'à Policoro, l'ancienne colonie grecque d'Erakleia, à 21 km au sud-ouest. Elle mérite le détour pour son superbe **Museo della Siritide** (☎ 0835 97 21 54 ; Via Colombo 8 ; 2,50 € ; 9h-20h mer-lun, 9h-14h-20h mar) , qui retrace l'histoire jusqu'à 7 000 av. J.-C., des parures lucaniennes aux miroirs grecs, puis aux lances et javelots romains.

Des bus SITA relient Metaponto et Policoro.

MATERA
59 200 habitants / altitude 405 m

Aux abords de Matera, la découverte de ses fameux *sassi* (habitations troglodytiques creusées dans les falaises) est une vision inoubliable. Fascinant et splendide, ce versant de montagne monochrome est constellé de grottes, des souvenirs de l'extrême pauvreté des habitants. En 1993, les *sassi* ont été inscrits au patrimoine mondial de l'Unesco. Paradoxalement, ces témoins d'une terrible misère sont devenus le site le plus touristique de la Basilicate.

Histoire

Matera serait l'une des plus anciennes villes au monde. Les grottes qui parsemaient la gorge constituaient des habitats naturels Par la suite, un ingénieux système de canalisations permettait de récupérer l'eau de pluie et d'évacuer les eaux usées et des petits jardins suspendus ajoutaient une note de couleur. Ville prospère en 1663, Matera devint la capitale de la Basilicate et le resta jusqu'en 1806, quand le pouvoir s'installa à Potenza. Dans les décennies qui suivirent, l'accroissement de la population conduisit les plus pauvres à occuper des grottes sans eau courante, jusque-là utilisées comme étables.

Dans les années 1950, plus de la moitié de la population de Matera vivait dans des *sassi* – ces grottes abritaient couramment une famille de six enfants. Le taux de mortalité infantile atteignait 50%. Dans son roman *Le Christ s'est arrêté à Eboli*, Carlo Levi raconte que les enfants quémandaient de la quinine aux passants afin de ne pas mourir du paludisme. Ces récits finirent par obliger le gouvernement à agir devant ce qui reste l'un des grands scandales de l'Italie moderne, et à la fin des années 1950, quelque 15 000 habitants furent relogés dans de nouveaux bâtiments.

Orientation

Depuis les gares ferroviaire et routière, proches de la Piazza Matteotti, descendez la Via Roma pour rejoindre la Piazza Vittorio Veneto, le centre piétonnier de Matera. Les deux ravins bordés de *sassi* s'ouvrent à l'est et au sud-est de cette place.

CARTES

Si les *sassi* forment un dédale, on s'y repère assez facilement. Procurez-vous la carte *Matera: Percorsi Turistici* (1,50 €), disponible dans divers kiosques et hôtels, qui décrit 5 itinéraires à travers les *sassi*.

L'office du tourisme propose aussi une carte d'excursions dans le Parco della Murgia Materana, avec quelques itinéraires dans la gorge.

Renseignements

Basilicata Turistica (www.aptbasilicata.it).
Ferula Viaggi (☎ 0835 33 65 72 ; www.materaturismo.it ; Via Cappelluti 34 ; 9h-13h30 et 15h30-19h lun-sam). Une excellente agence de voyages et coopérative touristique, consacrée à la promotion de la Basilicate. Superbes circuits (voir p. 741) et excursions dans le Pollino (voir p. 745).

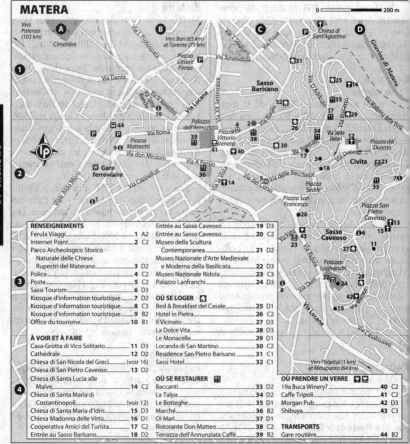

MATERA

0 ———— 200 m

RENSEIGNEMENTS	
Ferula Viaggi	**1** A2
Internet Point	**2** C2
Parco Archeologico Storico Naturale delle Chiese Rupestri del Materano	**3** D2
Police	**4** C2
Poste	**5** C2
Sassi Tourism	**6** D3
Kiosque d'information touristique	**7** D2
Kiosque d'information touristique	**8** C3
Kiosque d'information touristique	**9** D2
Office du tourisme	**10** B1

À VOIR ET À FAIRE	
Casa-Grotta di Vico Solitario	**11** D3
Cathédrale	**12** D2
Chiesa di San Nicola del Greci	(voir 16)
Chiesa di San Pietro Caveoso	**13** D2
Chiesa di Santa Lucia alle Malve	**14** D2
Chiesa di Santa Maria di Costantinopoli	(voir 12)
Chiesa di Santa Maria d'Idris	**15** D3
Chiesa Madonna delle Virtù	**16** D1
Cooperativa Amici del Turista	**17** C2
Entrée au Sasso Barisano	**18** D2

Entrée au Sasso Caveoso	**19** D3
Entrée au Sasso Caveoso	**20** C2
Museo della Scultura Contemporanea	**21** D2
Museo Nazionale d'Arte Medievale e Moderna della Basilicata	**22** D3
Museo Nazionale Ridola	**23** C3
Palazzo Lanfranchi	**24** D3

OÙ SE LOGER 🏠	
Bed & Breakfast del Casale	**25** D1
Hotel in Pietra	**26** C2
Il Vicinato	**27** D3
La Dolce Vita	**28** D3
Le Monacelle	**29** D1
Locanda di San Martino	**30** C2
Residence San Pietro Barisano	**31** C1
Sassi Hotel	**32** C1

OÙ SE RESTAURER 🍴	
Baccanti	**33** D2
La Talpa	**34** D2
Le Botteghe	**35** D1
Marché	**36** B2
Oi Marì	**37** D1
Ristorante Don Matteo	**38** C2
Terrazza dell'Annunziata Caffè	**39** B2

OÙ PRENDRE UN VERRE 🍷🍺	
19a Buca Winery?	**40** C2
Caffè Tripoli	**41** C2
Morgan Pub	**42** D3
Shibuya	**43** C3

TRANSPORTS	
Gare routière	**44** B2

Hôpital (☎ 0835 25 31 11 ; Via Montescaglioso). À 1 km au sud-est du centre.

Internet Point (☎ 0835 34 41 66 ; Via San Biagio 9 ; 3 €/h ; 🕑 9h30-13h et 15h30-20h30)

Kiosques d'information touristique (☎ 0835 24 12 60 ; 🕑 9h30-12h30 et 16h-19h en été). Dans la Via Madonna delle Virtù, la Via Lucana et sur la Piazza Matteotti. Gérés par la municipalité, ils proposent des visites guidées et vendent des billets pour les églises.

Office du tourisme (☎ 0835 33 19 83 ; www. materaturismo.it ; Via Spine Bianche ; 🕑 9h-13h et 16h-18h30 lun-sam). L'office peut vous procurer les services d'un guide.

Parco Archeologico Storico Naturale delle Chiese Rupestri del Materano (☎ 0835 33 61 66 ; www. parcomurgia.it ; Via Sette Dolori). Informations sur le parc de la Murgia.

Police (☎ 0835 37 81 ; Piazza Vittorio Veneto)

Poste (Via del Corso 1 ; 🕑 8h-18h30 lun-ven, 8h-12h30 sam)

Sassi Tourism (☎ 0835 31 94 58 ; www.sassitourism. it ; Via Buozzi 141). Visites guidées de Matera et accès aux sites (voir plus loin).

Sassiweb (www.sassiweb.it). Site d'informations sur les hôtels, les circuits et l'histoire des *sassi*, avec des photos.

À voir et à faire
SASSI

De nombreux points de vue, comme la Piazza Vittorio Veneto, le Palazzo Lanfranchi ou la cathédrale, dévoilent une ville et un paysage semblables à nul autre. Les profonds ravins calcaires sont constellés de grottes, dont certaines remontent au VIIIᵉ siècle av. J. C.

Matera compte deux quartiers de *sassi* : le **Sasso Barisano**, le plus restauré, face au nord-ouest, et le **Sasso Caveoso**, plus pauvre et orienté au nord-est. Tous deux sont extraordinaires, sillonnés d'escaliers et de ruelles sinueuses, parsemés de *chiese rupestri* (églises rupestres) ornées de fresques et datant du VIIIe au XIIIe siècle. Les deux quartiers regroupent quelque 3 000 grottes habitables

Si vous pouvez explorer seul les *sassi*, un guide qualifié vous expliquera l'histoire, vous montrera les sites les plus intéressants et pourra ouvrir les plus belles églises rupestres.

Parmi les sites majeurs du Sasso Barisano, le splendide monastère de la **Madonna delle Virtù et San Nicola dei Greci** (Via Madonna delle Virtù ; ⏰ 10h-19h sam-dim) se compose d'une dizaine de grottes réparties sur deux niveaux. L'église de la Madonna delle Virtù fut édifiée au Xe ou XIe siècle et restaurée au XVIIe siècle. De fin juin à octobre, elle accueille une exposition d'art moderne. Au-dessus, la Chiesa di San Nicola dei Greci est décorée de nombreuses fresques. En 1213, le monastère était habité par des moines bénédictins d'origine palestinienne.

Au Sasso Caveoso, ne manquez pas la **Chiesa di San Pietro Caveoso** (Piazza San Pietro Caveoso), et deux églises rupestres ornées de fresques, **Santa Maria d'Idris** (Piazza San Pietro Caveoso) et **Santa Lucia alle Malve** (Via La Vista). Quelques *sassi* ont été réaménagés comme lorsqu'ils étaient habités. Le plus intéressant est la **Casa-Grotta di Vico Solitario** (1,50 €), près de la Via Buozzi, où un audioguide explique les conditions de vie dans un *sassi*, qui comprenait habituellement une étable et une pièce pour le fumier.

Sassi Tourism (voir p. 738) gère l'entrée dans 5 églises, dont Santa Maria d'Idris, plusieurs autres dans les *sassi* et un ancien monastère. Le billet coûte 2,50/5/6 € pour un site/trois sites/tous les sites.

Les *sassi* sont accessibles de divers points. Une entrée se situe près de la Piazza Vittorio Veneto. Vous pouvez aussi longer la Via delle Beccherie jusqu'à la Piazza del Duomo et suivre les panneaux de l'itinéraire touristique pour entrer dans Barisano ou dans Caveoso. La Via Ridola conduit également au Sasso Caveoso.

Pour une belle photo, sortez de la ville par la route Tarente-Laterza et suivez les panneaux indiquant les *chiese rupestri*. Vous arriverez sur le plateau de Murgia, site de la crucifixion dans *La Passion du Christ*, qui offre une vue fabuleuse sur les ravins et Matera.

MATERA EN...

Un jour

Dirigez-vous d'abord vers l'un des points de vue pour prendre une photo des *sassi* (anciennes habitations troglodytes), avant que la brume de chaleur ne s'installe. Rejoignez l'élégant centre-ville et savourez un cappuccino au **Caffe Tripoli** (Piazza Vittorio Veneto 17). Flânez sur la **Piazza Vittorio Veneto** (carte p. 738) et admirez les opulentes façades des *palazzi* et des églises avant de retourner vers les *sassi*. Passez par la Via Fiorentini pour atteindre le Sasso Barisano et grimpez les marches jusqu'à la Piazza del Duomo, le point culminant de la ville, idéal pour des photos. Visitez ensuite la **cathédrale** (p. 740) et les rues alentour du XVe siècle, remarquablement préservées. Poursuivez par la découverte du monastère de la **Madonna delle Virtù et San Nicola dei Greci** (ci-dessus) et de ses fresques d'origine. Déjeunez à **Le Botteghe** (p. 741) puis, après une sieste à l'hôtel, rendez-vous aux églises rupestres du Sasso Caveoso, **San Pietro Caveoso** (ci-dessus), **Santa Maria d'Idris** (ci-dessus) et **Santa Lucia alle Malve** (ci-dessus). En début de soirée, savourez un cocktail au **Morgan Pub** (p. 742), puis achevez le circuit en retournant sur la Piazza Vittorio Veneto pour dîner au **Restaurante Don Matteo** (p. 741).

Deux jours

Consacrez le deuxième jour à la visite des excellents musées de Matera. Au cœur du Sasso Caveoso, la **Casa-Grotte di Vico Solitario** (ci-dessus) peut sembler un peu artificielle, mais elle offre un aperçu bien réel des conditions de vie dans ces habitations. Consacrez suffisamment de temps à l'exploration du **Museo della Scultura Contemporanea** (MUSMA ; p. 740), installé dans des grottes. Faîtres ensuite un grand saut dans le passé au **Museo Nazionale Ridola** (p. 740) avec ses collections préhistoriques et de l'âge du bronze. Enfin, les amateurs d'art ne manqueront pas le **Museo Nazionale d'Arte Moderna** (p. 740), dans le Museo di Arte Medievale e Moderna della Basilicata, qui présente les œuvres audacieuses de l'artiste local, Carlo Levi.

L'excellent **Museo della Scultura Contemporanea** (MUSMA ; www.musma.it ; adulte/tarif réduit 5/3,50 € ; ☽ 10h-14h et 16h-20h avr-oct, 10h-14h nov-mars) est installé dans le Palazzo Pomarici. Les collections sont artistement présentées dans des grottes joliment éclairées : représentations contemporaines de l'espace, interprétations provocantes d'Adam et Ève et un saint François en costume de sumo. À l'étage, dans des salles somptueuses ornées de fresques du XVIIe siècle, la collection retrace l'histoire de la sculpture de 1880 à nos jours, avec des artistes comme Lynn Chadwick ou Hans Arp.

CENTRE-VILLE

La Piazza Vittorio Veneto, centre de la ville, est un lieu de rendez-vous animé pour une promenade en soirée. La place est entourée d'églises élégantes et de palais opulents qui tournent délibérément le dos aux *sassi*. À cet endroit, des fouilles ont mis au jour des vestiges byzantins : une église rupestre, un château, une grande citerne et de nombreuses maisons, que l'on découvre de la place.

Dans les hauteurs de la ville, la **cathédrale** (Piazza del Duomo ; fermée pour restauration), de style roman apulien, date du XIIIe siècle. Sa belle façade sobre dissimule un intérieur néobaroque extravagant : chapiteaux sculptés, somptueuses chapelles et profusion de dorures. Les frontons qui ornent les autels viennent des temples de Metaponto. La *Madonna della Bruna*, la sainte patronne de Matera, est conservée dans une église plus ancienne, **Santa Maria di Costantinopoli**, accessible de la cathédrale (quand elle est ouverte). Sa fête, le 2 juillet, est la plus importante de la région.

Le **Museo Nazionale Ridola** (☎ 0835 31 00 58 ; Via Ridola 24 ; adulte/tarif réduit 2,50/1,25 € ; ☽ 14h-20h lun, 9h-20h mar-dim) occupe le couvent de Santa Chiara (XVIIe siècle). Son impressionnante collection comprend de remarquables poteries grecques, dont le *Craterea Mascheroni*, une grande urne de plus de 1 m de haut. Au sud, sur la Piazzetta Pascoli, le **Museo Nazionale d'Arte Medievale e Moderna della Basilicata** (☎ 0835 31 42 35 ; Palazzo Lanfranchi ; adulte/tarif réduit 2/1 € ; ☽ 9h-13h et 15h30-19h mar-dim) possède notamment des peintures de Carlo Levi, dont *Lucania '61*, une immense peinture murale très colorée qui décrit la vie paysanne.

Circuits organisés

De nombreux guides officiels font visiter les *sassi* ; adressez-vous à l'office du tourisme ou consultez le site www.sassiweb.it. Vous pouvez aussi contacter la **Cooperativa Amici del Turista** (☎ 0835 33 03 01 ; www.amicidelturista.it ; Via Fiorentini 28-30) ou bien **Ferula Viaggi** (p. 737), qui propose des circuits classiques, souterrain ou avec dégustations, des cours de cuisine et de plus longues excursions dans la gorge ou à Pollino ; il gère également Bike Basilicata ; pour plus d'informations, lisez l'encadré ci-contre. Le personnel du MUSMA (voir plus haut) organise la visite d'une spectaculaire chapelle souterraine.

Fête

Lors de la **Sagra della Madonna della Bruna** (2 juillet), la pittoresque procession des Bergers promène dans la ville des chars en papier mâché richement décorés. Les festivités s'achèvent avec l'*assalto al carro*, quand la foule se jette sur le char principal et le réduit en pièces.

Où se loger

Certains des hôtels les plus originaux et élégants de la Basilicate sont aménagés dans les *sassi* de Matera.

La Dolce Vita (☎ 0835 31 03 24 ; Rione Malve 51 ; s 40-60 €, d 50-80 €). Le propriétaire Vincenzo Altieri a installé ce charmant B&B écologique dans le Sasso Caveoso. Équipé de panneaux solaires et utilisant l'eau de pluie, il offre des chambres séduisantes et simplement aménagées, avec des murs crème, des meubles en bois sombre et quelques images religieuses.

Bed & Breakfast del Casale (☎ 0835 33 73 04 ; Via Casale 43 ; s 40-60 €, d 60-80 €). Cet appartement spacieux, au cœur du Sasso Barisano, pénètre profondément dans la roche. Si le décor date un peu, il est très confortable et comprend une kitchenette et une terrasse.

Il Vicinato (☎ 0835 31 26 72 ; www.ilvicinato.com ; Piazzetta San Pietro Caveoso 7 ; s/d 45/70 €). Bien situé et facile à trouver, il possède une chambre avec balcon et un petit appartement, chacun avec une entrée indépendante et un plaisant décor moderne. La vue sur le rocher d'Idris et le plateau de la Murgia constitue un atout supplémentaire.

Le Monacelle (☎ 0835 34 40 97 ; www.lemonacelle.it ; Via Riscatto 9 ; dort 18 €, s/d 55/86 € ; 🍴 💻). Près de la cathédrale et de la charmante Chiesa di San Francesco d'Assisi, ce bâtiment du XVIe siècle propose de simples dortoirs et des chambres sommairement meublées, ainsi que de belles terasses pavées avec vue superbe sur les *sassi*.

À LA DÉCOUVERTE DE LA GORGE DE MATERA

En plongeant le regard dans l'extraordinaire gorge de Matera, vous aurez peut-être envie de l'explorer. **Ferula Viaggi** (www.materaturismo.it) fonctionne selon le principe du "voyage lent" et propose divers circuits organisés (de 2 à 15 personnes ; voir p. 737) dans le plateau de la Murgia, allant de la randonnée de quelques heures au périple d'une semaine. Ainsi, le circuit de deux jours comprend par exemple la visite d'églises rupestres, de fermes fortifiées et de chapelles troglodytiques ornées de fresques (162 €), tandis que celui d'une semaine inclut la visite des *sassi*, la gorge et les plus hauts sommets du Pollino (440 €). Le printemps et l'automne sont les meilleures époques pour les randonnées, mais des marches faciles peuvent se faire en juillet-août à condition de partir tôt le matin ou en fin d'après-midi. Ferula Viaggi gère aussi **Bike Basilicata** (www.bikebasilicata.it), qui loue vélos et casques et fournit une carte à ceux qui préfèrent partir en indépendant (par jour/semaine 18/60 €). Les circuits cyclistes guidés incluent un périple de 500 km (7 nuits) à travers les Pouilles et la Basilicate.

Sassi Hotel (☎ 0835 33 10 09 ; www.hotelsassi.it ; Via San Giovanni Vecchio 89 ; s/d avec petit-déj 70/90 € ; ✿). Dans le Sasso Barisano, ce vaste édifice du XVIIIe siècle renferme de jolies chambres (dont certaines dans des grottes) avec réfrigérateurs et vue sur la cathédrale des balcons.

Residence San Pietro Barisano (☎ 0835 34 61 91 ; www.residencesanpietrobarisano.it ; Rione San Biagio 52/56 ; s/d à partir de 60/80 € ; ✿). De beaux meubles ergonomiques en pin agrémentent les 5 appartements, aménagés dans une grotte. L'excellent restaurant est tout aussi élégant (repas 35 €).

Locanda di San Martino (☎ 0835 25 66 00 ; www.locandadisanmartino.it ; Via Fiorentini 71 ; s/d 87/102 € ; ✿ 🔊). Dans cet hôtel somptueux, les chambres, avec alcôves et sols en briques rustiques, sont réparties dans un dédale d'allées et de cours pavées. Lors de notre passage, il prévoyait d'ouvrir prochainement une grande piscine souterraine.

❂ **Hotel in Pietra** (☎ 0835 31 40 10 ; www.hotelinpietra.it ; Via San Giovanni Vecchio 22, Barisano ; s 70 €, d 110-150 € ; ✿ 💻). Cet hôtel de charme époustouflant a ouvert en 2008. La réception est installée dans une ancienne chapelle du XIIIe siècle aux arches élancées, tandis que les 8 chambres combinent pierre dorée et parois naturelles de la grotte. Le mobilier, de style zen, comprend des lits bas et les sdb, raffinées, comportent de grandes baignoires encastrées.

Où se restaurer

Terrazza dell'Annunziata Caffè (☎ 0835 33 65 25 ; Piazza Vittorio Veneto ; en-cas 5 €). Prenez l'ascenseur pour profiter de la vue et du calme sur le toit-terrasse du Palazzo dell'Annunziata, un ancien couvent transformé en cinéma et bibliothèque.

Oi Marì (☎ 0835 34 61 21 ; Via Fiorentini 66 ; pizzas/pâtes à partir de 3,50/6,50 € ; ⏱ mer-lun). Dans le Sasso Barisano, cette vaste grotte au décor ressemblant à une pizzeria napolitaine sert d'excellentes et copieuses pizzas dans une ambiance chaleureuse.

❂ **La Talpa** (☎ 0835 33 50 86 ; Via Fiorentini 168 ; repas 15 € ; ⏱ mer-lun). Un peu plus loin dans la même rue que l'Oi Marì, les belles salles à l'éclairage tamisé sont idéales pour un dîner en amoureux. La cuisine est succulente, que l'on choisisse des pizzas ou des spécialités comme les *capuntí con purea di cicerchié, funghi e rucola* (pâtes avec une sauce aux haricots, aux champignons et à la roquette).

Le Botteghe (☎ 0835 34 40 72 ; Piazza San Pietro Barisano ; repas 40 € ; ⏱ déj et dîner lun-sam, déj dim). Dans le Sasso Barisano, ce restaurant chic et détendu possède de belles salles voûtées, blanchies à la chaux. Essayez les délicieuses spécialités locales, telles les *fusilli mollica e crusco* (pâtes et pain frit aux poivrons doux) ou les *strascinate salsiccia e funghi* (pâtes aux saucisses et aux champignons).

Ristorante Don Matteo (☎ 0835 34 41 45 ; Via San Biagio 12 ; repas 50 € ; ⏱ déj mer-lun, dîner jeu-mar). Don Matteo en personne règne sur les salles voûtées de ce restaurant intime. Le service est impeccable et la carte offre une interprétation raffinée de plats traditionnels.

Baccanti (☎ 0835 33 37 04 ; Via Sant'Angelo ; repas 50 € ; ⏱ déj et dîner mar-sam, déj dim). Élégamment aménagée, cette grotte aux voûtes basses offre un cadre glamour pour savourer des plats sophistiqués à base d'ingrédients locaux. C'est l'adresse préférée des stars de passage.

Tous les jours, un **marché** (Via Ascanio Persio) de produits frais se tient au sud de la Piazza Vittorio Veneto.

Où prendre un verre

19a Buca Winery? (☎ 0835 33 35 92 ; Via Lombardi 3 ; ⊙ 11h-24h mar-dim). À 13 m en dessous de la Piazza Vittorio Veneto, ce restaurant-bar à vin-café ultrachic possède des fauteuils blancs futuristes, un golf 19 trous autour d'une antique citerne, une impressionnante cave à vins et propose un menu dégustation (repas 30 €).

Morgan Pub (☎ 0835 31 22 33 ; Via Buozzi 2 ; ⊙ mer-lun). Un pub branché, installé dans une cave, avec des tables en terrasse en été.

Shibuya (☎ 0835 33 74 09 ; Vico Purgatorio 12 ; ⊙ 9h-3h mar-dim). Petit café détendu et magasin de CD, il se transforme en bar et accueille régulièrement des DJ ; profitez des quelques tables en plein air, au bout de l'allée.

Caffe Tripoli (Piazza Vittorio Veneto). Excellents capuccinos et pâtisseries et serveurs en nœud papillon.

Depuis/vers Matera

BUS

La gare routière se situe au nord de la Piazza Matteotti, près de la gare ferroviaire. Des bus **SITA** (☎ 0835 38 50 07 ; www.sitabus.it) desservent Tarente (4,60 €, 2 heures, 1/jour), Metaponto (3,20 €, 1 heure, jusqu'à 5/jour) et de nombreuses bourgades de la province. **Grassani** (☎ 0835 72 14 43) rallie Potenza (5,30 €, 2/jour). Achetez vos billets dans les kiosques à journaux de la Piazza Matteotti.

Marozzi (☎ 06 225 21 47 ; www.marozzivt.it) offre 3 bus par jour pour Rome (32,50 €, 6 heures 30). Un service conjoint SITA et Marozzi part tous les jours pour Sienne, Florence et Pise, via Potenza. Réservation indispensable.

TRAIN

Ferrovie Appulo-Lucane (FAL ; ☎ 0835 33 28 61 ; www.fal-srl.it) propose des trains réguliers (4,35 €, 1 heure 30, 12/jour) ainsi que des bus pour Bari. Pour rejoindre Potenza, prenez un bus FAL jusqu'à Ferrandina, puis un train Trenitalia, ou allez jusqu'à Altamura et montez dans le train FAL Bari-Potenza.

VENOSA

12 150 habitants

À 25 km à l'est de Melfi, Venosa possède un centre médiéval aux petites rues pavées. Ancienne étape de la Via Appia, ce fut une colonie romaine prospère, où naquit le poète Horace en 65 av. J.-C. Les vestiges du plus vaste monastère de la Basilicate constituent sa principale curiosité.

La place principale, la Piazza Umberto I, est dominée par un château aragonais du XVe siècle. Dans ce dernier, un petit **Museo Archeologico** (☎ 0972 3 60 95 ; Piazza Umberto I ; 2,50 € ; ⊙ 9h-20h mer-lun, 14h-20h mar) renferme des objets de la Venusia romaine et des fragments d'os humains vieux de 300 000 ans, les plus anciennes traces de vie humaine en Europe.

L'entrée au musée donne accès aux ruines de la **colonie romaine** (⊙ 9h-1 heure avant crépuscule mer-lun, 14h-1 heure avant crépuscule mar) et à celles de l'**Abbazia della Santissima Trinità** (☎ 0972 3 42 11). À l'extrémité nord-est de la ville, cette abbaye fut érigée sur un temple romain vers 1046 par des bénédictins, avant les invasions normandes. Elle comprend deux églises, dont une inachevée. La plus ancienne contient la tombe du croisé normand Robert Guiscard et de son demi-frère Drogon ; Robert aurait fomenté l'assassinat de Drogon. La construction de l'église inachevée fut commencée au XIe siècle avec des matériaux provenant de l'amphithéâtre romain voisin. Des catacombes juives et chrétiennes se situent un peu plus au sud.

L'**Hotel Orazio** (☎ /fax 0972 3 11 35 ; Vittorio Emanuele II 142 ; s/d 45/65 €) occupe un palais du XVIIe siècle, avec d'anciens carrelages en majolique et des sols en marbre. Les deux dames charmantes qui le tiennent feront le maximum pour rendre votre séjour agréable. La terrasse offre une vue superbe.

Al Frantoio (☎ 0972 3 69 25 ; Via Roma 211 ; repas 40 € ; ⊙ mar-dim). Restaurant élégant et réputé, il compte plusieurs salles charmantes près d'une oliveraie et propose de spectaculaires interprétations de plats locaux.

De Potenza, un bus dessert Venosa du lundi au samedi (6,20 €, 1 heure 30).

POTENZA

68 800 habitants / altitude 819 m

Capitale régionale de la Basilicate, Potenza a été dévastée par des séismes (le dernier en 1980), ce qui explique les vilains immeubles d'habitation. La ville est souvent étouffante en été et glaciale en hiver. Vous risquez cependant de la traverser car c'est un important carrefour de transports.

Le centre-ville s'étend d'est en ouest, de part et d'autre d'une haute crête. Les gares ferroviaires Trenitalia et Ferrovie Appulo-Lucane se situent au sud, reliées au centre-ville par les bus n°s 1 et 10.

Les rares monuments se tiennent dans la vieille ville, au sommet de la colline. Pour la rejoindre, prenez les ascenseurs sur la Piazza Vittorio Emanuele II. L'édifice religieux le plus marquant est la **cathédrale**, érigée au XIIe siècle et reconstruite au XVIIIe siècle. L'élégante Via Pretoria, bordée de quelques boutiques, est une voie piétonne plaisante pour la *passeggiata* (promenade du soir).

Dans le centre, **Al Convento** (☎ 097 12 55 91 ; www.alconvento.eu ; Largo San Michele Arcangelo 21 ; s 50-55 €, d 80-90 € ; ⌘ 🖳) constitue un hébergement de choix. Cet ancien couvent du début du XIXe siècle mêle antiquités et meubles design classiques.

L'**Antica Osteria Marconi** (☎ 0971 5 69 00 ; Viale Marconi 233 ; repas 40 € ; ⏱ déj mar-dim, dîner mar-sam sept-juil) sert des plats traditionnels cuisinés avec goût et imagination, et met l'accent sur le poisson. La salle, douillette en hiver, se double d'une terrasse en été.

Diverses compagnies de transport sont disséminées dans la ville. L'office du tourisme possède une liste complète des destinations et des services.

Des bus **Grassani** (☎ 0835 72 14 43) rallient Matera (5,30 €, 1 heure, 2/jour). **SITA** (☎ 0971 50 68 11 ; www.sitabus.it) propose des bus quotidiens pour Melfi, Venosa et Maratea ; ils partent de la Via Appia 185 et font halte près de la gare ferroviaire Scalo Inferiore Trenitalia. Des bus **Liscio** (☎ 097 15 46 73) desservent, entre autres, Rome (23 €, 4 heures 30, 1/jour) et Naples (8,59 €, 2 heures, 3/jour) via Salerno (7 €, 1 heure 30).

De Potenza Inferiore, des trains réguliers partent pour Tarente (8,50 €, 2 heures), Salerne (6,30 €, 2 heures) et Foggia (6,40 €, 2 heures 15). Pour Bari (9,10 €, 4 heures, 4/jour), prenez un train **Ferrovie Appulo-Lucane** (☎ 0971 41 15 61) à la gare Potenza Superiore.

APENNINS LUCANIENS (APPENINO LUCANO)

S'élevant brusquement au sud de Potenza, les Apennins lucaniens coupent la Basilicate en deux ; ils protègent la luxuriante côte tyrrhénienne et laissent le littoral ionien semi-aride suffoquer de chaleur. Conduire sur les routes vertigineuses de ces montagnes escarpées peut être éprouvant, mais vous serez récompensé par des paysages spectaculaires.

En 1935, Carlo Levi fut exilé par le régime fasciste dans cette région isolée. Il vécut et est enterré dans la petite bourgade haut perchée d'**Aliano**, où rien ne semble avoir changé depuis qu'il écrivit *Le Christ s'est arrêté à Eboli*, qui décrit l'ennui, la pauvreté et l'hypocrisie de la vie villageoise. La **Pinacoteca Carlo Levi** (☎ 0835 56 83 15 ; Piazza Garibaldi ; 3 € ; ⏱ 10h-13h et 16h-19h30 été, 10h-12h30 et 15h30-18h30 hiver) renferme aussi le **Museo Storico di Carlo Levi**, qui présente ses papiers, documents et peintures. L'entrée à la pinacothèque donne accès à la maison de l'écrivain et au musée.

Plus haut dans les montagnes, **Castelmezzano** (altitude 985 m) et **Pietrapertosa** (1 088 m) sont entourés par les Dolomites lucaniennes. Villages les plus élevés de la Basilicate, ils sont souvent noyés dans les nuages. Castelmezzano est sans doute l'un des villages les plus pittoresques du pays ; les maisons se serrent le long d'une corniche incroyablement étroite, qui plonge dans les gorges du Caperrino. Pietrapertosa est encore plus extaordinaire : creusée dans la montagne, la forteresse sarrasine qui la domine se distingue difficilement.

À Pietrapertosa, vous pouvez passer la nuit à l'**Albergo Il Frantoio** (☎ 0971 98 31 90 ; albfrontoio@tiscalinet.it ; Via M Torraca 15-17 ; s/d 28/40 €, d pension complète 47 €), une *pensione* sans prétention. À Castelmezzano, **Al Becco della Civetta** (☎ 0971 98 62 49 ; Vicolo I Maglietta 7 ; repas 25 € ; ⏱ mer-lun ; ⌘), un restaurant lucanien authentique, offre également des chambres chaulées, avec des meubles traditionnels en bois sombre et une vue fantastique (simple/double 50/80 €).

De Matera, des bus SITA (p. 742) desservent Aliano, avec un changement à Pisticci Scalo. Vous devrez disposer d'un véhicule pour visiter Castelmezzano et Pietrapertosa.

CÔTE TYRRHÉNIENNE

La côte tyrrhénienne de la Basilicate, courte (environ 20 km) et séduisante, ressemble à la côte almafitaine. Coincée entre la Calabre et la péninsule du Cilento (Campanie), elle est ponctuée de criques secrètes et de plages de sable gris au pied de falaises majestueuses. La SS18 longe les montagnes jusqu'à Maratea, jolie cité balnéaire et l'endroit le plus couru de la côte.

Maratea
5 300 habitants
Charmante et un peu déroutante, Maratea se compose en fait de plusieurs localités distinctes – d'un village médiéval à un port élégant. La route côtière (encore plus étroite que celle de la côte amalfitaine) traverse un paysage verdoyant et spectaculaire, serpente autour

---

**TOP 5 DES RESTAURANTS
DE LA BASILICATE**

■ La Talpa (p. 741), Matera

■ Da Peppe (p. 746), Rotunda

■ Al Frantoio (p. 742), Venosa

■ Lanterna Rossa (ci-dessous), Maratea

■ Baccanti (p. 741), Matera

---

des falaises et plonge vers les petites plages qui jalonnent le golfe de Policastro. En été, les routes sont embouteillées et les hôtels affichent souvent complet. De nombreux restaurants et hôtels ferment d'octobre à mars.

À VOIR ET À FAIRE

Des yachts rutilants et des bateaux de pêche bleu vif se balancent dans le joli **Porto di Maratea**, bordé de bars et de restaurants. Plus loin, le ravissant *borgo* (bourg) médiéval de **Maratea Inferiore** date du XIIIᵉ siècle ; son dédale de placettes et de ruelles sinueuses offre une vue splendide sur la côte. Haut de 21 m, un Christ rédempteur d'un blanc étincelant le surplombe. Si vous êtes motorisé, suivez la route sinueuse jusqu'à la statue pour admirer le panorama. En contrebas, les ruines de **Maratea Superiore** sont les vestiges de la colonie grecque du VIIIᵉ siècle avant J.-C.

D'excellents chemins de randonnée sillonnent le verdoyant cirque montagneux qui entoure Maratea et des excursions d'une journée conduisent aux hameaux voisins d'**Acquafredda di Maratea** et de **Fiumicello**, doté d'une petite plage de sable. L'**office du tourisme** (☎ 0973 87 69 08 ; Piazza Gesù 40 ; ◷ 8h-14h et 16h-18h lun-ven, 9h-13h et17h-20h dim juil-août, horaires réduits sept-juin) est installé à Fiumicello.

Le **Centro Sub Maratea** (☎ 0973 87 00 13 ; www.csmaratea.it ; Via Santa Caterina 28, Maratea) propose des cours de plongée et des circuits en bateau jusqu'aux grottes et criques des alentours. Il loue également des bateaux.

Perchée sur une crête entre les Appenins méridionaux, **Rivello** (479 m d'altitude) constitue une belle excursion d'une journée. Longtemps réputée pour son délicat travail de l'or et du cuivre, la commune est devenue un centre d'art et d'artisanat ; le mouvement Slow Food est en pleine expansion. Les coupoles carrelées et les fresques de ses belles églises témoignent de son passé byzantin.

OÙ SE LOGER

Maratea est l'une des stations balnéaires les plus chics du sud de l'Italie, et les hôtels reflètent cette élégance.

B&B Nefer (☎ 0973 87 18 28 ; www.bbnefer.it ; Via Cersuta ; s 50-60 €, d 65-80 € ; (P)). Dans un hameau à 5 km au nord-ouest de Maratea, ce B&B propose 3 chambres aux tons verts et bleus qui ouvrent sur une belle pelouse, avec des transats pour contempler la mer au loin. D'étroits sentiers en bord de mer mènent à une petite plage de sable noir.

Hotel Villa Cheta Elite (☎ 0973 87 81 34 ; www.villacheta.it ; Via Timpone 46 ; d 90-125 € ; ◷ mai-oct ; (P) ⛲). À l'entrée du hameau d'Acquafredda, cette charmante villa Art nouveau appartenait autrefois aux Morsicano, une famille noble. Les chambres ont conservé leur charme d'antan, la large terrasse domine une vue somptueuse et le restaurant est fantastique (repas 50 €).

Locanda delle Donne Monache (☎ 0973 87 74 87 ; www.locandamonache.com ; Via Mazzei 4 ; ch 120-230 € ; ◷ mai-oct ; (P) ⛲ ⛲). Surplombant le bourg médiéval, cet hôtel haut de gamme occupe un ancien couvent du XVIIIᵉ siècle. C'est un dédale de couloirs voûtés, de terrasses et de jardins plantés de bougainvilliers et de citronniers. Les chambres sont joliment décorées dans les tons pastel. Son restaurant, le Sacello, sert des plats raffinés aux saveurs régionales.

OÙ SE RESTAURER

Litrico's (☎ 0973 87 70 05 ; Via San Venere ; repas 18 €). Aux abords de la petite artère commerciale de Fiumicello, ce grand restaurant avec terrasse propose une carte classique, qui ne déçoit pas. Après le repas, vous pourrez faire une partie de tennis ; le propriétaire possède le court voisin.

Lanterna Rossa (☎ 0973 87 63 52 ; Maratea Porto ; repas 30 € ; ◷ avr-sept). Installez-vous sur la terrasse qui surplombe le port et régalez-vous de poisson, comme les anchois marinés aux piments rouges, ou d'un délicieux antipasto. Les amateurs de fromage apprécieront la crème de ricotta et de mozzarella de Battipaglia au caviar calabrais.

Taverna Rovita (☎ 0973 87 65 88 ; Via Rovita 13 ; repas 35 € ; ◷ mer-lun mi-mars à déc). À côté de la grand-place de Maratea Inferiore, cette taverne sert de copieuses spécialités lucaniennes, telles que poivrons farcis, volailles, salami et produits de la mer.

DEPUIS/VERS MARATEA

SITA (☎ 0971 50 68 11 ; www.sitabus.it) offre un réseau complet d'itinéraires et remonte la côte jusqu'à Sapri, en Campanie (1,60 €, 50 min, 6/jour).

Des bus locaux (1 €, fréquents en été) relient les villages côtiers et la gare ferroviaire de Maratea à Maratea Inferiore. Les trains interurbains et régionaux de la ligne Rome-Reggio font halte à la gare de Maratea, en contrebas de la ville.

PARCO NAZIONALE DEL POLLINO

Plus grand parc national du pays, le **Parco Nazionale del Pollino** (www.parcopollino.it) s'étend dans la Basilicate et la Calabre (voir p. 748), formant une sorte de rideau rocheux qui les séparent du reste de l'Italie. D'une superficie de 1 960 km², il constitue la plus riche réserve de faune et de flore du Sud.

Les secteurs les plus spectaculaires sont le Monte Pollino (2 248 m), au centre, et les Monti di Orsomarso (1 987 m), au sud-ouest (en Calabre). Ces montagnes escarpées, souvent enneigées, sont couvertes de forêts de chênes, de hêtres, d'aulnes, d'érables, de pins et de sapins ; les arbres filtrent le soleil brûlant et protègent les délicates pivoines et orchidées qui éclossent après la fonte des neiges. Le parc est surtout connu pour ses *pini loricati*, des pins anciens qui ne poussent qu'ici et dans les Balkans. Les plus vieux spécimens atteignent 40 m de haut ; leurs troncs gris et écailleux ressemblent à des sculptures qui se détachent sur les gigantesques rochers dénudés.

Une randonnée dans le parc permet de découvrir toutes sortes de paysages, des gorges profondes creusées par les rivières aux prairies alpines. Parmi les animaux figurent une espèce menacée de chevreuil, des chats sauvages, des loups, des oiseaux de proie – dont l'aigle royal et le vautour égyptien – et la *Lutra lutra*, une loutre en voie d'extinction.

La SS653, qui traverse le parc, constitue le meilleur itinéraire pour explorer des villages albanais, tels **San Paolo Albanese** et **San Costantino Albanese**. Isolées et préservées, ces communautés défendent fièrement leur culture montagnarde et les principales églises conservent la liturgie grecque. Sur place, vous pourrez acheter un artisanat original : objets en bois à **Terranova di Pollino**, en albâtre à **Latronico** et en fer forgé à **Sant'Arcangelo.**

Orientation et renseignements

Principale localité du parc, **Rotonda** (altitude 626 m) est accessible par l'A3 et la SS19 et abrite le bureau officiel du parc, l'**Ente Parco Nazionale del Pollino** (☎ 0973 66 93 11 ; Via delle Frecce Tricolori 6 ; ☺ 8h-14h lun-ven, plus 15h-17h30 lun et mer). Le guide Giuseppe Cosenza, à l'Asklepios (voir

plus bas), organise des treks, des randonnées à VTT et des sorties de rafting (1 heure/4 heures 15/50 €). Le **Pollino Info Point** (www.ferulaviaggi. it) est tenu par Ferula Viaggi (p. 737), basé à Matera, et fournit des informations sur la région, la nature et la culture. Ferula Viaggi propose aussi des circuits, des excursions à VTT et des treks dans le Pollino.

La *Carta Excursionistica del Pollino Lucano* (au 1/50 000 ; gratuite), éditée par le département touristique de la Basilicate, est utile pour circuler en voiture ; elle est habituellement disponible aux offices du tourisme de Rotonda, Matera et Maratea. Distribuée au bureau du parc à Rotonda et par Ferula Viaggi, la carte à grande échelle *Parco Nazionale del Pollino*, également gratuite, indique les principaux itinéraires et contient des informations pratiques sur le parc, la flore, la faune et les villages. Vous pouvez aussi acheter la carte *Parco Nazionale del Pollino settore centro-settentrionale* (région centre-nord, au 1/55 000 ; 6 €) sur www. ecommerce.escursionista.it.

Où se loger et se restaurer

Asklepios (☎ 0973 66 92 90/347 2631462 ; www. asklepios.it ; Contrada Barone 9 ; s/d 25/50 €). Cet établissement moderne propose des chambres sans prétention dans un cadre champêtre à quelques kilomètres de Rotonda. Tenu par le guide Giuseppe Cosenza, c'est une bonne adresse pour les randonneurs. Réservation conseillée. Asklepios est associé aux *agriturismi* (gîtes ruraux) similaires Agrituristica Civarra (☎ 0973 669152) et Agriturismo Calivino (☎ 0973 661688), qui offrent tous deux des vues superbes. Ces 3 établissements organisent des treks, des sorties de rafting et offrent des forfaits comprenant des activités. Consultez le site d'Asklepios pour plus d'informations.

Picchio Nero (☎ 0973 9 31 70 ; www.picchionero. com ; Via Mulino 1 ; s/d avec petit-déj 60/73 € ; P). Hôtel favori des randonneurs, il se situe à Terranova di Pollino et ressemble à un chalet autrichien avec ses balcons en bois. Douillet et accueillant, il comprend un petit jardin et un restaurant recommandé (repas 35 €). La famille qui le tient peut vous aider à organiser des excursions.

Luna Rossa (☎ 0973 93 25 4 ; Via Marconi 18 ; repas 35 € ; ☺ jeu-mar). Autre restaurant prisé à Terranova di Pollino, il sert de succulentes et inventives spécialités locales dans une salle en bois rustique avec une vue fabuleuse.

Da Peppe (☎ 0973 66 12 51 ; Corso Garibaldi 13 ; repas 35 € ; ⊙ déj mar-dim, dîner mar et jeu-dim). Dans une confortable maison de ville, proche de la grand-place de Rotonda, cet excellent restaurant prépare des merveilles avec des viandes locales et des produits de la forêt comme les truffes et les champignons.

Depuis/vers le Parco Nazionale del Pollino

Il est difficile de circuler dans le parc sans son propre véhicule : les dessertes en bus sont limitées, voire inexistantes hors saison.

CALABRE (CALABRIA)

Si vous dites à un Italien non-Calabrais que vous allez en Calabre, vous provoquerez à coup sûr sa surprise et le récit des méfaits de la 'Ndrangheta, la mafia calabraise connue pour la contrebande et les enlèvements de riches Italiens du Nord.

Cependant, la Calabre est aussi synonyme de beauté naturelle et de villes spectaculaires qui se confondent avec les montagnes escarpées. Elle compte trois parcs nationaux : le Pollino au nord, le Sila au centre et l'Aspromonte au sud. Constituée à 90% de montagnes, la Calabre est bordée d'une côte parmi les plus belles du pays, longue de 780 km (ignorez les quelques secteurs gâchés par de vilains camps de vacances). La bergamote qui pousse ici est d'une telle qualité qu'on l'utilise pour produire les huiles essentielles destinées à la parfumerie ou pour aromatiser le fameux thé anglais Earl Grey. Comme dans les Pouilles, des centaines de festivals de musique et des fêtes gastronomiques ont lieu toute l'année, avec un pic en juillet et août.

Il faut toutefois admettre que lorsqu'on se rend en Calabre, on a parfois l'impression de faire un bond dans les années 1970, car les villes, détruites par des séismes à répétition, sont souvent entourées de faubourgs d'immeubles sans grâce. Les nombreuses subventions attribuées à la région, tant au niveau gouvernemental qu'européen, ont en partie été détournées par la Mafia. Les maisons inachevées abritent souvent des appartements confortables, où des familles vivent paisiblement sans se préoccuper des taxes foncières.

La Calabre est une destination idéale pour les amateurs d'aventure et d'inconnu.

Histoire

Si des traces humaines remontant au paléolithique et au néolithique ont été trouvées en Calabre, la région n'acquit une importance internationale qu'avec l'arrivée des Grecs au VIIIe siècle av. J.-C. ; ils fondèrent une colonie sur le site de l'actuelle Reggio di Calabria. Il demeure quelques vestiges de cette colonisation, qui s'étendait le long de la côte ionienne et comprenait des cités importantes comme Sibari et Crotone. Cette période s'acheva en 202 av. J.-C., quand les villes de la Magna Græcia furent prises par les Romains. Ceux-ci détruisirent les belles forêts de l'arrière-pays, provoquant d'irréparables dommages géologiques. Des rivières navigables se transformèrent en *fiumare* (torrents) furieux, coulant dans de larges lits asséchés en été.

Les villages fortifiés au sommet des montagnes, épuisés par les invasions successives des Normands, des Souabes, des Aragonais et des Bourbons, demeurèrent pour une large part sous-développés. Les séismes constituaient un autre handicap ; le plus violent, en 1783, tua 50 000 personnes.

Malgré les incursions napoléoniennes à la fin du XVIIIe et au début du XIXe siècles, l'arrivée de Garibaldi et l'unité italienne, qui pouvaient laisser présager des changements, la Calabre resta une terre féodale, dévastée par la malaria comme le reste du Sud.

L'un des corollaires de cette histoire mouvementée fut l'accroissement du banditisme et du crime organisé. La 'Ndrangheta (du mot grec signifiant héroïsme ou vertu), la Mafia calabraise, vise rarement les touristes mais terrorise les habitants. Pour beaucoup, l'exil a constitué la seule solution et, pendant plus d'un siècle, la Calabre a vu sa jeunesse émigrer pour trouver un emploi.

Depuis/vers la Calabre

Desservi par des charters et relié aux grandes villes italiennes, l'**aéroport de Lamezia Terme** (Sant'Eufemia Lamezia, SUF ; ☎ 0968 41 43 33 ; www.sacal.it) se situe à 63 km au sud de Cosenza et à 36 km à l'ouest de Catanzaro, au croisement des autoroutes A3 et SS280.

L'**aéroport de Reggio di Calabria** (Ravagnese ; ☎ 0965 64 05 17), à 5 km au sud de la ville, accueille principalement des vols nationaux.

Les transports publics ne sont pas toujours rapides et pratiques. Vous aurez besoin d'une voiture pour rejoindre les lieux les plus éloignés.

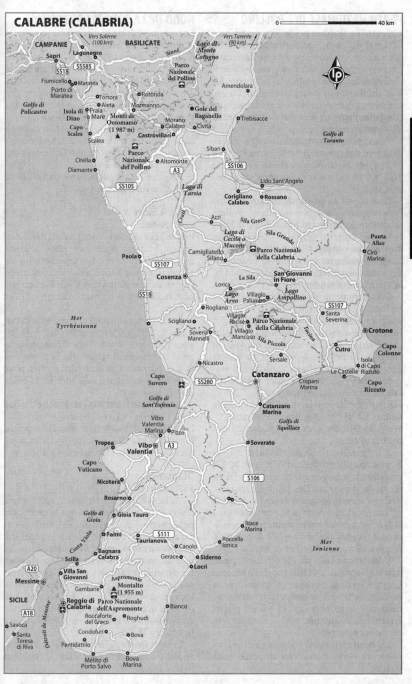

PARCO NAZIONALE DEL POLLINO

On entre en Calabre par le plus grand parc national du pays, une forteresse naturelle qui enjambe la frontière avec la Basilicate. Le côté calabrais du parc comprend les Monti di Orsomaro et le spectaculaire canyon des Gole del Raganello. Pour plus d'informations, consultez le site officiel www.guidapollino.it (en italien) et pour la partie du parc dans la Basilicate, reportez-vous p. 745.

Vous pouvez commander des cartes détaillées, dont *Orsomarso-Pollino* au 1/50 000 (6,20 €) et *Parco Nazionale del Pollino* au 1/55 000 (6 €), sur www.ecommerce.escursionista.it.

La descente en rafting de la Lao constitue l'une des plus belles expériences dans le Pollino calabrais. Le **Centro Lao Action Raft** (☎ 0985 2 14 76 ; www.laoraft.com ; Via Lauro 10-12), à Scalea, et **Aventure Lao** (☎ 0985 8 33 54 ; www.raftinglao.com ; Calle de Miralonga), près de Papasidero, organisent des sorties de rafting, de canoë, de canyoning, des treks et des randonnées à VTT.

Civita, comme nombre de villages du Pollino, fut fondée par des réfugiés albanais (en 1746) ; son petit **Museo Etnico Arbëreshe** (☎ 0981 7 31 50 ; Piazza Municipio 9 ; ⏱ 17h-20h) contient des photos et de l'artisanat intéressants. Les maisons du village se caractérisent par leurs cheminées décorées. **Castrovillari**, avec son château aragonais du XVᵉ siècle bien conservé, et **Morano Calabro**, immortalisé par une gravure d'Escher, méritent également la visite. À Morano, le **Centro Il Nibbio** (☎ 0981 3 07 45 ; Vico Il Annunziata 11 ; 3 € ; ⏱ 10h-13h et 15h-18h mar-dim) explique l'écosystème du Pollino.

À Castrovillari, la **Locanda di Alia** (☎ 0981 4 63 70 ; www.alia.it ; Via Letticelle 55 ; s/d 90/120 € ; ⓟ ⛔ 🍽) propose un hébergement en bungalows dans un jardin verdoyant. Des peintures murales, des luminaires originaux et des canapés en cuir agrémentent les chambres. Son **restaurant** (repas 60-70 € ; ⏱ lun-sam juin-avr) est réputé pour ses délicieuses recettes locales à base de de poivrons, de porc, de figues, d'anis et de miel.

L'**Agriturismo Colloreto** (☎ 347 3236914 ; www.colloreto.it ; Fratelli Coscia ; s/d 28/56 €), près de Morano Calabro, se situe en pleine campagne, parmi les collines. Il offre de confortables chambres rustiques, avec bois ciré et sol en pierre. Équitation, randonnée, pêche et rafting font partie des activités.

Les transports publics sont rares dans cette partie du parc ; mieux vaut disposer d'une voiture.

NORD DE LA CÔTE TYRRHÉNIENNE

La côte ouest de la Calabre offre le meilleur et le pire : l'Autostrada del Sole (A3), l'une des plus belles routes côtières du pays, serpente à travers des montagnes, longe d'immenses forêts vert sombre et laisse entrevoir une mer d'un bleu céruléen. Malheureusement, des complexes hôteliers et des résidences sans charme défigurent certains secteurs.

La plupart des hébergements ferment en basse saison ; en été, les hôtels affichent souvent complet et vous trouverez plus facilement une place dans les campings.

Pour des informations sur la partie sud de cette côte, reportez-vous p. 757.

Praia a Mare
6 400 habitants

Praia a Mare, à courte distance de la Basilicate, se tient au début d'une large plage de galets qui s'étire vers le sud sur une trentaine de kilomètres jusqu'à Cirella et Diamante. Cette ville en damier verdoyante borde la plage gris pâle, face à un gros rocher plat au large, l'Isola di Dino.

À quelques pas du front de mer, l'**office du tourisme** (☎ 0985 7 25 85 ; Via Amerigo Vespucci 6 ; ⏱ 8h-13h) vous renseignera sur l'**Isola di Dino**, réputée pour ses grottes marines. Sur la plage, des guides proposent la visite des grottes pour 5 €. Vous pouvez aussi vous adresser à l'office du tourisme.

Autolinee Preite (☎ 0984 41 30 01) offre des bus pour Cosenza (5,10 €, 2 heures ; 7/jour). Des bus **SITA** (☎ 0971 50 68 11 ; www.sitabus.it) desservent Maratea et Potenza, au nord. Des trains réguliers rallient Paola et Reggio di Calabria.

Diamante
5 400 habitants

Cette élégante station balnéaire, agrémentée d'une longue promenade, est le centre du *peperoncino* de Calabre, le piment qui caractérise sa cuisine. Début septembre, un **concours de mangeurs de piments** attire les foules. Diamante est également réputée pour les peintures murales de couleurs vives, réalisées par des artistes contemporains locaux et étrangers sur les façades des édifices anciens. Les meilleurs restaurants de poisson sont installés en front de mer à la Spiagga Piccola.

Les bus **Autolinee Preite** (☎ 0984 41 30 01) qui relient Cosenza et Praia a Mare (7/jour) font halte à Diamante.

Aieta et Tortora

Perchés sur une corniche, **Aieta** et **Tortora** devaient être difficiles à rejoindre avant l'apparition de routes goudronnées. Les bus **Rocco** (☎ 0985 76 53 12) desservent les deux villages, respectivement à 6 km et 12 km de Praia. Aieta se tient au-dessus de Tortora et le trajet est splendide. Une fois arrivé, grimpez jusqu'au **Palazzo Spinello** (XVIe siècle), au bout de la route, et jetez un œil dans le ravin à l'arrière, une vue fantastique !

Paola

17 100 habitants

Paola mérite la visite pour son sanctuaire. Le vaste complexe de pèlerinage surplombe une petite ville en pleine expansion, sans grand intérêt. Les 80 km de littoral de Paola à Pizzo, au sud, sont en grande partie bétonnés et affreux. Paola est le principal carrefour ferroviaire pour Cosenza, à 25 km dans l'arrière-pays.

Dominé par un château en ruine, le **Santuario di San Francesco di Paola** (☎ 0982 58 25 18 ; entrée libre ; ⊗ 6h-13h et 14h-18h) est une grotte vide, d'une importance majeure pour les dévots. Le saint vécut et mourut à Paola au XVe siècle, et le sanctuaire qu'il creusa dans la roche avec ses disciples est depuis plusieurs siècles un lieu de pèlerinage. Autour du cloître, des peintures murales naïves décrivent les incroyables miracles du saint. L'église d'origine renferme son reliquaire, richement orné. Dans le complexe, une basilique moderne a été construite pour le second millénaire. Des moines en robe noire s'y pressent.

Plusieurs hôtels se regroupent près de la gare, mais mieux vaut séjourner dans les villes côtières plus au nord.

COSENZA

70 700 habitants / altitude 238 m

Au-delà de ses faubourgs et d'un enchevêtrement de ponts routiers, Cosenza possède un centre médiéval, ensemble désordonné de bâtiments qui surplombent le confluent de la Crati et du Busento. Explorez ses rues étroites et grimpez ses escaliers escarpés pour découvrir une ville fascinante et authentique, encore ignorée des touristes.

Cosenza abrite la plus importante université de Calabre et son théâtre organise une excellente saison d'opéra. C'est aussi la porte des montagnes de La Sila et un important carrefour de transports. Un marché s'installe en bord de rivière le vendredi matin.

Orientation et renseignements

L'artère principale, le Corso Mazzini, court vers le sud de la Piazza Fera (près de la gare routière) et coupe le Viale Trieste avant d'atteindre la Piazza dei Bruzi. Continuez vers le sud et traversez le Busento pour rejoindre la vieille ville. Pour plus d'informations, consultez le site officiel, www.aptcosenza.it.

À voir

À défaut de sites extraordinaires, Cosenza possède un centre médiéval séduisant. Remontez le Corso Telesio, une rue sinueuse et joliment décrépite, bordée de devantures désuètes ; le linge qui sèche aux fenêtres lui donne des allures napolitaines. Au sommet, la **cathédrale** (Piazza del Duomo ; ⊗ horaires variables) du XIIe siècle fut reconstruite dans un style baroque sobre au XVIIIe siècle. Une chapelle de l'aile nord contient une copie d'une ravissante Madone byzantine du XIIIe siècle.

Remontez ensuite la Via del Seggio à travers un petit quartier médiéval, puis tournez à droite pour rejoindre le **Convento di San Francesco d'Assisi** du XIIIe siècle. Vous pouvez aussi suivre le *corso* jusqu'à la charmante Piazza XV Marzo, que bordent le Palazzo del Governo et le **Teatro Rendano**, un bel édifice néoclassique.

Au sud de la place s'étend le charmant parc de la **Villa Vecchia**, ombragé de grands arbres.

De la Piazza XV Marzo, suivez la Via Paradiso, puis la Via Antonio Siniscalchi pour trouver la route menant au **château normand** (Piazza Frederico II ; entrée libre ; ⊗ 8h-20h), dévasté par plusieurs séismes. L'intérieur est vide, mais le panorama justifie la grimpée.

Où se loger

Cosenza n'est pas touristique, mais elle compte quelques bonnes adresses petits budgets.

Ostello Re Alarico (☎ 0984 79 25 70 ; Vico II Giuseppe Marini Serra 10 ; dort 16 €, s/d 30/50 €). Cette excellente auberge de jeunesse occupe une belle maison ancienne, décorée d'antiquités et de peintures modernes. Certaines chambres bénéficient d'une vue superbe sur la vieille ville. Le salon splendide s'agrémente d'une cheminée et une cuisine est à disposition.

Confluenze B&B (☎ 0984 7 64 88 ; Vico IV Santa Lucia 48 ; s 25-35 €, d avec/sans sdb 70/50 €). Caché dans les ruelles derrière la Piazza dei Valdesi, ce petit B&B prisé offre des chambres douillettes (dont une avec sdb) avec plafonds en bois, un salon et une cuisine dans un bâtiment ancien.

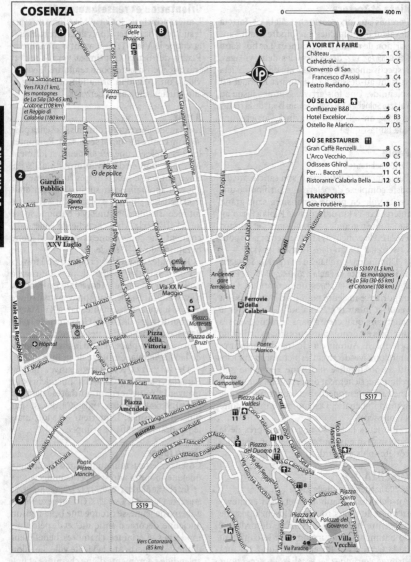

COSENZA

0 — 400 m

À VOIR ET À FAIRE
Château	1 C5
Cathédrale	2 C5
Convento di San Francesco d'Assisi	3 C4
Teatro Rendano	4 C5

OÙ SE LOGER
Confluenze B&B	5 C4
Hotel Excelsior	6 B3
Ostello Re Alarico	7 D5

OÙ SE RESTAURER
Gran Caffè Renzelli	8 C5
L'Arco Vecchio	9 C5
Odisseas Ghirol	10 C4
Per… Bacco!!	11 C4
Ristorante Calabria Bella	12 C5

TRANSPORTS
Gare routière	13 B1

Hotel Excelsior (☎/fax 0984 7 43 83 ; Piazza Matteotti 14 ; s/d 50/70 € ; P ⊠). La réception en bois ciré de l'Excelsior rappelle le passé glorieux de cet ancien hôtel de gare, qui a connu, à n'en pas douter, des jours meilleurs. Les chambres, spacieuses et fonctionnelles (grandes sdb), sont d'un bon rapport qualité/prix. Le personnel est très aimable.

Où se restaurer

Gran Caffè Renzelli (☎ 0984 2 68 14 ; Corso Telesio 46). Ce café vénérable, derrière la cathédrale, est tenu par la même famille depuis 1803. Dans un cadre élégant du XIXᵉ siècle, il sert de délicieux gâteaux (à partir de 1,20 €) et desserts maison, comme le *torroncino torrefacto*, une pâtisserie à base de sucre, d'épices et de noisettes.

Odisseas Ghirol (☎ 348 4016821 ; Corso Telesio 78 ; repas 12 €). Ce restaurant grec exigu ne possède que quelques tables en pin et propose des plats authentiques tels que la moussaka et les souvlakis.

Ristorante Calabria Bella (☎ 0984 79 35 31 ; Piazza del Duomo ; repas 25 € ; ⏰ 12h-15h et 19h-24h). L'une des meilleures tables de la vieille ville, il se tient à côté de la cathédrale. Rejoignez les habitués dans les salles aux poutres apparentes et régalez-vous de spécialités calabraises, comme la *grigliata mista di carne* (assortiment de viandes grillées).

Per... Bacco!! (☎ 0984 79 55 69 ; Piazza dei Valdesi ; repas 25 €). Élégant et détendu, ce restaurant possède des baies vitrées qui donnent sur la place. Murs en pierre apparente, grosses poutres et lianes ornent la salle. La carte comprend de généreux *antipasti* (8 €) et divers plats de morue (*baccalà*).

L'Arco Vecchio (☎ 0984 7 25 64 ; Piazza Archi di Ciaccio 21 ; repas 25 € ; ⏰ mer-lun). Dans une demeure du XVIᵉ siècle au cœur de la vieille ville, il comporte de jolies salles basses de plafond, avec nappes blanches, belles peintures et piano verni. La famille qui le tient prépare de savoureux plats traditionnels, telles les *lagane e ceci* (pâtes avec pois chiches, ail et huile).

Depuis/vers Cosenza

La gare routière principale se situe au nord-est de la Piazza Fera. Des bus desservent Catanzaro (4,60 €, 1 heure 45, 8/jour), Paola (2,70 €, 40 min, 10/jour) et des villes de La Sila. Des bus **Autolinee Preite** (☎ 0984 41 30 01) circulent tous les jours le long de la côte tyrrhénienne nord. **Autolinee Romano** (☎ 0962 2 17 09) rallie Crotone, ainsi que Rome et Milan.

Cosenza se trouve près de l'autoroute A3. La SS107 la relie à Crotone et à la côte ionienne, de l'autre côté de La Sila.

La **Stazione Nuova** (☎ 0984 2 70 59) se tient à 2 km au nord-est du centre. Des trains réguliers se rendent à Reggio di Calabria (1ʳᵉ/2ᵉ classe 17,40/11,60 €, 3 heures) et Rome (50/37 €, 5 heures 30), tous deux généralement avec une correspondance à Paola, à Naples (36/25 €, 3 heures 30-4 heures) et rallient la plupart des localités de la côte calabraise.

Ne manquez pas la spectaculaire ligne **Ferrovie della Calabria** (www.ferroviedellacalabria. it), dont le terminus jouxte l'ancienne gare ferroviaire. Ses petits trains sillonnent la Sila et desservent des bourgades autour de Cosenza (ils circulent de 7h à 19h).

Le bus n°27 **Amaco** (☎ 0984 30 80 11) relie le centre-ville et la Stazione Nuova, la gare ferroviaire principale.

LA SILA

La Sila est une vaste étendue de collines boisées, parsemée de petits villages et traversée de routes sinueuses.

Couvrant 130 km², elle se divise en 3 secteurs : la Sila Grande, avec les plus hautes montagnes, la Sila Greca fortement albanaise, au nord, et la Sila Piccola, près de Catanzaro, vallonnée et boisée.

Les pics les plus élevés, tapissés de hauts pins corses, atteignent 2 000 m et sont couverts de neige en hiver. Un agréable climat alpin règne en été, des fleurs sauvages éclosent au printemps, tandis que les champignons apparaissent en automne. Le Bosco di Gallopani (forêt de Gallopani), au point culminant, fait partie du **Parco Nazionale della Calabria**. Parmi plusieurs lacs superbes, le Lago di Cecita o Mucone, le plus grand, se situe près de Camigliatello Silano. Une faune abondante habite la région, dont le loup des Apennins, une espèce protégée.

Pour des informations, adressez-vous au **bureau du parc national calabrais** (☎ 0984 57 97 57) ou à l'**office du tourisme** (☎ 0984 57 80 91) à Camigliatello Silano. Vous pouvez aussi consulter le site www.portalesila.it. Les propriétaires du B&B Calabria (p. 752) connaissent bien la région et vous renseigneront volontiers.

Sur le site www.ecommerce.escursionista. it, vous pourrez acheter des cartes au 1/50 000 de la Sila Grande (6,50 €) et de la Sila Piccola (9,50 €). La *Carte Stradali Turistiche La Sila* au 1/100 000 est en vente dans les stations-service de la région et sur le site www.globalmap. it (7 €).

Valli Cupe (☎ 333 6988835/86436 01 ; www.vallicupe. it) organise de fantastiques excursions – à pied, à dos d'âne ou en jeep – aux alentours de Sersale (dans le sud-est), où l'on trouve d'innombrables cascades et le spectaculaire Canyon Valli Cupe. Comptez 7 € par personne et par jour. Férus de botanique, les guides (qui parlent français) proposent aussi la visite de monastères et d'églises isolés. Valli Cupe offre un hébergement rustique en ville (voir plus bas).

En août, **Sila in Festa** s'accompagne de musique traditionnelle. L'automne est la saison des champignons, avec de nombreuses fêtes et des festins de pâtes aux cèpes.

Villes de la Sila

Principale localité de la Sila, **San Giovanni in Fiore** (1 049 m) doit son nom au fondateur de sa belle **abbaye** médiévale. La ville possède un joli centre ancien, entouré de faubourgs étouffants. Elle est renommée pour ses tapis et tapisseries faits main de style arménien. Vous pourrez visiter l'atelier et la boutique de **Domenico Caruso** (☎ 0984 99 27 24 ; www.scuolatappeti. it) en l'appelant à l'avance.

Station de ski prisée avec 6 km de pistes, **Camigliatello Silano** (1 272 m) est bien plus belle sous la neige. À 3 km au sud, le Monte Curcio offre quelques remontées mécaniques. On trouve 5,5 km de pistes et un remonte-pente de 1 500 m près de **Lorica** (1 370 m), au bord du ravissant Lago Arvo – le meilleur endroit pour camper en été.

Petite bourgade de montagne dans la Sila Piccola, **Scigliano** (620 m) compte un merveilleux B&B. De **Sersale** (739 m), plus au sud, vous pouvez effectuer une randonnée avec Valli Cupe (voir plus haut) et découvrir les cascades Campanero, Aquila et Inferno.

Où se loger

S'il est plaisant de séjourner au bord des jolis lacs, les petites villes constituent également de bonnes bases, notamment Camigliatello en hiver.

Camping Lorica (☎ 0984 53 70 18 ; empl 2 pers, tente et voiture 25 €). En bord de lac, ce camping haut perché est magnifique.

Valli Cupe (☎ 333 6988835 ; www.vallicupe.it ; Sersale ; 15 €/pers). Valli Cupe peut vous loger dans un charmant cottage rustique, avec cheminée et cuisine, à Sersale. Réservez sur son site Internet.

 B&B Calabria (☎ 349 8781894 ; www.bedandbreakfastcalabria.it ; Scigliano ; s/d 35/50 €). Découvrez l'hospitalité calabraise dans ce B&B unique, tenu par un couple délicieux, Raffaele et Esther. Ils vous conseilleront de bonnes boutiques, d'excellents restaurants, vous prépareront des piques-niques, vous prêteront leurs VTT et vous régaleront d'anecdotes hilarantes sur la vie dans un village italien. Les chambres sont modernes et charmantes. Une merveilleuse terrasse surplombe des forêts à perte de vue.

Hotel Aquila & Edelweiss (☎ 0984 57 80 44 ; www. hotelaquilaedelweiss.com ; Viale Stazione 15, Camigliatello ; s 60-80 €, d 80-100 € ; ⊗). Derrière une façade quelconque, ce trois-étoiles, très bien situé, offre des chambres douillettes et des espaces communs lambrissés.

Park Hotel 108 (☎ 0521 64 81 08 ; www.hotelpark108. it ; Via Nazionale 86, Lorica ; ch 90-130 €). Sur les rives vallonnées du Lago Arvo, entouré de pins vert sombre, cet hôtel propose des chambres spacieuses et confortables, sans caractère mais jouissant d'une vue splendide.

Achats

Les forêts de la Sila recèlent de fabuleux champignons sauvages, comestibles ou non. Temple du champignon, l'**Antica Salumeria Campanaro** (Piazza Misasi 5), à Camigliatello Silano, vend également des charcuteries, des fromages, des condiments et des vins, tout comme son voisin La Casa del Fungho.

Depuis/vers la Sila

Camigliatello Silano et San Giovanni in Fiore sont régulièrement desservis par des bus Ferrovie della Calabria qui circulent sur la SS107 entre Cosenza et Crotone, ou par le train qui relie Cosenza et San Giovanni in Fiore.

CÔTE IONIENNE

Avec son littoral plat et ses larges plages de sable, la côte ionienne offre quelques belles étapes entre Sibari et Santa Severina. Toutefois, d'affreuses constructions gâchent par endroits le paysage, qui n'est plus qu'une succession quasi ininterrompue de stations balnéaires, bondées en été et désertées d'octobre à mai.

Sibari

À 4 km au sud de la ville moderne de Sibari, en pleine expansion, se dressent les vestiges du fief des Sybarites, des Grecs renommés pour leur amour du luxe et de la vie facile. Sybaris est détruite par la jalouse Crotone au VIe siècle av. J.-C. ; vous pouvez en visiter les **ruines** (entrée libre ; ⊙ 9h-1 heure avant crépuscule), bien que 90% de la cité soient toujours enfouis. Le petit **Museo Archeologico della Sibaritide** (2 € ; ⊙ 9h-19h30, fermé 1er et 3e lun du mois) se tient à 7 km du site (signalé depuis l'autoroute).

De Sibari à la ville sans charme de Crotone, la côte est peu développée car les plages sont médiocres.

Santa Severina
2 300 habitants

À 26 km au nord-ouest de Crotone, Santa Severina est une spectaculaire ville de montagne, dominée par un château normand et dotée d'une belle église byzantine.

Séjournez au charmant **Agriturismo Querceto** (☎ 0962 5 14 67 ; www.agriturismoilquerceto.kr.it ; s/d 35/50 € ; 🐕), une ferme biologique à 4 km du centre qui produit de l'huile d'olive et des confitures. Il loue des chambres doubles et des mini-appartements avec cuisine.

Des bus **Autolinee Romano** (☎ 0962 2 17 09) circulent depuis/vers Crotone.

Le Castella

Le Castella se situe au sud de l'une des rares zones protégées (Capo Rizzuto) de ce littoral, riche en nature et en histoire. Pour des informations sur le parc, consultez le site www.riservamarinacaporizzuto.it.

La ville doit son nom à son imposant **château aragonais** (3 € ; 🕐 9h-13h) du XVIᵉ siècle, un vaste édifice relié au continent par une courte chaussée. Selon Pline, Hannibal aurait construit la première tour. Des éléments prouvent que la construction fut entamée au IVᵉ siècle av. J.-C. afin de protéger Crotone durant les guerres contre Pyrrhus.

Avec une quinzaine de campings près de l'Isola di Capo Rizzuto au nord, c'est le meilleur endroit pour camper le long de la côte ionienne. **La Fattoria** (☎ 0962 79 11 65 ; Via del Faro ; empl 2 pers 8-12 €, voiture 4 €, tente 8 € ; 🕐 juin-sept), à 1,5 km de la mer, loue également des bungalows.

L'Aragonese (☎ 0962 79 50 13 ; Via Discesa Marina ; repas 25 €) surplombe le château et sert une bonne cuisine. **Da Annibale** (☎ 0962 79 50 04 ; Via Duomo 35 ; repas 30 €), un excellent restaurant de poisson, se double d'un B&B aux chambres plaisantes (simple/double 50/70 €).

Gerace

2 900 habitants

Superbe ville de montagne médiévale, Gerace mérite le détour pour ses vues, sur la mer Ionienne d'un côté et sur les sombres montagnes de l'arrière-pays de l'autre. À 10 km de Locri à l'intérieur des terres sur la SS111, elle possède la plus grande **cathédrale** romane de Calabre. Datant de 1045, elle n'a rien perdu de sa majesté malgré les transformations ultérieures.

Idéal le midi, le **Ristorante a Squella** (☎ 0964 35 60 86 ; Viale della Resistenza 8 ; repas 20 €), modeste et accueillant, sert d'excellents poissons et pizzas. Ensuite, admirez la vue en bas de la rue.

Plus loin dans les terres, le petit village de **Canolo** semble ne pas avoir changé depuis des siècles. Des bus relient Gerace et Locri, ainsi que Canolo et Siderno, tous deux rejoignant la principale ligne ferroviaire côtière.

CATANZARO

95 100 habitants / altitude 320 m

Ville animée sauf à l'heure de la sieste, Catanzaro se situe à 12 km de la côte ionienne et a remplacé Reggio en tant que capitale régionale dans les années 1970. Bien que les séismes et les bombardements de la Seconde Guerre mondiale aient détruit la plupart des édifices byzantins et médiévaux, le centre conserve un certain charme. Catanzaro est la ville natale de Mimmo Rotella, artiste plasticien dans les années 1950, célèbre pour ses collages d'affiches de films.

Dans la **Villa Trieste** (🕐 7h-11h été, 7h-18h hiver), un joli parc, le **Museo Provinciale** (☎ 0961 72 00 19 ; Villa Margherita ; entrée libre ; 🕐 10h-13h30 et 15h30-17h30 mar-ven, 10h-13h30 sam, 9h-12h30 dim) présente des œuvres de divers artistes calabrais, dont Mimmo Rotella, et comprend une section archéologique.

Le **Caffè Imperiale** (☎ 0961 74 32 31 ; Corso Mazzini 159 ; 🕐 7h30-2h), un établissement de style Belle Époque dans l'artère principale, est un rendez-vous élégant pour un cappucino.

Caché dans une rue étroite, **Da Salvatore** (☎ 0961 72 43 18 ; Via Salita del Rosario 28 ; pizzas à partir de 3 €, repas 11 €), un restaurant sans prétention, sert d'excellents plats locaux et pizzas. Essayez la *salsiccia alla Palanca* (saucisse aux légumes), du nom d'une star locale du football.

Depuis/vers Catanzaro

Le terminus des bus **Ferrovie della Calabria** (☎ 0961 89 62 10 ; www.ferroviedellacalabria.it) se tient à côté de la gare ferroviaire de la même compagnie. Ils desservent la côte ionienne, la Sila, Cosenza (4,60 €, 1 heure 45, 8/jour), Vibo Valentia (3,80 €, 2 heures, 4/jour) et d'autres villes de la province. Ils rallient également Catanzaro Lido, où l'on peut prendre un train pour Reggio ou longer la côte ionienne vers le nord-est.

De la gare de Catanzaro, des trains rejoignent Lamezia Terme, Reggio et Cosenza, ainsi que Naples, Rome, Milan et Turin.

MASSIF DE L'ASPROMONTE

Pour la plupart des Italiens, le **Parco Nazionale dell'Aspromonte** (www.aspromonte.it) est le refuge où se cachaient les bandits calabrais dans les années 1970 et 1980. Selon la rumeur, il abriterait toujours des bastions de la 'Ndrangheta mais, en tant que touriste, vous ne risquez guère de faire de mauvaises rencontres. Spectaculaire, le parc s'élève brusquement derrière Reggio. Une immense statue en bronze du Christ coiffe le **Montalto** (1 955 m), son point culminant, d'où la vue s'étend jusqu'à la Sicile.

TOMBER SUR UN OS

C'est une histoire récurrente : lorsqu'on veut construire un bel immeuble moderne, un centre commercial rutilant ou, dans le cas présent, de nouveaux bureaux administratifs, les pelleteuses déterrent bientôt des fragments d'anciens objets de l'époque romaine. Les travaux sont suspendus, les ouvriers renvoyés, et le chantier reste un tas de décombres pendant des mois, voire des années. Cette fois, c'est un véritable trésor qui a été découvert.

Dans les faubourgs de Catanzaro, une nécropole du Ve siècle av. J.-C. a été mise au jour en février 2008. Le site funéraire comprend six tombes renfermant des squelettes, ainsi que des objets funéraires tels que des amphores. Présentés par le président calabrais, Agazio Loiero, comme la plus grande découverte archéologique du centre de la province depuis les trente dernières années, la nécropole se situe, d'après les archéologues, dans une zone qui s'étendait probablement entre Terina et Skilletion, deux anciennes cités de la Magna Græcia, le nom donné aux anciennes colonies grecques de la région. Des tests ADN devraient révéler de plus amples détails.

Sujettes à de fréquents glissements de terrain et ravinées par les torrents, les montagnes fascinèrent l'artiste Edward Lear au XIXe siècle et conservent une beauté époustouflante. Des rivières souterraines irriguent les forêts de conifères qui couvrent les sommets et les champs de fleurs sauvages qui s'épanouissent au printemps.

Le climat et la géographie extrêmes ont conduit à la construction de villages extraordinaires, comme **Pentidàttilo** et **Roghudi**, accrochés telles des moules à des parois rocheuses et toujours habités. Fabuleux pour la randonnée, le parc compte plusieurs sentiers bien balisés selon des codes couleur.

Vous pouvez commander des cartes détaillées, comme la *Carta Escursionista della Calabria – Aspromonte* au 1/50 000 (9,75 €), sur le site www.ecommerce.escursionista.it.

Principale localité de l'Aspromonte, **Gambarie** offre l'accès le plus facile au parc. Les routes sont bonnes et de nombreuses activités y sont organisées. Renseignez-vous en ville pour faire du ski ou louer un 4x4.

On peut aussi approcher le parc par le sud, mais les routes sont moins bonnes. La coopérative **Naturaliter** (www.naturaliterweb.it), basée à **Condofuri**, est une excellente source d'information. Elle peut vous aider à organiser une randonnée à pied ou à dos d'âne, et réserver des B&B dans la région. Vous pouvez aussi séjourner à l'**Azienda Agrituristica Il Bergamotto** (☎ 0965 72 72 13 ; Condofuri Marina ; s/d demi-pension 35/70 €), où Ugo Sergi propose des excursions. Les chambres sont simples et la cuisine délicieuse.

Installé à Reggio, **Misafumera** (☎ 0965 67 70 21 ; www.misafumera.it ; Via Nazionale 306d) organise des treks d'une semaine d'avril à novembre (480 €) ou de 4 jours de décembre à avril (280 €).

Pour rejoindre Gambarie, prenez le bus urbain ATAM n°127 à Reggio di Calabria (2 €, 1 heure 30, 3/jour). La plupart des routes qui partent de Reggio vers l'arrière-pays finissent par rejoindre la SS183, plus au nord.

REGGIO DI CALABRIA
183 000 habitants

Reggio est le principal point de départ des ferries pour la Sicile, qui scintille de l'autre côté du détroit de Messine. Elle possède les splendides Bronzi di Riace et une longue promenade en front de mer, bondée lors de la *passeggiata* vespérale. Sinon, cette cité poussiéreuse en damier offre l'ambiance légèrement louche de la plupart des ports.

Derière le bord de mer, le centre cède la place à l'urbanisation tentaculaire. Dévastée par des tremblements de terre, le dernier en 1908, cette ancienne cité grecque, jadis grandiose, souffre de bien d'autres maux. Grande ville portuaire la plus proche des bastions de la 'Ndrangheta dans l'Aspromonte, le crime organisé y constitue un problème majeur, avec les conséquences sociales néfastes qui en découlent.

Aspect plus plaisant, Reggio organise de nombreuses fêtes. Début août, le **Festival dello Stretto** (www.festivaldellostretto.it) célèbre la musique traditionnelle du Sud.

Orientation

La Stazione Centrale, la gare ferroviaire principale, se situe à la lisière sud de la ville. Suivez le Corso Giuseppe Garibaldi vers le nord-est pour rejoindre l'office de tourisme, les boutiques et d'autres services. À la tombée de la nuit, le *corso* se transforme en artère piétonne durant la *passeggiata* rituelle.

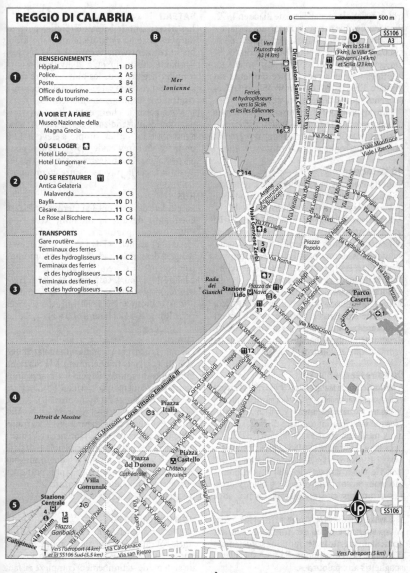

REGGIO DI CALABRIA

RENSEIGNEMENTS	
Hôpital	**1** D3
Police	**2** A5
Poste	**3** B4
Office du tourisme	**4** A5
Office du tourisme	**5** C3
À VOIR ET À FAIRE	
Museo Nazionale della Magna Grecia	**6** C3
OÙ SE LOGER	
Hotel Lido	**7** C3
Hotel Lungomare	**8** C2
OÙ SE RESTAURER	
Antica Gelateria Malavenda	**9** C3
Baylik	**10** D1
Cèsare	**11** C3
Le Rose al Bicchiere	**12** C4
TRANSPORTS	
Gare routière	**13** A5
Terminaux des ferries et des hydroglisseurs	**14** C2
Terminaux des ferries et des hydroglisseurs	**15** C1
Terminaux des ferries et des hydroglisseurs	**16** C2

Renseignements

Hôpital (☎ 0965 39 71 11 ; Via Melacrino)
Office du tourisme Via Roma 3 (☎ 0965 2 25 30 ; 7h30-13h30 lun-ven) ;
aéroport (☎ 0965 64 32 91) ;
Stazione Centrale (☎ 0965 2 71 20)
Police (☎ 0965 41 11 11 ; Corso Garibaldi 442)
Poste (Via Miraglia 14)

À voir

L'excellent **Museo Nazionale della Magna Grecia** (☎ 0965 81 22 55 ; Piazza de Nava 26 ; adulte/enfant 6/3 € ; 9h-19h30 mar-dim) renferme des merveilles de la Magna Græcia. Dans un sous-sol parasismique, il présente les plus beaux exemples au monde de sculpture grecque ancienne : les **Bronzi di Riace**, deux belles statues en bronze trouvées dans la mer au large de Riace en 1972. Plus grandes que nature, leurs formes parfaites, plus divines qu'humaines, témoignent de la fascination des Grecs pour la beauté du corps. On ignore ce qu'elles représentent – dieux ou hommes – et leur provenance demeure un mystère. Elles datent d'environ 450 av. J.-C. et seraient l'œuvre de deux artistes.

Hormis ces bronzes, le musée recèle d'autres trésors, dont la *Tête du philosophe*, un bronze du Ve siècle av. J.-C. et la plus ancienne représentation d'un personnage grec connue à ce jour.

Où se loger

Vous trouverez facilement une chambre, même en été, car la plupart des visiteurs ne font que traverser Reggio pour se rendre en Sicile.

Hotel Lido (☎ 0965 25 001 ; www.hotellido.rc.it ; Via Tre Settembre 6 ; s/d 80/100 € ; P ✷). Cet hôtel plaisant offre des chambres modernes (avec TV sat), peintes dans les tons pastel et ornées d'œuvres d'art colorées. Il propose diverses activités, dont la planche à voile à proximité.

Hotel Lungomare (☎ 0965 2 04 86 ; www.hotellungo mare.rc.it ; Viale Genoese Zerbi 13 ; s/d 80/110 € ; P ✷). La façade surchargée tranche agréablement sur les immeubles modernes et sans grâce de Reggio. Chambres banales, mais personnel sympathique et courtois. Vue sur la mer.

Où se restaurer

L'**Antica Gelateria Malavenda** (☎ 0965 89 14 49 ; angle Via Romeo et Via Amendola ; ✷ 6h-24h dim-ven, 6h-1h sam), et **Cesare** (Piazza Indipendenza ; ✷ 8h-13h), dans un kiosque vert au bout du front de mer, sont les deux meilleurs glaciers de Reggio.

Le Rose al Bicchiere (☎ 0965 2 29 56 ; Via Demetrio Tripepi 118 ; repas 30 € ; ✷ déj lun-ven, dîner lun-sam oct-juin). Ce bar à vin sert de délicieux produits bio pour accompagner ses excellents crus. Les fromages et les desserts locaux sont particulièrement bons.

Baylik (☎ 0965 4 86 24 ; Vico Leone 3 ; repas 30 € ; ✷ déj tlj, dîner ven-mer). Un peu excentré, ce restaurant accueillant mérite le détour pour ses calamars d'une fraîcheur exceptionnelle et ses succulents spaghettis aux palourdes.

Depuis/vers Reggio di Calabria
AVION

L'**aéroport de Reggio** (Aeroporto Civile Minniti ; REG ; ☎ 0965 64 05 17) se situe à Ravagnese, à 5 km au sud. Alitalia et/ou Air One proposent des vols depuis/vers Rome, Milan et Bergame. Air Malta dessert Barcelone, Rome et Malte.

BATEAU

Les bateaux pour Messine (Sicile) partent du port juste au nord de la Stazione Lido, où se côtoient trois terminaux de ferries. En haute saison, jusqu'à 20 hydroglisseurs font la traversée tous les jours, contre deux seulement en basse saison. Quelques bateaux continuent jusqu'aux îles Éoliennes.

Vous aurez le choix entre diverses compagnies, dont **Meridiano** (☎ 0965 81 04 14 ; www. meridianolines.it). L'aller simple s'élève à 12 € pour les voitures et de 1,50 à 2,80 € pour les passagers. Des bateaux partent toutes les 20 minutes et la traversée dure 25 minutes.

BUS

La plupart des bus ont leur terminus Piazza Garibaldi, devant la Stazione Centrale. Plusieurs compagnies rallient les villes de Calabre et au-delà. **ATAM** (☎ 800 43 33 10 ; www. atam-rc.it) dessert le massif de l'Aspromonte ; son bus n°127 se rend à Gambarie (2,30 €, 1 heure 30, 5/jour). **Costaviola** (☎ 0965 75 15 86 ; www.costaviolabus.it) rejoint Scilla (2,30 €, 45 min, 6/jour) et **Lirosi** (☎ 0966 57 901) offre des services pour Rome (54 €, 8 heures, 3/jour).

TRAIN

Les trains s'arrêtent à la **Stazione Centrale** (☎ 0965 89 20 21), et moins fréquemment à la Stazione Lido, près du musée. Reggio est le terminus de trains fréquents pour Milan (1re/2e classe 76/70 €, 16 heures 30-17 heures 30), Rome (76/54 €, 6 heures 30-8 heures) et Naples (61/42 €, 4 heures 30-5 heures 30). Des trains rallient également Turin, Florence et Venise ; pour plus de choix, changez à Paola (30/22 €, 2 heures, 5/jour). Des trains régionaux longent la côte jusqu'à Scilla et Tropea (plus pratiques que le bus), rejoignent Catanzaro, et moins fréquemment Cosenza et Bari.

VOITURE ET MOTO

L'A3 se termine à Reggio. Plus au sud, la SS106 suit la côte jusqu'au bout, puis remonter vers le nord le long de la mer Ionienne. Reggio possède un système de stationnement complexe : il faut acheter un permis de parking (0,50 € l'heure) dans les kiosques à journaux ou auprès d'un employé de parking, si vous en trouvez un.

Comment circuler

Les bus orange **ATAM** (☎ 800 43 33 10 ; www.atam-rc.it) sillonnent la majeure partie de la ville. Pour le port, prenez le n°13 ou 125 sur la Piazza

Garibaldi, devant la Stazione Centrale. Le bus Porto-Aeroporto (n°125) relie le port et l'aéroport via la Piazza Garibaldi, et vice-versa (25 min, ttes les heures). Achetez votre billet aux guichets ATAM, dans les bureaux de tabac ou les kiosques à journaux.

SUD DE LA CÔTE TYRRHÉNIENNE

Au nord de Reggio, l'Autostrada del Sole (A3) suit le littoral et traverse un paysage de plus en plus splendide, si l'on ignore les affreux camps de vacances et les vilaines constructions qui défigurent la côte par endroits. À l'instar de la partie nord (voir p. 748), ce secteur est quasi désert en hiver et très fréquenté en été.

Scilla
5 150 habitants

À Scilla, des maisons crème, ocre et rose s'accrochent sur un promontoire découpé, coiffé d'un château. En dessous, se dresse la Chiesa Arcipretale Maria Immacolata, d'un blanc étincelant. Animée en été et paisible en basse saison, la ville est divisée en deux par un petit port. Scilla Chianalea, le quartier de pêcheurs au nord, abrite des petits hôtels et des restaurants dans ses rues étroites, à deux pas de la mer.

Point culminant de Scilla, un rocher à l'extrémité nord était le repaire légendaire de Scylla, le monstre marin à six têtes qui noyait les marins tentant de traverser le détroit de Messine. Nager ou pêcher depuis la belle plage de sable blanc de la ville ne présente aujourd'hui aucun risque. Rejoignez le Lido Paradiso, où vous pouvez contempler le château en lézardant au soleil.

Albergo Le Sirene (☎ 0965 75 40 19 ; Via Nazionale 55 ; s 30-40 € , d 50-70 € ; ✿). Il possède des sols carrelés originaux, d'agréables chambres spacieuses et de pensives sirènes peintes en trompe-l'œil. Une vaste terrasse commune fait face à la mer.

Le Piccole Grotte (☎ 338 209 67 27 ; Via Grotte 10 ; d 90-120 €). À l'autre extrémité de Scilla, dans le pittoresque quartier de Chianalea, il occupe une maison de pêcheur du XIXᵉ siècle à côté d'un escalier qui descend vers la mer. Les chambres disposent d'un petit balcon qui donne sur une ruelle pavée ou sur la grève.

Dans le même quartier de Chianalea, **Bleu de Toi** (☎ 0965 79 05 85 ; Via Grotte 40 ; repas 40 € ; ✿ jeu-mar) a une terrasse au-dessus de l'eau et sert d'excellents produits de la mer, comme les moules gratinées et les petites fritures. Établi en 1972 sur la plage de Scilla, le **Dali City Pub** (☎ 0965 79 01 96 ; Via Porto) est idéal pour un verre ; un coin est dédié aux Beatles.

Capo Vaticano

Avec ses plages, ses ravins et ses falaises calcaires peuplées d'oiseaux, ce cap rocheux offre une vue spectaculaire. À 7 km au sud de Tropea, Capo Vaticano comporte un phare, bâti en 1885, à côté d'un court sentier d'où l'on découvre au loin les îles Éoliennes. La plage de Capo Vaticano est l'une des plus plaisantes de cette côte.

Tropea
6 900 habitants

Tropea, dédale de ruelles et de places, est renommée pour sa beauté, son emplacement exceptionnel et ses couchers de soleil couleur d'améthyste. Elle se tient sur le Promontorio di Tropea, qui s'étend de Nicotera, au sud, à Pizzo, au nord. Le long de la côte, des falaises vertigineuses alternent avec des plages de sable blanc, toutes baignées par une mer translucide. D'innombrables vacanciers italiens y viennent en été. Si vous entendez parler anglais, il s'agit peut-être d'Américains venus voir leur famille : les habitants de la région ont émigré en masse aux États-Unis au début du XXᵉ siècle.

La ville surplombe **Santa Maria dell'Isola**, une église médiévale rénovée dans le style Renaissance. Elle se dresse sur une île, aujourd'hui rattachée au continent par les sédiments déposés au fil des siècles.

Malgré la légende controversée affirmant qu'Hercule fonda la ville, il semblerait que l'endroit ait été habité depuis le néolithique. Tropea fut occupée par les Arabes, les Normands, les Souabes, les Angevins et les Aragonais, puis attaquée par les pirates turcs.

L'**office du tourisme** (☎ 0963 6 14 75 ; Piazza Ercole ; ✿ 9h-13h et 16h-20h) est dans la vieille ville.

Deux bombes de la Seconde Guerre mondiale gisent près de la porte de la superbe **cathédrale normande** (✿ 6h-11h50 et 16h-19h) ; elles n'auraient pas explosé grâce à la protection de la sainte patronne de la ville, Notre-Dame de Roumanie.

En été, de nombreuses discothèques et des festivités animent la ville. La plupart des hôtels ferment en hiver.

OÙ SE LOGER ET SE RESTAURER
Donnaciccina (☎ 0963 621 80 ; Via Pelliccia 9 ; s 30-60 € , d 55-110 € ; ✿ 💻). Dans leur demeure familiale, Umberto et Rosella ont installé ce ravissant B&B avec des antiquités soigneusement choisies, des lits à baldaquin et des murs en pierre apparente. Les TV à écran plat, les réfrigérateurs et l'accès Internet constituent des détails modernes appréciables.

POUILLES, BASILICATE ET CALABRE

TOP 5 DES HÉBERGEMENTS DE LA CALABRE

- Agriturismo Colloreto (p. 748), près de Morano Calabro
- B&B Calabria (p. 752), Scigliano
- Agriturismo Querceto (p. 753), Santa Severina
- Albergo Le Sirene (p. 757), Scilla
- Donnaciccina (p. 757), Tropea

Residence il Barone (☎ 0963 60 71 81 ; www.bede-breakfast-residenza-il-barone.it ; Largo Barone ; s 56-126 €, d 80-200 € ; 🖳 🞨). Ce joli *palazzo* comprend 6 suites superbement aménagées, décorées dans des tons neutres et bruns, avec des peintures modernes réalisées par le frère du propriétaire. Le petit déjeuner est servi sur le toit-terrasse, avec vue sur la vieille ville et la mer.

Al Pinturicchio (☎ 0963 60 34 52 ; Via Dardona, angle Largo Duomo ; repas 16 € ; 🕒 fermé mar). Dans la vieille ville, les tables éclairées aux bougies composent un cadre romantique pour se régaler de plats exquis et créatifs. Les végétariens (et les autres !) apprécieront les délicieux *antipasti* de légumes.

Également recommandé, l'**Osteria del Pescatore** (☎ 0963 60 30 18 ; Via del Monte 7 ; repas 30 € ; 🕒 19h30-tard) est un restaurant de poisson niché dans une ruelle.

DEPUIS/VERS TROPEA
Des trains rallient Vibo Valentia (24 min), Pizzo (30 min), Scilla (1 heure 20) et Reggio (2 heures). Des bus SAV (☎ 0963 611 29) desservent les autres villes de la côte.

Vibo Valentia
33 700 habitants
À 8 km au sud de Pizzo, dans les hauteurs et vers l'intérieur des terres, Vibo Valentia, une colonie grecque puis romaine, mérite une brève visite. Au-dessus de la ville, un **château**, construit par les Normands, puis fortifié par Frédéric II et les Angevins, offre une vue panoramique. À l'intérieur, un excellent **musée** (☎ 0963 4 33 50 ; adulte/enfant 2/1 € ; 🕒 9h-19h30 mar-dim) présente des objets provenant d'Hipponion, la colonie grecque d'origine, Hipponion, dont des casques en bronze du VIe siècle av. J.-C.

La Locanda Daffinà (☎ 0963 47 26 69 ; www.lalo-candadaffina.it ; Corso Umberto I 160 ; s/d/ste 75/100/150 €), près de la cathédrale, occupe un palais du XIXe siècle et offre de belles chambres meublées

d'antiquités. Le restaurant est installé dans une agréable loggia (ouvert du lundi au samedi, repas 50 €).

Une ligne ferroviaire fait le tour du promontoire de Rosarno et de Nicotera à Vibo Valentia et Pizzo. Des bus **SAV** (☎ 0963 6 11 29) relient la plupart des stations balnéaires à Tropea et Pizzo.

Pizzo
8 900 habitants
Haut perchée sur une falaise en bord de mer, la jolie Pizzo est réputée pour son extraordinaire église taillée dans la roche, qui attire de nombreux visiteurs. Au centre de la ville, la Piazza della Repubblica surplombe la mer et offre une vue splendide. Installez-vous à la terrasse d'un des nombreux glaciers pour savourer un *tartufo*, la spécialité locale – une succulente glace au chocolat.

À 1 km au nord, la **Chiesa di Piedigrotta** (2 € ; 🕒 9h-13h et 15h-19h30) est une grotte souterraine remplie de statues en pierre. Elle fut creusée dans le tuf au XVIIe siècle par des Napolitains rescapés d'un naufrage. D'autres sculpteurs ont ajouté des œuvres et la grotte a été transformée en église. Des statues récentes, moins pieuses, représentent Fidel Castro et JFK. Cet endroit bizarre est une sorte de cocktail de mysticisme, de mystère et de kitsch.

En ville, la **Chiesa Matrice di San Giorgio** (Via Marconi), du XVIe siècle, contient des madones habillées et le tombeau de Joachim Murat, le beau-frère de Napoléon qui fut roi de Naples durant sept ans. Bien qu'il eût promulgué des réformes éclairées, son emprisonnement et son exécution ne semblèrent pas bouleverser les habitants. Dans le **Castello Murat** (☎ 0963 53 25 23 ; 2 € ; 🕒 9h-13h et 15h-24h juin-sept, 9h-13h et 15h-19h oct-mai), un château du XVe siècle au sud de la Piazza della Repubblica, vous pourrez voir la cellule où il fut emprisonné. Des personnages en cire représentent ses derniers jours et son passage par les armes.

L'**Armonia B&B** (☎ 0963 53 33 37 ; www.casaarmonia.com ; Via Armonia 9 ; s sans sdb 35-60 €, d sans sdb 50-80 €) constitue un excellent choix. Tenu par le sympathique Franco, cet établissement à l'ambiance chaleureuse occupe sa maison familiale du XVIIIe siècle. Tout aussi accueillante, la **Pizzeria Ruota** (☎ 0963 53 24 27 ; Piazza della Republica 36 ; pizzas à partir de 4 € ; 🕒 11h-15h30 et 19h30-24h jeu-mar) sert d'énormes et savoureuses pizzas, comme la *ruota* aux *pomodori* (tomates), mozzarella, olives, thon et poivrons (6 €).

Carnet pratique

ACHATS

L'Italie est un paradis pour le shopping. La mode est sans doute la première chose qui vient à l'esprit de l'amateur de lèche-vitrine qui séjourne en Italie. Les grandes villes, comme Rome, Milan et Florence, accueillent d'innombrables boutiques de vêtements, de chaussures et d'accessoires, qu'ils soient griffés ou non. Vous aurez tout loisir de découvrir les dernières créations des plus grands noms de la mode italienne et celles de stylistes méconnus mais talentueux.

Les gourmets ne résisteront pas à l'envie de rapporter quelques souvenirs des savoureux produits régionaux : jambon de Parme et autres charcuteries, fromages, vins de Toscane, du Piémont et de Vénétie, ou encore liqueurs locales – la Strega de Benevento, la grappa de Bassano del Grappa, l'Amaretto, liqueur aux amandes, ou encore le *limoncello*, liqueur à base de citron, très prisée à Naples et dans le Sud.

Les villes et les provinces conservent un artisanat de choix. Les villes de Gubbio et de Deruta en Ombrie, de Faenza en Émilie-Romagne ou de Vietri en Campanie sont notamment connues pour leurs céramiques (majoliques) ; certains sites de Toscane fabriquent des objets en terre cuite *(terracotta)*. Le travail du cuir et la confection de chaussures sont une spécialité de Florence. Le travail du bois est mis à l'honneur dans la vallée d'Aoste, dans le Trentin ou le Frioul. Crémone, en Lombardie, est réputée pour le travail de ses luthiers. Les artisans de Naples fabriquent des crèches traditionnelles avec différents personnages. À Venise, enfin, le choix est vaste : masques de carnaval fabriqués dans des ateliers, objets et bijoux en verre soufflé de Murano ou dentelle de Burano.

ACTIVITÉS SPORTIVES

Envie de laisser tomber la farniente à la plage pour faire de la randonnée ou du vélo ? Vous préférez le snowboard et la poudreuse ? Quel que soit votre choix, l'Italie est une destination faite pour vous, avec des organisateurs et des agences très professionnels. Voir la section *Plein air* p. 701 et la rubrique *Sports* p. 71.

ALIMENTATION

Les listes de restaurants apparaissant dans ce guide sont données dans l'ordre croissant du prix des repas, sauf indication contraire. Le repas inclut un *piatto primo* (entrée), suivi d'un *piatto secondo* (plat de résistance), avec un dessert. Le vin n'est pas inclus. La catégorie petits budgets correspond à un repas de moins de 20 €. Un repas de catégorie moyenne vous coûtera entre 20 et 45 € et va au-delà pour la catégorie supérieure. Ces chiffres représentent une moyenne entre les villes les plus chères comme Venise ou Milan et les localités bien meilleur marché du Sud. Aussi, l'équivalent d'un restaurant de catégorie moyenne dans le sud de l'Italie pourrait être classé pour "petits budgets" à Milan. Mieux vaut consulter la carte, généralement affichée à l'entrée, pour connaître les prix. La plupart des restaurants

---

L'ITALIE PRATIQUE

■ Les cassettes vidéo fonctionnent avec le système PAL.

■ Les prises sont dotées de deux ou trois fiches rondes ; le courant électrique est en 220V/50Hz, mais certains bâtiments anciens utilisent toujours du 125V.

■ Si vous lisez l'italien, essayez le *Corriere della Sera*, principal quotidien national, *Il Messaggero*, journal populaire édité à Rome ou *La Repubblica* (centre gauche) à Rome, qui vous alimentera à coups de complots mafieux et de scoops sur le Vatican. L'*Osservatore Romano* émane des milieux ecclésiastiques.

■ Branchez-vous sur Radio Vatican (www.radiovaticana.org ; 93.3 FM et 105 FM à Rome) pour tout savoir de la vie du pape (multilingue) ou sur les radios nationales RAI-1, RAI-2 et RAI-3 (www.rai.it), qui émettent dans tout le pays et à l'étranger. Les radios commerciales comme Radio Centro Suono (www.radiocentrosuono.it) et Radio Città Futura (www. radiocittafutura.it) à Rome, Radio Kiss Kiss (www.kisskissnapoli.it) à Naples et la station de gauche Radio Popolare (www.radiopopolare.it) à Milan sont parfaites pour écouter des musiques actuelles.

■ À la télévision, vous pourrez regarder les chaînes nationales RAI-1, RAI-2 et RAI-3 (www.rai.it), ainsi que les principales grandes chaînes commerciales (la plupart appartenant au groupe Mediaset de Silvio Berlusconi) : Canale 5 (www.canale5.mediaset.it), Italia 1 (www.italia1. mediaset.it), Rete 4 (www.rete4.mediaset.it) et La 7 (www.la7.it).

---

facturent un supplément pour le couvert (*coperto* ; généralement de 1 à 2 €) et le service (*servizio* de 10 à 15%).

La *tavola calda* (littéralement "table chaude") propose en général des plats bon marché préparés à l'avance, avec parfois un buffet de pâtes, des viandes rôties et de la *pizza al taglio* (part de pizza).

La trattoria est en général une version moins chère du *ristorante* (restaurant), avec un service et des plats plus simples. L'*osteria* est souvent soit un bar à vin proposant un petit choix de plats, soit une petite trattoria. Il est parfois possible de commander à manger pour accompagner son vin dans une *enoteca* (bar à vin).

Les bars sont des lieux de rendez-vous très prisés. On y trouve habituellement des viennoiseries et de la petite restauration : *cornetti* (croissants), *panini* (sandwichs), *spuntini* (en-cas)…

On trouve des restaurants végétariens dans les grandes villes comme Rome ou Milan, mais, en dehors, le choix est limité. Les Italiens incluent souvent le fromage dans les denrées végétariennes, aussi, pensez à préciser "*senza formaggio*" (sans fromage) si vous n'en souhaitez pas. La bonne nouvelle est qu'on vous propose à peu près partout de bonnes entrées et de savoureux plats d'accompagnement à base de légumes.

Les menus enfants sont rares, mais il est généralement possible de commander les plats en *mezzo piatto* (demi-portion). Les enfants sont les bienvenus dans la plupart des restaurants, mais ne comptez pas trop trouver des chaises hautes.

Voir p. 73 et p. 437 pour une introduction sur la savoureuse cuisine italienne et sur ses vins. Pour les horaires d'ouverture des restaurants, voir p. 771.

AMBASSADES ET CONSULATS
Ambassades et consulats italiens à l'étranger

France Paris (ambassade ; ☎ 01 49 54 03 00 ; www. ambparigi.esteri.it ; 51 rue de Varenne, 75343 Paris Cedex 07) ;(consulat ; ☎ 01 44 30 47 00 ; 5 bd Émile-Augier, 75116) ; Lyon (☎ 04 78 93 00 17 ; www.conslione. esteri.it ; 5 rue Commandant Faurax, 69452 Lyon Cedex 06) ; Lille (☎ 03 20 08 15 08 ; www.conslilla.esteri.it ; 2 rue d'Isly, 59000) ; Toulouse (☎ 05 34 45 48 48 ; www. constolosa.esteri.it ; 13 rue d'Alsace-Lorraine, 31000) ; Marseille (☎ 04 91 18 49 18 ; www.consmarsiglia.esteri.it ; 56 rue d'Alger, 13392 Marseille Cedex 5)
Belgique Bruxelles (ambassade ; ☎ 02 64 33 850 ; www. ambbruxelles.esteri.it ; rue Émile-Claus 28, 1050) ; (consulat ; ☎ 02 54 31 550 ; www.consbruxelles.esteri.it ; rue de Livourne 38, 1000) ; Liège (consulat ; ☎ 04 23 02 800 ; http://sedi.esteri.it/liegi ; 31 place Xavier-Neujean, 4000)
Canada Ottawa (ambassade ; ☎ 613 232 2401 ; www. ambottawa.esteri.it ; 21e ét, 275 rue Slater, Ottawa, Ontario, K1P 5H9) ; Montréal (consulat ; ☎ 514 849 8351 ; www. consmontreal.esteri.it ; 3489 rue Drummond, Montréal, Québec, H3G 1X6)

Suisse Berne (ambassade ; ☎ 031 350 0777 ; www.ambberna.esteri.it ; Elfenstrasse 14, 3006) ; Genève (consulat ; ☎ 022 839 67 44 ; www.consginevra.esteri.it ; 14 rue Charles-Galland, 1206) ; Lausanne (consulat ; ☎ 021 341 12 91 ; www.conslosanna.esteri.it ; rue du Petit-Chêne 29, 1003)

Ambassades et consulats étrangers en Italie

Pour les ambassades et les consulats non indiqués dans cette rubrique, consultez l'annuaire sous "Ambasciate" ou "Consolati". Les offices du tourisme ont souvent des coordonnées des missions diplomatiques étrangères.

France Rome (ambassade ; carte p. 102 ; ☎ 06 68 60 11 ; www.france-italia.it ; Piazza Farnese 67, 00186) ; Milan (consulat ; carte p. 268 ; ☎ 02 655 91 41 ; Via della Moscova 12, 20121) ; Naples (consulat ; carte p. 638 ; ☎ 081 598 07 11 ; Via Francesco Crispi 86, 80121) ; Turin (consulat ; ☎ 011 573 23 11 ; Via Roma 366, 10121) ; Venise (consulat ; carte p. 352 ; ☎ 041 522 43 19 ; Palazzo Morosini, Castello 6140, 30123)

Belgique Rome (ambassade ; carte p. 96 ; ☎ 06 360 95 11 ; www.diplomatie.be/romefr ; Vita dei Monti Parioli 49, 00197) ; Florence (consulat ; ☎ 055 28 20 94 ; consubel.firenze@tiscali.it ; Via dei Servi 28, 50123) ; Milan (consulat ; ☎ 02 29 06 20 62 ; milan@diplobel.fed.be ; Corso Magenta 10, 20123)

Canada Rome (ambassade ; carte p. 95 ; ☎ 06 85444 3937, 06 85444 2911 ; www.canadainternational.gc.ca/italy ; Via Zara 30, 00198) ; Naples (consulat ; ☎ 081 401 338 ; cancons.nap@tiscali.it ; Via Carducci 29, 80121)

Suisse Rome (ambassade ; carte p. 95 ; ☎ 06 80 95 71 ; www.eda.admin.ch/roma ; Via Barnaba Oriani 61, 00197) ; Milan (consulat ; carte p. 268 ; ☎ 02 777 91 61 ; www.eda.admin.ch/milano ; Via Palestro 2, 20121) ; Naples (consulat ; carte p. 638 ; ☎ 335 831 52 57 (mobile) ; neapel@honorarvertretung.ch ; Via Carlo Poerio 9, 80121)

ARGENT

La monnaie est l'euro (€). Il existe des pièces de 1, 2, 5, 10, 20 et 50 centimes, de 1 et de 2 €, et des billets de 5, 10, 20, 50, 100, 200 et 500 €. La rubrique *Bon à savoir* (située sur la deuxième de couverture) présente un tableau des taux de change entre l'euro, le dollar canadien et le franc suisse. Le chapitre *Mise en route* (p. 20) donne des informations sur le coût de la vie.

Nous vous déconseillons d'emporter une grosse somme d'argent liquide ; utilisez de préférence une carte bancaire ou des chèques de voyage.

Cartes bancaires

Les cartes de crédit vous permettent de retirer de l'argent aux Bancomat (distributeurs automatiques ; DAB) affichant le logo de votre carte – les Visa et MasterCard sont les plus répandues, suivies par les cartes Cirrus ou Maestro. Seules quelques banques acceptent de donner des avances en liquide ; mieux vaut donc utiliser les distributeurs automatiques. Les cartes de crédit sont couramment utilisées à l'hôtel, au restaurant, dans les magasins et sur l'autoroute.

Interrogez votre banque sur les éventuelles commissions. La plupart du temps, les citoyens de l'UE n'auront aucun frais à payer pour le règlement par carte de crédit dans toute la zone euro, mais les retraits aux distributeurs automatiques sont payants ; environ 1 € par retrait (à moins que vous ne retiriez l'argent dans une banque partenaire, auquel cas la transaction pourra être gratuite).

Il n'est pas rare que les distributeurs italiens rejettent les cartes étrangères. Essayez alors d'autres DAB portant le logo de votre carte. Si vous perdez votre carte, si on vous la vole ou si un DAB l'avale, vous pouvez appeler gratuitement les numéros suivants afin de faire immédiatement opposition.

Amex (☎ 06 7290 0347 ou votre numéro d'appel national)
Diners Club (☎ 800 864 064)
MasterCard (☎ 800 870 866)
Visa (☎ 800 819 014)

Chèques de voyage

Moyen sûr de transporter de l'argent tout en se prémunissant contre le vol, les chèques de voyage sont désormais supplantés par les cartes bancaires. Il semble que la plupart des banques prélèvent d'importantes commissions, y compris sur les chèques en euros.

Les chèques de voyage Visa et Amex sont les plus communément acceptés. Préférez les chèques de valeur importante afin d'éviter la multiplication des commissions. Les bureaux American Express ne prennent pas de commission sur le change de chèques de voyage (même d'autres marques) ou de liquidités à partir de 500 $US.

Il est essentiel de conserver votre reçu ainsi que la liste des numéros de vos chèques dans un autre endroit que vos chèques eux-mêmes. Pensez à vous munir de votre passeport lors du change. En cas de vol ou de perte de chèques de voyage, appelez :

Amex (☎ 800 914 912)
MasterCard (☎ 800 872 050)
Visa (☎ 800 874 155)

Change

Vous pouvez changer de l'argent dans les banques, à la poste ou dans un *cambio* (bureau de change). Les postes et la plupart des banques sont fiables et ont tendance à pratiquer des taux intéressants. Les commissions varient, en particulier selon que vous changez des espèces ou des chèques de voyage. En général, les bureaux de poste appliquent des commissions moindres et des taux de change raisonnables. Le principal avantage des bureaux de change est qu'ils pratiquent des horaires étendus, mais gare aux commissions abusives et aux taux de change peu avantageux.

Taxes et remboursements

En Italie, tous les produits sont soumis à une TVA ou IVA (Imposta di Valore Aggiunto) d'environ 20%. Si vous résidez hors de l'Union européenne et dépensez plus de 155 € pour un achat, vous pouvez obtenir le remboursement de cette taxe lorsque vous quittez l'UE. Le remboursement ne concerne que les articles achetés dans les magasins de détail agréés, ceux qui affichent la mention "Tax free for tourists" (ou similaire). Vous devez remplir un formulaire sur le point de vente et le faire viser par les douaniers au moment de votre départ. Dans les grands aéroports, vous pouvez obtenir un remboursement immédiat. Dans le cas contraire, la somme est versée sur le compte de votre carte de crédit.

Pourboires

Bien que le service soit généralement compris dans l'addition, il est d'usage, notamment dans les bars, de laisser un petit pourboire. Au restaurant, si le service n'est pas inclus, vous pouvez laisser une somme représentant 10% de la note – là encore, rien n'est obligatoire. Le pourboire n'est pas prévu pour les chauffeurs de taxi. En revanche, n'oubliez pas le bagagiste des grands hôtels.

ASSURANCE

Vérifiez que vous êtes correctement assuré avant votre départ. La plupart des assurances couvrent le vol ou la perte des bagages. Certaines polices peuvent couvrir les retards ou l'annulation de votre voyage. Si vous réglez votre billet d'avion avec une carte de crédit, vous bénéficierez en principe d'une assurance et pouvez réclamer un remboursement si votre voyagiste ne respecte pas les règles du contrat. Renseignez-vous sur la couverture de l'assurance auprès de la société qui a émis votre carte de crédit.

Pour la couverture médicale, voir la rubrique *Santé* plus loin dans ce chapitre. Les informations sur les assurances automobiles sont indiquées p. 789.

BÉNÉVOLAT

En France, des organismes offrent des opportunités de travail bénévole, parfois sur des périodes courtes, d'une à quatre semaines. Certaines associations s'adressent plus spécifiquement aux jeunes. En Italie, les projets sont souvent centrés sur les fouilles archéologiques ou la réhabilitation de bâtiments anciens. Partir pour une mission représente une bonne formule pour s'immerger dans le pays, connaître l'envers du décor touristique et bénéficier d'une ambiance familiale (les volontaires viennent de divers pays en général). En revanche, les conditions de vie sur un chantier sont spartiates, et prenez garde au décalage fréquent entre le programme et la réalité. Le matériel est parfois rudimentaire, et la réalité du terrain souvent plus dure qu'on ne l'imaginait. Contactez les associations suivantes pour plus de précisions (voir également la rubrique *Travailler en Italie* p. 776) :

Association Rempart (☎ 01 42 71 96 55, www.rempart.com ; 1 rue des Guillemites, 75004 Paris). En 2010, l'association propose 5 projets de bénévolat en relation avec le patrimoine mondial et les sites archéologiques.

Concordia (☎ 01 45 23 00 23 ; www.concordia-association.org ; 17-19 rue Etex, 75018 Paris). Association née en 1950 ; représentée en France par 6 délégations régionales. En 2010, Concordia propose 3 programmes de volontariat axés sur l'environnement et l'animation.

Jeunesse et Reconstruction (☎ 01 47 70 15 88 ; www.volontariat.org ; 10 rue de Trévise, 75009 Paris). Association créée après la Seconde Guerre mondiale pour la paix en Europe. Elle organise, en 2010, un grand nombre de chantiers en Italie axés sur les fouilles archéologiques, l'environnement ou le travail avec des enfants.

Service civil international (SCI, branche française ; ☎ 01 42 54 62 43 ; www.sci-france.org ; 20 rue Camille-Flammarion, 75018 Paris). ONG internationale qui vise à la promotion de la paix et du développement durable. Antennes dans 19 villes françaises. L'association propose, en 2010, au moins un chantier en Italie.

Solidarités Jeunesses (☎ 01 55 26 88 77 ; www.solidaritesjeunesses.org ; 10 rue du 8-Mai-1945, 75010 Paris). Mouvement international développant des chantiers et le volontariat à court ou à long terme. Parmi les thèmes des nombreux projets répertoriés en 2010 en Italie : animation, environnement, rénovation, culturel et social.

CARTES ET PLANS
Plans de ville
Les plans de ville fournis dans ce guide, combinés avec ceux distribués gratuitement par les offices du tourisme, constituent une bonne entrée en matière. Vous pouvez vous procurer des cartes plus détaillées dans les librairies comme Feltrinelli. Les plans de ville publiés par De Agostini, le Touring Club Italiano (TCI) et Michelin sont fiables.

Atlas routiers
Si vous êtes motorisé, l'*Atlas routier n°465* (1/300 000), édité par Michelin, vous sera utile avec son index des localités, ses cartes des grands axes routiers et ses 74 plans de villes.

En Italie, De Agostini édite un *Atlante Turistico Stradale d'Italia* (1/250 000) très complet, comprenant 140 plans de villes. De son côté, le TCI édite un *Atlante Stradale d'Italia* (1/200 000) composé de trois parties – Nord, Centre et Sud (45 € sur www.touringclub.com) – et contenant 147 plans de villes.

La plupart de ces ouvrages sont disponibles en ligne. Renseignez-vous sur le site pratique de TrekTools.com (www.trektools.com).

Cartes à petite échelle
La carte Michelin n°735 couvre le pays au 1/1 000 000. Sont aussi disponibles 6 cartes régionales au 1/400 000. Le TCI publie une bonne carte de l'Italie au 1/800 000, ainsi qu'une série de 15 cartes régionales au 1/200 000 (7 € l'unité).

Cartes de randonnée
Certaines librairies, notamment celles du TCI, vendent des cartes des chemins de randonnées dans les Alpes et la chaîne des Apennins.

Les meilleures cartes de randonnées sont sans doute celles au 1/25 000 éditées par **Tabacco** (www.tabaccoeditrice.com) et couvrant tout le secteur compris entre Bormio (Haut-Adige), à l'ouest, et la frontière slovène, à l'est. Cet éditeur propose aussi des cartes à plus grande échelle. **Kompass** (www.kompass-italia.it) publie des cartes au 1/25 000 de diverses régions d'Italie, de même qu'une collection au 1/50 000 et plusieurs à d'autres échelles (y compris une au 1/7 500 de Capri). Le Club Alpino Italiano (CAI) produit de nombreuses cartes de randonnée, à l'instar des Edizioni Multigraphic de Florence, avec une série de cartes couvrant les Apennins.

Enfin, la collection publiée par le TCI et le CAI intitulée *Guide dei Monti d'Italia*, à la couverture grise, propose 22 guides avec des cartes très détaillées pour la randonnée.

CARTES DE RÉDUCTION
Les musées et les galeries d'art accordent souvent des réductions aux étudiants, aux jeunes adultes, aux enfants, aux familles ou aux seniors. N'hésitez pas à vous renseigner sur place. Lorsque vous visitez un site touristique, achetez, le cas échéant, un *biglietto cumulativo* : ce billet combiné permet d'entrer dans plusieurs sites proches à un coût avantageux.

Cartes d'étudiants et cartes jeunes
L'entrée aux musées et à d'autres sites est souvent gratuite pour les moins de 18 ans. Sur présentation d'une pièce d'identité, les citoyens de l'UE âgés de 18 à 25 ans bénéficient de réductions (généralement de 50%). Dans beaucoup d'endroits, la carte **ISIC** (carte Identité internationale des étudiants ; ☎ 01 40 49 01 01 ; www.isic.tm.fr), carte plastifiée avec photo, ne suffit plus, car les tarifs prennent en compte l'âge de l'étudiant. Munissez-vous alors de votre carte d'identité, de votre permis de conduire ou de la carte **Euro<26** (www.euro26.org).

Une carte ISIC pourra cependant se révéler utile pour obtenir des réductions sur les transports, le théâtre et le cinéma, ainsi que dans certains hôtels et restaurants (liste disponible sur le site de l'ISIC). Des cartes semblables sont disponibles pour les enseignants (carte d'identité internationale des enseignants, ou ITIC). Destinée aux moins de 25 ans qui ne sont plus étudiants, la carte **IYTC** (International Youth Travel Card/carte internationale jeune voyageur ; www.istc.org) offre les mêmes avantages. Reportez-vous p. 769 pour la carte internationale des auberges de jeunesse.

Les cartes pour étudiants sont émises par les associations d'étudiants, les auberges de jeunesse et certaines agences de voyages pour étudiants. En Italie, le **Centro Turistico Studentesco e Giovanile** (CTS ; www.cts.it), agence de voyages dédiée aux jeunes, émet des cartes ISIC, ITIC et Euro<26.

Cartes seniors
Les personnes de plus de 65 ans peuvent profiter de réductions sur les forfaits *mensuels* (et non pas journaliers ou hebdomadaires) des transports en commun.

Les seniors (plus de 60 ans) qui voyagent beaucoup en train auront intérêt à se procurer la Carta d'Argento (voir p. 786), valable 1 an.

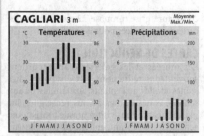

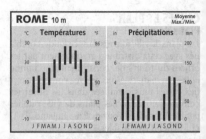

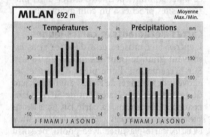

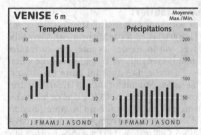

Les plus de 60 ans se voient souvent accorder la gratuité dans les musées de Rome ; à Florence cependant et dans d'autres villes, aucune réduction n'est accordée aux non-résidents. Enfin, sur certains sites, les citoyens de l'UE bénéficient d'une entrée gratuite ou à tarifs préférentiels (parfois certains jours seulement) ; n'hésitez pas à demander.

CLIMAT

Située en zone tempérée et avançant profondément dans la mer Méditerranée, l'Italie est considérée par les visiteurs comme une terre baignée de soleil bénéficiant d'un climat doux. Néanmoins, du fait de l'orientation nord-sud de la péninsule et de la prédominance des contreforts montagneux, le climat peut varier grandement d'une région à l'autre. Voir p. 20 pour plus de détails sur quand partir.

Dans les Alpes, la température est souvent fraîche et les hivers sont longs et rigoureux. En général, vous pouvez compter sur un temps clément de juillet à septembre, avec des pluies parfois abondantes en septembre. Exceptionnellement, la neige peut commencer à tomber dès la mi-septembre et s'installer début octobre. Il peut même arriver que la neige tombe au mois de juin, en altitude. Par ailleurs, en raison des bouleversements climatiques, la neige n'est pas toujours au rendez-vous sur les pistes de ski. Il faut parfois l'attendre jusqu'au début du mois de janvier.

La partie du massif alpin qui couvre le nord de la Lombardie et la région des lacs, incluant Milan, ainsi que la Ligurie bénéficient d'un climat doux de type méditerranéen, en raison des Alpes et de la chaîne des Apennins, qui protègent des rigueurs hivernales.

Les hivers sont froids et les étés suffocants dans la plaine du Pô. L'été vénitien est parfois très chaud et humide, et même si l'hiver n'est pas trop froid, le temps semble désagréable lorsque l'humidité est élevée ou si le niveau de la mer monte et que les *acque alte* ("hautes eaux") inondent la cité, ce qui arrive surtout en novembre et décembre. Dans la plaine du Pô et à Venise tout particulièrement, en janvier et février le temps peut être froid et sec.

Un peu plus au sud, et entourée de collines, Florence enregistre de très fortes chaleurs en été. Plus au sud cependant, les températures deviennent plus douces. Rome, qui ne voit que rarement la neige, jouit d'un climat plutôt clément en hiver. La capitale observe une moyenne de 25°C en juillet-août, même s'il ne faut pas négliger la présence du sirocco (vent sec), qui rend parfois la chaleur oppressante en août, avec des températures stagnant au-dessus des 30°C des jours durant.

L'extrême sud de l'Italie bénéficie d'un climat méditerranéen avec de longs étés chauds et secs, et des hivers doux (autour de 10°C). Le sirocco peut souffler également sur ces régions pendant l'été.

COURS

De nombreuses structures proposent une gamme de cours très variée : langues, peinture, art, sculpture, œnologie, cuisine, photographie, plongée sous-marine ou encore deltaplane. Reportez-vous aux différentes sections de ce guide pour de plus amples renseignements sur les cours disponibles dans chaque ville.

Cuisine

Les cours de cuisine rencontrent désormais un succès très vif. Le site www.cucina-italiana. com donnera quelques idées. Consultez aussi la rubrique *Dégustations de vin et cours de cuisine*, p. 78. Nous indiquons également les organismes au fil des chapitres régionaux, à la rubrique *Cours*. À Paris, pour vous initier à la cuisine italienne dans une école lancée par une Napolitaine enthousiaste, contactez **Parole in Cucina** (☎ 01 55 79 19 13 ; www.paroleincucina.com ; 5 impasse du Curé, 75018 Paris).

Langue

Les cours de langue, une agréable façon de découvrir le pays ou d'approfondir sa connaissance de la culture italienne, sont proposés par des universités et des écoles privées. Les cours de l'**Università per Stranieri di Perugia** (www. unistrapg.it) et de l'**Università per Stranieri di Siena** (www.unistrasi.it), toutes deux installées dans de belles villes médiévales, comptent parmi les plus prisés et les moins chers. D'autres cours, à temps plein ou non, sont également offerts, tels que peinture, histoire de l'art, sculpture ou architecture. **Saenaiulia** (☎ 0577 441 55 ; www.saenaiulia.it), à Sienne, propose des cours de langue en ligne. Florence (p. 497) et Rome (p. 143) comptent de nombreuses écoles linguistiques ; il y a au moins une école de langue dans les autres grandes (et moyennes) villes italiennes.

Cultura Italiana (www.culturaitaliana.it) est une école qui a bonne presse à Bologne.

L'**Istituto Italiano di Cultura** (IIC ; www.italcult. net) est financé par le gouvernement italien. Cet institut fournit des renseignements sur les possibilités d'études. Voir aussi l'encadré *Paris à l'heure italienne* p. 773.

Peinture

Les cours de dessin et de peinture sont fort nombreux, notamment dans des villes d'art comme Florence. L'**Accademia del Giglio** (www. adg.it) et l'**Accademia Europea di Firenze** (www.accademiaeuropeafirenze.it) assurent des cours destinés aux étrangers qui séjournent dans la ville. Le site **Learn4good** (www.learn4good.com) informe entre autres sujets sur plusieurs écoles d'art en Italie. **It-Schools.com** (www.it-schools.com) mérite également le coup d'œil.

Yoga

Parce que les routes des vins et les circuits gastronomiques ne sont pas les seules manières de visiter l'Italie, **Yoga in Italy** (☎ 0445 48 02 98 ; www.yogainitaly.it) propose toute une gamme de séjours d'une semaine, mêlant le yoga et d'autres activités, allant des sorties dans le Chianti aux descentes en eau vive.

DÉSAGRÉMENTS ET DANGERS
Circulation

La circulation automobile en Italie est quelque peu chaotique et les passages piétons ne sont pas toujours respectés, mais cela s'améliore depuis l'instauration du permis à points.

Dans certaines villes, soyez attentif sur les voies à sens unique comportant un couloir réservé aux bus. Ceux-ci peuvent très bien circuler en sens inverse. Observez bien les deux sens avant de traverser la chaussée.

La signalisation peut vous laisser perplexe. Il n'est pas rare de voir 2 panneaux indiquer une même direction dans 2 sens opposés. Cela peut se révéler très compliqué pour l'automobiliste qui tente de sortir d'une ville (mais, au bout d'un moment, on finit par s'habituer à ces "différentes options").

Au début, la conduite en ville peut être éprouvante pour les nerfs tant s'impose à tout moment l'impression que la collision est proche. Les motards doivent à tout prix garder cette menace à l'esprit, et redoubler d'attention.

Pollution

Le bruit et la pollution atmosphérique constituent un réel problème dans les grandes villes, en raison de la circulation. Respirer le monoxyde de carbone et les émanations de plomb à Rome ou à Milan risque de vous causer des maux de tête qui n'auront peut-être rien à voir avec la fatigue.

En été, et parfois à d'autres périodes de l'année, des alertes à la pollution sont émises dans les villes les plus importantes. Il est alors déconseillé de sortir aux personnes âgées, aux enfants et aux personnes souffrant de troubles respiratoires. Renseignez-vous le cas échéant à l'office du tourisme ou à votre hôtel. Lorsque les pics de pollution sont atteints, les autorités décident souvent de réduire la circulation automobile et n'autorisent les véhicules à ne rouler qu'un jour sur deux selon leur immatriculation, paire ou impaire.

Les déjections canines sont un tracas dans les grandes villes car les Italiens ont encore du mal à se faire à l'idée de nettoyer les trottoirs derrière leurs toutous.

Les déchets industriels, les égouts et le pétrole rejeté par les nombreux bateaux circulant sur la Méditerranée polluent certaines plages. Les régions du Sud les moins peuplées ou certaines îles, comme l'île d'Elbe, abritent les plages les plus agréables.

Vol

Des pickpockets sévissent dans les grandes villes, en particulier à Naples et à Rome. Pour plus de sécurité, portez une ceinture ou une sacoche spéciale à fermeture (contenant votre argent, votre passeport, vos cartes de crédit et vos papiers importants) *sous* vos vêtements. Portez vos sacs en bandoulière plutôt que sur l'épaule pour éviter que l'on vous les vole. Utilisez le coffre-fort de l'hôtel s'il en a un. Soyez vigilant aux abords des gares, des lieux touristiques et des secteurs commerçants.

Les voitures, en particulier celles immatriculées à l'étranger ou portant l'autocollant d'une société de location, attirent les voleurs. D'une manière générale, efforcez-vous de ne rien laisser dans votre voiture, surtout la nuit, et garez-la de préférence dans un parking surveillé. Les vols de voiture sont surtout un problème à Rome, en Campanie et dans les Pouilles.

En cas de vol ou de perte, adressez-vous à la police dans un délai de 24 heures et demandez une déclaration écrite, indispensable pour obtenir un remboursement de votre assurance.

DOUANE

La vente de produits hors taxes n'existe plus au sein de l'UE. Les visiteurs en provenance de pays hors UE ont quant à eux le droit d'importer hors taxes les articles suivants : 1 l d'alcool ou 2 l de vin, 50 g de parfum, 250 ml d'eau de toilette, 200 cigarettes, ainsi que d'autres marchandises totalisant au maximum 175 €. Au-delà de ce montant, vous devez faire une déclaration en douane et payer des droits. À leur départ, les touristes non ressortissants de l'UE peuvent demander le remboursement de la TVA sur les articles de luxe (voir p. 762).

ENFANTS
Pratique

Les Italiens adorent les enfants, pour autant, les infrastructures ne bénéficient pas toujours d'aménagements spécifiques. N'oubliez pas de vous renseigner dans les offices du tourisme sur les activités destinées aux familles et aux enfants et demandez que l'on vous indique des hôtels particulièrement adaptés. Les enfants (généralement de moins de 12 ans mais parfois en fonction de leur taille) voyagent à tarif réduit dans les transports publics et paient moins cher l'entrée dans les musées et d'autres sites.

Dans la mesure du possible, réservez votre hébergement (et vos places de train, si vous ne voulez pas voyager debout !). Sachez que la plupart des agences de location de voitures peuvent vous fournir des sièges pour enfants, mais vous devez les réserver au préalable.

Lire p. 759 pour des informations sur l'alimentation.

Activités

Pour réussir un voyage avec des enfants, il faut prendre garde à ne pas trop surcharger votre emploi du temps et prévoir des activités où ils trouveront leur place. Un site tel que celui de **Pompéi** (p. 670) saura sûrement captiver leur imagination, à l'instar du **Colisée** (p. 112) et du **Forum romain** (p. 114) à Rome (voir aussi l'encadré p. 140), sans oublier les temples grecs du sud de l'Italie.

Volcans, plages, baignade, snorkeling et voile constituent des sorties toujours prisées des enfants.

Si vous voyagez dans le nord de l'Italie, arrêtez-vous au parc à thème **Gardaland** (p. 310), à proximité du lac de Garde en Lombardie, ou à **Italia in Miniatura** (p. 471) près de Rimini, en Émilie-Romagne. Les garçons apprécieront sans doute la visite du **Museo Storico Navale à Venise** (p. 364), tandis que les filles s'amuseront davantage à Milan en accompagnant leur mère au **Carré d'or** (encadré p. 278), haut lieu du shopping et de la mode.

FORMALITÉS ET VISA

Une carte d'identité ou un passeport en cours de validité suffit pour les citoyens français, belges et suisses. L'Italie fait partie des 22 pays signataires des accords de Schengen selon lesquels tous les pays membres (excepté la Bulgarie, Chypre, l'Irlande, la Roumanie et le Royaume-Uni) ainsi que l'Islande, la

Norvège et la Suisse suppriment les contrôles douaniers aux frontières communes. Les résidents légaux n'ont pas besoin de visa pour se rendre dans un autre pays de l'espace Schengen.

Les résidents de 28 pays hors UE, notamment le Canada, Israël et les États-Unis, n'ont pas besoin de visa pour les séjours touristiques jusqu'à 90 jours. Si vous pénétrez en Italie ou dans l'UE via un autre État-membre, vous devez faire tamponner votre passeport dans ce pays. Si vous demandez un visa pour l'Italie, votre passeport doit être valide pendant au moins six mois après votre date d'arrivée.

Les citoyens de l'UE peuvent vivre et travailler en Italie sans autorisation. Pour un séjour de plus de 90 jours, ils sont néanmoins invités à se faire enregistrer au bureau d'état civil de leur lieu de résidence, en apportant la preuve qu'ils travaillent où disposent de fonds suffisant à leur subsistance. Les ressortissants de pays hors UE en mesure de prouver au moins 5 ans de présence continue en Italie peuvent demander une autorisation de résidence permanente.

Avant le départ, assurez vous que les modalités d'entrée sur le territoire n'ont pas changé. Nous vous conseillons de photocopier vos documents importants (pages d'introduction de votre passeport, cartes de crédit, numéros de chèques de voyage, billets de train/d'avion/de bus, permis de conduire, etc.). Emportez un jeu de ces copies, que vous conserverez à part des originaux. Vous remplacerez ainsi plus aisément ces documents en cas de perte ou de vol.

Permis de séjour

Si vous n'êtes pas un ressortissant européen, le *permesso di soggiorno* est obligatoire pour étudier, exercer un emploi ou vivre en Italie.

Les pièces nécessaires, tels les documents et timbres fiscaux (*marche da bollo*), changent parfois d'une année sur l'autre. D'une manière générale, munissez-vous d'une pièce d'identité en cours de validité et portant la date de votre entrée en Italie, de 4 photos d'identité, des pièces justifiant que vous pouvez subvenir à vos besoins ainsi que d'un visa spécial délivré dans votre pays d'origine si vous souhaitez poursuivre des études.

Déposez votre demande à l'*ufficio stranieri* (bureau des étrangers) du commissariat le plus proche de votre lieu de séjour.

Visas étudiants

Les ressortissants des pays hors UE qui veulent étudier dans une université ou une école de langues doivent demander un visa étudiant auprès de l'ambassade ou du consulat italien de leur pays. Il faut en principe fournir des justificatifs d'inscription et la preuve que l'on peut subvenir à ses besoins. Le visa n'est valable que pour la durée de l'inscription. Il peut toutefois être prolongé en Italie, toujours au vu des mêmes justificatifs (de préférence un document bancaire).

HANDICAPÉS

En Italie, se déplacer en fauteuil roulant pose souvent problème et les rues pavées des villes peuvent faire d'une simple promenade un véritable parcours du combattant. Si la plupart des immeubles disposent d'un ascenseur, ils ne sont pas toujours assez larges pour accueillir un fauteuil roulant. Peu de mesures ont par ailleurs été prises pour faciliter la vie des sourds et des non-voyants.

L'office national italien du tourisme (voir p. 772) de votre pays saura peut-être vous indiquer des associations italiennes s'occupant des handicapés et vous renseigner sur l'aide que vous pourrez obtenir sur place. Il vous procurera éventuellement une petite brochure de Trenitalia, la société des chemins de fer italiens, qui recense les installations spécifiques dans les gares et les trains. Il met aussi à votre disposition un service d'assistance téléphonique au ☎ 199 303 060.

Quelques villes publient également des brochures touristiques informant sur les facilités d'accès, notamment Bologne, Milan, Padoue, Reggio Emilia, Turin, Venise et Vérone.

Quelques organismes à connaître :
Accessible Italy (☎ +378 94 11 11 ; www. accessibleitaly.com). Une société de Saint-Marin spécialisée dans les services aux voyageurs handicapés, allant des circuits à la réservation de transports adaptés. Se propose même d'organiser des mariages romantiques à l'italienne. Une adresse incontournable.
Consorzio Cooperative Integrate (COIN ; ☎ 800 271027 ; www.coinsociale.it). Basé à Rome, COIN constitue une excellente référence. Cet organisme fournit des renseignements sur la capitale (y compris sur les moyens de transport) et dispose de liens partout dans le pays pour aider les voyageurs handicapés.
Holiday Care (☎ 0845 124 9971 ; www.holidaycare. org.uk). Renseignements sur les hôtels accessibles aux handicapés, la location de matériel et les tour-opérateurs prenant en charge les voyageurs handicapés.

Vous pouvez également consulter **Tour in Umbria** (www.tourinumbria.org) et **Milano per Tutti** (www.milan opertutti.it) pour des informations sur l'Ombrie et Milan.

En France, l'**APF** (Association des paralysés de France ; ☎ 01 40 78 69 00 ; www.apf.asso.fr ; 17 bd Auguste-Blanqui, 75013 Paris) fournit d'utiles informations sur les voyages accessibles. Deux sites Internet dédiés aux personnes handicapées comportent une rubrique consacrée au voyage et constituent une bonne source d'information. Il s'agit de **Yanous** (www.yanous.com, rubriques Pratique puis Tourisme-Voyages), et de **Handica** (www.handica. com, rubrique Tourisme).

HÉBERGEMENT

L'Italie dispose d'une gamme d'hébergements très variée, que vous descendiez dans des palaces luxueux ou des hôtels ne payant pas de mine. Les hôtels et les *pensioni* (pensions) sont les types d'hébergement les plus nombreux, et offrent une large palette d'options allant de petits établissements bon marché rudimentaires aux hôtels haut de gamme, figurant parmi les plus chics du monde. Toutefois, les auberges de jeunesse et les terrains de camping abondent dans tout le pays. Parmi les autres choix, citons les charmants établissements de type Bed & Breakfast (chambres d'hôte) qui continuent à proliférer et les locations de villas et d'appartements. N'oublions pas l'*agriturismo* (séjours à la ferme), parfois dans de vraies fermes en activité, d'autres fois dans des fermes reconverties (souvent avec piscine). En montagne, les randonneurs trouveront quantité de *rifugi* (refuges), très pratiques. Enfin, il est possible de passer la nuit dans un château, un couvent ou encore un monastère.

Initiative originale, l'**albergo diffuso** (www. albergodiffuso.com) est né en Frioul-Vénétie Julienne. Dans un grand nombre de villages, des maisons et appartements variés sont loués aux voyageurs en passant par une réception semblable à celle d'un hôtel, dans le village.

Les gammes de tarifs des hébergements figurant dans ce guide pour la haute et la basse saison ne sont fournies qu'à titre indicatif. Les hôtels sont classés selon trois catégories (petits budgets, catégories moyenne et supérieure). Les tarifs en demi-pension incluent le petit déjeuner et soit le déjeuner, soit le dîner. La pension complète inclut les trois repas.

Les tarifs peuvent varier grandement en fonction de la saison. En été et pendant les autres périodes d'affluence touristique, comme Pâques, Noël et le Nouvel An, réservez longtemps à l'avance. Cependant, ces règles générales admettent des exceptions. Dans les régions concernées par le ski, les tarifs haute saison s'appliquent de décembre à mars. Si l'été correspond à la haute saison le long du littoral, il est en revanche considéré comme une période de baisse d'affluence dans les villes brûlées par le soleil. En août plus particulièrement, les estivants séjournant dans certaines villes pourront s'offrir des chambres d'hôtel à moitié prix. Cependant, mieux vaut toujours réserver pour la haute saison, même dans les villes.

On peut grosso modo compter jusqu'à 80 € pour une chambre double de la catégorie petits budgets, de 80 à 200 € pour la catégorie moyenne et plus de 200 € (parfois des milliers d'euros) pour une suite dans un établissement très chic. Les prix dépendent beaucoup de l'endroit où vous vous trouvez. Pour le prix d'une chambre bas de gamme à Venise ou à Milan, vous pourrez trouver une adresse de catégorie moyenne très correcte en Campanie rurale, par exemple. Lorsque cela était possible et pertinent, nous avons indiqué les tarifs tenant compte de la basse et haute saison comme suit : s 40-60 €, d 80-130 €, ce qui signifie qu'une chambre simple pourra coûter 40 € au maximum en basse saison et une double 80 € au minimum en haute saison.

Certains hôtels pratiquent les mêmes tarifs tout au long de l'année. Cela se vérifie surtout dans les établissements les moins onéreux, bien que, hors saison, on ne risque rien à essayer de négocier un peu les tarifs. Les hôteliers sont plus enclins à accorder une réduction lorsque les voyageurs prévoient de rester plusieurs jours. Pour des informations supplémentaires sur les tarifs, voir aussi p. 20.

Les hôtels demandent souvent une réservation confirmée par fax ou, plus souvent, avec le numéro de carte de crédit. Dans ce cas, les voyageurs qui ne se présentent pas seront tout de même débités du prix de la chambre.

Agriturismi et B&B (chambres d'hôte)

Les séjours à la ferme, ou *agriturismi*, sont de plus en plus prisés, tant des visiteurs que des propriétaires cherchant à arrondir leurs fins de mois. Les hébergements sont très variables et vont du plus simple, dans des exploitations rustiques, au plus luxueux, dans des domaines avec piscine, où l'agriculture est passée au second plan. L'*agriturismi* connaît un essor considérable en Toscane et en Ombrie et progresse dans les autres régions.

Les offices du tourisme fournissent des listes d'adresses. Les sites Internet **Agriturist** (www. agriturist.com) et **Agriturismo.com** (www.agriturismo.com) donnent des détails sur ces établissements dans toute l'Italie. Vous pouvez aussi consulter les sites **Agriturismi.it** (www.agriturismi.it/fr), **Agriturismo-Italia.net** (www.agriturismo-italia.net) et **Agriturismo Vero** (www.agriturismovero.com).

Les Bed & Breakfast se généralisent en Italie. Ce type de formule inclut des corps de ferme restaurés, des *palazzi* en ville, des bungalows en bord de mer ou des chambres chez l'habitant. Les prix par personne sont généralement compris entre 25 et 75 €. Renseignez-vous auprès de **Bed & Breakfast Italia** (☎ 06 687 86 18 ; www.bbitalia. it ; Corso Vittorio Emanuele II 282, Rome, 00186).

Auberges de jeunesse

Les *Ostelli per la Gioventù* sont gérées par l'**Associazione Italiana Alberghi per la Gioventù** (AIG ; carte p. 100 ; ☎ 06 487 11 52 ; www.ostellionline.org ; Via Cavour 44, Rome), affiliée à Hostelling International (HI ; www.hihostels.com). Seuls les membres peuvent séjourner dans les établissements. Vous pouvez vous procurer une carte HI dans votre propre pays, auprès de l'AIG à Rome à votre arrivée dans l'une des auberges. En France, la carte internationale des auberges de jeunesse est disponible auprès de la **FUAJ** (☎ 01 44 89 87 27 ; www.fuaj.org ; 27 rue Pajol, 75018 Paris). Le bulletin d'adhésion peut être téléchargé en ligne.

Le siège central de l'AIG diffuse une brochure sur les auberges de jeunesse en Italie, détaillant les prix, la situation géographique et d'autres prestations. Les tarifs à la nuit varient entre 16 et 20 €, petit déjeuner de style buffet habituellement compris. Le déjeuner et le dîner, lorsqu'ils sont proposés, reviennent à environ 10 €.

le logement, parfois sommaire, est généralement proposé dans des dortoirs non mixtes, mais de nombreuses auberges de jeunesse disposent de chambres simples/doubles (30/50 € environ) et de chambres familiales.

Les auberges ferment généralement entre 9h et 13h30. L'accueil ne se fait généralement pas avant 13h. Dans la plupart des auberges, un couvre-feu est imposé vers 23h. Réglez votre note avant 9h le jour de votre départ.

Un nombre croissant d'auberges indépendantes offre une alternative aux auberges HI. Nombre d'entre elles ressemblent à des hôtels bon marché. Le site www.hostelworld.com indique de nombreuses adresses d'auberges de jeunesse (*hostels*).

Campings

En Italie, les campings sont de vastes complexes avec piscine, restaurants et magasins. Ils sont classés selon un système d'étoiles. Les tarifs varient selon la saison, atteignant un pic en juillet et août. Les tarifs en haute saison vont de 6 à 20 € par adulte, de 0 à 12 € pour les enfants de moins de 12 ans, et de 5 à 25 € par emplacement. Les campings des grandes villes sont souvent éloignés du centre historique. Nombre de campings proposent aussi des bungalows, voire des appartements basiques. En haute saison, on ne peut souvent louer qu'à la semaine.

Le camping sauvage est interdit. Cela dit, une fois l'été passé, ceux qui s'installent à l'écart de la route et qui n'allument pas de feu ne devraient pas rencontrer de difficultés. Avant de planter votre tente sur un terrain privé, demandez toujours l'autorisation du propriétaire.

Les offices du tourisme locaux vous fourniront la liste complète des campings, ou bien connectez-vous sur www.camping.it, www. italcamping.it ou www.italiecamping.com. Le Touring Club Italiano (TCI) publie tous les ans un répertoire des campings du pays, le *Campeggi in Italia*, tandis que l'Istituto Geografico de Agostini publie le *Guida ai Campeggi in Italia*. Tous deux sont en vente dans les grandes librairies.

Couvents et monastères

Que diriez-vous de passer une nuit ou deux dans l'atmosphère empreinte de sérénité d'un couvent ou d'un monastère ? Quelques communautés religieuses acceptent volontiers de louer des chambres à prix modiques à leurs visiteurs ; toutefois, certaines institutions limitent leur accueil aux hommes ou aux femmes, ou encore aux pèlerins et aux personnes effectuant une retraite spirituelle. Les couvents et les monastères imposent par ailleurs un couvre-feu assez tôt. Les tarifs tournent autour de 40/75/100 € pour une chambre simple/double/triple, mais en moyenne comptez plutôt 65/100 € pour une chambre simple/double.

À Rome, le **Centre pastoral d'accueil** (☎ 06 68 19 24 64 ; ☽ 10h-12h30 et 14h30-17h lun-ven ; www. france-vatican.org/centrepastoral, accueil@saintlouis-rome. net ; Via Santa Giovanna d'Arco 10 ; 00186 Rome) vous renseignera, entre autres, sur l'accueil des pèlerins en Italie (dans une institution religieuse ou dans un hôtel). La **maison d'accueil Saint-Joseph** (☎ 06 679 74 36 ; ☽ 8h-13h lun-ven ; www.france-vatican. org/saintjoseph.php, maison.accueil.tdm@libero.it ; Piazza

Trinità dei Monti 3, 00187 Rome), dans le couvent de la Trinité-des-Monts, propose un hébergement aux jeunes pèlerins, aux familles et aux visiteurs, à certaines périodes de l'année.

Une agence centrale de réservation pour les couvents et monastères (www.monasterystays.com) a récemment vu le jour. Sachez que certaines de ces adresses sont seulement des logements tenus par des religieux et que l'ambiance monastique peut donc y être limitée. D'autres sites peuvent être utiles : www.initaly.com/agri/convents.htm (vous devrez payer 6 $US pour accéder à la liste des adresses en ligne) ou www.realrome.com/accommconvents.html (liste de couvents à Rome pour les femmes voyageant seules).

Le *Guida ai Monasteri d'Italia*, de Gian Maria Grasselli et Pietro Tarallo (Piemme, 2006), donne une description détaillée de centaines de monastères, parmi lesquels nombreux sont ceux qui proposent des lits.

Hôtels et pensioni

En vérité, la différence est mince entre une *pensione* et un *albergo* (hôtel). Cependant, une *pensione* correspond plutôt à la catégorie une, deux ou trois-étoiles, tandis que l'*albergo* peut aller jusqu'à cinq-étoiles. Pendant longtemps, les *locande* (auberges) ne se sont guère différenciées des *pensioni*, mais le terme est devenu très tendance dans certaines régions et ne laisse rien présumer de la qualité de l'endroit. Les *affittacamere*, des chambres à louer chez l'habitant, sont en général des hébergements simples.

Les hôtels une-étoile/*pensioni* proposent généralement des chambres très ordinaires avec sdb commune. Les établissements deux-étoiles n'offrent guère plus de confort, mais les chambres disposent souvent d'une sdb. La catégorie trois-étoiles assure en principe un certain degré de confort. Les hôtels quatre et cinq-étoiles offrent toute une gamme de prestations, dont un room-service ainsi qu'un service de blanchisserie.

Les destinations touristiques majeures affichent les tarifs les plus élevés. En outre, les établissements hôteliers sont souvent plus chers dans le nord de l'Italie. Une *camera singola* (chambre simple) coûte au moins 25 €, une *camera doppia* (double avec lits jumeaux) ou une *camera matrimoniale* (double avec grand lit) vaut environ 40 €.

Les offices du tourisme disposent généralement de la liste des hôtels des environs.

De nombreux hôtels pratiquent les réservations en ligne, et le procédé tend à se généraliser. Voici quelques pistes pour vous aider dans vos recherches sur Internet :

Alberghi in Italia (www.alberghi-in-italia.it). En français.
Hotels web.it (www.hotelsweb.it). En français.
In Italia (www.initalia.it). En français.

Locations d'appartements et de villas

Trouver un appartement en ville peut être assez compliqué. Des agences peuvent vous aider, mais elles factureront des frais. Les locations à court terme sont souvent plus onéreuses, tout comme les appartements proches du centre de Rome, Florence, Milan, Naples et Venise (environ 1 000 €/mois) et l'on vous demandera une caution (comptez un mois de location). Consultez les petites annonces de journaux spécialisés, par exemple l'hebdomadaire romain *Porta Portese* et le bimensuel *Wanted in Rome*, où figurent des offres d'appartements et de villas à louer. Si vous souhaitez rester plusieurs mois et que la colocation ne vous dérange pas, vous pouvez consulter les annonces sur les panneaux d'affichage des universités.

Longtemps resté l'apanage de la Toscane, le marché de la location de villas en Italie s'est envolé ces dernières années. Les agences de location proposent des hébergements dans tout le pays, généralement dans des sites de choix en pleine campagne, non loin de villes médiévales ou de plages longeant la Méditerranée. Solution plus originale, il est aussi possible de louer des *trulli*, maisons traditionnelles surmontées d'un toit conique, typiques du sud des Pouilles.

Les offices du tourisme de la plupart des centres touristiques, comme les stations balnéaires en été ou les stations de ski en hiver, détiennent des listes d'appartements et de villas.

Il existe de nombreuses agences de location. Vous pouvez contacter :

Bellavista (☎ 01 42 55 41 92 ; www.bellavista-villas.com ; 24 rue Ravignan, 75018 Paris). Villas et demeures de charme dans toute l'Italie.
Casa d'Arno (☎ 01 44 64 86 00 ; www.casadarno.com ; 36 rue de la Roquette, 75011 Paris). Agence de location de studios, villas, gîtes, etc., spécialisée sur l'Italie.
Cuendet (☎ 0800 900381, 912692, 907886 depuis la France ; www.cuendet.fr ; ☎ 0800 15330 depuis la Belgique, ☎ 0800 553183, 556720 depuis la Suisse). Loueur italien de maisons de vacances et d'appartements.
Homelidays (www.homelidays.com). Appartements à louer dans toute l'Italie.

Italie Loc'Appart (☎ 01 45 27 56 41, réservation lun-ven 10h30-19h ; www.italielocappart.fr). Propose des locations d'appartements. Frais de gestion.

Il est aussi possible de s'adresser à une agence de voyages (voir p. 784) pour louer une villa ou de consulter les annonces du site Internet **Abritel** (www.abritel.fr), qui met en relation des particuliers.

Refuges de montagne

Si vous avez l'intention de faire de la randonnée dans les Alpes ou les Apennins, renseignez-vous sur le réseau de *rifugi* (refuges ou gîtes de montagne). Ceux-ci sont habituellement ouverts de juillet à septembre. Les refuges proposent un hébergement en dortoirs, mais les plus vastes peuvent louer aussi des doubles. Le tarif pour une nuit (avec petit déjeuner) va de 17 à 26 € par personne (plus, si vous prenez une double), selon le standing du lieu. Un copieux dîner plat-unique vous sera servi moyennant 11,50 €.

Les refuges sont signalés sur les bonnes cartes de randonnées. S'ils sont situés à proximité de remontées mécaniques et de téléphériques, ils seront sûrement onéreux et bondés. Certains, que vous atteindrez après plusieurs heures de marche difficile, sont installés en haute altitude. Assurez-vous avant votre départ que le refuge peut vous accueillir. Vous obtiendrez tout renseignement utile, tel que les numéros de téléphone, dans les offices du tourisme locaux.

Le **Club Alpino Italiano** (CAI ; www.cai.it) gère la plupart des refuges en montagne.

HEURE LOCALE

L'Italie est dans le même fuseau horaire que la France (GMT + 1 heure en hiver et GMT + 2 heures en été ; passage à l'heure d'hiver/été le dernier dimanche d'octobre/mars).

HEURES D'OUVERTURE

Les magasins ouvrent en principe du lundi au samedi de 9h à 13h et de 15h30 à 19h30 (ou de 16h à 20h). La plupart ne sont pas ouverts le samedi après-midi. Certains ferment le lundi matin ou après-midi, et parfois encore le mercredi ou le jeudi après-midi. Dans les villes les plus importantes, les grands magasins et les supermarchés font une journée continue, de 10h à 19h30 du lundi au samedi. Certains établissements ouvrent même le dimanche de 9h à 13h.

Les banques accueillent généralement le public de 8h30 à 13h30 et de 15h30 à 16h30 du lundi au vendredi. Elles ferment le week-end, mais dans les grandes villes et les zones touristiques, les bureaux de change restent généralement ouverts.

Les postes principales sont ouvertes de 8h à 19h du lundi au vendredi et de 8h30 à 19h (8h30-12h pour certaines) le samedi. Les bureaux de poste plus petits sont souvent ouverts de 8h à 14h du lundi au vendredi et de 8h30 à 12h le samedi.

Les *farmacie* (pharmacies) délivrent habituellement des médicaments de 9h à 12h30 et de 15h30 à 19h30. La plupart ferment les samedis après-midi, les dimanches et les jours fériés ; les pharmacies de garde (*farmacie di turno*) restent ouvertes pour les urgences. Toutes les officines fermées sont tenues d'afficher la liste des pharmacies de garde les plus proches.

La majorité des bars et des cafés servent leurs clients de 8h à 20h, mais certains restent ouverts tard le soir. Les établissements dont l'activité est centrée sur la vie nocturne, n'ouvrent qu'en début de soirée (même si officiellement, ils le font en matinée). Peu de bars continuent de servir après 1h ou 2h. Les *discoteche* ouvrent parfois vers 22h (voire plus tôt s'il y a un lieu de restauration sur place), mais ne se remplissent qu'aux environs de minuit.

Les restaurants ouvrent de 12h à 15h et de 19h30 à 23h environ, voire minuit (et même souvent plus tard en été dans le Sud). La cuisine ferme souvent une heure avant la fermeture du restaurant. La plupart des restaurants et des bars ferment au moins un jour par semaine.

Les horaires des musées, des galeries et des sites archéologiques varient beaucoup ; les sites les plus fréquentés sont souvent ouverts de 9h30 à 19h. Le lundi est en général le jour de fermeture hebdomadaire. Certains grands musées nationaux et des galeries font nocturne jusqu'à 22h l'été. Reportez-vous p. 772 pour les horaires pratiqués dans les offices du tourisme.

HOMOSEXUALITÉ

L'homosexualité, légale en Italie, est bien tolérée dans la plupart des grandes villes. Cependant, certaines marques d'affection trop démonstratives peuvent choquer dans le sud du pays et les petites villes. L'âge légal de consentement est généralement de 16 ans.

Il existe des clubs gays à Rome, à Milan et à Bologne, ainsi qu'à Florence. Plusieurs villes et stations côtières (comme la ville toscane de Viareggio) sont beaucoup plus animées en été. Pour plus de renseignements, consultez les organisations gays locales ou les publications comme *Pride*, un mensuel national, ou AUT, publié par le **Circolo Mario Mieli** (www.mariomieli.org), à Rome. Très pratique, le site Internet **Gay.it** (www.gay.it) répertorie les bars et les hôtels gays du pays. **Arcigay & Arcilesbica** (☎ 051 649 3055 ; www.arcigay.it ; Via Don Minzoni 18, Bologne) est l'organisation nationale de gays et de lesbiennes.

Consultez également le site **Gay Friendly Italia. com** (www.gayfriendlyitaly.com), proposé par Gay.it. Il couvre des domaines aussi divers que les hôtels, l'homophobie ou la législation.

INTERNET (ACCÈS)

Si vous décidez d'emporter votre agenda électronique ou votre ordinateur portable, pensez à prendre un adaptateur universel AC afin de ne pas endommager votre matériel (la plupart sont vendus avec). Ne vous attendez pas à trouver du Wi-Fi où que vous alliez : ces lieux restent peu nombreux, éloignés les uns des autres et les accès sont souvent payants. Une autre solution consiste à acheter un pack carte auprès d'un opérateur italien de téléphonie mobile, donnant accès à Internet via le réseau des téléphones portables. Il s'agit généralement de services prépayés que l'on peut abandonner en partant.

La plupart des voyageurs choisissent la solution des cybercafés. Sans être toujours très nombreux, cybercafés et cybercentres sont présents dans toutes les grandes villes et dans la plupart des villes moyennes. Les tarifs s'échelonnent entre 5 et 8 € l'heure. En vertu de la loi italienne, il est obligatoire de présenter une pièce d'identité avec photo (passeport, permis de conduire…) dans les points Internet en Italie.

Des sites Internet dédiés à l'Italie figurent p. 23.

JOURS FÉRIÉS ET VACANCES

La majorité des Italiens prennent leurs vacances au mois d'août. Nombre de commerces ferment alors une partie du mois. La *Settimana Santa* (Semaine sainte), à Pâques, est également une période de vacances privilégiée des Italiens. La fréquentation peut donc augmenter fortement dans les musées et sur les sites touristiques.

Il existe aussi des jours fériés propres à chaque ville, durant lesquels on célèbre le saint patron de la localité (voir p. 25). Voici les jours fériés nationaux :

Jour de l'an (Capodanno ou Anno Nuovo) 1er janvier
Épiphanie (Epifania ou Befana) 6 janvier
Lundi de Pâques (Pasquetta ou Lunedì dell'Angelo) mars/avril
Jour de la Libération (Giorno della Liberazione) 25 avril – commémore la victoire des Alliés en Italie, en 1945, et la fin de la présence allemande et de Mussolini
Fête du Travail (Festa del Lavoro) 1er mai
Fête de la République (Festa della Repubblica) 2 juin
Assomption (Assunzione ou Ferragosto) 15 août
Toussaint (Ognissanti) 1er novembre
Immaculée Conception (Immaculata Concezione) 8 décembre
Noël (Natale) 25 décembre
Saint-Étienne (ou Stéphane ; Festa di Santo Stefano) 26 décembre

OFFICES DU TOURISME

Les offices du tourisme en Italie n'assurent malheureusement pas un service de qualité homogène. Les offices du tourisme se déclinent en trois versions : régionale, provinciale et locale. S'ils portent des noms différents, ils offrent peu ou prou les mêmes services, à l'exception des offices régionaux qui gèrent également les aspects promotionnels, organisationnels et budgétaires.

Offices du tourisme locaux et provinciaux

Vous les trouverez dans ce guide sous la rubrique *Office du tourisme*. L'Azienda Autonoma di Soggiorno e Turismo (AAST) est représentée dans de nombreuses villes du Sud. Elle fournit des informations propres aux différentes villes et peut renseigner les visiteurs sur les trajets de bus et les heures d'ouverture des musées. L'Azienda di Promozione Turistica (APT) est l'office provincial du tourisme. C'est aussi la principale source d'information sur la ville dans laquelle vous vous trouvez et sur la province. L'Informazione e Assistenza ai Turisti (IAT) gère les offices du tourisme locaux de nombreuses villes, surtout dans le Nord. Enfin, Pro Loco a des antennes dans les petites villes et les villages et offre les mêmes services que l'office de l'AAST. La plupart des bureaux répondent aux requêtes écrites ou téléphoniques.

Les offices du tourisme sont généralement ouverts de 8h30 à 12h30 ou 13h et de 15h à 19h du lundi au vendredi. Pendant l'été, les offices

PARIS À L'HEURE ITALIENNE

Centres culturels, librairie, écoles de langue ou cinémas, plusieurs institutions installées à Paris constituent autant de fenêtres ouvertes sur la Péninsule. De nombreux sites Internet sont consacrés à l'Italie, dont www.italie1.com. Voir aussi p. 760 pour les coordonnées de l'ambassade italienne.

- **Accattone** (☎ 01 46 33 86 86 ; 20 rue Cujas, 75005 Paris). Ce cinéma, qui tire son nom du premier film réalisé par Pier Paolo Pasolini (1962), présente un grand nombre de films italiens.

- **Association Polimnia – Scuola di lingua e cultura italiana** (☎ 06 68 10 08 80 ; www.polimnia.eu ; 4 rue de Valence, 75005 Paris). École linguistique, activités enfants, ateliers thématiques…

- **Centre culturel italien** (☎ 01 46 34 27 00 ; www.centreculturelitalien.com ; 4 rue des Prêtres-Saint-Séverin, 75005 Paris). Cours de langue, de chant ou de cuisine, conférences, séminaires, etc.

- **Institut culturel italien de Paris** (☎ 01 44 39 49 39 ; www.iicparigi.esteri.it ; 73 rue de Grenelle, 75007 Paris). Institution officielle. Manifestations culturelles variées et cours de langue.

- **L'Italie à Paris** (☎ 09 51 71 08 89 ; www.italieaparis.net ; 28 rue du Château-Landon, 75010 Paris). Sur le site de l'association : adresses, actualité, culture, petites annonces et une foule d'informations.

- **La Comédie Italienne** (☎ 01 43 21 22 22 ; www.comedie-italienne.fr ; 17 rue de la Gaîté, 75014 Paris). Seul théâtre italien en France. Pièces d'auteurs italiens, classiques et contemporains, jouées en français.

- **La Tour de Babel** (☎ 01 42 77 32 40 ; www.librairieitalienne.com ; 10 rue du Roi-de-Sicile, 75004 Paris). Librairie italienne. Livres, DVD, méthodes de langues, vente par correspondance.

- **Le Nouveau Latina** (☎ 01 42 78 47 86 ; www.lenouveaulatina.com ; 20 rue du Temple, 75004 Paris). Cinéma d'art et d'essai faisant la part belle aux films tournés en espagnol et en italien.

- **Maison de l'Italie – Cité internationale universitaire** (☎ 01 44 16 63 00 ; www.ciup.fr/les_maisons/maison_de_l_italie; 7A bd Jourdan, 75014 Paris). Lieu d'échanges, d'expositions et de concerts.

- **Societa' Dante Alighieri** (☎ 01 47 05 16 26 ; www.ladante.fr ; 12bis rue Sédillot, 75007 Paris). Spécialiste de la langue et de la culture italiennes. Cours de langue, séjours linguistiques, etc.

restent ouverts plus tard ; certains ouvrent également les samedis et dimanches.

Les kiosques d'information dans les gares ferroviaires ont plus ou moins les mêmes horaires mais certains n'ouvrent qu'en été. On vous fournira des plans de la ville, des listes d'hôtels et des renseignements sur les principaux sites.

Le français et l'anglais, bien souvent, sont parlés dans les offices du tourisme des grandes villes et des zones touristiques. Le français est courant dans le val d'Aoste et tout le long de la frontière française et suisse. Les publications sont souvent éditées en plusieurs langues.

Offices du tourisme en Italie

En règle générale, les autorités régionales du tourisme, travaillant à un niveau local et provincial, se consacrent plutôt à la gestion et à la promotion qu'à l'information du public. Les adresses des offices du tourisme locaux sont mentionnées au fil des chapitres régionaux de ce guide. Les sites Internet ci-dessous permettent de prendre contact avec les offices du tourisme locaux et provinciaux, et donnent accès à d'autres liens ayant trait au tourisme. Dans certains cas, il convient de cliquer sur le lien "Tourism" ou Turismo. Le site Internet de l'**office national italien du tourisme** (www.enit.it) donne toutes sortes de détails sur les offices du tourisme locaux et provinciaux du pays.

Abruzzes (www.abruzzoturismo.it)
Basilicate (www.aptbasilicata.it)
Calabre (www.turiscalabria.it)
Campanie (www.in-campania.com)
Émilie-Romagne (www.emiliaromagnaturismo.it)
Frioul-Vénétie Julienne (www.turismo.fvg.it)
Latium (www.turislazio.it)
Ligurie (www.turismoinliguria.it)
Lombardie (www.turismo.regione.lombardia.it)
Marches (www.le-marche.com)
Molise (www.regione.molise.it/turismo en italien)
Ombrie (www.umbria.org)
Piémont (www.regione.piemonte.it/turismo en italien)
Pouilles (www.pugliaturismo.com)
Toscane (www.turismo.toscana.it)
Trentin-Haut-Adige (www.trentino.to, www.provincia.bz.it)
Val d'Aoste (www.regione.vda.it/turismo)
Vénétie (www.veneto.to)

Offices du tourisme à l'étranger

Les agences de l'**office national italien du tourisme** (ENIT ; ☎ 06 4 97 11 ; www.enit.it ; Via Marghera 2, Rome 00185) ont pour vocation de fournir des renseignements à jour sur la Péninsule.

Belgique (☎ 02 647 11 54 ; enit-info@infonie.be ; av. Louise 176, 1050 Bruxelles)

Canada (☎ 416 925 4882 ; www.italiantourism.com ; suite 907, South Tower, 175 rue Bloor Est, Toronto, Ontario M4W 3R8). Également, Institut culturel italien de Montréal (☎ 514 849 3473 ; www.iicmontreal.esteri.it ; 1200 avenue Dr. Penfield, Montréal, Québec, H3A 1A9)

France (☎ 01 42 66 66 68, 01 42 66 03 96 ; www.enit.it, infoitalie.paris@enit.it ; 23 rue de la Paix, 75002 Paris)

Suisse (☎ 043 466 40 40 ; info@enit.ch ; Uraniastrasse 32, 8001 Zurich)

POSTE

La **poste** (☎ 803160 ; www.poste.it), les services postaux italiens, sont raisonnablement fiables. Le service *posta prioritaria* (courrier prioritaire) est le plus efficace. Pour les heures d'ouverture des bureaux de poste, voir p. 771.

Les timbres *(francobolli)* s'achètent dans les postes et les bureaux de tabac (*tabacchi*, reconnaissables à la lettre T blanche sur fond noir) agréés. Dans la mesure où il faut en général peser le courrier, les timbres internationaux que vous achetez dans les *tabacchi* ne correspondent pas toujours au tarif requis. Les bureaux de tabac respectent les horaires réguliers des magasins.

Tarifs postaux et services

Le prix d'une lettre par avion *(via aerea)* dépend de son poids, de sa taille et de sa destination. La *posta prioritaria* est plus chère que le tarif normal, mais elle garantit un courrier arrivé dans les 3 jours en Europe et en 4-8 jours vers le reste du monde. Une lettre pesant jusqu'à 20 g coûte ainsi 0,65 € pour un envoi en Europe, et 0,85 € vers l'Amérique du Nord. Une lettre pesant entre 21 et 50 g coûte 1,45 € pour un envoi en Europe et 1,50 € vers l'Amérique du Nord.

Poste restante

La poste restante s'appelle *fermo posta*. Les lettres portant cette mention sont tenues à disposition au guichet du même nom à la poste principale de la ville concernée. L'adresse doit tenir sur quatre lignes et mentionner vos nom (en majuscules) et prénom, la mention "Fermo Posta", le nom de la ville et son code postal et, enfin, "Italie".

Pour récupérer votre courrier, présentez-vous en personne au guichet, muni d'une pièce d'identité.

PROBLÈMES JURIDIQUES

Un touriste ordinaire n'aura probablement affaire à la police que s'il a la malchance d'être pris pour cible par un voleur à la tire ou un pickpocket.

Drogue

La législation italienne sur les stupéfiants a été renforcée en 2006 et la possession de toute substance illicite, y compris le cannabis ou la marijuana, peut entraîner de graves ennuis. Être en possession de 5 g de cannabis suffit pour être considéré comme un trafiquant et être poursuivi comme tel. Il en va de même pour les petites quantités de toute autre drogue. Les sanctions sont moins lourdes pour ceux qui sont pris avec une quantité moins importante.

Le taux maximal d'alcool autorisé dans le sang est de 0,05% et des contrôles sont régulièrement organisés.

Police

S'il vous arrive des ennuis en Italie, vous aurez affaire à la *polizia statale* (police d'État) ou aux *carabinieri* (gendarmes).

La *polizia* dépend du ministère de l'Intérieur et s'occupe généralement des vols, des prorogations de visas et autres autorisations. Ces policiers portent un pantalon bleu pastel doté d'une bande fuchsia et une veste bleu marine. Ils travaillent dans une *questure*.

Les *carabinieri* se chargent de l'application de la loi : démanteler les réseaux du crime organisé, maintenir l'ordre public ou faire respecter la loi sur les drogues (en parallèle avec la *polizia*). Leur uniforme est noir rayé d'une bande rouge et leurs voitures sont bleu foncé, avec une bande rouge. Ils ont leur quartier général dans les *caserme* (casernes), témoignant de leur statut militaire. Ils pourraient s'apparenter à la gendarmerie, en France.

L'Italie compte aussi des *vigili urbani*, policiers municipaux qui s'occupent de la circulation, des tickets de parking et des mises en fourrière, tandis que la *guardia di finanza* est chargée de lutter contre la fraude fiscale et le trafic de drogue. La *guardia forestale*, ou le *corpo forestale*, sont chargés de faire appliquer la loi en ce qui concerne les forêts et l'environnement.

Les numéros d'*urgence* figurent sur la deuxième de couverture de ce guide.

Vos droits

Les lois antiterroristes en vigueur en Italie ont de quoi vous compliquer la vie si vous êtes arrêté. Les officiers doivent signifier oralement et par écrit les charges pesant contre la personne arrêtée dans les 24 heures suivant son arrestation. Si vous vous trouviez dans ce cas, vous n'avez pas le droit de passer d'appel téléphonique lors de votre arrestation. Le procureur doit faire appel à un magistrat pour vous mettre en détention provisoire dans l'attente du procès (selon la gravité des faits reprochés) dans les 48 heures suivant l'arrestation. Vous avez le droit de ne pas répondre aux questions en l'absence d'un avocat.

Si le juge vous contraint à la détention provisoire, vous avez le droit de contester sa décision dans les 10 jours.

SANTÉ
Services médicaux

La carte européenne d'assurance maladie, nominative et individuelle, remplace, depuis 2005, le formulaire E111 et assure l'aide médicale d'urgence (mais non le rapatriement sanitaire) aux citoyens de l'Union européenne, ainsi que les ressortissants suisses. Vous devez en faire la demande auprès de votre caisse d'assurance maladie – ou vous connecter en ligne sur le site www.ameli.fr/assures/droits-et-demarches. Chaque membre de votre famille doit avoir sa carte, y compris vos enfants de moins de 16 ans. Comptez un délai de deux semaines pour la réception. La carte est valable un an.

Pour des traitements médicaux d'urgence dans les hôpitaux publics italiens, adressez-vous au service *pronto soccorso* de l'hôpital. Si vous souhaitez appeler une ambulance, composez le ☎ 118.

Assurances

Il est conseillé de souscrire à une police d'assurance qui vous couvrira en cas d'annulation de votre voyage, de vol, de perte de vos affaires, de maladie ou encore d'accident. Les assurances internationales pour étudiants sont en général d'un bon rapport qualité/prix. Lisez avec la plus grande attention les clauses en petits caractères : c'est là que se cachent les restrictions.

Vérifiez notamment que les "sports à risques", comme la plongée, la moto ou même la randonnée ne sont pas exclus de votre contrat, ou encore que le rapatriement médical d'urgence, en ambulance ou en avion, est couvert. De même, le fait d'acquérir un véhicule dans un autre pays ne signifie pas nécessairement que vous serez protégé par votre propre assurance.

Vous pouvez contracter une assurance qui réglera directement les hôpitaux et les médecins, vous évitant ainsi d'avancer des sommes qui ne vous seront remboursées qu'à votre retour. Dans ce cas, conservez avec vous tous les documents nécessaires.

Attention ! Avant de souscrire une police d'assurance, vérifiez bien que vous ne bénéficiez pas déjà d'une assistance par votre carte de crédit, votre mutuelle santé ou votre assurance automobile. C'est bien souvent le cas.

TÉLÉPHONE
Appels nationaux

Comme ailleurs en Europe, les Italiens ont le choix entre plusieurs opérateurs, ce qui rend difficile la tâche de faire des généralisations sur les tarifs. Un appel local *(comunicazione urbana)* depuis une cabine coûte 0,10 € chaque minute et 10 secondes. Pour un appel longue distance *(comunicazione interurbana)*, le tarif est de 0,10 € lorsque le destinataire décroche, puis 0,10 € toutes les 57 secondes. Un appel depuis un téléphone privé revient moins cher.

Les indicatifs régionaux commencent tous par 0 et comportent jusqu'à quatre chiffres, suivi du numéro de téléphone comportant lui-même de quatre à huit chiffres. Les indicatifs régionaux font partie intégrante du numéro de téléphone complet. Les numéros de portables débutent par un indicatif à trois chiffres tel que 330. Les numéros gratuits, ou *numeri verdi*, commencent généralement par 800. Les numéros sans indicatif géographique commencent par 840, 841, 848, 892, 899, 163, 166 ou 199. Les tarifs correspondants sont extrêmement variés et certains sont assez onéreux. D'autres numéros à six chiffres sont utilisés à l'échelle nationale (comme Alitalia, la société des chemins de fer ou la poste).

Appels internationaux

Depuis l'Italie, vous pouvez facilement appeler à l'étranger depuis un téléphone public à carte. Composez le ☎ 00 (indicatif international), l'indicatif du pays (☎ 33 pour la France, ☎ 32 pour la Belgique, ☎ 41 pour la Suisse et ☎ 1 pour le Canada) et le numéro du correspondant.

Un appel de 3 minutes depuis une cabine téléphonique coûte 0,90 € environ vers la plupart des pays d'Europe et l'Amérique du Nord. Appeler depuis un téléphone mobile revient plus cher. Vous pouvez également essayer de passer par un centre d'appel, bon marché ou utiliser une carte d'appel internationale, vendue dans les kiosques de presse. Pour passer un appel en PCV en Europe depuis un téléphone public, composez le ☎ 15, pour les autres pays, appelez le ☎ 170.

Pour la France et le Canada, vous avez aussi la possibilité, plus simple et souvent moins coûteuse, de joindre le service des appels en PCV de votre pays d'origine, dont voici les numéros :

Canada	☎ 172 10 01
France	☎ 172 00 33

Pour appeler l'Italie depuis l'étranger, composez l'indicatif d'accès à l'international (☎ 00 en France) suivi de l'indicatif national italien (☎ 39) puis l'indicatif régional du numéro appelé, y compris le 0 qui le précède.

Voir également le *Bon à savoir*, en deuxième de couverture de cet ouvrage.

Renseignements téléphoniques

En Italie, on peut demander des numéros dans le pays ou à l'étranger en appelant le ☎ 1254 (ou en ligne sur http://1254.alice.it). Autre numéro utile, le ☎ 89 24 12, où l'on vous répond en plusieurs langues. Ces services ont des coûts variables et parfois élevés.

Téléphones portables

L'Italie utilise le système GSM 900/1800, compatible avec le reste de l'Europe, mais pas avec le GSM 1900 américain (quoique certains téléphones GSM 1900/900 fonctionnent). Renseignez-vous auprès de votre opérateur pour connaître les conditions d'utilisation de votre portable en Italie.

La Péninsule possède l'un des plus forts taux de connexion d'Europe. Plusieurs compagnies permettent de contracter un abonnement temporaire ou d'acheter une carte prépayée si vous disposez déjà d'un téléphone cellulaire GSM, bi ou tri-bandes. Vous n'aurez besoin que de votre passeport pour ouvrir un compte. Avant de partir, vérifiez auprès de votre fournisseur que votre appareil tolère l'emploi d'une autre carte SIM. Si la réponse est positive, il peut suffire de 10 € pour activer une carte SIM locale prépayée.

Parmi les quatre opérateurs principaux, TIM (Telecom Italia Mobile) et Vodafone sont ceux qui possèdent les plus vastes réseaux de distributeurs dans le pays.

Téléphones publics et cartes téléphoniques

Partiellement privatisée, l'entreprise publique Telecom Italia gère la majorité des télécommunications en Italie. Ses cabines téléphoniques de couleur orange sont disséminées dans toutes les villes. Aujourd'hui, la plupart fonctionnent uniquement avec des cartes téléphoniques *(carte/schede telefoniche)*, mais certaines acceptent également les pièces. Dans certaines cabines, on peut utiliser des cartes de crédit.

Les cartes Telecom sont vendues dans les gares, certaines boutiques et les bureaux de Telecom Italia (où, souvent, vous pourrez faire des appels internationaux). Les autres cartes téléphoniques (à 2,5 € ou 5 € pour les plus courantes) sont en vente dans les postes, les bureaux de tabac et les kiosques à journaux. Il faut détacher le coin supérieur gauche avant de s'en servir. Ces cartes ont une date d'expiration, habituellement le 31 décembre ou le 30 juin, en fonction de la date d'achat.

D'autres sociétés, comme Infostrada et BT Italia, gèrent des téléphones publics à cartes (vendues dans les kiosques à journaux).

Les centres d'appels à prix réduits dans les principales grandes villes du pays dépendent de sociétés privées et pratiquent des tarifs plus bas que Telecom Italia pour l'international. Il suffit de téléphoner depuis une cabine du centre et de payer ensuite. Autre alternative : acheter une carte prépayée (appels internationaux) dans les kiosques et chez les buralistes ; elles sont parfois d'un bon rapport qualité/prix.

TRAVAILLER EN ITALIE

Les citoyens de l'UE peuvent exercer un emploi, mais ils doivent, comme les citoyens italiens, obtenir un *codice fiscale* (numéro d'identification fiscale). Les non-ressortissants de l'UE ne sont pas autorisés à travailler en Italie sans un permis de travail *(permesso di lavoro)*, parfois difficile à obtenir. Tous les travailleurs étrangers à l'UE, quel que soit le type d'emploi effectué, doivent être déclarés par leur employeur.

Les possibilités de travail dépendent de plusieurs facteurs (lieu de l'emploi, période de disponibilité, nationalité et qualifications) mais, dans la plupart des villes du moins, les voyageurs seront surpris par la diversité des offres. Emportez votre CV (si possible en italien) et soyez convaincant.

L'hebdomadaire romain *Porta Portese* publie des offres d'emploi. Consultez aussi *Wanted in Rome* (bimensuel) ou *Secondamano*, à Milan. Utilisez, le cas échéant, leur tribune pour placer une petite annonce.

Certains visiteurs se débrouillent pour travailler dans les bars, les auberges de jeunesse, les fermes, en faisant du baby-sitting ou du bénévolat (voir aussi *Bénévolat* p. 762). Sinon, il est toujours possible d'enseigner une langue étrangère. En dehors des écoles, vous pouvez essayer d'enseigner votre langue en mettant des petites annonces. Les tarifs varient suivant l'expérience.

Voici une liste d'organismes pour chercher du travail (souvent du travail saisonnier ou du bénévolat) :

AFSAI (Italian Association for Education, Exchanges & Intercultural Activities ; ☎ 06 537 03 32 ; www.afsai. org ; Viale dei Colli Portuensi 345, Rome). Cette ONG gère notamment des projets de bénévolat de 1 à 3 mois pour les jeunes. Connaissance de l'italien nécessaire.

Au Pair International (☎ 051 636 01 45 ; www. au-pair-international.com ; Via Sante Vincenzi 46, 40138 Bologne). Organise des séjours au pair dans des familles italiennes pour des jeunes femmes âgées de 18 à 30 ans. Placements l'été (1 à 3 mois) et à long terme (6 à 12 mois).

Portail européen de la jeunesse (http://europa.eu/ youth/). Liens divers proposant des emplois et des activités dans toute l'Europe. Pour l'Italie : travail au pair, travail saisonnier et bénévolat.

Recruitaly (www.recruitaly.it). Les bacheliers recherchant un emploi à long terme en Italie trouveront sur ce site des liens vers des employeurs professionnels.

Wwoof (WorldWide Opportunities on Organic Farms ; ☎ 056 576 5001 ; www.wwoof.it ; 109 Via Casavecchia, Castagneto Carducci, 57022 LI). Liste les fermes italiennes bio recrutant des volontaires. Cotisation 25 €.

VOYAGER EN SOLO

Voyager seul(e) en Italie ne présente pas d'inconvénient, sinon celui de payer une chambre d'hôtel ou de *pensione* simple près des deux tiers du prix d'une double.

Femmes seules

L'Italie n'est pas un pays dangereux pour les femmes. Toutefois, les voyageuses seules devront prendre certaines précautions et, dans certaines régions du pays, s'attendre à susciter une attention non désirée. Si un homme vous fait des avances ou se montre insistant, dites-lui poliment que vous attendez votre *marito* (époux) ou votre *fidanzato* (petit ami) et, si nécessaire, quittez les lieux.

Gare aux mains baladeuses dans les bus. Gardez le dos contre un mur ou protestez bruyamment si vous sentez une main entreprenante. Un "*Che schifo*" (C'est dégoûtant !) prononcé fort suffit généralement. En cas d'incident plus grave, il ne faut pas hésiter à faire une déposition auprès de la police.

Enfin, ne vous exposez pas à des risques inutiles et faites preuve de bon sens : évitez de marcher seule dans une rue sombre et préférez les hôtels situés dans le centre (les quartiers dangereux ont été indiqués dans ce guide). Évitez évidemment de faire de l'auto-stop. Également, ne portez pas de tenues trop dénudées dans le Sud, dans les villages ou les petites villes de province, souvent très conservateurs.

Transports

DEPUIS/VERS L'ITALIE

Depuis la France, la Belgique et la Suisse, vous pouvez facilement rejoindre l'Italie en voiture, en bus ou en train. Si vous choisissez l'avion, la concurrence entre les différentes compagnies aériennes devrait vous permettre de voyager à un prix raisonnable.

ENTRER EN ITALIE

Pour les citoyens de l'UE et de la Suisse, une carte d'identité nationale suffit. Les ressortissants des autres pays doivent présenter un passeport en cours de validité (voir p. 766 la rubrique *Formalités et visa*).

La loi italienne oblige à avoir sur soi son passeport ou sa carte d'identité en permanence. Même si les contrôles ne sont pas fréquents, évitez de vous mettre dans une situation embarrassante. Ces documents sont indispensables pour remplir les documents de police lors de l'enregistrement dans un hôtel.

En théorie, il n'y a pas de vérification des passeports aux frontières des pays limitrophes, tous signataires des accords de Schengen. En réalité, des contrôles aléatoires ont lieu à la frontière italo-suisse.

Ces dernières années, les aéroports ont renforcé les mesures de sécurité. Vérifiez quelles sont les restrictions relatives aux bagages à main au moment de votre voyage, car elles sont sujettes à changement.

VOIE AÉRIENNE

La haute saison comprend généralement la période de juin à septembre, Noël et Pâques, mais dépend en partie de votre destination. La saison intermédiaire se situe souvent de mi-septembre à fin octobre, pour reprendre en avril. La basse saison s'étend généralement de novembre à mars.

Aéroports

Le plus grand aéroport international est l'**aéroport Leonardo da Vinci** (Fiumicino ; ☎ 06 6 59 51 ; www.adr.it) de Rome, mais plusieurs vols low cost atterrissent à l'**aéroport Ciampino** (☎ 06 6 59 51 ; www.adr.it) ; voir p. 176 pour des détails. Des vols réguliers intercontinentaux desservent aussi l'**aéroport Malpensa** (☎ 02 7485 2200 ; www.sea-aeroportimilano.it) de Milan, à 50 km de la ville.

Voici une liste de compagnies aériennes qui desservent l'Italie et leurs coordonnées téléphoniques dans ce pays :

Air Canada (☎ 06 6501 1462 ; www.aircanada.com)
Air Dolomiti (☎ 045 288 61 40 ; www.airdolomiti.it)
Air France (☎ 848 884466 ; www.airfrance.com)
Air Transat (☎ 800 873233 ; www.airtransat.it)
Alitalia (☎ 06 22 22 ; www.alitalia.com)
Brussels Airlines (☎ 899 800903 ; www.flysn.com)
EasyJet (☎ 899 676789 ; www.easyjet.com)
Lufthansa (☎ 199 400044 ; www.lufthansa.com)
Meridiana (☎ 892928 ; www.meridiana.it)
Ryanair (☎ 899 678910 ; www.ryanair.com)
Swiss (☎ 848 868120 ; www.swiss.com)
Vueling (☎ 199 308830 ; www.vueling.com)
Windjet (☎ 892020 ; w2.volawindjet.it)

AVERTISSEMENT

Les informations contenues dans ce chapitre sont particulièrement susceptibles de changements. Vérifiez directement auprès de la compagnie aérienne ou de l'agence de voyages les modalités d'utilisation de votre billet d'avion. N'hésitez pas à comparer les prestations. Les détails fournis ici doivent être considérés à titre indicatif et ne remplacent en rien une recherche personnelle attentive.

VOLS À PRIX CONCURRENTIELS

Au départ des aéroports de Paris et d'autres villes françaises, de Bruxelles ou de Genève, les compagnies aériennes low cost permettent de voyager à bas prix vers l'Italie.

- **Blu-Express** (☎ (39) 069 8956677 en Italie ; www.blu-express.com). Vols Nice-Rome.

- **EasyJet** (☎ 0826 103 320 ; 0,15 €/min ; www.easyjet.com). Vols au départ de Paris vers Rome, Milan, Naples, Venise et Pise. Également, vols entre Bordeaux et Milan, Nice et Rome, et entre Lyon et Pise, Rome et Venise. À partir de la Belgique, vols Bruxelles-Milan. Depuis la Suisse, vols entre Genève et Brindisi, Naples et Rome.

- **Flybaboo** (☎ 022 717 85 30, 848 445 445 ; www.flybaboo.com). Vols à prix concurrentiels reliant Genève à Florence, Milan, Naples, Rome et Venise.

- **Fly on Air** (☎ (39) 085 4322238 en Italie ; www.flyonair.com). Vols au départ de Paris et de Bruxelles à destination de Pescara.

- **Ryanair** (☎ 0892 780 210 ; 1,35 €/appel puis 0,34 €/min ; www.ryanair.com). Depuis Paris-Beauvais, vols à destination de Bari, Bologne, Milan, Pise, Rome et Venise. Aussi, vols Bordeaux-Bologne et Nantes-Milan. Au départ de Bruxelles, vols vers Milan, Pise, Rome, Turin et Trieste.

- **Twin Jet** (☎ 0892 707 737, 0,34 €/min ; www.twinjet.fr). Vols à bas prix Marseille-Milan.

- **Vueling** (☎ 0899 232 400 ; 1,35 €/appel puis 0,34 €/min ; www.vueling.com). Vols Paris-Rome à tarifs concurrentiels. Également, vols entre Bruxelles et Rome, Milan, Pise et Venise.

Attention, certaines compagnies facturent un supplément pour la mise en soute des bagages.

TRANSPORTS

Depuis/vers la France

Au départ de la France vers la plupart des grandes métropoles italiennes, comme Rome, Venise ou Naples, il est facile de trouver des billets à moins de 200 € en vol régulier, quelle que soit la saison. Les compagnies à bas coût proposent des billets entre 50 et 100 € et desservent non seulement les grandes villes mais également des villes moyennes comme Pise, Bologne, Gênes ou Brindisi. Comptez un peu plus de 2 heures de vol entre Paris et Rome et 2 heures 30 entre Paris et Naples.

Plusieurs compagnies aériennes font concurrence au transporteur national, Alitalia. Parmi les plus compétitives, mentionnons : Air France, EasyJet, Lufthansa, Ryanair et Vueling.

Les étudiants et les jeunes de moins de 26 ans peuvent bénéficier de tarifs particulièrement intéressants. Vous trouverez de plus en plus d'agences en ligne qui assurent des tarifs très compétitifs (voir l'encadré p. 780).

Pour une liste de tour-opérateurs proposant des séjours, parfois des vols secs, reportez-vous à la rubrique *Voyages organisés*, p. 784.

En France, les transporteurs suivants sont susceptibles d'obtenir des vols secs intéressants vers l'Italie :

Air France (☎ 3654, 0,34 €/min ; www.airfrance.fr). Agences à Paris et en régions. Nombreux vols à destination de l'Italie, parfois en partage de code avec Alitalia.

Alitalia (☎ 0820 315 315, 0,12 €/min ou 01 44 94 44 20 ; www.alitalia.com ; 31 rue de Mogador, 75009 Paris). Plusieurs vols chaque jour au départ de Paris (aéroport CDG) vers les principales villes italiennes.

EasyJet (☎ 0826 103 320, 0,15 €/min ; www.easyjet. com). Voir l'encadré ci-dessus.

Lufthansa (☎ 0892 231 690, 0,34 €/min ; www. lufthansa.com). Desserte de nombreuses villes italiennes (au départ de Bruxelles, via Paris).

Ryanair (☎ 0892 780 210, 1,35 € par appel puis 0,34 €/ min ; www.ryanair.com/fr). Voir l'encadré ci-dessus.

Vueling (☎ 0899 232 400, 1,35 € par appel puis 0,34 €/ min ; www.vueling.fr). Voir l'encadré ci-dessus.

Depuis/vers la Belgique

Brussels Airlines propose des vols directs au départ de Bruxelles vers Rome, Milan, Florence, Naples, Bologne, Turin et Venise. Toutefois, de nombreuses compagnies (Lufthansa, Alitalia et Air France, notamment, en partage de code avec Brussels Airlines) proposent des vols, souvent avec escale. Les tarifs les plus intéressants se situent autour de 100 €, en fonction des dates de départ et de la destination. La durée de

AGENCES EN LIGNE

Vous pouvez réserver votre billet auprès d'une agence en ligne ou vous renseigner auprès d'un comparateur de vols :

- http://voyages.kelkoo.fr
- www.anyway.com
- www.fr.lastminute.com
- www.nouvelles-frontieres.fr
- www.opodo.fr

vol entre Bruxelles et Rome est d'un peu plus de 2 heures.

Voici une liste d'agences et de transporteurs recommandés :

Brussels Airlines (☎ 0 902 51 600, 0,75 €/min, ou 078 18 88 89 ; www.flysn.com). Plusieurs agences dans toute la Belgique. Nombreux vols à destination de l'Italie.

Alitalia (☎ 02/551 11 22 ; www.alitalia.com ; 2-4 rue Capitaine Crespel, 1050 Bruxelles). Nombreux vols chaque jour au départ de Bruxelles (aéroport National) vers les principales villes italiennes.

Airstop (☎ 070/23 31 88 ; www.airstop.be ; 28 rue du Fossé-aux-Loups, Bruxelles 1000). Agent de voyages à tarif réduit (agences à Anvers, Bruges, Gand et Louvain).

Connections (☎ 070/23 33 13 ; www.connections.be). Nombreuses agences dans toute la Belgique.

EasyJet (www.easyjet.com). Voir l'encadré p. 779.

GigaTour - Éole (☎ 02/227 57 80 ; www.voyageseole.be ; chaussée de Haecht 39-41, 1210 Bruxelles). Groupe d'agents de voyages indépendants proposant des vols bon marché.

Lufthansa (☎ 070/35 30 30 ; www.lufthansa.com). Desserte de nombreuses villes italiennes depuis Bruxelles.

Ryanair (☎ 0902 33 660, 1 €/min ; www.ryanair.com/fr-be). Voir aussi l'encadré p. 779.

Vueling (☎ 0902 33 429, 0,75 €/min ; www.vueling.fr). Voir aussi l'encadré p. 779.

Depuis/vers la Suisse

Alitalia et la compagnie suisse Flybaboo proposent des vols directs entre Genève et Rome (environ 1 heure 30) et plusieurs villes italiennes. Depuis Zurich, Berne ou Genève, d'autres compagnies (Swiss, Lufthansa ou Air France) desservent l'Italie, avec escale. Vous trouverez des billets Genève-Rome à partir de 175/220 FS basse/haute saison. Easyjet permet de voyager à bas prix entre Genève et trois villes italiennes.

Voici quelques adresses utiles :

Swiss International Air Lines (☎ 848 700 700 ; www.swiss.com ; Swiss International Air Lines Ltd, BP CH-4002 Bâle). Bureaux à Genève, Zurich et Lugano.

Air France (☎ 0 848 747 100, 0,11 FS/min ; www.airfrance.com)

EasyJet (☎ 0900 000 258, 0,36 FS/min ; www.easyjet.com). Voir aussi l'encadré p. 779.

Flybaboo (☎ 22 717 85 30 ou 0 848 445 445 ; www.flybaboo.com). Voir aussi l'encadré p. 779.

Lufthansa (☎ 0 900 900 933 ; www.lufthansa.com)

STA Travel (☎ 0 900 450 402, 0,69 FS/min ; www.statravel.ch). Plusieurs agences en Suisse, notamment à Lausanne et à Genève.

Depuis/vers le Canada

Alitalia assure des vols directs Toronto-Rome (environ 8 heures 30). Air Canada et Alitalia rallient chaque jour Montréal à la plupart des grandes villes italiennes, avec escale. Air Transat relie Montréal et Rome sans escale, en été. Des compagnies aériennes américaines, telles Delta, Continental et US Airways, proposent des vols entre le Canada et l'Italie, avec correspondance dans une ville américaine. Comptez entre 700 et 1 400 $C selon la saison et le transporteur, pour un vol Montréal-Rome.

Vous pouvez commencer vos recherches en contactant les transporteurs et les agences qui suivent :

Air Canada (☎ 1 888 247 2262 ; www.aircanada.ca)

Air Transat (☎ 1 877 872 6728 ou 514 636 3630 ; www.airtransat.ca)

Alitalia (☎ 1 800 268 8556 ; www.alitalia.com)

Expedia.ca (☎ 1 888 397 3342 ; www.expedia.ca). Le service de voyages en ligne le plus fréquenté au Canada.

Travelocity.ca (☎ 1 800 457 8010 ; http://vacations.travelocity.ca). Un important site de voyages sur Internet.

Voyages Campus (☎ 1 866 832 7564 ; www.voyagescampus.com/fr ; ☎ 514 843 8511 ; 1613 rue Saint-Denis, Montréal, Québec, H2X 3K3). Agence de voyages canadienne pour les étudiants. Bureaux dans tout le pays.

VOIE TERRESTRE

Ce n'est pas le choix qui manque, pour gagner l'Italie en train, en bus ou en voiture. Le bus est certes la solution la moins onéreuse, mais les liaisons sont moins fréquentes et moins confortables qu'en train.

Passage de frontières

Depuis la France, les principaux point d'accès à la frontière italienne sont l'autoroute A8 à partir de Nice, qui prend le nom d'autoroute A10 sur la côte ligure, et la route du tunnel du Mont-Blanc près de Chamonix, qui rejoint l'A5 à destination de Turin et Milan. Depuis la Suisse, le tunnel du Grand-Saint-Bernard rejoint lui aussi l'A5 alors que

TRANSPORTS

L'IMPACT ÉCOLOGIQUE DE VOTRE VOYAGE

Le changement climatique menace gravement les écosystèmes dont dépendent l'homme, et la responsabilité en incombe de plus en plus aux avions – et donc aux voyageurs. Pour Lonely Planet, le voyage ne doit pas se faire aux dépens de la planète ; il nous revient à tous de limiter notre part dans le réchauffement climatique.

Avion et changement climatique

Tous les types de voyages motorisés dégagent du CO_2 (première cause de changement climatique provoqué par l'homme), mais les avions sont de très loin les pires producteurs ; ils couvrent non seulement des distances considérables, mais ils dégagent des gaz à effet de serre en haute altitude dans l'atmosphère. Les chiffres sont affolants : deux personnes à bord d'un vol aller-retour entre l'Europe et les États-Unis contribuent autant au changement climatique que la consommation annuelle d'un foyer moyen en gaz et en électricité.

Programmes de compensation du CO_2

Climatecare.org et d'autres sites Internet fournissent aux voyageurs des "calculateurs de CO_2" permettant de calculer la part de gaz à effet de serre qu'ils contribuent à produire, et de la compenser en soutenant des initiatives écologiques dans les pays en développement, comme en Inde, au Honduras, au Kazakhstan et en Ouganda.

Lonely Planet soutient le programme de compensation créé par climatecare.org. Lonely Planet compense ainsi tous les voyages de son personnel et de ses auteurs.

Pour plus de renseignements, consultez le site www.lonelyplanet.fr.

---

le tunnel du Simplon rejoint la SS33, qui conduit au lac Majeur. À partir de l'Autriche, le col du Brenner rejoint l'A22 vers Bologne. En Suisse, le tunnel du Saint-Gothard (à noter : un tunnel ferroviaire, parallèle au Saint-Gothard, devrait ouvrir en 2015) traverse les Alpes suisses pour rejoindre le canton du Tessin, d'où la N2 rejoint l'Italie via Lugano. Ces tunnels sont ouverts toute l'année. D'autres cols sont fréquemment fermés en hiver, parfois même en automne et au printemps. N'oubliez pas vos chaînes si vous voyagez en hiver.

Deux lignes ferroviaires régulières relient la France à l'Italie : l'une longe la côte ligure, l'autre traverse les Alpes françaises pour rejoindre Turin. Des trains au départ de Milan se dirigent vers la Suisse, avant de rejoindre la France et les Pays-Bas. Deux grandes lignes desservent les principales villes autrichiennes avant de gagner l'Allemagne, la France ou l'Europe de l'Est. Les trains qui empruntent le col du Brenner font route vers Innsbruck, Stuttgart et Munich. Ceux qui passent par Tarvisio, à l'est, rejoignent Vienne, Salzbourg et Prague. Les principales lignes de chemin de fer internationales pour la Slovénie passent la frontière près de Trieste.

Bus

Eurolines (☎ 0 892 899 091, 0,34 €/min ; www.eurolines.fr, www.eurolines.com ; gare internationale de Paris-Gallieni, BP 313, 93170 Bagnolet Cedex) assure plusieurs liaisons hebdomadaires entre Paris et plusieurs villes italiennes, dont Milan, Rome (environ 22 heures), Florence, Sienne ou Venise. En France, les départs ont lieu à partir de nombreuses villes de province. Les bus d'Eurolines sont équipés de toilettes à bord. Téléphonez ou consultez les sites Internet pour prendre connaissance des adresses des nombreux bureaux régionaux, des tarifs, du réseau Eurolines et des réservations. Lire également l'encadré ci-dessous.

FORFAITS DE BUS

Eurolines (www.eurolines.com) propose un Pass basse saison valable 15/30 jours à partir de 175/240 € (pour les moins de 26 ans et les seniors de plus de 60 ans ; les tarifs pour adultes sont plus élevés). Il permet de voyager à volonté entre 41 villes européennes, incluant Paris et les villes italiennes de Milan, Venise, Florence et Rome. Les prix grimpent à 290/375 € de juin à septembre et pendant les fêtes de fin d'année.

En Suisse, l'agence **Alsa et Eggmann** (www.alsa-eggmann.ch) propose les mêmes services qu'Eurolines.

Voiture et moto

Gardez toujours sur vous les papiers de votre véhicule. L'assurance au tiers est obligatoire en Italie et dans toute l'Europe. Demandez à votre assureur un formulaire de déclaration d'accident européen, qui vous simplifiera la tâche en cas d'accident. Vous pouvez aussi choisir un service d'assistance qui interviendra en cas de panne. En Italie, renseignez-vous auprès de l'**Automobile Club d'Italia** (ACI ; ☎ 803 116 ; 02 661 65 116 renseignements 24h/24 ; www.aci.it). L'**Automobile Club** (Association française des automobilistes ; ☎ 0821 74 11 11 ou 01 40 55 43 00 ; www.automobile-club.org ; 14 av. de la Grande-Armée, 75017 Paris)

pourra également vous donner des conseils (vous pouvez adhérer en ligne).

Tous les véhicules passant une frontière internationale doivent porter une plaque d'immatriculation identifiant leur pays d'origine.

En voiture, le trajet le plus rapide entre Paris et Rome (1 420 km) prendra environ 13 heures, en passant par la Suisse ; le trajet Nice-Rome (700 km), environ 6 heures 30. Si vous prenez votre voiture de Bruxelles à Rome, vous parcourrez 1 485 km en 13 heures 30.

Il est possible d'effectuer une location de voiture avant de partir, mais on trouve parfois de meilleures offres en contactant directement une agence sur place (voir les chapitres régionaux pour les coordonnées). Quelle que soit l'agence que vous choisirez, assurez-vous de ce

---

FORFAITS FERROVIAIRES

Les **forfaits InterRail** sont accessibles à tous les citoyens de l'UE et aux personnes résidant en Europe depuis plus de six mois. On peut se les procurer dans la plupart des grandes gares en France et à l'étranger et dans les agences de voyages pour étudiants.

Les **forfaits Eurail** s'adressent aux ressortissants de pays non européens vivant en Europe depuis moins de six mois ; on se les procure théoriquement en dehors de l'Europe. On peut les acheter dans les grandes agences de voyages ou en ligne, sur www.eurail.com.

Forfaits InterRail

Le **pass InterRail** (www.interrail.net, www.interrailnet.com), réservé aux Européens, comprend un forfait international (Global pass) couvrant 30 pays. Il existe en 4 versions, de la formule "5 jours de voyage en 10 jours", au forfait 1 mois. Chacune se décline en 3 tarifs : adulte 1re classe, adulte 2e classe et jeune 2e classe. Pour le forfait 1 mois, les tarifs correspondants sont de 809/599/399 €. En version un seul pays, le forfait InterRail pour l'Italie est valable 3/4/6/8 jours sur une période de 1 mois. Ainsi, les tarifs pour 8 jours sont de 309/229/149/154,50/114,50 € pour un adulte 1re classe/adulte 2e classe/jeune 2e classe/enfant 1re classe/enfant 2e classe. Les forfaits enfant s'adressent aux 4-11 ans, les forfaits jeune aux 12-25 ans et les forfaits adulte aux plus de 26 ans. Les enfants de 3 ans et moins voyagent gratuitement. Les détenteurs de ces forfaits obtiennent des réductions sur les voyages dans le pays où ils achètent leur billet.

Forfaits Eurail

Les forfaits **Eurail Pass**, destinés aux personnes résidant en Europe depuis moins de six mois, permettent de voyager dans 20 pays européens et ne sont pas très intéressants si vous devez vous limiter à l'Italie. Les plus de 26 ans doivent prendre un forfait international (Global pass) 1re classe et les moins de 26 ans un forfait international 2e classe. Ces forfaits sont valables 15 ou 21 jours, ou encore 1, 2 ou 3 mois. Le forfait 1re classe adulte coûte 511/662/822/1 161/1 432 €. Le forfait jeune 2e classe s'élève à 332/429/535/755/933 €. Les 4-11 ans paient le forfait 1re classe moitié prix.

Les forfaits **Eurail Select** permettent de voyager à volonté pendant 5 ou 15 jours dans une période de 2 mois et dans 3 à 5 pays limitrophes (à choisir parmi 23 destinations, dont l'Italie et la France). Quant aux forfaits **Eurail nationaux et internationaux**, ils proposent un forfait Italie et des forfaits combinant 2 pays (par exemple France-Italie, Espagne-Italie ou Grèce-Italie). Ces derniers permettent de voyager en train durant 3 à 10 jours sur une période de 2 mois. Comme tous les forfaits Eurail, ils ne sont intéressants que si vous voyagez beaucoup. Pour comparer, faites-vous une idée des prix hors forfaits sur le site de **Trenitalia** (www.trenitalia.com).

qui est inclus dans le prix et quelles sont vos responsabilités en cas d'accident. Le moyen le plus simple de régler la location étant la carte de crédit, vérifiez si vous bénéficiez déjà d'une assurance auto complémentaire avec votre carte bancaire. Beaucoup d'agences demandent que le plein soit fait avant la restitution du véhicule (et appliquent une pénalité si ce n'est pas le cas). Pour les jeunes conducteurs, il est conseillé d'aviser le loueur sur ce point, car certains refusent de louer des véhicules à des conducteurs de moins de 25 ans.

L'Italie est le pays rêvé pour les motards qui sont nombreux à sillonner ses routes panoramiques en été. Une moto vous permettra d'embarquer sur les ferries sans réserver et de vous faufiler dans les embouteillages. Le port du casque est obligatoire.

Train

À l'ère de l'avion low cost, le train semble un peu démodé. Cependant, sur certaines distances, le rail reste très compétitif. Si vous venez en Italie du Nord depuis la France, vous vous apercevrez que le train est souvent à peine plus onéreux et/ou plus long que l'avion. Le train a aussi ses avantages : il vous évite les complications à l'aéroport, il est généralement à l'heure et vous amène au cœur de la ville de destination. En outre, il offre plus d'espace que l'avion et comporte de quoi se restaurer. Il est aussi plus écolo. À trajet égal, le train génère 10 fois moins de dioxyde par voyageur que l'avion.

Au départ de la France, la plupart des liaisons ferroviaires vers l'Italie du Nord passent soit par Milan, Turin ou Rome et continuent vers Naples ou Florence, Rimini ou encore Venise et Trieste. Il est recommandé, et parfois obligatoire, de réserver vos places.

La SNCF n'assure plus le transport de véhicules vers l'Italie. Si vous désirez utiliser le service auto/train en France, le plus simple reste la desserte SNCF jusqu'à Nice. En partant de Nice, 45 km vous séparent de la frontière italienne.

Si vous voyagez de nuit, réservez une couchette. Au moment de nos recherches, la SNCF (avec sa filiale Artesia) ralliait Paris et Rome 3 fois par jour, dont une liaison le matin, à 7h42 au départ de la gare de Lyon, avec arrivée à la Stazione Tiburtina à 19h27 (correspondance à Milan), et le soir, à 18h52 depuis la gare de Paris Bercy en voitures-lits ou couchettes, avec arrivée le lendemain à 10h12 à la Stazione Termini de Rome. Comptez environ 95-160 €

l'aller simple en 2ᵉ classe. Également, au moins un train quotidien relie Paris à Milan (minimum 7 heures 08), Venise (9 heures 46), Florence (9 heures 18) ou Naples (12 heures 28).

De nombreux horaires et tarifs sont indiqués sur le site de la compagnie italienne **Trenitalia** (www.trenitalia.com). Renseignez-vous aussi auprès de la société de chemin de fer de votre pays de départ :

SNCF (France ; ☎ 0892 35 35 35, 0,34 €/min ; www.sncf.fr)
SNCB (Belgique ; ☎ 070 79 79 79, 0,30 €/min ; www.b-rail.be)
SBB CFF FFS (Suisse ; ☎ 0900 300 300, 1,19 FS/min ; www.sbb.ch/fr/)

VOIE MARITIME

Plusieurs compagnies de ferries permettent à l'Italie d'être reliée à la plupart des pays du Bassin méditerranéen. Depuis la Corse, des bateaux desservent des ports du littoral italien :

Corsica Ferries (www.corsica-ferries.fr). Liaisons par car-ferries entre la Corse (Bastia, L'Île-Rousse et Calvi) et les villes italiennes de Savone, Livourne et Piombino.

Si vous souhaitez poursuivre votre voyage, le moteur de recherche **TraghettiOnline** (☎ 010 58 20 80 ; www.traghettionline.com) vous sera utile : il recense toutes les compagnies qui opèrent en Méditerranée et permet d'effectuer une réservation en ligne. Tarifs plus élevés l'été. Le prix pour un véhicule dépend de sa taille.

Voici d'autres compagnies et leurs destinations :

Agoudimos Lines (☎ 0831 52 14 08 ; www.agoudimos.it ; Via Giannelli 23, Brindisi). Traversées Brindisi-Vlorë (Valona, Albanie), Brindisi-Corfou-Igouménitsa-Paxos (Grèce), Bari-Durrës (Albanie) et Bari-Céphalonie-Igouménitsa-Patras (Grèce).

Blue Star Ferries (☎ 080 52 11 416 ; www.bluestarferries.com). De Bari et d'Ancône à Patras et à Igouménitsa (Grèce).

Greek Ferries (☎ 0831 52 85 31 ; www.ferries.gr ; Corso Garibaldi 8, Brindisi). De Brindisi vers la Grèce : Corfou, Igouménitsa, Patras et Céphalonie – d'où l'on peut prendre un ferry pour Zante (Schinari).

Grandi Navi Veloci (☎ 010 209 45 91 ; www1.gnv.it). De Gênes à Tanger, via Barcelone et Tunis.

Grimaldi Lines (☎ 081 49 64 44 ; www.grimaldi-ferries.com). Sillonne la Méditerranée entre Civitavecchia, Livourne, Salerne et Palerme vers Tunis, Porto Vecchio (Corse), Toulon et Barcelone.

Jadrolinija (☎ en Croatie 51 666 111 ; www.jadrolinija.hr). Relie Ancône à divers ports de la côte croate, dont Split et Zadar. Également, navettes entre Bari et Dubrovnik.

Marmara Lines (☎ 071 207 61 65 ; www.marmara
lines.com). D'Ancône à Cesme (Turquie).
Minoan Lines (☎ en Grèce 2810 399800 ; www.
minoan.gr). De Venise et Ancône vers la Grèce :
Igouménitsa, Corfou et Patras.
Montenegro Lines (☎ 080 578 98 11 ; www.morfimare.
it). Réservations via l'agence de voyages Morfimare (voir
p. 712) ; de Bari et Ancône à Bar (Monténégro).
Skenderbeg Lines (☎ 0831 52 54 48 ; www.
skenderbeglines.com ; Corso Garibaldi 88, Brindisi).
De Brindisi à Vlore (Albanie).
SNAV (☎ 071 207 61 16 ; www.snav.it). De Brindisi à
Corfou et Paxos (Grèce), d'Ancône à Split (Croatie) et de
Pescara à Huar (Croatie).
Superfast Ferries (☎ 080 528 28 28 ; www.superfast.
com). D'Ancône et Bari à Igouménitsa et Patras (Grèce).
De Bari à Corfou. (Grèce).
Tirrenia Navigazione (☎ 892123 ; www.tirrenia.it).
De Bari à Durrës (Albanie) et de Gênes à Tunis.
Ventouris Ferries (☎ 080 521 76 99/521 27 56 en
Grèce/Albanie ; www.ventouris.gr). De Bari à Igouménitsa,
Corfou (Grèce) et Durrës (Albanie).
Virtu Ferries (☎ 095 53 57 11 ; www.virtuferries.com).
Traversées Catane-Malte et Pozzallo-Malte.

VOYAGES ORGANISÉS

L'Italie est une destination privilégiée pour les
voyages organisés à vocation culturelle, mais
aussi sport et nature. Et même s'il est facile
d'organiser soi-même son voyage, le recours à
un voyagiste vous facilitera la vie, notamment
si vous décidez d'axer vos vacances autour
d'un thème particulier, comme la randonnée
ou la découverte d'un aspect de la culture
italienne. Ainsi, un week-end de 3 jours à
Venise coûtera environ 300 €, un circuit guidé
d'une semaine dans les villes d'art italiennes
1 300 €, ou 7 jours de randonnée dans les
Dolomites à partir de 900 €. Pour d'autres
agences et transporteurs vendant des vols
secs, voir p. 779.

VOYAGES ET SÉJOURS CULTURELS
Clio (☎ 0 826 10 10 82, 0,15 €/min ; www.clio.fr ; 27 rue
du Hameau, 75015 Paris). Circuits culturels de 4 à 14 jours
dévoilant mille aspects de la civilisation italienne. Au
menu, parmi de nombreuses formules : L'Italie byzantine,
La civilisation étrusque, La côte amalfitaine en musique,
Volcans d'Italie, Noël à Ravenne, etc. Les groupes sont
accompagnés par un conférencier. Aussi, voyages à la carte.
Comptoir d'Italie (☎ 0892 239 339, 0,34 €/min,
www.comptoir.fr ; 2-18 rue Saint-Victor, 75005 Paris).
Plusieurs itinéraires à la fois thématiques (bien-être,

culture…) et régionaux, des week-ends à Rome, Naples
ou Turin, ainsi que des autotours et des locations de villas.
Donatello (☎ 0826 10 2005 ou 0826 102 102, 0,15 €/
min ; www.donatello.fr ; 140 rue du Faubourg-Saint-
Honoré, 75008 Paris). Agences à Lyon, Marseille et
Nantes. Ce spécialiste du voyage en Italie propose en
particulier des week-ends de charme ou coup de cœur
(nombreuses villes italiennes du Nord et du Sud), des
séjours (Abruzzes, lac Majeur, Riviera ligure, etc.) ou
encore un grand tour d'Italie (autocar ; 8 jours).
Nouvelles Frontières (☎ 0 825 000 825 ou 0 825 000
747, 0,15 €/min ; www.nouvelles-frontieres.fr ; 74 rue
de Lagny, 93107 Montreuil Cedex). Quatre circuits de 7 à
11 jours en Italie : Beautés du Sud, Villes d'art italiennes,
Les Pouilles et Italie éternelle.
Voyageurs du Monde (☎ 0 892 235 656, 0,34 €/min ;
www.vdm.com ; 55 rue Sainte-Anne, 75002 Paris ;
(☎ 0 892 231 261 ; 5 quai Jules-Courmont, 69002 Lyon).
Il existe 13 autres agences VdM en France. Plusieurs week-
ends et séjours dans toute l'Italie (Toscane, Région des lacs,
Basilicate, etc.), dont des voyages à pied et itinérants.

RANDONNÉE ET AUTRES ACTIVITÉS SPORTIVES
Allibert (☎ 0 825 090 190, 0,15 €/min ; www.allibert-
trekking.com ; ☎ 01 44 59 35 35, 37 bd Beaumarchais,
75003 Paris). Agences à Chamonix, Chapareillan, sur la Côte
d'Azur et à Toulouse ; également en Belgique (☎ 02 526
92 90) et en Suisse (☎ 022 849 85 51). Plusieurs circuits (6
à 8 jours) avec marche, randonnée ou trekking (Île d'Elbe,
Cinque Terre, Lagune de Venise, Chemins de Toscane, etc).
Akaoka (☎ 0 825 000 840, 04 99 53 08 57 ; www.
akaoka.com ; hameau de la Combe, 30440 Saint-Laurent-
le-Minier). Randonnées guidées, voyages liberté ou en
famille en Toscane, le long du Pô, en Calabre, sur la côte
amalfitaine, ou multiactivités dans les Alpes du Sud.
Atalante (www.atalante.fr) Paris (☎ 01 55 42 81 00 ;
41 bd des Capucines, 75002 Paris) ; Lyon (☎ 04 72 53 24
80 ; 36 quai Arloing, 69009 Lyon) ; Bruxelles (☎ 02 627
07 97 ; rue César-Franck, 44 B-1050 Bruxelles). Circuits de
marche, trek, certains avec les enfants, dans l'Italie du Sud.
Chamina Sylva (☎ 04 66 69 00 44 ; www.chamina-
sylva.com ; Naussac, BP 5 F, 48300 Langogne). Diverses
randonnées pédestres dans 9 régions italiennes : circuits
accompagnés, voyages en liberté ou en famille.
Chemins du Sud (☎ 04 90 09 06 06 ; www.
cheminsdusud.com ; 52 rue des Pénitents, BP155, 84120
Pertuis Cedex). Séjours et voyages à pied accompagnés
dans la plupart des régions de la Péninsule en toute saison.
Club Aventure (☎ 0 826 882 080, 0,15 €/min ; www.
clubaventure.fr ;18 rue Séguier, 75006 Paris). Aussi,
agences à Lyon et à Genève. Voyages découverte et
randonnée. Quelques propositions originales : Venise
et la lagune du Nord en kayak, et des balades en famille :
La légende d'Hercule et Au pays de Pinocchio.

Grand Angle (☎ 04 76 95 23 00 ; www.grandangle.fr ; Zone Artisanale, 38112 Méaudre). Des randos guidées ou en liberté dans toute l'Italie (marche, ski, raquette) : Les îles de Venise, L'Ombrie, Traversée des Alpes, etc.).

La Burle (☎ 04 75 37 07 83 ; www.laburle.com ; Espace Gerbier, 07510 Sainte-Eulalie). Trois circuits avec marche ou rando en Italie, dont les grands lacs et les Cinque Terre, et 2 séjours balnéo. En famille : visite du Vésuve et de Pompéi.

Terres d'Aventure (☎ 0825 700 825, 0,15 €/min ; www.terdav.com ; 30 rue Saint-Augustin, 75002 Paris). Agences dans 13 autres villes françaises, en Belgique et agences partenaires en Suisse. Circuits de randonnée, de ski, de raquette… Tour du mont Blanc, Le Grand Paradis, Le Chianti, ou encore un grand tour spécial ados.

Zig Zag Randonnées (☎ 01 42 85 13 93 ; www.zigzag-randonnees.com ; 54 rue de Dunkerque, 75009 Paris). Nombreux voyages, dont des randos dans plusieurs régions d'Italie (Sur les pas de saint François d'Assise, La Vénétie, Naples et la côte amalfitaine, etc.).

COMMENT CIRCULER

La plupart des villes italiennes sont accessibles en train, en bus ou en ferry, et les services sont à la fois fiables et bon marché. Pour les longues distances, des vols intérieurs desservent le pays du nord au sud.

Se déplacer dans son propre véhicule offre plus de liberté, mais la *benzina* (carburant) et l'*autostrada* (autoroute) sont chères. Les italiens ont en outre un style de conduite particulier. Circuler et se garer dans une grande ville italienne peut être plutôt stressant ! Un bon compromis : prenez les transports en commun pour aller d'une ville à l'autre et utilisez une voiture pour découvrir la campagne et l'arrière-pays.

AVION

La compagnie privatisée Alitalia est le principal transporteur aérien italien. Des compagnies plus modestes lui font concurrence, mais avec moins d'acharnement qu'autrefois. Parmi les compagnies énumérées au début de ce chapitre (voir p. 778) EasyJet, Meridiana, MyAir et Windjet assurent des vols intérieurs. **AirAlps** (A6 ; ☎ 062222 ; www.airalps.at) propose une gamme de vols sur courtes distances ; les réservations se font via Alitalia.

Alitalia est une compagnie plutôt chère, mais renseignez-vous sur les remises consenties aux enfants, familles ou seniors, les forfaits week-end ou les billets achetés longtemps à l'avance. Les taxes d'aéroport sont incluses dans le prix du billet.

BATEAU

Alors que des *navi* (grands ferries) font la navette avec la Sicile et la Sardaigne, des *traghetti* (ferries de taille moyenne) et des *aliscafi* (hydroglisseurs) desservent la majorité des îles italiennes.

Le site Internet **Traghettionline** (www.traghetti online.com, en italien) fournit la liste complète des ferries qui opèrent depuis/vers l'Italie. Tous les circuits sont répertoriés, ce qui permet de comparer les prix ; il est également possible de réserver en ligne.

Tirrenia Navigazione (☎ 892123 ; www.tirrenia.it), principale compagnie nationale, dessert la plupart des ports italiens.

Pour des renseignements sur les autres compagnies de ferries, les trajets et les tarifs, reportez-vous aux rubriques *Depuis/vers…* des chapitres régionaux.

Les voyages en ferry se font souvent de nuit et les passagers ont le choix entre un hébergement en cabine (2 ou 4 pers), ou même en dortoir, ou encore en *poltrona* (siège inclinable). La classe "pont", qui permet de s'asseoir dans les salons ou sur le pont, est la plus économique, mais elle n'est disponible que sur certains ferries. La majorité des ferries peuvent transporter des véhicules.

BUS

Des bus de compagnies diverses sillonnent l'Italie, soit pour relier les villages par de petites routes sinueuses, soit pour assurer des liaisons rapides et fiables entre les villes. Le bus n'est pas toujours meilleur marché que le train, mais c'est parfois le seul moyen de transport pour rejoindre certaines petites bourgades.

Les horaires des bus sont souvent disponibles dans les offices du tourisme. Dans les grandes villes, la plupart des compagnies de bus interurbains disposent de guichets ou mettent leurs billets à la disposition des voyageurs dans des agences. Dans les localités modestes, voire dans certaines villes, les billets sont vendus dans les bars ou à bord des bus.

Bien que la réservation des billets ne soit généralement pas obligatoire, elle est recommandée en haute saison pour les trajets de nuit ou longue distance.

EN STOP

L'auto-stop n'est pas répandu en Italie. Les transports en commun sont fiables (hormis les grèves qui peuvent toucher les trains et les bus). Les voyageurs se liant d'amitié avec des habitants n'auront aucun mal à se faire déposer quelque part. En revanche, une fois sur la route, les Italiens hésitent souvent à s'arrêter pour prendre quelqu'un à bord.

TRAIN

Les trains italiens, pour la plupart rapides et confortables, sont souvent meilleur marché qu'en France.

Trenitalia (☎ 892 021 en italien ; www.trenitalia.com, www.ferroviedellostato.it), la compagnie qui gère le réseau ferroviaire national partiellement privatisé, assure la plupart des liaisons en Italie. D'autres lignes privées sont indiquées dans ce guide, au fil des chapitres régionaux.

Il existe plusieurs types de trains. Certains s'arrêtent à toutes les gares ou presque, comme les trains *regionale* et *interregionale*. Les trains Intercity (IC) assurent des liaisons rapides entre les grandes villes italiennes. Les trains Eurocity (EC) assurent des liaisons internationales. Les *pendolini* à grande vitesse et autres trains rapides sont regroupés sous le nom d'Eurostar Italia (ES) ; certains s'arrêtent moins souvent que les autres.

Encore plus rapides, les trains Alta Velocità (grande vitesse, appelés AV ou ESA), en service sur la nouvelle ligne Turin-Milan-Bologne-Florence-Rome-Naples-Salerne depuis fin 2009, ont révolutionné les voyages en train entre ces villes. Le train direct entre Milan et Rome ne prend plus que 3 heures, soit au bas mot 2 heures 30 de moins qu'un autre train (le même trajet en Intercity dure 6 heures 15). Avec des arrêts à Bologne et Florence, la durée du même trajet est de 3 heures 30. Début 2009, déjà, les trains rapides circulant sur des voies traditionnelles avaient diminué la durée du trajet (3 heures 30 pour le train direct, 4 heures avec deux arrêts entre Milan et Rome). Les prix varient en fonction de la date du voyage et du nombre de jours d'avance avec lesquels on achète son billet.

COMPOSTEZ VOTRE BILLET !

En Italie, les voyageurs doivent composter leurs billets dans les *convalidas* (machines jaunes prévues à cet effet ; elles se trouvent généralement au début des quais) avant de monter dans le train. Toute omission vous vaudra une amende, encore que des protestations d'innocence puissent parfois susciter l'indulgence du contrôleur.

Classes et tarifs

La plupart des trains italiens comprennent une 1re et une 2e classe. Un billet de 1re classe coûte habituellement 30 à 50% de plus qu'un billet de 2e classe.

Un supplément proportionnel à la distance parcourue est appliqué sur les trajets en Intercity, Eurostar et Alta Velocità. Il est inclus dans le prix du billet, mais si vous êtes muni d'un billet ordinaire (pour un *interregionale*, par exemple) et montez dans un train rapide, vous devez payer le supplément à bord. Le problème ne se pose pas dans les trains Eurostar et Alta Velocità, accessibles uniquement sur réservation.

Pour les longs trajets, il vaut souvent la peine de payer un supplément pour voyager à bord d'un train rapide. Ainsi, sur la ligne Rome-Milan, la différence de prix en 2e classe entre le train IC (6 heures 15) et le train AV (3 heures 30) est de 22,50 €.

Pour des trajets plus courts, ce surcoût n'est pas toujours intéressant (sur Venise-Padoue ou même Milan-Turin, le gain de temps en train rapide n'est, au mieux, que d'une demi-heure pour un prix trois fois supérieur à celui d'un billet de *regionale*).

Réservations

La réservation est obligatoire sur les trains Eurostar et AV. Elle ne l'est pas pour les autres, où l'on peut généralement s'en passer. Les réservations se font au guichet des gares, dans certaines agences de voyages et, lorsqu'elles fonctionnent, aux billetteries automatiques installées dans la plupart des gares. Une réservation implique généralement un supplément de 3 €.

Forfaits ferroviaires

Trenitalia propose divers forfaits avantageux. La Carta Verde (40 €, valable 1 an) s'adresse à des personnes de 12 à 26 ans, et la Carta d'Argento (30 €) aux seniors de plus de 60 ans. Elles donnent droit à des remises de 10 à 15% sur la plupart des trains et à une réduction pouvant aller jusqu'à 25% sur le prix normal des voyages internationaux dont le point de départ ou d'arrivée se situe en Italie. Ne négligez pas cet avantage si vous séjournez longtemps en Italie et envisagez de nombreux déplacements. Vous trouverez ces forfaits dans les gares et la plupart des agences de voyages.

Les cartes Amica et Familia permettent aussi d'obtenir des réductions. La première donne droit à des remises pouvant atteindre 20%

DESSERTES FERROVIAIRES

Principales lignes ferroviaires
Lignes ferroviaires secondaires

sur certains billets réservés plusieurs jours à l'avance. La seconde s'adresse à des familles de 3 à 5 personnes comprenant au moins un adulte et un enfant de moins de 12 ans. Renseignez-vous dans les gares.

Pour des renseignements sur les divers forfaits à vous procurer avant d'arriver en Italie, reportez-vous à l'encadré p. 782.

VÉLO

Le vélo est un véritable passe-temps national en Italie. Si vous circulez, soyez attentif, portez un casque et vérifiez que votre petite reine possède un éclairage performant.

Si vous envisagez d'emporter votre propre vélo et que vous voyagez en avion, demandez le montant du supplément à la compagnie

TRANSPORTS

aérienne ; vous devrez par ailleurs le démonter et l'emballer pour le mettre en soute (dégonflez les pneus). Prenez quelques outils, des pièces de rechange et un antivol efficace.

Il est possible de transporter des vélos dans tous les trains estampillés d'un logo représentant une bicyclette. Pour ce faire, la solution la plus économique consiste à acheter un billet séparé pour le vélo (3,50 ou 5 €, et jusqu'à 12 € sur les trains Intercity, Eurostar et Euronight), disponible même dans les kiosques en self-service, et valable 24 heures. Les vélos pliables, qui prennent peu de place, voyagent gratuitement s'ils sont emballés. Le transport d'un deux-roues est gratuit sur les ferries.

Achat

Si vous voulez acheter un vélo, les prix varient entre 100 € (bicyclette classique pour femmes, sans équipement particulier) et 210 € (VTT à 16 vitesses).

Location

Vous pouvez louer des bicyclettes dans la plupart des villes italiennes, aussi bien des vélos de ville que des VTT. À Florence, par exemple, il existe des loueurs privés et un réseau municipal de location. Pour un vélo de ville, les tarifs commencent à 10/30 € par jour/semaine.

VOITURE ET MOTO

Le réseau autoroutier est d'excellente qualité en Italie ; une *autostrada* est indiquée par un A blanc, suivi d'un numéro sur fond vert. La voie principale qui relie le Nord au Sud, l'Autostrada del Sole, va de Milan à Reggio di Calabria (appelée A1 de Milan à Rome, A2 de Rome à Naples et A3 de Naples à Reggio di Calabria).

La plupart des autoroutes sont à péage. On paye en sortant, en espèces ou par carte bancaire. Pour des renseignements sur les péages et les cartes prépayées, contactez **Autostrade per l'Italia** (☎ 840 042 121 ; www.autostrade. it, en italien), qui vous renseignera également sur l'état du trafic.

En dehors des axes principaux, la plupart des routes sont des *strade statali* (routes nationales). Signalées sur les cartes par "S" ou "SS", elles vont de la deux voies à la quatre voies gratuite. La circulation est parfois très lente sur les deux voies, surtout dans les régions montagneuses. Il existe encore deux catégories de routes : les *strade regionali* (routes gérées par les régions, indiquées SR ou R) et les *strade provinciali*

(gérées par la province, marquées SP ou P). Ces routes, situées dans les secteurs ruraux, desservent les petits villages. Enfin, en dernier, viennent les *strade locali*, qui, parfois, ne sont même pas goudronnées ou mentionnées sur les cartes. C'est souvent le long de ces routes que l'on découvre les plus beaux paysages !

Automobile-club

L'**Automobile Club d'Italia** (ACI ; www.aci.it ; Via Colombo 261, Rome) est la meilleure source de renseignements pour les conducteurs en Italie. En cas d'urgence, vous pouvez joindre l'ACI au ☎ 803 116 depuis un téléphone fixe, ou au ☎ 800 116800 depuis un portable. Les étrangers ne sont pas tenus d'adhérer au club, mais doivent s'acquitter de frais s'ils ont un accident. Les numéros de téléphone fonctionnent 24h/24. Reportez-vous p. 782 pour les coordonnées de l'Automobile Club français.

Transport de véhicule

Les voitures arrivant en Italie depuis l'étranger doivent être dotées d'une plaque minéralogique valable et de la carte grise correspondante. Si vous prévoyez d'embarquer votre voiture sur un bateau, notez que le réservoir doit être au moins aux trois quarts vide. Il n'est pas non plus possible de stocker ses bagages dans le coffre, car il est sensé être vide lors du voyage en ferry.

Permis de conduire

Les permis de conduire de la zone euro sont valables partout en Europe. Si vous avez passé votre permis en dehors de l'UE, vous devrez le compléter par un permis de conduire international, disponible auprès de votre automobile-club national. Il est valable pendant 12 mois et doit être présenté en même temps que votre permis d'origine. En pratique, les loueurs de voiture italiens acceptent généralement les permis des pays tiers (australiens, canadiens, américains, etc.). Toute personne résidant en Italie depuis au moins un an peut demander un permis italien (les détenteurs d'un permis délivré dans l'UE devront l'échanger contre le permis italien). Il est nécessaire de présenter son permis de conduire pour louer une voiture ou une moto.

Carburant et pièces détachées

L'Italie possède un vaste réseau de station-service. Les prix y sont parmi les plus élevés d'Europe et varient d'une station-service

DISTANCES KILOMÉTRIQUES

	Bari	Bologne	Florence	Gênes	Milan	Naples	Palerme	Pérouse	Reggio di Calabria	Rome	Sienne	Trente	Trieste	Turin	Venise
Bologne	681														
Florence	784	106													
Gênes	996	285	268												
Milan	899	218	324	156											
Naples	322	640	534	758	858										
Palerme	734	1 415	1 345	1 569	1 633	811									
Pérouse	612	270	164	432	488	408	1219								
Reggio di Calabria	490	1 171	1 101	1 325	1 389	567	272	816							
Rome	482	408	302	526	626	232	1 043	170	664						
Sienne	714	176	70	296	394	464	1 275	103	867	232					
Trente	892	233	339	341	218	874	1 626	459	1 222	641	375				
Trieste	995	308	414	336	420	948	1 689	543	1 445	715	484	279			
Turin	1 019	338	442	174	139	932	1 743	545	1 307	702	460	349	551		
Venise	806	269	265	387	284	899	799	394	1 296	567	335	167	165	415	
Vérone	808	141	247	282	164	781	1 534	377	1 139	549	293	97	250	295	120

Note

Les distances indiquées entre Palerme (Sicile) et les villes du continent ne prennent pas en compte le trajet en ferry entre Reggio di Calabria et Messine. Prévoyez une heure supplémentaire dans votre voyage pour tenir compte de cette traversée.

(benzinaio, stazione di servizio) à l'autre. Le sans plomb (senza piombo), peut coûter jusqu'à 1,11 € et l'octane 98 jusqu'à 1,20 € le litre. Le diesel (gasolio) est à environ 1,06 le litre. Ces prix varient en fonction du cours du pétrole.

Pour les pièces détachées, vous pouvez appeler l'assistance 24/24h de l'ACI au ☎ 803 116, mais il est parfois plus simple de chercher un garage.

Location
VOITURES
La plupart des offices du tourisme et des hôtels peuvent vous renseigner sur la location d'une voiture ou d'une moto. Pour louer une voiture, vous devez être âgé d'au moins 25 ans et détenir une carte de crédit. La plupart des agences acceptent les permis de conduire de votre pays d'origine ou la carte nationale d'identité pour vous identifier. Pensez à louer une petite voiture : vous ne le regretterez pas quand vous vous retrouverez dans les rues étroites.

Voici quelques agences de location :
Avis (☎ 199 100 133 ; www.avisautonoleggio.it)
Budget (☎ 199 307 373 ; www.budgetautonoleggio.it)

Europcar (☎ 199 307 030 ; www.europcar.com)
Hertz (☎ 08708 44 88 44 ; www.hertz.it)
Italy by Car (☎ 800 846 083 ; www.italybycar.it)
Maggiore (☎ 199 151 120 ; www.maggiore.it)

MOTOS
Vous n'aurez aucun mal à louer une petite Vespa ou un scooter. De nombreuses agences de location proposent aussi d'autres modèles pour de plus grandes distances. La location d'un scooter 50 cm^3 (par pers) coûte environ 20/150 € par jour/semaine. Toutes les agences ne demandent pas une avance en argent très coûteuse ; vous devrez peut-être rembourser un certain montant d'argent si le véhicule est volé. La plupart des agences refusent de louer des motos ou des scooters à des mineurs (moins de 18 ans).

Assurance
Si vous venez en Italie avec votre propre voiture, vous devez être assuré. Reportez-vous au paragraphe Voiture et moto p. 782.

Les loueurs de voitures proposent le choix entre plusieurs assurances. Assurez-vous d'avoir bien compris l'étendue de votre

TRANSPORTS

responsabilité et de la franchise ainsi que les pénalités auxquelles vous vous exposez en cas d'accident ou de dommage sur le véhicule.

Code de la route

En Italie, comme en France, on conduit à droite. Sauf indication contraire, dans une intersection, vous devez toujours céder le passage aux véhicules venant de droite. Les ceintures de sécurité sont obligatoires aussi bien à l'avant qu'à l'arrière, tant que la voiture en est équipée. L'amende en cas de non-respect de cette règle est payable immédiatement.

Il est obligatoire dans toute l'Europe d'avoir un triangle d'avertissement (à utiliser en cas de panne). Il est également recommandé d'être en possession d'une trousse de premiers secours, d'ampoules de rechange et d'un extincteur. Attention si vous tombez en panne et sortez de votre véhicule sans porter un gilet de sécurité jaune ou orange homologué, vous encourez une amende.

Des alcootests sont fréquemment pratiqués. Les peines encourues en cas d'accident en état d'ébriété sont lourdes. Le taux d'alcool autorisé dans le sang est de 0,05%.

La vitesse est limitée à 130 km/h sur les *autostrade* (sur certaines autoroutes à deux fois trois voies, la limite est parfois de 150 km/h) et à 110 km/h sur toutes les routes nationales. La limite est de 90 km/h sur les routes secondaires hors agglomération. En agglomération, la vitesse est limitée à 50 km/h. En cas de non-respect de ces limitations, vous risquez une amende proportionnelle à votre excès et pouvant atteindre 2 000 €, avec suspension possible du permis de conduire.

Vous pouvez conduire un scooter de moins de 50 cm^3 sans permis. Il faut toutefois être âgé d'au moins 14 ans. Il est interdit de transporter des passagers. Les scooters et les mobylettes n'ont pas leur place sur l'*autostrada*. Il est interdit de s'aventurer sur une *autostrada* avec un engin de moins de 150 cm^3. Le port du casque est obligatoire sur tous les deux-roues. La vitesse est limitée à 40 km/h. Pour une moto ou un scooter jusqu'à 125 cm^3, il faut avoir 16 ans, posséder un permis de conduire et porter un casque. Pour les deux-roues de plus de 125 cm^3, un permis moto est nécessaire.

Rouler en deux-roues vous permettra de vous faufiler dans les embouteillages des grandes villes ; par ailleurs, la police ferme souvent les yeux sur les vélomoteurs garés sur les passages cloutés.

Tous les véhicules doivent allumer leurs feux nuit et jour sur les *autostrade*. Il est recommandé aux motos d'en faire autant sur toutes les autres routes.

TRANSPORTS URBAINS

Toutes les grandes villes sont dotées d'un bon système de transport, comprenant bus et métros, qui font souvent partie du même réseau. Néanmoins, à Venise, vous ne pourrez vous déplacer qu'en bateau (*vaporetto*) ou à pied.

Bus et métro

Vous devez acheter vos billets de bus à l'avance et les valider une fois à bord. Si vous voyagez sans avoir composté votre billet, vous risquez une amende.

Il existe un *metropolitane* (métro) à Rome, Milan, Naples et Turin (où fut construit la première ligne automatique d'Italie). N'oubliez pas d'acheter un ticket et de le valider avant de monter dans le métro, sans quoi vous vous exposez à des amendes pouvant atteindre 50 €. Des plans du métro sont disponibles dans les offices de tourismes des villes correspondantes.

La plupart des villes ont aussi un réseau de bus *urbano* (intérieur) et *extraurbano* (intérieur et extérieur) qui dessert jusqu'aux villages les plus isolés. Le service est souvent restreint (voire nul) les dimanches et jours fériés.

Les billets sont en vente chez un *tabaccaio* (gérant d'un bureau de tabac), dans les kiosques à journaux, les guichets et les distributeurs des gares routières et stations de métro. Le prix d'un billet est de 1 à 1,20 €. La majorité des grandes villes proposent des billets valables toute une journée.

Taxi

Vous trouverez des stations de taxis devant les gares ferroviaires et routières. Vous pouvez aussi appeler une société de taxis ou vous rendre à une borne de taxis, car les chauffeurs n'ont pas le droit de s'arrêter lorsqu'on leur fait signe en pleine rue. Si vous téléphonez à une compagnie, souvenez-vous que le compteur est mis en marche dès votre appel.

Les tarifs varient d'une région à l'autre. À Milan, par exemple, il y a une prise en charge minimum de 3 à 6,10 €, en fonction de l'heure, plus un tarif de 0,98 €/km (puis 1,47 €/km à partir de 13,25 €). Un petit trajet en ville coûte généralement entre 10 et 15 € et le nombre de passagers par taxi est limité à quatre.

Langue

L'italien est une langue romane apparentée au français, à l'espagnol, au portugais et au roumain. Elle fait partie des langues indo-européennes. Le français et l'italien partageant des racines latines, vous reconnaîtrez de nombreux mots.

L'italien littéraire moderne a commencé à se développer aux XIIIe et XIVe siècles, essentiellement grâce aux écrits de Dante, de Pétrarque et de Boccace, qui écrivaient surtout en dialecte florentin. La langue s'est nourrie de son héritage latin et de divers dialectes pour devenir l'italien d'aujourd'hui. Bien que les dialectes soient encore utilisés dans les conversations courantes, l'italien est la langue nationale, utilisée dans les écoles, les médias et la littérature, et parlée partout dans le pays.

Si vous parlez italien, n'oubliez pas que l'on s'adresse aux personnes âgées avec la formule de politesse *lei* et non avec le *tu*, plus familier. On évite aussi de saluer des inconnus d'un *ciao*, à moins qu'ils ne l'utilisent eux-mêmes ; préférez *buongiorno* "bonjour" (ou *buona sera* "bonsoir", en fonction du moment de la journée) et *arrivederci* "au revoir" (ou *arrivederla*, encore plus poli). La plupart des phrases ci-dessous représentent la forme polie. Les expressions plus familières sont indiquées par "fam".

Nous mentionnons également les formes masculines et féminines (se terminant respectivement par "o" et "a" au singulier) en les séparant par une barre verticale.

Pour un manuel de conversation plus complet, procurez-vous un exemplaire du guide de conversation *Italien,* en français, de Lonely Planet.

PRONONCIATION
Voyelles
Les voyelles **a**, **i** et **o** se prononcent comme en français. Le **e** et le **u** se prononcent de la façon suivante :

e	"é" fermé comme dans "musée" : *mettere* (mettre) ; "è" ouvert comme dans "lettre" : *mela* (pomme)
u	"ou" comme dans "chou" : *puro* (pur)

Consonnes
La plupart des consonnes se prononcent de la même façon qu'en français. La prononciation des lettres suivantes suit cependant certaines règles :

c	"k" devant **a**, **o**, **u** et **h** ; "tch" devant **e** et **i**
g	"g" dur devant **a**, **o**, **u** et **h** ; "j" devant **e** et **i**
gli	"li" mouillé comme dans "million"
gn	"gn" comme dans "montagne"
h	toujours muet
r	"r" roulé
sc	"ch" devant **e** et **i** ; "sk" devant **a**, **o**, **u** et **h**
z	"ts", sauf au début d'un mot, où il se prononce "dz"

Si les syllabes "**ci**", "**gi**" et "**sci**" sont suivies des voyelles **a**, **o** ou **u**, le "**i**" ne se prononce pas, sauf s'il porte l'accent tonique. Ainsi, le prénom "Giovanni" se prononce "jovanni".

N'hésitez pas à allonger les consonnes doubles.

Accent tonique
Nous l'indiquons en italique. Il est souvent placé sur l'avant-dernière syllabe, comme dans spa-*ghe*-ti, sauf s'il est indiqué par un accent sur une lettre précise, comme dans cit-*tà* (ville).

HÉBERGEMENT

Je cherche...	Cerco ...	tchèr·ko ...
une pension	*una pensione*	*ou·*na pèn·*sio·*né
un hôtel	*un albergo*	oun al·*ber·*go

LANGUE

FAIRE UNE RÉSERVATION
(À utiliser au téléphone ou par écrit)

À …	A …
De la part de…	Da …
Date	Data
Je voudrais réserver…	Vorrei prenotare …
au nom de…	a nome di …
pour la/les nuit(s) du…	per la notte/
	le notti di …
Merci de confirmer	Prego confermare
la disponibilité	disponibilità e prezzo.
et le prix.	
carte de crédit (…)	(… della) carta di credito
numéro	numero
date d'expiration	data di scadenza

| **une auberge** | un ostello per | oun os·te·lo pèr |
| **de jeunesse** | la gioventù | la jo·vèn·tou |

Où puis-je trouver un hôtel bon marché ?
Dov'è un albergo   do·vè oun al·ber·go
a buon prezzo?   a bouon prè·tso

Quelle est l'adresse ?
Qual'è l'indirizzo?   coua·lè lin·di·ri·tso

Pourriez-vous m'écrire l'adresse, s'il vous plaît ?
Può scrivere l'indirizzo,   pouo scri·vé·ré lin·di·ri·tso
per favore?   pèr fa·vo·ré

Est-ce qu'il vous reste des chambres ?
Avete camere libere?   a·vé·té ka·mé·ré li·bé·ré

Je voudrais…	Vorrei…	vo·réi…
un lit	un letto	oun le·to
une chambre	una camera	ou·na ka·mé·ra
double	matrimoniale	ma·tri·mo·nia·lé
une chambre	una camera	ou·na ka·mé·ra
avec salle	con bagno	kon ba·gno
de bains		
une chambre	una camera	ou·na ka·mé·ra
avec des lits	doppia	do·pia
jumeaux		
une chambre	una camera	ou·na ka·mé·ra
simple	singola	sin·go·la
un lit en	un letto in	oun lè·to in
dortoir	dormitorio	dor·mi·to·rio

Combien	Quanto costa…?	kouan·to ko·sta…
coûte-elle… ?		
pour une nuit	per la notte	pèr la no·té
par personne	per persona	pèr pèr·so·na

Puis-je la voir ?
Posso vederla?   po·so vé·dèr·la
Où est la salle de bains ?
Dov'è il bagno?   do·vè il ba·gno
Je pars/nous partons aujourd'hui.
Parto/Partiamo oggi.   par·to/par·tia·mo o·dji

CONVERSATION ET SALUTATIONS

Bonjour.	Buongiorno	buon djor·no
	Ciao (fam)	tchao
Au revoir.	Arrivederci	a·ri·vé·dèr·tchi
	Ciao (fam)	tchao
Oui.	Sì	si
Non.	No	no
S'il vous plaît.	Per favore/	pèr fa·vo·ré
	Per piacere	pèr pia·tché·ré
Merci.	Grazie	gra·tsié
De rien.	Prego	prè·go
Excusez-moi.	Mi scusi	mi skou·zi
Pardon (je suis	Mi scusi/	mi skou·zi/
désolé).	Mi perdoni	mi pèr·do·ni

Comment vous appelez-vous ?
Come si chiama?   ko·mé si kia·ma
Come ti chiami? (fam)   ko·mé ti kia·mi
Je m'appelle…
Mi chiamo…   mi kia·mo…
D'où venez-vous ?
Da dove viene?   da do·vé vié·né
Di dove sei? (fam)   di do·vé sé·i
Je viens de…
Vengo da…   vèn·go da…
J'aime (je n'aime pas)…
(Non) Mi piace…   (non) mi pia·tché…
Un instant.
Un momento.   oun mo·mèn·to

DIRECTIONS

Où est… ?
Dov'è…?   do·vè…
Allez tout droit.
Si va sempre diritto.   si va sèm·pré di·ri·to
Vai sempre diritto. (fam)   va·'i sèm·pré di·ri·to
Tournez à gauche.
Giri a sinistra.   dji·ri a si·ni·stra
Tournez à droite.
Giri a destra.   dji·ri a dè·stra
au prochain croisement
al prossimo angolo   al pro·si·mo an·go·lo
aux feux
al semaforo   al sé·ma·fo·ro

derrière	dietro	dié·tro
devant	davanti	da·van·ti
loin (de)	lontano (da)	lon·ta·no (da)

PANNEAUX SIGNALÉTIQUES

Aperto	Ouvert
Camere Libere	Chambres libres
Chiuso	Fermé
Completo	Complet
Gabinetti/Bagni	Toilettes
Donne	Femmes
Uomini	Hommes
Informazione	Informations
Ingresso/Entrata	Entrée
Polizia/Carabinieri	Police
Proibito/Vietato	Interdit
Questura	Poste de police
Uscita	Sortie

près (de)	*vicino (di)*	vi·*tchi*·no (di)
en face de	*di fronte a*	di *fron*·té a
la plage	*la spiaggia*	la *spia*·dja
le pont	*il ponte*	il *pon*·té
le château	*il castello*	il kas·*té*·lo
la cathédrale	*il duomo*	il *douo*·mo
l'île	*l'isola*	*li*·so·la
la place	*la piazza*	la *pia*·tsa
(principale)	*(principale)*	(prin·tchi·*pa*·lé)
le marché	*il mercato*	il *mèr*·ka·to
la vieille ville	*il centro*	il *tchèn*·tro
	storico	*sto*·ri·ko
le palais	*il palazzo*	il pa·*la*·tso
les ruines	*le rovine*	lé ro·*vi*·né
la mer	*il mare*	il *ma*·ré
la tour	*la torre*	la *to*·ré

RESTAURATION

J'aimerais réserver une table.
Vorrei riservare un tavolo. vo·*réi* ri·ser·*va*·ré oun *ta*·vo·lo
Je voudrais voir la carte, s'il vous plaît.
Vorrei il menù, vo·· *réi* il mé·*nou*
per favore. pèr fa·*vo*·ré
Avez-vous une carte en français/en anglais ?
Avete un menù in a·*vé*·té oun mé·*nou* in
francese/inglese ? fran·*tché*·zé/in glè zé ?
Que me conseillez-vous ?
Cosa mi consiglia ? *ko*·za mi kon·*si*·lya ?
Je voudrais la spécialité de la maison/locale.
Vorrei una specialità vo·*réi* ou·na spe·*tcha*·li·*ta*
della casa/zona. dé·la *ka*·za/zo·na
Est-ce fait maison ?
È fatto/a in casa ? (m/f) è *fa*·to/a in *ka*·za ?
Nous aimerions partager…
Vorremo dividere … vo·*réi*·mo di·*vi*·dé·ré …
Pourriez-vous le préparer sans… ?
Potrebbe farlo senza … ? po·*tré*·bé *far*·lo *sen*·tsa …

Je suis végétarien.
Sono vegetariano/a. (m/f) *so*·no vé·jé·ta·*rya*·no/a
Je suis végétalien.
Sono vegetaliano/a. (m/f) *so*·no vé·jé·ta·*lya*·no/a
L'addition, s'il vous plaît.
Mi porta il conto, mi *por*·ta il *kon*·to
per favore. pèr fa·*vo*·ré

SANTÉ

Je suis malade.	*Mi sento male.*	mi *sèn*·to *ma*·lé
J'ai mal ici.	*Mi fa male qui.*	mi fa *ma*·lé *koui*
Je suis…	*Sono…*	*so*·no…
asthmatique	*asmatico/a* (m/f)	az·*ma*·ti·ko/a
diabétique	*diabetico/a* (m/f)	di·a·*bé*·ti·ko/a
épileptique	*epilettico/a* (m/f)	é·pi·*lè*·ti·ko/a
Je suis allergique…	*Sono*	*so*·no
	allergico/a… (m/f)	a·*lèr*·dji·ko/a…
aux antibiotiques	*agli antibiotici*	a·lyi *an*·ti· bi·o·*ti*·tchi
à l'aspirine	*all'aspirina*	a·*la*·spi·*ri*·na
à la pénicilline	*alla penicillina*	a·la pé·ni·tchi·*li*·na
aux noix	*alle noci*	a·lé *no*·tchi
antiseptique	*antisettico*	an·ti·*sè*·ti·ko
aspirine	*aspirina*	as·pi·*ri*·na
préservatifs	*preservativi*	pré·zèr·va·*ti*·vi
contraceptif	*contraccetivo*	kon·tra·tchè·*ti*·vo
diarrhée	*diarrea*	di·a·*ré*·a
médicaments	*medicina*	mè·di·*chi*·na
crème solaire	*crema solare*	*krè*·ma so·*la*·ré
tampons	*tamponi*	tam·*po*·ni

PROBLÈMES LINGUISTIQUES

Parlez-vous français ?
Parla francese? *par*·la fran·*tché*·zé
Y a-t-il quelqu'un ici qui parle français ?
C'è qualcuno che tchè koual·*kou*·no ké
parla francese? *par*·la fran·*tché*·zé
Comment dit-on … en italien ?
Come si dice… *ko*·mé si *di*·tché…
in italiano? in i·ta·*lia*·no
Que signifie… ?
Che vuol dire…? ké vouol *di*·ré…
Je comprends.
Capisco. ka·*pi*·sko
Je ne comprends pas.
Non capisco. non ka·*pi*·sko

Pouvez-vous l'écrire ?
Può scriverlo, pouo *skri*·vèr·lo pèr
per favore? fa·*vo*·ré
Pouvez-vous me montrer (sur la carte) ?
Può mostrarmelo pouo mos·*trar*·mè·lo
(sulla piantina)? (sou·la *pian*·ti na)

EN CAS D'URGENCE

Au secours !

Aiuto! a·*iou*·to

Il y a eu un accident !

C'è stato un tchè *sta*·to oun
incidente! in·tchi·*dèn*·té

Je me suis perdu/e.

Mi sono perso/a. (m/f) mi *so*·no *pèr*·so/a

Allez-vous-en !

Lasciami in pace! la·*cha*·mi in *pa*·tché
Vai via! (fam) *va*·i *vi*·a

Appelez… ! *Chiami …!* ki·*ia*·mi …
Chiama …! (fam) ki·*ia*·ma …
un médecin *un dottore/* oun do·to·ré/
un medico oun *mé*·di·ko
la police *la polizia* la po·li·*tsi*·ia

CHIFFRES

0	zero	*dzé*·ro
1	uno	*ou*·no
2	due	*dou*·é
3	tre	tré
4	quattro	*koua*·tro
5	cinque	*tchin*·koué
6	sei	séi
7	sette	*sé*·té
8	otto	*o*·to
9	nove	*no*·vé
10	dieci	*dié*·tchi
11	undici	oun·*di*·tchi
12	dodici	do·*di*·tchi
13	tredici	tré·*di*·tchi
14	quattordici	koua·*tor*·di·tchi
15	quindici	*kouin*·di·tchi
16	sedici	*sé*·di·tchi
17	diciassette	di·tcha·*sé*·té
18	diciotto	di·*tcho*·to
19	diciannove	di·tcha·*no*·vé
20	venti	*vèn*·ti
21	ventuno	vèn·*tou*·no
22	ventidue	vèn·ti·*dou*·é
30	trenta	*trèn*·ta
40	quaranta	koua·*ran*·ta
50	cinquanta	tchin·*kouan*·ta
60	sessanta	sé·*san*·ta
70	settanta	sé·*tan*·ta
80	ottanta	o·*tan*·ta
90	novanta	no·*van*·ta
100	cento	*chèn*·to
1 000	mille	*mi*·lé
2 000	due mille	*dou*·é *mi*·lé

IDENTITÉ

nom	*nome*	*no*·mé
nationalité	*nazionalità*	na·tsio·na·li·*ta*
date de naissance	*data di nascita*	*da*·ta dì *na*·chi·ta
lieu de naissance	*luogo di*	*louo*·go di
	nascita	*na*·chi·ta
sexe	*sesso*	*sè*·so
passeport	*passaporto*	pa·sa·*por*·to
visa	*visto*	*vi*·sto

QUESTIONS

Qui ?	*Chi?*	ki
Quoi ?	*Che?*	ké
Quand ?	*Quando?*	*kouan*·do
Où ?	*Dove?*	do·vé
Comment ?	*Come?*	ko·mé

ACHATS ET SERVICES

Je voudrais acheter…

Vorrei comprare… vo·*réi* kom·*pra*·ré…

Combien ça coûte ?

Quanto costa? *kouan*·to *ko*·sta

Ça ne me plaît pas.

Non mi piace. non mi *pia*·tché

Puis-je regarder ?

Posso dare *po*·so da·ré
un'occhiata? ou·no·*kia*·ta

Je regarde seulement.

Sto solo guardando. sto *so*·lo gouar·*dan*·do

Ce n'est pas cher.

Non è caro/a. (m/f) non è *ka*·ro/a

C'est trop cher.

È troppo caro/a. (m/f) è *tro*·po *ka*·ro/a

Je l'achète.

Lo/La compro. (m/f) lo/la *kom*·pro

Prenez-vous les *Accettate carte* a·tché·*ta*·té *kar*·té
cartes de crédit ? *di credito?* di *kré*·di·to

Je veux	*Voglio*	*vo*·lio
changer…	*cambiare…*	kam·*bia*·ré…
de l'argent	*del denaro*	dèl dé·*na*·ro
des chèques	*assegni di*	a·*sè*·gni di
de voyage	*viaggio*	vi·*a*·djo

plus	*più*	piou
moins	*meno*	*mè*·no
plus petit	*più piccolo/a*	piou *pi*·ko·lo/la
plus grand	*più grande*	piou *gran*·dé

Je cherche…	*Cerco…*	*tchèr*·ko…
une banque	*un banco*	oun *ban*·ko
l'église	*la chiesa*	la *kié*·za
le centre-ville	*il centro*	il *tchèn*·tro
l'ambassade de…	*l'ambasciata*	lam·ba·*cha*·ta
	di…	di…

mon hôtel	*il mio albergo*	il *mi*·o al·*bèr*·go
le marché	*il mercato*	il mèr·*ka*·to
le musée	*il museo*	il mou·*zé*·o
la poste	*la posta*	la *po*·sta
des toilettes	*un gabinetto*	oun ga·bi·*nè*·to
la centrale	*il centro*	il *tchèn*·tro
téléphonique	*telefonico*	té·lé·*fo*·ni·ko
l'office du	*l'ufficio*	lou·*fi*·tcho
tourisme	*di turismo*	di tou·*riz*·mo

HEURES ET DATES

Quelle heure est-il ?	*Che ore sono?*	ké o·ré *so*·no
Il est (8 heures).	*Sono (le otto).*	*so*·no (lé *o*·to)
du matin	*di mattina*	di ma·*ti*·na
de l'après-midi	*di pomeriggio*	di po·mé·*ri*·djo
du soir	*di sera*	di *sé*·ra
aujourd'hui	*oggi*	*o*·dji
demain	*domani*	do·*ma*·ni
hier	*ieri*	*ié*·ri
lundi	*lunedì*	lou·né·*di*
mardi	*martedì*	mar·té·*di*
mercredi	*mercoledì*	mèr·ko·lé·*di*
jeudi	*giovedì*	djo·vé·*di*
vendredi	*venerdì*	vé·nèr·*di*
samedi	*sabato*	*sa*·ba·to
dimanche	*domenica*	do·*mé*·ni·ka
janvier	*gennaio*	djé·*na*·io
février	*febbraio*	fé·*bra*·io
mars	*marzo*	*mar*·tso
avril	*aprile*	a·*pri*·lé
mai	*maggio*	*ma*·djo
juin	*giugno*	*djou*·gno
juillet	*luglio*	*lou*·lio
août	*agosto*	a·*gos*·to
septembre	*settembre*	sé·*tèm*·bré
octobre	*ottobre*	o·*to*·bré
novembre	*novembre*	no·*vèm*·bré
décembre	*dicembre*	di·*tchèm*·bré

TRANSPORTS
Transports publics

À quelle heure part/ arrive... ?	*A che ora parte/ arriva...?*	a ké o·ra par·*té*/ a·*ri*·va...
le bateau	*la nave*	la *na*·vé
le bus (de la ville)	*l'autobus*	*lo*·to·bous
le bus (interurbain)	*il pullman*	il *poul*·man
l'avion	*l'aereo*	la·é·*ré*·o
le train	*il treno*	il *trè*·no

PANNEAUX ROUTIERS

Dare la precedanza	Céder le passage
Deviazione	Déviation
Divieto di accesso	Accès interdit
Divieto di sorpasso	Interdit de doubler
Divieto di sosta	Stationnement interdit
Entrata	Entrée
Passo carrabile/Carraio	Sortie de voitures
Pedaggio	Péage
Pericolo	Danger
Rallentare	Ralentir
Senso unico	Sens unique
Uscita	Sortie

Je voudrais un billet...	*Vorrei un biglietto...*	vo·*réi* oun bi·*lié*·to...
aller simple	*di solo andata*	di *so*·lo an·*da*·ta
aller-retour	*di andata e ritorno*	di an·*da*·ta é ri·*tor*·no
1re classe	*di prima classe*	di *pri*·ma *kla*·cé
2e classe	*di seconda classe*	di sé·*kon*·da *kla*·cé

Je veux aller à...	*Voglio andare a...*	*vo*·lio an·*da*·ré a...
Le train a été annulé/retardé.	*Il treno è soppresso/ in ritardo.*	il *tré*·no è so·*près*·so/ in ri·*tar*·do

le premier	*il primo*	il *pri*·mo
le dernier	*l'ultimo*	loul·*ti*·mo
quai (deux)	*binario (due)*	bi·*na*·rio (*dou*·é)
guichet	*biglietteria*	bi·liè·té·*ri*·a
horaire	*orario*	o·*ra*·rio
gare	*stazione*	sta·*tsio*·né

Transports privés

Je voudrais louer...	*Vorrei noleggiare...*	vo·*réi* no·lé·*dja*·ré...
une voiture	*una macchina*	ou·na *ma*·ki·na
un 4x4	*un fuoristrada*	oun fouo·ri·*stra*·da
une moto	*una moto*	ou·na *mo*·to
un vélo	*una bici(cletta)*	ou·na *bi*·tchi (*klè*·ta)·

Est-ce la route pour... ?	*Questa strada porta a...?*	*kouè*·sta *stra*·da *por*·ta a...
Où puis-je trouver une station-service ?	*Dov'è una stazione di servizio?*	do·*vè* ou·na sta·*tsio*·né di sèr·*vi*·tsio

LANGUE

Le plein, s'il vous plaît.
Il pieno, per favore. il pié·no pèr fa·*vo*·ré
Je voudrais (30) litres.
Vorrei (trenta) litri. vo·réi (*trèn*·ta) *li*·tri
(Combien de temps) puis-je me garer ici ?
(Per quanto tempo) (per *kouan*·to *tèm*·po)
Posso parcheggiare qui? po·so par·ké·*ja*·ré koui
diesel *gasolio/diesel* ga·zo·*lio*/di·zèl
super / essence *benzina* ben·*dzi*·na

Où paie-t-on ?
Dove si paga? do·vé si *pa*·ga
J'ai besoin d'un mécanicien.
Ho bisogno di un o bi·*zo*·gno di oun
meccanico. mé·*ka*·ni·ko
J'ai un pneu à plat.
Ho una gomma bucata. o ou·na *go*·ma bou·*ka*·ta
Je suis en panne d'essence.
Ho esaurito la benzina. o é·*zo*·*ri*·to la ben·*dzi*·na
La voiture/moto est tombée en panne (à...).
La macchina/moto la *ma*·ki·na/*mo*·to
si è guastata (a...). si è gouas·*ta*·ta (a...)
La voiture/moto ne démarre pas.
La macchina/moto la *ma*·ki·na/*mo*·to
non parte. non *par*·té
J'ai eu un accident.
Ho avuto un incidente. o a·*vou*·to oun in·tchi·*dèn*·té

AVEC DES ENFANTS

Puis-je donner le sein ici ?
Le dispiace se allatto lé dis·*pia*·tché sé a·*la*·to
il/la bimbo/a qui? il/la *bim*·bo/a koui
Acceptez-vous les enfants ?
Sono ammessi so·no a·*mè*·ci
i bambini ? i bam·*bi*·ni
Y a-t-il... ? *C'è...?* tchè...

Il me faut...	*Ho bisogno di...*	o bi·*zo*·nio di...
une salle de	*un bagno*	oun *ba*·gno
bains avec une	*con*	kon
table à langer	*fasciatoio*	fa·cha·*to*·io
un siège enfant	*un seggiolino*	oun sè·djo·*li*·no
	per bambini	per bam·*bi*·ni
un service de	*un servizio*	oun sèr·*vi*·tsio
baby-sitting	*di babysitter*	di bé·bi·*si*·tèr
un menu enfant	*un menù per*	oun mé·*nou* pèr
	bambini	bam·*bi*·ni
des couches	*pannolini*	pa·no·*li*·ni
(jetables)	*(usa e getta)*	(ou·sa é *dje*·ta)
du lait en poudre	*latte in polvere*	*la*·té in *pol*·vè·ré
une baby-sitter	*un/una*	oun/ou·na
(qui parle	*babysitter (che*	bé·bi·*si*·tèr
français)	*parli francese)*	(ké *par*·li
		fran·*tché*·zé)
une chaise haute	*un seggiolone*	oun sé·djo·*lo*·né

GUIDES DE CONVERSATION

Le guide de conversation *Italien* publié par Lonely Planet (264 p., 7,90 €) permet d'acquérir les bases grammaticales et les rudiments de prononciation pour se faire comprendre. On y trouve les mots indispensables pour communiquer en toutes circonstances : à l'hôtel, au restaurant, dans les transports publics, au garage, etc. Facile à utiliser, il comprend également un minidictionnaire bilingue.

Le guide *Petite conversation en italien*, lui aussi au catalogue Lonely Planet (96 p., 2,90 €) convient, quant à lui, pour une première approche ou un très court séjour.

Glossaire

Voici une liste de vocabulaire utile en Italie. Le *Glossaire d'architecture* (p. 802) indique des termes plus spécifiques. Les gastronomes se reporteront au chapitre *La cuisine italienne* p. 79, et les lecteurs plus pieux au *Glossaire des saints* (p. 800).

AAST – Azienda Autonoma di Soggiorno e Turismo ; office du tourisme local
abbazia – abbaye
ACI – Automobile Club Italiano ; automobile-club italien
affittacamere – chambres à louer
affresco – fresque ; procédé de peinture murale qui consiste à utiliser des couleurs délayées à l'eau sur un enduit de mortier frais
agriturismo – hébergement à la ferme, tourisme "vert"
AIG – Associazione Italiana Alberghi per la Gioventù ; Association italienne des auberges de jeunesse
(pizza) al taglio – à la coupe, une part (de pizza)
albergo (s), **alberghi** (pl) – hôtel (jusqu'à cinq étoiles)
alimentari – épicerie
aliscafo (s), **aliscafi** (pl) – hydroglisseur
Alleanza Nazionale – Alliance nationale ; parti politique néofasciste
alto – haut
ambasciata – ambassade
ambulanza – ambulance
anfiteatro – amphithéâtre
APT – Azienda di Promozione Turistica ; office provincial du tourisme
arco – arche, arc de triomphe
ASL – Azienda Sanitaria Locale ; agence de santé provinciale
autonoleggio – location de voiture
autostazione – gare routière
autostrada (s), **autostrade** (pl) – autoroute
autunno – automne
AV – Alta Velocità, train à grande vitesse entré en service fin 2009 sur les liaisons Turin-Milan-Bologne-Florence-Rome-Naples-Salerno

bambino (s), **bambini** (pl) – enfant
baccalà – morue
bagno – salle de bains, également toilettes
bancomat – DAB ; distributeur automatique de billets
battistero – baptistère
bene – bien, bon, d'accord
benzina – essence
benzina senza piombo – essence sans plomb
bianco – blanc
biglietto – billet, ticket

biglietto cumulativo – billet combiné, permettant d'entrer dans plusieurs sites touristiques
bivacco – bivouac, campement installé pour passer la nuit
borgo (s), **borghi** (pl) – bourg, village fortifié ayant peu changé au cours des siècles ; quartier pour certaines villes
Brigate Rosse (BR) – Brigades rouges ; organisation terroriste dans les années 1970-1980

calcio – football
cambio – bureau de change
camera – chambre
campanile – clocher
campo – champ, terrain ; place, en particulier à Venise
cappella – chapelle
carabinieri – gendarmes, assumant des fonctions militaires et civiles
Carnevale – carnaval ; entre l'Épiphanie et le début du carême
caruggio – allée sombre et étroite (Ligurie)
carta – menu
carta telefonica – carte téléphonique (aussi appelée *scheda telefonica*)
cartoleria – papeterie
cartolina – carte postale
casa – maison
castello – château
cena – dîner
centro – centre-ville
centro storico – centre historique, vieille ville
certosa – chartreuse, monastère fondé ou appartenant à l'ordre des Chartreux
chiesa (s), **chiese** (pl) – église
chilo – kilo
chiostro – cloître ; autour d'une cour, galerie couverte, souvent limitée par des colonnes
cima – sommet
circo – arène circulaire ou ovale
CIT – Compagnia Italiana di Turismo ; agences de voyages italiennes ayant des antennes dans le monde entier
città – ville, cité
città alta – ville haute
città bassa – ville basse
colle – colline
comune – municipalité, commune ; conseil municipal ; au Moyen Âge, un *comune* désignait une ville indépendante, une cité-État
condottiere – chef de soldats mercenaires au Moyen Âge et pendant la Renaissance
consolato – consulat
contado – proche banlieue d'une grande ville
contrada – quartier

convalida – validation (par ex. billet de train)
coperto – couverts (au restaurant)
cornetto – croissant
corso – avenue, grand-rue, cours
cortile – cour (d'une maison ou d'un château)
CTS – Centro Turistico Studentesco e Giovanile ; centre d'informations touristiques pour les jeunes et les étudiants
cuccetta – couchette

Democrazia Cristiana (DC) – démocrates chrétiens ; parti politique
Democratici di Sinistra (DS) – démocrates de gauche ; parti politique
denaro – argent
deposito bagagli – consigne à bagages
diretto – train direct, lent
dolina (s), **doline** (pl) – trous créés par des grottes qui se rejoignent ; voir *foiba*
douja – cruche à vin de terre typique d'Asti (Piémont)
duomo – cathédrale

ENIT – Ente Nazionale per il Turismo ; office national italien du tourisme
enoteca – bar à vin
ES – Eurostar Italia, train à grande vitesse
espresso – courrier exprès ; train express ; petit café noir
estate – été
etto (un) – 100 g

fermo posta – poste restante
ferramenta – quincaillerie
ferrovia – gare ferroviaire
festa – jour férié ; vacances
Feste di Pasqua – Pâques (et par extension Semaine sainte)
fiume – fleuve
foiba(s), **foibe** (pl) – trous créés par des grottes qui se rejoignent ; voir *dolina*
fondaco – maison de commerce et hôtel (Venise)
fornaio – boulangerie
foro – forum
Forza Italia – ancien parti politique dirigé par Silvio Berlusconi
francobollo – timbre poste
frazione – secteur
fresco – *voir affresco*
FS – Ferrovie dello State (chemins de fer italien)
funivia – téléphérique

gabinetto – toilettes, WC
gasauto ou **GPL** – GPL, carburant automobile
gasolio – gazole/diesel
gelateria – glacier
gelato – glace
gettone – jeton de téléphone

giardino (s), **giardini** (pl) – jardin
guardia forestale – garde forestier

IAT – Informazioni e Assistenza ai Turisti ; office du tourisme local
IC – Intercity (interurbain) ; train express
IDP – permis de conduire international
interregionale – train longue distance s'arrêtant fréquemment
inverno – hiver
isola – île
IVA – Imposta di Valore Aggiunto ; impôt sur la valeur ajoutée ; TVA

largo – (petite) place, avenue, cours, boulevard
lavanderia – laverie
Lega Nord – Ligue du Nord ; parti fédéraliste
lido – plage
locale – bar, café, restaurant
locanda – auberge, petit hôtel
loggia – balcon couvert
lungomare – promenade en bord de mer

macchina – voiture
mar, mare – mer
marito – époux, mari
masseria – ferme manoir
mercato – marché
Medioevo – Moyen Âge
Metropolitana (Met) – métro à Rome et à Naples
Mezzogiorno – Midi ; l'Italie méridionale (du Sud)
MM – Metropolitana Milano, métro à Milan
monte – montagne, mont
motorino – deux-roues (scooter)
municipio – hôtel de ville

Natale – Noël
nave (s), **navi** (pl) – bateau
necropoli – nécropole, site funéraire
numeri verdi – numéros de téléphone gratuits

oggetti smarriti – objets perdus
ospedale – hôpital
ostello per la gioventù – auberge de jeunesse
osteria – snack-bar ; restaurant bon marché
ovest – ouest

Pagine Gialle – Pages jaunes ; annuaire téléphonique
palazzo (s) **palazzi** (pl) – résidence ou palais ; grand bâtiment, parfois un immeuble
palio – course ; compétition
panetteria – boulangerie
parco – parc
Partito della Rifondazione Comunista (PRC) – Parti communiste

Partito Socialista Italiano (PSI) – Parti socialiste italien

passeggiata – promenade

pasticceria – pâtisserie

pellicola – pellicule photo

pensione – petit hôtel, maison d'hôtes, souvent avec pension

permesso di lavoro – permis de travail

permesso di soggiorno – permis de séjour

piazza – place

piazzale – (grande) place ouverte, esplanade

pietà – littéralement "pitié", "compassion" ; sculpture, dessin ou peinture représentant le Christ mort, soutenu par la Vierge Marie

pinacoteca – galerie de peintures, pinacothèque

Polo per le Libertà – Alliance pour la liberté ; coalition politique de droite

poltrona – fauteuil ; siège inclinable sur un ferry

ponte – pont

pontile – embarcadère, débarcadère

portico – portique ; arcades couvertes

porto – port

posta – bureau de poste (aussi *ufficio postale*)

presepio – crèche de Noël

primavera – printemps

pronto soccorso – premiers soins, premiers secours

putto – chérubin

quartiere – quartier

questura – poste de police

raccomandata – recommandé

reale – royal

regionale – train régional, lent

rifugio (s), **rifugi** (pl) – refuge ou gîte de montagne

Risorgimento – mouvement intellectuel et politique de la fin du XIXe siècle visant à créer un État italien uni

riva – berge, bord de l'eau

rocca – château fort, forteresse

ronda – rond-point

rosticceria – rôtisserie

sagra – fête traditionnelle, foire gastronomique

sala – salle, hall

saldi – soldes

salumeria – charcuterie, traiteur

santuario – sanctuaire

sassi – littéralement "pierres" ; maisons creusées dans la roche, typiques de Matera (Basilicate)

scala mobile – escalator, escalier roulant

scalinata – escalier

scavi – fouilles (archéologiques)

sci alpino – ski de descente

sci alpinismo – ski de randonnée

sci di fondo – ski de fond

servizio – service (au restaurant)

sestiere – quartier de Venise

Settimana Bianca – "Semaine blanche" ; forfait de ski

soccorso alpino – secours en montagne

soccorso stradale – secours sur l'autoroute

spiaggia – plage

spiccioli – petite monnaie

stato – état

stazione – station, gare

stazione di servizio – station-service

stazione marittima – terminal des ferries

strada – rue, route

strada provinciale – route départementale ; parfois simplement un chemin à la campagne

strada statale – route principale ; souvent à voies multiples, sans péages

superstrada – voie express ; autoroute à chaussées séparées

supplemento – dans un train express, supplément payable selon la distance parcourue

tabaccheria, tabacchi – bureau de tabac

tavola calda – "table chaude" ; servant des plats de viande, de pâtes et de légumes, souvent en self-service

teatro – théâtre

tempietto – petit temple

tempio – temple

terme – thermes

tesoro – trésor

torre – tours

torrente – ruisseau, torrent

traghetto (s), **traghetti** (pl) – bac, passage de fleuve ou de canal, notamment à Venise ; petits ferrie

tramezzino – sandwich

trattoria – restaurant bon marché

Trenitalia – chemins de fer italien, appelés aussi Ferrovie dello Stato (FS)

treno – train

ufficio postale – bureau de poste, aussi *posta*

ufficio stranieri – bureau des étrangers (police)

Ulivo – Alliance de l'Olivier ; coalition de centre gauche

vendemmia – vendange

via – rue, route

viale – avenue

vico, vicolo – allée, ruelle, chemin

vigili del fuoco – sapeurs-pompiers

vigili urbani – policiers municipaux, agents de la circulation

villa – maison de campagne ; désigne aussi l'ensemble d'une propriété

Zona rimozione – zone d'enlèvement des voitures

Glossaire des saints

Saint Ambroise (San Ambrogio ; vers 337-397). Né à Trèves (Allemagne). Protecteur des apiculteurs et des animaux domestiques. Fête le 7 décembre. Évêque de Milan, il encourut souvent l'ire de l'empereur pour avoir proclamé que ce dernier était "dans l'Église, et non au-dessus d'elle". Un des quatre grands docteurs de l'église (avec saint Augustin, saint Jérôme et saint Grégoire le Grand).

Sainte Angèle Merici (Sant'Angela Merici ; 1474-1540). Née à Desenzano, près de Brescia. Protectrice des malades et des handicapés. Fête le 27 janvier. Très tôt orpheline, Angèle commença à enseigner le catéchisme aux enfants de son village avant d'être appelée à Brescia. Elle fonda la Compagnie de Sainte Ursule (les ursulines), premier ordre enseignant féminin.

Saint Antoine de Padoue (San Antonio di Padova ; 1195-1231). Né à Lisbonne (Portugal). Protecteur des personnes stériles ou âgées et des femmes enceintes. Fête le 13 juin. Moine franciscain, possédant les dons pour le prêche et une connaissance de la Bible exceptionnels, Antoine s'installa en Italie après avoir prêché au Maroc. Plusieurs miracles lui sont attribués et son sanctuaire à Padoue est un haut lieu de pèlerinage.

Saint Benoît de Nursie (San Benedetto da Norcia ; vers 480-547). Né à Nursie (Ombrie). Protecteur des agriculteurs. Fête le 11 juillet. Fondateur de l'ordre des bénédictins, saint Benoît partagea sa vie entre la direction de son monastère et une vie érémitique.

Saint Bernardin de Sienne (San Bernadino di Siena ;1380-1444). Né à Massa Marìtima (Toscane). Protecteur des communications (publicité). Fête le 20 mai. Ce prédicateur qui attirait les foules les exhortait à jeter les objets de tentation au "bûcher des vanités".

Sainte Catherine de Sienne (Santa Caterina di Siena ; 1347-1380). Née à Sienne (Toscane). Patronne des infirmières et des pompiers. Fête le 29 avril. Les quelque 300 lettres d'elle qui nous sont parvenues sont considérées comme les chefs-d'œuvre de la littérature toscane ancienne. Ses restes sont aujourd'hui dispersés : sa tête et son pouce droit sont conservés à Sienne, son corps à Rome et l'un de ses pieds à Venise.

Sainte Cécile (Santa Cecilia). Patronne des musiciens et de la musique sacrée. Fête le 22 novembre. Vierge et martyre, elle fonda une église dans le quartier du Trastevere à Rome et fut condamnée pour avoir refusé d'abjurer la foi chrétienne.

Sainte Claire (Santa Chiara ; 1194-1253). Née à Assise (Ombrie). Patronne des orfèvres. Fête le 11 août. Disciple de saint François, elle fonda l'ordre des clarisses, dont les membres, également appelées "pauvres dames", vont nu-pied et observent un silence presque complet.

Saint François (San Francesco ; vers 1181-1226). Né à Assise (Ombrie). Protecteur des animaux, des marchands et de l'environnement. Fête le 4 octobre. Après une jeunesse dissolue, saint François mena une vie d'une humilité extrême et fonda l'ordre des franciscains. Il vécut en compagnie d'animaux, soigna les lépreux et reçut les stigmates.

Saint François Jérôme (San Francesco di Girolamo ; 1642-1716). Né près de Tarente (Pouilles). Fête le 11 mai. Ce jésuite prêcha dans les prisons, les maisons closes et les galères, à Naples et dans les environs. Il convertit aussi des prisonniers turcs et maures. De nombreuses guérisons miraculeuses lui sont attribuées.

Sainte Françoise Romaine (Santa Francesca Romana ; 1384-1440). Née à Rome. Patronne des conducteurs d'automobile. Fête le 9 mars. Fille d'aristocrates romains, mariée à 13 ans, elle mena une vie exemplaire d'abnégation et de bonnes actions.

Saint Grégoire le Grand (vers 540-604). Né à Rome. Patron des musiciens, chanteurs, étudiants et enseignants. Fête le 3 septembre. Issu d'une famille patricienne, il exerça le métier de magistrat, rejoignit l'église à l'âge de 35 ans et devint pape en 590.

Saint Ignace de Loyola (1491-1556). Né à Loyola (Espagne). Patron des soldats. Fête le 31 juillet. Benjamin d'un aristocrate basque, il fut ordonné à Rome à 47 ans et fonda peu après la Société de Jésus (les jésuites).

Saint Jean Bosco (San Giovanni Melchior Bosco ; 1815-1888). Né à Turin. Patron des rédacteurs, éditeurs, des écoliers et des jeunes. Fête le 31 janvier. Issu d'une famille paysanne, Jean Bosco eut très tôt la vocation d'éduquer les enfants et les jeunes gens de milieux défavorisés. Il fonda des maisons d'accueil pour étudiants et des foyers pour jeunes ouvriers. Ses disciples portent le nom de salésiens.

Saint Laurent (San Lorenzo ; vers 225-258). Né à Huesca, Espagne). Gestionnaire habile, saint Laurent protégea les capitaux de l'Église romaine au IIIe siècle. Il œuvra également en faveur des pauvres, des malades et des infirmes. Son statut de patron des cuisiniers vient de sa mort horrible : il fut brûlé vif sur une plaque en fer.

Saint Marc (San Marco ; Ier siècle). Né en Libye et saint patron de Venise, saint Marc aurait écrit le deuxième évangile à Rome. La basilique Saint-Marc s'élève au-dessus de la maison dans laquelle il résidait.

Saint Matthieu (San Matteo ; Ier siècle). Né en Éthiopie, ce percepteur d'impôts de Rome devint apôtre. Il est le patron des banquiers, des agents de change et des comptables.

Saint Paul (San Paolo ; vers 3-65). Né en Turquie. Saül, l'ennemi des chrétiens devint saint Paul, l'évangéliste voyageur après une conversion sur la route de Damas. Aux côtés de saint Pierre, il est le patron de la capitale. Leur fête commune est célébrée le 29 juin.

Saint Pierre (San Pietro ; mort en 64). Né en Galilée, saint Pierre aurait fondé l'Église romaine catholique lorsque Jésus lui remit les clés du royaume du paradis. Il fut crucifié la tête en bas et enterré à l'emplacement actuel de la basilique Saint-Pierre.

Sainte Praxède (Santa Prassede ; morte en 164). Fille d'un sénateur romain et sœur de sainte Pudenziana, sainte Praxède est connue pour avoir recueilli des chrétiens pendant une période de persécutions et pour avoir enterré les morts dans un puits de la propriété familiale.

Sainte Pudenziana (Santa Pudenziana ; morte en 160). On sait peu de choses de cette vierge martyre, si ce n'est qu'elle était la sœur de sainte Praxède, et qu'elle est représentée dans la mosaïque de l'abside de la Chiesa di Santa Pudenziana, une église ancienne de Rome.

Saint Sébastien (San Sebastiano ; mort vers 288). Né en France, il se distingua comme officier dans l'armée impériale de Dioclétien avant de se convertir au christianisme. Cela déplut à Dioclétien, qui le fit attacher à un arbre et l'exposa aux flèches des archers. Il survécut mais fut battu à mort. Il est le patron des archers et des officiers de police.

Sainte Thérèse (Santa Teresa ; 1515-1582). Née à Avila, l'Espagnole sainte Thérèse est le sujet de la célèbre sculpture de Bernin, *L'Extase de sainte Thérèse*. Elle créa des couvents carmélites, écrivit de la littérature mystique et fit l'expérience de l'extase religieuse.

Glossaire d'architecture

abside – renfoncement voûté semi-circulaire ou polygonal, souvent à l'extrémité du chœur dans une église

architrave – 1. partie d'un entablement assurant le maintien de colonnes ; 2. bande de moulures ou autres ornements entourant des ouvertures ou des panneaux

baldaquin – dais, surmontant généralement un maître autel dans une basilique

baptistère – édifice servant au sacrement du baptême

baroque – style artistique, architectural et musical ayant fait son apparition en Europe aux XVIIᵉ et XVIIIᵉ siècles

basilique – 1. à l'époque romaine, grand bâtiment rectangulaire, comportant habituellement une longue nef flanquée de deux bas-côtés, souvent terminée à une ou aux deux extrémités par une abside. On s'y rendait pour recevoir ou dispenser la justice ; 2. église chrétienne primitive ou médiévale, dont le plan au sol reprend ou s'inspire de celui des basiliques romaines

caisson – compartiment creux à fonction décorative dans un plafond

chaire – plate-forme ou construction surélevée dans une église, d'où le prêtre prononce son sermon

chapiteau – tête d'un pilier ou d'une colonne

cloître – *chiostro* ; passage couvert, en général délimité par des colonnes, autour d'un espace quadrangulaire

colonnade – série de colonnes disposées à intervalles réguliers, supportant généralement un entablement, un toit ou une série d'arcades

corniche – 1. projection horizontale moulée couronnant ou terminant un mur, un édifice ; 2. partie supérieure d'un entablement, reposant sur la frise ; 3. moulure(s) située(s) entre les murs et le plafond d'une salle

coupole – voûte circulaire ou dôme

cruciforme – en forme de croix

crypte – pièce souterraine ou voûtée à usage funéraire

déambulatoire – espace servant à se promener dans un cloître ; le terme désigne également une galerie, souvent semi-circulaire, tournant autour du maître-autel dans une église

entablement – composé d'une architrave, d'une frise décorative et d'un fronton triangulaire, l'entablement est la partie qui surmonte les rangées de colonnes sur les façades classiques

fonts baptismaux – réceptacle généralement en pierre contenant l'eau utilisée pour les baptêmes

forum – dans la Rome antique, espace public utilisé pour les affaires juridiques et commerciales

frise – partie de l'entablement généralement sculptée, située entre l'architrave et la corniche

fronton – pignon bas et triangulaire couronné d'une corniche en projection, en particulier au-dessus d'un portique ou d'un porche, à l'extrémité d'un édifice couvert d'un toit à double pente

insula – immeuble de rapport formant un pâté de maisons (Antiquité)

loggia – espace couvert situé sur le côté d'un bâtiment

mausolée – tombeau magnifique et imposant

narthex – vestibule situé le long de la façade des églises chrétiennes primitives

nef – partie principale et centrale d'une église (dans le sens de la longueur), flanquée de deux bas-côtés et s'étendant habituellement de l'entrée à l'abside

néoclassicisme – style dominant dans l'art et l'architecture de la fin du XVIIIᵉ siècle et du début du XIXᵉ siècle ; retour aux styles de la Rome antique

nymphée – grotte ou caverne à usage récréatif ou religieux (Antiquité)

pietra serena – pierre vert de gris dite "pierre sereine"

podium – mur bas et continu formant une base ou une plate-forme

portique – structure composée d'un toit soutenu par des colonnes ou des trumeaux et formant l'entrée d'une église ou autre édifice

quadriporto – porche à quatre côtés (Antiquité)

rationalisme – style architectural apparu à l'échelle internationale dans les années 1920 ; en Italie, ce mouvement souvent associé au fascisme mêlait des styles linéaires à des références classiques

relief – motif faisant saillie sur une surface plane

Renaissance – renouveau européen dans l'art et l'architecture, basé sur des précédents classiques entre les XIVᵉ et XVIᵉ siècles

rococo – style architectural du XVIIIᵉ siècle, riche en ornementations

roman – style architectural utilisé entre les Xᵉ et XIIᵉ siècles, caractérisé par ses voûtes et ses arcs arrondis

rustification (rustication) – manière de tailler une pierre pour lui donner un aspect buriné, usé

sacristie – pièce d'une église où sont gardés la vaisselle et les vêtements liturgiques

santuario – sanctuaire ; 1. partie d'une église située au-dessus de l'autel ; 2. endroit particulièrement sacré dans un temple (Antiquité)

sgraffito – surface enduite de plâtre que l'on sculpte ensuite afin de créer des reliefs imitant la pierre ou la brique gravées

spolia – réutilisation créative de monuments anciens dans des édifices nouveaux

torre – tour

transept – partie(s) transversale(s) d'une église à plan cruciforme

travertin – pierre calcaire utilisée pour les sols et les constructions

triclinium – pièce où se déroulaient les banquets (Antiquité)

vestibule – passage, couloir ou antichambre situé entre la porte donnant sur l'extérieur et les parties internes d'un bâtiment

vomitoria – arcades par lesquelles on accédait aux amphithéâtres romains (Antiquité)

voûte – structure cintrée formant un plafond ou un toit

Les auteurs

DAMIEN SIMONIS   Auteur coordinateur, Lombardie et région des lacs

Damien garde un souvenir ému des programmes italiens qu'il écoutait sur une radio crachotante pendant ses nuits d'été australiennes, il y a de nombreuses années. Tout a commencé cependant à Rome, étape d'un classique voyage de globe-trotter, devenue par la suite une véritable obsession pendant ses études à la fac. Il a sillonné l'Italie depuis Bolzano, au nord, jusqu'à l'île de Lampedusa, au sud de la Sicile. Il a vécu à Milan, Florence, Venise et Palerme, et y retourne fréquemment pour le plaisir autant que pour le travail. Œuvrant à ce guide depuis la deuxième édition anglaise, Damien a également coordonné les guides Lonely Planet *Venise*, *Venise Citiz*, *Florence* et *Toscane et Ombrie*. Il a également travaillé sur un nouveau guide, *La région des lacs italiens*.

Pour le présent ouvrage, Damien a mis à jour les chapitres *Destination*, *Mise en route*, *Itinéraires*, *Histoire*, *Lombardie et région des lacs*, *Carnet pratique*, *Transports* et *Langue*.

ALISON BING   Culture et société, La cuisine italienne, Saveurs, Vénétie

Quand elle n'est pas occupée à griffonner, assise dans une église, ou à écumer les restaurants des *sestiere* de Venise, Alison écrit pour les guides Lonely Planet *Venise*, *États-Unis*, *San Francisco* et *Toscane et Ombrie*, ainsi que pour des magazines d'architecture, de cuisine et d'art. Elle partage actuellement son temps entre San Francisco et une ville perchée sur une colline, entre le Latium et la Toscane, avec son compagnon Marco Flavio Marinucci. Titulaire d'une licence en histoire de l'art et d'une respectable maîtrise de la Fletcher School of Law and Diplomacy, des universités de Tufts et de Harvard, elle écrit des chroniques culturelles dans les journaux, les magazines, à la télé et à la radio qui ne manquent pas de piquant…

LES AUTEURS DE LONELY PLANET

Lonely Planet réalise ses guides en toute indépendance et n'accepte aucune publicité. Tous les établissements et prestataires mentionnés dans l'ouvrage le sont sur la foi du seul jugement des auteurs, qui ne bénéficient d'aucune rétribution ou réduction de prix en échange de leurs commentaires.

Sillonnant le pays en profondeur, les auteurs de Lonely Planet savent sortir des sentiers battus sans omettre les lieux incontournables. Ils visitent en personne des milliers d'hôtels, restaurants, bars, cafés, monuments et musées, dont ils s'appliquent à faire un compte-rendu précis.

CRISTIAN BONETTO
Campanie

Au grand dam de sa famille du nord de l'Italie, le cœur de Cristian appartient à Naples – rien d'étonnant pour cet écrivain de comédies et de feuilletons qui n'aime rien tant que brûler les feux rouges. Installé à Melbourne, en Australie, Cristian se rend régulièrement en Campanie et dans sa capitale, où il retrouve la *mozzarella di bufala* et les habitants au caractère ardent qu'il aime tant. Ses réflexions sur la région ont été publiées de Sydney à Londres, et sa pièce napolitaine *Il Cortile* a fait une tournée italienne en 2003. Pour Lonely Planet, Cristian a aussi travaillé sur *Naples et la côte amalfitaine* et *Rome en quelques jours*.

GREGOR CLARK
Émilie-Romagne

Gregor a contracté le virus de l'Italie à 14 ans, lorsqu'il a passé un an à Florence où son professeur de père a traîné toute la famille pour admirer les fresques, mosaïques, églises et musées dans un rayon d'au moins 1 000 km ! Gregor est régulièrement retourné en Italie, notamment pour de longs séjours à Venise et dans la région des Marches, guidant des circuits en vélo dans la vallée du Pô, et parcourant (en suant sang et eau) les cols des Dolomites pour les besoins du guide *Cycling Italy* de Lonely Planet. Polyglotte et titulaire d'un diplôme en langues romanes, Gregor contribue régulièrement aux guides Lonely Planet, notamment *Brésil*, *Argentine* et *Portugal*. Il vit avec sa femme et ses deux filles dans le Vermont, aux États-Unis.

DUNCAN GARWOOD
Environnement, Abruzzes et Molise, Plein air

Rien ne prédestinait Duncan à devenir un inconditionnel de l'Italie – tout a commencé par une rencontre dans un pub de Londres et son déménagement à Bari. Plus de 10 ans plus tard, il vit toujours en Italie, cette fois dans les collines d'Alba, près de Rome. Depuis sa première mission pour Lonely Planet, en 2002, il a contribué à de nombreux guides sur l'Italie, notamment *Rome* et *Naples et la côte amalfitaine*. Rome demeure sa ville préférée, suivie de la Sardaigne pour ses plages et des Abruzzes pour leur capacité à se relever des pires catastrophes naturelles – mais la liste change tout le temps !

ABIGAIL HOLE
Rome et Latium

Son désordre, sa beauté, son été interminable, son charme, la séduction des Romains, les glaces de rêve et la campagne somptueuse au pied de la ville… Pour Abigail, Rome a tout de la ville idéale. Depuis sa première visite en 2003, elle n'en est jamais réellement partie. Elle a épousé un Italien, son premier fils est né dans la Ville Éternelle, et c'est ici que vit sa *famiglia* italienne. Différents journaux, magazines et sites Internet ont publié ses articles sur Rome, et elle a contribué au guide Lonely Planet *Best of Rome*, *Italie* et *Puglia & Basilicata*. Écrivain indépendant, elle partage aujourd'hui son temps entre Rome, Londres et les divines Pouilles.

ALEX LEVITON — Ombrie et Marches

Alex a mis à jour le chapitre *Ombrie et Marches* de trois éditions consécutives. Après avoir visité Pérouse pour la première fois en 1998, elle y est revenue une douzaine de fois pour travailler, vivre et voyager entre ces deux régions. Depuis qu'elle a décroché en 2002 sa maîtrise de journalisme à l'université de Berkeley, en Californie, Alex travaille comme écrivain indépendant et auteur pour Lonely Planet. Elle vit surtout à San Francisco et parfois à Durham, en Caroline du Nord, mais rêve, un jour, d'acheter une ferme dans les collines d'Ombrie.

VIRGINIA MAXWELL — L'art italien, Architecture, Toscane

Après avoir travaillé plusieurs années comme éditrice au bureau Lonely Planet de Melbourne, en Australie, Virginia a décidé de se jeter à l'eau et d'écrire des guides de voyages plutôt que de confier cette mission à d'autres. Depuis cette heureuse initiative, elle a rédigé – ou contribué à la rédaction – des guides Lonely Planet pour neuf destinations, dont huit pays méditerranéens. Virginia a arpenté Rome pour les éditions précédentes du guide *Italie* et le nord du pays pour le guide Lonely Planet *Western Europe*. Elle est également auteur coordinatrice pour le guide *Toscane et Ombrie*.

JOSEPHINE QUINTERO — Pouilles, Basilicate et Calabre

Née en Angleterre, Josephine est partie vers la fin des années 1960 avec son sac à dos et sa guitare (comme tout le monde, quoi !) pour passer un an dans un kibboutz en Israël. Ses voyages l'ont ensuite menée au Koweït, où elle a travaillé comme éditrice au *Kuwaiti Digest* et a été retenue en otage pendant l'invasion irakienne. Elle s'est ensuite installée dans le cadre plus paisible de la côte andalouse, en Espagne, d'où elle n'a pas tardé à faire de fréquentes visites à vocation familiale en Italie, où elle pratique assidûment l'épicurisme.

BRENDAN SAINSBURY — Ligurie, Piémont et Val d'Aoste, Trentin et Haut-Adige, Frioul-Vénétie Julienne

Britannique expatrié à Vancouver, au Canada, Brendan a découvert l'Italie au cours d'un voyage étudiant dans les années 1980 – à l'époque, il a dépensé ses derniers *soldi* à Venise et a fini par s'endormir devant le guichet de la gare de Milan. Revenu avec son vélo en 1992, il a quitté Turin à toute vitesse pour assister à la victoire d'étape historique du légendaire cycliste italien Claudio Chiappucci au Tour de France, à Sestrières. Brendan a mis à jour trois chapitres de ce guide ; il est aussi l'auteur du guide Lonely Planet *Hiking in Italy*.

En coulisses

À PROPOS DE CET OUVRAGE

Cette quatrième édition française du guide *Italie* est tirée de la 9ᵉ édition anglaise. Damien Simonis, auteur coordinateur, s'est entouré une fois encore d'une kyrielle d'auteurs enthousiastes, dont Abigail Hole, Alex Leviton, Alison Bing, Brendan Sainsbury, Cristian Bonetto, Duncan Garwood, Gregor Clark, Josephine Quintero et Virginia Maxwell.

Traduction française : Maud Combier, Florence Delahoche, Florence Guillemat, Mélanie Marx, Marie-Claude Nicod et Bérengère Viennot

CRÉDITS

Responsable éditorial : Didier Férat
Coordination éditoriale : Carole Haché
Coordination graphique : Jean-Noël Doan
Maquette : David Guittet
Cartographie : cartes originales de Fatima Bašić, Ross Butler, Hunor Csutoros, Valeska Cañas, Julie Dodkins, Tadhgh Knaggs, Joanne Luke, Ross Macaw, Marc Milinkovic, sous la supervision de Csanad Csutoros et Herman So. Cartes adaptées en français par Caroline Sahanouk
Recherches photos intérieures : Aude Vauconsant, lonelyplanetimages.com
Couverture : couverture originale de Naomi Parker, lonelyplanetimages.com, adaptée en français par Alexandre Marchand
Coordination de la section Langue : Robyn Loughnane

Remerciements à Claude Albert, Céline Bénard, Valérie Bourgeois et Chantal Duquenoy pour leur précieuse contribution au texte, ainsi qu'à Françoise Blondel et Dolorès Mora pour leur travail essentiel sur le texte final. Un grand merci également à Ludivine Brehier et Magali Plattet pour leur préparation du manuscrit anglais. Enfin, merci à Dorothé Pasqualin pour le courrier des lecteurs et à Dominique Spaety qui a apporté, comme toujours, un soutien attentif, sans oublier Clare Mercer et Tracey Kislinbury du bureau de Londres et Debra Hermann du bureau australien.

UN MOT DES AUTEURS
DAMIEN SIMONIS

Mon retour en Lombardie m'a permis de redécouvrir une région injustement ignorée. *Mille grazie* à : Daniela Antongiovanni, Sergio Bosio, Paola Brussa, Anna Cerutti, Gianluca Cosentino, Cédric Fahey, Verónica Farré, Alessandra Fasola et Michele, Caroline Heidler, Janique LeBlanc, Edith García López, Emma Lupano, Gisella Motta, Cristina Pasqualin, Stefano Stomboli, Maurizio Trombini et Simona Volonterio. Chaleureux *grazie mille* à tous !

ALISON BING

Mille grazie e tanti baci a le mie famiglie a Roma et à Stateside. Merci donc aux Bing, aux Ferry et aux Marinucci, sans oublier Paula Hardy, éditrice et voyageuse intrépide, Francesca Forni, Cristina

EN COULISSES

LES GUIDES LONELY PLANET

Tout commence par un long voyage : en 1972, Tony et Maureen Wheeler rallient l'Australie après avoir traversé l'Europe et l'Asie. À l'époque, on ne disposait d'aucune information pratique pour mener à bien ce type d'aventure. Pour répondre à une demande croissante, ils rédigent leur premier guide Lonely Planet, écrit sur un coin de table.

Lonely Planet est ainsi devenu le plus grand éditeur indépendant de guides de voyage dans le monde. En octobre 2007, Lonely Planet s'est associé à la BBC Worldwide, qui a acquis 75% des parts du groupe, laquelle s'est engagée à maintenir intacte l'indépendance éditoriale des guides. Lonely Planet dispose de bureaux à Melbourne (Australie), Londres (Royaume-Uni) et Oakland (États-Unis).

La collection couvre désormais le monde entier et ne cesse de s'étoffer. L'information est aujourd'hui présentée sur différents supports, mais notre objectif reste constant : donner des clés au voyageur pour qu'il comprenne mieux le pays qu'il découvre.

L'équipe de Lonely Planet est convaincue que les voyageurs peuvent avoir un impact positif sur les pays qu'ils visitent, pour peu qu'ils fassent preuve d'une attitude responsable. Depuis 1986, nous reversons un pourcentage de nos bénéfices à des actions humanitaires, à des campagnes en faveur des droits de l'homme et, plus récemment, à la défense de l'environnement.

Bottero, Rosanna Corró, Giovanni d'Este, Francesco e Matteo Pinto e Davide Amadio, mes éminences vénitiennes, Damien Simonis, mon coauteur, Imogen Bannister, Herman So et Rachel Imeson, à Melbourne, et les rebelles au palais fin, Raj Patel, Cindy Hatcher, Cook Here and Now, et Slow Food Viterbe. *Ma soprattutto* : Marco Flavio Marinucci, à qui je dois tant.

CRISTIAN BONETTO

Un *grazie* à mon San Lucano à moi, sa partenaire de crime, Silvana, Valentina Vellusi et Francesco Calazzo pour leur incroyable générosité et leurs connaissances. Un chaleureux merci à Santiago Faraone Mennella, Valerio Prodomo, Fulvio Salvi, Luca Cuttitta, Sally O'Brien et Denis Balibouse, Penelope Green, Antonio Romano, Carmine Romano, Daniela Ibello, Mario Spada et Daniele Sanzone. Chez Lonely Planet, un grand merci à Paula Hardy pour m'avoir confié cette mission et pour son soutien, et à Josephine Quintero et Duncan Garwood pour leur remarquable travail de recherche.

GREGOR CLARK

Gregor Clark souhaite remercier tous les Italiens dont la générosité et la gentillesse ont fait de ce voyage une expérience inoubliable, en particulier Michele Scimone à Taormina, Daniela Palin, Claudia Renzi et Valentina Carlucci à Rimini, Gaetano sur le Stromboli, Sonia à Agrigento, Teresa et Marco à Catania, Domenica et Brad, et le formidable couple du Risveglio Ibleo, qui confectionne la meilleure confiture de mandarines au monde. Merci à Damien Simonis, l'auteur coordinateur, et à mon éditrice Paula Hardy de m'avoir confié cette mission. Enfin et surtout, toute mon affection va à Gaen, Meigan et Chloe, que je retrouve toujours avec tant de bonheur.

DUNCAN GARWOOD

Comme toujours, mes remerciements vont à tous ceux qui m'ont aidé et encouragé pendant mon travail. Du côté de Lonely Planet, merci à Paula Hardy, directrice éditoriale, Herman So, cartographe en chef, ainsi qu'aux auteurs Damien Simonis, Josephine Quintero, Virginia Maxwell et Abi Hole. Dans les Abruzzes (et dans le désordre), *grazie* à Franca Leone (Sulmona), Emanuela Grassi (Pescara), Liliana (Chieti) et à Pescasseroli pour son aide à l'office du tourisme. En Sardaigne, un grand merci à l'équipe du principal office du tourisme de Cagliari et à Claudia Cadelano à Il Castello ; Enrica Olla (Pula), Paola et Andrea (Oristano), Patrizia (Alghero), Michela Piga, Anna Maria Dedola et Laura

Sotgia (Porto Torres), et Giancarlo (Nuoro). Enfin, j'embrasse tendrement Lidia, sans le soutien de qui je ne pourrais pas faire ce travail, ma belle-mère Nicla, ainsi que Ben et Nick qui savent comment m'arracher à mon ordinateur.

ABIGAIL HOLE

Molto grazie : à toute l'équipe Lonely Planet, en particulier Paula Hardy ; à tous mes coauteurs, en particulier Duncan pour ses excellents textes *À voir*, et à Damien qui a dirigé l'équipe. *A le mie famiglie a Roma* : Marcello, Anna, Carlotta, Alessandro, Paolo, Clemente *e* Simone. À Rome, *grazie* à Paola Zaganelli, et à ses amis Manuela et Lorenzo ; à Barbara Lessona pour avoir partagé ses adresses secrètes de shopping, et à Stephanie Santini et Benjamin Holmes. Un grand merci aux baby-sitters : Marcello, Anna, Maman, Ant, Karen, Esme, Jack Lula, Mel, Gracie May et Chrissy ; et à Luca, Gabriel et Jack Roman, toujours aussi *fighi*.

ALEX LEVITON

Alex remercie ses formidables compagnons de route/sherpas Lenny "Il Muffino" Amaral (qui en est à son septième guide Lonely Planet) et Becca Blond, de chez LP. Chapeau bas pour l'épatante équipe de Jennifer Brunson et Scott Leviton. Alex aimerait aussi remercier ses amis et guides improvisés, Carlo Rocchi Bilancini, Zach Nowak, Federico Bibi et Jennifer McIlvaine, Duncan et Claudia Campbell. Merci à tous les offices du tourisme qui n'étaient pas du tout abominables : à Spoleto, Assise et Urbino. Merci aux auteurs, Leif Pettersen (qui a déjà travaillé sur l'édition précédente), Virginia Maxwell et Damien Simonis. Enfin, toute ma gratitude va à Julia Pond, qui a su modérer mes ardeurs. *Tante grazie !*

VIRGINIA MAXWELL

Mille mercis affectueux à Max, qui m'a encore une fois accompagnée dans mon équipée italienne pour Lonely Planet, et à Peter pour avoir veillé aux finances familiales depuis l'Australie. Leif Pettersen, auteur chez Lonely Planet, a effectué la majeure partie des recherches et de la rédaction pour le chapitre *Toscane* de ce guide. Merci Leif pour cet excellent travail ! Remerciement également à Damien, notre auteur coordinateur, pour sa patience. En Italie, un grand merci au personnel des offices régionaux du tourisme pour son extraordinaire efficacité : Ilaria Crescioli, de Toscana Promozione, Roberta Berni d'APT Florence, Giuseppe Magni, Marco Secci, Freya Middleton et Filippo Giabboni, Jane Morrow, Anna Rita Merlini d'APT Pistoia, Antonella Giusti d'APT Lucca, Linda Secoli d'APT Massa-Carrara, Nadia

Ferrini, Tania Pasquinelli d'APT Montecatini Terme, Fabrizio Quochi et Ilaria Antolini d'APT Pisa, Carlo à Lucques, Vincenzo Riolo, Martin Rothweiler, Marzia Vaccaro de San Miniato Promozione, Michele et Christa Giuttari et Sandra et Letizia d'APT Versilia. Au bureau londonien de Lonely Planet, sincères remerciements à Paula Hardy, pour qui l'Italie n'a aucun secret. Au bureau de Melbourne, je remercie Rachel Imeson et Herman So.

JOSEPHINE QUINTERO

Tout d'abord, mille mercis à Robin Chapman pour son sens de l'humour, son sens de la cartographie et le vin que nous avons partagé après de longues journées de route. Un immense merci à mes cousins d'Italie, à Sandi, pour son hospitalité et ses conseils avisés. Je remercie également le personnel des offices du tourisme, en particulier Giovanni à Leche, et aux charmantes dames de Matera qui se sont démenées pour me renseigner sur l'hébergement et les excursions. Enfin, toute ma reconnaissance va à Paula Hardy et Damien Simonis pour leur e-mails de rappel à l'ordre et leur soutien tout au long de mes recherches.

BRENDAN SAINSBURY

Un grand merci à tous les anonymes, chefs de train, chauffeurs de bus, bénévoles des offices du tourisme, restaurateurs et passants qui m'ont aidé dans mes recherches. Un grand merci à Paula Hardy pour m'avoir confié cette mission et à Damien Simonis pour son soutien en tant qu'auteur coordinateur. Comme toujours, toute ma reconnaissance va à mon épouse Liz et à notre fils de 3 ans, Kieran, pour m'avoir accompagné dans divers coins reculés du Val d'Aoste et des Dolomites.

À NOS LECTEURS

Nous remercions vivement les lecteurs qui ont utilisé la précédente édition et qui ont pris la peine de nous écrire pour nous communiquer informations, commentaires et anecdotes :

Brigitte Caruso, Nathalie Cauquil, M. Chambon, Gilles Cousin, Virginie Joseph, Denis Marjolaine, Jean-Pierre Mathieu, Roger Moruzzi, Danielle Pépin, Carmen Trizio, M. Vincent

REMERCIEMENTS

Nous remercions pour nous avoir autorisés à utiliser :

L'image du planisphère de la page de titre : ©Mountain High Maps 1993 Digital Wisdom, Inc.

VOS RÉACTIONS ?

Vos commentaires nous sont très précieux et nous permettent d'améliorer constamment nos guides. Notre équipe lit toutes vos lettres avec la plus grande attention. Nous ne pouvons pas répondre individuellement à tous ceux qui nous écrivent, mais vos commentaires sont transmis aux auteurs concernés. Tous les lecteurs qui prennent la peine de nous communiquer des informations sont remerciés dans l'édition suivante, et ceux qui nous fournissent les renseignements les plus utiles se voient offrir un guide.

Pour nous faire part de vos réactions, prendre connaissance de notre catalogue et vous abonner à Comète, notre lettre d'information, consultez notre site web : **www.lonelyplanet.fr**

Nous reprenons parfois des extraits de notre courrier pour les publier dans nos produits, guides ou sites web. Si vous ne souhaitez pas que vos commentaires soient repris ou que votre nom apparaisse, merci de nous le préciser. Pour connaître notre politique en matière de confidentialité, connectez-vous à : www.lonelyplanet.fr/confidentialite/index.cfm

Index

INDEX

Les références des cartes sont indiquées en **gras**, les références des photographies en gris.

Les références des cartes sont indiquées en **gras**, les références des photographies en gris.

INDEX

Les références des cartes sont indiquées en **gras**, les références des photographies en gris.

Les références des cartes sont indiquées en **gras**, les références des photographies en gris.

Les références des cartes sont indiquées en **gras**, les références des photographies en gris.

Index écotouristique

Tout le monde semble se mettre au "vert" aujourd'hui, mais comment reconnaître les entreprises vraiment écologiques de celles qui ne font que profiter de la récente vogue du tourisme vert ou responsable ?

Les sites, circuits, bars, magasins, festivals, cours, restaurants et hébergements suivants ont tous été sélectionnés par les auteurs Lonely Planet parce qu'ils remplissaient des critères rigoureux en matière de tourisme responsable. Si nombre de restaurants italiens travaillent avec des produits locaux de saison, nous avons mis l'accent sur ceux qui vont un peu plus loin et ont reçu l'accréditation du mouvement Slow Food (voir p. 244). Nous avons également repéré les marchés fermiers et les producteurs locaux. En outre, nous avons indiqué les hébergements que nous estimons écologiques, par exemple pour leur engagement dans le recyclage ou les économies d'énergie. Les sites recensés le sont parce qu'ils sont engagés dans la préservation de l'environnement, l'éducation environnementale, parce qu'ils ont reçu un prix écologique ou qu'ils sont inscrits au patrimoine mondial de l'Unesco.

Pour plus de conseils sur le voyage écologique en Italie, voir p. 21.

Nous souhaitons continuer à étoffer notre liste d'adresses écologiques. Si vous pensez que nous avons omis un établissement qui devrait figurer ici, ou si vous désapprouvez nos choix, n'hésitez pas à nous en faire part à : **www.lonelyplanet.fr**

guide de conversation

Arabe égyptien

Dictionnaire bilingue inclus !

guide de conversation

Espagnol

Dictionnaire bilingue inclus

guide de conversation

Croate

Dictionnaire bilingue inclus

guide de conversation

Allemand

Pour ne pas garder sa langue dans sa poche !

guide de conversation

Espagnol latino-américain

Dictionnaire bilingue inclus

guide de conversation

Grec

Pour ne pas garder sa langue dans sa poche !

Pour voyager en V.O.

Et la collection "Petite conversation en"
Allemand
Anglais
Espagnol
Italien

guide de conversation

Japonais

Dictionnaire bilingue inclus

guide de conversation

Russe

Dictionnaire bilingue inclus

guide de conversation

Anglais

Dictionnaire bilingue inclus

Thaï

Dictionnaire bilingue inclus

Arabe marocain

Dictionnaire bilingue inclus

Hindi, ourdou et bengali

Pour ne pas garder sa langue dans sa poche !

Italien

Pour ne pas garder sa langue dans sa poche !

Polonais

Pour ne pas garder sa langue dans sa poche !

Vietnamien

Pour ne pas garder sa langue dans sa poche !

Portugais et brésilien

Pour ne pas garder sa langue dans sa poche !

Mandarin

Pour ne pas garder sa langue dans sa poche !

Turc

Pour ne pas garder sa langue dans sa poche !

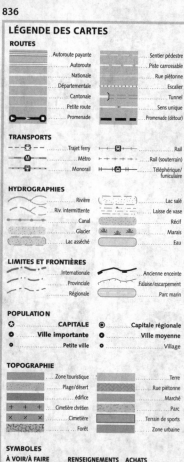

LÉGENDE DES CARTES

ROUTES

Autoroute payante
Autoroute
Nationale
Départementale
Cantonale
Petite route
Promenade

Sentier pédestre
Piste carrossable
Rue piétonne
Escalier
Tunnel
Sens unique
Promenade (détour)

TRANSPORTS

Trajet ferry
Métro
Monorail

Rail
Rail (souterrain)
Téléphérique/funiculaire

HYDROGRAPHIES

Rivière
Riv. intermittente
Canal
Glacier
Lac asséché

Lac salé
Laisse de vase
Récif
Marais
Eau

LIMITES ET FRONTIÈRES

Internationale
Provinciale
Régionale

Ancienne enceinte
Falaise/escarpement
Parc marin

POPULATION

⊕ **CAPITALE**
⊙ **Ville importante**
○ Petite ville

◉ Capitale régionale
⊙ Ville moyenne
○ Village

TOPOGRAPHIE

Zone touristique
Plage/désert
édifice
Cimetière chrétien
Cimetière
Forêt

Terre
Rue piétonne
Marché
Parc
Terrain de sports
Zone urbaine

SYMBOLES

À VOIR/À FAIRE

Plage
Pagode
Château
Cathédrale
Culte confucéen
Site de plongée
Temple hindouiste
Mosquée
Temple jaïna
Synagogue
Monument
Musée
Pique-nique
Centre d'intérêt
Ruine
Culte shinto
Temple sikh
Ski
Culte taoiste
Vignoble
Zoo, ornithologie

RENSEIGNEMENTS

Banque/distributeur
Ambassade/consulat
Hôpital
Renseignements
Cybercafé
Parking
Station-service
Police
Poste
Téléphone
Toilette

SE LOGER

Hôtel
Camping

SE RESTAURER

Restauration

BOIRE UN VERRE

Bar
Café

SORTIR

Spectacle

ACHATS

Magasins

TRANSPORTS

Aéroport/aérodrome
Poste frontière
Arrêt de bus
Piste cyclable
Transports
Taxi
Chemin de randonnée

TOPOGRAPHIE

Danger
Phare
Point de vue
Montagne, volcan
Parc national
Oasis
Col
Sens du courant
Gîte d'étape
Point culminant
Rapide

Note : tous les symboles ne sont pas utilisés dans cet ouvrage

Italie
4e édition
Traduit, extrait et adapté de l'ouvrage *Italy (9th edition)*, February 2010
© Lonely Planet Publications Pty Ltd 2010

Traduction française :

place des éditeurs

© Lonely Planet 2010,
12 avenue d'Italie, 75627 Paris cedex 13
☎ 01 44 16 05 00
✉ lonelyplanet@placedesediteurs.com
🖥 www.lonelyplanet.fr

Dépôt légal
Juin 2010
ISBN 978-2-81610-261-1

© photographes comme indiqués 2010

Photographie de couverture : Venise, Campo San Barnaba, Olimpio Fantuz, SIME/4Corners Images.
La plupart des photos publiées dans ce guide sont disponibles auprès de notre agence photographique Lonely Planet Images : www.lonelyplanetimages.com

Imprimé par 🖨 Grafica Veneta, Trebaseleghe, Italie

Sources Mixtes
Groupe de produits issu de forêts bien gérées et d'autres sources contrôlées
FSC
www.fsc.org Cert no. BV-COC-070810
© 1996 Forest Stewardship Council